1 MONTH OF
FREE
READING

at
www.ForgottenBooks.com

By purchasing this book you are eligible for one month membership to ForgottenBooks.com, giving you unlimited access to our entire collection of over 700,000 titles via our web site and mobile apps.

To claim your free month visit:
www.forgottenbooks.com/free1017916

ISBN 978-0-331-13523-7
PIBN 11017916

Digi

Illustrirtes

Bau-Lexikon.

Praktisches

Hülfs- und Nachschlagebuch

im Gebiete

des Hoch- und Flachbaues, Land- und Wasserbaues, Mühlen- und Bergbaues,
der Schiffs- und Kriegsbaukunst,

sowie der Mythologie, Ikonographie, Symbolik, Heraldik, Botanik und Mineralogie,

so weit solche mit dem Bauwesen in Verbindung kommen.

Für Architekten und Ingenieure, Baugewerken und Bauherren, Baubeflissene und Gewerbschüler, sowie
für Archäologen, Kunstliebhaber und Sammler.

Herausgegeben

von

Dr. Oscar Mothes,

Architekt, früher k. sächs. Artillerieleutnant, Verfasser der „Geschichte der Baukunst und Bildhauerei Venedigs",
Inhaber der k. k. österr. gold. Medaille für Kunst und Wissenschaft, corresp. Ehrenmitglied der
sociedad scientifica in Murcia u. s. w.

Dritter Band.

Mit 480 in den Text gedruckten Abbildungen.

Zweite, gänzlich umgearbeitete und vermehrte Auflage
des Allgemeinen deutschen Bauwörterbuchs.

Leipzig und Berlin,
Verlagsbuchhandlung von Otto Spamer.

1868.

Leipzig,

Druck von Giesecke & Devrient.

Architecture
GIFT

N. 1) Als Zahlzeichen. a) Im Hebräischen = 50, = 50,000. b) Im Lateinischen N = 900, mitunter 90; N̄ = 900,000. c) Im Griechischen ν = 50, ν̄ = 50,000. 2) Als Abkürzung auf Inschriften ꝛc. für Numerus, Nomen, Numen etc.

Nab, engl., Schließhaken, Schließklappe.

Nabe, frz. moyeu, engl. nave, stock, hohler Cylinder in der Mitte eines Rades, in welchem die Speichen stecken und dessen Höhlung, das Nabenloch, frz. oeuil de roue, engl. nave-hole, bore, auf die Achse aufgeschoben wird. Um das Zerspringen hölzerner Naben zu verhindern, sind dieselben mit Nabenringen, franz. frettes, engl. nave-hoops, beschlagen.

Nabel, frz. ombilic, engl. umbo. 1) Mittelknopf eines Schildes. — 2) Nabel einer Curve; s. d. Art. Nabelpunkt. — 3) Nabel eines Kuppelgewölbes, der obere Theil, der Schluß desselben. Wenn Oberlicht gewünscht oder aus sonstigem Grunde eine Oeffnung nöthig ist, heißt diese Nabelöffnung. Um ihr Schutz gegen den Einfluß der Witterung zu geben, bringt man ein Glasdach oder eine Laterne mit Glasfenstern darauf.

Nabelpunkt, 1) einer krummen Fläche; ein Punkt, in welchem die beiden Krümmungshalbmesser gleich sind. Eine zu seiner Tangentialebene in unmittelbarer Nähe parallel gelegte Ebene schneidet die Oberfläche in einem Kreise. Bei der Kugel kann jeder Punkt als Nabelpunkt angesehen werden; das dreiachsige Ellipsoid hat deren vier, welche in den durch die längste und kürzeste Achse gehenden Hauptschnitten liegen; s. auch d. Art. Fläche, S. 65 im II. Bd.; — 2) einer Curve, s. die Art. Brennpunkt, Curve und Hyperboloid.

Nabelreihe (Herald.), s. d. Art. Bandreihe u. Heraldit VI.

Nabelstrauch (Omphalobium Lambertii, Fam. baumbohnenartige Pflanzen, Connaraceae R. Br.), ist ein Strauch Guiana's, welcher das von den Kunsttischlern sehr gesuchte Zebraholz (Zebra-wood) liefert.

Nabenbohrer. Zum Bohren des Nabenlochs (s. d. Art. Nabe) benutzt man Löffelbohrer von verschiedener Stärke; der zuerst gebrauchte, schärfste, heißt Durchstecher, der mittlere Näber, der größte und letzte Radbohrer.

Nacelle, frz., s. v. w. Einziehung; s. d.

Nachahmung der Materialien durch Anstrich ꝛc., s. d. Art. Imitation.

Nachbargrundstücke; über die Berücksichtigung derselben bei Bauten s. d. Art. Baurecht, Besorchtung, Einfriedigung, Grenze ꝛc.

Nachbarpunkt, s. d. Art. Curve.

nachbessern, mit Hammer und Meißel hervorragende Stellen einer Mauer oder dgl. abarbeiten.

nach dem Faden, in Bezug auf die Bearbeitung des Holzes, heißt s. v. w. der Länge nach, den Jahrringen folgend.

nachgilben, s. d. Art. abgelben 2.

nachreißen. 1) (Bergb.) ein noch anstehendes Stück in einem Gang wegbauen, oder auch durch Wegbauen des Gesteins eine Straße, die zu eng und niedrig befunden wird, erweitern; 2) (Zeichnen) einen Riß abzeichnen (copiren).

nachschlichten, 1) (Wasserb.) auch nachschießen genannt, auf eine Abschußlage (s. d.) Faschinen legen und diese gehörig verankern; — 2) s. d. Art. schlichten, abschlichten und Schlichthobel.

Nachschlüssel (Schlosser); so wird ein zu einem Schloß passend gemachter Schlüssel, der eigentlich nicht zu diesem gearbeitet ist, besonders dann genannt, wenn die Benutzung heimlich und widerrechtlich geschieht.

Nachschröter (Röhrenw.), der beim Bohren von Röhren zuletzt angewendete große Löffelbohrer.

Nachschuß, s. d. Art. nachschlichten 1.

Nachschwitzelle, s. d. Art. Bad, S. 194, Bd. I.

Nacht, s. d. Art. Nyx, Latona ꝛc.

Nachtriegel (Schlosser), kleiner Riegel zum bequemen Schluß der Thür, ohne einen Schlüssel zu gebrauchen; er befindet sich im unteren Theil des Thürschlosses oder in einem besonderen Schlößchen und ist so angeordnet, daß er bloß von innen auf- und zugeschoben werden kann.

Nachtstuhl, frz. chaise percée, s. d. Art. Abtritt.

Nachwachs (Forstw.). 1) Zwei und drei Jahre altes Holz, welches aus dem Saamen aufgegangen ist; — 2) bei Nadelholz der zweite Trieb, der im Sommer wächst.

Nacken, frz. gorge, engl. neck, s. v. w. Halsglied; s. d. Art. Hals 1.

Nadel. 1) Auf dem Boden einer Schleuße, eines Siels, überhaupt eines Rostes, kreuzweis liegende und zur Befestigung dienende Querhölzer; — 2) frz. aiguille, engl. spire, s. v. w. Spitzsäule, Helmdach; — 3) Stift zum Auftragen der Farben beim Emailmalen.

Rothes, Jllustr. Bau-Lexikon. 2. Aufl. 3. Bd.

246

1

Nadeldruse (Bergb.), in zarten Nadeln oder feinen Spitzen krystallisirte Druse.

Nadelerz, eine Verbindung von Schwefelkupfer und Schwefelwismuth mit Schwefelblei und Schwefelwismuth.

Nadelfeile, ganz dünne Feile zu fein durchbrochener Metallarbeit.

nadelförmig; so heißen Krystalle, die in langen und dünnen Strahlen gewachsen sind.

Nadelholz, alles Holz von den, Nadeln statt der Blätter tragenden, Bäumen, der natürlichen Familie der Zapfenfrüchtler (Coniferae) angehörig. Man benußt es in ganz Deutschland als Werthoz. Man rechnet zu diesem Holze: Fichte, Kiefer, Tanne, Lärche, Merze, Cypresse, Araukarien. Die Bäume dieser Abtheilung treiben abgehauen keinen Stockausschlag und die wintergrünen Arten lassen, wenn sie dicht stehen, unter sich fast keine Pflanzen aufkommen, als Moose, Flechten und Schwämme. Das Holz ist weich, leicht zu spalten, der Länge nach aber meist sehr zähe und elastisch, daher bei schlankem Wuchs zu Stangen, Balken, Masten und Brettern vorzüglich geeignet. Nordamerika ist ebenfalls reich an Nadelhölzern, z. B. Pinus alba, canadensis, Douglasii, flexilis, Strobus ꝛc.; s. übr. d. Art. Bauholz, Holz, Holzkohle ꝛc.

Nadelkohle, Art der Braunkohle; s. d.

Nadelpalme (Raphia taedigera Mart., Fam. Palmen), in Brasilien, besißt 40 – 50 Fuß lange Blätter, die zum Dachdecken dienen; technisch benußbares Holz, Mark, das sich wie Kork verwenden läßt, und Blattstiele, deren Haut zu Jalousien, Körben und dergl. verarbeitet wird. Die Brasilianer nennen sie Jupati.

Nägelfarbe, braune Farbe, ähnlich der Farbe der Gewürznägelein.

Nägelmale, Attribut der h. Catharina; s. d. 3.

Näherung oder Approximation, die Werthangabe einer Größe, welche zwar nicht völlig genau ist, aber doch dem wahren Werth nahe kommt. So kann man irrationale Zahlen (z. B. Wurzeln, Logarithmen, trigonometrische Functionen) nie völlig genau, sondern nur näherungsweise ausdrücken; d. h. die Grenzen, zwischen welchen sie liegen müssen, sehr nahe an einander rücken lassen. Jede Reihe, welche in's Unendliche geht, z. B. die Reihe für die Basis der natürlichen Logarithmen:

$$2 + \frac{1}{2} + \frac{1}{2.3} + \frac{1}{2.3.4} + \cdots$$

kann nur Näherungswerthe der durch sie ausgedrückten Größe liefern, die aber auf beliebige Genauigkeit getrieben werden können. In der Praxis kann man durch Näherungsmethoden oft complicirtere Rechnungen oder Constructionen vermeiden, ohne daß dabei die nöthige Genauigkeit verloren geht. 1) Für numerische Brüche geschieht dies am einfachsten mit Hülfe der Kettenbrüche (s. d.), durch welche sich z. B. das hinreichend genaue Metius'sche Verhältniß $\frac{113}{355}$ für die Ludolph'sche Zahl ergiebt. 2) Für Ausziehung der Quadrat- und Cubikwurzeln. Ist b sehr klein gegen a, so kann man nahezu setzen:

$$\sqrt{a^2 \pm b} = a \pm \frac{b}{2a},$$

sowie:

$$\sqrt[3]{a^3 \pm b} = a \pm \frac{b}{3a^2}.$$

Hierher gehört auch der Saß von Poncelet, daß, sofern b kleiner ist als a, mit einem Fehler von höchstens 4 Procent gesetzt werden kann:

$$\sqrt{a^2 + b^2} = 0,96a + 0,40b,$$

3) Bei den algebraischen Gleichungen, deren Auflösung für den dritten und vierten Grad wohl möglich, jedoch sehr umständlich, für höhere Grade aber unmöglich ist, läßt sich gewöhnlich ein Näherungswerth der Wurzel finden. Ist derselbe nicht genau genug, so kann man mit Hülfe verschiedener Methoden aus demselben einen genaueren Werth berechnen, und sofort bis zu größerer Genauigkeit. Ist z. B. x_1 ein Näherungswerth einer Wurzel der Gleichung:

$$x^3 + ax^2 + bx + c = 0,$$

so folgt genauer:

$$x = \frac{2x_1^3 + ax_1^2 - c}{3x_1^2 + 2ax_1 + b}.$$

Seßt man hierin für x_1 den aus dieser Formel erhaltenen Werth x ein, so erhält man einen noch genaueren Werth der Wurzel jener cubischen Gleichung. 4) Auch die sog. Regula falsi (s. d.) ist ein Mittel zur Erreichung desselben Zieles.

Näherungshindernisse, s. d. Art. Annäherungshindernisse und Festungsbau.

Nährzoll, Zehrzoll oder Jahrzoll, der Zoll, welcher dem Mühlfachbaum wegen der Abnußung zugegeben wird; s. d. Art. Fachbaum.

Näpfchenkobalt (Mineral.), f. v. w. gediegener Arsenik; s. d.

Nässe, s. d. Art. Feuchtigkeit.

Näther, auch Nätherzaun (Wasserb.), ein in fließenden Gewässern zum Auffangen des Sandes und Schlickes angelegter Zaun, von Weidenruthen geflochten; als Uferschüßung ist er nicht anwendbar, weil er sich vom Wasser hinterwaschen.

Nafata, s. d. Art. Bergnaphtha.

Nagasbaum (Mesua ferrea L., Fam. Clusiaceae Chois.), Indian Rose Chesnut, Naga-Kesara, ist ein Baum der Indischen Inseln; wird daselbst wegen der Schönheit seiner wohlriechenden Blüthen auch kultivirt und liefert das Nagashoz oder ceylonische Eisenholz des Handels. Dieses ist so hart, daß es von einer gewöhnlichen Art nicht angegriffen wird.

Nagebohrer oder Nagekäfer, s. d. Art. Bohrkäfer und Holznager.

Nagel, lat. clavus, frz. clou, engl. nail, ital. chiodo, span. clavo. I. Spißiger Körper, welcher zum Zusammenhalten zweier zusammenpassender Gegenstände dient, indem man ihn durch dieselben wie einen Keil eintreibt. Man baßt zu verschiedenen Zwecken verschiedene Arten Nägel.

A. Eiserne geschmiedete Nägel, zäher und weniger glatt als die Maschinennägel und daher zur Befestigung von Fußböden, sowie in solchen Fällen, wo ein häufiges Herausziehen und Wiederverwenden des Nagels eintreten soll, den Drahtstiften vorzuziehen. Sie sind meist rechteckig im Querschnitt und haben einen dachförmigen Nagelkopf. Je nach dem speciellen Zweck, dem sie dienen sollen, haben sie verschiedene Größen und namentlich verschiedene Kopfformen. Man schmiedet auf dem Ambos das weißglühende Ende eines Stabes zu der gewünschten Stärke und Länge aus und bildet durch zwei Hammerschläge einen Ansatz da, wo der Kopf hinkommen soll. So weit hinter diesem Ansatz, daß genug Eisen zum Kopf bleibt, schlägt man den Stab auf dem Nagelschrot (s. d.) ziemlich durch, steckt ihn in das Nageleisen, bricht ihn durch Drehen vollends ab, bildet mit Hammerschlägen den Kopf und stößt den fertigen Nagel heraus. Die größten Sorten werden auf Hammerwerken geschmiedet. Sehr gut ist es, die Nägel oder die zu ihrer Anfertigung bestimmten Eisenstäbe einer Drehung zu unterwerfen, wodurch die Kanten Schraubenlinien bilden; solche Nägel sitzen fester, als die mit geraden Kanten. Die Haltbarkeit eines solchen Nagels pro Quadratzoll seiner in das Holz eingedrungenen Oberfläche beträgt in Zollpfunden:

	von der Hirnseite eingeschlagen:	quer gegen die Fasern
in Eichenholz	1500 Pfd.,	2000 Pfd.,
in Weißbuchenh.	1200 „	1680 „
in Rothbuchenh.	1000 „	1550 „
in Lindenholz	500 „	750 „
in Tannenholz	480 „	900 „

Das zweckmäßigste gegenseitige Verhältniß der Dimensionen drückt sich in nachstehenden Gleichungen aus, wenn l die Länge des Nagels, a und b die Querschnitts-Dimensionen am Kopf, d den mittleren Durchmesser des Kopfes bedeutet, alle in derselben Längeneinheit ausgedrückt.

$$12\,b = \frac{l}{3} + \sqrt{l - 18\,a}; \quad d = \frac{l}{24} + b$$

Die gewöhnlichsten Sorten im Handel sind:

Allgemein deutsche Benennung.	Länge in Zollen.	Gewicht in Pfunden.
1) Sparrennägel mit hohem runden Kopf		
a. Zweigroschennägel	9	1/4 pro Stück
b. Groschennägel	7—8	1/6—1/9 „ „
c. Dreipfennignägel	6	1/12 „ „
d. Zweipfennignägel, Schiftnägel	4—5	1/15—1/20 „ „
2) Bodenspicker, Bodennägel mit zweilappigem Kopf		
a. Extrastarke	5—5 1/2	35—40 pro Mille
b. Doppelte	4—4 1/2	25—30 „ „
c. Einfache	3 1/2—4	20—25 „ „
d. Leisten-, auch Lattennägel genannt	3—3 1/2	15—20 „ „
3) Bretnägel mit zweilappigem Kopf: a. Ganze	2 1/2—2 3/4	8—10 pro Mille 1/2 ca pro Schock
b. Halbe	1 7/8—2	4—7 pro Mille 1/4 circa pro Sch.
4) Schloßnägel mit rundem Kopf		
a. Ganze	1 1/2—1 5/8	3—3 1/4 pro Mille
b. Halbe	1—1 1/8	1 1/2—1 3/4 „ „
5) Schindelnägel mit rundem Kopf	1 5/8—1 7/8	3 1/2—4 „ „
6) Rohrnägel mit rundem Kopf	1	2 1/4 „ „
7) Zwecken	1/2—3/4	3/4—1 „ „
Außerdem in einzelnen Ländern.		
8) In Schlesien		
a. Ganze Wehrnägel	10	circa 1/4 pro Stück
b. Halbe „	7	„ 1/8 „ „
c. Große Haspennägel	6	„ 1/10 „ „
d. Kleine „	5	„ 1/14 „ „
e. Stufennägel	5 3/4	„ 3 pro Schock
f. Lattennägel	5	1 7/8—2 „ „
g. Ganze Bretnägel	4	1 1/4—1 3/8 „ „
h. Dreiviertel- „	3 1/4	1 „ „
i. Halbe „	2 1/2	1/2—5/8 „ „
k. Viertel- „	1 3/4	3/8—1/2 „ „
l. Schindelnägel	2	3/8 „ „
m. Leistennägel	1 3/4	2 pro Mille
n. Rohrnägel	1 1/4	2 „ „
o. Ganze Schloßnägel	2	5 „ „
9) Am Rhein: Pliesternägel	— —	1 3/4 „ „
10) In Oesterreich nennt man alle Nägel mit zweilappigem Kopf Bartnägel.		
a. Sparrnägel, auch Anzugnägel, Anrufnägel, Schiftnägel, Spranznägel gen.; sind Bartnägel mit dachförmigem Kopf	8, 10, 15	1/4—1/3 pro Stück
b. Lattennägel, sind Bartnägel	2, 2 1/2, ꝛc.—6	8—50 pro Mille
c. Spündnägel	5—6	40—50 „ „
d. Bodennägel, auch Band- oder Fluddernägel genannt Bartnägel mit flachem Kopf	2—6	8—50 „ „
e. Schal- oder Thornägel mit rundem, gewölbtem Kopf .	2—4	12—30 „ „
f. Bretnägel oder Ladennägel mit zweihakigem Kopf		
Ganze	3 1/2	25 „ „
Halbe	3	16 „ „
g. Schindelnägel mit plattem Kopf (Schaufelnägel)	2	3—3 1/2 „ „
h. Schindelnägel mit zweilappigem Kopf (Köpfelnägel) .	2 1/4	4 1/2—5 „ „
i. Rohrnägel oder Stuckatornägel	1 1/4	2—4 „ „
k. Schloßnägel, Rahmnägel, Spaliernägel	verschieden	3/4—3 „ „
l. Schiefernägel	verschieden	3—5 „ „
m. Blech- oder Decknägel	verschieden	3/4—3 „ „

B. **Eiserne Maschinennägel,** warm gepreßte Nägel. Die Nagelmaschine besteht in der Hauptsache aus zwei Walzen, in deren jeder die Hälfte der Nagelform reihenweise eingegraben ist. Indem man nun glühende Eisenschienen zwischen den Walzen durchgeben läßt, werden die Nägel ausgepreßt; diese hängen noch etwas zusammen und werden dann vollends auseinander geschnitten. Sie sind meist weicher als die geschmiedeten und schlagen sich leicht krumm. Sorten sind folgende:

Benennung.	Länge in Zollen.	Gew. in Pfunden.	
a. Baunägel N. 1.	4	100 pro 85 Stück	
„ „ 2.	3³/₄	57	„ Schock
„ „ 3.	3¹/₂	50	„ „
„ „ 4.	3¹/₄	40	„ „
„ „ 5.	3	33	„ „
„ „ 6.	2¹/₂	24	„ „
„ „ 7.	2	17	„ „
„ „ 8.	1¹/₂	14	„ „
b. Rohrnägel	1	2¹/₂ pro Mille	
c. Pappennägel mit großen Köpfen	1¹/₄	2¹/₂ „ „	
d. Schloßnägel	verschieden 1⁴/₈—3 „ „		

C. **Eiserne Blechnägel,** kalt geschnittene Maschinennägel. Das Blech wird in Streifen geschnitten, so daß die Richtung, in der es gewalzt ist, die Streifen quer durchzieht; dann werden die Bleche durch Messer in Dreiecke, besser noch nach Fig. 1514 geschnitten. Dann werden die Abschnitte geglüht und die Köpfe mittelst einer andern Maschine durch Stoßen oder Pressen geformt. Diese Nägel spalten sehr leicht und sind überhaupt nicht zu empfehlen.

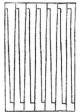

Fig. 1514.

D. **Eiserne gegossene Nägel;** solche werden in zweitheiligen Sandformen gegossen und dann adoucirt oder getempert, d. h. gelinde geglüht, bleiben aber dennoch spröde und sind daher fast untauglich.

E. **Eiserne Drahtstifte.** Hart gezogener, nicht geglühter, runder oder quadratischer Draht wird in Stücke geschnitten; diese werden gerade gerichtet und mittelst eines Spitzrades, d. h. eines eisernen Schleifrades mit feilenartig aufgehauenem Rand, oder mittelst einer Presse gespitzt, dann durch Pressung, Schlag oder Stoß mit einem Kopf versehen, während sie unter dem Kopf eingeklemmt sind. Bei andern Maschinen wird die Drahtrolle einfach mit einem Ende in die Maschine eingeführt, diese zieht den Draht um eine Nagellänge auf einer Geradrichtung vorwärts, dann packt ihn eine Zange, so daß die zum Kopf nöthige Länge vorsteht; ein vordringender Stempel bildet den Kopf und eine Scheere schneidet ihn ab, dabei zugleich die Spitze erzeugend. Je nach Größe der Nägel rc. liefert die Maschine 50—300 Stück in der Minute. Die Köpfe sind meist rund und platt. Die gerippten Köpfe sind wegen bessern Haftens der Hammerschläge den glatten vorzuziehen. Vierkantige Drahtstifte haften besser als runde, schraubenartig gedrehte noch besser. Die Sorten werden meist nach Nummern benannt. Diese Numerirung ist aber fast auf jeder Fabrik nach anderem System eingerichtet. Am meisten verbreitet ist die Benennung der Sorten in Bruchform, so daß der Zähler die Stärke oder den Umfang, der Nenner die Länge in französischen Linien oder auch in irgend einer idealen Maßeinheit ausdrückt. Zweckmäßig ist es, die meist sehr glatten Drahtstifte durch Einlegen in Schwefelsäure vor ihrer Verwendung rauh zu beizen, worauf sie fester sitzen, als wenn man sie glatt läßt.

F. **Kupfernägel,** braucht der Kupferschmied.

G. **Blechnägel,** s. d.

H. **Steinnägel,** s. d.

I. **Holznägel,** frz. cheville, gournable, engl. treenail, trennel, trunnel, auch Bandnagel genannt; sie müssen etwas conisch geschnitten werden und scharf schließen, dürfen demnach nicht zu nahe am Hirnholz eingetrieben werden, um dasselbe nicht zu spalten.

II. **Nägel** als Attribut erhalten die Heiligen: Dagobert, Epimachus, Julianus Emesenus, Pantaleon, Severus von Rom, Otto, Helena, Theodula rc.

III. **Nagel** als Gewicht, s. d. Art. Nail.

Nagelbank (Schiffsb.), frz. râtelier à chevillots, engl. ranger with belaying pins; Latte, mit hölzernen Nägeln versehen, um das Tauwerk darüber zu leiten, resp. daran zu binden.

Nagelbohrer, s. d. Art. Bohrer.

Nageldocke, frz. cloutière, clouvière, engl. nail-mould, vierkantiges, 1 bis 2¹/₂ Fuß hohes Eisen, hat oben ein Loch, an der Seite eine Rinne, dient zum Schmieden großer Nagelköpfe.

Nageleisen, frz. emboutissoir, engl. nail-bore (Schlosser), Stück Eisen, auf der einen Seite zur runden Angriffsstange, auf der anderen zu einer Scheibe ausgeschmiedet; in letzterer ist ein Loch, in welches die Nägel gesteckt und in dem die Köpfe an dieselben angeschmiedet werden. Fig. 1515 zeigt verschiedene derselben.

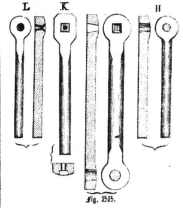

Fig. 1515.

Nageleisenerz, (Mineral.), s. v. w. stängeliger Thoneisenstein; s. d.

Nagelfluhe, ein zur Molasse-Gruppe gehöriges Conglomerat. In der Nagelfluhe finden sich Geschiebe, die aus dem meist aus kalkigem Sand bestehenden Bindemittel wie Nagelköpfe hervorragen. Die Härte und Festigkeit der Nagelfluhe ist so verschieden, wie die der Molasse. Dieses Conglomerat findet sich besonders in der Molasse der Schweiz, im Rigi; die festeren Theile derselben werden als Bausteine und zum Belegen von Chausseen verwendet.

Nagelholz; zu Verfertigung von Nägeln aus Holz dient am besten zähes Buchen- od. Eichenholz.

Nagelkalk, s. d. Art. Tutenkalk.

Nagelkopfverzierung, en l. nailhead, anglonormanische Gliedbesetzung, s. Fig. 1516.

Nagelmaschine, 1) (Schiff.) Vorrichtung, um das Ausziehen und Eintreiben großer Nägel zu bezwecken; der hauptsächlichste Theil daran ist eine Schraube ohne Ende. — 2) Maschine zur Nagelfabrikation, s. d. Art. Nagel.

Fig. 1516.

Nagelschrot, Abschrot, s. d. Art. Amboseinsatz und B. in Fig. 97, Bd. I.

Nagelspitzkreuz, s. d. Art. Kreuz 19.

Nagelzange, s. d. Art. Beißzange.

Nagelwerk, s. d. Art. Bindwerk.

Nahrzoll (Mühlenb.), s. v. w. Nährzoll.

nahsäulig, systylös, griech. σύστυλος, heißt eine Säulenstellung, wenn das Jntercolumnium nur zwei Durchmesser der Säulen oder 4 Model beträgt; s. d. Art. Säule.

Naht, 1) (Schiffb.) die dicht zusammengestoßenen Fugen der Boden- und Seitenplanken; sie werden durch eingetriebenes Hanfwerg verstopft und mit geschmolzenem Pech überstrichen, um sie wasserdicht zu machen. Man nennt die senkrechten Hirnfugen auch Quer- oder Dwarsnähte; — 2) (Schleußenb.) bei Brettern, die zur Bekleidung dienen, die Spalten; — 3) (Deichb.) Stelle, wo die Besodungen von zwei Deichpfändern aneinander stoßen; — 4) bei gegossenen Gegenständen die Stelle, wo zwei Theile der Form sich vereinigen, in der Regel als kleine Erhöhung sichtbar; — 5) Stelle, wo zwei Stücken Blech zusammengenietet oder gelöthet sind; — 6) auch Grat genannt, Zusammenstoß von zwei Gewölbflächen.

Naihobaum (Myoporum tenuifolium Forst., Fam. Myoporineae R. Br.), ist ein neuseeländischer Baum, welcher eine Art Sandelholz liefert.

Nail, engl., 1) Nagel, nailhead, Nagelkopfverzierung, nails of 50, Bodennagel; — 2) englisches Wollgewicht, ungefähr gleich 7 Pfund hamburgisch; 52 machen einen Sack.

Naiskos, Naiskorion, s. v. w. aedicula, Schutzdach des Cultbildes in den antiken Tempeln.

Naissance, franz., eigentlich Geburt, daher Anfangspunkt; **naissance de colonne,** n. du fût, s. v. w. Anlauf (s. d. 5) der Säulenschäften; **naissance de voûte,** Kämpfer, Widerlager eines Gewölbes.

naissant, frz. (Herald.), so heißt ein Thierbild im Wappen, wenn nur der Kopf unter dem Rand oder von der einen Seite des getheilten oder gespaltenen Schildes hervorragt.

Namenwappen oder redende Wappen, s. den Art. Heraldt VIII, S. 145, geben ungefähr wie ein Rebus den Namen wieder; in der Regel sind solche Wappen nicht von alter Herkunft.

Redende Wappen sind auch noch solche (auch

diese sind selten alt), welche rebusartig auf den Stand des Stammvaters oder die Veranlassung der Adelsverleibung hindeuten.

Namiesterstein oder Nanniestein, s. d. Art. Granulit.

Naudyavartta, s. d. Art. indische Baukunst, S. 326 im II. Band.

Nanibaum (Metrosideros vera), s. d. Art. Eisenholz 1.

Nanna, das Mädchen (nord. Mythol.), Gattin des Baldur, Nef's Tochter, Forseti's Mutter; starb aus Gram über Baldur's Tod und wurde mit ihm verbrannt; sie symbolisirt die Jugend, die zerstört wird, wenn das Leben seine Vollendung erreicht.

Naos, griech. ναός, ναῦς, νεώς, Wohnung, Schiff, Tempel, Kirchenschiff, Kirche.

Napfkachel, s. d. Art. Kachel, S. 353, Bd. II.

Naphta, s. v. w. Salpeteräther.

Naphtha, Steinöl, Petroleum; quillt theils aus der Erde hervor, theils wird es durch Destillation einiger Steinkohlensorten gewonnen.

Naphthalin, bildet sich, wenn organische Substanzen in Alkohol, Oele, Harze bei lebhafter Rothglühhitze zersetzt werden. Hauptsächlich ist es im Steinkohlentheer enthalten und tritt häufig als lästiges Nebenprodukt bei der Gasbereitung auf. Gewonnen wird es durch Destillation des Steinkohlentheers. Chemisch verhält es sich ähnlich dem Benzol; mit Salpetersäure giebt es Verbindungen, in denen mehrere Aequivalente Wasserstoff durch ein oder mehrere Aequivalente Untersalpetersäure ersetzt sind und welche zu Zwecken der Färberei benutzt werden.

1) Gelbe Farbe aus Naphthalin. 1 Theil Nitronaphthalin, 1 Theil kaustisches Kali, in möglichst wenig Wasser aufgelöst, u. 2 Theile gelöschter Kalk geben ein Pulver. Dieses wird in einer tubulirten Retorte im Oelbad 10—12 Stunden lang bis 140° erhitzt, dann herausgenommen; giebt an Wasser ein Kalisalz ab, welches gelb färbt. Säuren in geringem Ueberschuß zugesetzt, verwandeln die Lösung in einen dicken Brei, in dem sich der schöngelber Körper sich abscheidet, die Nitroxynaphthalinsäure. Bildet mit den Alkalien gelbe, lösliche krystallisirbare Salze.

2) Violet aus Binitronaphthalin; man behandelt es mit concentrirter Schwefelsäure, welche bei 300° C. es angreift. Die Lösung, welche kirschroth, zuletzt bräunlichroth wird, bringt man von Zeit zu Zeit in Tropfen in Wasser und erhält endlich ein dunkles Violet. Nun nimmt man die Mischung vom Feuer, gießt sie in Wasser, erhitzt bis zum Kochen und filtrirt dann bei; beim Erkalten scheidet sich ein Theil des Farbstoffes flockig aus. Diese Flüssigkeit wird durch Alkalien violetroth; zuerst mit Alkalien theilweis, dann mit Kreide vollends gesättigt, färbt sie auch Baumwolle violet; mit Thonerde, Zinnoxyd und Bleioxyd bildet sie violette Niederschläge.

Napkin-pattern, engl., s. v. w. linen-pattern; s. d.

Napoleonischer Styl, Imperialstyl, neufranzösischer Styl; so pflegt man die Bauweise zu nennen, welche unter Napoleon I. in Frankreich herrschte und sich von dort aus, bei dem mächtigen Einfluß Frankreichs, fast über ganz Europa, ja bis nach Amerika Bahn brach. Schon in den letzten

Regierungsjahren Ludwig's XV. hatte sowohl Jacques Denis Antoine bei Entwerfung des Münzpalastes zu Paris (1768), als Contant d'Jvry bei Beginn der Magdalenenkirche, besonders aber Louis bei Erbauung des Theaters von Bordeaux, mit Erfolg dahingestrebt, sich von den Schnörkeln des Rococco frei zu machen. Dennoch war das Resultat nicht immer ein glückliches zu nennen. Die Magdalenenkirche ist allerdings äußerlich die reine Copie eines spätrömischen Tempels, aber auch mit allen Fehlern dieser letzten Zeit der Antike. Die anderen Gebäude sind zwar des wildphantastischen Zopfschmucks entkleidet, zeigen aber noch immer jene Attilen, Balustraden, Stylobate, Bossagen ꝛc., die, in ihrer Anordnung und in ihrem Verhältniß nichts weniger als der Antike entsprechend, in der Zeit des Barocquestyls zwischen die

Fig. 1517. Theater des Odeon in Paris.

antiken Formen der Renaissance hineingeschoben worden waren, sich während der Herrschaft des Rococco unter der überreichen Ornamentik versteckt hatten und nun, dieses Schmuckes beraubt, in ihrer nackten Albernheit um so toller gegen die reinen Formen der Säulen und Gebälke abstachen. Aber man ging noch einen Schritt weiter. Gondouin begann 1774 den Bau der Medicinschule mit ionischen Säulen, über denen eine mächtige, schwere Attika thront. Die Hinterseite des Hofes schmückt eine sechssäulige korinthische Tempelfront in edlen Verhältnissen. Peyre und Bailly erbauten 1789 das Theater des Odeon, siehe Fig. 1517. Brongniart begann 1780 das Capuzinerkloster an der Chaussée d'Antin mit dorischen Säulen, genau in den schwerfälligen Verhältnissen der Tempel von Pästum, eingeschoben zwischen fensterbesetzte Mauern, die in Verhältnissen u. Massenvertheilung total zopfig sind, wenn sie auch nicht mit Zopfornamenten besetzt sind. Die Revolution unterbrach diese Arbeiten. — Nach dem Sturz der Schreckensherrschaft wurde die ganze Organisation des Staates, der Gesellschaft ꝛc. nach dem Beispiel der römischen Republik umgeschaffen. Der Kunst wurde durch den Willen des neuen Cäsars dieselbe Bahn angewiesen, der an David die geeignete Persönlichkeit fand, um seinen Willen in's Werk zu setzen. Auf dem Gebiet der Architektur hielten Percier und Fontaine die Zügel in den Händen. Ihre ersten Arbeiten waren Meubles und Stoffmuster, dann folgten Saaldecorationen und der Triumphbogen des Carrousel, eine ziemlich treue Copie des Septimius Severus-Bogens in Rom: Lepère u. Gondouin begannen 1806 die Vendômesäule, eine Nachahmung der Trajanssäule, kurz, alle damals begonnenen öffentlichen Gebäude waren Nachahmungen römischer Bauten. Aber es fehlte diesen Nachahmungen eben das, was allen Nachahmungen zu fehlen pflegt, der Reiz des Directen, Originalen, und wo solches versucht wurde, wie an dem 1806 begonnenen Arc de l'étoile, doch der Reiz des

Fig. 1518. Arc de l'étoile in Paris.

Poetischen, s. Fig. 1518. Sie erscheinen nüchtern und lassen kalt. Auch die im Bau stehen gebliebene Magdalenenkirche wurde nach einem neuen, von Vignon herrührenden Projekt neu begonnen, als Ruhmestempel für die Armee; nach dem Sturz Napoleon's wurde zwar das Innere nach veränderten Plänen ausgebaut, aber das Aeußere ist nach dem Plan von 1806 vollendet, s. Fig. 1519. 1808 wurde die Börse angefangen nach Plänen Brongniart's. Die Privatarchitektur folgte dem Beispiel, das durch die öffentlichen Bauten gegeben war. Aber hatte bei letzteren wenigstens die Größe der Dimensionen und der volle Säckel des Staats Gelegenheit gegeben, etwas Großartiges zu schaffen, so mußte die antike Form bei den Privatbauten in kleinen Verhältnissen und bei einfacher, oft ärmlicher Ausführung vollends allen Reiz verlieren. Dazu kam noch der Mangel an wirklichem Verständniß des innern Wesens der Antike; man copirte eben nur die einzelnen Formen und stellte sie oft in unbegreiflich unorganischer Weise zusammen. Scheitrechte Fenster mit gerader Verdachung sitzen in Rundbogenblenden, an Stelle der Pilaster stehen ganz flache und breite Lisenen ꝛc.;

turz, es ist niemals so schwer gegen den Geist der Antike gesündigt worden als in dieser Zeit, wo man meinte, sie ganz rein zu verwenden. Glück-licher Weise über-lebte dieser Styl das Kaiserreich nicht lange. Die in Deutschland un-ter Schinkel u. A. wieder aufblü-hende Anwendung griechischer For-men einestheils, anderntheils die in ungefähr derselben Zeit beginnend Wiederanwendung romantischer Styl-formen verdrängte jene nüchternste aller nüchternen Bauweisen bald vollständig.

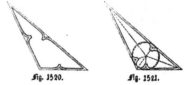

Fig. 1519. Die Magdalenenkirche in Paris.

Nappe, franz. Tafeltuch; nappe d'autel, leinenes Altartuch, Altar-twele. Wegen der Aehnlichkeit mit einem ausgespann-ten Tuch heißen so auch die böhmischen Gewölbe und die hohl eingewölbten Kappen zwischen den Rip-pen gothischer Gurtgewölbe; nappe d'eau, wehr-artiger Wasserfall.

Narb, s. d. Art. Anlag 7.

Narbenschnitt, s. d. Art. Kerbenschnitt und Heraldik VI.

Narcissen sind Attribut der Proserpina; s. d.

Narcissus, St., 1) nach Jerusalems Zerstörung durch Titus wurde er Bischof daselbst. Er stritt auf einer Kirchensammlung für die sonntägliche Osterfeier. Einst in der Osternacht fehlte es an Oel; Narcissus verwandelte durch sein Gebet Wasser in Oel. Er wurde einst unschuldig ange-klagt. Die Kläger beschworen die Klage und die von ihnen heraufbeschworenen Verwünschungen gingen an ihnen selbst in Erfüllung; einer ver-brannte, der andere wurde aussätzig, der dritte blind. Er zog sich in die Einsamkeit zurück, aber seine Nachfolger starben schnell weg; endlich fand man ihn wieder, 212 nahm er den h. Alexander zum Gehülfen an. Er starb 116 Jahre alt nach Einigen als Märtyrer durch das Schwert. Seine Attribute sind Wasserkrüge und Engel, die seine Seele gen Himmel tragen. 2) Spanischer Bischof, der die heilige Afra sammt Mutter Hilaria und ihren Mägden Digna, Eunomia und Eutropia in Augsburg bekehrte. Er ist Patron von Cordova, Girona und Sevilla.

Narrenhäuschen, frz. cachot, engl. cadge, cage, kleines Gemach, meist an der nördlichen Seite des Ostchors oder an der Ostseite des nörd-lichen Kreuzarms angebaut und nach außen mit vergitterten Fenstern versehen; eine Art kirchlichen Prangers, worin für gewisse Vergehen, besonders Ehebruch u. dgl., die Kirchenbußen abgehalten wur-den. Erhalten z. B. an der Stadtkirche in Meißen. Vielleicht letzter Rest des Narther.

Narrheit, symbolische Darstellungen derselben erhalten als Attribut eine Narrenkappe mit Schellen, den Narrenstab (marotte) und eine Eule, auch wohl einen Spiegel. Vgl. auch d. Art. Kar-dinaltugenden.

Narther, lat. ferula, franz. nar-thex; ναρθηξ heißt eigentlich eine schilfrohrähnliche Pflanze, dann auch ναρθηκιον, Sal-benkästchen, sowie Rohrgeflecht, da-ber δρομικον ναρ-θηκον, und später unter Weglassung des Substantivs blos narthex, nar-thecum, die vergit-terte Vorhalle der Basilika, welche Anfangs genau die Form des Gehe-ges am antiken Hippo-drom hatten, d. h. an beiden Enden halbkreisförmig ge-schlossen waren. Sie dienten den Büßern und Katechumenen zum Aufenthalt und hießen in Ravenna Ardika. Wirklich gebaute Nartheranlagen kommen bis 580 vor; später begnügte man sich meist mit Ab-schließung eines Theils des Schiffes durch Gitter oder dgl. Vgl. auch d. Art. Galilaea u. Paradis.

Nasal, frz. u. engl. (Herald.), am Helmvisir das Nasenstück.

Nase, überhaupt Hervorragung, Ansatz, be-sonders 1) bei Dachziegeln Erhöhung von einem Zoll, um mit derselben auf die Latten gehängt zu werden; — 2) bei Treppen der meist verfehlte Vorsprung des Auftrittes vor der Setzstufe; — 3) Luftzüge durch die Mauern, um die Feuchtigkeit ausdünsten zu lassen; — 4) kleine Erhöhung gegen die Mitte des Bartes bei manchen französischen Schlüsseln; — 5) (Schiffsb.) frz. nez, engl. nose, beak, das Vordertheil des Schiffes; — 6) (Hüt-tenw.) des Gebläses vorderster Theil, auch die zähe Materie, die sich beim Schmelzen strenger Erze vor dem Gebläse ansetzt; — 7) der Handgriff des Hobels; — 8) die astförmig herausgebogenen Theile der Rippen im gothischen Maßwerk; frz. crochet, pointe, engl. feathering, cusp; sie drücken einen Ueberschuß der in der Rippe emporstreben-den Kraft im Kampf mit der im Bogenschenkel hin-abdrückenden Last aus und dienen zugleich zur

Fig. 1520.   Fig. 1521.

besseren Füllung größerer Oeffnungen; ihre Aus-ladung ist sehr verschieden, und je nach derselben enden sie stumpf oder spitzig auslaufend. Bei Anordnung derselben hat man besonders Dreierlei zu berücksichtigen: a) Vertheilung derselben. In dieser Beziehung wird fast öfter fehlerhaft als richtig verfahren. Bei ganz regelmäßigen Räumen ist es leicht, Fehler zu vermeiden; f. d. Figuren zu d. Art. Dreiblatt, Dreischneuß, Vierschneuß rc.

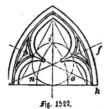

Fig. 1522.

Bei unregelmäßigen Räumen aber verthei-len Viele die Nasen nach Fig. 1520, indem sie auf die Mitte jeder Seite eine setzen; dies ist falsch. Man muß vielmehr nach Fig. 1521 die Na-sen mittelst Halbirung der Winkel oder Einzie-hung eines Kreises so eintheilen, daß sie, mit einander verbunden,

richtige symmetrische Bogen bilden würden, f. Fig. 1522. Dies eine Beispiel wird vollständig genügen. b) Construction der Nasenlinie selbst; diese kann sehr verschieden sein, und zwar ist die halbe Nasenlinie entweder ein Kreisbogen, doch selten sehr viel mehr oder weniger als ein Viertels-treis, oder endlich, sie wird aus freier Hand an-näbernd nach einer halben Parabel gezogen. c) Verzierung der Enden; dafür geben wir einige Beispiele in Fig. 1523.; — 9) frz. filet, das acht-

Fig. 1523.

edige Reifchen, welches bei manchen, besonders späteren gothischen Gliederungen vorn auf der Kante eines Rundstabs sitzt.

Nasenbogen, f. d. Art. Bogen 26, S. 399 I. Bd.

Nasengasse (Hüttenw.), Oeffnung im untern Theil des Kupferschmelzofens; dient zum Durch-stechen des Gebläses; vgl. auch d. Art. Nase 6.

Nasenkeil (Hüttenw.), 1) ein über der Form des Stichofens eingemauertes Stück Eisen; — 2) f. v. w. Ladenkeil.

Nashornkäfer (Geotrupes nasicornis Fabr.), ein 15''' langer, 8''' breiter brauner Käfer der (das Männchen) auf seinem Kopfschild ein großes Horn trägt. Seine Larve lebt in nicht ganz abgestorbenen Bäumen, besonders in Eichen, desgl. in Lobe, und wird dadurch etwas schädlich.

nasser Deich, f. d. Art. Deichbau.

Naßdock, großes Bassin im Hafen, wo die Schiffe mit der Langseite dicht an die Kais gelegt werden können und worin das Wasser in constan-ter Höhe gehalten wird. Man gräbt einen solchen Dock entweder in das Ufer ein, oder schließt einen Theil des Hafens mit wasserdichten Mauern ab. Den Eingang zu einem solchen Bassin bildet ent-weder eine einfache Schleuße, durch die Schiffe nur bei Fluth einlaufen können, oder eine Kammer-schleuße, welche die Passage zu jeder Zeit ermöglicht; vor hohen Fluthen und heftigen Stürmen muß der Auslaß der Kammerschleuße durch ein Fluththor geschützt werden.

Naßgalle, f. d. Art. Adergalle.

Natalia, St., Patronin von Lissabon, Gattin des h. Märtyrers Hadrian, dessen Glieder unter

dem Ambos zerstoßen wurden. Sie besuchte und pflegte die gefangenen Christen, bis sie selbst ein-gezogen und den Löwen vorgeworfen wurde. Ab-zubilden mit Löwen zur Seite.

Natatio, f. d. Art. Baptisterium III. und Bad 4. b.

Nathanael, St., f. v. w. S. Bartholomäus; f. d.

Natrium, ein dem Kalium ähnliches Metall, ist leichter als Wasser. Sobald man ein Stückchen Natriummetall auf Wasser wirft, tritt eine sehr lebhafte Gasentwicklung ein, das Natrium erhitzt sich und schmilzt, verbindet sich dabei mit dem Sauerstoff des Wassers zu Natriumoxyd oder Natron, welches sich im Wasser löst, während der Wasserstoff des Wassers entweicht, sich manchmal durch die bei der so erfolgten Zersetzung des Was-sers erzeugte Hitze entzündet und dann mit gelber Flamme verbrennt. Das Natrium und seine Ver-bindungen mit anderen Stoffen ertheilen näm-lich den Flammen brennender Körper eine intensiv gelbe Färbung. Dieses Metall kommt nie frei in der Natur, sondern nur hauptsächlich mit Chlor, Sauerstoff und anderen Elementen verbunden vor. Von den Verbindungen mit Wasserstoff findet namentlich das Natriumoxydhydrat oder Aetz-natron als Natronlauge seine Verwendung. In der Natur findet sich das Natrium in großer Menge in Verbindung mit Chlor, als Chlorna-trium oder Kochsalz im Meerwasser, in vielen Seen und Salzquellen, oder als festes Steinsalz in Salz-bergwerken. Von den Verbindungen des Natrons mit Säuren, den Natronsalzen, sind zu erwähnen: die Soda (toblensaures Natron), das Glaubersalz (schwefelsaures Natron), der Borax (borsaures Natron) und der Chilisalpeter (salpetersaures Na-tron); f. auch d. Art. Alkalien, Eau rc.

Natrolith (Mineral.), 1) f. v. w. Natron-Me-fotyp, besteht aus tieselsaurem Natron, tieselsaurer Thonerde und Wasser. Er findet sich in derben Massen vor mit concentrisch-strahliger Textur und isabell- oder ochergelber Farbe; wird nur zu Schmuckgegenständen verarbeitet; — 2) ein dem aus Schweden kommenden Eläolith ähnelndes Mineral.

Natronfeldspath (Miner.), f. v. w. Albit; f. d. Art. Feldspath 2.

Nattes, frz. Flechtwerke, moulure nattée, mit Flechtwerk verziertes Glied.

natürliche Abdachung, f. d. Art. Böschung.

natürliche Bausteine, f. d. Art. Baustein und Baustoffe.

natürliche Beleuchtung, f. d. Art. Beleuch-tung.

natürliche Figuren (Herald.), f. v. w. ge-meine Figuren; f. d. Art. Figur.

natürliche Gründung, f. d. Art. Grundbau I.

natürliche Logarithmen, f. d. Art. Loga-rithmen.

natürlicher Fall oder natürliches Gefälle (Wasserb.). 1) Bei einem Bach oder Fluß das Ge-fälle, an dem durch Kunst noch nichts gethan wor-den. — 2) Die Schnelligkeit und Kraft eines fließen-den Wassers, mit welcher es von selbst nach einem tiefer liegenden Ort fließt.

natürlicher Mörtel, f. d. Art. Cement und hydraulischer Mörtel 1.

natürliches Berliner Blau, f. d. Art. Eisen-blau.

Naumachie, griech. ναυμαχία, Seegefecht; so hießen große amphitheatralische Behältnisse, deren Arena mit Wasser gefüllt wurde, um zu Nachahmung von Seegefechten zu dienen, und mit Sitzen umgeben war. Das Wasser wurde durch Canäle wieder abgeleitet; vergl. d. Art. Amphitheater.

Navale, lat., Dock, Werft, Rhede, Ort, wo Schiffe stehen.

Nave, engl. 1) Schiff; s. d. Art. Kirche; navearch, Langscheidbogen. — 2) Nabe; s. d.

Navia, lat., 1) kleines Schiff, Nachen. — 2) Hölzerner Röhrtrog, aus einem Stamm gearbeitet.

Navis, lat., Schiff; Navis major, Mittelschiff, Hauptschiff; navicula, frz. und engl. navette, schiffähnliches Gefäß für Weihrauch, Salz, Gewürz ꝛc.; vergl. d. Art. Cadenas.

Nazarius, St., von Papst Linus getauft, belehrte in Gallien den Celsus, predigte in Mailand das Evangelium und besuchte mit Celsus unter Nero die gefangenen Christen; Anolinus ließ Beide enthaupten. Attribut Beider ist das Schwert.

Neapelgelb, frz. jaune de Naples, sehr haltbare Oel- und Schmelzfarbe, welche der Hauptsache nach aus antimonsaurem Bleioxyd besteht, je nach der Bereitung aber auch Antimonoxyd und statt Bleioxyd etwas Zinkoxyd enthält. Als absichtliche Verunreinigung oder unwesentliche Bestandtheile findet man häufig Eisenoxyd, Thonerde, Kieselerde, kohlensaures Bleioxyd, Kreide ꝛc. Ein sehr schönes Neapelgelb erhält man, wenn ein Gemenge von 1 Thl. Brechweinsteinpulver (weinsaures Antimonoxyd-Kali) mit 2 Thln. salpetersaurem Bleioxyd und 4 Thln. Kochsalz mehrere Stunden in einem hessischen Tiegel zum Schmelzen erhitzt wird. Die geschmolzene Masse bringt man nach dem Erkalten in Wasser, wo sie zu einem feinen Pulver zerfällt, welches je nach dem angewandten Hitzgrad verschiedene Farbennüancen haben kann. Wurde die Masse bis eben zum Schmelzen erhitzt, so ist das Produkt orangefarben; wurde das Gemenge längere Zeit im Fluß erhalten, so fällt die Farbe mehr citronengelb aus. Ein wohlfeiles Neapelgelb erhält man durch Zusammenschmelzen von 2 Theilen gepulverten Buchdruckerlettern mit 3 Theilen Salpeter und 6 Theilen Kochsalz. Die geschmolzene Masse zerfällt im Wasser gleichfalls zu Pulver, welches die Farbe darstellt. Das Neapelgelb wird für Oelfarben, aber auch als Schmelzfarbe auf Email und Porzellan angewendet. Um es als Schmelzfarbe von hellerer Nüance zu erhalten, schmilzt man es mit Bleiglas zusammen.

Neben-Altäre, in katholischen Kirchen, sind natürlich weniger verziert als der Hauptaltar; s. d. Art. Altar.

Nebenapsis, Nebenchor, apsidiola, conchula; s. d. Art. Apsis und Chor.

Nebenbilder (Herald.), s. v. w. Beizeichen.

Nebencanal, s. d. Art. Canal.

Nebencorridor, Nebengang, s. v. w. Beigang; s. d. und Corridor.

Nebenflanke (Kriegsb.), derjenige Theil der langen Courtinen, der zwischen der eigentlichen Flanke und der Face dem Punkt liegt, wo die Verlängerung der Face der Nebenbastion auf die Courtinenlinie trifft. Man kann sie nur verwenden zur schräger Bestreichung der Face mittelst eingeschnittener Schießscharten.

Nebengelenk, Grube oder Gesenk zu Aufsuchung eines verlornen Erzgangs.

Nebengraben, s. d. Art. Graben, Bewässerung, Entwässerung.

Nebengruppe (Maler.), s. v. w. Beiwerk.

Nebenheerd (Hüttenw.), ein Heerd zur Seite des Vordertiegels an einem Stichofen.

Nebenmaterialien, s. d. Art. Baumaterialien.

Nebenpfeiler, kleine Pfeiler, bei Pfeiler u. Bogenstellungen an den Hauptpfeilern angelehnt oder zwischen dieselben gestellt; der Bogen ruht auf dem Kämpfern; in Kirchen z. B. tragen sie zwischen den das Gewölbe tragenden Hauptpfeilern die Emporen. Die Anwendung der Hauptsäulen, statt der Nebenpfeiler zu diesem Zweck, ist wo möglich zu vermeiden.

Nebenschiff, s. v. w. Abseite; s. a. d. Art. Schiff.

Nebenschlag (Forstw.), s. v. w. Beischlag.

Nebenstrom, s. d. Art. Afterstrom.

Nebenstücken, Nebenwerk, Beiwerk (Herald.), verschiedene zur genauern Bestimmung oder zur Zierde dem Schild hinzugefügte Gegenstände. Man rechnet dazu Helme, Hüte, Mützen, Schildhalter, Losungsworte, auch Zeichen, die hinter, neben oder um den Schild stehen und die Würde des Inhabers anzeigen.

Nebentreppe, s. v. w. geheime Treppe.

Nebenwerk oder Beiwerk, 1) bei Statuen die sie umgebenden Symbole. — 2) (Kriegst.) bei einer Festungsfront die Werke, welche auf beiden Seiten ihr zunächst liegen und so bei großen Polygonen bis feindlichen Laufgräben in der Flanke beschießen können.

Nebenwinkel, zwei Winkel, welche den Scheitel und einen Schenkel gemeinsam haben und deren andere Schenkel in eine gerade Linie fallen, wie z. B. ACD u. BCD (Fig. 1524). Die Summe zweier Nebenwinkel ist gleich zwei Rechten.

Nebule, frz., Wellenzug.

Fig. 1524.

nebulé, frz. (Herald.), gewölkt, mit Wellenlinien verziert.

Nebule-corbel-table, Nebuly, engl., s. d. Art. corbel und Fig. 764, S. 573 im 1. Bd.

Necessarium, locus necessarius, lat., Abtritt; s. d.

Neck, engl., Säulenhals, neck-moulding, neck-lace, Astragal.

Necrologium, lat., griech. νεκρολόγιον, Todtenbuch; s. d. Art. Ritualbücher.

Needlework, engl., Schnitzarbeit an sichtbaren Balkendecken; s. d. Art. Balkendecke, Boiserie ꝛc.

Nef, frz., Schiff, s. d. Art. Kirche; nef centrale, grande, principale, Hauptschiff; nef basse, petite, latérale, Seitenschiff; nef transversal, Kreuzschiff.

negative Zahlen. Die Einführung derselben in der Mathematik wird zuerst nothwendig, wenn man das Resultat deuten will, welches man bei der Subtraction einer größeren Zahl von einer kleineren (z. B. 9 von 7) erhält. Zu diesem Zweck setzt man die gewöhnliche Zahlenreihe auch nach

2

der andern Seite, über Null hinaus, fort und unterscheidet die dort stehenden negativen Zahlen von den gewöhnlichen positiven Zahlen durch das Vorzeichen — (spr. minus). Dadurch erhält die Zahlenreihe folgende Form:
... — 4, — 3, — 2, — 1, 0, 1, 2, 3, 4 ...
Das negative Resultat einer Rechnung ist entweder keiner Deutung fähig und zeigt dadurch an, daß die Aufgabe eine widersinnige war, oder es ist eine Deutung möglich. S. darüb. d. Art. Minus.

Neger, s. d. Art. Mohr 1.

Negerhaar, s. d. Art. Cabello de negro.

Neid, allegorisch durch gelbe Farbe angedeutet; s. übr. d. Art. Symbolik u. Kardinaltugenden.

Neigung eines Daches, s. d. Art. Abfall und Dach.

Neigungswinkel zweier geraden Linien, einer geraden Linie und einer Ebene oder zweier Ebenen, ist der Winkel, welchen sie unter einander einschließen. In beiden letzteren Fällen macht die Bestimmung desselben noch die Construction der Neigungsebene nothwendig, welche in dem zweiten Fall durch die gerade Linie senkrecht zu der Ebene gelegt wird, in dem dritten Fall dagegen senkrecht auf der Durchschnittslinie beider Ebenen steht. Durch die Neigungsebene wird der Neigungswinkel stets auf den zweier gerader Linien reducirt, denn der Neigungswinkel einer geraden Linie gegen eine Ebene ist dann gleich dem Winkel, welchen jene mit der Durchschnittslinie der letzteren und der Neigungsebene bildet; derjenige zweier Ebenen gegen einander aber gleich dem Winkel der zwei geraden Linien, in welchen dieselben von der Neigungsebene geschnitten werden; s. auch d. Art. Ebene, Fläche und Flächenwinkel.

Neigungswinkel einer Böschung, s. d. Art. Böschung.

Neil'sche Parabel, auch semicubische Parabel, eine Curve dritten Grades der Gleichung $y^2 = \frac{x^3}{a}$ und von beistehender Gestalt (Fig. 1525). Sie besitzt die merkwürdige Eigenschaft, daß ihre Bogenlänge sich genau construiren läßt; auch ist sie die Evolute der Parabel und diejenige Curve, auf welcher ein schwerer sich bewegender Punkt, in gleichen Zeiten, in der Vertikalen gemessen, gleich tief fällt.

Fig. 1525.

Neiswer, s. v. w. krystallisirter Basalt.

Neïth, ägyptische Göttin der Wahrheit und Weisheit, deren verschleiertes Bild zu Saïs stand. Attribute: Schleier und Lotosblume.

Nekropole, s. d. Art. Begräbnißplatz.

Nelkenholz, Festucae Caryophyllorum (Fusti), ist kein Nutzholz, sondern die aromatischen und ölreichen Blumenstiele des Gewürznelkenbaumes (Myrtus Caryophyllus), welche medicinisch verwendet werden.

Nenner eines Bruches, die Zahl unterhalb des Bruchstrichs, also der Divisor; s. d. Art. Bruch.

Néogrec, franz., s. d. Art. Neugriechisch.

Neper'scher Logarithmus, s. Logarithmus.

Nephelin, s. d. Art. Fettstein 2.

Nephrit, auch Beilstein genannt, ein aus China, Aegypten und von der austalischen Insel Taviai-Punama zu uns kommendes Mineral,

welches verschiedene Zusammensetzung zeigt. Hauptbestandtheile sind Kieselerde, Thonerde, Talkerde, Kalkerde, Eisenoxyd und Wasser. Das Mineral wurde früher zu Schmucksachen und von einigen celtischen Völkerstämmen zu beilförmigen Instrumenten ꝛc. verarbeitet.

Nepomuk, St., s. unter Johannes.

Neptun, Poseidon, Sohn des Saturnus u. der Rhea, Gott des Meeres, Beherrscher der Wasser u. Schifffahrt, Urheber der Ueberschwemmungen und Erdbeben. Heilig waren ihm Pferde und Stiere, Enten, Delphine, Meerkälber und Fichten; Tritonen und Nereiden begleiten seinen von Delphinen gezogenen Wagen, in welchem er als schilfbekränzter, bärtiger Mann mit dem Dreizack thront.

neptunische Gesteine; s. d. Art. Baustein I, S. 270 im I. Band, und Lagerung a.

Nerf, nervure, côte, frz., Nerve, Rippe; s. d u Maaßwerk; voûte à nervures, Gurtgewölbe.

Nero antico, ital., ein schwärzlicher Marmor; s. d. Art. Marmor.

Neschber (Bergb.), ein Spath, der verworren durcheinander liegt und nesterweise zwischen sich in der Tiefe guten Eisenstein birgt.

Neschgips (Mineral), s. v. w. Schwerspath.

Nesselbaum, abendländischer (Celtis occidentalis L., Fam. Zürgeln, Celtideae Endl.), ist ein nordamerikanischer Baum, dessen Holz zu Stellmacherarbeiten sehr gesucht wird.

Nesselhanf, so nennt man die Bastfasern der in Sibirien kultivirten Hanfnessel (Urtica cannabina L., Fam. Urticeae).

Nestel (Herald.), alter Name für den schmalen Schrägbalten, jetzt Faden.

Nestelverzierung, frz. lacet, engl. strapwork, Verzierung in Gestalt sich kreuzender und verknoteter Fäden, Bänder oder Schnuren.

Nestor, St. Bischof von Perge in Pamphylien, wurde unter Decius auf die Folterleiter gespannt und dann getreuzigt.

Netz, 1) eine in der Ebene gezeichnete Figur, welche die Oberfläche eines Körpers so darstellt, daß sie unmittelbar von demselben gelegt werden kann, ohne irgend welche Dehnung oder Zusammenziehung zu erleiden. Eine solche Figur ist natürlich nur bei solchen Körpern möglich, deren Oberflächen abwickelbar sind, z. B. bei Cylindern

Fig. 1526. Zu dem Art. Netzwerk.

und Regeln. Vgl. auch den Art. Abwickelung; — 2) eine durch gerade oder krumme Linien eingetheilte Figur, dazu bestimmt, daß Etwas hineingezeichnet werden soll, wie z. B. das System der Längen- und Breitenkreise auf Landkarten; — 3) das

Fischernetz, Attribut des h. Petrus; s. d. Art. Apostel 1; — 4) Verzierung in Netzform; s. Netzwerk.

Netzbäume, Netzriegel, Hölzer, die auf den Streichstangen und der Mauer aufliegen und die Gerüstbretter tragen; s. d. Art. Gerüste.

Netzgewölbe, engl. net-work, Sterngewölbe mit geschwungenen Rippen; s. d. Art. Gewölbe.

Netzholz, s. d. Art. Streichholz, Mönch u. Gerüste.

Netzpinsel, großer Maurerpinsel; s. Annetzer.

Netzverband, lat. opus reticulatum, s. d. Art. Mauerverband.

Netzwerk, Netzverzierung, engl. net-work, nicht zu verwechseln mit Netzverband. Verzierung, namentlich auf Flächen, großen Rundstäben ꝛc., in Gestalt eines netzförmigen Flechtwerks, s. Fig. 1526.

neuarmenische Bauweise, s. Armenisch.

Neubau, Bau, der von Grund aus neu aufgeführt ist, im Gegensatz zum Reparaturbau, der sich nur auf Ausbesserungen beschränkt.

Neublau, Hainer Blau, ist eine Verbindung von Stärke und Indigo-Auflösung ꝛc.

neudeutsches Dach, frz. comble en équerre; s. d. Art. Dach I. 11, S. 589, Bd. I.

neuer Bergschlag (Bergb.), härteres und spröderes Kupfer aus neuen Bergwerken.

neufranzösischer Styl, s. d. Art. Napoleonstyl.

Neugelb, ist feingemahlenes Bleioxyd oder Massikot; es wird als Malerfarbe gebraucht.

Neugothisch, spätgothisch, auch wohl für die deutsche Renaissance gebraucht; s. Gothisch ꝛc.

neugriechischer Styl, 1) ungenaue Benennung des byzantinischen, auch wohl gar des spätromanischen Baustyls, s. d.; — 2) frz. style néogrec, eine in den letzten 5 Jahren in Paris aufgebrachte Bauweise. Sie besteht aus einer höchst unorganischen, willkürlichen Vermischung von ägyptischen, etruskischen und griechischen Formen, denen noch, um das Ragout vollzumachen, Ornamente aus der Renaissance untermengt werden. Um mindestens einige Einheit in diesen heterogenen Mischmasch zu bringen, werden sämmtliche Profile, Mantenzüge ꝛc. möglichst eckig, ungraziös und steif verzerrt. Dadurch wirken denn sämmtliche Gliederungen und andere Formen kalt, fremdartig und schroff. Dabei schließt sich dieses Formensystem, oder genauer genommen diese systemlose Formenzusammenstellung, allerdings dem modernen Wunsch, mit thunlichster Kostenersparniß doch etwas Apartes zu haben, dadurch an, daß man die Ornamente auf Platten, Akroterien ꝛc. nicht in Relief ausarbeitet, sondern blos in Spitznuthen einsetzt. Leider beginnt auch diese geschmacklose Pariser Neuerung in Deutschland Boden zu fassen. Zur Beurtheilung des Gesagten geben wir in Figur 1527 einige Details von dem Hause Nr. 17 Rue Duperre in Paris, erbaut von Architekt Sibert, welches theilweise einem durch Architekt Grimm in Leipzig auf der Dörrienstraße erbauten Haus zum Muster gedient hat.

Neugrün, eine Art des Schweinfurter Grüns; s. auch d. Art. Hainer Grün.

Neuhimten, s. d. Art. Maaß, S. 499, Bd. II.

neuholländisches Mahagoni, s. d. Art. Mahagoniholz.

Neularmus, blaue Farbe, aus dem Abfall des blauen Carmin bereitet.

Neun, die der Basis 10 unseres Zahlensystems vorangehende Zahl, das Quadrat der Primzahl 3. Im dekadischen System ist eine Zahl durch 9 theilbar, wenn ihre Quersumme es ist; z. B. die Zahl 26874, Quersumme $2 + 6 + 8 + 7 + 4 = 27$. — Die Multiplication einer Zahl mit 9 oder 99 oder 999 ꝛc. geschieht einfacher, als auf die gewöhnliche Weise, wie folgt: Man hängt an die zu multiplicirende Zahl resp. 1, 2 oder 3 ꝛc. Nullen an und zieht von dem Resultate dieselbe Zahl ab; der Rest ist das gesuchte Product. Z. B.:

$$9 \times 5674 \qquad 999 \times 5674$$

$$
\begin{array}{r}
56740 \\
5674 \\
\hline
51066
\end{array}
\qquad
\begin{array}{r}
5674000 \\
5674 \\
\hline
5668326
\end{array}
$$

Die Aufgabe, einen Kreis in 9 gleiche Theile einzutheilen und so ein regelmäßiges Neuneck, Enneagon, zu construiren, kann mit Lineal und Zirkel nur näherungsweise ausgeführt werden. Ursache davon ist die Unmöglichkeit, das Problem der Trisection, Dreitheilung des Winkels, genau zu lösen.

Fig. 1527. Neugriechische Details.

Neunerprobe, Methode, die Richtigkeit des Resultats einer Addition od. Multiplication zu prüfen; bedeutend einfacher als nochmalige Ausrechnung. Dies geschieht für Addition wie folgt: Man bildet von allen zu addirenden Zahlen die Quersummen, dividirt jede derselben durch 9, die dabei erhaltenen Reste werden addirt u. wieder durch 9 getheilt; soll die Addition richtig gewesen sein, so muß der bei dieser Division übrigbleibende Rest eben so groß sein, wie der bei Theilung der Quersumme der zu prüfenden Summe durch 9 übrigbleibende. Z. B.:

Quers.	Reste.
3567	21	3
6382	19	1
5734	19	1
1625	14	5
17308	19	1

Aehnlich ist die Prüfung einer Multiplication; nur addirt man hier nicht die Reste der einzelnen Factoren, sondern multiplicirt sie und dividirt dann das Produkt mit 9; der dabei bleibende Rest muß eben so groß sein, wie der Rest, welchen die Quersumme des erhaltenen Produkts bei seiner Theilung durch 9 übrig läßt. Durch die Neunerprobe, wie durch jede andere Prüfung, wird übrigens das erhaltene Resultat nur für sehr wahrscheinlich, aber nicht für unbedingt richtig erklärt.

Neuntergetriebe (Maschinenw.), mit 9 Triebstöcken versehenes Getriebe.

neupersische Bauweise, s. d. Art. persisch= muhamedanische Bauweise.

Neusilber, s. d. Art. Argentan und Legirung.

neutrales Berliner Blau, s. d. Art. Berliner Blau.

neutralisiren (Chem.); so nennt man diejenige Operation, bei welcher man durch Zusatz einer Säure zu einer Base, oder umgekehrt, die Reaction des Gemisches auf gewisse Pflanzenfarbstoffe aufzuheben sucht. Eine Säure färbt z. B. blaue Lacmustinktur roth; eine Base rothe Lacmustinktur blau. Bringt man eine Säure und eine Base zusammen, so zeigt das Gemisch zu einer gewissen Zeit die Eigenschaft, weder die blaue noch die rothe Lacmustinktur zu verändern. Die mit solchen Eigenschaften versehenen Flüssigkeiten nennt man neutral. Vergleiche übr. d. Art. Salze.

Neuwieder Grün, ist eine in die Reihe der grünen arsenikhaltigen Kupferfarben gehörige Farbe, welche als Oel=, Wasser= und Kalkfarbe verwendbar ist. In der neuern Zeit hat man eine Sorte von Neuwieder Grün verbreitet, welches nichts weiter ist, als ein stark mit Gips und Schwerspath versetztes Schweinfurter Grün. Das echte Neuwieder Grün wird auf folgende Weise erhalten: Eine klare Lösung von 100 Thln. Kupfervitriol und 2 Thln. Weinstein in 600 Thln. Wasser wird mit noch 1000 Thln. Wasser verdünnt und mit einer Auflösung von 3 Thln. arseniger Säure und 10—15 Thln. Potasche in 600 Thln. Wasser gefällt; dem Ganzen setzt man dann noch eine aus 20 Thln. Kalk bereitete Kalkmilch und zuletzt 60 Thle. fein geschlämmten, mit Wasser zu dünnem Brei angerührten Schwerspath zu. Der zuletzt sich absetzende Niederschlag wird mit Wasser gewaschen, gepreßt und getrocknet. Er liefert eine intensiv grüne Farbe, welche durch längeres Liegen an Schönheit gewinnt und hauptsächlich aus Kupfer= oxydhydrat, arsenigsaurem Kupferoxyd, Gips, Schwerspath und etwas Kreide besteht. Das Scheele'sche Grün (s. d. Art.) ist dieser Farbe in seiner Zusammensetzung ähnlich.

Newel, Noel, nowel, engl., Treppenspindel.

Nicaraguaholz, 1) s. v. w. Campescheholz; s. d.; — 2) zu Tischlerarbeiten benütztes Rothholz aus Nicaragua, vielleicht Erythroxylon rufum, man nennt es im deutschen Handel St. Martins= oder Pfirschenholz.

Nicasius, St., Erzbischof von Rheims, Patron von Rouen. Die Vandalen bedrängten Rheims. Da ging Nicasius dem Feinde lobsingend entgegen.

Ein Soldat spaltete ihm den Schädel querdurch. Den Feind ergriff ein panischer Schreck u. er entfloh. Abzubilden als Bischof, mit einem Schwert, seinen halben Kopf tragend, oder nur mit halbem Kopf.

Nicephorus, St., oder Nikephoros, war Valerianus lebte in Antiochien ein Priester Sapricius. Nikephorus, mit ihm befreundet, verfeindete sich mit ihm, wollte sich aber mit ihm versöhnen, Sapricius blieb aber unerbittlich. Dieser, als Christ zum Tode verurtheilt, blieb auch auf dem Weg zum Richtplatz gegen den sich vor ihm beugenden Nikephorus hart, wurde aber dann von der Gnade des Herrn verlassen, verleugnete den Glauben und wurde von den Römern begnadigt. Nikephorus ließ sich statt seiner (200 nach Christus) enthaupten. Darzustellen mit dem Schwert.

Nicetas, St., Heiliger der griechischen Kirche, Gothe; wurde unter Athanarich 372 nach Chr. wegen Verweigerung der Anbetung eines auf einem Wagen umhergefahrenen Götzenbildes verbrannt. Daher auf einem Scheiterhaufen darzustellen.

Niche, frz. und engl., s. v. w. Nische.

Nichtmetalle, s. d. Art. Metalloide.

nichtperiodisch, s. d. Art. Decimalbruch.

Nickel (Mineral.), nicht sehr verbreitetes Metall, kommt nur im Meteoreisen gediegen, häufig aber mit Arsenik, Schwefel und anderen Metallen vor. Bei Bereitung der Smalte aus Kobalterzen sammelt sich unter dem schmelzenden Glas eine metallische geschmolzene Masse, die Kobaltspeise, an, die namentlich aus Arseniknickel besteht. Aus ihr und dem Kupfernickel wird der Nickel gewonnen. Auch gewinnt man eine geringe Quantität Nickel aus Erzen, welche aus einem innigen Gemenge von 3,44% Kupferkies, 43,08% Schwefelkies und 0,936% Nickelkies bestehen, dadurch, daß man den Diabasmandelstein, in welchen die Erze eingesprengt sind, im Schachtofen mit Koaks und noch nickelhaltigen Schlacken verschmilzt und zunächst einen Rohstein von unbestimmter Zusammensetzung erhält. Dieser Rohstein wird klein geschlagen und in Stappeln 4—5 Mal geröstet, hierauf in demselben Schachtofen mit Koaks und Schlacken, die beim ersten Schmelzen fallen und noch Rohstein eingemengt enthalten, verschmolzen und dadurch ein Produkt gewonnen, welches 24 bis 36 % Nickel, 11—24% Schwefel, 18—27% Kupfer, 26—34% Eisen, sowie Spuren von Kobalt enthält und über einem Gußheerd mit Kohle eingeschmolzen wird. Das noch darin enthaltene Eisen geht als Oxydul in die Schlacke und man erhält einen Stein, der eisenfrei ist, 60% Nickel und etwas Schwefel enthält und nach Entschwefelung zur Fabrikation des Argentans (s. d.) verwendet werden kann.

Der Nickel hat 8,66 spec. Gewicht, läßt sich kalt und warm zu ¹⁄₁₀₀'' starken, also sehr dünnen Platten strecken und in seine Drähte ziehen, auch polirt er sich gut. In reinem Zustand ist er fast silberweiß, stark metallglänzend. An Luft und Wasser ist er unveränderlich, fast so strengflüssig wie Mangan, kann stark magnetisch sein, bietet überhaupt manche Aehnlichkeit mit dem Eisen dar, unterscheidet sich jedoch wesentlich von demselben durch seine größere Widerstandsfähigkeit gegen chemische Agentien, auch schlägt er das Kupfer nicht aus seinen Lösungen nieder, wie Zink und Eisen; Schwefelsäure und Salzsäure greifen ihn fast gar nicht an, Salpetersäure jedoch oxydirt ihn mit Heftigkeit. Das käufliche Nickel= metall enthält häufig Arsen, wodurch es wie durch

Kohlenstoff spröde wird; rein dargestellt kann man es schmieden, walzen und zu Draht ziehen; die Zähigkeit des Nickels verhält sich zu der des Eisens wie 9:7. Um käufliches Nickelmetall zu reinigen, löst man es in einer zur vollständigen Lösung nicht hinreichenden Menge starker Salzsäure mit einem Zusatz von ein wenig Salpetersäure; dann bleibt eisenhaltiges Nickel zurück; aus der verdünnten Lösung wird Kupfer und Arsen durch Schwefelwasserstoff gefällt, filtrirt, gekocht und dann unter Zusatz von Salpetersäure essigsaures Kali zugesetzt, wieder gekocht, dadurch das Eisenoxyd gefällt und durch die abfiltrirte Flüssigkeit Schwefelwasserstoff geleitet; dadurch wird der weiße Nickel mit nur einer Spur von Kobalt gefällt, während das vorhandene Mangan nebst etwas Nickel und Kobalt gelöst bleibt; wenn man nun noch mit Schwefelammonium fällt, den Niederschlag mit starkem Essig wärmt, so wird das Schwefelmangan ausgezogen.

Nickelerze. Die Nickelerze kommen hauptsächlich auf Gängen der Ur- und Uebergangsgebirge vor. Unter den Nickelverbindungen sind die von Nickel und Arsenik am meisten verbreitet. Es sind dies namentlich: der Kupfernickel (Rothnickelkies), welcher sich auf Arsen- und Kobaltgängen des Erzgebirges, des Thüringer Waldes ꝛc. findet, und der Weißnickelkies, der arsenikreicher ist als der Kupfernickel.

Andere Nickelerze sind noch: der Haarkies (Schwefelnickel), der Nickelarsenglanz (Verbindung von Schwefelnickel mit Arsennickel), der Nickelantimonglanz (Verbindung von Schwefelnickel mit Antimonnickel [Nickelspießglanzerz]), die nickelhaltigen Magnetkiese, die Nickelblüthe (arseniksaures Nickeloxydul) und der Nickelsmaragd (kohlensaures Nickeloxydul). Die übrigen Nickelerze finden sich seltener in der Natur und wir übergehen sie deshalb hier.

Nickeloxydul, Nickeloxydulsalze. Das Nickeloxydul ist die Verbindung des Nickelmetalls mit Sauerstoff. Es findet sich zuweilen in der Natur auf nickelhaltigen Kupfererzen. Mit Wasser bildet es das Nickeloxydulhydrat von grüner Farbe. Die Nickeloxydulsalze entstehen durch Auflösen von Nickelmetall oder Nickeloxydul in verdünnten Säuren. Sie sind meist smaragdgrün oder apfelgrün gefärbt, werden durch Kali und Natron als grünes Oxydulhydrat und durch kohlensaure Alkalien als hellgrünes, basisch-kohlensaures Nickeloxydul gefällt. Ammoniak, im Ueberschuß zu einem Nickeloxydulsalz gebracht, bildet mit diesem eine prächtig blaue Lösung. Diese Auflösung dient als Unterscheidungsmittel von Seide und Baumwolle. Baumwolle bleibt in dieser blauen, Nickeloxydulammoniak enthaltenden Flüssigkeit unverändert, während Seide zuerst aufquillt, dann sich vollkommen zu einer braungelben Flüssigkeit löst.

Nickelschwärze (Mineral), erdige Masse, aus Kupfernickel entstanden, enthält Nickeloxyd mit etwas arsenigen Säuren und Kobaltoxyd, hat erdigen Bruch, ist schwarz, matt und wachsglänzend, findet sich als Anflug mit Speiskobalt.

Nickelvitriol, schwefelsaures Nickeloxydul.

Nicola, St., Nikolaetta oder Coletta, geb. 1381 zu Corvei in der Picardie als Tochter eines armen Zimmermanns, reformirte muthig die alte Strenge des Clarissenordens und begründete so die armen Clarissen. Sie starb 1447 in Gent und wird im braunen Ordenskleid mit Crucifix abgebildet.

Nicolaus, 1) von Bari oder Myra, St., zu Patara in Lycien von reichen Aeltern geboren, vertheilte sein Gut den Armen u. stattete heimlich drei Töchter eines armen Mitbürgers durch drei volle Geldbeutel aus, daher Patron der Kinder. Durch Rettung eines Schiffs aus dem Sturm in Folge seines Gebets ist er Patron der Schiffer. Nachdem er dem Concil zu Nicäa beigewohnt, starb er 327. Im Jahre 1087 kamen seine Gebeine nach Bari in Italien. Darzustellen als Bischof mit einem Buch oder in der Hand drei Brode haltend, erhält als Attribute eine Kirche, oder drei Kinder in einem Taufbecken oder in einer Bütte, auch wohl, da er Patron der Schiffer ist, einen Anker oder ein Schiff. Er ist auch Patron der Fischer, Brauer, des Wassers; ferner von Rußland, Griechenland, Moskau, Berlin, Potsdam, Laibach, Freiburg. 2) N. von der Flühe, St., oder Bruder Claus, 1417 in Unterwalden geboren, hatte 5 Söhne und 5 Töchter, kämpfte für die Schweiz, wurde im 50. Jahre mit Einwilligung seines Weibes Einsiedler, stellte den Frieden bei ausgebrochenem Zwist im Lande wieder her, starb 1487 und ist darzustellen als Einsiedler, unter einem Baum betend, mit einem Dornbusch zur Seite, in den ihn nach der Legende der Teufel warf. 3) N. von Tolentino, St., 1245 den braven, aber kinderlosen Aeltern auf einem Bittgang nach Bari geschenkt, deshalb Nicolaus getauft. Fastete schon als Kind wöchentlich drei Tage, wurde sehr jung Chorherr, dann Augustinermönch in Tolentino. Einst bei nächtlichem Gebet zerschmetterte der Teufel die ewige Lampe, warf Dachziegel auf ihn und schlug ihn striemig. Sechs Monate vor seinem Tode (1308) hörte er jede Nacht Engelsgesang und starb mit strahlendem Antlitz; über ihm schwebte am Altar mehrmals ein Stern. Darzustellen als Augustinermönch, auf der Brust einen glänzenden Stern, hält eine Schale mit Gold und einen Lilienstengel. Engel singen über ihm.

Nicomedes, St., mit Streitkolben oder Keule, als Todesinstrument, darzustellen.

Nicotau, frz., Ziegelbrocken, welche man in Frankreich zum Aestrich auf dem Einschub benutzt.

Niebaum (Caryota Rumphiana Mart., Fam. Palmen), Nibun besaar, auf den Molukken, hat ein sehr festes Holz, das man zu Latten, Sparren, Stöcken, Handgriffen u. dgl. verwendet.

Niederbord, Schiff mit niedrigem Bord.

Niederbugt, s. d. Art. Bugt.

Niederburg, s. d. Art. Burg S. 491, Bd. I.

Niederdruckmaschine, Dampfmaschine, die mit 1—2 Atmosphären Dampfspannung arbeitet; s. d. Art. Dampfmaschine S. 620, Bd. I.

niederfüllen (Bergb.), ausgehauene Erde und Steine aus dem Schurfe wegschaffen.

Niedergang in den Graben. Unterirdischer Weg, vom Belagerer aus der Krümmung des gedeckten Weges gegen die Sohle des Festungsgrabens vorgetrieben.

niedergebissen (Herald.), Vögel in Wappen, die sitzend dargestellt sind.

niederländische Befestigungskunst, s. d. Art. Festungsbau.

niederschlächtig (Mühlenb.), s. v. w. unterschlächtig; s. d. Art. Mühle.

Niederwald, wird entweder als reiner oder als gemischter Bestand gezogen und besteht nur aus hohen Bäumen. Er dient je nach der Baumart zur Gewinnung von Busch- und Stangenholz, auch zur Gewinnung der Rinde, und hat eine zehn- bis zwanzigjährige Umtriebszeit. Man wählt für ihn zunächst solche Holzarten, welche Stock- oder Wurzelausschlag bilden. Hierzu läßt man die Stöcke beim Abtreiben im Boden, aus ihnen sproßt ein neuer Niederwald hervor. Da Nadelhölzer keinen Stockausschlag machen, können sie nicht wohl zu Niederwald verwendet werden, gut dagegen Espe, Ulme, Linde, Hainbuche, Eiche, Birke, Hasel, Schwarzerle, Weide.

niedriger Satz (Röhrenw.), 18—26 Fuß hohe Brunnenröhren; sind sie 27 und mehr Fuß hoch, so heißen sie hoher Satz.

niedriger Wall (Festungsb.), s. v. w. Unterwall.

Niello, ital., nigellum, lat., niellure, frz. (eig. schwarz), eine mit schwarzem Metallitt ausgefüllte und eingeschmolzene Gravirung in Silber.

Nierenholz, 1) das Holz vom Nieren- oder Acajoubaum (Anacardium occidentale L.), das auch als weißes Mahagoni- oder Acajouholz in den Handel kommt; s. d. und Lignum 19; — 2) s. v. w. Jasminholz, s. d. und d. Art. Espanille.

Niesholz, von Pteroxylon utile in Südafrika (Fam. Sapindaceae), ist ein sehr schönes Holz, dessen Staub Niesen verursacht. Es soll frisch gefällt schon vortrefflich brennen.

Niet, Niete, Nietnagel oder Anzug, frz. und engl. rivet, 1) zu Verbindung zweier Gegenstände dienender kurzer metallener Stift, der durch diese hindurchgeschlagen wird, worauf die aufbeiden Seiten hervorragenden Enden breitgeschlagen werden. Meist wird die Niete schon beim Ausarbeiten derselben mit einem Kopf, dem Nietkopf, versehen, so daß nur noch das andere Ende zu Erzeugung eines ähnlichen Kopfes, des Schließkopfes, breitzuschlagen ist; s. d. Art. Anhalter 1. — 2) S. v. w. Nagel überhaupt.

Nietbolzmaschine. Maschine zum Anfertigen der Nietbolzen oder Nietstifte. Auf der einen Seite befindet sich eine Scheere, welche die Rundeisenstäbe in entsprechender Länge zerschneidet, ähnlich der Blechschcere (s. d.) construirt. Auf der anderen Seite ist ein auf- und niedergehender Stempel angebracht, der das Gesenke für den Nietkopf enthält; die Nietstifte sitzen dabei in entsprechenden Hülsen auf einer sich drehenden Walze.

Nieten, Nietung, frz. river, rivure, engl. to rivet. Nieten heißt 1) mittelst Nieten oder Nietnägeln zwei Bleche oder dergleichen verbinden. —

Fig. 1528.

2) Ein Verbandstück, welches durch ein anderes durchgesteckt ist, vermöge Breitschlagung seines Endes mit dem andern verbinden. S. Näheres in d. Art. Eisenverbände A. 1. Fig. 1528 zeigt bei a das Bohrloch, bei b den Stift und bei c die fertige Niete bei gewöhnlicher Vernietung zweier Bleche; bei d, e und f ist dasselbe für versenkte Vernietung

angegeben. Je nach dem Zweck sind die Nieten stärker oder länger und der Nietkopf cylindrisch, conisch oder conoidisch bearbeitet. — 3) Nieten heißt auch, die hervorragende Spitze eines z. B. in ein Bret hineingeschlagenen Nagels re. umbiegen und in dasselbe schlagen.

Niethammer, frz. brochoir (Schloss.), s. v. w. Bankhammer; s. d. und Fig. 271.

Nietmaschine. Neuerdings besorgt man das Nieten meist durch Maschinen. Die Blechstifte oder sonstige zu vernietende Gegenstände werden in Ketten oder dergleichen verrückbar aufgehängt. Auf starkem Nietgestell steht zu der einen Seite des Bleches eine starke Säule, an welcher oben Stanzen als Widerlagen beim Vernieten eingesteckt sind, an Stelle des Anhalters oder Gegenhalters. Den Hauptteil der Maschine bildet außer der nöthigen Welle, Treibriemen, Getriebe re. ein Zahnrad, auf dessen Welle ein Hebedaumen sitzt, der gegen das Knie einer Kniegelenkpresse (s. d.) drückt und dadurch einen Stempel gegen die heiß eingesetzten Nietstifte vorschiebt, der den Schließkopf erzeugt, oder der Stempel ist direct mit dem Dampfkolben verbunden.

Nietpfaffe (Schloss.), zum Breitschlagen eines Nietes an Stellen, wo man mit dem Hammer nicht beikommen kann, dienender Meißel.

nigged, engl., mit dem Spitzhammer, nicht mit dem Meißel bearbeitet, doch auch gekrönelt, s. d. Art. Gründl, nicht aber für charrirt zu setzen.

Nike, Siegesgöttin, Tochter des Titanen Pallas und der Styx, vgl. d. Art. Victoria, s. auch d. Art. Jupiter; wird geflügelt oder ungeflügelt dargestellt.

Nikolaus, St., s. d. Art. Nicolaus.

Nilgerisfasern, auch Collove (Calofee) oder Neah genannt, sind die festen und feinen Stengelfasern einer ostindischen Nesselart (Urtica tenacissima s. Boehmeria utilis Bl.), welche zu ausgezeichneten Seilen verarbeitet werden. Ueber Urtica nivea s. d. Art. Chinagras.

Nille, frz., 1) kleine viereckige Hefthaken oder Ringschrauben, welche die Fenstertafeln bei Kirchenfenstern an den eisernen Querstäben festhalten; — 2) kleine Astgabel, croix nillée, Gabelkreuz, s. Kreuz 8.

Nilus, lat., 1) Gott des Niles; — 2) großer künstlicher Wasserfall, kleinere hießen Euripus; s. d.

Nilus, St., aus edlem Geschlecht, Präfect von Constantinopel, wurde einst unter Theodosius II. erst Mönch, dann Abt, heilte einst einen Kranken mit dem Oel der Kirchenlampe; daher in schwarzer Mönchskleidung, eine Lampe mit Oel haltend, abzubilden.

Nimbus, lat., eigentlich Wolle, Nebel, daher Heiligenschein; s. d. Art. behauptiert, aureola, Diadem, Dreieck II, Beams, Glorie, Kreuz, nimbus re., bes. aber d. Art. Heiligenschein.

Ninmas und **Ninnomas**, s. d. Art. Japanisch S. 306, Bd. 11.

Niord oder **Niördr**, wird zwar zu den Asen gerechnet, ist aber kein Ase, sondern bei den Wanen geboren und als Geisel den Asen übergeben; Gott des Windes, Feuers und Meeres, Spender des Reichthums, wohnt in Noatun (Neuzaun), dem Zodiakalzeichen der Fische.

Riou, siamesisches Längenmaaß, ungefähr = ¾ Bar. Zoll, 12 Riou = 1 Kaub.

Nische, lat. loculamentum, s. v. w. Bilderblende und Schirmstand in Gestalt einer Mauervertiefung, deren Grundriß einen Halbkreis oder ein halbes Polygon bildet, deren oberer Schluß also einer Viertelkugel gleicht oder ähnelt; s. auch d. Art. Kubba.

Nischengewölbe, s. v. w. Chorgewölbe; s. d.

Nissolia Cabiuna, s. d. Art. Jacarandenholz.

Nitrate nennt man alle salpetersauren Salze, Nitrite die salpetrigsauren Salze, Nitrum den Salpeter; s. d. betr. Art.

Niveau, frz., 1) Ebene oder Linie, welche vollkommen waagerecht ist; — 2) Wasserwaage, Bleiwaage ꝛc.

Niveaulinie, waagerechte Linie. Ueberhaupt heißen zwei Punkte in gleichem Niveau, wenn sie gleiche Höhe über dem Meeresspiegel besitzen, also durch dieselben eine scheinbar horizontale Ebene möglich ist.

Nivellement, frz., Verfahren, doch auch Ergebniß des Nivellirens; s. d. Art. Nivellirinstrument.

nivelliren, 1) den Unterschied in den Höhenlagen beliebig vieler Punkte erforschen, z. B. das Gefälle eines Terrains oder Flusses; s. d. Art. Nivellement; 2) das Ausgleichen von hinderlichen Höhenunterschieden, das Horizontalmachen einer geneigten Fläche.

Nivellirinstrumente. Man hat verschiedene Instrumente zum Nivelliren, d. h. zur Bestimmung des vertikalen Höhenunterschiedes zweier Punkte. 1) Fernrohr, welches mit einer sehr genauen Libelle versehen ist, so daß die Blase derselben gerade in der Mitte einspielt, wenn die optische Achse des Fernrohres horizontal ist. Dieses Fernrohr wird in ein Gestell eingelegt, welches sich beliebig drehen läßt und mit Stellschrauben versehen ist. Außerdem braucht man noch zwei Nivellirlatten, Nivellirstäbe, s. d. Dieselben werden an den beiden Punkten, deren Höhenunterschied gemessen werden soll, genau vertikal aufgestellt und für beide die Zahlen notirt, welche im Fadenkreuz des Fernrohres sichtbar werden. Die Differenz derselben giebt den gesuchten Höhenunterschied an. Ist dieser zu groß, um ungetheilt an den Nivellirlatten beobachtet werden zu können, oder wünscht man zugleich das Profil zwischen beiden Punkten zu bestimmen, so stellt man das Instrument nach und nach an zwischenliegenden Punkten auf und arbeitet von einem Punkte zum andern fort (Fig. 1529). —

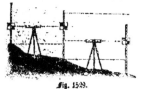

Fig. 1529.

2) Canalwaage. Dieselbe besteht aus einem auf einem Gestell ruhenden Metallrohr, welches an den Enden aufwärts gebogen und mit Glasansätzen versehen ist (Fig. 1530). Soll mit Hülfe derselben der Höhenunterschied zweier Punkte bestimmt werden, so stellt man das Instrument zwischen denselben auf, füllt die Röhre so weit mit Wasser, daß dies an beiden Enden in den gläsernen Ansätzen sichtbar wird, und visirt über die Wasserfläche nach den Nivellirlatten ꝛc. Das Resultat ist natürlich nicht so genau wie bei 1. — 3) Der Grabbogen der Bergleute, s. d. Art. Markscheiderwaage. — 4) Ein Fernrohr, genau im Schwerpunkt aufgehängt, also als Waagebalken immer

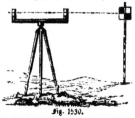

Fig. 1530.

genau horizontal hängend und mit Diopter versehen. — 5) Niveau von Keith, zwei kleine Elfenbeinwürfel schwimmen auf Quecksilber. Auf den Würfeln sind Diopter befestigt. — 6) Libelle oder sonstige Wasserwaage, befestigt auf ein Lineal mit Diopter. — 7) Die Schwaage, die Pendelwaage, die Wall- und Trancheewaage, die Bergwaage oder das Clitometer, die Markscheiderwaage, welche sich alle auf lotrechte Linien gründen, können auch zum Nivelliren auf kurze Entfernungen, namentlich in Verbindung mit einem Waagscheit oder Richtscheit, gebraucht werden.

Nivellirstäbe (Feldmeßt.), eingetheilte Maaßstäbe, dienen als Visirgegenstände beim Nivelliren, wobei sie genau senkrecht auf Pflöcke mit gerade abgeschnittenen Köpfen gestellt werden, die ganz in die Erde getrieben sind. Es sind meist hölzerne viereckige Latten, 12—15 Fuß lang, 2—3 Zoll breit, 1½ Zoll dick; von unten bis oben in Fuß, Zolle, halbe Zolle, auch in Linien eingetheilt. Man beschlägt sie unten und oben mit Eisen und zeichnet mit Oelfarbe die angegebenen Maaße abwechselnd schwarz und weiß an. Da jedoch aus weiter Entfernung das Fußmaaß auf den schmalen Nivellirstäben nicht deutlich zu erkennen sein würde, so werden mit den Nivellirstäben die Zielscheiben verbunden, welche mittelst einer straffgespannten Schnur, die über Rollen dicht an den Enden des Nivellirstabes hinläuft, an jeder beliebigen Stelle des Stabes fest und der Visirlinie entgegengehalten werden können. Die Zielscheiben selbst sind entweder viereckig oder rund, 1 Fuß im Durchmesser und vom Mittelpunkt aus in vier abwechselnd weiße und schwarze Felder eingetheilt. Visirt wird stets auf die Durchkreuzung der Mittellinien der Scheibe, und an der hintern Seite ist ein Bügel so befestigt, daß seine untere Kante gerade mit der Mittellinie der Scheibe in gleicher Höhe liegt und man das Fußmaaß hinten auf dem Nivellirstab ablesen kann.

Noberg, auch Nobrig, 1) (Bergb.) s. v. w. Kamm; — 2) erzhaltige Schicht beim Kupferschiefergebirge.

Nock, engl., Kerbe, Einschnitt, Schlitz.

Noel, nowel, newel, engl., franz. noyau, Treppenspindel; s. d. Art. Treppe.

Nösel, s. d. Art. Maaß.

Noeud, frz., lat. nodus, 1) Knoten, frz. noeud courant, blinde Schleife; noeud d'amour, Liebesknoten; — 2) Astknoten, s. d. Art. Ast 1; — 3) Knauf, Bossen, Buckel, Knoten in der Mitte eines Schaftes, Knauf eines Kelches; s. d.

Noir, franz., schwarz. **Noir d'Allemagne,** Frankfurter Schwarz. **Noir de terre,** eine Art schwarze Erdkohle. **Noir fusible, vitrié,** Schwarzloth.

Nola, lat., Glocke; s. d.

Nolarium, clocarium, lat., Glockenthurm.

Nolet, frz., Hohlziegel, Dachpfanne.

Nonagesimaltheilung, s. d. Art. Grad.

Nonius oder **Vernier, Secundentheiler,** ein Instrument, welches dazu dient, die Länge gerader Linien oder die Größe von Winkeln genauer zu bestimmen, als es mit Hülfe eines einfachen, eingetheilten Maaßstabes möglich ist. Er besteht aus einem an der Haupttheilung verschiebbaren Blättchen, auf welchem eine zu derselben parallele Linie eingetheilt ist. Soll dieselbe noch den mten Theil der auf dem Hauptmaaßstab aufgetragenen Länge genau geben, so muß sie (m—1) solcher Theile enthalten, aber in m Theile getheilt sein. Fig. 1531 und Fig. 1532 zeigen zwei Nonien, einen zur Messung von geraden Linien, den andern zur Messung

Fig. 1531.

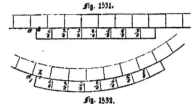

Fig. 1532.

von Kreisbogen. Beide sind so construirt, daß sie noch $\frac{1}{8}$ der Längeneinheit genau geben sollen. Hat man nun eine gewisse Länge oder einen gewissen Winkel zu messen, so verschiebt man den Nonius so, daß sein vorderes Ende in das Ende der betreffenden Länge oder des betreffenden Bogens fällt, und untersucht, welcher Theilstrich des Nonius mit einem Theilstriche des Maaßstabes zusammenfällt. Angenommen, es finde dies bei dem n-Theilstriche statt, so ist die Länge zwischen dem Anfangspunkt des Nonius und dem Theilstrich des Maaßstabes, welcher demselben vorangeht, in Fig. 1529 die Strecke a b, gleich $\frac{n}{m}$ der Längeneinheit; hier ist m = 8, daher die Länge des Nonius = 7, in 8 Theile getheilt, bei Fig. 1528 ist n = 3, bei Fig. 1529 n = 2. Die übrige Länge kann man am Hauptmaaßstabe selbst abmessen.

Nonne, 1) s. d. Art. Mönch, Imbrex, Kehlziegel u. Dachdeckung 9; — 2) s. d. Art. Capelle III.

Nonnenchor. Eine am Westende der Nonnenklosterkirchen über das Langschiff querüber gehende Empore für die Nonnen, meist eng vergittert.

Nonnenkloster, s. d. Art. Kloster.

Nook, engl., einspringender Winkel, engl. nookshotten, von Mauern, schräg, schief, ausstothend.

Nopal, s. d. Art. Cochenille.

Noquet, frz., Bleiplatte zum Belegen der Einkehlen.

Norbert, St. oder Nortbert, geboren zu Xanthen 1080, adlig, Höfling bei Kaiser Heinrich IV. Von einem Blitzstrahl zu Boden geworfen, that er Buße, besonders in Sieburg bei Köln, wurde Diakonus und Presbyter, Mönch in Xanthen, ging zum Papst Gelasius in Frankreich, erhielt von diesem die Erlaubniß, predigend umherzuziehen, und gründete 1121 die Prämonstratenser in Prémontré. Auf dem Reichstag zu Speier wurde er Erzbischof von Magdeburg, wo er in so ärmlichem Anzug ankam, daß ihn der Pförtner nicht einlassen wollte. Er starb 1134. Er ist Patron von Böhmen und wird dargestellt als Bischof und Prämonstratenser, einen Kelch haltend, in welchem eine giftige Spinne sitzt; zu seinen Füßen der Teufel.

nordamerikanische Bauwerke. Ueber ihre kunsthistorische Stellung s. d. Art. Baustyl A. I. 1. Was wir von den Ureinwohnern Nordamerika's wissen, beschränkt sich auf Kenntniß großer Züge (Völkerwanderungen), die von Nord nach Süd geben. Die von vielen Schriftstellern aufgestellten Vermuthungen einer früheren Einwanderung von Culturvölkern der alten Welt sind bis jetzt eben nur Vermuthungen. Erwiesen ist nur, daß die Chinesen die Westküste Amerika's kannten und daß die Normannen von 861 an bis zur Mitte des 14. Jahrhunderts den nördlichsten Theil der Ostküste besuchten. Vom südlichen Ufer des Eriesees bis zum Golf von Mexiko und längs des Missouri bis zu den Rocky-Mountains trifft man auf Spuren beträchtlicher regelmäßiger Arbeiten, die sehr hohes Alter und gemeinsamen Ursprung verrathen. Die hauptsächlichsten derselben sind:

1) Befestigungen, oft von großer Ausdehnung, z. B. bei Chillicothaat im Staat Ohio über 100 Acker, mit Mauern von 20 Fuß unterer Stärke, 12 Fuß Höhe und einem Graben von 20 Fuß Breite; einige dieser Befestigungen sind rechtwinklig, fast quadratisch um einen Raum von 700 Fuß Länge und 600 Fuß Breite herumgezogen; andere, namentlich an den Flüssen, sind rund, dann aber nicht über 150 Fuß im Durchmesser; selbst eine Art bedeckten Weg haben manche und eine Art Bastionen, fast à la Vauban. Wo man Thore unterscheiden kann, sind diese östlich.

2) Grabhügel, im Norden 10—12 Fuß an der Basis im Durchmesser und 4—5 Fuß hoch; im Süden bis zu 2400 Umfang und 100 Fuß Höhe (an der Kabotia bei St. Louis), von Erde aufgeworfen; die steinernen sind kleiner und kegelförmig, doch stets über 20 Fuß hoch und an der Basis 100 Fuß Durchmesser haltend; darin wurden Gerippe, Aschenkrüge, Waffen und Gefäße gefunden; diese steinernen Gräber, deren mehr als 3000 am Missisippi erhalten sind, scheinen aus dem neunten und zehnten Jahrhundert zu sein.

3) Parallele Steinmauern, oblong oder rund besonders am Ohio, Scioto, Kenhava und Big-Sandy, meist nahe bei Grabhügeln gefunden, mochten wahrscheinlich zu religiösen Zwecken dienen, sie sind meist 15—30 Fuß breit, circa 20 Fuß hoch um einen erhöhten Mittelpunkt herumgezogen.

4) Unterirdische Räume, vermuthlich Reste von höhlenartigen Wohnungen und Brunnen oder Bergwerksschachten, besonders am Ufer des Liding, eine Meile innerhalb Newark.

5) Felsen mit Inschriften, writing-rocks, dighton-rocks genannt, besonders im Staat Massachusetts, eine Art Keilschrift, die aber auch von Fremden herrühren können, auch Hierogly-

pben, darunter: Schildkröten, Adler und Menſchen. Amerikaniſche Archäologen wollen phönikiſche Schriftzeichen erkannt haben.

6) Dolmen, Waagſteine, ähnlich ben celtiſchen; ſ. d. Art. celtiſche Bauwerke 3 und 5.

7) Götzenbilder und Vaſen mit Figuren, deren Köpfe dem mongoliſchen Typus folgen.

8) Mumien, aber ganz anders behandelt als die ägyptiſchen.

nordamerikaniſche Bogenbrücke, ſ. d. Art. Brücke, S. 462 im erſten Band.

nordiſche Erle, ſ. d. Art. Erle 1.

Nordſeite, ſ. d. Art. Brobſeite, Baſilika und Kirche.

Norfolk-Fichte, Araucaria excelsa. Die Wurzeln und Knoten eignen ſich ſehr gut zum Drechſeln von Schalen, Vaſen ꝛc. Kneipt man die Spitzen der Zweige wenige Zoll lang ab, ſo giebt man dem Baum eine dichtere Belaubung.

Noria, ſpan., 1) Waſſerhebmaſchine, ſ. d. Art. Bewäſſerung; — 2) länglichrunder Ziehbrunnen.

Norma, lat., Winkelmaaß, Regel, Richtſchnur, Muſter.

Normale einer Curve, jede Gerade, welche auf einer Tangente derſelben im Berührungspunkt ſenkrecht ſteht; bei ebenen Curven beſonders eine ſolche, welche zugleich in der Ebene der Curve liegt. Bei räumlichen Curven zeichnen ſich zwei Normalen vor den anderen aus; die eine, die Hauptnormale, liegt in der Krümmungsebene (ſ. d.); die andere, die Binormale, ſteht ſenkrecht darauf. — Auch verſteht man bei den ebenen Curven und bei Parallelcoordinaten unter Normale die Strecke zwiſchen dem Fußpunkt der Normallinie und ihrem Durchſchnittspunkte mit der Abſciſſenachſe, alſo in Fig. 775, S. 583 im erſten Band, die Strecke P n; bei Polarcoordinaten dagegen gewöhnlich die Strecke auf der Normale zwiſchen dem Fußpunkt und dem auf dem Leitſtrahl deſſelben im Coordinatenanfang errichteten Perpendikel, alſo in der Figur die Strecke P D. Ueberhaupt ſ. d. Art. Curve, S. 582 im I. Band.

Normalſchnitt, ſ. d. Art. Fläche, S. 64, Bd. II.

Normalziegel, Mauerziegel, die die geſetzmäßigen Dimenſionen haben.

normanniſcher Bauſtyl, frz. architecture normande, engl. norman-style. Ueber die kunſthiſtoriſche Stellung dieſes Styls ſ. d. Art. Bauſtyl B. VII f. Die Normannen waren germaniſcher Abſtammung, kriegeriſch, unternehmungsluſtig, ſelbſt abenteuerſüchtig, dabei aber klug, gewandt und ernſt; ſie lernten auf ihren Raubzügen die verſchiedenſten Culturzuſtände kennen und ſchätzen. Wo ſie längere Zeit angeſiedelt waren, adoptirten ſie zwar die Formen der vorgefundenen Style, geſtalteten ſie aber ziemlich ſchnell, ihren Anſchauungen gemäß, theilweiſe um, und bildeten ſo einen beſonderen Styl, welcher jedenfalls weſentlich mit zur Geſtaltung des gothiſchen Styls beigetragen hat.

Aus dem frühromaniſchen Styl adoptirten ſie die Baſilika-Anlagen ihrer Kirchen, aus dem byzantiniſchen die Kuppel über die Kreuzung und die reiche Apſidengruppe, aus dem ſaraceniſchen den Spitzbogen mit verlängertem Schenkel, aus dem ſpätromaniſchen die Pfeilerbündel und die Kapitälform ꝛc. Die Gliederungen gleichen zwar in der Hauptſache den romaniſchen, erlangten aber doch unter den Händen der Normannen vielfach einen ganz beſonderen Charakter.

Ergebniſſe dieſer Combinationen in den verſchiedenen Gegenden:

1) In Sicilien. 1025 entriß Wilhelm der Eiſen-

Fig. 1535. Dom von Monreale bei Palermo.

arm den Saracenen einen Theil von Sicilien; 1052 eroberten ſie Alles wieder, da Wilhelm abweſend war. 1061 begann Roger den Kampf auf's Neue,

1078 baute er die Kirche von Traina und 1090 vollendete er die Eroberung Siciliens. Nun herrschten seine Nachfolger als Grafen, dann als Könige von Sicilien, Calabrien und Apulien, bis 1266.

a) Kirchenbauten. Die überwiegend meisten derselben sind nach ihrem Grundplan Säulenbasiliken mit sehr breitem, bedeutend erhöhtem Querschiff, welches als Unterchor durch Cancellen vom Langschiff getrennt ist. Die Säulen des Langschiffes, sehr häufig antik oder den antiken mit romanischer Modification nachgebildet, tragen auf überhöhten Rund- oder Spitzbogen eine glatte Mauerfläche mit kleinen Fenstern und einen freiliegenden, reichbemalten Dachstuhl, oder eine saracenische Stalaktitendecke. Die Wände sind in ihrem unteren Theile mit Marmormosaik oder auch mit Azulejos bekleidet; darüber folgt Mosaik, ähnlich

sehr viele dieser Kirchen, die bedeutendsten aber sind folgende: Cathedrale von Messina, 1098 begonnen. Die schöne Holzdecke ist von 1254; die Cathedrale von Cefalù begonnen 1132, die Schloßcapelle von Palermo 1132 beendigt, die Cathedrale von Palermo 1109 begonnen, 1185 geweiht, doch bis 1450 mehrfach verändert, endlich der Dom von Monreale; 1174 begonnen, 1186 im Westbau vollendet und mit allem Pomp mittelalterlicher Kunst ausgestattet, ist diese Kirche vollständig erhalten

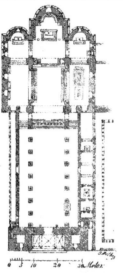

Fig. 1534. Grundriss des Doms von Monreale bei Palermo.

Fig. 1535. Kreuzgang zu Huelgas bei Burgos.

der altchristlichen und frühromanischen. Eben solche Mosaik schmückt innerlich Wände und Kuppeln der Apsiden, deren Tribunal und Altardisposition ebenfalls an die altchristlichen Basiliken erinnert. Aeußerlich hat die Apsis über den Fenstern unter dem Hauptsims die nordisch-spätromanische kleine Gallerie, aber nicht mit Rundbogen überdeckt, sondern mit Spitzbogen, welche durch sich kreuzende Rundbogen entstehen; dieses Motiv wiederholt sich an den Façaden, wo solche Spitzbogenfriese auf Lisenen ruhen; nur hier und da finden sich wirkliche Strebepfeiler. Auch der überhobene Rundbogen kommt vielfach vor. An der Westseite stehen zwei ziemlich niedrige Thürme mit hoher, offener Vorhalle zwischen sich. Die Thürme sind viereckig, in Geschosse abgetheilt und durch runde, undurchbrochene Steinhelme bekrönt, welche, von vier ebenfalls runden oder achteckigen Thürmchen umgeben, über einem Zinnenkranz sich erheben. Der Thurm der Kreuzung ist ähnlich, wohl auch rund mit runden Seitenthürmchen und als Kuppel in Spitzbogen geschlossen. Erhalten sind

und neuerdings sehr verständig restaurirt worden. Wir geben in Fig. 1534 den Grundriß und in Fig. 1533 einen Theil des Längendurchschnitts. Eine zweite Art des Kirchengrundrisses ist weniger den Normannen als dem Umstand zuzuschreiben, daß man zum Theil saracenische Moscheen zu Kirchen umwandelte, auch den bei Ankunft der Normannen und im Anfang ihrer Herrschaft auf der Insel sehr ausgebreiteten griechischen Ritus berücksichtigte. Diese Kirchen bilden griechische Kreuze und sind meist mit Kuppeln überdeckt, auch in der Architektur zeigen sich hier vielfach byzantinische Elemente.

b) Profanbauten. Auch diese sind in Sicilien sehr zahlreich erhalten; die Grundrisse sind ziemlich verschieden. Manche sind nach den Straßen zu im Erdgeschoß ganz fensterlos und haben dann meist einen mit einer Säulenhalle umgebenen Hof. Andere sind, ganz nordisch, mit einer Bogenhalle nach der Straße heraus versehen und haben nur einen kleinen Hof. Die Fenster sind meist ziemlich breit, in niedrigem Spitzbogen überwölbt; in diese Oeffnung sind dann 2 oder 3 kleine Spitzbogen auf schlanken Säulchen eingesetzt. Durchbrochenes Maaßwerk findet sich nicht in den Bogenfeldern zwischen den kleinen und großen Bogen, wohl aber hier und da eine durchbrochene Rosette. Die Mauerflächen sind entweder nur durch **Gurt-**

simse oder auch durch Lisenen getheilt, welche durch sich durchkreuzende Rundbogen verbunden werden.

Bogen 2c. sind sehr häufig, ja fast immer, aus abwechselnd schwarz und weißen Steinlagen construirt. Unter den Gliederungen ist das Zickzack sehr häufig. Die Portale sind ziemlich niedrig, ebenso die Giebel ziemlich flach. Bei den Profanbauten fast immer, bei den Kirchen ziemlich häufig, laufen Zinnenreihen um das Dach.

2) In Unteritalien. 1003 landete Drogo mit 40 Begleitern in Salerno, vertheidigte diese Stadt gegen einen Angriff der Saracenen und trat in die Dienste des Herzogs von Salerno; 1020 gründeten die Normannen die Stadt Aversa; 1043 schon wurde Apulien zu einem normannischen Staat erhoben. 1059 kam Roger nach Calabrien. Um 1250

erlosch die Normannenherrschaft. Die Kirchen sind ähnlich den sicilianischen disponirt, doch sind reine Säulenbasiliken selten; in der Disposition herrschen häufig die altchristlichen Elemente noch mehr vor; so findet man vollständige Atrien, Ambonen 2c. Vierungskuppeln sind fast allgemein vorhanden. Die Thürme geben häufig oben in den Kreis über. Ueber den Portalen sitzen in den meisten Fällen große, oft sehr schöne Rosetten. Die Verhältnisse sind oft sehr schlank; die Ueberhebung der Bogen ist aber nicht so bedeutend wie in Sicilien.

3) Im nordwestlichen Italien, namentlich in Genua und Umgegend, ist der normannische Styl entschieden nicht ohne Einfluß geblieben; sowohl die Cathedrale von Genua, als namentlich die zahlreichen mittelalterlichen Wohnhäuser dieser Stadt, zeigen viele nordische Formen, wie sie weiter im Innern Italiens nicht vorkommen, weder in Mailand und Umgegend, noch in der Gegend

von Florenz, Pisa 2c. Die vielfachen Berührungen der Genuesen mit Sicilien und Calabrien, die Eroberung von Syracus 1204 2c., machen übrigens den Einfluß normannischer Kunst sehr wahrscheinlich.

4) In Spanien. Die Vorhallen und Doppelthürme sind weniger häufig, öfter ist der Westseite nur ein Thurm mit ziemlich niedrigem Portal vorgesetzt; die Rosetten sind in der Regel sehr mächtig; die Seitenschiffe gewölbt, das Mittelschiff mit Holzdecken geschlossen, die Lisenen schon vielfach durch sehr bedeutende Auslaburg als Strebepfeiler charakterisirt; das Zickzack herrscht in der Ornamentik vor und tritt in mannichfachster Gestaltung auf. Von der Durchbildung der Säulen und Bogen in der letzten Zeit spanisch-normannischer

Kunst, wo schon ein Uebergang zur Gothik bemerkbar ist, mag Fig. 1535, der Kreuzgang von Huelgas bei Burgos, einen Begriff geben. Die Palast-
bauten sind sehr selten und wo sie vorkommen,
zeigen sie den Steinbau sehr einfach, gruppirte
Fenster mit Zwischensäulchen, aber ohne zusam-
menfassende Hauptbogen. Die Sparren ꝛc. aber
sind oft sehr zierlich geschnitzt, überhaupt die Holztheile der Architektur mit großer Vorliebe behandelt; ebenso das Eisenzeug an Ankern, Thürbän-
dern, Klopfern ꝛc.

Fig. 1538. Bogen der Cathedrale zu Bayeux.

5) In England ist der normannische Styl vielfach durch vorgefundene sächsische Elemente modificirt; s. d. Art. anglonormannische Bauweise.
Doch geben wir hier noch in Fig. 1536 ein Joch
der Cathedrale von Kirkwall, 1137 begonnen, zum
Beweis, daß die normannischen Formen der Bau-

Fig. 1539. Portal der Kirche zu Magneleur.

ten in Schottland von denen in England nur sehr
unbedeutend abweichen. Als interessantes Beispiel
der späteren Ausbildung normannischer Formen
in Schottland geben wir in Fig. 1537 ein Thurmfenster aus Jona in Schottland.

6) In Skandinavien und Rhode-Island zeigen
sich in den Langbauten die normannischen Formen
vielfach gemischt mit deutsch-romanischen; in den
Rundbauten hingegen in origineller Entfaltung
ihres Wesens, blos gemischt mit heimathlichen,
nordischen Elementen, während an den Holzkirchen
Norwegens sich eine Anwendung des Centralbaues
auf die durch die Holzconstruction vorgeschriebene
rechtwinkelige Form ausgebildet hat; s. darüber
d. Art. Holzarchitektur.
7) In Frankreich. a) In der Normandie.
Die überaus zahlreichen normannischen Kirchen
des nördlichen Frankreichs geben von den flachge-
deckten Basiliken aus, adoptiren aber sehr zeitig
und allgemein das Kreuzgewölbe. Ueber den Seitenschiffen haben sie Emporen oder Triforien, die
sich auch in den Querarmen hinziehen; s. Fig. 1342
im Art. Joch. Die Pfeiler sind mit Ecksäulchen
und angelegten Halbsäulchen versehen und in der
Regel alle gleich stark. Die Nebenschiffe verlängern
sich östlich vom Querschiff, haben aber keine Apsis.

Fig. 1540. Wohnhaus zu Figeac.

Kreuzungsthürme und zwei westliche Thürme keh-
ren auch hier wieder; die Lisenen treten sehr kräftig
hervor, häufig verbunden mit Blendarkaden an
den Obermauern. Das Gesims ruht auf phantastischen Consolen. Ueber dem nicht zu hohen, reich
gegliederten Portal stehen statt der Rosen mehrere
Reihen einfache Rundbogenfenster. Die Thürme,
welche nur höchst selten in's Achteck übergehen,
haben runde Steinhelme mit vier Seitenthürmchen. Auch die Details entsprechen in ihrer Derbheit und Strenge dem Gesammtbild. Die Säulencapitäle sind meist würfelförmig, blos mit Linien
verziert, oder als Faltencapitäle (s. d.) gestaltet.
Alle andere Ornamentik besteht besonders aus
verschlungenen und gebrochenen Linien; Zickzack,
Raute, Sterne, Brillantirung, Schachbret, Tau,
Schuppen, Hundszahn, Nagelkopfreihen ꝛc. sind
die hauptsächlichsten Decorationselemente. Wir
geben in Fig. 1538 einen der Arkadenbögen
aus dem Schiff der Cathedrale zu Bayeur, aus
der ersten Hälfte des 12. Jahrhunderts. Die Bemalung der Architekturtheile, welche fast überall

vorkommt, ist in ernsten, düsteren Farben gehalten, und in derselben, sowie auch in der plastischen Verzierung, spielt die Thiersymbolik eine sehr wichtige Rolle.

b) Im südlichen Frankreich, besonders in der Provence, wurden die Kirchen sehr zeitig total in Stein ausgeführt. Das Mittelschiff wurde mit einem Tonnengewölbe überdeckt, dessen Profil schon sehr früh den Spitzbogen zeigt. Die Seitenschiffe wurden mit halben Tonnengewölben überdeckt, die Dachdeckung wurde direct auf das Gewölbe von Stein aufgebracht, nachdem die Extrados der Gewölbe durch Aufmauerung zu geradlinigen Flächen ausgeglichen worden; s. d. Art. Dach, S. 593 im I. Band. Die Centralthürme sind

Fig. 1541. Thurm von S. Etienne bei Puissalicon.

normannisches Schild, s. d. Art. Heraldit III, 5.

Nortbert, St. s. d. Art. Norbert.

norwegische Holzkirchen, s. d. Art. Normannisch 6 und Holzarchitektur.

Nosing, engl., 1) Nase; — 2) äußerste Ecke eines Simses; — 3) Kinn oder Wassernase; — 4) Sims einer Treppenstufe.

Nosocomium, lat., gr. νοσοκομεῖον, Krankenhaus, Hospital.

Notch, engl., 1) Kerbe, Einschnitt; — 2) Keep;

Fig. 1542. Kreuzgang zu Fontifroide in der Provence.

vorherrschend, doch kommen auch hier und da Glockenthürme vor. Einige von diesen Bauten zeigen so augenfällig normannische Formen, die Geschichte berichtet von so vielen Angriffen, denen die Bauten von Seiten der saracenischen und christlichen Seeräuber ausgesetzt war, daß wir keinen Anstand nehmen können, diese Bauten zu den normannischen zu zählen. Wir geben in Fig. 1539 das 1178 erbaute Portal der Kirche zu Maguelone, welches genau dieselbe Disposition, dieselbe Form zeigt, wie die sicilianischen Portale, in Fig. 1541 den Thurm der zerstörten Kirche St. Etienne bei Puissalicon, der auffallend den italienischen Glockenthürmen gleicht, u. in Fig. 1542 eine Partie aus dem halbzerstörten Kreuzgang der Kirche zu Fontifroide, endlich in Fig. 1540 ein Wohnhaus zu Figeac aus dem 13. Jahrhundert.

3) Bogen eines Bogenfrieses; — 4) Zwischenraum zwischen den Zinnen; notch of the bolt, Angriff, s. d. 3; to notch, kerben, Mühlsteine schärfen; notched, gezinnelt; notched leaves, gekerbtes Laubwerk.

Nothanker, s. d. Art. Anker E.

Nothausfluth, Nothschott (Deichb.), eine zwar vorbereitete, aber nur bei hoher Wasseranschwellung zu Verhütung eines Deichbruches in Gang zu bringende Oeffnung in einem Deich.

Nothbrücke, s. d. Art. Brücke, I. Bd., S. 470.

Nothburga, Noctburgis, Notburgis, St., nicht genau festgestellte Persönlichkeit, vielleicht Verschmelzung mehrerer Personen. Die Legende erzählt 1) Nothburga, 1266 im Unterinnthal von armen, aber frommen Aeltern geboren, wurde

Magd der Grundherrschaft. Sie spendete Armen, wurde dabei ertappt und weggejagt. Bei einem Bauer in Dienst tretend, behielt sie sich vor, nach Feierabend dem Gebet obliegen zu dürfen. Als er dies einst nicht zulassen wollte, erhob sie ihre Sichel, warf dieselbe als Richterin auf, und die Sichel blieb in der Luft schweben. Sie starb 1303 und ist darzustellen als Bäuerin, mit Broden und einer Sichel in der Hand. 2) Königstochter aus Schottland, nach dem Tod ihres Gatten vertrieben, flüchtete mit 9 Kindern, darunter die heilige Hirta, an den Rhein; sie ist die Patronin der Gebärenden und erscheint von 9 Kindern umgeben, oder sie trägt 8 Kindlein auf dem Arm, das neunte liegt todt zu ihren Füßen.

Nothdamm (Wasserb.), auf kurze Zeit nur errichteter Damm; s. auch b. Art. belegen.

Nothdeich, s. d. Art. Deich 6.

Nothhelfer, die 14 heiligen Nothhelfer sind: St. Vitus, St. Blasius (1), Cyriacus, Pantaleon, Georg, Eustachius, Catharina (1), Margaretha, Barbara, Achatius (auch Agathangelos genannt), Aegidius, Dionysius Areopagita, Erasmus und Christophorus; s. d. betr. Artikel.

Nothholz, auf der Weser gebräuchliche Benennung eichener Bretter, die besonders zu Anfertigung von Särgen dienen. Die schmalen sind 18 Zoll breit, 6½ Fuß lang und ¾ Zoll dick. Die andere Sorte ist 21 Zoll breit.

Nothmaterialien (Deichb.), Faschinen, Pfähle, Mist ꝛc., die behufs Ausbesserung eines Deichbruchs im Winter immer vorräthig gehalten werden.

Nothschnitt (Bergb.), ein Erzausbau, aus Geldnoth und nicht nach Regeln des Bergbaues gemacht.

Nothständer (Wasserb.): die Ständer hinter den Seitenwänden eines Balkensiels, gegen welche die Wandbalken befestigt werden.

Nothstein, s. d. Art. Baltenstein, Corbel, Kraftstein, Console.

Noththür. 1) Für Feuersgefahr und andere Unglücksfälle als besonderer Ausgang dienendes Thor in Gebäuden; — 2) Thür einer Nothausfluth; — 3) Interimsthür an Schleußen.

Noue, frz., 1) Einkehle; — 2) Kehlziegel; — 3) fetter, feuchter Wiesenboden.

noué, frz. (Herald.), geknotet; **noueux,** astig, **Noulet,** frz., Kehlschifter. [stnotig.

Novaculit, (Min.), s. v. w. Wetzschiefer; s. d.

Noyau (frz.), Kern eines zu bekleidenden Mauerwerks, noyau d'escalier, Treppenspindel.

Nubilarium, lat., offene Fruchtscheune, ganz nahe an der Dreschtenne.

Nucleus, lat., dritte Lage beim römischen Straßenbau, s. d. Art. Straße.

Null, das Resultat, welches man erhält, wenn man eine Zahl von einer ihr gleichen abzieht. Auch kann sie definirt werden als eine Größe, welche kleiner ist, als jede beliebig kleine positive Größe.— Mit jeder endlichen Zahl multiplicirt, giebt die Null wieder das Resultat Null; daher muß der Bruch $^0/_0$ eine unbestimmte Größe sein. Bei der Rechnung nach Formeln kommt man mitunter auf diese unbestimmte Form, kann aber oft den wirklichen Werth angeben, indem man im Stande ist, den Factor im Zähler und Nenner heraus zu dividiren, welcher dem Bruch die unbestimmte Form giebt. So nimmt $\dfrac{a^2-x^2}{a-x}$ für x—a den Werth $^0/_0$ an; hier kann man Zähler

und Nenner mit dem Factor a — x dividiren und erhält dadurch den wahren Werth a + x, welcher für x—a zu 2 a wird. Bei complicirteren Functionen wird die Division durch den gemeinschaftlichen Theiler schwieriger; alsdann giebt aber die Differentialrechnung leichtere Mittel an die Hand, den wahren Werth $^0/_0$ zu bestimmen. Fällt nämlich für x—a

$$y = \frac{f(a)}{F(x)} = ^0/_0 \text{ aus, wobei } f(x) \text{ u. } F(x) \text{ Functio-}$$

nen (s. d.) von x sind, so ist auch für x — a

$$y = \frac{f'(a)}{F'(a)}, \text{ wo } f'(a) \text{ u. } F'(a) \text{ die ersten Differential-}$$

quotienten von f(x) u. F(x) nach x für x—a bedeu-

ten; wird dies ebenfalls $^0/_0$, so ist auch $y = \dfrac{f''(a)}{F''(a)}$,

wo f''(a) und F''(a) die zweiten Differentialquotienten von f(x) und F(x) nach x für x—a sind ꝛc. Außer $^0/_0$ sind auch $0 \times \infty$, $\frac{\infty}{\infty}$, 0^0, ∞^0, sowie 0^∞ unbestimmte Formen, deren Behandlung sich auf die von $^0/_0$ zurückführen läßt.

Nullpunkt, der mit 0 bezeichnete Anfangspunkt der Theilung bei dem eingetheilten Kreisrand eines Winkelmessers, der Anfang eines Maaßstabes, Gefrierpunkt eines Thermometers ꝛc.

Numella, numellus, lat., Nothstall, s. Stall.

numerisch, was sich auf bestimmte Zahlen bezieht, daher 1) numerische Gleichungen, solche, in welchen neben der Unbekannten x nicht allgemeine Buchstabenausdrücke, sondern bestimmte Zahlwerthe vorkommen, wie z. B. $2x^2 \times 7x^2 \times 6x \times 9 = 0$; 2) numerische Algebra, der Theil der Algebra, welcher sich mit Auflösung numerischer Gleichungen beschäftigt.

Numerus, lat., s. v. w. Zahl; daher numerus logarithmi, abgek. num, log., die Zahl, welche zu einem bestimmten Logarithmus gehört. numerus antiquus ob. perfectus, in der mittelalterlichen Baukunst die heilige Zahl Drei; s. d. Art. Zahlen.

Numidicus, St., verwaltete während der Abwesenheit des Cyprianus das Episcopat von Karthago, wurde unter Decius sammt seiner Frau den Flammen übergeben und dann mit Steinen bedeckt, lebte aber wieder auf.

Numismatik, Münzkunde; erscheint in allegorischer Darstellung als ernstes Weib mit Münzen und Münzprägwerkzeugen.

Nunnery, engl. 1) Nonnenkloster; — 2) Nonnenchor, Triforium.

Nuntiatio, s. d. Art. Baurecht.

Nurhag, s. d. Art. Phönikisch.

Nursery of trees, engl., Baumschule.

Nuß, 1) auch Nußgewinde oder Kugelgewinde genannt. Eine messingene oder eiserne Kugel steckt etwas mehr als zur Hälfte in einer, an dem einen Theil des betreffenden Gegenstandes, z. B. dem Stativ eines Meßtisches, befestigten messingenen Hülse und trägt den andern, beweglichen Theil, z. B. also die Mensel des Instrumentes, an einem halbähnlich aus der Kugel herauswachsenden Zapfen; die Hülse kann man an die Kugel eng anschließen mittelst einer Schraube, um das Instrument fest zu stellen, und nach Lösung der Schraube läßt sich das Instrument nach allen Richtungen hin bewegen. — 2) (Schlosser) im Schloß ein kurzer Cylinder mit viereckigem Loch zum Einstecken des Drückers; ein eiserner Schwanz am Rand der Nuß schiebt oder schiebt die Falle oder den Riegel.— 3) (Bergb.) in eine weichere Erdart eingeschlossener, härterer, runder kleiner Körper.

Nußband, s. d. Art. Band III a, 5 u. 6, S. 219.

Nußbaum, 1) Walnußbaum, Juglans regia, Fam. Juglandeae, wächst fast in ganz Europa. Das Holz, auch italienisches Nußbaumholz genannt, wendet man zu den feinsten und niedlichsten Fournirungen an. Es ist bei jungen Stämmen weiß und weich, bei älteren und ausgewachsenen aber hart und fest, zähe, fein, kurzfaserig, röthlichgelb, rostgelb, olivengrün, braun, dunkelbraun oder schwärzlich, mitunter geflammt, fein gemasert und schön gezeichnet, besonders das Wurzel- und Stammholz von Bäumen, welche in magerem Erdreich wuchsen. Das beliebteste ist das französische, das sogenannte Franzenholz. 2) Der graue Walnußbaum, Juglans cinerea, in Nordamerika einheimisch. Sein Holz, als amerikanisches Nußbaumholz bekannt, ist schön schwärzlichbraun, an alten Stämmen fast schwarz, schön geflammt, oft mit hellen und schwarzen Adern durchzogen; es nimmt sehr feine Politur an und die Wurzeln sind mitunter mit vortrefflichen Masern versehen.

nußbaumartige Maserung, s. d. Art. Imitation A. f. Nußbeize, s. d. Art. Beize.

Nußholzstein (Bergb.), eine Art Alabaster mit Adern, wie bei dem maserigen braunen Nußbaumholz; es wird zu Tischplatten verarbeitet.

Nußfichte (Pinus edulis Engelm., Fam. Coniferae), span. Piñon, ein Nadelholzbaum des nordöstlichen Mexiko, liefert Nußholz u. eßbaren Samen.

Nußkiefer (Pinus Fremontiana Endl., Fam. Nadelhölzer, Coniferae), ansehnlicher Baum Nordamerika's, der Nußholz liefert.

Nußstrauch, s. d. Art. Haselnuß.

Nuth, überhaupt Canal, Rinne, besonders kleine vierkantige Rinne, parallel mit der Kante eines Verbandstückes von Holz, Eisen oder Stein, in welche ein entsprechender Spund des daran zu befestigenden anderen Verbandstückes paßt (s. Fig. 1543 a, die Hirnansicht zweier, durch Nuth und Spund oder Nuth und Feder verbundener Bretter). Oder es wird in beide Theile eine Nuth gestoßen und eine falsche Feder dazwischen eingesetzt, wie in

Fig. 1543 a.

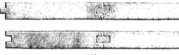
Fig. 1543 b.

Fig. 1543 b. Mit solchen falschen Federn, die man schräg aus dem Holze ausschneidet, damit sie nicht so leicht spalten, werden z. B. die Parquetböden verbunden, auf erstere Art aber z. B. die Thürfüllungen in die Rahmen eingesetzt. Vergl. d. Art. eingeschoben, Eckverband, absfedern, Spund zc. Der Falz ist eigentlich eine halbe Nuth.

Nutheisen (Steinmetz.), schmaler Meißel, um schmale Nuthen auszuarbeiten.

Nuthhobel oder Spundhobel, besteht gleich dem Falz- und Simshobel aus dem eigentlichen Kasten mit dem Eisen und einem hölzernen Backen, an der einen Seite des Kastens liegend, der mittelst 2 oder 3 hölzerner Schrauben, Riegel od. dergl. mehr oder weniger abgerückt und festgestellt werden kann; an der untern Seite des eigentlichen Hobelkastens sitzt eine eiserne Zunge in geringem Abstand von dem Backen herein, die gegen ½ Zoll vorsteht und beinahe so breit ist, als die Nuth weit werden soll; damit das Eisen durchgehen kann, unterbricht man diese Zunge (auch Auslauf genannt) in der Mitte der Länge. Seitwärts im Kasten ist zum Austritt der Späne ein besonderes Loch angebracht. Der bewegliche Anschlag muß zum Kasten immer parallel stehen. Man hat Sortiments von 6—8 Nutheisen nöthig, von ⅛ bis ½ oder ¾ Zoll Breite, die alle mit gleichem Obertheil in das Keilloch passen. Wenn man sehr häufig Nuthen in Bretter zc. von derselben Stärke zu stoßen hat, kann man auch Hobel mit feststehendem Anschlag oder Backen anwenden.

Nuthsäge (Tischler), besteht ganz ähnlich der Gratsäge (s. d.) aus hölzerner Fassung und kurzem Sägeblatt. Ein rechtwinkliger Ausschnitt am unteren Theil der Fassung giebt einen Backen, welcher an der Außenkante des Werkstückes läuft. Der Vorsprung des Sägeblattes vor der waagerechten Fläche des Ausschnittes bestimmt die Tiefe, bis zu welcher die Säge eindringen soll, und läßt sich mittelst zweier Schlitze im Blatt und zweier Schrauben in der Fassung regeln. Diese Säge vertritt die Stelle des Nuthobels im Zwerchholz zc., wo der Nuthhobel einreißen würde. Die Zähne wenden die Spitzen zur Hälfte nach einer, zur andern Hälfte nach der entgegengesetzten Richtung. Man wählt dazu ein dünnes Blatt und bewirkt die Breite der Nuth durch größere Schränkung.

Nutzeffekt, Leistung einer Maschine bei normalem Gang, zum Unterschied von dem Totaleffekt oder der theoretischen Leistungsfähigkeit, bei welcher man von den Hindernissen der Bewegung und der verloren gebenden Kraft absieht. Eine Maschine ist um so vollkommener, je größer das Verhältniß des Nutzeffekts zum Totaleffekt, der sog. Wirkungsgrad, ist.

Nutzen. Man sagt vom Bauholz z. B.: Es giebt zwei Nutzen, wenn der untere Theil einen Balken, der obere einen Sparren zc. liefert.

Nutzholz oder Gewerkholz, s. d. Art. Holz 2, Bauholz zc.

Nymphaea, s. d. Art. Blume, Lotos, Indisch, S. 322, Osiris zc.

Nymphaeum, lat. griech. νυμφαῖον. 1) Heiligthum einer Nymphe, Quellhöhle; — 2) öffentlicher Saal zur Feier der Hochzeiten; — 3) reich decorirtes Zimmer mit Springbrunnen zc. in den Wohnhäusern und Thermen Roms. — 4) Reinigungsbrunnen im Vorhof der Basiliken; s. d. Art. Basilika.

Nyx, oder Nox, Nacht, Tochter des Chaos, Grundursache aller Dinge, Mutter des Tages und des Aethers, Allmutter der Götter und Menschen, eine der frühesten Kosmogonien der Griechen angehörige Gestalt. Man schrieb der finstern Göttin Nyx alles Unbekannte, Unerklärbare, Schreckliche, daher auch Plagen, Krankheiten, Träume, Neid, Schlaf, Krieg, Mord zc. zu. Dargestellt wurde sie als ernste Frau, schwarz gekleidet u. verschleiert, mit einem weißen und schwarzen Kind, Schlaf und Tod vorstellend; auf einem schwarzen Wagen, eine umgekehrte, verlöschende Fackel haltend. Hähne wurden ihr geopfert.

O 1) Als Zahlzeichen: a) im Griechischen ό = 70, ϙ = 70,000, ῶ = 800, ῳ = 800,000; b) im Lateinischen O = 14; c) in der Rubricirung = 14; d) in der Zifferschreibung ist ein O für Null adoptirt. — 2) In kleiner Form rechts oben neben eine Ziffer gestellt, z. B. 12°, bedeutet es Grade eines Kreises, im Längenmaaß Ruthen oder auch Ellen ꝛc. — 3) Als Abkürzung auf Inschriften ꝛc. für: Octavus, Octavianus etc. O. A. (M) D. G. omnia ad (majorem) Dei gloriam. Alles zur (größeren) Ehre Gottes. — 4) Mathematische Abkürzung für Oberfläche. — 5) In französischen baulichen Beschreibungen ꝛc. finden sich die Rundfenster als un O, des O's benannt.

Oadal, Faserstoff von Sterculia villosa (Fam. Sterculiaceen), der in Ostindien zur Herstellung von Seilen benutzt wird.

Oannes (Myth.), nach Photoos auch Oes, babylonischer Gott, aus Mann und Fisch in verschiedener Weise zusammengesetzt dargestellt; tauchte jeden Morgen aus dem Meer auf, brachte den Babyloniern Gesetze und nützliche Belehrung und lehrte Abends in's Meer zurück. Er war Sohn des Apason und der Tauthe, trat in 4 Incarnationen auf, einmal vor der Sündfluth als Odakon (Dagon).

Obdeich (Deichb.), s. v. w. Armschlag.

Obedientia, lat., 1) Clause; — 2) Gefängniß, Gehorsam, Gewahrsam.

Obelisk, gr. ὀβελίσκος, Nädelchen. 1) (Geom.) ein Körper, welcher hervorgeht, wenn man die entsprechenden Seiten zweier Vielecke, deren Seiten parallel laufen, durch Ebenen verbindet. Die beiden Vielecke können sonst ganz beliebig gestaltet sein, vor Allem ist ihre Aehnlichkeit nicht nothwendig. Sind sie aber ähnlich, so entsteht die abgestumpfte Pyramide, sonach ein specieller Fall des Obelisken; sind sie congruent, so wird der Obelisk zum Prisma. Sind die beiden Grundflächen Rechtecke, so erhält man den wichtigsten speciellen Fall des Obelisken, gewöhnlich Ponton genannt. Für den Inhalt desselben gilt die Formel:

$$V = [2\,(a_1\,b_1 + a_2\,b_2) + a_1\,b_2 + a_2\,b_1]\,\frac{h}{6}$$

$$= \frac{a_1 + a_2}{2} \cdot \frac{b_1 + b_2}{2}\,h + \frac{a_1 - a_2}{2} \cdot \frac{b_1 - b_2}{2} \cdot \frac{h}{3},$$

worin a_1 b_1 die Seiten der untern, a_2 b_2 diejenigen der oberen Grundfläche bedeuten und b die Höhe ist, um welche beide von einander abstehen (s. Fig. 1541). Der Ponton wird zum Keil, wenn eine Seite des einen Rechtecks, z. B. b_2, verschwindet. Dann ergiebt sich der Inhalt $V = (2\,a_1 + a_2)\,\dfrac{b_1\,2}{6}$

Fig. 1543.

2) In der Architektur versteht man unter Obelisk eine sehr hohe und schlanke, abgestutzte Pyramide, auf deren oberem Ende meist eine kurze Pyramide, pyramidion, aufsitzt. Die meisten Obelisken haben sich in Aegypten erhalten und sind von dort aus später nach Rom, Constantinopel ꝛc. gewandert. S. darüber d. Art. Aegyptisch, Denkmal, Herme ꝛc. Doch auch andere Völker setzten ähnliche Denksäulen, s. z. B. d. Art. Baukunst, Assyrisch, Buddhaistisch, Celtisch, Phönikisch ꝛc. In Fig. 1545 geben wir die Abbildung einiger Obelisken zu Axum in Abyssinien.

Oberanker, s. d. Art. Anker 11. d.

Oberbalken, s. v. w. Fries 1.

Oberbau, im Gegensatz des Grundbaues, jeder Bautheil über der Erde, bei Eisenbahnen die Belegung des Dammes ꝛc. mit Schwellen u. Schienen.

Oberbeischloß, s. d. Art. Beischub 2.

Oberboden, 1) s. d. Art. Boden 3; — 2) österreichisch für Zwischendecke; s. d. Art. Decke und Boden 2.

Oberbogen, s. v. w. Extrado, Bogenrücken.

Oberchör, s. d. Art. Chor.

Oberdach, die obere flachere Hälfte bei gebrochenen oder Mansardendächern.

Oberdeck, frz. pont superieur, engl. upperdeck (Schiffb.), auch Oberlauf, Ueberlauf, Overloop genannt, oberstes Verdeck.

Oberdrempel, s. d. Art. Schleuße.

Oberecke, s. v. w. Oberwinkel; s. d.

obere Hütten (Schiffb.), Zimmer auf Deck für Schiffsoffiziere.

obere Massen (Bergb.), die Massen, welche nach aufwärtssteigender Richtung des Gebirges liegen.

oberer Stollen (Bergb.), s. v. w. Tagstollen.

Oberfäule (Bergb.), eine aus Kalk, Sand und Thon zusammengesetzte Steinart, lagert über der zarten Fäule oder unter dem Zechstein.

Oberfall, Obergefälle (Mühlenb.), s. v. w. oberschlächtiges Gefälle; s. d. Art. Gefälle und Mühle.

Oberfaß. 1) (Hüttenw.) Abflaufaß bei den Planherden zum Waschen der Oberplanen und zum Sammeln des besten Erschlichs; — 2) (Salzw.) höher gelegene Fässer zu Aufbewahrung der Soole; s. d. Art. Salzwerk.

Oberfläche, Begrenzung eines geometrischen Körpers, betrachtet als etwas zu dem Körper Gehöriges. Abgesondert vom Körper gedacht erhält sie den Namen Fläche (s. S. 66 im II. Bd.). Zu völliger Begrenzung eines Körpers ist entweder blos eine Fläche nothwendig, wie bei der Kugel oder dem Ellipsoïd, oder man bedarf dazu einer bestimmten Anzahl, von welcher dann ein Theil oder die Gesammtheit eben sein kann. Soll eine vollständige Begrenzung durch Ebenen allein erreicht werden, so sind dazu mindestens 4 derselben nothwendig. Die wichtigste Aufgabe über Oberflächen ist die,

Säulen, blos von Consolen getragen, bildet mit den darunter befindlichen Consolen für die Statue einen Baldachin, s. d.; ist wohl zu unterscheiden von Tabernakel.

Obergerinne, s. d. Art. Gerinne 2. a.

Obergeschoß, Oberschoß, Oberstock, oberstes Stockwerk in einem Gebäude unter dem Dachgeschoß.

Obergesenke, s. d. Art. Gesenke 1.

Obergesims, Gesims, welches als Bedeckung oder obere Abschließung eines Bautheiles dient. Vgl. d. Art. Deckgesims.

Obergestell, s. d. Art. Hohofen I.

Oberglieder; bei einem mehrgliederigen Sims die oberen Glieder, besonders bei vollständigem antiken Gebälke die über der Hängeplatte

Fig. 1575. Obelisken zu Axum in Abyssinien.

ihren Flächeninhalt (s. d.) zu bestimmen. Die Lösung derselben, bei krummen Flächen gewöhnlich Complanation der Flächen genannt, geschieht im Allgemeinen mit Hülfe der Integralrechnung und stößt bereits in sehr einfachen Fällen auf bedeutende Schwierigkeiten. So reichen schon zur Complanation des dreiachsigen Ellipsoïdes die gewöhnlichen algebraischen, trigonometrischen und logarithmischen Functionen nicht mehr aus, vielmehr muß man dabei die sog. elliptischen Functionen zu Hülfe nehmen.

Oberflügel, Oberflügelweite ꝛc., s. d. Art. Fenster, S. 29 im II. Bd.

Oberfutterung (Deichb.), Bekleidung der Deiche mit Rasen, Buschwerk ꝛc.

Obergebälke, frz. corniche, engl. cornice, s. d. Art. Säulenordnung.

Obergefälle. 1) Gefälle eines Flusses oder Canals oberhalb eines Mühlwerkes; — 2) Gefälle des Gerinnes oberhalb der Räder; — 3) oberschlächtiges Gefälle; s. d. Art. Mühle und Gefälle.

Obergehäuse, engl. canopy, Bilderdach ohne

noch folgenden Glieder. Fälschlich nennen Manche so die über dem Fries unter dem Kranzleisten befindlichen und den erstern deckenden Glieder, die eigentlich Unterglieder heißen; s. d. Art. Glied 3. B. 3.

Oberhaupt (Schleußenb.), das stromaufwärts gekehrte Ende einer Schleuse, am Oberwasser liegend, im Gegensatz zum Unterhaupt.

Oberholz. 1) (Wasserb.) zur oberen Verbindung zweier Ständer dienendes Querholz; vgl. d. Art. Holm; — 2) auch Obergehölz, Holz, welches hochgewachsen ist, im Gegensatz zu Unterholz, niederem Gebüsch.

Oberjoch, s. d. Art. Brücke, S. 453, Bd. I.

Oberkiel, s. d. Art. Gegenkiel und Kohlschwinn.

Oberkorb (Maschinenw.), obere Hälfte des Göpelkorbs (s. d. unter Göpel), um welche das obere Ende des Seils, das Oberseil, geschlagen wird.

Oberkrume, s. v. w. Dammerde.

Oberlech (Hüttenw.), s. v. w. Spurstein.

Oberlegholz, s. v. w. Blattstück; s. d.

Oberlehre; f. d. Art. Mühlstein.

Oberlicht, Oberlichtfenster, 1) auch Seitenoberlicht, Hochfenster genannt, hochstehendes Fenster, besonders kleines Fenster, frz. fenêtrelle, über einer Thür. Man bringt solche in der gleichen Breite der Thür, von derselben nur durch ein Latteiholz getrennt, an und macht sie mindestens 1—1½ Fuß hoch; wenn sie, wie dies leider noch oft geschieht, als besondere Oeffnungen über den Thürverkleidungen angelegt werden, kosten sie mehr, indem sie zugleich schlecht aussehen und nur wenig Licht geben; f. d. Art. Fenster, Licht und Thür; 2) auch Deckenlicht, einfallendes Licht genannt, frz. abat-jour, engl. sky-light, Vorrichtung, das Licht durch die Dachfläche nach inneren Räumen zubringen. Die Anlage einer solchen Beleuchtung ist leichter, aber auch gefährlicher, je flacher ein Dach ist; es liegt die Fensterfläche allerdings dann beinahe waagerecht, das Licht durchläuft den kürzesten Weg und wird unterwegs nicht von dunkeln Räumen verschluckt; es wird ferner nicht, wie bei einem steilen Dach, ein bloßes Reflexlicht, sondern directes Licht sein. Dabei aber ist das Dichthalten gegen Regen und hauptsächlich gegen Schnee viel schwieriger, als bei steilem Dach, wo man ganz einfach Falze in die Sparren zieht, diese mit Zink auskleidet und dann, wie auf den Gewächshäusern, gläserne Dachsteine oder nur starke Glasscheiben hineinlegt und verkittet; auch die Ueberdeckung der einzelnen Scheiben muß mit dünnem Kitt ausgestrichen werden; innerlich laufen Zinkrinnen herab mit untergehängten Näpfchen oder dergleichen für das Schwitzwasser. Um das Herabgleiten der einzelnen Glastafeln zu verhüten, dienen kleine Zinkhäkchen. S. auch d. Art. Laterne.

Oberloff, f. v. w. Oberdeck; f. d.

Obermauer, auch Scheidemauer, obere Seitenmauer des Langschiffes; f. d. Art. Lichtgaden.

Oberpegel (Schleußenb.), Pegel an dem Oberhaupt oder im Oberwasser einer Schleuße; f. d.

Oberplatte. 1) Das über der Sima eines Hauptgesimses befindliche Plättchen; — 2) f. v. w. Abacus.

Oberpumpstöckel (Maschinenw.), f. v. w. Aufsätzel; f. d.

Oberriegel, f. v. w. Sturzriegel; f. d. und d. Art. Riegel.

Obersaum des Schaftes einer Säule ist das Plättchen des Astragalus unter dem Capital, welches mit dem Schaft durch einen Ablauf verbunden ist.

Oberschenkel, Oberweitschenkel ꝛc.; f. unter Fenster, S. 29. im II. Bd.

oberschlächtig, f. d. Art. Mühle, Gerinne und Wasserrad.

Oberschwelle, 1) frz. traverse, engl. hill, f. d. Art. Deckschwelle; — 2) frz. linteau, engl. lintel, f. v. w. Sturz; — 3) frz. poitrail, engl. sablière, f. v. w. Blattstück; — 4) Oberriegel in den Thürstöcken beim Gruben- und Minenbau.

Oberstelle, f. v. w. Schildeshaupt; f. d. Art. Heraldit VI.

Oberstollen, f. d. Art. Grubenbau, S. 212.

Oberstreif, am Architrav des ionischen und korinthischen Gebälkes der oberste der drei Streifen.

Oberstuhl (Salzw.), f. v. w. Haspel.

Oberwand, f. d. Art. Brücke, S. 451, Bd. I.

Oberwasser (Mühlenb.), das Wasser stromaufwärts vor den Rädern am Oberhaupt bei Mühlgerinnen, Wehren und Schleußen, im Gegensatz zum Unterwasser, dem weiterfließenden Wasser.

Oberwinkel (Herald.), das rechte oder linke Drittheil des Schildeshauptes; f. d. Art. Canton, Freiviertel und Heraldik VI.

Oberzug, f. v. w. Ueberzug; f. d. und d. Art. Hängewerk, sowie Balken II. D. b.

Obex, lat., allgemeiner Ausdruck für jede Schließvorrichtung einer Thür.

Objectivdiopter, Objectivglas (Meßt.), f. unter Diopterlineal.

Obituarium, lat., f. d. Art. Ritualbücher.

Oblate, lat. Oblatus, im Mittelalter Namen der Baubrüder; f. d. Art. Bauhütte 2.

Oblationarium, lat., griech. πρόθεσις, Sakristei auf der Evangelienseite; f. d. Art. Basilika, S. 245 im I. Bd., sowie d. Art. Kirche und Sakristei.

oblique, engl., f. schief, schräg; oblique arch, schiefer Bogen; f. d. Art. Bogen II. 2, S. 399, Bd. I.

Oblong, als Hauptwort gebraucht, bedeutet meist ein Rechteck, dessen Seiten ungleich sind; als Eigenschaftswort hat es die Bedeutung des Wortes „verlängert". Daher ist ein oblonges Ellipsoid ein solches, welches durch Umdrehung einer Ellipse um eine größere Achse entsteht; f. übr. d. Art. Ablaug.

Observationsgerinne (Mühlenb.), kleines Gerinne mit Maaßstab, neben dem eigentlichen Gerinne angebracht, um die Veränderungen im Wasserzufluß zu beobachten.

Observatorium, Sternwarte, Gebäude, in welchem die Instrumente zu Beobachtung der Gestirne aufbewahrt und gebraucht werden. Bei der Anlage eines solchen Gebäudes hat der Baumeister besonders Folgendes zu berücksichtigen: 1) Man sorge für tief gegründete und fest verbundene Mauern, am besten aus Werkstücken, so daß die Instrumente nicht durch das Vorüberfahren von Wagen, durch starken Wind ꝛc. erschüttert werden. Deshalb werden neuerdings die Sternwarten nicht mehr als hohe Thürme, sondern meist als einstöckige Gebäude angelegt. Dabei pflegt man, um Erschütterung zu vermeiden, die Grundmauern vom umgebenden Terrain durch einen tiefen Graben zu isoliren. 2) Für jedes Instrument muß ein eigener Raum vorhanden sein und Feuchtigkeit gänzlich vermieden werden. 3) Sehr zweckmäßig ist für die Beobachtung ein verschiebbares oder drehbares, oder, wo beides nicht geht, ein plattes Dach. 4) Alle Fenster sind durch doppelte Läden zu verschließen, so daß während der Beobachtungen kein Licht durchdringen kann. 5) Die Quadranten gegenüber und über ihm sei in Mauer und Dach ein Schlitz von mindestens 12" Breite. 6) Nähere Bestimmungen unterliegen den lokalen Rücksichten, dann den speciellen Wünschen und Bedürfnissen des dirigirenden Astronomen.

Obsidian, Marekanit, ist ein vulkanisches Produkt, ein Lavaglas, welches durch Schmelzung feldspathreicher, trachytischer Gesteine entstanden ist. Das Gestein kommt in der Umgebung erloschener oder noch thätiger Vulkane von verschiedener Durchsichtigkeit und Farbe in mächtigen Strömen und geflossenen Ablagerungen vor. Das nördliche Island, Sicilien und die Insel Liparo sind reich an Obsidianen. Auch in Ungarn in dem weiten Trachytdistrict am Südabhang der Karpathen finden sich Massen von

Obſidian. Das Mineral hat verſchiedene Namen erhalten, wie: isländiſcher Achat, Glasachat, Lava, ſchwarze Glaslava, vultaniſches Glas. Marekanit nennt man die vielfachen braunen und grauen, faſt durchſichtigen Abänderungen. Obſidian mit eigenthümlicher grünlich-gelber Farbenwandlung heißt ſchillernder Obſidian. Man ſchleift ihn mit Smirgel auf einer bleiernen Scheibe, auf einer zinnenen polirt man ihn. Er iſt durch Kryſtalle von glaſigem Feldſpath oftmals porphyrartig, auch kommen in ihm Kryſtalle von Augit, Glimmerblättchen, Körner von Quarz, ſeltener von Chryſolith, zuweilen auch rothe und bräunliche Bruchſtücke von Trachyt und Perlſtein vor. Auf den Obſidian wirkt die Atmoſphäre eigenthümlich, von der Oberfläche löſen ſich nämlich dünne Blättchen ab, die blindem Glas gleichen oder ſilberweiß und metallartig glänzen.

Obſtbäume. Die Verwendung ihrer Hölzer ſ. unt. d. Art. Kirſchbaum, Birnbaum ꝛc.

Obſtdarre, ſ. d. Art. Darre C, S. 629., Bd. I.

Obſtkammern; man lege ſolche luftig und trocken an und ſetze ſie weder der Hitze noch der Kälte zu ſehr aus.

Obverse, engl., ſ. v. w. Avers, Vorderſeite einer Münze.

Occa, 1) mönchs-lat., die Egge (v. occo, occare, das Eggen, abgeleitet, viel klarer als hercia, von hirpex), Teneberleuchter; 2) ſ. d. Art. Maaß, S. 503.

Oceanum, lat., ſ. v. w. lavacrum im antiken Bad; ſ. d. Art. Bad.

Oceanus, lat. griech. Okeanos, Ὠκεανός (Mythol.), älteſter Titan, Perſonification des die Erdſcheibe umgebenden Waſſergürtels, Sohn des Uranos und der Gäa, Vater der Götter und Menſchen; er iſt friedfertig und treuherzig. Darzuſtellen als Greis mit einem Stierhorn oder mit zwei kurzen Hörnern und einem Stab als Zeichen der Herrſchaft, reitend auf einem Seethier oder ſitzend in einem von Seethieren gezogenen Wagen, neben ihm ſeine Gemahlin Tethys, mit der er die Flüſſe und Quellen erzeugte; ſ. d. Art. Neptun u. Poſeidon.

Ochava, Ochavillo etc., ſ. Maaß, S. 511 ff.

Ocher oder **Oker,** lat. ochra, frz. ocre, engl. ochre, Japan earth. allgemeiner Name mehrerer farbegebender Metalloxyde; ſie bilden ſich durch Verwitterung von Erzen und ſind hell- oder dunkelgelb, braun oder röthlich; man unterſcheidet: 1) **Eiſenocher,** auch Eiſenbraun, rothe, braune oder gelbe Eiſenerde, Eiſengilbe, Erdgelb; Gelberde iſt die wichtigſte der Ocherarten; ſ. d. Art. Gelberde. 2) **Kupferocher,** Rothkupfererz; ſ. d. Art. Kupfer u. Bergblau. 3) **Uranocher;** ſ. d. Art. Uran. 4) **Nickelocher,** arſenitſaures Nideloxyd; ſ. d. Art. Nickel. Alle dieſe ſind erdig, auflösbar in Salpeterſäure. Die gelben, rothen und braunen Eiſenocher, im Handel vorzugsweiſe Ocher genannt, ſind entweder faſt reines, feinerdiges Eiſenoxydhydrat, durch Verwitterung des Spatheiſenſteins entſtanden, oder erdige Gemenge von Brauneiſenſtein mit Manganoxydhydrat, oder Gemenge von Eiſenoxydhydrat mit baſiſch-ſchwefelſaurem Eiſenoxyd, durch Verwitterung und Oxydation von Schwefel- oder Strahlkies entſtanden. Die beſte Deckkraft beſitzen die thonreichen Gelb- und Braunocher. Man kann den Ocher als Oel-, Waſſer-, Kalk- und Leimfarbe verwenden und benennt ihn in der Regel nach ſeiner Färbung: Fahlocher (der hellſte, graulichgelbe), Feuerocher (von ſehr feurigem Gelb), Gelbocher, Braun-, Gold-, Hochocher, heller Ocher ꝛc.;

ſ. auch d. Art. Amberger Gelb, Däniſchroth, Gelberde. Durch Glühen der Ocherarten erhält man die gebrannten Ocher, welche gewöhnlich von lebhafterer Farbe ſind, als die ungebrannten. Die Umbraune ſind manganreiche, dunkelbraune Ocherarten, die ſich namentlich in der Umgegend von Lamsdorf in Thüringen finden und fein geſchlämmt vortrefflich deckende Oel- und Waſſerfarben liefern.

Ochs. Ochſen, Stiere, Kühe, Kälber, überhaupt Rinder, kommen ziemlich häufig als Attribute der Heiligen vor. Entweder ſind ſie einfach als Opferthiere zu deuten (ſo bei der Darſtellung der heiligen Familie und der Anbetung der drei Könige; ſ. d. Art. Drei II. 4, bei Lukas, Saturnius ꝛc.) oder ſie haben direct legendariſchen Grund, wie bei S. Sebaldus, Saturninus, Sylveſter, Reinerus, Perpetua und Felicitas, Blandina ꝛc.; oder als Darſtellung eines Ofens, weil die Märtyrer vielfach in glühenden metallenen Stieren verbrannt wurden; ſo bei Pelagia von Tarſes, Eleutherios, Euſtachios, Januarius, Victor von Mailand, oder endlich als Symbol des ſinnlichen Goldochſen, der Habſucht und Beſtechlichkeit aus Luſt nach irdiſchem Genuß, wie bei S. Julitta, weil der Richter ſich beſtechen ließ (bovem in lingua habuit, daher pecunia von pecus). In der altchriſtlichen Kunſt war der Ochs Symbol der willigen Arbeit und ſtellte die Apoſtel als willige Arbeiter in Verbreitung des Evangeliums dar.

Ochſenauge, frz. oeil de boeuf, ital. ochio di bove, rundes Dachfenſter; ſ. d. Art. Dachfenſter.

Ochſenhorn. 1) Einhüftige Gewölbe; ſ. d. Art. Gewölbe D. c.; — 2) (Waſſerb.) ſ. v. w. Hufeiſen, d. h. Landzunge in einem Fluß, wenn ſie hinten ſchmal und vorn breit iſt; — 3) über die Verwendung des Ochſenhornes ſ. d. Art. Horn 4.

Ochſenmaul, auch Ochſenzunge; 1) ſ. v. w. Biberſchwanz; ſ. d. und d. Art. Dachziegel 1; 2) Minirwerkzeug zum Lüften der Schwellen ſchabhaft gewordener Thürſtöcke, ähnlich einem Karſt; auch die Gärtner gebrauchen es, um Furchen zu ziehen.

Octagon, engl.; octogone, frz., Achteck.

Octant, ſ. v. w. Achtelkreis.

Oculardiopter (Feldmeßk.), ſ. d. Art. Diopterlineal.

Ocularglas (Feldmeßk.), das dem Auge zunächſt befindliche Glas im Fernrohr eines Meßinſtrumentes.

Ocularriß, Zeichnung, die nach dem Augenmaaß entworfen iſt.

Oculus, lat., Auge, daher 1) Rundfenſter; — 2) Mittelpunkt einer Volute; — 3) Klüsgatt, ſ. übr. d. Art. Auge 1.

Oda, St., 1) blinde Königstochter aus Schottland, wurde an dem Grab des St. Lambertus ſehend, entzog ſich dann, weil ſie dem Herrn zum Dank ſich verlobte, der Vermählung durch Flucht nach Italien, wurde ſpäter Einſiedlerin in Laxanbrien, Seeland, rodete dort einen Wald aus und ſtarb 713; — 2) Gemahlin und Wittwe des Herzogs Boggi von Aquitanien, Freundin des St. Hubertus.

Odeion, Odeon, Odeum, ᾠδεῖον, griech., lat. odeum, odaeum. 1) Singechor, ſ. d. Art. Kirche, S. 384, Lettner und Dogale; — 2) eigentlich Theater für Muſikſtücke, daher überhaupt bedecktes Theater; ſ. d. Art. Theater.

4*

Oberkahn, flacher langer Kahn, ladet 420—700 Centner.

Odilo, St., Abt von Clugny, Zögling des h. Majolus, führte das Allerseelenfest (2. November) ein, starb 1048 und ist darzustellen als Benedictinerabt mit Krummstab.

Odin, Othin, Audun, Wodan (nord. Myth.), Zwietracht stiftender, Kampfmuth verleihender Gott, auch Gott der Kenntniß, der Weisheit, Beredtsamkeit, Dichtkunst, ältester Sohn des Börs und der Riesentochter Bestla; erschlug mit seinen Brüdern Wili und We den Riesen Ymir, bildete aus ihm Erde, Weltmeer und Himmel, setzte die Funken aus Muspelheim (der Stätte Muspels, des Feuergottes) an den Himmel zu Erleuchtung der Erde 2c. und schuf das Menschengeschlecht aus zwei Bäumen, Askr und Embla. Er war der höchste der Asen, herrschte über alle Dinge und ist der Vater der Götter, heißt daher Allvater. Seine Söhne sind: Baldur (s. d.), Thor, Sohn der Jörd, Meili, Vidar, von der Riesin Grida, Nepr, Vali, Hödur, Bragi, Hermodr, Grimdallr. In Odins großer Wohnung, Baldskialf, ist sein Ehrensitz Hildskialf. Auf seinen Schultern sitzen die Raben Hugin und Munin, durch die er allwissend ist, indem sie jeden Tag die Welt umfliegen und ihm Alles in's Ohr sagen, was sie gesehen. Er ist Sigfadir (Verleiher des Sieges) und theilt Siegeslohn aus durch die Walkyrien, die ihm die Gefallenen als Einherier nach Walhalla und Wingolf zuführen 2c. Sein Roß heißt Sleipnir. Er wird bewaffnet mit goldenem Helm, Panzer und dem Zauberspeer Gungnir dargestellt.

Odorifère, Räucherofen, Räucherapparat.

Oehr, Loch, rundliche Oeffnung, Henkel, Schlinge, auch der oberste Theil der Glocken, woran sie aufgehängt werden.

Oehre, schwäbisch, niederdeutsch Aehre, frz. aire, Vorsaal, Hausflur, s. d. Art. Aehre 2, area 1, Ehre und Hausflur.

Oehse, s. v. w. Oehr.

Oehsenmühle, s. v. w. Hebeschaufel; s. d.

Oeil, frz., Auge, Oeffnung, Mittelscheibe, Glanz der Metalle, oeil de crampon, Oehr, Schließenritze des Ankers, s. d. Art. Anker 7; oeil du tailloir, rose du tailloir, Blume in der Mitte der hohlen Abacusseiten des korinthischen Capitäls; oeil de bouc, Onyx, Wassergallen; oeil de chat, Katzenauge (Edelstein), oeil du mond, deutscher Onyx; oeil de boeuf, Ochsenauge, Rundfenster; oeil de Dome, Oeffnung im Nabel der Kuppel (Nabelöffnung); oeil de volute, Mittelpunkt einer Volute.

Oeilleterie, frz., Nelkenbeet.

Oekonomiegebäude, s. d. Art. Bauernhof, Scheune, Stall, Landgut 2c.

Oekonomieschule, landwirthschaftliche Akademie. Wenn eine solche ganz vollständig sein soll, muß sie außer den eigentlichen Unterrichtssälen, den Wohnungen für Lehrer und Schüler, den Küchenräumen 2c. auch ein chemisches und ein physikalisches Laboratorium, Sammlungslokal und einen kleinen Oekonomiehof enthalten. Am besten wird es immer sein, Oekonomieschulen in der Nähe größerer Landwirthschaften anzulegen, damit mit dem theoretischen Unterricht zugleich praktische Uebung verbunden werden kann.

Oekos, griech. ὄικος. Oecus, lat. eigentlich Haus, aber nicht in dem Sinn als äußerliches Bauwerk, sondern als Raumumschließung, daher s. v. w. Saal. Vitruv unterscheidet folgende Arten: 1) Oecus tetrastylos, dessen Decke von 4 Säulen getragen war. — 2) Oecus corinthius, mit von Säulen getragener und gewölbter oder doch gewölbförmiger Decke. — 3) Oecus aegyptius. Der Mittelraum zwischen den Säulen steigt doch auf, so daß nochmals Säulen, um ¼ niedriger als die unteren, auf letzteren stehend, die Decke tragen; hinter den Säulen ist ein Umgang unter freiem Himmel, s. d. Art. Aegyptisch u. Hypostyl. — 4) Oecus Cyzicenus, s. d. Art. Kyzikenisch.

Oel, lat. oleum, frz. huile, engl. oil. Oele werden eine große Anzahl von organischen Verbindungen genannt, welche zum Theil höchst verschiedene Eigenschaften haben. Man theilt die Oele in 2 Hauptklassen: a) fette Oele, welche chemische Verbindungen einer sogen. Fettsäure mit einem basischen Körper, dem Lipyloxyd (das mit Wasser verbunden Glycerin giebt), bilden. Je nachdem die Fettsäuren des fetten Oeles fest, flüssig oder flüchtig sind, zeigt das Oel verschiedene Beschaffenheit; es kann dickflüssig, dünnflüssig oder mehr oder weniger flüchtig sein. Die Säuren der fetten Oele sind Stearinsäure, Oelsäure, Margarinsäure u. s. w.; s. d. Art. Fette.

b) Flüchtige oder ätherische Oele, welche theils fertig gebildet in der Natur sich finden, theils Producte der Kunst sind. Die Zusammensetzung der ätherischen Oele ist nicht so gleichartig wie die der fetten Oele. Sie sind gewöhnlich Verbindungen von Kohlenstoff mit Wasserstoff (Kohlenwasserstoffe), wie Terpentinöl 2c., oder enthalten neben Kohlen- und Wasserstoff noch Sauerstoff; s. d. Art. ätherische Oele. Die einzelnen in der Baukunst Verwendung findenden Oele sind in besonderen Artikeln besprochen; s. d. Art. Baumöl, Leinöl, Mohnöl, Nußöl, Steinöl, Terpentinöl, Zimmtöl 2c.

Oelanstrich, s. v. w. Anstrich (s. d.) mit Oel oder in Oel eingeriebenen Farben; s. d. Art. Firniß, Farbe, Oelfarbe, Oelfirniß 2c.

Oelbaum, Olivenbaum (Olea, Fam. Oleaceae), frz. olivier, engl. olive-tree, 1) der gemeine europäische Oelbaum (O. europaea), ein kleiner, unansehnlicher Baum in Südeuropa, hat aber schönes, dichtes, festes Holz von gelblicher Farbe, oft braunroth geflammt. Es ist sehr dauerhaft und wird nicht wurmstichig. Das Wurzelholz erscheint vorzüglich gemasert, mit Figuren wie Florentiner Marmor. Die Früchte dieses Baumes liefern das bekannte Olivenöl oder Baumöl, das u. A. beim Einschmieren der Maschinenräder geschätzt wird. Der Oelbaum ist Attribut der Minerva und Christi, s. d. Art. Baum 6 und Berg 4. Er war bei den Griechen und Römern wie bei den Christen Symbol des Sieges und Friedens; die Taube Noah's bringt einen Oelzweig. Man glaubte, daß er keine Früchte trüge, wenn er von schamlosen Menschen gepflanzt sei.

2) Der capische Oelbaum, am Cap der guten Hoffnung. Die Wurzeln sind besonders schön geflammt. Hoher, starker Baum, kommt unter dem Namen von Olivenholz in Brettern von 14 Zoll Breite nach Europa.

3) böhmischer oder falscher Oelbaum, Oleaster, Paradiesbaum (Elaeagnus angustifolia, Fam. Elaeagneae R. Br., Oleaster), ist in Südeuropa einheimisch; sein Holz wird von Drechslern und zum Braunfärben benutzt.

4) kleiner, petit olivier, spanischer Zeiland

(Fam. Baumbohnenartige, Connaraceae R. Br.), ist ein kleiner, in Spanien und Languedoc einheimischer Strauch, dessen Blätter zum Gerben gebraucht werden.

5) ostindischer, Ilipe (Bassia longifolia L., Fam. Sternäpfel, Sapotaceae R. Br.), ein Baum Ostindiens mit sehr hartem und dauerhaftem Nußholz.

6) rother, Oleo vermelho (Myrospermum frutescens Jacq., Fam. Hülsenfrüchtler), wächst in Brasilien und hat ein sehr dauerhaftes, schön rothes Nußholz.

7) wilder (Bontia daphnoides Aubl., Fam. Myporineae R. Br.), ein kleiner Baum in Guiana und Westindien, dessen Zweige daselbst zu Zäunen beliebt sind.

Oelbaumharz, frz. élemi, engl. elemy; s. d. Art. Elemiharz und Gummiharze.

Oelbehälter, 1) (Maschinenw.) auch Oelbüchse genannt, Büchse oder auch bloß Vertiefung über dem Zapfenlager, worin sich Oel befindet, das nach dem Zapfen fließt. — 2) Reservoir zur Aufbewahrung des Oels; solche sind sehr schwer dicht herzustellen, werden daher am besten von Zink oder Kupfer angefertigt, und zwar aus möglichst großen Platten, deren Nähte gelöthet werden.

Oelberg, lat. mons olivarum, s. d. Art. Berg 3 und Kirche. Oelberg nennt man eine plastische Darstellung des Leidens Christi im Garten, sowie auch die Gesammtheit sämmtlicher Leidensstationen bis zur Auferstehung; vgl. die Art. Passion, Marter, Calvarienberg c.

Oelblase, Kessel zum Kochen des Leinöls zu Firniß.

Oelblau (Mal.), sächsisch Blau, zu Bereitung von Oelfarbe gebrauchte feinste Smalte.

Oelcement und Oelcement-Aestrich, s. d. Art. Cement IX.

Oelfarbe, mit Oel als Bindemittel abgeriebene Farbe. Die dazu tauglichen Farbenkörper sind verzeichnet im Art. Farbe II, e, f, i. Vorschriften für ihre Zubereitung sind zu finden unter den die einzelnen Farben betreffenden Artikeln. Die in Pulverform verwandelten Farben werden dann mit Leinöl, Mohnöl, Nußöl oder dergleichen zu einem zähen Teig angerieben, und zwar in der Regel mittelst einer steinernen Keule auf einem geölten Lithographirstein, oder sonstiger sehr harten und feinkörnigen Platte, dann aber mit Terpentinöl oder Leinölfirniß verdünnt und mit einem Pinsel aufgetragen. Dabei befolge man außer den im Artikel Anstrich bereits gegebenen nachstehende Regeln:

1) Alle Oelfarben müssen kalt aufgetragen werden, außer auf Mauerwerk und feuchte Gipsarbeit.

2) Jeder anzustreichende Gegenstand muß erst grundirt werden, mindestens mit Leimfarbe, besser noch mit dünn geriebener Oelfarbe, am besten mit heißem Leinölfirniß.

3) Für äußere Gegenstände, die man also nicht wohl laciren kann, sei der Grundanstrich mit reinem Nußöl angerieben und mit Terpentinöl verdünnt.

4) Bei inneren Gegenständen, die in der Regel lacirt werden, muß die Grundfarbe ebenfalls mit Oel abgerieben und versetzt sein; der letzte Anstrich aber wird mit Terpentinöl angemacht.

5) Oelfarben zum Anstrich von Metallen und anderen harten und glänzenden Körpern müssen mit Terpentinöl angemacht werden.

6) Die mit wesentlichem Terpentinöl angemachten Farben sind frischer und lebhafter, erhärten gut und trocknen rasch.

7) Man darf nicht zu viel Terpentin anwenden, da dies der Haltbarkeit des Anstrichs schaden würde.

8) Alle Oelfarbe wird am besten etwas dick angemacht, so daß sie nicht vom Pinsel abfließt.

9) Die ersten Anstriche werden flüssiger angerührt als die folgenden.

10) Mineralfarben bedürfen weniger Flüssigkeit, als vegetabilische und animalische.

11) Man trage nicht eher einen zweiten Anstrich auf, als bis der vorhergehende ganz trocken ist.

12) Wenn man auf schon seit längerer Zeit angestrichene Gegenstände einen neuen Anstrich bringen soll, ist es gut, die alte Farbe erst mit Potaschenlauge abzuwaschen und dann anzufeuchten; s. d. Art. Anfeuchten 2.

13) Oelfarbenanstriche werden rissig, reißen auf, wenn 11 nicht befolgt wird, oder wenn sie zu dick aufgetragen und zu schnell lacirt worden sind; s. d. Art. Aufreißen 6.

14) Man lege die gebrauchten Pinsel in reines Wasser, damit die Farbe nicht eintrocknet, auch auf die im Topf befindliche Farbe gieße man Wasser.

15) Die sich unter dem Wasser auf der Farbe bildenden Häutchen beseitige man vor dem Wiedergebrauch der Farben.

16) Man setze die trocknenden Mittel (Siccatife) erst zu, kurz bevor die Farbe gebraucht werden soll.

17) Wenn man laciren will, darf man keine trocknenden Mittel anwenden.

18) Blasen entstehen auf dem Anstrich, wenn die Farben zu alt sind, da dann die ätherischen Oele sich schon verflüchtigt haben und die fetten Oele zu sehr verdickt sind, sich also nicht mit dem anzustreichenden Gegenstand verbinden, oder wenn man alte Anstriche wiederum überstreicht, ohne sie vorher hinlänglich mit Potaschenlauge abgewaschen zu haben.

19) Wenn man feuchte Gegenstände anstreicht, oder während des Thaues oder Regens, oder gar während des Frostes, einen Anstrich aufbringt, häutet sich der Anstrich leicht ab.

20) Sehr der Sonne ausgesetzte Oelfarbenanstriche verlieren ihr Oel; daher müssen sie von Zeit zu Zeit mit Leinöl angestrichen werden.

21) Sehr poröse Gegenstände verlangen mehr Oel als glatte.

22) Ueber Lacirung c. der Oelfarben s. d. Art. Firniß, Lack, Oelfirniß c.

23) Ueber das Aufbeizen alter Oelfarbe s. d. Art. Aufbeizen 1 und Reinigen.

24) Oelfarbenanstriche auf Täfelwerk oder Meubles zu reinigen. Man reibe in reines Wasser so viel rohe Kartoffeln, daß ein dünner Teig entsteht, setze feingepulverten Bimsstein oder feinen Sand zu und reinige die Gegenstände damit mittelst eines Schwammes, hierauf mit Wasser und einem Tuche; nachdem sie wieder trocken geworden, kann man Politur oder Lackfirniß auftragen.

25) Trocknen der Oelfarbenanstriche. Man setzt den Farben einen Firniß oder besondere Trockenmittel, Siccatife (s. d.) zu, um das Trocknen derselben zu beschleunigen. Fast eben so schnell, dabei gleichmäßiger, trocknet aber eine Mischung von Firniß und einfachen Oelen, so daß z. B. das Leinöl

ſelbſt das Siccatif für das mit Bleiglätte gekochte Oel (den Leinölfirniß) abgiebt, oder Oel, welches man nur 3 Stunden lang mit 10—15 % Braun=ſtein der Wärme ausſetzte. Die Grundlage der Anſtrichfarbe bildet gewöhnlich Bleiweiß oder Zinkweiß. Das Bleiweiß beſchleunigt das Auf=trocknen des Oels ſo, daß man mit gewöhnlichem Leinöl und Bleiweiß ohne Anwendung eines Trockenmittels anſtreichen kann. Das Zinkweiß beſitzt dieſe Eigenſchaft nur in ſchwachem Grad, ſie kann jedoch dadurch etwas erhöht werden, daß man den Zinkblumen auf naſſem Weg bereitetes kohlenſaures Zink zuſetzt. Wird außerdem noch ein Siccatif angewendet, ſo trocknen natürlich beide Anſtriche in kürzerer Zeit. Bei Anſtrich auf Metall beſchleunigt das dem Oel zugeſetzte Bleiweiß das Trocknen nicht, wogegen der Anſtrich mit Zinkweiß ſchneller trocknet. Ein auf alten Anſtrich oder auf eine erſte, ſchon getrocknete Schicht aufgetragener neuer Anſtrich trocknet ſchneller als auf jeder anderen Oberfläche.

26) Feinere Oelfarbenanſtriche zu reinigen, wenn ſie verräuchert, glanzlos oder ſchmutzig ſind. Man löſe ein wenig Kochſalz in altem Harn auf und vermiſche damit eine geriebene Kartoffel. Mittelſt eines wollenen Tuches, welches man in dieſe Flüſſigkeit taucht, reibe man den Anſtrich ſo lange ab, bis er rein iſt, waſche ihn hierauf mittelſt eines Schwammes mit reinem Waſſer, laſſe ihn trocken werden und überreibe ihn noch=mals mit einem reinen Tuch.

Oelfirniß. I. Allgemeines. Siehe darüber zunächſt d. Art. Abſchmecken, Bernſtein, Copal, Firniß ꝛc. Hier folgen noch einige Erfahrungs=ſätze. Die fetten Firniſſe aus Copal und Bern=ſtein ſind nach gehörigem Trocknen die dauerhaf=teſten und vertragen die Sonnenhitze ſehr gut. Sie ſind aber nicht ſo farblos, klar und glänzend, wie die Weingeiſtfirniſſe, ſie trocknen auch viel langſamer als dieſe. Man bedient ſich der fetten Lackfirniſſe bei Gegenſtänden von Holz, Metall ꝛc. welche der Reibung ausgeſetzt ſind. Man ſetzt dem Bernſtein und Copal mitunter auch San=darach und Maſtix beim Schmelzen zu, wodurch der Firniß fetter wird. Während die Weingeiſt=Lackfirniſſe friſch gebraucht am beſten ſind, wer=den die Oellackfirniſſe im Gegentheil um ſo ſchöner, je länger man ſie aufbewahrt und je öfter man ſie von ihrem Bodenſatz ſcheidet. Alte Oellack=firniſſe, die zu dick geworden ſind, werden erwärmt und dann mit ebenfalls erwärmtem Terpentinöl verdünnt. Bei der Anfertigung der fetten Fir=niſſe iſt große Vorſicht nöthig, weil ſie leicht in Brand gerathen.

II. **Vorſchriften zu einigen Oelfirniſſen.**

1) **Gewöhnlicher Oelfirniß.** Man gebe 2 Pfd. Harz mit 4 Quart trocknendem Oel in den Firniß=keſſel und bewirke bei gelinder Wärme die Auf=löſung. Hierauf nehme man es vom Feuer und ſetze allmälig 1 Quart weſentliches Terpentin zu. Sollte der Firniß noch zu dick ſein, ſo muß man noch mehr Terpentinöl zuſetzen.

2) **Gebleichter oder farbloſer Firniß.** Man be=decke den Boden eines Gefäßes, welches 4 Quart faßt, etwa 6″ hoch mit Bleiweiß und fülle dann das Gefäß beinahe mit rohem Leinöl. Es muß dann mit einer Glastafel bedeckt werden, ſo daß Sonne und Licht auf das Oel einwirken kann, bis es fett und farblos iſt, worauf es verwendet wird. Maſſicot iſt ein gutes Erſatzmittel des Blei=weißes, indem es dem Oel ſchnell den Farbſtoff

entzieht und daſſelbe bald zu Firniß tauglich macht, ſ. übr. d. Art. Bleichen B und D.

3) **Firniß zum Einreiben der Meubles.** Man begießt Ochſenzungenwurzel in einem glaſirten Topf mit Leinöl, ſo daß dieſelbe bedeckt iſt, und verſetzt dies in gelindes Sieden, ſo wird es eine dunkelrothe Farbe erhalten. Nach dem Erkalten kann man es gleich brauchen.

4) **Oelfirniß zum Anſtreichen der Wände** muß kochend heiß ſein; um ihn ſchneller trocknend zu machen, ſetze man auf's Quart Leinöl ½ Unze Bleiglätte zu.

5) **Geruchloſer Oelfirniß.** Man nehme 2 Quart grauen Steinkalk, löſche ihn gehörig in 22 Quart Waſſer, gebe ihn dann in ein Gefäß und ſchüttle ihn täglich drei= bis viermal, ohne das Gefäß zu verſchließen. Nachdem ſich der Kalk gehörig geſetzt hat, gieße man das darüberſtehende Waſſer ab, ſetze dann 2⅓—2¾ Quart rohes Leinöl zu, ſchüttle drei= oder viermal um und ſetze dann ⅛ Quart gereinigten Vitriol auf je 4 Quart dieſes Firniſſes zu, den man ſodann verwenden kann.

Oelfirnißbaum, chineſiſcher (Elaeococcus Vernicia Juss., Fam. Wolfsmilchgewächſe, Eu=phorbiaceae) wächſt in China und Cochinchina. Aus dem Samen wird ein Oel gewonnen, das zum Anſtreichen von Holzwerk und Leinwand dient.

Oelfruchtbaum, warziger, Wu-luug (Elaeo=coccus verrucosus Juss.), ein in China u. Japan wegen ſeiner Schönheit und ſeines harten Holzes ſehr beliebter Baum. Das Oel der Saamen (Huile de bois) dient zum Brennen.

Oelflecke, ſ. d. Art. Firnißflecke.

Oelgang (Mühlenb.), das arbeitende Organ einer Oelmühle; ſ. d. Art. Mühle IV. 3. Auf dem Heerd= oder Bodenſtein wird die Oelſaat ausge=breitet, damit die Läufer dieſelbe zerdrücken. Da=mit die Saat nicht nach Außen und Innen unter den Läufern hervor und feſtgedrückt werde, iſt noch ein Streichwerk angebracht, welches die Saat von Neuem unter die Steine bringt, während Schaber ſie von den Läufern abſtreichen. Aehnlich dieſem Streichwerk wird eine Abladeſchaufel angebracht, welche den gemahlenen Saamen durch ein Loch in dem Rand des Heerdes abräumt, welches während des Ganges mit einem Schieber verſchloſſen iſt.

Oelgefäß, lat. chrismatorium, frz. chrêmière, chrismal, engl. chrismatory. Daſſelbe kommt zwar in mannichfachen Formen und Stoffen vor, meiſt jedoch iſt es aus Metall gearbeitet in Form eines Häuschens, deſſen Dach den Deckel bildet. Das Innere enthält in den Fächern drei rund=liche, langhälſige Oelfläſchchen (ampullae, lat., frz. ampoules), in denen die heiligen Oele (chrisma, oleum catechumenorum, oleum infirmorum) zu Salbung der Prieſter, Katechumenen u. Sterbenden enthalten ſind; Oeltrog, ſ. d. Art. Kirche, S. 385.

Oelgemälde, ſ. d. Art. Gemälde.

Oelgrün, eine aus Tyrol kommende zweite Sorte Berggrün.

Oelgrund, ſ. d. Art. Vergoldung.

Oelkeſſel, Attribut mehrerer Heiligen, z. B. Cä=cilia, Criſpinus, Fauſta, Johannes d. Ev., Vitus ꝛc.

Oelkirſchenbaum, Zahnbaum (Balanites aegyptiaca, Fam. Balaniteae Endl.), ein Baum Afrika's und Oſtindiens, deſſen feſtes Holz in ſeiner Heimath gern zu Lanzenſchäften verwendet wird. Aus den Saamen preßt man das fette Zachunöl.

Oelkitt, f. d. Art. Kitt A. 3, B. 9, 10, 12, 18, 19, 25, 26, 29, 30, 32, 33, 47, 49, 56, 61, 68, 69, 70, 71, sowie d. Art. Fensterkitt, Bassin 2c.

Oellackfirniß, f. d. Art. Oelsirniß, Lackfirniß und Firniß.

Oelmalerei, frz. peinture à l'huile, engl. oil-painting, it. pittura a olio. In Bezug auf Vorbereitung und Pflegung gilt für Oelmalerei natürlich dasselbe, wie für Oelfarbenanstriche, nur daß die Oelgemälde noch subtiler behandelt werden müssen. Für figürliche Verzierung an äußeren Wänden verdient eigentlich die Oelmalerei in unserem Klima den Vorzug vor der Frescomalerei, weil die durch Steinkohlenruß 2c. hervorgebrachte Beschmutzung durch Abwaschen beseitigt werden kann. Um nun auch an Stellen, wo nicht recht vom Gerüst aus gemalt werden kann, Oelgemälde anbringen zu können, sowie überhaupt zu Erleichterung für die Maler, kann man bei Befolgung nachstehender Vorschrift das Gemälde auf der Staffelei fertigen und dann auf die Wand übertragen lassen. Eine Auflösung von Kautschuk oder Guttapercha wird auf einem durch Wasser löslichen Grund (Gummi-arabicum, Leimwasser, Kleister) auf Papier aufgetragen und darauf das Bild auf gewöhnliche Weise in Oel gemalt. Ist das Bild trocken, so löst man den Grund ab und das Gemälde bildet eine zähe Haut. Soll dasselbe an seinem Bestimmungsort befestigt werden, so giebt man der betreffenden Stelle einen Grundanstrich von Oelfarbe (Bleiweiß) oder einer anderen klebrigen Substanz, streicht das Gemälde auf der Rückseite mit derselben Masse, legt es auf und reibt es fest. Diese Oelschichten bleiben viele Monate lang geschmeidig, müssen aber beim Aufrollen mit feinem Fließpapier belegt werden.

Oelmalerfarbe, f. d. Art. Oelfarbe.

Oelmühle, f. unt. Oelgang und Mühle IV. 3.

Oelpalme, afrikanische, Elaeis guineensis Jacq., Fam. Palmen), in Guinea wild und in Süd- und Mittelamerika angebaut, liefert in ihren Früchten das bekannte Palmenöl, das vielfach zu Seifen, Kerzen 2c. verwendet wird. Ein ähnliches Oel erhält man auch von der brasilianischen Oelpalme (Elaeis melanococca Mart. Caione), von Langsdorfia hypogaea Mart. in Brasilien, Diplothemium maritimum, ebendaselbst; Kokospalme; f. d.

Oelruß, Oelschwarz, frz. noir de lampe, f. d. Art. Schwarz.

Oelschlägel (Mühlenb.), f. v. w. Schlägel.

Oelständer, f v. w. Oelbehälter 2.

Oelstein, engl. oil-rubber, 1) graugelber, sehr fester Schiefer, dient, zu Pulver gerieben und mit Baumöl vermischt, unter den Namen Oelsteinschliff, Oelsteinstaub zum Poliren; — 2) eine Art Stinkstein in Tyrol, zum Destilliren von Steinöl dienend; — 3) eine Art Wetzsteine, die beim Gebrauch mit Oel bestrichen werden.

Oelstrinkitt, f. d. Art. Kitt B. 9, 10, 12, 18, 19, 25, 26, 29, 30, 32, 33.

Oelvergoldung, f. d. Art. Vergoldung.

Oelzweig, Attribut der Clementia, der Taube Noah, der Pallas Athene, der Nike 2c.

Oerter, Spitze eines eisernen Werkzeuges, besonders der Bergeisen; vergl. auch d. Art. Kolbenbohrer und Ort.

örtern oder ertern (Tischl.), quer durch die Jahre Holz schneiden, geschieht mit der Oertersäge oder Spannsäge (f. d.) auf der Oerterbank.

Oertung (Bergb.), f. v. w. Ortung.

Oesche, 1) f. v. w. Esche; f. d.; — 2 im Oberdeutschen f. v. w. Flur, von anderen Fluren durch Oescheplatten, Grenzzäune, getrennt.

Oesel, 1) f. v. w. Nösel; f. d. und d. Art. Maaß, S. 499; — 2) f. v. w. Aeschel.

Oetit (Miner.), schäliger Thoneisenstein.

Oeuf, frz., Ei, oeuf funéraire, Ei als Symbol des Todes bei den alten Christen. Auch in ägyptischen Hypogäen hat man Straußeneier gefunden; Muhamedaner bringen auf den Gräbern ihrer Todten Eier als Liebesgabe dar.

Oeuvre, frz., Werk, Kunstwerk, Arbeit, Gebäulichkeit, Kirchenfabrik; f. d. Art. Faber; **basse oeuvre,** Untergeschoß; **haute oeuvre,** Obergeschoß; **reprendre en sous oeuvre,** unterfahren; **hors d'oeuvre,** bei Maaßen: äußerlich gemessen; **dans l'oeuvre,** bei Maaßen: im Lichten gemessen; **oeuvre à l'aiguille,** Stickerei; **oeuvre nonnain,** Klosterarbeit, Nonnenstickerei; **mettre en oeuvre une matière, une pierre,** ein Material anwenden, einen Stein versetzen; **oeuvre d'église,** Bank für die Kirchenvorsteher; **oeuvre morte,** Oberschiff, f. d. Art. Schiff.

Ofen, lat., fornax, furnus, caminus, franz. fourneau, fournaise, engl. oven, ital. forno, span. horno, jede geschlossene Feuerungsanlage; speciell versteht man aber unter dem Wort Ofen, frz. poële, altfrz. chauffe-doux, étuve, engl. stove, ital. stuffa, span. estufa (daher das Wort Stube), eine geschlossene Heizeinrichtung für Zimmer. Die Erklärung des Begriffes, Regeln über die Zweckmäßigkeit der Oefen und eine Aufzählung der jetzt gebräuchlichsten Ofensorten, f. unter dem Art. Heizung III. und IV. Hier sei noch Einiges zur Vervollständigung beigebracht.

I. Allgemeines. a) Die Geschichte der Oefen ist noch sehr wenig aufgeklärt. Die Griechen scheinen kaum irgend eine Heizvorrichtung gehabt zu haben. Auch die Römer heizten nur höchst selten ihre Wohnräume; Plinius erwähnt in seiner Beschreibung des Tuscum nur ein heizbares Zimmer. Die Heizung, welche durch die Hypokausis geschah, ähnelte unserer Luftheizung. Betreffend die Zeit vom Sturz römischen Einflusses bis zur Mitte des elften Jahrhunderts, wissen wir nichts über die Heizungsvorrichtungen. Die ältesten bekannten Kamine Frankreichs sind frühestens aus der zweiten Hälfte des elften Jahrhunderts; in Deutschland ist bis jetzt noch keiner von diesem Alter nachgewiesen. Oefen kommen zuerst im vierzehnten Jahrhundert urkundlich vor; die ältesten uns erhaltenen Oefen sind aus dem fünfzehnten Jahrhundert. Es sind dies meist riesige große Kachelöfen. Die aus dem sechzehnten Jahrhundert erhalten haben ungeheure eiserne Kästen, oft 6 Fuß lang bei 5 Fuß Höhe und 3 – 4 Fuß Breite, auf denen dann ein thurmartiger Aufsatz sich erhebt. In diesen Aufsätzen ist oft nicht bloß Kunstfertigkeit, sondern auch viel Geschmack entwickelt, obgleich sie meist eben nur vom Töpfer gemacht sind. Im vorigen Jahrhundert kamen die schwarzblechenen Oefen und dann Porzellanöfen in Mode. b) Allgemeine Notizen über Constructionsweise und Stellung der Oefen. Das Vortheilhafteste zur Erwärmung der Zimmer wäre allerdings, man stellte die Oefen an die Fenster.

Es müßten jedoch alsdann die Rauchröhren in den Frontwänden hinaufgehen. Dann aber würde die äußere Seite der Schornsteine kalt bleiben und somit der Rauchzug unterbrochen werden. Es würde sich auch höchstens bei ganz flachen Dächern anwenden lassen. Sollte aber der Rauch von den Fenstern weg in eine der Mittelwände geleitet werden, so würde dieses mit mancherlei Schwierigkeiten verbunden sein. Man stellt deshalb die Stubenöfen gewöhnlich in eine Ecke des Zimmers, obgleich die Mitte einer Wand besser dazu geeignet wäre. Falsch ist es, dieselben einzumauern oder in tiefe Nischen zu verbergen. Zwei Zimmer mit einem Ofen zu heizen, indem man denselben durch die Wand gehen läßt, ist nicht zweckmäßig. Alle Arten von Oefen, verschieden durch das Material, aus dem sie construirt, können von innen oder außen geheizt werden. Letzteres hat den Vortheil, daß dergl. Oefen nie in die Stube rauchen können, auch keine Verunreinigung durch das Heizen des Ofens im Zimmer entsteht. Die von innen zu heizenden Oefen erwärmen aber schneller und reinigen durch ihren Zug die Luft der Räume, in welchen sie stehen. Manche nennen die vom Zimmer aus zu heizenden Windöfen, die von außen zu heizenden Zugöfen; diejenigen, wo die Heizung auf der langen Seite angebracht ist, Quer- oder Zwecköfen ꝛc. In neuerer Zeit hat man sich viel Mühe gegeben, die Ventilation durch die Oefen ohne Gefahr des Rauchens zu erreichen. Eines der besten Resultate dieser Bemühungen sind die Luftcirculationsöfen; s. d. betr. Art. Braunkohlen, Steinkohlen und Torf erfordern einen Rost unter dem Feuerraum. Die Unbequemlichkeiten und Unvollständigkeiten, welche mit Oefen verbunden sind, führten natürlich auch auf andere Heizungsmethoden; s. darüber d. Art. Luftheizung und Heizung 13, 14 ff., S. 252, sowie die Artikel Warmwasserheizungsöfen, Atmosphäre, Gasheizung, Dampfofen, Dampfheizung, luftdichte Verschlüsse, Kochmaschine, Küche, Heerd, Schornstein ꝛc.; vergleiche d. Art. Leuchtkamin.

II. **Eiserne Oefen.** Dieselben werden besonders ihrer Billigkeit wegen immer beliebter. Die einfachsten Arten derselben sind folgende:

1) Windöfen, kleine blecherne, runde oder viereckige Oefen ohne Züge, erwärmen sehr schnell, erkalten aber auch eben so schnell; s. d. Art. Heizung 6., S. 252; ganz kleine Windöfen heißen auch Hunde, im französischen Flandern Prussiens.

2) Kanonenöfen, s. S. 252, 7, Bd. II, sind meist von Gußeisen.

3) Circuliröfen, s. S. 252, 8, Bd. II.

4) rheinische Oefen, s. S. 252, 9, Bd. II.

5) rheinische Mantelöfen, s. S. 252, 10, Bd. II. Wegen ihrer schnellen Erwärmung eignen sich die unt. 1—4 genannten Oefen gut für Heizung von Passagier-, Gaststuben ꝛc. Sehr unvortheilhaft aber sind sie für Expeditionen, da nie eine ruhige, gleichmäßige Wärme erzielt werden kann, welche jedoch bei den rheinischen Mantelöfen wenigstens annähernd erreicht ist.

Es geht nämlich meist bei den genannten Oefen durch ihren lebhaften Zug viel Wärme verloren und ein großer Theil der Asche wird als Flugasche mit fortgeführt; selbst wenn man, um den Wärmeverlust zu vermeiden, die Rauchröhren auf- und abwärts leitet, werden dieselben leicht von Flugasche angefüllt. Man thut daher gut, an einem der unteren Kniee dieser Röhren eine Ausweitung für diese Asche anzubringen; s. a. d. Art. Aschenloch.

Eine andere Unannehmlichkeit der eisernen Oefen

ist der Dunst, welchen sie, besonders im Anfang ihres Gebrauches, verbreiten. Ueber die Behandlung derselben s. d. Art. Abschwärzen, Ofenlack ꝛc. Man hat sich natürlich viele Mühe gegeben, diese Nachtheile der eisernen Oefen zu vermeiden; so entstanden folgende Arten:

6) **Eiserne Etagenöfen,** ganz so construirt wie die thönernen Etagenöfen; s. S. 252, 2, II. Bd. Sie müssen aber zu oft gereinigt werden.

7) **Mantelöfen mit Wasser zwischen dem eigentlichen Ofen und dem Mantel.**

8) **Mantelöfen,** mit Blechmantel und oben aufzusetzendem Wasserbecken.

9) **Füllöfen.** Es giebt deren sehr verschiedene Arten, die einfachsten sind die von Hauff in Darmstadt; von einem solchen geben wir in Fig. 1546

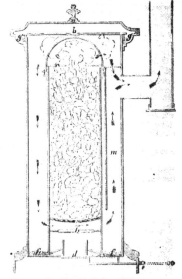

Fig. 1546. Hauff'scher Füllofen.

einen Durchschnitt in $\frac{1}{10}$ der natürlichen Größe. Die Deckel a und b werden bei Füllung abgenommen, ebenso c, welches in der Mitte ein Loch hat. Durch die Oeffnung d, welche mittelst des Schiebers e regulirt werden kann, aber nie ganz geschlossen werden darf, strömt die Luft zu, aber nicht direct zum Rost, sondern um die Scheibe f herum. Diese Scheibe zwingt zugleich die Asche, nicht durch d aus dem Ofen heraus, sondern blos in den ringförmigen Raum um d herum zu fallen; bei f und g liegt Sand, theils zur Dichtung, theils zur Abhaltung der Abkühlung. Viel complicirter und zugleich auf Rauchverbrennung gerichtet sind die Füllöfen von Jacobi in Meißen, mit zwei Heerden, auf denen das Feuer abwechselnd, je nachdem man die Züge zieht, lebhaft oder langsam brennt. Die besten bisher bekannten Füllöfen sind die von Fiedler in Leipzig, mit Mantel und Wasserbecken. Fortwährend werden noch Verbesserungen an den Füllöfen erfunden; sie sind unstreitig sehr zweckmäßig für permanent zu beizende Räume. Bei Anwendung derselben, besonders unter Mitanwendung von

William's Füllapparat kann man die Kohlen in den Ofen schaffen und darin rasch und gleichmäßig vertheilen, ohne die Ofenthür zu öffnen, überhaupt ohne oft nachlegen zu müssen. Dieser Apparat besteht aus einem Kasten, der oben offen ist und dessen Boden durch eine Reihe schmaler, drehbarer Metallplatten, die wie Jalousien in Zapfen ruhen, gebildet wird; nach der horizontalen Welle geht von jeder dieser Metallplatten eine Kette, durch eine Kurbel in Umdrehung gesetzt. Wird die Welle gedreht, so gelangen diese Metallplatten in horizontale Lage, worin sie durch einen an der Welle angebrachten Sperrhaken gehalten werden. Ist der Kasten nun gefüllt, so schiebt man ihn mittelst an dem Kasten angebrachter Handhaben in den Ofen. Die Platten sinken nun, nachdem der Sperrhaken ausgelöst worden, durch das Gewicht der Kohlen gleichzeitig in eine verticale Lage herab; durch die so entstandenen Zwischenräume fallen die Kohlen durch und verbreiten sich gleichmäßig über die brennenden Kohlen der vorhergehenden Beschickung; man zieht den Kasten hierauf schnell zurück und schließt die Thür.

III. **Thonöfen.** Die Zugstrecken sind im Ganzen aus Thon geformt und gebrannt. Man unterscheidet je nach der horizontalen oder verticalen Führung der Züge Säulenöfen, Circulationsöfen, Etagenöfen (s. S. 252, 2 im II. Bd.) und gemischte Oefen. Die größte Länge der Züge vom Rost bis zum Eintritt in die Esse darf höchstens 25 Fuß, der Querschnitt der Züge muß mindestens 45, höchstens 60 ☐Zoll betragen.

IV. **Massenöfen.** Man unterscheidet besonders schwedische und russische; s. d. Art. Heizung IV. 1, S. 252 im zweiten Band. Näheres über die Ausführung dieser von Maurern aus Backsteinen herzustellenden Oefen s. in Harres „Schule des Maurers", Leipzig, Otto Spamer 1856.

V. **Kachelöfen.** Einiges über ihre Eigenschaft ist zunächst aus dem S. 251, Bd. II, unter 5 Gesagten zu entnehmen. Die gebräuchlichsten Gattungen derselben sind auf S. 252 unter 3—5 erwähnt; die unter 3 aufgeführten werden auch noch Herrnhuter Oefen genannt und haben dann im Aufsatz horizontale Züge mit Durchsicht; wenn sie unter dem Eisenkasten einen Kachelsockel haben, heißen sie Meißner Oefen oder Grundöfen. Ueber das Material s. d. Art. Kachel. Im Allgemeinen sind die vieredigen zweckmäßiger. Die Oberfläche derselben muß ungefähr 1 ☐Fuß pro 40 Cubikfuß des zu beizenden Raumes betragen. Vergrößerung der Heizungsoberfläche schadet jedoch niemals. Bezwecken kann man sie durch Anordnung von Ofenröhren zwischen den Zügen, oder durch Anwendung von Rapfkacheln. Die Berliner Oefen alter Construction sind jetzt fast gänzlich ins Seite geschoben und fast jeder Ofensetzer ordnet die Züge etwas anders an.

VI. **Rauchverzehrende Oefen;** s. S. 252, 11, Bd. II, u. d. Art. Rauchverbrennung. Solche Oefen erfordern beständige Aufsicht, sind aber da, wo diese stattfinden kann, z. B. in Fabriken, sehr zu empfehlen.

VII. **Oefen für specielle Zwecke.** In Bezug auf Brat- und Kochöfen (s. d.) und andere Oefen zu ähnlichen Zwecken ändern sich die Anforderungen insofern ab, als es hier darauf ankommt, namentlich die im Innern des Ofens angebrachten Brat- und Kochröhren und dergl. zu erwärmen und möglichst wenig Wärme nach Außen entweichen zu lassen; man giebt ihnen deshalb möglichst starke Umfassungswände und nähert die Heizungszüge möglichst

Mothes, Illustr. Bau-Lexikon. 2. Aufl. 2. Bd.

jenen Röhren; die Einheizthür sei circa 5 Zoll hoch und stehe dicht unter der Platte der Bratröhre, der Rost aber liege 3—4 Zoll unter der Sohle der Thür, dadurch wird das Feuerloch 8—9 Zoll hoch; der Rost falle nach hinten zu etwas; auf dem Rost selbst sei der Feuerraum möglichst klein, vielleicht 8 Zoll in's Quadrat, und erweitere sich conisch bis unter die Platte, damit alle halbverbrannten Theile genöthigt werden, auf den Rost zu fallen, und das Feuer die ganze Platte bestreiche. Ueber die besondere Einrichtung der Oefen zu speciellen Zwecken s. d. Art. Brennofen, Kohks 2, Backofen, Ziegelofen, Kohlenmeiler, Aescherofen, Feldofen, Küche ꝛc.

Ofen, kommt als Attribut vieler Heiligen vor; s. d. Art. Ochs.

Ofenblase oder **Ofenkessel,** s. d. Art. Blase, Blasenfeuerung, Kessel und Kesselfeuerung.

Ofenbruch (Hüttenw.); so nennt man 1) diejenigen Substanzen, welche sich in den kälteren Theilen eines Ofenschaftes durch Sublimation aus der Schmelzmasse ansetzen; oder 2) alle diejenigen metallischen oder metallhaltigen Massen, welche nach dem Ende einer Schmelzung aus dem Innern des Ofens wieder entfernt werden müssen, damit der Schacht wieder brauchbar werde. Bei Silber-, Blei- und Kupferhüttenprocessen tritt gewöhnlich im obern Theil des Schachtes Schwefelzink als Ofenbruch auf. In Eisenhohöfen setzt sich einige Fuß unter der Gicht, wenn zinkhaltige Erze verarbeitet werden, ein Sublimat von mehr oder weniger unreinem Zinkoxyd, Gichtschwamm genannt, ab. Das aus dem Ofenbruch genommene Kupfer heißt Ofenbruchkönig oder Ofenkönig.

Ofenfutter, Futtermauer eines Hohofens; s. d.

Ofengestübe (Hüttenw.), s. v. w. Gestübe.

Ofengewölbe, ein bei Errichtung eines Back- oder Brennofens, oder dergleichen, etwa nöthiges Gewölbe.

Ofenhaupt, s. d. Art. Brennofen 1.

Ofenheerd, die untere Heerdplatte des Ofenkastens, worauf das Feuer brennt und die in der Regel mit einem Rost durchbrochen ist; s. d. Art. Heerd und Ofen.

Ofenhelle oder **Ofenhölle,** s. v. w. Helle; s. d.

Ofenkachel, s. d. Art. Kachel.

Ofenkamin, s. v. w. Kaminofen; s. d.

Ofenkasten, unterer, eiserner Theil eines Ofens, der den Heizraum unmittelbar umgiebt.

Ofenkitt. 1) Der Kitt für Kacheln besteht aus Asche, Salz, Hammerschlag und fein geschlämmtem Thon, auch Ziegelmehl. — 2) Für eiserne Oefen: 10 Theile Thon, 15 Theile Ziegelmehl, 4 Theile Hammerschlag, 1 Theil Kochsalz, ¼ Theil Kälberhaare werden aufgetragen nach vorherigem Anstrich der betreffenden Stelle mit Rindsblut; s. auch d. Art. Kitt 53 und 54 und Eisenkitt III. — 3) Für thönerne Oefen: gesiebte Buchenasche, mit gesiebtem Lehm zu gleichen Gewichtstheilen vermengt und etwas Kochsalz dazu, rührt man mit so viel Wasser an, daß man einen festen Teig erhält, und verstreicht damit die Fugen des Ofens, der jedoch abgekühlt sein muß.

Ofenkranz, Hauptgesims an einem Stubenofen.

Ofenlack, 1) Räuchermittel; — 2) Lack für Oefen; s. d. Art. Lackfirniß a, Anstrich 10, 13 ꝛc.

Ofenloch, s. v. w. Einheizloch, Feuerloch.

5

Ofennische, s. d. Art. Nische.

Ofenplatten, eiserne Platten, die den Ofenkasten bilden, auch die, welche zur schnelleren Erwärmung statt der Kacheln unten in einer Ofenröhre angebracht sind.

Ofenröhre, 1) auch Ofenzug, ein den Rauch vom Ofenkasten bis zum Ende des Ofens leitender Canal in einem Stubenofen; — 2) eigentlich Ofenrohr, eisernes oder thönernes Rohr, welches den Rauch vom Ofen aus in den Schornstein leitet; — 3) zwischen den Zügen offen gelassener, von außen zugänglicher Raum, welcher zum Wärmen der Speisen benutzt wird; s. d. Art. Ofen.

Ofenrost, s. d. Art. Rost.

Ofenschirm, zum Abhalten zu großer Hitze vom Zimmer, am besten von Blech.

Ofensockel, Fundament von Stein oder Kacheln unter einem Stubenofen, darf nicht höher als 5—6 Zoll sein.

Ofenstaub oder Hüttenrauch, das auf Kobaltwerken, Arsenithütten 2c. beim Rösten der Erze verflüchtigte und im Giftfang sich ansetzende Metalloryd.

Ofenstaublech (Hüttent.), Lech, welches beim Kupferschmelzen aus Hüttenrauch gewonnen wird.

Ofenstock, Mauer um den Raum, worauf ein Floß oder Hohofen errichtet ist.

offen (Bergb.); so heißt ein Gang, der viel Klüfte hat.

offene Brust (Hüttenw.); die Brust eines Krummofens, wenn die Spur so geschnitten ist, daß sie bis in die Brust aus dem Ofen reicht. Der Krummofen ist ein Schmelzofen von 9 Fuß Höhe, 3—4 Fuß Länge, 2—2½ Fuß Weite, jetzt nicht mehr gewöhnlich.

offene Curve, s. d. Art. Curve, S. 581, Bd. I.

offene Feldwerke und **offene Schanzen;** s. d. Art. Festungsbaukunst.

offene Fuge. Fugen bei Ziegelmauern, welche abgeputzt werden sollen, heißen offen, wenn der Mörtel nicht ganz bis an die Oberfläche der Mauer reicht, sondern von der Oberfläche ½—1 Zoll zurück bleibt; man pflegt gern so zu mauern, damit der Abputz in diese offenen Fugen eindringe und sich befestige.

offene Kluft, s. d. Art. Kluft 2.

offener Dachstuhl, s. S. 597 im I. Band.

offensives Werk (Uferb.), ist jeder Uferbau, wodurch der Strom vom Ufer abgeleitet wird, also z. B. Buhnen, Deckwerke 2c. dann, wenn sie Anlägerung bewirken.

Offertorium, lat., Opferteller, Patene, Opferstock.

Offertory-box, engl., Opferstock, Armenstock.

Offertory-window, engl., s. v. w. lowsidewindow.

Office, franz., Vorrathskammer, auch Zimmer für die Dienstleute, Anrichtezimmer, Buffet 2c.

Officin, s. d. Art. Laboratorium und Apotheke.

Officina, lat., zusammengezogen aus opificina, Werkstätte.

Offiziersbaum, s. d. Art. Ceratopetalum gummiferum.

Off-set, engl., Absatz, auch Verbindungsglied zwischen einem unteren und einem oberen zurücktretenden Gebäudetheil.

Ogee, engl., altengl. ogyve, verkehrt steigende Welle, Kehlleiste, s. d. Art. Glied E. 3. b, und Fig. 1186 und 1187.

Ogee-arche, s. d. Art. Bogen, I. Bd., S. 398.

Ogival-style, gothischer Styl.

Ogive, frz., altfrz. augive, engl. ogee, ist von augere, verstärken, abzuleiten und bezeichnet ursprünglich die an den Graten der Gewölbe hervorstehenden Rippen, daher voûte à l'ogive, gothisches Kreuzgewölbe mit Rippen; dadurch übertrug sich der Begriff des Wortes auf alles Gothische; arc à l'ogive, später ogive allein, bedeutete nun Spitzbogen. Ogive aigue, Lanzettbogen; ogive équilatérale, gleichseitiger Spitzbogen; ogive obtuse, niedriger Spitzbogen; ogive exhaussée, gestelzter Spitzbogen; ogive tronquée, spitzer Stichbogen; ogive lancéolée, Hufeisenspitzbogen; ogives geminées, Zwillingsspitzbogen 2c.; s. d. Art. Bogen, S. 398 im ersten Band.

Ogivo-roman, spitzbogig-romanischer Styl; s. d. Art. französisch-gothische Bauweise.

Ghiaai (Jambosa malaccensis), Baum auf den Sandwichs-Inseln, besitzt ein hübsches Holz, das dort sowohl von Zimmerleuten als von Tischlern gesucht und auch nach England ausgeführt wird. Früher diente es zu Anfertigung der Götzenbilder.

Ohle, s. d. Art. Ahle.

Ohm, 1) Ohme, Aam, Weinmaaß, s. d. Art. Maaß; — 2) s. v. w. Amm, Raff, Sprau.

Ohr. 1) Vertiefung, Loch, Oehr.—2) S. v. w. Unterbogen, zur Ueberdeckung kleiner Oeffnungen, die unter einem gemeinschaftlichen Entlassungsbogen oder Gewölbschild stehen; daher auch s. v. w. Gewölbkappe, Stichkappe. — 3) Die Stücken Holz, die zu beiden Seiten aus dem Rammklotz vorragen, auch Hörner genannt. — 4) (Wasserb.) stufenweise Böschung einer Sielkuhle. — 5) Der unbearbeitete Theil der Thür- und Fensterstürzen und Bänken, der in der Mauer befestigt wird. — 6) S. v. w. Crossette; s. d. — 7) S. v. w. Atroterie. — 8) Ohr des Ankers, die beiden Enden der geraden Seiten der Ankerflügel. — 9) Ohr eines Schiffes, Bugt, übergebauter Theil des Schiffes.

Ohrbolzen, Ohreisen, s. v. w. Ringbolzen (s. d.) und s. d. Art. Bolzen.

ohren (Kriegsb.), Schwartenpfähle, d. i. die Ecken derselben abrunden.

Ohrgewölbe, Ohrkappe, Gewölbkappe, die sich an ein Hauptgewölbe anschließt.

Ohrrahmen, Schachtgevierte von beschlagenem Holz, an welchem Kappen und Joche aufgeplattet werden, so daß sie zu allen Seiten noch einige Fuß über das Gevierte herausreichen ⌗.

Ohrstütze (Schiffsb.), s. v. w. Bugholz; s. d.

Ohrte 1) (Deichb.) sind mit dem Deich gleich hoch angelegte Stake (s. d.); die Unterhaltung derselben ist sehr kostspielig; — 2) s. v. w. Ahle.

Ohshamme (Uferb.), Uferheil, der der Beschädigung des Wassers ganz besonders ausgesetzt ist.

Oikäma, griech. οἴκημα, s. d. Art. Hippodrom.

Oillet, engl., altengl. oillete, oylet, Schießscharte, Guckloch, Lucke; s. d.

Oitavas, Oktav, s. d. Art. Maaß, S. 505 u. 507.

Okeanos, s. d. Art. Oceanus.

Okel oder **Oukaïl,** frz. okel, okela, große Gebäude für den Handelsbetrieb bei den Muhamedanern, ähnlich den Bazars Persiens, ungefähr

analog den Fondilen oder auch Börsen. Ein Okel
umschließt einen großen Hof mit Hallen, die hinter
den Kaufläden und gewölbten Magazinen liegen.
In der Mitte des Hofes steht ein Brunnen und ein
Bethaus.

Okelpenige, s. d. Art. Bracteat.

Oken, s. d. Art. Boden 3.

Okenit (Mineral.), Art des Zeoliths; s. d.

Okka, levantisches Gewicht — 2½ englische
Pfund, hält 400 Quint oder 4 Gely, oder 2⁹/₁₁
Lodra. 44, in manchen Städten 45, Okka sind
gleich 1 türkischen Centner; — 2) Flüssigkeitsmaaß,
faßt ca. 2²/₃ Pfd. Wasser. S. d. Art. Maaß S. 512.

Okleya xanthoxyla Cunningh., ein großer
Baum Neuhollands (Fam. Cedreleae), liefert eine
Sorte Gelbholz, Yellow-wood.

Oktaëder, griech. ὀκτάεδρος, ein von 8 ebenen
Flächen begrenzter Körper. Am häufigsten kommt
das reguläre Oktaëder vor, bei welchem die Oberfläche aus 8 congruenten gleichseitigen Dreiecken
besteht. Es hat 6 Ecken und 12 Kanten, in jeder Ecke
stoßen 4 Dreiecke zusammen. In und um das
reguläre Oktaëder lassen sich Kugeln beschreiben,
deren Radien sind: $R = \dfrac{a}{\sqrt{2}}$, $r = \dfrac{a}{\sqrt{6}}$;
auch ist die Oberfläche des Körpers $O = a^2 \sqrt{3}$ und
sein Volumen $V = \dfrac{a^3}{12} \sqrt{2}$. Der Cosinus des
Neigungswinkels zweier Seitenflächen gegen einander ist — ⅓, also der Winkel selbst 160° 32′.
S. auch d. Art. Krystallographie 1.

oktaëdrisches Eisen, s. d. Art. Eisen.

Oktagon, griech. ὀκτάγωνον, frz. octogone,
Achteck; s. d.

Oktastylos, griech. ὀκτάστυλος, frz. octo-
style, achtsäulig, s. d. Art. Tempel.

Olaf oder **Olaus,** St., König und Patron von
Norwegen und Drontheim, wo er von heidnischen
Grafen 1030 (nach Andern 1031) erdolcht ward.
Darzustellen im königlichen Schmuck, einen Dolch
in der Hand.

Oleanderholz, von dem im Gebiet des Mittel-
meerbeckens einheimischen Oleanderstrauch (Ne-
rium Oleander, Fam. Apocyneae); besitzt giftige
Eigenschaften und kann deshalb zu Geräthen, die
mit Speisen in Berührung kommen, nicht gut
benutzt werden.

Olearium, lat., Aufbewahrungskeller für Oel.

Oleaster, s. d. Art. Oelbaum 3.

Oleum, lat., s. d. Art. Oel.

Oligoklas, feldspathähnliches Mineral, etwas
schwerer und leichter schmelzbar als Albit, kommt
in Gestalt von Körnchen und Krystallchen als Gemengtheil des Granit vor.

Olive. 1) Frucht des Olivenbaums, s. d. Art.
Oelbaum und Baumöl; — 2) wegen der Form-
ähnlichkeit nennt man so eine Sorte Thürgriffe;
s. d. Art. Griff, Dreher ꝛc.

Olivenblende, Olivinblende (Mineral.), s. d. w.
gemeiner Augit; s. d.

Olivenblüthe, Attribut der Minerva.

Olivenhout nennt man im Kapland das sehr
dichte, schwere u. dauerhafte Holz des kapländischen
Oelbaumes (Olea verrucosa, Fam. Oleaceae).

Olivenit, Olivenerz, ist ein wasserhaltiges,
arsensaures Kupferoxyd.

Oliveniterde (Mineral.), in derben Massen
vorkommende Art des Olivenit, mit nierenför-
migen Außenflächen, feinerdigem Bruch, von
Farbe span- und zeisiggrün.

Olivenmalachit (Mineral.), wiegt zwischen
3—4, Strich und Farbe sind dumpf bläulichgrün.
Man unterscheidet: a) diprismatischen Olivenmalachit, s. v. w. phosphorsaures Kupfer; b) prismatischen Olivenmalachit, s. v. w. Olivenit.

Olivenöl, s. d. Art. Oel und Baumöl.

Olivenquarz, olivenfarbiger Quarz; s. d.

Olives, frz., Perlstab mit länglichen Perlen.

Olivin, früher vulkanischer Chrysolith genannt,
frz. péridot, ein besonders als Gemengtheil me-
teorischer Massen und basaltischer Gebirgsarten be-
kanntes Mineral. Er findet sich eingewachsen in
Körnern oder in körnigen, abgesonderten Massen,
hat muscheligen Bruch, ist glasglänzend bis zum
Fettglanz, von Farbe pistazien-, auch olivengrün,
in's Gelbe und Bräunliche ziehend. Es giebt 4
Arten von Olivin: 1) Magnesia-Olivin, wesentlich kieselsaure Magnesia; — 2) Eisen-Magnesia-
Olivin, kieselsaure Eisenoxydul-Magnesia; —
3) Kalk-Magnesia-Olivin, kieselsaure Kalk-
Magnesia, und 4) Eisen-Olivin, wesentlich aus
kieselsaurem Eisenoxydul bestehend.

Olla, lat. u. span., Aschenkrug, Urne, Vase,
Topf. Die Römer unterschieden: 1) Olla schlecht-
hin, Kochtopf; 2) Olla ossuaria od. cineraria,
Aschenkrug, daher ollarium, Aschenkrugnische im
Columbarium; s. d. — 3) s. d. Art. Maaß S. 511.

ollaris lapis, lat., Topfstein; s. d.

Olmekenbauten, s. d. Art. mittelamerikanische Bauten.

Olymp, Wohnort der griechischen Götter; Be-
wohner des Olymp waren die 12 höheren Götter:
Jupiter, Juno, Minerva ꝛc., s. d. betr. Art. u. d.
Art. griechischer Styl.

Ombelle, Ombrelle, frz., Schirm, Baldachin,
auch über Wappen.

Ombo oder **umbo,** lat., Trottoir.

Ombrage, frz., Schlagschatten.

Omer od. **Audomarus,** St., Patron v. S. Omer,
und Terrouanne, geboren bei Constanz, ging mit
seinem Vater in's Kloster Luxeuil, wurde von
Dagobert zum Bischof von Terrouanne erhoben, wo
er den Götzendienst vollends ausrottete, erblindete
nach 30jähriger Amtsführung und starb um 680.
Abzubilden als blinder Bischof.

Omophorium, lat., s. v. w. pallium.

Onager, lat., große Schleudermaschine, Wurf-
geschoß.

Once, Oncie, Onzas, s. Maaß, S. 485 u. 489.

Onctuaire, frz., s. d. Art. unctuarium.

Ondé, frz. (Herald.), Wellenschnitt; s. d. Art.
Heraldit VI, S. 258, u. Fig. 1269 a. Band II.

Ondes, frz., Wellenlinie.

Onochoirit, aus Esel und Schwein zusammengesetztes Unthier, symbolisirt die Dummheit,
mit Völlerei gepaart.

Onokentaur (Myth.), Ungeheuer, halb Mensch
und halb Esel, symbolisirt die Grobheit, Dummheit ꝛc.

Onophrius, St., Fürstensohn aus Abyssinien,
lebte 60 Jahre lang bis gegen Ende des 4. Jahrhunderts als Einsiedler in der Thebaischen Wüste,
findet sich dargestellt als Einsiedler, gekleidet in

Palmblätter oder Felle, in der Hand einen Knoten-
stod, in einem Buch lesend, mitunter auch ganz behaart lauf allen Vieren gehend, im Wald verfolgt
von Hunden u. Jägern, die ihn für ein Thier halten.

Onyr, griech. ὄνυξ, 1) Nagel, Haken, Klaue; —
2) (Miner.) ein rauchbrauner, in's Schwarzbraune
gehender Chalcedon, welcher oft abwechselnde, scharf
begrenzte Schichten von grauem und milchblauem
gemeinen Chalcedon hat und Sardonyx heißt,
wenn die Schichten sehr regelmäßig wechseln; man
verwendet ihn zu Gemmen; — 3) Art Marmor
von der Farbe des Fingernagels; zu Fußböden,
Vasen ꝛc. verwendbar.

Oolith oder Oolithenkalk; so hat man einen
Kalkstein genannt, dessen Masse aus eirunden,
durch Kalkteig verbundenen Körnern besteht; er
findet sich als Roggen- oder Erbsenstein besonders
häufig in der Flötzformation. In der Mitte der
Körner findet sich ein Kern, der z. B. in den Erb-
senſteinen der Karlsbader Quellen aus Granit-
theilchen besteht; f. auch d. Art. kaltige Gesteine
und Lagerung.

Opa oder **Ope,** griech. ὄπη, lat. opa, colum-
barium, frz. ope, Rüstloch, Balkenloch; der
Zwischenraum zwischen zwei Balkenlöchern oder
Balken hieß metope oder intertignum.

Opal, lat. opalus, frz. quarz résinite (Mineral), so heißt die in der Natur in vulkanischen Gesteinen vorkommende amorphe, wasserhaltige Kieselerde. Man unterscheidet hauptsächlich folgende
Varietäten: 1) edler Opal, lat. opalus paederota,
derb und eingesprengt, muschliger Bruch, Farbe
milchweiß, spielt sehr lebhaft in's Grüne, Blaue,
Rothe ꝛc., ist durchscheinend und glänzt glasig,
Eigenschwere = 2,2. Ritzt Apatit, ritzbar durch
Quarz. Verknistert vor dem Löthrohr, schmilzt
jedoch nicht. Enthält 90 Thle. Kieselerde und
10 Thle. Wasser. Er kommt im Trachytgebirge auf
nicht weit erstreckten Gängen vor. Man verwendet den edlen Opal zu Schmuckgegenständen, ebenso
die anderen Arten, zumal die böhmischen, ihrer
baumartigen Zeichnungen halber. — 2) Gemeiner
Opal, dem edlen bis auf das Farbenspiel ähnlich,
kommt auch ähnlich wie der edle in Phorphyr,
Serpentin und auf manchen Erzgängen vor; —
3) Halbopal kommt ebenso, nicht selten in bandartigen
Streifen, zumal auf Gängen im Dolerit und im
Phorphyr, oft als Versteinerungsmittel von Holz-
theilen (als Holzopal) vor; — 4) Jaspisopal oder
Eisenopal, gelbbraun, halbhart, fettglänzend, undurchsichtig, findet sich derb und eingesprengt.

Opalglas, f. d. Art. Glas.

opalisirend, dem edlen Opal ähnlich schim-
mernd.

Opalmutter; so wird das Gestein genannt, in
welchem der edle Opal fein eingesprengt vorkommt.
Opaque-pigment, engl., Deckfarbe.

Opeion, griech. ὀπαῖον, Oberlichtöffnung,
Nabelöffnung.

Open-heart, engl.,
offenes Herz. Anglo-
normannische Glied-
besetzung, f. Fig. 1547.
Operarius, opi-
fex, lat., Gewerbe-
mann.
Operculum, lat.,
griech. πῶμα, franz.

Fig. 1547. Open-heart.

couvercle, Deckel, operculum ambulatorium,
Charnierdeckel.

operis novi nuntiatio; f. d. Art. Baurecht,
S. 290, Bd. I.

Operment, f. d. Art. Auripigment.

Opernhaus, f. d. Art. Theater.

Opertorium, lat., Decke, Hülle, Kelchdecke,
Corporale.

Opferaltar, f. d. Art. Altar und Alexander.

Opferbecken, Opferschale; dieselben haben
von jeher verschiedene Formen gehabt. Antike
Opferschalen finden sich in den Metopen bei Friesen
der dorischen Ordnung, bei Giebeln und bei Ar-
caden als Verzierung benutzt. In der mittelalterlichen Kunst erscheinen sie theils von Metall, theils
von Stein.

Opferstier, f. d. Art. Ochs.

Opferstock, lat. truncum, frz. aumônière,
engl. offertory-box, poors-pyx; f. d. Art. Armenstock 2.; kommt von Holz, Stein und Metall vor;
vergl. auch d. Art. Gazophylacium.

Opfertisch, f. d. Art. Basilika.

Ophiolith, Serpentinfels; f. d. Man benutzt
ihn als Chausséematerial, Baustein, besonders
aber zu Verzierungen, Vasen ꝛc. Er läßt sich leicht
behauen, kann gesägt und gedreht werden und läßt
sich zu Mosaiken, Tischplatten, zum Belegen der
Wände ꝛc. verwenden; er polirt sich leicht, aber
nicht dauerhaft.

Ophit (Mineral.), Serpentin (f. d.) mit weißen
Kalkadern ꝛc., eignet sich vortrefflich zu Wandbelegen.

Opisthodomos oder Opisthonaos, auch
Opisthion, griech. ὀπισθόδομος, ὀπισθόναος,
ὀπίσθιον, Hintertheil, Nachzelle im Tempel oder
in der Kirche; f. d. Art. Tempel.

Oporotheke, griech. ὀπωροθήκη, lat. opo-
rotheca, Fruchtkeller, Gemüsekeller.

Oppenwall, oder Opperwall (Wasserb.), so
heißt ein Ufer, wenn das Wasser durch den Wind
von demselben abwärts getrieben wird.

Oppidum, lat. 1) Stadt; — 2) Quergebäude
im Circus, f. d.; enthielt die carceres.

Optik, die Lehre vom Licht. Ueber das Wesen
des Lichtes hat man sehr lange Zeit hindurch höchst
unklare und abenteuerliche Vorstellungen gehabt,
bis erst im 17. Jahrhundert zwei wirkliche Hypo-
thesen aufgestellt wurden, die Emanationstheorie
von Newton und die Vibrations- oder Undulations-
theorie von Huyghens. Beide bestanden lange Zeit
neben einander fort, bis endlich durch die Untersuchungen von Young, Fresnel, Frauenhofer ꝛc.
die letztere eine entschiedene Bestätigung erlangte
und die Emanationstheorie völlig verdrängte.

I. Die Emanationstheorie nahm an, daß das Licht
eine feine, unwägbare Materie sei, welche von den
leuchtenden Körpern mit ungeheurer Geschwindigkeit (von 42000 Meilen in der Secunde) hinaus-
geschleudert würde, während die Undulations-
theorie das Licht auffaßt als entstehend durch die
Schwingungen der Theilchen eines unwägbaren
Stoffes, welchen man Aether nennt. Diese Schwingungen pflanzen sich mit einer Geschwindigkeit von
42000 Meilen fort und gehen in Ebenen vor sich,
welche senkrecht zur Richtung des Lichtstrahles stehen,
ähnlich wie bei einem Seil, auf welches an einem
Ende ein Schlag geführt wird. Die Lichterschei-
nungen werden dadurch denen des Schalles ganz
ähnlich, nur daß beim Schall die Theilchen der
unwägbaren Materie schwingen, beim Licht die unwägbaren Aethertheile.

Alle Körper, welche Licht aussenden, bestehen aus wägbaren Stoffen; der leere Raum kann das Licht wohl fortpflanzen, nicht aber erzeugen. Unter den Körpern giebt es viele, wie die Sonne, die Fixsterne, glühende und phosphorescirende Körper, von welchen wir ihr eigenes Licht erhalten; die anderen haben kein eigenes Licht und wir sehen sie nur, weil sie uns das Licht zusenden, welches sie von selbstleuchtenden Stoffen empfangen. — Die Fortpflanzung des Lichtes geschieht, wie bereits angedeutet, geradlinig; jede von einem leuchtendem Körper ausgehende gerade Linie, nach welcher von demselben aus sich Licht fortpflanzt, heißt ein Lichtstrahl. Die Intensität, mit welcher ein Körper von einer Lichtquelle erleuchtet wird, ist umgekehrt proportional dem Quadrat der Entfernung. In doppelter Entfernung ist sie daher nur $\frac{1}{4}$, in dreifacher $\frac{1}{9}$ von derjenigen in einfacher Entfernung. Zur Messung der Intensität, also zur Vergleichung derselben mit der als Einheit angenommenen Intensität einer bestimmten Lichtquelle, dienen die Photometer (f. d.). — Außerdem hängt auch die Lichtintensität ab von der Neigung der beleuchteten Flächen gegen den Lichtstrahl, und zwar ist sie proportional dem Cosinus des Einfallswinkels, d. h. des Winkels, welchen der Lichtstrahl mit der Normale auf der Fläche einschließt.

II. Wenn Lichtstrahlen an der Grenze zweier verschiedener Mittel auftreffen, so bringt ein Theil in das neue Mittel ein, der andere wird zurückgeworfen oder reflectirt. Bei durchsichtigen Körpern ist die eindringende Lichtmenge die größere; die undurchsichtigen Körper dagegen reflectiren bei weitem den größeren Theil des auf sie auffallenden Lichtes. Ist die Oberfläche rauh, so geschieht die Zurückwerfung nach allen Seiten hin; dadurch wird bewirkt, daß der Körper dem Auge überhaupt sichtbar werden. Wird aber die Oberfläche von allen Unebenheiten befreit, so werden auch die von einem leuchtenden Körper aus auffallenden Strahlen allein nach einer Richtung, und zwar unter einem dem Anprallwinkel gleichen Abprallwinkel, zurückgeworfen und gelangen in das Auge, welches nun ein Bild des leuchtenden Körpers beobachtet, die wahre Natur der reflectirenden Fläche dagegen nicht mehr genau zu erkennen vermag. So ist es bei den Spiegeln; diese würden für das Auge gar nicht sichtbar sein, wenn sie nicht noch noch kleine Unebenheiten besäßen. Die Reflexion der Lichtstrahlen geschieht nach demselben Gesetz, wie diejenige der Schallwellen; der auffallende und der reflectirte Strahl liegen mit dem Einfallsloth in einer Ebene und schließen mit diesem gleiche Winkel ein. Weiteres über die Spiegel f. d. betr. Art. Die Lehre von der Reflexion des Lichtes führt den Namen Katoptrik oder Anakamptik.

III. Wenn ein Lichtstrahl aus einem Mittel in ein anderes übergeht, so wird er dabei von seiner ursprünglichen Richtung abgelenkt, er wird gebrochen. Nennt man das Perpendikel, welches auf der Trennungsfläche im Einfallspunkt eines Strahles errichtet wird, das Einfallsloth, den Winkel zwischen diesem und dem einfallenden Strahl den Einfallswinkel, den Winkel zwischen dem gebrochenen Strahl und dem Einfallsloth den Brechungswinkel; nennt man ferner die Ebene durch das Einfallsloth und den einfallenden Strahl die Einfallsebene, die Ebene durch jene Linie und den gebrochenen Strahl die Brechungsebene, so gelten folgende Gesetze: 1) Die Einfallsebene fällt mit der Brechungsebene zusammen. 2) Beim Uebergang aus einem dünneren Mittel in ein dichteres wird der Lichtstrahl dem Einfallsloth zu gebrochen und der Brechungswinkel ist kleiner als der Einfallswinkel; geht er dagegen von einem dichteren Mittel in ein dünneres über, so wird er vom Einfallsloth ab gebrochen und der Brechungswinkel ist der größere. 3) Der Sinus des Einfallswinkels steht, dasselbe brechende Mittel vorausgesetzt, in constantem Verhältniß zum Sinus des Brechungswinkels. Dies Verhältniß heißt der Brechungsexponent; sein Werth ist beim Uebergang von Luft in

Wasser $= \frac{4}{3}$, Glas $= \frac{3}{2}$, Diamant $= \frac{5}{2}$. Wird derselbe mit n bezeichnet, der Einfallswinkel mit i, der Brechungswinkel mit r, so ist $\frac{\sin i}{\sin r} = n$. Ist n der Brechungsexponent beim Uebergang aus einem Mittel A in ein anderes B, sowie m beim Uebergang aus A in C, so ist sein Werth beim Uebergang aus B in C $\frac{m}{n}$. Daher ist auch der Brechungsexponent beim Uebergang von B in A $\frac{1}{n}$; also von Wasser in Luft $\frac{3}{4}$ 2c. Der Sinus des Einfallswinkels kann höchstens 1 sein; ihm entspricht derjenige des Brechungswinkels $\sin r = \frac{1}{n}$.

Dieses ist der größte Werth, welchen überhaupt der Brechungswinkel annehmen kann. Beim Uebergang von Wasser in Luft ist er z. B. 48° 35′. Er heißt gewöhnlich der Grenzwinkel. Soll nun ein Lichtstrahl aus Wasser in Luft austreten, so ist dies nur möglich, so lange der Einfallswinkel den Grenzwinkel nicht überschreitet; thut er dies aber, so tritt der Strahl gar nicht mehr aus, sondern wird nach dem Gesetze der Reflexion zurückgeworfen, ganz so, als ob die Wasserfläche ein Spiegel wäre. Diese Erscheinung hat man mit dem Namen der totalen Reflexion belegt zum Unterschied von der nur theilweisen, welche der Lichtstrahl erleidet, wenn er an der Grenze zweier Mittel ankommt. Auf der Reflexion beruht die Wirkungsweise der optischen Prismen, Linsen 2c. (f. d.). Die Lehre von derselben führt auch den Namen Dioptrik.

IV. Wenn Licht durch eine kleine Oeffnung im Laden in ein dunkles Zimmer einfällt, so stellt sich auf der gegenüber stehenden Wand ein kleines rundes Sonnenbild dar; fängt man aber die Strahlen durch ein optisches Prisma auf, so erhält man auf der Wand ein gefärbtes, in die Länge gezogenes Bild, das sogenannte Spectrum. Die Länge desselben hängt vom brechenden Winkel und von der Substanz des Prisma's ab; in ihm lassen sich die 7 Hauptfarben: Roth, Orange, Gelb, Grün, Blau, Indigo u. Violet, unterscheiden; das Roth ist stets der Seite zugekehrt, wo der brechende Winkel des Prisma's liegt. Zur Erklärung dieser Erscheinung muß man annehmen, daß das Sonnenlicht und überhaupt das weiße Licht nicht einfach, sondern aus verschiedenfarbigen Strahlen zusammengesetzt ist, deren Gesammtwirkung auf das Auge den Eindruck des Weiß giebt. Diese verschiedenen Strahlen sind auch verschieden brechbar, und zwar erleidet das Violet die stärkste, das Roth die schwächste Ablenkung; jede dieser Farben ist einfach, d. h. kann nicht weiter zerlegt werden. Man nennt sie die Elementarfarben. Weiteres über die Farben f. in d. Art. Farbenlehre.

Gerade wie die Prismen wirken auch die Linsen; daher kommt es, daß bei den gewöhnlichen Linsen die Bilder mit farbigen Rändern erscheinen. Man vermeidet dies bei den achromatischen Linsen; s. d.

Optostrotum, lat., von ὀπτός, gekocht, und στρωτόν, Lager, Pflaster; f. v. w. Backsteinpflaster.

Opuntienholz, Spißen der Sabara, das poröse und deshalb dem Spißengrund ähnliche Holz des gemeinen Opuntiencactus (indische Feige, Opuntia vulgaris, Fam. Cacteen), der ursprünglich in Mittelamerika einheimisch war, jetzt aber im Gebiet des Mittelmeeres vielfach vorkommt. Jenes Holz ward eine Zeit lang als Curiosität von Pariser Tischlern zu Tischen u. dgl. mit verarbeitet.

Opus, lat., Werkarbeit, daher: opus acu pictum, Stickerei; opus albarium, Tünchwerk; opus album ob. coronarium, Studarbeit; opus alexandrinum, zweifarbiges Mosaik; opus brendatum, bordirte Stickerei; opus anglicum, englische Stickerei; opus fusile, Gußwerk; opus incertum ob. antiquum, unregelmäßiges Bruchsteinmauerwerk; opus interasile, Schrotarbeit; opus italicum, Steinbau; opus lemovicianum, Email von Limoges; opus marmoratum, Kalk- und Marmorstuck; opus mixtum, gemischter Mauerverband; opus musivum, f. v. w. Mosaik; opus nigellatum, f. d. Art. Niello; opus phrygicum, phrygische Stickerei; opus plumatum, Federstickerei; opus productile, propulsatum, getriebene Arbeit; opus quadratum, Mauerverband mit quadratischen Steinen; opus reticulatum, Neßverband (f. d.); opus romanum, Quaderbau; opus pilatum, Hafendamm auf Pfeilern und Bögen; opus rusticum, bäurisches Werk, f. d. Art. Bossage; opus sarsurium, Mosaik aus verschiedenfarbigem Marmor; opus scoticum, f. d. Art. Holzarchitektur; opus sectile ob. segmentatum, Mosaik aus polygonen Steinen in ihren natürlichen Farben; opus signinum, eine Art Béton; opus spicatum, Fischgrätenmauerwerk, Häringsgrätenbau; opus tesselatum, gewürfelter musivischer Fußboden; opus testudinatum, Steinwölbung; opus triphoriatum, durchbrochene Arbeit; opus veneciae, Kunstarbeit in venetianischer, halb orientalischer Weise; opus veneticum ad filum, Filigranarbeit; opus vermiculatum, Schachbretmosaik.

Or, frz., Gold; or natif, or vierge, gediegenes Gold; or d'applique, Malergold; or de mosaique, Mustgold; or en feuilles, or battu, Blattgold; or en lame, Goldlahn; or bruni, brunirtes Gold; or trait, Golddraht; or blanc, Platina.

Oraculum, lat., frz. oracle, 1) Allerheiligstes des jüdischen Tempels; — 2) Specialcapelle eines Heiligen, an eine Kirche angebaut.

Orale, lat., Betschemel.

Orangegelb oder **Oraniengelb,** f. d. Art. Gelb; bedeutet in der mittelalterlichen Farbensymbolik Unbeständigkeit und Ruhmbegierde; in Wappen wird es angedeutet durch lothrechte Schraffirung, die von einer zweiten Strichlage durchschnitten wird, deren Striche von links oben nach rechts unten gehen. (Danach ist der Druckfehler auf S. 258 im II. Bd. zu corrigiren.) Aeltere Heraldiker bezeichnen Orange durch ♌. Orangegelbe Farbe erhält man durch Mischung von Gelb und Roth. Wenn das Roth etwas mehr vorherrscht, so erhält man das Orangeroth. Neuerdings gewinnt man orangegelben und orangerothen, har-

zigen, in Wasser unlöslichen Farbestoff aus dem pechartigen Rückstand der Steinkohlentheerdestillation. Man erhißt diesen Rückstand in eisernen Retorten, so daß derselbe rothglühend wird und zuletzt eine schwammige Kohle zurückbleibt. Der restirende Theil des Uebergetriebenen ist der gewünschte Farbstoff; man giebt nämlich den Retorten einen Vorlagen, deren erste man bis zu 300° C. erhißt erhält; in dieser bleibt die orangerothe Harzmasse zurück, die übrigen Producte gehen in die zweite Kammer.

Orangenbaum- oder **Pomeranzenbaumholz,** nimmt eine gute Politur an und wird zuGalanteriesachen verarbeitet. Es ist ein strohgelbes, hartes, zähes Holz, fasert unter dem Hobel gern auf.

Orangenknospen, f. d. Art. Arabesken.

Orangerichaus, f. d. Art. Gewächshaus.

Orarium (von os), lat., Schweißtuch, Stola.

Oratorium, lat. oratorium, frz. oratoire, engl. oratory. Jeder Raum oder jede Vorrichtung zum Beten, also 1) Betkammer, eine Kammer, unweit von dem Schlafzimmer gelegen; es befindet sich darin ein kleiner Altar mit Crucifix; — 2) Capelle, Bethaus, Betsaal; — 3) Tragaltar; — 4) Betsäule; — 5) Reliquiarium.

orbe, frz., engl. orb, blind; orbevoie, Blende, Blendbogenstellung, Blendarcade.

Orbiculus, lat., Rädchen, besonders Rolle des Flaschenzugs.

Orbis, lat. Im Unterschied zu globus, hohle Kugel oder Kugelsegment, doch auch alles Kreisförmige, Scheibe, Ring, Kugel zc., so z. B. Laufer der Oelmühle; orbis terrarum, engl. orb, Weltkugel, Reichsapfel.

Orbite, frz., f. d. Art. Bahn 1.

Orchester, engl. musik-loft, abgesonderter Plaß für die Mustker in Concert-, Ballsälen und Theatern, um Musikaufführungen darauf zu halten. Man legt in Theatern das Orchester tiefer als das Parterre und fünf Fuß tiefer als die Bühne, um über die Mustker hinwegsehen zu können. Es nimmt die ganze Länge der Bühne ein und richtet sich in der Breite nach der Größe des Theaters; man lege den Fußboden hohl, um den Instrumenten als Resonanzboden zu dienen; f. übr. b. Art. Akustik, Theater. Man erhöht es terrassenförmig in Concertballen, bei Tanzsälen befindet es sich häufig auf Gallerien.

Orchestra, griech. ὀρχήστρα, ein bestimmter Plaß in den Theatern der Griechen für die untergeordneten Künstler, Tänzer, Chöre zc., bei den Römern für die Senatoren, welcher zunächst der Bühne, im Amphitheater zunächst der Arena ist, an der Stelle, wo jetzt das Parquet und Parterre sich befindet; vgl. auch d. Art. Hypostenion und Theater.

Orchideenhaus, f. den Art. Gewächshaus. Die Orchideenblüthen geben sehr dankbare Motive zu Ornamentblumen.

Orcus, lat., bei den Römern f. v. w. Unterwelt, f. d. Art. Hades.

Order, engl., Säulenordnung.

Ordinate, f. d. Art. Abstich, Abscissenlinie, Coordinatensystem, Curve zc. Sehr bequem ist bei Ausmessung unregelmäßiger Gebäude die Auffindung der Grenzen durch Ordinaten und Abscissen; man macht es am leichtesten, wenn man ganz nahe an dem Gebäude hin eine Schnur zieht und diese als Abscissenachse benutzt.

Ordnung einer ebenen Curve oder einer Ober-fläche, so viel wie Grad, also die Anzahl der Punkte, in welcher dieselbe von einer beliebigen geraden Linie geschnitten werden kann. Bei dop-pelt gekrümmten Curven unterscheidet man jedoch Ordnung und Grad, indem man dort nach Cayley unter Ordnung die Anzahl der Krümmungsebenen versteht, welche durch einen beliebigen Punkt gehen, während der Grad die Anzahl der Schnittpunkte angiebt, welche die Curve mit einer beliebigen Ebene gemein hat, und die Classe die Anzahl der Tangenten, welche eine beliebig gelegene gerade Linie schneiden.

Ordonnance, frz., Anordnung (s. d.) der Haupt-theile eines Gebäudes.

Ordre (d'architecture), frz., Säulenordnung.

Ore, engl. 1) Erz, rohes Metall; ore rough from the mine, Pecherz; dry-ore, brüchiges Erz; hard-ore, trocknes Erz. — 2) Grenze, Küste, Land-zunge; ore-wood, Seegras.

Oreade (Mythol.), Bergnymphe, s. d. Art. Nymphe.

Oreille, frz., Ohr (s. d.); oreillé (Herald.), geöhrt.

Oreiller, frz., die vordere Seite des ionischen Capitäls wegen der Schnecken, die wie ein Paar Ohren herabhängen; s. übr. d. Art. Ohr.

Oreillon, frz., crossette; s. d.

Orf, nach dem Islam die Mauer zwischen Paradies und Hölle.

organische Beschreibung einer krummen Linie, die Zeichnung derselben durch stetige Bewe-gung eines Punktes mit Hülfe eines Instrumentes, so des Kreises durch den Zirkel, der Ellipse durch den Ellipsenzirkel zc. Wegen der Methode der organischen Beschreibung eines der Kegelschnitte oder anderer krummen Linien sehe man die betr. Artikel nach.

organische Chemie. Dieser Theil der Chemie beschäftigt sich mit dem Studium der Eigenschaften, der Zusammensetzung, der Beziehungen unter-einander zc. organischer, d. h. solcher Körper, welche namentlich aus dem Pflanzen- und Thier-reich hervorgehen und entweder zusammengesetzt sind aus Kohlenstoff und Wasserstoff, Kohlenstoff, Wasserstoff und Sauerstoff; oder Kohlenstoff, Wasserstoff, Sauerstoff und Stickstoff. Von den anderen Elementen sind in den organischen Kör-pern, nur noch seltener, Phosphor und Schwefel zu finden. Die organischen Körper unterscheiden sich wesentlich von den unorganischen, indem sie sämmtlich kohlenstoffhaltig sind.

Organistrum, lat., in einer Kirche die Stelle, wo die Orgel steht.

Orgel, 1) lat. organum, frz. orgue, engl. organ, das bekannte Musikinstrument in Kirchen. a) Die Alten kannten schon die Orgeln, aber nur die Wasserorgeln, lat. hydraulus, frz. orgue hydraulique, über welche man noch nicht ganz klare Kenntniß hat. b) Windorgel, lat. organum pneu-maticum, zuerst unter Karl dem Großen in Anwen-dung gekommen, seit dem 15. Jahrh. schnell ver-breitet, jetzt fast allgemein in christlichen Kirchen, s. d. Art. Kirche. Man stellt jetzt die Orgel am liebsten am Westende des Langschiffs, über dem Paradis auf. In den mittelalterlichen Kirchen Englands steht die Orgel meist auf dem Lettner und ist dann natürlich meist nicht sehr groß, oft sogar eine trag-bare Orgel (engl. regals). Ueber die Balgeinrich-

tung s. d. Art. Balg 3, Balgkammer und Balten-kammer. Die Pfeifen müssen sicher, ruhig und trocken stehen. Die Windladen treten hier und da an die Stelle der Bälge. Die sichtbaren Theile sind Manual, Pedal und die Zinnpfeifen, nebst dem sie umgebenden Orgelgehäuse, dessen Haupt-form sich nach der Vertheilung der Pfeifen richtet; über dem Manual sind das Notenpult und die Registerzüge anzubringen. Das Orgelgehäuse wird besonders auf der Vorderseite mit Schnitz-werk zc. verziert, welches natürlich genau im Styl des Gebäudes sein muß. Die Vertiefung für Manual zc. wird mit einer Thür verschlossen. Ein Seitenthürchen führt in's Innere des Werkes; auf dessen Bauart hier begreiflich nicht einzugehen ist. Den oberen Theil des Prospectes nehmen die Zinnpfeifen, in Gruppen vertheilt, ein, deren Re-gister der Principalbaß heißt; bildet eine solche Gruppe einen Vorsprung, der durch die ganze Höhe der Orgel geht, so heißt sie ein Thurm. Die Be-nennung der Orgel geschieht nach der Länge der größten Pfeife und sie heißt also z. B. 24füßig. Kleine Orgeln ohne Pedale nennt man Positiv, bewegliche: Portativ, engl. organ portable. c) Neuerdings hat man auch Dampforgeln. Man schraubt nämlich eine Anzahl nach der Tonleiter gestimmte Dampfpfeifen auf eine starke Dampfröhre, die mit einem Dampfkessel in Ver-bindung steht, auf, verschließt jede dieser Dampf-pfeifen durch ein Ventil, auf welches eine Feder wirkt, befestigt an den Ventilen Drähte, die ent-weder mit Tasten durch einen Hebel verbunden sind, oder auch zugleich in Communication mit einer drehbaren gezahnten Walze gesetzt werden können, so daß man nach Belieben Melodien auf der Cla-viatur spielen oder ableiern kann; es ist also zu-gleich Leierkasten und Orgel. Eine Orgel als Attri-but erhält die heilige Cäcilia.
2) Orgel (Kriegsb.), ein Fallbaum oder Fall-gatter zum Versperren eines Festungsthores; s. d. Art. Burg S. 492, Bd. I.

Orgelbühne, Orgelchor, frz. tribune d'or-gue, engl. organ-loft, muß sehr fest construirt sein und hinlänglich Platz für Orgelspieler und Sänger bieten; s. d. Art. Kirche.

Orgelgehäuse, franz. cabinet d'orgues, buffet d'orgues, engl. organ-case; s. d. Art. Orgel 1.

Orgueil, franz., Klotz von Stein oder Holz, als Unterlage und Drehpunkt eines Hebebaums.

Orgyia (gr. Ant.), eine ungefähr 6 rheinlän-dische Fuß haltende Klafter; s. d. Art. Maaß, S.513.

Orichalch, engl., Messing.

Oriel, engl., lat. oriolum, altengl. oriale, oryle, oryall, Erkerfenster, vorgetragtes Fenster, vorgebautes Portal, Wetterdach, Schutzdach, deta-chirtes Thorbaus, vorgetragtes Obergeschoß.

orientalische Baustyle, s. d. Art. Persisch, Maurisch, Ostindo-muhamedanisch zc.

Orientirung, frz. orientation, engl. orien-tation, die Richtung der Längenachse einer Kirche oder dergl. nach einer bestimmten Himmelsgegend. Schon bei den Heiden findet sich eine solche Orien-tirung. Die Dorier bauten ihre Tempel mit der Thür nach Westen, die attischen Tempel hatten die Thür im Osten, auch bei den römischen Tempeln war die Thür erst im Westen, später gebaute Tempel haben die Thür im Osten; der Tempel zu Jerusalem stand mit dem Allerheiligsten nach

Westen gelehrt, die Synagogen wenden ihre Altarseite nach Jerusalem (Südosten), die Moscheen nach Mekka. Auch die Teocallis der Azteken und Tolteten waren orientirt. Die Christen folgten im Anfang der Richtung des Tempels zu Jerusalem; d. h. die Altarseite der Basilika stand im Westen, die Thür auf der Ostseite. Der Priester stand hinter dem Altar, also mit dem Antlitz durch die Thür nach Osten sehend, die Taube (das Ciborium) unter dem Tabernakel schaute ebenfalls nach Osten, und die Gemeinde drehte sich beim Gebet gleichfalls um. Evangelienpult, Brodseite des Altars und Männerschiff waren im Süden, Epistelpult, Kelchseite und Frauenschiff im Norden der Kirche. Zwischen 403 und 417 änderte man die Orientirung um; der Eingang war nunmehr im Westen, die Priester standen vor dem Altar, mit dem Rücken der Gemeinde zugekehrt, die Evangelien- und Brodseite kam nach Norden, die Epistel- oder Kelchseite kam nach Süden. Das Frauenschiff blieb im Norden, das Männerschiff im Süden. So blieb die Orientirung fortan durch das ganze Mittelalter, ja bei den Protestanten, mit Ausnahme des 17. und 18. Jahrhunderts, dieser Zeit allgemeiner Verweltlichung der Kirchenbaukunst, bis jetzt. Die Jesuiten allein wendeten den Altar nach Westen, das Frauenschiff nach Süden 2c. Geringe Abweichungen, déviations, finden sich mannichfach; stärker von der Orientirung abweichende Kirchen, églises mal tournées, wurden gerügt.

Orifice, engl. u. frz., Oeffnung, Loch, Mündung.

Oriflamme, mittell. oriflamma, von aurum, Gold, und flamma, Fahne, frz. gonfalon, span. cabdal; f. d. Art. Fahne 7.

Origenes, f. d. Art. Kirchenvater.

Originalstyl, f. d. Art. Baustyl, S. 294, Bd. I.

Orillo, span., Anschrot; f. d.

Orillon, frz., Bollwertsohr; f. d.

Orle, ourle, frz., ital. orlo, 1) Saum, Leiste, auch Riemlein genannt, f. d. Art. ceinture 1; — 2) nach Palladio Plinthus der Base; — 3) (Herald.) ein den Schildesrand nicht berührender Saum, Rand, Umzug, Kragen, innere Einfassung.

Orlean, Attola, Achiotti, Achiota, Rucu, Arnotta, Arucu 2c., violet, hoch- und feuerrother Teig, kommt aus Westindien, gewonnen aus dem Orleanbaum (Bixa orellana, Fam. Bixineae, Orleangewächse), dessen Saamen in der Kapsel zwischen einer marligen Materie steckt. Diesen Saamen legt man acht Tage in Wasser, bis dies anfängt zu gähren. Der Farbestoff wird durch Stampfen und Umrühren von den Körnern gelöst und durchgesiebt. Das so gewonnene Farbewasser wird in einem Kessel gekocht, der Schaum abgeschöpft, nochmals gekocht und dabei stark umgerührt, damit er nicht verbrennt; dann läßt man ihn in Schüsseln erkalten und geschöpften daraus. Das Orleangelb löst sich leichter in Weingeist als in Wasser auf; durch Zusatz von Laugensalz wird das O. orangegelb, giebt eine feste Farbe, ist auch in Terpentin und fetten Oelen lösbar und wird zu Lackfirnissen gebraucht. Ueber eine gelbe Holzbeize aus Orlean f. d. Art. Beize 27 und 28. Isabelfarben wird dieselbe auch durch Zusatz von 2 Loth Wasser und eben so viel Weinessig, vielleicht auch mit etwas Alaun.

Orlet, ourlet, frz., Oberplatte der Sima.

Orlinbaum, f. v. w. gemeine Erle.

Orlop, engl., eigentlich overloop, Schiffsb.,

1) Oberdeck, f. b.; — 2) bei Kriegsschiffen f. v. w. Kubbrücke, orlops beam, Balken der Kubbrücke.

Orme, frz., Ulme, ormoie, Ulmenwald; über Philibert de l'Orme's Brückensystem f. d. Art. Brücke, S. 459 im ersten Band.

Ormoulu, frz., Goldblättchen, im Feuer gleichsam auf andere, härtere Metalle aufgeschmolzen.

Ornament, frz. ornement, engl. ornament, Verzierung, ornamental art, engl., ornamentistische Kunst. 1) Die Ornamente dienen zum Schmuck glatter Formen architektonischer Glieder und ganzer Flächen; man theilt sie in geometrische und rein ornamentale, letztere wieder in thierische und pflanzliche, in stylisirte, phantastische und der Natur entlehnte Figuren; man führt sie plastisch oder auch blos in Farben aus. Die am häufigsten vorkommenden sind folgende: a) geometrische, das Labyrinth, der Mäander, die Comarajja, der griechische gebrochene Stab, Netzwert, das Raatwert, Nagelkopfverzierungen, Perlstab, Zahnschnitte, Kreisverschlingungen, Rundbogenfriese, Zickzack, Rautenreihen 2c.; b) thierische, Menschen- und Thiergestalten, Menschen- und Thiertheile, Masten, Phantasieköpfe 2c.; c) pflanzliche, Blätter, Früchte und Blumen, Rankenwert, Krappen, Kriechblume 2c.; f. darüber die einzelnen Artikel sowie die Stylartikel.

Ueber die blos in Farben ausgeführten Ornamente f. d. Art. Polychromie; die plastische Ausführung ist sehr verschieden. Man baut sie in Stein, gießt sie in Gips, Metall, Cement, Kalk oder dergleichen, modellirt sie in Thon und dergl. und brennt sie, schnitzt sie in Holz oder preßt sie in Leder, oder drückt sie in Papiermaché, Steinpappe oder dergleichen aus. Neuerdings ist auch nachstehende Methode aufgetaucht, Ornamente von Holzfournieren erhaben herzustellen. Die eigens dazu hergerichteten Fournire von gewöhnlichem oder Luxusholz bringt man zwischen zwei Metallplatten, deren eine die zu erlangende Figur in Relief darstellt, die andere sie vertieft zeigt und die beide einer gelinden Wärme ausgesetzt worden sind. Dann wird das Fournier zwischen denselben einer starken Pressung untersteilt, so daß es auf einer seiner Flächen, sobald es aus der Form genommen, die Figur in erhabener Arbeit präsentirt und kaum zu unterscheiden ist von einer wirklichen Skulptur in Holz. Alsdann füllt man mit Cement, Papiermaché oder dergleichen die Vertiefung auf der andern Fläche des Fourniers aus. Ist die Ausfüllung hinreichend getrocknet und geschliffen, so leimt man das Fournier auf Meubel oder andere damit zu verzierende Gegenstände auf.

Ornamentik. Gesammtheit aller Ornamente an einem Bauwerke oder System der Ornamentirung, frz. ornementation, nach einem bestimmten Styl. Feste Regeln für die Ornamentit kann man zwar nicht geben, sondern Vertheilung und Anordnung der Ornamente muß dem Geschmack des Entwerfenden überlassen bleiben, aber die in dem Beispiel der einzelnen Style gegebenen Regeln dafür finden sich größtentheils in den Stylartikeln aufgeführt; f. übr. d. Art. Bauverzierungen.

Orne, frz., Buchesche.

Orne, Oel- und Weingemäß in Triest, hält 3310 Par. Cubitzoll.

Ornithon, griech. ὀρνιθών, Vogelhaus, Voglière; f. d.

Orpheus, Personification der aus Afrika nach Thrakien gebrachten Musit, Poesie 2c. Dargestellt wird er als schöner Mann, mit der Leier, von wilden Thieren umgeben, die er ebenso wie den Cerberus und andere Mächte des Hades durch sein Leierspiel sänftigte. Auch giebt es Darstellungen von Christus als Orpheus; s. d. Art. Jesus.

Orseille, ist ein zum Färben verwendbarer, bald röthlicher, bald violetter Teig, der aus verschiedenen Flechten, der Roccella tinctoria, Lecanora tartarea, der Angolaflechte :c., unter Einwirkung von Luft, Wasser und Ammoniak bereitet wird. Sie wird auch als trockenes Pulver unter dem Namen Persio in den Handel gebracht.

Orseillen-Flechte, Cudbear, Färberflechte (Roccella tinctoria, Fam. Flechten), wird besonders von Benzuela (Südwest-Afrika), den Canarischen Inseln und Azoren eingeführt und zur Herstellung der blauen Orseille und des Lacmus (Lack-Moos) verwendet. Außer ihr sind noch mehrere andere Flechten reich an jenem Farbstoff, z. B. Urceolaria scruposa, cinerea, Umbillicaria pustulata, Pertusaria communis (bei uns), Ochrolechia tartarea Massal (in Schweden zum Tournesol des Handels, in England und zu rother Farbe, Persio, verarbeitet; wird auch schwedisches Moos genannt); s. d. Art. Lacmus.

Ort (Bergb.), 1) Strecke in Gruben, angelegt, um Erze zu suchen :c., s. d. Art. Grubenbau, S. 212 im II. Band; — 2) diejenige Stelle beim Grubenbau, wo der Bergmann arbeitet; — 3) überhaupt Spitze, Ecke, Ende, Rand, z. B. Schneide oder Spitze eines Werkzeugs, Ende eines Gebäudes, Landspitze an dem Zusammenfluß zweier Ströme :c. Ueber den Unterschied zwischen Ort und Ecke s. d. Art. Achteck und Achtort; — 4) Ahle oder Pfrieme; — 5) der vierte Theil einer Maßeinheit, z. B. in Lübeck = ¼ Maß; s. d. Art. Maß.

Ortbalken, s. d. Art. Balken I. B. c.

Ortbohrer (Bergb.), ist ein mit scharfen stählernen Spitzen versehener Bohrer.

Ortbret, Ortdiele, 1) das Bret bei Fußböden :c., welches zunächst der Mauer oder am Ende des Fußbodens liegt; — 2) beim Schneiden (Trennen) eines Stammes in Bretter oder dergleichen die äußeren Abschnitte, welche bogenförmig im Querschnitt sind (Schwarten); s. d. Art. Bret.

Ortfäustel oder Ortpäuschel, s. v. w. Bohrfäustel.

Ortgang (Minirk.), eine Erdwand, die dem Mineur entgegensteht und in die er sich hinein arbeitet.

Orth oder Kave (Deichb.), s. v. w. Ohrt.

Orthaus, s. v. w. Eckhaus.

Orthobel, eine Art Gesimshobel; s. Hobel.

Orthoceratitenkalk, Kalkstein, der zum Uebergangsgebirge gehört und Orthoceratiten, d. h. Schneckenversteinerungen, enthält, wird von Sandstein, Thon und Alaunschiefer begleitet, wechselt mit Glimmerschiefer und Grauwacke ab.

Orthodoron, griechisches Längenmaaß, Länge vom Handgelenk bis zur Spitze des Mittelfingers.

orthogonal, rechtwinklig; orthogonal ist z. B. eine Projection von Punkten durch senkrecht auf einer bestimmten Ebene stehende Linien.

Orthographie, gr. ὀρθογραφία, lat. orthographia, frz. épure, Aufriß, Ansicht.

Orthoklas, Orthose; s. d. Art. Feldspath.

Orthostata, lat., griech. ὀρθοστάτης, Strebe-

pfeiler, Eckstütze, doch auch Mauerhaupt, Stirnmauer eines Füllmauerwerks :c.

Orthostylos, griech., geradsäulig.

Ortpfähle, äußere Pfähle eines Brückenjochs; s. d. Art. Brücke, S. 452, Bd. I u. b in Fig. 569.

Ortsanlagen. Bei Anlage einer neuen Ortschaft befolge man folgende Regeln:

1) In Betreff der Lage: sie sei bequem, gesund und angenehm. Zu große Höhe giebt schlechte Zugänge, doch darf man neue Ortschaften auch nicht zu tief legen, wegen der Ueberschwemmungen, Sumpffieber :c. Stets muß trinkbares Wasser zu haben sein. Nähe von Landstraßen, Flüssen, Meer :c. ist zu empfehlen.

2) Der Plan einer Stadt darf nicht zu unregelmäßig sein, namentlich ist auch die Kreisform zu vermeiden; in der Regel wird das Terrain die Hauptgestalt bestimmen.

3) Die Umfassung wird
a) von selbst durch die Mauern :c. der Grundstücke hergestellt, dann ist die Stadt eine offene;
b) es wird eine Umfassung wegen der Thorabgabe nöthig, diese sei gemauert und genügend hoch;
c) es ist eine Befestigung nöthig, dann wird die Stadt zur Festung; s. d. Sehr zweckmäßig ist es, zwischen der Umfassung und den Häuserinseln einen Verbindungsweg (Environweg, Zwinger) von einem Thor zum andern zu führen.

4) Der Thore seien nicht zu wenig, weil dies unbequem; nicht zu viel, weil die Unterhaltung und Ueberwachung derselben kostspielig ist. Die Lage der Thore richtet sich ganz nach der Richtung der auf das Ort zukommenden Straßen.

5) Von jedem Thor führe eine Hauptstraße möglichst direct auf den Haupt- oder Marktplatz.

6) Die Gassen seien breit und nicht zu krumm, aber auch nicht ganz gerade, wenigstens in sehr windiger Gegend. Keine sollte gerade von Norden nach Süden gehen, wegen der sonst entstehenden unerträglichen Hitze. Sie müssen sich möglichst rechtwinklig durchschneiden. Zwei parallel laufende Gassen sollten nie unter 70 Meter von einander entfernt sein. Hauptstraßen sollten nie unter 15, Seitengassen nie unter 8 Meter breit sein, außer in heißen Gegenden, wo sie schmal und gekrümmt sein müssen.

7) Die Straßen sind durch Tagerinnen und Schleußen zu reinigen; an den Häusern laufen Trottoirs hin.

8) Oeffentliche Plätze legt man am besten an Durchkreuzungen mehrerer Straßen an. Das längliche Viereck ist die beste Form dafür; s. d. Art. Markt und Platz.

9) Bei Dörfern legt man am besten die Kirche in die Mitte des Orts, etwas erhöht auf einem freien Platz. Eine Hauptstraße oder auch zwei Parallelstraßen mit wenigen Quergassen genügen hier.

10) Bei größeren Städten lege man zwischen Innerstadt und Vorstadt Promenaden oder Boulevards an.

Ortsbauhütte, s. d. Art. Bauhütte 2.

Ortscheit, 1) s. v. w. Richtscheit; — 2) s. v. w. Waagscheit am Wagen.

Ortschicht oder Bordschicht, franz. cordon (Dachd.).: Reihe Dachsteine am Giebel entlang.

Ortschick (Bergb.), eine in einem spitzen Winkel über oder auf einem Gang streichende Kluft.

ortschichtig (Bergb.), so heißt das mit dem Eisen gewinnbare Gestein.

Ortstein, 1) f. v. w. Grenzstein. f. d. Art. Loch-stein; — 2) f. v. w. dichter, gelber Thoneisenstein; — 3) f. v. w. Eckstein; — 4) auch Ortschiefer, Ort-ziegel oder Anziegel, die am Ende oder Rand einer Dachdeckung befindlichen Schiefersteine oder Dachziegel; f. d. Art. Dachdeckung I, S. 604 im I. Band, Dachziegel 1 2c.; — 5) f. v. w. Artstein; f. d. Art. Naseneisenstein.

Ortstock, Ortstecken, 1) f. d. Art. Ortpfahl; 2) Pfählchen, um einen Ort der Grube lothrecht darüber zu Tage zu bezeichnen.

Ortung, ein Punkt oder eine Linie zu Tage und ein dergleichen in der Grube, wenn sie seiger über-einander stehen, bilden zusammen eine Ortung.

oscillirende Maschine, f. d. Art. Dampf-maschine, S. 622 im I. Band.

Osculation, die innigste Berührung einer Linie oder einer Fläche mit einer andern. Daher auch die Namen Osculationsebene, osculirender Kreis 2c. für Krümmungsebene, Krümmungs-kreis 2c.; f. d. Art. Krümmung und Berührung.

Osculationscurve und Osculationspunkt; f. d. Art. Curve, S. 584 im I. Band.

Osculatorium, lat. osculum pacis, Kuß-täfelchen, Pacem.

Osiris, f. d. Art. Aegyptisch und Lotosblume.

Osmini u. Osmuschu, f.d.Art.Maaß S.507.

Osmium, ist ein im Platinsand als steter Begleiter des Platins, mit Iridium 2c. in ver-schiedenen Verhältnissen verbunden vorkommendes Metall; spec. Gewicht 10,0; ist bläulichweiß, me-tallisch glänzend, erhält bald an der Luft eine kupfer-rothe Oberfläche; hat bis jetzt noch nicht geschmol-zen werden können.

Oshamme (Wasserb.), f. v. w. Ohshamme.

Ossuarium oder ossarium, lat., frz.ossuaire, 1) Beinhaus, Carner; — 2) f. v. w. cinerarium, Reliquienbehälter, Aschenkrug.

ostasiatische Baustyle. Gewöhnlich rechnet man hierzu nur den chinesischen und den japani-schen Baustyl. Zieht man aber noch die Bauten der Malayischen Inseln, Siams, Birma's und Caschmirs in Betracht, so erhält man eine Gruppe von Baustylen, die unstreitig mit einander ver-wandt sind und ein Fortschreiten der Cultur bis zu einer gewissen Höhe nebst darauf folgendem Herabsinken zeigen, ganz in ähnlicher Weise wie andere Baustylgruppen; vergl. die betr. Artikel, namentlich d. Art. Ostindisch.

Ostchor, f. d. Art. Chor.

Osteau, otiau, franz., Vielpaß, Rosette, Me-daillon.

Ostensorium, lat., frz. ostensoir; in älteren Urkunden, Schatzverzeichnissen 2c. findet man den Behälter zur Ausstellung der Eucharistien stets unter diesem Namen aufgeführt, während andere Reli-quienbehälter mit durchsichtiger Wandung Mon-strantia heißen; jetzt werden beide Worte vermengt für die Hostienvorzeigungsbehälter gebraucht.

Osterei, lat. aureola, mandorla, vesica piscis, Fischblase; Glorie oder Nimbus in Form einer unten, oft auch oben zugespitzten stehenden El-lipse, als Einfassung von Salvatorbildern ziemlich häufig. Man ist noch nicht darüber einig, ob diese Einfassung blos eine aus räumlicher Rücksicht in die Länge gezogene Irisglorie ist, oder ob sie wirklich ein

Ei darstellen soll, erinnernd an das neue Leben, das von Christus ausgeht, wie denn das Ei Todten-beigabe (f. d. Art. oeuf) und Symbol der Aufer-stehung war; dabei ist auch an das altägyptische Weltei zu erinnern. In der griechisch-katholischen Kunst sind diese Ostereier häufiger, als in der la-teinischen Kunst und Kirche.

Osteria, ital., Gasthaus, Schenkhaus.

Osterkerze, lat. cereus paschalis, engl. pa-schal candle-stick, paschal-taper, großer Leuch-ter, in der Basilika neben dem Evangelienambon, später neben der Kanzel aufgestellt. Sie gehören zu denjenigen Kirchengeräthen, welche ganz unver-ändert in Bezug auf Platz und Handhabung von der ersten Zeit christlicher Kunst an bis jetzt (in der katholischen Kirche) beibehalten worden sind.

Ostfriesländischer Fuß, f. Maaß S. 485.

Fig. 1548. Säule aus S. Vitale in Ravenna.

Ostgothenbauten. Die Bauten der Ostgothen in Ravenna und Umgegend stammen aus der Zeit von 490 bis 560. Als Theoderich der Große nach Ravenna kam, bestanden dort schon einige latei-nische Basiliken. Die Stadt war wohlhabend und die altchristliche Kunst blühte daselbst. Die Ost-gothen brachten byzantinische Bildung mit und zogen byzantinische Künstler aus Constantinopel an sich. Unter dem kunstliebenden Theoderich u. seinem Nachfolger entstand dann eine große Anzahl von Bauten, die zum größten Theil ein sehr interessan-tes Gemisch von altchristlichen und byzantinischen Elementen zeigen. Die bereits zu dem Artikel Alt-christlich unter Fig. 87, 89 und 90 gegebenen De-tails vom Palast des Theoderich ergänzen wir hier

durch Fig. 1549, Eckpfeiler und Kämpfer des Hauptportals von Theoderich's Palaſt. Im Artikel Byzantiniſch haben wir unter Fig. 663 den Grundriß, unter

Fig. 1549. Vom Palaſt des Theoderich in Ravenna.

669 eine Säule aus S. Vitale in Ravenna gegeben;
hier geben wir in Fig. 1548 eine andere Säule derſelben Kirche und in Fig. 1550 ein Gurtſimsprofil,
ebenfalls aus Ravenna. Begreiflicher, aber auch
bedauerlicher Weiſe konnte bei der ſo ſchnell er-

folgten Verdrängung der Gothen durch die Longobarden
nicht von Ausbildung einer
gothiſchen Bauweiſe die Rede
ſein; die Gothenbauten bilden
vielmehr nur eine intereſſante
Epiſode, die kunſthiſtoriſch in-
ſofern wichtig iſt, als ſie den
Beweis und Ausgangspunkt
für den Einfluß byzantiniſcher
Kunſt auf die occidentale Kunſt
überhaupt, beſonders aber auf
die Entwickelung der romani-
ſchen Styles bildet. Wegen dieſer allerdings ſelbſt
noch in den letzten Jahren beſtrittenen Wichtigkeit
durfte dieſe Baugruppe hier nicht ganz mit Still-
ſchweigen übergangen werden.

oſtindiſche Bauten. Die gewöhnlich unter
den Namen Oſtindien zuſammengefaßten Land-
ſtrecken bilden eine von der übrigen Culturwelt
vollſtändig abgeſchloſſene Gruppe. Schon ſehr
zeitig ſcheint dort eine gewiſſe Cultur geblüht zu
haben; der Geſetzgeber Menu lebte ungefähr gleichzeitig mit Lykurg. Ueber kein Land aber iſt wohl
bezüglich ſeiner Culturgeſchichte ſo viel gefabelt
worden, wie über Oſtindien. Die neuerdings erfolgten Aufklärungen über die älteſten Culturge-
ſchichten Indiens, ſoweit ſie für die Baukunſt von

Intereſſe ſind, ſ. in d. Art. Buddhaiſtiſch, Dſchaini-
ſtiſch und Indiſch. Perſien u. Parthien beſchützten
Indien vor dem Einfall Roms und ſo blieb ſein
Culturgang ungeſtört von weſtlichen Einflüſſen.
Die Einwohner Indiens entſtammten zum Theil der
Tamulrace, zum andern Theil der ariſchen Race,
welche beide keine Bauten aufführten, bis Salyah
Muni auftrat. Seit deſſen Auftreten beginnt die
Geſchichte oſtindiſcher Kunſt, welche demnach in
folgende Gruppen zerfällt:

A. Buddhaiſtiſche Bauweiſe, welche in Indien
ſelbſt ihren Urſprung nahm, ſich aber über Birma,
Siam, Tibet, Ceylon, Java und die anderen Inſeln
des Indiſchen Archipels, endlich auch nach China
und Japan verbreitete und mehr oder weniger bis
zum heutigen Tag in Ausübung begriffen iſt; ſ.
darüb. d. Art. Buddhaiſtiſch, Javaniſch, Chineſiſch,
Javaniſch, Siameſiſch.

B. Die buddhaiſtiſch-malayiſche Bauweiſe, auf
den Inſeln, zum Theil mit ſiameſiſchen und caſche-
mir'ſchen Elementen vermengt; ſ. d. Art. Malayiſch
und Indiſch C, S. 328 im II. Band.

C. Dſchainiſtiſche Bauweiſe, entſtanden aus
einer Vermiſchung buddhaiſtiſcher und brahmaiſtiſcher Formen; ſ. d. Art. Dſchainiſtiſch.

D. Brahmaiſtiſcher Styl, gewöhnlich ſchlecht-
weg indiſcher Bauſtyl genannt; ſ. d. Art. Indiſch
A und B.

E. Neuindiſcher oder oſtindo-muhamedaniſcher
Styl; ſ. d. folgenden Artikel.

oſtindo-muhamedaniſcher Styl. Während
der Dauer des römiſchen Reiches waren die Oſtin-
dier unbehelligt ihrer eigenen Culturentwickelung
überlaſſen geblieben, obgleich ihr Reich von zwei
großen Wanderſtämmen, den Tataren u. Arabern,
flankirt war. Muhamed's Auftreten veranlaßte die
Araber, ihre Grenze zu überſchreiten und ſich über
Syrien, Aegypten und Perſien auszubreiten;
kaum drei Jahrhunderte ſpäter waren alle öſtlichen Reiche der Muhamedaner unter der Herrſchaft
von Tataren. a) Minars u. Moſcheen. Erſte Periode, hindu-tatariſche Bauweiſe ca. 990—1450.
Zwiſchen 870 u. 891 machte ſich nicht nur Aegypten, ſondern auch Bothara ſelbſtändig von Bagdad, und Naſſer ben Achmed gründete eine tatari-
ſche Dynaſtie. Um 975 aber riß ſich Sabuktadſchin,
urſprünglich Türkenſclave, dann Statthalter der
Samaniden in Ghazni, von ſeinem Herrſcher los
und gründete die Dynaſtie der Ghaznaviden.
Sein Nachfolger Mahmud begann 997 die Eroberung Oſtindiens. Er gründete eine Univerſität in
Ghazni und zahlreiche Bauten erhoben ſich. Die
Reſte derſelben ſind leider noch ſehr unbekannt.
Zwei Minars ſtehen noch aufrecht, beide einzeln
nur als Siegeszeichen errichtet. Die untere Hälfte
hat zum Grundriß ein Achtort und iſt etwa
65 Fuß hoch; die obere, etwa 75 Fuß hohe Hälfte
hat die Geſtalt einer verjüngten Säule. Beide
Minars ſind von bunt glaſirten Ziegeln aufgeführt.
Aehnliche Minars ſtehen weiter weſtlich nach dem
Caucaſus zu. Mahmud's Nachfolger wurden
ſchwächer und ſchwächer und endlich 1183 von
Shahab Uddin geſtürzt, der die Ghorierdynaſtie
gründete, die Eroberung Indiens mit neuem Eifer
begann, 1193 den Raja Pirthav von Delhi ſtürzte
und bis 1206 faſt ganz Indien erobert hatte. Nach
ſeinem Tod zerfiel ſein Reich und Kootub Uddin
bekam Indien; von Urſprung türkiſcher Sclave,
war ein beſonders großer Feldherr, vollendete die
begonnene Eroberung und gründete die Pathan-
dynaſtie. Er baute inmitten des Palaſtes des

6*

Raja Pirthay die Siegessäule, s. Fig. 1551; 48 Fuß unterer Durchmesser und 242 Fuß hoch. Den Palast selbst ließ er als Moschee restauriren. Die Ruinen desselben zeigen jetzt noch indische Pfeiler, ähnlich denen von Mount Abu, s. den Art. Dschainistisch, welche da, wo sie blos schlichte Hallen bilden, noch den indischen waagrechten Plattenbeleg tragen. An einzelnen Stellen aber sind ein oder vier solcher Pfeiler weggelassen und über den dadurch entstehenden großen Quadraten durch Uebertragung von Steinbalken Rundungen erzeugt, die mit Kuppeln in niedrigem Spitzbogen besetzt sind. Die von Kootub neu aufgeführten Moscheenwände zeigen in ihren Oeffnungen den in das Viereck eingeschlossenen Kielbogen. Der größte derselben ist 22 Fuß weit und 53 Fuß hoch. Der Mittelraum der Moschee war vermutlich stets unbedeckt, wie man dies überhaupt an Moscheen in Indien ziemlich häufig findet. Die Ausführung scheint in den Händen von Hindus gewesen zu sein, denn die Bogen sind nicht aus keilförmigen Steinen gewölbt, sondern durch Uebertragung geschlossen. Auch die Ornamente sind indisch, nicht muhamedanisch. Der ganze Bau dauerte von 1196 bis 1235. Aehnliche Moscheen und Minars wurden in Canauge, Dhar, Mandu, Dschaunpure, Gour, Daulutabad, Coel, Hissar ꝛc. gebaut.

Die Jumma Mesjid (Freitagsmoschee) in Dschaunpure, von Schah Ibrahim 1419 gebaut, ist nie vollendet worden. Sie ist merkwürdig durch

Fig. 1551. Thurm des Kootub in Delhi.

besond. aber durch das Hauptportal, dessen Flanken Pylonen von beinahe ägyptischen Formen bilden. Die Hauptkuppel ist Halbkugel, die sie flankirenden Gemächer sind durch äußerlich sichtbare, schwerfällige Spitzbogengewölbe mit Rippen bedeckt. Alle Oeffnungen sind reine Spitzbogen in Vierecke eingeschlossen, Spitzbogenzinnen umziehen Dächer und Kuppeln. Auch die anderen Moscheen Dschaunpure's zeigen ein schwerfälliges Gemisch ägyptischer, indischer und eigentlich muhamedanischer Formen; Minars fehlen. Die Moschee von Mandu (erbaut 1387—1435) ist bei weitem eleganter, obgleich auch sie eine gewisse Schwerfälligkeit nicht verleugnet; auch hier ist der Bogen reiner Spitzbogen, im Viereck eingeschlossen. Achmed Schah (1412—1443) baute die Stadt Achmedabad und gründete die große Moschee. Diese folgt ebenso wie alle andern der Stadt, in Grundriß und Aufbau genau dem persischen und dschainistischen System; s. Fig. 1552. Die Minarets sind meist sehr überladen mit indischen Verzierungen.

Zweite Periode, ca. 1450—1660, Mogulbauten. Als Baber 1494 die Moguldynastie in Delhi gründete, fanden die neuen Besitzer den Baustyl bereits emancipirt von allen Hinduformen und in sich selbst harmonisch gestaltet. Der Rumpf der Moschee war eine längliche Halle, bedeckt mit drei gleich weiten Kuppeln, deren mittlere aber höher aufstieg. Die die Kuppeln trennenden Bogen, noch mehr aber die Pendentifs der Kuppeln (s. Fig. 1553), waren reich verziert.

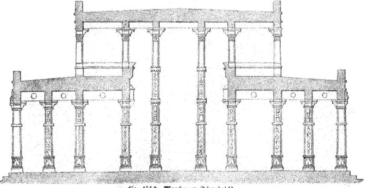

Fig. 1552. Moschee zu Achmedabad.

die nach außen in drei, nach innen in zwei Geschossen erscheinende, den zum ein Geschoß gegen die Umgebung erhöhten Hof umgebende Säulenhalle, Die Façaden waren reich mit Marmor incrustirt und überall mit Ornamenten überzogen. Auf der Ecke des Gebäudes erhoben sich Kloske, von

Pfeilern mit vielfach gegliederten Kragſteinen getragen. Minarets fehlen immer noch.

Als die Moguls ſich feſtgeſetzt hatten, entfaltete ſich bald ein reiches Kunſtleben. Der Styl wurde feiner und zarter, verlor aber mit der Schwerfälligteit zugleich das Männliche, Ernſte, was den Bau-

an ihre jetzige Stelle von Schab Dſcheban (um 1628) erbaut. Wir geben unſeren Leſern die nordöſtliche Anſicht in derſelben in Fig. 1553; eine rieſige Freitreppe führt zu den öſtlichen Propyläen, ähnliche Freitreppen zu den Seitenportalen. Das Hauptgebäude zeigt die üblichen drei Kuppeln, iſt

Fig. 1553 Alla Djumni (grosse Moschee) zu Delhi.

ten der erſten Periode eigen iſt. Die eleganteſte unter den Moſcheen dieſer Periode iſt die von Akbar um 1556 in Futtihpur-Sigri bei Akbarabad (Agra) in Oriſſa erbaute, aber ſie enthält, in Folge ſpecieller Neigung Akbar's, viel hindoſtaniſche Formen. Reiner iſt der Styl der großen Moſchee zu Delhi, bei Verlegung dieſer Hauptſtadt

aber (und dies iſt eine Neuerung der Moguls) von zwei Minarets flankirt. Sie iſt aus rothem Sandſtein erbaut und mit Streifen und Füllungen von weißem Marmor verziert, innerlich faſt ganz mit ſolchem ausgekleidet.

Die eleganteſte Moſchee aus dieſer Zeit iſt die Mutib Mesjid (Perlenmoſchee), die Schab Dſcheban in seinem Palaft zu Agra erbauen ließ. Sie ift äußerlich 235 F. lang und 190 F. breit, der Hof 155 F. in's Quadrat. Die Moschee hat aber keine Minarets und merkwürdiger Weise faft keineZierde, als ihre schönen Verhältniffe. Die Moscheen von Aub, Hyderabad ꝛc. zeugen alle schon für den Verfall des Styles.

b) Gräber. Tataren und Mongolen unterscheiden sich von den Ariern unter Anderm durch ihre große Vorliebe für prachtvolle Grabbauten. So bilden denn in Indien die Gräber eine ununterbrochene Reihe von Bauwerken, seit dem Eindringen der Muhamedaner. Erste Periode. Die Gräber der Türken und Pathanen sind weniger splendid als die späteren. Aber sie sind zahlreicher als die Moscheen, künstlerischer im Entwurf und sowohl umfänglicher angelegt als auch reicher decorirt als die Moscheen. Die Fürsten bauten sich

Fig. 1557. Aus der Moschee zu Alt-Delhi.

ihre Gräber bei Lebzeiten, aber nicht als dunkle Felsenkammern, sondern so, daß sie bei Lebzeiten dieselben als vergnüglichen Aufenthaltsort und als Festhalle, Barrah-Durrie, benützten und bei ihrem Tod sicher waren, in freundlicher Stätte den Freuden des Paradieses entgegenzuharren. Ein Garten außerhalb der Stadt wurde mit hohen gezinnelten Mauern umgeben und mit prunkvollem Thor versehen. In der Mitte des Gartens erhob sich dann ein quadratisches oder achteckiges Gebäude, bekrönt von einer Kuppel, bei größeren Anlagen kamen dazu noch vier Nebenkuppeln. Das Gebäude selbft liegt auf einer luftigen Terrasse, zu der vier breite Alleen führen, mit Mauern, Wasserrinnen und Springbrunnen versehen. Der Gründer selbft ward nach seinem Tod in der Mittelkuppel beigesetzt; sein Lieblingsweib fand oft neben ihm ihren Platz. Seine Angehörigen und Freunde wurden unter den Seitenkuppeln begraben. Die Sorge für das Gebäude wurde nun den Priestern und Cadim's übergeben. In der That, poetischere Grabstätten wird man kaum finden. Das älteste dieser

Gräber ift das des Altumsch, in der von ihm vollendeten Moscheenanlage des Kootub. Es ift jetzt ohne Dach, halb Ruine, und bildet ein einfaches Quadrat mit runder Kuppel, drei Thüren und einer Nische. Das älteste, ebenfalls an diese Anlage mit angebaut, bildet ebenfalls ein Quadrat, aber mit 4 Thüren und 8 Fenstern; es stammt etwa aus der Zeit von 1280—1300. Das Quadrat geht mittelst eines Pendentifs aus ineinander gesetzten Spitzbogen in das Achteck über, auf welchem dann eine runde Kuppel thront. Alle Bogen sind reine Spitzbogen, die Verhältniffe sämmtlich sehr schön. Das von uns in Fig. 1556 abgebildete Grab in Altdelhi stammt aus der Zeit von 1300—1320. Die Mittelkuppel hat circa 50 Fuß Durchmesser.

Um 1321 gründete Togluck Schah Neudelhi und baute sich ein Grab, nicht in einem Garten, sondern in einem Castell mitten in einen künstlichen See, mit geböschter Mauer und schwerfälligen Festungsthürmen ausgestattet. Das Grab Scher Schah's, des Letzten der Pathanen, liegt ebenfalls mitten in einem künstlichen Teich zu Sasseram bei Benares; es ähnelt dem in Fig. 1556 abgebildeten, aber der Mittelraum bildet ein Achteck von beinahe 100 Fuß Durchmesser. Auf den 4 Ecken der Terrasse stehen achteckige Kiosks.

Oefter wurden auch indische Bauefte zu Grabmalen benützt, so namentlich die freistehenden quadratischen Mantapa's (s. b. Art. Indisch, S. 327 und Fig. 1330), deren Pyramidaldach man durch eine Kuppel ersetzte, wodurch die Disposition ganz der der dschainistischen Bauten, auffällig aber der des Römergrabs in Mylassa in Carien gleicht.

Zweite Periode. Das Grab des Humayun Schah in Altdelhi, 1531 erbaut, folgt noch der alten Form der Gräber, der sich auch mehrere Gräber der Rajah's anschlossen; s. Fig. 1337 auf S. 328, Bd. II. Das Grab Akbar's, zu Secundra bei Delhi 1556 erbaut, bildet äußerlich eine Pyramide. Die unterste Terrasse ift 320' in's Quadrat groß und 30' hoch, einfach und schwerfällig in der Architectur. Die zweite Terrasse ift 186 Fuß in's Quadrat groß, 14 Fuß 9 Zoll hoch, nur wenig mehr verziert. Die dritte Terrasse ift 15 Fuß 2 Zoll, die vierte 14 Fuß 6 Zoll hoch, alle in rothem Sandstein ausgeführt; auf dieser vierten Terrasse erhebt sich ein Gittergehege aus weißem Marmor, 157 Fuß in's Quadrat, an welches sich innerlich eine Colonnade legt. Inmitten dieses Kreuzgangs liegt auf einer Plattform der Grabstein, unter welchem sich in einem Gemach von 35 Fuß in's Quadrat das eigentliche Grab befindet. 1628 bis 1648 ließ Schah Dschehan drei Meilen von Albarabäd (Agra) für sein Lieblingsweib Muhmtaza Mehal (nach Andern Arjemund Banu) ein Grabmal, Tadsch-Mehal genannt, am linken Ufer des Dschamna errichten; gegenüber wollte er sein eigenes Grabmal bauen, entschloß sich aber später, an der Seite seines Weibes zu liegen. Das Ganze bildet ein Rechteck von 1860 auf 1000 Fuß. Der Vorhof, durch vier Thorgebäude zugänglich, ift 1000 Fuß breit, 450 Fuß tief. Von ihm gelangt man durch ein Thorgebäude von 140 Fuß Breite bei 110 Fuß Tiefe in einen mit Marmorcanälen, Springbrunnen und Cypreſſen reich ausgeſtatteten Garten; hier erhebt ſich eine Plattform von 313 Fuß in's Quadrat zu einer Höhe von 18 Fuß engliſch. Auf jeder Ecke der Plattform ſteht ein Minaret von 133 Fuß Höhe, gekrönt durch ſäulengetragene Kuppelchen. In der Mitte dieſer Plattform erhebt ſich das eigentliche Grab, 186 Fuß in's Quadrat mit auf 33 Fuß 9 Zoll verbrochenen Ecken. Der Mittelraum

Menge maleriſcher Durchblicke. Alle Kuppeln ſind zwiebelförmig. Fußböden, Wandbekleidung, Fenſtergitter ꝛc. ſind in weißem Marmor ausgeführt. Die Gitter ſind nicht ſo ſchlicht wie auf unſerer, einem franzöſiſchen Reiſewerk entnommenen Zeichnung, ſondern in complicirten Muſtern ausgeführt. In den Bogenzwickeln, Käntchen und ſonſtigen dazu geeigneten Stellen ſind Achat, Blutſtein, Jaſpis und dergl. in den Marmorgrund, in der graziöſeſten Arabeskenſchwingung und feinſten Far-

Fig. 1555. Inneres des Cabudſch-Mahal bei Akbarabâd.

(ſ. Fig. 1555) iſt ein Achteck von 58 Fuß Durchmeſſer und 80 Fuß innerer Höhe, aber durch eine zweite höhere Kuppel überbaut. In der Cancelle, die ebenfalls achteckig iſt, ſtehen die zwei Sarkophagen, Scheingräber, unter denen in einer Grablammer die eigentlichen Särge ſtehen. Vier Kuppelräume von 26' 8'' Durchmeſſer, in zwei Geſchoſſen, füllen die Ecken des Gebäudes, Gänge und Hallen dienen zur Communication und gewähren eine

benauswahl eingelegt. Dieſe Pracht iſt am ſtärkſten auf den Grabgittern concentrirt und vermindert ſich ſtufenweiſe, ſehr wohlberechnet, beim Uebergang zu der Außenſeite und zu den umgebenden Bauten, zu denen auch eine Moſchee gehört

Entlang des Ganges ſtehen Tauſende von Gräbern, je nach dem Rang ihrer Erbauer größer oder kleiner, reicher oder einfacher, alle aber in der Diſpoſition einem der beſchriebenen ähnelnd. Beejapor in Dekan war einſt, beſonders ſeit 1564, eine glänzende Reſidenzſtadt. Auch hier befinden ſich daher viel Gräber, darunter zeichnet ſich das des 1660 geſtorbenen Mahomet aus. Es bildet einen

troffenen Bauwerks. Aehnlich iſt das Wölbſyſtem der fünfſchiffigen Moſchee, deren Mittelkuppel 75 Fuß Durchmeſſer hat.

c) Paläſte und Stadtbauten. Die Wälle von

Fig. 1556. Grabmal bei Alt-Delhi.

quadratiſchen Raum, 135 Fuß in's Quadrat im Lichten meſſend; in einer Höhe von 57 Fuß zieht ſich die Halle vermittelſt ſehr ingenieus angeordneter Sternkappen zu einer Kreisöffnung von 97 Fuß Durchmeſſer zuſammen, über der ſich eine Kuppel von 124 Fuß Durchmeſſer erhebt, ſo daß ein Umgang von 13 Fuß bleibt. Die Wölbſtärke der Kuppel beträgt an der Seite 9 Fuß, im Schei-

Beejapor haben 6¼ engl. Meilen im Umfang. Auch in Delhi und an vielen andern Orten ſind Befeſtigungen erhalten. Sie zeigen aber keine beſondere Abweichung von den Befeſtigungswerken anderer muhamedaniſcher Staaten. Der älteſte der Pathanpaläſte, in Agra gebaut von Scher Schah, war wohlerhalten, als er vor wenigen Jahren von den Engländern zerſtört wurde, um

Fig. 1557. Halle im Palaſt zu Allahabad.

tel 13 Fuß, die Lichtenhöhe 175 Fuß. Die Umfaſſungsmauern ſind nicht ganz 11 Fuß ſtark. Die Ecken ſind durch achteckige Thürmchen vereint. Die architektoniſche Formgebung mit ihren Kielbögen, in Vierecke eingeſchloſſen, und ihren vielen Gurtſimſen ſteht durchaus nicht auf gleicher Höhe mit der Technik dieſes an Kühnheit noch nicht über-

ein Lagerhaus an ſeine Stelle zu erbauen. Nach den wenigen erhaltenen Reſten galt von ihm im vollen Sinn, was man überhaupt von den Bauten der Pathans ſagt: „Sie bauten wie Rieſen und decorirten wie Goldſchmiede." In Mandoo, Beejapor, Dſchaunpure, Gaur ꝛc. ſind Reſte ſolcher Paläſte erhalten. Die Diſpoſition läßt ſich

aus diesen Ruinen nicht mehr ersehen, die übrigens
dieselben Formen zeigen wie die Moscheen, nur
reicher verziert und in sehr großen Dimensionen.
Die Engländer haben furchtbar gehaust und zwar
in ganz sinnloser Weise; so wurde 1857 der Pracht-
palast Akbar's zu Futtihpure Sigri für 200 Pfd. St.
auf den Abbruch verkauft, um dann auf dem Platz
einen Schuppen zu erbauen, den man doch eben
hätte können in dem Palast anlegen. Der Palast
Akbar's in Allahabad hat beinahe dasselbe Schicksal gehabt. Der schönste Theil dieses Palastes war
der achteckige Pavillon der 40 Säulen, dessen Dach
auf zwei concentrischen Reihen Pfeilern ruhte, innerlich 16, äußerlich 24; über der inneren Reihe
erhob sich eine zweite, die eine luftige Kuppel trug.
Es ist verwendet worden, um Schanzen zu repariren! Die eine Halle dieses Palastes (s. Fig. 1557)
aber steht noch aufrecht und ist jetzt zum Arsenal
eingerichtet, indem zwischen den Außensäulen eine
Ziegelmauer aufgeführt ist; die oberen Pavillons
sind abgetragen. Der Mittelraum bildet eine quadratische Halle, getragen von 64 Säulen in 8 Reihen. Der Palast zu Delhi hat viele Zusätze und
Veränderungen erlitten, deren einer auch unter den
Engländern immer in Benutzung der Scheinkönige
geblieben ist. Er ist daher auch den Europäern in
seinem Innern wenig bekannt. Reiche Gruppirung
vieler großen Höfe ist allen diesen Palästen gemeinsam. Auf einer Seite des Haupthofs liegt dann
die große Audienzhalle (Diwannih-Khas) in Agra,
208 Fuß lang, 76 Fuß breit, getragen von vier
Reihen Bogen, auf drei Seiten offen; an der vierten Seite befindet sich die Thronnische. Auch diese
Halle ist zum Arsenal eingerichtet und dabei grau-
sam verstümmelt worden. Dahinter liegen zwei
Höfe, wovon der eine die aus weißem Marmor erbaute, mit Edelstein verzierte Diwannih-Aum
(Privataudienzhalle) der andere den Harem enthält. Letzterer Hof ist 235 Fuß lang, bei 170 Fuß
Breite. Drei Seiten nehmen die Frauenwohnun-
gen ein; die vierte aber, hart am Flußufer aufstei-
gend, enthält drei Pavillons von weißem Marmor,
mit Arabesken in Halbedelsteinen und Edelsteinen.
Im mittelsten wohnt ein englischer Beamter, der den
Marmor und die Steineinlagen mit Weißkalk hat
überpinseln lassen. Die Bäder sind leider zerstört
worden. Kleinere Paläste finden sich überall, fast
in allen Städten, ganz oder theilweise erhalten.
Die Hallen sind meist mit Holzdecken, oder auch,
und zwar bis zu 54 Fuß Breite, mit Gußgewölben
überdeckt.

Ostium, lat. 1) Thür im Innern eines Hauses,
im Gegensatz zu Janua, äußere Hausthür, s. d.
Art. Haus und Janua; — 2) Einfahrt zu einem Hof.

Ostrich-board, engl., Täfelwerk, Fußlambrie.

Ostung, s. d. Art. Orientirung.

Oswald, St., 1) Patron von Berg, Düren
und Zug, König von England, Beschützer des
Christenthums, 642 vom heidnischen König Penda
umgebracht. Die heilige Geistestaube überbrachte
das Oel zu seiner Salbung, ein lateinisch verste-
hender Rabe brachte ihm den Trauring; darzustellen ist er mit der Königskrone. Ein Rabe hält
in seinem Schnabel einen Ring. Eine Taube als
heiliger Geist schwebt über seinem Haupt; — 2) Erzbischof von York; starb im Jahre 992.

Otho von Ariano, St., Patron von Coim-
bra, abzubilden als Einsiedler, zur Seite seine
Hütte, auf deren Dach ein Falke sitzt, der sich dorthin vor den Jägern flüchtete.

Ottavo, s. d. Art. Maaß, S. 501, Bd. II.

Otte, s. v. w. gemeine Erle.

Otterling (Mineral.), Jaspachat mit einge-
sprengtem Schörl.

Ottilia, St., Tochter des Herzogs Adalarich
von Elsaß, daher Patronin von Elsaß, blind geboren, deshalb von ihrem Vater gehaßt, flüchtete
in's Kloster Palme, dort durch Erhard von Regensburg getauft und dadurch sehend geworden, daher
Patronin der Augen, starb nach heiligem Leben 720;
abzubilden als Aebtissin im schwarzen Ordenskleid,
ein Buch haltend, auf dessen gegenüberstehenden
Blättern zwei Augen zu sehen sind.

Ottingkar, s. d. Art. Maaß, S. 497 im II. Bd.

Otto, St., Graf von Andechs, Apostel der Polen, daher Patron von Pommern, von Heinrich IV.
im Jahre 1102 zum Bischof von Bamberg ernannt,
daher Patron von Bamberg; zog dann wieder nach
Pommern und starb 1189. Abzubilden als Bischof
mit Pfeilen und Nägeln, weil er aus Pfeilen Nägel zu einem Bau auf dem Michaelsberg schmieden
ließ. Einst wollte er Reliquien aus Buchebach
nach einem andern Ort bringen, doch Niemand
wollte das Siegel des Altars brechen; Otto erbrach
es mit einem Beil und siehe — die Reliquien blu-
teten; erschroden ließ er sie an ihrem Ort.

Oubliette, frz., Burgverließ; s. d. Art. Burg,
S. 492 im ersten Band.

Ouie (de clocher), frz., Schallloch.

ourdir, frz., anscheeren; ourdissoir, Scheer-
rahmen; ourdissoire, Scheermühle.

Our Lady of dolors, engl., Mater dolorosa,
s. d. Art. Maria.

Outer-bailey, engl., Zwingolf; s. d. Art.
Burg, S. 492 im ersten Band.

Outil, frz., Werkzeug.

Outlet, engl., Ableitungscanal.

Outline, engl., Contour, Umriß.

Outporch, engl., Außenthür; outwall, Außenmauer, Umfassungsmauer; outwork, Außenwerk rc.

Outre, frz., Schlauch.

Outre-mer, frz., Ultramarin.

outre-passé, frz.; arc outre-passé, Hufeisen-
bogen.

Outrigger, engl., Ausleger, Auslieger, Mast-
stüke, Lußbaum.

Ouvrage, franz., Arbeit; ouvrages, alle
Festungswerke und Verschanzungen, die aus Wall
und Graben bestehen; ouvrage avancé, vorge-
schobenes Werk; ouvrage détachée, detachirtes
Fort; ouvrage à corne, Hornwerk; ouvrage à
couronne, Kronwerk.

Ouvreau, frz., Arbeitsloch am Glasofen.

Ouvrier, ouvrée, s. d. Art. Maaß, S. 494
im II. Bd.

Ouvroir, frz., Werkstätte.

Ovale, Abrund, Eilinie, frz. ligne ovale,
engl. ovale-line, eine geschlossene, sich der Eiform
annähernde krumme Linie. Dem zu Folge gehört
z. B. die Ellipse mit unter diese Curven. In der
Praxis pflegt man die Ovalen aus Kreisbögen zu-
sammenzusetzen, was freilich keine wirklichen
geometrischen Curven giebt, welche eine Gleichung
besitzen müssen. Einige Constructionen sind unter
dem Art. Ellipse angegeben.

Bei höheren Curven, vom 3. Grad an, treten
sehr oft Ovale auf als mit der Curve zusammenhängende, oder auch von ihr abgesonderte, aber

7

doch zu ihr gehörige Theile. Ein Beispiel dazu liefert die Curve Fig. 768, Bd. I.

Von besonderem Interesse sind die Ovalen des Descartes, Curven vierten Grades, welche die nach ihnen von einem bestimmten Punkt aus gezogenen geraden Linien nach dem Brechungsgesetz so brechen, daß sie wieder in einem Punkt zusammentreffen; eine Eigenschaft, welche bekanntlich Kreisbögen nur in unvollkommenem Grad besitzen. Linsen, welche durch die Umdrehungsfläche eines solchen Ovales begrenzt wären, würden in Folge dessen weit schärfere Bilder geben, als die gewöhnlichen sphärischen Linsen, doch stößt deren Herstellung auf zu große Schwierigkeiten.

Ovale divin, frz., Osterei; s. d.

Ovalscheibe (Maschinenw.), eine bei Wasserkünsten und dgl. gebrauchte länglichrunde eiserne Scheibe; s. auch d. Art. Excentrik.

Ove, frz., Viertelstab, oves, Eierstab.

Oven, engl., Backofen, Ofen.

Overdragt (Wasserb.), s. v. w. Rollbrücke; s. d. und d. Art. Schleuße.

overdye, engl., übertünchen.

overgrown, engl., s. d. Art. besetzt 1.

Overlaat (Deib.), Vorkehrung gegen Ueberschwemmungen eines Flusses an gefährlichen Stellen. Man errichtet nämlich hinter dem Hauptdeich noch Binnendeiche oder Beideiche und schafft so dem Fluß auf bestimmte Strecken ein erweitertes Bett.

Overstory, engl., 1) Oberstockwerk; — 2) s. d. Art. Lichtgaden.

Ovile, lat., Schafhürde, daher auch jeder mit Hürden eingehegte Platz, Pferch.

Ovolo, ital., franz. ovicule, boultin, engl. greek ovolo, quirked ovolo, gedrückter Pfühl, Echinus.

Ovum, lat., Ei, besonders die Steineier, welche auf die Deckplatten einiger Säulen auf der spina des Circus gelegt wurden, um die bereits erreichte Anzahl der Umläufe anzugeben.

Oxalsäure, Sauerkleesäure ist eine organische Säure, welche aus Kohlenstoff und Sauerstoff besteht und häufig im Pflanzenreich entweder als oxalsaures Kali oder als oxalsaurer Kalk angetroffen wird. In vielen Flechten ist diese Säure als oxalsaurer Kalk, im Sauerklee und Sauerampfer als oxalsaures Kali vorhanden. Diese Säure eignet sich vortrefflich zu Entfernung von Tinten- oder Eisenflecken, wozu auch ihre Verbindung mit Kali, das Sauerkleesalz oder saure Kleesaure Kali, Verwendung finden kann.

Oxelbaum, s. v. w. Mehlbeerbaum.

Oxforder Thon, ist reich an Einschlüssen von Eisenkies und Gipsspath; Farbe dunkelblau oder braun; s. d. Art. Lagerung c, S. 442, Bd. II.

Oxhoft, Oxbood, Oxhuuden, Weingemäß, meist = $1^{1}/_{2}$ Ohm = $^{1}/_{4}$ Fuder = 6 Anker; s. d. Art. Maaß, S. 497, 506, 509, Bd. II.

Oxybaphion, gr. ὀξυβάφιον, Essignäpfchen, lat. acetabulum, griechisches Flüssigkeitsmaaß — $^{1}/_{4}$ κοτύλη, bei den Römern = $^{1}/_{4}$ hemina. S. d. Art. Maaß, S. 514, Bd. II.

Oxydation, Oxyd, Oxydul. Mit dem Namen Oxydation bezeichnet man den chemischen Proceß der Verbindung eines Körpers, Metalls ꝛc. mit Sauerstoff. Die verschiedenen Grade der Oxydation eines und desselben Körpers heißen Oxydationsstufen. So besitzt z. B. das Eisen 2 Oxydationsstufen, das Eisenoxydul und das Eisenoxyd.

Im Allgemeinen bezeichnet man die niedrigere Oxydation eines Metalls mit dem Namen Oxydul, die höhere mit dem Namen Oxyd. Das Oxydul enthält also stets weniger Sauerstoff, als das Oxyd ein und desselben Körpers. Oxydule und Oxyde bilden mit Säuren meist Salze; man nennt diese beiden Oxydationsstufen deshalb auch basische Oxyde. Eine andere Classe von Oxyden bilden die Suboxyde und die Super- oder Hyperoxyde. Die ersteren bilden die niedrigste Oxydationsstufe eines Metalls; sie enthalten nicht hinreichend Sauerstoff, um Basen zu sein; die letzteren enthalten, um Basen zu sein, zu viel Sauerstoff. Die Sub- und Hyperoxyde nennt man indifferente Oxyde.

Die sauren Oxyde oder Säuren werden hauptsächlich durch Verbindung des Sauerstoffs mit den Nichtmetallen erzeugt; die höchsten Oxydationsstufen einiger Metalle zählt man jedoch auch zu den Säuren.

Oxydationsflammen, s. d. Art. Löthrohr.

oxygen, spitzwinklig.

Oylet, engl., Luke; s. d.

Ozokerit, s. d. Art. Bergwachs, Bergfett.

Ozon. Der Sauerstoff der Luft, der unter gewöhnlichen Verhältnissen in der Atmosphäre als inactiver Stoff existirt, kann durch mancherlei Ursachen, z. B. elektrische ꝛc., eine Form annehmen, in welcher er activ wird und entweder energische Oxydationen oder Reductionen herbeiführen kann. Der eigenthümliche Geruch, den die Luft annimmt, wenn sie von elektrischen Ladungen durchsetzt wird, wird diesem eigenthümlichen Zustand des Sauerstoffs zugeschrieben. Man hat die so beschaffene Luft ozonisirt und diesen Zustand oder diese Modification des Sauerstoffs Ozon genannt. Die genauere Kenntniß über die Natur des Ozons geht uns noch ab und wir müssen uns daher hier mit dem wenigen Gesagten begnügen.

P, 1) als Zahlzeichen: a) im Lateinischen P = 4000, $\overline{P}$ = 400,000; b) im Hebräischen ב = 80; c) im Griechischen $\bar{\pi}$ = 80, π = 80,000; — 2) Als Abkürzung auf Inschriften für Populus, Pontifex, pius, pater, partes etc. — 3) In der Mechanik bedeutet P meist eine Kraft, p eine Beschleunigung. — 4) Der Mathematik dient π zur Bezeichnung der Ludolph'schen Zahl 3,141592653589793....; s. d. Art. Ludolph'sche Zahl.

paajen oder **harpüsen**, engl. to pay (Schiffsb.), s. v. w. theeren, besonders von dem Antheeren der unter Wasser befindlichen Seite des Schiffs gebraucht.

Paal (Seew.), 1) s. v. w. Ankerboye; — 2) auch Dückdalbe (duc d'Albe), frz. estacade, engl. pole; Pfahl zum Anbinden der Schiffe, in Gruppen von 5 bis 8 im Hafen eingeschlagen.

paaren (Markscheidet.), Züge paaren heißt, einen in einer Grube gemessenen Zug zu Tage abstecken.

Paarhölzer (Schiffsb.); so heißen die Zuhölzer, oder auch andere Stücken Holz, wenn je zwei auf beiden Seiten des Schiffes einander gegenüberstehende gleiche Gestalt haben.

Pacalharz, mexikanische Harzsorte, auch Rosa Pacal oder Rosa Maria genannt, die von Eupatorium Lallavii, einem Gewächs aus der Fam. der Korbblütler (Compositae), stammt.

Pace, engl. 1) Schritt, Tritt, Grad, Stufe, erhöhter Platz, Estrade; 2) s. d. Art. Maaß, S. 484.

Pacem, Instrument de paix; s. d. Art. Pax.

Pachomius, St., Vater des Einsiedler- und Klosterlebens; von heidnischen Aeltern in Aegypten geboren, als Jüngling Krieger, wurde Gründer des ersten Klosters u. starb an einer Seuche; abzubilden als Einsiedler im Fellkleid ohne Aermel.

Pachtgut, Pachthof, Sestandhof, frz. ferme, verpachtetes Bauerngut oder Rittergut. Ueber die baulichen Anlagen s. d. Art. Bauernhof, landwirthschaftliche Gebäude, Meierei, Rittergut ꝛc., sowie die Artikel Scheune, Stall ꝛc.

Pacificale, lat., Gefäß zu Aufbewahrung der Heiligthümer, gewöhnlich von Gold oder Silber.

Packberme (Deichb.), s. v. w. Banquette; s. d. 4.

Packblech schmieden, s. d. Art. Eisenblech I.

Packfong, chinesisch, frz. Pak-fond, Argentan; s. d.: aus 7 Thln. Zint, 2½ Thln. Kupfer und 6½ Thln. Nickel zusammengesetzt.

Packhaus, **Packhof**, frz. douane, magasin d'entrepôt, engl. bonding-ware-house, custom-house, Gebäude, worin die Kaufleute ankommende Waaren, entweder wegen Mangels an Waarenlagern, oder weil sie die Steuern dafür nicht gleich zahlen wollen, liegen lassen. Man legt ein solches Gebäude an Bahnhöfen, Landungsplätzen, schiffbaren Flüssen, oder wo mehrere Landstraßen in einander münden, an; es muß hauptsächlich feuerfest sein, d. h. überwölbte Räume aller Art, steinerne Treppen und massive Wände haben. Außer den Räumen für die Waaren ist noch je nach Bedürfniß Wohnung nebst Bureau für die Beamten, sowie Raum für die Waagen erforderlich; s. d. Art. Speicher.

Packholz oder **Fachholz**, dient zum Ausstaken der Stakwandsache; s. d. Art. Fachgerte.

Packlage (Straßenb.), s. d. Art. Chaussée.

Packwerk, 1) s. v. w. Faschinenbuhne; s. d. Art. Buhne; — 2) s. v. w. lose in das Wasser eingeworfene Weiden, als Schutz eines Uferbaues.

Packwesen, Lehre von dem Buhnenbau.

Pad, engl., 1) Pfad; pad-way, Landstraße; — 2) Polster, Büschel.

Padawa-Palmenholz, Holz aus dem untern Stamm- und Wurzeltheil einer Palme, die wissenschaftlich noch nicht bekannt ist. Die Wurzeläste zeigen die höchst eigenthümliche arabeskenartige Vertheilung der Gefäßbündel, wie sie Mohl von Iriartea exorrhiza und Karsten von Iriartea praemorsa beschrieben. Für Gegenstände der Kunsttischlerei ist kaum etwas Zierlicheres denkbar.

Paddle, engl., Schaufel; paddle-box, Räderkasten eines Dampfschiffes; paddle-wheel, Schaufelrad; paddle-staff, Schüreisen, Scharreisen.

Paddock, engl., Wildpark, Gehege.

Padelin, frz., Glasschmelztiegel.

Padma, Lotosblatt, stehender Karnies, s. d. Art. ind. Baukunst II. 1, S. 322 u. 324, Bd. II.

Padmaca, s. d. Art. indische Baukunst III. 1 d, S. 326 im II. Bd.

Pächys, s. d. Art. Maaß, S. 513.

Paenula, lat., s. d. Art. Casula.

päpstliche Krone, s. d. Art. Krone.

Pänschel ob. **Päuschle** (Bergb.), 30—40 Pfund schwerer Hammer.

Paglia, ital., Stroh, giallo di paglia, s. d. Art. Strohgelb.

7 *

Pagnone, frz., Radspindel.

Pagode, engl. Pagod, Pagotha, aus Verstümmelung des Wortes Dagop entstanden; s. d. Art. Buddhaistisch, Indisch, Chinesisch, Malayisch, Siamesisch ꝛc.   [tholith.

Pagodit, frz. Pagodire, s. d. Art. Agalma-

Pagodon (ind. Myth.), s. d. Art. Bhawani.

Pai, pajäk, Pajok, russisches Getraidemaaß = ⅛ Tschetwert oder 2 Tschetweriti, faßt ungefähr 2448 Pariser Cubitzoll; s. d. Art. Maaß, S. 507, Bd. II.

Pai·léou, frz., **Peiloo;** s. d. Art. Chinesisch, S. 545 im I. Bd.

Paille, frz., 1) Stroh, daher paillefarben; couleur de paille, strohgelb; — 2) brüchige Stelle im Metall; — 3) Flecken im Edelstein; — 4) zu Blech geschlagenes Loth.

paillé (Herald.), vielfarbig, bunt, gesprenkelt.

Paillon, frz., Folie; paillon de soudure, Schlagloth; s. d. Art. Loth.

Pain, frz., Brod; pain fossil, Teufelsbrod, Steinbrod; pain d'acier, Stahlluppe; pain d'affinage, gereinigtes Metall.

Paint, engl., 1) Anstrich, Farbe, Tünche; — 2) Schwefelwachs; painting, Malerei.

Painter, engl., 1) Maler, Anstreicher; painters gold, Musivgold, Malergold; painter-stainer, Wappenmaler. — 2) Fangleine eines Bootes.

Pairle, frz. (Herald.), Schächerkreuz, Gabeltreuz.

Paix, frz., Friede, s. d. Art. Pax.

Pal, frz. u. span. (Herald.), Pfahl, Säule, aufrechter Balken.

Pala, lat. u. span., frz. pelle, pâle, Blatt einer Schaufel ꝛc.; s. Blatt 4.; auch die Schaufel selbst.

Paläste, s. d. Art. Palme und Maaß, S. 513.

Paläographie, Kenntniß, Erklärung alter Schriftzüge und Inschriften.

Palästra, griech. παλαιστρα, frz. palestro, eigentlich Ort zu Uebungen im Fechten, Ringen ꝛc., daher in griechischen und römischen Gymnasien

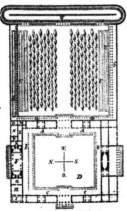

Fig. 1558. Palästra.

der Theil, welcher, mit Bädern, Rennbahnen und dergleichen mehr versehen, zu gymnastischen Uebungen und Wettkämpfen benutzt wurde, endlich auch auf das ganze Gymnasium übertragen. Dieselben waren nach Vitruv folgendermaßen angelegt, s. Fig. 1558. D Hof, bei großen Gymnasien so zu bemessen, daß der Umfang 2 Stadien beträgt (s. d. Art. Diaulos), ABC einfache Portiken, E Doppelportiken wegen der Mittagssonne; An den einfachen Hallen liegen Exedren mit Sitzen und Rednerbühne; an der Doppelhalle liegt F das Ephebeion, ἐφηβεῖον, zu Unterricht und Uebungen der Knaben; G Korykeion, κωρυκεῖον, Sackspielraum; H Conisterium, κονιστηριον, Raum zum Einpudern mit Sand; J das kalte Bad, λουτρόν; K das Salbzimmer, ἐλαιοθέσιον; L das Abkühlungszimmer, χλιαρόν; M Auskleidezimmer; N trockenes Schwitzbad, λακωνικόν; O Dampfbad; P heißes Bad, λουτρόθερμά; Q Paradromides, Spaziergänge; R und S ξυστοί, xysti, für die Athleten; dazwischen liegt der Garten mit Platanenalleen, dahinter das Stadium W, auch Dromos genannt.

Palaiopetre, frz. (Mineral.), s. v. w. Feldspein.

Palánca, span., 1) Hebel, Hebstange, Brecheisen; — 2) auch **Palenque,** franz. palanque, Verpfählung, besonders Tambourpallisadirung am Ende der Rebanfasen, behufs Herstellung einer niederen flankirenden Vertheidigung.

Palançon, palençon, frz., Stakholz, Wellerholz.

Palander (Schiffsk.), s. v. w. Bilander, doch auch flache, eisenbeschlagene Bombardirgaliote.

Palanga oder **phalanga,** lat., Stange, Block, Tragbaum, Walze.

Palankin, frz. palanquin, 1) Sänfte, Tragbett; — 2) Hißtau.

Palankinholz, sehr leichtes, doch dabei zähes Holz Ostindiens, das von der Wrightia coccinea (einer Apocynee), stammt. Es dient u. A. besonders zur Anfertigung der Reise-Palankine.

Palas, Pfalz, frz. palais, palatium, salle, hall, catalonisch Palaŭ, span. Palacio, in einer Burg das als Versammlungs- und Speisesaal dienende, einzeln stehende, gewöhnlich zweigeschossige Gebäude. Der Saal nimmt das zweite Stockwerk ein und ist von außen durch eine Freitreppe (Greden, lat. gradus, frz. perron) zugänglich. Bei einer Burg, wo nur ein Hauptgebäude befindlich war, sind über dem Palas Wohnräume angebracht. S. übr. d. Art. Burg, S. 492, Bd. I. u. Haus, S. 241.

Palast, lat. palatium, aula regia, frz. palais, engl. palace, ital. palazzo, span. palacio; s. d. Art. Schloß.

Palastre, frz. 1) Thürschloß, Gehäuse; — 2) falscher Ausdruck für Pilaster.

Palatium, lat., ursprünglich der Berg in Rom, worauf die Burg des Augustus stand, daher so viel wie fürstliches Schloß, Herrenhaus; s. d. Art. Palas und Palast.

Pálco, span. und ital., Gerüst, Stockwerk, Schaugerüst, Bühne; s. d. betr. Art.

Pâle, frz., 1) kleines Schubbret zum Oeffnen und Schließen des Mühlgerinnes; — 2) Kelchdeckel; — 3) Ruderschaufel, Schaufelblatt.

palé, frz. (Herald.), mit Pfählen belegt.

Palea, lat., Spreu, Kaff.

Palearium, lat., Spreuboden.

paleblue, engl., frz. bleu pâle, blaßblau.

Palée, frz., Pfahlwert, Brückenjoch.

Palet, frz., Wurfstein; palet de Gargantua, Menhir; s. d. Art. Celtisch 2.

Palette, frz. palette, Pritsche, Spachtel, Farbenbret, Vergoldemesser, Kohlenschaufel, Wasserabschaufel; palette à forer, Bohrgestell.

Palettenkranz (Räderw.), s. v. w. Schaufelkranz.

Palier, s. d. Art. Polier.

Palier, frz., bei einer Treppe der Podest.

Palificata, ital., frz. palification, Pfahlrost.

Palimpsest brasses, engl., gravirte Grabplatten, welche von älteren Denkmälern entnommen und entweder auf derselben Seite oder häufiger auf der Rückseite zum zweiten Mal benutzt wurden.

palisanderartige Maserung, s. d. Art. Imitation A. g.

Palisanderholz, Palixander-, auch Polisander-, Luft-, Violet-, Purpur-, Amaranthenholz, blaues Ebenholz.

I. Im gewöhnlichen Gewerbsverkehr belegt man mit diesen Namen eine Menge Hölzer, die verschieden in ihrem Ansehen sowie in ihren Eigenschaften sind. Dahin gehören u. a. 1) das Königsholz, von Farbe braunviolet oder schwarzbraun mit hellröthlichen Längenstreifen; ist fein, dicht, hart und schwer, kommt aus Brasilien; von welchem Baum, ist uns noch unbekannt. (In Hertel's „Bautischler" steht spartii species.) Wird zu Tischler- und Drechslerarbeiten verwendet. 2) Jacarandenholz, s. d. 3) Purpurholz (von copaifera rubiflora?), mit seinen rothen Adern durchzogen. Gelbe und schwarzbraune Stellen bezeugen eine geringere Qualität und erhalten keine lebhafte Farbe durch die Politur. 4) Pockholz; 5) Rosenholz; 6) Bignonienholz; 7) Hornpalmholz.

II. Mit Recht führen blos folgende Holzarten den Namen Palisanderholz. Am meisten geschätzt wird dabei 1) das sehr feste Holz der Jacaranda brasiliensis Pers. (Fam. Bignoniaceae), die in Brasilien einheimisch ist. Es wird auch unter dem Namen Zuckertannenholz im Handel bekannt; 2) echtes Palisanderholz kommt von dem südamerikanischen stumpfblättrigen Jacarandenbaum (Jacaranda obtusifolia H. et B., Fam. Bignoniaceae, Arbol Rosetto). Dieses Holz ist das bois de l'alixandre der Franzosen, sieht blauröthlich aus, ist mit schwarzen Adern durchzogen und haucht einen eigenthümlichen, angenehmen Geruch aus. In den Handel gelangt es vorzüglich von Brasilien und Cayenne aus; 3) das Holz von Jacaranda ovalifolia R.Br. (von Jacaranda mimosaefolia, Don.), nach Andern von der Dalbergia Machaerium. Es wird von den Engländern Rosewood (Rosenholz) genannt, während die von den Deutschen als Rosenholz bezeichneten Holzarten bei den Engländern „Tulipwood" heißen. Nach Freire Allemaô kommt das echte Palisanderholz von Arten der brasilianischen Gattung Machaerium (z. B. von M. scleroxylon das Jacaranda tin; von M. firmum das Jacaranda roxa; natürliche Fam. Hülsenfrüchtler).

Eine Art Palisanderholz stammt von einer Palmen-Species: Bactris setosa Mart. in Venezuela; es sieht schwarz aus und dient zu Anfertigung kleinerer Geräthe.

palisser, frz. Bäume an Spaliere binden.

Palla, lat., frz. palle, engl. pall, Oberkleid, Tuch zum Umhüllen; palla corporalis, palle corporale; s. d. Art. Corporale und Antimension; palle funéraire, Leichentuch.

Palladium, 1) ein zur Platingruppe gehörendes Metall, das sich gemengt mit den Platinerztörnern, aber auch legirt mit Gold rc. in der Natur findet. Es ist fast so schwer schmelzbar, wie das Platin, in der Weißglühhitze schmied- und schweißbar; es steht an Glanz und Farbe in der Mitte zwischen Silber und Platin, hat das spec. Gew. = 11,3—11,8 und ist außerordentlich geschmeidig; —2) ursprünglich eine Statue der Minerva (Pallas), als Schutzmittel der Stadt; daher später jedes schützende Heiligthum einer Stadt.

Pallas, Beiname der Minerva; s. d.

Palle, frz. linguet, engl. pawl, ital. castajne (Schiffsb.), s. v. w. Sperrkegel.

Pallier, s. d. Art. Polier.

Palliot (Sch.), s.v.w. Schiffsraum bei Galeeren.

Pallisade, lat. cervolus, longurius, frz. palis, oben und unten zugespitzte Pfähle, meist 5—6" stark, 9—10' lang. Sie werden in Reihen, Palisadenreihen, franz. palissade, palissage, als Annäherungshinderniß angewendet; will man die Kehle eines Werks, die Berme einer Escarpe und dergleichen verpallisadiren, franz. palissader, so gräbt man die Pallisaden reihenweise 2—3 Fuß tief in die Erde und verbindet sie oben durch eine an die Rückseite genagelte Querlatte, unten in der Erde durch eine Schwelle, Pallisadenschwelle, frz. liteau, engl. ribbon. Man bringt sie meist nur an solche Stellen, wo sie dem Kanonenfeuer nicht ausgesetzt sind; schräg an die Escarpe gestellt heißen sie Sturmpfähle, Fraisen; Pallisadirungen, die besondere geschlossene Verschanzungen bilden, heißen Tambours; sie sind meist in Fleschenform angelegt und bekommen Schießscharten, sowie innerlich eine Banquette; s. auch d. Art. Festungsbaukunst, S. 43 im II. Band.

Pallisadenkrone, s. d. Art. Kranz 4. h.

Pallium, lat., engl. pall, weiße, mit rothen Kreuzen verzierte Binde; liegt um den Hals, das eine Ende liegt auf der Brust, das andere auf der Schulter. Es ist Symbol der Reinheit und Sanftmuth; s. d. Art. Erzbischof.

Pallwalze (Brückenb.), bei fliegenden Brücken eine starke Winde, womit das Seil angezogen und nachgelassen werden kann.

Palma, lat., gr. παλάμη, Handfläche, Ruderschaufel, Schaufelblatt; s. auch d. Art. Maaß, S. 486.

Palmbaum. Die Palme diente mehrfach als Symbol des Jahrescyclus, des Sieges, des Friedens, des Todes (ewigen Friedens), der Freiheit rc. Vgl. auch d. Art. Baum 6.

Palmblätter,
1) kommen gemalt oder in Relief als Verzierungen an Gesimsegliedern, Capitälen rc. vor. Ein Beispiel der Behandlung in der Antike s. in Fig. 1559. Ueber die romanische Behandlung s. d. Art. Palmzweige; —2) an eisernen Gittern aus dem vorigen Jahrhundert führen diese Namen gewisse, allerdings mehr

Fig. 1559.

Federwedeln als Palmblättern ähnliche Verzierungen, die aus schmalen, in Wellenform oder flammenähnlich gekrümmten Streifen bestehen.

Palm-cross, engl., **Palmenkreuz,** steinernes Crucifix, auf Stufen vor dem Südeingang der Pfarrkirche, wird am Palmsonntag mit Zweigen geschmückt.

Palme, 1) lat. palmus, frz. palme, paume, engl. palm, ital. palmo, Spannenlänge, Handbreite, Längenmaaß in Italien. Es hält in Rom 99, in Genua 111,3 Par. Linien 2c.; f. d. Art. Elle und Maaß S. 484, 485, 487, 496, 501; — 2) (röm. Ant.) a) palmus minor, Längenmaaß, das 4 digiti (die Breite von vier Fingern) hielt, hieß bei den Griechen Dochme und Palaiste und maß 0,077 Meter; f. d. Art. Maaß; b) Palmus major maß 12 digiti; c) Palmipes hieß ein Längenmaaß aus dem P. und dem geometrischen Fuß zusammengesetzt = 20 digiti, f. d. Art. Maaß, S. 514; — 3) Maaß zur Bestimmung der Dide für Schiffsbauhölzer, 10 Fuß vom Stammende hereinwärts zu messen. Eine Palme hält in Hamburg 42,33, in Holland und Norwegen 39,3 Par. Linien; — 4) (Schiffsb.) f. v. w. Spanne.

Palmengewölbe, Strahlengewölbe; f. d. Art. Gewölbe E. 12, S. 151 im II. Band.

Palmenholz. Der Stamm aller Palmen ist außen sehr hart; die inneren Theile sind dagegen meistens lockerer, bei manchen sogar sehr weich; die technische Anwendung ist daher in viel beschränkterem Grad zulässig als bei den Stämmen der Laub- und Nadelhölzer. Es findet besonders das Holz nachstehender Arten Benutzung: 1) Stammholz der Gattung Bactris in Brasilien, im Innern sehr weich, in den äußeren Lagen sehr hart, deshalb von den Indianern zu Pfeilspitzen und von ihren Frauen zu Spindeln benutzt. 2) Bei der Gattung Astrocaryum ist das Holz ähnlich. 3) Diplothemium caudescens hat sehr hartes Holz, das zum Hausbau benutzt wird. 4) Das Holz der Manicaria saccifera ist eins der härtesten aller bekannten Hölzer; in Europa wird es aber fast nur zu Stöcken und Regenschirmen verarbeitet. 5) Von Mauritia flexuosa werden die äußeren harten Stammtheile in Südamerika zu vielerlei Geräthschaften benutzt. 6) Die Stämme der Brennpalme (Caryota) dienen als Baumaterial, besonders zu Pfeilern. 7) Dattelpalme (Phoenix dactilifera L.); das Stammholz wird in Spanien vielfach zum Bauen verwendet; man schreibt ihm die Eigenschaft zu, daß es sich unter starker Belastung in die Höhe biegt; wird nie vom Wurm angegriffen. Es läßt sich jedoch seines anatomischen Baues wegen nicht zu Brettern schneiden, kann deshalb nur als rundes Stammholz verwendet werden. 8) Zwergpalme (Chamaerops humilis L.), wird zu Besen, Matten und anderem Flechtwerk gebraucht. 9) Cocospalme (Cocos nucifera L.), deren Holz als Colletepiholz in den Handel kommt; ist sehr dicht, fest, hat wenig Adern, gedrängte Fibern, nimmt keine Beizung an, ist matt zimmetbraun. 10) Aus Brasilien namentlich kommt das Palmenholz in mehreren Arten in den Handel: Palmiraholz, Palmenholz von Bahia, Badama-Palmenholz; f. d. 11) Siehe die Art. Arekapalme, Hornpalme, Jacitarapalme, Zissarapalme 2c.

Palmentreibhaus, f. d. Art. Gewächshaus.

Palmette, frz. palmette, sind namentlich im griechischen Styl vorkommende palmenblattähnliche Verzierungen; f. d. Art. Honey-suckle und Akroterie, sowie Fig. 70, 79, 80, 81 und 1301. Ueber Palmettenreihen als Gliedbesetzung f. d. Art. Glied F und Fig. 1185.

Palmettopalme (Chamaerops Palmetto Mich., Fam. Palmen), in Mittelamerika misch; liefert ein au tes Schiffsbauholz.

Palmtuch, f. v. w. Fastentuch.

Palmweide, f. v. w. Saalweide; f. Weide.

Palmyraholz oder **Palmiraholz,** ist ein schwarzbraunes, sehr schweres Holz, das als schwarzes Eisenholz im Handel gebt, kommt aus Brasilien, ist das Zuitara der Eingeborenen, ebenso auch Buri Palmira, Buri oder Buret genannt, soll nach Martius von Diplothemium caudescens kommen. Eine Sorte ist auffallend rothbraun mit rothen Gefäßbündeln im weißen Parenchym. Ein anderes Palmyraholz oder Kornährenholz, wird von Brasilien aus in den Handel gebracht; es soll von Sebopira Bowdichii stammen.

Palmyrapalme (Borassus flabelliformis L., Fam. Palmen), in Indien und auf Ceylon, besitzt ein steinhartes, sehr schweres Holz von schwarzer Farbe, freilich von verhältnißmäßig nicht bedeutender Dicke. Die Blätter dienen statt Papier als Schreibmaterial, liefern Fasern und finden zum Dachdecken Verwendung. Das echte Palmyrapalmenholz sieht aus, als sei es aus lauter schwarzen, drahtähnlichen Fasern zusammengedreht. Die Arbeiter müssen beim Zerschneiden sehr vorsichtig verfahren, da sich die einzelnen Fasern leicht abtrennen und in die Hand einbohren. Das Palmyraholz giebt vortreffliche Schiffsplanken und Verdecke. In Zaffna kostet 1 Stamm 3—6 Schilling. Ueber das unechte f. d. Art. Palmyraholz.

Palmzweige, 1) (Herald.) als willkürlicher Schmuck oder als Prachtstücke, zur Seite eines

Fig. 1560. Vom Bischofsstuhl zu Torcello.

Schildes, häufig bei Frauenzimmerwappen; sie bedeuten Sieg; — 2) (Ikonogr.) Palmenzweige als Attribut erhalten eigentlich alle Blutzeugen und Märtyrer, s. z. B. d. Art. Jucunda, Laurentius, Paphnutius, Panthaleon 2c.; — 3) (Ornamentik und Symb.) Palmenzweig ist in der altchristlichen Kirche Symbol der Auferstehung, des Sieges über den

Tod, erst später wurden sie zum Attribut der Blutzeugen, zur Siegespalme der Streiter im Dienst der Kirche; wegen erfterer Bedeutung finden sich oft Palmen und Phönix verbunden; auch von den Palmen glaubte man, daß sie aus ihrer Asche neu aufwachsen. Zwei Palmenzweige zu den Seiten des Kreuzes (s. Fig. 1560, Rücklehne des Bischofsstuhles in Torcello bei Venedig) bedeuten die Märtyrer und Jünger des Herrn, während die Sterne oben die Engel Gottes, die Hand mit Sonne und Mond den Tag und Nacht über der Gemeinde waltenden Segen des Herrn bedeuten.

Palplanche, frz., Spundpfahl; Grundbaum.

Palus, -i, lat., frz. pale, engl. pale, pile, ital. palo, Pfahl, besonders Grundpfahl zu einem Pfahlrost.

Palus, -udis, lat., frz. palus, engl. pool, ital. palude, span. palúde, Sumpf, Pfuhl.

Pamphilus oder **Pamphilius**, St., Sohn reicher Aeltern, wissenschaftlich gebildet, Schüler des Pierius. Gründete die Bibliothek von Cäsarea, wurde 307 vom Landpfleger Urbanus gefangen, mit Eisenkämmen gefoltert und unter Firmilianus enthauptet. Abzubilden mit Schwert oder Messer.

Pampre, franz., um Säulen, Altäre c. sich schlingendes Weinlaub- und Epheurankenwerk.

Pan und **Pansflöte**, lat. calamus, s. d. Art. Hyläus.

Pan, franz., Seite, Fläche, s. auch Maaß, S. 485; pan coupé, weggenommene, abgekantete Ecke; Façette, abgeschnittene Ecke; pan de comble, Dachfläche; tour à huitpans, achteckiger Thurm; pan de douelle, Intrado; pan de charpente, Holzwerk; pan de muraille, Vorderseite einer Mauer; pan de bois, Fachwand, Zulage; pan de tapisserie, Tapetenblatt; colonne à pans, polygoner Pfeiler; fronton à pans, Giebel, wie er sich z. B. unter einem Krüppelwalm gestaltet.

Panache, franz., 1) Helmbusch; — 2) Kreuzblume; 3) Oberkranz an einem Kronleuchter; — 4) auch fourche genannt, s. v. w. Pendentif.

panaché, frz., bunt gestreift.

Panacocoholz, Cocoholz oder Eisenholz von Cayenne, kommt von Swartzia fomentosa D. C. (Fam. Leguminosae). Es heißt auch Rebhuhnholz, Bois de perdrix (Partridge-wood), Bois de fer d'Aublet, ist hart, schwer, von brauner, roth und schwärzlich-grün schattirter Farbe und gilt als unverwüstlich. Es gewährt, der Länge nach derartig geschnitten, daß der Schnitt einen spitzen Winkel zur Achse bildet, ein Farbenspiel, das an das Gefieder des Rebhuhns erinnert.

Pancarte, franz., banderole, phylactère, Spruchband, fliegender Zettel. Bandrolle.

Panconcello, ital., Latte.

Pancóne, ital., Diele, Bohle, Hobelbank.

Pancratius, St., 1) Schüler des Petrus, Bischof von Sicilien, Patron von Bergen, wurde in Sicilien enthauptet; darzustellen mit dem Schwert; — 2) Jüngling, Liebling des Diocletian, wurde in seinem 15. Jahre als Christ angeklagt, blieb gegen Zureden und Drohungen standhaft und wurde 304 enthauptet; mit dem Schwert darzust.

Pandanus, nützlicher (Pandanus utilis Bovy. Fam. Eupandaneae), eine Pflanze Madagaskars und der Mastarenen-Inseln, deren Blattfasern zu Gespinnsten (Zuckersäcken), Stricken, Tauen und dergleichen verarbeitet werden. Dasselbe geschieht mit Pandanus javanicus auf Java.

Pane, engl., 1) Tafel, Füllung, Glasscheibe, Fensterlicht; — 2) Seite eines Kreuzganges; — 3) Zwischenraum, Joch.

Pancel, mit dem niederländischen Wort Panne, Pfanne zusammenhängend, lat. pauellum, franz. panneau, engl. panel, pannel, span. pauél, panéla, Feld, Füllung, vertieftes Fach, besonders eingestemmte Füllung an Täfelwerken, daher panneau de fer, Gitterfüllung; panneau de glace, Spiegelfeld in Wandverkleidungen; panneau de maçonnerie, Feld einer Fachwand; panneau de douelle, Füllung auf einer Bogenlaibung (intrado); panneau de menuiserie, eingestemmte Füllung; panneau de verrière, Fensterscheibe, Schößchen; panneau à étoffes pliées, engl. linen-panel, linen-pattern; Faltenfüllung (s. d. und Fig. 1053); panel-painting, Gemälde auf Holz; beaded panel, Perlstab; twisted panel, twisted channel, s. d. Art. channel und Fig. 1561.

Fig. 1561. Twisted panel.

Pancelsäge (Tischler), s. v. w. Laubsäge.

Panier, franz., lat. panerium, paneretta, Behner (s. d.), auch zur Schmückung eines Gartenthorpfeilers oder dergleichen dienender großer, zierlicher Korb, mit Früchten angefüllt.

Panierschild, s. d. Art. Bannerschild und Heraldik III.

Panne, frz., 1) Pfette; — 2) lat. panna, pronus, Querbalken unter dem Triumphbogen am Eingang des Chors, zum Aufstellen von Kerzen bei Kirchenfesten; — 3) Pinne eines Hammers.

pannelé, franz., getäfelt, mit Maaßwerk bekleidet.

Panner, Pannier, frz. pannon, falsche Schreibweise für Banner, Bannier; s. d. Art. Fahne 1.

Panneton, frz., Bart; s. d. 1.

Pannum, pannus, lat., Tuch, Decke, Behänge, Baldachin; pannum funebre, Leichentuch.

Panorama; zur Ausstellung dieser Rundgemälde dient am besten ein rundes Gebäude, von oben erleuchtet. Die Beschauer stehen in der Mitte der Rundung, wo alsdann eine Tribune zu errichten ist.

Panse, s. d. Art. Banse und Scheune.

Panstermühle oder Panzermühle (Mühlenb.), unterschlächtige Wassermühle, wenn sie so eingerichtet ist, daß die Räder nach Erforderniß gehoben und niedergelassen werden können, so daß man bei hohem wie bei niedrigem Wasserstand mahlen kann. Das Heben und Senken der Pansterräder, frz. roues à volets, geschieht mittelst des sogenannten Pansterzeuges, Pansterwerkes oder Ziehzeuges, wodurch das Rad meist 18 Zoll gegen den Normalstand gehoben und gesenkt werden kann, so daß die ganze Höhe des Hubes 3 Fuß beträgt. Gewöhnlich sind die Pansterräder doppelt so breit wie die Staberräder und treiben zwei Mühlgänge. S. übr. d. Art. Mühle. Die Wellenzapfen liegen auf dem unteren Riegel von zwei hölzernen Rahmen (Ziehgattern), deren jedes sich in Falzen zwischen zwei Säulen, den Panstersäulen, Gatterscheiden, bewegt, indem sie an starken Pansterketten hängen, welche sich um eine darüber befindliche Welle, Pansterwelle, herumwinden; ein an dieser Welle befindliches Stirnrad greift in den Kumpf der darunter befindlichen Kumpfwelle. An dieser ist das Haspelrad, die Ziehscheibe, im Innern des Mühlengebäudes angebracht, wodurch das Heben und Senken des Wasserrades hervorgebracht wird. Um bequem dazu kommen zu können, ist ein Gerüst, der Pansterziehboden, angebracht. Bei Stockpanstern muß das Rad mittelst Hebeln gehoben werden, worauf das Zapfenlager durch eingesteckte Bolzen in der Säule befestigt wird. Es erfordert ein Pansterrad bei der gewöhnlichen Größe 3600 Quadratzoll Querschnitt Aufschlagwasser; sobald es 30 Zoll Wasserstand auf dem Fachbaum und 10 Zoll Gefälle hat, beträgt demnach die Breite des Panstergerinnes und Rades 120 Zoll oder 10 Fuß.

Pantano, ital. und span., Sumpf, Weiher. So heißen bei den arabischen Bewässerungen in Spanien die großen, hohen Wehrbauten, welche ein Felsenthal schließen, dadurch das Wasser zu oft großen Seen aufstauen und für den Sommer reserviren. Sie sind in der Regel stromaufwärts conver, stromabwärts concav, also gewissermaßen als liegender Bogen zwischen die Felsenwände eingespannt; sie kommen bis zu 27 Meter Höhe bei 6 Meter Stärke vor und haben am Fuß einen Durchlaß mit Schraubenhahn (Tornillo); s. d. Art. Bewässerung.

Panthaleon, St., einer der 14 Nothhelfer; s. d. Sohn des reichen Heiden Custorgius und der Christin Eubule, that schon als Kind Wunder an einem Blinden und an andern Kranken. Er wurde unter Maximian an einem Pfahl aufgezogen, mit Eisenhaken zerschunden, mit glühenden Blechen unter den Armen gebrannt; aber auf sein Gebet fallen die Bleche ab, das Feuer verlischt. Auch geschmolzenes Blei schadet ihm nichts. An einen Stein gebunden in's Meer geworfen, schwimmt er sammt dem Stein oben auf. Die wilden Thiere, denen er nun vorgeworfen wird, liebkosen ihn. Das Rädern mißlingt, auch das Schwert wird weich wie Wachs. Die Henker knieen vor ihm nieder. Er verzeiht ihnen als Pantelehemon (Allerbarmer) und nun fällt das Haupt unter dem Schwertstreich. Aber statt des Blutes strömte Milch aus und der Oelbaum, an den er gebunden war, trug sogleich volle Früchte. Er ist Patron der Aerzte, wird meist halb entkleidet oder nackt an einem Palmoder Oelbaum gebunden dargestellt, die Hände über dem Kopf mit einem Nagel durchbohrt, doch auch in ritterlicher Kleidung mit Lanze und Schild. Sein Attribut ist das Schwert.

Pantheon. Gemeinschaftlicher Tempel für alle 12 olympischen Götter.

Panther; 1) die Panther waren dem Bacchus (s. d.) geheiligt; — 2) (Herald.) s. v. w. Greif.

Pantherhautachat oder Pantachat, Pantherstein (Mineral.), Achat mit pantherähnlichen Flecken.

Pantoffelholzbaum (Quercus Suber L.), Korkeiche, Alcornoque, s. d. Art. Eiche.

Pantry, engl., Speisekammer, Brodschrank, Fliegenschrank, Büffet.

Pantschmühle, Waltmühle zum Reinigen der in Krapp gefärbten Kattune.

Pao derosa, wohlriechendes, stark gemasertes, dunkelrothes Holz aus China.

Paonazzo, ital., violet, marmo paonazzo, violet gestreifter Marmor.

Papagaienstock (Schiffsb.), vorn am Galion der Seeschiffe befestigte, aus Holz oder Eisen bestehende Leiste, dient den daselbst vorhandenen Abtritten als Rücken- oder Seitenlehne.

Pape (Erdarb.), bei Büttwerken und anderen Ausgrabungen stehengelassener, steil abgestochener Kegel; man berechnet darnach die ausgegrabene Erde.

Papolonné, frz. (Herald.), s. d. Art. Beschuppung.

Papenmütze oder Pfaffenmütze, s. v. w. Handramme.

Paphnutius, St., 1) griechischer Märtyrer, wurde an einen Palmbaum oder Pfahl genagelt; 2) Einsiedlerbischof der Thebaischen Wüsten; unter Maximian ergriffen, wurde ihm das rechte Auge ausgestochen, die linke Kniescheibe zerschnitten; aus dem Bergwerk entkommen, erschien er auf dem Concil zu Nikäa, kämpfte dort gegen die Arianer. Darzustellen in bischöflichen Gewändern, zur Seite einen Engel.

Papierabklatsch, s. d. Art. Abklatschen.

Papierdachung, finnische, dient zur Eindeckung von Plattformen, ähnelt sehr der Holzcementdachung, s. d. u. d. Art. Dachdeckung. Behufs der Verwendung zu Dachung sowie zu manchen anderen Werken ist es nöthig, das Papier wasserdicht zu machen. Dies geschieht folgende Art. In 200 Pfd. Wasser werden 24 Unzen Alaun gelöst. In einem anderen Gefäß löst man 4 Unzen weiße Seife und 1 Unze Borax auf. Zuletzt werden 2 Unzen arabisches Gummi und 6 Unzen Leim für sich in der nöthigen Menge Wasser gelöst. Diese drei Lösungen werden zusammengegossen, die Mischung warm erhalten und das zu präparirende Papier langsam hindurchgezogen, so daß es davon ganz durchdrungen wird. Dann wird es durch Pressen zwischen Walzen von dem Ueberschuß der Mischung befreit und getrocknet.

Papierkohle, s. v. w. Blätterkohle; s. d. Art. Braunkohle 5.

Papier maché, frz., zu Ornamenten im Innern von Gebäuden verwendbare Masse aus Papierschnitzeln oder ähnlichen Faserstoffen, die gekocht, gestampft, in einen knetbaren Teig verwandelt, dann mit starkem Leimwasser vermischt, so in die Formen gedrückt und darauf getrocknet wird. Man hat mit dieser Masse, welche unverbrennlich ist und der Feuchtigkeit ziemlich gut widersteht, Versuche zur Dachdeckung und zu Bekleidung der Gebäude gemacht. Die Zurichtung zu diesem Zweck geschieht durch Zusatz von Kalk, Oel, Vitriol zc. Der Zusatz von Gips und Mehl erhöht zwar die Knetbarkeit, vermindert aber die Festigkeit; s. d. Art. Dachdeckung, Steinpappe, Maulbeerbaum, Bast zc.

Papiermühle, Papierfabrik, frz. papeterie, engl. paper-mill. In ihr werden Lumpen durch Wasser- oder Dampfkraft zerpocht und daraus Papier oder Pappe verfertigt. Zuerst geschieht das Sortiren der Hadernlumpen, dann das Reinigen oder Ausstäuben der Lumpen zc. auf der Ausstäubemaschine, einem 8 Fuß langen, 2 Fuß weiten, mit Drahtgitter überzogenen Trilling, durch Umdrehung desselben und Anschlagen von Daumen an die in der Walze befindliche federnde

Hölzer; die feinen Hadern werden auch noch gewaschen und gebleicht. Dann werden sie in kleine Stücke geschnitten, und zwar auf dem Lumpenschneider oder der Haderlade, ähnlich einer Häckselbank. Dann bringt man die Lumpen in die Faulbutte, wo sie 7—8 Tage im Wasser liegen; hierauf folgt das Zerklopfen der Lumpen auf einem Stampfwerk, dem Geschirr; es fallen hier große, hölzerne, hammerförmige Stampfen in je eines der 5—6 mit Eisen gefütterten Löcher des Löcherbaums. Auf der Unterfläche jeder Stampfe befinden sich 3 eiserne Stampfkeile. Die Schwingen oder Helme dieser Stampfhämmer werden gehoben durch die Daumen einer Daumwelle, und drehen sich zwischen 2 Säulen, den Hinterständern, Hinterstauden, Hintereinnehmern. In den Löcherbaum fließt durch eine durchlöcherte Scheibe (Kloß) Wasser ein und durch eine ähnliche (Scheibe) ab, vor der ein Haarsieb befestigt ist. Sind die Lumpen ungefähr 20 Stunden lang gestampft, so werden sie mit dem Leerbecher in das Leerfaß geschöpft und mit diesem unter dem Namen halber Zeug in das Fäulungsgewölbe gebracht. Hier werden sie in die ca. 4 Fuß hohen Zeugrahmen geschüttet und mit den Zeugpritschen festgeschlagen, dann der Rahmen weggehoben; die Gährung dieser Haufen darf nicht zu stark werden. Soll der halbe Zeug

Fig. 1562. Holländer einer Papiermühle.

lange aufgehoben werden, so verzögert man die Gährung durch Kalk. Um ihn fein zu machen, wird er entweder noch einmal gestampft oder in den Holländer (s. Fig. 1562) gebracht. Dieser besteht zunächst aus einer gußeisernen Walze a, 1½—2 F. im Durchmesser, der Länge nach in Zwischenräumen von 1 Zoll, mit 1 Zoll breiten, messingenen (Messern) besetzt (Schienenwalze); unter ihr ist ein etwas ausgehöhlter Klotz, der Kropf h, mit eben solchen Schienen besetzt und mit einer gekerbten Platte belegt. Der Holländer liegt in einer ovalen Butte, in die der halbe Zeug geschüttet wird und in die immer Wasser zufließt, und ist behufs Verhütung des Verspritzens mit einer hölzernen Haube bedeckt. Durch die Umdrehung der Schienenwalze werden die Lumpen in Zeit von drei Stunden vollends zerrissen, dann als ganzer Zeug in den Zeugkasten geschlagen, etwas getrocknet, dann in dem Rechenkasten wieder aufgelöst und durch den an einer Rührstange befestigten Rechen zu einer breiartigen Masse gemacht. Diese fließt in die Werkbutte, Schöpfbutte. Aus dieser werden entweder die Bogen (Handpapier, geschöpftes Papier) in Formen mit Drahtboden oder dichtem Siebboden geschöpft, oder es fließt die Masse auf die Papier-

maschine, eine ziemlich complicirte Maschine, die sie in Gestalt von Maschinenpapier, Ellenpapier verläßt. Das Handpapier ist solider, aber gleichmäßiger und schneller ist die Fabrikation des Maschinenpapieres oder Papieres ohne Ende. Man trocknet es zugleich durch die Dampfmaschine, welche die Bewegung des Apparats verursacht. Da bei der ganzen Fabrikation ungemein viel Wasser verbraucht wird, sollte man beim Bau von Papierfabriken zu Fußböden und Wänden nirgends Holz verwenden.

Papierscorpion (Obisium cancroides L.), ist ein braunes Gliederthier von ungefähr 2''' Länge, welches zu den unechten Scorpionen, d. h. zu den Scorpionen ohne Schwanz, gehört. Von seinen 5 Fußpaaren ist das vorderste mit verhältnißmäßig starken Klauen versehen, die den Krebsscheeren ähneln. Für unsern Haushalt ist das Thierchen nur nützlich, denn es verzehrt die Bücherläuse oder Holzläuse, die ihrerseits Papier und Bücher benagen.

Papiertapete, s. d. Art. Tapete.

Papiertorf, s. unt. Torf.

Papilio, lat., Zeltdach, Stammwort von Pavillon; s. Amphitheater, S. 78 im I. Bd. u. in Fig. 98.

Papin'scher Topf, Vorrichtung, um Substanzen mittelst gespannter Dämpfe einer höheren Temperatur, als dem gewöhnlichen Siedepunkt der Flüssigkeiten, auszusetzen. Es ist gewöhnlich ein eiserner Topf, dessen Deckel luftdicht schließt und mit einem nach außen sich öffnenden Sicherheitsventil versehen ist. Die Spannung der Dämpfe und die Höhe der Temperatur wird durch das Gewicht des Sicherheitsventils regulirt.

Pappdach, s. d. Art. Dachbedeckung B 5, c und e, sowie d. Art. Steinpappe.

Pappel, Solle, lat. Populus, frz. peuplier, engl. poplar, ital. pioppo, span. choppo, Fam. Kätzchenblüthler. 1) Weiße Pappel (Populus alba L.), auch Albe, Götzenholz genannt. Das Holz ist zähe, feinfaserig, weich, leicht und gleichspaltig, weiß, im Alter braun, nicht sehr dauerhaft, gut polirbar, es wirft sich nicht und reißt auch nicht auf. Die Wurzel ist braungeflammt und gemasert. — 2) Italienische Pappel (P. dilatata L.). Das Holz ähnelt dem der Linde, ist sehr biegsam, hat weichere und feinere Fibern, als das der Schwarzpappel; es ist sehr schwer glatt zu bearbeiten, da die Oberfläche immer faserig bleibt, auch durch Eindringen von Feuchtigkeit rauh wird. Sie erreicht im 25- bis 30. Jahre eine Höhe von 60 und eine Stärke des Schaftes von 3 Fuß, wächst am besten in feuchtem Boden und ist im Trocknen, wenn sie auf dem Stamm geschält wird, zu Bauholz brauchbar; — 3) schwarze Pappel (P. nigra L.), auch Pappelweide genannt, hat weiches, etwas schwammiges und wenig dauerhaftes Holz; dies ist zäh, unter dem Hobel fasert es leicht, wirft sich wenig und reißt nicht leicht. Holz, welches lange in der Erde gelegen, bekommt eine grüne Farbe, gewinnt, auf dem Stamm geschält, an Festigkeit und läßt sich dann gut poliren. Gegen den Kern hin ist es braun und grau geflammt. Die Masern der Wurzeln sind gewellt und geflammt. — 4) Zitterpappel (P. tremula L.), auch Aspe, Espe, hier und da Krummkiefer ꝛc. genannt, ist etwas härter als Wasserlinde, zäher als Birke und Linde. Das weiche, glatte, leichte, sehr geradspaltige Holz hat kleine Spiegelfasern, dicke Jahresringe und ein dichtes, gleichförmiges Gefüge, ist weiß, mitunter mehr gelblich, in's Braune spielend und mit geflammten Adern geziert. Man kann die Wurzeln, die mit schönen Masern versehen sind, durch Auflösung einer mit Scheidewasser bewirkten Eisenlösung schön färben. — 5) Silberpappel (P. nivea L.), wächst sehr schnell, hat loderes Holz. — 6) Balsampappel (P. balsamifera L.), ist als Nutzholz verwendbar. — 7) Lorbeerblätterige Pappel (Populus laurifolia), am Altai häufig; aus ihrem starken Stamm macht man am Jrtisch durch Aushöhlen Kähne. Man spannt das Holz aus, so lange es noch frisch ist, und giebt dem Kahn dadurch mehr Breite; der Preis eines solchen Kahnes ist gewöhnlich 70 Rubel. — 8) Gelbe Pappel; s. d. Art. Sida.

Pappelholzwespe, s. d. Art. Holzwespe.

Pappelstein (Mineral.), s. v. w. Malachit.

Papstkreuz, Kreuz mit 3 Querarmen, von denen der mittelste am längsten ist; s. d. Art. Kreuz D. 7.

Papstkrone, s. d. Art. Krone. Als Päpste sind darzustellen die Heiligen: Clemens, Calixtus, Dionysius, Evaristus, Felix, Gregor der Große, Leo, Petrus, Cölestinus u. A. m.; s. d. betr. Art.

Papstweide, Traubenkirschbaum; s. d.

Parabel, I. ebene Curve (Fig. 1563 a) von der Eigenschaft, daß die Entfernung i f eines beliebigen Punktes i derselben von einem festen Brennpunkt f, seinem Abstand i g von einer festen

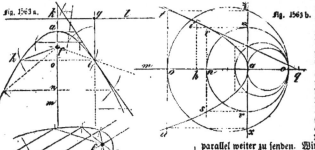

Fig. 1563 a.

Fig. 1563 c. Parabel.

geraden Linie, Directrix, Leitlinie, k l, gleich ist. Eine andere gerade Linie, welche zu dieser parallel läuft und vom Brennpunkt nur halb so weit, also um die Brennweite f a — a k absteht, wird Scheiteltangente genannt und berührt die Curve in a. Die Parabel ist eine aus einem

einzigen Stück bestehende, aber ungeschlossene Linie und symmetrisch zu der Geraden k m, die Achse heißt und auf der Scheiteltangente im Berührungspunkt a senkrecht steht. Die Brennweite a f — a k ist gleich dem Stück, um welches die Entfernung eines beliebigen Parabelpunktes vom Brennpunkt der sog. Radiusvector oder Leitstrahl) seinen Abstand von der Scheiteltangente übertrifft. Wird der Scheitel a zum Anfangspunkt eines rechtwinkligen Coordinatensystems gewählt, und fällt die Abscissenachse in die Achse, die Ordinatenachse in die Scheiteltangente, so ist die Gleichung der Parabel $y^2 - 2p x$; hierin heißt 2p oder auch p selbst der Hauptparameter; dabei ist p gleich der doppelten Brennweite oder auch gleich der Länge der im Brennpunkt auf der Achse senkrecht stehenden geraden Linie.

II. Die Parabel geht hervor als die Schnittlinie eines Kreiskegels durch eine Ebene, welche zu einer Kante desselben parallel läuft. Sie gehört daher zu den Kegelschnitten (s. d.) und kann angesehen werden einerseits als eine Ellipse mit unendlich großer Halbachse, andererseits aber auch als eine Hyperbel, bei welcher der eine Zweig in's Unendliche gerückt ist, und ebenso die Asymptoten wie der Mittelpunkt im Unendlichen liegen.

III. Die Gleichung der Tangente an einem Punkt der Parabel, welcher die Coordinaten x' und y' hat, ist $y y' - p (x + x')$. Dieselbe zeigt, daß die Tangente die Parabelachse in einem Punkt jenseits des Scheitels schneidet, dessen Entfernung von demselben — x' — o q in Fig. 1563 b eben so groß ist, als der Abstand h a des Berührungspunktes i von der Scheiteltangente. Nach diesem Satz kann man bei gegebenem Berührungspunkt die Tangente construiren. Auch bildet die Tangente an einem Punkt mit der Parabelachse denselben Winkel, wie mit dem Leitstrahl jenes Punktes f i k — f k i — k i g (Fig. 1563 a), sie halbirt also den Winkel zwischen den beiden Linien i f und l g.

Fig. 1563 b.

Auf diesem Satz beruht die Eigenschaft der Parabel, alle parallel zu ihrer Achse einfallenden Strahlen im Brennpunkt f (Fig. 1563 c) zu vereinigen und umgekehrt alle vom Brennpunkt ausgehenden parallel weiter zu senden. Wird vom Brennpunkt aus auf irgend welche Tangente ein Perpendikel gefällt, so liegt der Fußpunkt desselben stets in der Scheiteltangente. Hierauf gründet sich eine höchst einfache Construction der Parabel, wenn der Brennpunkt F und die Scheiteltangente a b gegeben sind (Fig. 1563 d). Man zieht durch F gerade Linien und errichtet in den Punkten, wo dieselben a b schneiden, auf ihnen Perpendikel. Diese umhüllen die gesuchte Parabel als Tangente; die Berührungspunkte der Tangenten findet man, wenn man auf jeder Tangente das Stück, welches auf ihr durch die Achse und die Scheiteltangente abgeschnitten wird, von letzterer aus nochmals aufträgt (z. B. t M — T t macht). Werden in den Endpunkten irgend einer Sehne der Parabel die Tangenten construirt und der Durchschnittspunkt derselben mit dem Brennpunkt durch eine Gerade verbunden, so bildet diese mit beiden Tangenten gleiche Winkel. Geht die Sehne durch den Brennpunkt, so schneiden sich die betreffenden Tangenten in der Directrix, und zwar unter einem rechten Winkel.

IV. Wenn man in der Parabel ein System paralleler Sehnen zieht und deren Mittelpunkte verbindet, so erhält man eine gerade Linie einen sog. Durchmesser. Während bei andern Kegelschnitten die Durchmesser sich in dem Mittelpunkt schneiden, sind sie hier sämmtlich einander und der Achse parallel. Daraus ergiebt sich eine einfache Construction der Achse und der übrigen Bestimmungsstücke einer gegebenen Parabel, ebenso der zu einer gegebenen geraden Linie parallel laufenden Tangenten, da die Tangente im Endpunkt eines Durchmessers mit dem zu diesem gehörigen System. von Sehnen parallel läuft. — Bezieht man die Parabel auf ein neues, aber schiefwinkliges Coordinatensystem, dessen eine Achse ein Durchmesser und dessen andere Achse die Tangente in seinem Endpunkt ist, so ist ihre neue Gleichung wieder von der Form $y^2 = 2px$, wobei p einen andern Werth hat, als das frühere. Man nennt es wohl auch den Nebenparameter. Die gerade Linie, welche die Berührungspunkte der von einem bestimmten Punkt an die Parabel gezogenen Tangenten verbindet, heißt die Polare desselben, und jener umgekehrt der Pol von dieser. Wenn man dieselbe kennt, sind sofort auch die beiden Tangenten, welche von jenem Punkt aus an die Parabel möglich sind, gegeben. Sind nun x', y' die Coordinaten des Poles, so ist die Gleichung der zugehörigen Polaren $yy' = p(x + x')$, also ganz ebenso, wie die Gleichung der Tangente in einem Punkt x' y', nur daß bei letzterer dieser Punkt stets in der Curve liegt. Daher schneidet auch die Polare die Achse in einem Punkt, dessen Entfernung vom Scheitel eben so groß ist, wie der Abstand des Poles von der Scheiteltangente. Auch ist sie parallel zu dem System von Sehnen, welches zu dem durch den Pol gehenden Durchmesser gehört. Durch diese beiden Eigenschaften ist die Polare bestimmt und zugleich die Aufgabe gelöst, von einem beliebigen Punkt aus an eine Parabel Tangenten zu legen; wenn der Pol im innern Raum der Parabel liegt, bleibt die Polare zwar reell, schneidet aber die Parabel nicht.

V. Durch vier beliebige in einer Ebene liegende Punkte sind zwei Parabeln möglich; die Parabel ist daher durch vier ihrer Punkte nur zweideutig bestimmt, dagegen vollständig durch vier Tangenten, ab, ac, db, fg (Fig. 1563 e). Man wähle unter denselben zwei aus, z. B. ab und ac; d und f seien die Punkte, welche die eine von beiden mit den zwei übrigen Tangenten gemein hat, h und g entsprechend für die andere. Hierauf trage man auf ab von h aus die Strecke h g beliebig oft auf, eben so, aber nach der andern Seite, von f aus auf ac die Strecke df. Die Verbindungslinien entsprechender Theilpunkte, z. B. 1 I, 2 II u. s. w., geben sodann Tangenten an die Parabel. Sind diese nicht genügend dicht, so braucht man nur df und hg in eine gleich große Anzahl gleicher Theile einzutheilen und mit letzteren eben so zu verfahren, wie vorher mit der ganzen Länge.

VI. Der Flächeninhalt von Parabelsegmenten ist, wie bereits Archimedes gefunden hat, gleich ⅔ des Parallelogramms, dessen eine Seite in der Basis des Segments liegt, während die gegenüberliegende in die zu dieser parallele Tangente fällt

und die andern beiden Seiten durch die Endpunkte der Basis parallel zu der Achse laufen. (Also in Fig. 1563 f Segm. ABP = ⅔ ABCD.) Die Parabel ist daher eine der wenigen krummen Linien, welche sich algebraisch genau quadriren lassen. Der angegebene Satz wird bei der Aufstellung der Simpson'schen Regel benutzt, welche dazu dient, den von einer beliebig gestalteten krummen Linie begrenzten Flächeninhalt annäherungsweise zu berechnen (s. d. Art. Simpson'sche Regel).

VII. Es folgen hier noch einige einfache Constructionen der Parabel. 1. Eine solche ergiebt sich aus der Definitionsgleichung. Gegeben sei der Brennpunkt f und die Directrix k l (Fig. 1563 a). Man ziehe zu der letzteren irgend eine parallele Linie h o i und beschreibe mit dem Abstand g i derselben von der Directrix als Halbmesser um f einen Kreisbogen, welcher jene Parallele in h u. i schneiden möge. Alsdann sind h u. i Punkte der Parabel.

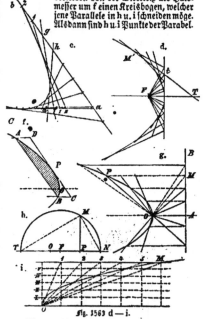

Fig. 1563 d — i.

2. Man errichte im Abstande OA = 2p, (Fig. 1563 g), also gleich der vierfachen Brennweite, vom Scheitel die feste Gerade AB senkrecht zur Achse. Wird dann durch den Scheitel O die gerade Linie O M irgendwie gelegt, darauf O P senkrecht errichtet und zuletzt P M parallel zu der Parabelachse O A gezogen, so liegt P auf der Parabel.

3. Man trage aus dem Scheitel O (Fig. 1563 h) die beliebig angenommene Abscisse O P eines zu construirenden Parabelpunktes auf die Achse rückwärts nach T und beschreibe um den Brennpunkt F mit F T als Radius einen Halbkreis. Alsdann wird die Ordinate P M durch denselben in einem Parabelpunkt M geschnitten (Fig. 1563 h). Diese Construction zeichnet sich dadurch aus, daß man die Tangente TM und die Normale MN des Punktes M zugleich mit erhält, wobei N der Punkt ist, in welchem der Halbkreis die Achse nochmals, außer in T, schneidet.

4. Es sei statt des Brennpunktes ein Punkt M der Parabel gegeben (Fig. 1563 i). Man theile die Ordinate MP und die Abscisse MN jenes Punktes in eine gleich große Anzahl gleicher Theile. Durch die Theilpunkte der ersteren ziehe man Parallelen zur Achse, diejenigen der letzteren dagegen verbinde man mit dem Scheitel O. Alsdann liegen die Durchschnittspunkte entsprechender gerader Linien (z. B. O 1 und I, I) in der gesuchten Parabel. Die dieser Construction zu Grunde liegende Eigenschaft der Parabel kann man in Worten so ausdrücken: Wenn die Ordinaten wachsen wie 1, 2, 3, 4, 5, 6, so wachsen die Abscissen wie 1, 4, 9, 16, 25, 36, also wie die Quadrate der Ordinaten.

5. Gegeben sei die Achse am (Fig. 1563 b) u. die Brennweite; diese Brennweite trägt man vierfach auf die Achse von a nach c auf. Nun beschreibt man mehrere Kreise, deren Mittelpunkte auf der Achse liegen und die sämmtlich durch c gehen; in den Schnittpunkten, o 2c. dieser Kreise mit der Achse ziebt man die Tangenten to u, r n s; in den Schnittpunkten w, z, v, x der Kreise mit der Scheiteltangente errichtet man Parallele zur Achse. Die Punkte r, s, t, u, wo die Linienpaare sich schneiden, sind Parabelpunkte.

6. Aus der Entstehung der Parabel als Kegelschnitt (s. d. betr. Art. u. Fig. 1383) kann man ebenfalls die Parabel construiren, indem man Parallelkreise zu Grundkreisen legt u. aus deren Projicirung im Grundriß die Abscissen, aus deren Aufriß die Ordinaten für die einzelnen Parabelpunkte findet.

VIII. In der Natur ist z. B. die Curve, welche ein schief geworfener Körper oder ein Wasserstrahl bildet, eine Parabel, wenn vom Luftwiderstand abgesehen wird. Ebenso giebt diese Curve die Form einer Kette an, bei welcher gleiche horizontal gemessene Längen gleichviel wiegen und außer der Schwere keine Kraft wirkt. Sie kann daher oft statt der gemeinen Kettenlinie genommen werden. Auch kann sie, wie jeder andere Kegelschnitt, die Bahn eines Himmelskörpers, z. B. eines Kometen, angeben 2c.

IX. Außer der hier betrachteten, wohl auch nach Apollonius, einem der ersten Untersucher der Kegelschnitte, so genannten apollonischen Parabel, belegt man noch eine Reihe anderer krummer Linien mit diesem Namen. Hierher gehören z. B. die cubische Parabel (s. d. Art. Cubisch), die Neil'sche Parabel (s. d.) 2c. Insbesondere versteht man unter Parabel höheren Grades solche krumme Linien, bei welchen die Ordinate eine ganze algebraische rationale Function der Abscisse ist, d. h. deren Gleichung die Form besitzt:

$$y = A + Bx + Cx^2 + Dx^3 + Ex^4 + \ldots$$

S. auch d. Art. Hyperbel IX, Brennpunkt und Directrix. Ueber die Eigenschaften der Parabel in Beziehung auf Licht und Schall s. Akustik u. Licht.

parabolisch nennt man 1) eine ebene Curve, deren Gleichung an die der gewöhnlichen Parabel erinnert (s. d. Art. Parabel IX); — 2) einen Cylinder, bei welchem die Grundfläche eine Parabel ist; er entsteht durch die Bewegung einer geraden Linie, welche immer parallel zu sich selbst bleibt und dabei auf einer festen Parabel hingleitet; alle ebenen Schnittcurven desselben sind Parabeln; — 3) einen Kegel, wenn seine Grundfläche eine Parabel ist; aus jedem Kreiskegel kann man Parabeln, aus jedem parabolischen Kegel Kreisbogen schneiden, so daß jeder parabolische Kegel als Theil eines Kreiskegels gelten kann; — 4) eine Spirale; s. Spirale.

Paraboloid, der gemeinsame Name für zwei Flächenarten zweiten Grades. Beide erstrecken sich in die Unendlichkeit, beide bestehen aus einem einzigen Flächenzweig. Unterschieden werden beide durch die Namen „elliptisches Paraboloid" und „hyperbolisches Paraboloid", weil das erstere nur in Ellipsen und Parabeln, das letztere nur in Hyperbeln und Parabeln geschnitten werden kann.

Parada, mittel-lat., Zelt; Cajüte a. d. Oberdeck.

Paradebett, frz. lit d'apparat; s. Katafalk.

Paradezimmer; solche liegen im Haupttheil eines Palastes oder bei eleganten Wohngebäuden im Hauptgeschoß, sind mit reicher Architektur auszustatten und zerfallen bei Palästen in Audienz-, Gesellschaftszimmer und Säle.

Paradies (von παράδεισος, Thiergarten, Park), frz. paradis, engl. paradise, Lustgarten, Eden, Aufenthalt des ersten Menschenpaares vor dem Sündenfall. Daher überhaupt angenehmer Aufenthalt, Park, auch spottweise die oberste Gallerie im Theater. Ueber die Flüsse des Paradieses s. Berg 7.

Paradiesbaum, Oleaster, falscher oder böhmischer Oelbaum (Elaeagnus angustifolius L., Fam. Elaeagneae), ist in Südeuropa einheimisch; sein festes Holz wird zu Drechslerarbeiten und zum Braunfärben benutzt.

Paradiesfeige, s. d. Art. Banane.

Paradiesholz, 1) s. v. w. Aderholz; — 2) Holz des Paradiesbaumes.

Paradis, verwisch, 1) προαύλιον, πρῶτον, εἴσοδος, αὐλὴ τοῦ ναρθήκος, ἀβρός χορος, lat. parvisium, galilaea, ambulaculum, paradisus, area dei, area subdialis, altengl. pervyse, galilee, engl. parvise, frz. parvis, oft fälschlich Paradies (s. d.) geschrieben; das Atrium altchristlicher Basiliken (s. d. unter 2 d.); die Vorhalle mittelalterlicher Kirchen; s. d. Art. Gothisch g, S. 190 und Kirche S. 384. Der Name ist nicht von παράδεισος, Lustgarten, Eden, sondern von παράδυσις, hindurchkriechen, abzuleiten, weil die Büßer auf den Knieen in dieser Vorhalle bleiben mußten. Zur Mahnung für die Büßer, nicht zur Erinnerung an das Paradies, waren hier Adam und Eva aufgestellt, sowie als gnadeflehende Vermittlerin die gnadenreiche Maria. Auch Löwen (s. d.) dürfen hier nicht fehlen. Auch der hier der Vorhalle befindliche, als Schule oder Bibliothek gebrauchte, oder auch nach der Kirche zu als Loge geöffnete Raum, engl. record-room, wird mit unter dem Namen Paradis verstanden. Es wurden auch die Gemeindegerichte im Paradis abgehalten und noch jetzt in Valentia 2c. die Bewässerungsgerichtssitzungen.

Paradis, frz., 1) Paradies; s. d. — 2) Binnenhafen; s. d.

Parados, frz., Rückenwehr, Kehltraverse; s. d. Art. Festungsbau, S. 43 im II. Bd.

Paradroma, griech. παράδρομα, Corridor, Gang, Durchgang, auch an der Palästra (s. d.) angebauter Spaziergang. Großer Eingang eines griechischen Theaters.

Paraffin; ein unter den Producten der trocknen Destillation des Holzes, der Braun- u. Steinkohlen sich findender Kohlenwasserstoff, der in zarten Nadeln, schneeweiß krystallisirt, vollkommen geruchlos, weich und zerreiblich ist und sich zart und fettig anfühlt. Bei 47° schmilzt der Körper zu einem farblosen Paraffinöl, welches zu einer krystallinischen, dem Walrath ähnlichen Masse erstarrt; s. d. Art. Leuchtstoffe.

Paraflanc, frz., Schulterwehr, Seitentraverse, Flankenwehr, z. B. im Graben oder an den Schultern einer offenen Schanze; s. d. Art. Festungsbau.

Paragöne, ital., ein schwarzer ital. Marmor.

parallel, gleichlaufend, Parallelität. Gleichlauf, vgl. d. Art. Beilauf. 1) 2 gerade Linien sind parallel, wenn sie erst, in's Unendliche verlängert, einander treffen würden, ohne einen Winkel zu bilden, auch immer gleiche Entfernung von einander haben, d. h. alle von einem Punkt der einen auf die andere gefällten Perpendikel gleich sind. Durch einen Punkt außerhalb einer Geraden ist nur eine Parallele zu derselben möglich. Durch zwei parallele Linien ist stets eine Ebene bestimmt; s. auch d. Art. Abschieben, Gegenwinkel, Wechselwinkel ꝛc. — 2) Zwei Ebenen sind parallel, wenn sie, so sehr man sie auch erweitert, sich nirgends im Raum schneiden, also keinen Flächenwinkel bilden. — 3) Ueber parallele krumme Linien s. d. Art. Curve, S. 585 im I. Bd. Um zu einer gegebenen Curve eine Parallelcurve zu construiren, errichtet man in allen Punkten der ersten Normalen, macht diese gleich lang und verbindet ihre Endpunkte. Natürlich können parallele Curven sehr verschiedene Form haben, nur die Parallelen zu einem Kreis sind wieder Kreise, und zwar concentrische. Die parallelen Curven besitzen sehr interessante Eigenschaften; so haben sie alle dieselbe Evolute, wie die ursprüngliche Curve, und lassen sich leicht quadriren und rectificiren, wenn es für die Grundcurve möglich ist. — 4) Ebenso kann man von parall. Oberflächen reden.

Parallelbilder heißen mit einander correspondirende alt- und neutestamentliche Darstellungen; s. d. Art. Prototypus.

Paralleldach, s. d. Art. Dach, S. 589 im I. Bd. Paralleldächer kommen zuweilen beim Kirchenbau vor; wenn nämlich jedes der drei Langschiffe ein besonderes Satteldach für sich hat, so daß die Front eine aus 3 Giebeln bestehende Gruppe bildet.

Parallele, s. unt. Festungsbaukunst und Belagerungsarbeiten.

Parallelepipedon, vierseitiges Prisma, dessen Basis ein Parallelogramm ist. Gegenüberliegende Seitenflächen sind gleich und parallel; jeder Ecke liegt eine symmetrische gegenüber. Das P. hat vier Diagonalen, deren jede zwei solche Ecken, die also keine Kante mit einander gemeinsam haben, verbindet. Alle vier schneiden sich in einem Punkt und halbiren sich gegenseitig; jede Ebene durch zwei Diagonalen heißt eine Diagonalebene. Die Summe aus den Quadraten der vier Diagonalen ist gleich der Summe aus den Quadraten der zwölf Seiten. Sind a, b, c drei in einer Ecke zusammenstoßende Kanten und (a, b), (a, c), (b, c) die von denselben eingeschlossenen Winkel, so ist die Länge der Diagonale, welche diese Ecke mit der gegenüberliegenden verbindet: $d = \sqrt{a^2 + b^2 + e^2 + 2ab\cos(a,b) + 2ac\cos(a,c) + 2bc\cos(b,c)}$.

Parallelgänge (Bergb.), sind nach derselben Stunde (Himmelsgegend) streichende Erzgänge.

Parallellineal, s. d. Art. Abschieben.

Parallelogramm. 1) Viereck mit paarweise gleichen und parallelen Seiten. Daher sind auch je zwei gegenüberliegende Winkel einander gleich, während zwei derselben Seite anliegende zusammen zwei rechte ausmachen. Man kann die Parallelogramme eintheilen in Rhomboide, bei welchen zwei gegenüberliegende Seiten gleich, an zwei einander liegende aber verschieden sind, und in Rhomben mit vier gleichen Seiten und als Unterarten von beiden die Rechtecke mit verschiedenen an einander stoßenden Seiten, aber vier rechten Winkeln, und die Quadrate mit vier gleichen Seiten und vier gleichen Winkeln. Die Diagonalen des Parallelogrammes halbiren sich gegenseitig und theilen dasselbe in vier inhaltsgleiche Dreiecke. Die Summe aus den Quadraten der beiden Diagonalen ist gleich der Summe aus den Quadraten der vier Seiten. Sind a und b zwei an einander stoßende Seiten und ist α der von ihnen eingeschlossene Winkel, so ist der Inhalt des Parallelogrammes a b sin α. — 2) Ueber das Parallelogramm der Kräfte s. d. Art. Kraft. — 3) Ueber das Parallelogramm der Dampfmaschinen s. d. Art. Geradführung. — 4) S. d. Art. Heroldsfiguren 12.

Parallelperspective oder axonometrische Projection, s. d. Art. Projection und Geometrie.

Parallelprojection, s. Projection u. Geometrie.

Paralleltrapez, ein Viereck mit einem Paar paralleler Seiten, während die anderen beiden Seiten gegen einander geneigt sind. Zur Bestimmung desselben sind vier Stücke nötig, z. B. vier Seiten. Sind a und b die beiden parallelen Seiten und ist h die Höhe, so wird der Flächeninhalt des Paralleltrapezes sein: $F = \frac{1}{2}(a + b)\,h$,

oder auch, wenn noch c und d die beiden nicht zu einander parallelen Seiten sind:

$$F = \frac{1}{4}\frac{(a+b)}{(a-b)}\sqrt{(a-b+c+d)(a-b+c-d)(a-b-c+d)(b-a+c+d)}.$$

Parallelzange, von Karmarsch zuerst beschrieben, s. Fig. 1564. Der eine Backen a des Mauls ist wie gewöhnlich geformt, der andere besteht aus

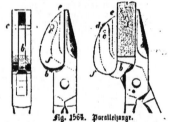

Fig. 1564. Parallelzange.

einem festen Theil bd, um dessen Stift c sich die bewegliche Gabel ef drehen kann, so daß beim Einbringen eines Körpers A mit parallelen Seiten ein gleichmäßiges Anliegen der Maulbacken stattfindet.

Paramanu, Sonnenstäubchen, s. d. Art. Hastha und indische Baukunst S. 321, Bd. II.

Parament, lat. paramentum, frz. parement, engl. parament, heißen die sämmtlichen Kirchengewänder, Geräthe, Altarbekleidungen, Kanzelbekleidungen und anderer dgl. Kirchenschmuck zusammengenommen.

Parameter, lat. latus rectum, bei den Kegelschnitten die Länge der Sehne, welche im Brennpunkt auf der Achse senkrecht steht, also bei den Centralkegelschnitten (Ellipse und Hyperbel) die Länge $\frac{2b^2}{a}$ und bei der Parabel der Werth 2p. Im allgemeineren Sinn wird jede constante Größe, welche in der Gleichung einer Curve vorkommt,

z. B. c in der Gleichung $y = \frac{c}{2}\left(e^{\frac{x}{c}} + e^{-\frac{x}{c}}\right)$ der Kettenlinie, mit dem Namen „Parameter" belegt, f. auch d. Art. Hyperbel VI und Parabel.

Paraocchi, ital., Augenschirm, Blendfenster; f. d.

Parapet, frz. und engl., parapetto, ital., in Oesterreich Parapetum; Brustwehr, Geländer bei Festungen, Fenstern, Brücken ic.; f. d. Art. Brüstung.

Parapetasma, griech. παραπέτασμα, αὐλαία, 1) Theatervorhang; — 2) Vorhang zwischen den Säulen des Lettners oder über den Cancellen; f. d. Art. Basilika 2 l.

Parasange, f. d. Art. Maaß, S. 513, Bd. II.

Parascenium ob. **postcoenium,** lat., griech. παρασκήνιον, hinterer Theil der Scene, im Gegensatz zu Proscenium, nach Anderen die in den Seitenwänden der Scene angebrachten Thüren, oder auch die Eingänge in die Orchestra rechts und links unmittelbar vor der Bühne.

Parastas, parastata, lat., griech. παραστάς, 1) Ante, Pilaster, Strebepfeiler; — 2) Halle im griechischen Wohnhaus; f. d. Art. Haus.

Paratonnerre, frz., f. d. Art. Blitzableiter.

Paratorium, lat., f. d. w. secretarium, Sacristei auf der Epistelseite der Basilika; f. d. Art. Basilika 2. i.

Paratrapezou, griech. παρατράπεζον, Opfertisch; f. d. Art. Basilika.

Paravent, frz., ital. Paravento, Fensterladen, eigentlich Windschirm, seitwärts vor den Fenstern.

Parcham, f. d. Art. Burg, S. 492, Bd. I.

Parclose, frz. u. engl., altengl. paraclose, perclose. 1) Verschluß, verschlossener Raum, Scheidewand, namentlich zwischen zwei Chorstühlen; — 2) Rückwand eines Chorstuhls; — 3) hölzernes, durchbrochenes Gitter, Cancelle.

Parement, frz., 1) Parament, f.d.; — 2) äußere, glatte Seite einer Mauer oder eines Steines.

Parenchym, f. d. Art. Holz 1.

Parenthese, Klammer, zeigt bei mathematischen Formeln an, daß eine Rechnungsoperation mit dem ganzen, innerhalb derselben stehenden Ausdruck ausgeführt werden soll; so ist

$$3\times(4 + 3) = 3\times7 = 21,\ \text{oder auch:}$$

$$(27x^2 + 9x + 7): 3x = 9x + 3 + \frac{7}{3x}.$$

Parettole, ital., Krahn.

Parforcewerke (Uferb.), sehr starke Uferbefestigungen, um fließenden Gewässern einen andern Lauf zu geben.

Parge-board, engl., f. d. w. Barge-board.

Pargetting, altengl. pergetting, pergenting, pargework, Stuckverzierung, jetzt Stuckputz in den Schornsteinen.

Parian-Cement, f. d. Art. Cement X. S. 531.

Paries, lat., parete, pariete, ital., Wand; **paries in lectione,** Lesegang (f. d.) im Kreuzgang; **paries craticius,** Stakwand; **paries formaceus,** Piséewand; **paries latericius,** Backsteinwand, Ziegelwand; **paries solidus,** Vollmauer; **paries fornicatus,** Mauer mit Oeffnungen; **paries communis** oder **interge-**rinus, gemeinschaftliche Mauer; **paries directus,** Scheidewand.

Parietina, lat., verfallene Mauer.

Paripou-Palme, f. d. Art. Pupunha.

Parischer Marmor, f. d. Art. Marmor 17, bricht auf der Insel Paros.

Pariser Blau, f. d. Art. Berliner Blau.

Pariser Fensterkitt, f. d. Art. Fensterkitt.

Pariser Formation, f.d.Art.Lagerung, S.442.

Pariser Fuß, f. d Art. Maaß.

Pariser Lack, feine Sorte Cochenillelack; f. d. Art. Lack, **Pariser Leim,** f. d. Art. Leim 11.

Pariser Roth, 1) auch englisch Roth genannt, sehr fein zertheiltes, vor mechanischer Beimengung fremder Substanzen sorgfältig bewahrtes Eisenoxyd, welches besonders zum Poliren optischer Gläser, Stahl-, Silber- und Goldwaaren dient. Die geringeren Sorten dienen vorzüglich als Anstrichfarben, als Wasser-, Kalk- und Oelfarben.

Die feinste Sorte zum Poliren wird auf folgende Weise erhalten: Eine concentrirte kalte Lösung von Eisenvitriol wird mit einer gesättigten Lösung von Opalsäure versetzt, so lange ein gelber Niederschlag entsteht. Dieser gelbe Niederschlag wird gut mit destillirtem oder Regenwasser ausgewaschen, dann auf Leinen getrocknet und nach dem Trocknen in einem kupfernen Gefäß schwach geglüht, wodurch er sich vollständig in das feinste Eisenoxyd verwandelt; — 2) f. d. Art. Bleifarben 4.

Pariser Schwarz, auch Rußschwarz, mehr ob. weniger feiner Kienruß. Der deutsche Kienruß hat größeren Glanz. Man muß den Kienruß so wenig wie möglich mit der Luft in Berührung kommen lassen. Er enthält auch oft fremde Beimengungen, wodurch er für Malerei unbrauchbar wird und deshalb durch Ausglühen im Großen oder durch Aetzlauge auf nassem Weg gereinigt werden muß. Er muß eine satte schwarze, in das Braune spielende Farbe haben und dient, mit Firniß, Leimwasser oder trocknenden Oelen angemacht, zum Anstreichen von eisernen Beschlägen, Balcons ic.

Park, frz. parc, engl. park, warren, 1) eigentlich Wildgarten, Thiergarten, aber jetzt besonders f. v. w. großer Landschaftsgarten, f. d. Art. Garten, Gebüsch, Cabane, Eremitage ic.; — 2) Stall auf Schiffen und in Lagern; — 3) eingehegter Arbeitsplatz der Schiffszimmerleute.

Parlamenthaus, Landhaus. Es enthält: Sitzungssäle für die einzelnen Kammern der Abgeordneten ic., für die Deputationen; Erholungszimmer für die Pausen, Garderoben, Zimmer zu Sonderbesprechungen, Archive, Stenographenarbeitszimmer. Die Räume für die Canzeleien, ein Cassa- und Wachlocal. Aeußerlich trage es den Charakter der gemessenen Ruhe, des würdigen Ernstes, gepaart mit einer gewissen Wohlhäbigkeit, ohne Entfaltung von großem Luxus.

Parlier, frz. parleur, f. d. Art. Polier.

Parlour, engl., **Parloir,** frz., altfrz. parlouër, 1) Sprechzimmer in einem Kloster; forenses-parlour, Sprechzimmer für Besuche von Laien; — 2) im Wohnhaus f. v. w. Empfangszimmer; — 3) parlouër aux bourgeois, Rathhaus, Laufshus.

Parma, lat., runder Schild von dünnem Holz,

mit Leder überzogen, ca. 3 Fuß im Durchmesser; parmula, kleiner Rundschild.

Paroi, frz., Wand, Scheidewand, Innenseite einer Mauer, eines Gefäßes.

Parpain, parpaing, frz., Binder oder Bindestein. **Parpain d'échiffre**, Wangenmauer.

Parquet, 1) Parquet, frz. auch Cercle genannt, abgesonderter Raum, z. B. auf Schiffen s. v. w. Kugelbad, in Gerichtssälen s. v. w. Raum hinter der Schranke; im Theater Platz im Zuschauerraum zwischen Orchester und Parterre, welcher mit geschlossenen Sitzen, sogenannten Sperrsitzen, versehen ist; — 2) Kaminbekleidung; — 3) Parquetboden, Parquetterie, Parquettage, Fußboden, der mit Holztäfelei überlegt ist; wird in Sälen oder Zimmern angewendet. Man fertigt zuerst den Blindboden, faux parquette, d. h. man nagelt auf die Balken oder Fußbodenlager ein Beleg von rauhen oder gehobelten Brettern genau waagerecht. Auf diesen Blindboden kommt nun der eigentliche Parquetboden zu liegen. a) Tafelparquet besteht aus einzelnen Tafeln, gewöhnlich, aber nicht immer quadratisch, circa drei bis vier Centimeter stark und auf allen Seitenflächen (Stoßkanten) mit Nuthen versehen.

Diese Tafeln sind entweder massiv aus dem eigentlichen Parquetholz, d. h. aus Eiche, Nußbaum, Ahorn ic. gefertigt oder 1 Centimeter stark damit fournirt. Zunächst legt man in der Regel an den Wänden hin einen breiten, massiven Fries von Eichenholz, ebenfalls mit einer Nuth versehen. Nun legt man (am liebsten über Eck) die erste Tafel in eine Ecke, schiebt die zweite daran u. s. f., indem man in die Nuthen Federn (am besten überzwerch aus Erlen- oder Buchenholz geschnitten) trocken einschiebt oder einleimt, vorher aber die Kante der eben gelegten Tafel mittelst eines schräg durch die untere Nuthwange eingeschlagenen Stiftes auf den Blendboden befestigt. Es versteht sich von selbst, daß die Tafeln sehr accurat gearbeitet sein und genau verlegt werden müssen; wenn man das ganze Zimmer belegt hat, werden dieselben nochmals überschlichtet, mit der Ziehklinge abgezogen und dann gewichst, geölt oder lackirt. Vgl. d. Art. Fußboden. Die dort versprochenen Muster geben wir in Fig. 1565.

b) Riemenparquet oder Schiffsparquet, frz. parquet à point de hongrie, à fougère, ebenso gefertigt wie das vorige, aber nicht aus ganzen Tafeln, sondern aus schmalen und langen, ebenfalls ringsum mit Nuthen versehenen und dann unter Einbringung von Federn in Fischgrätenverband verlegten Brettstreifen bestehend.

c) Eingeschobenes Parquet. Hier werden zunächst Friese von Eichen- oder Nußbaumholz, 4—6 Zoll breit, auf den Blendboden mit Schrauben befestigt, die durch ihre Lage den Fußboden in irgend beliebige größere Felder theilen; die eigent-

lichen, aus verschiedenfarbigem Holz in verschiedenen Zeichnungen zusammengeleimten, 2—3 Fuß großen Tafeln schiebt man mit Nuth und Feder zwischen schon gedachte Friese ein, so daß kein Nagel auf der Fläche des Fußbodens sichtbar wird, indem man auch die Schraubenköpfe in den Friesen mit Holzplättchen verdeckt.

d) Halbparquetfußboden, Stulpfußboden, Parquet ohne Blindboden. Dieses besteht nicht aus Tafeln, sondern aus schmalen, nach irgend einem Muster verlegten, einander durch einseitigen Spund überdeckenden Eichenholzbrettern; es wird natürlich nicht so elegant und solid wie das eigentliche Parquet, hat aber doch den Vortheil: daß keine wesentliche Veränderung der einzelnen Fugen durch das Quellen oder Schwinden des Holzes hervorgebracht wird, da sich die geringen Holzbreiten nur wenig zusammenziehen oder ausdehnen.

Parra, fran., Rebengelände, Bogenlaube.

Parrel, Parrell, engl., 1) Rack einer Raa; — 2) Kaminstück.

Pars, partes, lat., franz. part, in der Regel der dreißigste Theil eines Modul, s. d. Art. Säulenordnung u. Modul sowie Maaß, S. 484, Bd. II.

Fig. 1565. Parquetmuster.

Parsen, s. d. Art. Atlanten.

Parterre, franz., 1) s. d. Art. Theater; — 2) Erdgeschoß, s. d. und Etage; — 3) in Gärten s. v. w. Beet; s. d. Man unterscheidet: a) Rasenparterre, großer ebener Platz mit schönem, grünem Rasen belegt und mit Orangerie besetzt; in solchen Rasenparterres ordnet man auch wohl irgend ein Muster an, indem man kleine Blumenbeete anlegt und die Begrenzungsstreifen derselben etwa 12 Zoll breit mit ganz feinem Sand bestreut. b) Französische Parterres enthalten wenig Blumenbeete; die Streifen zwischen den Feldern sind mit buntem Porzellan belegt. c) Deutsche, mit Buchsbaum, Rasenrändern oder sonstigen dichten Pflanzenreihen eingefaßte Blumenbeete; die Wege bilden, geradlinig laufend, geometrische Figuren.

Parthenius oder Parthemius, St., Bischof von Lampsatus unter Constantin', tödtete einen tollen Hund (das tolle Heidenthum) durch das Kreuzeszeichen. Darzust. als Bischof mit einem Hund.

Parthenon, 1) Jungfrauenzimmer im griechischen Wohnhaus; — 2) Minervatempel.

parti, frz. (Herald.), getheilt, partition, Schildestheilung; f. d. Art. Heraldik V.

Partie morte, frz. (Kriegsb.), f. v. w. todter, unbestrichener Winkel.

Partridge-wood, f. d. Art. Panacocoholz.

Parura, lat., Stickerei, Ausschmückung durch Fäden 2c.

Parvis, frz., lat. parvisium, engl. parvise, 1) Paradis, f. d.; — 2) Tempelvorhof der israelitischen Tempel.

Parwadi, f. d. Art Bhawani.

Parzen (Myth.), Moiren, Fata, Göttinnen, welche Jedem sein Leben und Schicksal zumessen; in engster Bedeutung sind sie Tod bringende Schicksalsgöttinnen, den Keren (f. d.) ähnlich. Sie sind drei Töchter des Zeus und der Themis und heißen: Klotho (Geburt), spinnt den Lebensfaden; Lachesis (Lebensgeschick), bestimmt seine Länge; Atropos (Tod), schneidet ihn ab; f. auch d. Art. Jupiter. Dargestellt finden sie sich mit langen Stäben, mit Horen und Charitinnen vereinigt, oder auch mit Federn auf den Köpfen geschmückt, die eine eine Kugel emporhaltend und mit einem Stab in der Rechten die Sterne deutend; die zweite spinnt; die dritte, entfernt von den Beiden, treibt der Unterwelt die Schatten zu; gewöhnlich aber als ältere Frauen, alle Drei mit dem Faden beschäftigt.

Pas, frz.; 1) Zapfenloch, Klaue; pas de chevron, Sparrenklaue; — 2) Sohlbank, wenn dieselbe zugleich eine vortretende Stufe bildet.

Paschal, engl., heiliges Grab, paschal taper, f. d. Art. Osterkerze.

Paschalis Baylon, St., geboren 1504 in Aragonien als Sohn eines Viehhüters, wurde Franziskanerlaienbruder; Engel brachten ihm das Abendmahl auf das Feld; 1592 zu Villa reale gestorben, schlug er als Leiche bei der Aufhebung des Kelches die Augen auf. Abzubilden als Franziskaner, den Kelch anbetend.

Pashiuba-Palme, pariuba (Iriartea ventricosa), in Brasilien, daß so hartes Holz, daß die Indianer Wurfspieße aus demselben fertigen. Da es aber nur eine dünne Schicht bildet, giebt es nur Latten, keine Bretter. Diese werden zu Hauswänden und Fußböden geflochten oder die ganzen Stämme zu Säulen benutzt.

Pasquill, frz. passequille, f. d. Art. Basquill.

Passage, frz., ital. Passáta, kurzer Corridor, Durchgang.

passé en sautoir, frz. (Herald.), andreaskreuzförmig.

Passe-filon, frz., durchsetzender Grubengang.

Passe-mur, frz., Mauerbrecher.

Passe-partout, frz. 1) Hauptschlüssel; — 2) in illustrirten Werken zum Abdruck mit geschnittenen Verzierungen versehene Holz- oder Metallplatte, deren Mitte leer gelassen und herausgeschnitten ist, so daß irgend eine Bildtafel oder Buchdruckerform in den so gebildeten Rahmen eingesetzt werden kann.

Passer (Schiffsb.), f. v. w. Zirkel.

passig, f. d. Art. baffig.

Passion, frz. passion, bildliche Darstellung des Leidens Christi; colonne de passion, Passionssäule, Staupsäule, Martersäule, Säule mit sämmtlichen Passionswerkzeugen, Marterwerkzeugen (f. d.), auf dem Capital der Hahn Petri.

Passionale, lat., frz. passionaire, f. d. Art. Ritualbücher.

Passionskreuz, f. v. w. lateinisches Kreuz; f. d. Art. Kreuz D. 1.

passive Ornamente, f. d. Art. Bauverzierungen.

Passo, Passetto, Passus, Pas, f. d. Art. Maaß, S. 485, 489, 493 und 514, Bd. II.

Passoir, couloir, frz., 1) Seihgefäß; — 2) Durchgang, Verbindungsgang.

Passonata, ital., Rostgründung.

Pastas, altengl. und mönchslat., Vorhalle.

Paste, frz., pâte, engl. paste, Abdruck einer Gemme in Schwefel, Gips, Glas, Porzellan, Siegellack 2c.

Pastel, f. d. Art. Färberwaid.

Pastellfarbe, couleur au pastel (Maler), Farbe zur Pastellmalerei. Man wendet dazu meist Erdfarben an, als: Bleiweiß, Kremnitzer Weiß, gelben Ocher, Königsgelb, Mennige, Zinnober, Smalte, Eisensaffran, Umbra, grüne Erde und Frankfurter Schwarz; auch dienen zu Pastellfarben Pflanzen- und Thierstoffe mit Mineralien versetzt. Man reibe die Pastellfarbe für sich, trocken, so fein wie möglich erst auf dem Reibstein, dann, auch jedes für sich, feinen Pfeifenthon und Gips, der in Wasser gelöst ist. Nach geschehenem Lufttrocknen reibt man den Thon und Gips nochmals trocken und zuletzt mit Wasser und Milch, trocknet diesen Teig halb auf Löschpapier und dreht ihn dann zwischen zwei Bretchen in der Stärke eines Pfeifenstiels zu 4½ Zoll langen Stäbchen, Pastellstiften, und läßt diese vollends im Schatten trocknen. Statt Thon, Gips und Milch nimmt man auch wohl Gummiwasser, Honigwasser und venetianische Seife und Kreide zum Anreiben. Mißrathene Stifte werden wieder mit eingemengt. Mit diesem Stift wird nun gezeichnet und, wo nöthig, mit dem Finger oder einem Wischer vertrieben. Die Pastellmalerei verwischt sich leicht. Die farbigen Zeichnenkiste, welche man als Creta polycolorim Handel findet, sind etwas anderer Zusammensetzung. Die Grundmasse derselben besteht aus feingeschlämmten und gebeutelten Pfeifenthon; als Farbstoffe dienen die obengenannten und noch verschiedene andere. Der Thon wird mit spirituöser Schellacklösung verrieben, dann setzt man dünnflüssigen Terpentin und das fein geriebene Pigment zu. Die Masse wird dann durch ein Haarsieb geschlagen, an der Luft getrocknet und endlich geformt.

Pastophore, 1) griech. παστοφόρα, θάλαμος, Hostienkapsel der griechischen Kirche; f. Kirche; — 2) παστοφόρος, Statue eines knienden ägyptischen Priesters, der ein Gestell mit Götterstatuen trägt.

Pastor, St., f. d. Art. Justus.

Pastorale, lat. pedum pastorale, frz. bâton pastoral; engl. pastoral-staff, f. d. Art. Bischofsstab.

Pastoureaux, frz., die in römischen Mauern vorkommenden kleinen, beinahe kubischen, b. h. vorn quadratischen, nach hinten ein wenig schwächeren Steine; f. d. Art. Mauerverband.

Paß (goth. Maaßwert), frz. lobe, Nasenausfüllung eines Kreises oder sonstigen Feldes 2c. durch sich treffende Kreissegmente oder Halbkreise, die den Kreis, das Viereck 2c., in dem sie stehen, tangiren; man benennt sie nach der Anzahl dieser Kreisstücke: Dreipaß, trilobe; Vierpaß, quatrilobe, engl. quarter; Fünfpaß, Vielpaß 2c.; f. d. betr. Artikel und d. Art. lobe.

Paßpfanne, f. v. Dachpfanne; f. d. Art. Dachziegel 5.

Paßziegel, f. d. Art. Dachziegel 4.

Patache, frz. (Schiffsb.), Auslieger; f. d.

Patava-Palme (Oenocarpus Batava, Fam. der Palmen) in Brasilien, liefert in ihren Blättern Material zum Dachdecken.

Pâte, frz., Paste, pâte de verro, Glaspaste.

Pâté, frz. 1) weiche Masse, Impasto, Farbenauftrag; — 2) halbrundes Bollwerk, Terrasse vor Gebäuden, Freitreppe in Form eines Hufeisens.

Patene, lat. patena, patina, patella, frz. patène, engl. paten, patin, 1) tiefer Teller, patena ministralis, Brodschüssel beim Abendmahl, dient in der Regel zugleich als Kelchdeckel; — 2) griech. φάτνη, Krippe; f. d. Art. Stall.

Patentblech, f. v. w. Pontonblech oder Doppelblech; f. d. Art. Blech.

Patent-Bouillon-Eisencement; f. d. Art. Cement B. III.

Patentfußboden, Surrogat für Parquetfußböden. Man theilt das ganze Zimmer durch Friese so ein, daß die Entfernung höchstens 6' beträgt. Die Friese haben eine Nuth an ihrer langen Kante; zwischen diese werden Dielentafeln eingeschoben, an deren Hirnseite eine Feder gestoßen ist. Wenn sich durch Zusammentrocknen dieser Tafeln Fugen zeigen, werden sie, von einem Ende des Zimmers anfangend, zusammengetrieben und an dem andern Ende des Zimmers eine Leiste eingelegt, deren Breite also der Summe aller vorhanden gewesenen Fugen gleich ist; f. auch d. Art. Bedielen g.

Patentgelb, f. d. Art. Bleifarbe 7.

Patentweiß, Schwerspathweiß; f. d. Art. Baryterdensalze d. 5.

Patera, lat., frz. patère, 1) griech. φιάλη, bei Römern und Griechen eine Schaale, Trink- und Opfergeschirr; sie sind flach, mit oder ohne Stiel, auch wohl mit zierlichem Fuß und zwei Henkeln versehen; — 2) flachliegende Blume, als Hohlkehlausfüllung; f. d. Art. Englisch-gothisch Fig. 1029 c u. Gothisch Fig. 1210.

Paternoster, franz. patenôtre, f. v. w. Perlstäbchen.

Paternosterbaum (Melia Azedarach L., Fam. Meliaceae), Zedrach, chinesischer Hollunder, Lilas de Chine, ist in Asien einheimisch, in Südeuropa und in den südlichen Staaten Nordamerika's verwildert, enthält in allen Theilen bittere, verdächtige Säfte. Die Samenkerne werden zu Rosenkränzen, das Holz zu Blasinstrumenten verarbeitet.

Paternostergang (Bergb.), ein Gang, der in seiner Mächtigkeit sehr oft abwechselt.

Paternosterwerk, frz. chapelet, auch Büschelwerk, Eimerkunst, Heinz, Heinzenkunst, Kastenkunst ꝛc. genannt; Wasserhebemaschine, besteht aus einer lothrecht im Wasser stehenden Steigröhre, f. Fig. 1566, oder einer schrägliegenden Saugerrinne, f. Fig. 1567, an welcher sich oben und unten ein Trilling A, B befindet; über diesen, und zu-

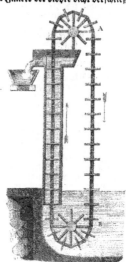

Fig. 1566. Stehendes Paternosterwerk.

gleich durch die Röhre, läuft eine Kette oder ein Seil ohne Ende. An diesem Seil nun sind Bretchen oder Büschel in kleinen Zwischenräumen befestigt, die das Innere der Röhre dicht verschließen. Dreht man nun den oberen Trilling, so steigen die Büschel in der Röhre aufwärts und befördern das in der Röhre von unten eintretende Wasser nach oben zum Ausguß. Die Büschel sind entweder massive, von Holz gedrehte und mit Leder überzogene oder auch mit Haaren ausgestopfte lederne Kugeln, auch wohl hölzerne Halbkugeln, worauf eine Scheibe von starkem Leder genagelt ist, oder sie bestehen aus 2 kleinen metallenen Scheiben, zwischen welche eine größere Lederscheibe geschraubt ist. Mittelst einer Kurbel oder eines Tretrades, einer Roß- oder Wassermühle kann der obere

Fig. 1567. Liegendes Paternosterwerk.

Trilling in Bewegung gesetzt werden. Man braucht eine starke bewegende Kraft und sehr viel Wasser zu den Paternosterwerken, sie heben jedoch beliebig hoch und sind sehr leicht zu repariren.

Paternus, St., Bischof von Rennes, zog schon als Jüngling mit St. Scribilio in die Einöde und belehrte Heiden durch Worte und Wunder. Unter Childebert Abt geworden, baute er mehrere Klöster, wurde Bischof und starb 570. Abzubilden als Bischof, mit Schlangen, deren Biß ihn nicht tödtete.

Patibulum, lat., ital. patibolo, Pranger, Galgen, Andreaskreuz.

Patientia, lat., frz. patience; 1) f. v. w. misericordia, f. d. Art. Chorgestühl; — 2) f. d. Art. Kardinaltugenden 10.

Patin, frz., engl. patand, 1) steinerne Sohlbank oder Schwelle; — 2) Podestballen.

Patin, engl. 1) f. d. Art. Patene. — 2) Wolfrähm bei offenem Dachstuhl.

Patina, lat., f. d. Art. Patene.

Patina, lat. aerugo nobilia, ital., engl. u. frz. patine, künstlicher Oxydüberzug auf Bronze; f. d. Art. Bronzefarben E c, d, e, f und d. Art. Aeruca.

Patio, span., Hof.

Patkopf (Bergb.), große Erzstufe.

Patriarchenkreuz, frz. croix double, engl. patriarchal cross, double-cross, oder Primatenkreuz, seit dem 15. u. 16. Jahrhundert Abzeichen der Cardinäle und Erzbischöfe; f. d. Art. Kreuz D 6., S. 418 im II. Band, sowie die Art. Hoffnung und Kardinaltugenden 2. Der obere kürzere Querbalken trat an die Stelle des titulus.

Patricierhof, f. d. Art. Haus und Hof.

Patrik oder **Patricius**, St., 1) 361 geboren, Apostel von Irland, hieß Anfangs Sucher oder Socher oder Mapon; vertrieb alle giftigen Thiere aus Irland. Er starb 458; darzustellen als Bischof, Schlangen zu seinen Füßen. — 2) P. von Brusa, wurde in siedendes Wasser geworfen, dann enthauptet.

Patroklus, St., römischer Krieger, Märtyrer unter Aurelian.

Patronage; armes de patronage (Herald.), Schutzwappen.

Patrone, griech. ὑπογράμμος, lat. lamina interasilis, frz. patron, engl. pattern, Muster, Chablone; patroniren; f. d. Art. Chablone 4.

Patsche. 1) (Salzw.) Brandmauer an der Salzpfanne, Mauer, an welche das Feuer schlägt; — 2) hölzerner Schlägel, f. v. w. Pritsche od. Batsche; — 3) (Dachd.) Werkzeug, um an fehlerhaften Stellen eines Daches einzelne Dachschauben damit einzuschieben; es ist ein Stück Bret in Gestalt eines Blattes mit Stiel an der breiten Seite.

patschokiren; so nennt man in Oesterreich das Ueberstreichen rauchgeschwärzten Putzes mit einer Auflösung von fettem Lehm, feinem Sand und Holzasche.

Patta oder **Pattica**, f. d. Art. indischer Baustyl II. 1. g.

Pattabandha, f. d. Art. indische Baukunst S. 823 und Fig. 1329 d.

patté (Herald.), tatzenförmig.

Pattern, patron, engl., Patrone, Muster.

Patte, frz., 1) Klaue, Einklauung; — 2) Banleisen, Gewändanker; — 3) Ankersplint; — 4) Studschnörkel; — 5) Edblatt.

Pattinson'sches Weiß, f. d. Art. Bleifarben 6.

Patuleius, f. d. Art. Janus.

Paula, St., 1) römische Wittwe, Mutter des Eustochium, Klostergründerin in Bethlehem; — 2) Jungfrau aus Constantinopel, sammelte das Blut des Märtyrers Lucianus, wurde gefoltert und enthauptet; — 3) Jungfrau aus Malaga,

wurde gesteinigt; — 4) Paula barbata, bat Gott um einen Bart zum Schutz gegen die Versuchung.

Paulinus, St., von Nola, 353 geboren, aus vornehmem Haus in Bordeaur, Schüler des Ausonius, Gatte der Spanierin Theresia, Conful, entsagte der Welt, verschenkte sein Vermögen, wurde 409 Bischof von Nola und starb 431. Abzubilden als Bischof mit zerbrochenen Ketten in der Hand.

Paulus, St., 1) der Apostel, Patron gegen den Hagel, von Rom, Berlin, Osnabrück, Münster, Jacca, Saragossa, Balladolid; Schüler des Gamaliel, Pharisäer und Zeltweber; darzustellen mit einem oder zwei Schwertern, mit einem Buch oder auch einer Lanze; f. d. Art. Apostel 2. Aus seinem Blut entstand eine Quelle. — 2) Paulus von Constantinopel, St., in bischöflichem Gewand, Stola in der Hand, weil er von den Arianern mit derselben 350 erdrosselt wurde. — 3) Paulus Eremita, St., lebte in der Wüste, von Raben gespeist, wurde 113 Jahre alt und starb 342. Er selbst ist in Holz- oder Palmblätter gekleidet. — 4) Paulus der Märtyrer, f. d. Art. Johannes 23. — 5) Paulus vom Kreuze, gestorben 1775. Stifter der Pasfionisten, Fürbitter Englands. Darzustellen auf den Knieen vor der Unbefleckten. — 6) Paulus von Pelusium, starb in der Verbannung. — 7) Paulus der Einfältige, Einsiedler.

Pausch, f. v. w. Bausch (f. d.), daher die Redensart über Pausch und Bogen und dem entsprechend der Ausdruck Pauschquantum, ein oberflächlich abgeschätztes Quantum an Geld oder Waare.

Pauschgrube (Bergb.), bei Zinnbergwerken eine Grube, worin mit dem Pauschschlägel, einem hölzernen Hammer, das Gekräh von dem Zinn losgeschlagen wird.

Pause, f. d. Art. Maaß, S. 494. Bd. II.

Pause (Zeichnek.), eigentlich Bause, frz. bosse von abozzo, ital., Copie, ist eine Zeichnung auf durchsichtigem Papier; um dieselbe auf anderes überzutragen, färbt man die hintere Seite mit Reißkohle, Bleistift od. dgl. dunkel. Weiteres f. in den Artikeln Copie A 2, 3 x., Durchzeichnen x.

Pavage, pavé, pavement, frz., Steinpflaster.

Fig. 1568. Pavillon.

Pavillon, frz., engl. pavilion, ital. padiglione. Einige wollen das Wort von Babylon ableiten, f. d. Art. babylonische Teppiche. 1) Zelt, toit en pavillon, Zeltdach; — 2) f. d. Art. Fahne 3, Flagge; — 3) kleines isolirtes Lusthaus, besonders in Gärten und Parkanlagen. Man lehnt sie auch zuweilen bei großen Landhäusern und Palästen an die Ecken oder Seiten derselben an. Sie werden rund oder vieleckig angelegt, s. auch Fig. 1568; man versieht sie auch mit Freitreppen, Plattformen, Terrassen 2c.; — 4) Helm, bede, Wappenzelt, Mantel; — 5) thurmähnlicher, aber nicht schmaler Aufsatz an den Gebäudeecken.

Pavillon angulaire, frz., Eckflügel.

Pavimentum, lat., engl. pavement, frz. paving, Getäfel, buntes Pflaster. Man unterschied: pavimentum sectile, aus dreieckigen, viereckigen, sechseckigen 2c. Plättchen zusammengesetzt; pavimentum tesselatum, aus quadratischen Plättchen; pavimentum vermiculatum, aus ganz kleinen Würfelchen, runde Figuren bildend, deren Contour die Steinreihen n krummen Linien folgten; pavimentum sculpturatum, mit eingravirten Zeichnungen; pavimentum testaceum, aus Formziegeln; s. d. Art. Pflaster und Straße.

Paving-tile, engl., Pflasterziegel; **Paving-beetle,** lat. pavicula, Handramme.

Pavois, engl. pavise, Setzschild; s. d. Art. Schild.

Pavon, engl., Fahne an der Lanze, gewöhnlich dreieckig.

Pavonaceum opus oder **tectum,** lat., s. schuppenförmiger Mauerverband oder Dachdeckung aus unten halbkreisförmig endigenden Dachziegeln.

Pax, asser ad pacem, osculatorium, osculum pacis, lat., frz. Instrument de paix, engl. paxboard, paxbrede, Kußtäfelchen, Täfelchen von Elfenbein, Metall, Holz, mit der Darstellung des thronenden Christus oder auch nur mit dem Monogramm Christi verziert, wird den Gläubigen vor dem Abendmahl zum Kuß dargereicht.

Pariuba, s. d. Art. Paßhiuba-Palme.

Paynisiren des Holzes, s. d. Art. Fäulniß des Holzes und Bauholz k, S. 277 im I. Band.

p. C., Abkürzung für per Centner.

Pé, Peh, Pes, s. d. Art. Maaß, S. 484, 486, 487, 495, 513.

Pear-tree, engl., Birnbaum; s. d.

Pebble, engl., Kiesel; **pebblestone,** Kieselstein.

Pech, frz. poix, engl. pitch, eingekochtes Harz von Nadelholz, meist nach der Farbe benannt oder auch folgendermaßen unterschieden: gemeines Pech, schwarzes Schiffspech, wird bei uns vorzüglich von der gemeinen Kiefer (Pinus sylvestris L., Fam. Nadelhölzer) gewonnen; canadisches Pech, stammt von der nordamerikanischen Hemlocks- oder Schierlings-Tanne (Abies canadensis L.); burgundisches Pech, kommt vorzugsweise von der Seestrandsfichte (Pinus Pinaster) in Südeuropa. Ueber die Bereitung s. d. Art. Pechsieden. Auf Holzwerk im Freien, feuchten Mauern 2c. giebt es mit Theer vermischt einen dauerhaften Anstrich. Man überzieht, bepicht damit auch Bottiche und andere Gefäße, sowie Abtrittschlotten 2c. auf der Innenseite; ferner dient es zu Baumkitt. Vergleiche auch d. Art. Colophonium.

Pechbaum, 1) s. d. w. gemeine Kiefer; — 2) Amboinischer Pechbaum ist die Dammarafichte (Dammara orientalis Lamb., Fam. Nadelhölzer) auf den südasiatischen Inseln.

Pechblende (Mineral.), s. v. w. Uranpecherz

Pechbüchse, wird vom Glaser beim Löthen gebraucht, um das gepulverte Colophonium aufzustreuen.

Pecheisenstein (Mineral.), s. v. w. dichter Brauneisenstein.

Pecherz, 1) s. v. w. Raseneisenstein, s. d.; — 2) s. v. w. Blätterkupfererz, s. d. Art. Kupfererz.

Pechfaschinen (Kriegsb.), dienen bei Belagerungen zum Anzünden der feindlichen Schanzwerke. Sie werden 1½ Fuß stark, 2 Fuß lang, aus trockenem Strauchholz oder Fichtenzweigen mit Eisendraht gebunden, dann in eine Mischung von Oel, Pech und Talg getaucht und nachher mit Schwefel oder Pulverstaub bestreut.

Pechfichte, 1) Galipot ist die in Virginien einheimische Sumpfkiefer (Pinus palustris L., Fam. Nadelhölzer), deren Stämme vorzügliche Masten liefern. — 2) Pinus australis.

Pechflamme, s. d. Art. Illumination.

Pechgrube, trockene oder ausgemauerte Grube, in umgekehrter Kegelgestalt hergestellt um das Schwelen des Theers aus Kienholz statt des Pechofens benutzt. Um von dem tiefsten Punkt der Grube eine Rinne herausleiten zu können, damit der Theer in einen Trog oder in eine Grube läuft, legt man sie gern an einen Abhang.

Pechkohle, 1) Pechsteinkohle, feine Steinkohle, wird zunächst als Brennmaterial benutzt, aber auch aus dem Groben mit Messern und Feilen fein zugerichtet und dann, auf der Drehbank ausgearbeitet, zu Ziergegenständen verwendet, die durch Schleifen auf Sandstein geglättet und mit Tripel und Oel auf Leinwand polirt werden. — 2) S. d. Art. Braunkohle.

Pechnase, franz. assommoir, moucharaby, engl. coillon, an einem Festungsthurm über einem Thor 2c. auf zwei Consolen ruhender, unten offener Balcon, um auf den heranbringenden Feind siedendes Pech, Steine 2c. zu werfen; s. d. Art. Burg, S. 492 im I. Band, Festungsbau, Italienisch-gotbisch II. S. 346 2c. Häufig bilden dieselben fortlaufende Reihen, franz. machecoulis, engl. machicolation.

Pechopal, s. d. Art. Opal.

Pechpappe, zur Dachdeckung, s. unt. Dachdeckung, Pappdach und Steinpappe.

Pechsieden; geschieht auf verschiedene Art in den dazu eingerichteten Pechhütten. a) Sieden des burgundischen Pechs. Das beim Harzreißen gewonnene Harz wird in einem Kessel mit etwas Wasser bei gelindem Feuer gekocht, in einen Sack von grober Leinwand, den Harzsack, gegossen und auf der Harzpresse ausgepreßt; das Pech vereinigt sich zu einem Klumpen, von dem das Wasser abgegossen wird; das so gewonnene Pech wird nun in Tonnen gefüllt. b) Zur Bereitung des rothen und weißen Pechs wird das Harz in einen großen Pechkessel gethan, welcher in einen Ofen eingemauert ist und am Boden ein Loch hat, das auf einer Rinne im Ofen steht, durch welche das Pech in ein untergesetztes Gefäß fließt. c) Auch gewinnt man das Pech durch Einkochen des geschwelten Theers im Pechofen. Dieser ist unten cylindrisch, oben kegelförmig von Ziegelsteinen aufgeführt, hat unten ein Kohlenloch, oben ein Einsetzloch. Von der Mitte des kesselförmigen Bodens, des Pechheerds, franz. huche, führt eine Röhre zu dem außerhalb stehenden Pechtrog. Der ganze Ofen ist mit einem oben sich an die Ofenspitze anschließenden Mantel umsetzt, der unten Schürlöcher, oben Zuglöcher hat. Nach Füllung des Ofens mit Kienholz wird Kohlenloch und Einsetzloch zugemauert. Nach 25 Stunden fortgesetzter Feuerung fließt zunächst Theerwasser mit einem feinen Harz, Theergalle, Schweiß, aus, dann folgt der Anfangs dünnere und hellere Theer, später dickerer und dunklerer; ersterer als Wagentheer, letzterer als Schiffstheer dienend; ersterer zum Kochen des weißen, letzterer zum Sieden des schwarzen Pechs brauchbar.

Pechstein, franz. petrosilex résinite, pierre de poix, engl. stigmite, pitchstone, kommt in großen Massen vor, erscheint häufig porphyrartig durch graulichweiße, kleine Krystalle von glasigem Feldspath, die meistens zerstreut, seltener zu sternartigen Partien vereinigt in der Pechsteingrundmasse liegen, und heißt dann auch wohl Pechsteinporphyr; seltner vorkommende fremdartige Beimengungen sind Quarz, Augit, Hornblende und Glimmer. Hier und da verläuft der Pechstein in Feldstein und Obsidian. Durch Einwirkung von Luft und Wasser zerspringt er an der Oberfläche, seine Farbe bleicht, es lösen sich schalige Stücke ab, die sich allmälig weiter zertheilen und in eine thonige, plastische, aber unfruchtbare Erde verwandeln. Ritzt Apatit, ritzbar durch Topas, spec. Gew. 2,26—2,27. Farbe grün, grau, roth, braun, schwärzlich, meist unrein, undurchsichtig, wachsglänzend. Säuren greifen ihn nicht sehr an. Gehalt 75,6 Theile Kieselerde, 11,6 Theile Thon, 1,35 Theile Kalkerde, 1,2 Theile Eisenoxyd, 6,69 Theile Talkerde, 4,73 Theile Wasser. Er bricht meist regellos und ist daher nur als Bruchstein zu gebrauchen.

Peck, engl., s. d. Art. Maaß, S. 498.
pectinated, engl., kammähnlich ausgezackt.
Pedale, lat., Fußteppich.
Peddig (Forstw.), das Mark eines Baumes, das innere, lockere Holz.
Pede plano, ital., s. v. w. parterre.
Pedeſt, s. v. w. Podeſt.
Pedestal, engl., Fußgestell, Piedestal.
Pedeſterſtatue, lat., statua pedestris, Bildsäule zu Fuß; s. d. Art. Bildsäule.
Pedicule, franz., Schaft, Ständer, Stiel; pediculé, von einem solchen getragen.
Pediment, engl., Satteldach, Giebel, Giebelfeld, Fronton, Bekrönung.
Pedomètre, s. d. Art. Maaßrad.
Peduccio, beccatello, ital., s. d. Art. corbel und Kragstein.
Pedum, lat., Krummstab; s. d. Art. Bischofsstab.
Peg, engl., Zapfen, Dübel, hölzerner Nagel.
Pegasus, geflügeltes Pferd, aus dem Blut der Medusa entsprungen, Attribut des Bellerophon, der Eos und des Apollon.
Pegel oder Ahming (Wasserb.), ein Maaßstab, in Fuße, Zolle und Linien oder dergleichen eingetheilt; dient an Schleußen und Brückenpfeilern zur Wahrnehmung des Steigens und Fallens des Wassers. Der Nullpunkt des Pegels muß sich auf irgend einen bekannten festen Punkt beziehen und nach seiner Beobachtung richtet man Uferbauten c. ein.
pegeln (Wasserb.), s. v. w. peilen.

Peg-hole, engl., Zapfenloch; **pegladder,** einbäumige Leiter; s. d. Art. Leiter.
Pegma, gr. πῆγμα, Brettergerüst; 1) in griechischen und römischen Theatern ein Gerüst, Gestell, aus beweglichen Stockwerken bestehend; — 2) im Wohnhaus der Schrank zu Aufbewahrung der Ahnenbilder, imagines majorum; — 3) s. v. w. Lettner.
Pegmatit, s. d. Art. Aplit.
peilen (Wasserb.), Untersuchen der Tiefe eines Wassers mit dem Senkblei oder einer großen Stange.
Pei-Loo, s. d. Art. Chinesisch, S. 545, Bd. I.
Peintre-imagier, frz., Staffirmaler, s. d. Art. Imago.
Peinturage, frz., Anstrich.
Peinture, frz., Malerei, peinture imagière, Staffirmalerei; peinture murale, Wandmalerei; peinture de trempe, Temperamalerei; peinture plate, Flachmalerei; peinture encaustique, à la cire, Wachsmalerei, Enkaustik; peinture à l'huile, Oelmalerei; peinture d'apprêt, en apprêt, Malerei mit Schmelzfarben auf weißes Glas; peinture à chevalet, Staffelmalerei c.
Peitsche, Attribut des Hyläos; auch Attribut mehrerer Heiligen; s. d. Art. Geisel.
Pekannußbaum, Hidorynußbaum; s. d.
Pelagia, St., 1) von Antiochien, reiche und schöne Jungfrau, stürzte sich 311, um ihre Jungfräulichkeit vor den Nachstellungen des römischen Stadtvogtes zu retten, vom Dach; daher abzubilden mit einem Haus; s. auch d. Art. Fenster. — 2) Pelagia Mima, Tänzerin und Sängerin aus Alexandrien, mit Namen Margaretha, erregte durch ihr coquettes Auftreten auf dem Platz von Antiochien während einer Kirchenversammlung Aergerniß, wurde durch Nonnus bekehrt, nannte sich Pelagia und wurde Einsiedlerin auf dem Oelberg bei Jerusalem. — 3) Pelagia von Tarses, unter Diocletian in einem glühenden Metallstier verbrannt; s. d. Art. Ochs und Ofen.
Pelagius, St., aus Cordova, starb unter Abdulrhaman den Märtyrertod durch Abzwicken der Glieder mit Eisenzangen. Patron von Constanz und Schutzheiliger des Hornviehes; als Knabe darzustellen.
pelasgische Baukunst. Die Pelasger waren in verschiedenen Stämmen über Kleinasien, die Inseln des Archipels, Sicilien und Italien verbreitet. Der hellenische Stamm vertrieb die übrigen Stämme aus Griechenland und scheint sich die Ureinwohner Griechenlands zum Theil unterworfen zu haben, aber später, etwa im elften Jahrhundert nach Christus, von denselben bewältigt worden zu sein. Die baulichen Formen, welche diese Stämme in so frühen Zeiten anwendeten, bilden die Grundlage der späteren griechischen Kunst, und deuten auf direkte Ausbildung des Steinbaues ohne vorhergehende Holzconstruction. Die Pelasger gelangten auch schon früh, weit alle Völker, die von Anfang an sich dem Steinbau ergaben, zu einem geordneten Steinverband, namentlich zur Anlegung gleichmäßiger Steinschichtung. Beispiele sind in Kleinasien, Griechenland und Italien erhalten; eines der frühesten Beispiele, ein Thor bei Missolunghi, zeigt Fig. 1569. Die Uebertragung der Steine zu Schließung der Oeffnungen und Räume ge-

ſchab nicht immer in gerader, geneigter Linie, ſon=
dern häufig auch in Form eines Spitzbogens, ſo=
wohl bei Maueröffnungen, z. B. in Thoricus, in

Fig. 1569. Chor bei Missolunghi.

Alpino ꝛc., als auch bei Abdeckung der Räume,
z. B. im Schatzhaus des Atreus (Fig. 1234), im
Quellhaus zu Tusculum ꝛc. Näheres ſ. in den
Artikeln Bruchſteinmauer 3, Etruskiſch, Dach
C. I. 2., Gewölbe B, griechiſcher Bauſtyl, erſte
Periode ꝛc.

Pélican, frz., engl. pelican, 1) Schließklammer,
Ankerſchließe; — 2) als Symbol der Liebe Chriſti
zu den Menſchen, der ſein Blut für uns gab,
gilt ein Pelikan, der ſich nach alter Sage die
Bruſt verwundete, um ſeine Jungen zu tränken;
ſ. d. Art. Dreieinigkeit, Liebe und Jeſus Chriſtus.
Hier und da findet ſich die Dornenkrone des Ge=
kreuzigten als Pelikanneſt ausgebildet, namentlich
auf alten italieniſchen Bildern.

Pelle, frz., ſ. d. Art. Blatt 4.

Pellet, engl., Scheibenfries, Kugelfries; ſ. d.

Pelta, lat., Amazonenſchild, ſ. d. und d. Art.
Heraldik I.

Pelzkäfer nennt man mehrere kleine, in Woh=
nungen vorkommende Käfer=Arten, deren Brut
von Pelzwerk lebt. Es gehört dazu beſonders 1) der
Kürſchner (Dermestes pellio), 2—3′′′ lang, grau
mit zwei hellen Punkten auf den Flügeldecken;
2) der gemeine Bohrkäfer (Ptinus fur), deſſen
Larve ſich ein Futteral aus zernagten Haarſtücken
fertigt; 3) der Kabinetkäfer (Anthrenus mus-
corum), kaum anderthalb Linien lang, rundlich
und bunt; 4) der gemeine Speckkäfer (Dermestes
lardarius), deſſen Larve beſonders fettige Theile
von Pelzwerk angreift. Mittel dagegen ſ. im Art.
Motten.

Pelzkleid, Attribut mehrerer als Einſiedler
dargeſtellten Heiligen, z. B. des Ansgarius, Hi=
larion, Onophrius ꝛc.

Pelzmotten, ſ. d. Art. Motten. Auch Auf=
hängen des Pelzwerks in Verſchlägen, unmittel=
bar neben den Abtrittsſchlotten, hat ſich bewährt.
Den Geruch bringt man durch Ausklopfen und
Lüften bald wieder weg.

Pelzwerk, Kürſchwerk (Herald.), frz. pelles,
fourrures, doublures. Man unterſcheidet 1) Rauch=
werk, ſ. Fig. 1570 a; — 2) Hermelin, ſ. d. betr.

Art. und Fig. 1570 b; — 3) Fehgrau, Fehſelle
oder Grauwerk, Feh aus vair entſtanden, ſ. v. w.
Eiſenhütchen, ſ. d. und Fig. 1571 a; contrevair,
frz., Fig. 1571 b.

Fig. 1570.   Fig. 1571.

Pond, Pent, engl., ſchottiſcher Provinzialis=
mus für Sterngewölbe.

Pendant, frz., Seitenſtück, Gegenſtück.

Pendant, engl., pendant semicone, frz.
queue, cul de lampe, pendant de voûte, Ab=
hängling, herabhängender Gewölbeſchlußſtein.

Pendant-post, engl., hängender Pfoſten, ſ.
auch d. Art. Wall-piece.

Pendel, frz. pendule, engl. pendulum, im
Allgemeinen ein beweglich aufgehängter Körper,
auf welchen vorzugsweiſe die Schwere wirkt. Die
Geſtalt des Körpers iſt dabei beliebig, ſeine Auf=
hängung kann in einem Punkt oder in einer hori=
zontalen Achſe ſtattfinden. Nur darf der Aufhän=
gungspunkt nicht der Schwerpunkt ſein oder die
Drehachſe nicht durch den Schwerpunkt gehen,
weil ſonſt indifferentes Gleichgewicht einträte und
die Schwere keinen Einfluß auf das Pendel hätte.
Iſt das Pendel im Gleichgewicht, ſo liegt der
Schwerpunkt deſſelben ſenkrecht unter dem Auf=
hängepunkt; wird es aus dieſer Gleichgewichts=
lage gebracht und dann ſich ſelbſt überlaſſen, ſo
ſucht es wieder dorthin zurückzukehren, erreicht
aber jene Lage mit einer gewiſſen Geſchwindigkeit,
ſo daß es auf der andern Seite wieder empor=
ſteigt und zwar, wenn keine Widerſtände zu
überwinden ſind, eben ſo hoch, als es vorher
erhoben ward. Von dieſer neuen Lage aus durch=
läuft es den eben beſchriebenen Raum wieder in
umgekehrter Richtung, und ſo fort. Die größte
Geſchwindigkeit hat das Pendel ſtets da, wo es
die Gleichgewichtslage paſſirt. Das mathematiſche
oder einfache Pendel, eine gerade, unbiegſame, ge=
wichtsloſe Linie, die an ihrem einen Ende beweglich
aufgehängt iſt und am andern einen ſchweren
Punkt trägt, iſt nur theoretiſch vorſtellbar, doch
läßt ſich das wirkliche, materielle oder phyſiſche
Pendel ſtets auf ein ſolches zurückführen. Der
größte Winkel α, welchen das einfache Pendel von
der Länge l mit der Vertikalen bildet, heißt der
Ausſchlagswinkel, die Bewegung von einem
höchſten Punkt zum andern eine Schwingung oder
Oscillation, die dazu verwandte Zeit t die Schwin=
gungsdauer. Iſt die Beſchleunigung der Schwere
= g, ſo iſt, wenn man keine Bewegungswider=
ſtände hat,

$$t = \pi \sqrt{\frac{l}{g}} \left[1 + \left(\frac{1}{2}\right)^2 \sin^2 \frac{\alpha}{2} + \right.$$
$$\left. \left(\frac{1.3}{2.4}\right)^2 \sin^4 \frac{\alpha}{2} + \left(\frac{1.3.5}{2.4.6}\right)^2 \sin^6 \frac{\alpha}{2} + \cdots \right],$$

oder bei kleineren Schwingungsbogen mit hinrei=
chender Genauigkeit $t = \pi \sqrt{\frac{l}{g}}.$

Die Dauer kleiner Schwingungen ist somit von der Größe des Ausschlagswinkels und von dem Gewicht des daran hängenden schweren Punktes unabhängig. An einem und demselben Ort verhalten sich die Schwingungszeiten zweier Pendel wie die Quadratwurzeln aus den Pendellängen. Aus der angegebenen Formel ergiebt sich die Länge des Sekundenpendels $l = \frac{g}{\pi^2}$, so z. B. für Paris $l = 0,9938447$ Meter.

Bei einem physischen **Pendel** haben die der Drehachse näher liegenden Massentheilchen das Bestreben, schneller zu schwingen als die entfernteren; jene wirken also auf diese beschleunigend, diese auf jene verzögernd, so daß ein physischer Pendel stets schneller schwingt als ein gleichlanger mathematischer Pendel. Der Punkt auf der Linie durch Dreh- und Schwerpunkt, der von dem Drehpunkt eben so weit absteht, als die Länge x eines gleich schnell schwingenden mathematischen Pendels beträgt, heißt **Schwingungspunkt.** Ist T das Trägheitsmoment und S das statische Moment der Pendelmasse in demselben, so ergiebt sich $x = \frac{T}{S}$, und daraus: $t = \pi \sqrt{\dfrac{T}{Sg}}$.

Macht man den Schwingungspunkt zum Aufhängepunkt, so wird der bisherige Schwingungspunkt zum Aufhängepunkt und die Schwingungsdauer bleibt unverändert; daher kann man die Länge des entsprechenden einfachen Pendels durch Versuche bestimmen, wenn man im Stande ist, an dem materiellen Pendel zwei Achsen anzubringen, welche gleiche Schwingungszeiten geben. Ein solches Pendel heißt **Reversionspendel** und ward zuerst von Bohnenberger angegeben und von Kater angewandt. Das Pendel findet in der Technik und in der Physik vielfache Anwendungen, so in der einfachsten Gestalt als Bleiloth zur Bestimmung vertikaler Linien; ferner als Uhrpendel zum Reguliren der Uhren, als ballistisches Pendel (s. d.) zur Messung der Geschwindigkeit abgeschossener Kugeln; auch ist es das einfachste Mittel zur Bestimmung der Intensität der Schwere, der Abplattung der Erde ꝛc. Ferner s. d. Art. Centrifugalregulator und Compensationspendel.

Pendelschwinge (Maschinenb.), eine herabhängende Schwinge bei Stangenkünsten.

Pendelwaage (Feldmeßk.), Nivellirinstrument, wegen seiner Kostspieligkeit wenig gebraucht, besteht aus einem 2 bis 3 Fuß langen, 1½ bis 2 Zoll breiten messingenen Lineal; dieses hängt mittelst der stählernen Schneide des messingenen Bügels auf einem stählernen Lager, das durch ein dreibeiniges Stativ unterstützt wird; an den Enden des Lineals befinden sich Diopter; unten an dem Lineal ist eine eiserne Stange von 3 Fuß Länge mittelst einer Schraube befestigt und daran ein Gewicht von 6 bis 10 Pfund, welches das ganze Zeug in senkrechter Stellung hält. Die Sehachse ist dem zu Folge stets horizontal, wenn die Diopter mit dem Lineal so verbunden sind, daß die Sehachse gerade auf der Linie durch den Schwerpunkt und Aufhängepunkt des Werkzeuges rechtwinklig steht. Man umgiebt das Stativ mit einem Mantel von irgend welchem Stoff oder taucht das Gewicht in ein mit Wasser gefülltes Gefäß, damit das Instrument weniger vom Winde bewegt wird.

Pendentif, franz. fourche, panache, pendentif, engl. squinche, sconce, sconchon, pen-

dentive, heißen die überhängenden, sphärische Zwickel bildenden Wölbungen, welche, wenn eine Kuppel sich über einem eckigen Raum erheben soll, zu Vermittelung des vier- oder vieleckigen Unterbaues mit dem cylindrischen Tambour der Kuppel in den Ecken des Unterbaues vorgetragen werden. Natürlich sind hier sehr verschiedene Formen möglich. Vier der am meisten vorkommenden geben wir in Fig. 1572. Die beiden untersten

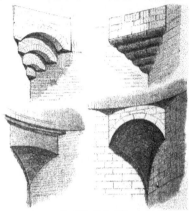

Fig. 1572. Pendentifs.

können auch als Füße eines böhmischen Platzgewölbes angesehen werden. Vergl. auch d. Art. Trompe und Concha.

Pêne, franz., Riegel; s. d. Art. Schloß.

Penetrale, lat., bei einem Tempel das innere Heiligthum, worin sich eine Gottheit in Statue befand; in fürstlichen Begräbnissen der Ort zum Beisetzen der Särge.

Peniche, franz., s. d. Art. Boot 5.

Penitentiaire, franz., Vorhalle der Büßer; s. d. Art. Parabis.

Pennon, franz. pennon, panoncel, span. peñon (Herald.), Ritterfahne, Panier mit hängender Spitze.

Pentaëder, ein von 5 ebenen Flächen begrenzter Körper. Unmöglich ist, daß ein Körper von 5 Dreiecken vollständig begrenzt werden könnte, weil die Seitenzahl der Flächen (hier also 15) der doppelten Kantenzahl gleich sein müßte, während 15 eine ungerade Zahl ist. Pentaëder sind: 1) die vierseitige Pyramide; 2) das dreiseitige Prisma; 3) die abgestumpfte dreiseitige Pyramide.

Pentagon, Fünfeck; **Pentagondodekaëder,** s. d. Art. Krystallographie und Isoëder.

Pentagonal- oder **Fünfeckszahlen,** s. d. Art. Polygonalzahlen.

Pentalpha, pentagramma, lat., salus Pythagorae, engl. pentacle, Drudenfuß, Alpenkreuz, geschlungenes, fünfeckiges Kreuz; s. d. betr. Art.

Pentaptych, engl. frz. pentaptique, Altarschrein mit vier beweglichen Flügeln, Wandelaltar.

Pentaspast, griech. πεντάσπαστον, ein mit fünf Rollen versehener Kloben oder Flasche.

Pentaſtichon, franz. pentatisque, ein mit fünf Säulenreihen verſehenes Gebäude.

Pentaſtylon, fünfſäuliges Front.

Pente, franz., Gefälle, Räuſche oder Riſch, Bergbalde, Bergabhang; ſ. d. betr. Art.

Penterbalken (Schiffsb.), bei großen Schiffen der hinter dem Krahnbalken aus dem Schiff herausgehende Balken; hat am äußeren Ende einen Flaſchenzug, den **Penterteckel,** um den Anker zu lippen oder auf den Bug zu ſetzen.

Penthouse, pentico, penticle, pentise, engl., Wetterdach, vorgetragter Gebäudetheil, Erker, angebautes Portal, übergetragtes Geſchoß, Gallerie, detachirtes Thorweghaus.

Pentile, engl., Hohlziegel.

Penture, franz., Aufhängungsbeſchläge; ſ. d. Art. Beſchläge B. S. 328, Bd. I, u. d. Art. Gewinde.

Peperin (Pfefferſtein), ſ. d., auch albaniſcher Stein, Gabinerſtein genannt. Edige Stücke von weißem, törnigem Dolomit, und edige Geſchiebe oder abgerundete Gerölle von Baſalt, Dolerit und Baſanit, ſind durch eine aſchgraue, weiche, feinerdige Maſſe verkittet, welche ſehr viel Glimmer enthält, theils in einzelnen Blättchen, theils in länglichen Maſſen, die noch weiter Augitkryſtalle und Körner von Magneteiſen einſchließen, ſowie einzelne Kryſtalle von Augit und Leucit. Der Peperin unterſcheidet ſich von anderem vulkaniſchen Tuff durch das friſche Anſehen. Alles iſt in ihm unzerſtört, vollkommen glänzend, im eigentlichen Tuff dagegen matt und zerſtört. Zuweilen liegen im Peperin Baſaltmaſſen bis zu vielen Centnern und in ſolcher Menge, daß der ganze Peperin ſelbſt als eine Zuſammenhäufung ſolcher Baſaltſtücke erſcheint. Mitunter häuſen ſich auch die Maſſen von törnigem Dolomit, der oft edige Löcher hat und inwendig druſig iſt. Durch die Witterung verwandelt ſich der Peperin nach und nach in eine graue Erde: er giebt guten hydrauliſchen Mörtel; ſ. d. betr. Art. I. g.

Pépinière, franz., Baumpflanzenland; ſ. d. Art. Baumſchule.

Pepromene, ſ. d. Art. Fatum.

Per, engl., Napf, beſ. der heilige Graal; ſ. d.

Pera, lat., ſ. d. Art. Bursa 1.

percé (Herald.), durchbrochen, abgekürzt, ausgebrochen.

Percée, frz., Durchhau im Walde, Schneuße.

Percement, frz., 1) nachträglich durchgebrochene Oeffnung in einer Mauer; — 2) Waſſerſtollen.

percer, frz., durchbrechen, lochen; percer une porte, eine Thür einbrechen; maison bien percée, wohlbefenſtertes Haus; une maison perce dans deux rues, ein Haus geht in zwei Straßen.

Perch, engl., altengl. perk, pearch, Conſole.

Perche, frz., lat. u. ital., pertica, 1) Stange, Meßruthe; ſ. d. Art. Maaß, S. 484; — 2) Stangenſäule, Pfeife, Dienſt, Rüſtſtange.

Perchoir, frz., Hahnebaum; ſ. d.

Perclose, ſ. d. w. parclose; ſ. d.

Perçoir, frz., Bohrer; ſ. d. S. 411 im I. Bd.

perfect gothic style, engl., ſ. d. Art. Engliſch-gothiſch, S. 721 im I. Bd.

Perforaculum, lat., Lochmeißel, Spitzbohrer.

Pergament, lat. pergamenum, pergamena charta; 1) das eigentliche Pergament iſt beſchreib-

bares, waſchbares Leder aus Kalb-, Schaaf-, Ziegen- oder Eſelsfellen. Die geſchabte Fleiſchſeite wird nach dem Gerben mit Gummi-Traganth überrieben, dann trägt man auf beiden Seiten einen Anſtrich von feiner Kreide und Leimwaſſer auf, ebnet ihn mit Bimsſtein und glättet ihn mit Seifenwaſſer. Nimmt man zum letzten Anſtrich Leinöl, ſo wird es gelb. — 2) Unechtes Pergament. Ein Stück Papier, Leinwand oder Tuch wird in einem dazu beſtimmten Rahmen feſt und ſtramm eingeſpannt, worauf man die Fläche mit der unten beſchriebenen Miſchung mittelſt einer feinen Bürſte ſo glatt als möglich überſtreicht und dieſes Verfahren drei- bis viermal wiederholt; die letzte Lage wird, wenn ſie vollſtändig getrocknet iſt, gerieben und geſchliffen. Miſchung: 3 Thle. fein geſtoßenes Bleiweiß, 1 Thl. gut gebrannten gemahlenen Gips und ³/₄ Thle. beſten, gelöſchten und geſtoßenen Steinkalk miſcht man, reibt dann Alles ſorgfältig mit Waſſer ab, läßt 2 Thle. beſten Pergamentleim in einem neuen, gut glaſirten Topf bei gelindem Feuer zergehen, ſchüttet das Pulver hinein, rührt Alles gut untereinander und gießt Waſſer zu, bis die Maſſe geſchmeidig genug iſt, um mit der Bürſte aufgetragen zu werden. Auf den weißen Gipsanſtrich kommt ein Oelanſtrich, bereitet aus 1 Pfd. von hellſtem Ruß- oder Leinöl, dem man 8 Loth beſten Firniß zuſetzt. Dieſe Miſchung wird drei- oder viermal nach vorherigem, vollſtändigem Abtrocknen aufgetragen. Für braunes oder gelbes Pergament ſetzt man jedem Pfund obigen Firniſſes 3 oder 4 Unzen Bleiglätte, mit altem Leinöl ſorgfältig abgerieben, zu, und giebt damit einen zehn- bis zwölfmaligen Ueberzug. Zu rothem Anſtrich nimmt man Zinnober, zu hochrothem Krapplack, zu blauem Berliner Blau, zu ſchwarzem gebranntes Elfenbein. — 3) Pergament durchſichtig zu machen. Eine dünne Pergamenthaut wird in ſtarker Holzaſchenlauge eingeweicht, ſehr oft ausgerungen, auf einen Rahmen geſpannt und getrocknet. Giebt man dieſem ſchon durchſchimmernden Pergament nach dem Trocknen auf beiden Seiten einen Ueberzug von hellem Maſtixfirniß, verdünnt mit Terpentinöl, ſo wird es noch durchſichtiger.

Pergamentleim, ſ. d. Art. Leim.

Pergamentpapier. Ungeleimtes Papier wird in eine Miſchung von 2 Thln. concentrirter Schwefelſäure und 1 Thl. Waſſer getaucht. Man ziehe es jedoch ſogleich wieder heraus und waſche es in reinem Waſſer. Bei ſorgfältiger Zubereitung bekommt dieſes Papier große Feſtigkeit; eine ſehr gute Vorſchrift ſ. in Dingler's polytechniſchem Journal 158, S. 392.

Pergamo, ital., Kanzel.

Pergenting, pergetting, ſ. d. Art. Pargetting.

Pergola, ital., pergula, lat., Wetterdach, offener Schuppen, Laubengang (ſ. d.) mit ſteinernen Pfeilern; ſ. d. Art. Garten und Landhaus. **Pergola a volta,** Bogenlaube.

Pergolato, ital., ſ. d. Art. Bindwerk.

péri, frz. (Herald.), vertieft.

Periaktos, griech. περίακτος, Drehmaſchine; ſ. d. Art. Theater.

Peribolos, griech. περίβολος, frz. peribole, Einfriedigung, Einhegung, beſonders 1) der meiſt terraſſenförmig erhöhte, zuweilen mit prächtigen Eingängen und Hallen ringsum verſehene und mit Bildſäulen geſchmückte Hof, in welchem das eigentliche Tempelgebäude steht; doch auch f. v. w. Sacellum, f. d.; — 2) im Mittelalter mit Mauern umgebener Ort, worauf sich eine Kirche mit ihren Zellen, Begräbnißplätzen ıc. befand; — 3) f. v. w. Kirche; — 4) f. v. w. Chorcancelle.

Peridromos oder Peridramis, griech. περί δρομος, frz. péridrome, 1) der Säulengang zwischen Säulen und Mauer; f. d. Art. Tempel; — 2) überhaupt Corridor oder Gallerie; — 3) f. v. w. Xystos in der Paläftra.

Periegese, frz. periégèse, engl. periegesis, Beschreibung und Erklärung von Kunstwerken.

Periklin, f. d. Art. Feldspath 2

Perikochlion, griech. περικόχλιον, Schraubenmutter.

Perimeter, Peripherie, Umfang, Gesammtlänge der Umfangslinie einer Figur; f. z. B. d. Art. Kreis, Curve, Hyperbel, Umfang ıc.

Perikopenpult, f. d. Art. Lettner.

periodisch; so nennt man 1) eine Bewegung, wenn sie nach gleichen Zeiten sich in gleicher Weise wiederholt; z. B. die Schwingungen eines Pendels im luftleeren Raum; — 2) einen Decimalbruch, wenn bei ihm nach einer bestimmten Anzahl von Stellen dieselben Ziffern wiederkehren; f. d. Art. Decimalbruch. Ein periodischer Decimalbruch läßt sich eben so, wie ein abbrechender, in einen gemeinen Bruch verwandeln, was bei den nicht periodischen Brüchen (z. B. π) nicht der Fall ist. Wenn die Periode vom Komma an beginnt, so ist der Decimalbruch einem gemeinen Bruch gleich, dessen Zähler die Periode ist und dessen Nenner so viel Neunen enthält, als die Periode Stellen. So ist

$$0,142857142857.... = \frac{142857}{999999} = \frac{1}{7}.$$ Beginnt

die Periode nicht mit dem Komma, so zieht man von der Zahl, welche den Anfang des Decimalbruches bis zum Schluß der ersten Periode reicht, die nicht wiederholte Zahl ab (also bei 0,1666 von 16 die Zahl 1) und dividirt den Rest durch eine Zahl, welche aus eben so viel Neunen besteht, als die Periode Stellen enthält (in diesem Falle 1), und aus eben so viel daran gehängten Nullen, als es nicht wiederholte Stellen giebt (hier ebenfalls 1).

Daher ist $0,1666 = \frac{16-1}{90} = \frac{15}{90} = \frac{1}{6}.$;

3) einen unendlichen Kettenbruch, wenn nach einer bestimmten Anzahl von Gliedern dieselben Glieder wieder zum Vorschein kommen, wie vorher. In einen solchen Kettenbruch läßt sich jede Quadratwurzel verwandeln, so ist

$$\sqrt{2} = 1 + \cfrac{1}{2 + \cfrac{1}{2 + \cfrac{1}{2 + ...}}}$$

4) eine Funktion einer Veränderlichen x, wenn sie denselben Werth behält, sobald man die Größe x um eine bestimmte constante Größe, den sog. Periodicitätsmodul, vermehrt. So sind die trigonometrischen Funktionen periodisch, weil die Vermehrung des Winkels um 360° oder des Bogens um 2π dieselben unverändert läßt.

Peripetasma, griech. περιπέτασμα, f. d. Art Parapetasma.

Peripheriewinkel; ein Winkel, dessen Scheitel in der Peripherie eines Kreises liegt; dabei begrenzt man gewöhnlich die beiden Schenkel durch die Punkte, in welchen sie den Kreisumfang schneiden. Alle Peripheriewinkel, welche über demselben Bogen stehen, sind einander gleich; f. auch d. Art. Centriwinkel.

Peripteros, griech. περίπτερος, lat. peripteros, frz. periptère, ein Gebäude, welches ringsum von einer Säulenreihe umgeben ist.

Peristerion, 1) griech. περιστερεών, lat. peristerium, Taubenschlag, columbarium; — 2) Ciborium in Gestalt einer Taube.

Peristyl, 1) griech. περιστύλιον, lat. peristylium, frz. péristyle, Säulengang, der sich vom Porticus dadurch unterscheidet, daß er rings um einen freien Hof oder Platz führt; der Porticus aber umgiebt Gebäude von Außen; — 2) unbedeckter, ringsum mit Säulengängen umgebener Platz; f. d. Art. Andronitis, Haus, S. 241, II. Bd. ıc.

Peritrochium, lat., Rad, dessen Achse sich mit ihm dreht.

Perlband, f. d. Art. Hymen.

Perlbunze, f. d. Art. Eiseliren.

Perle, frz. perle, engl. bead, kommt auf den Ranken der romanischen Ornamente häufig als Besatz vor; vergl. d. Art. studded.

Perlenfarbe, f. d. Art. Türkenblau.

Perlenfries, frz. perles, engl. pellet, f. d. Art. Kugelfries.

Perlenkrone (Herald.), ursprünglich französische Form der Krone als Reifen, der am oberen Rand mit Perlen besetzt ist.

Perlenstein (Mineral.), f. v. w. Perlmutteralabaster; f. d. Art. Alabaster.

Perlenweiß, f. v. w. Spanischweiß.

Perlglanz, f. d. Art. Glanz.

Perlglimmer (Mineral.), hat blätterige Textur, perlenartigen Glanz und Farbe, ritzt Kalk, auch wohl Flußspath, ist ritzbar durch Apatit; f. übr. d. Art. Glimmer.

Porling, purlin, engl. Pfette.

Perlreihe, f. d. Art. Arabesken.

Perlsinter oder Perltripel ist eine Varietät des Opal (wie der Kieselsinter), die wegen ihrer kugeligen Beschaffenheit so genannt ist.

Perlstab, Perlenschnur, beperlter Stab, frz. chapelet, fusarolle, perles, engl. raw of beades, beadet panel, beadroll, beadcut, Rundstab, welcher mit ovalen oder runden Perlen, auch wohl abwechselnd mit Perlen und Scheiben, frz. pirouettes, besetzt ist; f. d. Art. Glied F.

Perlstein (Perlite), Perlsteinmasse. Der Perlstein ist nur als eine locale eigenthümliche Ausbildung des Pechsteinminerals zu betrachten. Dieses Mineral ist so genannt wegen der sphäroidischen Gestaltung seiner glasigen Theile.

Permanentweiß, f. d. Art. Blancfir.

permische Formation, eine im europäischen Rußland sehr verbreitete Ablagerung von geschichteten Gesteinen, die ihrem Alter nach unserm deutschen Zechstein und Rothliegenden entspricht, aber aus anderen Gesteinen zusammengesetzt ist. Man kann 3 verschiedene Abtheilungen unterscheiden. Die obere entspricht den oberen Schichten unſerer Zechſteinformation; ſie enthält mergelige oder kieſelige Kalkſteine mit wenig Verſteinerungen. Die mittlere enthält dünngeſchichtete Thone, Sandmergel, Einlagerungen von Mergelſchiefer, Kalkſtein, Sandſtein und dünne Kohlenlagen. Die vorkommenden Verſteinerungen entſprechen denen des unteren Zechſteins. Die untere endlich enthält braune und graue Sandſteine, braunen Thonmergel u. Mergelſchiefer; überdies viele Kupfererze, Malachit, Kupferlaſur ꝛc.; ſ. d. Art. Lagerung.

Permutation (Math.). Die Permutationen einer beſtimmten Anzahl von Größen, ſog. Elementen, ſind die Verbindungen, welche man erhält, wenn man ſämmtliche Größen in allen möglichen Reihenfolgen auf einander folgen läßt.

So ſind ſämmtliche Permutationen der Elemente a, b, c folgende 6: abc, acb, bac, bca, cab, cba; ebenſo der 3 Elemente a, a, b, unter welchen zwei gleiche ſind, folgende 3: aab, aba, baa. Beſonders wichtig iſt die Anzahl aller möglichen Permutationen, die ſog. Permutationszahl, welche bei n verſchiedenen Elementen gleich dem Produkt 1. 2. 3 .... n iſt, dagegen in dem Fall, wo unter denſelben ein Element p mal, ein anderes q mal ꝛc. vorkommt, nur:

$$\frac{1.\,2.\,3.\,4\,\ldots\,n}{1.\,2.\,3\,\ldots\,p.\,1.\,2.\,3\,\ldots\,q\,\ldots}$$

perpendiculär, ſ. v. w. winkelrecht, ſenkrecht.

Perpendicularſtyl, frz. style perpendiculaire, engl. perpendicular-style; ſ. d. Art Engliſch-gothiſch, S. 722, I. Bd.

Perpendikel, lat. perpendiculum, gr. κάϑετος, iſt eine auf einer andern geraden Linie winkelrecht ſtehende gerade Linie; ſ. d. Art. Winkelrecht und Senkrecht, Loth ꝛc.

Perpendikelwaage (Mechan.), ſ. v. w. Setzwaage; ſ. d. Art. Waage.

Perpent-stone, perpender, perpyn, bondstone, engl., Durchbinder, Binder.

Perpetua und Felicitas, ſ. d. Art. Felicitas.

Perpoyn-wall, engl. 1) Mauer, deren Steine durch die ganze Dicke der Mauer reichen; — 2) Flügelwand.

Perpillotte, frz., ſ. d. Art. Maaß, S. 494, Bd. II.

Perré, franz., trockene Futtermauer; chemin perré, route perrière, Steinweg.

Perrel (Steinmetz.), auf beiden Seiten geſchärfter, ſchwerer eiſerner Hammer zum Spalten der Steine.

Perron, frz. perron, niedrige Terraſſe, Beiſchlag vor einem erhöhten Parterre. Ein Perron liegt entweder ganz vor dem Gebäude, oder iſt in daſſelbe hineingebaut und durch eine Halle überdeckt. Die Form eines Perrons iſt einer großen Verſchiedenheit fähig, und man kann dadurch recht gefällige Anlagen erhalten, indem man Eingänge, Sitze, Niſchen, Brunnen ꝛc. auf oder vor demſelben anbringt; ſ. d. Art. Beiſchlag und Bahnhof 1.

Perroquet, frz. (Schiffsb.), bei einem großen Maſtbaum die Stenge.

Perſennig (Schiffsb.), gepichte Decke zum Verſchließen der Luken, aus perſienne verſtümmelt.

Perſephone, Proſerpina (gr. Myth.), Tochter der Ceres, Gemahlin des Pluto; ſ. d.

Perſeverantia, ſ. d. Art. Kardinaltugenden 7.

Perſienne, ſ. d. Art. Fenſterladen 2 u. Jalouſie.

Perſio, rother Indigo; ſ. d. Art. Orſeille.

perſiſche Laſtträger, ſ. d. Art. Caryatiden und Atlanten.

perſiſches Rad (Waſſerb.), ſ. v. w. Kaſtenkunſt, Paternoſterwerk (ſ. d.), mit Käſten ſtatt der Kugeln.

perſiſche Kunſt. Zwiſchen dem Perſiſchen Meerbuſen, dem Kaſpiſchen Meer, dem Tigris und Indus wohnte der medoperſiſche Zweig des ariſchen Volksſtammes. Urſprünglich verehrten dieſe Völker das Licht in Geſtalt des Feuers mit Anerkennung eines zweiten herrſchenden Weſens, der Finſterniß. Zoroaſter reformirte dieſe Religion durch das heilige Buch, die Zendaveſta, das er ſchrieb. Die Hauptlehren deſſelben ſind folgende: Ahriman gebietet über die Dews (Teufel), Ormuzd über 7 Amſchaspands, 28 Izeds (Schutzengel) und über die Ferwers (Perſonificationen guter Eigenſchaften, die aber der Läuterung im Kampf mit dem Böſen noch bedürfen, und zu dieſem Behuf als Menſchen auf Erden leben). Wenn das Böſe Alles zu überwältigen droht, ſendet Ormuzd einen Erlöſer Soſiſch

(Jeſus?). Dieſe, in ihren Grundzügen und namentlich in dem die Moralvorſchriften enthaltenden Theil höchſt reine, dem Chriſtenthum ſich nähernde Lehre war, um ſie dem Volk begreiflich zu machen, hinter einem Mythus verſteckt, der dann bei niedern Volksſchichten als die eigentliche Religion erſchien.

Erſte Periode. Vorſtufe, mediſche Kunſt. Unter den verſchiedenen verwandten Stämmen war urſprünglich der der Meder der herrſchende. Von ihrer Weiſe wiſſen wir nicht viel. König Dejoces, nach der Bibel Arphazad, gründete Ekbatana etwa um 700 vor Chriſtus. Die Burg dieſer Stadt war von 7 concentriſchen Mauern umgeben, von denen immer eine über die nächſt äußere emporragte; die Zinnen derſelben waren bunt gefärbt, und zwar in nachſtehender Reihenfolge von Außen nach Innen: weiß, ſchwarz, purpurroth, blau, rötlichbraun, Silber, Gold, ſo die Stufen des die Sonne umgebenden Himmels durch die Farben der damals bekannten Planeten darſtellend; die äußerſte und zugleich niedrigſte hatte einen Umfang von 9 Stun-

10

den Weges. Thürme von 150 Fuß Höhe flankirten diese Mauern. Im Palast selbst bestanden Säulen, Balken und Wandgetäfel aus Cedern- und Cypressenholz, mit Gold- und Silberblech beschlagen, ebenso waren die Dachziegel versilbert. Die Gebäude hatten also mit Ziegeln gedeckte, folglich schräge Dächer. Bei dem Dorf Hamadan am Fuß des Bergs Elwind, des alten Orontes, hat man große, weitläufige Unterbauten mit Keilinschriften und Fragmente von Säulen ge-

war unumschränkter Herr und zugleich Oberhaupt der Priester (Magier), denen zunächst die Krieger als Kämpfer des Lichts gegen das Böse standen. Durch diese Lehren, sowie durch Klima, Lebensweise ꝛc., wurde der Charakter der persischen Architektur bestimmt; Einzelformen nahmen sie von den Assyrern, Medern, Babyloniern, Aegyptern und Griechen auf, da sie auch der Letzteren asiatische Colonien unterjochten. Sie scheinen nur zu öffentlichen Bauten dauerhaftes Material, zu den Wohn-

Fig. 1573. Grab des Cyrus.

funden, aus denen hervorgeht, daß die Formgebung der späteren persischen entsprach, aber etwas roher war. Doch sind diese Funde unzuverlässig, weil Ekbatana bis zu Alexander's Zeit als Sommerresidenz der persischen Könige fungirte. Auf dem Hügel Bir-Soutoun bei Kermanschah glaubt man die Trümmer einer zweiten medischen Stadt, Bagistan, gefunden zu haben, darunter 2 Felsengrotten von nahezu elliptischer Wölblinie u. eben solchem Ein-

bäusern Holz verwendet zu haben, was vor ihrem Aufsteigen ihr Hauptmaterial gewesen war. Das Mauermaterial waren Luftziegel für Privatbauten, Quadern für öffentliche Bauten. 1) Tempel. Eigentliche große Tempelbauten scheinen die Perser nicht gehabt zu haben, da die Könige Gottes Statthalter waren. Die größeren Feuertempel waren eben nur überbaute Heerde und hießen Derimher. Wir geben in Fig. 1573 einen solchen, der in Isthakar

Fig. 1575. Vom Grab des Darius.

gangsloch, dessen Archivolte mit Wasserblättern verziert ist. Darüber lagern sich Zinnen. Die Bogenzwickel und innern Wände sind mit Skulptur besetzt.
Zweite Periode. Von Cyrus bis Alexander d. Großen, 560—332 v. Christus. Die Macht der Meder wurde 537 von den Persern unter Cyrus gestürzt (s. d. Art. assyrische Baukunst). Diese Perser waren ursprünglich ein rohes, unverderbtes Bergvolk von Jägern und Kriegern, wurden aber schnell feincultivirt und bald sogar verweichlicht. Ihr König galt als Ormuzd's Statthalter,

den Gräbern von Nakschi-Rustam gegenübersteht; ein zweiter ist in Passargadä gefunden worden, ein dritter ist die Kaabah zu Mekka. Die kleineren heiligen Feuerstätten, Heerde, hießen Dadgah, s. o.; in der Bibel heißen sie Chammanin und Bamoth. 2) Gräber. Da man den Herrschern halbgöttliche Verehrung ertheilte, so waren natürlich die Gräber Gegenstand großer Sorgfalt und Pflege. In der Nähe der Paläste lagen stets große Parks mit Wildgärten (Paradies genannt), in welchen man meist die Gräber anlegte. In einem solchen, zu

Passargadä, lag auch das Grab des Cyrus, umgeben von einem Hain mit wohlbewässerten Wiesen. Der Unterbau des Grabes (s. Fig. 1574), viereckig von Quaderstein, erhebt sich pyramidenförmig in sieben Stufen. In dem auf diesem Unterbau sich erhebenden Tempelchen mit Giebeldach und sehr kleiner Thür stand ein goldener Sarg mit Sesseln daneben, sowie Teppiche, Gewänder zc. von babylonischer Arbeit. Ein Peribolos mit Säulengang umgab das Gebäude. Vermuthlich haben wir in diesem Grab ein Beispiel medischer Grabanordnung zu sehen, mindestens zeigt es große Aehnlichkeit mit den assyrischen Grabpyramiden; die späteren Gräber der persischen Könige, von denen 8 in Naschi Rustam bei Tschil Minar erhalten sind, darunter die Gräber des Darius und Artaxerxes Ochus,

Fig. 1577. Palast des Xerxes. (Durchschnitt, rest. von O. Mothes.)

sind anders disponirt; sie sind in einen Felsen gehauen, dessen Vorderwand lothrecht abgearbeitet ist und eine Façade in zwei Stockwerken zeigt. Das untere hat in der Mitte eine fingirte Thür, flankirt von vier Säulen, deren Capitäle zwei vereinte Einhornköpfe bilden, zwischen denen das Hirnende des Unterbalkens vortritt; s. Fig. 1575. Die Schäfte sind bei einigen der Gräber canälirt, die Füße ziemlich hoch und in Gestalt eines verkehrt fallenden Karnieses gebildet; auf dem Fries des Gebälkes ist bei einigen eine Reihe von Hunden ausgehauen; das zweite Geschoß ist etwas schmäler; zwischen zwei doggenähnlichen Säulen oder vielmehr Sargfüßen, denn dieses obere Geschoß scheint, wenigstens bei einigen Gräbern, den Katafalk des

Cambyses daselbst, von dem nur noch in der Gegend von Murghab bei Schiras Substructionsmauern (Fig. 1576) vorhanden sind. 522 verlegte Darius die Residenz nach Isthakar oder Persepolis, wo er 521 einen Palast gebaut hatte. 486 baute Xerxes einen Palast, eine Halle zu Persepolis und auch eine Halle zu Susa. Zwischen 408 u. 360 restaurirte Artaxerxes Mnemon die gesammten Paläste und Hallen, und 332 verbrannte Alexander die herrlichen Anlagen zu Persepolis. In Susa sind nur wenige Reste erhalten, welche aber genau dieselbe Disposition und denselben Styl zeigen, wie in Persepolis. Die Trümmer der Palastanlagen der heil. Stadt der Perser, Persepolis, liegen in der Ebene von Mordascht bei Schiras und hießen bei den Umwohnern Tschil Minar, d. h. Vierzig Säulen. Eine genau orientirte Plattform von ca. 1400 Fuß Länge bei mehr als 900 Fuß Breite bildet den Unterbau des Ganzen und fällt in drei Terrassen nach der Ebene hinab. Die umgebenden Futtermauern sind verschieden hoch bis zu 28 Fuß. Das Material ist grauer Marmor, die Arbeit sehr accurat und die Zusammenfügung der Steine ohne Mörtel bewirkt. Zu der ersten Terrasse führt eine Doppeltreppe mit 103 flachen (auch für Pferde besteigbaren) Stufen in je 2 Podesten, zusammen 32 Fuß hoch. Die Stufen selbst sind 22 Fuß breit. Das oberhalb dieser Treppe stehende Portal wird durch zwei riesenhafte, dem Ankommenden ihr Ant-

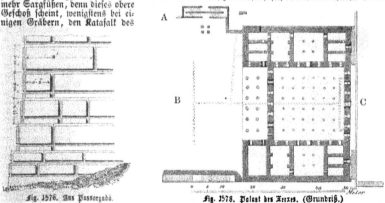

Fig. 1576. Aus Passargadä.

Fig. 1578. Palast des Xerxes. (Grundriß.)

Königs vorzustellen, stehen zwei Reihen Lastträger über einander, welche ein Gesims tragen. Auf der durch dieses Gesims dargestellten Plattform befindet sich ein Altar, vor dem der König steht, darüber schwebt die Sonne und ein Ferver, so die Apotheose des Königs darstellend.

3) Paläste und Städte. Um 540 wurde Passargadä gegründet, von 525 datirt der Palast des

litz zukehrende, mit ihrer Flanke in Relief aus der Laibungsfläche gearbeitete, mit dem Vorderleib aus der Mauerflucht vortretende Thiere bewacht. Aehnliche Thiere finden sich an Portalen, Gebäudeecken zc. vielfach angebracht, darunter namentlich der geflügelte Stier mit Menschenantlitz, das Einhorn und die persische Sphinx mit Männerantlitz, Pferdehufen, Löwenkörper und Flügeln.

10*

Hofleute und Krieger. Repräsentanten der unterjochten Nationen ꝛc., sind vielfach in Relief dargestellt; häufig kehrt ein das Einhorn zerreißender Löwe (Meder von Persern besiegt) wieder. Säulenhallen, Reste von Gebäuden ꝛc. nehmen die beiden oberen Terrassen ein; darunter ist am besten erhalten der Palast des Darius, er besteht aus einem quadratischen Mittelsaal mit 16 Säulen, der auf drei Seiten von Zimmern umgeben ist, vor dem sich

an der
an die
Hallen
förmig
den D
zwei
lvoluten

Fig. 1579. Ruinen vom Palast des Xerx.

nicht der
aufrecht;
wie die
Wirkung
vielmehr
schuß der Kraft.

Dritte

ten Jahrhundert nach Chr. im neupersischen Reich unter den Sassaniden und wucherte bis 642 nach Chr. Ueber die Erzeugnisse derselben s. d. Art. sassanidische Bauweise.

Vierte
muhamed
Jahr 642

hamedaner Persien. Unter Harun al Raschid (786—809) entfalteten Wissenschaft und Kunst einen weitstrahlenden Glanz in Bagdad. Leider ist uns kein Denkmal dieser Zeit geblieben. Tataren und Seldschuken haben fast Alles zerstört. Das früheste Gebäude muhamedanischer Kunst, das Imaret oder Karavanserai der Ublu Dschami zu Erzerum, scheint aus der zweiten Hälfte des 13. Jahrhunderts zu stammen. Man kommt wirklich in Versuchung, diesen von zwei Arcadengeschossen

aber zwischen den vorspringenden Flügeln der Zimmerreihen eine Vorhalle von 8 Säulen erhebt. Der Palast des Xerxes, weniger gut erhalten, ist fast ebenso disponirt, aber beträchtlich größer, auch fehlt ihm die Zimmerreihe an der Rückseite. Wir geben von ihm in Fig. 1578 den Grundriß, in Fig. 1579 eine Außenansicht der Ruine, von Aim Grundriß aus gesehen, und in Fig. 1577 einen restaurirten Durchschnitt bei B C des Grundrisses. Fast eben so

umgebenen Hof mit seinen durchgehenden Mittelbogen an jeder der Seiten, mit dem Portal auf einer der Schmalseiten u. dem das Gebäude verlängernden Grabanbau (Grab des Gründers), für eine spätromanische Kirche zu halten. Die kurzen, dicken Säulen, die reinen Spitzbogen, die abgefas'ten Platten, die Kuppel über dem Grab deuten, wenn nicht auf occidentalen Einfluß, doch mindestens auf romanische Einwirkung und bezeugen den vielleicht

1580. Madrissa des Hussein Schah zu Ispahan.

ganz unbewußten Einklang zwischen den verschie=
denen Richtungen mittelalterlicher Architektur. Die
Moschee zu Tabriz (Fig. 1584), um 1300 von Gha=

zan Khan gebaut, zeigt im Grundriß und in den
Formen des Inneren ebenfalls große Annäherung
an die christlichen Formen jener Zeit, die Decora=

Fig. 1581. Grab des Khodabendeh zu Sultanieh.

tion jedoch, innerlich und äußerlich in glasirten Ziegeln ausgeführt, ist ganz saracenisch, sowohl in Bezug auf den maaßlosen Reichthum und prächtigen Farbenglanz, als auf die Muster selbst. Die Moschee war sunnitisch und ist daher von den Schiiten zerstört worden, doch sind die Ruinen ziemlich beträcht-

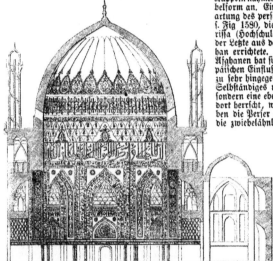

Fig. 1582. Grab des Khodabendah zu Sultanieh.

ich, namentlich der Portalbau steht noch ganz. Das Grab des Gründers an der Rückseite ist fast gänzlich zerstört. Andere noch stehende Moscheen, die Paläste, der Maidan (Bazar) und andere Bauten zu Jspahan zeugen von der Prachtliebe der Herrscher. Allgemein ist allen diesen größeren Ge-

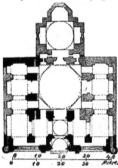

Fig. 1583. Moschee zu Tabriz.

bäuden die beinahe übermäßig häufige Anwendung der Kuppeln, in einzelnen Reihen sowohl als auch zu Ueberdeckung der Moscheenschiffe, wobei dann der ganze Raum in eine oft sehr große Anzahl kleiner Quadrate getheilt erscheint. Zur höchsten Harmonie entfaltete sich der Styl in den Grabbau-

ten, von denen wir unsern Lesern eines der schönsten, das um 1310 erbaute Grab des Mohamed Khodabendah zu Sultanieh, in Fig. 1581—83 anführen. Der Spitzbogen, der an diesem Grab noch ziemlich rein, nur am Portal mit einer kleinen Schneppe auftritt, artete allmälig zum Kielbogen aus. Die Kuppeln nahmen eben so allmälig die Zwiebelsform an. Ein Beispiel für diese Ausartung des perso-muhamedanischen Styls s. Fig 1580, die um 1695 erbaute Madrissa (Hochschule), welche Hussein Schah, der Letzte aus der Sufidynastie, in Jspahan errichtete. Seit dem Eindringen der Afghanen hat sich Persien leider dem europäischen Einfluß in Bezug auf die Kunst zu sehr hingegeben, so daß seitdem nichts Selbständiges mehr geschaffen worden ist, sondern eine ebenso große Stylverwirrung dort herrscht, wie bei uns. Nur Eins haben die Perser erhalten, die Vorliebe für die zwiebelähnlich geschweifte Kuppel und den äußerlichen reichen Farbenschmuck, der aber doch nie in's Grelle ausartet, wie man ja auch an den persischen Teppichen sieht.

Personenhalle, s. d. Art. Bahnhof 1.

Perspectiv, Fernrohr; s. Feldmeßkunst, Nivellirinstrumente ꝛc.

Perspective, die Lehre über Abbildung von Körpern nach dem Verfahren der Centralprojection; s. d. Art. Geometrie, S.129.

I. Allgemeines. Bei Darstellung nach dem Verfahren der Parallelprojection in Grund- und Aufriß erscheinen bekanntlich die Theile eines Gebäudes so wie sie wirklich sind; bei Betrachtung derselben in der Ausführung aber erscheinen sie oft ganz anders; dies ist die Wirkung der Perspective, deren Grundsätze sich auf die Optik grün-

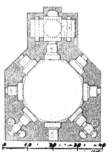

Fig. 1583. Grab d. M. zu Sultanieh.

den; da nämlich die Blicke (gewöhnlich, obgleich ungenau Sehstrahlen genannt) vom Auge aus sich nach allen der Betrachtung ausgesetzten Punkten des Gebäudes richten, so werden sie, wenn der Beschauer (dessen Augen füglich gegen die große Masse eines Gebäudes als ein Punkt betrachtet werden tönnen) seine Stellung nicht verändert, sich von dem Auge aus nach verschiedenen Richtungen hin zerstreuen müssen und Winkel (Sehwinkel) unter einander sowohl, als mit den Flächen und Linien des Gebäudes bilden. Demgemäß wird ein vorspringender Theil, z. B. ein Gurtsims u. dgl., einen hinter ihm zurückliegenden zum Theil verdecken. Ferner wird ein Sehwinkel, der irgend einen Körper umfaßt, d. h. durch die Blicke nach den beiden äußersten Enden dieses Körpers gebildet wird, um so spitzer werden, je weiter sich der Körper vom Auge befindet. Der Bau des menschlichen Auges ist nun (abgesehen von allen anatomischen Finessen) der Art, daß die von den einzelnen Punkten eines Körpers nach dem Auge gelangenden Sehstrahlen in der Linse aufgefangen werden und im Innern des Auges, auf der Netzhaut, ein verkleinertes Spiegelbild des Körpers reflectiren, welches dann, durch den Sehnerv dem Gehirn mitgetheilt, zum geistigen Bewußtsein gelangt, welches aber nur dann entstehen kann, wenn die betrachteten Dinge innerhalb eines durch die Größe der empfindlichen Stelle der Netzhaut bedingten Kegels von Sehstrahlen, dem sogenannten Sehfelde, liegen.

II. **Grundsätze.** Aus dem Gesagten, sowie aus sonstigen geometrischen und optischen Wahrheiten, ergeben sich folgende Sätze:

1) Mehrere Gegenstände werden nur dann zugleich gesehen, wenn sie alle im Bereich des Sehfeldes liegen und gleich weit entfernt vom Auge sind.

2) Sind diese Gegenstände gleich groß, so erscheinen sie auch dem Auge gleich groß.

3) Ungleich entfernte Gegenstände werden nicht genau, aber doch ziemlich zugleich gesehen.

4) Sind dieselben gleich groß, so erscheinen sie um so größer, je näher sie dem Auge liegen, und umgekehrt (Beweis: Blick durch eine Röhre, durch einen Eisenbahntunnel ꝛc.). Aus dieser Vergrößerung resp. Verkleinerung schließen wir auf die Entfernung.

5) Diese Vergleichung ist nur dann eine directe, wenn die Gegenstände zugleich in's Sehfeld kommen.

6) Um zwei Gegenstände, z. B. a u. b, b u. c, Fig. 1585, mögen sie nun gleiche oder ungleiche Entfernung vom Auge haben, zu betrachten, muß das Auge sich bewegen, sobald sie nicht zugleich in's Sehfeld kommen.

7) Solche Gegenstände werden also nicht zugleich gesehen.

Fig. 1585.

8) Das Sehfeld ist ein Kegel, dessen Erzeugende an der Spitze (im Kreuzungspunkt des Auges) einen Winkel von 12° mit der Achse bilden.

9) Da nun die Netzhaut in dem durch diese 12° auf ihr bezeichneten Kreis annähernd eine Ebene ist, kann man auch alle Punkte einer dem Auge gerade gegenüber gebrachten, d. h. rechtwinklig auf der Sehachse stehenden Ebene als gleich weit entfernt vom Auge annehmen, so lange diese Ebene nicht aus dem Sehfeld herausfällt, und auf die in ihr befindlichen Gegenstände die Sätze 1 und 2 anwenden.

10) Eine solche Ebene ist auch die Zeichnung, die man, um sie zu übersehen, stets in solche Entfernung vom Auge (reichlich das Doppelte ihrer Breite) bringen wird, daß keiner ihrer Theile außerhalb des Sehfeldes kommt. Die auf der Zeichnung dargestellten Gegenstände werden also zugleich vom Auge gesehen.

11) Auf der Zeichnung dürfen also blos solche Gegenstände gleich groß dargestellt werden, die dem Auge gleich groß erscheinen sollen, d. h. die bei gleicher wirklicher Größe auch gleich weit vom Auge entfernt sind.

12) Denken wir uns nur im Raum eine große Anzahl solcher Gegenstände, gleich groß und gleich weit vom Auge, um dasselbe vertheilt, so bilden diese eine Kugelfläche, deren Mittelpunkt das Auge ist.

13) Nach Satz 9 ist es nachgelassen, diese Kugel auf ein System von Ebenen zu reduciren, welche gleich weit vom Auge entfernt stehen und deren jede die Größe des Sehfeldes nicht überschreitet.

14) Je größer der Unterschied der Entfernungen zweier gleich großer Körper vom Auge ist, um so auffälliger wird der Unterschied in der Größe ihrer Bilder.

15) Sind die betrachteten Gegenstände Verticallinien, oben und unten durch Waagrechte verbunden (z. B. die zwei Kanten eines Hauses), so wird das Bild dieser Waagerechten um so geneigter erscheinen, je verschiedener die Entfernungen der Verticallinien vom Auge sind, je spitzer also der Winkel ist, den die von ihnen eingeschlossene Verticalebene (Wand) mit dem Sehstrahl bildet.

16) Wenn das Auge in die Verlängerung der Verticalebene rückt, wird das Bild der Horizontallinie (des Gurtsimses z. B.) ganz lothrecht erscheinen, sich mit dem Bild der Verticallinie decken.

17) Das Bild jeder Ebene wird also um so schmaler, die Ebene verkürzt sich um so mehr, je spitzer der Winkel zwischen ihr und dem Sehstrahl wird.

18) Da alle Punkte, welche mit dem Auge in gleicher Höhe liegen, eine Horizontalebene bilden, so werden auch sämmtliche Bilder von Verbindungslinien dieser Punkte in eine Horizontallinie, den Horizont, fallen.

19) Denkt man sich durch eine solche Linie nach unten oben viele gleich hohe Stangen gesteckt, so werden die Bilder derselben immer kleiner, je mehr sie sich vom Auge entfernen, zuletzt in unendlicher Entfernung = 0; die Verbindungslinie der oberen, sowie die der unteren Enden dieser Bilder würde also den Horizont in demselben Punkt treffen, den man den Verschwindungspunkt nennt.

20) Fällt die Stangenreihe in eine durch die Sehachse, also nach 9) rechtwinklig gegen die Bildfläche gelegte Verticalebene, so erscheint ihr Bild als Verticallinie, und der Verschwindungspunkt derselben ist der Punkt, wo sie den Horizont schneidet. Dieser Punkt liegt also dem Auge gegenüber und heißt Augenpunkt.

21) Da bei weiterer Entfernung vom Auge die Breiten in demselben Verhältnissen abnehmen wie die Höhen, so werden nicht blos die über einander liegenden, sondern auch neben einander liegenden, und in Folge dessen auch beliebig vertheilte Horizontallinien, sobald sie parallel sind, in demselben Verschwindungspunkt, sobald sie also rechtwinklig gegen die Bildfläche stehen, im Augenpunkt den Horizont treffen.

22) Alle unter irgend einer Neigung im Raum vertheilten parallelen Linien werden stets einen gemeinschaftlichen Verschwindungspunkt haben.

Mit allen diesen Grundsätzen nun muß natürlich ein perspectivisches Bild übereinstimmen, wenn dasselbe richtig sein, d. h. auf das Auge dieselbe Wirkung machen soll, wie die Gegenstände in der Natur sie machen. Am besten kann man sich davon bei Betrachtung von den die Natur so täuschend wiedergebenden Stereoskopen überzeugen. Da

man hier entgegenhalten könnte, daß diese Stereoskopen durch ihre Zusammensetzung aus zwei
Aufnahmen von zwei verschiedenen Standpunkten
die Entfernung der beiden Augen mit berücksichtigen, so sei darauf aufmerksam gemacht, daß man
ein eben so täuschendes Bild erhält, wenn man
eine Photographie blos mit einem Auge betrachtet.
Nun hat man im Laufe der Zeiten verschiedene
Methoden aufgestellt, perspectivische Bilder von
Gebäuden zu construiren. Die beliebteste darunter,
zuerst von Leonardo da Vinci und von Albrecht
Dürer in Regeln gebracht, und namentlich von
Hummel und von G. Heine in Dresden durchgebildet, liefert die Bilder der gesehenen Gegenstände,
wie sie sich darstellen, wenn man die Gegenstände
durch eine ebene Glastafel beschaut und die Umrisse derselben auf dieser Glastafel nachzeichnet.
Die Stellung dieser Glastafel bedingt natürlich
dann die Gestalt des Bildes und zugleich die Methode des Construirens; demnach theilt sich denn
die Perspective folgendermaßen ein:

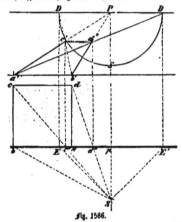

Fig. 1586.

III. **Erster Fall.** Die Glastafel steht lothrecht,
und der Augenpunkt ist dann derjenige Punkt, in
welchem aus dem Auge des Beschauers gefällter Perpendikel (Sehachse, Augenachse) die Glastafel trifft, liegt also im Horizont. Diesen Horizont kann man beliebig annehmen. Gewöhnlich
nimmt man ihn bei Darstellung von Gebäuden
3 Ellen über der Straßenfläche, also so an, wie das
Auge eines stehenden Beschauers steht. Es würden
dann die Bilder der Augen aller auf der Straße
wandelnden Personen alle in den Horizont fallen. Legt
man den Horizont niedriger (Feldperspective), so
fallen alle Bilder der Augen stehender Personen
über den Horizont; nimmt man denselben höher an
(wodurch eine sogenannte Cavalierperspective entsteht), so fallen alle Augenbilder unter den Horizont.
Der Raum zwischen der Grundlinie des Bildes und
dem Horizont ist zugleich das Bild einer unendlich fortgesetzt gedachten waagrechten Ebene, der
Grundebene, die Grundlinie oder Basis also diejenige Linie, in welcher die Glastafel die Grundebene
schneidet. Rücksichtlich der Lage der darzustellenden
Gegenstände gegen die Glastafel ändert sich nun
das Verfahren.

a) **Parallelperspective.** Die lothrechte Glastafel

steht parallel mit der einen Seite des betrachteten
Gegenstandes. Diese sei z. B. (Fig. 1586) ein Quadrat
a b c d. Der untere Theil der Zeichnung stellt den
Grundriß dieses Quadrats, der Glastafel und des
Beschauers vor, welcher seinen Standpunkt in S
hat; von S aus zieht man einen Perpendikel Sp auf
die Tafel (die Projection der Sehachse). Diese trägt
man auf die Ansicht der Tafel (Oberthеil der Zeichnung) über und erhält so auf dem angenommenen
Horizont DD den Augenpunkt P. Zieht man nun
im Grundriß von S aus 2 Linien S E u. S E' unter
45° gegen die Tafel und trägt auch diese Punkte
hinauf nach D, so wird P D = p E = p S, also gleich
der Distance des Beschauers vor der Tafel sein;
die Punkte D, Distancepunkte, sind nach obigen
Sätzen zugleich die Verschwindungspunkte für alle
unter 45° gegen die Tafel treffenden Horizontalen,
also für alle Diagonalen; trägt man demnach die
Breite a b (welche ihre natürliche Größe behält,
weil sie in der Glastafel liegt) bei a' b' auf, zieht
(nach Satz 21) b' P und a' P als Bilder von a d
und b c dann b' D und a' D, so werden die

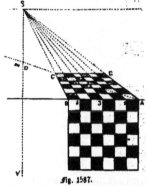

Fig. 1587.

Durchschnittspunkte c' d' dieser Diagonalbilder mit
den betreffenden Seitenbildern die perspectivische
Länge letzterer bestimmen; zur Bestätigung dient,
daß das mittelst des Grundrisses c S des Seh-
strahles für c und der Auftragung von c" nach c' gefundene Bild von c mit dem Durchschnittspunkt des
Diagonalbildes und Seitenbildes zusammenfällt.
c' d' ist parallel mit a' b'. Durch Wiederholung des
Verfahrens nach Fig. 1587 kann man sich einen
perspectivischen Maßstab erzeugen. Ist nun der
darzustellende Gegenstand ein Haus mit gleichen
Stockwerken, die durch Gurtsimse eingetheilt sind,
so wird seine Façade eine Ebene bilden, die parallel
mit der Glastafel ist; die Vertical- und Horizontallinien werden ebenfalls parallel mit ihren Bildern sein, und demgemäß werden nach dem Satz
von ähnlichen Dreiecken auch die Bilder sämmtlicher
Linien in demselben Verhältniß unter einander stehen, wie die Linien selbst, d. h. das Bild der Façade
wird alle Höhen- u. Breitenverhältnisse der Façade
unverändert wiedergeben. Die Sockel, Gurt- und
Hauptsimse werden genau waagerecht, die Geschosse
alle gleich hoch erscheinen. Sieht man dabei zugleich
eine verkürzte Seite, so werden die Bilder der hier
hinlaufenden Simse fallen, das der Sockel steigen,
und sich, je mehr man sie verlängert, um so mehr
dem Bild der Augenebene, dem Horizont nähern,
endlich sämmtlich im Augenpunkt eintreffen, wie

dies aus obigen Regeln hervorgeht. b) Accidentalperspective. In ähnlicher Weise wie den Distance-
punkt findet man den Verschwindungspunkt, d. h.
den Durchschneidungspunkt des Horizonts mit den
Bildern von Horizontallinien, die zwar parallel
unter einander, aber nicht rechtwinklig zur Glastafel sind, indem man vom Standpunkt S bis zur
Glastafel eine Linie zieht, welche parallel mit den
darzustellenden Linien ist, und darauf gründet sich
die Accidentalperspective, d. h. Darstellung von
Gegenständen, welche schiefwinklig gegen die Glastafel stehen. Die Bilder dieser Linien findet man
dann entweder, indem man den einen Endpunkt
derselben nach seiner Lage im Grundriß und nach
seiner Entfernung von der Glastafel mit Hülfe des
Distancepunktes aufsucht, oder indem man sie bis an
die Glastafel verlängert u. dann von dem so gefundenen Punkt aus nach dem Verschwindungspunkt zieht.

IV. **Zweiter Fall.** Die Glastafel steht schräg. Hier
werden die Bilder der lothrechten Flächen sich verjüngen müssen, je nachdem sich die Flächen von der
Glastafel entfernen. a) Ist die Glastafel (auf
welcher die Sehachse immer winkelrecht bleibt) oben
nach hinten geneigt, steht also das Auge höher als
die betrachteten Gegenstände, so werden sich die lothrechten Flächen dem Auge oben näher sein als
unten, sich also nach unten verjüngen. Die Con-
structionsmethode ist dieselbe wie bei der Accidentalperspective. Diese Gattung der Perspective heißt
Vogelperspective. b) Froschperspective. Die Glastafel ist oben nach vorn geneigt, das Auge liegt
tief, die Gegenstände verjüngen sich also nach oben.

V. **Dritter Fall.** Die Glastafel liegt waagrecht,
die Sehachse steht also lothrecht. a) Ballonper-
spective. Die Glastafel liegt über den Gegenständen, auf die man herabsieht. Die Construction ist
wie bei der Parallelperspective, denn alle Horizontallinien sind mit den Glastafeln parallel.
b) Plafondperspective. Die Glastafel liegt unter
dem Gegenstand, man sieht also aufwärts, etwa
wie wenn man, auf dem Fußboden eines Zimmers
liegend, den Plafond ansieht.

VI. **Vierter Fall.** Reflexionsperspective. Es befinden sich hinter den Glastafeln spiegelnde Flächen. Auch hier ist die Construction entweder nach
den Regeln der Parallelperspective oder der Accidentalperspective zu vollführen.

VII. **Fünfter Fall.** Perspectivische Schattenconstruction. Dabei kommt es darauf an, ob natürliche oder künstliche Beleuchtung, d. h. parallele
oder von einem Punkt ausgehende Lichtstrahlen,
ob directes oder indirectes Licht angenommen wird,
und welche Lage gegen die Glastafel man für die
Lichtquelle annimmt. Dabei lassen sich auch diese,
immerhin etwas complicirten Constructionen auf die
Parallelperspective oder Accidentalperspective zurückführen. Am einfachsten ist es, die Schatten auf
geometrischen Zeichnungen zu construiren und mit
den Formen des Gegenstandes zugleich in Perspective zu setzen.

VIII. **Kritik der Methode.** Wir können natürlich hier nicht näher auf diese Constructionen eingehen. Nur noch einige allgemeine Bemerkungen.
Bei Anwendung der bisher allgemein giltigen Regeln für die perspectivische Construction ergab als
Resultat der Befolgung derselben u. A. hervor:

α) Die Bilder sämmtlicher mit der Glastafel
parallelen Linien erscheinen parallel mit ihrer wirklichen Richtung, die der horizontalen horizontal,
die der verticalen vertical.

β) Gleich große Abschnitte solcher Linien erschei-

nen gleich groß, ohne daß die zu- oder abnehmende
Größe des Sehwinkels oder die größere oder geringere directe Entfernung vom Beschauer Einfluß auf sie übt.

γ) Die Bilder von mit der Glastafel parallelen
Ebenen verkürzen sich nicht, mag nun das Auge
gerade vor ihnen oder seitwärts, ja fast in ihrer
Verlängerung stehen.

δ) Die Stellung der Glastafel, also eines blos
vermittelnden Gegenstandes, hat mehr Einfluß auf
das ganze Bild, als die Stellung des Beschauers.
Man sieht leicht ein, daß diese Resultate mit den
oben sub 1—22 ausgesprochenen Grundsätzen in
lebhaftem Widerspruch stehen. Bei Anwendung der
Glasebenenperspective auf sehr große oder rings
um das Auge vertheilte Gegenstände wird sich sogar entweder ein sehr verzerrtes Bild, oder die
Unmöglichkeit der Herstellung eines solchen her-
ausstellen; Panoramen kann man z. B. nach dieser
Methode gar nicht construiren. Ferner ist bei der
Befolgung dieser Methode die Möglichkeit da, daß
von zwei gleich großen Gegenständen, z. B. zwei
Menschen, die gleich weit vom Auge entfernt sind,
der Eine, weil er der Glastafel näher ist, viel
größer erscheint als der Andere. Nun werden
zwar alle diese Uebelstände vollständig beseitigt,
sobald der ein so construirtes perspectivisches Bild
Betrachtende sein Auge genau in den bei Aufnahme
des Bildes angenommenen Standpunkt bringt, nach
der Maaßstab der Zeichnung dabei sich richtend;
z. B. bei Betrachtung des in Fig. 1586 dargestellten
Quadrats müßte der Beschauer sein Auge rechtwinklig vor den Punkt P, genau um 1 Zoll vom
Bild entfernt, bringen; nun weiß aber Jeder, daß
man sich in solcher Nähe nichts betrachten kann; im
Gegentheil beträgt die Entfernung des Auges von
einem betrachteten Bild in der Regel bei weitem
mehr, als die bei der Zeichnung angenommene
Entfernung des Augenpunktes von der Glastafel
nach dem Maaßstab betragen würde, ja die Sehstrahlen vom Auge des Beschauers nach einem
blos wenige Zoll breiten Bild in der Entfernung
von einigen Fuß dürften wohl als nahezu parallel
zu betrachten sein. Diese Methode, so praktisch
und leicht ausführbar sie nun ist, so gut sich sich,
namentlich zum Reißbret mit Schienen, Win-
kel ꝛc., durchführen läßt, ist also doch, als den Haupt-
grundsätzen einer richtigen Perspective und den
dieselbe zum Theil begründenden anatomischen
Wahrheiten nicht völlig entsprechend, nur unter
Beschränkung anzuwenden, ja, genau genommen,
sogar direct zu verwerfen. Die Uebelstände derselben haben ihre Ursache hauptsächlich in der Anwendung der Glasebene. Die vermittelnde Fläche,
auf der wir die Durchschneidungspunkte der Sehstrahlen markiren, um das perspectivische Bild zu
haben, muß dem Bau des Auges angemessen sein,
damit alle die Verkürzungen und Veränderungen,
welche bei Betrachtung eines umfänglichen Gebäudes durch das Auge des Auges und das Divergiren der Sehstrahlen bewirkt werden, bei dem
Bild, welches man mit ziemlich parallelen Sehstrahlen betrachten, d. h. mit einem Blick übersehen
kann, schon bewirkt sind. Ferner muß sie den
Sätzen 1, 2, 5, 9, 11, 12, 13 entsprechen, was bei
der bisherigen Methode nicht der Fall ist.

IX. **Glaskugelmethode.** Damit die perspectivische Zeichnung nun mit den Sätzen 1, 2, 11, 12
im Einklang stehe, d. h. damit die Bilder aller
gleich großen und gleich weit entfernten Körper
auf der vermittelnden Fläche gleich groß werden,

müssen sämmtliche Durchschnittspunkte derselben mit den Sehstrahlen, nach dem Satz für ähnliche Dreiecke, ebenfalls gleich weit vom Auge entfernt sein, d. h. die vermittelnde Fläche (Projectionsfläche) für das perspectivische Bild müßte der Theil einer Kugelfläche sein, deren Mittelpunkt das Auge bildet; nur für Bilder, bei denen der Abstand des Auges mindestens das Doppelte der größten Ausdehnung der Bildfläche beträgt, ist (vergl. Satz 9 und 13) die Anwendung einer Glasebene zulässig. Bei größeren Bildbreiten oder kürzeren Distanzen wende man die Glaskugel an, deren Radius ganz beliebig angenommen werden kann, ohne das Bild in seinen Verhältnissen auch nur im Geringsten zu verändern; der Radius hat sich vielmehr nur nach der Größe zu richten, die man dem Bild zu geben gedenkt. Dabei versteht sich nun von selbst, daß die Fläche, auf die dann das Bild gezeichnet wird, eigentlich auch eine hohle Kugelfläche von demselben Radius sein müßte. Annähernd finden wir dies in den kreisförmigen Darstellungen der Panoramen verwirklicht. Im Allgemeinen aber läßt es sich nicht gut ausführen, und diese Schwierigkeit ist der einzige Einwurf, den man dieser Methode machen könnte. Er läßt sich aber beseitigen: Man rectificire die Kugelfläche sammt dem darauf sich projicirenden Bild durch Abmessung der einzelnen Theile des Bildes an der Peripherie der Kugel und Auftragung dieser Maaße auf eine Ebene. Da man nun in der Regel bei Betrachtung eines z. B. eingerahmten Bildes sich ziemlich in die Mitte vor den Hauptgegenstand der Darstellung zu stellen pflegt, so bestimmt man die Lage dieser Ebene dadurch, daß man den größten Sehwinkel des Bildes halbirt und durch den Punkt, wo diese Halbirungslinie die Kugel schneidet, eine Ebene, die Zeichnungsfläche, tangential an die Kugel setzt. Demgemäß wird sich dann also die Augenlinie stets in der Mitte des vom eigentlichen Bild eingenommenen Raumes befinden. Will man irgend einen Gegenstand, z. B. einen Würfel, perspectivisch zeichnen, so bestimmt man sich zuerst auf dem Grundriß, Fig. 1588, den Punkt A, wo der Beschauer

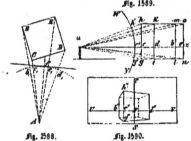

Fig. 1589.

Fig. 1588. **Fig. 1590.**

steht, dann zieht man von ihm aus nach den äußersten Grenzen B, D des darzustellenden Gebäudes Sehstrahlen, und bestimmt nun nach der gewünschten Größe des Bildes den Radius A f der Projectionskugel (die Freiheit dieser Bestimmung hat das Gute, daß man nach sehr kleinen Grundrissen große Bilder und umgekehrt fertigen kann). Nun nimmt man ein beliebiges anderes Papier, s. Fig.

1589, zieht darauf die Linie a z und den Kreis YW, der denselben Radius A f hat. Dies dient zum Höhenabnehmen. Auf das Blatt, welches für das Bild bestimmt ist, Fig. 1590, zieht man ungefähr in die Mitte eine Verticale S T und in beliebiger Höhe die Horizontlinie UV, welche man sich aber auch auf dem Aufriß des zu zeichnenden Gegenstandes angeben muß. Nun mißt man im Grundriß die Entfernung A C und trägt dieselbe als a c in dem Höhenabnehmungsprofil, Fig 1589, auf. Dann mißt man im Aufriß die Höhe über und unter dem Horizont und trägt sie ebenfalls am Höhenprofil von dem Punkt c aus auf nach h und g; dann zieht man im Grundriß und Profil die Sehstrahlen und rectificirt die dadurch abgeschnittenen Segmente f d', f b', c' g', c' h'; die im Grundriß gefundene Länge f c' z. B. mißt man von f aus und trägt sie dann im Bild von der Linie S T aus seitwärts auf: F c', Fig. 1590. Die im Höhenmessungsprofil gefundenen c'h' und c'g' werden vom Horizont a z aus gemessen und auf dem Bild ebenfalls vom Horizont UV aus aufgetragen (c''g'' und c''h''). Nachdem man so für jeden einzelnen Eckpunkt das Bild gefunden hat, zieht man die Verbindungslinien und erhält so ein Bild, welches zwar wegen der Schwierigkeit genauer Rectificirung noch manche kleine Ungenauigkeiten enthält, im Ganzen aber stets naturgemäß und angenehm sein wird. Unter die Ursachen dieser Ungenauigkeiten gehört namentlich der Umstand, daß die Bilder der geraden Linien gerade erscheinen, wenn man bloß ihre Endpunkte einzeln projicirt, während sie, wenn man für jede Linie das Bild von mehreren Punkten aufsucht, sich gekrümmt darstellen, wie das auch auf allen Photographien findet. Wenn man nun auch mit Sicherheit behaupten kann, daß nur ein solches Bild ganz richtig ist, so läßt sich andererseits nicht in Abrede stellen, daß es einen unangenehmen Eindruck macht, wenn die Linien sich zu sehr krümmen, weil das Auge bei den kleinen Dimensionen eines solchen Bildes die Krümmung deutlicher wahrnimmt als im Großen. Steht die Entfernung des Beschauers vom darzustellenden Gegenstand in richtigem Verhältniß mit der Größe desselben, d. h. steht der Beschauer nicht zu nahe, so werden die Krümmungen nur sehr zart und das Bild angenehm, ja sogar täuschender, als wenn die Linien gerade wären, wie sie dann auch auf den so täuschenden Stereoskopen nie ganz gerade sind. Ist der Standpunkt sehr nahe, so hilft man sich dadurch, daß man die eigentlich gekrümmt erscheinenden Linien gerade, die lothrechten Kanten wirklich lothrecht zeichnet. Jedenfalls hieße es die Grenzen dieses Buches überschreiten, wenn wir noch länger bei diesem Gegenstand verweilen wollten, und wir verweisen daher auf Dr. L. Bergmann's „Schule des Zeichners", dritte Auflage, herausgegeben von Dr. O. Mothes, Leipzig, Otto Spamer 1865, wo diejenigen unserer Leser, die sich näher für die Sache interessiren, eine detaillirtere Bearbeitung derselben finden werden. Einzelne Gebäudetheile, Maschinen rc. pflegt man oft, um sie anschaulicher zu machen, so darzustellen, daß man mehrere ihrer Seiten zugleich sieht, aber ohne Verkürzung, nach den richtigen Maaßen und ohne daß die Linien sich nach hinten einander nähern. Ein solches Bild erscheint allerdings auf den ersten Blick als Perspective, ist es aber nicht, sondern ist eine isometrische oder axonometrische Zeichnung; s. d. Art. Isometrisch, Projection rc.

perspectivischer Maßstab, s. d. Art. Perspective.

Perspectivmalerei. Zu Herstellung eines perspectivischen Gemäldes gehört zuvörderst die Herstellung einer perspectivischen Zeichnung und die Construction der Schatten, s. d. Art. Perspective VII. Beim Malen selbst muß man dann auch die Luftperspective, d. h. den Umstand, daß Contouren und Schatten in der Entfernung weniger scharf erscheinen als in der Nähe, mit berücksichtigen. Außerdem kommen natürlich alle Regeln der Malerei mit in's Spiel, die hier anzuführen Raum und Zweck des Buches nicht gestattet, die man jedoch, so weit sie für den Architekten in's Spiel kommen, in dem citirten Buch „Schule des Zeichners" findet.

ohne jeden Anklang von Holzconstruction. Die Peruaner waren übrigens auch in Goldarbeit und Töpferei sehr erfahren, arbeiteten in Kupfer u. Bronce ꝛc. Die Denkmäler sind verschiedener Art.

a) Befestigungen. Die Mauern waren kyklopisch, aus riesenhaften, blos theilweis bearbeiteten Steinen ohne Mörtel erbaut. Die Mauern Cusko's bilden drei tenaillirte Zingel hintereinander, so zwar, daß jeder innere beträchtlich höher steht als der nächst äußere. Die Warten an den Straßen waren kleiner. In Canar ist eine erhalten; eine Ringmauer von 5—6 Meter Höhe umschließt einen elliptischen, etwas erhöhten Hofraum von 38 Meter Länge, in dessen Mitte ein Haus mit zwei Gemächern steht. Die Mauern bestehen aus Quadern mit Fasen an den Kanten, bilden also eine Bossage. Die

Fig. 1521. Haus der Sonnenjungfrauen auf der Insel Coata.

Pertinenzien, Pertinenzstücke, Zubehör; dazu gehört z. B. bei einem Hause der Hof, Brunnen, etwaiger Garten, Beischleuße ꝛc., kurz Alles, was zwar nicht unmittelbar zur Integrität des Hauses, wohl aber zu dessen Benutzbarkeit als solches nöthig ist. Ferner auch alle vom Haus untrennbaren Decorationsgegenstände, z. B. Parquetfußböden, Marmorkamine ꝛc.

peruanische Baukunst. In Peru erschien ungefähr 1200 nach Chr. auf der Insel Coata im See von Titicaca plötzlich ein Fremder, Manko Kapak, mit seiner Gemahlin Mama Oello, gab sich für einen Sohn der Sonne aus, stürzte den Fetischismus, führte den Sonnendienst ein und gründete das Reich der Inkas, welches bei Ankunft Pizarro's unter dem 12. Nachkommen Manko Kapak's in hoher Cultur blühte. Die Verfassung war patriarchalisch absolut. Vor dieser Gründung des Inkareichs scheinen die Bauten zuerst aus Lehmwänden, später theils in rohem Bruchsteinmauerwerk, theils in einer Art Pisébau ausgeführt worden zu sein. Die unter den Inkas errichteten Bauten ähneln in Verband ꝛc. den kyklopischen und pelasgischen Mauern und zeigen durchweg primitive Steinconstruction, fast

Thüren sind bis 2 Meter hoch und nach oben verengt. Nischen (hocos) im Innern dienten als Schränke, dazwischen befinden sich steinerne Kleiderhalter (s. unt. sub f). Das Haus hat Giebel, deren Gleichzeitigkeit noch nicht feststeht.

b) Tempel. Die Mauern des Sonnentempels in Cusko waren von Luftsteinen; in der Decoration spielte Gold die Hauptrolle, aus welchem die Thürflügel, Simse und Ziermeubles bestanden. Der Altar stand an der Ostseite und diente zugleich als Postament für ein riesenhaftes goldenes Bild der Sonne, des sichtbaren Stellvertreters für den unsichtbaren höchsten Schöpfer Pachakamak. Daneben saßen auf Thronen die balsamirten Leichen der Inkas. Rund um den Tempel war ein großer, freier Platz, von einer Mauer umgeben; fünf viereckige Pavillons mit Pyramidendächern standen in diesem Hofe. Der erste war dem Mond geweiht; das Bild des Mondes und alle Verzierungen bestanden aus Silber, und hier wurden die balsamirten Leichen der Königinnen beigesetzt; der zweite war dem Morgenstern, der dritte dem Donner und Blitz, der vierte dem Regenbogen geweiht und entsprechend verziert; der fünfte diente den Priestern als Versammlungssaal, welche ihre Wohnungen ebenfalls im Bereich der

11*

Mauern hatten. Fünf Reinigungsbrunnen, Gärten, Wohnungen der Sonnenjungfrauen (eine Art Nonnen) ꝛc. umgaben den Tempel. Die meisten dieser Tempel sind aus bossirten Steinen ohne Mörtel gebaut und haben eine auf Mauern oder Pfeilern ruhende Cassettendecke. Statuen ꝛc. waren ziemlich häufig und wohlgebildet. Das Haus (Fig. 1591) der Sonnenjungfrauen auf der Insel Coata ist nahezu quadratisch mit zwei niedrigen Flügeln. Es enthält im Erdgeschoß zwölf ziemlich kleine quadratische Räume, im Obergeschoß eben so viel. Nur eins derselben im Oberge-

Fig. 1592. Peruanische Gräber.

schoß hat zwei Schlitzfenster, die anderen entbehren vollständig des directen Lichts.

c) Paläste sollen ebenfalls sehr prächtig mit Goldplatten, Statuen ꝛc. ausgestattet gewesen sein. Der älteste Palast ist der des Manko Kapal auf Coata, s. Fig. 1591 im Hintergrund; die Front ist gekrümmt, erhebt sich auf einer niedern Terrasse

Fig. 1593. Peruanische Herberge.

und zeigt in roher Bruchsteinmauer eine Reihe von Thüren, die nach oben verjüngt und mit Gewänden eingefaßt sind; über jeder dritten Thür erhebt sich ein thurmähnlicher Aufbau. Fenster fehlen im Untergeschoß gänzlich. Die Zimmer sind beinahe quadratisch.

d) Gräber. Dieselben sind in der Regel quadratisch, seltener länglich-viereckig, nicht sehr hoch, mit flachem Dach oder mit einer Art Kuppel in Gestalt einer abgestumpften Pyramide abgedeckt (Fig. 1592). Die Thür führt in ein Gemach, unter dessen Boden die Grabkammer liegt. Runde Gräber mit Kuppeln sind seltener.

e) Privathäuser, meist von Lehmmauer, seltener von Stein aufgeführt, mit glänzendem rothen Mörtel geputzt, zwei Stock hoch; die Thüren wurden nach oben zu schmäler und hatten einen Sturz.

f) Straßen. Eine der bedeutendsten führte über die Cordilleren bis zu 4042 Meter über dem Meere; diese Straße war mit breiten Platten gepflastert, circa 13 Meter breit, in Niederungen nicht aufgeschüttet, sondern mit Futtermauer versehen, durch Wassergräben flankirt. In gewissen Zwischenräumen standen an diesen Straßen Herbergen (tambos) und Magazine, sowie Wartburgen. Fig. 1591 zeigt die innere Wand einer solchen Herberge mit Thür, Schranknischen und steinernen Kleiderpflöcken.

g) Canäle u. Wasserleitungen waren schleusenähnlich angelegt, ca. 4 Meter tief bei ca. 1 Meter Breite, mit Steinplatten bedeckt und mit Erde überschüttet.

h) Brücken theils von Stein, theils von Korbgeflechten.

Pernbalsam, s. d. Art. Balsam 2.

Perückensumach (Rhus cotinus, Fam. Terebinthengewächse). Das junge Holz ist schneeweiß, weich und riecht stark, später wird es hart, grünlichgelb oder röthlich, braungeflammt und seidenartig glänzend; s. auch d. Art. Fisetholz.

Perwisch, lat. parvisium, frz. parvis, alt-engl. pervyse, s. v. w. Paradis; s. d.

Pesée des âmes, frz., psychostasie; s. d. Art. Seelenwägung.

Pestel, oben zu Aufnahme einer Barrièrenstange durchlöcherter Geländerpfahl.

Pesthaus, s. d. Art. Hospital c.

Petalit, Berzelit (Mineral.), Silicatgestein von Thonerde, Lithion oder Natron, erscheint derb, mit bald kleinmuscheligem, bald splitterigem Bruch; scheint etwas durch, ist etwas weicher als Quarz, härter als Apatit, hat weißes Strichpulver, einfache Strahlenbrechung, Glas- oder Perlmutterglanz, von Farbe weiß und weiß-röthlich.

Petit entrait, frz., Spannriegel.

Petong, s. v. w. Packfong.

Petrolén, s. d. Art. Asphalt.

Petroleum, lat., s. d. Art. Bergnaphtha und Bergtheer, Erdöl, Steinöl, Bergöl, Bitumen.

Petronilla, St., Tochter des Apostels Petrus, wurde um ihres Seelenheiles willen mit einer Krankheit belegt, von der sie Petrus nur einmal auf kurze Zeit heilte; von einem Römer Flaccus zur Ehe begehrt, erbat sie sich Bedenkzeit, nahm das Abendmahl aus der Hand des St. Nicodemus und starb 60 n. Ch.

Petronius, St., Patron von Bologna, edler Abkunft, wissenschaftlich gebildet, besuchte die Einsiedler in Aegypten und Jerusalem, wurde von Theodosius dem Jüngern in der nestorianischen Angelegenheit zum Papst gesendet, dann zum Bischof von Bologna ernannt; baute viele Kirchen, erweckte einst einen von einer Säule erschlagenen Werkmeister, starb um 490, und wird abgebildet als Bischof, das Modell seiner Kirche und die schiefen Thürme von Bologna auf der Hand tragend.

Petrosilex (Mineral.), s. d. Art. Pechstein, Feldsteinporphyr und Bergkiesel.

Petrus, St., 1) der Apostel, Patron der Fischer, ferner von Beauvais, Lisieur, Montpellier, auch Schlüsselhalter genannt. Der Himmelsschlüssel ist golden, der Erdenschlüssel silbern darzustellen. Er wurde mit dem Kopf nach unten an's Kreuz gebestet. Er soll kleiner als Paulus und grauköpfig gewesen sein. Ueber seinen Stab s. d. Art. Maternus. Bei Standbildern bringt man an der Console den Magier Simon mit einem Geldbeutel um den Hals, als Gegenstück des Petrus, an. Weiteres über Petrus s. d. Art. Apostel 1.

2) **P. von Alexandria,** als Patriarch von Aegypten Nachfolger des St. Thomas, schrieb Buscanons, excommunicirte den Arius, entsetzte den Bischof von Neapolis und wurde 310 unter Galerius Maximianus enthauptet.

3) **P. von Alcantara,** 1499 in Alcantara geboren, wurde mit dem 16. Jahr Franziskaner, bekehrte in Amerika Heiden und starb 1562 auf der Reise im Kloster Arenas. Abzubilden als Franziskaner, im Arm ein Kreuz, Geißel und andere Bußgeräthe, ferner eine Taube am Ohr wegen der Gabe der Weissagung.

4) **P. Claver,** 1581 geboren, wurde in Barcellona Jesuit, ging nach Afrika, starb 1654; abzubilden als Jesuit mit einem Kreuzstab, von Negern umgeben.

5) **P. von Murone,** genannt Cölestinus, Stifter des Cölestinerordens, aus Apulien gebürtig, wurde 1294 Papst; da er früher Einsiedler gewesen, blieb er auch als Papst in einer kleinen hölzernen Zelle, legte nach einem halben Jahr seine Würde nieder und wollte wieder Einsiedler werden, mußte aber das Schloß Sulmona beziehen, wo er starb. Abzubilden als Papst, von Teufeln umgeben, die ihn zu versuchen trachten.

6) **P. Damianus,** von Ravenna gebürtig, Einsiedler, dann Abt, Stifter mehrerer kleiner Klöster, endlich Cardinal, Bischof von Ostia, kehrte aber in seine Einöde zu Monteavellan zurück und starb 83 Jahr alt. Abzubilden als Einsiedler, zur Seite den Cardinalshut, in der Hand eine Geißel.

7) **P. Gonzalez,** im Dominicanerhabit auf seinem Mantel über einem Feuer darzustellen; s. d. Art. Elmo.

8) **P. Martyr,** geboren 1203 zu Verona von ketzerischen Eltern, wurde Dominicaner u. bald ausgezeichneter Prediger, s. d. Art. Ketzerei, endlich Inquisitor. Zwischen Como und Mailand wurde er überfallen und mit einem krummen Säbel in den Kopf gehauen, sprach aber noch sterbend das Credo (1245). Darzustellen im Ordenskleid der Dominicaner, ein Schwert im Kopf, auf dem Boden das Wort „Credo" mit Blut geschrieben.

9) **P. von Nalasco,** geborener Franzose, stritt unter Simon de Montfort gegen die Albigenser, wurde Lehrer des gefangenen Prinzen Jacob von Arragon. In Folge einer Erscheinung der Jungfrau gründete er einen Orden zur Befreiung gefangener Christen mit Raimund von Pennaforte

und dem König von Arragonien, gerieth in Afrika in Gefangenschaft und starb 1256. Abzubilden im weißen Ordenskleid, auf der Brust ein Schild mit dem arragonischen Wappen, mitunter um ihn befreite Sclaven.

10) **P. Thomas,** geboren 1305, wurde 1325 Carmeliter, 1328 Priester, dann päpstlicher Legat, Redner für die Kreuzzüge gegen die Unglaubigen; fiel von Pfeilen durchbohrt 1366; abzubilden als Carmeliter mit Pfeil.

Peitsche, Riemen oder Ruder an Flößen und Barken.

Peitschenschwarte, Floßsteuerruder, aus einem schwachen Stamm gehauen, an einem Ende rund, an dem andern bretartig; s. d. Art. Floß und Zscherpel.

Pette, s. v. w. Blattstück; s. d. Art. Pfette.

Peulven, Menhir, s. d. Art. celtische Bauwerke 2.

Peuschel, s. v. w. Bäuschel.

Peuse, Bose, Buse, der dritte Theil der bergmännischen Arbeitsschicht.

Pew, engl., Kirchenstuhl.

Pezzo, ital., römisches Feldmaaß; s. d. Art. Maaß S. 492.

Pfadeisen (Bergb.), ein umgebogenes Eisen in der Halpelstütze, in welchem der Zapfen des Rundbaums liegt, auch Pfubleisen genannt; s. d. Art. Haspel und Zapfenlager.

Pfadkopf (Bergb.), s. v. w. große Erzwand.

Pfählchen, Spickpfahl, s. d. Art. Piquet, Feldmessen, Festungsbau und Hindernisse.

pfählen, s. d. Art. Abpfählen.

Pfähnenschlägel oder Pfannenschlägel, verdorben aus Bahnenschlägel; s. d.

Pfändejoch (Minenb.), Joch von schwachem Holz zum Zurückhalten der Verkleidungen.

Pfändekeil (Minenb.), Holzkeil zum Antreiben der Verkleidung an das Erdreich; s. d. Art. Grubenbau, S. 213, Bd. II.

Pfändethürgerüst (Stollen- und Minenb.), größer als das Halbthürgerüst. Zwischen diesem und dem ersteren werden die Bretter für die Seiten- und Deckenzimmerung eingeschoben.

Pfaffe (Schlosser), s. v. w. Nietpfaffe.

Pfaffenhütchen, s. d. Art. Spindelbaum und Holzkohle.

Pfaffenmütze, 1) auch Bischofsmütze, frz. bonnet à prètre, s. d. Art. Festungsbaukunst C. I. b. 1, S. 42, Bd. II.; — 2) s. v. w. Handramme, s. d. Art. Besetzschlägel und Ramme.

Pfahl, frz. pal. I. (Herald.) s. Heroldsfiguren I; II. langes Stück Holz, an einem Ende zugespitzt; dergleichen Hölzer werden zu verschiedenen Zwecken verwendet, z. B.:

A) Schwache, zu Baumpfählen; s. d. Art. Baumpfahl. Man fertigt dieselben aus Pfahlstangen; s. d. Art. Bauholz F. I. d, S. 279 Bd. I.

B) Stärkere, sogenannte Blockpfähle, zu Pfahlbekleidungen an Ufern, Escarpen, Deichen ꝛc., zu Stützung steiler Erdböschungen statt der Futtermauer. Man unterscheidet je nach der Ausführungsweise verschiedene Arten der Pfahlbekleidung. 1) Bohlwerkswand, besteht aus Bohlwerkspfählen, auch Wand= oder Stützpfähle genannt, hinter welchen Bohlen eingelegt werden. Näheres s. unt. d. Art. Bohlwerk und Bollwerk 2. — 2) Beschlacht oder Beschlächte; s. d. Art. Schlacht. — 3) Holz= schlagung, d. i. Pfahlbekleidung eines Teiches. — 4) Spundwand, auch Kernwand, Kehrwand, Bürstwand genannt, aus Spundpfählen, die auch Nuthpfähle, Heerdpfähle, Brustpfähle, Brust= planken, Falzbürsten heißen; s. d. betr. Art.

C) Zu Pfahlrost; s. d. betr. Art.

D) Zum Brückenbau; s. d. Art. Jochpfahl, Kranzpfähle ꝛc.

E) Zum Mühlenbau; s. d. Art. Gerinne, Wehr, Eispfahl, Nichbaum ꝛc.

F) Im Grubenbau; s. d. Art. Anpfahl, Gru= benbau ꝛc.

G) Als Merkzeichen; s. d. Art. Abpfählen, Fachbaum, Horizontalpfahl.

H) Zu Einfriedigungen; s. d. Art. Hürdenpfahl, Zaunpfahl.

I) Zum Anbinden der Schiffe ꝛc., s. d. Art. Butte.

K) Bei allen genannten Verwendungen stehen die Pfähle zum Theil im Erdboden, zum andern Theil entweder immer unter Wasser, dann heißt der Pfahl frz. courçon, oder immer an der Luft, oder beiden abwechselnd ausgesetzt. Ueber die Dauer der Pfähle je nach diesen Verhältnissen s. d. Art. Dauer. Ueber die Mittel, dergleichen Pfähle gegen Fäulniß zu schützen, s. d. Art. Fäulniß, Bau= holz, Imprägnirung ꝛc.; bewährt hat sich auch eine Eintauchung des in die Erde kommenden Theils in kochendes Kalkwasser, nach vorheriger Tränkung mit verdünnter Schwefelsäure. III. Als Attri= but erhalten verschiedene Heilige Pfähle, z. B. Eutropius ꝛc.

Pfahlbalken (Herald.), s. v. w. Schildestheilung mit wechselnder Tinktur.

Pfahlbaum, 1) Bäume, die zu Pfählen bei Grund= und Wasser= bauten benutzt werden, s. d. Art Bauholz, S. 282, Bd. I, sowie d. Art Dauer. — 2) S. d. Art. Haspelgestell — 3) S. v. w. Caju Belo, Fam Sapindaceen, s. d. Art. Cupanien= holz 2.

Pfahlbauten. Die verschieden= sten Ursachen haben die Menschen bewogen, ihre Häuser auf Pfähle zu setzen, und demnach kann man diese Pfahlbauten denn auch in ver= schiedene Klassen theilen. 1) Auf hohen Pfählen über trockenem Bo= den stehende Häuser. Der Grund dieser Anlegung mag Furcht vor wilden Thieren, feindlichen An= griffen oder dergl. gewesen sein; solche Pfahl= bauten finden sich auf den Inseln Tabiti, Luzon ꝛc. 2) Auf hohen Pfählen über Sumpfland stehende Häuser. Der Grund kann hier auch noch in dem Wunsche liegen, sich den Dünsten des Sumpfes zu entziehen; in dieser Weise waren die ersten Niederlassungen der Venetianer erbaut, noch jetzt findet man in Siebenbürgen derartige Pfahl= bauten. 3) Einzelne Häuser auf einzelnen Pfählen im Wasser; so sind z. B. die Wohnungen der Ein= gebornen auf den Luisiaden und anderen Süd= see=Inseln beschaffen. 4) Große auf Pfählen im Wasser ruhende Rostungen, deren jede Platz für

mehrere Häuser oder für größere Gehöfte bietet, so daß sich ganze Ortschaften bilden, deren breitere Straßen aus Canälen bestehen, während die schmä= leren Gassen, Höfe ꝛc. auf jener Rostung sich befin= den. Zu diesen gehören die meisten Pfahldörfer der Kelten in den Schweizerseen, die 1820 zuerst entdeckt und seit 1854 durchforscht worden sind (Fig. 1594).

Fig. 1594. Schweizer Pfahlbau. a

Die Pfähle, welche die Rostung tragen, stehen reihen= weise unter der ganzen Fläche vertheilt; so ent= hielt das Pfahldorf zu Oberweiler am Züricher See über 100,000 Pfähle. Die Pfähle sind dann (siehe Fig. 1594 a.) oben durch Unterzüge verbunden, die in Scheeren der Pfähle liegen und auf denen eine Schicht kürzerer Rundhölzer oder Spältlinge liegt, worauf dann ein Lehmästrich aufgebracht ist. Die Verbindung mit dem Festland wurde durch Pfahl= stege oder durch Kähne unterhalten. Die Gebäude selbst waren länglich=viereckige Hütten, deren Eck= pfähle oft vom Seegrund durch die Verschwel=

Fig. 1595. Pfahltempel zu Tobbadie.

lung hindurch aufragten. So waren die meisten Pfahldörfer der Schweiz beschaffen, so sind noch jetzt die Dörfer oder Compangs der Teloth Lentju, eines Papustammes in der Humboldtsbai, be= schaffen, die 1827 von Dumont d'Urville ent= deckt wurden und stets 2 gerade Reihen Hütten enthalten, in deren Mitte sich auch Tempel er= heben. Fig. 1595 zeigt den ziemlich 70 Fuß hohen Pfahltempel zu Tobbadie, der mit in Holz ge= schnitzten Thierbildern geschmückt ist. 5) Zwischen aufrechten Grenzpfahlreihen wird ein Packwerk von Stämmen, Klötzen, Stangen, Zweigen, Lehm, Laub ꝛc. in zweckmäßigem Schichtenwechsel einge=

bracht. Die Gebäudeecken bilden auch hier eingeschlagene Pfähle. So sind die Pfahldörfer von
Niederwyl und Wauwyl angelegt. 6) Zwischen
die begrenzenden Pfähle wird Erdboden und Stein-
packung gebracht und so eine künstliche Insel erzeugt, auf welcher man baut: so ist der Steinberg
im See bei Nidau entstanden, so sind die, romanischen und byzantinischen Bauten in Venedig
gegründet. 7) Die größeren Pfähle werden blos
reihenweise eingerammt, da wo die Mauern hinkommen sollen; unter offene Räume, Gassen ꝛc.
schlägt man kleinere Pfähle. Der gesammte Pfahlrost wird noch unter Wasser mit Verschwellung
versehen, auf welcher die Grundmauern ꝛc. aufliegen, nachdem der Raum zwischen den Pfählen
mit Erdreich oder Mörtel ausgeschlagen worden
ist; so sind die gothischen und modernen Bauten
Venedigs gegründet.

Pfahlbohle oder Füllholz, s. d. Art. Kluft-
pfahl, Fangedamm und Schrotwand.

Pfahlgraben, Pfahlhecke, Pfahlmauer
(Festungsw.), ein Graben, der mit Pfählen und
Pallisaden besetzt ist.

Pfahlhebemaschine, s. d. Art. Ausziehen 5.

Pfahlkrahn, ist ein Krahn, womit man vor
dem Einrammen von Pfählen im Wasser dieselben
in die Höhe richtet.

Pfahlmast (Schiffsb.), Mast, welcher nur aus
einem Holzstück besteht.

Pfahlmühle (Mühlenb.), Wassermühle, die
auf Pfahlrost steht.

Pfahlpäuschel (Bergb.), ein zum Einschlagen
der Pfähle dienender Päuschel.

Pfahlramme oder Pfahlschlagmaschine, s.
d. Art. Ramme.

Pfahlring, bei einzurammenden Pfählen ein
um den Kopf derselben gelegtes eisernes Band,
damit derselbe nicht absplittere oder einen Bart
(s. d. 3) bekomme. Vergl. auch die Art. entrier
und Hirnring.

Pfahlrohr, Wasserrohr (Arundo Donax L.,
Fam. Gräser), ist in Südeuropa, Mittelasien und
Nordafrika einheimisch; die starken Halme dienen
zum Dachdecken, zu Weinspalieren u. dergl.

Pfahlrost oder Bürstenwerk, stehender Rost,
pilotirter Rost; s. d. Art. Grundbau II. A. 2, ferner d. Art. Einschießen, Bart 3, Berosten,
Rammen ꝛc.

Pfahlschlagung, s. v. w. Roststoßen.

Pfahlschuh, eiserner Beschlag von 4, 10, auch
20 und mehr Pfund Schwere an den Spitzen ein-
zurammender Pfähle, damit dieselben leichter eindringen und in steinigem Boden nicht absplittern;
in der Höhlung des Schuhes, welcher oben Ansätze hat, steht die Pfahlspitze, an die er angenagelt
ist. Damit die Nägel nicht abspringen, wenn
während des Rammens der Pfahl auf der Schuh-
sohle sich fest aufsetzt, macht man die Nagellöcher
im lothrechten Durchmesser weiter als im waagrechten. Um jedoch das Zusammensetzen möglich
zu verbinden, muß die Grundfläche der
Pfahlspitze schon im Anfang auf einer passenden
Fläche in der Schuhhöhlung aufsitzen, und zwar
dicht; gegossene Pfahlschuhe sind dem Zerspringen leicht ausgesetzt. Man formt den Pfahlschuh
nach der Pfahlspitze, etwa drei oder vierseitig, und
spitzt ihn unten pyramidenförmig zu. Dreiseitige

Spitzen dringen leichter ein; die Länge der Spitze
beträgt die 2½—3fache Stärke des Pfahles.

Pfahlschwanz oder Pfahlkopf, das obere
Ende eines Pfahls.

Pfahlstelle, s. d. Art. Heraldit VI.

Pfahlwerk, 1) s. v. w. Bohlwerk, s. d. —
2) (Kriegsb.) ein in's Wasser eingeschlagener Zaun
aus mehr oder weniger starken Pfählen, um einen
Fluß oder einen Hafen zu verschließen und das Eindringen des Feindes zu verhindern. — 3) S. v. w.
Pallisaden. — 4) Ein- oder mehrfache Reihe
nieder, oben spitzer Pfählchen, ganz nahe zusammengestellt, dienen als Annäherungshinderniß.

Pfahlwurm, s. d. Art. Bohrwurm.

Pfahlzaun, Zaun aus dicht neben einander
eingeschlagenen Pfählen.

Pfalz, Hofburg, s. d. Art. Burg, S. 491, Bd. I,
und Palas.

Pfand. 1) (Bergb.) auch Pfandholz, Pfand-
keil genannt; s. d. Art. Pfänderteil; — 2) (Deichb.)
das von einer einzelnen Person oder einer ganzen
Gemeinde in gutem Stand zu erhaltende Stück
Deich.

Pfanddeich, ein in Pfänder, s. d. Art.
Pfand 2, getheilter Deich.

Pfandhaus, s. d. Art. Leihhaus.

Pfanne. 1) S. d. Art. Abwelle, Angewäge,
Haspel und Zapfenlager; — 2) s. v. w. Dachpfanne,
s. Dachziegel I. 5 u. 7; — 3) s. v. w. Kessel I, 8,
9, oder Blase 1, 2; — 4) Pfanne einer Thürangel,
frz. couffe, piton, s. d. Art. Band III. c, Kessel 6
und Angel a 1. — 5) (Bergb.) s. v. w. Kessel 5.

Pfannenbalken, Schwelle vor dem Schleußenthor zur Befestigung der Pfanne (4).

Pfannenblech oder Pfanneneisen, starkes
Blech, woraus die Salzpfannen gemacht werden,
s. d. Art. Blech.

Pfannendach, s. unt. Dachdeckung, A. I. 5.

Pfannenloch (Salzw.), Ofenloch unter den
Salzpfannen.

Pfannenschmied, s. v. w. Blechschmied,
Kesselschmied.

Pfannenstein oder Kesselstein. 1) Steinkruste,
die sich in Pfannen und Kesseln ansetzt; — 2) eine
Art Schiefer; — 3) s. v. w. Pfannenziegel.

Pfannenziegel, s. v. w. Pfanne 2.

Pfarrkirche, lat. ecclesia parochialis, frz.
église paroissiale, engl. parish-church, s.
d. Art. Kirche, église, church etc.

Pfarrwohnung, Pfarre, Pfarrei, lat. domus parochi, frz. cure, presbytère, engl. rectory, manse, Wohnung für Geistliche. Sie
unterscheide sich von gewöhnlichen Wohnhäusern
durch solide Bauart, doch einfache, ernste Architektur. Man bringe, wenn möglich, eine Capelle
darin an. Auch darf ein Zimmer zum Confir-
manden-Unterricht nicht fehlen.

Pfau, bei den Alten Attribut der Juno und
des Argus, Symbol der Allwissenheit und Wachsamkeit, doch auch der Eitelkeit. Da römische Kai-
serinnen oft nach ihrem Tod als Juno dargestellt
wurden, so brachte man auf Münzen zu ihrem
Andenken einen Pfau an; vielleicht in Anlehnung

an diesen Gebrauch wurde der Pfau in der christlichen Kunst Symbol der Unsterblichkeit; Attribut des St. Liborius.

Pfauenholz, s. d. Art. Ahorn 1.

Pfefferholz, kommt vom Boldoa-Strauche (Boldoa fragrans) in Chili. Die rauhen Blätter des Strauches riechen angenehm, das Holz aber nach Pfeffer.

Pfefferstein, Roggen- oder Hirsestein, s. v. w. Oolith, s. d.

Pfeife. 1) (Wasserb.) kleiner bedeckter Graben oder Canal, Schleuße; — 2) s. v. w. Dienst; 3) Abtheilung eines Faltenkapitäls; — 4) kurze Canälirung, namentlich auf der Vorderseite von Platten, in Pilasterhälsen ꝛc.; s. d. Art. Glied F. 3, h und Canal 4.

Pfeifenholzkloß, Pfeifenholzkrümmling, Pfeifholz, s. d. Art. Bauholz F. I. u. 2, S. 281.

Pfeifenmergel (Mineral.), in Gestalt von Orgelpfeifen gefundene Mergelart.

Pfeifenthon, Pfeifenerde (Mineral.), feiner Thon, welcher bei langer, strenger Hitze sein Volumen um die Hälfte vermindert, dabei zwar erhärtet, doch so porös bleibt, daß er Wasser durchsickern läßt, ohne zu erweichen; bei verschiedenen Arten werden beim Brennen mattweiß, gelblich oder röthlichweiß; s. d. Art. Thon.

Pfeil. 1) Durch Pfeile giebt man in Zeichnungen bei Flüssen die Richtung an, wohin sie fließen; bei Treppen, nach welcher Seite sie aufsteigen ꝛc.; — 2) zwischen den Eierschaalen eines Eierstabs angebrachte pfeilähnliche Verzierung, auch Schlangenzunge, engl. tongue genannt; — 3) (Herald.) Pfeile sind häufig in Wappen, wo dann bei der Blasonirung gemeldet werden muß, wie die Stellung ist und wie sie gefiedert und tingirt sind.— 4) Pfeil oder Stich eines Bogens, senkrechte Höhe des Scheitels über der Widerstandslinie, s. d. Art. Pfeilhöhe. — 5) Als Attribut erscheinen Pfeile bei Cybele, Amor, Erato ꝛc., ferner bei den Heiligen Augustin, Canut, Cercyra, Faustus, Christophorus, Christina, Lambertus, Agnes, Ursula, Sebastian, Otto, Petrus, Thomas, Edmund ꝛc.

Pfeilbuhne, s. d. Art. Buhne, S. 488, Bd. I.

Pfeiler. 1) lat. pila, griech. πίων, frz. pieddroit, pile, engl. pier, ital. pila, pilone. Senkrechte, isolirte Stütze, die von den Römern, Griechen ꝛc. auch schon angewendet, aber erst allmälig in der mittelalterlichen Baukunst, besonders in der Gothik, an die Stelle der antiken Säule getreten ist. Pfeiler sind in der Regel massiger als die Säulen und werden namentlich als Bogen- oder Gewölbeträger angewendet: Bogenpfeiler, Gewölbepfeiler, engl. pillar, frz. pilier, ital. piliière, lat. pilarius; man unterscheidet Rundpfeiler, viereckige und polygone Pfeiler, ferner einfache Pfeiler (single pillars) und Bündelpfeiler (componed pillars); sie sind entweder monolith (s. d.), und solche könnte man auch Säulen nennen, selbst wenn sie nicht rund sind, s. d. Art. Säule, od. sie sind aus Schichten aufgemauert, pilier en étanchie. Ueber die Gestaltung der Pfeiler in den verschiedenen Stylen s. d. Stylartikel, sowie d. Art. Bündelpfeiler, Bogenpfeiler, banded, continuous, discontinuous ꝛc. Der Pfeiler zerfällt gleich der Säule in Fuß, Schaft und Capitäl; s. d. betr. Artikel. Wenn eine Reihe von durch

Bogen oder Träger verbundenen Pfeilern blos eine Wand, namentlich eine Umfassungswand trägt, und des einzelnen Pfeilers Breite größer ist als die Stärke der Mauer, namentlich aber wenn die Gränze zwischen Tragendem und Getragenem nicht künstlerisch hervorgehoben, sondern die Pfeiler blos als Theil der Wand, der Zwischenraum zwischen zwei Pfeilern blos als Wandöffnung (Fenster ꝛc.) behandelt ist, nennt man ihn Schaft, s. z. B. Fensterschaft. Man hält die Eckschäfte, namentlich bei freistehenden Gebäuden, gern breiter als die Mittelschäfte. Haben die Pfeiler außer der Last noch einem Seitenschub zu widerstehen, so werden sie zum Strebepfeiler; s. übr. noch d. Art. Pilaster, Ante und Laschene. — 2) (Bergb.) s. v. w. Bergfeste.

Pfeilerabbau (Bergb.), s. d. Art. Grundbau, S. 215, Bd. II.

Pfeilerbasilika, nach dem Basilikentypus erbaute Kirche, deren Arkaden, statt auf Säulen, auf Pfeilern ruhen.

Pfeilercapitäl, s. d. Art. Kämpfer 2 und Kämpfergesims.

Pfeilergründung, s. Grundbau II. D. u. F.

Pfeilersims, Gurt- oder Dachgesims eines Strebepfeilers.

Pfeilerstein (Mineral.), s. v. w. Basalt.

Pfeilerstiege, s. d. Art. Treppe.

Pfeilervorhaupt, Pfeilervorspitze, Pfeilerkopf, Pfeilersterz, s. d. Art. Brücke, S. 449 und d. Art. Brückenpfeilerkopf.

Pfeilerweite, die Entfernung der Achsen, oder Mitte zweier benachbarter Pfeiler.

Pfeilhöhe eines Kreisbogens, die Länge des Perpendikels, welchen man von der Mitte desselben auf die Sehne fällt. Durch die Länge der Sehne (2 s) und der Pfeilhöhe p ist der Kreisbogen vollständig bestimmt; der Halbmesser des zugehörigen Kreises berechnet sich aus denselben mit Hülfe der Formel $r = \dfrac{1}{2} \dfrac{s^2 + p^2}{p}$.

Pfeilkreuz (Herald.), s. d. Art. Kreuz C. 26.

Pferch, s. d. Art. Horde 2. b.

Pferd, in der heidnischen Kunst Attribut des Neptun, der Dioskuren, des Swantevid ꝛc., als Pegasus (s. d.). Attribut des Apollo, Bellerophon ꝛc., in der christlichen Kunst Symbol des Hochmuths, des Uebermuths, der brünstigen Sinnenlust; Attribut mehrerer Heiligen, z.B. des Antonius, Benignus, Irene, Jacobus Major, Georg, Gregorius v. Amiens, Martinus, Hippolytus, Joan, Quirinus, Severus und Hilgegunde. Augustinus nennt die vier Angeltugenden vier wackere Rosse; Jähzorn, Begier, Furcht und Ungerechtigkeit vier schlechte Pferde.

Pferdebahn, Schienenweg mit Holz- oder Eisenoberbau, durch Pferde benutzt; höchste Steigung 1:100; vergl. d. Art. Bahn und Eisenbahn.

Pferdebügel, s. d. Art. Leiterwagen.

Pferdefleischholz, s. d. Art. Bolletrinholz und Mangroveholz.

Pferdegöpel, Pferdekunst, s. d. Art. Göpel.

Pferdekraft, s. d. Art. Kraft, Arbeit und Dampfmaschine.

Pferdemühle, s. d. Art. Mühle.

Pferdestall, s. unt. Stall.

Pferdestallfußboden, s. d. Art. Asphalt, Fußboden und Stall.

Pfette, 1) fälschlich Fette geschrieben, lat. templa, frz. panne, engl. purlin, perling, templet, ital. piana, corrente, span. alsagia, ein mit dem Dachfirst parallel liegendes Holz im Dachstuhl; kann auf zweierlei Art angewendet werden: a) als Dachstuhlpfette oder Stuhlrähmen, d. h. als Blattstück für die Stuhlwände, zur Längenverbindung der Binder und als Auflage für Sparren; sie wird dann in der Regel nicht rechtwinklig, sondern dreiedig oder fünfseitig, je nach der Dachneigung, behauen; s. d. Art. Dach, S. 592 und 594, Bd. I.

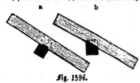

Fig. 1596.

Die Aufklämmung der Sparren auf die Pfette geschieht nach Fig. 1596 a. oder b.: b) als unmittelbare Stütze für die Dachung selbst, s. d. Art. Pfettendach u. d. Art. Dach, S. 596, Bd. I. Bgl. a. noch d. Art. Abpfetten, Bepfetten. — 2) Fälschlich werden hier und da die Mauerlatten oder Wandrahmen so genannt.

Pfirsich (Persica vulgaris, Fam. Steinobst), ist ursprünglich in Persien einheimisch gewesen, allmälig aber über die meisten Länder der gemäßigten Zone (auch in Amerika) verbreitet worden. Das Holz ist sehr fein und hat schöne Zeichnungen. Es nimmt leicht Politur an und ist zu Drechslerarbeiten brauchbar; im Kern röthlich, nach der Mitte roth, ziemlich hart.

Pfirsichblüthe, s. d. Art. Blume. Sie ist Attribut des Harpokrates.

Pfirsichkernschwarz, s. d. Art. Atramentum.

Pflanze. Die Pflanzen spielen in der Ornamentik fast aller Baustyle nicht nur als rein ornamentale Elemente, als Pflanzenornamente, eine große Rolle (s. bar. d. Art. Ornament, Blätter, Blattwerk, Blumen, Laubwerk, Arabesken, sowie sämmtliche Stylartikel), sondern haben in den meisten, namentlich aber in den christlichen Baustylen symbolische Bedeutung; s. bar. d. Art. Symbolik. Die als Allegorien oder Attribute gebrauchten Pflanzen sind stets in den betreffenden Artikeln einzeln erwähnt. Bei Verwendung von Pflanzenformen zu Ornamenten sollte man stets nur Formen einheimischer Pflanzen wählen.

Pflanzenasche, s. d. Art. Asche.

Pflanzenerde, s. d. Art. Baugrund, Grundbau, S. 218, Bd. II ꝛc.

Pflanzenfarben, s. d. Art. Saftfarbe u. Farbe.

Pflanzengrün, s. d. Art. Grün B. VIII.

Pflanzenhaus, s. d. Art. Gewächshaus.

Pflanzenschleim, Bassorin, s. d. Art. Holz 1.

Pflaster, lat. pavimentum, frz. pavage, pavement, pavé, engl. pavement. **I. Geschichtliches.** 1) Die Griechen pflasterten ihre Landstraßen mit rechtedigen und polygonen Platten, oft auf einem gemauerten Grund. Die Pflasterungen in den Häusern, Ἰσαγος, bestanden aus Ziegeln oder Marmor, die aus Platten bestehende Pflasterung hieß λιϑόστρωτον ἔδαφος und war oft in verschiedenen Farben gewählt und in Mustern verlegt, woraus dann der Mosaikfußboden sich entwickelte. Die flachen Dächer und Terrassen waren mit mehreren Schichten aus Topfscherben und Kalk (ὄστραχος, Aestrich) bedeckt, auf denen Platten lagen. Das Plattenpflaster der Tempel war hier und da mit einem gelblichen, von bunten Linien durchzogenen Stuck bedeckt; — 2) Die Römer hatten verschiedene Pflasterungsmethoden: a) via strata, Straßenpflaster. Zwischen zwei Furchen, die die Straßenbreite bezeichneten, hob man die Dammerde aus, stampfte den bloßgelegten Boden und brachte darauf das statumen, eine Schicht flacher, in Mörtel verlegter Bruchsteine. Darauf kam rudus, ruderatio, eine Schicht aus je zwei Theilen Kalk auf 5 Theile Steinbrocken; waren die Steine neu, so hieß die Schicht rudus novum, waren sie schon einmal gebraucht, rudus redivivum; darauf kam die dritte Schicht, nucleus, bestehend aus einem Béton von Kalk, Kreide, Ziegelbroden, Dachziegelbroden und Erde oder Kies, Kalk und Lehm. Die vierte Schicht, summum dorsum, summa crusta, bestand aus großen Kieselsteinen oder aus polygonen, rechtedig ꝛc. bearbeiteten Platten; b) via glareata hieß die Straße, wenn die Dedschicht aus klarem Kies und Mörtel bestand; c) via terrena hieß die Straße, wenn die Dedschicht statt des Mörtels mit Erde gemacht war; — 3) Im Mittelalter herrschte sehr große Verschiedenheit in Bezug auf die Ausführung der Pflasterung. Die inneren Fußböden wurden meist mit Platten oder bunten Ziegeln belegt. Die Straßenpflasterung scheint man im Mittelalter sehr vernachlässigt zu haben. Es bleibt hier noch viel zu erforschen. **II. Verschiedene Arten des Pflasters. A. Steinpflaster.** Fußboden, welcher mit Steinen belegt ist, auch dieser Ueberzug mit gut zusammengefügten Steinen selbst. Man pflastert Höfe, Hausfluren, Ställe, Landstraßen, Deichkronen und Deiche; s. d. Art. Dechpflaster. Gassen in Städten pflastert man mit grobkörnigen, nicht thonhaltigen Bruchsteinen, sog. **Pflastersteinen,** mit Feldsteinen, großen Kieselsteinen oder Sandsteinquadern. Bei dem Steinpflaster muß man nach Bestimmung der Straßenbreite, des Gefälles ꝛc. darauf sehen, daß das Regenwasser abfließen kann, wozu Gossen, entweder in der Mitte oder zu jeder Seite der Straße, einige Ellen von den Häusern, angebracht werden, nach denen hin man die Straße convex abfallen läßt. Das Maaß hierfür bestimmt die Breite der Straße. 1) Eintheilung der Verfahren bei der Pflasterung. Es geschieht das Pflastern, welches auch Besetzen oder Dammsetzen genannt wird, durch Pflastersetzer od. Steinsetzer a) naß, wobei die Steine in Kalkmörtel oder Thon gelegt, b) troden, wenn die Steine in Sand gelegt werden. Bei beiden Arten wird zunächst der Rücken der Straße, den Pflasterrücken, und die Gossensohle mittelst Piquets nach dem angenommenen Nivellement abgestedt und abgeschnürt. Nachdem man nun ein 6—7 Zoll hohes Sandbett aufgebracht und nach dieser Abschnürung planirt hat, beginnt man die eigentliche Pflasterung mit dem Auspflastern der Gosse. Die

Goffe besteht meist aus zwei Steinen (jumelles), deren Sohle dann die Fuge bildet, oder auch aus einem Bodenstein und zwei Backen- oder Bortsteinen. Darauf legt man entlang der Goffe neben dieselbe eine Reihe größerer Steine (contre-jumelles); eine ähnliche Reihe legt man in die Mitte der Straße, so daß erstere gleichsam die Widerlager der Bogen sind und letztere die Schlußsteine bilden, indem man den Raum zwischen beiden Goffen so in zwei Bahnen (revers) theilt, diese Schenkel gewissermaßen auswölbt und dabei auf eine Elle Breite einen Zoll Pfeilhöhe rechnet. Nachdem das Sandbett nochmals gehörig nach diesem Maaß geebnet ist, macht der Pflasterer für jeden einzelnen Stein mit der löffelförmigen Seite des Hammers eine kleine Vertiefung in den Sand, setzt den Stein an und schlägt ihn mit der Bahn des Hammers flüchtig fest; nach der Vollendung einer Strecke befestigt man sie gehörig durch Schlagen mit einer Handramme, auch Pflasterramme genannt; als Mittel zur größeren Befestigung des Pflasters macht man auch wohl noch Querreihen oder Gurte von großen Steinen. Nothwendig ist, daß die kleineren Steine gehörig mit Sand unterfällt werden, damit sie nicht hohl liegen. Zuletzt überschüttet man das Pflaster mit Sand, um die Lücken auszufüllen. In fetter Erde, Thon oder Mörtel ausgeführt, wird die Pflasterung natürlich fester als in Sand. Man theilt gern, besonders an Straßenkreuzungen und auf freien Plätzen, sobald man farbige Steine bekommen kann, das Pflaster in regelmäßige und zierliche Felder.

2) Eintheilung nach dem Material: a) Lütticher Pflaster, bossirtes Pflaster, besteht aus viereckig gearbeiteten Bruchsteinen, mit denen sich also ein regelmäßiger Verband herstellen läßt; s. d. Art. Pflasterverband. b) Polygonpflaster, Cyklopenpflaster aus Bruchsteinen, denen man ihre beim Brechen erhaltene unregelmäßige polygone Form läßt, sie jedoch so auswählen, daß sie möglichst dicht aneinander schließen. Die Steine sind meist ungefähr ⅔ Fuß groß. c) Kleinpflaster, wie das vorige, aber die Steine nur ungefähr ¼ Fuß groß. d) Plattenpflaster; s. d. Art. Fußboden, Plattenbeleg ꝛc. e) Feldsteinpflaster, das sogenannte Mosaikpflaster aus kleinen, runden Kieseln, ist nicht sehr zu empfehlen.

B. Pflaster aus künstlichen Steinen: 1) Ziegelpflaster, wird natürlich stets in Verband verlegt, am liebsten in Mörtel, selten trocken; s. d. Art. Pflasterverband und Pflasterziegel.

2) Pflaster mit Eisensteinen. Man formt Steine aus 40 Thln. Eisenerzabgängen, 32 Thln. Asphalt und 8 Thln. Erdtheer, oder man bindet die Erzabfälle, vermischt sie mit Asphalt und Theer, und trägt die Mischung warm auf eine Unterlage von Kieseln und hydraulischem Kalk 6—10 Centimeter dick auf, und zwar dreimal, so daß die Schicht zuletzt 12—18 Centimeter stark ist.

3) Keraunisches Pflaster. Man preßt ein Gemenge von gepulvertem Feldspath und Thon stark zwischen zwei Stahlmatrizen, wobei es sich etwa auf den dritten Theil des Volumens, und brennt es dann, wobei es sich auf den vierten Theil seines Gewichtes reducirt, und dabei härter und weniger porös wird, als gewöhnliches, mattweißes Porzellan. Es lassen sich auf diese Weise auch harte und feuerfeste Mauerziegel fertigen.

4) Benetianisches Pflaster, s. d. Art. Battuta.
5) Fließenpflaster, s. d. Art. Fliese.
C. Klotzpflaster oder Holzpflaster, s. d.

Pflasterhammer, frz. marteau d'assiette. Das quer gegen den Helm stehende Eisen hat einerseits eine schaufelartig geformte Hälfte, andererseits eine quadratische Bahn.

Pflasterramme, Pflasterstößer, s. d. Art. Pflaster, Besetzschlägel und Ramme.

Pflasterverband oder Deckverband für Pflaster aus Stein oder Ziegel. Derselbe kann natürlich sehr verschieden sein: 1) Fachverband; s. d. 2) Kreuzpflaster, ganz ähnlich dem Kreuzverband (s. d.) bei Ziegelmauern. 3) Fischgrätenverband; s. d. u. d. Art. à coltello. 4) Schichtenverband, Schlagverband ꝛc.; s. d. betr. Art.

Pflasterziegel, zum Fußbodenbeleg von Küchen, Hausfluren, Waschhäusern, Kellern, Ställen ꝛc., sind hart gebrannte Ziegelsteine oder Klinker; oft auch für etwas eleganteren Fußbodenbeleg sechseckig, achteckig ꝛc. geformt.

Pflaumenbaum, Zwetschenbaum (Prunus L., Fam. Mandelgewächse, Amygdaleae). 1) Der Zwetschenbaum, Bauernpflaume (Pr. domestica L.), ist in Deutschland sehr bekannt; hat häufig versteckte Risse und Spalten, wird mit den Jahren härter und röther, muß sehr langsam trocknen und dunkelt ohne Lack nach.

2) Schwarzdorn (Pr. spinosa L.), Schlehendorn, ebenfalls in Deutschland vorhanden, hat strauchartigen Wuchs, wird selten stark genug zu technischer Verwendung. Das Holz selbst ist fest und zäh, von Farbe bräunlich, polirt sich gut und ist sehr brauchbar; Schlehenzweige werden zu den Gradirwerken der Salinen verwendet.

3) Wilde, runde Pflaume, zahme Schlehe, Krichel, Gartenschlehe, Haferpflaume, Kriechenpflaume, Haferschlehe, Spilling (Pr. insititia, F. Rosenblümler), gleichfalls in Deutschland. Sie hat schön buntgescheckig Holz, welches hart, geschlossen, feinjährig ist und mit Hobel und Drehbank gleich gut bearbeitet werden kann. Die Adern und Streifen des Holzes sind roth, bräunen ohne Firnißüberzug in's Dunkle; die Farbe wird höher und auch beständiger, wenn die Stämme gespalten, in Kaltwasser mit Lauge vermischt gesotten und vorsichtig getrocknet werden. An manchen Stellen erscheint das Holz auch weißlich und läßt sich gut poliren.

Pflaumengummi, s. d. Art. Gummiharze 21.

Pflicht (Schiffsb.), 1) frz. tille, engl. cuddy, bei offenen Fahrzeugen, Flußfahrzeugen und Jjallen das Halbdeck, sowie die darunter befindliche Hütte oder Bude, ihrer Lage nach Vorpflicht, auch Vorunter- und Achterpflicht oder Hinterpflicht genannt; 2) s. v. w. Laufenpflicht, s. d.; 3) auch Hangpflicht od. Steuerpflicht genannt, frz. timonerie, engl. steerage, Platz für das Steuerrad vor der obersten Cajüte.

Pflichtanker, s. d. Art. Anker E.

Pflock. 1) Hölzerner Nagel, Dobel, Pfählchen;— 2) (Bergb.) beim Sprengen des Gesteins ehemals ein Stück Holz zum Ausfüllen des Bohrloches; in den Pflock war mit dem Pflockbohrer eine Rinne gebohrt, worin das Zündpulver war. Man nannte diese Sprengungsweise Pflockschießen.

Pflug. 1) Das landwirthschaftliche Geräth. Ein Pflug braucht 7 Fuß Länge und 3 Fuß Breite. In der Kunst erscheint er als Attribut des St.

Echenus, der Kunigunde und des Jacobus von Tarentaise, als Emblem der Landwirthschaft 2c.; — 2) (Ziegel.) Pflug nennt man die Arbeiter, welche eine gewisse Anzahl Ziegel streichen. Es gehören zu einem vollständigen Pflug ein Former, zwei Lehmtreter, ein Schieber, ein Aufbager und ein Abträger; — 3) sämmtliche beim Deichbau in einem Püttwerk arbeitende Mannschaft; — 4) ein ungefähres Feldmaaß, so viel Feld, als mit einem Pflug bewirthschaftet werden kann.

Pforte. 1) Kleine Thür, Nebenthür, frz. poterne, engl. postern, besonders kleine Thür für Fußgänger in den Thorflügeln größerer Thore, frz. guichet, engl. wicket; s. d. Art. Thor und Thür; — 2) (Schiffsb.) auch Pfortgat, Stückpforte, frz. sabord, engl. gunport; so heißen bei einem Kriegsschiff die Oeffnungen für das Geschütz, nach deffen Kaliber sich die Größe der Pforten richtet. Ober-, Seiten- und Unter-Trempel find die sie umschließenden Hölzer, worein die Pfortluken oder Pfortethüren, frz. mantelets, genau passen. a) Seitenpforten stehen zu beiden Seiten des Schiffes; b) Hinterpforten- oder Kreuzpforten, frz. sabords de retraite, engl. sternports, heißen die in der hintern Abrundung des Schiffes oder für die zwei Kanonen in der Constabelkammer angebrachten; c) Jagdpforten, frz. sabords de chasse, engl. chase-ports, stehen über dem Galion, vorn in der Bad. d) Ballast- oder Ladepforten find bei Kauffahrern unterhalb, dicht über dem Wasserspiegel angebrachte große Oeffnungen, zur bequemern Einbringung der Stückgüter und des Ballastes; e) Pietzpforte ist eine derartige Oeffnung hinten am Spiegel des Schiffes, während des Baues gelassen, den Schiffszimmerleuten als Thür dienend; f) Lichtpforten, frz. sabords des chambres d'officiers, engl. light-ports, find Fenster in der Offizierskammer; g) Rose-Pforten, Ruderpforten, frz. sabords des avirons, engl. row-ports; h) lose Pforte, frz. faux sabord, engl. half-port, die Pforten der obern Batterien, werden nur mit Ausfütterungen, frz. faux mantelets, statt der Luken zugesetzt.

Pfofte, fem. 1) frz. madrier, cartelle, membrure, engl. thick-board, plank, dickes Bret, 2—4 Zoll stark, in Preußen Doppel-Diele, Plante, in Mitteldeutschland Pfoste oder Bohle, in Süddeutschland Diele, Zweiling, Dreiling 2c. genannt; s. d. Art. Bret; — 2) eine Sorte Eichenganzholz; s. d. Art. Bauholz F. I. n. 2, S. 281, Bd. I.

Pfosten oder **Posten,** masc., lat. postis, frz. poste, pôteau, engl. post. 1) S. v. w. Gewände an Fenstern und Thüren, besonders aber heißen so die Mönche, d. h. die steinernen Stäbe (frz. meneau, engl. mullion), welche das verglaste Fenster in verschiedene Lichten theilen. Die starken Pfosten, welche die Hauptabtheilungen scheiden, heißen alte Pfosten, die schwächeren der Unterabtheilungen junge Pfosten; beide, wenn sie direct den Glasfalz enthalten, Glaspfosten; — beim Schrot- und Dobelbau (s. d. Art. Schrotbau) die aufrechten Hölzer, in deren Falze die Füllhölzer eingeschoben werden; — 3) auch Ständer (s. d.) genannt, aufrecht stehendes Holz, welches einen Gegenstand trägt; man unterscheidet freistehende Pfosten, auch Freipfosten oder Standpfosten genannt, Wandpfosten, s. v. w. Bundsäule, Klebepfosten, die an eine Wand sich anlehnen 2c.; s. auch d. Art. Fachwand.

Pfostengevierte, s. d. Art. Grubenbau und Minenhölzer.

Pfostenholz, Postenholz, s. d. Art. Bauholz F. I. S. 279, Bd. I.

Pfostenroft, s. d. Art. Grubenbau, S. 218.

Pfostenftrebe, aus einer Pfoste gearbeitete Strebe; s. d. Art. Büge und Strebe.

Pfostenverstärkung, s. d. Art. Ballen V. d. S. 207, Bd. I.

Pfropf (Schiffsb.), keilförmiges Holz, Holzkegel (Teertüse) oder Metallplatte zum Verstopfen der Klüsen, Fugen, Lecke 2c.

pfropfen, s. d. Art. anpfropfen.

Pfropfhammer (Schiffsb.), ein Hammer mit einer schneidenden schrägen Finne auf der einen Seite, auf der andern mit breiter Bahn; mit der Finne untersucht und spaltet man die Bolzen im Schiffe, um sie dann mit der Bahn zu verkeilen oder auszutreiben, wenn sie schlecht find.

Pfropfsäge, s. v. w. Baumsäge.

Pfropfschnitt, frz. enté (Herald.), s. d. Art. Heraldik VI. u. Fig. 1270 b. u. c.

Pfühl, pfuel oder Pfuhl, lat. torus, frz. bosel, engl. bowtel. ital. bastone, großer Rundstab, s. d. Art. Glied E. 2, b., e. und Fig. 1173, 1174, 1177. Kommt nach einem vollen Halbzirkel gebildet oder als Wulst, gedrückter Pfühl (s. d.) zusammengedrückt vor. An den Säulenfüßen und Unterbauen tritt er als liegendes Glied; verziert wird er in Gestalt eines Taues, eines Stabes, der mit Riemen oder Nehwerk umflochten ist 2c.; nicht zu verwechseln mit Echinus oder Polster.

Pfühlbaum, s. d. Art. Pfahlbaum und Haspel.

Pfühleisen, s. d. Art. Pfadeisen.

Pfuhl, s. d. Art. Kolk, Lache.

Pfund, s. d. Art. Gewicht und v. Art. L.

Pfundzinn, oder gestempeltes Zinn, Zinn mit Bleizusatz.

Phala, lat., Gerüst zum Auflegen der Eier im römischen Circus.

Phallos oder **Lingam,** s. d. Art. Herme und Indisch A., S. 317, Bd. II.

Phane, engl., Fahne, s. d. u. d. Art. Wetterfahne und Anemoskop.

Phantasieblatt, frz. feuille imaginaire, und Phantasiepflanzen, s. d. Art. Arabesken.

Pharacantharum, s. d. Art. Leuchter.

Pharos, lat. pharus, frz. phare, s. v. w. Leuchter und Leuchtthurm.

Phelloplastik, Kunst, in geschnittenem Kork zu modelliren; s. d. Art. Felloplastik.

Phengit (Mineral.), 1) s. v. w. Anhydrit; — 2) s. v. w. edler Topas.

Phiale, griech. φιάλη, eigentlich Schale, Trinkgeschirr, Flasche, daher auch s. v. w. Fiale; s. d. Art. Fiale und Kirche S. 385, Bd. II.

Philappianus, St., s. d. Art. Felicianus 2.

Philemon, St., und Apollonius, Beide Diakonen in Aegypten, weigerten sich den Göttern zu opfern. Es wurden ihnen die Fersen durchlöchert, dann schleifte man sie durch die Straßen von Antinuopolis, und endlich wurden sie enthauptet. Darzustellen als Diakonen mit dem Schwert.

Philippus, St., 1) s. d. Art. Apostel 6.

12*

2) **P. Senitius**, aus florentinischem Adel, trat in den Servitenorden, sollte Papst werden, flüchtete aber in's Gebirge, wirkte als Bekehrer in Italien, Frankreich, Friesland und Sachsen. Er starb 1285. Abzubilden in der Ordenstracht mit Mantel und Crucifix.

3) **P. Neri**, geb. 1515 in Florenz, entsagte seinem reichen Erbe, ging nach Rom, unterrichtete Arme, und gründete die Congregation der Oratorianer, die 1575 von Gregor XIII. bestätigt ward; wurde einst bei Darbringung des h. Opfers körperlich in die Höhe gehoben. Starb 1595.

Philomelan, s. d. Art. Manganerze.

Philosophie, wird allegorisch dargestellt als hehres Weib mit Sternenkranz und Scepter, umgeben von den Werken des Plato und Aristoteles; in der Hand ein offenes Buch, oder das Brustbild des Sokrates betrachtend.

Philosophie der Baukunst, s. d. Art. Aesthetik, Baustyl, Architektur ec.

philosophische Wolle, lana philosophica, nennt man das wollartige Zinkoryd, welches sich beim Glühen des Zints an der Luft bildet und als lockere Masse umherfliegt.

Philumena, s. d. Art. Filomene.

Phöbe, s. d. Art. Latona.

Phöbos, s. d. Art. Apollo.

Phokas von Antiochien, St., erduldete die mannigfachsten Martern, ist Patron gegen den Biß giftiger Schlangen, wird von Schlangen umgeben dargestellt.

Phokas von Sinope, St., lebte als armer Gärtner vor dem Thor von Sinope, war trotz seiner Armuth sehr wohlthätig. Als Christ denuncirt, gab er, nachdem er sich selbst das Grab gegraben, auch sich selbst bei den Häschern, die er beherbergt hatte und die ihn nach Phokas fragten, an; wurde enthauptet. Abzubilden als Gärtner mit Schwert.

phönikische Baukunst. Die Phöniker oder Phönicier, in der Bibel Sidonier, Kananiter, Philister genannt, vom Hindu-Kusch herabsteigend, dehnten bald ihre Besitzungen bis zum Meere aus, gründeten Tyrus und Sidon an der syrischen Küste, trieben viel Handel, gründeten in Afrika ec. Colonien und erreichten durch den Verkehr mit so vielen Völkern bald eine hohe Bildung, die ihnen nicht nur Einfluß auf andere Völker, sondern auch diesen Einfluß auf phönikische Zustände verschaffte. Ihre Religion war Sonnenverehrung, mit Bilderdienst verknüpft; die Hauptgötter waren Baal (Sonne), Tammung (die im Lenz sich verjüngende Erde), Astarte (Venus) und Melkarth (Hermes-Thaut); ferner hatten sie noch einige Schiffsgötter, Pataï. Bezüglich der Kosmogonie huldigten sie dem Weltei Omorca, welches Baal in zwei Hälften theilt, um Himmel und Erde zu bilden. Sie gelten für die Erfinder der Buchstabenschrift, des Glases und des Purpurs. Schon zu Homer's Zeiten waren sie berühmt wegen ihrer Gold- und Silberarbeiten. Dennoch scheint ihre Baukunst auf keiner hohen Stufe gestanden zu haben, was die Construction selbst anbelangt; die Decoration war äußerst prunkvoll. Nach Reliefs aus Karthago zu schließen, kannten sie den Giebelbau, den Triglyphenfries, sowie die Verzierung der Gebälte durch Eierstäbe, Rosetten und Palmetten, ferner die Volutencapitäle ec,

Alles Zeichen, daß die phönikische Kunst einen Uebergang von der assyrisch-persischen zur griechischen darstellt. Sonst wissen wir von ihren Bauwerken nur ungefähr Folgendes:

1) **Tempelanlagen.** Wir haben über dieselben nur unsichere Nachrichten, Ansichten auf Münzen ec. Die Ruinen des Tempels zu Paphos auf der Insel Cypern sind noch nicht in solcher Weise gezeichnet, daß sich darauf eine Restauration gründen ließe. Dieser Tempel war im Rechteck von 150 Schritt Länge bei 100 Schritt Breite von einer Mauer umzogen, die mehrere Eingänge hatte. Der von ihr umschlossene Raum war in zwei Theile durch eine Mauer geschieden; in der hintern Hälfte ist noch jetzt der heilige Teich erhalten, in dessen Mitte sich eine Säule erhebt. Der erste Hof scheint von einer Säulenhalle umgeben gewesen zu sein. Zu den Seiten jeder Thür befinden sich je zwei kleine, die Mauern schräg durchdringende

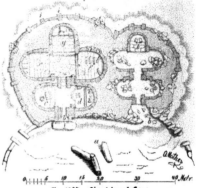

Fig. 1397. Giganteia auf Gozzo.

Oeffnungen. Am Ostende des zweiten Hofes liegen die Trümmer des Heiligthums auf der höchsten Stelle des Bauplatzes. Vor diesem eigentlichen Tempel lag eine halbkreisförmige Umgebung für die heiligen Tauben. Zur Seite des Hauptportals standen, nach Angabe der Münzen, zwei Obelisken mit eingekerbtem Oberende. Diese Pfeiler waren durch eine Kette oder ein anderes Gehänge verbunden. Die Tempelfront selbst zeigt einen hohen Mittelbau und zwei niedrigere Seitenflügel oder angebaute Säulengänge. Der Mittelbau hat über der Thür drei Fenster, über denen ein Mond und ein achtstrahliger Stern dargestellt ist. Im Innern stand der kegelförmige Stein (Bätylus), der die Göttin darstellte. Wenn diese Anlage Manches enthält, was an ägyptische Kunst erinnert, so scheint die Ausstattung sich mehr der assyrischen und persischen Weise genähert zu haben. Wir erfahren aus alten Schriftstellern, daß Holzsäulen das flache Dach trugen, daß Thüren, Säulendecken ec. mit Goldblech u. dgl. bekleidet waren. Auch an den Trümmern des Baalstempels am Markt zu Karthago hat man Spuren solcher Metallbekleidung gefunden. Aeußerlich zeigen diese Mauern Reste von Reliefsäulen. Die Mauern waren mit kostbaren Teppichen behängt. Zwar noch nicht erwiesen, aber höchst wahrscheinlich phönikisch sind die Doppeltempel-Anlagen der Giganteia auf der Insel Gozzo und der Hagia-Chem

auf der Insel Malta. Erstere ist am vollständigsten erhalten. Wir geben in Fig. 1597 einen
Grundriß der ganzen Anlage. In diesem Grundriß
ist a der Vorhof, b sind die Eingänge zu den Tempeln, c, d, e, f, g, h sind erhöhte Plätze, wahrscheinlich Sanctuarien. Bei o steht ein Altarheerd
und ein Becken zu den heiligen Waschungen. Bei
d ein tabernakelähnlich überbauter Altarheerd mit
einem kegelförmigen Stein. Bei f befindet sich
eine brunnenartige Vertiefung, zwei kleine Ofen-
nischen und die Reste eines Tisches. Alles um
Opferkuchen zu braten. Die Thorpfeiler sind 18 Fuß
hoch, an den 1½ Fuß hohen Stufen der Sanctuarien
sieht man Spuren von Thürwänden oder Cancellen.
Bei g mag ein Götterbild gestanden haben. Von
Gewölben oder Decken sind keine Spuren erhalten.
Das Mauerwerk ähnelt dem zu Tyrinth. Zwischen den liegenden sehr großen Steinen stehen von
Zeit zu Zeit Plattenstreifen gleich Pilastern aufrecht. Die Hagia-Chem bei Casale Krenti auf
Malta zeigt ganz ähnliche Dispositionen, auch hier
sind conische Steine erhalten; mehrere Nebenräume umgeben den eigentlichen Tempelraum.
In beiden Ruinengruppen sind Statuenreste,
sculpirte Schlangen, Platten mit Jbisgestalten und
spiralförmigen Ornamenten rc. gefunden worden
   2) **Gräber.** Dieselben waren sehr verschieden.
Auf den Inseln Sardinien und Corsica finden sich
kleine Felsenzellen oft in einzeln daliegenden
Blöcken ausgehöhlt, perdas sittas. Die sogenannten Gigantengräber bestehen aus je elf in
einen Halbkreis gestellten Steinen, der mittelste
ist kegelförmig bearbeitet. An seinem Fuß führt
eine kleine bogenförmige Thür zu einer dolmen-
artigen Grabkammer, santar. Eine dritte Gattung
besteht aus Mauern von drei Steinschichten. All
sind nach Südost orientirt. Eine vierte Sorte
der Gräber war kegelförmig ohne Unterbau, oder
mit einem viereckigen Unterbau, ganz ähnlich
den Gräbern bei Jerusalem, s. d. Art. Israelitisch; ein solcher Unterbau ist in Thugga bei Karthago erhalten, s. Fig. 1600.
   3) **Nurhags.** Diese ebenfalls auf der Insel
Sardinien stehenden, kegelförmigen, im Grundriß
runden oder elliptischen Gebäude (s. Fig. 1598 u.
1599) werden nicht mit voller Sicherheit den Phöni-

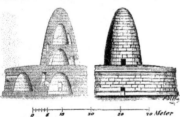

Fig. 1598. Nurhag. **Fig. 1599.**

kern zugeschrieben. Die Thüren sind stets nach
Südost gekehrt und so niedrig, daß man nur hinein
kriechen kann. Aus dem auf diese Weise zugänglichen Untergemach gelangt man auf spiralförmigen Gängen oder Treppen in die obern Gemächer. Man unterscheidet a) einzelne Nurhags,
nurhags simples; b) nurhags agrégés, wo man
mehrere eine zusammenfügende Gruppe bilden;
c) nurhags réunis, die als Thürme einer großen
Einhegung erscheinen, die einen Hügel bekrönt;

d) nurhags ceints, einen solchen stellt unsere Figur
dar. Sardinien besitzt über 3000 solcher Nurhags,
die schon Aristoteles und Diodorus von Sicilien
erwähnen, ohne ihre Bestimmung zu erklären, die
auch jetzt noch nicht bekannt ist. Sind sie von Phö-

Fig. 1600. Grabthurm zu Thugga.

nikern oder Tyrrhenern erbaut? waren es Feuertempel? Gräber? Auffallend ist allerdings ihre Aehnlichkeit mit dem Grab des Porsenna und dem des
Arun, s. d. Art. Etruskisch. Ganz ähnlich sind die
Talayots auf den Balearen, deren jeder von mehreren Steinkreisen mit Cromlechs umringt ist.
   4) **Wohnhäuser** waren mehrstöckig und mit
vielem Luxus ausgestattet. Die Säulen rc. waren
von Holz, mit Gold bekleidet; Kaufläden nahmen
die Fronten ein.
   5) **Befestigungen.** Oft dreifache Mauern von
bedeutender Höhe; waren mit Kasematten versehen. Reste sind von der Burg (Byrsa) zu Karthago erhalten.
   6) **Hafenbauten** waren mit Docks und Arsena-
len versehen, die sich in zwei Stockwerken erhoben.
   7) **Säulen** und andere Details zeigten bald
ägyptische, bald assyrische, persische, protodorische
und protoionische Formen; zu einer wirklichen
Systematik der Formen gelangten, wie es scheint,
die Phönikier nicht. Ihre Gefäße zeigen Verwandtschaft mit hetrurischen Formen.

Phönix, 1) der Vogel, der sich selbst verbrennt
und verjüngt aus den Flammen emporsteigt.
Symbol des Fortlebens nach dem Tode in ver-
klärtem Zustand rc.; — 2) S. d. Art. Palme.

Pholian, St., s. d. Art. Foillan.

Phonolith (Mineral), s. v. w. Klingstein u.
Porphyrschiefer; s. d. betr. Art.

Phonolith-Conglomerat (Mineral.), in grauer, theils fester, theils erdiger Grundmasse liegen Phonolith-Bruchstücke und Bröckchen dieser oder jener, von dem vulkanischen Gestein durchbrochenen Felsarten.

Phoronomie, mathematische Bewegungslehre; der Theil der Mechanik, welcher sich mit den Bewegungen geometrischer Körper beschäftigt, ohne Rücksicht auf die dieselben bewegenden Kräfte.

Phosphor, Element, welches sich nie frei in der Natur, sondern stets in Verbindung mit andern Körpern, namentlich mit Sauerstoff als Phosphorsäure (in verschiedenen Mineralien ꝛc.), findet. Zu seiner Darstellung benutzt man Knochen, welche der Hauptmasse nach aus phosphorsaurem Kalt bestehen. Vergl. auch d. Art. Hohofen III, Eisen und Krystallographie.

Phosphorit (Mineral.), so nennt man den erdigen Apatit und den Faser-Apatit. Beides ist basisch phosphorsaurer Kalk, den man auch durch Calcinirung von Knochen als Knochenerde erhält.

Phosphorsäure findet sich in der Natur nie frei, sondern stets mit Metalloxyden, wie Kalk, Magnesia, Eisenoxyd und Alkalien, zu phosphorsauren Salzen verbunden. Darunter ist der phosphorsaure Kalk bei weitem das wichtigste und verbreitetste (Apatit, Phosphorit, Knochenasche u. s. w.).

Phosphorwasserstoff. Der Phosphor kann sich in verschiedenen Verhältnissen mit Wasserstoff verbinden. Eine Verbindung, welche dem Ammoniak analog zusammengesetzt ist, gehört zu den Gasarten. Das durch Erhitzen von Phosphor mit Alkalien und Wasser erhaltene, an der Luft sich von selbst entzündende Phosphorwasserstoffgas bildet sich auch bei der Berührung von gewissen Phosphormetallen, z. B. Phosphorcalcium, mit Wasser. Irrlichter können entstehen, wenn Phosphorcalcium in Teiche, Sümpfe, Brunnen ꝛc. geworfen wird.

Photisterion, s. d. Art. Sakristei.

Photicit (Mineral.), ein Manganoxydulsilicat, Farbe gelbbraun, ins Weißliche, Grüne und Rothe übergehend, erscheint derb und hat flachmuscheligen Bruch.

Photogen, Destillationsproduct der Braunkohlen. Flüchtiger, sehr kohlenstoffreicher Körper, welcher eine große Leuchtkraft besitzt, vorausgesetzt, daß es in gut construirten Lampen gebrannt wird. Im gereinigten Zustand muß es wasserhell sein und wenig riechen; es theilt mit dem Benzin die Eigenschaft, Fette, Harze ꝛc. zu lösen; ganz ähnlich ist das Kamphin; s. d. Art. Braunkohle, Licht.

Photographie u. **photolithochromie.** Ueber Aufhängung der Photographien s- d. Art. Bild. Ueber Anwendung der Photographie zum Aetzen auf Steine ꝛc. s. d. Art. Lichtbild und heliographische Gravirung.

Photometer, Lichtmesser, Instrument zu Vergleichung der Intensitäten verschiedener Lichtquellen. Die Einrichtung der meisten Photometer gründet sich auf den Satz, daß die Intensität der Erleuchtung in demselben Verhältniß abnimmt, in welchem das Quadrat der Entfernung wächst. Genaue Messung der Lichtstärke hat große Schwierigkeiten, die in mangelnder Befähigung des menschlichen Auges beruhen.

1) Das **Kumford'sche Photometer** beruht auf der Vergleichung der Schatten, welche zwei gleiche, von den Lichtquellen beleuchtete, undurchsichtige Körper auf einer Wand erzeugen. Es sei in Fig. 1601 A. a b eine weiße Wand, c M und c N zwei horizontale, mit Theilung versehene Arme, welche um eine in jener Wand liegende verticale Achse drehbar sind. Auf denselben sind zwei mit Nonien versehene Schlitten verschiebbar, welche die zu vergleichenden Lichtquellen tragen; m und n sind zwei auf den horizontalen Armen angebrachte gleich stark Cylinder. Die Arme werden so gestellt, daß beide mit der Wand gleiche Winkel bilden; der Beobachter begiebt sich zwischen beide und verschiebt nun den einen Schlitten so lange, bis die beiden Schatten der Stäbchen m und n auf der Wand gleich dunkel sind. Dann verhalten sich die Intensitäten beider Lichtquellen so, wie die Quadrate ihrer Entfernungen von der Wand.

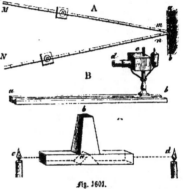

Fig. 1601.

2) Das **Bunsen'sche Photometer** (Fig. 1601 B.). Ein mit Stearinsäure getränktes Stück Papier, in dessen Mitte ein kleiner, nicht getränkter Fleck freigelassen worden ist, verschließt das äußere Ende des Rohres d an dem innen geschwärzten Photometerkasten c, der eine möglichst constante Lichtquelle, z. B. eine Argand'sche Lampe, enthält und sich auf einer eingetheilten Rinne a b verschieben läßt. Wird die zu prüfende Lichtquelle zunächst gänzlich entfernt, so erscheint der Fleck auf dem von innen beleuchteten Papier schwarz auf weißem Grund; wird dagegen die zu prüfende Lichtquelle genähert, so erhellt sich der dunkle Fleck immer mehr, bis endlich beim Gleichgewicht beide Theile des Papiers gleich hell erscheinen, und nähert man noch weiter, so erscheint der Fleck in der Mitte weiß auf dunklem Grund. Das Verhältniß beider Lichtquellen ist gleich dem Verhältniß der Quadrate ihrer Entfernungen vom Papier beim Verschwinden des Flecks.

3) Das **Photometer von Ritchie** besteht aus einem Kasten, der beiderseits offen und innen geschwärzt ist (Fig. 1601 C). In ihm befinden sich zwei gegen die obere Wand unter 45° geneigte ebene Papierflächen; über diesen ist eine Oeffnung angebracht, in welcher sich eine Convexlinse befindet. Bei der Anwendung stellt man jede der Lichtquellen einer der Papierflächen gegenüber und ändert die Abstände von diesen so lange, bis beide Flächen, durch die Linse betrachtet, gleich erscheinen. Auch hier verhalten sich die Intensitäten der Lichtquellen wie die Quadrate ihrer Abstände von den beleuchteten Flächen.

4) Außer den angeführten Photometern hat man noch eine große Zahl andere, wie das von Osann, von Steinheil, von Plateau und das in neuester Zeit erfundene sehr genaue von Zöllner.

phrygische Baudenkmale, s. d. Art. lydische Bauwerke.

Phtanit, s. v. w. Kieselschiefer.

Phtha oder **Phtas,** ägyptischer Gott, besonders in Memphis verehrt, wie Knepb in Theben, dargestellt mit großem Mund, Ohren, Augen und Bauch, alle anderen Theile kleiner; er schuf auf Befehl seines Vaters die Welt und ordnete sie. Sein Symbol war das Feuer.

Phylakterion, griech. φυλακτηριον, engl. phylactery, Schutzmittel, Amulet, zum Anhängen eingerichtetes Reliquiengefäß, dann überhaupt kleines Reliquiarium, auch Spruchband, Denkzeddel, fliegender Zeddel.

Phylatorium, engl. phylatory; s. v. w. Reliquiarium.

Physik, der Theil der Naturwissenschaften, welcher sich mit denjenigen Erscheinungen der Körperwelt beschäftigt, die nicht auf einer Veränderung der Bestandtheile der Körper beruhen, und welcher namentlich durch Beobachtungen, Experimente und Schlüsse die verschiedenen physikalischen Gesetze als die Bedingungen jener Erscheinungen erforscht. Von dem Gebiet der Physik haben sich einige Wissenschaften, die man eigentlich unter dem Namen der angewandten Physik zusammenfassen könnte, geschieden; es sind dies die Astronomie, die Meteorologie und die physische Geographie, welche die Vorgänge auf der Erdoberfläche oder in der Atmosphäre sowie das magnetische Verhalten der Erde zum Gegenstand haben.

Pialla, ital., Hobel.

Piana, ital., Diele, Bohle.

Pianella, ital., eine Art. Dachziegel; s. d. Art. Dachdeckung 7, S. 603 im I. Bd.

Piano, ital., Ebene, Fußboden, Stockwerk.

Pianta, ital., 1) Grundriß; — 2) Pflanze.

Piassabapalme (Leopoldinia Piassaba Wallace, Fam. Palmen), ist in Brasilien einheimisch und liefert in ihren Blattfasern geschätztes Material zu Stricken und Tauen. Die harten Nüsse (Coquillas) werden als eine Sorte vegetabilisches Elfenbein zu kleineren Drechslerwaaren verarbeitet.

Piastra di ferro, ital., Schwarzblech; s. d. Art. Blech.

Pio, frz., Spitzhacke, Steinhaue; à pic, s. v. w. lothrecht.

Picherius, mittellat., altfrz. pichier, Becher.

Pichhütte ꝛc., s. d. Art. Pechhütte ꝛc.

Picke oder **Pickhammer,** engl. pick, pickaxe; s. d. Art. Bicke und Bechhammer.

Pickerde, s. v. w. Kleierde.

Picket, engl., Pfahl; s. d. Art. Piquet und Piketpfahl.

Pickschiefer (Hüttenw.) oder Bickschiefer nennt man die Schlacken an den gedarrten Kienstöcken; sie lösen sich ab, wenn die Kienstöcke in Wasser geworfen werden.

Picot, frz., Baumstumpf, Holzkloß.

Picotage, frz., Keilloch; s. d. Art. Grubenbau, S. 215 im II. Bd.

Picote, span., steinerner Galgen, Schandpfahl, kegelförmiger Stein, Thurmhelm; picotes, Steinkreis; s. d. Art. Celtisch und Aztekisch.

Pictat (Schiffsb.), der in das Galion gehende Austritt des Bades.

Pictura, lat., Malerei. Die Römer unterschieden: 1) pictura in tabula, Malerei auf Holztafeln; 2) pictura in linteo, in sipario, Malerei auf Leinwand; 3) pictura inusta, Enkaustik; 4) pictura udo tectoria, Frescomalerei; 5) pictura textilis, Stickerei.

Piece, frz., 1) französisches Längenmaaß von 12 Fuß für Zimmerleute; s. d. Art. Maaß, S. 498, Bd. II; — 2) in einem Gebäude eine Stube oder Kammer, überhaupt jeder einzelne Raum.

Pied, frz., ital. piede, Fuß, Schaft, Stiel; s. auch d. Art. Ballhaus und Maaß, S. 481, 485, 489. Bd. II.

Pied de fontaine, frz., Dode in der Mitte eines Springbrunnens, als Stütze der Oberschale, einer Gruppe oder dgl.; Pied de biche, 1) Geißfuß, Hebebaum; — 2) Klauenhammer; Pied de chèvre, Geißfuß, Brechstange; Pied de mur, Sockel.

Pied-droit, frz., Pfeiler, Schaft, Gewände.

Piedestal, frz. piedestal, engl. footstall, Ständer, Fußgestell, Untersatz für Bildsäulen, Vasen, Figuren ꝛc., besonders aber für Säulen. Manche nennen, entgegengesetzt zu Postament, nur dann ein Fußgestell Piedestal, wenn es aus einem einfachen Würfel, Cylinder oder dergleichen ohne Kranz und Fußgesims besteht; s. d. Stylartikel. Die Franzosen unterscheiden: piedestal composé, von gruppirter Grundform; piedestal continu, Stylobat; piedestal par saillis, getröpftes Stylobat; piedestal double, gekuppeltes Postament; piedestalen adoucissement, trummlinig einwärts geschweiftes und verjüngtes Postament; piedestal en balustre, karniesförmig verjüngtes Postament; piedestal en talus, gradlinig verjüngtes Postament.

Piédouche, frz., ital. peduccio, hermenförmiger Untersatz für eine Büste oder dergl.

Pick eines Schiffes, frz. aile vers les façons de l'arrière, engl. run. Unterste und hinterste Abtheilung im Schiffsraum, dicht am Achtersteven; die entsprechende Abtheilung im Vordersteven heißt zwar manchmal vordere Pick, meist aber Hölle.

Pieke (Mehl.), Längenmaß von zwei Klaftern in manchen Ländern.

Piekpforte (Schiffsb.), s. unt. Pforte 3.

Pickstück, piekholz, Piekstock, Erter, Twille, frz. varangue acoulée, fourcat, four, fourque, engl. crotche, rising floortimber, s. v. w. eingezogenes Bauchstück; s. d. Art. Bauchstück d, vergl. auch d. Art. Inholz.

Pier, engl., Pfeiler, Fenster- oder Thürschaft.

Pier-arch, engl., Schwibbogen, Scheidebogen; s. d. Art. Bogen, S. 399, Bd. I.

Pieriden, s. d. Art. Musen.

Pierna, span., s. d. Art. Blatt 10.

Pierre, frz., Stein; pierre angulaire, Eckstein; p. appareillée, bearbeiteter Stein, Werkstück; p. brute, roher Bruchstein; p. calcaire, Kalkstein; p. franche, gesunder, fehlerfreier Stein; p. tombale, Grabstein; p. velue, rauher Stein; p. verte, frisch gebrochener Stein; p. à bâtir, Baustein; p. de taille, Quaderstein, Werkstück;

p. gravée, p. d'Israel, Gemme; p. vive, Bruch=
ſtein ohne Verwitterungskruſte; p. de roche,
Bergkieſel; ps. alignées, p. roulante, p. levée,
p. de soleil, p. fixée, p. folle, branlante, ſ. b.
Art celtiſche Bauwerke; p. de parpain, Binder;
p. stérile, ſ. b. Art. Berg 2; p. spéculaire,
Blättergips.

Pierrée, frz., gemauerte, beſonders troden ge=
mauerte Schleuße.

Pieta, lat. pietas, ital. pieta, engl. Our
Lady of pity, ſ. b. Art. Maria.

Pieu, frz., Pfahl zu einem Brückenjoch oder dgl.
Pieux de garde, frz., Eisbrecher vor einer
Brüde; ſ. b.

Piezometer, Inſtrument zum Meſſen der
Druckverluſte, welche das Waſſer in einer Röhren=
leitung durch Reibung und andere Widerſtände
erleidet. Die Piezometer beſtehen aus Röhren,
welche auf die Waſſerleitung ſenkrecht aufgeſetzt
ſind. — Durch die Verzögerung der Bewegung
innerhalb der Leitung entſteht nämlich ein Druc
auf die Wände und dieſem entſpricht die Höhe z
einer Waſſerſäule im betreffenden Piezometer,
welcher natürlich um ſo geringer wird, je mehr
man ſich der Ausflußmündung nähert. Die Diffe=
renz der Waſſerſtände in zwei Piezometern giebt
die Druckhöhe an, welche erforderlich iſt, um dem
Widerſtand in der Leitung auf der Strecke zwiſchen
beiden das Gleichgewicht zu halten. Iſt o die
Ausflußgeſchwindigkeit des Waſſers, l die Länge
des Leitungsſtückes von einem Piezometer bis zur
Mündung, d die Leitungsweite, ſo iſt der Rei=
bungscoefficient φ des Waſſers in der Leitungs=

röhre für die Strecke l: $\varphi = z \cdot \dfrac{2g\,d}{lb^2}.$

Iſt dagegen φ bekannt, ſo folgt die Ausflußge=

ſchwindigkeit: $v = \sqrt{\dfrac{d}{l} \cdot \dfrac{2gz}{\varphi}}.$

Pigeon, frz., dickflüſſiger Putzmörtel:
Pigonnier, frz., Taubenſchlag.
Pigment, ſ. b. Art. Farbe, Farbeſtoff 2c., ſo=
wie b. Art. Heraldik VII.
Pignon, frz., 1) Gipfel, Zinne, Giebel; —
2) Getriebe, Triebrad; — 3) Schiffsleuchter.
Pignon à redents, oder à redens, frz., ge=
zinnelter Giebel; ſ. b. Art. Katzentreppe.
Pignon entrapeté, frz., Giebelmauer, die
die Form eines Dreiecks nicht hat, z. B. bei Krüp=
pelwalmen.
Pignonné, frz. (subst.) (Herald.), Treppen=
ſchnitt, Stufenſchnitt, ſ. b.
pignonné, frz. (adj.) (Herald.), giebelförmig
und mit Zinnen verſehen.
Pik, Piki, ſ. b. Art. Elle, S. 709 und 712,
Bd. I., und Maaß, S. 489, Bd. II.
Piketpfahl. 1) Pfahl zum Anſchlagen der
Faſchinen; — 2) Pfahl zum Anbinden der Pferde
in den Bivouacs; — 3) kleines Pfählchen zum
Bezeichnen der einzelnen wichtigen Punkte beim
Feldmeſſen, in der Regel numerirt.
Pikrinſäure, organiſche Säure, eine durch
Kochen einer großen Anzahl von Pflanzen= und
Thierſtoffen mit Salpeterſäure und zwar in citro=
nen= bis goldgelben Kryſtallen erhaltene Verbin=
dung; dient hauptſächlich in der Färberei zum
Gelbfärben ohne Beize; ſ. b. Art. gelbe Farben.
Pikrit (Mineral.), ſ. v. w. Titanit.

pila, lat., 1) größerer Mörſer, worin Etwas
mit der dazu gehörigen Keule (pilum) zerſtoßen
wird; — 2) Brückenpfeiler, kegelförmiger Dent=
pfeiler, Placatſäule; — 3) Buhne.
Pilar, lat., 1) hölzerner, ſteinerner oder eiſerner,
3—4 Fuß hoher Pfeiler in Pferdeſtällen, der zwei
Pferdeſtände trennt und woran der Latirbaum
(ſ. b.) hängt. Er muß rund ſein, damit die Pferde
mit den Schweifen nicht hängen bleiben; auch
dient der Pilar zuweilen zur Unterſtützung der an
der Dede durchgehenden Träger, wo er dann Pilar=
ſtiel heißt und eine feſte Steinunterlage bekommt.
Will man Bäume 2c. darauf aufhängen, ſo macht
man ihn 7—8 Fuß hoch; — 2) ſ. b. Art. Treppe.
Pilar, ſpan., Brunnenbeden, Brunnentrog,
Brunnenkaſten.
Pilaren-Gerüſt, Säulengerüſt bei hütten=
männiſchen Walzwerken.
Pilarius, mönchslat., Pfeiler.
Pilaſter, mittellat. pilaster, vielleicht aus
παραστας verſtümmelt oder aus pila gebildet,
frz. pilastre, engl. pilaster. Theil der Säulen=
ordnung (ſ. b.); viereckige Säule oder Stütze, wird
Halbpfeiler oder Wandpfeiler, frz. pilastre en=
gagé, ital. mezzo pilastro genannt, wenn ſie
zur Hälfte ihrer Dicke oder um einen Theil der=
ſelben in einer Wand ſteht. Die Franzoſen unter=
ſcheiden: pilastres accouplés, gekuppelte Pi=
laſter; p. angulaire, Eckpilaſter; p. attique, Pi=
laſter an einer Attike; p. bandé, mit Binden oder
Boſſage verſehener Pilaſter; p. cintré, im Grund=
riß der krummen Linie einer Mauer, an der er
ſteht, entſprechend geſtalteter Pilaſter; p. coupé,
von einem Kämpferſims durchſchnittener Pilaſter;
p. diminué, verjüngter Pilaſter; pilastres doub=
lés heißen zwei Pilaſter, die nahe einem einſprin=
genden Winkel ſtehen und ſich beinahe berühren;
p. de treillage, Pfeiler an Gartenlauben, der
aus Latten zuſammengeſchlagen iſt; p. ébrasé, iſt
ein an die Ede eines Gebäudes diagonal geſetzter
Pilaſter; p. flanqué, ein zwiſchen zwei andern
ſtehender, vor ihnen vorſpringender Pilaſter; p.
en gaine, p. terme, nach unten verjüngter Pi=
laſter; p. grêle, ein zu dünner Pilaſter; p. lié,
durch eine Zunge mit einem andern oder mit einer
Säule verbundener Pilaſter; p. plié, gekröpfter
Winkelpilaſter; p. rampant, ou rampe, kleiner
Pilaſter in ſchrägen Treppengeländern, p. ravalé,
mit dünnem Marmor bekleideter Pilaſter; p. ru=
denté, Pilaſter, deſſen Canälirung ausgefüllt iſt
(mit Stäbchen 2c.).
Pilaſter-strip, engl., Laſchene.
Pilastrata, ital., Pilaſterſtellung, Reihe von
Pilaſtern.
Pile, frz., Brückenpfeiler.
Pile, engl., Pfahl; pile-driver, Rammblod;
funeral pile, Scheiterhaufen; pile-tower, pele-
tower, ein aus Pfahlwerk beſtehender befeſtigter
Thurm. Beſonders heißen ſo die Vertheidigungs=
thürme engliſcher Landhäuſer und Dörfer an der
ſchottiſchen Grenze; ſ.b.Art.Burg, S.493, Bd.I.
Pilework, piling, Pfahlwerk, Palliſade.
Pilgerſtab, frz. bourdon, ein Stab mit zwei
Knöpfen. 1) Ein Pilgerſtab nebſt Mantel (Lap=
part), Taſche, scarcella, escarcelle, Flaſche und
auf der Schulter hängendem Gürtel (écharpe).
iſt Attribut der Heiligen Antonius, Jacobus (ſ.
Apoſtel 4), Davinus u. A., die als Pilger dargeſtellt
werden. — 2) (Herald.) wird bei niederen Geiſtli=
chen als Figur in oder hinter das Schild geſtellt.

Pilgrimstabkreuz, f. d. Art. Apfelkreuz und Kreuz C. 13.

Pilier, frz., Pfeiler; pilier butant, Strebepfeiler; pilier cruciforme, Pfeiler mit kreuzförmigem Grundriß; pilier fasciculé, Bündelpfeiler.

Pillar, engl., altengl. piler, pyller, Pfeiler, Arcadenpfeiler; compound pillar, Bündelpfeiler; single pillar, einfacher, aus nur einem Schaft bestehender Pfeiler; small pillar, Stangensäule, Dienst; pillar with recesses, in rechtwinkligen Eden gegliederter Pfeiler.

pillawed, engl., polsterförmig, f. d. Art. Echinus, Glied, Pfuhl, Polster ꝛc.

Pille (Mühlenb.), f. v. w. Wille 2.

Pillory, engl., lat. pilloricum, pellorium, frz. pilori, Pranger, Staupsäule, Drillhäuschen, Narrenhäuschen.

Pilon, frz., Stampfer, Mörserkeule; pilon de moulin, Stampfe einer Oel- oder andern Stampfmühle.

Pilotage, Pilotirung, pilotirter Rost, frz. pilotage, engl. piling, paling, f. v. w. Pfahlrost, f. d. u. d. Art. Grundbau, S. 219, Bd. 11.

Pilote, frz. Pilot, pilotis, armirter eichener Grundpfahl; f. d. Art. Grundbau, S. 219, Bd. 11. piloter, frz., pilotiren, auspfählen, beholzen, bepfählen, mit Pfählen versehen.

Pimelith (Mineral.), Silicat von Nickeloxydul, Thonerde und Talterde; erscheint derb, fettig, erdig, zerreiblich, knollig, hat apfelgrüne Farbe.

Pimstein, f. d. Art. Bimsstein.

Pinakel, lat. pinnaculum, frz. pinacle, engl. pinnacle, altengl. pynnakil, penecle, althochd. pinâkel, eigentlich kleine Zinne, daher Spitzsäule, Phiale, f. d. Art. Fiale, doch meist von undurchbrochenen Helmen über Baldachinen ꝛc. gebraucht, namentlich in spätromantischer Zeit, daher Manche den Namen davon ableiten wollen, daß diese Fialen statt der Kreuzblume einen Pintenapfel trugen; pinacle en application, Halbfiale, an eine Mauer angesetzt.

Pinakothek, πινακοθήκη, f. Bildergallerie. Ursprünglich dieß so bei den Römern das Atrium, wenn es mit Gefäßen, Gemälden ꝛc. decorirt war.

Pinang, Pinan, f. v. w. Arekapalme 2.

Pinasse, frz. pinasse, pinache, péniche, engl. pinnace, f. d. Art. Boot 5.

Pinaster, lat., gemeine Kiefer.

Pince, frz., 1) Brechstange; — 2) Zange.

Pinchbeck, engl., Tombak, Prinzmetall.

Pine-cone-moulding, engl., ähnlich dem Firapple, f. d., aber die Frucht ist mehr langgezogen.

Pinge, Binge, Pünge (Bergb.), Vertiefung des Erdbodens, entstanden durch eingesunkene Berggebäude.

Pinheiro branco, port., f. d. Art. Araukarie.

Pinholz, f. v. w. Faulbaum, f. d.

Pinie (Pinus pinea L.), Piniole, Pinienkiefer, ein 40—50' hoher Baum aus der Familie der Nadelhölzer (Zapfenfrüchtler, Coniferae), unserer Kiefer nahe verwandt, der einen unten astlosen Stamm besitzt, welcher sich oben in eine schirmartige Krone ausbreitet. Er ist im Gebiet des Mittelmeeres, besonders in Italien, einheimisch und sein Holz wird als Bau- und Nutz-

holz verwendet. Seine nußartigen kleinen Früchte werden gegessen. Die Pinie war bei den Griechen dem Bacchus geweiht, daher dient der Pinienzapfen als Bekrönung des Thyrsusstabes; in der christlichen Kunst bedeuten vier silberne und ein goldener Pinienapfel Christus und die vier Evangelisten; die Pinienzapfen an den Osterkerzen werden auch wohl auf die fünf Wunden Christi gedeutet; f. auch d. Art. Arabesken.

Pinit (Mineral.), Silicat von Eisenoxydul, Thonerde und Talterde, hat glatte, oft eingewachsene Krystalle, unebenen, kleinkörnigen Bruch, schwachen Fettglanz, ist gelblichgrau, bräunlich, außerlich öfter durch Eisenocher roth gefärbt, ritzt kaum den Kalkspath, riecht angehaucht nach Thon.

Pinksalz (Chem.), Verbindung, die durch Mischen von Zinnchloridlösung mit Salmiak beim gelinden Abdampfen erhalten wird; dient hauptsächlich in der Zeugdruckerei als Beizmittel.

Pinna, lat., 1) Feder und Alles dieser ähnlich Geformte, z. B. Schaufel, besonders am Wasserrad und Ruder, Orgeltaste. — 2) Rückenflosse des Fisches, Zinne, f. d. Art. Zinne und Burg, S. 492, Bd. 1.

Pinne, im Allgemeinen jedes scharfe, schwache und breite, aber spitz zulaufende, federzahnenartige Ende, besonders 1) (Schiffsb.) breiter, bretartiger Zapfen, Scheerzapfen, daher zusammenpinnen f. v. w. aneinanderscheeren; Ruderpinne, f. v. w. Handgriff des Steuers; — 2) (Feldm.) spitze, ein Fuß lange eiserne Stäbchen, nach denen gezählt wird, wie vielmal man die Meßkette fortsetzt; — 3) (Maschinenw.) der obere schwache Theil eines Krahnes; — 4) f. v. w. Zinne, f. d.

Pinnensäge (Tischl.), feine Säge, womit die Zapfen, Pinnen geschlitzt werden.

Piño oder Mañin; so nennt man in Chile den Podocarpus nubigenus, Pinus chilua und Saxogothea conspicua, drei Nadelholzbäume mit hübschem Nutzholz.

Pinnplanken oder Dammplanken (Deichb.), Planken zu schneller Herstellung eines Nothdammes auf der Deichtappe, wenn das Wasser die Deichtappe zu übersteigen droht; eine solche Pinne oder Aufstützung, Aufdeckung, besteht aus zwei Bretwänden, zwischen denen Lehm, Mist ꝛc. eingestampft wird.

Pinsel oder Bensel, frz. pinceau, engl. pencil. Dieselben sind je nach ihrem Gebrauch sehr verschieden. Die Maurer haben Annetzpinsel, Jaußpinsel, Handpinsel ꝛc.; die Stubenmaler brauchen sehr mannichfach gestaltete, runde, breite, schmale, lange und kurzhaarige, welche in der Regel nach ihrer Verwendung oder auch nach den dazu verwendeten Haaren benannt sind. So hat man Dachspinsel, Schweinspinsel ꝛc. Zur Imitation (f. d.) der Hölzer, sowie zur Vergoldung, werden auch sehr verschiedenartige Pinsel gebraucht. Breite Pinsel oder Stockfischschwänze werden hauptsächlich angewendet zum Anstreichen großer Flächen ꝛc.

Pinte, Flüssigkeitsmaaß in Frankreich, England, Böhmen ꝛc.; f. d. Art. Maaß, S. 498, 500, 505, 510 ff., Bd. 11.

Pintger, in den Rheinlanden Flüssigkeitsmaaß — 19 Par. Cubitzoll.

Pinus ist der botanische Gattungsname einer

Anzahl einheimischer und ausländischer Nadel-holzbäume: Pinus Abies L., p. vulgaris, Fichte; p. alba Soland., Grautanne, weiße canadische Tanne, Nadelholzbaum Nordamerika's, liefert gutes Nußholz; p. americana Gärtn., p. ruba Lamb., Rothtanne Amerika's, Nadelholzbaum Canada's, liefert schönes Nußholz, das ausgezeich-net sein und schwer ist; p. australis Michx., p. palustris Act., Sumpfkiefer, Pechfichte, s. d.; p. austriaca Tratt., p. nigra Lk., p. maritima Koch., Schwarzfichte in Oesterreich und Ungarn, harzreichster Nadelholzbaum Europa's, dessen Holz als Nußholz ähnlich wie unsere Kiefer geschätzt ist; p. balsamea L., Balsamtanne (Fam. Nadelhölzer), in Nordamerika, liefert Nußholz und Terebinthina canadensis; p. canadensis L., Hemlocks- oder Schierlingstanne, s. erstere Art.; p. Cedrus oder atlantica L., s. d. Art. Ceder; p. Cembra L., Zirbelkiefer, Arbe, Arve, s. d. Art. Ceder 4; p. Dammara W., Dammara orientalis, indische Dammarafichte, s. d. Art. Dammarafichte; p. Deodora Don., cedrus Deodora, Nadelholz-baum Indiens, wird bis 200 Fuß hoch und liefert gutes Nußholz von außerordentlicher Dauerhaf-tigkeit; liefert auch gutes Harz; p. Larix, s. d. Art. Lärche; p. pectinata D. C. oder p. Picea L., s. d. Art. Weißtanne; p. Pinea L., Pinie, s. d.; p. Pumilio Hänke., s. d. Art. Zwergkiefer; p. Strobus L., s. d. Art. Weymouthskiefer; p. syl-vestris Lour., s. d. Art. gemeine Kiefer, Föhre, Kienbaum; p. vulgaris (p. Abies L., p. Picea Du Roy, Abies excelsa D. C.), s. d. Art. Fichte, Rothtanne, Schwarztanne.

Pinusharz, burgundisches Harz, giebt burgun-disches Pech, Colophonium, besteht aus Pinin-säure und Sylvinsäure. Erstere, auch Alphaharz genannt, ist in kaltem Alkohol löslich, nicht kry-stallisirbar; letztere, auch Betaharz gen., krystalli-sirt aus der heißen weingeistigen Lösung in Tafeln.

Pioche, frz., Karst; s. d.

Piombino, ital., Bleiloth; s. d.

Piombo, ital., Blei; s. d.

Pipa, lat., Pfeife, Kelchröhrchen; s. d.

Pipa, span., Pipe, Pippe, s. d. Art. Maaß a. v. O.

Pipe, engl., Röhre; s. d. Art. Brunnenröhre.

Pipot, Honigmaaß in Frankreich = 1/6 Tonne.

piquer, frz., 1) (Zimm.) besporen; s. d. — 2) (Steinmetz.) aufspitzen, rauhschlagen, aufstocken.

Piquet, frz., s. d. Art. Piketpfahl 3.

Piqueur, frz., Werkführer, Atelieraufseher.

piriforme, frz., birnenförmig; s. d.

Pirl, Oberlausitzer Ausdruck beim Maurer für Perrel, Posedel.

Piroge oder **Pirogue,** s. d. Art. Kanot.

Pirouette, frz., scheibenförmige Perle an dem Perlstab; s. d.

Pisasphalt, s. d. Art. Bergtheer.

Piscina, lat. piscina, mittellat. fenestella. frz. piscine, 1) Fischteich, Schwimmteich, Wasser-trog, s. d. Art. Bad 4. b; — 2) s. d. v. w. impluvium; — 3) eine fensterartige Nische, meist in der Südwand neben dem Altar, oder in der südlichen Sakristei angebracht und oft ziem-lich reich architektonisch verziert. Eine Vertiefung auf der oft consolenartig vortretenden Sohle (frz. cuvette, engl. sink) dient zum Abgießen des gebrauchten Waschwassers, womit der Priester seine Hände, und dessen, womit er die heiligen Ge-

fäße gewaschen hat, und ist mit einer Abzugsröhre versehen. Als Surrogat der Piscina diente wohl auch eine Vertiefung im Pflaster südlich vom Al-tar. Die Piscina ist wohl zu unterscheiden vom lavacrum oder lavatorium (s. d.), doch kommt sie auch mit demselben vereinigt vor, indem zwei ganz gleiche Nischen mit Cuvetten nebeneinander stehen; befindet sich im obern Theil der Piscina ein Schränkchen zu Aufbewahrung der Wasch-gefäße, so heißt sie piscine-credence, s. auch d. Art. Baptisterum, Basilica, Lavacrum, Mare 2c. **Piscina contecta** ob. limaria, lat., Schlamm-sack bei Wasserleitungen.

Piséebau, frz. pisé, coffre, engl. cofferwork, cobwork, ital. maceria, span. tapia, Stampfbau, Kastenwerk, Erdwand, Erdbau, Aufführung von Mauern und ganzen Gebäuden aus Erde oder Lehm. Dazu eignen sich alle von Steinen ge-reinigten Erd- und Lehmarten, ausgenommen zu magerer Sand und zu fetter Thon. Magere Erd- und Lehmarten dürfen nicht zu trocken, fette hin-gegen nicht zu naß bearbeitet werden, da erstere sonst leicht zerbröckeln, letztere aber beim Trocknen Risse bekommen würden. Lehm mit den Zusätzen, wie die Natur sie liefert oder die Kunst hervor-bringt, giebt die besten Piséemauern, deren es ver-schiedene Arten giebt.

Die Gründung betreffend, errichte man bei schlechtem Baugrund oder im Wasser das Fun-dament, wie bei anderen Mauern, auf Rost, von großen Steinen; bei einem Baugrund aus Lehm, Thon, Stein und festem Sand gehe man mit den Piséemauern bis auf gewachsenen Boden. Man fertigt die Fundamentmauern mit Absätzen auf beiden Seiten, führt sie 1¼—2 Fuß über die Erd-oberfläche und läßt sie sich gehörig setzen. Bei Aufführung der Fundamentmauern in Pisée ist es gut, wenn man dieselben zwischen Wangen, von Bruch- und Ziegelsteinen gemauert, aufführt.

1) Piséesteinbau. Man stampft die gewählten Erd- oder Lehmarten in kleine Formen, hölzerne Kästen, u. führt mit den so erhaltenen Stücken, Pisée-steinen, die Mauer auf; dies erfordert jedoch viel Zeit, auch ist die Verbindung nicht sehr dauerhaft.

2) Pisée zwischen Lehmsteinwangen, d. h. zwi-schen zwei dünnen Mauern von Lehmsteinen, hat den Vortheil, daß in den Fugen der Putz besser hält. Die Wangen werden 6 Zoll breit von Lehmsteinen 1 Fuß hoch aufgemauert, der Zwischenraum mit Lehm ausgefüllt und festgestampft; zu größerer Festigkeit läßt man bei der zweiten Schicht einige Binder in die Lehmmasse hineingreifen.

3) Pisée zwischen Bretformen, zuerst 1791 von Cointeraux angegeben. a) Mauern; zwei starke, gehobelte Bohlen, oder besser noch Tafeln, 12— 20 Fuß lang und 1—3 Fuß hoch, durch starke Querleisten von 6 zu 6 Fuß verstärkt, werden an den Fluchtlinien der Mauer auf die hohe Kante gelegt und dann in der Mitte ihrer Höhe durch Riegel mit Köpfen und Schließen verbunden, welche, mit passenden Keilen versehen, die beiden Seiten der Form in gleichmäßiger Entfernung, der Mauerstärke entsprechend, halten. Ist diese Form auf dem fertigen Fundament aufgestellt, so wirft der Arbeiter, frz. piseur, den Lehm hinein, vertheilt ihn gleichmäßig und tritt ihn mit nackten Füßen, oder schlägt ihn mit einem Lehmschlägel, frz. pison oder pisoir, fest. Wenn die Form voll ist, streicht man sie ab, zieht die Keile aus den Riegeln und diese aus der Form, nimmt die Bohlen ab, stellt sie daneben wieder auf und

fährt so fort, bis man die Höhe der Fensterbrüstung erreicht, errichtet darauf die hölzernen Fenstergerüste und führt zwischen kleineren Formen die Zwischenpfeiler der Fenster auf.

b) Behufs Verbindung der Formen für die Scheidewände mit denen der Verfassungsmauern bringe man den Unterriegel der Scheidewandsform möglichst nahe an die Umfassungswand, um in dieser die nächsten Formgerüste so zu stellen, daß der Riegel sie noch trifft; oder man bringt die Umfassungswandform so an, daß sie eine Bretstärke von der Scheidewand entfernt ist, und legt für diese die Form an das Hinterende jener an, wobei dann der Riegel ganz wegfallen kann.

c) Giebel pisire man erst nach aufgestelltem Gespärr, weil sie sonst beim Richten leicht beschädigt werden; dann baue man die Piséemasse nach der äußeren Sparrenlinie ab und lasse hierauf die Latten über die Giebelbreite hinüberragen, wobei der Ortsparren dicht an die innere Seite des Giebels zu liegen kommt. Sind die Giebel breit, so ist es nöthig, sie mit dem Gespärre, besser noch mit dem Kehlgebälk zu verankern. Piséegiebel sind nicht zu empfehlen.

d) Feuermauern, Schornsteine ꝛc. können bis zur Balkenhöhe pisirt, müssen im Dach aber mit geformten Lehmsteinen fortgeführt werden.

e) Pisirte Gesimse sind sehr dauerhaft, doch dürfen sie weder verziert, noch stark auslabend sein. Um sie zu construiren, setze man die gewöhnlichen Formgerüste so auf, daß sie um die Gesimsbreite hervorspringen, lege eine 8 Fuß lange, aus starkem Holz gefertigte Chablone so in die Form ein, daß sie unten genau an die Mauer schließt u. mit ihrer rechtwinkligen Seite gerade an die Formbretter zu liegen kommt, und befestige entsprechend gestalteteKopfbretter an die Enden der Form oder zwischen zwei Balken durch vorgesteckte Nägel oder Schrauben; nun kann der Raum mit aller Vorsicht ausgestampft werden, jedoch müssen zur Sicherheit quer überMauer und Gesims gelegte Latten mit eingestampft werden.

Fig. 1602.

f) Gewölbe zu pisiren, kann nicht anders geschehen, als auf untergestellten hölzernen Rüstungen; jedoch läßt sich darauf keine feste Masse schlagen. Bei zu überwölbenden Räumen in der Erde lasse man den Raum nach der zu machenden Wölbung ausgraben und mit schmalen Brettern überlegen, worauf die Pisée kommt; nach der Vollendung gräbt man die Erde durch die gelassene Thüröffnung aus. Es können übrigens leichte Kappengewölbe aus Lehm- oder Backsteinen ohne Bedenken zwischen Piséemauern gespannt werden, wenn diese nicht zu schwach und die Gewölbe mit regelmäßigenGurtbögen undWiderlagern versehen sind.

g) Das Abputzen von Piséewänden muß bei guter Witterung vorgenommen werden. Der Putzmörtel besteht aus 2 Thln. scharfem Mauersand, 1 Thl. Weißkalk und 3 Thln. Lehm. Ehe man den Putz aufträgt, macht man in die Piséewand mehrere Einschnitte und macht sie bunt, damit der Mörtel besser halte, was aber nie vollständig erreicht wird; wenn die Formen auf der Innenseite sehr glatt gehobelt werden, ist kaum Putz nöthig.

4) Tapia oder arabische Pisée hat Zwischenlagen von Kalk- und Kieselsteinen, die nach Fig. 1602 an den Außenseiten der Wand mit einander in Verbindung treten. Beim Abnehmen der Formen ist somit der Putz gleich mit fertig, auch eine Art Durchbindung durch den Kalk hergestellt, so daß solche Mauern den Putz nicht verlieren und auch nicht bersten können. Dergleichen Mauern können durch Frauen und Kinder hergestellt werden.

5) Piséebau unter Verwendung von Erdrückständen; als Isolirschicht. Das Fundament wird 2″ tief gegraben, mit Erdschlamm fest ausgeschlagen; zwischen die Bretter bringt man dann zunächst eine 2—3″ hohe Schicht Erdrückstand — sonst wie andere Pisée; nach 14 Tagen hart.

Pisolithkalk, theils feste, theils erdige Kalkmasse, mit vielen fossilen Resten, zum Theil auch oolithisch; s. d.Art.Lagerung c. b. II, S. 442, Bd.II.

Pissito, frz., Pechstein.

Pissoir, frz.,Pißwinkel. Ueber die Einrichtung desselben s. d. Art. Abtritt, Wasserschluß ꝛc.

Pissote, frz., hölzerner Ablaufhahn, auch Ablaufröhre.

Pissotière, frz., Springbrunnen mit zu geringer Wasserkraft.

Pistazitfels, Gemenge von Pistazit (Epidot, s. d.) und Quarz, pistaziengrün, in's Graue, Gelbe oder Braune ziehend. Splitter davon schmelzen vor dem Löthrohr zu schwarzem Glas. a) Körniger, in dessen Spalten und Drusenräumen ausgebildete Pistazitkrystalle liegen. b) Erdiger oder sandiger, auch Scorga genannt, als dessen Beimengung Granit erscheint. c) Dichter, dichte, dunkelgrüne Masse, bisweilen von Pistazitadern oder Kalkspathschnüren durchzogen. d) Variolitbischer, dunkelgrün, zusammengesetzt aus kugeligen Stücken von verschiedener Größe.

Pistation, frz., Verklebung mit Teig, Verkittung.

Pistillum, lat., Mörserkeule.

Pistolet, frz., ganz kurzer Steinbohrer.

Piston, frz., Pumpenstock, Kunststange.

Pistrinum, pistrina, pistrilla, lat., Handmühle, Mörser.

Pistris, pistrix, pristis, lat., griech. πιστρις, 1) Seeungeheuer mit Hundskopf oder Schlangenkopf, Schwanenhals, Schlangenleib, Fischschwanz und Flossen; — 2) eine Art antike Schiffe.

Pißback, Wasserbad, s. d. Art. Bad 7.

Pitch, engl. 1) Pech; pitch-stone, Pechstein; pitch-coal, Pechkohle; s. d. Art. Braunkohle; — 2) Abfall, Neigung; pitch of a roof, Dachschräge; s. d. Art. Dach A.; equilateral-pitch, Dachprofil in Form eines gleichseitigen Dreiecks; three quartered pitched-roof, Dach, dessen Sparren — ¾ der Gebäudetiefe lang sind.

Pitcher, engl.,Krug,Wasserkrug; — 2)Brechstange, Haue, Hacke, Spaten.

Piton, frz., Ringnagel, Ringschraube, Angelring, Pfanne; s. d. Art. Band III. c. 1.

Pitot'sche Röhre, s. d. Art. Wassermesser.

Pitta oder Pita, 1) die Fasern der Ananasblätter (Ananassa sativa Lindl., Fam. Bromeliaceae), eben so haltbar als sie, können statt Hanf gebraucht und macht in die Piséewand mehr — 2) Manillahanf von einer Bananenart auf Manilla zu Tauen verarbeitet.

Pittah (ind. Bauk.), mit Mauern oder Hecken umgebene Stadt oder Vorstadt.

13 *

Piumaccio, ital., Federbett, Kissen, Polster; à piumaccio, polsterförmig.

Pius V., St., geboren 1504, wurde 1521 Dominicaner, 1565 Papst, rettete den Malteser-orden. Seinem Gebet schreibt man den Sieg zu Le-panto (7. Oct. 1571) zu, den er, als er eben erfoch-ten war, in der Ferne ankündigte und zu dessen Andenken er das Rosenkranzfest stiftete; am 1. Mai 1572 starb er während der Ausrüstung eines neuen Kreuzheeres.

Pivot, frz. und engl., 1) an dem Läufer eines Thorflügels der eiserne Zapfen, der sich in der Pfanne bewegt; s. d. Art. Angel, Band III. c. 1., Bandhaken x.; pivot-screw, Zapfenschraube; — 2) Schaft eines Kelches; s. d. Art. Kelch.

Pix, engl., lat. pyxis, Hostienschachtel im Ci-
Plaate (Seew.), s. v. w. Platte 4. [borium.

Placage, frz., 1) s. b. w. Lehm- und Kleber-arbeit; — 2) s. v. w. Fournire und fournirte Ar-beit: — 3) s. v. w. Plackarbeit; s. d.

Placard, frz., 1) Verkleidung an oder Aufsatz über einer Thür; — 2) Wandschrant.

Place, frz., Platz; place à herbes, Bleiche; place d'armes, 1) Paradeplatz, 2) kleine Festung; place du moment, provisorische Festung; place-basse, niedriger Wall vor den Bastionsfacen, zu Bestreichung des Nabelingrabens.

Placet, frz., Sessel.

Plach; so hießen früher alle schwefelhaltigen unedlen Metalle.

Placidus, St., 1) Eustachias; — 2) Sohn des Patriciers Tertullius, von Benedictus erzogen, von S. Maurus aus der See gerettet, dann als erster Abt des Klosters S. Giovanni von den Sa-razenen weggeführt; man schlug ihm die Zähne ein, riß ihm die Zunge aus und enthauptete ihn. Abbilden als Benedictiner, mit einem Schwert auf seine ausgerissene Zunge deuten.

Plackarbeit, Plackage, Plackwerk, frz. pla-cage, Verkleidung der Böschung mit festgeschla-genem Lehm- oder Thonboden, oder mit Gartenerde, in welche Wurzeln eingelegt werden; s. d. Art. Festungsbau A 1, S. 41, Bd. II.

placken; 1) einen Brennofen, Kohlenmeiler oder dergl. mit Lehm bewerfen; — 2) mit dem Plackscheit, einem Holzschlägel, feuchte Erde derb schlagen; s. d. Art. Plackarbeit.

Placksoden, s. v. w. Decksoden.

Pläner, plattenartig brechender Bruchstein, meist schiefriger Textur. Plänergewölbe, engl. ragh-work-vanlt, s. b. Art. Gewölbe, S. 150, Bd. II.

Plänerkalk, fester, weißthoniger Kalkstein (unreine Kreide), der an vielen Stellen im sächsi-schen Quadersandstein liegt. Die Berge dieses Gesteins erscheinen ruinenförmig in senkrechten, schiefrig durchspaltenen Wänden. Er verwittert leicht, ist aber brauchbar zum Wölben; s. d. Art. kalkige Gesteine e und b. Art. Lagerung d.

Plänermergel, s. d. Art. kalkige Gesteine 1.

Plättchen, Riemen, schmale Platte; s. d. Art. Glied E., 1. b.

Plättchenkolben (Glaser), kleiner Löthkolben.

Plätte; 1) (Schiffsb.) s. v. w. Plette; — 2) s. v. w. Rahmen, Rießholz, Holm, Blattstück.

Plätzhammer, Hammer mit platter Bahn zum Glattschlagen des Drahts.

Plafond, frz. plafond, engl. ceiling, ital. soffito, eigentlich jede flache Decke, jedoch beson-ders eine Decke, welche in Malerei oder Stuck ver-ziert ist. Man muß sich hüten, nicht zu schwer-fällige Verzierungen anzubringen. Breite Rand-umfassungen lassen das Zimmer höher und kleiner erscheinen, als es ist; große Mittelstücke machen es scheinbar niedriger. Der Plafond darf nie dunk-ler als die Wände sein; mehr s. im Art. Decke.

Plafond de pierre, frz., Spiegelgewölbe; plafond enfoncé, s. d. Art. Ballendecke und Decke; plafond plancheié, s. b. Art. Bretdecke und Decke.

Plafondbild, s. d. Art. Deckenstück.

Plafondmalerei, s. d. Art. Deckenmalerei.

Plaga, lat., Himmelsgegend, plaga austra-lis, septentrionalis, südlicher, nördlicher Kreuz-arm, s. d.; vgl. auch d. Art. Lectica.

Plage, frz., Himmelsgegend, Küste, Strand.

Plagge (Deich), 1) s. v. w. Placksoden; — 2) mit Heide oder Gras bewachsenes Stück Land. plain, frz. und engl., schlicht, glatt, eben.

Plain, frz., Kalkgrube in Gerbereien.

Plaine, frz., 1) Fläche; — 2) s. Heraldik VI.

Plain-pied, frz., horizontale oder geneigte Ebene, Lage in demselben Geschoß.

Plaister, plaster, engl., Putz; coarse-plaister, Sprühwurf; plaister-stone, Gips; plaister-work, Putzarbeit; plaister of Paris, Stuck; plaister-
Plamuße, s. d. Art. Fliese 2. [floor, Aestrich.

Plan, frz. und engl. plan, s. v. w. Grundriß, Horizontalprojection; block-plan, engl.. Grund-riß, in welchem die einzelnen Theile des Gebäudes nur oberflächlich, ohne Einzeichnung der Details,
plan, s. v. w. eben. [angegeben sind.

Plan, frz., Ebene, Grundriß, Plan.

Planche, frz., span. plancha, 1) Bret, Bohle, Steg, Blech, Platte, Gartenbret, Holzmodell; 2) Mittelbruch; s. b. Art. Bart 1.

Plancheiage, frz., Ausschalung; plancheier, ausbohlen; plancheir, bedielen.

Plancher, frz., 1) gerade Decke, Soffite der Hängeplatte; — 2) Fußboden und Decke, Boden zwischen zwei Geschossen, daher auch Geschoß.

planconcav, s. concav; planconvex, s. convex 5.

Planeta, s. d. Art. Bischof und Casula.

Planhammer, s. v. w. Glänzhammer.

Planhaus, beim Eisenschmelzwerk das Ge-bäude, worin das Schmelzofen steht.

Planheerd, s. d. Art. Wäsche.

Planhobelmaschine, s. d. Art. Hobelmaschine.

Planimeter, Instrument, durch welches man den Flächeninhalt irgend welcher in der Ebene ge-zeichneten Figuren ermitteln kann; soll die oft sehr mühsame Berechnung dieser Figuren, wie sie z. B. auf den durch Feldmessen erhaltenen Plänen vor-kommen, erleichtern, ohne die Genauigkeit zu be-einträchtigen. Die Constructionen der Planimeter, deren man sehr viele hat, sind sämmtlich ziemlich complicirt. Näheres findet man z. B. in Bauern-feind, „Die Planimeter von Ernst, Wettli u. Hansen, München 1853" und in Amsler, „Mechanische Be-stimmung der Flächeninhalte x. Schaffhausen 1856."

Planimetrie, der Theil der Elementargeome-trie, welcher sich mit der Untersuchung der ebenen Figuren befaßt; s. d. Art. Geometrie.

planiren, 1) (Metallarb.) s. v. w. glätten;
— 2) Erdboden ꝛc. durch Beseitigen der abwechselnden Erhöhungen und Vertiefungen eben
machen; s. d. Art. Bauanschlag A. 3. und Erdarbeiten. Man hat auch Planirmaschinen, meist
fahrbare schwere Walzen.

Planke, frz. planche, engl. plank. 1) Starkes
Bret; s. d. Art. Bohle, Bret, Pfoste ꝛc. Beim Schiffbau unterscheidet man: Bodenplanken, frz. vaigres
du fond, engl. planks of bottom; Hautplanken,
frz. bordages, engl. outsideplank, die Planken
an der Außenseite; Deckplanken, frz. bordages du
pont, engl. deckplanks; — 2) frz. cloison de
planches, zur Befriedigung eines Gartens, eines
Hofes ꝛc. dienende Wand aus starkem Bret oder
Bohle, richtiger **Plankenzaun** genannt; — 3) s. v.
w. ein halbes Nösel; s. d. Art. Maaß.

Plankengang (Schiffsb.), s. d. Art. Gang 3.

Plankengebäude, s. d. und hölzerne Gebäude.

Plankentrog, s. d. Art. Kochflott.

Plansche, Gußform aus Platten.

Plantage, s. d. Art. Pflanzung.

plante, frz. 1) Pflanze; 2) s. Armleuchter 2. a.

planter, frz., anlegen, aufstecken, aufpflanzen;
planter un poteau, einen Pfosten stellen.

Planum, s. d. Art. Ebene. Wenn man Gegenstände, die keine gerade Ebene bilden, nicht nach
ihren Krümmungen, sondern nach ihrer Projection
auf einer geraden Ebene mißt, nennt man sie in plano
gemessen; s. auch d. Art. Eisenbahn, S. 691 im I. Bd

Planzeichnen, s. d. Art. Feldmeßkunst.

Plaque, 1) frz., Platte. Grabplatte; — 2) engl.
Metallplatte, die mit Schmelzmalerei versehen ist; —
3) Armleuchter, s. d. und Blacker; — 4) plaque oder
contre-coeur, Raum des Kamins zwischen den Gewänden und dem Heerd; — 5) Blech; die neue Pla-
que-vitro-metallique von C. Paris in Percy bei
Paris, überglastes Metallblech zu Geschirren und
Hausgeräthen aller Art; wird erzeugt, indem man
das Metall von allem Oxyd mittelst verdünnter
Säuren reinigt, es dann mit Gummiwasser bestreicht und ein ganz feines Glaspulver aufsiebt,
sodann trocknet, das Blech hierauf bis zum Schmelzen des Glaspulvers erhitzt und zuletzt langsam
erkalten läßt. Das Glaspulver ist zusammengesetzt aus 130 Thln. Flintglas, 20½ Thln. kohlensaurem Natron und 12 Thln. Borax.

plaquer, frz., belegen, bekleiden, überziehen,
fourniren, plattiren.

Plaster, engl., s. d. Art. plaister.

Plastik, plastische Kunst, Bildnerei, Bildfor-
merei, frz. plastique, engl. formative art, ist die
Kunst, schöne Formen und Gestalten aus harten
und weichen Massen zu bilden. Mit dem Bauwesen in Berührung steht besonders: Bildhauerkunst, Stuccatur-, Schnitz- und Bossirkunst ꝛc. Auf
mancherlei Weise bediente man sich von jeher dieser Kunst zur Ausschmückung und Verzierung der
Gebäude. Die dabei am häufigsten in Anwendung
kommenden Werke der Plastik sind: Statuen (s. d.
Art. Bildsäule), Reliefs (s. d.), Gruppen (namentlich in Giebelfeldern), Büsten, Medaillons ꝛc. Leider wird der figürliche Schmuck an Gebäuden
immer seltener, namentlich weil Architekt und
Bildhauer sich gegenseitig zu wenig Concessionen
machen wollen; jeder betrachtet seine Arbeit als
Hauptsache und will der des Andern zu wenig

Rechte einräumen. Häufiger noch ist die Ausschmückung mit ornamental-plastischen Werken.
Aber bei aller Grazie und Schönheit, die sie entwickeln mögen, läßt sich doch solchen Werken eigentlich höhere, d. h. bedeutungsvolle Schönheit nur
schwer geben. Ueber das Technische der einzelnen
Zweige der Plastik s. d. Art. Modell, Bossen ꝛc.

plastischer Thon, s. d. Art. Thon.

Plastron, frz., Schild mit schneckenförmig umgebogenen Ecken, kommt auch, reihenweise gestellt,
als Gliederbesetzung vor.

plat, frz., flach; niche plate, Blende; s. d.

Platane, Kleiderbaum (Platanus, Fam. Pla-
tanaceae), a) amerikanische Platane (Platanus
occidentalis); hat schönes, weißes und festes,
aber ziemlich leichtes Holz, wie der Ahorn, das
eine gute Politur annimmt; b) morgenländische
Platane (Platanus orientalis), von röthlich-weißer
Farbe mit braunen Adern, ist zäh, fest und wird
zu Schrauben und anderen feinen Arbeiten verwendet. Beide erreichen bedeutende Stammdicke
(40—150 Fuß Umfang), das Holz wird aber wenig
benutzt, da es sich leicht und stark wirft.

Plate, frz., 1) Silberpfennig im Wappen;
2) s. v. w. Plette.

Plate, engl., 1) Platte, Saumschwelle; —
2) Plattstück, Blattstück; — 3) Blech; — 4) Eisen-
bahnschwelle; — 5) f. d. Art. Maakwerk. (Straße.

Platea, lat., griech. πλατεῖα ὁδός, Platz, breite

Plateau, frz., 1) Waagschеit; — 2) Plattform.

Plate-bande, frz. 1) eiserne Schiene zur Unterstützung gewölbter Fensterstürze; — 2) Platte von
wenig Ausladung. Borte, Streifen des Architravs;
s. Ionisch und Korinthisch; — 3) Thür- und Fensterfutter; — 4) Blumenbeetstreifen um ein Quartier herum; plate-bande droite, Horizontal-
bogen; s. d. Art. Bogen, S. 397. Bd. I.

Platée, frz., Grundungsmasse, wo solche nicht
blos unter der Mauer liegt, sondern auf den ganzen,
vom Gebäude einzunehmenden Raum sich ausdehnt.

Plate-forme, frz. 1) S. v. w. Plattform; —
2) Schwellrost.

Platina, platina, lat., s. v. w. Patena.

Plateresknstyl, italienische und spanische Renaissance im 16. Jahrh.; s. d. Art. Frührenaissance.

Platin, platina (Mineral). Gediegenes Platin-
erz, kommt in losen, meist hohlen Krystallen oder in
rundlichen Massen oder Körnern vor, glänzt me-
tallig, hat hakigen Bruch und lichtstahlgraue
Farbe; ist vollkommen geschmeidig, biegsam ohne
Elasticität, streck- und hämmerbar und wiegt fast 21,
läßt sich bis zu kaum sichtbaren Drähten ausziehen,
wird von Salpetersäure nicht angegriffen u. schmilzt
sehr schwer. Das Platina hat fast stets einen,
wenn auch nur geringen Zusatz von Eisen, Titan,
Chrom, Iridium, Rhodium, Palladium, Kupfer,
in Begleitung von Gold, Spinell, Zirkon ꝛc.

Man kann das Platina als Ueberzug auf andere
Metalle benuten, wie auf Kupfer, Messing, Stahl,
und auch auf Porzellan. Auf Kupfer geschieht die
Platinirung, indem man Platinaschwamm, welcher durch Zersetzung des Platinasalmiaks erzeugt
worden, mit 5 Theilen Quecksilber amalgamirt
(durch Reiben in einem Mörser) und auf das
wohlgereinigte Kupfer aufträgt. Schwach platini-
ren kann man Messing und Stahl, wenn man mit
Schwefeläther durch Zusammenschütteln eine Pla-
tinauflösung bereitet und in dieselbe das wohlgereinigte Messing oder den polirten Stahl eintaucht.
Die Platinirung des Porzellans gleicht der Ver-

goldung desselben. Ueber die Belegung der Metalle mit Platin s. d. Art. Doubliren.

Platine, frz., Rohrschiene, Schließblech, Riegelunterplatte.

Platingruppe. Zu dieser Gruppe rechnet man folgende Metalle, welche sich stets als Begleiter in den Platinerzen finden: Palladium, Rhodium, Osmium, Iridium und Ruthenium.

plat pays, frz., Flachfeld.

Plâtras, frz., Brocken alten Gipsputzes.

Plâtre, frz., Gips.

Plâtrière, frz., Gipsbruch, Gipsofen.

Platsche, s. v. w. Pritschbläuel.

Plattbank, eine Art Falzhobel, der dazu dient, die Federn der Füllungen abzuplatten; gleicht meist einer kleinen Raubbank, hat aber an einer Seite einen Anschlag von der Breite der Ruthwange, so daß das Eisen auf der Sohle bis an diesen Anschlag reicht. Die einfachen oder Doppeleisen der Plattbank stehen ziemlich schräg, weil oft quer über die Holzfasern gehobelt werden muß. Eben wegen dieser schrägen Stellung des Eisens muß ein Anschlag angebracht werden, damit der Hobel nicht von seiner Bahn abweiche.

Plattbogen, s. d. Art. Stichbogen.

Plattbord, s. d. Art. Dahlbord.

Plattdecke, nicht durch Felder verzierte Decke; s. d. Art. Decke.

Platte. 1) Ein starkes, gerades, nach dem Querschnitt eines Prisma gebildetes Glied; s. d. Art. Glied E. 1. a. Wenn eine Platte wenig ausladet, so heißt sie Band oder Borte (lat. fascia, frz. bande, engl. bande): bildet sie den Sockel einer Säule, so heißt sie Plinthus (lat. plinthus, frz. plinthe, engl. plinth): trägt sie weit hervor und ist an der unteren Fläche mit einer Aushöhlung zur Ableitung des Wassers versehen, so heißt sie hängende Platte (lat. corona, frz. larmier, engl. dripstone); vgl. d. Art. Abakus, Hängeplatte, Kranzleiste, Gebält ꝛc.; — 2) (Schiffsb.) s. v. w. Plette; — 3) s. v. w. Floß oder Fähre, flachbodiges Küstenfahrzeug; — 4) (Wasserb.) Sandbant, Untiefe, vorspringendes, niedriges Ufer; — 5) lat. lamina, frz. dalle, flacher, tafelförmig bearbeiteter Stein; s. d. Art. Fußboden, Fläche ꝛc.

platted moulding, abgeplattetes Simsglied, z. B. der ionische Architrav.

platten, s. v. w. aufblatten, s. d. Art. Blatt, Holzverband, A. 1. ꝛc.

Plattenfeile, Feile von mittelfeinem Hieb.

plattenförmige Absonderung (Mineral.), s. d. Art. Absonderung. Das Gestein erscheint dabei in meist dünne, mitunter jedoch auch bis zwei Fuß starke, geradschalige Stücke geschieden; sind dieselben im Verhältniß zu ihrer Ausdehnung nicht sehr dick, so bezeichnet man sie auch als Tafeln. Die plattenförmige Absonderung mancher plutonischen Gesteine wurde früher irriger Weise für Schichtung angesehen.

Plattenkupfer, s. d. Art. Kupfer.

Plattenmessing, s. d. Art. Messingblech.

Plattform, frz. plate-forme, engl. platform, flat-roof, hoch oder niedrig liegende, ziemlich waagrechte, zum Betreten bestimmte und daher in der Regel mit Geländer versehene Dach- oder Terrassenfläche; s. Altan, Dach A. I. 7 u. Abdachung.

Platthaupt, frz. clou à mangère, engl. scupper-nail (Schiffsb.), 1 Zoll lange Nägel mit plattem Kopf.

Plattholz (Ziegl.), flaches Stück Holz zum Abstreichen der Ziegel in der Form.

Plattine. 1) (Mühlenb.) die Platte am Kropf des Holländers in einer Papiermühle; — 2) an der hintern Wand eines Kamins angelegte verzierte eiserne Platte.

plattiren, frz. plaquer. 1) Von einem edleren Metall einen dünnen Ueberzug auf ein werthloseres Metall machen. Am häufigsten wird Kupfer mit Silber plattirt; — 2) Plattiren der Ziegel, s. d. Art. Färben F.

Plattkachel, s. d. Art. Kachel.

Plattlack (Maler). 1) Geschmolzener Gummilack, der auf einem Marmorstein platt geschlagen worden; — 2) aus Scheerwolle des Scharlachtuchs durch Lauge ausgezogene hochrothe Lackfarbe.

Plattmeißel, Meißel mit gerader Scheide.

Plattsoden, s. v. w. Decksoden.

Plattstück, s. v. w. Hauptholz, Wandrahmen, Blattstück, Holm, s. d. betr. Art. und Fachwand.

Plattziegel. 1) s. v. w. Biberschwanz, s. d. Art. Dachziegel; — 2) s. v. w. Fliese, s. d.

Platz, lat. platea, frz. u. engl. place. Die öffentlichen Plätze sind ihrer Bestimmung nach sehr verschieden, die Bestimmung aber ist maaßgebend für Größe und Anordnung; im Allgemeinen macht man alle Plätze erhöht, regelmäßig, geräumig und zugfrei. Vor jedem öffentlichen Gebäude, namentlich vor jedem viel vom Publikum benutzten, sollte sich ein Platz ausbreiten. Plätze, deren Breite geringer ist als die Höhe der sie umgebenden Gebäude, sehen klein aus. Ueber die Einrichtung von Marktplätzen s. d. Art. Agora, Forum und Markt. Plätze, die von zusammengehörenden Gebäuden eingeschlossen sind, werden zum Hof. Will man einen Platz mit Statuen ꝛc. besetzen, so darf der Verkehr auf denselben dadurch nicht verengt werden; — (Herald.) durch Section entstandene Abtheilung eines Schildes.

Platzgewölbe, Kuppelgewölbe über einem viereckigen Raum. 1) Volles Platzgewölbe; die Diagonaldurchschnittslinie oder Leitcurve des Gewölbes ist ein voller Halbkreis, demnach sind auch die Anlaufsbogen (Schildbogen) Halbkreise. Ein solches Gewölbe heißt in Oesterreich böhmisches Platzgewölbe; — 2) flaches Platzgewölbe, mit stichbogenförmigen Leitcurven und Schildbögen, in Oesterreich preußisches Platzgewölbe, im übrigen Deutschland böhmische Kappe genannt; s. d. Art. böhmisches Gewölbe.

Platzrecht, s. d. Art. Baurecht, S. 289, Bd. I.

Plauze, Zinngraupen enthaltendes sandiges Gestein.

Plaza, span. Platz, plaza de toros, Stiergefechtscircus; s. d. Art. Amphitheater.

Pleiche, s. v. w. Planke.

plein, frz., voll, massiv: plein d'un mur, massiver Mauertheil: écu plein, lediges Schild: s. d. Herald. VIII.

plein cintre, frz., Rundbogen, plein cintre brisé, stumpfer Spitzbogen; plein cintre à talon, frz., Schneppenbogen; s. d. Art. Bogen, S. 399.

Pleinrelief, frz., s. v. w. Hautrelief.

Plemp, holländische Fischerschuite.

Plenarium, f. d. Art. Ritualbücher.

Plethrum, griech. πλέϑρον, griechisches Längenmaaß, 32,72 Meter; f. d. Art. Maaß, S.513.

Plette, frz. plate (Schiffsb.), überhaupt plattbodiges Flußschiff, besonders 36—40 Fuß langes Fahrzeug auf der Donau.

Pletzfaß (Hüttenw.), f. v. w. Bletzfaß; f. d.

Pli, frz., einspringender Winkel.

pliant, frz., zusammenlappbar; siège pliant, Faltstuhl.

Plicht, plictot (Schiffsb.), 1) f. d. Art. Pflicht; — 2) f. v. w. Pictat.

Plimm (Bergb.), ein weißlicher Eisenstein, welcher Feuer giebt.

Plinthe, Plinte, Platte, Sockel, lat. plinthus, griech. πλίνϑος, frz. plinthe, engl. plinth, bei den Griechen quadratischer Ziegel; daher quadratische Fußplatte einer Säule, f. d. Art. Base und Glied, E. 1. a., Dorisch, Jonisch, Platte ꝛc.

Plinthium, lat., griech. πλινϑίον, viereckige Sonnenuhrplatte.

Pliocän, f. d. Art. Lagerung b., S. 442, Bd. II.

Plötze (Bergb.), eine Art Brecheisen.

Plomb, fr., lat. plumbum, ital. piombo, span. plomo, engl. plumb, plummet, 1) Blei; — 2) Bleiloth; à plomb, lothrecht; f. d. Art. Bleirecht; plomber, ablothen.

Plombaique, plombagine, frz., lat. plumbago, Bleischweif, Wasserblei, Graphit.

Plomberie, frz., Bleihütte.

Plomb de vitrail, frz., Fensterblei.

Plombée, frz., engl. plumbing line, span. Plomada, senkrechte Linie, Lothriß, doch auch Bleisenkel.

plommer, frz., mit Bleiasche glasiren, plommure, plonnure, glasirtes Geschirr.

Plongée, frz., 1) obere Abdachung der Brustwehr; — 2) Eintauchung.

Plumbum, f. d. Art. Blei, Bleiloth ꝛc.; plumbi vitrum, Bleiglas.

Plumées, frz., faire une plumée heißt beim Behauen der Steine f. v. w. den „Schlag machen", d. h. an den Kanten des Steines entlang einen Streifen als Lehre behauen.

Plumpe, f. v. w. Pumpe, f. d. Art. Pumpe und Brunnen.

Plumpkolben, f. u. d. Art. Brunnen.

Plunger, engl., frz. plongeur, eigentlich Taucher; f. d. Art. Bramskolben.

Plus (Schiffsb.), zum Kalfatern gebrauchtes Werrig aus alten gezupften Tauen.

plus, lat., mehr; x plus y deutet die Addition von x und y an, man benutzt dafür auch das Zeichen +; f. auch d. Art. Positiv.

Pluteus, pluteum, lat., eigentlich Bretgerüst, Hürdenwerk, 1) f. v. w. Blendung 2, a; — 2) fahrbarer Belagerungsthurm; — 3) Rückblatt einer Bettstelle; — 4) hohe Seite eines Triclinium; — 5) Brüstung, Geländer; — 6) Regal, Simsbret, Etagère; — 7) Leichenbret.

Pluto (Myth.), f. d. Art. Hades.

plutonische Bildungen; so nennt man diejenigen Eruptivgesteine, welche im Erdinnern erstarrt sind, z. B. Syenit, Grünstein, Granit ꝛc., während die vulkanischen Gesteine, z. B. Lava, Basalt ꝛc., an der Oberfläche oder nahe derselben sich bildeten oder noch bilden. Die an der Erdoberfläche sich findenden plutonischen Bildungen sind in der Regel viel älter als die vulkanischen; denn man kann die ersteren erst dann beobachten, wenn ihre ursprüngliche Bedeckung zerstört und abgeschwemmt worden ist; während dagegen nur die neuesten vulkanischen Gesteine sichtbar sind u. die alten sehr oft wieder zerstört wurden; f. auch d. Art. Lagerung und Bausteine I, S. 290, Bd. 1.

Plyer oder plier, engl., 1) Zugbaum einer Zugbrücke; — 2) Zange.

Pneumatik, die Lehre von der Bewegung elastisch-flüssiger, luftförmiger Körper; auch Aërodynamik genannt (f. d.).

pneumatische Maschine, f. d. Art. Ventilation.

Pocherte, fem., Schaugerüst, Schaubühne.

Pocherz (Hüttenw.), armes Erz, welches, um es zu Gute zu bringen, vor dem Schmelzen gepocht und dadurch in die Enge gebracht wird.

Pochgefälle (Hüttenw.), Gefälle an Pochgraben und Gerinne, worin der Schlich zum Waschheerd geführt wird.

Pochgerinne, Pochgraben, Pochröhre, Canal oder Röhre zu Beförderung des Aufschlagwassers nach dem Pochrad, d. h. dem Wasserrad eines Pochwerks.

Pochhammer (Hüttenw.), Hammer zum Kleinschlagen trockener, guter Erze.

Pochheerd (Hüttenw.), f. v. w. Planenheerd, f. d. Art. Waschheerd.

Pochhub (Hüttenw.), die Höhe, bis zu welcher die Pochstempel gehoben werden, je nach der Erzart verschieden.

Pochlaschen, während der Arbeit auf den Pochtrog hochkantig gestellte Bretter.

Pachschießer, Pochstampfe, f. v. w. Pochstempel, f. d. Art. Pochwert.

Pochsohle, f. d. Art. Pochwerk; wenn sie von Eisen ist, heißt sie Pochschale, von Stein Pochwand, von Holz Pochlager.

Pochwand. 1) s. d. Art. Pochsohle; — 2) f. v. w. Pocherz; — 3) die Wände vom Pochkasten.

Pochwasser. 1) Das in dem Pochtrog auf das Erz geleitete Wasser; — 2) Aufschlagwasser eines Pochwerks.

Pochwerk, Pochmühle, Pochgezeug. 1) (Hüttenw.) Maschine zum Klarpochen der Erze, um sie leichter schmelzen zu können, von den erdigen Theilen abzusondern und sonach in das Enge zu bringen. Eine Pochwelle, d. h. Daumenwelle (f. d.) hebt die Stampfen, Pochstempel, welche durch ihr Niedergehen in einem Behältniß, Pochtrog, die Erze klar stoßen. Ein starker, eingegrabener Baum, Pochklotz, bildet des Pochtrogs Unterlage, und trägt mehrere lothrechte Säulen, Pochsäulen, welche das Gerüst der Stempel stützen und zugleich den Pochtrog in zwei bis drei Abtheilungen, Pochkasten, trennen. Die Pochsohle (Sohle des Pochtroges) liegt etwas abschüssig auf dem Pochklotz zwischen den Pochsäulen, besteht aus einem Stück Holz mit einem

Uebergug von geschmiedetem oder gegossenem Eisen, auch wohl von festgestampftem klaren Erz, oder von festem Stein, und hat Vertiefungen da, wo die Pochstempel auffallen. Die Seitenwände des Pochtroges, die Pochwände, zwischen den Poch-säulen bestehen aus Pfosten und werden auf der inneren Seite mitunter mit Eisenblech beschlagen. Es arbeiten gewöhnlich 9 Stempel in dem Pochtrog, 3 in jeder Abtheilung, wovon der erstere Unter-schürer oder Erzstempel, der zweite Pocher oder Mittelstempel und der dritte der Auspochstempel oder Austräger, Blechstempel, heißt. Alle drei zu-sammen bilden einen Satz. Die unteren Enden der Stempel werden mit einem 50 bis 100 Pfd. schweren Eisen, Pocheisen, beschuhet, welches mittelst eines daran befindlichen Kiels, Pochkiel, und eiserner Ringe, Pochringe, befestigt wird. Beim Pochen des Zinnerzes sind die Stempel mit einem harten Stein armirt. Die Hebedaumen der Stempel sind meist verstellbar. Zur Führung der Stempel sind Querhölzer, Pochlade, Pochleitung genannt, zwi-schen die Pochsäulen eingebracht und zwischen diese wieder andere Hölzer, Pochriegel, die zwi-schen den Pochstempeln hindurchgehend das An-einanderstreifen derselben verhindern. Eine be-sondere Vorrichtung, eine Art Rumpf, Rolle, Pochrolle, dient dazu, das Erz mittelst einer an ihrem Boden befindlichen Rinne, Pochrinne, in den Pochtrog zu leiten. Die Rollstange, an dem einen Stempel angebracht, erschüttert fortwährend die Rolle. Das Wasserrad, Pochrad, hat einen Durchmesser von höchstens 16 Fuß, damit die Drehung der Daumwelle und das dadurch be-wirkte abwechselnde Heben der Stempel nicht zu langsam erfolgt. Das Pochen selbst geschieht ent-weder trocken, wobei man Pochmehl und Poch-kerne erhält, die durch ein Siebwerk gesondert werden; oder es geschieht naß. Dabei wird Wasser durch Pochröhren in den Trog geleitet, welches dann den Pochschlich, d. h. das naße, klare Erz, durch das Austragsloch abführt, welches aber ein Messingdrahtgitter, das Vorsatzblech, verwahrt ist. Der Schlich wird in den Sumpf geleitet, wo die schwereren Theile desselben als Pochsatz zu Boden sinken. Der Schlich sowohl als das Mehl kommen noch in das Waschwerk. Aehnlich sind die Pochwerke der Blaufarbenwerke, Porzellanfa-briken, Chamottefabriken ꝛc. construirt. Neuerer Zeit wendet man als Triebkraft meist den Dampf an.

Pockenholz, oder **Pockholz,** f. d. Art. Fran-zosenholz, Guajakholz, Jacarandenholz und Lig-num 24.

Podest, Diazoma, Flötzen, frz. palier, repos, engl. landing-place, foot-place, ebener waag-rechter Absatz in einer gebrochenen Treppe, ge-wöhnlich da angebracht, wo die Treppe eine andere Richtung nimmt; f. d. Art. Treppe.

Podesttreppe, frz. escalier à palier, engl. geometrical-stairs; f. d. Art. Treppe.

Podium, lat., 1) lang fortlaufende Erhöhung; f. d. Art. Amphitheater, Circus, Columbarium; — 2) der vorderste Theil der Bühne in Theatern, so weit er vom Vorhang abgeschnitten wird; f. d. Art. Theater; 3) f. v. w. Säulenstuhl oder über-haupt Unterbau.

Podocarpus, Fam. Nadelhölzer, Coniferae, 1) auf Java, in der kühlern Gebirgsregion (5 — 7000 Fuß a. H.). Kimerat (P. bracteata) und Kiputri (P. cupressina) haben hohe, säulenför-

mige Stämme mit weißlicher, birkenähnlicher Rinde und schirmähnlich ausgebreiteter Krone; — 2) neuholländische (Podocarpus nereifolia, P. Totana), liefern geschätzte Hölzer; — 3) der Ka-hikatea (P. dacryvides), auf Neu-Seeland, er-reicht 200 Fuß Höhe und bildet ausgedehnte Wäl-der; — 4) Podocarpus nubigenus, ein Nadel-holzbaum Chile's, dessen Nadeln denen unserer Weißtanne ähneln. Sein Holz wird sehr geschätzt.

Podometer (Feldmeßt.), Schrittzähler, f. d. und Pedometer.

Pöke, f. v. w. Picke, f. d.; doch nennen die Steinmetzen auch die Fläche (f. d.), mit querstehender Schneide so.

Pökile, griech. ποικιλη στοα, die bunte Halle, mit Gemälden geschmückte Lesche; f. d.

Poêle, frz., masc., 1) Traghimmel, Leichen-tuch; — 2) Ofen; — poële (fem.), Pfanne.

Poenitentiale, f. d. Art. Ritualbücher.

Pöste, f. v. w. Pfoste.

Pötsche, f. v. w. Salzbarre; f. d. Art. Salz-siederei.

Poggendeich (Deichb.), f. v. w. Polderdeich.

Pogone, f. d. Art. Maaß, S. 495, Bd. II.

Pogutell, engl., Kreuzblume.

Pohlhölzer (Wasserb.), f. v. w. Schlingbal-ken; f. d.

Poignée, frz., Handgriff; poignée de porte, Thürknopf, Thürring.

Poinçon, frz. 1) Stempel; — 2) Bunze; — 3) Hängesäule; faux poinçons, verdoppelte Hänge-säule; poinçon rampant, liegende Stuhlsäule.

Point, frz. 1) Punkt, Stich; — 2) Längen-maaß = $\frac{1}{12}$ Linie, f. d. Art. Maaß, S. 484 und 489; point visuel, Augenpunkt, f. d. Art. Per-spective; point de vue, Aussichtspunkt; point d'appui, 1) Anfallspunkt; — 2) Stützpunkt, or-gueil.

Point, engl., Spitze, Griffel, Bossireisen.

Pointage, frz., Bested.

Pointal, frz., Balkenstütze, Steife.

Pointe, frz. 1) Nase, f. d. Art. Maaßwerk; — 2) langer schlanker Nagel; — 3) Spitze, Stecheisen, Spitzbohrer. Pointe de diamant, Diamantver-zierung; pointe, pointe du chef, pointe de la pointe, f. d. Art. Heraldit VI und Heroldsfigu-ren 8.; pointe de pavé, Pflastersüden.

pointed style, engl., Spitzbogenstyl; first pointed, frühgothisch; middle pointed, ausge-bildet gothisch; third pointed, spätgothisch; f. d. Art. Englisch-gothisch; pointed arch, f. d. Art. Bogen, S. 397, Bd. I.; pointed arched, f. d. Art. Arched.

pointer, frz., aufreißen, in natürlicher Größe austragen.

Pointerolle, frz., Bergeisen, Sprengeisen.

Poirier, frz., Birnbaum.

Poisson (Meßt.), Flüssigkeitsmaaß in Frank-reich; hält 6 Cubitzoll = $\frac{1}{4}$ Schoppen.

Poitrail, frz., Rahmstück, Drischemel, Bal-lensturz, Blattstück.

Poix, frz., Pech; poix de terre, Erdpech; poix résine, Baumharz; poix elastique, Kaut-schuk; poix minerale, Bergpech.

Pokal, lat. poculum; f. d. Art. baucalis, boccale, Becher, Kelch.

Pol. 1) Die Pole eines Kugelkreises sind die

beiden Punkte, in welchen der im Mittelpunkt desselben auf seiner Ebene errichtete Perpendikel die Kugel trifft. Alle Kugelkreise, deren Ebenen parallel laufen, haben dieselben Pole. — Auf der Erde und der Himmelskugel versteht man speciell unter den beiden Polen diejenigen, welche zu den Breitenkreisen gehören, die Endpunkte der Erd-, resp. der Himmelsachse; — 2) s. d. Art. Polare; — 3) s. d. Art. Polarcoordinaten; — 4) in der Physik heißen Pole diejenigen Punkte oder Seiten eines Körpers, welche einen qualitativen Gegensatz zeigen, so beim Magneten, bei der galvanischen Kette ꝛc.

Polarcoordinaten. Neben den Parallelcoordinaten (s. d. Art. Coordinaten) werden zu Bestimmung eines Punktes M in der Ebene (s. Fig. 1603) besonders noch die Polarcoordinaten verwendet. M wird vollständig bestimmt durch seine Entfernung r von einem festen Punkt, dem Pol O, und durch den Winkel φ, welchen OM mit einer festen, durch O gehenden geraden Linie, der Achse OX, einschließt. Dieser Winkel φ heißt die Anomalie und die Länge OM = r der Radius vector, s. d. Art. Fahrstrahl. Wenn zwischen beiden Bestimmungsstücken eine Gleichung besteht, so daß sich für jedes φ ein oder mehrere Werthe von r ergeben, so erhält man eine stetige Reihe von Punkten, eine Curve. In vielen Fällen, namentlich bei Untersuchung der Spiralen, haben die Polarcoordinaten bedeutenden Vortheil vor den gewöhnlichen Parallelcoordinaten.

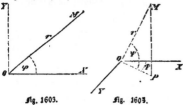

Fig. 1603.   Fig. 1604.

Zur Bestimmung eines Punktes im Raum hat man verschiedene, dem gewöhnlichen Parallelcoordinatensystem analoge Systeme, von denen folgendes das gebräuchlichste ist: Gegeben ist eine feste Ebene, die Fundamentalebene XOY (Fig. 1604), eine in derselben liegende feste gerade Linie OX, die Achse und ein in dieser liegender Punkt O, der Pol. Ein Punkt M im Raum wird bestimmt durch seine Entfernung r vom Pol O, durch den Winkel φ, welchen die Projection OP des Radiusvector auf der XY-Ebene mit der Achse OX bildet, und durch den Winkel ψ = MOP zwischen dem Radiusvector und seiner Projection. Das beste Beispiel ist die Bestimmung eines Punktes auf der Erdkugel durch Radius, Länge und Breite; der Winkel φ entspricht dabei der Länge, ψ der Breite.

Die Polarcoordinaten lassen sich sehr leicht auf rechtwinklige und umgekehrt transformiren. Wird in der Ebene die Achse OX des Polarsystems zur Abscissenachse und eine durch den Pol gehende, darauf senkrecht stehende gerade Linie OY zur Ordinatenachse gewählt, so ist x = r cos φ, y = r sin φ, und umgekehrt

$$r = \sqrt{x^2 + y^2}, \quad \operatorname{tg} \varphi = \frac{y}{x}.$$

Wählt man dagegen im Raum ein Parallelcoordinatensystem so, daß die X-Achse OX mit der

Achse des polaren Systems zusammenfällt, daß die Y-Achse OY in der Fundamentalebene liegt und mit der X-Achse einen rechten Winkel einschließt, daß endlich die Z-Achse ein Perpendikel auf beiden ist, so wird auch X = r cos φ cos ψ, sowie Y = r cos φ sin ψ, und Z = r sin φ.

Polare eines Punktes in Bezug auf einen Kegelschnitt ist die gerade Linie, welche die Berührungspunkte der beiden von jenem Punkt an dem Kegelschnitt möglichen Tangenten verbindet. Umgekehrt heißt jener Punkt der Pol dieser geraden Linie. — Doch ist auch dann, wenn der Pol im Innern des Kegelschnitts liegt und in Folge dessen von ihm aus keine reellen Tangenten möglich sind, die Polare reell; freilich liegt sie dann außerhalb des Kegelschnittes und schneidet diesen nicht.

Polarnormale, Polarsubnormale ꝛc., s. d. Art. Curve, S. 583, Bd. I.

Polder (Deichb.). 1) Dem Wasser durch Eindeichung und nachherige Ausschöpfung des Wassers abgewonnene Stelle, bes. in den Niederungen an der Nordsee. Es geschieht das Ausschöpfen durch Poldermühlen, deren Windflügel mittelst Trillinges eine Spindel drehen, an welcher ein hölzerner Trichter befestigt ist, auf dessen unterem Rand Schaufeln und auf dessen Innenseite schraubenförmige Rinnen angebracht sind. Durch schnelles Umdrehen des Trichters wird das Wasser, welches die Schaufeln fassen, in den Rinnen vermöge der Centrifugalkraft emporgetrieben und fließt oben aus. Das Wasser sammelt sich in einem in dem Morast vorher gegrabenen Brunnen, über dem die Maschine aufgestellt wird; — 2) (Schiffsb.) die oberhalb hervorragende Spitze der Inhölzer zum Festlegen des Tauwerks.

Polderdeich (Deichb.), kleiner Sommerdeich an einem Vorland.

Polderhammer, Polterhammer oder **Polterschlage,** hölzerner Hammer zum Glattschlagen der kupfernen Kesselschalen.

Pole, engl. 1) Pfahl, Stange, Deichsel, Standbaum, Leiterbaum, Querstange, Streichstange; pole-arbour, Gitterlaube; pole-bolt, Schloßnagel; pole-mast, Pfahlmast; pole-plate, Mauerlatte, Eisenbahnschwelle, Dachfußrähm; — 2) s. d. Art. Maaß, S. 484 u. 507.

Polianit, s. d. Art. Braunstein.

Polier, auch **Pollier, Pallier, Parlier, Pallierer** geschrieben, Äugler, ein Gesell, dem man die Aufsicht über die übrigen Gesellen auf dem Bau anvertraut; der Ursprung des Worts ist streitig, Manche leiten es von appareilleur, Andere von parleur ab.

Poliment, Vergoldergrund. A. Goldpoliment. 1) Für Oelvergoldung: s. d. Art. Goldgrund. Außerdem kann man auch Leimgrund bereiten, indem man in 16 Thln. Oel 16 Thle. Bernstein, 4 Thle. Mastix in Körnern und 1 Thl. Judenpech einschmilzt. — 2) Zu Wasser- oder Leimvergoldung: Man rührt 16 Thle. armenischen Bolus durch Flußwasser, reibt dann 2 Thle. Graphit und 2 Thle. Röthel, vermischt es, nachdem es getrocknet ist, mit einander und reibt mit Olivenöl ab. Will man das Poliment verwenden, so macht man ein schwaches Pergamentleim an. Die Schönheit der Leimvergoldung hängt hauptsächlich von der Qualität des Poliments ab. — 3) Poliment zur Glanzvergoldung. Man koche 2 Loth Galbangummi eine

Stunde lang in einem Topfe mit verklebtem
Dedel, rühre ferner zu ¹/₃ Loth pulverisirtem
armenischen Bolus auf dem Feuer 2 Loth weißes
Wachs zu, gieße dann durch ein Tuch das
Gummiwasser darauf und drücke es aus; nach
dem Trocknen wird die Masse fein gerieben.
B. Silberpolimentob. Silbergrund: mit etwas
Reißblei und genuesischer Seife reibt man seinen
Pfeifenthon ab und setzt dann Pergamentleim zu.

poliren. Blos dichte Körper, wie Metalle,
Horn, Glas, einige Steine und Hölzer, können polirt, d. h. bis zur annähernden vollständigen Eb-
nung, spiegelglatt geglättet werden.

1. **Poliren der Metalle.** a) Bleche und daraus
gefertigte Waaren polirt man meist durch Schlagen mit dem Polirhammer oder Glänzhammer,
einem Hammer mit polirter Bahn.

b) Eisen und Stahl polirt man mit Smirgel
und Baumöl, mitunter auch mit zerstoßenem Blutstein oder mit Zinnasche und Wasser, oder auch
nur durch Reiben mit dem Polirstahl;

c) Silber schleift man zuerst mit Bimsstein,
dann mit Kohle von weichem Holz und mit Tripel,
zuletzt mit in Regenwasser gelöster venetianischer
Seife;

d) um Kupfer mit dem Hammer gut zu poliren,
beizt man es vorher mit Essig und Salz;

e) Messing polirt man mit Baumöl und feinem
Formsand oder Tripel.

2. **Poliren der Steine.** Es lassen sich nur dichte
Steine poliren, z. B. Basalt, feinkörniger Granit,
dichter Schiefer, Marmor u. Alabaster; s. d. betr.
Art.

3. **Poliren des Hornes.** Dies geschieht zuerst
durch Abschachteln mit Schachtelhalm, dann durch
Reiben mit gepulvertem Bimsstein und Tripel
oder auch mit Kreide und gelöschtem Kalk, und
zuletzt mit Baumöl.

4. **Poliren des Holzes.** Eine Art des Polirens
für ordinäre Holzarbeit ist das Bohnen (s. d.);
seinere Holzarbeiten werden mit Polirwachs oder
Politur (s. d.) gerieben, welches mehr Glanz und
Glätte giebt als Lack, jedoch viel Arbeit erfordert.
Horn und Holz wird vor dem Poliren mit Schachtelhalm abgerieben (geschachtelt).

5. Manche Polirverfahren lassen sich auf verschiedene Materialien anwenden; wir geben hier
eine Anzahl von Vorschriften dazu:

a) Poliren von Holz und Marmor. Man pulvere
2¹/₂ Unzen Weingeist, 1 Drachme Elemi, ¹/₂ Unze
orangegelben Schellad, vermische sie mit Weingeist,
tauche ein baumwollenes Bällchen oder ein Filz-
stückchen hinein und reibe die zu polirenden Flächen damit, bis der gewünschte Glanz erreicht ist.

b) Poliren von messingenen, in Holz eingelea-
ten Verzierungen. Mit einer feinen Feile feile
man zuerst die messingenen Verzierungen ganz
blank, vermische alsdann Leinöl mit etwas ganz
feinem Tripel und schleife dann die Arbeit mit
einem Stück Filz. Ist die Arbeit aus Ebenholz
oder aus schwarzem Rosenholz gefertigt, so schleife
man nach dem Tripelschliff ganz trocken mit ganz
fein gepulverter Hollunderkohle nach.

c) Poliren der Drechslerarbeiten in Holz,
Horn ꝛc. Da diese Arbeiten vor der Spindel polirt werden, so erfordern sie besondere Handgriffe
und Vorsicht. Man schleift die zu polirenden
Flächen erst mit Schachtelhalm und Wasser; hierauf, sobald sie getrocknet, welches man durch Anhalten von feinen Drechslerspänen und durch schnelles
Drehen zu befördern sucht, mit geschlämmtem

Bimsstein und Oel mittelst eines wollenen Lappens. Feine Stäbchen und Hohlkehlen schleift
man mit kleinen, weichen, nach der Form des zu
polirenden Gegenstandes geschnittenen Bimsstein-
stücken, weil sie durch das geschlämmte Bimsstein leicht die scharfen Kanten verlieren; dann
nimmt man das überflüssige Oel durch trocknende
Substanzen, z. B. gebranntes Hirschhorn oder
Tripel, weg und trägt die Politur mit dem zuge-
richteten Polirpolster auf. Da die Stücken, vor
der Spindel polirt, sich leicht erhitzen, so darf man
mit dem Polirpolster nicht auf einer Stelle verweilen, sondern muß damit hin und her fahren,
weil sonst die Politur erweicht und abgerieben wird;
nachdem man hinlänglich Politur aufgetragen hat,
legt man den Daumen oder Zeigefinger der linken
Hand an die untere Seite des auf der Spindel
sitzenden Gegenstandes, während man mit der
rechten Hand das Polirpolster aufhält.

d) Poliren von Elfenbein und Knochen. Man
reibt dergleichen Gegenstände erst mit feinem
Glaspapier, dann mit einem nassen leinenen oder
wollenen Lappen, der in geschlämmten Bimsstein
getaucht ist, ab, worauf sie mit geschlämmter Kreide
und Wasser die eigentliche Politur erhalten; man
reinigt sie dazu sorgfältig und bringt sie auf einen
anderen, mit Seifensod benetzten Lappen, der sehr
reinlich, besonders nicht durch ritzende Substanzen
verunreinigt sei. Gegliederte Arbeit wird eben so
polirt, wie ebene, nur nimmt man Bürsten statt
der Lappen, darf auch nicht stark aufdrücken, weil
sonst die hervorragendsten Theile leiden würden.

e) Horn und Schildkrot polirt man mittelst Tuch-
ballen mit Holzkohle oder Ziegelmehl und Wasser,
dann mit trockner geschlämmter Kreide, zuletzt
mit Weinessig und Tripel.

6. **Poliren feiner Holzarbeiten,** a) auf französische Art. Mit einem Stück Bimsstein und
Wasser schleife man den zu polirenden Gegenstand,
doch nicht gegen den Strich. Alsdann polire man
mit Tripel und gesottenem Leinöl. Man kann
auch noch Polirlack aufsetzen.

b) Poliren mit französischer Lackpolitur. Man
giebt der zu polirenden Arbeit, wenn sie porös und
von grobem Korn ist, zuerst einen Ueberzug von
Pergamentleim u. reibt denselben, nachdem er trocken
geworden, sanft mit feinem Glaspapier ab. Um
sehen zu können, wie das Poliren vorrückt, stellt
man die Arbeit so, daß das Licht in schräger Richtung darauf fällt. Ein Stück groben, aber reinen
und weichen Flanell rollt man nun so zusammen,
daß eine Art von Cylinder entsteht, und schlägt um
das eine Ende, mit welchem man poliren will, einen
mehrmals gefalteten leinenen Lappen, so weich wie
möglich. Diesen Reiber feuchte man an der Mündung des Fläschchens, worin sich die Politur befindet, durch Schütteln an, reibe nun die Arbeit,
jedoch nicht mehr auf einmal, als etwa ¹/₄ Fuß, in
kreisförmigen Touren, bis man die Oberfläche in
allen Punkten berührt hat. Man wiederholt
dieses Verfahren drei- oder viermal, je nach Bedarf.

Polirerde, f. v. w. caput mortuum (s. d. und
Colcothar), dient zum Poliren des Glases und
Stahles.

Polirfeile, zum Glätten der Metallwaaren vor
dem Poliren dienende Feile. Die englischen Polir-
feilen bestehen aus einer Metallmischung von 4
Thln. Zinn, 16 Thln. Messing, 4 Thln. Wismuth
u. 1 Thl. Eisen. Die deutschen bestehen aus Holz, auf

welches, nachdem es mit Leim beſtrichen, ſeine Eiſenfeilſpäne aufgeſtreut werden.

Polirgrund, ein mehrmaliger Anſtrich von Leim= oder Delfarbe, den man vor dem Auftragen des letzten Farbenanſtrichs oder Firniſſes mit Schachtelbalm oder Bimſtein polirt; ſ. d. Art. Vergoldung und Lackiren.

Polirpulver, um Stahlwaaren die ſogenannte ſchwarze Politur zu geben. Eine Miſchung von 6 Thln. Zinnober und 1 Thl. Arſenit.

Polirſchiefer, Tripelſchiefer, Klebſchiefer, Silbertripel, frz. Schiſte tripolée (Mineral.), weiße Maſſe von dünnem, geradſchiefrigem Gefüge, erdig, gelblich= und röthlichweiß, mitunter geſtreift im Bruch; findet ſich in der Nähe von Steinkohlengebirgen in Lagern. Kommt ſelten vor. Gebraucht wird er, wie der Tripel, zum Putzen und Poliren von Glas und Metall.

Polirſtahl, polirſtein, Polirzahn (Schloſſ.), gebogener Stahlſtift oder Stück Achat, Wildſchweinszahn ꝛc.; dient zum Poliren, indem er kleine Erhabenheiten oder Rauhheiten der Oberfläche niederdrückt. Vergoldungen auf Holz polirt man mit Stahl, und wohl mit rothem Hämatit= oder Blutſtein, und zieht dabei diejenigen Blutſteine vor, welche, wenn ſie polirt ſind, die Farbe des Stahles beſitzen. Sie werden auf beſonderen Mühlen abgerundet und je nach den Theilen, welche damit polirt werden ſollen, verſchieden geſtaltet; die gewöhnlichſte Form iſt die des Wolfszahnes. Es werden dieſe Steine mit Smirgel und Engelroth polirt und alsdann in eine kupferne, an einem hölzernen Stiel befeſtigte Zwinge gefaßt.

Polirſtrauch, amerikaniſcher (Curatella americana L., Fam. Dilleniaceen D. C.), iſt einheimiſch in Guiana und hat ſo ſcharfe Blätter, daß dieſelben zum Poliren von Holz und Metall dienen. Aehnlich verwendet man auch die Blätter der Dolima ſarmentosa auf Ceylon und Malabar, welche derſelben natürlichen Familie angehört.

Polirwachs, 4 Gewichtstheile gelbes Wachs und 1 Theil Colophonium werden zuſammen bei gelindem Feuer geſchmolzen und nach Hinwegnahme vom Feuer unter Umrühren bis zum Erkalten 2 Theile Terpentinöl hinzugemiſcht. Das ſo erhaltene Polirwachs wird mittelſt eines wollenen Lappens auf das zu polirende Holz aufgerieben.

Politur. Flüſſigkeit, durch deren Aufreibung die zu polirenden Körper Glanz erhalten. Hier folgen einige bewährte Recepte zu ſolchen: 1. Auf 4 Loth Benzoë und 1 Loth Sandarach gebe man 1 Quart Weingeiſt in eine Glasflaſche, verkorke dieſelbe gut und ſetze ſie in ein Sand= oder Waſſerbad, bis aller Gummi ſich auflöst. Dabei muß man die Flaſche von Zeit zu Zeit umſchütteln, dann ſeiht man die Auflöſung durch feinen Mouſſelin, ſetzt noch etwas Mohnöl zu und bewahrt ſie für den Gebrauch in einer Glasflaſche. Dieſe Politur iſt faſt waſſerdicht.

2. Man pulvert 4 Loth Schellack (nach Umſtänden auch 1 Loth Drachenblut) und läßt es in 12 Loth Weingeiſt ganz gelinder Wärme auflöſen, dann ſchüttet man in ein anderes Glas 1 Loth gepulverten Copal und 5 Loth fein geſchlämmte und vollſtändig getrocknete Kreide, gießt 4 Loth des ſtärkſten Weingeiſtes darüber, ſtellt das Glas in heißen Sand und läßt es einige Tage digeriren, wobei es täglich umgerührt und friſch erwärmt

wird, bis der Weingeiſt dunkelweingelb geworden iſt und einige Tropfen, mit Waſſer vermiſcht, milchig werden. Nun gießt man den mit Copal geſättigten Weingeiſt von dem Bodenſatz ab und mit der Schellacklöſung zuſammen und läßt beides in der Wärme und durch Schütteln ſich vereinigen. Dieſe Politur erträgt einen hohen Grad von Erwärmung, ohne den Glanz zu verlieren, und nutzt ſich nicht leicht ab.

3. **Politurlack** auf Schnitzwerke und feinere Holzarbeiten; in ½ Quart Weingeiſt löſe man 2 Unzen Körnerlack und 2 Unzen durchſichtiges Harz auf; man trägt dieſen Politurlack in trockenem Raum warm auf, nachdem man den zu lackirenden Gegenſtand ebenfalls erwärmt hat.

4. **Politur** auf **Metallarbeiten,** die mit einer in Lackfirniß gelöſten Farbe überzogen ſind. Dergleichen Waaren ſchleife man mit feiner Bimſteinmaſſe, einem Stück zuſammengerolltem Filz und genug Waſſer ab, reinige ſie mit einem naſſen Schwamm, trockne mit einem weichen Tuch, dann ſchleife und polire man nochmals mit präparirtem Hirſchhorn, Filz und Waſſer. Sind die Waaren hingegen mit Delfarbe geſtrichen und dann mit Lack überzogen, ſo geſchieht das Schleifen mit Filz, Baumöl und Hirſchhorn, oder mit Kreide, die in Waſſer fein abgerieben und geſchlämmt war. Dann wird die Arbeit von aller Fettigkeit mittelſt eines zarten Pulvers und weichen Rehleders gereinigt und mit einem alten ſeidenen Tuch polirt.

Polirandre, ſ. d. Art. Jacarandenholz und Paliſanderholz.

Polle, ſ. d. Art. Ampel.

Polleiſen, ſ. v. w. Bolleiſen; ſ. d.

Pollex, lat., ital. Pollice, ſpan. Pollegada, 1) Zoll, Daumenbreite; ſ. d. Art. Maaß, S. 484, 485, 487, 514, Bd. II; — 2) Aſtknorren.

Pollux, ſ. d. Art. Dioskuren und Liebe.

polniſche Holzkirchen, ſ. Holzarchitektur.

polniſcher Balken, ſ. d. Art. Bauholz, S. 281 im I. Bd.

polniſcher Verband, ſ. Mauerverband d.

Polonceau's Balkenverſtärkungsſyſtem, ſ. d. Art. Balken V. f, S. 207. Polonceau's Röhrenbogenbrücke; ſ. d. Art. Brücke, S. 467. Polonceau's Dachſtuhlſyſtem; ſ. d. Art. Dach, S. 597, ſämmtlich im I. Bd.

Polos, ſ. d. Art. Juno und Nimbus.

Polſter, 1) lat. bancale, scamnale, frz. coussin, coussinet, engl. banker, bolster, Sitzkiſſen auf Thronſeſſeln, Chorſtühlen ꝛc. Im Allgemeinen theilt man die Polſter ein in harte, weiche und elaſtiſche. Die gewöhnlichen Polſtermaterialien ſind Heu, Stroh, Seegras, Kuhhaare, Rehhaare, Roßhaare. Neuerdings ſind dazu noch die getrockneten Stengel von Fillandria usneoïdes, Bartmoos, barba do Pao, einer Schmarotzerpflanze aus Weſtindien und Südamerika, gekommen, die in Ausſehen und Elaſticität den Roßhaaren ſehr nahe kommen; — 2) (Steinm.) beim Transport von Steinmetzarbeiten zwiſchen dieſe gelegte, zuſammengedrehte Strohwiſche, um ſie vor Beſchädigung zu ſichern; — 3) beim ioniſchen Capitäl die Seiten der Rollen, deren vorderen Theil die Schnecke bildet; — 4) ſ. v. w. Echinus.

Polſterbaum (Mühlenb.), ſ. v. w. Fachbaum.

14*

Polstergurt, 1) s. v. w. Bändchen am Echinus des dorischen Capitals; — 2) s. d. Art. Jonisch, S. 337 im II. Bd.

Polsterholz, 1) s. v. w. Dielenlager; s. d. Art. Decke, S. 633 und e in Fig. 874; sowie d. Art. Balkendecke, Balkenlage, Joist ꝛc.; — 2) österreichisch für Streckholz.

Polstermoos, s. d. Art. Dachflechten.

Polsterkammer, frz. décharge, zum Aufbewahren allerlei alten Geräthes, Meubles ꝛc.; kann dunkel sein, muß aber gute Ventilirung haben.'

Polyandrum, griech. πολυάνδριον, Versammlungsort, Begräbnißplatz, Friedhof, Denkmal für Viele, z. B. für gefallene Krieger.

Polycandilum, lat., vielarmiger Leuchter, Teneberleuchter.

Polycarpus, St., Schüler des Evangelisten Johannes, von diesem zum Bischof von Smyrna geweiht, übergab sich 166 selbst den Häschern Mark Aurels. Zum Feuertod verurtheilt, wurde er von den Flammen verschont, so daß ein Fechter ihm den Hals mit einem Dolch durchstechen mußte. Abgebildet als Bischof auf einem brennenden Scheiterhaufen. Tag d. 26. Juni.

Polychordon, s. d. Art. Barbiton.

Polychrom (Mineral.), s. v. w. phosphorsaures Blei.

Polychromie (Vielfarbigkeit). In den letzten Decennien des achtzehnten und den ersten unseres Jahrhunderts, als übertriebene Lobpreisungen der Antike und unverdiente Schmähungen des Mittelalters an der Tagesordnung waren, suchte man die dem letzteren vorgeworfene Geschmacklosigkeit namentlich mit dadurch zu beweisen, daß die gothischen Baue alle buntscheckig bepinselt gewesen seien, während die antiken Gebäude in keuscher Weißheit geschimmert hätten. Nun fanden sich allerdings bei genauerer Untersuchung an antiken Gebäuden, auch an griechischen, innerlich und äußerlich Spuren von Bemalung, aber lange wurden diese Entdeckungen, und als dies nicht mehr recht anging, wenigstens die darauf basirten Schlüsse in Abrede gestellt und noch jetzt ist die Untersuchung auf diesem Gebiet der Kunstarchäologie noch keineswegs zum Abschluß gebracht; dennoch wollen wir wenigstens Einiges von den Resultaten dieser Untersuchung hier anführen, was durch das in den Artikeln, die die einzelnen Style behandeln, Gesagte ergänzt werden mag.

a) Die Griechen bemalten fast blos innere Wände in ganzen Flächen mit Darstellungen theils architektonischen, theils figürlichen Inhalts: den äußeren Flächen gaben sie weniger eine Bemalung als eine Colorirung; die äußeren Wandflächen finden wir an Tempeln und Häusern bei Griechen und Römern blos glatt gestrichen, höchstens in Quader eingetheilt und zwar gewöhnlich in dunkeln, oft sogar in todten Farben. Das Simswerk hingegen, sowie Säulen und Pilaster, hielt man in der Hauptsache hell und war einzelne Glieder wurden durch lebhafte helle oder dunkle Farben besonders zur Geltung gebracht. (Näheres darüber s. in d. Art. Dorisch, Jonisch, Korinthisch.) Die Tempel waren äußerlich reicher als innen bemalt, beiderseits herrschte jedoch die architektonische Malerei über die figürliche vor. Die Wohnhäuser entfalteten jedoch ihren reichsten Farbenschmuck innerlich, wobei das Figürliche schon eine größere Rolle spielte.

b) Die Römer nahmen mit den griechischen Kunstformen natürlich auch die Polychromie mit auf, aber wie sie in den architektonischen Formen mehr nach Pracht als nach strenger Nachbildung der teutschen griechischen Schönheit strebten, so übertrieben sie namentlich auch diese farbige Ausstattung.

c) An Gebäuden der altchristlichen Bauweise findet man wohl hier und da noch innerlich den ganzen Reichthum der figürlichen Ausstattung erhalten, äußerlich hingegen nur seltene, unsichere Spuren.

d) Die romanische und byzantinische Polychromie beschränkt sich ebenfalls hauptsächlich auf überreiche Ausstattung der Wand- und Gewölbflächen, sowie der etwaigen Balkendecken mit figürlichen Darstellungen, oft aber da wohl auch abwechselnd mit Ornamentenstreifen oder begrenzt durch eine architektonisch gegliederte Felderabtheilung; bei alledem erscheinen die Farben als solche nicht als Ziermittel. Wo nicht die Darstellung der Figuren die Anwendung derselben mit sich brachte, finden wir dunkle, oft schwarze oder ziemlich eintönig gefärbte Ornamente oder Schriftzeichen auf Goldgrund; das Ganze zeugt weniger von seinem Farbensinn als von Prachtliebe. Die oft auch recht zierlichen, in den Farben lebhaften und doch nicht grellen Mosaitfußböden sind eigentlich die einzigen Theile dieser Bauten, in denen die Polychromie ihrem eigentlichen Wesen nach angewendet ist.

e) Die normannischen und saracenischen Bauten Siciliens zeigen das Farbensystem dieser Mosaitfußböden auch auf die Wände übertragen, aber blos innerlich, während bei ihnen zuerst äußerlich die Farbe des Baumaterials selbst als decoratives Element (in verschiedenfarbigen Steinschichten ꝛc.) zur Geltung kommt. Die Decken dieser Style sind etwas düsterer als die der vorhergehenden; Schwarz und Braun werden zur Localfarbe erhoben.

f) Die Gotteshäuser gothischen Styls wurden hauptsächlich innerlich, die Wohnhäuser äußerlich mit Malerei bedacht. Dabei spielt in den Gotteshäusern fast in allen christlichen Ländern die figürliche Malerei die Hauptrolle. Die Gewölbflächen waren mit solchen Darstellungen bedeckt, in der Regel auf tiefblauem Grund von reichfarbigen Ornamentenfriesen umzogen. Die Glasfenster prangten ebenfalls im Schmuck reicher, figürlicher Malerei, während die Pfostengliederungen, Pfeiler und Dienste eigentlich mehr angestrichen und bemustert als bemalt waren, und zwar in der Regel in tiefen, ruhigen Tönen, wobei ein tiefes Braunroth eine Hauptrolle spielte. Hohlkehlen waren entweder braunroth oder dunkelblau oder grün, Fasen roth, lichtblau, golden ꝛc., und die Rundstäbe golden, silbern oder gelb, wohl auch orange. An Balkendecken waren die verzierten Theile nach ähnlichem System, die glatten Theile gar nicht oder braun angestrichen, dafern sie nicht mit Ornamenten oder Figuren bemalt waren. Weiße Flächen kommen gar nicht, weiße Simstheile nur höchst selten und in kleiner Ausdehnung vor. Äußerlich waren die Kirchen nur höchst selten vollständig bemalt; nur an Portalen und dergleichen finden sich Spuren davon. Die Wohnhäuser hingegen trugen namentlich in Deutschland und im Norden Italiens an ihren Façaden reichen, figürlichen Schmuck in lebhaften Farben, oft ohne alle Rücksicht auf die architektonische Gestaltung und Eintheilung. Hier spielt ebenfalls ein tiefes, ruhiges, aber gesättigtes Roth als Grundfarbe eine Hauptrolle. In Venedig ist die Bemalung mehr architektonisch aufgefaßt als Eintheilung in Felder, die mit Ornamentenstreifen eingefaßt sind; auch hier ist jenes Roth die Hauptfarbe. Näheres dar. s. in O. Mothes „Geschichte der Baukunst und Bildhauerei Venedigs“, S. 293 ff., Bd. 1.

g) In der Renaissancezeit behielt man die figürliche Ausschmückung bei, jedoch in Begrenzung und Eintheilung der Architektur untergeordnet, obgleich oft innerlich und äußerlich über große Flächen vertheilt. In der Baroque- und Rococcozeit erging man sich auch auf diesem Gebiet in höchst willkürlichen, schnörkelhaften, oft aber auch wild genialen Ornamenten, oft über ganze Flächen wundersam vertheilt.

h) In der Zeit der modernen, kalten Nachahmung der classischen Antike hatte man, wie bereits im Eingang dieses Artikels erwähnt, die Polychromie ganz verbannt, und jetzt ist man in ihrer Anwendung äußerlich noch nicht viel weiter gelangt, als zu einigen schüchternen, hier und da noch dazu verunglückten Versuchen, welche aber vielleicht doch mit der Zeit noch dazu führen werden, daß wir die nackten, eintönigen, kraftlosen Anstriche unserer Façaden wiederum gegen einen heitern, gefälligen Farbenschmuck vertauschen.

Polyeder oder Vielflach; ein von mehr als vier ebenen Flächen begrenzter Körper. In der Geometrie werden gewöhnlich nur die Euler'schen Polyeder betrachtet, d. h. Körper von der Beschaffenheit, daß, wenn man eine der Seitenflächen wegläßt, die übrigen ein einziges Netz von Figuren bilden, welche in ununterbrochenem Zusammenhange stehen. Ausgeschlossen sind daher Körper mit Hohlräumen, solche, welche sich selbst durchdringen zc. Bei jedem Euler'schen Polyeder ist die Anzahl der Kanten um zwei kleiner, als die Anzahl der Seitenflächen und Ecken zusammengenommen. Ueber reguläre Polyeder s. d. Art. Regulär.

Polygon. 1) S. v. w. Vieleck; s. d. und d. Art. Figur; die regulären Polygone insbesondere im Art. Regulär. — 2) Das einer Festung in ihrer Hauptanlage zu Grunde liegende Vieleck. Die ein- oder ausspringenden Winkel heißen Polygonwinkel, die Seiten Polygonseiten. Man unterscheidet das äußere und innere Polygon; s. übr. d. Art. Festungsbaukunst.

Polygonalbefestigung, s. d. Art. Befestigungsmanier 2.

Polygonale und **Polygonalschanze,** s. d. Art. Festungsbaukunst S. 42, Bd. 11.

Polygonalzahlen. Die Polygonalzahlen sind die Summen arithmetischer Reihen, deren erstes Glied die Einheit ist, während die Differenz zweier auf einander folgenden Glieder eine bestimmte ganze Zahl ist. Ist der Unterschied der Glieder in der arithmetischen Reihe gleich 1, so heißen sie Dreieckszahlen; ist er 2, Quadratzahlen; ist er 3, 4, 5 zc., so erhält man die Pentagonal-, Hexagonal-, Heptagonalzahlen u. s. f. Die Dreieckszahlen sind also die Summen aus den Gliedern der Reihe der natürlichen Zahlen 1, 2, 3, 4, 5 . . ., also da 1+2=3, 1+2+3=6, 1+2+3+4=10 zc. ist, die Zahlen 1, 3, 6, 10, 15 . . . . Ebenso sind die Quadratzahlen die Summen der Reihe 1, 3, 5, 7, 9 . . ., also 1, 4, 9, 16, 25 zc. Ueberhaupt sind die m-Ecks-Zahlen die Summen der Reihe, deren allgemeines Glied 1+(m—2)n ist, weshalb das allgemeine Glied der m-Ecks-Zahlen wird:

$$\frac{n}{2}\big(2+(m-2)(n-1)\big)$$ Für m=1, 2, 3 zc. ergeben sich hieraus die allgemeinen Formen der

Dreieckszahlen: $\frac{n(n+1)}{2}$ (1, 3, 6, 10, 15. . .),

Quadratzahlen: n^2. (1, 4, 9, 16 . . . .),

Pentagonalzahlen: $\frac{n}{2}$.(3n—1),

Hexagonalzahlen: n (2n—1),

Heptagonalzahlen: $\frac{n}{2}$.(5n—3) zc.

Der Name „Polygonalzahlen“ rührt davon her, daß man diese Zahlen, wenn man ihre Einheiten als Punkte auffaßt, in regelmäßige Polygone stellen kann, welche einen Winkel gemein haben. Fig. 1605 verdeutlicht die Entstehung der Fünfeckszahlen 1, 5, 12, 22, 35 . . .

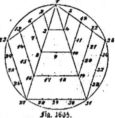

Fig. 1605.

Polygoncapitäl, s. d. Art. Capitäl.

Polygondach), vieleckiges Dach, besonders auf Thürmen; s. d. Art. Helm und Haube.

Polygongewölbe, vieleckiges Gewölbe; s. d. Art. Gewölbe.

Polygonmauern, s. d. Art. Kyklopenmauer, Bruchsteinmauer und Mauerverband.

Polygonum, Knöterich, eine artenreiche Pflanzengattung der Familie der Polygoneae. Technisch wichtig ist Polygonum tinctorium L., Färbe-Knöterich, in Asien (China, Japan) angebaut, um aus seinem Kraut eine indigoähnliche Farbe zu gewinnen; s. d. Art. Indigo. Zu derselben Gattung gehört auch das mehlliefernde Heidekorn oder der Buchweizen (P. fagopyrum).

Polygonwinkel, angulus circumferentiae, der innere Winkel, den zwei Seiten eines Polygons bilden.

Polylobe, frz., Vielpaß; arc polylobe, Zackenbogen, vielnasiger Bogen.

Polynom, eine aus mehr als 3 oder 4 besonders bezeichneten Theilen zusammengesetzte Größe: z. B. a+b+c+d; a^m—$\sqrt[n]{b+c}$—x+y^2 zc. Das Gesetz, nach welchem man die Erhebung eines Polynoms auf eine beliebige Potenz ausführen kann, heißt der polynomische Lehrsatz.

Polyspast, Flaschenzug mit mehreren Rollen.

polytechnische Schule, s. d. Art. Gewerbschule und Schule.

Polyzonallinse, s. d. Art. Leuchtthurm u. Linse.

Polzen, 1) s. v. w. Stempel, Steife; — 2) s. v. w. Geländerdocke; — 3) s. v. w. Bolzen.

Pomel, engl., Thurmknopf, Fialenknauf.

Pomeranzenfarbe, s. d. Art. Orangegelb.

Pomeranzenholz, s. d. Art. Orangenbaumholz.

Pommeau, frz., lat. pomum; f. Kelch u. Knote.

Pomme de pin, frz., Pinienzapfen.

Pommette, frz., eiserner Knopf auf Gitterstäben ꝛc.

Pomoerium, lat., Zwinger, Stadtgraben, Stadtgebiet, Weichbild.

Pomona (Myth.), Göttin der Gartenfrüchte, darzustellen als Jungfrau mit Früchten.

Pompe, frz., f. d. Art. Pumpe und Brunnen.

pompejanische Bauten. Man hat von einem pompejanischen Styl gesprochen, das ist jedoch unrichtig, die pompejanischen Gebäude sind theils in griechischem, theils in römischem Styl, d. h. in einer nicht ganz verstandenen Nachbildung griechischer Formen, erbaut

In Bezug auf die Tempel, Foren ꝛc. gilt das, was in d. Art. Tempel, Griechisch, Forum ꝛc. gesagt worden, nur daß die pompejanischen öffentlichen Gebäude einestheils nicht sehr hoch, anderntheils nicht sehr massiv gebaut waren, während ihre polychromatische Ausstattung diese Mängel durch Farbenpracht für den Beschauer vergessen machte.

Was nun die Wohnhäuser betrifft, so waren sie zwar sehr verschieden, dennoch aber fast durchschnittlich als römische Wohnhäuser (f. d. und d. Art. Haus) disponirt. Die Mauern waren von Ziegeln, die Fußböden mit Mosaik belegt. Das aber, was hauptsächlich als pompejanisch bezeichnet werden kann, sind die größtentheils entzückenden Wandmalereien, über deren Farbenvertheilung, so verschieden und mannichfach dieselbe sich auch darstellt, dennoch folgende allgemeine Sätze aufgestellt werden können. Zunächst dem Fußboden steht eine niedrige Schmutzsockel, dunkelgrau marmorirt oder ähnlich; darauf erhebt sich der eigentliche Sockel, in der Regel in bunten Farben, schwarz, broncegrün oder dergl. mit Schwänen, Fischen, Schilf, Tritonen oder etwas dem Aehnlichen verziert, im Ganzen höher gehalten. Diese Sockel variirt zwischen 0,50 u. 1,0 Meter Höhe; auf ihr stellt sich die eigentliche Wandfläche, entweder in teppichähnlich verzierte Felder getheilt (namentlich bei den älteren, nach griechischem Styl errichteten Gebäuden), in deren Mitte häufig ein kleines Feld mit figürlichen Darstellungen sich befindet, oder mit architektonischen, meist perspectivischen Darstellungen in jenen leichten, übertrieben zierlichen Verhältnissen und Formen besetzt, die den Vitruv so empörten, daß er von Rohrstengeln statt der Säulen ꝛc. spricht. In der That, streng stylgetreu sind diese Architekturen keineswegs, aber es sind nicht für die Ausführung dieser Entwürfe, sondern zu Decoration einer Wandfläche bestimmte idealisirte Ansichten, und entwickeln oft ungemein viel Grazie und Genialität, immer aber einen feinsinnigen Sinn für Gruppirung und Raumvertheilung. Sie sind in lebhaften, bunten Farben auf schwarzem, rothem, gesättigt gelbem, satt himmelblauem oder auch olivengrünem Grund ausgeführt, so daß sie im Ganzen die Wirkung bedeutigen Reichthums machen, in der nordischen Beleuchtung grell und theilweise auch zu dunkel sein würden, dort jedoch, unter dem südlichen Himmel und von der Sonne Italiens beschienen, äußerst befriedigend wirken, voll, ohne Grellheit. Ueber diesen Wandflächen nun giebt sich ein Fries hin, der sehr hell gehalten ist, oft weiß oder ganz hellgelb ꝛc. und nur mit einigen losen Ornamentenzügen, Blumenranken oder skizzirten Architekturen besetzt,

die dann noch leichter sind als die auf dem unteren Hauptfeld.

Die Decken waren theils gewölbt, theils flach; doch scheinen sie fast alle durch Stuckverzierungen in Felder getheilt gewesen zu sein, die theils schwebende Figuren, theils sehr leichte Ornamente enthielten.

Ponce, frz., 1) auch pumite, frz., Bimstein; — 2) Pausche, Bausch, Säckchen mit Kohlenstaub zum Pausen.

Ponceau, frz., 1) Brückchen von nur einem Bogen, Durchlaß; — 2) Feldmohn, daher auch die demselben ähnliche Farbe.

Ponçelet, ein französischer Offizier, Mathematiker und Mechaniker des jetzigen Jahrhunderts. Von ihm rühren her: 1) das Ponçelet'sche unterschlächtige Wasserrad; f. d. Art. Wasserrad; 2) die Ponçelet'sche Turbine oder das Tangentialrad; f. d.; 3) das Ponçelet'sche Theorem, nach welchem man einen ziemlich genauen Näherungswerth für $\sqrt{a^2 + b^2}$ erhält, wenn man setzt: $\sqrt{a^2 + b^2} = 0{,}96\, a + 0{,}4\, b$. In den Fällen, wo nicht eine große Genauigkeit nöthig ist, kann man mit Hülfe dieses Satzes bei Berechnung einer solchen Wurzel das Quadriren und Wurzelausziehen ersparen.

poncer, frz., pausen.

Pond, pool, engl., Teich, Lache, Pfuhl, Kolk.

Pondo, Ponto, f. Maaß, S. 484 u. 514, Bd. II.

Pons, lat., 1) Brücke, f. d.; pons sublicius, Jochbrücke; — 2) Verdeck eines Schiffes.

Pont, ein Längenmaaß — 1½ Zoll in China.

Pont, frz., Brücke, Verdeck; pont tournant, Drehbrücke; pont dormant, f. d. Art. Burg, S. 491, Bd. I.; pont roulant, Rollbrücke; pont volant, bewegliche Brücke, fliegende Fähre; pont suspendu, Hängewertsbrücke; Pont levis, frz., ital. ponte levatojo, Zugbrücke, Aufziehbrücke; f. auch d. Art. Burg.

Pontianus, St., wurde unter Mark Aurel zu Spoleto von Fabianus gefoltert, mit Ruthen blutig gestrichen, mit Kohlen gebrannt und endlich im Amphitheater den Löwen vorgeworfen, die sich vor ihm beugten. Er wurde dann enthauptet; darzustellen zwischen Löwen in einer Grube.

Pontifex, lat., frz. pontife, pontiste, frère du pont, Mitglied der confrérie des ponts, einer Brückenbauhütte in Frankreich, von Saint-Benezet gegründet.

Pontificale, f. d. Art. Ritualbücher.

Ponton (Brückenb.), lat. ponto, frz. ponton, bac, Brückenboot, Käsfer, besonders Kähne zu schneller Herstellung von Schiffbrücken, sogenannte Pontonbrücken, namentlich für Armeen bei Flußübergängen; sie werden von diesen auf Wagen nebst Balken und allem Zubehör mitgeführt. Es sind meist flachbodige, oben durch ein Verdeck vollständig geschlossene Schiffe von 16—24 Fuß Länge, 5 Fuß Breite und 3 Fuß Tiefe, gefertigt von Holz, verzinntem Eisenblech, Kupfer oder getheertem Linnen, oben in Gerippe gezogen. Noch hat man sogenannte bohle, d. h. oben offene Pontons, die zum Recognosciren des Stromes dienen. Die Pontoniers haben das Fahren und Aufstellen der Pontons zu besorgen, die Pioniers stellen den betreffenden Brückenbeleg her. Man stellt die Pontons in dem Flusse 8—14 Fuß weit auseinander, legt die Balken dann mit ihren Enden in die betreffenden Balkenausschnitte im Ponton, wo sie in- und auswendig an den sogenannten Schnürhaken festgemacht werden; die Pontons werden einer um den andern stromauf- und stromabwärts festgeankert, auf die Balken legt man quer gegen die Brücken- länge den Bretterbeleg und darauf auf jeder Seite der Brückenbahn lang hintereinander Balken hin, die man an die Brückenbalken festströbelt, um den Brückenbeleg fest zu halten.

Pontonblech, Bodenblech, s. d. Art. Blech 3.

Poop, engl., 1) s. d. Art. Durchbinder; — 2) s. d. Castell 3; — 3) s. v. w. poppy.

Poorhouse, engl., Armenhaus.

Poortgaten (Schiffsb.), s. d. Art. Pforte.

Popelätsche oder **powlatsche,** s. d. Art. Boblatsche.

Poppo, St., Abt zu Stablo zur Zeit Heinrichs des Heiligen, erweckte einen von einem Wolf Getödteten, starb 1046. Abzubilden als Abt mit einem Wolf.

Poppy-head, engl., eigentlich Mohnkopf; poppie, poppy, poop, Schlußverzierung an Stirnwänden der Chorstühle, meist in Form einer Rosette oder einer Giebelkreuzblume. Wir geben in Fig. 1606 drei der orginellsten dieser Schlußverzierungen. a und b sind aus England, c aus der Schloßkirche zu Al- tenburg (Sachsen).

Popularia, lat., s. d. Art. Amphi- theater und Theater.

Populus, lat., Pappel.

Popunha-, pupunha-, paripou- oder Piripaspalme (Giulielma spe- ciosa Mart., Fam. Palmen), einheimisch in Brasilien, hat äußerst hartes Holz, aus welchem die Indianer ihre Waffen verfertigen.

Porcelaine, pourcelaine, frz., ursprünglich Perlmutter, Muschelschale, seit dem sechzehnten Jahrhundert Porzellan.

Porch, engl., frz. porche, Vorhalle, besonders kleiner, vor dem Portal zum Schutz desselben errich- teter, namentlich im englisch-gothischen Baustil häufig vorkommender Ueberbau; souch-porch, s. d. w. Paradis.

Porkirche, s. v. w. Emporkirche.

Porosität, die Eigenschaft der Körper, ver- möge welcher ihre einzelnen Massentheilchen nicht in ununterbrochenem Zusammenhang mit ein- ander stehen, sondern Zwischenräume frei lassen, die man Poren nennt. Bei einigen Körpern sind diese Poren so groß, daß sie mit den Augen deut- lich wahrgenommen werden können, z. B. bei Kork, Schwämmen, Eisenholz ꝛc.; bei anderen sind die Poren erst unter dem Mikroskop sichtbar, andere endlich scheinen fast ohne Poren zu sein, z. B. Glas, Stahl ꝛc. Verschiedene Erscheinungen nöthi- gen jedoch zu der Annahme, daß auch diesen die Poren nicht fehlen, so daß die Porosität eine all- gemeine Eigenschaft der Körper ist; gewöhnlich versteht man unter porösen Körpern solche, deren Poren groß genug sind, um Flüssigkeiten oder Gase durchdringen zu lassen. Es zeigen sich hierin viele Unregelmäßigkeiten. Beim Kork sind die Poren ziemlich groß, und doch läßt er, worauf ja seine vielfachen Anwendungen zum Verschließen beruhen, weder Flüssigkeit noch Gas durch, wäh- rend man andrerseits bei hinlänglich starkem Druck sogar Wasser durch Metallgefäße gepreßt hat.

Dafür, daß alle Körper porös sind, spricht beson- ders die allen ohne Ausnahme zukommende Ei- genschaft, durch Druck oder Abkühlung ihr schein- bares Volumen zu verkleinern, was nur dadurch möglich ist, daß die Massentheile näher zusammen- rücken und also die Poren kleiner werden. Selbst die Flüssigkeiten, bei denen man unter dem schärf- sten Mikroskop keine Poren zu bemerken vermag, sind zusammendrückbar, wenn auch nur sehr wenig; daher können auch ihnen die Poren nicht fehlen.

Fig. 1606. S. d. Art. Poppy-head.

Die größere oder geringere Porosität der Körper bedingt natürlich auch ihre Fähigkeit, Nässe, Wärme ꝛc. durchzulassen. Sehr poröse Steine können auf verschiedene Weise wasserdicht gemacht werden; s. d. Art. Kitt, Bassin, Wasserdicht ꝛc. Auf stark porösen Steinen haftet der Mörtel besser, als auf dichteren. Vergl. überhaupt d. Art. Dich- tigkeit.

Porphyr. Der Phorphyr ist nicht eine be- sondere Steinart, sondern blos eine Gruppe von Steinarten, die gleiche Gefüge haben; man unter- scheidet: a) porphyrartiges Gefüge; s. d. Art. Ge- füge b. b) Porphyrgefüge; s. d. Art. Gefüge e. Nach ihrer Hauptmasse bekommen die verschie- denen Arten ihre Namen. Wir nennen hier die hauptsächlichsten:

1. Hornsteinporphyr; s. d.

2. **Porphyrschiefer, Phonolith, Klingstein,** frz. Leucostine compacte, engl. Clinkstone; s. d. Art. Klingstein.

3. **Thonporphyr,** nimmt seiner geringeren Härte wegen leicht Politur an; er wird benutzt zu Thür- und Fenstergewänden, Säulen, Treppenstufen ꝛc., spielt in allen Farben, wie röthlich, perlgrau, schwarzblau, broncegrün, dunkelgrün, grauschwarz, gelblich- und röthlichweiß, braun und grau; neigt sich in's Schiefrige und erscheint im Bruch muschelig.

4. **Feldspathporphyr** oder **Feldsteinporphyr,** s. d. Art. Feldspath und Feldspathporphyr, ist von Farbe roth, gesprenkelt durch röthliche, grauliche und gelbweiße Feldspathkrystalle, zum Theil auch durch braune oder graue Quarzkörner oder Glim- merblättchen. Abarten davon, die in der Baukunst verwendet werden, sind Pechsteinporphyr, Obsi- dianporphyr, Sandsteinporphyr und Trümmer- porphyr.

5. **Bafaltporphyr**, d. i. Bafalt mit Augitkryſtallen.

6. **Leucitporphyr**, d. i. ein inniges Gemenge von Leucit und Augit, in welchem Leucitkryſtalle porphyrartig auftreten.

7. **Nadelporphyr**, mit ſeinen nadeligen Kryſtallen von Feldſpath ꝛc.

8. **Flößporphyr**.

9. **Trappporphyr**, ſ. d. Art. Trachyt.

10. **Augitporphyr**, ſ. d. Art. Melaphyr.

Viele Porphyrarten wurden ſchon von den Alten als ſehr geeignet für gewiſſe architektoniſche Verzierungen gehalten und hoch geſchätzt. Von dieſen kennt man vielfach nicht mehr die Fundorte; da aber in der Renaiſſancezeit und im Mittelalter vielfach Reſte und Trümmer antiker Arbeiten von Neuem verarbeitet wurden, ſo haben einige Porphyrarten italieniſche Benennungen erhalten, wie Porfido rosso antico, Porfido verde antico etc. Ungenauer Weiſe werden dieſelben meiſt für Marmor gehalten; ſ. d. Art. Marmor.

Porphyradern nachzuahmen, ſ. d. Art. Imitation F.

porphyrartiger Baſanit, ſ. d. Art. Baſanit.

Porphyrgneiß, ſ. d. Art. Gneiß.

Porphyrit (Mineral.), Quarz enthaltender Porphyr.

Porphyrites; ſo hieß bei den Griechen eine rothe, weißgefleckte, ſehr harte und polirfähige Felsart, die aus Arabien kam.

Porphyrius, St., in Theſſalonite von reichen Aeltern geboren, wurde Einſiedler in der Wüſte Stete, beſuchte dann Jeruſalem ꝛc., bewohnte endlich eine Höhle am Jordan. Dann wurde er Biſchof in dem noch halb heidniſchen Gaza und zerſtörte die Götzentempel; bei einer Prozeſſion fielen die Venusſtatuen von ſelbſt um. Er ſtarb 420 und wird als Biſchof mit dem Kreuz dargeſtellt.

Porphyrſchiefer, ſ. d. Art. Porphyr 2 und Klingſtein.

Porporino, ital., künſtliche Steinmaſſe von ſehr ſchöner, brennender Purpurfarbe, deren Bereitung unbekannt geworden; ſ. übr. d. Art. Putz A. 6.

porſchüſſig; ſo heißt Erz, das zu Tage liegt.

Port, frz., Hafen.

Porta, lat., Thor, Thür, beſonders Thür einer Einfriedigung; porta sancta, speciosa; ſ. d. Art. Baſilika; porta praetoria, decumana, principalis, ſ. d. Art. Castellum und Castrum, ſ. ferner d. Art. Circus.

Portal. 1) lat. portale, frz portail, engl. doorway, gateway, porch, überhaupt verzierte große Thür, namentlich der auf der Weſtſeite befindliche Haupteingang einer Kirche; hat die Kirche zwei Weſtthürme, ſo befindet ſich ſtets das Hauptportal in der Mitte. Meiſt haben große Kirchen drei Portale, janua trina. Die gothiſchen Portale ſind gewöhnlich durch einen Steinpfoſten, frz. trumeau, engl. bearing-shaft, pier, in zwei Abtheilungen getheilt, wodurch eine Zwillingsthür entſteht; über die Anordnung der Portale ſ. die verſchiedenen Stylartikel. — 2) Portal einer fliegenden Fähre, d. i. die Verbindung der beiden Maſten durch den oberen und unteren Laufbalken.

Porta maëstra, ital., ſ. v. w. Hauptportal.

portatilis, lat., tragbar; ſ. d. Art. Altar, Kanzel, Orgel ꝛc.

Portcullis, altengl., portcoles, portchollis, Fallgatter an einem Thor.

Porte, frz., Thür: porte à deux battans, zweiflügeliges Thor, Doppelthor; porte à jour, Gatterthür; porte bardée, Thür, welche faſt ganz durch die Zierbänder bedeckt iſt; porte cintrée, Bogenthür; porte colais, porte coulisse, Fallgatter; ſ. d. Art. Burg, S. 492, Bd. I.; porte cochère, Thorweg; porte d'écluse, Schleußenthor; porte de mariage, Ehethür, Brautthür, ſ. d.; porte de tête, ſtromaufwärts ſtehendes Schleußenthor; porte de ville, Stadtthor; porte tournante, Drehthor.

Portée, frz., Tracht, Länge eines freigelegten Balkens; portée d'arc, Spannung eines Bogens ꝛc.

Portefaix, frz., Handlanger.

Portefeuille, frz., ſ. d. Art. Mappe, Bildermappe ꝛc.

Porte - paix, frz., Kußtäfelchen, Pax; portevent, Windlotte, Wetterlotte, Dunſtrohr.

porter, frz., freitragen; porter de fond, von unten aus gegründet ſein; porter à cru, nicht mit Vorgrund verſehen ſein; porter en saillie, porter à faux, vorſpringen und überhängen.

Porticus (masc. und fem.), lat. frz. portique, engl. u. ital. portico, 1) eine durch Säulen gebildete Vorhalle oder Durchgangshalle, auch Säulenhalle oder Colonnade überhaupt, jedoch nicht wohl auf an Mauern angelehnte Säulenhallen in Höfen anzuwenden; ſ. auch d. Art. Lesche.

Portière, frz., Traperie (ſ. d.) an einer Thür.

Portiforium, ſ. d. Art. Ritualbücher.

Portland-Cement, Portlandkalk, ſ. d. Art. Cement. S. 530 im I. Bd., Lagerung e. u. Oolith.

Porto, ital., Portus, lat., ſ. v. w. Hafen.

Portor-Marmor, frz. Port'-or, ſ. d. Art. Marmor; das Verfahren, denſelben im Anſtrich nachzuahmen, ſ. d. Art Imitation C. a.

Porzellanerde, Porzellanthon (Mineral.), ſ. v. w. Kaolin.

Porzellanfarben. Dieſelben verändern ſich durch das Brennen; man nimmt zu Erzeugung von Roſa bis Carmoiſin Goldpurpur,

Violet	daſſelbe mit Zinnoxyd gemiſcht,
Roth	Eiſenoxyd,
Schwarz	Kobaltoxyd, Kupferoxyd und Eiſenoxyd zu gleichen Theilen, beſſer noch Manganoxyd,
Dunkelgrün	Nickeloxyd,
Hellgrün	Berggrün oder Chromoxyd,
Blau	Smalte,
Gelb	Maſſicot ꝛc.

Porzellanflieſe, ſ. d. Art. Flieſe 3.

Porzellanglaſur, ſ. d. Art. Glaſur 1.

Porzellanjaspis (Mineral.), ſ. unt. Jaspis.

Porzellanlüſtre, d. h. ſchillernde Glaſur, engl. smearing; 1) Wismuthlüſtre: 30 Thle. Colophonium ſchmilzt man allmälig in einer Schale im Sandbad und fügt dann unter fortwährendem Umrühren in kleinen Portionen 10 Thle. kryſtalliſirtes ſalpeterſaures Wismuthoxyd hinzu. Wenn die Flüſſigkeit braun zu werden beginnt, gießt man 40 Thle. Lavendelöl in kleinen Portionen zu und nimmt dann vom Feuer. Beim

Erkalten werden unter Umrühren noch 35 Thle. Lavendelöl zugethan, und dann läßt man alle nicht aufgelösten Bestandtheile absetzen. Vor der Anwendung läßt man die Flüssigkeit an der Luft oder bei gelinder Wärme bis zu einem gewissen Grad verdicken. 2) Regenbogenfarbe und das Schillern der Muscheln nachzuahmen, wie folgt: Gelb: 30 Thle. Colophonium, wie oben, dazu 10 Thle. salpetersaures Uranoxyd ec.; Rostfarbe: 30 Thle. Colophonium, wie oben, dazu 30 Thle. salpetersaures Eisenoxyd; politirtem Gold ähnlich: Uran-, Eisen- u. Wismuthmischung vereinigt; irisirende Regenbogenfarben: Knallgold, Cyangold und Cyanquecksilber; Jodgold oder Goldlösung wird auf einer Palette mit Terpentinöl angerieben, diesen Teig läßt man trocknen und reibt ihn wieder mit Lavendelöl an; auf 1 Thl. thut man dann 1, 2 oder 3 Thle. Wismuthfluß hinzu; wird mit dem Pinsel auf dem verzierten und gebrannten Porzellan aufgetragen, dann mit Uranlösung bedeckt u. nochmals gebrannt.

Porzellanofen; Brennofen, in welchem die aus Porzellanerde bereiteten, dann von der Luft oder in gelinder Wärme ausgetrockneten, hierauf im Vorglühofen geglühten und endlich in die Glasur getauchten Geräthe gutgebrannt werden. Die Gegenstände kommen zu diesem Behuf in schachtelartige Kapseln von feuerfestem Thon und mit denselben in den Ofen, dessen Erhitzung bis zu 160° C. gesteigert werden kann und der geschlossen wird, sobald das Porzellan weißglühend geworden ist. Fig. 1607 zeigt einen solchen Ofen. Die Wände sind meist doppelt, mit Asche oder dgl. ausgefüttert und stark mit Eisen armirt. An jeder der beiden untersten Etagen befinden sich 4 Feuerungen. Die oberste Etage dient zum Vorglühen, zum Brennen der Kapseln, zum Rösten des Feldspaths ec.

Porzellanspath (Miner.), ähnelt dem Feldspath; durch seine Zersetzung entsteht Porzellanerde.

Posada, sp., Herberge, Gasthaus.

Poso, frz., 1) Aufstand, s. d.; 2) s. d. Art. Maaß, S. 494, Bd. II.

Poseckel, possekel, poßägel, s. d. Art. Boßhammer und Hammer.

Poseidon, griechischer Name des Neptun.

poser, franz., versetzen (einen Stein); posé de champ, hochkantig (s. b.) versetzt; s. auch d. Art. Löwe.

Poseur, franz., Arbeiter, der die Hausteine versetzt; contre-poseur, sein Gehülfe.

Positiptuff, Kalktuff von geringer Festigkeit; in einer blaß strohgelb oder gelblichweißen, matten, im Bruche erdigen, leichten, spröden Grundmasse liegen gehäuft liniengroße Stücke von weißem Bimstein, schwarzer, poröser Lava; die schwarzen Stücke werden oft häufiger und größer und haben das Ansehen von Obsidian oder Pechstein. Dieser Tuff verwittert leicht.

positiv; so nennt man die ganzen und gebrochenen Zahlen, welche durch Vervielfältigung und Theilung der Einheit entstehen und größer sind als Null, während die Zahlen, welche durch Wiederholung oder Theilung aus der Einheit entstehen und kleiner sind als Null, negativ genannt werden. Negative und positive Zahlen von gleichem absoluten Werth heben einander auf. Das Zeichen der positiven Größe ist + und wird bekanntlich zugleich als Additionszeichen benutzt.

Positiv, frz. orgue portative, engl. regal, portable organ, kleine Orgel; s. Orgel u. Cabinet.

Possidonius, St., Patron von Mirandola. Abzubilden als Bischof, neben ihm ein umgestürztes Götzenbild.

possiren, s. d. Art. Bossen.

Post, s. v. w. Brunnenstock; s. d. Art. Brunnen, S. 474, Bd. I.

Post, engl., Pfosten, Stiel, Ständer; principal-post, Eckpfosten; crown-post, king-post und queen-post, s. d. Art. Hängesäule; fencing-post, Plankensäule.

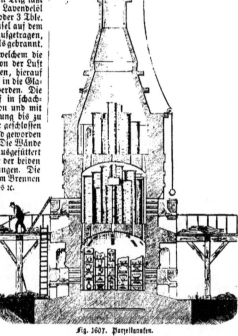

Fig. 1607. Porzellanofen.

Postament, frz. scabellon, Fußgestell einer Säule oder Statue; besteht aus dem Grundstein, frz. plinthe, engl. plinth, dem Fußgesims oder Absatz (s. d. betr. Art.), dem Würfel, frz. dé, engl. die, ital. dado, und dem Kranzgesims, frz. corniche, engl. surbase. Vergl. d. Art. Bilderstuhl, Bildsäule und Piedestal, wovon das Postament zu unterscheiden ist. Größe und Verhältnisse der Postamente sind natürlich sehr verschieden, je nach den darauf zu stellenden Gegenständen, ihre Formen aber müssen sich nach dem gewählten Styl richten; s. dah. den Stylartikel u. d. Art. Säulenordnung. Jedenfalls soll ein Postament nie mehr Effect machen, als ihm nach seiner Stellung als dienender, tragender Theil zukommt.

Postamentgefims, der obere Theil oder das Deckgesims eines Postaments.

Poste, frz., 1) Mäander, laufender Hund; — 2) Volute, vielleicht wegen der Aehnlichkeit mit einem Posthorn.

Posten, 1) f. d. Art. Bossen; — 2) Brunnenstock; f. d. Art. Brunnen.

Postenholz, f. d. Art. Pfostenholz.

Postern, engl., lat. posterula, posterna, frz. posterne, poterne, Hinterthür, Ausfalls-pforte.

Posthaus. Nothwendige Räume: geräumige Vorhalle, Passagierstube, Einschreibebureau, Ge-päckannahme, Gepäckausgabe, Briefannahme, Briefausgabe, Briefsortirsaal, Packräume, Stal-lungen, Remisen zc. Haupterforderniß ist leichte Uebersicht und bequemer Zugang zu allen Räumen.

Postiches, frz., Verzierungen oder Construc-tionstheile, die nach vollendetem Werk erst ange-macht, bez. überarbeitet werden.

Posticum, lat., Hinterhaus, Hintergebäude; vergl. d. Art. Opisthodomos.

Postis, lat., Pfoste, Thürpfosten, Buchdeckel.

Post-mill, engl., Bockmühle, f. d.

Postsäule, Wegsäule, frz. poteau guide, poteau routier, Meilenstein, Wegweiser, f. d. Art. Straße.

Postscenium, lat., Raum hinter der Bühne; f. d. Art. Theater.

Pot, Pott, f. d. Art Maaß 496, 499, 509, 510.

Pot, frz., Topf; pot à moineau (Kriegsw.), kleine Casematte im Reduit des Ravelins, dient in der Regel Staatsgefangenen zum Aufenthalt.

Potager, frz., 1) Kochheerd; — 2) Gemüse-gärten.

Potamiena, St., Magd in Alexandrien; ihr heidnischer Gebieter stellte ihr nach und gab sie, abgewiesen, als Christin an. Sie wurde 202 in Pech gesotten. Ein sie zum Richtplatz begleitender Soldat Basilides wurde durch ihre Standhaftig-keit gerührt, Christ und in Folge dessen enthauptet. Derselbe wird meist mit ihr zugleich mit dem Schwert abgebildet, während sie als Attribut den Kessel hat.

Potasche oder **Pottasche,** frz. potasse. Be-handelt man Holzasche oder andere Pflanzenasche mit Wasser und dampft die Lösung zur Trockne ab, so erhält man eine weiße oder bläuliche, bröd-lige Masse, die Potasche, welche wesentlich aus kohlensaurem Kali besteht, aber außerdem etwas kieselsaures, schwefelsaures Kali und Chlorkalium enthält. Durch mehrmaliges Umkrystallisiren aus Wasser erhält man aus der rohen Potasche das kohlensaure Kali rein. Ueber die Verwendung der Potasche f. d. Art. alcalische Tinctur, Beize A., Kali, Kalisalze, Chlorkalk, Gemälde, Ladiren (f. d. selben zc. Auch gebraucht man sie zu Bereitung der Aetzlauge (f. d. Art. Lauge), des Salpeters (f. d.), in der Glasfabrikation und als Flußmittel für mehrere Metalle. Im Handel kommen namentlich toscanische, russische, amerikanische und franzö-sische (aus den Vogesen) Potaschen vor; dann wird noch eine Sorte aus der Rübenmelasse ge-wonnen; alle diese Potaschen haben im Durch-schnitt folgenden Gehalt an kohlensaurem Kali in 100 Theilen: toscanische 74,0, amerika-nische 68,0, russische 69,0, französische 38,5, aus Rübenmelasse 54,0. Der Handelswerth der Pot-asche hängt von diesem Gehalt ab.

Potaschensiederei; diese erfordert drei Räume.

In der Aschenkammer, wo das Auslaugen ge-schieht, stehen die Potaschenfässer, durch deren durchlöcherten und mit Stroh belegten Boden die Aschenlauge in den Sumpf läuft. Die ausgelaugte Asche wird als Treibasche auf dem Treibheerd verwendet, die gesättigte, judgerechte Lauge kommt in den Siederaum, wo eiserne Töpfe und die Abdampfungspfanne in Heerde eingemauert sind; sie hier nach 50 Stunden fortgesetztem Sie-den gewonnene rohe oder schwarze Potasche wird nun im dritten Raum in dem Calcinirofen ge-glüht, wodurch man das Potaschensalz, Aschen-salz, Laugensalz, erhält.

Poteau, frz., Ständer, hölzerne Säule oder Stütze, Bundsäule. Poteau cornier, Ecksäule. Poteau d'écurie, Pilar, Standbaum im Pferde-stall. Poteau de remblage, Zwischensäule in einer Wand. Poteau de croisée, Fenstersäule in einer Fachwand. Poteau d'huisserie, Thür-säule oder Thürpfosten.

Potelet, petit poteau, frz., kleiner Bund-stempel, z. B. Stempel eines Kniestocks, Säulchen in einer Fensterbrüstung zc.

Potence, lat. potentia, 1) schräg gestellte Stütze; — 2) Gerüst aus zwei Steifen und einem Holm zum Abfatteln eines Gebäudetheils; — 3) (Herald.) f. d. Art. Antoniuskreuz, Bequille, Kreuz D, 3, Krückenschnitt zc.; — 4) Art Krahn hinter dem Altar, in Form eines Krummstabs, be-laubten Baums zc. zum Aufhängen d. Ciboriums.

Potenz, das durch Multiplication zweier oder mehrerer gleicher Factoren entstehende Produkt, wie z. B. 5×5, a. a. a zc. Die Anzahl der Fac-toren bestimmt den Grad der Potenz und heißt der Exponent derselben, so daß der Exponent der Potenz a. a. a gleich 3 ist. Den mit sich selbst mul-tiplicirten Factor dagegen nennt man die Grund-zahl oder Basis.

I. Potenzen mit ganzen Zahlen als Exponent. Je nachdem der Exponent 2, 3 oder 4 ist, heißt die Potenz ein Quadrat, ein Cubus oder ein Biqua-drat; bei einem Exponenten n, größer als 4, wird die Potenz einfach eine n^{te} genannt. Man bezeich-net eine Potenz durch Angabe ihrer Basis mit dem an diese noch oben angetragenen Exponenten, z. B. $a. a. a. a = a^4$. Unter der ersten Potenz einer Zahl würde man die Zahl selbst zu verstehen haben: $a^1 = a$.

Für die Rechnungen mit solchen Potenzen gelten die Sätze:

1) Beim Multipliciren oder Dividiren der Po-tenzen einer und derselben Basis werden ihre Ex-ponenten addirt oder subtrahirt, d. h. $a^m a^n = a^{m+n}$, $a^m : a^n = a^{m-n}$.

2) Beim Potenziren von Potenzen sind die Ex-ponenten zu multipliciren.

II. Potenzen, deren Exponent $= 0$ ist. Für die Potenz a^0 kann man schreiben $a^0 = a^{m-m} = a^m : a^m = 1$.

III. Potenzen mit negativen Exponenten. Nach Obigem ist $a^{-m} = a^{0-m} = a^0 : a^m = \dfrac{1}{a^m}$.

IV. Potenzen, deren Exponent eine gebrochene Zahl $\dfrac{1}{k}$ ist. Nach dem obigen Satz ist $\left(a^{\frac{1}{k}}\right)^k$

$= a^{\frac{k}{k}} = a^1 = a$, d. h. $a^{\frac{1}{k}}$ ist diejenige Zahl, welche, auf die k^{te} Potenz erhoben, den Werth a giebt, also die k**te** Wurzel aus a, d. h. $a^{\frac{1}{k}} = \sqrt[k]{a}$.

Ist endlich der Exponent von der Form $\frac{m}{n}$, so

ist $a^{\frac{m}{n}}$ die Zahl, welche, nmal mit sich selbst multiplicirt, a^m giebt; also mit anderen Zeichen

$$a^{\frac{m}{n}} = \sqrt[n]{a^m}.$$

V. Potenzen mit imaginären Exponenten. Bekanntlich ist die x^{te} Potenz der Zahl e, d. h. der Grundzahl des natürlichen Logarithmensystems

$$e^x = 1 + \frac{x}{1} + \frac{x^2}{1.2} + \frac{x^3}{1.2.3} + \dots.$$ Diese

Reihe nimmt einen bestimmten Werth auch dann noch an, wenn x nicht mehr eine reelle Zahl ist; also z. B. imaginär. Man ist nun übereingekommen, die Summe dieser Reihe, auch wenn x nicht mehr reell ist, gleich e^x zu setzen. Die Vergleichung obiger Reihe, wenn in ihr für x der Werth $x\sqrt{-1}$ gesetzt wird, mit den Reihen für die trigonometrischen Functionen zeigt aber, daß $e^{x\sqrt{-1}} = \cos x + \sqrt{-1}. \sin x$ ist. Eine solche Potenz mit imaginären Exponenten kann auf ganz dieselbe Weise wie die anderen behandelt werden, so ist z. B. $e^{x\sqrt{-1}} \cdot e^{y\sqrt{-1}} = e^{(x+y)\sqrt{-1}}$. Nun kann jede Zahl a als Potenz von e dargestellt werden, da man ja hat: $a = e^{\log\,nata}$; somit sind die imaginären Potenzen aller Zahlen definirt.

VI. Für das Rechnen mit Potenzen hat man noch folgende Regeln:

$$a^m \cdot b^m = (ab)^m$$
$$a^m : b^m = \left(\frac{a}{b}\right)^m$$
$$a^{\frac{n}{m}} = \sqrt[m]{a^n} = \left(\sqrt[m]{a}\right)^n$$
$$\sqrt[n]{\sqrt[m]{a}} = \sqrt[m]{\sqrt[n]{a}} = \sqrt[mn]{a}.$$

Bedeutet $\Sigma(n)$ die Summe der natürlichen Zahlen von 1 bis mit n; ist ebenso $\Sigma(n^2)$ die Summe ihrer Quadrate, $\Sigma(n^3)$ ihrer Cuben $\mathfrak{c}$c., so hat man folgende Formeln, welche sehr oft gebraucht werden:

$$\Sigma(n) = \frac{1}{2}\,n\,(n+1).$$

$$\Sigma(n^2) = \frac{1}{6}\,n\,(n+1)\,(2n+1).$$

$$\Sigma(n^3) = \frac{1}{4}\,n^2\,(n+1)^2.$$

$$\Sigma(n^4) = \frac{1}{30}\,n\,(n+1)\,(2n+1)\,(3n^2+3n-1).$$

$$\Sigma(n^5) = \frac{1}{12}\,n^2\,(n+1)^2\,(2n^2+2n-1).$$

$$\Sigma(n^6) = \frac{1}{42}\,n\,(n+1)\,(2n+1)\,(3n^4+6n^3-3n+1)\,\mathfrak{c}c.$$

VII. Für die Potenzen der Zahlen, insbesondere für die Quadrate und Cuben, hat man Tafeln construirt. Für die Zahlen von 1 bis 999 steht eine solche Quadrat- und Cubentafel z. B. in Weisbach's „Ingenieur". Ueber Potenz vergl. auch d. Art. Erhebung, Gebrochen, Ganz, Gerade, Grundzahl, Exponent, Index $\mathfrak{c}$c.

Potenzenflaschenzug, f. d. Art. Flaschenzug 2.
Poterie, frz., engl. pottery, Töpferarbeit.

Poterne, frz., 1) f. d. Art. posterne; — 2) (Schiffsb.) eine der Länge nach fortlaufende Planke im Boden oder Bord von Flußfahrzeugen.

Potestates, lat., engl. powers, Mächte; f. d. Art. Engel.

Pothenot'sches Problem, auch Problem der drei Punkte, eine für die Feldmeßkunst sehr wichtige Aufgabe; f. d. Art. Rückwärtseinschneiden.

Pothinus, St., Bischof zu Lyon, wurde 177, über 90 Jahre alt, vom Volk mißhandelt und in den Kerker geworfen, wo er starb.

Potle, engl., Getraidemaaß = 2 Quart; f. d. Art. Maaß.

Potmetall, engl. pot-metal, 1) zur Verfertigung von Kesseln dienende Mischung von Kupfer und Blei; — 2) f. d. Art. Hüttenglas.

Pottloth, f. v. w. Wasserblei.

Pouce, frz., f. v. w. Zoll, f. d. Art. Maaß, S. 484, 489, 490; pouce d'eau oder pouce de fontainier, Wasserzoll, Menge Wasser, welche durch eine runde Oeffnung von 1 Zoll Durchmesser bei 1 Linie Druck pro Secunde oder Minute ausläuft.

Poudrettefabrik, Guanofabrik. Sie muß fern von allen bewohnten Gebäuden, also außerhalb des Orts liegen. Erforderliche Räume sind namentlich eine freie Fläche zur Anlegung der Poudrirgruben, ein Schuppen zum Streichen oder Stechen der Poudretteziegel, ein Trockenschuppen und eine Poudrettemühle zum Pulverisiren der beim Trocknen schon zerbröckelnden Ziegel.

pouf, frz., von Hausteinen, f. v. w. leicht bröckelnd.

Poulaillier, Poulanderie, frz., Maststall für Federvieh, f. d. Art. Stall.

Poulie, franz., Kloben, f. d. Art. Kloben 1, Block 5 und Flaschenzug; poulie courante, bewegliche Rolle, laufender Kloben.

pounced, engl., mit lauter Punkten verziert.

Poupe, frz., Schiffshintertheil.

Poupée, frz., Entwurf, Skizze.

Pourpre, frz., f. d. Art. Purpur.

Pourtour, f. v. w. Peripherie, daher auch Gang außen um ein Gebäude, Chorumgang.

Pousse, frz., Anfluß, Anströmung, Druck des anfließenden Wassers.

Poussée, frz., Schub, Druck; poussée oblique, Seitenschub.

pousser, frz., schieben, pousser au vide, von Mauern f. v. w. überhängen; pousser des moulures (Holzarb.), Glieder aus freier Hand arbeiten.

Poussier, frz., Arbeitsstaub beim Behauen der Steine.

Poussirhammer, f. v. w. Boßhammer; f. d.

Poutre, frz., Balken; f. d. Art. Balken II. D. a. und b. Art. Balkenlage, Balkendecke $\mathfrak{c}$c.; poutre armée, verzahnter oder armirter Balken; poutre du faux pont, Kuhbrücke.

Poutrelle, frz., kleiner Balken.

Powdering, engl., Streumuster, Gegentheil von Diaper.

Poyntell, engl., altengl. poynttil, Steinpflaster in Rautenmustern.

Pozal, span., Brunneneinfassung.

Pozzo, ital., span. pozo, Brunnen; über d. Gefängnisse dieses Namens f. d. Art. Gefängniß.

Pozzolanerde, frz. poussolane, f. v. w. Puzzuolane.

Prachtfenster, Fenster mit verzierter Einfassung.

Prachtgeschoß, s. v. w. Bel-Etage.

Prachtkegel, s. v. w. Obelisk.

Praecinctio, Diazoma, griech. διάζωμα, lat. auch balteus, frz. atterrage, Umgang am obern Ende jeder waagrecht sich herumziehenden Sitzabtheilung; s. d. Art. Amphitheater.

Praedium, lat., Grundstück; praedium rusticum, s. v. w. Landgut, Bauernhof, s. d.; praedium urbanum, städtisches Grundstück; praedium pseudo-urbanum, städtisch gebautes Landhaus.

Prägung. Ueber die zur Prägung von Münzen nöthigen Räume s. d. Art. Münze. Gepräges Metallblech, als Ornament in Füllungen auf dunkles Holz gesetzt, kann einen sehr guten Effect machen, ohne daß es große Kosten verursacht.

Praeparatorium, lat., s. v. w. Gerkammer, Sacristei; s. d. betr. Art.

Praesepium, praesepe, lat., 1) eingefriedigter Ort, Pferch; — 2) Krippe, s. d.

Praetentura, s. d. Art. Castellum.

Praetorium, lat., s. d. Art. Castellum, Castrum und Haus, S. 241, Bd. I.

Praetuor (aus praetorium verstümmelt?), s. d. Art. Holzarchitektur.

Prahm oder Pont, frz. prame, engl. prame, ital. Chiatta, piatta. 1. (Schiffsb.) großes, aber flaches und offenes, länglich viereckiges Fahrzeug, dient

a) zum Ausbaggern der Häfen und Canäle, wo auf dem Prahm sich entweder eine Baggermaschine befindet, oder Arbeiter sich mit Baggerhaken aufstellen; s. d. Art. Baggern ꝛc.;

b) zur Aufstellung von Feuerspritzen, Prahmenspritze; s. d. Art. Feuerlöschapparat;

c) bei Rostschlagung im Wasser, zum Tragen der Rammmaschine und der nöthigen Arbeiter;

d) beim Ausziehen von Pfählen im Wasser, wo zwei Prahmen die Maschine tragen;

e) zum Transport von Wagen und Thieren über Flüsse.

2. Maaß für Kalksteine in Brandenburg: ein Haufen, 21 Fuß lang, 7 Fuß breit und 2 Fuß hoch; s. auch d. Art. Maaß, S. 498, Bd II.

Pranger, Schandsäule, Ganten, Kaak, lat. columna maenia, Ort, wo Verbrecher an eine Mauer durch ein Halseisen festgehalten, auch mitunter mit Schandsteinen behängt wurden.

Prachtschine, Predzine, s. d. Art. Maaß, S. 486, 489, 492.

Prasem (Min.); ist ein lauchgrüner Quarz, dessen Farbe von fein eingemengter Hornblende herrührt.

Prasord (Mineral.), heller, gelbgrüner Chrysopras.

Prasopal (Mineral.), s. v. w. gemeiner Opal.

Prastara, s. d. Art. indische Baukunst III. 1., S. 326, Bd. II.

Pratibandha, s. d. Art. indische Baukunst, S. 323 und Fig. 1329 f, Bd. II.

Pratibhadra (ind. Styl), eine Art von Piedestal; s. indische Baukunst 2. b, S. 322, Bd. II.

Prativajina (ind. Styl), s. d. Art. indische Baukunst 1. f, S. 322, Bd. II.

Pratzenanker, s. d. Art. Anker 5.

Praxidike (griech. Myth.), mystische Gottheit der Rechtsvollstreckung; s. d. Art. Laverna.

Préau, frz., Garten, verschlossener, aber mit Gras bewachsener Hof; s. auch d. Art. Haus, Klostergarten und Kreuzgang.

Preceptory, engl., frz. préceptoriale, Präceptorwohnung, Curie.

Précinte, frz., s. d. Art. Bartholz.

Predella, ital. predella, Bilderfuß, Altarstaffel, Sockelgemälde des Altarschreins.

Predigtkirche, s. d. Art. Kirche D. d.

Predigtstuhl, s. d. Art. Evangelienpult, Ambo und Kanzel.

Prehnit (Mineral.), gehört zu der Classe der Zeolithe; s. d.

Preiße oder Preißziegel, 1) s. d. Art. Firstziegel, Hohlziegel, Dachziegel 3 und Dachdeckung 9; — 2) s. v. w. Ortziegel.

Prellbühne (Wasserb.), s. v. w. Treibbühne, s. d. Art. Bühne.

Prellhammer (Hüttenw.), zum Schmieden der Eisenluppen in Hammerwerken dienender Hammer mit runder Bahn, zwei Centner schwer.

Prellstein, frz. borne, Abläufer, Abstoß, Anfahrtstein; s. d. Art. Radstößer.

Premier-(étage), s. v. w. Bel-étage.

Prems, Premse und Premswerk, s. v. w. Bremse; s. d.

prendre, frz., s. d. Art. Anziehen 2.

Pressa, span., Wehr, s. d. und Bewässerung.

Presbiternialnische, s. d. Art. Apsis, Bischofsstuhl und Basilika.

Presbiterium, lat. presbyterium, griech. πρεσβυτέριον, frz. presbytère, engl. presbytery, 1) der Priesterraum, liegt bei den Basiliken in der Koncha, bei den englischen Kirchen zwischen Chor und Lady-chapel, sonst meist im Chor der Kirche, s. d. Art. Chor, Kirche, Basilika, altchristliche Bauweise, Holzarchitektur A.; — 2) frz. presbytère de paroisse, Pfarrei.

Preßbaumscharre und Preßbaum, lat. prelum (Mühlenb.), Theile der Bremse bei einer Getraidewindmühle.

présenter, frz., vorlegen, probeweise hinlegen (ein Stück Holz, einen Stein).

Presse. 1) Beim Ziegeltreiben im Innern von Gebäuden heißt Presse die Stelle, wo die Ziegel zwischen den Balken hindurch geworfen werden; man muß an diese Stelle den Geschicktesten unter den Ziegeltreibern stellen; — 2) auch Preßzeug, Preßwerk genannt, lat. pressorium, frz. pressoir. Maschine zu Erzeugung eines Drucks durch eine verhältnißmäßig geringe Kraft. Es kann hierzu fast jede einfache Maschine verwendet werden, namentlich aber die Schraube, der Hebel und der Keil, außerdem noch Cylinder und communicirende Röhre. Natürlich kann bei Anwendung irgend eines dieser Mittel die Verschiedenheit des Zweckes wieder eine Verschiedenheit in der Construction der Presse bedingen; wir müssen uns hier jedoch mit der Betrachtung der wesentlichen Eigenschaften jeder Art begnügen.

1. Schraubenpressen. Fig. 1608 zeigt die einfachste Einrichtung einer solchen. Die Schraube

F paßt in die feste Mutter G im Preßbalken; das obere Ende der Schraube wird mittelst eines Griffs, Preßbaums, Preßschwengels, umgedreht; am unteren Ende ist die Schraube mittelst eines Zapfens in eine Pfanne, die Preßplatte D, befestigt, welche beiderseits von zwei Pfosten CC geführt wird, so daß sie sich nicht drehen kann. Auf die

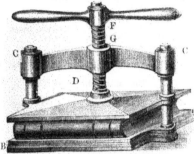

Fig. 1608. Schraubenpreffe.

Platte B wird der zu preffende Gegenstand gelegt und dann durch Anziehen der Schraube F die obere Platte niedergebracht. Um nun eine starke Kraft auszuüben, müßte man den Hebelarm groß oder das Schraubengewinde fein machen; ersteres ist aber unbequem und letzteres schadet der Festigkeit des Gewindes. Dieser letztere Umstand wird bei der Hunter'schen Differentialschraubenpreffe vermieden. Bei dieser sind beide Preßplatten beweglich mit der Schraube verbunden; diese hat oben ein steileres, unten ein flacheres Gewinde, so daß sich die beiden Platten, sobald man die Schraube abwärts dreht, einander immer mehr nähern, wobei die ausgeübte Kraft eben so groß ist, als ob die Schraube eine einfache wäre, die Ganghöhe aber nur gleich der Differenz aus den Ganghöhen beider Gewinde.

2. Hebelpreffen. Der wesentliche Theil derselben ist ein einarmiger Hebel. Sie erfordern, wenn sie kräftig wirken sollen, einen großen Raum. Die Kniepreffe (s. d.) gehört zu denselben.

3. Keilpreffen. Sie wirken mittelst des Drucks, welcher beim Eintreiben eines Keiles nach seinen Seitenflächen ausgeübt wird; die Kraft wirkt meistens stoßweise. Einen bedeutenden Theil derselben zehrt die Reibung auf, doch verhindert diese zugleich das Zurückspringen des Keiles. Man verwendet diese Art von Preffen namentlich zum Herauspreffen des Oeles aus dem zermalmten Oelsamen.

4. Die Wirkungsweise der Cylinderpreffen ist derjenigen der Keilpreffen ähnlich. Zu denselben gehören z. B. die Walzwerke, s. d. Sie bestehen in der Regel aus zwei Cylindern, deren Oberflächen einen bestimmten Abstand von einander haben. Beide drehen sich um ihre Achse; der zu preffende Körper wird zwischen beide gesteckt, durchgezogen und so gepreßt.

5. Hydraulische oder Brahmapreffen. Die Wirkungsweise derselben beruht auf dem sog. hy-

drostatischen Grundgesetz, wornach tropfbar flüssige Massen jeden erhaltenen Druck nach allen Seiten hin gleichmäßig fortpflanzen, so daß also, wenn auf die Flüssigkeit auf einer kleinen Stelle ein Druck ausgeübt wird, dieser sich überall hin fortpflanzt und jedes gleichgroße Flächentheilchen mit gleicher Stärke drückt. Fig. 1609 und 1610 zeigen die gewöhnliche Einrichtung einer hydraulischen Preffe. Haupttheile derselben sind: die allseitig abgeschlossene, mit Wasser gefüllte Trommel, links in Fig. 1609, — der Druckkolben I, Fig. 1610, und der Preßkolben B. Der Druckkolben I wird mit Hülfe eines einarmigen Hebels D geradlinig auf und ab bewegt, mit welchem er durch eine Hülse verbunden ist. Die kleine Halbkugel ist ein Ventil, dasselbe ist geschlossen, sobald der Kolben abwärts geht, öffnet sich aber im entgegengesetzten Fall; dabei dringt das Wasser durch M ein. Bei N ist wiederum ein Ventil angebracht, welches sich beim Heben des Kolbens schließt und beim Senken desselben öffnet. Das Wasser tritt daher durch N in die Röhre L, von dieser in den Preßcylinder A und drückt dort auf den Preßkolben B. Dabei wird dieser mit einer Kraft gehoben, welche nach dem hydrostatischen Grundgesetz sich zu dem wirklich ausgeübten Druck verhält wie der Querschnitt des Preßkolbens zu dem des Druckkolbens. Wäre z. B. das Verhältniß 100, wäre ferner der Hebelarm der Kraft am Hebel D 10 Mal länger, als derjenige des Druckkolbens, und wäre die wirklich arbeitende Kraft = 50 Pfd., so würde der Kolben C mit einer Kraft von $50 \times 10 \times 100 = 50000$ Pfd. = 500 Ctr. gehoben. Auf dem Kolben ist die Preß-

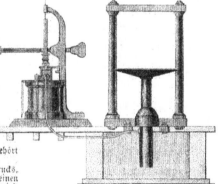

Fig. 1609. Hydraulische Preffe.

platte befestigt, welche sich zwischen vier Säulen bewegt, die oben durch eine andere Platte verbunden sind. Die zu preffenden Gegenstände werden zwischen beide Platten gelegt. An einem Punkt der Röhre, z. B. zwischen N und R, ist ein Sicherheitsventil angebracht, welches sich hebt, sobald der Wasserdruck zu stark ist. Die Kolbenliderung ist bei Q an dem Kolbenrohr befestigt. Durch Reibungswiderstände geht ein ziemlich bedeutender Theil der berechneten Leistung verloren. Alle Theile, namentlich die Cylinder und die Verbindungsrohre, müffen eine ziemliche Stärke bekommen, um hinreichend Widerstand zu leisten; dieser darf aber wiederum nicht zu bedeutend sein, weil dann

die äußeren Theile dem Streben der inneren, sich
auszudehnen, einen zu großen Widerstand entge-
genstellen. Die zu große Stärke der Cylinder war
z. B. Schuld daran, daß bei dem ersten Versuch
der Hebung des Great Eastern sämmtliche Preßcylinder der dabei angewendeten hydraulischen
Pressen sprangen.

6. Die Real'sche Filtrirextractionspresse, Fig.
1611, welche auf dem Gesetz der communicirenden
Röhren beruht, wird besonders angewandt, um
die Säfte einer Substanz C durch den Druck einer
Flüssigkeitssäule ab zu extrahiren. Die Substanz
wird dabei in einen Hohlcylinder AB zwischen
zwei siebförmig durchlöcherte Platten c d, e f gebracht; der Cylinder ist oben mit einer Platte verschlossen und steht mit einer hohen, beliebig engen,
mit Wasser gefüllten Röhre ab in Verbindung.
Diese übt einen bedeutenden Druck aus; die
Flüssigkeit durchdringt dabei die Substanz und
zieht die Extraktivstoffe aus.

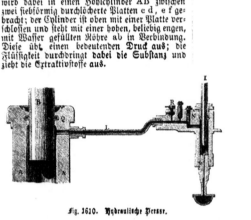

Fig. 1610. Hydraulische Presse.

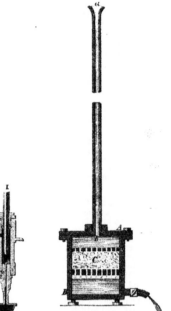

Fig. 1611. Real's Presse.

7. Je nach der Triebkraft und der Ueberpflan-
zung derselben unterscheidet man Radpressen, Ha-
spelpressen, Wasserpressen, Dampfpressen Hand-
pressen 2c.

Pressoir, 1) Presse überhaupt; — 2) Kelter.

Preßlatte, eine 3 und 4 Zoll in's Geviert
haltende Latte, welche bei Pontonbrücken auf die
Bretterdecke gelegt wird und mit Rödelsträngen,
um die Bretter fest zu halten, an die Pontonbalken
befestigt wird.

Preßschraube, 1) Schraube einer Schraubenpresse; — 2) Schraube, mit welcher ein Theil eines
Instrumentes an ein anderes Stück desselben angedrückt wird.

Preßziegel, s. d. Art. Dachziegel und Ziegelfabrikation.

Pret, s. d. Art. Maaß, S. 488, Bd. II.

Pretil, span., Brüstung; s. d.

Prétoire, frz., lat., praetorium, Wohnung
des Prätors oder Magistrats.

Preuße, s. v. w. Schabe; s. d.

preußisch Blau, s. d. Art. Blau, Berliner
Blau 2c.

preußisch Roth, geglühter Colcothar; s. d.

Priche od. **Prieche,** schweizerisch Brüge; 1) s. v.
w. Empore, s. d.; — 2) s. v. w. Bettanzel, Coye;
— 3) überhaupt Brettergerüst.

Prickpost, engl., s. v. w. Queenpost.

Priedieu, frz., Betschemel, Betpult.

Priepe und **Priependach,** s. d. Art. Dachdeckung
und Dachziegel 3.

Priester. Als solche sind darzustellen St. Castor, Jodocus, Chromaus und noch viele andere
Heilige.

Priesterthür, s. d. Art. Basilika und Kirche.

Priete, s. v. w. Lauflatte, s. d.

Priggione, ital., Gefängniß.

Primatkreuz, s. v. w. Patriarchenkreuz.

Prime (Bgb.), s. u. Lachter u. Maaß, S. 484, Bd. II.

Priming, engl., Grundirung.

primitive Function, s. d. Art. Integral.

Primus, St., s. d. Art. Felicianus 1.

Principal of an horse, Pfosten und Licht-
träger eines Katafalks oder eines Teneberleuchters.

Principal rafter, Bundsparren.

Principatus, principalitates, lat., frz.
principautés, engl. princedoms, Fürstenthümer;
s. d. Art. Engel.

Print, prynt, engl., Abguß, Abdruck; prin-
ting, Buchdruckerei.

Prinzenholz, eine schöne, von Tischlern hoch-
geschätzte Holzsorte, welche von der großblumigen
Hamelie (Hamelia ventricosa Lw., Fam. Cin-
chonaceae) stammt. Dieser Baum ist in Südamerika einheimisch.

Prinzmetall, dem Gold äußerlich ähnliche
Legirung, aus Kupfer mit Zink, auch wohl mit
Messing in sehr verschiedenem Verhältniß, z. B.
24 Thle. Kupfer auf 1 Thl. Zink oder 4 Thle.
Messing, oder auch 3 Thle. Zink auf 1 Thl. Kupfer 2c.

Priorei, engl. priory, frz. prieuré, Kloster, dem kein Abt, sondern nur ein Prior vorsteht; alien priory, Filialkloster.

Priorenstäbe (Herald.), Pilgerstäbe, die man hinter die Wappen der Prioren aufrecht stellte.

Prisca, St., 1) Römerin, im 13. Jahre, anno 275, gefangen gesetzt, gegeißelt, mit heißem Schmalz übergossen, weder von den Löwen noch vom Feuer verzehrt, endlich enthauptet; — 2) **P.,** auch Priscilla genannt, f. d. Art. Aquila 1, mit einem Schwert, zwei Löwen neben ihr, von denen sie verschont wurde. Zwei Adler bewachen ihren Leichnam.

Prisma, 1) geometrischer Körper, welcher entsteht, wenn man zwei congruente, ebene, gerad- linige Figuren im Raume dergestalt parallel legt, daß auch die entsprechenden Seiten derselben pa- rallel laufen, und dann diese paarweise durch Ebenen verbindet. Die Seitenflächen des so ent- stehenden Körpers sind Parallelogramme, ihre Zahl ist gleich der Seitenzahl jener Figuren, der sogen. Grundflächen. Die Höhe des Prisma's ist der senkrechte Abstand seiner beiden Grundflächen. Stehen die Seitenkanten rechtwinkelig auf den Grundflächen, so heißt das Prisma ein senk- rechtes oder gerades; sind die Grundflächen reguläre Polygone, so nennt man das Prisma ebenfalls regulär. — Parallelepipedon und Wür- fel sind also specielle Fälle des Prisma's, wäh- rend dies wieder ein speciellerer Fall des Obe- lisken ist. — Der körperliche Inhalt eines Pris- ma's ist gleich dem Produkt aus Grundfläche und Höhe. — 2) In der Optik versteht man im Allge- meinen unter Prisma einen durchsichtigen Kör- per, welcher von zwei gegen einander geneigten ebenen Flächen begrenzt ist. Gewöhnlich verwendet man jedoch dazu gerade, dreiseitige Prismen (im geo- metr. Sinne). Sei Fig. 1612 der Querschnitt des Prisma, a b ein auf dasselbe auffallender Lichtstrahl.

Fig. 1612.

Tritt derselbe in das Prisma ein, so wird er dem Bre- chungsgesetz zu Folge von seiner ursprünglichen Rich- tung abgelenkt und dem Ein- fallsloth c d zugebrochen, so daß er jetzt die Richtung b f annimmt. Bei seinem Austritt in f in die Luft erfährt der Lichtstrahl eine zweite Brechung; er wird dabei aber vom Lothe d e ab gebrochen und setzt seinen Weg in der Richtung f g fort. Befin- det sich in g das Auge eines Beobachters, so er- scheint demselben der Punkt a, von welchem der Lichtstrahl ursprünglich ausging, nicht dort, näm- lich in der Verlängerung des Strahles g f. — Man nennt die beiden Ebenen des Prisma's die brechenden Ebenen, den Winkel derselben den brechenden Winkel, die Schnittlinie derselben die brechende Kante. Die Gesammtablenkung ist im Allgemeinen um so größer, je größer der brechende Winkel ist. Ist dieser eben so groß, oder noch größer, als der doppelte Grenzwinkel (f. Optik), so kann der Strahl gar nicht aus dem Prisma austreten, sondern wird an der inneren Fläche desselben total reflectirt.

Prismatic billet, frz. billette prismatique, f. d. Art. Billet c.

prismatisch; Gesimsglieder nennt man pris- matisch, wenn sie ununterbrochen fortlaufen.

Prison, frz., Gefängniß, prison des vents,

palais d'Eole, unterirdisches Luftbehältniß, um von da aus Räume zu ventiliren; f. d. Art. Ven- tilation.

Pritschbläuel, Gritsche, Erdschlägel, ein Schlägel von hartem Holz zum Festschlagen des Lehmes beim Pisébau, bei Scheunentennen und anderen Aestrichböden.

Pritsche, 1) f. d. Art. Bank II, 1.; — 2) schmale, unbequeme Bank, f. d. Art. Bank I.; — 3) f. d. w. Pritschbläuel.

Privatgrabcapelle, f. d. Art. Capelle I. b. 2.

Privet, frz. privé. f. v. w. Abtritt, f. d. 5.

Proa, f. v. w. Kanot, f. d.

Proaulium, lat., Vorhof, f. d. Art. Haus, S. 241, Bd. II.

Probe, 1) auf die Richtigkeit einer Rechnung; f. d. Art. Rechnungsprobe; — 2) (Drahtz.) grobe Probe heißen die Drahtsorten Nummer 4, 5 u. 7; f. d. Art. Draht.

Probesilber, Probezinn, Silber oder Zinn, welches in gesetzlichem Maaße mit geringerem Metall, also mit Kupfer resp. Blei, versetzt ist.

Probestein, f. v. w. Probirstein.

Probirblei, reines, gekörntes Blei zum Pro- biren der Erze auf Gold und Silber.

Probirofen (Hüttenw.), zum Schmelzen und Abtreiben der Erz- und Metallproben dienender kleiner Ofen von starkem Eisenblech, gefüttert mit Lehm oder gebranntem Thon, und so eingerichtet, daß man leicht und schnell die Hitze darin regieren kann. Als Ofenunterlage dient eine eiserne Platte, darauf kommt ein viereckiger, 12 Zoll in's □ größer, 10 Zoll hoher Kasten. Der 7 Zoll hohe, pyramidenartige Aufsatz hat eine viereckige Oeff- nung von 7 Zoll Weite. Ein Aschenloch befindet sich am Boden des Ofens. Ein Mundloch zum Einsetzen der Muffel und Scherben befindet sich 6 Zoll über dem Boden, und durch den Ofen gehen zum Aufsetzen der Muffel eiserne Stäbe, Traillen, worunter sich das Flammenloch befin- det, um 1 Zoll große Kohlen einzubringen. Schieber verschließen alle Oeffnungen des Ofens.

Probirstein, 1) zum Klarreiben der Zwitter- steine oder Zinnstein in Zinnwerken dienender größer, viereckiger Stein; — 2) (Zinng.) steinerne Form zum Gießen der Probirgewichte, d. h. der Gewichte zum Controliren der Feinheit von Gold und Silber; — 3) (Mineral.) auch Basanos ge- nannt, f. v. w. muschliger Kieselschiefer, zur Prüfung edler Metalle dienend; — man macht Striche auf diesen Stein mit dem zu probirenden Metall; die Farbe des Strichs oder das Auf- gießen von Salpetersäure, die das Kupfer auf- löst, zeigt den Grad der Güte 2c.

Procastrum, lat., vorgeschobene Befestigung; f. d. Art. Castrum.

Processionale, lat., f. d. Art. Ritualbücher.

Procession-path, engl., frz. promenoir, dé- ambulatoire, Chorumgang.

Processionsfahne, f. d. Art. Fahne 7. und Cabdil.

Processionsspinner (Bombyx processionea L.), ist ein Nachtschmetterling von 1½ Zoll Flü- gelspannung und ¼ Zoll Körperlänge, bräunlich- grauer Farbe, mit schwachen, helleren u. dunkleren Zeichnungen. Die zollange Raupe ist bläulichgrau und mit langen schwarzen und weißen Haaren besetzt, die leicht abbrechen und beim Menschen äußerliche und innere Entzündungszustände hervorrufen, die selbst gefährlich werden können. Die Processionsraupe erhielt ihren Namen von der Gewohnheit, gemeinschaftlich aus dem Nachtgespinnst nach Nahrung auszuziehen und dabei eine geschlossene Reihe zu bilden. Für Eichenwaldungen ist sie eine der nachtheiligsten Raupen. Eine zweite Art, der Kiefer-Pr. (B. pinivora), greift die Kiefernwaldungen an.

Processus und Martinianus, St., im mamertinischen Kerker von Petrus getauft, unter Nero mit Geißeln, Stöcken und Scorpionen geschlagen, endlich enthauptet; abzubilden mit Schwertern u. Geißeln.

Processus, lat., Hafendamm, Molo.

Procoetum, lat., griech. προκοιτών, Vorgemach, Vorzimmer des Cubiculum; f. d. Art. Haus.

Procopius von Böhmen, St., Einsiedler, dann Abt im Kloster St. Johann, starb 1053. Ein Hirsch flüchtete vor Fürst Ulrich in seine Einsiedelei. Darzustellen als Einsiedler, nebn sich einen Hirsch.

Proclus, St., litt unter Maximian den Tod durch das Schwert; daher darzustellen seinen abgehauenen Kopf tragend. Ist Patron von Bologna.

Prodomus, lat., eine offene oder bedeckte Halle vor einem Gebäude, auch f. v. w. Atrium, Pronaos; f. d. Art. Tempel.

Prodromos, f. d. Art. Johannes 2.

Produkt, die Zahl, welche durch Multiplication zweier oder mehrerer Zahlen entsteht. Man hat zur Erleichterung der Rechnung sogenannte Produktentafeln construirt, doch erreicht man bei Anwendung derselben keinen beträchtlichen Zeitgewinn; ihr Nutzen besteht dagegen in der größeren Sicherheit, welche sie gewähren. — Man hat auch unendliche Produkte, bei denen unendlich viele Zahlen mit einander zu multipliciren sind; doch müssen die Glieder eines solchen gewisse Gesetze erfüllen, damit das Produkt nicht Null oder unendlich wird. Das bekannteste Beispiel hierzu ist das Wallis'sche Produkt für die Ludolph'sche Zahl:
$$\pi = 4 \cdot \frac{8}{9} \cdot \frac{24}{25} \cdot \frac{48}{49} \cdot \frac{80}{81} \cdots$$
bei welchem im Nenner die Quadrate der ungeraden Zahlen und im Zähler die Zahlen stehen, welche um 1 kleiner sind als diese. Ein solches Produkt kann zur Berechnung verwendet werden, wenn man es nach einer hinreichenden Anzahl von Gliedern abbricht; in dem hier gegebenen speciellen Fall würde man allerdings andere Methoden vorziehen.

Produktenbahnhof, f. d. Art. Bahnhof.

Profanarchitektur. Gegensatz von kirchlicher Architektur. Natürlich muß der Charakter der Profanarchitektur sich nach der jedesmaligen Bestimmung des betreffenden Gebäudes richten und wird demgemäß sich sehr verschieden gestalten, fast immer aber von der des Kirchenbaues abweichen. Es ist daher sehr falsch, auf Profanbaue die Formen gottesdienstlicher Gebäude anzuwenden, wie leider nur zu oft geschieht. Freilich liegt die Geschichte der Profanarchitektur noch ziemlich im Argen.

Profil, frz. coupe, engl. profile, Durchschnitt, namentlich auch von Gebäudetheilen, Simsen ꝛc. Daher auch die Linie, welche einen solchen

Durchschnitt begrenzt, und da dieser stets der Contour der Ansicht gleich ist, wohl auch diese Contour, also die Silhouette des Körpers.

profilirt, eigentlich durchgeschnitten, aber auch auf die Gestaltung der Durchschnittslinie übertragen, daher von Simsen f. v. w. gegliedert; z. B. sagt man: ein Sims ist elegant profilirt ꝛc.

Progaeos, f. d. Art. Apogaeos.

Progression, Reihe von Größen, welche einander nach einem gewissen Gesetz folgen.

a) Arithmetische Progression entsteht, wenn jedes folgende Glied aus dem vorhergehenden erhalten wird, indem man eine bestimmte constante Größe dazu addirt. Die allgemeine Form ist: a, a + d, a + 2 · d, a + 3 · d .... a + n d.

b) Geometrische Progression entsteht, wenn jedes Glied aus der vorhergehenden durch Multiplication mit einer Constante hervorgeht: a, aq, aq² .... aqⁿ. Eine arithmetische Progression ist z. B. die Reihe der natürlichen Zahlen; eine geometrische die der Potenzen einer gegebenen Zahl.

Ist a das Anfangsglied einer arithmetischen Progression, d die Differenz zweier an einander folgender Glieder, a_n das n^{te} Glied, s_n die Summe aller Glieder vom ersten bis zum n^{ten}, so ist
$$a_n = a + (n-1) d,$$
$$s_n = \frac{n}{2} (a + a_n).$$

Ist dagegen a das Anfangsglied einer geometrischen Progression, q der Factor, und haben a_n und s_n dieselben Bedeutungen, wie im vorhergehenden Fall, so ist
$$a_n = a q^{n-1}$$
$$s_n = \frac{a (q^n - 1)}{q - 1} = \frac{q a_n - a}{q - 1}.$$

Ist der Factor q ein echter Bruch und die Zahl der Glieder unendlich groß, so geht die geometrische Progression in die geometrische Reihe über und man hat die Summe derselben: $s = \frac{a}{1 - q}$, da sodann $a_n = 0$ wird.

Die Progressionen finden mannichfaltige Anwendungen, z. B. in der Zinseszinsrechnung.

Projectionslehre oder darstellende Geometrie, lehrt räumliche Gestalten streng geometrisch durch Zeichnung auf ebenen Tafeln darzustellen; f. d. Art. Geometrie, S. 129 in II. Bd.

A. **Parallelprojection.** 1) Die orthogonale Projection oder rechtwinklige Parallelprojection ist, obgleich die Perspective weit früher als sie angewendet worden ist, doch früher als diese wissenschaftlich behandelt worden, und zwar durch Gaspard Monge. Denkt man sich von allen Punkten eines eckigen Körpers im Raum Perpendikel, Projicirende, auf eine Ebene gefällt und die Fußpunkte derselben in derselben Weise verbunden, wie es die entsprechenden Punkte des Körpers sind, so erhält man in dieser Ebene ein Bild des Körpers, eine orthogonale Projection desselben. Wollte man aus diesem Bild allein auf die Dimensionen des Körpers schließen können, so müßten noch die Längen der Projicirenden gegeben sein. Dasselbe Ziel erreicht man bequemer durch Construction einer zweiten Projection auf einer zweiten Projectionsebene, welche gewöhnlich auf die erste senkrecht gestellt wird. Außer diesen beiden Ebenen wird oft noch eine dritte eingeführt, welche auf beiden ersteren senkrecht steht (Fig. 1613). Durch die Fußpunkte a', a'', a''' der drei Perpendikel, welche man von dem Punkt a im Raume auf die drei Projectionsebenen fällt, sind die drei Projectionen desselben gegeben und der Punkt a selbst ist durch sie völlig bestimmt. Man nennt diese drei Projectionen gewöhnlich Grundriß, Aufriß und Seitenriß, und dem entsprechend die drei Projectionsebenen die Grundriß-, Aufriß- und Seitenrißebene. Die Grundrißebene wird gewöhnlich horizontal gelegt. Die Durchschnittslinien dieser drei Ebenen heißen die Projectionsachsen; gewöhnlich werden sie mit X, Y, Z bezeichnet, wobei die erstere die Schnittlinie der Grund- und der Aufrißebene, die zweite die der Grund- und Seitenrißebene, die letzte die der Aufriß- und Seitenrißebene ist. — Außerdem ist in jeder dieser Achsen eine positive Richtung festzusetzen, wobei man meist 0 als Anfangspunkt rechnet, so daß die positive Richtung der X-Achse, die auch Grundschnitt genannt wird, nach rechts, die der Y-Achse nach vorn und die der Z-Achse nach oben geht.

Die Projectionslehre verwendet nun aber nicht beim Entwerfen von Bildern drei Ebenen, wie es hiernach den Anschein haben könnte, sondern bringt alle Bilder in eine Tafel. Dies thut sie auf folgende Weise. Die Tafel, auf welcher gezeichnet wird, wählt man zur Aufrißebene und dreht sodann die Grundriß- und Seitenrißebene sammt den in diesen liegenden Projectionen um 90°, resp. um die X- und Z-Achse, so daß sie in die Aufrißebene fallen. Bei der Drehung der Grundrißebene

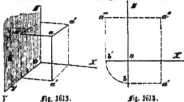

Fig. 1613.   Fig. 1617.

kommt die positive Y-Achse auf die negative Z-Achse; bei der Drehung der Seitenrißebene dagegen auf die negative X-Achse zu liegen, so daß die y-Achse getrennt wird in einen zum Grundriß und in einen zum Seitenriß gehörigen Theil. Nach der Drehung findet man, daß Aufriß und Grundriß eines Punktes in einer Parallelen zur Z-Achse, Aufriß und Seitenriß hingegen in einer solchen zur X-Achse liegen. Der Grundriß steht von der X-Achse eben so weit ab, wie der Seitenriß von der Z-Achse. — Hiernach kann man aus zwei Projectionen eines Punktes die dritte finden. Sind z. B. (Fig. 1614) der Aufriß a″ und der Grundriß a′ eines Punktes a gegeben, so zieht man durch a″ eine Parallele zur X-Achse, schlägt den Punkt b, wo sie der Y-Achse begegnet, durch einen Kreisbogen, dessen Mittelpunkt im Projectionscentrum liegt, auf den zugehörigen Theil der Y-Achse für den Seitenriß und zieht durch den dort erhaltenen Punkt eine Parallele zur Z-Achse; ebenso durch a″ eine Parallele zur X-Achse; im Schnittpunkte beider Linien liegt der Seitenriß a‴. — Es genügen in den meisten Fällen zwei Projectionen, gewöhnlich Auf- und Grundriß. — Wenn ein Punkt in einer Projectionsebene liegt, so fällt eine Projection mit ihm zusammen und die beiden anderen liegen in den Achsen; liegt ein Punkt in einer der Achsen, so fallen zwei seiner Projectionen mit ihm zusammen und die dritte liegt im Projectionscentrum.

Die Ebenen durch die ursprüngliche gerade Linie und ihre natürlich auch geradlinigen Projectionen heißen projicirende Ebenen. Eine gerade Linie ist allgemein bestimmt durch zwei ihrer Projectionen; nur in wenigen Fällen reichen diese nicht aus. Ist z. B. eine gerade Linie zur Seitenrißebene parallel, so fallen ihr Aufriß und Grundriß in dieselbe zur X-Achse Senkrechte, und zur vollständigen Bestimmung der geraden Linie, besonders ihrer Neigung, gehört noch die Angabe des Seitenrisses. Der Aufriß des Punktes, in welchem eine gerade Linie die Grundrißebene schneidet, liegt in der X-Achse und im Aufriß der geraden Linie, und der Grundriß desselben Punktes senkrecht darunter im Grundrisse der geraden Linie. Ebenso liegt der Grundriß des Schnittpunktes mit der Aufrißebene dort, wo der Grundriß der geraden Linie die X-Achse trifft, und der Aufriß senkrecht darüber.

Eine Ebene wird bekanntlich bestimmt durch zwei sich schneidende gerade Linien. Das Kennzeichen der Durchschneidung ist, daß der Schnittpunkt der beiden Aufrisse und der Schnittpunkt beider Grundrisse senkrecht über einander liegen müssen. Die Schnittpunkte der Projectionen sind dann zugleich Projectionen des Schnittpunktes. —

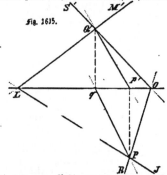

Fig. 1615.

Die beiden zur Bestimmung der Ebene nöthigen geraden Linien können ganz beliebig auf derselben gewählt werden; doch ist es am vortheilhaftesten, diejenigen Linien zu wählen, in welchen die Ebene den Projectionsebenen begegnet. Man nennt diese die Spuren der Ebene und unterscheidet 1., 2. und 3. Spur. Der Aufriß der ersten und der Grundriß der zweiten Spur liegen in der X-Achse; der Grundriß der ersten u. der Aufriß der zweiten fällt mit der Spur selbst zusammen. Die 1. und 2. Spur schneiden sich in der X-Achse. Sind JLM′ und ROS′ die Spuren zweier Ebenen, so sind die Punkte P u. Q′, in welchen sich OR u. LJ, sowie OS u. LM schneiden, zugleich die Spuren für die Durchschnittslinie beider Ebenen in der Grund- und Aufrißebene. Den Aufriß von P und den Grundriß von Q′ erhält man durch Perpendikel auf die X-Achse in p° u. q°; verbindet man sodann die beiden Aufrisse und die beiden Grundrisse, so erhält man die beiden Projectionen p Q′ und P q der Durchschnittslinie. — Der Schnittpunkt einer gedachten Geraden mit einer Ebene wird am einfachsten gefunden, wenn man die Schnittlinie der gedachten Ebene mit einer der projicirenden Ebenen der gegebenen Geraden und dann deren Durchschnittspunkt mit dieser Schnitt-

16

linie bestimmt, welcher der gesuchte ist. — Eine gerade Linie steht senkrecht auf einer Ebene, wenn ihr Aufriß auf der 2. Spur, ihr Grundriß auf der 1. Spur senkrecht steht. Durch Combination verschiedener derartiger fundamentaler Constructionen kann man die verschiedenartigsten Aufgaben lösen.

Zur Bestimmung von Oberflächen wählt man sich in jedem einzelnen Fall die einfachsten Bestimmungsstücke aus; so für den Kegel den Scheitel und eine Spur; für den Cylinder eine Spur und die Richtung der Erzeugenden; für Rotationsoberflächen die Achse und einen Meridian, wobei man die erstere am bequemsten auf eine Projectionsebene senkrecht stellt 2c.

Die Ermittelung der wahren Länge von Linien, der Größe von Winkeln 2c. geschieht durch das sog. Herabschlagen oder Umklappen derselben in eine Projectionsebene, während das Zurückschlagen bezweckt, aus der Angabe einzelner Bestimmungsstücke, wie Längen und Winkel, die Projectionen zu finden.

2. Rechtwinklige Parallelprojection schiefgestellter Körper. Die Bilder der orthogonalen Projection sind meist so, daß man in denselben keine vollständige Uebersicht des dargestellten Gegenstandes erhält; es würde daher die Perspective vorzuziehen sein, wenn hier nicht wieder der Uebelstand einträte, daß man nur schwierig aus dem Bild die wahren Dimensionen ableiten kann. Dieses beides sucht die axonometrische Projectionsmethode zu vermeiden, welche von Weisbach begründet worden ist, nachdem bereits früher Farish einen speciellen Fall derselben, die isometrische Projection (s. d. Art. Isometrisch), erfunden hatte.

Bei der axonometrischen Projection bezieht man zunächst den darzustellenden Körper auf ein gewöhnliches Coordinatensystem und dreht ihn, indem man ihn mit diesem fest verbunden denkt, so, daß die Projectionen der 3 Coordinatenachsen auf eine 4. Ebene unter denselben Winkeln zusammenstoßen, als die Projectionen dreier zusammenstoßender Kanten eines Würfels, wenn dieselben in gegebenen Verhältnissen verkürzt erscheinen. Die drei Projectionen der Achsen gelten in der Projection als wirkliche Achsen, denen parallel die Dimensionen der Länge, Breite und Höhe gemessen werden; diese werden aber nicht in ihrer wahren Länge, sondern nach dem vorgeschriebenen Verhältniß verkürzt aufgetragen. Sind in Fig. 1616

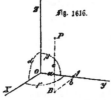

Fig. 1616.

die 3 Strecken a, b, c die bereits entsprechend verkürzten Coordinaten eines Punktes, so wird das Bild desselben auf folgende Weise erhalten: Man trage auf der projicirten X-Achse die Strecke O A = a auf, ziehe durch den Endpunkt A eine gerade Linie parallel zur Y-Achse und trage darauf A B = b auf; endlich ziehe man durch B eine Parallele zur Z-Achse und trage darauf B P = c auf; alsdann ist P das gesuchte Bild.

Es kommt vor Allem darauf an, aus den gegebenen Verhältnissen der drei Verkürzungscoefficienten m : n : p die drei Winkel α, β, γ zu finden, welche die Coordinatenachsen bilden. Wenn zugleich x_1, y_1, z_1 die statt der wirklichen Coordinaten x y z abzutragenden Strecken sind, so ist

$$\cos \alpha = -\frac{\sqrt{(m^2 - n^2 + p^2)(m^2 + n^2 - p^2)}}{2np}$$

$$\cos \beta = -\frac{\sqrt{(-m^2 + n^2 + p^2)(m^2 + n^2 - p^2)}}{2mp}$$

$$\cos \gamma = -\frac{\sqrt{(-m^2 + n^2 + p^2)(m^2 - n^2 + p^2)}}{2mn},$$

und ebenso

$$\frac{x_1}{x} = \sqrt{\frac{2m^2}{m^2 + n^2 + p^2}}$$

$$\frac{y_1}{y} = \sqrt{\frac{2n^2}{m^2 + n^2 + p^2}}$$

$$\frac{z_1}{z} = \sqrt{\frac{2p^2}{m^2 + n^2 + p^2}}.$$

Man berechne aus den vorgeschriebenen Werthen für m, n und p die Winkel α, β, γ und trage die Achsen unter diesen Winkeln an einander, wobei man stets die Anschaulichkeit erleichtert, wenn man die Z-Achse vertical nimmt. Alsdann berechnet man mit Hülfe des zweiten Systems von Gleichungen aus den wirklichen Coordinaten x, y, z die Projectionen x_1, y_1, z_1 und construirt auf die oben angegebene Weise die Projection des Punktes P. Nach dem Verhältniß m : n : p unterscheidet man 3 Arten der axonometrischen Projectionslehre.

a) Bei der isonometrischen Projection

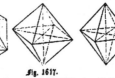

Fig. 1617.

(Fig. 1617a) sind alle 3 Coefficienten gleich; es wird dann

$$\alpha = 120^\circ, \quad \frac{x_1}{x} = \frac{y_1}{y} = \frac{z_1}{z} = \sqrt{\frac{2}{3}} = 0,8165.$$

b) Bei der monodimetrischen Projection (Fig. 1617 b) sind zwei der Größen m, n, p gleich; z. B. m und p. Eins der gewöhnlichsten Verhältnisse ist m : n : p = 2 : 1 : 2. Alsdann wird

$$\alpha = \gamma = 131^\circ 24' 35''. \quad \beta = 97^\circ 10' 51''$$

$$\frac{x_1}{x} = \frac{z_1}{z} = \frac{2}{3}\sqrt{2} = 0,9428; \quad \frac{y_1}{y} = 0,4714.$$

c) Bei der anisometrischen Projection (Fig. 1617 c) endlich sind alle 3 Größen m, n, p verschieden. Wenn z. B. m : n : p = 9 : 5 : 10, so sind α = 107° 48′ 53″; β = 95° 10′ 45″; γ = 157° 0′ 22′

$$\frac{x_1}{x} = 0,8868, \quad \frac{y_1}{y} = 0,4927; \quad \frac{z_1}{z} = 0,9853.$$

Fig. 1617 zeigt ein reguläres Octaëder in jeder der drei axonometrischen Projectionsweisen. Man sieht aus diesen Figuren, wie in diesem Fall die beiden letzten Projectionsmethoden weit anschaulichere Bilder geben, als die isometrische Projection, während für andere Fälle das Umgekehrte eintritt.

3. Rechtwinklige Projection runder Körper. Es umfaßt dieser Zweig namentlich, die verschiedenen Methoden, Karten und Pläne zu

construiren; die Methode, nach welcher die Hemi-
sphären gezeichnet werden, nennt man stereogra-
phische Projection. Die Methode, Planigloben zu
zeichnen, ist eigentlich ein Act der Abwickelung; s. d.

4. Schiefwinklige Parallelprojection. Die sub 2
beschriebenen axonometrischen Projectionsmethoden
haben alle das Unbequeme, daß man den für Aufriß und Grundriß des zu zeichnenden Körpers
(und Aufriß und Grundriß werden doch stets die
Grundlage für die Zeichnung bilden) geltenden
Maaßstab nicht direct verwenden kann, sondern sich
neue Maaßstäbe für die verschiedenen Dimensionen
construiren muß. Um demnach eine solche Zeichnung anzufertigen, muß der betreffende Hand-
werker sich ebenfalls nach diesen verschiedenen
Maaßstäben richten. Dabei sind Irrungen sehr
schwer zu vermeiden, auch geht sehr viel Zeit verloren. Alle diese Uebelstände sind durch eine Art
der schiefwinkligen Parallelprojection zu vermeiden. Man stellt den Körper, z. B. einen Kasten,
auf die Grundrißebene so, daß seine Seiten nicht
parallel mit dem Grundschnitt laufen; die Projicirenden aber legt man dann so, daß sie mit der
Grundrißebene einen Winkel von 45° bilden; die
projicirenden Ebenen der lothrechten Kanten aber,
in denen also die Projicirenden enthalten sind, recht-

Fig. 1618.

winklig zum Grundschnitt stehen. Das Resultat,
wovon Fig. 1618 ein Beispiel giebt, ist eine Projection mit unverändertem Grundriß
und unveränderten Höhen, nach welcher also
jeder Arbeiter sehr leicht ohne Irrung und Zeit-
verlust mit dem gewohnten Maaßstab seine Maaße
nehmen kann.

B. Centralprojection. Hierbei sind die Projicirenden nicht parallel, sondern gehen von einem
Punkt, dem Projectionscentrum, aus. Näheres
darüber s. in d. Art. Perspective, denn so wird
diese Projectionsmethode gewöhnlich genannt.

Eine veränderte Anwendung der Perspective
ist die Basreliefperspective, bei welcher das Bild
nicht mehr eben, sondern ein Körper ist. Für die
Construction desselben hat bereits im vorigen Jahrhundert Breysig die Regeln empirisch abgeleitet,
welche in diesem Jahrhundert Poncelet durch Rechnung gefunden hat.

Project, frz. projet, s. v. w. Entwurf, dessen
Ausführung noch nicht fest bestimmt ist.

Projecture, saillie, frz., s. v. w. Ausladung.

Promenoir, frz., bedeckter Spaziergang. Vgl.
auch Ambulacrum, ambulatio, Chorumgang ꝛc.

Pronaos, griech. πρόναος, Vorhalle; s. d. Art.
Basilika, Tempel, Antae, Kirche ꝛc.

Pronne, s. d. Art. Brunnen.

Prony'scher Zaum, s. Bremsdynamometer.

propfen, engl. to prop up; s. d. Art. Aufpfropfen und Anpfropfen.

Propfschnitt, s. d. Art. Heraldit VI.

Propheten, Vorschauer, Weissager. Ueber
ihre Darstellung im Allgemeinen ist zu bemerken,
daß die Propheten-Kennzeichen eine Rolle oder ein
Spruchband mit dem Namen in der Hand, und
mit Sandalen beschuhte Füße sind und daß sie oft
mit den Aposteln und Evangelisten zusammengestellt vorkommen, wobei dann jeder Prophet einen
der letzteren entweder auf den Schultern trägt oder
rechts neben sich hat. Meist sind die Propheten von
uns in Einzelartikeln behandelt. Hier folgt eine
Uebersicht und Einiges zur Ergänzung.

A. Große Propheten oder Messiaspropheten:
1) Jesaias, Attribut: Säge, Kohle, Mandelzweig.
2) Jeremias, Attribut: Ruthe, Kessel, Weib,
Stier. 3) Ezechiel, Attribut: Thor und Thürme des
neuen Tempels (Ezech. XL), vierrädriger Wagen,
Waage, gelenktes Schwert. 4) Daniel, in Babylon Belsazar genannt: die ausgestreckten Arme sind
zu deuten auf das Kreuz. Auch Daniels Traum mit
dem Mene Tekel Phares ist hier zu erwähnen.

B. Kleine Propheten: 1) Hosea (Osea), Attribut
(s. Hosea I. 2.): eine säugende Mutter nebst Knäblein
und Töchterchen; der Prophet selbst mit ausgestreckten Armen im Gebet. 2) Amos (s. Amos VII. 14.),
an der Seite ein Sykomorenbaum. Korb mit Früchten (VIII. 1, 2.) deutet auf das sündige Volk, das
reif ist zur Strafe der Fäulniß. 3) Micha
(Michäas) zeigt mit der Linken zum Himmel, mit
der Rechten auf ein Kind (Micha V. 2, Matth. II. 6.).
4) Joel, neben sich den Löwen, der ihn zerrissen.
5) Obadja (Obdiu, Abdias); s. d. 6) Jonas, über
die Darstellung des Thiers Keto s. d. Art. Pistris.
7) Nahum, prophezeite den Untergang Niniveh's;
Attribut: Bergspitzen, oder das vernichtende
Gottesfeuer an dürrem Holzwerk, oder Heu-
schrecken. 8) Habakuk; s. d. 9) Sophonias, s.
Zephanja. 10) Angäus (Haggai), mit einem Geldbeutel, aus dem Geld fällt (Hagg. II. 9.). 11) Zacharias, neben ihm wird der Tempelbau dargestellt; s. d. Art. Zacharias. 12) Maleachi (Ma-
lachias), mit einem Engel (Mal. II. 7. u. III, 1.) oder
mit offener Rolle und drei Schafen (I. 8.), von
denen das eine hinkt, das andere krank am Boden
liegt, oder endlich mit Christus und Johannes dem
Täufer.

Propinqua, s. d. Art. Brennpalme.

Propitiatorium altaris, lat., Altarschrein,
Altarbaldachin.

Proplasma, lat., griech. πρόπλασμα, erstes
flüchtiges Thonmodell.

Propnigeion (griech. Alterth.), προπνιγεῖον,
lat. praefurnium, Hals des Ofenlochs, Einheizloch bei den Badeeinrichtungen, auch der Platz vor
dem Einheizloch.

Proportion, Gleichstellung zweier Verhältnisse. 1) Arithmetische Proportion, Gleichstellung
zweier arithmetischer Verhältnisse, z. B. $a : b =
c : d$, wenn $a + b = c + d$ oder $a - b = c - d$
ist; — 2) geometrische Proportion, s. d. Art. Geometrie 5 und Innere.

Proportionale, s. d. Art. Hyperbel IV.

Proportionallineal, Proportionalzirkel u.
ähnliche veraltete Erleichterungsmittel, sogenannte
nannte Eselsbrücken, erfüllen fast sämmtlich ihre
Hauptaufgabe, Zeit zu ersparen, nicht und sind
daher jetzt fast ganz außer Gebrauch.

16 *

Propyläon, frz. propylée, äußere Vorhalle oder Prachtportal vor den Eingängen in den Hof der Tempel ꝛc.; f. d. Art. griechischer Baustyl, Basilika ꝛc.

Propylonen, f. v. w. äußere, erste Pylonen; f. d. Art. ägyptischer Baustyl.

Prora, lat., griech. πρῶρα, frz. proue, Schiffsschnabel.

Prosarium, lat., f. d. Art. Ritualbücher.

Proscenium, lat., griech. προσκήνιον, Prostenion, der Raum zwischen dem Punkt der Bühne, wo sich der Vorhang befindet, und dem Zuschauerraum beim modernen Theater; bei den antiken Theatern die eigentliche Schaubühne; f. übr. d. Art. Theater und Logeum.

Proserpina, Persephone, Kore; Tochter der Ceres, Gemahlin des Pluto, symbolische Personification der keimenden Pflanzenwelt, des Frühlings; vergl. auch d. Art. Ceres u. Eumeniden.

Proskomiden, f. d. Art. Kirche, S. 385.

Prospect, f. v. w. Aufriß.

Prosper, St., der Aquitaner, 403 geboren, war Kirchenschriftsteller; starb 463 als Bischof von Reggio, ist Patron von Reggio und Ferrara.

Prospettiva, ital., f. d. Art. Perspective.

Prostylos, griech. πρόστυλος, Tempel, der nur an der Giebelseite eine Säulenreihe hat.

Protasius, St., f. d. Art. Gervasius.

Protea grandiflora (Fam. Proteae), am Cap der guten Hoffnung, hat höchst zähes Holz, das dort gern zu Wagenachsen ꝛc. verwendet wird.

protensive Größen, f. d. Art. Größe.

protestantischer Kirchenbau, f. d. Art. Kirche D. d.

Prothesis, griech. πρόθεσις, frz. prothèse, nördliche Nebenapsis in den griechischen Kirchen, zur Aufbewahrung der heiligen Gefäße. Vor Umkehrung der Orientirung hieß so die südliche Nebenapsis; f. d. Art. Kirche B. c.

Prothyris, lat., Kragstein unter einer Thürverdachung.

Prothyron, lat. antiporta, prothyrum, gr. πρόθυρον, frz. avant-porte, eigentlich f. v. w. vestibulum, Raum vor der Thür; besonders aber der vordere Theil der Hausflur zwischen janua und ostium, der Raum 2 in Fig. 1257 im Art. Haus; f. auch d. Art. Basilika; und d. Art. Diathyron, διάθυρον.

protodorische Säule, f. d. Art. Aegyptisch und Fig. 43 bis 46.

protoionische Säule, f. d. Artikel Israelitisch, Persisch u. Phönikisch.

protokorinthische Säule, f. Israelitisch.

Protonotarienhut (Herald.), f. d. Art. Hut.

Prototypus. So nennt man eine Gestalt des Alten Testaments oder der antiken Sage, welche vorbildlich auf eine entsprechende des Neuen Testaments, den Antitypus, bezogen wird; die vollständigste Sammlung derselben enthält die Armenbibel, biblia pauperum. Wir geben hier eine Reihe solcher Prototypen, mit ihren Antitypen zusammengestellt. Zweiköpfiger Adler des Elias — der zweifache Geist des Herrn; Bundeslade — Mutterleib Mariä; Eva — Maria; Arche — Kirche; Simson oder Herkules — Christus; Verkündigung des Isaak oder des Simson — Verkündigung Mariä; Geburt des Isaak oder Simson — Geburt Christi; Beschneidung des Isaak oder Simson — Beschneidung Christi; Simson mit dem Löwen — Zerstörung der Hölle; Simson die Thore tragend — Christus die Pforten der Hölle brechend; Moses vor dem feurigen Busch oder Gideon vor dem Vließ — Verkündigung Mariä; Erschaffung der Eva — Geburt Jesu; der grünende Stab Aarons — Josephs grünender Stab; Elisä Speisung der Hundert — Christi Speisung der 5000; Moses mit dem Quell — Petri Fischzug; Osterlamm, Mannaregen — das Abendmahl; Bewirthung der Engel durch Abraham — Fußwaschung; Elias vor Ahab, Daniel vor Nebukadnezar — Christus vor Pilatus; Opferung Isaak's, eherne Schlange — Kreuzigung; Jonas steigt aus dem Wallfisch — Auferstehung; Ahitophel oder Absalon — Selbstmord des Judas; David — Christus; David als Ehebrecher — Teufel; Orpheus — Christus; pythischer Dreifuß — Maria; König Codrus — Selbstopferung Christi. Vgl. ferner d. Art. Baum, Daniel, Eva, Ceres ꝛc. sowie d. Art. Symbolik.

Protypon, protegisma, 1) Modell zum Abformen; — 2) f. v. w. Antefixum.

Provencerol, f. d. Art. Baumöl.

Proviant haus, großes Fruchtmagazin, f. d. Art. Magazin und Speicher.

Province, armes de (Herald.), f. d. Art. Landeswappen.

Provinzialstyl. In der Antike könnte man etwa die dorische, ionische, korinthische Weise Provinzialstyle des griechischen Styls nennen. Wenn man die christlichen Style des Mittelalters blos in die drei Gruppen Romanisch, Byzantinisch und Gothisch eintheilt, so zerfällt jeder derselben in Provinzialstyle. Für den byzantinischen Styl ließe sich ziemlich deutlich ein ravennatischer, localbyzantinischer, armenischer, russischer ꝛc. Provinzialstyl unterscheiden; für den frühromanischen einen italischer, lombardischer, fränkischer, angelsächsischer, irischer, skandinavischer, sächsischer ꝛc., für den spätromanischen ein südnormannischer, fränkischromanischer, anglonormanischer, deutschromanischer ꝛc., für den gothischen ein deutscher, französischer, englischer, spanischer, italienischer. Auch auf die islamitische Kunst ließe sich eine solche Eintheilung anwenden; f. d. Art. Islamitisch und Muhamedanisch.

provisorische Befestigungskunst, f. d. Art. Befestigungskunst und Festungsbau.

Prüfung der Baumaterialien, f. d. Art. Baumaterial, Bausteine, Baustoffe, Bauholz ꝛc.

Prünziegel, an manchen Orten f. v. w. Biberschwanz.

Prunkbett, span. camon; f. d. Art. Paradebett und Bett.

Prunkzimmer, f. d. Art. Saal, Anordnung, Haus, Bel-Etage ꝛc.

Prunne (Bergb.), f. v. w. Brunne.

Prussien, frz., f. v. w. Hund; f. d. Art. Ofen.

Prut, f. d. Art. Maaß, S. 486.

Psalterium, lat., frz. psautier, 1) f. d. Art. Ritualbücher. — 2) Musikinstrument.

Pseudisidomon, f. d. Art. Isidomon.

Pseudodipteros, griech. ψευδοδίπτερος, f. d. Art. Tempel.

Pseudomorphose, f. d. Art. Afterkrystall.

Pseudomutulus, lat., Tropfentafel der dorischen Bauweise; s. d. sowie d. Art. Mutulus.

Pseudoperipteros, griech. ψευδοπτίλωτεπος, frz. faux periptère, ein Tempel, dessen Cella mit Wandsäulen umgeben ist, und nur oder auch nicht einmal an der Vorderseite eine Porticus hat; s. d. Art. Tempel.

Pseudoprostylos, s. d. Art. Tempel.

Pseudothyron, griech. ψευδόθυρον, geheimes Hinterthürchen, auch blinde Thür.

Psilomelan (Schwarz-Eisenstein; Manganèse oxydé, hydraté, concrétionné, Miner.), s. d. Art. Manganerze; wird mit andern Manganerzen zum Reinigen und Entfärben der Glasmassen und zur Bereitung von Schmelzfarbe für Porzellan, Glas ꝛc. gebraucht.

Psyche, s. d. Art. Amor und Hymen.

Psychopompie, Seelenführung, Abführung der Auferstandenen durch Engel in den Himmel, durch Teufel in die Hölle. Psychopompos, Seelenführer, Beiname des Hermes.

Psychostasie, s. d. Art. Seelenwägung.

Psychrometer, s. d. Art. Hygrometer 3.

Pleroma, ambulatio, griech. πλέρωμα. πτέρον, Flügel, besonders aber der Raum zwischen Cella und Säulen des Peristyls; s. d. Art. Tempel.

Ptilinus, ptinida und ptinus, s. d. Art. Bohrkäfer und Holznager.

Pu, s. d. Art. Elle, S. 713, Bd. I., Lu und Maaß. S. 495.

Puddelofen. In demselben wird Roheisen in Stabeisen verwandelt. Der Puddelproceß oder die Puddelung (engl. puddling) unterscheidet sich

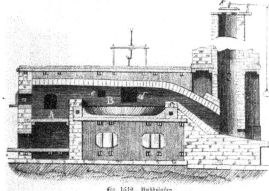

Fig. 1619. Puddelofen.

vom Frischen mit Holzkohlen hauptsächlich durch die Anwendung der Steinkohlen, welche wegen ihres Schwefelgehaltes nicht in directe Berührung mit dem Eisen kommen dürfen. Daher die Einrichtung des Ofens, s. Fig. 1619. A ist der Kohlenrost, von wo aus die Flamme durch die Feuerbrücke b hinweg nach dem mit einer Gußeisenplatte belegten Heerd B schlägt, auf welchen zunächst Schweißofenschlacken gebracht werden. Sobald diese teigig sind und scheinbar kochen, werden durch

die Oeffnung d etwa 3 Centner Roheisen auf die sich bildende Schaumrede gebracht. Sobald das Eisen in Fluß gerathen ist, wird dasselbe mit einer durch c gesteckten Brechstange durchgearbeitet, gehoben und gewendet (gepuddelt), damit der einströmende Sauerstoff der Luft den Kohlenstoff des Roheisens verbrenne. Aus dem geschmeidigen Eisenbrei werden 5—7 Luppen geformt, herausgenommen, unter einem Hammer gezängt und zu Stäben gewalzt. C ist der Schornstein, k eine Klappe zur Regulirung des Luftzuges; s. übr. d. Art. Flammöfen, Frischen, Eisen ꝛc.

Puddingstein, s. d. Art. Breccie.

Pudel, symbolische Bedeutung, s. d. Art. Hund.

pudern, s. d. Art. Aufpudern, Anstäuben, Bestäuben, Bepudern ꝛc.

Pünte, Scheitelpunkt des ausspringenden Winkels einer Flesche; s. d. Art. Bollwerkspunkt und Bastion.

Puente, span., Brücke.

Püschelkunst (Wasserb.), s. v. w. Paternosterwerk, s. d.

Pütt oder Puttwerk. 1) (Deichb.) Gruben, aus denen man die erforderliche Erde, Pütterde, Putterde, zum Deichbau ausgräbt; — 2) s. d. Art. Maaß, S. 499.

Puffwagen, s. d. Art. Bauerwagen.

Pugillaris, lat., 1) Alles, was man mit der Faust halten kann; — 2) Kelchröbrchen.

Puissard, frz., Senkgrube, s. d.

Puit, frz., Brunnen, s. d.

Puit artésien, frz., artesischer Brunnen; s. d.

Pulcheria, St., geb. 399 als Tochter des Kaisers Arcadius, verließ nach der Heirath ihres Bruders Theodosius den Hof, übernahm nach seinem Tod die Regierung und starb 453 als Jungfrau, obgleich mit Marcianus vermählt. Abzubilden als Kaiserin mit der Lilie.

Pully, engl., s. d. Art. Block.

Pulpitum, lat., ital. pulpito, engl. pulpit, griech. βῆμα, frz. pupitre, 1) bewegliche Rednerbühne, s. d. Art. Pult; 2) griech. λογεῖον, ὀκρίβας, vorderster Theil des Proscenium; s. d. Art. Logeum.

Pult, frz. pupitre, 1) Lesegestell; s. d. Art. Epistelpult, Lesepult, Evangelienpult, Ambo, Kanzel, Analogeion, Lettner, Legile ꝛc.

Pultdach, Flugdach, einhängiges Dach, Halbdach, frz. comble à poteuce, en appentis, engl. shed roof, lean-to; s. d. Art. Dach.

Pulverbaum, Faulbaum, Grech-Wegdorn (Rhamnus Frangula L., Fam. Rhamneae), erhielt diesen Namen von der Verwendung der aus seinem Holz hergestellten Kohle zu seinen Schießpulversorten.

Pulvermagazin, Pulverthurm, Gebäude zu Aufbewahrung des Schießpulvers. Es darf keine Feuchtigkeit in das Magazin eindringen, weshalb

man womöglich schon die Fundamente höher legt
als das umliegende Terrain, das Terrain ringsum
pflastert ꝛc., sowie auch die Mauern hohl errichtet, die Fußböden hohl legt, mit Kohlenstaub bedeckt und darunter Luftzüge und Abzugsgräben
angebracht werden. Magazine von Riegelwerk sind
leichter gegen Feuchtigkeit zu schützen. Das Innere
bekleidet man mit Holz, legt die Pulverfässer auf
hölzerne Gerüste u. errichtet nicht auf, sondern neben
dem Gebäude Blitzableiter; auch müssen dergleichen Gebäude so weit als möglich von anderen
Gebäuden entfernt aufgeführt werden.

a) Friedensmagazine, auch
Luftmagazine genannt, werden
von Fachwerk erbaut in einer Entfernung von 800—1000 Schritt von
Wohnhäusern; äußerlich sind sie mit
einem Erdwall oder einer Hecke umgeben; statt der Fensterscheiben haben
sie enge Drahtnetze.

b) Kriegsmagazine in Festungen legt man, von dem feindlichen
Geschütz so weit als möglich ent-

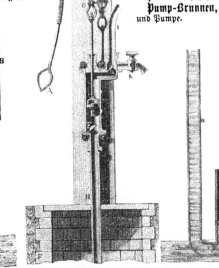

Fig. 1620.   Fig. 1621.   Fig. 1622.

fernt, bombenfest von Steinen an; eine Thür
führt in ein 8—12 Fuß im Geviert großes Vorhaus; an dessen einer Seitenwand bringt man die
Thür zum inneren Raum an, jedoch nicht der
Eingangsthür gegenüber, damit nicht fliegende
Bombenstücke in das Innere eindringen können.
Sehr schwer sind Pulvermagazine, welche als Ca-
sematten unter dem Wall liegen, gegen die eindringende Feuchtigkeit zu schützen. Doch geschieht
es wenigstens ziemlich vollkommen, wenn man
alle Oeffnungen luftdicht verschließt, einen Kasten
mit frischgebranntem Kalk oder Chlorkalk unter
der Decke aufhängt und den ganzen inneren Raum
mit gewalztem Blei überzieht; oder auch wenn
man sehr vollständige Ventilation anordnet und
das Wasser von den Gewölben ꝛc. gut ableitet.

Pulvinar, lat., 1) großes, reichverziertes
Kissen, daher auch Prunkbett; — 2) im Circus
und Amphitheater (s. d.) der Ort, wo die Götterstatuen während des Festspiels auf reiche Lager niedergelegt wurden.

Pulvinarium, lat., Ort des Tempels, wo die
Lagerstätten der Gottheiten für das Fest des lecti-
sternium bereitet waren.

pulvinated, engl., lat. pulvinatus, ital. à
piumaccio, polsterförmig, s. d. Art. Polster;
capitulum pulvinatum, ionisches Capitäl.

Pulvinus, lat., 1) Kissen, besonders
kleines Kopfkissen oder Armlehnkissen; —
2) franz. balustre, oreiller, Seitenrolle
der ionischen Capitäle, deren vordere Ansicht die Volute bildet; — 3) Seitenwand
des alveus im römischen Bad, welche
dem auf dem gradus sitzenden Badenden
als Rücklehne diente.

Bimsstein, s. d.

Pummelätsche, s. d. Art. Boblatsche.

Pump-Brunnen, s. d. Art. Brunnen
und Pumpe.

Pumpe, Pumpenkunst, Pumpwerk, lat. ant-
lin, frz. pompe, engl. pump, ital. tromba, span.
pompa, das bekannte Wasserhebungswerkzeug;
man unterscheidet folgende Arten:

1. **Saugpumpe,** frz. pompe aspirante, engl.
sucking pump. Aus Fig. 1620 geht das Prinzip
derselben deutlich hervor. Der Kolben A bewegt
sich in dem Pumpenstiefel oder Kolbenrohr, frz.
corps de pompe, engl. chamber, B auf und ab,
an den unten das Saugrohr C gesetzt ist. Hebt
sich der Kolben, so schließen sich die auf ihm liegenden Klappenventile, während das Saugventil
D sich öffnet. So wird das über A stehende
Wasser gehoben und strömt durch E aus; zugleich
entsteht unter A ein luftleerer Raum und das
Wasser in C wird durch den Luftdruck auf die

Röhre unten umgebende Wasserfläche in die Höhe gedrückt. Beim Niedergang des Kolbens schließt sich D, wobei zugleich die ganze Wassersäule eine Kleinigkeit fällt. Sobald D geschlossen ist, öffnen sich die Ventile in A und so ergänzt sich das durch E ausgeströmte Wasser. Der atmosphärische Druck würde zureichen, um einer Wassersäule von 32 Fuß Höhe das Gleichgewicht zu halten, wenn man den Kolben A vollständig luftdicht herstellen könnte. Selten aber erreicht man mehr als 26 Fuß Hubhöhe. Die Ventile haben sehr verschiedene Form, s. d. Art. Ventil. Fig. 1621 stellt eine vollständige eiserne Saugpumpe dar. Die Erklärung der Theile s. in den folgenden Artikeln.

2. **Druckpumpe.** Dieselbe hebt das Wasser höher als die Saugpumpe, aber nur unter Anwendung einer mechanischen Kraft, welche den nicht durchbohrten Kolben A (s. Fig. 1622) im Stiefel auf- und abwärts bewegt. Das Saugventil B hebt sich, wenn der Kolben aufwärts geht. Das eingesaugte Wasser schließt bei beginnendem Niedergang des Kolbens das Ventil B und muß bei fortgesetztem Niedergang durch das Druckventil C entweichen und in dem Steigrohr D aufsteigen. Die Hubhöhe wird hierbei nur durch das Gewicht der Wassersäule, welchem die Kraft das Gleichgewicht halten muß, und durch die Festigkeit der Röhre beschränkt.

3. **Saug- und Druckpumpe.** Eine solche entsteht, wenn man den Stiefel nicht direkt in das Wasser taucht, sondern bei B eine Saugröhre ansetzt. Dann wirkt beim Hub der Kolben saugend, beim Niedergang drückend. Besonders zweckmäßig ist diese Vereinigung da, wo der Röhrsatz nicht in einer geraden Linie sich anbringen läßt. S. auch d. Art. Windkessel.

4. Den hydraulischen Widder und die Wassersäulenmaschine (s. d. betr. Art.) rechnen Manche auch unter die Pumpen.

5. **Kettenpumpe,** frz. pompe à chapelet, engl. chainpump, s. v. w. Paternosterwerk, s. d.

6. Auf Schiffen unterscheidet man außerdem noch:

a) **Fluthpumpe,** d. h. Saugpumpe zur Füllung der Karbelen mit Wasser an Stelle des Ballasts.

b) **Kochspumpe,** frz. pompe pour futailles, engl. harpump, Handpumpe ohne Schwengel zu Aufsaugung des Wassers aus den Fässern.

c) **Schlagpumpe,** frz. pompe à bringue-balle, engl. bilge-pump, d. i. Pumpe mit Schwengel.

d) **Steckpumpe, Stichpumpe,** frz. pompe à main, engl. handpump, Handpumpe für Boote.

7. Nach der bewegenden Kraft unterscheidet man Handpumpen, Dampfpumpen, Roßpumpen, Wasserpumpen.

8. Nach der Angriffsweise der Kraft unterscheidet man Radpumpe, Schwengelpumpe ꝛc.

9. Nach dem Material könnte man hölzerne, bronzene, eiserne ꝛc. Pumpen unterscheiden. Bis vor Kurzem waren erstere die häufigsten, und in Folge dessen lag die Fabrikation und Aufstellung der Pumpen in den Händen von Zimmerleuten oder von besonderen, blos empirisch gebildeten Röhrmeistern; neuerdings hat man das Unsinnige solcher Einrichtung einzusehen begonnen, und nun befindet sich die Pumpenfabrikation in den Händen von Technikern und Fabrikanten, unter denen sich Paul Stumpf in Mainz durch rationelle Construction und Solidität seiner Pumpen auszeichnet.

Pumpenärmel, gepichter Leinwandschlauch, um in die Höhe gepumptes Wasser weiter zu leiten.

Pumpenback, frz. citerne, engl. cistern, s. d. Art. Back 5.

Pumpenbalken, an größeren Pumpwerken der Balancier an Stelle des Schwengels.

Pumpenbohrer, frz. rouane, cuillière de pompe, engl. pump-borer; s. d. Art. Bohrer.

Pumpenbolzen, ein dem Pumpenschwengel zum Drehpunkt dienender eiserner Bolzen durch das Loch der Pumpenmick, frz. potence, engl. pump-check, B. Fig. 1621.

Pumpendrücker (Schiffsb.), frz. brinqueballe, engl. pump-handle, **Pumpengeck, Pumpengeckstock, Pumpenschwengel,** der Hebel A, B, C (Fig. 1621) zur Bewegung der Kolbenstange.

Pumpengesenk (Bergb.), senkrechte Grube, höchstens zwei Fahrten tief, in welcher die Pumpen zum Heben des Wassers angelegt werden. (Pumpenschacht sagt man, wenn die Grube tiefer ist.)

Pumpenhahn, s. K. in Fig. 1621.

Pumpenkasten, Vorrichtung, damit in die Pumpenröhre keine Unreinigkeit gelangen und diese verstopfen kann; gewöhnlich hölzerne durchlöcherte Kasten, worein die Pumpwerke gestellt werden, wenn sehr unreinliches, schlammiges Wasser ausgepumpt werden soll.

Pumpenkessel (Maschinenw.), bei einer Druckpumpe der Windkessel; s. d.

Pumpenkette (Maschinenw.), die Kette, die hier und da zum Heben des Kolbenstange statt der Zugstange verwendet wird.

Pumpenklappe, F und G in Fig. 1621; s. d. Art. Pumpe.

Pumpenkolben, Pumpenschuh, Pumpenherz, frz. talon, soulier, heuse; s. d. Art. Pumpe.

Pumpenschlag, Pumpenstich, Pumpengang, frz. bâtonnée, engl. stroke, der einmalige Auf- und Niedergang des Kolbens.

Pumpenstange, 1) frz. verge de pompe, engl. pump-spear, s. v. w. Zugstange, s. C, D in Fig. 1621; — 2) frz. bâton de pompe, engl. pumpstaff, s. v. w. Kolbenstange, s. D, E in Fig. 1621.

Pumpspiker (Schiffsb.), Nägel zum Beledern des hölzernen Pumpenkolbens und zum Aufnageln der Ventile.

Puncheon, engl. 1) Stiel, Stütze; — 2) Bunze, Stempel; — 3) s. d. Art. Maaß, S. 498.

Punkt. 1) Geometrischer Begriff ohne räumliche Ausdehnung; — 2) s. d. Art. Maaß, S. 487.

Punktcoordinate, s. d. Art. Coordinate.

Punt, engl. s. d. Art. Maaß, S. 498.

Puntello, ital., Kämpfer; s. d.

Punze, s. v. w. Bunze; s. d.

Papitre, frz., Pult; s. d. u. d. Art. Palpitum.

Puppis, lat., frz. poupe, Schiffshintertheil, Spiegel.

Purbeck-Kalkstein; s. d. Art. Lagerung d., S. 442, Bd. II.

Pureau, frz., Freifeld, s. d. und d. Art. Dachbedung II, 1, S. 604, Bd. I.

pure gothic, s. d. Art. Englisch-gothisch, S. 721, Bd. I.

purfled, engl., 1) mit Kriechblumen besetzt; — 2) überhaupt reich mit Laubwerk verziert.

Purgeoir, frz., Bassin zum Abtlären des Quellwassers, ehe es in die Röhren läuft.

Purificatorium, lat., Tuch zum Austrocknen des Kelches.

Purlin, perlin, engl., Pfette.

Purpur, frz. pourpre, 1) f. v. w. brennend, Blut-, Hoch- oder Scharlachroth, welches mehr oder weniger in das Carminroth fällt. Man bereitet das Purpurroth meist durch Mischung mehrerer Pigmente, doch auch aus Carmin, Anilin ꝛc.; f. d. Art. Email, Glasmalerei ꝛc.; — 2) (Herald.) Purpur als heraldische Farbe; f. d. Art. Heraldik VII.

Purpuracea, f. d. Art. Brennpalme.

Purpurholz, engl. purple-wood, f. d. Art. Palisanderholz.

Purpurroth, f. d. Art. Purpur; über purpurrothe Holzbeizen f. d. Art. Beize, S. 308, Bd. I.

Puteal, lat., 1) verzierte Brunnenmündungseinfassung; f. d. Art. Brunneneinfassung und Bidental; — 2) ganz ähnliche Einfassung der Stelle, wo ein Blitz eingeschlagen hat.

Puteus oder puteum, lat., 1) Brunnen; — 2) frz. regard, Luftöffnung in einer Wasserleitung.

Puticulus oder puticula, lat., gemeinschaftliche große Begräbnißgrube für arme Leute und Sklaven.

Putlog, Padlog, engl., Netzriegel, Schutzriegel; f. d. Art. Gerüst.

Putlog-hole, engl., Rüstloch.

Putz. Abputz, Anwurf, Aufzug, Bewurf, Bemörtelung, Verputz, lat. opus tectorium, frz. enduit, chemise, engl. plaister, ital. intonaco, coperta, span. enyesadura, Bekleidung der Mauern, Wände, Decken, Gewölbe ꝛc. mit Mörtel. Natürlich giebt es sehr verschiedene Arten.

A. Nach der Manier der Ausführung.

1 **Rauher Putz**, Rappputz, Krausputz, frz. crépi, engl. rough-cast, f. d. Art. Ausschweißen, Bespritzen, Berappen, auch Rauhwerken genannt, Bewerfen, Bemörteln ꝛc.

2. **Besenputz**, Spritzwurf, gesläppter Putz, engl. coarse-plaister; ähnlich, wie beim Berappen, wird Mörtel mit nicht allzufeinem Sand (bis zur Größe von großen Erbsen) eingemacht und mit der Kelle angeworfen, dann aber mit einem kurz verschnittenen Reißbesen leicht überrieben oder getupft, so daß die Erhöhungen eine gewisse Regelmäßigkeit erhalten und das Ganze wie gekrönelter Stein aussieht.

3. **Ordinärer Putz.** Zuerst verfährt man nach Art. Anwurf 1; dann werden zunächst Lehrstreifen, frz. cueillie, genau nach Loth und Richtscheit aufgebracht und geebnet, dazwischen Mörtel angeworfen, mit dem Streichbret abgezogen oder abgestrichen, und mit dem Reibebret überrieben. Im Innern von Kellern, Schuppen ꝛc. ist dieser Putz hinreichend.

4. **Feiner Putz.** Nachdem wie sub 3 verfahren, glättet man die Fläche noch mehr durch Abfilzen; f. d. betr. Art.

5. **Ganz feiner Putz.** Nachdem wie sub 3 verfahren, wird, ehe der Putz noch ganz trocken ist, eine ganz schwache Lage feinen Mörtels (Tünche, f. d.) aufgetragen, mit der Tünchscheibe verrieben und dann mit dem Filzstöckchen (f. d.) abgefilzt; f. d. Art. Abfilzen.

B. Nach dem Mörtel-Material.

1. **Kalksandputz**, arenatum opus, f. d. Ueber die Mischung f. im Art. Kalkmörtel.

2. **Tünchputz**, statt des groben Mörtelsands wird Tünchsand zu Bereitung des Mörtels genommen.

3. **Cementputz**; f. d. Art. Cement.

4. **Stuckputz.** Nach dem Tünchen wird noch eine ganz schwache Schicht von Stuck (f. d.) aufgetragen und mit dem Filzstöckchen geglättet, dann aber noch mit einem glatten, feinkörnigen Sandstein abgeschliffen; f. übr. d. Art. Gipsbewurf, Gips ꝛc.

5. **Weißstuck.** 2 Thle. Weißkalt und 1 Thl. feiner Gips ohne Sand werden gemengt und nach f. aufgetragen.

6. **Porporino.** 2 Thle. feinster weißer Sand, 1 Thl. Mennige, ¹/₂ Thl. weißer Arsenit und 4 Thle. Salpeter werden innig mit 5 Thln. reinen und sehr feinen Kupferfeilspänen gemengt und in einen vor dem Gebläse dunkelroth glühend gemachten Schmelztiegel löffelweise eingetragen, der Tiegel dann gut bedeckt und eine Stunde lang dem lebhaftesten Feuer, welches das Gebläse zu erregen vermag, ausgesetzt; die Masse wird sodann in eine mit Kreide ausgestrichene, rothglühende Thonform gegossen, die man bedeckt und langsam erkalten läßt, und endlich als Tünche aufgetragen.

7. **Antiker (römischer) Putz.** a) Tectorium opus. Zuerst brachte man drei Schichten Kalksandmörtel, arenatum opus, auf, dann drei andere Schichten einer mit Marmorstaub angemachten Tünche, marmoratum opus. Der ganze Putz ist kaum 1 Zoll stark. Darauf kam entweder Malerei oder die Schlämme, coronarium opus, und die Weiße, albarium opus. b) Maltha. In Wein gelöschter Kalk, mit Schweineschmalz und Feigen zusammengerieben und auf die zuvor mit Oel getränkte Mauer aufgetragen.

8. S. d. Art. Impastation.

9. S. d. Art. Gipsmörtel.

10. S. d. Art. Graffito.

11. S. d. Art. Asphalt.

C. Je nach dem Körper, auf den er angebracht wird, unter Beifügung des Bedarfes pro 1 preußische Quadratruthe der zu putzenden Fläche.

1. **Auf Bruchstein.** Nach geschehenem Ausschweißen (f. d.) wird berappt und erst nachdem dies halb getrocknet, mit dem Auftragen des eigentlichen Putzes begonnen. Zum bloßen Berapp braucht man 7—7¹/₂ Cbft. Mörtel, zum glatten Putz 9—10 Cbft., zum Quaderputz 14—17 Cbft.

2. **Auf Backsteine.** Nach gehörigem Anfeuchten (f. d.) der Mauer beginnt das Putzen sofort. Der Putz darf nicht über 0,025 Meter stark sein, doch mache man ihn auch niemals unter 0,01 Meter stark. Der Sand sei nicht zu grob, auch nicht lehmig; f. d. Art. Kaltmörtel ꝛc. Bedarf zu Berapp 4¹/₂; zum glatten Putz 6, zum Quaderputz mit eingeschnittenen Fugen 9, mit façonnirten Fugen 12 Cubikfuß.

3. **Auf Fachwand.** Bei bloßer Besporung des Holzwerks zum Berapp 3, zum glatten Putz 4¹/₂ Cbft.; bei Berohrung des Holzwerks 6 Cbft. Mörtel und ¹/₄ Scheffel Gips, ¹/₄ Schock oder 2 Bund Rohr, 500 Stück Rohrnägel, ¹/₂ Ring Draht Nr. 24; f. auch d. Art. Rohr. Bei Benagelung des Holzes mit Pliesterruthen 50 Stück Ruthen, 500 Pliesternägel, 4 Cbft. Kalk, 8 Cbft. Sand, 3—4 Pfund Heu oder Stroh.

4. **Auf verschalte Wände, Decken ꝛc.** Nach geschehenem Berohren (f. d.) putzt man wie gewöhn-

lich, doch darf man auf Decken nicht zu viel Kalk anwerfen. Bedarf: bei Berohrung 6 Cbfß. Mörtel, ³/₄ Scheffel Gips, ½ Schock oder 4 Bund Rohr (pro Bund ca. 300 Stengel), 1200 Rohrnägel, ¼ Ring Draht Nr. 24; bei Benagelung mit Spalierlatten mit Heukalk zu durchwerfen und mit Haarkalk zu putzen; 110 Stück Spalierlatten (9¼" lang, ³/₄" breit, ³/₄" stark), 550 Bretnägel, 12 Cbfß. Mörtel, 15—20 Pfund Heu oder 6 Zoll lang geschnittenes Stroh, 3 Pfund Kälberhaare. Bei Benagelung mit Pliesterruthen: 1 Bund (200 Stück) Ruthen, 2000 Pliesternägel, 10 Cbfß. Sand, 5 Cbfß. Kalk, 10 Pfund Stroh, 1 Pfund Kälberhaare.

5. Auf gestaakten Lehmdecken, Windeldecken, bei Berohrung 600 Stück Rohr, 600 Nägel ꝛc., bei Pliesterung 50 Stück Ruthen, 500 Nägel, 6 Cbfß. Mörtel, 60 Pfund Stroh, 2 Pfund Kälberhaare; f. übr. d. Art. Deckenputz.

6. Auf Gewölbe. Aehnlich wie 2, doch müssen die Fugen mehr aufgekratzt werden und das Annässen darf nicht zu stark geschehen; Bedarf 11—12 Cbfß.

7. Putz auf Lehmwände.

a) Bloßer Anstrich mit ganz dünnem Kalkmörtel, welcher dann mit dem Reibebret verrieben und nochmals überpinselt wird.

b) Dasselbe, aber nach vorherigem Ausfüllen der Fugen, Vertiefungen ꝛc. mit Sparkalk.

c) Bloßes Abreiben mit Wasser und dem Reibebret und Nachfilzen mit Kalkweiße ist das Sicherste.

d) Nach vorhergehendem Bespicken (f. d.) bringt man gewöhnlichen Putz auf.

8. Alten Putz aufzureiben, zu schlämmen und zu weißen, braucht man ½ Cbfß. Kalk und 1 Cbfß. Tünchland.

9. Alten oder neuen Putz zu schlämmen und zweimal zu weißen, ½ Cbfß. Kalk.

D) Ueber einzelne Vorsichtsmaaßregeln, welche beim Putzen zu beobachten sind, f. d. Art. Abfallen, Abblättern, Abfrieren, Blase, Feuchtigkeit, Ansfeuchten ꝛc.

Putzeisen, eisernes Werkzeug zum Nachbessern der in Gips gezogenen Gesimse; das eine Ende ist spitz, das andere breit.

putzen (Eisenf.). 1) Das Wegschaffen der Nähte (f. d. Art. Naht 3) mit Meißel, Feile ꝛc.; — 2) f. v. w. bemörteln, bewerfen, beputzen, berappen, aufzirehen, anwerfen; f. d. betr. Art. und d. Art. Putz; — 3) (Forstw.) vom Nadelholz: die unteren, dürren Aeste verlieren.

Putzerde (Mineral.), auch Altenburger Erde, f. v. w. Tripel.

Putzhaken, eiserner Haken zum Anschlagen der Putzlatten, d. h. der Latte zum Putzen an Ecken, an Grenzen vertiefter Felder ꝛc. als Lehre befestigten, oder als Bahn für den Schablonschlitten dienenden Latten.

Putzholz, f. d. Art. Butzholz.

Putzlage, frz. couche d'enduit, jet de chaux, Schicht von Putzmörtel.

Putzmeisel (Klempn.), Meisel mit kurzer Spitze, mit welchem allerlei Löcher geschlagen werden.

Putzrisse, engl. cracks; entstehen am leichtesten dadurch, daß der Mörtel zu schnell getrocknet oder zu fett ist, auf Schalung auch durch ungenügendes Zerspalten der Schalbretter.

Puzzolane, Puzzolanerde (Mineral.), ver-

witterte Lava; staubartig, kommt besonders bei Neapel in kleinen Brocken vor, ist grau, schwarz, braun, gelblich von Farbe, giebt mit Wasser vermischt einen ausgezeichneten Mörtel, welcher getrocknet jeder Einwirkung der Witterung widersteht; f. d. Art. Cement und hydraulischer Mörtel.

Pychou, f. d. Art. Maaß, S. 513, Bd. II.

Pyknit, Stangenstein, fran. topase cylindroïde, schörlartiger Beryll.

pyknostylos, griech. πυχνόστυλος, dichtsäulig; so heißt eine Säulenstellung, deren Intercolumnien nur ½ Säulendurchmesser betragen.

Pylon, griech. πυλών, frz. pylone, Thor, Pforte, Vorhalle, Portal, Gebäude über dem Portal, besonders an Tempeln; f. d. Art. ägyptischer Styl.

Pyramidalzahlen, f. d. Art. Polygonalzahlen.

Pyramide. 1) (Math.) geometrischer Körper, welcher entsteht, wenn man durch einen Punkt (den Scheitel) außerhalb der Ebene einer ebenen, geradlinigen Figur und durch alle Seiten dieser Figur Verbindungsebenen gelegt werden. Die Pyramide wird demnach von einer Reihe von Dreiecken begrenzt, deren Spitzen mit dem Scheitel zusammenfallen, während sie mit der Grundseite an jene ebene Figur, die sog. Basis oder Grundfläche, angrenzen. Man unterscheidet nach der Zahl dieser dreieckigen Seitenflächen, daher dreiseitige, vierseitige ꝛc. Pyramiden. Ist die Grundfläche ein reguläres Polygon, so heißt die Pyramide gleichseitig. Ein vom Scheitel auf die Basis gefälltes Perpendikel heißt die Höhe; trifft dieses bei einer regulären Grundfläche im Mittelpunkte derselben auf, so heißt die Pyramide gerade.

Wenn die Grundfläche ein Dreieck ist, so wird die Pyramide von 4 Dreiecken begrenzt und jedes derselben kann zur Basis gewählt werden; die auf diese Weise entstehende wichtigste Pyramide, die dreiseitige, heißt wohl auch Tetraëder. Insbesondere versteht man jedoch unter diesem Namen die von vier gleichseitigen Dreiecken begrenzte Pyramide, welche zugleich unter die regulären Körper gehört. Der Inhalt einer Pyramide ist gleich

$$\frac{1}{3} F h,$$

wobei F den Flächeninhalt der Basis, h die Höhe bedeutet.

Schneidet man durch eine parallel zur Basis geführte Schnittebene, deren Schnittfigur natürlich der Basis ähnlich ist, das obere Stück einer Pyramide ab, so entsteht eine abgestumpfte Pyramide; f. d. Art. Abgestutzt. Vgl. auch d. Art. Grundfläche, Hexaëder, Höhe, Gerade.

Pyramidendach, f. unt. d. Art. Dach c.

Pyramidenholz, wegen seiner pyramidenähnlichen Zeichnung so genanntes Fournierholz.

Pyramidenpappel, f. v. w. gewöhnliche Pappel (Populus dilatata).

Pyramidenwürfel, f. v. w. Tetrakishexaëder; f. d. Art. Hexaëder 11 und Krystallographie.

Pyramidenzüge (Herald.), in einem Wappenschild lange Triangel, die wenigstens bis zur Mitte reichen.

Pyramidion, lat. und frz., Riese einer Fiale.

Pyrethrum, f. d. Art. Insektenpulver.

Pyrgobaris, s. unt. d. Art. Baris 3.

Pyrgom (Mineral.), s. v. w. Malakolith; s. d.

Pyrgos, griech. πύργος, die Burg, der Thurm; πυργίδιον, das Thürmchen.

Pyrit (Mineral.), s. v. w. Eisenkies, s. d., und Schwefelkies, Arsenikkies ꝛc.

Pyrolusit (Mineral.), s. v. w. prismatisches Manganerz; s. d. Art. Braunstein.

Pyrometer oder **Pyroskop,** Instrument zum Messen hoher Wärmegrade. a) Wedgewood's Pyrometer beruht auf der Eigenschaft des Thones, in der Wärme bis zur Rothglühhitze Wasser abzugeben, bei noch weiter steigender Temperatur aber sich zusammenzuziehen. Man legt cylindrische Körper aus Thon von bestimmter Größe an den Ort, dessen Temperatur man bestimmen will, zwischen zwei unter einem spitzen Winkel gegen einander geneigte Flächen, deren Entfernung oben 0,5" und unten 0,3" beträgt, und deren Höhe in 240 Theile getheilt ist. Je tiefer sie zwischen diesen herabsinken, desto größer ist die Temperatur. Indem Wedgewood zum Nullpunkt seiner Stala die Temperatur des rothglühenden Eisens nahm, bestimmte er diesen zu 1077° F., durch mehrere Versuche ergab sich 1° Wedgew. — 132" F. Das Vertrauen auf die Genauigkeit dieser Methode ist bedeutend erschüttert worden durch die Versuche von Morveau, welcher zeigte, daß der Nullpunkt Wedgewood's mit 510° F. zusammenfalle und daß 1° W. — 61,2° F. sei.

b) Daniell's Pyrometer besteht aus einem ausgebohrten Cylinder von Reißblei, mit dessen Boden eine Platinastange fest verbunden ist. Beim Erhitzen dehnt sich das Platin mehr aus als das Reißblei und schiebt dabei einen gegen die innere Wand des Reißbleicylinders geklemmten Porzellancylinder vorwärts. Aus der Höhe, um welche sich dieser gehoben hat, schließt man auf die Temperatur.

c) Das sog. Luftpyrometer, eins der empfindlicheren Pyrometer, das von Pouillet die zweckmäßigste Einrichtung erhalten hat, besteht aus einem hohlen Platinkörper, der mit einem feinen Rohr versehen ist, aus welchem beim Erhitzen die Luft entweicht. Aus der Menge der entwichenen Luft kann man sodann leicht die Temperatur bestimmen, welche das Pyrometer besessen hat.

d) Auch die Erzeugung thermo-elektrischer Ströme ist von Pouillet zur Construction eines Pyrometers benutzt worden.

Pyromorphit (Mineral.), s. v. w. Grünbleierz; s. d. Art. Bleierze und d. Art. Krystallographie.

Pyrop, s. v. w. Granat oder Braunsteinkiesel.

Pyrophysalit (Mineral.), s. v. w. gemeiner Topas.

Pyrorthit (Mineral.), ein orthitartiges, bituminhaltiges Mineral, hat muscheligen, strahligen oder erdigen Bruch, ist von Farbe schwarz mit harzigem Glanz.

Pyrosiderit (Mineral.), s. v. w. Brauneisenstein; s. d.

Pyrosmalith (Mineral.), ein Eisenoxydul- und Manganoxydul-Silicat mit Eisenchlorid und Eisenoxydhydrat, von grüner, ins Bräunliche fallender Farbe.

Pyrotechnik, Zweig der Ingenieurwissenschaft; beschäftigt sich namentlich mit Feuerungsanlagen, also mit dem Bau von Schmelzöfen, Brennöfen, Anlegen von Heizungen ꝛc. Das in der Baukunst gewöhnlich Gebrauchte daraus s. daher unt. d. Art. Heizung, Ofen, Hohofen, Koaksofen und andern Artikeln.

Pyroxene, frz., Augit; s. d.

pythagoräischer Lehrsatz. So heißt nach Pythagoras, der ihn zuerst aufstellte, einer der wichtigsten Sätze der gesammten Geometrie, welcher besagt, daß das Quadrat der Hypotenuse eines rechtwinkligen Dreiecks gleich der Summe aus den Quadraten der beiden Katheten ist.

Pythagoräische Zahlen nennt man 3 ganze Zahlen, für welche die Summe aus den Quadraten der beiden kleineren gleich dem Quadrat der größeren ist, wie z. B. 3, 4 und 5 oder 5, 12, 13 u. s. f.; wenn man nämlich die drei Seiten eines Dreiecks so bemißt, daß die Zahlen ihrer Längeneinheiten den pythagoräischen Zahlen entsprechen, so ist das Dreieck ein rechtwinkliges; s. d. Art. Hypotenuse und Kathete.

Pyxis, artophorium, lat., griech. πυξίς, frz. pyxide, custode, engl. breadbox, pix, pyx, Büchse, Kästchen, daher besonders die Hostienschachtel im Ciborium; s. d. Art. Hostiarium.

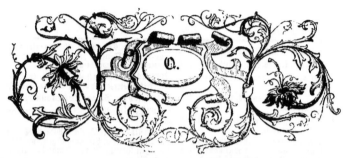

Q, entstanden aus CV. 1) Als Zahlzeichen: a) im Griechischen ϙ = 90; b) im Hebräischen ק = 100; c) im Gothischen q = 6, wo hier für 90 das Zeichen ϙ oder das griechische Kappa ist; d) im Lateinischen Q = 500, Q̄ = 500,000. — 2) Als Abkürzung: a) in römischen Inschriften, Handschriften, Münzen ꝛc. für Quintus, Quintius, Quästor ꝛc.; b) in der Mathematik f. v. w. Quadrat.

Quabbe, f. v. w. Dobbe; f. d.

Quabbelung (Uferb.), f. v. w. Rabbelung, f. d.

Quacker, f. Bitterkalk, Dolomit, Rauchwacke.

Quader, 1) lat. lapis quadratus, frz. carreau, moëllon d'appareil, engl. broadstone, ashlar, auch Quaderstein, Quaderstück, Werkstück heißen regelmäßige, aus Bruchsteinblöcken als Würfel oder Parallelepipedon, auch wohl nur auf einer Seite rechtwinklig behauene Bausteine; f. d. Art. Haustein.

Quadersandstein, f. unter Sandstein und Lagerung d.

Quaderstück, 1) f. unt. Quader; — 2) (Herald.) längliches Viereck, häufig als Figur, seltener als Section gebraucht, indem Quader von gewechselten Tincturen neben einander, dann aber dergestalt übereinander gelegt werden, daß die Fuge zweier oberen Quaderstücke auf die Mitte des unteren fällt.

Quaderwerk, von regelmäßig bearbeiteten Bruchsteinen ausgeführte Mauer. Die Stoß- und Lagerfugen der dazu verwendeten Quadern müssen vollkommen eben sein, die Steine macht man gern mehr lang als hoch. Die Lagerfugen geben waagrecht durch, die Stoßfugen wechseln ab nach der Regel des gewählten Mauerverbands; f. d. Der Mörtel muß aus Cement oder aus fettem Kalk und reinem, feinem Sand bestehen und dünnflüssig genommen werden.

Da aber der Mörtel beim Quaderwerk weniger von Bedeutung ist, so wird die Verbindung oft blos durch zwischengelegte Bleiplatten, geölte Pappen, auch wohl durch Klammern oder durch einen besonderen Steinschnitt hergestellt. Die Last der Steine bedingt beim Versetzen meist besondere Krahne und Hebezeuge.

Die äußeren Fugen werden in der Regel vor dem Eingießen des Mörtels mit Kitt verstrichen.

Quadra, lat., 1) eigentlich mensa quadra, viereckiger Tisch, Speisetisch der Römer in der ersten Zeit, später fast ganz durch den runden verdrängt; — 2) f. v. w. Platte, Abakus, Plinthe; — 3) frz. filet quarré, Binde, Leiste, Riemchen, Plättchen.

Quadra, span., auch cuadra, Stall.

Quadran, frz., f. v. w. Cadran; f. d.

Quadrangle, frz. und engl., Viereck, daher auch viereckiger Hof.

Quadrans, lat., römisches Längenmaaß = ¼ Fuß; — 2) Flächenmaaß = ¼ Morgen Landes; — 3) Flüssigkeitsmaaß = ¼ Sextarius; — 4) Gewicht = ¼ Pfund, Münzgewicht = ¼ As = 3 Unzen.

Quadrant, 1) der vierte Theil eines Kreises, begrenzt von zwei auf einander senkrecht stehenden Halbmessern; — 2) der vierte Theil des Meridiankreises irgend eines Beobachtungsortes auf der Erdoberfläche, für Paris = 10 Mill. Meter; — 3) verschiedene Instrumente zu Winkelmessungen, in der Hauptsache aus Viertelkreisen mit Diopter, Lothschnuren oder Fernröhren bestehend.

Quadrantal, lat., römisches Gemäß; f. d. Art. Maaß.

Quadrat, 1) (Geom.) ebenes Viereck mit vier gleichen Seiten und vier rechten Winkeln. Ist a die Seite eines Quadrats, so ist die Diagonale desselben a $\sqrt{2}$ oder der Inhalt = a². Das Quadrat mit einer Seite von der Länge 1, z. B. 1 Zoll, 1 Fuß ꝛc., dient zur Ausmessung des Flächeninhalts andrer Figuren und heißt hierauf bezüglich Quadratzoll, Quadratfuß u. f. f. Die Aufgabe, ein Quadrat zu zeichnen, welches der Summe oder Differenz zweier anderen gleich ist, wird mit Hülfe des pythagoräischen Lehrsatzes ausgeführt; — 2) (Arithm.) Quadrat oder Quadratzahl, f. v. w. zweite Potenz. Das Quadrat einer Zahl a ist die Zahl a × a oder a²; so ist das Quadrat von 2 gleich 8. Tafeln, welche die Quadrate der auf einanderfolgenden Zahlen geben, heißen Quadrattafeln.

Die Methode der kleinsten Quadrate, von Gauß begründet, hat zum Zweck, aus einer Reihe durch Beobachtung gefundener, also mit Fehlern behafteter Werthe derselben Größe deren wahrscheinlichsten Werth zu finden.

Hat man für eine Größe x, z. B. eine Länge, durch verschiedene Beobachtungen die verschiedenen mit kleinen Fehlern behafteten Werthe x_1, x_2, x_3 ... xn gefunden, so ist derjenige Werth x der wahrscheinlichste, für welchen die Summe aus gewissen Functionen seiner Abweichungen von den beobachteten Werthen den kleinsten Werth annimmt. Die einfachste dieser Functionen ist das Quadrat; eine ungerade Function, z. B. der Cubus, ist deshalb nicht brauchbar, weil dann ihr der Functionswerth bald positiv, bald negativ würde, je nachdem der beobachtete Werth größer oder klei-

17*

ner als der wahrscheinlichste Werth ist. Dieser Werth x ist daher so zu bestimmen, daß die Summe $(x-x_1)^2 + (x-x_2)^2 + \ldots + (x-x_n)^2$ den kleinsten Werth annimmt. Daraus ergiebt sich aber

$$x = \frac{x_1 + x_2 + \ldots + x_n}{n};$$ also ist der wahrscheinlichste Werth dem arithmetischen Mittel gleich.

Weiß man, daß zwischen 3 der Beobachtung zugänglichen Größen x, y, z ein Zusammenhang von der Form $z = \alpha x + \beta y$ besteht, worin α und β constante Factoren sind, und sind durch Beobachtung die mit kleinen Fehlern behafteten Werthe x_1, y_1, z_1; x_2, y_2, z_2; .. x_n, y_n, z_n gefunden, so sind die wahrscheinlichsten Werthe der constanten Factoren α und β so zu bestimmen, daß sie für die Summe $(z_1 - \alpha x_1 - \beta y_1)^2 + (z_2 - \alpha x_2 - \beta y_2)^2 + \ldots + (z_n - \alpha x_n - \beta y_n)^2$ den kleinsten Werth ergeben. Die Differentialrechnung lehrt, daß dieser Bedingung die Werthe von α und β genügen, welche aus den beiden Gleichungen

$$\alpha \Sigma x^2 + \beta \Sigma x y = \Sigma x z$$
$$\alpha \Sigma x y + \beta \Sigma y^2 = \Sigma z y$$

bestimmt werden, wobei

$$\Sigma x^2 = x_1^2 + x_2^2 + x_3^2 + \ldots + x_n^2$$
$$\Sigma x y = x_1 y_1 + x_2 y_2 + \ldots + x_n y_n$$

u. f. w. bedeutet. Auf ähnliche Weise wird der Fall behandelt, wo mehr als zwei constante Coefficienten zu bestimmen sind.

Quadratbanda, s. d. Art. indische Baukunst, S. 324.

Quadrateisen, s. d. Art. Eisen, S. 689, Bd. I.

Quadratfuß, Quadratelle, überhaupt **Quadratmaaß;** s. d. Art. Flächenmaaß und Maaß, S. 492—495.

Quadratinhalt, Flächeninhalt (s. d.), nach bekannten Maaßeinheiten so ausgedrückt, als wenn man sich die betreffende Fläche in lauter Quadrate zerlegt dächte, die eine solche Maaßeinheit zur Seite haben.

quadratisch. 1) (Geometrie und Zeichen.) in Form eines Quadrats gestaltet; — 2) (Arithm.) eine quadratische Gleichung ist eine solche, in deren Gliedern die Unbekannte höchstens in der zweiten Potenz vorkommt. Die allgemeine Form einer quadratischen Gleichung mit einer Unbekannten ist $ax^2 + bx + c = 0$. Wenn $b = 0$, so heißt die Gleichung eine reine; eine solche ist sofort lösbar, denn ist $ax^2 + c = 0$, so ist $x = \pm \sqrt{\dfrac{c}{a}}$.

Die allgemeine quadratische Gleichung wird in die Form einer reinen quadratischen Gleichung gebracht und somit lösbar, wenn man durch den Factor von x^2 dividirt, das constante Glied auf die rechte Seite bringt und die linke Seite zum vollständigen Quadrat macht. Man erhält so folgende beiden Werthe, welche jener Gleichung genügen:

$$x_1 = \frac{-b + \sqrt{b^2 - 4ac}}{2c}$$
$$x_2 = \frac{-b - \sqrt{b^2 - 4ac}}{2c}$$

und daraus $x_1 + x_2 = -\dfrac{b}{a}$, $x_1 \cdot x_2 = \dfrac{c}{a}$. So lange $b^2 > 4ac$ ist, sind beide Wurzeln x_1 und x_2 reell und von einander verschieden; wenn $b^2 = 4ac$, so sind beide gleich; ist endlich $b^2 < 4ac$, so wird der Werth unter dem Wurzelzeichen negativ, die

Wurzeln sind also imaginär. Ob im Fall reeller Wurzeln beide oder nur eine Wurzel gelten kann, hängt stets von der Natur der Aufgabe ab. Imaginäre Wurzeln können in der Praxis nie Bedeutung erhalten.

Man kann auch eine trigonometrische Lösung der quadratischen Gleichungen geben, welche, namentlich wenn a, b und c nicht einfache Zahlen sind, von Nutzen ist, weil sie leicht mit logarithmischen Rechnungen verbunden werden kann.

Haben 1) a und c einerlei Zeichen und ist $b^2 > 4ac$, so setze man $\dfrac{2\sqrt{ac}}{b} = \sin \varphi$. Dann wird

$$x_1 = -\frac{b}{a} \sin^2 \frac{\varphi}{2}; \quad x_2 = -\frac{b}{a} \cos^2 \frac{\varphi}{2}.$$

Sind 2) a und c von verschiedenem Zeichen, so setze man $\dfrac{2\sqrt{-ac}}{b} = \tan \varphi$, und erhält

$$x_1 = -\frac{b}{a} \frac{\sin^2 \dfrac{\varphi}{2}}{\cos \varphi}, \quad x_2 = -\frac{b}{a} \frac{\cos^2 \dfrac{\varphi}{2}}{\cos \varphi}.$$

Quadratrix, eine krumme Linie, welche mit einer anderen gegebenen krummen Linie über derselben Achse beschrieben ist und durch ihre Ordinaten in irgend welchem einfachen Zusammenhang mit dem Inhalt der zwischen der Curve und der Achse liegenden Fläche steht. Für den Kreis vom Halbmesser r hat man besonders zwei derartige Linien, nämlich die Quadratrix des Dinostratus und die von Tschirnhausen. Die Gleichungen beider sind

$$y = x \, tg \frac{\pi (r-x)}{2a} \quad \text{und} \quad y = r \sin \frac{\pi x}{2a}.$$

Quadratstein, 1) s. v. w. Quader oder Würfel von Stein; — 2) die größeren Kieswürfel, die in Tyrol gefunden werden.

Quadratum populi, lat., Laienschiff, Schiff.

Quadratur, 1. die Ermittelung des Inhalts von Flächen nach einem bestimmten Flächenmaaß. Zu diesen Flächen gehören zunächst die ebenen Figuren, bei krummen Oberflächen ist statt Quadratur der Ausdruck Complanation gewöhnlicher. Die Elementargeometrie beschäftigt sich nur mit der Quadratur der geradlinigen Figuren und des Kreises; für alle anderen Figuren giebt die Integralrechnung ein einfaches Mittel an die Hand. Die Ausmessung des Flächeninhalts führt natürlich zu der meist unter Quadratur verstandenen Verwandlung einer krummlinigen Figur in ein Quadrat von gleichem Inhalte. Besonderes historisches Interesse hat die Quadratur des Kreises, welche von Vielen vergeblich gesucht worden ist, obgleich längst streng bewiesen ist, daß dieselbe zwar mit beliebig großem Grad der Genauigkeit, nicht aber absolut genau ausgeführt werden kann; s. d. Art. Ludolphische Zahl.

2. Einrichtung, Manier der Ausmittelung für die relativen Maaße der einzelnen Theile eines Fialengrundrisses, einer Kreuzblume oder dergl., durch Ineinanderschreiben gerader und verschobener Quadrate, bei den Baumeistern des Mittelalters gebräuchlich. Schon die Einschreibung des ersten verschobenen Quadrats führt zum Achtort, f. b., daher man ebensowohl sagt, der Grundriß eines Pfeilers, einer Filiale, eines Thurmes sei aus dem Achtort, als er sei aus der Quadratur gefunden. Fig. 1623 zeigt die Quadratur eines auf viereckigem Unterbau sitzenden Thurmachtecks, Fig.

1624 die eines Gewölbpfeilers. Vergl. aber auch
Fig. 1206—1208 und 1422.

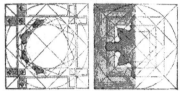

Fig. 1623. **Quadratur.** **Fig. 1624.**

Quadratus, St. Es giebt Mehrere dieses
Namens; Einer litt mit 40 Genossen den Märtyrertod; ein Anderer, Apostelschüler, schrieb eine Apo-
logie des Christenthums unter Kaiser Hadrian;
ein Dritter, in Afrika, wurde von Augustinus in
einer Festrede gepriesen; ein Vierter, aus Nikome-
bien, wurde unter Kaiser Decius nach vielfachen
Martern enthauptet.

Quadratwurzel, zweite Wurzel aus einer
Zahl a $\left(\text{bezeichnet mit } \sqrt{\cdot}\text{,a oder } a^{\frac{1}{2}}\right)$, ist in der
Arithmetik diejenige Zahl, welche, mit sich selbst
multiplicirt, die Zahl a giebt. So ist die Quadrat-
wurzel aus 25 gleich 5, da 5×5=25. In vielen
Sammlungen mathematischer Tafeln sind auch die
Quadratwurzeln der auf einander folgenden gan-
zen Zahlen zusammengestellt. Es ist

$$\sqrt{a^2+b}=a\left[1+\frac{1}{2}\frac{b}{a^2}-\frac{1.1}{2.4}\frac{b^2}{a^4}+\frac{1.1.3}{2.4.6}\frac{b^3}{a^6}\right.$$
$$\left.-\frac{1.1.3.5}{2.4.6.8}\frac{b^4}{a_8}+\ldots\right]$$ Um diese Formel zu Aus-
ziehung der Quadratwurzel aus einer gegebenen
Zahl zu benutzen, sucht man die nächst niedrigere
Quadratzahl und setzt deren Wurzel gleich a und
den Rest, welcher bei der Subtraction bleibt, gleich b.
Auch ist

$$\sqrt{a^2+b}=a\left(1+\frac{1}{2}\frac{b}{a^2+b}+\frac{1.3}{2.4}\frac{b^2}{(a^2+b)^2}+\ldots\right).$$

Quadratzahlen gehören zu den Polygonalzahlen.

Quadratziegel, s. d. Art. Dachziegel.

Quadro, frz., Rahmen, viereckige Einfassung.

Quadrella, ital., große Feile.

Quadrello, ital., 1) Ziegel, gebrannter Backstein; — 2) Bolzen.

Quadriga, lat., vierspänniger Wagen, besonders vierspänniger Triumphwagen.

quadrilatère, frz., vierseitig, viereckig.

quadrirt (Herald.), s. v. w. geviertet.

Quadrirung, 1) s. v. w. bäurisches Werk;
s. d. Art. Bossage, Abquadern und Abquarriren.
Das Quadriren geschieht am einfachsten, indem
man auf den noch nicht trockenen Putz mit einem
Eisen Einschnitte macht. Alle Schäden, die dabei
etwa entstehen, müssen mit gutem Mörtel ausgeb-
bessert und das Ganze mit einem Schablonenbret
geglättet werden. Die Quaderfugentiefe muß im
guten Verhältniß zur Größe der Quadersteine
stehen. Die Anordnung einer Quadrirung muß
natürlich ganz nach den Constructionsregeln des
Mauerverbandes geschehen; — 2) s. v. w. Eintheilung in Quadrate; s. d. Art. Abvieren, Abqua-
driren ꝛc.; — 3) Durchkreuzung

quadrivalve, frz., vierflügelig; s. d. Art. Thür.

Quadro, ital., jedes Viereck oder viereckiger
Körper, z. B. Postamentwürfel, Bilderrahmen,
Gartenbeet ꝛc.

Quadruccio, ital., Fußbodenziegel.

Quäle (Bergb.), s. v. w. Quehle.

Quänzel (Bergb.), am Bergkübel der Bügel.

Quärzel (Mineral.), kleiner Gesteinsplitter.

Quässen, s. d. Art. Aalkasten.

Quaestorium, lat., Amtswohnung des Quä-
stors, sei es im Lager oder in der Stadt; s. Castrum.

Quai, frz., auch Bauschäling oder Schälung,
Kai (Wasserb.), Futtermauer, namentlich Ufermauer, auch Steinbuhne, s. d. Art. Buhne; daher
auch der durch eine solche Ufermauer dem Wasser
abgewonnene oder vor demselben geschützte Landungsplatz, der zugleich zum Aufstellen der ein-
zuschiffenden und ausgeladenen Waaren dient,
überhaupt das ganze Ufer, so weit es mit einer
solchen Mauer versehen, ja selbst die Häuser, die
am Ufer erbaut sind.

Quai en crochet, frz., Anterbuhne.

Quajackholz, s. u. Franzosenholz.

Quaker (Mineral.), s. d. Art. Bitterkalk.

Qualmdeich, s. v. w. Quellbamm; s. Deich.

Quandelpfahl, s. d. Art. Kohlenbrennen 1.

Quarantaine, s. Contumazanstalt u. Hospital c.

quarderonner, frz., das Abrunden der Ecken
und Kanten an Brettern und Balken.

Quark, wird gebraucht zum Anfertigen des
Käsekittes, s. d.

Quarré, frz., 1) Viereck; — 2) s. d. Art. Quadra.

Quarrel, engl., Bolzen, Glaserdiamant.

Quarry, engl., 1) Viereck, Raute, Glasscheibe;
bes. wenn sie viereckig oder rautenförmig ist. —
2) Steinbruch; quarryman, Steinbrecher; quar-
rystone, Bruchstein.

Quarreograph (Meßk.), Instrument zum
leichteren Aufnehmen perspectivischer Zeichnungen.

Quart, Quartier, Quärtlein; s. d. Art.
Maaß, S. 498, 499, 505, 509.

Quarta, span. und ital., Benennung verschiedener Maaße; s. d. Art. Maaß, S. 489, 490, 505.

Quartärformation, s. d. Art. Lagerung.

Quartaruolo, Quarter, Quarteron, Quar-
ticolo, Quartino, Quartuccio, Quartillo, Quar-
tiglio; s. d. Art. Maaß, S. 492, 497, 500, 501,
505, 509.

Quart de rond, frz., engl. quarter round,
Viertelstab.

Quarter, engl., Stake, Stahlholz.

Quartera, span., Kannenmaß = 6 Bursel-
las, s. d.

Quarterdeck, frz., campagne, demipont,
Deck der Schanze, vom großen Mast bis zur Hütte.

Quarteron, frz., 1) Viertelpfund, 2) Flüssigkeitsmaaß; s. d. Art. Maaß.

Quartier, 1) s. d. Art. Gartenbeet; — 2) (Herald.)
s. d. Art. Freiviertel, canton, Heraldik VI.; —
3) Benennung verschiedener Maaße; s. d. Art.
Maaß; — 4) Abtheilung, Viertelskreis; —
5) Wohnung, Logement.

Quartier, frz., 1) großer Quader; — 2) Vier-
tel-Quartier (s. d. 4.), daher quartier tournant,
wendendes Quartier, die Stelle einer Treppe, wo
sie eine andere Richtung annimmt und deshalb
Wendelstufen angebracht sind.

Quartierbaum, Wange bei aufgeſattelter Treppe; ſ. d. Art. Treppe.

Quartierblei, 4—5 Linien breite Art Fenſterblei, ſ. d.

Quartierſtein, Quartierſtück, Stück Mauerziegel, welches die ganze Breite und Stärke, aber nur ¼ der Länge eines ganzen Mauerſteins hat.

Quartel oder Kardeel, große Tonne mit Eiſenbändern gebunden.

Quartuccio, römiſches Flächenmaaß, gleich 3½ Quadratcatene.

Quarz (Mineral.), beſteht aus faſt reiner Kieſelerde in kryſtalliniſcher Geſtalt von glasartigem Bruch, im Gegenſatz zu der natürlich vorkommenden amorphen Kieſelerde, Opal; ſ. d. Art.

Man unterſcheidet folgende Arten des Quarzes: a) Bergkryſtall; b) Amethyſt, frz. quarz hyalin violet; c) gemeiner Quarz, frz. quarz hyalin opaque, engl. common Quarz; d) Eiſentieſel, frz. quarz hyalin ferrugineux; e) Hornſtein; f) Kieſelſchiefer und g) Jaspis, frz. quarz jaspe. Die erſtern 4 Arten findet man in der Natur in deutlichen Kryſtallen und kryſtalliniſchen Maſſen; die letztern 3 Varietäten bilden kryſtalliniſche Aggregate von mikroſkopiſcher Feinkörnigkeit.

Die kryſtalliſirten Quarze, wie Bergkryſtall, Amethyſt, der gemeine Quarz, mit ſeinen nach der Farbe geſonderten Arten, wie Roſen-, Milch-, Faſerquarz, Praſem, Katzenauge, Aventurin, der Kieſelſchiefer, der Hornſtein und der Jaspis mit ſeinen nach den Farbennüancen unterſchiedenen Arten, als Kugeljaspis, Bandjaspis und Achatjaspis, ſind in Kalilauge vollſtändig unlöslich. Löslich in Kalilauge ſind die Opale, frz. quarz réſinite. Der Chalcedon, der Feuerſtein, frz. quarz-agathe pyromaque, u. ſ. w. ſind theilweiſe in Kalilauge löslich, denn ſie bilden innige Gemenge von Quarz und Opal.

Der reinſte Quarz, der Bergkryſtall, iſt vollkommen farblos und waſſerhell, hat 2,65 ſpec. Gew. u. löſt ſich nur in Flußſäure auf. Der gemeine Quarz kommt meiſt derb und eingeſprengt vor. Der Quarz macht faſt ⅓ des bekannten Theils der Erdrinde aus. Er erſcheint ſehr häufig in den Gängen beinahe aller Formationen, ſowie als Gerölle und loſer Sand in aufgeſchwemmtem Land.

Die Verwendung des Quarzes in allen Zweigen der Technik, Baukunſt u. ſ. w. iſt eine ungemein mannichfaltige. Man verwendet ihn beſonders zu Verfertigung des Glaſes, als Zuſatz zur Porzellan- und Steingutfabrikation, als Flußmittel für einige Erze, zu Mühlſteinen, Reibſteinen ꝛc. Quarzfels und deſſen Arten werden als Straßenbaumaterial ſehr geſchätzt. Der Quarzſand endlich findet ausgedehnte Verwendung zu Mörtel.

Quarzachat, mit Quarz durchwachſener Achat (ſ. d.), bei den Franzoſen ſ. v. w. Kieſelſchiefer, ſ. d.

Quarz-agathe praſe, frz., Chryſopras.

Quarzbreccie, ſ. d. Art. Breccie 3.

Quarzfels, frz. quarz en roche, engl. Quarz rock, zeigt ſich theils kryſtalliniſch, theils körnig, in's Dichte verlaufend, weiß, grau, röthlich und bräunlich; iſt faſt unzerſtörbar; ſ. übr. Quarz.

Quarzgranit, eine Art grobkörniger Sandſtein (ſ. d.), deſſen Quarzkörner ſich (ohne Feldſpath und Glimmer) unmittelbar verbunden haben; ſ. d. Art. Feldſpathporphyr.

Quarz-hyalin concretionné, frz., Hyalith.

Quarzporphyr; kommt namentlich in Schweden vor, enthält in einer quarzigen Grundmaſſe anders gefärbte Quarzkörner und Feldſpathkryſtallchen; ſ. d. Art. Porphyr.

Quarzſand, ſ. d. Art. Sand.

Quarzſandſtein, ſ. d. Art. Sandſtein.

Quaſſienholz, 1) ächtes, ſtammt von mehreren Arten des Quaſſiabaumes (Quassia amara, officinalis, Simaruba etc.), der in Cayenne und Weſtindien einheimiſch und zur natürlichen Familie der Simarubaceen gehörig iſt. Es iſt von ſehr bitterm Geſchmack, wird als Arznei, als Mittel gegen Fliegen u. andere Inſekten benutzt u. techniſch wenig verwendet. Das leichte Holz des jamaitaniſchen Simarubabaumes wird als Stabholz beſonders zu Stäben und Fäſſern benutzt; — 2) unächtes kommt vom Korallen-Sumach (Rhus Metopium L., Fam. Anacardiaceae) in Jamaica; erfährt faſt nur mediziniſche Verwendung; — 3) ſ. d. Art. Lignum 21.

Quaſt, 1) ſ. v. w. Annetzpinſel, Annetzer, ſ. d.; — 2) ſ. v. w. Beſen; — 3) Franzenbüſchel, meiſt Quaſte (fem.) genannt. Quaſten in Holz oder Meſſing nachzuahmen iſt ſinnwidrig und geſchmacklos.

Quatrefeuilles, frz., engl. quatre-foils, crossquarter, altengl. cater, katur, Vierblatt als

Fig. 1625.

Maaßwerksform, doch auch auf das Hundszahnornament (ſ. d. Art. thooted) und auf die als Kehlenbeſetzung vorkommenden vierblättrigen Blumen, Fig. 1625, übertragen. Vergl. d. Art. Engliſch-gothiſch, S. 722, Bd. I.

quatrilobe, frz. adj., viertheilig; arc qu., viernaſiger Bogen; quatrilobe (subst.), Vierpaß.

Quebbe, Quebacken, der gem. Hollunder, ſ. d.

Quecke, Queckengras, Feldgras oder Ackerrieth (Triticum repens, Fam. Gräſer, Gramineae), läßt ſich gut wegen ſeiner weithin kriechenden Wurzelſtöcke zum Befeſtigen von Dämmen und anderen Erdaufwürfen verwenden, untergräbt aber aus derſelben Urſache oft flachliegende Gründungen und hat ſchon häufig Befriedigungsmauern, kleine Brücken ꝛc. ganz zerſtört; man muß es daher am Mauerwerk ſorgfältig vernichten. Dies geſchieht nun entweder mit der Queckegge, einer ſchweren Egge mit nach vorn gebogenen Eiſenzinken, oder mit dem Queckrechen oder Queckenzieher, einem ſtarken Balken mit ſechs pflugſchaarartigen Zinken und zwei niederen Rädern; man hängt dieſe Rechen beim Gebrauch an das Vordergeſtell eines Pfluges. Auch verwendet man dieſes Werkzeug auf friſch umgepflügten Wieſen zum Zerreißen des Raſens.

Queckſilber, lat. argentum vivum (Min.), iſt ein flüſſiges Metall, welches ſich ziemlich ſelten frei in der Natur als gediegen Queckſilber, mercure natif, findet; am meiſten tritt es in Verbindung mit Schwefel als Zinnober auf. Spanien beſitzt in Almaden und Andaluſien die reichſten Fundgruben des Queckſilbers. Zur Gewinnung des Queckſilbers werden die Erze unter Zuſatz von Kalk und Hammerſchlag der Deſtillation unterworfen (ſ. d. Art. Queckſilberhüttenwerk). Schwefel, Chlor u. ſ. w. werden von den Zuſätzen gebunden und das metalliſche Queckſilber sammelt man in abgekühlten Vorlagen (Kammern) auf. Das Quecksilber gefriert bei etwa −39,5°C. und läßt sich bei −40° mit sehr erkälteten Werkzeugen hämmern und schneiden; es erzeugt wegen schneller Entziehung des Wärmestoffs bei der Berührung heftigen Schmerz, wobei die Haut sogleich weiß wird. Es siedet und verflüchtigt sich in Dämpfen, bei 360°, welche sich in tropfbar flüssiger Gestalt an kühleren Orten wieder sammeln, verflüchtigt sich aber auch allmälig in gewöhnlicher Temperatur. Es kommt in gußeisernen Flaschen oder in Beuteln von Schafleder in den Handel. Das spec. Gew. des Quecksilbers ist = 13,5. Zwischen 0° und 100° dehnt sich das Quecksilber für jeden Grad um ¹⁄₅₅₀₆ seines Volumens aus. In Folge der Gleichartigkeit und Regelmäßigkeit in der Ausdehnung eignet es sich vorzüglich zur Anfertigung von Thermometern. An der Luft bei gewöhnlicher Temperatur bleibt das Quecksilber lange Zeit unverändert. Mit vielen Metallen geht das Quecksilber Verbindungen ein, welche Amalgame (s. d. Art.) genannt werden. Mit Sauerstoff bildet das Quecksilber zwei Verbindungen: das Quecksilberorydul, ein schwarzes Pulver, welches aus 2 Thln. Quecksilber und 1 Theil Sauerstoff besteht, und das Quecksilberoryd, durch Erhitzen des Metalls an der Luft entstehend, ein

Fig. 1626. Quecksilberkammerofen.

gelbrothes Pulver, welches aus 1 Thl. Quecksilber und 1 Thl. Sauerstoff besteht. Den beiden Oryden in der Zusammensetzung entsprechend giebt es auch zwei Schwefelungsstufen. Eine der Quecksilberschwefelverbindungen bildet der Zinnober. Von den Salzen des Quecksilbers sind hervorzuheben: das Calomel oder Quecksilberchlorür, das Sublimat oder lösliche Quecksilberchlorid, das salpetersaure Quecksilberoryd und Orydul, welche letztere als Beizmittel dienen.

Quecksilbererze; unter denselben sind die wichtigsten Zinnober, Lebererz, Quecksilberhornerz, Silberamalgam, Arquerit &c.

Quecksilbergold, Legirung aus 50 Theilen Gold, 1 Thl. Quecksilber; fast silberweiß, wenig dehnbar.

Quecksilberhornerz, weißer Markasit, gediegenes Sublimat, hat die quadratische Säule als Kernform. bildet kleine, glatte, in Drusen verbundene Krystalle, hat Diamantglanz, grauliche Farbe, kommt vor wie Lebererz und andere Quecksilbererze, doch selten; läßt sich mit dem Messer leicht ritzen. Gehalt ist 85 Quecksilber, das Uebrige Chlor.

Quecksilberhüttenwerk (Hüttenl.), ein Hüttenwerk, wo Quecksilber aus Zinnober und anderen

Quecksilbererzen gewonnen wird. Es giebt verschiedene Verfahren:

1. Im Galeerenofen; in diesem liegen mehrere Reihen eiserne Retorten mit kurzem, geradem, etwas abschüssig gelegtem Hals. Man füllt sie mit klar geschlagenem Quecksilbererz, worunter ¼ oder ⅛ Kalk gemengt sind, und giebt ihnen gebrannte thönerne Krüge, die mit Wasser gefüllt sind, als Vorlage. Das Steinkohlenfeuer wird nach und nach bis zur Glühhitze verstärkt; nach dem Erkalten des Ofens und dem Abbrennen des Feuers nimmt man das Quecksilber aus den einzelnen Gefäßen heraus, entfernt den ihm vermischten Ruß (Brandruß, Schwärze), indem man das Quecksilber mit Wasser abspült und in einem Mörser mit Kalk abreibt. Das so gereinigte Quecksilber wird dann in großen ledernen Beuteln (Schlegel) zu 100—150 Pfund versandt. Statt der eisernen Retorten bedient man sich auch eiserner Cylinder, die unten offen sind.

2. Im Quecksilberofen. Es stehen deren in der Regel zwei in einer Hütte; der Heerd ist ungefähr 4½ Fuß breit. 5 Fuß hoch; der Raum zwischen dem von Backsteinen gemauerten Rost und dem Gewölbe beträgt 7 Fuß. Ueber dem Rost errichtet man ein Gewölbe von zinnoberhaltigen Kalksteinen und schüttet hierauf das kleingeschlagene Quecksilbererz, dessen oberste Lage aus mit Erde vermengten und zu Kuchen geformten Broden besteht. Im untertheil des Ofens befinden sich sechs horizontal nach einer Terrasse mündende Oeffnungen, von welchen thönerne Röhren (Aludel) den sich entwickelnden Quecksilberdampf nach der in 4 Kammern getheilten Rauchkammer führen, wo er zu Quecksilber erkaltet.

3. In einem cylindrischen, oben geschlossenen Schachtofen; auf das in der Mitte seiner Höhe angebrachte durchlöcherte Gewölbe wird das Erz aufgegeben u. darunter das Feuer entzündet. Die Dämpfe werden durch Reihen von Aludeln nach einer Condensationskammer geführt.

4. Im Kammerofen, s. Fig. 1626. In der Mitte der ganzen Front steht der eigentliche Ofen, m, n, o, sind durchlöcherte Gewölbe, E der Heerd; A der Erzraum; die zwei untern Abtheilungen werden mit Erzstücken, die oberen mit Schüsseln beschickt, die mit Kalk versetzten Zinnoberschlich und Rückstände früherer Brände enthalten. Das Quecksilber geht als Dampf durch die Quecksilberkammern K 1 — K 6; in der letzten Abtheilung und in S verdichtet sich das wenigste Quecksilber, aber viel saures Wasser. Das Quecksilber sammelt sich in der Bodenrinne und läuft von da in den Sammeleimer.

Quecksilberkupfer, eine Legirung, bestehend aus 50 Thln. Kupfer und 1 Thl. Quecksilber; ziemlich dehnbar, blaßroth, sehr feinkörnig im Bruch.

Quecksilberlegirung, f. w. w. Amalgam, f. d.

Quecksilberoxyd, erscheint in Pulverform, gelb, auch schwarz, am häufigsten dunkelroth, oft krystallinisch.

Quecksilbersilber, Legirung aus 50 Thln. Silber mit 1 bis 2 Thln. Quecksilber; ist sehr weiß, fest, etwas dehnbar und läßt im Feuer schwer den letzten Rest Quecksilber fahren.

Quecksilberwaage (Feldmeßt.), ein Nivelirinstrument (f. d.) von geringer Zuverlässigkeit, muß daher vor dem Gebrauch stets geprüft werden, indem man das eine, dann das andere Diopter vor das Auge nimmt und beide Male nach demselben Punkt visirt.

Quecksilberzinn, Legirung aus 3 Thln. Zinn und 1 Thl. Quecksilber, ziemlich brüchig, auf dem Bruch feinkörnig, silberweiß.

Queen, engl., Hängezapfen; f. d. Art. Zapfen 4.

Queenpost, engl., Hängesäule im zweisäuligen Bock; f. d. Art. Dach (S. 594, Bd. I.), Hängesäule, Hängewerk ꝛc.

Queensmetall, ein Britanniametall, dem ¹/₁₀ Wismuth und ¹/₁₀ Blei zugesetzt worden; es besteht also aus 9 Thln. Zinn, 1 Thl. Antimon, 1 Thl. Blei und 1 Thl. Wismuth u. wird namentlich in der Metallwaarenindustrie v. Birmingham gebraucht.

Quehle, 1) Handtuch; — 2) (Bergb.) Rinne zur Ableitung des Wassers in Gängen und Stroßen.

Queloh, f. d. Art. Maaß, S. 512.

Quelineja; so heißen auf Chiloe (Süd-Am.) die drahtbiden, zähen Würzelchen einer Luzuriaga-Arten (Luzuriaga scandens, recta), aus denen man Körbe, Stricke und Ankertaue herstellt.

Quellbottich oder **Quellstock,** f. v. w. Keimbottich; f. d. Art. Brauereianlage und Brauerei.

Quellbrunnen, Brunnen, welcher von einer Quelle gespeist wird, welche blos das aus den Seitenwänden schwitzende Grundwasser sammelt.

Quelldamm (Deichb.); 1) f. v. w. Quelldeich; 2) durch Reinigen der Gräben entstandener kleiner Damm; bietet Schutz gegen das Binnenwasser.

Quelldeich, f. v. w. Sommerdeich; f. Deich 4.

Quelle visiren (Brunnenw.), f. v. w. untersuchen, wie viel eine Quelle in gewisser Zeit Wasser giebt; hierzu dient der sogenannte Quellmesser, ein Kasten mit durchlöchertem Boden.

Quelle, frz. source, aus dem Innern der Erde hervorbrechendes Wasser, zum Unterschied von Oberwasser; vergl. d. Art. Grundwasser.

Quellen, theils als Symbol des lebendigen Wassers, theils als Merkzeichen, erhalten als Attribut der Apostel Paulus, die Heiligen Eduard, Antonius, Clemens und Macarius.

Quellenholz, f. d. Art. Bois de Mapon.

Queller (Uferb.), Land, das angeschwemmt ist und zu grünen anfängt.

Quellgrund, mit Quellen durchzogener sumpfiger Boden; f. d. Art. Quelle und Ader.

Quellhäus, die ältesten und bekannten Quellhäuser sind etruskisch; f. diesen Art. sowie d. Art. Gewölbe, Indisch, Pelasgisch ꝛc.

Quellraum, f. d. Art. Brauereianlage.

Quellsand, ist das brauchbarste Material zur Bereitung des Mörtels, seiner Reinheit und Schärfe wegen. Wird durch das Quellwasser zu

Tage gefördert; über Quellsand als Baugrund f. d. Art. Grundbau, S. 218, Bd. II.

Quellstelle (Deichb.), Stelle eines Deiches, wo Wasser durchsickert.

Quenburga, f. d. Art. Cuthburga.

Quenna, lat., frz. quenne, längliches Gefäß im vierzehnten Jahrhundert.

Quentchen, f. d. Art. Gewicht.

Quenzel, f. v. w. Quänzel.

Querachse (Math.), f. d. Art. Ellipse, Hyperbel, Achse ꝛc.

Queraxt, f. v. w. Kreuzaxt; f. d.

Querbänder, zu beiden Seiten der Jochpfähle bei hölzernen Brücken angebrachte Bänder oder Streben, um dieselben zusammen zu halten.

Querbalken, 1) auch Querarm, Querschenkel, von einem Kreuz der kurze Balken; — 2) span. Jacena, ein Balken, der rechtwinklig über oder unter andere gelegt ist; vergl. d. Art. bavot; — 3) (Herald.) frz. bâton sinistre, f. d. Art. Heroldsfiguren 3; — 4) (Wasserb.) f. v. w. Nadel 1.

Querbau, f. d. Art. Grubenbau, S. 215, Bd. II.

Querbesteck, beim Canalbau, f. v. w. Querprofil des Canals.

Quercitronenholz und Rinde, kommt von der Färbereiche, quercus nigra, und dient zu Bereitung gelber Farben und gelber Beizen; f. d. betr. Art.

Quercus, f. d. Art. Eiche.

Querdach, 1) Satteldach eines Thurmes, wenn es die Giebel an den Seiten hat, der Firsten also parallel mit der Front läuft; — 2) Dach des Querhauses; — 3) Dach über einem einzelnen Joch eines Seitenschiffes, quer gegen die Längenrichtung der Kirche gestellt.

Querdeich (Deichb.), f. d. Art. Deich 8.

Querdiele, f. d. Art. Beischub 3.

Querreinschub, f. d. Art. Decke, S. 633, Bd. I.

Quergallerie, f. d. Art. Minenbau.

Quergang, 1) (Bergb.) ein von den Hauptgang seitwärts eingehender Gang; — 2) (Festungsbau) f. v. w. ganze Caponière.

Quergestein (Bergb.), das quer zwischen den Gängen stehende Gestein.

Quergurt, frz. arc doubleau, f. d. Art. Gurtbogen, Joch, Gewölbe ꝛc.

Querhaue (Bergb.), Haueisen zum Ebenen des Gesteins.

Querhaus, lat. transseptum, äußerlich sichtbares Querschiff.

Querholz, 1) f. d. Art. Holz 1; — 2) frz. entretoise, engl. intertie, jedes quergelegte Holz.— 3) Querholz im Rauchfang; f. d. Art. Fleischbaus.

Querriegel, f. Latteiholz, Riegel, Thür ꝛc.

Querrippe, f. Gewölbe, goth. Baustyl u. Rippe.

Querschenkel, 1) lat. impages, frz. croisillon, auch Querriegel, Querfries, das mittlere waagrechte Friesstück bei Kreuzthüren; f. d. Art. Thür; — 2) f. v. w. Kreuzarm; f. d. Art. Kreuz.

Querschiff, Kreuzschiff, lat. crux, transenna, frz. croisillon, nef transversale, das Langschiff durchkreuzende Halle, durch welche eine Kirche zur Kreuzkirche wird. Vor d. J. 320 ist kein Querschiff nachzuweisen; das Auftreten derselben, besonders aber der Kreuzungskuppel und der Erdbren an den Enden des Querschiffs, ist orientalischem Einfluß zuzuschreiben und als fremdes Element im Basilikenbau zu betrachten. Weiteres s. in d. Art. Basilika, Kirche.

Querschlag, Querort (Bergb.), eine zwischen zwei Gruben durch das Quergestein getriebene Oeffnung. S. d. Art. Grubenbau, S. 212, Bd. II.

Querschnitt, 1) Querprofil, die Figur, welche entsteht, wenn man Gebäude, Flüsse, Canäle ꝛc. winkelrecht gegen die Längenrichtung durchschnitten denkt und von diesem Durchschnitt eine Zeichnung entwirft; s. d. Art. Durchschnitt; — 2) (Heraldr.) s. v. w. gespalten, frz. coupé; s. d. Art. Heraldik V.

Querschwelle, s. Eisenbahn und Grundbau.

Quersprosse, s. d. Art. Fenster, Fenstersprosse und Sprosse.

Querstraße, s. d. Art. Straße.

Querstück (Mühlenb.), ein Stück Stein, das auf die Kante gesetzt und so quer gegen seine Lagerung zu einem Mühlstein bearbeitet wird. Gegensatz von Bankstück; s. d.

Quersumme einer ganzen Zahl, wird erhalten, wenn man die Ziffern derselben addirt. So ist die Quersumme von 21785 gleich 23. Eine Zahl ist durch 3 oder 9 theilbar, wenn ihre Quersumme es ist.

Querwall, Traverse, Brustwehr im Innern von Verschanzungen, zur Deckung der Kehlen, oder als passives Schutzmittel des Inneren bei ungenügender Deckungshöhe der Brustwehr, wenn eine vollkommene Deckung nur durch ganz außergewöhnliche (daher nicht ausführbare) Brustwehrhöhe zu erlangen wäre.

Querwand, Quermauer, s. v. w. Scheidewand; s. übr. d. Art. Mauer und Wand.

Quetscher, Quetschmine, franz. camouflet, schwachgeladene und tiefgelegte Mine, deren Wirkung sich nicht bis auf die Oberfläche der Erde erstreckt; sie quetscht nur angrenzende hohle Räume, z. B. Gallerien, feindliche, noch nicht bis zum Zünden fertige Minen ꝛc., zusammen.

Quetschhammer, s. v. w. Pochhammer.

Quetschmaschine, Quetschwerk, s. d. A. Mühle.

Queue, frz., 1) eigentlich Schwanz, Schweif; — 2) Lanzenhaken; — 3) Abhängling; reliure à queue; s. d. Art. Buch.

Queue d'aronde, d'hirondelle (franz.), s. d. Art. Schwalbenschwanz; queue de paon, fächerförmige Eintheilung in einen Kreis oder Kreistheil; queue nouée, s. d. Art. Löwe.

Quick, 1) mit Scheidewasser behandeltes Quecksilber, um auf Messing den Grund zur Vergoldung zu legen; — 2) s. v. w. Quecksilber.

quickbornig; ein Baugrund mit Triebsand vermengt, durch welchen leicht Wasser quillt.

Quickbrei, s. v. w. breiförmiges Amalgam, s. d., und Anreiben 3.

Quicksand (Mineral.), s. v. w. Triebsand; überhaupt aller Sand, welcher eckige Körner hat.

Quickwasser, eine Quecksilberauflösung; wird bei dem Vergolden angewendet.

Quillier, frz., Kegelschub.

Quilt, engl., Kissen, Polster, Pfühl, Schinus.

Quinconge, quiconce, frz., lat. quincunx. Stellung der Bäume, Säulen oder dergleichen in dieser Weise: ⁙ ⁙ ⁙

Quincupedal, lat., fünf Fuß langer Maaßstock.

Quinta, St., s. d. Art. Cointba.

Quinte feuille, frz., Fünfpaß.

Quintin, St., auch Quentinus, Quinctinus geschrieben; Römer aus einer Senatorenfamilie, predigte um 245 in der Picardie das Christenthum, ward vom Landpfleger Rictionarius eingezogen, gefoltert, mit Kolben geschlagen, an einer Säule aufgezogen, gebrannt ꝛc. und zuletzt enthauptet. Ist darzustellen als römischer Krieger, an Händen und Füßen mit Ketten gefesselt, in der Hand einen Bratspieß. Er ist Patron gegen den Husten.

Quiquandaine, frz., großes silbernes Gefäß, Kase mit Tülle und Deckel.

Quiriacus, St., ist darzustellen, seine abgehauenen Hände tragend.

Quirinus, St., 1) Bischof zu Sistia oder Sissek in Croatien, Patron der Beine gegen Gicht, 304 nach Chr. vom Landpfleger Maximus unter Diocletian vorgefordert, blieb er standhaft. Vor Amantius geführt, wurde er mit einem Mühlstein am Hals in das Wasser geworfen, schwamm aber oben und predigte schwimmend. Erst auf sein eigenes Gebet sank er unter. — 2) Tribun, brachte den Papst St. Alexander und den St. Hermas ins Gefängniß (um 117), wurde bekehrt und ließ sich sammt seinem Haus taufen. Unter Hadrian ließ ihn Aurelian 138 vorfordern und ihm die Zunge ausreißen. Diese wurde einem Habicht vorgeworfen, der sie aber nicht berührte. An Händen und Füßen verstümmelt, wurde er endlich enthauptet. Er ist Vater der heiligen Balbina. — 3) Ein dritter Quirinus wurde von Pferden zu Tode geschleift. — 4) Priester, Genosse des St. Dionysius, vom Statthalter Fescenninus mit Ruthen gestäupt und enthauptet.

Quirk, engl., 1) der beim Abstecken eines Hauses für den Hof reservirte Platz. — 2) Windung, tiefe Einzahnung, schmaler, tiefer Einschnitt, einspringender Winkel beim Zusammentreffen eines geradlinigen und convexen Gliedes, s. x in Fig. 1627 a; quirked ovolo, Echinus, gedrückter Viertelstab, Fig. 1627 b; quirked ogee, gedrückter Karnies, Fig. 1627 c.

Fig. 1627.

Quiri (Räderw.), ein an der Welle angebrachtes Getriebe mit 6—8 Triebstöcken; vom Drilling wohl zu unterscheiden, s. d., welcher mit freistehenden Triebstöcken zwischen zwei Scheiben hängt.

Quis ut Deus, lat., Wer ist wie Gott? Ausdruck der Sendung des Erzengels Michael, gewissermaßen als Name auf ihn übertragen; s. d. Art. Engel.

Quita miedos, span., Brüstung; s. d.

Quitte, 1) Quittenbaum (Cydonia vulgaris Pers., Fam. Pomaceae), hat weißliches oder weißgelbliches, langfaseriges, ziemlich zähes, festes, dichtes und hartes Holz; dieses ist härter als Apfelbaumholz und läßt sich schlecht bearbeiten. Der Baum ist Attribut des Herkules. — 2) (Steinarb.) zum Gewinnen des Schiefers dienender Keil.

Quoin, engl., 1) ausspringende Ecke; — 2) Keil, Richtkeil; — 3) Staukiel.

Quotient, Resultat der Division, s. d. So ist 3 der Quotient aus 21 : 7.

Qwere, quire, quier, altengl., für Choir, Chor (hängt damit vielleicht Querschiff zusammen?).

R.

R 1) als Zahlzeichen, a) im Hebräischen ר = 200, ך 200,000; b) im Lateinischen R = 80, R̄ = 80,000; c) im Griechischen P = 100; d) im Gothischen P = 100, P̄ = 100,000. — 2) Als Abkürzung, a) in der Mathematik (radix), daher Wurzelzeichen, mit Verlängerung des linken Hornes √. Auch ist R das Zeichen für den rechten Winkel, z. B. 4 R = 360°; auch bezeichnet man den Halbmesser (radius) eines Kreises oder einer Kugel meist mit R oder r; b) in der Physik dient R zu Bezeichnung der Temperatur am Réaumurthermometer (s. d.), z. B. 10° R.; c) auf Inschriften für Rex, Romanus, Regia, Restitutor ꝛc.

Raa, Rah, Raar, frz. vergue, engl. yard, ital. pennone, span. verga (Schiffsb.), s. v. w. Segelstange, welche quer am Mast hängt und mit der etwas stärkeren Mitte an denselben befestigt ist. Die Raaen sind rund, nach den Enden (Nocken) zugespitzt, von Tannenholz gemacht. Die Nocken ragen über das Segel hinaus. Dickere Raaen werden ähnlich den Masten aus Stücken zusammengesetzt. Man unterscheidet und benennt die Raaen nach den Masten und Segeln, zu denen sie gehören.

Raaholz, Raaleiste, frz. lisse de vibord, engl. waistrail, sheerail, Leiste, die über dem Schandeckel der Kuhl an der äußern Seite um das Schiff läuft.

Rabatte, Absatz, schmales Gartenbeet, welches die größeren Quartiere einfaßt.

Rabattstein, Einfassungs- oder Bordstein bei Pflasterarbeiten.

rabatta, frz., stumpf; s. d. Art. Lanze.

Rabbet, rebate, engl., in den Fenstergewänden der Falz zur Aufnahme des Glasfensters; s. d. Art. Falz u. Anschlag; rabbet-plane, Nuthhobel.

Rabe; derselbe galt bei Griechen und Römern als Symbol der Untreue, des Verraths und als Unglücksvogel; in der nordischen Mythologie als Leichenvogel. In der Heraldik bedeutet er Ueberfluß und Freigebigkeit. In der Ikonographie erscheint er als Attribut von Odin, Erasmus, Benedictus, Habakuk, Ida, Guilelm Firmatus, Meinhard, Oswald, Paulus Eremita, Vincentius.

Rabenschnabel, auch Rabatteisen, 1) (Schiffsbau), frz. fer de calfat cannelé, eiserner Haken zum Einbringen und Herausnehmen des Werrigs aus den Fugen beim Kalfatern; — 2) s. d. Art. Karnies 5 und d. Art. Adlerschnabel.

Rabot, frz., 1) Hobel, Schaufel; rabot à écorner, Bestoßbobel; — 2) rauher Pflasterstein.

raccorder, frz., zwei neue Verbandtheile oder einen neuen und einen alten bündig an einander passen.

Rachen (Herald.), frz. gueule; à gueule bée,

mit geöffnetem Rachen; s. d.; — 2) am Helm der Raum, der durch das Visir geschlossen wird.

racheten, frz., 1) etwas Windschiefes in regelmäßige Form bringen; — 2) zwei Gewölbe verschiedener Art mit einander in Verband bringen.

Racinal, frz., Grundschwelle, Grundbalken, Bodenschwelle; racinal de comble, unter einem Balken liegender consolartiger Träger, s. d. Art. Trummholz oder Kraftstein; racinal d'écurie, Stempel unter der Krippe.

Racing knif, engl., frz. rouanne, Krabpasser, Ritzeisen; s. d. Art. Zirkel.

Racloir, frz., lat. radula, Kratzeisen zum Abtragen des alten Putzes. [Wagenleiter.

Rack, engl., Reck, Raufe, Rechen, Kleiberleiste,

Rad, frz. roue, engl. wheel, massive oder durchbrochene, um eine Achse sich drehende Scheibe. Steht die Achse lothrecht, so nennt man das Rad ein liegendes. Bei horizontaler Achse ein stehendes.

I. Das fortlaufende Rad, Rad an der Achse, findet nur an Vorrichtungen zum Fortbewegen von Lasten und Fuhrwerken Anwendung und besteht entweder aus einer vollen Scheibe oder aus Nabe, Speichen und Kranz. Letzterer ist entweder aus einem Stück oder aus Felgen gearbeitet und dann meist mit einem Reifen beschlagen. Dahin gehören auch die Rollen und Walzen. Ueber die Verhältnisse der Kraft zur Last und die Widerstände der Bewegung in Bezug auf den Fuhrwerkstransport, auf das Fortbewegen auf Walzen ꝛc. s. d. Art. Reibung.

II. Auf der Stelle drehendes Rad, Rad an der Welle, einfache Maschine, welche ihrem Princip nach dem continuirlichen Hebel repräsentirt. Im Allgemeinen besteht sie aus einer Welle, auf welcher ein Rad oder eine Scheibe oder dergleichen festsitzt, so daß die Achse des Rades in die der Welle fällt. Die Kraft P wirkt am Umfang des Rades und die Last Q am Umfang der Welle und beim Gleichgewicht wäre $PR = Qr$, wenn nicht die Zapfenreibung noch zu berücksichtigen wäre. Ist der Zapfendruck Q_1, der Halbmesser des Zapfens r_1, der Reibungscoëfficient φ, der Hebelarm der Kraft R, der Arm der Last (Wellendurchmesser) r, wobei unter Hebelarm die Länge des Perpendikels vom Mittelpunkt auf die Kraftrichtung zu verstehen ist, so wird $PR = Qr + \varphi Q_1 r_1$ oder noch genauer unter Berücksichtigung der Steifigkeit des Seils vom Durchmesser δ und der aus Fig. 1628 zu ersehenden Winkel: $P.R = Q.r + \frac{1}{2}Q.\delta^2 + \varphi.r\sqrt{(P_1.\sin.\alpha + Q_1\sin\beta + Q_1)^2 + (P_1\cos\alpha + Q\cos\beta)^2}$, wobei $P_1 = Qr + \frac{1}{2}Q.\delta^2$ zu setzen genügt. In der Anwendung als ^{R} selbständige Maschine wird das Rad an der Welle meist durch

Menschenkraft in Bewegung gesetzt. Es hat in der Anwendung sehr verschiedene Formen. Statt des Rades hat man oft Handgriffe, sogenannte Speichen, welche radial auf den Umfang der Welle

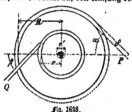

Fig. 1628.

aufgesetzt sind. Hauptformen sind die Haspel mit liegender und die Winde mit stehender Welle. Bei anderen ist der Radkranz mit Tritten versehen, an denen Menschen oder Thiere emporsteigen und so das Rad durch ihre eigne Schwere in Bewegung versetzen. Sie heißen Tret= oder Laufräder; s. d. betr. Art. sowie d. Art. Haspel, Winde, Schöpf= rad, Wasserrad, Tretrad, Gabelrad, Kettenrad, Schwungrad. Soll das Rad eine gezahnte Stange fortbewegen, so befindet sich an der Welle ein Ge= triebe. Soll eine schiebende Bewegung hervor= gebracht werden, z. B. bei Stangenkünsten, so wird ein Krummzapfen an der Welle angebracht.

1. Setzt man mehrere Räder mit einander in Verbindung, so entsteht ein Räderwerk; diese die= nen dazu, Geschwindigkeit oder Kraft einer fortzu= pflanzenden Leistung umzuändern. Die Uebertra= gung der Bewegung kann durch unmittelbare Be= rührung oder mittelst eines Riemens oder andern biegsamen Körpers geschehen. Im erstern Fall hat man die gewöhnlichen Räderwerke, im letz= teren die Riemenscheiben; s. d. a) frictionsräder. Am einfachsten würde allein mit Hülfe der Reibung an den Radumfängen eine Kraft von einem Rad auf das andere übertragen werden. Dazu müßte aber der Normaldruck sehr groß und die Oberfläche der Räder rauh gemacht werden, wenn eine eini= germaßen bedeutende Kraft übertragen werden soll. Die Rauhigkeit hat aber nur eine theilweise Berührung und daher Stöße zur Folge; die Er= höhung des Normaldrucks erhöht zugleich den Zapfendruck und die Zapfenreibung. b) Durch Anwendung der sogenannten Keilräder hat man den Druck zu vermindern gesucht, indem man das eine Rad im Rand vertieft, das andere er= höht hat. Aber auch diese haben ihre Uebelstände, weil ein ungleichmäßiges Abschleifen stattfindet. c) Zahnräder. Weit besser als bei den genannten Rädern erfolgt die Uebertragung der Bewegung, wenn man die Umfänge beider Räder mit ab= wechselnden Erhöhungen (Zähnen) und Vertiefun= gen (Zahnlücken) versieht und die Erhöhungen des einen Rades in die Vertiefungen des andern eingreifen läßt. Hierbei ist es zugleich möglich, jede beliebig große Kraft zu übertragen. Das Rad, von welchem die Bewegung ausgeht, heißt das Treibrad, das in Bewegung gesetzte das Getriebe. Die Berührung beider Räder erfolgt in zwei Kreisen, welche sich berühren; sie heißen Theilkreise oder Theilrisse. Je nach der Lage der Achsen unterscheidet man: cylindrischeRäder,auch Stirnräder oder Spornräder, wenn die Achsen parallel laufen und die Zähne auf dem Umfang eines Cylinders sitzen; Kamm= ob.Kronräder,wenn die Zähne auf der Radebene sitzen; conische Rä= der, auch Kegel=, Winkel= oder Diagonalräder ge= nannt, wenn die Achsen sich rechtwinklig ob. schief= winklig schneiden, s. Fig. 1629, und hyperbolische Räder, wenn die Achsen sich kreuzen, also sich we= der schneiden noch pa= rallel laufen.

Für zwei in einander greifende Zahnräder gel= ten folgende Sätze: Die Umlaufszeiten T und t verhalten sich gerade, die Zahlen der Umgänge U und u in gleichen Zeiten umgekehrt, wie die Zahn= zahlen Z und z oder die Halbmesser R und r der Theilkreise. — Die Kraft P verhält sich zur Last Q wie der Halbmesser des Getriebes r zu dem des Treibrades R; also:

Fig. 1629.

$$\frac{T}{t} = \frac{u}{U} = \frac{Z}{z} = \frac{R}{r} = \frac{Q}{P}.$$

Wenn das Uebersetzungsverhältniß $V = \frac{U}{u}$ (Verhältniß der Umdrehungszahlen) ein sehr gro= ßes werden soll, so stellt man gewöhnlich ein mehrfaches Räderwerk, ein sogenanntes Vor= gelege, her. Man läßt dann das Treibrad in ein Getriebe eingreifen, auf dessen Achse ein neues Treibrad sitzt, welches wieder in ein Getriebe ein= greift u. s. f. Bei den Vorgelegen ist das Ueber= setzungsverhältniß gleich dem Quotienten aus dem Produkt der Halbmesser der Treibräder durch das Produkt der Halbmesser der Getriebe, das Verhältniß der Kraft zur Last dagegen gleich dem Produkt aus dem ganzen Umsetzungsverhält= niß in das Verhältniß des Hebelarmes der Kraft zu dem der Last, oder gleich dem Verhältniß des Produkts der Getriebehalbmesser zu dem Pro= dukt der Treibradhalbmesser. Wenn man dagegen an jeder der einzelnen Zwischenwellen nur ein Rad anbringt und dies direct in das Rad der nächsten Welle eingreifen läßt, so ist das Ueber= setzungsverhältniß eben so groß, als ob das erste Rad direct in das letzte eingriffe. Solche Zwischen= räder, sogenannte Transporteurs, wendet man an, um die Wellen etwas entfernter von einander halten zu können, sowie damit sich das Getriebe nach derselben Richtung umdreht, wie das Treib= rad. — Auch kann man bei sich nicht schneidenden Achsen die hyperbolischen Räder überflüssig ma= chen, wenn man die Achse eines Transporteurs in eine gerade Linie, welche beide Achsen schneidet, legt und alle Räder conisch macht.

Besonders wichtig ist die Form der Zähne. Diese wird gebildet entweder nach Cycloiden, oder nach Evolventen oder nach Kreisbögen. Bei den Evolventenzähnen bleibt der Druck von An= fang bis Ende des Eingriffs constant, weil der Angriffswinkel constant ist; die Abnutzung ist da= her gleichmäßig. Ferner können Evolventenräder mit Rädern von ganz verschiedenen Halbmessern im Eingriff stehen; bei cycloidischen Zähnen wird bei einer kleinen Verschiebung der Achse sofort der Eingriff falsch, während er bei Evolventenzähnen noch richtig bleibt. Man zieht daher die Verzah= nung nach Evolventen der nach Cycloiden vor. —

18*

Da die Construction der Evolventen ziemlich umständlich ist, so hat Reuleau Methoden angegeben, Kreisbögen zu finden, welche mit der Evolvente nahe zusammenfallen. Diese Methoden sind verschieden bei Rädern von 11—60 Zähnen und bei solchen über 60 Zähnen.

Die Breite eines Zahnes darf nicht genau derjenigen der Lücke gleich sein, weil sonst die Zähne leicht klemmen. Bei gußeisernen Rädern genügt es stets, wenn man den Zahn $^{10}/_{21}$, die Lücke $^{11}/_{21}$ der Zahntheilung, d. i. der Entfernung eines Zahnmittels vom nächsten macht.

Krahnräder nennt man alle die Zahnräder, welche einen langsamen, oft unterbrochenen Gang haben und in der Regel durch Menschenkraft umgedreht werden, wie die Räder an Krahnen, Winden u. s. w., sowie die langsam gehenden Räder der Arbeitsmaschinen. Die Krahnräder sind in der Regel klein, doch dürfen sie nicht unter 11 Zähne haben, wobei das eingreifende Rad mindestens 17 Zähne haben muß. Die Theilung s berechnet man aus dem übertragenen Drehungsmoment M und der Zähnezahl n mit Hülfe folgender

Formel: $s = 2,66 \sqrt[3]{\dfrac{M}{n}}$, wobei M in Kilogrammometern, s in Millimetern. Die Zahnlänge ist stets gleich der doppelten Theilung zu machen.

Triebwerksräder sind alle Zahnräder mit raschem, ununterbrochenem Gang, wie die Räder an gangbaren Zeugen; sie werden von leblosen Motoren in Bewegung versetzt und haben meist große Lasten zu übertragen. Dabei darf das treibende Rad nicht unter 20, das getriebene nicht unter 30 Zähne haben. Gegeben ist die Anzahl der z übertragenen Pferdekräfte N, die Umdrehungszahl u, die Zähnezahl n. Ist dann P die Kraft, welche in den Zähnen wirkt; ist S ein bestimmter Coëfficient, welcher von 2,5 auf 1 herabgeht, wenn die Umdrehungszahl des kleineren Rades von 20 auf 400 steigt; ist s die Theilung, β das Verhältniß der Zahnlänge zur Theilung, r der Radhalbmesser, so wird

$$P = 15791 \sqrt[3]{\left(\frac{N}{n\,u}\right)^2 S}.$$

$$\beta = 2 + \frac{P}{2000} + \frac{1}{20}\sqrt[3]{u^2}$$

$$s = 432,7 \sqrt[3]{\frac{N}{S\,\beta\,n\,u}}$$

$$r = \frac{n}{2} \cdot \frac{s}{\pi},$$

wobei in der Formel für β u die Umdrehungszahl des kleineren Rades bedeutet.

Die Anzahl A der Radarme oder Speichen ist

$$\frac{1}{4}\sqrt[4]{s}\,\sqrt{n}$$

und es ist dafür die nächstliegende ganze Zahl zu nehmen. Fällt dabei A kleiner als 3 aus, so ist das Rad jedenfalls massiv zu machen. — Die gebräuchlichsten Querschnitte der Radarme sind der Tförmige und der ovale; bei Stirnrädern kommt auch die Kreuzform vielfach vor, die bei Stirnrädern mit Holzzähnen die beste ist; die Armzahl muß dann in der Zähnezahl aufgehen, so daß der Arm zwischen zwei Stielen in die Nabe eingreift. Die Stiele der Holzzähne

werden entweder durch eingebohrte Löcher und in diese eingeschlagene Stifte befestigt, oder durch Keile, welche zwischen zwei Stielen eingeklemmt sind. Die Radtranzbreite muß bei Holzzähnen stets größer als die Zahnlänge sein.

Bei Kamm- oder Kronrädern stehen die Zähne senkrecht auf der Radebene, wie Fig. 1630 zeigt. Da die Zähne des eingreifenden Rades hier sehr lang werden müssen, so befestigt man dieselben mit ihren Enden gewöhnlich in zwei parallelen Scheiben. Ein solches Rad heißt ein Trilling, die Zähne desselben Triebstöcke. Diese Räder haben den Nachtheil, daß ihre Zähne sich nur an einem Punkt berühren und daselbst leicht abnutzen.

Fig. 1630.

Auch die Schraube ohne Ende kann mit einem Rad in Eingriff gebracht werden; s. d. Art. Schraube.

Von geringerer Bedeutung sind die Räder, welche eine gleichförmige Bewegung in eine ungleichförmige übersetzen sollen, wie die excentrischen Kreisräder, die elliptischen Räder, die Spiralräder, welche nach logarithmischer Spirale gekrümmt sind, die viereckigen Räder u. s. f. Zu den Mechanismen, welche bezwecken, eine stetige Kreisbewegung in eine stetige wiederkehrende Kreisbewegung zu übersetzen, gehört das Mangelrad, Wenderad oder Wechselrad, Fig. 1631. Dies besteht aus einem großen, um eine feste Achse umlaufenden, mit Triebstöcken versehenen Rad.

Fig. 1631.

Das Getriebe B, dessen Achse in eine Rinne b k hineinragt, greift mit seinen Zähnen zunächst außerhalb, bis zu einem gewissen Punkte f, wo seine Achse durch einen Druck von außen, der dem Lauf der Rinne folgt, nach t übertritt, in Folge dessen es nun in die Zähne von innen eingreift und also von da ab das Rad nach entgegengesetzter Richtung dreht. — Ein anderer Mechanismus zu diesem Zweck ist folgender: Auf einer Achse sitzen zwei conische Räder, welche mit demselben dritten in Eingriff stehen. Beide Räder sind nur zur Hälfte mit Zähnen versehen, und zwar so, daß, wenn das eine in Eingriff steht, das andere es nicht ist. Daher wird das dritte Rad bald nach der einen, bald nach der anderen Richtung umgedreht. Begreiflicherweise können noch viele weitere Combinationen erreicht werden. Diese aber, sowie die Theorie der Räderwerke, weiter zu verfolgen, hieße die Aufgabe eines Lexikons überschreiten. Wir verweisen daher auf die Specialliteratur, z. B. auf Friedrich Kohl, „Schule der Mechanik", Leipzig, Otto Spamer. 1865.

2. (Hüttenw.) Maschine zum Erzwaschen. Sie besteht in der Hauptsache aus einem hohlen Rad, das auf der äußeren Seite mit durchlöcherten Brettern und inwendig mit eisernen Stangen ver-

feben ift, woran beim Umbrehen des Rabes das
Erz fich ftößt.

3. (Bergb.) Maaß zum Verleihen des Berg-
waffers, jo viel als durch eine fechsbohrige Röhre
geht.

4. (Herald.) man unterfcheidet: a) Catharinen-
rab; b) Mühlrad; c) Wagenrad, deffen Speichen
oft gedrechfelt oder fonft verziert find; d) Sporn-
rad, welches einem Stern gleicht, der in der Mitte
durchbohrt ift. Als Attribut erhält ein Rad die
heilige Catharina, Donatus, Euphemia, Willigis.

Rabachfe, 1) f. v. w. Rabwelle; — 2) f. v. w.
Achslinie des Rades, f. d.

Radancia, ital., f. d. Art. Raufche.

Radarm, f. v. w. Speiche.

Radbagger, f. d. Art. Bagger 2 a.

Radbarometer, f. d. Art. Barometer.

Radbock. 1) (Mühlb.) Gerüft von Holz in der
Rabftube, welches zur Schonung des Mauerwerks
die Welle der Wafferräder trägt. 2) S. v. w. Rabftuhl.

Radboden (Mühlb.), Brettchen, welches mit
den fchief eingefetzten Schaufeln fogenannte Sad-
fchaufeln bildet; f. d. Art. Wafferrad.

Radbrunnen, f. d. Art. Brunnen A. a. S.
475. Bd. I.

Radbuchfe, frz. frette, span. binola, Achsring.

Raddampfmafchine, f. d. Art. Dampfmafchine VII.

Raddle, engl., Zaunruthe; raddle-hedge,
geflochtener Zaun.

Radearm (Mühlenb.), auch Beutelarm oder
Sichtearm. So heißen die beiden Hebel an der
Beutelwelle oder Rabewelle; f. d. 1.

Radeau, frz., lat. ratis, engl. raft, Floß,
Blockfchiff; raftsport, Pietpforte.

Radeberge, f. Karre A. 2.

Radegundis, St., Patronin von Salzburg
und Burgos, geborene Herzogin von Thüringen,
wurde in zarter Jugend gefangen, zur Gemahlin
Chlotars von Frankreich erhoben, dann von St.
Medardus als Nonne eingekleidet; war fehr de-
müthig und ftarb 587. Darzuftellen als Aebtiffin
mit dem Stab, die Krone zu ihren Füßen. Zur
Seite zwei Wölfe, weil ihr diefe gehorchten.

Radehacke, Radehaue, Erdhaue, eifernes Werkzeug mit langem Stiel zum Losarbeiten fortzube-
wegender Erdmaffen.

Radeckopf, Radfcherr, Radefchiene (Mühlb.),
durchlöchertes Bret, an der Spitze der Rabewelle
befeftigt, liegt unter dem Beutel und fpannt denfelben aus.

Radefchwelle, Anfchlagfchwelle eines Thorflügels; man fertigt fie aus Holz oder Stein und
fchützt die hölzernen durch aufgenagelte eiferne
Schienen vor Abnutzung.

Radewelle (Mühlenw.), 1) auch Beutelwelle;
fenkrecht neben dem Beutelkaften ftehende Welle,
an deren Armen (f. d. Art. Radearm) der Beutel
befeftigt ift; — 2) f. d. Art. Karre A. 2.

Radfenfter, Catharinenrad, frz. roue de Ste.
Catherine, fenêtre rayonnante, engl. Catherine-
wheel-window, marygold-window, radförmiges
Fenfter, Glücksrad, nicht zu verwechfeln mit Fen-
fterrofe; f. d. betr. Art.; vergl. auch d. Art. go-
thifcher Bauftyl und Rofette.

Radfluder (Hüttenw.), f. v. w. Gerinne.

Radgefälle (Mühlenw.), das Gefälle vom
Gerinne bis zum Wafferrad.

Radgrube (Mühlenb.), f. v. w. Kammgrube.

Radhafpel, f. d. Art. Hafpel.

Radier, frz. 1) Theil des Flußbettes unter
einem Brückenbogen; — 2) Bettung einer Schleuße.

Radirgummi, Mifchung von Kautfchut,
Bimsfteinftaub, Schwefel rc.; f. d. Art. Abfchleifen
und Kautfchut.

Radius (lat. radius, Strahl), 1) eines Kreifes
oder einer Kugel, irgend welche vom Mittelpunkt
nach dem Umfang gezogene gerade Linie; f. d. Art.
Halbmeffer und Kreis. 2) Radius vector eines
Kegelfchnittes, die gerade Linie, welche irgend
einen Punkt deffelben mit dem Brennpunkt verbindet; f. d. Art. Curve, S. 583, Bd. I., Centralbewegung und Hyperbel. 3) Allgemein bei Polarcoordinaten die gerade Linie, welche den Abftand
eines Punktes vom Pol mißt.

Radix, f. v. w. Wurzel; f. d.

Radkrahn, f. d. Art. Krahn und Hafpel.

Radkranz, f. d. Art. Rad.

Radlinie, f. d. Art. Cycloide.

Radnagel, ftarker eiferner Nagel mit rundem,
breitem Kopf, zum Befeftigen der eifernen Schienen, Randreifen oder anderen Befchläge auf die
Felgen hölzerner Räder.

Radperipherie, kreisförmiger Umfang eines
Rades, bei Stirnrädern die Spitzen der Zähne
berührend.

Radpumpe, Pumpe, deren Kolbenftange mittelft eines Rades in Bewegung gefetzt wird; f. d.
Art. Pumpe.

Radfchaufel (Mühlenb.), 1) f. v. w. Waffer-
fchleuder; — 2) Schaufel an Wafferrädern.

Radfcheibe, f. v. w. fefte Rolle, f. Flafchenzug.

Radfchütze, Schütze vor dem Wafferrad.

Radfperre, frz. enrayure, Hemmkette; f. d.
Art. Hemmung.

Radftößer, Prellftein, Abläufer, in Oefterreich
Streiftegel, ftarkes Stück Holz oder Eifen-
ftempel, fchräg an Wände, Thorfäulen rc. gefetzt,
zur Verbindung des nahen Heranfahrens und
Befchädigens diefer Gegenftände; muß unten mindeftens 25 Centim. gegen das Gewände ausladen.

Radftube, Raum für das Räderwerk einer
Mühle rc.

Radftücke (Mühlenb.), die den Grund der
Mühlenwelle bildenden, in der Rabftube befindlichen Querhölzer.

Radftuhl, die Unterlage eines Wafferrades
beim Zulegen und Bauen deffelben.

Radfumpf (Mühlenb.), eine vom Waffer unter
den Wafferrädern gemachte Vertiefung.

Radula complanata, Lebermoos; f. d. Art.
Baumgrind.

Radwaffer, 1) (Mühlenb.) f. v. w. Auffchlag-
waffer; — 2) (Bergb.) f. v. w. Rad 3.

Radwelle (Mühlenb.), Welle, die einem Rad
als körperliche Achfe dient.

Radwinde, f. v. w. Rabhafpel oder auch
Winde, welche mittelft eines Rades in Bewegung
gefetzt wird.

Radzange, Räderzange, große Schmiedezange zum Auflegen der Radschienen auf die Felgen.

Radzapfen, s. v. w. Wellzapfen. Bei Rädern ohne Welle sind die Zapfen, um welche das Rad sich dreht, unmittelbar am Rad befindlich.

Radzirkel, s. v. w. Stangenzirkel.

Räder, masc. (Hüttenw.) zum Durchsieben des trockenen Erzschlichs dienendes Drahtsieb in einem viereckigen Kasten, daher hier und da überhaupt s. v. w. Sieb.

Räderbock (Hüttenw.), Gestelle zum Daraufstellen des Räders und des Erzsiebes.

Räderwerk, 1) (Hüttenw.) Vorrichtung zum Sieben des Erdschlichs bei trockenen Pochwerken. An der Pochwelle ist ein Kranz mit Kämmen angebracht, letztere drücken den Daumen einer kleinen davorliegenden Welle, **Räderwelle,** nieder, deren Schiebstange den Däumling der **Räderstange** schiebt, die sich zwischen zwei kleinen Docken, den **Räderarmen,** dreht, und auf welcher der Räder ruht. Die Räderstange wird durch eine danebenstehende Prellstange, **Rädel, Räderbaum,** zurückgedrückt, welche zugleich den Daumen der kleinen Welle an die Kämme des Kreuzes andrückt. In einen Kasten, **Räderkasten,** fällt durch die schüttelnde Bewegung der klare Schlich; durch die vorn offenen Räder fallen die groben Stücke heraus und kommen nochmals unter den Pochstempel.

Rähmen, s. d. Art. Rahmstück 1.

Rähmling, Riemling; s. im Art. Bret.

Räthselwappen (Herald.), s. v. w. redendes Wappen; s. d. Art. Wappen.

Räucherkammer, Fleischdarre. Behältniß zum Räuchern von Fleisch. Man baut die Räucherkammer am liebsten an einen Schornstein an und versieht sie mit zwei Oeffnungen, durch deren untere der Rauch eindringt, während er durch die obere wieder in den Schornstein zurücktritt. Man bringt einen Blechschieber in dem Schornstein an, um durch Abschließung des geraden Weges den Rauch in die Räucherkammer zu drängen. In den Rauchkammern selbst bringt man Haken einander gegenüber an und darauf legt man die Stäbe zu Aufhängung des Fleisches. Die Thür, durch welche man das Fleisch einbringt, muß feuerfest sein, am einfachsten macht man sie von Blech. Das Mauerwerk der Räucherkammer überzieht man inwendig stark mit Lehm. Vor Allem darf sie dem Feuer nicht zu nahe sein. Die Umfassungswände sind wegen der Feuersicherheit massiv, mindestens 12 Zoll stark; ebendazu dient der abgeplattete Fußboden, die gewölbte Decke 2c.; die innere, lichte Höhe sollte nicht unter 6' sein. In Preußen darf die Rauchzuleitungsröhre nur 3'' weit sein.

Räuchern des Holzes, s. Bauholz und Holz.

Räucherpfanne, Räuchervase, s. unt. d. Art. Cassolette, Athenienne, Rauchfaß 2c.

Rände, s. d. Art. Baumgrind.

Räusche (Mühlenb.), s. v. w. Gefälle.

Räute (Schloss.), Ring an einem Schlüssel, s. d.

Rafen, Raffe, Rafter, 1) württemb. Prov. für Sparren; — 2) tiefere Latten, 4—6 Fuß lang, 5—6 Zoll breit und 1 Zoll dick.

Rafour, so nennt man die Meiler oder Feldöfen in Savoyen.

Raffinirofen, s. d. Art. Flammofen u. Eisen, S. 687, Bd. I.

rafraîchir, frz., auffrischen, s. d.

Rafter, engl., Sparren; R. common, Leersparren; Rafter-foot, Traufbalken; R. principal, Hauptsparren.

Raglin, nordengl., s. v. w. joist, Polsterholz; s. d. Art. sowie d. Art. Balkendecke u. Balkenlage.

ragreer, frz., nachbessern, nach Vollendung eines Gebäudes die Außenseite revidiren und alles etwa noch Unvollendete oder Nichtpassende oder Beschädigte überarbeiten.

Rag-stone, engl., Pläner, überhaupt plattenartig brechender Bruchstein.

Ragwork, engl., aus Plänern aufgeführtes, einigermaßen geschichtetes Bruchsteinmauerwerk

Rahel, s. d. Art. Maaß, S. 492, Bd. II.

Rahmen, frz. cadre, überhaupt s. v. w. Einfassung. 1) (Tischl.) Einfassung der Füllungen bei gestemmten Thüren; man nennt die diese Umfassung bildenden Hölzer **Rahmenhölzer,** und zwar **Rahmenschenkel** die senkrechten Theile des Rahmens, **Rahmenstücke** die horizontalen; — 2) s. v. w. Fensterrahmen und Flügelrahmen; s. d. Art. Fenster; — 3) das an beiden zu die hölzernen Thürgewände, wo dann die senkrechten Stücke Rahmen und das Querholz Rahmenstück heißt; — 4) die Form, in welcher die Ziegelsteine geformt werden; — 5) (Mühlenb.) s. v. w. Gatter der Sägemühlen; — 6) jedes mit mehreren andern in Verbindung als Flächenumfassung dienende Holz; s. die Art. Füllung, Eckverband, eingeschoben, eingesteckt 2c.; — 7) s. v. w. Maaßlade; — 8) Bilderrahmen; über Form und Farbe derselben s. d. Art. Bild; — 9) holländischer Rahmen, Minengangzimmerung, aus Pfostenstücken bestehend, von ca. 9'' Breite, 1½—2'' Stärke.

Rahmenhobel, s. v. w. Simshobel.

Rahmenholz oder **Rahmholz,** s. unt. Rahmen.

Rahmenschenkel (Tischl.), 1) s. u. Rahmen 2; — 2) Holzsorte; s. d. Art. Bauholz F. I. n. 1.

Rahmstück, 1) auch **Rähm, Rähmen** genannt, franz. poitrail, engl. breast summer, s. v. w. Blattstück in Dachstühlen, horizontal nach der Länge des Gebäudes durch Stielwerk unterstütztes Verbandstück; auf den etwaigen Stößen werden die Stücke meist nur stumpf zusammengestoßen und durch Klammern, Schienen oder Zugbänder verbunden; es dürfen jedoch die Stöße von parallel laufenden Rahmen nicht aufeinander treffen, müssen auch stets über einen Stiel treffen; — 2) s. d. Art. Architrav; — 3) (Mühlenb.) s. v. w. Radstück; — 4) (Schloss.) bei einem eisernen Geländer die untere und obere Querstange; — 5) (Tischl.) s. unt. Rahmen.

Rahmwerk, frz. bâti, s. d. Art. Bâti u. Rahmen.

Raie de trefle, frz. Kleezug, s. d.

Raies de coeur, frz., Herzlaub, s. d. Art. Blätterstab.

Raif setzen (Hüttenw.), Ausbessern eines Ofens nach dem Schmelzen mit frischem Lehm.

Rail, engl., Querriegel, Querholz, Riegel, Schlagbaum; post and rail fence, Einfriedigung aus Säulen und Riegeln.

Railing, engl., 1) Vergitterung; — 2) Regeling, Geländer.

Rail-way, rail-road, engl., Eisenbahn; railway-station Bahnhof.

Raimund, St., s. d. Art. Raymund.

Rain, lat. limes, frz. lisière, als Grenze zweier Grundstücke dienender schmaler Landstreifen, der mit Gras bewachsen ist.

Raineau, frz., eisernes Band zur Verstärkung von Holzverbänden; s. d. Art. Band IV. a.

Rainerius, St. starb 1589; ist darzustellen als Kapuziner, einen Stier neben sich, vor dessen Angriff er wunderbar gerettet worden.

Rainure, frz., 1) Rinne, Fuge, Falz; rainure de plomb de vitrail, Nute im Fensterblei; — 2) Keep, s. d.

stermaaßwerk die Verzweigung desselben im Bogenfeld.

Ramme oder **Rammel,** frz. batte, engl. ram. Im Allgemeinen besteht jede Ramme aus einem Körper, den man aufhebt und auf den einzurammenden Körper, Stein oder Pfahl, fallen läßt; ist dabei Q das Gewicht der Ramme, q das des einzurammenden Gegenstandes, h die Fallhöhe, so ist die Wirkung $\dfrac{Qb}{Q+q}$

I. **Handramme, Setzschlägel, Jungfer,** frz., dame, demoiselle, hie, engl. paviers beetle,

Fig. 1632. Zugramme mit einfachem Läufer. Fig. 1633.

Rainstein, s. v. w. Grenzstein.

Rainweide, Liguster, Grießholz (Ligustrum vulgare, Fam. Oelbaumgewächse), span. Alheña, wird oft als Heckenstrauch gezogen; die Kohle giebt gute Zeichenkohle und schwarze Farbe. Das Holz älterer Stämme eignet sich wegen seiner Feinheit zu feinen Schnitzereien.

rajolen (Gartenb.), Umgraben der Erde bis zu 4—6 Fuß Tiefe.

Raising-piece, engl., Mauerlatte, Saumschwelle.

rallonger, franz., verlängern, anstücken; arc rallongé, s. d. Art. Bogen A. I. 10.

Rallongement d'arétier, s. Reculement.

Ramajuolo, ital., Kelle, s. d.

Ramaßeisen, aus Alteisen zusammengeschweißte Luppe.

Rambade (Schiffsb.), bei Galeeren 2 Erhöhungen zu Aufstellung von Soldaten neben der Spitze.

Rame, frz., Bohnenstange.

Rameau, frz., s. d. Art. Ast 3.

Ramée, frz., Laub, Laubhütte.

Ramification, frz., beim spätgothischen Fen-

cylindrischer oder conischer Kloz mit einer Handhabe oben oder mit 3—4 Bügeln oder Armen an der Seite, meist nur zum Rammen des Pflasters gebraucht, höchstens für kleinere Pfähle brauchbar, pro Arbeiter 25—30 Pfd. schwer. Weiteres s. in d. Art. Setzschlägel und Dame 4.

II. **Zugramme, Hoye, Schlagwerk,** frz. batterie. Der Haupttheil ist ein schwerer Block von Eisen oder festem, maserigem Eichenholz, mit Eisen beschlagen, der **Rammkloz, Rammblock, Rammbär, Bär, Bock, Fallbock, Hoyer, Handwerk, Läufer, Hund, Kiel,** lat. fistuca, frz. bélier, mouton, déclic. engl. rammer-log. Dieser wird an einem Tau, **Rammtau, Bärtau,** das über eine Rolle läuft, befestigt, dann durch Menschen, welche an Zugleinen ziehen, in die Höhe gehoben. Das Gewicht des Rammkloßes bemißt man bei einer Hubhöbe von 5 Fuß mit 28—30 Pfd. auf jeden Arbeiter. a) **Zugramme mit einfachem Läufer,** Fig. 1632 u. 33; der Rammblock hat an der hintern Seite oben zwei durch Armringe an ihn befestigte Arme, Ohren, Hörner, Tatzen, am besten aus Weißbuchenholz, womit er an einem in der Vorderschwelle a stehenden senkrechten Balken (**Läuferruthe, Führer**) b anliegt, der durch die Streben oder Richtstützen c c in seiner Lage erhalten wird, und mit derselben und der Schwelle das Rammgestelle bildet. Den Fuß der Rammmaschine bildet das Rammgerüst, frz. sonnette, aus 4 Balken, Vorder-, Hinter- u. 2 Seitenschwellen bestehend; der Raum zwischen diesen 4 Schwellen heißt Stube. Die eine der

Fig. 1633.

Fig. 1636. Scheerramme.

Vorderruthen wird als einbäumige Leiter mit Sprossen versehen, um zum oberen Theil des Läufers emporzusteigen und die daselbst befindliche Scheibe e schmieren zu können, zu deren Anbringung man häufig dem Läufer oben eine besondere Verstärkung, Eselskopf, giebt; zwei weitere Strebebäume, Hinterruthen, stehen auf der Hinterschwelle gegen den Läufer gerichtet, oder sind auch wohl durch die Spreizstangen d d ersetzt. Das Bärtau wird an eine an der oberen Seite des

Rammklotzes befindliche Krampe angebunden und über die Scheibe e geschlagen; das Ende des Rammtaues, Schwanz, hängt dann hinter dem Läufer M herab; man befestigt an diesen Schwanz, je nach der Höhe des einzutreibenden Pfahles, ein zu einem Kranz geschlungenes Tau, Kranztau, oder einen Eisenring, mittelst eines Knebels, Rammknebel, und knüpft daran so viel Zugleinen, als Leute zum Ziehen nötbig find, s. Fig. 1638. Statt des Ringes oder Kranztaues kann man auch eine schmiedeeiserne Hülse (Fig. 1637) anwenden. Jede Zugleine endigt zum leichtern Ziehen in einem Knebel (Zugknebel). b) Zugramme mit doppelten Läufern, Scheerramme. Der Kloß, auch Scheere genannt, sitzt zwischen den Läufern und erhält demgemäß 8 Arme, von denen je 4 einen Läufer umfassen, indem 4 Hölzer waagrecht quer durch den Kloß gesteckt sind. Die Läufer sind durch Zangen neben der Scheibe mit einander verbunden. Die Scheibe selbst ruht auf Riegeln zwischen den Läuferköpfen und den Hinterruthen, deren eine als Leiter dient. Der Rammkloß kann, besonders wenn er von Gußeisen ist, auch statt der Arme auf beiden Seiten vorstehende Rippen, Federn, Spunde haben, die in entsprechenden Ruthen der Läufer (dann Streichpfosten genannt) laufen.

Bei beiden Arten der Zugramme wird der Pfahl durch ein Bindetau, Flobrtau oder eine Kette in der gehörigen Stellung erhalten. Auf Commando des Schwanzmeisters ziehen alle Arbeiter zugleich den Block hoch und lassen ihn gleich wieder fallen; es heißt eine Reihe solcher Schläge Hitze, s. d. Um schwere Pfähle auszuüben, bringt man einen Balken, Triebkopf, über den Läufern an, der nach hinten geht u. mit einer Rolle versehen ist; man leitet über diese Rolle das an den Pfahl geschlungene Tau, Pfahltau; dies geht hinten herab nach einer Winde, Spille, die an den Hinterruthen befestigt ist, so daß beim Aufwinden des Taues mit der Winde der Pfahl gehoben wird. Ist ein Pfahl bis zu der Tiefe eingeschlagen, daß der Kloß denselben nicht mehr erreichen kann, so setzt man auf den Pfahl einen am untern Ende mit einem Zapfen in den Pfahlkopf eingebohrten Block, Rammknecht, oder Afterramme, frz. faux pieu, engl. pile-block.

III. Kunstramme, Hakenramme, Haspelramme. Wie aus der Eingangs dieses Artikels angeführten Formel hervorgeht, kann durch Vermehrung der Zughöhe die Leistung der Ramme erhöht werden. Die Leistung der Arbeiter aber wird

durch Anwendung einfacher Maschinen erhöht.
Auf diesen beiden Wahrheiten beruht die Erfindung der Kunstramme, deren Darstellung in Fig.
1634, 35 u. 36 keiner weiteren Erklärung bedarf.
Der Block hat an der Seite Ruthen, mit denen er
auf entsprechenden Schienen läuft, die innerlich
an die Läufer angebracht sind. Das Tau ist nicht

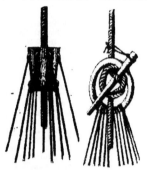

Fig. 1637.   *Fig. 1638.*

unmittelbar an den Rammkloß, sondern an einen
starken Haken, Auslösehaken, Klaue, der in die
Krampe des Rammkloßes eingreift, befestigt. Dieser Haken hat nach hinten einen Schwanz, mit
welchem er, bis an den oberen Theil des Läufers
gezogen, an den Querriegel der Läufer anstößt,
sodaß der Haken sich nach hinten niederdrückt und
vorne ausbebt, worauf der Kloß niederfällt. Stellung und Gestalt der Klaue, sowie die Art, wie das
Ausheben bewirkt wird, sind sehr verschieden; in
unserer Zeichnung ist die unter dem Namen
Scheerenhaken bekannte Form angenommen. Die
Arme der Scheeren haben an ihrem untern Ende
Haken, am oberen Rollen, mit denen sie auf den
Schienen der Läufer aufwärts gehen, also oben,
wo diese Schienen näher zusammentreten, sich einander nähern, wodurch sich die Scheere unten
öffnet. Der Auslösehaken ist, damit er dem Kloß
herab folgt und wieder in denselben einfällt, mit
einem Fallblock versehen. Statt durch eine Haspel kann auch durch Flaschenzüge, Winden oder
Treträder, durch Pferde, Dampfkraft ꝛc. das Anziehen des Rammtaues erfolgen.

Rammel, 1) f. v. w. Ramme, f. d.; — 2) f. v.
w. Oelmühlenstempel; — 3) eine Art Zwitterstein
oder Zinnstein.

Rampant, frz., subst. Giebelschenkel; rampant, adj. schräg, abschüssig; arc rampant, einhüftiger Bogen, f. d. Art. Bogen, A. I. 10; lunette
rampante, stechende Kappe; lion rampant, f. d.
Art. Löwe A. 4.

Rampart, frz., Wall, auch der Raum zwischen
den Häusern einer befestigten Stadt u. dem Wall.

Rampe, frz., 1) Anschübe, Abstieg, als Auffahrt dienende, also für Wagen befahrbare, meist
durch Erdanschüttung hergestellte schräge Fläche,
gewissermaaßen als Freitreppe dienend; f. d. Art.
Appareille, Anberg, Eisenbahn S. 691, Bd. I. ꝛc.;
— 2) rampe d'escalier, Treppenarm; r. par
ressaut, Treppenflucht, die durch einen Ruheplatz
unterbrochen ist.

Ran (nord. Myth.), Aegir's Gattin, Gebieterin

des Meeres, sitzt auf dem Meeresgrund und zieht
den Menschen (Ertrinkenden) in ihr Netz hinab.

Ranche u. **Rancher,** frz., f. d. Art. Echelier.

Rand, lat. limbus, 1) Einfassung, f. z. B.
Schildrand; — 2) f. v. w. Rain.

Randblei, f. d. Art. Fensterblei 2.

Randholz, **Randsomholz,** frz. cornière,
(Schiffsb.) 1) die krummen Hölzer, welche mit
dem Heckbalken und Wrangen das Gerippe des
Spiegels des Schiffes bilden; — 2) die vom Hintersteven bis an den Heckbalken reichenden beiden
untern Arme derselben; man nennt ihre Verlängerungen Auflanger.

Randkante u. **Randecke,** f. d. Art. Hexagonal.

Random, engl., f. v. w. Rubble, f. d.

Randscheiben (Hüttenw.), Scheiben von geschmolzenem Kupfer, wenn es noch nicht rein genug ist.

Randstein, 1) Brunneneinfassungsstein; —
2) f. v. w. Bordstein und Ortstein.

Randstreif (Schiffsb.), das oberste Bartholz.

Rang, im Zuschauerraum moderner Theater
f. v. w. Logenreihe oder Gallerie.

Range, engl., 1) Flügel eines Gebäudes; —
2) Feuerbock.

Rankenstab, **Rankenzüge,** f. d. Art. Arabesken, Laubwerk, Glied F und Fig. 1182, so wie d.
Art. Ornamente.

Ransom's Flaschenzug, f. d. Art. Flaschenzug III.

Ranzen, f. d. Art. Bauholz F. I. n. 2.

Raoudha. Garten hinter einer Moschee mit
dem Turbeh, d. h. mit dem Grab des Gründers.

Raphael, St., f. d. Art. Engel.

Rapport, frz., Verband, Zulage.

rarfaulig, f. d. Art. Arädostylos.

Rasamalabaum, f. d. Art. Storax.

Rasen, Gras, 1) dient zur Belegung oder Bekleidung von Dossirungen, Grabensohlen ꝛc. Man
verwendet ihn a) als Flachrasen, indem man einzelne ausgestochene Platten (Bolle, Soden, Dode,
Dole) neben einander mit ihren breiten Seiten
auflegt; b) als Kopfrasen, gleich Mauersteinen
flach über einander gelagert (besonders bei steilen
Abdachungen). Die Legung des Rasens geschieht
am Besten im Herbst und Frühling; im Sommer
nur bei feuchter Witterung, wobei man noch häufig
gießen muß. Die Rasenbekleidungen sind unter
allen Erdbekleidungen die besten, wohlfeilsten;
angewendet können sie jedoch bloß da werden, wo
die zu bekleidenden Flächen nicht zu steil sind,
unter Wasser gar nicht; f. übr. d. Art. Deichbau,
Dedsoden ꝛc.; — 2) Graswuchs, der in Cultur gehalten ist, f. Gärten.

Rasenbrust (Wasserb.), Rasenbekleidung des
Ufers, an einem Canal oder Graben.

Rasendach. In Oberbayern, Norwegen,
Schlesien, der Lausitz ꝛc. hat man Rasendächer. Die
Dachung ist dann natürlich sehr flach und wird
aus Schalung mit wasserdicht gemachtem Papierüberzug (f. d. Art. Holzcement), oder aus Baumrinde oder Rohrschauben und dergleichen hergestellt, mit Lehm thunlichst dicht verstrichen, dann
mit Erde betragen und hierauf mit Rasen belegt
oder besäet. So lange die Lehmschicht dicht bleibt
oder die sonstige wasserdichte Verwahrung der

Sparren aushält, bedarf ein solches Dach fast gar keiner Reparaturen.

Raseneisenstein, Limonit, Artstein, Sumpferz, Modererz, frz. fer terreux limoneux, fer oxydé des lacs, engl. morass iron-ore (Mineral.), s. d. Art. Eisenerz, Eisenstein, Bausteine A. I. 3. i, Legirung a 2c.

Rasenhaupt (Wasserb.) 1) dichte Rasenwand, die in der Mitte von Dämmen, namentlich an Fischteichen, eingebaut wird; — 2) s. v. w. Rasenbrust; — 3) unterste Schicht einer Rasenbekleidung.

Rasenkohle, s. d. Art. Blätterkohle.

Rasenläufer, Tagegehänge (Bergb.), Gang nahe unter Tag.

Rasenstein, einzelne Klumpen Raseneisenstein.

Rasentorf, leichteste und dichteste Torfart, bei mächtigen Torflagern die oberste Schicht. Hat gewöhnlich fein- oder grobfaserige Structur und lichte Farbe.

Rasiel, s. v. w. Galizur, s. d.; er brachte dem Adam das Buch der höhern Erkenntniß, was dieser aber beim Sündenfall einbüßte.

Rasière, frz., Getraidemaaß; s. d. Art. Maaß.

Raso, s. d. Elle, S. 710.

Raspel, feilenähnliches Werkzeug von geringem Stahl, weniger hart als die Feilen, und der Hieb aus mehr oder weniger groben einzelnen Zähnen gebildet. Sie können nur auf wenig feste Substanzen, wie Holz, Horn 2c., kaum auf Elfenbein und Knochen gebraucht werden und wirken wie die Feile nur auf den Stoß; sie sind auf Stein nur mit großer Einschränkung anwendbar, da sich die Zähne zu leicht abstumpfen. Bei Bearbeitung weicher Steinarten dienen sie als Mittel zur letzten Ausbildung kleiner und feiner Theile.

Rast, Rastgegend, Rastwinkel, s. d. Art. Hohofen I u. III.

Raste (Wegeb.), muldenförmige Vertiefung, quer über die Straße, an bei steil aufsteigenden Straßen den Wagen anzuhalten, damit das Zugvieh ausruhen kann.

Rastel, Rastelle, frz. rastel, ital. rastello, Abfahrt, s. d. Art. Appareille. Auch heißen so die in Trancheen, in versenkten Batterien oder Festungsgräben angebrachten Einschnitte, welche dazu dienen, um von dem hohen Rand des Erdbodens mit Geschützen und Wagen auf den bedeckten Weg herab fahren zu können.

Rastrum, rastrellum, lat., Karst, Rechen, auch Armleuchter.

Ratavenu, s. d. Art. Hastha.

Ratchmons of a horse, engl., an den Stützen eines Baldachins über einem Katafalk angebrachte Strebebögen.

Râteau, frz., 1) s. d. Art. Einstrich 1 und Eingerichte; — 2) Rechen.

Râtelier, frz., 1) Raufe, Zahnleiste, Rechen; — 2) Armleuchter.

Rath, indisch, 1) Wagen für die Götterbilder bei Processionen; — 2) s. d. Art. Buddhaistisch, S. 484, Bd. I.

Rathhaus, lat. curia, frz. hôtel de ville, engl. town-hall, Stadt=, Bürger=, Sprach=, Lauß=, Weich=, Wich=, Schneidhaus, Pfalz, Gurt. Sitz der städtischen Verwaltungsbehörden, nur hier und da noch der Gerichte. Ein Rathhaus enthalte im Erdgeschoß: eine sehr geräumige Hausflur, Locale für die Rathsdiener, Sicherheitswächter, Feuerwächter, für die Feuerlöschapparate, Wohnung für den Hausmeister und Räume für diverse Utensilien; in den Geschossen Sitzungssäle für den Magistrat, dessen einzelne Ausschüsse, für die Abgeordneten der Bürgerschaft und deren Ausschüsse, Expeditionen für die einzelnen Verwaltungsbranchen, Cassazimmer, Archivräume 2c. Die Räume seien sämmtlich hell, geräumig und stattlich, aber nicht prunkhaft, mit Ausnahme der großen Sitzungssäle und etwaiger Festsäle. Das Aeußere sei ernst, würdig, aber dennoch nicht unfreundlich. Ein Rathhaus sollte immer frei liegen und mit einem Uhrthurm versehen sein; Mehreres s. unt. Ortsanlagen und Maison.

Ratio architecturae, lat., Säulenordnung.

rational nennt man 1) eine Zahl, wenn sie entweder ganz ist oder doch als ein Bruch mit ganzen Zähler und Nenner dargestellt werden kann, im Gegensatze zu irrationalen Zahlen (s. d.), bei welchen dies nicht möglich ist; — 2) die Funktion einer veränderlichen Größe x, wenn diese in ihr nur mit ganzzahligen Exponenten und ohne transcendente Verbindung vorkommt, wie in

$$\frac{x^3+ax}{x^2+b} \text{ 2c.}$$

Rattan, s. d. Art. Rotang.

Ratten. Ueber die Mittel gegen dieselben, die sogenannten Rattengifte, s. d. Art. Borax, Arsenit, Phosphor, Chlorkalk.

Rattenschwanz, s. v. w. Rundfeile; s. d. Art. Feile b. 3.

Rattle, engl., Cresselle; s. d.

Raubstollen (Bergb.), s. d. Art. Grubenbau, S. 212, Bd. II.

Rauch. I. Wesen und Entstehung des Rauches. Der Rauch, welcher aus einem Feuer aufsteigt, ist Folge und Zeichen einer unvollständig vollzogenen Verbrennung; Theilchen des Brennmaterials, welche unverbrannt durch den Luftzug mit in die Höhe getrieben werden, geben ihm die dunkle Farbe, woraus folgt, daß, je schwärzer der Rauch, desto unvollständiger die Verbrennung ist. Diese Theilchen werden nicht mit bis in die freie Luft geführt, sondern legen sich als Ruß an die Wände des Heizapparates und Schornsteins an, erschweren dann die Mittheilung der wirklich entwickelten Wärme und erzeugen Feuersgefahr.

Rauch entsteht also: 1) Wenn atmosphärische Luft nicht in gehöriger Menge und Vertheilung zugeführt wird. 2) Wenn der Feuerraum durch zu schnelle Ableitung der entwickelten Wärme zu schnell abgekühlt wird. 3) Wenn die brennenden Gase von großen Massen kalter Luft getroffen werden. 4) Wenn zu große Mengen Brennmaterial eingeführt werden. 5) Wenn das Material zu viel Wasser enthält.

II. Vermeidung des Rauches. Vermieden wird der Rauch unter Rücksicht auf Obengesagtes am besten durch folgende Mittel: 1) Zuführung der nöthigen Luftmenge. Bedingungen hierfür sind: a) erforderliche Höhe u. Weite des Schornsteins (s. d. Art. Dampfesse); b) genügende Größe der freien Oeffnung zwischen den Roststäben; c) genügender Raum zur Bildung der Flamme. — 2) Verminderung des Zuges über dem Feuer. Mittel dazu: a) Biegung der Feuercanäle; b) hinreichende Weite derselben; c) Ueberwölbung des Feuerraums 2c. — 3) Möglichst dichte Schließung der

Heizthür und Regulirung des Luftzuges durch den Aschenfall. — 4) Allmälige Zubringung des Brennmaterials in zerkleinertem Zustand, womöglich nicht durch die Heizthür, sondern durch Trichter ꝛc. — 5) Möglichst vollständige Verbrennung. Zu diesem Behuf ist Folgendes zu empfehlen: Anlage eines kleinen Rostes unter dem Haupttrost. Empfehlenswerth sind auch die Treppen- und Kettenroste, s. d. Art. Rost; Lenkung der Flamme nach unten oder Leiten des Rauches über einen Rost mit kleinem Feuer, s. d. Art. Rauchverzehrung; übrigens siehe noch d. Art. Heizung, Ofen ꝛc. Noch hat man Folgendes empfohlen: Man construirt eine durchlöcherte Feuerbrücke und läßt zwischen der Oberkante derselben und der Unterkante des Ofens einen freien Raum, Fuchs; ein vom Aschenkasten ausgehender Canal führt die Luft hinter die Brücke in eine Kammer, wo sie sich, bereits erwärmt, mit den durch die durchlöcherte Brücke aufsteigenden Gasen vermischt und dieselben verbrennt.

Rauchaltar, Räucheraltar in der Stiftshütte und dem israelitischen Tempel, eigentlich blos ein Tisch zum Aufsetzen des Rauchfasses, Räucherbeckens.

Rauchbuche, s. v. w. Rothbuche; s. d. Art. Buche 1.

Rauchdarre, s. d. Art. Darre 1.

Raucheisen, s. v. w. Roheisen; s. d. Art. Eisen.

Rauchfang, Rauchmantel, lat. und span. campana, frz. hotte de cheminée, Kutte, Schurz, Heerdmantel, untere trichterförmige Ausweitung des Schornsteines über offenen Heerden, Kaminen ꝛc. Es ist nöthig, daß der Rauchfang den Heerd ganz überdeckt, damit der Rauch vollständig abgeführt werde. Je steiler die Steigungslinie eines Rauchfanges (wenigstens 45° gegen den Horizont), je ebener seine innere Fläche und je gleichmäßiger sein Anschluß an die Schornsteinröhre, desto gewisser führt er den Rauch ab. Den Rauchmantel führt man durch die Balkenlagen nur dann hindurch, wenn die Niedrigkeit einer Küche es erfordert. Der Vorsicht halber reiche der Rauchfang sechs Zoll über den Feuerheerd hinaus, er beginne nicht zu hoch über dem Heerd, doch muß er vom Küchenfußboden so weit entfernt sein, daß man bequem darunter treten kann. Früher mauerte man die Rauchfänge in der Regel auf hölzernen, eisernen oder gewölbten Unterlagen (s. d. folg. Artikel), jetzt werden sie in der Regel aus Blech construirt; über bewegliche Rauchmäntel s. u. A. d. Art. Holz 3. S. auch d. Art. Mantel.

Rauchfangbolzen, Hängeeisen zum Aufhängen des Rauchfangholzes an die höher liegenden Balken. Man stützt aber lieber das Rauchfangholz auf Mauern oder Pfeiler.

Rauchfangeisen oder Rauchfangstange, frz. courge, eiserne Stange zum Tragen des Rauchfanges.

Rauchfangholz, das zum Tragen eines gemauerten Rauchfanges bestimmte horizontale Holz; entweder durch die nächsten Mauern oder durch besonders hierzu angefuhrte massive Pfeiler unterstützt. Es ist normal gegen die Steigungslinie des Rauchfanges abgeschrägt. Die hölzerne Unterstützung eines Rauchmantels, aus zwei Stücken unter einem Winkel verbunden, nennt man ein Winkelrauchfangholz; aus drei Stücken unter rechtem oder stumpfem Winkel mit einander verbunden, dreifaches Rauchfangholz oder doppeltes Winkelrauchfangholz.

Rauchfangsrecht, s. d. Art. Baurecht.

Rauchfaß, lat. thuribulum, turribulum, thymiamaterium, frz. acerofaire, encensoir, engl. censer, thurible; besteht aus zwei Theilen, dem eigentlichen Kohlenbecken, das meist die Form eines niedrigen, breiten Kelches hat, und dem durchlöcherten Dach oder thurmförmigen Deckel, der sich an den das untere Becken tragenden Ketten auf- und abschieben läßt.

Rauchgelb, schwärzliches Gelb.

rauchgeschwärzte Kamingesimse oder sonstige Putzflächen zu behandeln. 1) Man trage auf dieselben ganz heiß eine starke Auflösung Alaun und Wasser auf; nachdem sie trocken geworden, reibe man sie mit Sandpapier ab und gebe ihnen dann einen Anstrich. 2) Man bürstet sie so rein wie möglich ab, wäscht sie mit starker Potaschenlauge oder Soda, und spült diese mit reinem Wasser ab; nach vollständiger Abtrocknung streicht man sie dünn mit frisch gelöschtem Kalk unter Zumischung beißgemachter Alaunauflösung und dann mit Kreide und Leim. 3) Das sogenannte Patschotiren. Man überstreicht die betreffende Fläche mit einer Auflösung von fettem Lehm, feinem Sand und Holzasche.

Rauchholz, noch auf dem Stamm stehendes Laubholz auch mit solchem Holz bewachsener Ort.

Rauchkammer, 1) s. unt. Räucherkammer; — 2) (Hüttenw.) Gemach zum Concentriren des Quecksilbers aus den Dämpfen bei Quecksilberöfen.

Rauchklappe, Klappe, in einem Ofen. Ofenrohr oder Rauchmantel angebracht, um die Wärme im Ofen ꝛc. zurückzuhalten oder die Verbindung der Luft im Innern des Ofens oder Rauchfanges mit der Luft im Schornstein aufzuheben. Dergleichen Klappen müssen mit großer Vorsicht gehandhabt, namentlich aber nie zu zeitig verschlossen werden, um Erstickungsgefahr zu vermeiden.

Rauchloch, Oeffnung zum Fortziehen des Rauches; s. d. Art. Louvre und Schornstein.

Rauchopal (Mineral.), s. v. w. Jaspopal.

Rauchröhre, Abzugsröhre zwischen Ofen und Schornstein. Sie sind in der Regel von Schwarzblech, wenn man sie aber nicht, namentlich in kalte Räume leitet, werden sie besser von gebranntem Thon construirt.

Rauchtopas (Mineral.), s. d. Art. Bergkrystall.

Rauchverbrennung, Rauchverzehrung. Ueber den Nutzen desselben s. d. Art. Rauch, Heizung IV, Brennstoffe ꝛc. Bei den rauchverzehrenden Oefen wird aller aus dem Feuer aufsteigende Rauch wieder zurückgeleitet, so daß er vom Feuer verzehrt wird. Man darf nie mehr Brennmaterial zulegen, als so weit der dadurch entstehende Rauch vom Feuer verzehrt werden kann. Jeder Heerd muß mit einem Luftzug versehen werden, der stark genug ist, um den Wind, der etwa dem Zug entgegenwirkt, vollkommen zu überwinden. Daraus sieht man, daß dergl. Oefen nur da anzuwenden sind, wo eine fortwährende Beaufsichtigung des Feuers möglich ist. Alle rauchverzehrende Oefen zerfallen in drei Abtheilungen: 1. Oefen, welche die Entstehung des Rauches von vornherein verhüten, besonders durch verbesserte Schürmethoden, die zwar durch die Sorgfalt eines geschickten Heizers

19*

auch erſetzt werden können; doch iſt es noch ſicherer, wenn durch eine mechaniſche Vorrichtung das Aufgeben der Kohlen ganz unabhängig vom Heizer bewirkt wird. Die zerkleinerte Kohle wird z. B. durch eine Centrifugalvorrichtung ſo auf die Feuerung geſchleudert, daß nie mehr Brennſtoff vorhanden iſt, als durch den Luftſtrom verbrannt werden kann; da jedoch eine Triebkraft da ſein muß, um die centrifugale Bewegung hervorzubringen, ſo iſt dieſe Einrichtung nicht überall anwendbar, auch nicht ſo dauerhaft, wie unbewegliche. Bei den unbeweglichen Aufbringern ſucht man die neu aufzuſchüttenden Kohlen vor die glühenden zu ſchütten, ſo daß die ſich entwickelnden Gaſe durch die Glühhitze hindurchſtrömen und hier verbrennen müſſen. Ebenſo hat man vorgeſchlagen, die friſchen nicht auf, ſondern unter die bereits brennenden zu bringen; dadurch würden die Gaſe allerdings ſehr bald zerſetzt, allein dieſe Einrichtung iſt zur praktiſchen Ausführung wenig geeignet.

2. Oefen, welche die Verzehrung des durch mangelhafte Verbrennung entſtandenen Rauches nachträglich durch einen in die Feuerungsgaſe eingeführten Luftſtrom bewirken. Nach dem Patent

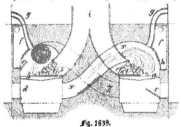

Fig. 1639.

Fig. 1640.

von Garland und Glaſſon (Dingler's polyt. Journ., Bd. 137, S. 244) wird die Zuführung der Luft durch Canäle bewirkt, welche ſich in den hohlen Roſtſtäben befinden und, am hinterſten Ende aufwärts gebend, eine Feuerbrücke bilden, aus welcher der Luftſtrom in die Feuergaſe tritt. Verfaſſer dieſes hat im Jahre 1854 einen rauchverzehrenden Füllofen conſtruirt (Fig. 1639 u. 40), welcher ſich bis jetzt gut bewährt hat. Der ziemlich 25' hohe Füllungscanal theilt ſich unten in zwei Arme, durch welche ſich das gekleinte Brennmaterial gleichmäßig auf zwei Roſte a und b ausſchüttet, die unter einander durch zwei beſondere Canäle in Verbindung ſtehen, von denen der eine x über a beginnt und unter b endet, der andere z über b beginnt und unter a endet; die Ventilvorrichtung iſt ſo angebracht, daß, wenn der eine Canal offen, der andere verſchloſſen iſt. Durch denſelben Drehling, deſſen Bewegung dies bewirkt, wird zugleich der Luftzutritt unter den Roſten regulirt, der Art, daß, wenn der erſterwähnte Canal x offen iſt, Luft unter a bei c zugeführt wird, unter b bei d hingegen nicht, wohl

aber über b bei e, und zwar ſolche, welche bereits in dem Raum f erwärmt iſt. Bei dieſem Stand der Ventile brennt das Feuer bei a lebhaft, die etwa nicht vollſtändig verbrannten Theile des Brennmaterials geben durch den Canal x und durch b hindurch in das hier nur langſam brennende Feuer, und werden hier durch die bei a aus f eintretende warme Luft vollſtändig verbrannt. Iſt das Feuer auf b ſo ſchwach geworden, daß es dieſe Function nicht mehr erfüllen kann, was der Heizer an dem Ausſtrömen eines kleinen Rauchwölkchens aus der Röhre g bemerkt, ſo wird durch Bewegung des Drehlings mit einem Male c, e und x geſchloſſen, h, d und z geöffnet. Das Feuer über b brennt lebhaft und ſendet ſeinen Rauch zur Weiterverbrennung nach a. Die beiden Roſte waren anfangs kreisförmig, da aber die Brennmaterialien Neigung zeigten, bis in das Füllrohr hinein ſich zu entzünden, ſo wurde der Theil t der Roſte mit Blech belegt, ſo daß ſie jetzt halbmondförmig ſind.

3. Oefen, welche beide Functionen vereinigen. Dies iſt durch Combination der erwähnten Conſtructionsweiſen zu erreichen. In neueſter Zeit ſind die mannichfachſten Verſuche zur Rauchverbrennung gemacht worden, und iſt dadurch eine ſpecielle Literatur hierüber entſtanden, auf die wir verweiſen müſſen.

Rauchwacke, Rauhwacke, Rauchkalk, Quaker, geſchichteter Dolomit, gleich dem Bitterſpath eine Gattung des Bitterkalks; ſ. d. Art. Bitterkalt. Dolomit, kalt ge Geſteine m und Lagerung g.

Rauchwehr, mit Weidenreiſern bepflanztes Ufer; ſ. d. Art. Feſtungsbau A. 7, S. 41, Bd. II

Rauchwerk, 1) ſ. v. w. Pelzwerk; ſ. d. — 2) ſ. d. Art. Putz a; — 3) ſ. v. w. Räucherwerk.

Rauchzüge in den Oefen. S. darüber d. Art. Heizung und Ofen. Sind zu viel Züge in dem Ofen, ſo daß der Rauch einen zu großen Weg zurücklegen muß, ehe er in den Schornſtein kommt, ſo ſchlagen ſich Rußtheilchen nieder, welche die Rauchzüge verſtopfen. Als durchſchnittliche Länge der Züge kann man 20—30 Fuß in einem Stubenofen gewöhnlicher Größe annehmen; ſ. übr. d. Art. Ofen ꝛc.

Raude, auch Räube, eine Krankheit der Bäume; ſ. d. Art. Baumgrind.

Rauſe, Barn, Heukorb, Heuleiter, Hilde; ſ. unter d. Art. Stall.

Rauhäſtigkeit, ſ. d. Art. Bauholz B. b. 2 und Baumkrankheiten.

Rauhbank, frz. houvet, ſ. unter d. Art. Hobel, Bankhobel, Füghobel.

Rauheiſen, ſ. v. w. Roheiſen; ſ. d. Art. Eiſen.

rauhes Haus, ſ. v. w. Verbeſſerungshaus für verwahrloſte Kinder; ſ. d. Art. Schule und Rettungshaus.

Rauhhobel, ſ. v. w. Schropphobel; ſ. unter Hobel.

Rauhlinde, örtliche Benennung für Ulme; ſ. d.

Rauhputz, engl. Raugh caſt, Anwurf; ſ. d. Art. Putz.

Raum, ſ. d. Art. Schiffsraum.

Raumanker, ſ. d. Art. Anker E.

Raumeiche, Raſeneiche, Raumſichte ꝛc., auf ſeinen Raſenplätzen ſtehende Bäume.

Raumfeile (Schloss.), zu Erweiterung eines Loches verwendbare runde Feile.

Rauminhalt, s. d. Art. Cubikinhalt.

Rausch, 1) (Hüttenw.) ganz klar gepochtes Erz; — 2) s. v. w. Gefälle, auch in Räusche, Reesche, Rieiche corrumpirt.

Rauschbach, s. d. Art. Bach.

Rauschbuhne, s. d. Art. Buhne B. c.

Rauschflügel (Wasserb.), zur Verengung und Vertiefung eines Flußbettes dienende Schöpfbuhne; s. d. Art. Canal und Buhne A. e.

Rauschgelb, s. Auripigment und Bergroth.

Rauschgold, s. d. Art. Flittergold.

Raute, 1) Rhombus, frz. lozange, engl. lozenge, verschobenes Quadrat; s. d. Art. Parallelogramm; — 2) (Herald.) s. Heroldsfiguren 9 u. 10.

Rautendodekaëder, s. d. Art. Hexaëder III und Krystallographie.

Rautenfries, Rautenstab, s. d. Art. Lozange.

Rautengewölbe, spätgothisches Rippengewölbe, dessen Grundriß in Rauten abgetheilt erscheint.

Rautenglas, frz. carreaux, engl. panes, rautenförmige Fensterscheiben, im Mittelalter neben den Butzenscheiben (s. d.) viel gebraucht.

Rautenkreuz, s. d. Art. Kreuz C. 20.

Rautenschild (Herald.), Schild in Rautenform, besonders bei Italienern und Franzosen für die Wappen der Frauen gebraucht.

Rautenspath (Mineral.), s. v. w. Bitterspath.

ravaler, frz., schleifen, putzen; s. d. betr. Art.; überhaupt letzte Hand anlegen, überarbeiten.

Ravelin (Festungsbau), aus dem Halbmond, frz. demi-lune, baille, ital. revelino,entstandenes Werk in Fleschen- oder Lünettenform, in letzterem Fall auch Halbmond mit Flanken genannt, Außenwert, vor der Mitte der Courtine und Grabenscheere liegend; soll diese decken, sowie den bedeckten Weg und das Glacis beherrschen. Ferner soll sein Wollgang und Graben gut bestrichen sein, auch muß es ein Reduit erhalten. Das Ravelin wird zumeist vom Hauptwall beherrscht und verhindert bei richtiger Anordnung das Enfiliren der Hauptflanken.

Raveling, Revelung. Stelle im Fluß, wo das Wasser sich wendet, kreiselt und stellenweise zurückfließt (revelt).

Ravin oder **ravine,**frz., engl.ravine,Schlucht, Regenbach, Hohlweg, Kessel; s. d.

Rayère, frz., langes, schmales Thurmfenster.

Raymund, Raimundus, St., 1) R. non natus, St., geb. 1204 in Catalonien; arm, Viehhirt, dann Einsiedler, trat in den Orden S. Maria de la merced zu Erlösung der Gefangenen; Nachfolger des Petrus Nolascus, erlöste viel Gefangene, wurde vielfach von den Muhamedanern gemißhandelt, bekehrte aber auch viele derselben. Endlich öffentlich gegeißelt, an beiden Lippen mit glühenden Eisen durchbohrt, um ein Vorlegeschloß anzubringen, dann losgekauft, wurde er Cardinal; starb auf dem Weg nach Rom zu Cardona bei Barcellona. Abzubilden in dem weißen Ordenskleid der Redemptoristen de la merced, an den Lippen ein Schloß, von Negern umgeben. — 2) R. von Pennaforte, 1175 auf Schloß Pennaforte in Catalonien geboren, Patron von Toledo, war Lehrer der Philosophie

und Doctor beider Rechte, dann wurde er Dominicanermönch, predigte im Auftrag Gregor's IX. den Kreuzzug gegen die Mauren, wurde päpstlicher Capellan und Beichtvater, Erzbischof von Tarragona und Domicanergeneral. Endlich dieser Würden wieder ledig, bekehrte er bis 1256 über 10,000 Muhamedaner. Mit dem König Jacob I., dessen Beichtvater er war, zerfallen, floh er, da kein Schiff ihn befördern sollte, auf seinem Mantel stehend über das Meer von Majorca nach Barcelona, wo er 1275, fast 100 Jahr alt, starb. Darzustellen in Dominicanerkleidung, auf seinem Mantel über das Meer schwimmend.

Rayon, frz., 1) s. d. Art. Strahl, Speiche, Radius; — 2) Fach eines Bücherbrets; — 3) s. d. Art. Fach.

rayonnant, franz. Style rayonnant heißt wegen des strahlenförmigen Maaßwerkes die französische Gothik im vierzehnten Jahrhundert. Chapelles rayonnantes, Capellenkranz um den Chor; fenêtre rayonnante, Radfenster.

Reaction, 1) (Hydraulik und Maschinenw.) Gegenwirkung, die der Action oder Wirkung gleich ist. Für die Technik besonders wichtig ist die Reaction des ausfließenden Wassers, d. h. die Erscheinung, daß flüssige Körper, vorzüglich Wasser und Dämpfe, in einem Gefäß eingeschlossen, wenn sie auf der einen Seite einen Ausfluß erhalten, auf der entgegengesetzten Seite einen verstärkten Druck auf das Gefäß ausüben; da, wo die Flüssigkeit ausströmen kann, hört nämlich der Druck derselben auf und ist nur auf der entgegengesetzten Seite fortgesetzt. Man gründet auf diese Erscheinung die Einrichtung des Reactions- oder Rückwirkungsrades, Reactionsturbine. Die erste und einfachste Form derselben ist ein senkrecht auf einen Zapfen stehender und um denselben drehbarer, hohler, oben offener, unten verschlossener Cylinder. 6—8 am unteren Ende seitwärts hervorragende horizontale Röhren haben nahe ihren verschlossenen Enden seitwärts, alle in gleicher Richtung, ein Loch; leitet man nun mittelst einer Rinne Wasser oben ein, so wird dies durch die Oeffnungen in der Seite der Röhre ausströmen und durch die Reaction wird sich der Cylinder auf die entgegengesetzte Seite herumdrehen. S. d. Art. Tourbine und Segner's Rad; — 2) (Chemie) diese Erscheinung, die bei Aufeinanderwirkung zweier oder mehrerer Körper hervortritt. Zu den Reactionen gehört z. B. das Aufbrausen von Kreide beim Uebergießen mit Säuren; das Löschen des Kalks, die Wärmeentwickelung dabei; die Bildung eines Niederschlages beim Zusammenbringen zweier Flüssigkeiten ꝛc. Diejenigen Körper, welche durch ihre Einwirkung auf andere so deutlich wahrnehmbare Veränderungen oder Erscheinungen hervorrufen, daß man daraus auf das Vorhandensein gewisser anderer Körper schließen kann, heißen Reagentien. So ist Chlor oder Salzsäure ein Reagens auf Silber, weil deren Verbindung mit den Silbersalzen ꝛc. Niederschläge hervorruft; ebenso ist Schwefelsäure ein Reagens auf Baryt und Blei, weil sie in den Lösungen der letzteren weiße Niederschläge erzeugt ꝛc. Lackmuspapier, Curcume und Georginenpapier gehören gleichfalls zu den Reagentien, weil diese mit gewissen organischen Farbstoffen getränkten Papiere durch Säuren, Basen u. s. f. in einer bestimmten Weise verändert werden, so daß man auf das Vorhandensein bestimmter Körper schließen kann.

Reaß, s. d. Art. Nilgerisfasern.

Real, meist fälschlich Regal geschrieben; s. d. Art.

Realgar, rother Schwefelarsenik, Rauschroth, rothes Rauschgelb; Arsenic sulfuré rouge (Min.), glänzt fettig, halbdurchsichtig bis undurchsichtig; ritzt Talk, ritzbar durch Kalkspath; hat pomeranzengelbes Strichpulver, Farbe Orangenroth, ins Gelbe; wiegt = 3,5 bis 3,6.

Real'sche Presse, s. d. Art. Presse.

Realschule, s. unt. d. Art. Schule.

Rear-vault, engl., Hinterwölbung.

Rebate, s. d. Art. Rabbett; rebated, s. d. Art. Lanze.

Rebattement, frz. (Herald.), Wahlstück, Phantasiestück, besteht meist aus verschiedenen Figuren, die über einander gelegt und daher theilweise einander versteckend erscheinen.

Réaumur-Thermometer ist das Thermometer, welches bei uns am meisten in Gebrauch ist neben dem Celsiusthermometer, dessen sich besonders die Naturwissenschaften bedienen. Die Skala des Réaumurthermometers zeigt beim Schmelzpunkt des Eises 0°, beim Siedepunkt des Wassers 80°. Der Zwischenraum zwischen beiden Punkten ist in 80 gleiche Theile getheilt. Die Grade werden gewöhnlich durch Anhängung eines R als Réaumur'sche bezeichnet. — Zur Verwandlung der Réaumurgrade in Celsius'sche und Fahrenheit'sche Grade und umgekehrt dienen folgende Formeln:

$$a^\circ R = \frac{5}{4} a^\circ C.$$

$$a^\circ R = \left(\frac{9}{4} a + 32\right)^\circ F.$$

und umgekehrt:

$$a^\circ C = \frac{4}{5} a^\circ R.$$

$$a^\circ F = \left(\frac{4}{9} a - 32\right)^\circ R.$$

Tafel zur Verwandlung der Réaumur'schen Grade in Celsius'sche und Fahrenheit'sche.

Réaumur.	Celsius.	Fahrenheit.
— 20	— 25	— 13
— 15	— $18\frac{3}{4}$	— $1\frac{3}{4}$
— 10	— $12\frac{1}{2}$	+ $9\frac{1}{2}$
— 5	— $6\frac{1}{4}$	+ $20\frac{3}{4}$
0	0	32
+ 5	$6\frac{1}{4}$	$43\frac{1}{4}$
10	$12\frac{1}{2}$	$54\frac{1}{2}$
15	$18\frac{3}{4}$	$65\frac{3}{4}$
20	25	77
25	$31\frac{1}{4}$	$88\frac{1}{4}$
30	$37\frac{1}{2}$	$99\frac{1}{2}$
35	$43\frac{3}{4}$	$110\frac{3}{4}$
40	50	122
50	$62\frac{1}{2}$	$144\frac{1}{2}$
60	75	167
70	$87\frac{1}{2}$	$189\frac{1}{2}$
80	100	212
90	$112\frac{1}{2}$	$234\frac{1}{2}$
100	125	257
200	250	482
300	375	707
400	500	932

Rebel (Wasserb.), s. v. w. Revel; s. d.

Rebhuhnholz, s. d. Art. Bocoholz, Bois de Boco und Panacocoholz.

Rebuswappen, s. v. w. redendes Wappen.

Receptorium, lat., Aufenthaltsort, Sacristei.

Recess, engl., Nische, Mauervertiefung, Abstufung; recessed arch, auch compouned, concentric arch, eingehender Bogen; s. d. Art. Bogen, S. 399.

rechampir, frz., Ornamente mit andersfarbigem Grund malen.

Rechamus, lat., s. v. w. Trochlea; s. d.

Rechauffoir, auch Rechaud, frz., zum Erwärmen oder Warmhalten der Speisen neben einem Speisesaal angebrachte kleine Küche oder ein im Speisesaal aufgestellter Wärmofen.

Rechen, im Allgemeinen eine mit Zinken oder Stacheln besetzte Stange, daher 1) s. v. w. Harke, das bekannte, aus einem mit Zinken besetzten Haupt und aus einem Stiel bestehende Instrument zum Zusammenziehen von Gras, Stroh ꝛc., zum Glätten der Gartenwege ꝛc.; — 2) (Wasserb.) ein Schütz am Abfluß der Fischteiche, aus Schwelle, Plattstück und dazwischen aufrecht befestigten Sprossen bestehend; — 3) zum Abhalten von Holz u. dergl. vom Gerinne im Mühlgraben dienende ähnliche Vorrichtung; — 4) Gatterwerk quer durch die Floßgräben oder Flüsse, um das Flößholz aufzuhalten und herauszunehmen; — 5) bei Wassermühlen eine Stange, auf welche die Schützen zum Einschlag gesteckt werden.

recohercher, frz., behufs Auffindung und Reparatur von Schadhaftigkeiten visitiren; recherche de couverture, Besteigung oder Ausbesserung einer Dachung.

Rechnungsprobe, ein Rechnungsverfahren, welches dient, um sich zu überzeugen, ob eine bereits ausgeführte Rechnung richtig war, und dabei kürzer ist als eine wiederholte Ausführung der Rechnung. Hierher gehören besonders die **Neunerprobe**, s. d., und die **Elferprobe**. Diese beruht auf dem Satz, daß der Rest einer Zahl nach ihrer Division durch 11 eben so groß ist, wie der Rest, welcher übrig bleibt, wenn man den Ueberschuß der Summe der ungeradstelligen Ziffern von rechts her über diejenige der geradstelligen durch 11 theilt. So giebt 82957 bei der Division durch 11 den Rest 6, weil $8 + 9 + 7 - 2 - 5 = 17$ durch 11 getheilt diesen Rest übrig läßt. Ist die Summe der geradstelligen Ziffern größer als die der ungeradstelligen, so addire man zu den letzteren ein Vielfaches von 11. — Die übrig bleibende Zahl heißt die **Probezahl**. Hat man nun eine Reihe von Zahlen addirt, so bilde man für jede derselben, sowie für die erhaltene Summe, die Probezahl, addire die Probezahlen der einzelnen Summanden und theile das dabei hervorgehende Resultat durch 11. Stimmt der dabei bleibende Rest mit der Probezahl der Summe überein, so kann man auf die Richtigkeit der Rechnung schließen.

Aehnlich ist es bei der Multiplication. Hier bildet man die Probezahlen der Factoren, multiplicirt sie mit einander und dividirt das Produkt durch 11. Der dabei bleibende Rest muß mit der Probezahl des Produktes übereinstimmen, wenn dies richtig sein soll. Z. B. es ist

$$835674 \times 27385 = 228849328.$$

Die Probezahl des ersten Factors ist 4, des zweiten 6, also die des Produktes 2, weil $4 \times 6 = 24$, durch 11 getheilt, 2 als Rest läßt.

Die Neuner- und Elferprobe setzen voraus, daß nicht zwei Fehler bei der Rechnung begangen worden sind.

Rechnungswesen beim Bau. Diejenigen Rechnungsarbeiten, die vor Beginn des Baues vorgenommen werden müssen, um die Kosten wenigstens annäherungsweise zu bestimmen, sind beim Artikel Bauanschlag nachzusehen. Während des Baues selbst sind mehrere Bücher und Belegsammlungen zu führen und in Ordnung zu halten; s. d. Art. Bauleitung.

Rechteck, auch Rectangel oder Oblong, Viereck mit vier rechten Winkeln, aber ungleichen aneinander liegenden Seiten. Sind auch diese gleich, so wird das Rechteck zum Quadrat. Der Flächeninhalt eines Rechtecks wird gefunden, indem man zwei an einander stoßende Seiten desselben mit einander multiplicirt. Daher versteht man auch oft unter dem Rechteck zweier Zahlen das Produkt derselben.

rechter Winkel, s. d. Art. Winkel.

Rechtsquerbalken, s. d. Art. Band IX, Fig. 265 und d. Art. Gehänge.

rechtwinklig; so nennt man 1) jede ebene, geradlinige Figur mit einem oder mehreren rechten Winkeln. Unter denselben ist das rechtwinklige Dreieck die wichtigste; s. d. Art. Dreieck, Cathete, Hypotenuse, pythagoräischer Lehrsatz ꝛc. Ferner s. d. Art. Rechteck, Quadrat ꝛc. — 2) Zwei krumme Linien durchschneiden sich rechtwinklig, wenn die Tangenten in ihrem Durchschnittspunkt senkrecht auf einander stehen. — 3) S. d. Art. Winkelrecht.

Récipiangle, frz., Winkelfasser, Schmiege.

reciprok nennt man: 1) eine Zahl in Bezug auf eine andere, wenn sie mit dieser multiplicirt die Einheit giebt. Also ist $\frac{1}{x}$ der reciproke Werth von x; z. B. $\frac{1}{6}$ von 6. Die reciproke Zahl der Einheit ist die Einheit selbst; der reciproke Werth von Null ist unendlich; — 2) eine Gleichung, wenn in ihr neben einer Wurzel z auch noch die andere $\frac{1}{z}$ vorkommt. Damit z. B. eine Gleichung 5. Grades eine reciproke sei, muß der constante Coefficient von x^5 gleich dem constanten Glied, der von x^4 gleich dem von x, der von x^3 gleich dem von x^2 sein, so daß eine reciproke Gleichung 5. Grades diese Form besitzt:

$$ax^5 + bx^4 + cx^3 + cx^2 + bx + a = 0.$$

Recke, 1) engl. Rack, Befriedigung, bestehend aus einer Reihe Pfähle mit darangebundenen Querstangen; — 2) ein Turnapparat, bestehend aus 2 Säulen, durch eine runde, etwa $1\frac{1}{2}$ Zoll starke Querstange verbunden. Zu der Querstange eignet sich am besten Weißbuche oder Rüsterholz; mit Holz überzogenes Eisen hat sich nicht bewährt,

mit Leder überzogenes Rundeisen möchte eher geben. — 3) In Holstein ein Trockengestell über dem Ofen, bestehend aus zwei Stangen und darüber gelegten dünnen Querstäben. — 4) (Schiffsb.) mit runden Ausschnitten versehene, angenagelte Latten zwischen den Stückpforten, worin die Kugeln bei Schwingung des Schiffes festliegen. Auch an beiden Seiten der innern Kajüte, der Hütte und der Kuhl horizontal liegende, durchbohrte Bretter, um die Flintenläufe durchzustecken; für die Kolben befindet sich $\frac{1}{2}$ Fuß vom Verdeck eine anderes horizontales Bret.

Reckheerd, Heerd, auf welchem man glühendes Eisen der Länge nach ausschmiedet, reckt, durch Schläge mit dem Reckhammer.

Reclinatorium, lat., Krücke, Antoniuskreuz.

Recluserie oder diaconie, frz., Büßerzelle, Narrenhäuschen an einer Kirche.

Reclusorium, lat., frz. recluse, Clause, Zelle.

Recordroom, engl., Raum über der Narthex; s. d. Art. Narthex und Paradis.

Recoupe, frz., beim Behauen der Steine der Abgang.

Recoupement, frz., Absatz über der Latsche bedeutend ist; — 2) Abstufungen nach der Längenrichtung einer Grundgrube bin; s. d. Art. Grundbau.

Recouvrement, frz. (vergl. d. Art. enchevauchure), s. v. w. Ueberdeckung, bes. bei Schiefer und Dachziegeln.

Recrépissage, frz., auf's Neue berappen; s. d. Art. crépir.

Rectangel, s. v. w. Rechteck, daher rectangulär s. v. w. von der Form eines Rechteckes.

Rectification (Math.), Verwandlung eines Bogens einer krummen Linie in eine gerade Linie von gleicher Länge. Die Berechnung der Länge eines Bogens geschieht im Allgemeinen mit Hülfe der Integralrechnung und ist nur in wenigen Fällen vollständig ausführbar. Ist $y = f(x)$ die Gleichung einer ebenen Curve, so wird die Länge des zwischen den Abscissen x_1 und x_2 liegenden Bogens s ausgedrückt durch das Integral:

$$s = \int_{x_1}^{x_2} dx \sqrt{1 + \frac{dy^2}{dx^2}}.$$

Mit Hülfe dieser Formel ist allerdings jede Curve zu rectificiren, aber nur in wenigen Fällen kommt man auf die gewöhnlichen bekannten Funktionen. Ausführbar ist die Rectification für die allgemeine Classe von Curven, welche man Evoluten nennt (s. d.). Hier wollen wir nur auf die Rectification der Ellipse und des Kreisbogens eingehen. Ueber die Rectification des Kreises s. d. Art. Kreis. Hat eine Ellipse die Halbachsen a und b, wobei a größer ist als b, so ist der Umfang derselben

$$s = \pi(a+b)\left[1 + \frac{1}{4}\left(\frac{a-b}{a+b}\right)^2 + \frac{1}{64}\left(\frac{a-b}{a+b}\right)^4 + \frac{1}{256}\left(\frac{a-b}{a+b}\right)^6 + \cdots\right]$$

Setzt man die Parenthese $1 + \frac{1}{4}\left(\frac{a-b}{a+b}\right)^2 + \cdots = \mu$, so ist für

$\left(\frac{a-b}{a+b}\right) =$	0,0	0,1	0,2	0,3	0,4	0,5	0,6	0,7	0,8	0,9	1
$\mu =$	1,0000	1,0025	1,0100	1,0226	1,0404	1,0635	1,0922	1,1267	1,1677	1,2155	1,2732

Um einen Kreisbogen näherungsweise zu rectificiren, kann man folgende Construction (f. Fig. 1641) anwenden: Man theile den Bogen in eine

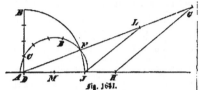

Fig. 1641.

Anzahl gleicher Theile, z. B. in 4, fälle vom ersten Theilpunkt C auf den Halbmesser des Anfangspunktes einen Perpendikel CD, verlängere denselben und trage darauf von D aus die Strecke eben so oft ab, als man vorher Theile hatte; durch den dadurch erhaltenen Punkt E ziehe man einen vom Mittelpunkt D aus beschriebenen Kreisbogen, lege durch D eine gerade Linie, welche diesen Bogen in F schneidet, und trage darauf von F aus noch zweimal die Strecke D F nach G auf. Ebenso trage man den Radius M A auf A M noch zweimal rückwärts nach J und H auf, ziehe G H und durch den Punkt J eine Parallele dazu, welche D G in L schneidet. Alsdann ist L G sehr nahe gleich der Länge des Bogens A B. Die Rectification der Flächen nennt man Complanation; f. d. —
2) (Chemie) Rectification ist ein Destillationsproceß, der in der Absicht vorgenommen wird, den minder leicht flüchtigen Theil von den flüchtigeren zu trennen oder aus Auflösungen nicht flüchtiger Körper in flüchtigen Flüssigkeiten die letzteren von den ersteren zu scheiden (rohes Terpentinöl, Terpentin, rectificirtes Terpentinöl).

Rectory, engl., Pfarrhaus.

recueillir, frz., eine Unterfahrung (f. d.) mit dem älteren Oberbau verbinden.

recuire, frz., ausglühen, f. d. Art. anlassen 2.

Reculement, frz., Einziehung; reculement, rallongement d'arêtier oder trait rameneret, Gratlinie, Horizontalprojection des Gratsparrens auf dem Gebälk.

red, engl., roth, red Sandalwood, rothes Sandelholz; red sandstone, f. d. Art. Sandstein und Lagerung f; red hematite, f. d. Art. Blutstein.

Redan, f. d. Art. Außenwerke und Festungsbau, S. 42, Bd. II.

redende Wappen, Rebuswappen, Namenwappen; f. d. Art. Heraldik VIII.

Redent, frz., 1) Absatz, Abstufung; — 2) einspringender Theil einer gezahnten Linie; redent de pignon, Giebelstufe; redent de porte, Thürnische.

Redlichkeit, f. d. Art. Afträa.

Rednerbühne, f. d. Art. Catheder, Bema 2c. Rednerbühnen in großen Localitäten müssen entweder an eine Wand gestellt werden und dann noch eine besondere Rückwand von Tannenbrettern erhalten, oder sie müssen mit einem nischenartigen Ueberbau versehen werden, dessen Wandung doppelt, und zwar die vordere aus Tannenbrettern, die hintere aus irgend anderem Material, hergestellt ist.

Redoute, geschlossene Schanze, welche nur ausspringende Winkel zeigt; f. d. Art. Festungsbau, S. 42 im II. Bd., und Befestigungsmanier.

Redoutenhaus, Ballhaus; f. d. Art. Gesellschaftshaus.

Reduction. I. (Math.) überhaupt Verwandlung einer Größe in eine andere, also: 1) Reduction eines Bruches, Verkleinerung der Zahlenausdrücke eines Bruches mittelst Division des Zählers durch einen beiden gemeinschaftlichen Factor; — 2) eines analytischen Ausdruckes, Vereinfachung desselben durch Weglassung der gleichen Glieder mit entgegengesetzten Vorzieben, Aufhebung gleicher Factoren in Zähler und Nenner eines Quotienten durch Abscheidung eines Factors 2c.; — 3) einer algebraischen Gleichung

$$x^n + a x^{n-1} + b x^{n-2} + \dots = o,$$

f. d. w. Ableitung einer anderen, in welcher der Coefficient der $(n-1)$ ten Potenz der Unbekannten verschwindet, was allgemein geschieht, wenn man

$$x - y - \frac{a}{n}$$ setzt; — 4) einer Figur, f. v. w. Construction einer ähnlichen, aber kleineren oder größeren; — 5) einer Masse bei einem um eine feste Achse sich drehenden Körper, f. v. w. Bestimmung der Masse, welche in einem der Längeneinheit gleichen Abstand von der Drehungsachse dasselbe Trägheitsmoment besitzt, wie die Masse jenes Körpers.

II. (Chem.) Zurückführung der Verbindung eines Körpers (Metalls) mit andern (Sauerstoff u. f. f.) in den ursprünglichen Zustand, um so das Metall selbst zu gewinnen. Die Oxyde der edlen Metalle werden für sich ohne Zusatz in der Glühhitze zu Metall reducirt; die Oxyde aller andern Metalle bedürfen aber eines Zusatzes, der den Sauerstoff des Oxydes aufnimmt. Viele Metalloxyde, wie die des Bleies, Zinns, Antimons 2c., werden in der Glühhitze durch Kohle zu Metall reducirt. Das bei den metallurgischen Operationen, namentlich bei der Gewinnung des Eisens aus seinen Erzen, wirkt neben Kohle als Reductionsmittel das Kohlenoxydgas; f. d. Art. Hohofen. Es finden noch Reductionen auf nassem Weg statt. So kann man Kupfer aus einer Auflösung durch metallisches Eisen auf letzteres niederschlagen. Die bei den hüttenmännischen Betrieben im Großen stattfindenden Reductionsprocesse sind bei den einzelnen Artikeln näher beschrieben.

Reductionsflamme, f. d. Art. Löthrohr.

Reduit (Festungsb.), ein in einem größeren eingeschlossenes kleines Festungswerk, als Rückzugspunkt zur letzten Vertheidigung nach Verlust der äußeren Werke, meist in Form von Thürmen oder Blockhäusern.

Ree (Schiffsb.), f. v. w. Raae.

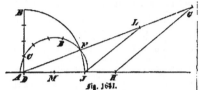

Fig. 1642.

Reed, engl., Rundstäbchen, Reif; daher Reeding, Reeds, eine an den mittelalterlichen Bauten Englands häufig vorkommende Gliederung; f. Fig. 1642.

Reef, Reefbande, dünnes Seil zum theilweisen Einziehen, Reefen der Segel.

reell, im Gegensatz zu imaginär, nennt man eine Größe, welche in der Wirklichkeit vorkommt, während die imaginären Größen nur in der Einbildung existiren können. Die reellen Größen sind entweder positiv oder negativ oder Null.

Reenboom, eigentlich wohl Rainbaum, f. d. Art. Grenze.

Reep, 1) dünnes Tau, daher Reeperbahn, ital. tana, Seilerbahn zum Spinnen solcher Taue; — 2) f. d. Art. Maaß, S. 497, Bd. II.

Reet, Schilf, in Marschländern zur Dachbedeckung und zu Putzarbeiten gebraucht.

Ref, schwedisches Maaß; f. d. Art. Maaß, S. 488, Bd. II.

Réf, ungarisches Maaß; f. d. Art. Elle, S. 710, Bd. I.

Refe, ungefähr zwei Spannen langes Längenmaaß in Afrika.

Réfection, frz., umfängliche Reparatur.

Refectorium, lat., frz. refectoire, engl. refectory, fratery, fraterhouse, im Lateinischen auch redemtorium, in der deutschen Volkssprache und in den Chroniken mannichfach corrumpirt, Resender, Rebbinter, Revent, Refat, Rebedir, Rebenthal, Remter, Renterei, Referend, Robenter, Remptorei 2c. Klösterlicher Speisesaal, gehört zu den Prachträumen der Klöster, f. d. Art. Kloster. Es enthält außer den Speisetafeln ein Catheder mit Betpult, wohl auch einen Altar 2c.

Refend, franz., Lagerfuge; mur de refend, Scheidewand; bois de refend, Kreuzholz; pierre de refend, Binderstein.

refendre, Holz zertrennen, durch Längsschnitte mit der Säge.

refouiller, frz., mit Hakenkamm aufkämmen, doppelt aufblatten.

Reff, 1) korbartiges Gestell zum Tragen auf dem Rücken; — 2) f. d. w. Bock II. 2.; — 3) f. d. w. Reef; — 4) lange Sandbant oder Klippenreihe.

Reflector, Spiegel zum Zurückwerfen oder Seitwärtsleiten des Lichtes; f. d. Art. Licht A. g. l.

Reflexion oder Zurückwerfung 1. des Lichtes, Abweichung der Lichtstrahlen von ihrem Weg, beim Auftreffen auf eine glattpolirte Fläche; f. d. Art. Licht A. Die Intensität des reflectirten oder zurückgeworfenen Lichtes ist je nach Beschaffenheit des zweiten Mittels sehr verschieden; ist dies z. B. durchsichtig, so bringt bei weitem der größere Theil des Lichtes in dasselbe ein; ist es undurchsichtig, so wird der größere Theil reflectirt. Bei rauher Oberfläche erfolgt die Reflexion unter Zerstreuung nach allen Seiten hin; dies ist der Grund, daß wir diese Gegenstände überhaupt sehen können. Von ebenen Flächen, Spiegeln, werden alle auffallenden Strahlen nach einerlei Richtung zurückgeworfen und gelangen so in's Auge, welches alsdann ein Bild des leuchtenden Gegenstandes erblickt, während die Natur der Fläche nicht genau mehr erkennbar ist, ja bei vollständiger Ebenheit überhaupt ganz unsichtbar sein würde. Ist A.B in Fig. 1643 die trennende Fläche beider Mittel, O C der einfallende, C E der zurückgeworfene Strahl, D C das Einfallsloth, d. h. der Perpendikel auf der trennenden Fläche im

Fig. 1643.

Einfallspunkt, so ist stets der Einfallswinkel O C D gleich dem Reflexionswinkel oder Abprallwinkel D C E, auch liegen der einfallende Strahl und der reflectirte Strahl mit dem Einfallsloth in einer Ebene. Vergl. auch d. Art. Optik.

2. Reflexion der Wärmestrahlen. Alle

Körper werfen einen Theil der auf sie auffallenden Wärmestrahlen nach ganz denselben Gesetzen, wie die Lichtstrahlen, regelmäßig oder unregelmäßig zurück, und zwar um so mehr, je geringer das Absorptionsvermögen ist, und umgekehrt; f. auch d. Art. Heizung, Ofen, Brennspiegel, Wärmeleiter 2c.

3. Bei Schallwellen, welche auf ein anderes Mittel auffallen, tritt ebenfalls immer ein Theil aus dem alten Mittel in das neue über; treffen sie jedoch auf einen festen Körper, so werden sie von diesem fast vollständig reflectirt und zwar nach denselben Gesetzen, wie die Licht- oder Wärmestrahlen. Auf diese Erscheinung gründet sich die Erklärung des Echo's. Selbst dann, wenn der Schall aus einem Luftstrom in einen andern, wärmeren oder kälteren übergeht, muß er eine theilweise Reflexion erleiden, wenn auch nicht so vollständig, daß er ein Echo geben könnte. Mehr darüber f. im Art. Akustik.

4. Reflexion der Bewegung, die Ablenkung eines sich bewegenden Körpers von seiner ursprünglichen Richtung, wenn er auf einen festen, undurchdringlichen Körper trifft.

Reflexionsgoniometer, f. d. Art. Krystallographie.

Reformation. Ueber den Einfluß der Reformation auf die Geschichte der Baukunst f. d. Art. Renaissance; über die Einrichtung reformirter und protestantischer Kirchen f. d. Art. Kirche.

refouiller, wieder aufgraben, ein verschüttetes Gebäude oder dergl.

Refraction, f. v. w. Brechung; f. d. Art. Licht, Reflexion, Optik, Brechung 2c.

Refuite, frz., übrige, unnöthige Tiefe eines Zapfenloches.

Refuse, engl., Brack, f. d.

Regain, frz., an einem Stück Bauholz oder Stein die überflüssige Länge.

Regal, eigentlich Real, in Holstein Hilgen oder Rück, offenes Brettergestell, in mehrere Fächer getheilt, von sehr verschiedener Einrichtung, je nach dem speciellen Zweck, wonach es auch seine Benennung empfängt, z. B.: Bücherbret, f. d., Flaschenregal, bei dem die Böden meist aus Latten bestehen, Topfbret (f. d.) u. s. w.

Régale, frz., engl. regal, tragbare Orgel, Positiv.

Regalement, frz., Planirung; régaler oder aplanir, planiren, einebenen.

Regard, frz., 1) Brunnenstube, f. d. Art. Brunnen, S. 474, Bd. I.; — 2) f. v. w. Pendant, Gegenstück; — 3) Oeffnung in der Ueberwölbung eines Aquaducts, f. d. Art. colluviarium.

Regayure, frz., Flächschhebe, Ange; f. d. betr. Art.

rege (Bergb.), 1) f. v. w. flüchtig, von Gestein gebraucht; — 2) ein Bergwerk, worin Arbeit getrieben wird.

Regel, 1) f. d. Art. Regula; — 2) f. v. w. Lineal, Leitschnur, Führung 2c.

Regelfläche, eine solche Oberfläche, auf welcher man durch jeden Punkt eine oder mehrere gerade Linien ziehen kann und die daher durch Bewegung einer geraden Linie erzeugt werden kann; daher auch geradlinige Fläche genannt; f. d. Art. Fläche, S. 65, Bd. II.

Regeling, frz. lisse, engl. treerail (Schiffsb.), Brüstungsriegel, auch wohl durch ein Seil, die

Regelingsleiter, ersetzt, verbinden die Regelingsstützen oder Regelingsstlieper, auch Finkenstützen genannt, lothrechte Stützen von Holz oder Eisen auf dem Bord des Schiffes. Die so gebildeten Brüstungsfelder werden entweder mit Bohlen verkleidet (Schanzverkleidung) oder mit Netzen, Finknetzen, ausgespannt.

regelmäßig, s. d. Art. Regulär.

Regen, s. d. Art. Jupiter, Iris, Heribert, Bruno, Desiderus.

Regenbach, Regenfließ, s. d. Art. Bach.

Regenbad, s. d. Art. Bad, S. 194, Bd. I.

Regenbogen, Symbol des Friedens; s. d. Art. Kardinaltugenden II, Jesus Christus, Iris, Friede ꝛc.

Regenbogenfarben, s. d. Art. Farbe.

Regendach, Regenschauer, s. v. w. Wetterdach.

Regenkappe, eine das Eindringen des Regens in den Schornstein verhindernde Bedeckung, in der Regel von Schwarzblech construirt oder auch von Ziegeln aufgemauert.

Regenmaschine, 1) s. d. Art. Ventilation; — 2) s. d. Art. Theater.

Regenrinne, 1) s. d. Art. Dachrinne; — 2) s. v. w. Wasserrinne.

Regenschlag, s. v. w. Wasserschlag; s. d.

Regenwasser. 1) Ueber die Ableitung des Regenwassers s. d. Art. Abfluss, Abtraufe, Fallrohr ꝛc.; — 2) das Regenwasser ist zu vielen Zwecken dem Quellwasser vorzuziehen; man sammelt es daher gern in einem Bassin, das man am liebsten auf dem Dachboden oder im Souterrain aufstellt.

Regierungsgebäude, Gebäude für höhere Verwaltungsbehörden. Es enthalte die nöthigen Sessionszimmer für die einzelnen Ministerien nebst den dazu gehörigen Secretariaten, Conferenz u. Empfangszimmern, ferner Kanzleien, Dienerstuben, Wartezimmer und Vorräume, sowie auch einige große Säle für Collegiatsitzungen, Conferenzen, Repräsentationen, ferner geräumige Archive, sichere Kassenzimmer, feuerfeste Aerare ꝛc. Die zu jedem einzelnen Ressort gehörigen Räume vereinige man zu Gruppen, welche besondere Eingänge erhalten, dennoch aber unter einander in Verbindung stehen müssen; leichte Uebersichtlichkeit der ganzen Anlage, ein stattliches, elegantes, jedoch nicht prunkhaftes Aeußere, in edeln, großen Verhältnissen entwickelt, sind hauptsächlich bei dem Entwerfen eines solchen Gebäudes anzustreben.

Regina, St., Tochter eines südfränkischen Heiben; bei ihrer Amme als Christin erzogen, vom Vater deßhalb verstoßen, hütete sie die Schafe, widerstand den Versuchungen des Statthalters Olybrius, selbst den Folterungen, wurde endlich 251 enthauptet, wobei das Volk murrte, die Erde bebte und über ihrem Haupt eine Taube mit einer Krone erschien. Abzubilden mit einem Schwert, Schafe neben ihr.

Region, lat. regio, frz. region; die Haupttheile einer Kirche oder eines Tempels, s. d. betr. Art., werden Regionen genannt.

Register, Registeröffnungen, zu Regulirung des Luftzutritts dienende, theilweise und ganz verschließbare Löcher im Ziegelbrennofen, Coaksofen ꝛc., ferner in den Orgelpfeifen ꝛc.

Règle, franz., s. d. Art. Lineal u. Maaßstab.

Réglet, frz., Riemchen; s. d. Art. Glied E. 1. b.

régner, frz., ohne Unterbrechung fortgehen, beherrschen, von weit ausladenden Gesimsen und vorherrschenden Gebäudetheilen gebraucht.

regratter, frz., engl. to regrate, die Oberfläche einer alten Haussteinmauer abspitzen, um sie weißen oder putzen zu können.

Regula, St., s. d. Art. Felix 4.; sie ist Patronin von Zürich.

Regula, lat., 1) Richtscheit, Richtschnur, Lineal; — 2) s. v. w. Register; — 3) franz. réglet, filet, ital. regoletta u. gradetto, s. v. w. Riemen; — 4) s. d. Art. Ritualbücher.

Regula de tribus numeris, Règle de tri, lehrt, zu drei bekannten Zahlen die vierte unbekannte Proportionalzahl zu finden, welche sich ebenso zu der dritten verhält, wie die zweite zur ersten. Die Bestimmung der Unbekannten x geschieht, indem man das Produkt der beiden mittleren Glieder durch das äußere Glied dividirt.

Bei Aufstellung der Proportion ist besonders darauf zu achten, ob die Proportionalität direct oder indirect ist. Ein Beispiel der ersteren ist ist: Wenn man zu a Cubikfuß Mauer c Ziegel braucht, wie viel braucht man zu b Cubikfuß? Hier ist der Ansatz zu machen:

$$a : b = c : x, \text{ also } x = \frac{b \cdot c}{a}$$

Eins der letzteren Art dagegen ist: Wenn a Mann eine Arbeit in c Tagen vollenden, wie viel Zeit bedürfen dazu b Arbeiter? Hier ist der Ansatz:

$$b : a = c : x, \text{ also } x = \frac{a \cdot c}{b}$$

Die Vereinigung mehrerer Proportionen führt zu der Regula de quinque numeris, auch regula duplex gen., ferner zu regula septem ꝛc.

Regula falsi, Methode, um eine Rechnungsaufgabe durch Annahme eines Näherungswerthes statt des wahren Werthes aufzulösen, worauf nach dem erhaltenen Resultat jener Werth berichtigt wird. Höhere numerische Gleichungen werden z. B. dadurch aufgelöst, daß man zwei nahe an einander liegende Werthe sucht, zwischen welchen die Wurzel liegt, und nach den Abweichungen, die die durch Einsetzung dieser Werthe hervorgehenden Ausdrücke von Null zeigen, den wahren Werth der Wurzel herleitet. Es gilt dabei der Satz: die Abweichungen der Näherungswerthe vom wahren Werth verhalten sich ebenso, wie die Fehler der durch Substitution derselben hervorgehenden Resultate, sofern diese überhaupt klein sind. Wird also bei einer numerischen Gleichung X = O für den Näherungswerth x_1 die linke Seite derselben X_1, und für den Näherungswerth x_2 gleich X_2, so kann man diesem Satz zufolge setzen, wenn x der wahre Werth ist:

$$\frac{x - x_1}{x - x_2} = \frac{X_1}{X_2}, \text{ woraus folgt:}$$

$$x = \frac{x_1 X_2 - x_2 X_1}{X_2 - X_1}$$

regulär; so nennt man 1. ein Vieleck mit gleichen Seiten und gleichen Winkeln. Um und in jedes reguläre Vieleck läßt sich ein Kreis beschreiben; die Construction der regulären Polygone wird dadurch zurückgeführt auf die Theilung des Kreises in gleiche Theile, s. d. Art. Kreistheilung. Nach dem dort Gesagten lassen sich überhaupt alle Polygone elementar construiren, deren Seitenzahl eine Primzahl der Form $2^n - 1$ ist.

Folgendes ist eine Näherungsconstruction, welche die Seite des in einen Kreis beschriebenen regelmäßigen n-Ecks mit großer Genauigkeit giebt (Fig. 1644). Den Durchmesser AB theile man in eben so viel Theile, als das Vieleck Seiten haben soll, hier z. B. in sieben. Hierauf verlängere man ihn um einen solchen Theil, AE = ¹/₇ AB, und den auf jenem Durchmesser senkrecht stehenden Halbmesser OD um DF = AE und verbinde E mit F durch eine Linie, welche den Kreis in G

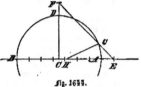

Fig. 1644.

schneide, wobei G der dem Punkte E am nächsten liegende Schnittpunkt ist. Alsdann ist die Entfernung des Punktes G vom dritten Theilpunkt (von A aus gerechnet) die Seite des regelmäßigen Vielecks, hier Siebenecks; beim Fünfeck ist diese Construction ungenau; es würde der Centriwinkel statt 72° nur 71° 20′ werden. Vom Sechseck ab ist dagegen die Construction sehr genau; der Centriwinkel weicht vom wahren Werth gewöhnlich kaum um eine Minute ab.

Ist n die Seitenzahl eines regelmäßigen Polygons, so sind die Winkel desselben gleich $\left(2 - \dfrac{4}{n}\right)R$, sowie die Centriwinkel $\dfrac{4}{n}$ R oder $\dfrac{360°}{n}$, wodurch man auch mit Hülfe des Transporteurs sehr bequem die betreffende Kreistheilung findet.

2. Ein Polyeder, wenn es von lauter congruenten regulären Figuren begrenzt wird und wenn ebenso alle Flächenwinkel und körperlichen Winkel einander congruent sind. Da die Summe aller ebenen Winkel eines Körperwinkels kleiner sein muß als 4 Rechte, so kann eine Ecke nur gebildet werden von 3, 4 oder 5 Winkeln eines regelmäßigen Dreiecks, oder von 3 Quadraten oder von 3 regelmäßigen Fünfecken; es giebt daher nur 5 reguläre Körper: a) das Tetraëder, begrenzt von 4 regelmäßigen Dreiecken; b) das Octaëder, begrenzt von 8; c) das Ikosaëder, begrenzt von 20 regelmäßigen Dreiecken; d) das Hexaëder, begrenzt von 8 Quadraten, und e) das Dodekaëder, begrenzt von 12 regelmäßigen Fünfecken.

Regulator. Vorrichtung, welche bewirkt, daß eine Maschine die ihr zukommende Arbeit ungehindert und mit gleichförmiger Geschwindigkeit u. Regelmäßigkeit ausführt. Hierher gehören die Steuerungen der Dampfmaschine, die Schützen der Wasserräder; ferner die sogenannten Moderatoren, welche eine aus überwiegender Kraft bevorgehende Beschleunigung aufheben, wie die Hemmung der Uhren, die Bremse, der Centrifugalregulator (s. d.) 2c.; ferner diejenigen Maschinentheile, welche den Zweck haben, den an sich ungleichförmigen Gang einer Maschine in einen gleichförmigen zu verwandeln, wie Gegengewicht, Schwungräder 2c.; endlich solche Vorrichtungen, welche die Betriebskraft zu reguliren haben, z. B. die Schützen bei Wasserrädern, der Dampfregulator 2c.

Regulus, regulinisch, werden Metalle genannt, welche durch Reduction aus ihren Verbindungen erhalten wurden; s. z. B. d. Art. Bleikönig.

rehausser, rétablir, frz., aufholen, s. d.

Rehbaum, 1) s. v. w. gemeiner Wachholder; — 2) (Bergb.) hie und da für Rundbaum und Haspelwelle gebraucht.

Rehde, s. d. Art. Hafen.

rehfahl, s. d. Art. falb.

Rehfell, s. d. Art. Hyläos.

Rehfuß, 1) geschweiftes Stuhl- oder Tischbein an Rococcomeubles; vergl. d. Art. Bockbein; — 2) s. v. w. Brecheisen.

Rehhaare; diese werden ebenso wie Kuh- und Kälberhaare dem Kalkmörtel für Tünchwerke beigemischt, weil sie selbigen zusammenhalten und besonders das Aufreißen des Mörtels verhindern. Sie müssen so trocken sein, daß sie mit einer Haselruthe zerklopft werden können.

Reibahle (Schloss.), eine Art Durchschlag; es giebt gerade und krumme. Von ersteren geben wir in Fig. 1645 bei a eine fünffkantige Reibahle; bei b eine desgl.; bei c eine runde Reibahle mit einer Schneidkante. Es giebt

Fig. 1645.

auch viereckige Reibahlen, frz. fer carré, und solche mit Griff. Mit den Reibahlen werden vorgebohrte Löcher erweitert, oder der Grat, welcher in einem Bohrloch durch den Bohrer entstanden ist, entfernt, damit die Bohrung rein wird. Auch gebraucht man sie, die Löcher in den Fischbändern zu suchen, wenn man sie anschlagen will.

Reibebret oder **Reibstock** (Maur.), Werkzeug zum Glattreiben und Glattstreichen des Kalkbewurfs an den Wänden; es ist in der Regel länglich viereckig, von verschiedener Größe, auf der Rückseite mit einem Griff versehen.

Reibeholz (Schiffsb.), an dem Bauch des Schiffes herabhängende, walzenförmige Stücken Holz, die eine Beschädigung verhindern beim Zusammenstoß zweier Schiffe, beim Aufhissen schwerer Gegenstände 2c.

Reiber, s. d. Art. Vorreiber.

Reibewohl, s. d. Art. Brustleier.

Reibstein und **Reibschale, Reibehammer** und **Reibepfanne, Reibewalze** und **Reibebret,** dienen, paarweise zusammengehörig, zum Zerreiben von Farben, Erzen 2c.

Reibung oder **Friction,** franz. frottement, engl. friction, ist ein Bewegungshinderniß, welches überall auftritt, wo ein Körper die Oberfläche eines andern berührt und sich auf derselben hinbewegt. Dieser Widerstand rührt von den Erhöhungen und Vertiefungen her, welche sich an den Oberflächen aller Körper befinden, wenn diese auch noch so glatt erscheinen; greift die Erhöhungen eines Körpers in die Vertiefungen des anderen ein, so daß der bewegte Körper zurückgehalten wird. Wesentlich verschieden ist die Reibung

20*

von der Adhäsion, dem Anhaften der Körper an einander, welche bekanntlich um so größer wird, je glätter die Oberfläche ist.

Man unterscheidet gleitende Reibung, wenn die Bewegung des einen Körpers eine fortschreitende ist; Zapfenreibung, wenn sie eine Drehung um eine feste Achse ist, und walzende Reibung, wenn die Drehung um eine fortschreitende Achse stattfindet. — Ferner unterscheidet man Reibung der Ruhe und der Bewegung. Erstere ist thätig, wenn der Körper aus dem Zustand der Ruhe in den der Bewegung übergeht; letztere findet in allen Momenten der Bewegung statt.

I. Es haben sich folgende Gesetze ergeben: 1) Die Reibung ist proportional dem Normaldruck, mit dem beide Körper auf einander lasten. — 2) Sie ist unabhängig von der Größe der Berührungsfläche, da offenbar bei der Vergrößerung derselben eine größere Vertheilung des Normaldruckes stattfindet. — 3) Die Reibung ist wesentlich abhängig von der Beschaffenheit der Oberflächen; diese aber wird bedingt von der Cohäsion und andern Eigenschaften des Stoffes beider Körper, vom Grad der Politur oder sonstigen Glättung (durch Schmieren) der sich berührenden Ebenen. — 4) Die Reibung der Ruhe ist größer als die Reibung der Bewegung; doch ist die letztere unabhängig von der Geschwindigkeit des bewegten Körpers. — 5) Die gleitende Reibung ist die größte, geringer ist die Zapfenreibung und am kleinsten die walzende Reibung.

II. Gleitende Reibung. Nach Obigem ist, wenn der Normaldruck N und die zum Forttreiben nöthige Kraft K heißt, der Quotient $\frac{K}{N} = \mu$ constant; man nennt ihn den Reibungscoefficienten. Natürlich ist die Reibung gleich der Kraft K $= \varphi$ N. Der Coefficient ist bei verschiedenen Körpern sehr verschieden und muß durch Versuche ermittelt werden. Das einfachste Mittel dazu ist die schiefe Ebene. Wenn ein Körper auf einer schiefen Ebene liegt, deren Neigungswinkel α ist, so zerlegt sich sein Gewicht G in zwei Componenten, eine, S = G sin α, parallel der schiefen Ebene, und eine andere senkrecht dazu, N = G cos α. Die erstere bringt die Bewegung hervor; aus der letzteren entspringt die Reibung K = μ G cos α, welche der Bewegung hindert. Die Kraft, mit welcher der Körper auf der schiefen Ebene festgehalten wird und welche somit noch wirken müßte, wenn er sich eben bewegen sollte, ist also

$$P = K - S = (\mu \cos \alpha - \sin \alpha) G.$$

Diese Kraft ist Null, d. h. der Körper wird durch seine Reibung gerade noch im Gleichgewicht erhalten, wenn tg $\alpha = \mu$. So lange die Neigung der schiefen Ebene kleiner als dies α ist, bleibt der Körper liegen; wenn sie aber größer ist, so bewegt sich der Körper die Ebene herab. Man nennt den so bestimmten Winkel, aus welchem sich der Reibungscoefficient der Ruhe ergiebt, den Reibungs- oder Ruhewinkel. Von Coulomb, Morin u. A. sind ausgedehnte Versuche über die Reibungscoefficienten, sowohl der Ruhe als auch der Bewegung, für verschiedene Körper angestellt worden; s. d. S. 157 stehende Tabelle.

Für Bewegung ist meist die Friction größer von Metallen auf denselben Metallen, als auf anderen, was zu beachten ist bei Maschinen, wo die Friction möglichst vermindert werden muß, was auch durch Anwendung der Frictionsrollen geschieht, weil dadurch die gleitende in rollende Reibung umgeändert wird. Im Uebrigen kommt in der Architektur die Reibung der Ruhe bei Weitem mehr in Betracht und muß in der Regel möglichst vergrößert werden. Ist irgend ein Körper, z. B. ein Pfeiler, von QPfd. Schwere auf einer horizontalen Ebene aufgestellt, so wird er durch einen Druck, z. B. Gewölbdruck P, der, unter dem Winkel ϱ gegen die Horizontale geneigt, von oben herein wirkt, fortgeschoben, wenn $P = \frac{Q \cdot \sin \alpha}{\cos (\varrho - \alpha)}$ wird, wobei α der Reibungswinkel (s. oben) ist.

III. Zapfenreibung. a) An liegendem Zapfen. Es sei eine Scheibe vom Radius R beweglich an einem Zapfen vom Radius r; auf beiden Seiten hänge eine Last Q, so ist das Uebergewicht P, welches erforderlich ist, um der Reibung Gleichgewicht zu halten, so daß bei der geringsten Vermehrung von P Bewegung eintritt, also:

$$P = \frac{r \cdot \sin \alpha}{R - r \cdot \sin \alpha} (2 \cdot Q + G).$$

Die Größe (2 Q + G) nennt man den Zapfendruck, das Product $\varphi \cdot (2 Q + G) \cdot r = M$ das Moment der Reibung. Unter Einsetzung von $\varphi = tg \alpha$ und Berücksichtigung der Umdrehungszahl u ist dann $Pv = \frac{n u M}{30}$, wo v die Umfangsgeschwindigkeit des Zapfens bedeutet. Die Reibung wird bedeutend vermindert durch sogenannte Frictionsräder; auch ist sie bei ausgelaufenem Lager geringer als bei ringsum schließendem Zapfen. b) Bei einer stehenden Welle, z. B. einer Turbinenwelle vom Gewicht Q, findet eine Reibung zwischen der Basis des Zapfens und dem Lager statt. Das Moment der Reibung ist für einen ebenen Zapfen mit dem Halbmesser r gleich $M = \frac{2}{3} r \varphi Q$; für einen solchen mit zugespitzter Basis, wobei α den halben Zuspitzungswinkel bedeutet, ist $M = \frac{2}{3} r \frac{\varphi Q}{\sin \alpha}$; bildet der Zapfen eine Calotte mit dem Radius r und dem Centralwinkel 2 α, so ist $M = \varphi \cdot Q \frac{\alpha - \sin \alpha \cdot \cos \alpha}{\sin^2 \alpha} \cdot r$ (?). Für φ ist dabei der Coefficient der gleitenden Reibung einzuführen.

IV. Die rollende oder walzende Reibung wächst mit dem Druck und ist abhängig vom Walzenradius. Für rollende Reibung, bei Fortbewegung durch Zugthiere κ, sei nur Folgendes angeführt: a) ist eine Walze vom Radius r und Gewicht Q auf einer waagrechten Ebene fortzurollen, so muß die ziehende Kraft $P = f \frac{Q}{r}$ sein, wenn f der Coefficient der rollenden Reibung ist; f findet man aus f = r . tg . α, wobei α der Neigungswinkel für eine Ebene ist, unter deren Cylinder zu rollen beginnt. b) Ist eine Last Q über n Walzen fortzuschieben und P_n die horizontale Kraft, welche die auf jede Rolle kommende Last Q_n zu schieben vermag, so ist $P_n = \frac{f + f_1}{2} \cdot \frac{Q_n}{r}$, wobei f der Reibungscoefficient zwischen Rolle und Unterlage, f_1 der zwischen Rolle und Last ist. c) Ist eine Last auf einem Wagen mit m Rädern fortzuschaffen und nennt man P_m die Horizontalkraft, welche die auf jedes Rad kommende Last Q_m fortzubringen vermag, so ist $P_m = \frac{\varphi r + f}{R} \cdot Q_m$, wobei r der Radius des Zapfens, R der Radius des Rades, φ der Reibungscoefficient für gleitende Reibung und f für rollende Reibung ist.

Tabelle der Reibungscoefficienten.

* Es bedeutet =, daß die beiden Körper mit den Fasern auf einander rutschen, ⊢, daß die Gleitung quer gegen die Fasern des einen Körpers erfolgt, und ⊥, daß Hirnholz auf Langholz gleitet.

Reibende Körper.	Lage der Fasern.*	Zustand der Oberfläche.	Gleitende Reibung μ.		Zapfenreibung, φ.		Rollende Reibung. f.
			der Ruhe.	der Bewegung.	von Zeit zu Zeit geschmiert.	ununterbrochen geschmiert.	Näherungswerthe.
Gußeisen auf Gußeisen oder Bronce ...		wenig fettig	0,16	0,15	0,14	0,055	
		geschmiert	—	—	0,07		
		mit Wasser	—	0,31	—	—	
Schmiedeeisen auf Gußeisen oder Bronce .		troden	0,19	0,18	—	—	
		wenig fettig	—	—	0,25	—	
Schmiedeeisen auf Schmiedeeisen ...		troden	—	0,44	—	—	
		geschmiert	0,13	—	0,07	0,055	
Bronce auf Gußeisen .		troden •	—	0,21	0,09	—	
		geschmiert	—	—	—	0,045	
Bronce a. Schmiedeeisen		etwas fettig	0,18	0,16	—	—	
Bronce auf Bronce . .		troden	0,22	0,20	0,10	—	
Gußeisen auf Pockholz		geschmiert	—	—	0,07	0,09	
Schmiedeeisen auf „		fettig	—	—	0,19	—	
		geschmiert	—	—	0,11	0,13	
Gußeisen auf Eiche . .	=	troden	—	0,49	—	—	0,02
	=	mit Wasser	0,65	0,22			
	=	trockne Seife	—	0,19			
Schmiedeeisen auf Eiche	=	mit Wasser	0,65	0,26			
	=	mit Talg	0,11	0,08			
Messing auf Eiche . .	=	troden	0,62				
Eiche auf Eiche . . .	=	troden	0,62	0,48	—		0,03
	=	trockne Seife	0,44	0,16			
	⊢	troden	0,54	0,34			
	⊢	mit Wasser	0,71	0,25			
	⊥	troden	0,43	0,19			
Weiches Holz auf Eiche	=	troden	0,55	0,35			
Kiefer auf Kiefer. . .	=	troden	0,58	0,36			
	=	feucht	0,62	0,25			
	=	geschmiert	0,20	0,07			
	=	polirt	0,35	0,12			
	=	trockne Seife	0,36	0,15			
Gußeisen auf Walzeisen (Eisenbahn) . .			—	—	—	—	0,018—0,021
Pockholz auf Pockholz .		geschmiert	—	—	—	0,07	0,0184
Ulme auf Ulme . . .							0,0311
Holz auf Metall . . .		troden	0,60	0,42	—	—	0,181
		mit Wasser	0,65	0,24			
		Olivenöl	0,10	0,06			
		Schmalz	0,12	0,07			
		polirt und fettig	0,10	—			
		Wagenschm.	—	0,10			
Hanfseil auf Eiche . .	•	troden	0,80	0,52			
		Seife	0,63	0,45			
		Wasser	0,87	0,33			
Leder auf Gußeisen .	flach	troden	0,28	0,20			
		mit Wasser	0,38	0,29			
als Liederung	flach	mit Wasser	0,62	0,31			
		mit Oel	0,12	0,14			
Leder auf Holz . . .	flach	troden	0,61	0,51			
	hochk.	troden	0,43	0,33			
		mit Wasser	0,79	0,29			
Lederriemen auf Eichentrommel. . .	⊢	troden	0,74	0,27			
Eiche auf Muschelkalk	⊥	troden	0,64	0,38			
Schmiedeeisen auf Kalk		troden	0,42	0,24			
Roggenstein auf Kalk .		mit Mörtel	0,74				

V. Beim Balanciren auf Spitzen und Schneiden sollte eigentlich gar keine Reibung entstehen; doch theils sind die Spitzen nicht mathematisch genau, theils nutzen sie sich ab, je länger sie in Gebrauch sind. Nach Coulomb wächst die Reibung bei den Schneiden der Reibung etwas stärker als der Druck und ist abhängig von dem Grad der Zuschärfung; am kleinsten ist sie beim Granat, größer bei Achat, noch größer bei Glas und Bergkrystall und am größten bei Stahl.

V. Reibung der Seile. Wenn ein Seil über eine ebene Fläche hingezogen wird, so tritt das unter II Gesagte in Kraft. Wird hingegen das Seil um Ecken herumgebogen, z. B. um ein festliegendes Prisma gelegt, so ist der zu Aufhebung der Reibung nöthige Kraftüberschuß,

$$P = \left[\left(1 + 2\mu \sin \frac{\alpha}{2} \right)^n - 1 \right] Q,$$

wobei n die Anzahl, α die Größe der Ablenkungswinkel bedeutet. Dieselbe Formel gilt, wenn sich eine Kette um einen Cylinder legt, nur daß hier α der Ablenkungswinkel an jedem Kettenglied ist, welcher aus der Länge l eines Gliedes und dem Halbmesser r des Cylinders bestimmt wird durch die Gleichung $\sin \frac{\alpha}{2} = \frac{l}{2r}$. Ist ein Seil um einen festen Cylinder geschlungen und bedeutet β den mit Seil bedeckten Bogen für den Halbmesser 1, so wird $P = e^{\mu \beta} \cdot Q$, wobei e die Grundzahl der natürlichen Logarithmen ist. Diese Formeln modificiren sich in der Wirklichkeit etwas, weil außer der Reibung noch ein anderer Widerstand, die Seilsteifigkeit (s. d.), thätig ist.

Reich (Schiffsb.), s. v. w. Rundstock.

Reichenbach's Röhrenbogenbrücke, s. d. Art. Brücke, S. 467, Bd. I.

Reichsadler, s. d. Art. Adler.

Reichsapfel, lat. orbis terrarum, mundus, globus imperialis, frz. globe impérial, engl. globe, orbe. Kugel, seit Caracalla als Symbol der Weltherrschaft zu den Insignien der römischen Kaiser gehörend, unter den oströmischen Kaisern zum Zeichen der Weltherrschaft des Christenthums mit Reif und Kreuz versehen, lat. globus cruciger, frz. globe cintré. Als solches auch Attribut Jesu Christi.

Reichschmelzen (Hütten.), reiche Erze schmelzen, ohne sie vorher zu rösten.

Reide, s. v. w. Rehde; s. d. Art. Hafen.

Reif, 1) lat. anellus, frz. anneau, annelet, ital. cimbia, Stäbchen, auch Ring, Rinken genannt; kleines, halbkreisförmig profilirtes Glied, hauptsächlich als Anhang für größere, besonders runde Glieder, theils glatt, theils verziert. Besonders oft als Perlstab oder auch in Gestalt eines Strickes, Lorbeerkranzes ꝛc. Glatt findet es sich zuweilen anstatt des Plättchens unter dem Wulst des dorischen Kapitäls, sowie bei dem ionisch-attischen Säulenfuß als Doppelstäbchen, verziert in der ionischen, korinthischen und römischen Ordnung als Anhang des Wulstes und der verkehrt steigenden Welle; s. übr. d. Art. Astragal, cimbia und Glied E. 2. a, sowie d. Art. Reed. Der Reif wird häufig mit dem Riemchen (s. d.) verwechselt; — 2) s. d. Art. Bart 1 und 3; — 3) (Mebt.) ein Längenmaß von 10 Ellen in manchen Gegenden, in anderen s. v. w. Klafter; — 4) frz. cerceau, Faßreif von Eisen oder Holz; — 5) der runde Blechstreifen im Innern eines Schlosses, in welchem sich der Schlüssel herumdrehen muß; — 6) (Gerald.) Reif am Helm, s. v. w. Bügel.

Reife, 1) des Holzes, s. d. Art. Bauholz B. a. 4. — 2) (Deich.) Groben oder angeschwemmtes Land heißt reif, wenn es so beschaffen ist, daß man es mit einem Deich umgeben muß.

Reifeisen, 1) Blechstreifen zum Reifen in der Besatzung eines Schlosses. — 2) S. d. Art. Eisen, S. 689, Band. I.

reifen, 1) (Schloss.) einem Stück schwarzen Eisen mittelst eines Feilenstrichs einen weißen Rand geben. — 2) (Gegenständen, wie Säulenschäften ꝛc., lange Furchen oder Rinnen geben, s. v. w. canneliren.

Reifholz, Reifenholz, Weidenholz, das zu Reifen für Fässer, Bottiche ꝛc. verarbeitet wird.

Reifkloben (Schloss.), Kloben (s. d.) zum Einspannen von Gegenständen, an welche eine schiefe Fläche gefeilt werden soll, wird in den Schraubstock gespannt; s. Fig. 1646.

Fig. 1646.

Reihe, 1) (Gerald.) s. d. Art. Heraldit V und Bandreihe. — 2) (Arithm.) a) eine Folge von Größen, sogenannten Gliedern, welche nach einem bestimmten Gesetz fortschreiten, wie z. B.

$$a, a+d, a+2d, a+3d \text{ u. s. w., oder}$$
$$a\, b, (a+c)(b+d), (a+2c)(b+2d), \text{ u. s. w.}$$

Jedes Glied hängt auf eine bestimmte Weise von der Stellenzahl n ab, welche angibt, das wievielste Glied in der Reihe dasselbe ist. Bei der ersten hier angegebenen Reihe ist diese Abhängigkeit in folgendem Gesetz enthalten, wenn a_n das nte Glied bedeutet:

$$a_n = a + (n-1) d;$$

b in der zweiten ist

$$a_n = [a + (n-1) c] \cdot [b + (n-1) d].$$

Alle Reihen, deren Glieder ganze algebraische Functionen der Stellenzahl sind, d. h. bei denen man a_n auf die Form bringen kann,

$$a_n = A_n^m + B_n^{m-1} + C_n^{m-2} + \ldots + P,$$

heißen arithmetische Reihen, und man unterscheidet nach dem Grad der höchsten Potenz n^m arithmetische Reihen 1., 2., 3. ... mter Ordnung. So ist die erste der obigen Reihen eine solche von der ersten, die zweite von der zweiten Ordnung. Wenn man bei einer Reihe jedes Glied vom nächstfolgenden abzieht, erhält man eine neue Reihe, welche die erste Differenzreihe der ursprünglichen Reihe heißt, während diese mit dem Namen der Hauptreihe belegt wird. Wenn man zu der neuen Reihe wieder die Differenzreihe bildet, so erhält man die zweite Differenzreihe der Hauptreihe u. s. f. So ist für die Reihe der Cuben

$$1, 8, 27, 64, 125, 216 \ldots$$

die erste Differenzreihe
$$7, 19, 37, 61, 91 \ldots$$
die zweite $\quad$ 12, 18, 24, 30 . . . .
und die dritte $\quad$ 6, 6, 6 . . . .;

wie hier bei der dritten, so werden überhaupt bei einer arithmetischen Reihe mter Ordnung die Glieder der mten Differenzreihe sämmtlich gleichgroß.

2) Eine Summe von Gliedern, insbesondere die entwickelte Darstellung einer Function einer

veränderlichen Größe, gewöhnlich nach den ganzen Potenzen derselben geordnet. So ist z. B. die Reihe für

$$(1+x)^4 = 1 + 4x + 6x^2 + 4x^3 + x^4.$$

Eine solche Reihe kann nun entweder im Endlichen abbrechen und heißt dann endlich, oder sie kann ins Unendliche fortschreiten und heißt dann unendlich. Eine endliche, nach ganzen positiven Potenzen der Veränderlichen x fortschreitende Reihe ist stets der Ausdruck einer ganzen algebraischen rationalen Function (s. d.); jede unendliche Reihe dagegen ist die Entwickelung der gebrochenen und der irrationalen algebraischen Functionen, sowie auch der transcendenten. Bei unendlichen Reihen wächst die Summe entweder ins Unendliche, oder sie schwankt zwischen bestimmten Grenzen ohne Ende hin und her, oder endlich die Summe hat einen bestimmten endlichen Werth. Ein Beispiel der ersten Art liefert die Reihe der natürlichen Zahlen $1 + 2 + 3 + 4 + \ldots$ ein Beispiel der zweiten Art die Reihe

$$1 - 1 + 1 - 1 + 1 - 1 + \ldots,$$

welche stets gleich 1 oder Null ist, je nachdem man eine ungerade oder eine gerade Anzahl von Gliedern mitnimmt; ein Beispiel der dritten Art liefert endlich die geometrische Reihe

$$1 + \frac{1}{2} + \frac{1}{4} + \frac{1}{8} + \frac{1}{16} + \ldots,$$

deren Summe bekanntlich nicht ins Unendliche wächst, sondern gleich 2 ist. Von der Betrachtung werden die Reihen der ersten und der zweiten Art ganz ausgeschlossen; man nennt sie divergent, die Reihen der dritten Art dagegen convergent. Alle convergenten Reihen haben die Eigenschaft, daß man sich ihrem wahren Werth um so mehr nähert, je mehr Glieder man von ihnen addirt. — Zur Convergenz einer Reihe ist vor Allem nöthig, daß die Glieder unendlich abnehmen, d. h. daß das nte Glied Null wird, sobald man n = ∞ setzt. Doch ist dieses Kennzeichen nicht hinreichend; so wird dasselbe z. B von der sogenannten harmonischen Reihe $1 + \frac{1}{2} + \frac{1}{3} + \frac{1}{4} + \ldots$ erfüllt, obgleich diese Reihe divergirt.

Eins der einfachsten Mittel, die Convergenz einer unendlichen Reihe $a_0 + a_1 + a_2 + a_3 + \ldots$ zu untersuchen, ist folgendes: Man bilde den Quotienten des (n + 1)ten Gliedes durch das nte, also den Werth $\frac{a_{n+1}}{a_n}$. Ist dieser Werth für ein unendlich großes n kleiner als 1, so convergirt die Reihe; ist n größer als 1, so divergirt sie. Nur dann, wenn dieser Quotient gleich 1 wird, läßt sich auf diese Weise die Convergenz nicht entscheiden und man hat dann andere Kennzeichen anzuwenden. Doch convergiren auch in diesem Fall die Reihen, deren Glieder abwechselnde Vorzeichen haben, stets, z. B. die Reihe

$$1 - \frac{1}{2} + \frac{1}{3} - \frac{1}{4} + \ldots$$

Eine Reihe, welche nach Potenzen einer Veränderlichen x fortschreitet, kann für gewisse Werthe von x convergiren, für andere divergiren. So ist die Reihe $\frac{1}{1+x} = 1 - x + x^2 - x^3 + x^4 - \ldots$ convergent, so lange x zwischen —1 und + 1 liegt, sonst aber divergent.

Reihungen; sind 1) über den Säulen im Spitzbogenstyl sich erhebende Gurtungen, die das Gewölbe, indem sie dasselbe in rautenförmige, viereckige rc. Felder zerlegen, auf mannichfache Weise durchkreuzen und zieren; — 2) Reihungen heißen diejenigen Gliederbesetzungen, die als Aufreihung auf einem Faden oder als einfache Nebeneinanderstellung gleicher Gegenstände erscheinen z. B. Fig. 1170 c, 1171 a, 1172 b u. c.

Reinblei oder Werkblei, silberhaltiges Blei; s. d. Art. Blei.

Reinbretter, Bretter, die aus Schweden kommen; 10 bis 14 Fuß lang, 10 bis 11 Zoll breit, 1½ Zoll stark.

Reinigung. Da bei der Anfertigung vieler Arbeiten, namentlich beim Ausbau, das Beflecken von Gegenständen oft nicht zu vermeiden ist, so sollen hier einige Reinigungsrecepte Platz finden.

1. Beseitigung von Fett- oder Oelflecken; s. d. Art. Fett und Flecke.

2. Alte Vergoldung zu reinigen. Man wäscht sie mit einem feinen Schwamm und wischt schnell mit feiner Leinwand darüber hin. Das Wasser darf nicht über eine halbe Minute auf der Vergoldung stehen bleiben. Man wärmt alsdann die vergoldeten Stellen durch den davorgehaltenen Vergolderofen und reibt dieselben mit warmen feinen Tüchern. Sehr schmutzige Oelvergoldung kann man mit äußerst schwacher Pottaschenlauge oder schwachem Essigwasser reinigen, oder auch mit Seifenwasser oder Weingeist, in welchem etwas Seife gelöst wird.

3. Reinigen alter Messingverzierungen, um von Neuem einen Lackfirniß aufzulegen. Die messingenen Stücke werden in eine starke Lauge aus Holzasche, oder auch in Seifensiederlauge gelegt, worauf sich der alte Ladüberzug löst und leicht beseitigen läßt. Alsdann reibt man sie mit verdünntem Scheidewasser, was jedoch noch genügend stark sein muß, um den Schmuz abnehmen zu können; wäscht mit reinem Wasser nach, trocknet gut ab und lackirt wieder.

4. Marmor, Jaspis, Porphyr rc. zu reinigen. Stärkste Seifensiederlauge wird mit ungelöschtem Kalk bis zur Consistenz der Milch gemischt und auf die zu reinigende Platte aufgetragen. Nach 24 Stunden wird dieser Ueberzug mit Seife u. Wasser abgewaschen und die Oberfläche wird sich wie neu darstellen. S. auch d. Art. Alabaster, Marmor rc.

5. Tintenflecke aus Holz u. s. w. zu bringen. Man trägt mit einem Lappen Salzsäure auf, bis der Fleck verschwindet, und wäscht dann sogleich mit reinem Wasser nach.

6. Teppiche oder gewirkte Tapeten zu reinigen. Man reinige zuerst den Teppich vom Staub. Alsdann spanne man ihn am Fußboden aus, und nachdem man ½ Pinte Ochsengalle mit 2 Gallonen weichem Wasser vermischt hat, reibe man ihn mit Seife und obiger Mischung mittelst einer nicht zu harten Bürste gut ein u. mit einem leinenen Lappen trocken ab.

7. Rußflecke aus Tannenholz zu bringen; s. d. Art. Rußflecke.

8. Reinigung alter polirter Meubles. Eine Mischung aus 1 Quart saurem Bier oder Essig mit einer Hand voll Kochsalz u. 1 Eßlöffel Salzsäure läßt man ¼ Stunde kochen, wäscht die Meubles mit weichem Wasser und dann mit dieser Mischung, worauf man sie mit Politur überreibt; s. auch d.

Art. Abwaschen, Aufbeizen, Gemälde, Oelfarben=
anstrich ꝛc.

9. (Wasserb.) s. v. w. Baggern.

Reinigungsbrunnen, fons lustralis, can=
tharus, labrum; sowohl bei den alten Christen als
bei den Muhamedanern und Israeliten gehörten
zu den religiösen Ceremonien täglich wiederholte
Abwaschungen, namentlich aber mußte man sich
zu dem Besuch des Gotteshauses durch solche Ab=
waschungen vorbereiten. Daher findet man in den
Vorhöfen der Basiliken und Moscheen stets Reini=
gungsbrunnen, welche oft symbolisch verziert sind;
s. d. Art. Atrium, Basilika, Moschee, Kirche, Pa=
radis ꝛc.

Reinigungsmaschine, 1) s. d. Art. Bagger;
— 2) s. d. Art. Getreidereinigungsmaschine.

Reinoldus, St., Patron der Steinmetzen und
von Dortmund, aus dem Geschlecht Karl's des
Großen; tapferer Ritter, kam dann nach Köln u.
wurde Mönch in St. Pantaleon. Als Aufseher
über die Bauleute wurde er von einigen derselben
wegen seiner Strenge durch Hammerschläge auf
den Kopf getödtet und in einen Sumpf, lacus (am
Laach zu Köln) begraben. Abzubilden als Ritter
oder Mönch mit einem Schellhammer in der Hand.

Reins d'arc, de voute, frz.,Hintermauerung,
Spandrille; s. d. Art. Hintermauerung, Gewölbe
und Wölbung.

Reisbank (Salzw.), zum gehörigen Austrock=
nen des Holzes und zur Aufbewahrung desselben
dienender Boden über dem Salzkothen.

Reisealtar, s. v. w. Tragaltar.

Reisholz, Reisig, Reißig, frz. ramilles, engl.
cablish, wird sowohl zur Anlage von Heden
u. Zäunen, als zu Reisigverkleidungen gebraucht;
s. d. Art. Festungsbau, S. 41, Bd. II.

Reiswerk (Wasserb.), Werke zur Befestigung
der Ufer und dergl. aus Reißholz gefertigt.

Reiswerkskirchen oder Reißwerkskirchen,
auch Stanwert=Kirchen, ganz aus Holzwerk er=
baute Kirchen; s. d. Art. romanischer Styl und
Holzarchitektur.

Reißblei (Mineral.), s. v. w. Graphit, s. d.

Reißen, Springen und Werfen des Holzes.
Wird die natürliche Feuchtigkeit aus der Holzmasse
zu schnell ausgetrieben, so entstehen obige Er=
scheinungen. Zum großen Theil können sie ver=
hindert werden durch schnelles Firnissen frischen
Holzes, wodurch die allzuschnelle Austrocknung
verhindert wird. Weiteres s. in d. Art. Bauholz
D. c, S. 270.

Reißer, bei den Maurern ein Linienpinsel.

Reißfeder, dient zum Linienziehen, indem
man sie mit Tinte oder flüssig gemachter Tusche
füllt. Es besteht dieses Instrument aus einem
Handgriff mit zwei Stahlblättchen und einer durch
diese gehenden Schraube. Die Linien werden um
so feiner, je mehr man die Stahlblättchen, zwi=
schen welche die Flüssigkeit eingefüllt ist, zu=
sammenschraubt.

Reißgelb, s. v. w. Auripigment.

Reißhaken (Schloss.). 1) Ein Meißel, der
dicker ist als breit, die Zapfenlöcher damit aufzu=
reißen oder aufzubauen; — 2) flacher, gekrümmter
Meißel, die zu den Fischbändern in den Thüren
vorgebohrten Löcher damit auszuputzen; — 3) s.
v. w. Grabstichel, s. d.

Reißkohle, zum Vorzeichnen der Umrisse eines
Gemäldes, eines auf den Putz zu bringenden Or=
namentes oder dergl. dienender Stift von Holz=
kohle. Man kann sie bei Fehlern leicht wieder
durch Schlagen mit einem Tuche beseitigen oder
wegwischen; vorzüglich geeignet dazu sind: Wei=
den=, Hasel=, Linden=, Pfaffenhütchen= und Ros=
marinholzkohle. Vergl. d. Art. Holzkohle und
Firirung.

Reißkorn (Meßt.), Längenmaaß in China,
ungefähr 1 Linie groß; 8 Reißkorn machen 1 Niou.

Reißlatten. 1) Zu Latten taugliche schlanke
Stangen; — 2) auch Spaltlatten oder Waldlatten
genannt. Dachlatten, die aus solchen Stangen ge=
spalten worden.

Reißmodel, Streichmaaß, Reißmaaß, Werk=
zeug zum Vorreißen, Abreißen von Linien parallel
mit einer Kante, vorzüglich auf Holz angewendet.
Es besteht aus 1 oder 2 viereckigen oder runden
Holzstäben, in einem Gehäuse— Kopf od. Anschlag
genannt — verschiebbar; ein spitzer Dorn in jedem
Stab dient zum Ziehen der Linien, welche ent=
stehen, indem man an der Seite des abzumessenden
Holzes das Gehäuse anlegt und fortschiebt. Wenn
man statt des Dorns eine Schneide einsetzt, so wird
das Reißmaaß zum Schneidemaaß und kann zum
Abschneiden von Journirstreifen dienen. Ueber
die Reißmodel der Spanier vergl. d. Art. Jarilóca.

Reißpapier, s. d. Art. Pausepapier u. Papier.

Reißschiene, zum Vorreißen von Einfassungen,
gleich dem Reißmodel, aber mit dem Bleistift, so=
wie zum Ziehen von Linien auf dem Reißbret
dienendes Anschlag=Lineal, d. h. Lineal, an welches
unten ein kürzeres, rechtwinkelig gestelltes Stück,
der Schienenkopf, befestigt ist, zum Ziehen rechter
Winkel; um Parallele nach anderen Winkeln von
beliebiger Größe ziehen zu können, so findet sich
bei der Stellschiene auf dem Kopf noch eine andere
Platte, der Drehkopf, die sich um eine Schraube
bewegt.

Reißspitze, Bohrahle, s. v. w. Spitzbohrer, ein
Tischlerwerkzeug.

Reißzahn (Mühlenb.), ein Theil des Rad=
zirkels.

Reit, s. v. w. Reet.

Reite (Hüttenw.), s. v. w. Pochrolle.

Reitel oder Pochstock, Klöppel, Knebel beim
Faschinenbinden und Pontonbrückenbau.

Reitelbalken einer Kriegsbrücke, Balken,
welche zu beiden Seiten des Brückenwegs über
die Dielbretter gelegt und fest gereihet werden, so
daß durch dieselben die Bretter vor Verschiebung
gewahrt werden.

Reiter. 1) (Festungsb.) s. d. Art. Cavalier; —
2) s. v. w. spanischer oder friesischer Reiter, Annähe=
rungshinderniß vor Verschanzungen, aus 12' lan=
gen, 9—12" starken beschlagenen Balken bestehend,
durch welche kreuzweis zugespißte Latten getrieben
sind. Angewandt auf felsigem Terrain, zur Sper=
rung von Zugängen ꝛc.; — 3) s. d. Art. Dach=
deckung A. I. q und r in Fig. 850; — 4) s. v. w.
Dachreiter.

Reiterstatue, Equesterstatue, s. d. A. Bildsäule.

Reithalde (Hüttenw.), s. v. w. Halde.

Reithaus, Gebäude mit einer Reitbahn, frz.
manège, carrière. Diese muß ungef. 40—50 Ellen
breit u. 1¼—5 Mal so lang sein; die Umfassungs=

wand wird 3—4 Fuß hoch, vom Fußboden aus, mit schiefliegenden Ziegeln, besser noch mit einer Barrière aus aufrechten Brettern unter einem runden Holm bekleidet, damit die nicht zu bändigenden Pferde nicht gegen die Wand drängen. Große, breite Fenster befinden sich in den Umfassungsmauern, zuweilen bringt man zwischen diesen Fenstern Spiegel an, zur Selbstbeobachtung der Reitschüler. Zur Dachung eignet sich am besten Bohlenbach oder ein Spreng- und Hängewerk, da der Raum durch Säulen nicht beengt werden darf. Für die Zuschauer befinden sich ringsum, oder doch über und neben dem Eingang, Gallerien oder Logen. Böden zu Hafer und Heu legt man am besten über der Wohnung des Bereiters an; die Pferdeställe können neben der Reitbahn angebracht werden.

Reitknie, s. d. Art. Knie g.

Reitsoden (Deichb.), an schilfbewachsenen Orten gestochene Soden.

Reitstock, s. d. Art. Drehbank 1.

Reittenne, offene Dreschtenne vor der Scheune, auf welcher von Ochsen oder Pferden das Getraide ausgetreten wird.

Rejet d'eau, frz., Wetterdach, Wasserschlag, Abwässerung, Wetterschenkel.

rejointoyer, frz., s. v. w. ausfugen.

Rekholder, örtlicher Name für Wachholder (Juniperus communis L., Fam. Nadelhölzer).

Relais, frz., der Absatz an einem Wall, die Berme.

relative Festigkeit, s. d. Art. Festigkeit, S. 35.

relatives Gewicht, s. d. Art. Gewicht.

relever, frz., ein verschüttetes Gebäude aufgraben.

Relief, frz. relief, engl. relief, ital. riliêvo, plastische Darstellung von Gestalten auf einer Fläche, frz. surface, champ, engl. champe. Die ältesten derartigen Darstellungen waren eigentlich nicht Reliefs, sondern nur eingeritzte Contourzeichnungen, Koilonaglyphen, s. d. Begreiflicherweise war hier von perspectivischer Gruppirung der Gestalten keine Rede. Das Basrelief hat ganz flachgehaltene Figuren. Ein vertieftes Relief hatten auch die Aegypter, welches vom dem Grund nur scheinbar hervortritt, indem blos die Contouren der Figuren vertieft ausgearbeitet sind; vgl. auch die Art. Anaglypten, Diaglypten und Koilonaglyphen.

Reliefemail, s. d. Art. Email.

Relieving arch, engl., frz. remenée, Entlastungsbogen; s. d. Art. Bogen III. 3. S. 399.

Reliquiarium, lat., frz. reliquaire, engl. reliquary, Reliquienbehältniß; zerfällt meist in folgende Theile:
I. Eigentliches Behältniß der Reliquien; kommt in den verschiedensten Größen und Formen vor, besonders als Reliquien-Kasten, lat. arca, capsa, cista, frz. châsse, engl. shrine, für einen ganzen Leichnam, und als Kästchen, Büchse, Monstranz, Capsterium, lat. capsella, theca, für einzelne Theile; beide Arten sind in der Regel so eingerichtet, daß die Reliquien sicher darin sind und doch gesehen werden können, ohne das Behältniß zu öffnen; oft sehr reich verziert; s. auch d. Art. doigtier, gestatorium 2c.
II. Das Fußgestell dieses Behältnisses, Bahre, lat. feretrum, frz. fierté, engl. fertre, feretre.

III. Gehäuse oder Baldachin des Behältnisses, Schrein, lat. tumba, scrinium, frz. écrin, engl. shrine, screen, s. d. Art. Heiligenschrein; hierzu kann man auch die Reliquienaltäre, d. h. die über den Altären zu Aufstellung der Reliquien angebrachten Gallerien, rechnen.
IV. Capelle für das Reliquiarium, lat. confessio, engl. feretory, s. auch Carner.

Reliquiengrab in der Altarplatte, lat. sepulchrum, mit einem Wachstäfelchen, lat. sigillum, verschlossen; s. d. Art. Märtyrergrab.

Relotge, frz., relotgium, mittelalterlich-lat. aus horologium, Uhr.

Remaining, engl., Beharrungsstand.

Remaniement d'un toit, frz., Umdeckung eines Daches; r. d'un pavé, Umpflasterung.

Remblais, Remblagaye, frz., Auftrag und Ausfüllung (s. d.) mit herzugeschafftem Erdreich.
rembourrer, frz., ausfüttern.

Remigius, St., frz. St. Remy, Patron von Rheims, Frankenapostel, 439 aus edlem Haus geboren, wurde schon jung Bischof von Rheims, taufte nach der Schlacht bei Zülpich (Tolbiac) den König Chlodwig und salbte ihn mit Oel aus einem Fläschchen, das eine Taube vom Himmel brachte. Er starb 533; wird abgebildet als Bischof, die Taube mit dem Oelfläschchen über ihm.

Remise, s. d. Art. Gerätscheppen. Ist eine Remise für mehrere Wagen bestimmt, so kann man für jeden Wagen eine Breite von 5 Fuß rechnen; ist der Raum vor der Remise beengt, so daß die Lenkung des Wagens behindert ist, so muß man für jeden Wagen eine größere Breite annehmen und breitere Thorwege anordnen. Man rechnet ferner für eine Egge 3 Ellen Breite und 3 Ellen Länge.

Rempart, frz., Wall, s. Festungsbaukunst.

Rempiétement, frz., das Unterfahren eines Gebäudes.

Remplage, remplissage, fr., gr. ἔμπλεκτον, ital. riemputa, Füllwerk, Gußmauerwerk.

Remter, lat. Aula redemtoria, s. d. Art. Refectorium; namentlich wurden die Speisesäle in den Schlössern der Ritterorden so genannt.

Renaissancestyl, frz. style de la renaissance, engl. revival-style, ital. rinascimiento, Der gothische Baustyl hatte sich in der letzten Hälfte des Mittelalters über alle Länder der Christenheit verbreitet, dabei fast parallelen Gang mit dem katholischen Christenthum einhaltend; zuletzt war, theils durch Verschnörkelung, theils durch Ernüchterung, die strenge Gesetzmäßigkeit seines Systems und somit sein ganzer Organismus gelockert worden, zu derselben Zeit, als der ideal hochgeschwungene Spiritualismus des Mittelalters, aus dem er hervorgewachsen, zu weichen begann vor einer praktisch-realistischen Anschauung, die sich gerade im Norden, wo der gothische Styl seine idealsten Werke geschaffen, am schärfsten zu naturalistischer Einseitigkeit gestaltete.

Das Mittelalter hatte sich überlebt. Bereits zu Anfang des 15. Jahrhunderts sehen wir in Italien und Deutschland Reformatoren auftreten, welche sich mit mehr oder weniger Erfolg bemühten, die kirchliche Verfassung von den eingerissenen Mißbräuchen zu reinigen. Gleichzeitig wurden durch die Einnahme Constantinopels durch die Türken (1453) viele griechische Gelehrte und Künstler in alle Länder des Westens vertrieben, und jene

Fig. 1647. Palazzo Grimani à S. Luca in Venedig.

Feindſeligkeit gegen alle Neuerungen, jenes Hangen am Alten, welche die Anhänger der griechiſchen Kirche ſich ſeit dem Schiöma bewahrt hatten, weckte eine ſceptiſche Reaction. Die Wiſſenſchaft wurde den Händen einzelner Privilegirter entriſſen und zum Gemeingut gemacht. Durch die

Selbſtſtändigkeit; an die Stelle der Zufriedenheit mit dem durch die Gegenwart Gegebenen die Sehnſucht nach Zurückführung des Zuſtandes zur Zeit Chriſti. So in der Religion, ſo auch in der Kunſt. Während jedoch die kirchliche Reformation noch eine Zeit lang unterdrückt werden

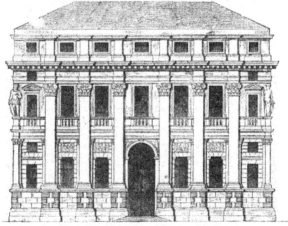

Fig. 1648. Façade des Palazzo Valmarana in Vicenza.

ebenfalls gleichzeitige Zerſetzung des Asketiömus und die beginnenden Zweifel an den Legenden ꝛc. wurde der Glaube gelockert, man fing an zu forſchen und zu grübeln, an die Stelle der allgemeinen Autorität trat das Ringen nach individueller

konnte, ließ man die Reformatoren der Kunſt gewähren und ſchon in der Mitte des 15. Jahrhunderts finden wir als Reſultat einer allerdings noch untergeordneten Forſchung nach den Kunſtzuſtänden zur Zeit Chriſti eine vielfache Anwen=

bung klaſſiſcher Formen; ſo unvollſtändig und unklar, ſelbſt unverſtändig dieſe Anwendung hie und da aber war, ſo gefielen ſich dennoch die dieſelben einführenden Architekten ſo ſehr in ihren Werken, daß ſie dieſe Umwandlung eine **Wiedergeburt**, frz. renaissance, ital. rinascimiento, der nach ihrer Meinung im Mittelalter ganz abgeſtorbenen Kunſt nannten; ſo entſtand der Name Renaiſſance. Der geſchichtlichen Entwickelung nach kann man nun dieſen Styl in folgende Unterabtheilungen zerlegen.

1. **Frührenaiſſance**, gothiſirende Renaiſſance, auch neugothiſcher Styl, obwohl mit Unrecht, genannt. Da ſich die neue Geſtaltungsweiſe architektoniſcher Formen nicht aus dem Geſammtbedürfniß der menſchlichen Gefühlswelt, ſondern aus dem bewußten Streben einzelner Forſcher ausgebildet hatte, ſo hatte natürlich dieſes Streben nach individueller Selbſtſtändigkeit einen ziemlich langen Kampf gegen die Traditionen zu beſtehen; darüber ſ. d. Art. Frührenaiſſance und Deutſchrenaiſſance.

meintlicher Weiſe im Geiſt, eigentlich aber blos in blinder Nachahmung des unvollkommen Erkannten, die römiſchen Diſpoſitionen und Gliederungen der decorativen Bautheile nachgebildet. Da nun ſchon die römiſche Baukunſt ſich in unorganiſcher Weiſe blos zu decorativen Zwecken griechiſcher Formen bedient hatte, ſo konnten dieſe Formen jetzt nur als ſecundäre Gebilde auftreten, Originalität war ihnen fremd; das ganze bauliche Gerüſt erzeugt ſich ſammt aller Gliederung in der Renaiſſance nicht aus organiſcher Nothwendigkeit, wie bei primären Stylen, die ſchmückenden Elemente ſind vielmehr dem conſtructiven Kern blos äußerlich angefügt. Nur der Umſtand, daß dieſe unorganiſche Anwendung veralteter Formen in den Händen zum größten Theil ſehr genialer Künſtler ruhte, ſchützte vor Mißgriffen und iſt Urſache, daß die Werke jener Zeit zum großen Theil hohe Bewunderung verdienen. Trotz des ſowohl dem Privatbau mit Balkendecken und durch Glas verſchloſſenen Fenſtern, dem Kirchenbau mit ſeinen hohen, gewölbten Räumen durchaus nicht

Fig. 1649. Villa La Rotonda bei Vicenza.

2. **Hochrenaiſſance** oder **Feinrenaiſſance**, eigentliche Renaiſſance, Styl der Cinquecentiſten. Der wenn auch auf heterogenen Elementen beruhende, doch wenigſtens noch naive und durch wirkliches künſtleriſches Gefühl geleitete Entwickelungsgang der Frührenaiſſance wurde im Anfang des 16. Jahrhunderts faſt gewaltſam unterbrochen durch die übergroße Begeiſterung für die Antike. In Italien hatte man bereits um 1500 große Fortſchritte im archäologiſchen Studium der antiken Ueberreſte gemacht und glaubte durch Vergleichungen der Reſultate mancher Ausmeſſungen mit den Regeln des Vitruv das Syſtem der römiſchen Architektur ergründet zu haben. Dadurch, ſowie durch den Umſtand, daß die Kunſt aus den Händen der Corporationen in die Hände einzelner gelehrter Architekten überging, alſo dem Individualismus anheimfiel, ferner durch die große Bequemlichkeit, die mittelmäßige Talente im Copiren der Antike fanden, war bald der Sieg über die mittelalterliche Tradition ziemlich vollſtändig gelungen; das phantaſtiſch freie Spiel, welches man in naiver Combination mittelalterlicher und antiler Formen mit letzteren getrieben hatte, wurde als regellos verworfen und, nach dem durch jene Ausmeſſungen gefundenen Schema ver-

entſprechenden, den hohen Standpunkt der Technik damaliger Zeit verhöhnenden, vor Allem aber durchaus unchriſtlichen Anbringens, von Pfeilerſtellungen mit Bogen, oder Mauermaſſen mit Fenſtern und darauf gekletdter Tempelarchitektur mit Säulengebälken und mit heidniſcher Allegorie ſtatt chriſtlicher Symbolik, wurde doch, namentlich im Anfang dieſer Periode, ſehr Tüchtiges geleiſtet. Wir geben unſern Leſern einige Beiſpiele dieſer Feinrenaiſſance: in Fig. 1647 den Palazzo Grimani à S. Luca in Venedig, 1548 von Michele Sanmicheli erbaut, der jetzt die Poſtdirection enthält. Fig. 1648 iſt die Façade des Palazzo Valmarano in Vicenza, zwiſchen 1557 und 1560 von Palladio erbaut. Fig. 1649 iſt die Villa La Rotonda bei Vicenza, zwiſchen 1565 und 1570 ebenfalls von Palladio erbaut. Fig. 1650 u. 1651 iſt die Kirche S. Redentore in Venedig; wurde 1577 von Palladio begonnen. Fig. 1652 endlich iſt ein Ornament von einem Grabmal in der Kirche S. Maria del Popolo in Rom, welches, wenn nicht von Raphael ſelbſt, doch aus ſeiner Schule herrührt.

In Italien von 1500—1550, im Norden noch etwas länger, zeigen dieſe Bauten noch einen Hauch mittelalterlicher Poeſie, bald aber werden ſie

21*

nüchterner, besonders durch die pedantischen Vorschriften eines Palladio und des „Gesetzgebers der Architektur", Giacomo Barozzio, genannt Vignola, welche von vielen Architekten seiner Zeit geradezu als maaßgebendes Schema adoptirt wurden, von dem abzuweichen als eine Sünde galt. Wie konnte bei so blinder Copie des von Einem aufgestellten Gesetzes wohl etwas Poetisches zu Wege kommen? Diese nüchterne Auffassung der an sich nicht organisch aus dem Völkerleben hervorgegangenen Formen konnte sich unmöglich lange halten.

Fig. 1650. Kirche S. Redentore in Venedig.

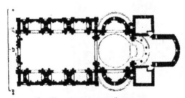

Fig. 1651. Grundriss von S. Redentore.

3. Spätrenaissance. Dem Genie wird es nie lange möglich sein, sich an einen festen Schematismus zu binden; wenn nun aber dieser Schematismus in sich der organischen Begründung ermangelt, so wird das Genie bei dem Ueberschreiten desselben sehr leicht auf Abwege gerathen. Die Ueberschreitung aber wird um so unvermeidlicher sein, je weniger der Schematismus der Zeit, dem Charakter des Volkes und der religiösen Auffassung entspricht. So geschah dies auch in jener Zeit, deren allgemeiner Charakter Streben nach freiester Subjectivität und ein großer Hang zu sinnlichen Aus-

schweifungen war; da es aber dieser Zeit zugleich nicht an Kraft gebrach, so erscheint auch die Abschweifung bedeutend, die Willkür genial, oft tollkühn. Zunächst durchbrach man die Schranken natürlich da, wo sie am meisten hemmend fühlbar wurden, auf dem Gebiet der Disposition. Die bislang mehr oder weniger beibehaltene Basilikenform der Kirchen-Grundrisse wurde durch eine reicher gruppirte Vereinigung des Langbaues und Centralbaues ersetzt; an den Façaden der Kirchen und Paläste brachte man mannichfache Risalits, Flügel ꝛc. an und gelangte so zu reicher Gruppirung. Wenn man nun bis circa 1580, selbst bei der reichsten Gruppirung, doch in den Details noch an jenem Schematismus festhielt, so wurden bald auch hier die Schranken zu eng.

Fig. 1652. Ornament.

Zunächst suchte man neue Säulenordnungen zu erfinden, die unter den Namen italienische, deutsche und französische Säulenordnung nichts Anderes waren als Modificationen der römischen Säulenordnung mit Einfügung entsprechender nationaler Embleme in Capitäl und Gesims. Bald ging man weiter.

Säulen, Halbsäulen und Pilaster häufen sich; dem vielfach unterbrochenen Gang der Grundrißlinien entsprechen zahlreiche Verkröpfungen des Gebältes, das Ornament wird frei und kühn ausgearbeitet, dadurch ist die Totalwirkung oft sehr malerisch, immer aber ungemein kräftig, und läßt fast das Unlogische der ganzen Anordnung vergessen. Diese Richtung erhielt sich in Italien bis etwa um 1620, im Norden bis circa 1700, noch ziemlich rein, während allerdings daneben in Italien schon von 1580 an, im Norden schon circa 1620, der Barockstyl seine wuchernden Blüthen trieb. Die die Spätrenaissance in allen ihren guten und schlechten Eigenschaften am besten repräsentirenden Werke sind zugleich die größten Kirchenbauten der neuen

5. **Rococco- oder Zopfstyl,** s. d. betr. Art., auch Jesuitenstyl genannt.

6. **Napoleonischer Styl,** auch **Imperialstyl** zc. genannt; s. d. betr. Art.

Fig. 1653. Die Peterskirche in Rom.

Zeit; die Peterskirche in Rom, Fig. 1653, an welcher Bramante, Raphael, Balthasar Peruzzi, Antonio di San Gallo, Michel Angelo, Maderno, Bernini zc. vom 18. April 1506 bis 1667 bauten, und die Paulskirche in London, Fig. 1660, die von Christopher Wren in der Zeit von 1675 bis 1710 ausgeführt wurde.

7. Gewissermaßen könnte man auch die Schinkel'sche gräcisirende Richtung eine Renaissance des griechischen Styls nennen und ebenso von einer Renaissance des romanischen und gothischen Styls sprechen. Eigentlich aber versteht man nur die unter 1—3 aufgeführten Richtungen unter dem Namen Renaissance und es ist mindestens ein

Fig. 1655. Die Paulskirche in London.

4. **Barockstyl.** (S. d. betr. Art.) In Italien hielt sich diese Richtung bis um 1700, im Norden hier und da bis über die Mitte des 18. Jahrhunderts hinaus.

Euphemismus, wenn manche Anhänger des Barockstyls diesen Spätrenaissance oder gar Hochrenaissance nennen.

Renard, frz., eigentlich Fuchs, in der Technik aber 1) Riß in einem Wasserleitungsrohr; — 2) blinde Mauer, um der Symmetrie willen als Façade decorirt; — 3) Teufelsklaue, Balthaken, f. d.

renflé, frz., ausgebaucht.

Renflement, frz., Anschwellung, f. d.

Renfoncement, frz., Vertiefung, Einsenkung, vertieftes Feld.

Rennbahn. 1) (Bergb.) Laufbahn, kreisförmiger Platz in dem Treibgöpel, auf welchem die Pferde im Kreis gehen; — 2) Dromos, Bahn zum Wettrennen, f. d. Art. Circus, Hippodrom, Dromos, Stadium, Palästra, Bad ꝛc.

Rennbaum (Maschinenw.), f. v. w. Haspelbaum.

Renne, 1) f. v. w. Rinne, Gosse, deshalb Rennstein, f. v. w. Rinnstein; f. d. u. Gußstein; — 2) (Hüttenw.) R., auch Rennberg oder Rennwerk, zum Herabschütten des Erzes von einer Höhe in das Thal dienendes hölzernes Gerinne.

Rennelmühle, f. v. w. Schussermühle.

Rennfahne, f. d. Art. Fahne 2.

Rennheerd, Heerd in Eisenhämmern, auf welchem das Eisen im Rennfeuer rein geschmolzen, gerennt wird.

Rennspindel, Spindel des Bogenbohrers; f. d. Art. Bohrer, S. 412 und C in Fig. 523. Auch nennt man wohl den ganzen Bogenbohrer so.

Rentrant, frz., Mauervertiefung, Nische.

renversé, frz., arc r., umgekehrter Spitzbogen.

Repagulum, lat., 1) kommt blos im Plural vor; Thürverschlußvorrichtung, aus paarweisen Riegeln oder Anwürfen; — 2) f. v. w. carcer, cella, im oppidum des Circus.

Reparation, Reparatur, frz. réparation, renformis, refection; f. d. Art. Baubast, Baufällig, Baurecht, Ausbesserung. Bei gewöhnlichen Häusern genügt fast jährlich kleine Reparaturen nöthig. Jedenfalls ist jährlich eine Revision vorzunehmen, und diese hat die Ausbesserung etwaiger vorgefundener Schäden zur Folge. Jedes dritte Jahr sollte man allen im Freien befindlichen Oelanstrich erneuern, jedes achte bis zehnte Jahr wird eine Hauptreparatur nöthig werden.

Répartition, frz., f. d. Art. Heraldik V.

Répartons, frz., 2—3 Centim. dicke Tafeln, welche aus den Schieferblöcken gewonnen werden.

Repère, frz., Zeichen an einem Werkstück, die Stelle andeutend, die es beim Versetzen einnehmen soll.

Repetirpumpe, System von Pumpen, die das Wasser dadurch auf eine größere Höhe bringen, daß die erste es in ein Behältniß pumpt, aus welchem es die zweite in ein höheres bringt ꝛc.

Replum, lat., Schlagleiste.

Repos, frz., 1) f. v. w. Podest; — 2) f. v. w. Riposobild.

Repositorium, f. d. Art. Bibliothek 6, Bücherbret, Regal, Credenztisch, Pyxis.

Reposoir, frz., Stationsaltar auf Calvarienbergen.

repotencé (Herald.), wiedergekreuzt; f. d. Art. Potence und Kreuz C. 29.

Repous, frz., Mörtel aus alten Putzresten u. Kalktrumpen ꝛc.; aire de repous, Aestrich aus solchem Mörtel.

repousser, frz., treiben; oeuvre repoussé, getriebene Arbeit.

Repoussoir, frz., dunkel gemalte Figuren auf hellem Grund.

Reprise, frz., Reparatur durch Unterfahrung.

Requisitenraum, f. d. Art. Theater.

Reredos, engl., altengl. Laradose, Lardos, frz. Arrièredos, 1) Altarschrein; — 2) offener Feuerheerd mitten in einem Raum unter dem Schornstein; — 3) Cancelle, auch mit Maaßwerk verzierte Rücklehne eines Chorstuhls, Hinterwand eines Altars.

Réseau, frz., Maaßwerk.

réseper oder récéper, frz., den Kopf eines Pfahls unter Wasser verschneiden.

Réserve, frz., Gefäß zur Aufbewahrung des Vorraths von Hostien.

reservirte Festung, aus lauter abgesonderten Werken bestehende Festung nach Rimpler's System.

Réservoir, frz., engl. conserve, f. v. w. Wasserbehälter, f. d. u. Bassin, Behälter, Hydrostatik.

Residenzschloß, f. d. Art. Schloß.

Résille, frz., Verbleiung der Glasmalerei.

Resina cabureiba, f. d. Art. Cabureiba.

Resina elastica, f. d. Art. Kautschuk oder Gummi elasticum; f. d. Art.

Responder, respound, engl., 1) Wandpfeiler, Wandsäule zu Anfang oder am Ende einer Arkadenreihe; — 2) Dienst.

Responsoriale, f. d. Art. Ritualbücher.

Responsorium, lat., f. d. Art. Antiphonarium.

Res sanctae, f. d. Art. Befriedet.

Ressaut, engl., wellenartiges Gesimsglied, Rinnleisten, Wimberge, f. b.

Ressaut, frz. u. engl., f. v. w. Vorlage an einer Façade; — 2) f. v. w. Ausladung, Mauerabsatz; f. d. Art. Absatz 6 und Absetzen 5.

Ressen (Hüttenl.), Graben, worin man seifert.

ressen (Bergb.), f. v. w. hauen.

Ressort, frz., 1) Getriebe, Triebwerk; — 2) Spring- oder Triebfeder.

Rest. 1) Die Zahl, welche übrig bleibt, wenn eine Zahl von einer andern subtrahirt wird, oder auch, wenn man von einer Zahl das größtmögliche Vielfache einer anderen Zahl abzieht; — 2)* bei einer convergenten Reihe die Größe, um die der wahre Werth derselben abweicht von der Summe, welche man erhält, sobald man bei einem bestimmten Glied abbricht.

Restauration, frz. restitution, d. h. Wiederherstellung. Bei Restauration von alten Kunstwerken sind stylistische und technische Rücksichten gleichmäßig zu berücksichtigen. Vor allen Dingen hüte man sich, zu pedantisch auf vollständige Wiederherstellung des vormaligen neuen Zustandes zu bringen, namentlich alle spätere Zuthat zu beseitigen. Solche Zuthaten, z. B. Grabmäler und spätere Altäre in alten Kirchen, auch wenn sie nicht den Styl des Gebäudes genau befolgen, gereichen demselben doch oft zu großer Zierde und haben kunsthistorisches Interesse. Man behalte sie also bei, sobald sie dem Haupteindruck keinen Schaden bringen. Ueber das Technische der Restaurirung f. Einiges in d. Art. Reinigung, Gemälde, Alabaster, Marmor ꝛc.

Restaurationslokal, frz. Estaminet. Hauptsächlichste Berücksichtigung verdienen bei Anlage der Restaurationen folgende Sätze: die Hausflur sei zugfrei, der Eingang in das eigentliche Restaurationslocal jedenfalls so eingerichtet, daß bei Oeffnung der Thür kein Luftzug entsteht. Die Zugänge von Keller und Küche seien nahe und bequem, doch ist auch hier das Eindringen von kalter Luft und der Zudrang von Speisedämpfen aus der Küche nach den für die Gäste bestimmten Localitäten sorgfältig zu vermeiden. Zahl und Größe dieser Localitäten hängt natürlich vom Willen des Restaurateurs ab; für die eigentliche Trinkstube ist eine Abtheilung in Logen zu empfehlen; kleine Seitencabinette sind oft sehr zweckmäßig, sowie auch Nischen, Alkoven ꝛc. dem Publikum sehr willkommen zu sein pflegen; s. übr. d. Art. Billard, Gasthaus ꝛc.

Restituta, St., Jungfrau aus Afrika, unter Valerian erst vielfach gemartert, dann auf ein mit Pech u. Werrig gefülltes Schiff gesetzt; die Flamme aber schlug auf die Anzündenden zurück; die Heilige starb im Gebet, das Schifflein mit ihrem Leichnam schwamm nach der Insel Pithekusa oder Aenaria bei Neapel. Abzubilden auf brennendem Schiff, zur Seite ein Engel.

Resultante zweier oder mehrerer an einem Körper wirkender Kräfte; diejenige Kraft, welche vermöge ihrer Intensität und ihrer Richtung jene dergestalt ersetzen kann, daß ihre Wirkung der Gesammtwirkung jener Kräfte, der sogen. Componenten, völlig gleichkommt. Sind zwei an einem Punkte wirkende Kräfte ihrer Größe und Richtung nach durch gerade Linien dargestellt, so ist die Resultante ebenfalls nach Größe und Richtung gleich der Diagonale des aus beiden zu construirenden Parallelogrammes. Mehr darüber s. im Art. Kraft und Componente.

Reßbaum, s. v. w. Träger.

Reßort, Feldstrecke mit einem Reßen, s. d.

Retable, frz., s. v. w. Altarbildschirm; s. d. Art. Altarblatt 2.

retaillir, frz., aufbauen.

Retardation, Verzögerung; s. d. Art. Beschleunigung.

Rete ahenum, lat., Bronzeleuchter mit vielen Kerzen.

Retentura, lat., s. d. Art. Castellum.

Reticulatum opus, lat., frz. appareil reticulé, engl. reticulated work, 1) Netzverband; — 2) engl. reticulated moulding, Netzverzierung, Netzwerk, s. Fig. 1655.

Fig. 1655. Netzwerk.

Retin-Asphalt, Retinit (Mineral.), in kleinen Nestern in der Braunkohle vorkommende harzige Substanz.

Retirade, frz., 1) Abschnitt in einer Verschanzung, auch s. v. w. Reduit; — 2) Abtritt, s. d.

retirirte Flanke (Festungsbaul.), der 2 bis 3 Ruthen hinter dem Schulterpunkt, der dadurch zum Orillon wird, zurückgezogene hintere Theil einer Flanke.

Retombée, frz., Bogenanfänger, Anfangsstein, Bogenschicht, so weit sie sich ohne Lehrgerüst frei auflegen läßt; s. d. Art. Bogen IV. 4, S. 400, Bd. I.

retondre, frz., von einer Mauer den oben ruinirten Theil bis auf die gesunden Theile abtragen.

Retrait, retraite, frz., 1) Rücksprung eines Gebäudetheiles; — 2) s. v. w. Abtritt; — 3) Ruhesitz; — 4) Absatz, Mauerrest; retraite en larmier, Pultdach eines Strebepfeilers oder dergl.

Retranchement, frz., s. v. w. Schlachtlinie, s. d., und Festungsbau, S. 43, Bd. II.

Retrochorum, lat., engl. retrochoir, der heiligen Jungfrau geweihte Capelle hinter dem Chor, in Klosterkirchen für kranke und fremde Mönche bestimmt. Vergl. d. Art. Lady-chapel.

retroussé, frz., aufgeworfen, s. d.

Rettungshaus, Besserungshaus für verwahrloste Kinder. Die Einrichtung ist ganz ähnlich wie bei einem Waisenhaus, nur daß noch größere Rücksicht auf leichte Uebersicht und sonstige Erleichterung der Aufsicht genommen werden muß.

Rettungsleiter, s. d. Art. Feuerleiter.

Return, engl., frz. retour, 1) s. v. w. Vertröpfung, Wiederkehr; — 2) unterer Haken an einem Ueberschlagfilz.

Reuse, Reuße, s. d. Art. Fischreuße.

Reute, Reuthacke, Reuthaue, s. v. w. Rodehacke.

Reuter, 1) (Hüttenw.) die aller halber Stunden aufgeschüttete Schaufel voll Kohlen, beim Zerrenfeuer; — 2) s. v. w. Räder.

Reutgabel (Hüttenw.), zum Absondern grober Stücke bei der Seiferarbeit dienende eiserne Gabel.

Reutkratze (Hüttenw.), zum Herausnehmen der Schlade aus dem Ofen dienender, in Gestalt einer hohlen Hand, von Eisen gefertigter Haken.

Revel, 1) (Wasserb.) s. v. w. Untiefe; — 2) dreiseitige Leisten, welche man bei hölzernen Schleußen oder Sielen an die Seitenbohlen, da, wo dieselben wandelbar zu werden beginnen, anschlägt, um diese Stellen zu dichten und die Decke tragen zu helfen.

Revel, reveal, engl., äußere Laibung eines eingehenden Bogens.

Réverbère, frz., Spiegelschirm hinter einer Lampe, auch Lampe oder Laterne mit solchem Schirm; s. d. Art. Licht, Lichtrohr, Leuchtthurm, Optik ꝛc.

reverberiren, 1) (Hüttenw.) das Calciniren von Erzen in flammendem Feuer zu Entfernung des Schwefels und räuberischer Erze geschieht im Reverberiren, einem der Art eingerichteten Windofen, daß die Flamme erst aufwärts steigt, dann aber in den mit Erzen gefüllten Reverberirscherben zurückschlägt; — 2) zu destillirende oder zu oxydirende Körper in Retorten und anderen Gefäßen unmittelbar der Flamme aussetzen.

Reverberirlampe, s. v. w. Réverbère.

Reverberirofen, auch Reverberium, 1) s. d. Art. Reverberiren; — 2) Destillirofen, in welchem auf über dem Feuer liegenden eisernen Stangen ein mit passendem Deckel versehenes rundes Behältniß von Kacheln hergestellt ist, in welches man die Glasretorte auf die Flamme oder in ein Sandbad stellt, deren krummer Hals durch einen halb in der Seitenwand und halb im Deckel angebrachten Ausschnitt geht; — 3) s. v. w. Brennofen; — 4) Flammenofen.

Revers, frz., Rückseite einer Münze, einer getriebenen Arbeit ꝛc., auch Innenseite einer Mauer; wohl auch s. v. w. Retable.

Revers de pavé, frz., an den Häusern nach der Gosse abhängendes Steinpflaster, auch Pflasterstreifen zwischen Gosse und Rücken; s. Pflaster.

Revers'eau, frz., Wetterschenkel.

reversed ogee, cyma reversa, gueule renversée; s. d. Art. Glied, E. 3. b., S. 175, Bd. II. **Reversed zigzag,** s. d. Art. Zickzack.

Reversionspendel, s. d. Art. Pendel.

Revestiarium, lat., engl. revestry, vestry, Kleiderkammer, Ankleidezimmer für Priester in katholischen Kirchen; s. d. Art. Sacristei.

Revêtement, frz., Verkleidung, Futtermauer.

revêtir, frz., ausfüllen, innerlich bekleiden, ausmauern (s. d.); **revêtir de roseaux,** berohren; **revêtu,** besetzt; s. d.

Revolutionsfläche, s. v. w. Rotationsfläche; s. d. Art.

Revolutionsstyl. In den Zeiten der französischen Revolution entstand eine Art Renaissance, die, sehr nüchtern und nackt, sich nicht lange hielt; s. d. Art. Napoleonsstyl.

Rez de chaussée, frz., jede als Normale angenommene Planie, besonders bei Bauten in der Straße das Straßenniveau, daher s. v. w. Parterre, Erdgeschoß.

Rez-mur, frz., Mauerflucht einer im Bau begriffenen rohen Mauer; **Rez-terre,** ebene Erdoberfläche.

Rhabanus Maurus, St., Abt von Fulda, Schriftsteller, dann Erzbischof von Mainz, starb 865. Abgebildet als Bischof mit Stab, zur Seite ein Engel mit dem Kreuz, wegen seines Gedichtes zum Preise des heiligen Kreuzes.

Rhamnus, s. d. Art. Beerengelb.

rheinische Oefen, s. d. Art. Heizung IV, 9 und 10.

rheinländischer Fuß, preußisches Längenmaaß; s. d. Art. Maaß.

Rhizophora, s. d. Art. Bolletrieholz.

rhodischer Hof, rhodischer Peristyl; s. d. Art. Griechisch, S. 209, Bd. II.

Rhodiser Holz, eine Sorte Rosenholz (Lignum Rodinum), stammt wahrscheinlich von alten Stämmen der Damascener Rose her; es riecht stark nach Rosen und giebt beim Destilliren das goldgelbe, später röthliche Rosenholzöl, welches einen starken Rosengeruch hat, denselben jedoch nicht lange behält; s. weiter b. Art. Rosenholz.

Rhodium, ein Metall, welches dem Iridium nahe steht und als Begleiter des Platins neben andern sogenannten Platinmetallen gefunden wird.

Rhodochrosit (Mineral.), s. v. w. dichtes, kohlensaures Mangan.

Rhombendodekaëder und **Rhomboidaldodekaëder,** s. d. Art. Krystallographie und Dodekaëder.

Rhomboëder, s. d. Art. Krystallographie und Hexagonal.

Rhomboïd (Math.), schiefwinkliges Parallelogramm (s. d.) mit ungleichen Seiten.

Rhombus, frz. Lozenge, engl. lozange, s. d. Art. Parallelogramm.

Rhoptron, griech. ῥόπτρον, lat. ansa ostii, zum Zuziehen einer Hausthür daran befestigter Ring oder Bügel.

Rhus, s. d. Art. Sumach; rhus copalinium, s. d. Art. Copal; rhus cotinus, s. d. Art. Perrückenbaum.

Rhyn, Canal, Graben, Bach.

Rib, engl., Gewölbrippe; Rib-vault, Rippengewölbe; Rib-work, Rippenwerk, welches in flach hervortretenden Streifen das Bruchsteingemäuer der angelsächsischen Bauwerke durchzieht und denselben ein Ansehen von Fachwerkbau verleiht; s. d. Art. Angelsächsisch.

Richard, St., König von Westsachsen (England), Vater der Heiligen Willibald und Winnibald, sowie der Walburgis. Ließ die Tochter im Land zurück und ging als Pilger mit seinen beiden Söhnen auf die Wallfahrt nach Rom. Ließ die Söhne bei Bonifacius in Mainz und starb, als Wunderthäter berühmt, in Lucca 722, nach Anderen 750; wird meist als Pilger mit königlichen Insignien und seinen beiden Söhnen abgebildet.

Richtbaum, senkrecht auf der Vorderseite des Gerüstes aufgestellter Stamm, an dessen oberes Ende die Rolle oder der Flaschenzug des Jahrzeuges zum Aufziehen des abgebundenen Holzes beim Richten befestigt wird; s. d. Art. Gerüst.

Richtblei, s. v. w. Bleiloth und Bleiwaage.

Richtbühne, s. v. w. Schaffot.

Richtbuhne, s. d. Art. Buhne B. a.

richten. 1) Obersächsischer Provinzialismus für Heben, s. d. (die bei dieser Gelegenheit stattfindende Feierlichkeit heißt Richtfest, hier und da noch mit einem Richtschmaus (s. d.) verbunden; s. auch Baum 6 ꝛc.; — 2) Etwas zum Gebrauch fertig machen; — 3) (Schlosser) mittelst des Hammers dem glühenden Eisen die nöthige Richtung geben.

Richtstützen, s. d. Art. Ramme.

Richthammer, großer Hammer mit glatter Bahn zum Blechschmieden.

Richtholz (Tischl.), 1) Leiste, die an der Seite des Nuthhobels angebracht ist, um das Wanken desselben zu verhindern; — 2) auch Richtklöppel, Richtstecken genannt, Holz am Quandelbaum zum Stellen des Zündlochs im Meiler; s. d. Art. Kohlenbrennen.

Richtmaaß, s. v. w. Aichmaaß.

Richtscheit, frz. échasse, span. jariloca, auch Rechtscheit, Anleger; Fluchtholz, Lehre, Lineal der Maurer und Zimmerleute, gewöhnlich 6 Fuß lang, muß gut gefügt und genau von gleicher Breite gearbeitet sein.

Richtschemel (Sägem.), s. v. w. Rückschemel.

Richtschmaus, Hebeschmaus, nach vollendetem Aufstellen des Dachwerkes veranstaltete Festlichkeit für die betheiligten Bauhandwerker, in der Neuzeit häufig nur in einer Geldspende bestehend, je nach Größe und Bedeutung des Baues sehr verschieden arrangirt; in vielen Gegenden Deutschlands aber hat sich die alte Form noch erhalten. Nach Absingung des Liedes: „Nun danket alle Gott ꝛc." wird der letzte Sparren aufgebracht, dann hält der Zimmerpolier eine Rede, welche mit Toasten auf den Landesherrn, die Ortsobrigkeit, den Bauherrn, die Meister, die Gesellen, Arbeiter ꝛc. schließt, worauf der Bauherr antwortet. Dann vereinigt man sich zu einem Schmaus, dem Tanz folgt. Das Ganze ist oft mit vielen Zunftceremonien ausgeschmückt.

Richtsteig, Richtweg, Fußsteig, der ganz gerade nach einem Ort führt.

Richtstock. 1) (Zimmerm.) s. v. w. Maaßstock; — 2) (Maur.) s. v. w. Richtscheit.

Richtungscurve und Richtungsfläche, s. d. Art. Fläche, S. 65, Bd. II.

Richtzange, Breitzange (Messingarb.), zum Einsetzen der Tiegel in den Brennöfen dienende große, mit breiten Backen versehene Zange.

Ricinus (Ricinus T., Fam. Wolfsmilchgewächse, Euphorbiaceae), Wunderbaum, ist bei uns eine einjährige Pflanze, im Mittelmeergebiet baumartig, bis 40 Fuß hoch mit 1½ Fuß dickem Stamm, großen schildähnlichen, handförmig getheilten Blättern. Das aus seinem Samen gewonnene Ricinusöl ist medicinisch als Purgens, technisch als Brennmaterial, Schmiermittel und zu Seifen in Anwendung.

Ricinusöl, löst Bernstein, Drachenblut und Schellack höchst unvollkommen, Dammarharz, Mastix u. Sandaräch unvollständig, hingegen den Copal sehr leicht auf, nur darf kein anderes fettes Oel damit in Berührung gebracht werden; auch trocknet das Ricinusöl sehr schwer, sonst würde es das beste Auflösungsmittel des Copals sein. Mit Alkohol oder Aether läßt sich diese Lösung noch warm recht gut verdünnen, allein nach dem Erkalten scheidet sich der Copal theilweise wieder aus.

Ricke. 1) (Schiffsb.) Stangen von 12 bis 36 Fuß Länge; — 2) 3—5 Zoll dicke, 12—24 Fuß lange Hölzer; dienen zur Berüstung (s. d.), welche auch bei Uferbauten Anwendung findet.

Ricochetbatterie, s. unt. Batterie.

Ricochetscharte (Kriegsb.), Scharten zu Aufstellung der Geschütze, zum Ricochetiren eingerichtet; s. d. Art. Batterie und Festungsbaukunst.

Rideau, frz. 1) Vorhang. — 2) (Kriegsb.) Reihe sanfter Anhöhen, wellenförmiges Terrain, vom Ravin dadurch unterschieden, daß dieses steilere Abdachung hat. [S. 465, Bd. I.

Rider's Brückensystem, s. d. Art. Brücke.

Ridge, engl., Scheitel, Dachfirst, Grat; ridge-piece, ridge of timber, Firststrähm, Mesel; ridge-rib, Scheitelrippe; ridge-stone, Dachkenner, doch auch Blendstein; ridged-roof, Satteldach, ridge-tiles, Firstziegel; double etc. ridged-roof, s. v. w. M-roof; s. d. Art. Dach II. 6, Bd. I.

Riebmaaß, ein Winkelmaaß, gefertigt von Latten, so daß die eine Kathede 3°, die andere 4° und die Hypotenuse 5° lang ist.

Riechbirke, s. d. Art. Maie.

Riechholz, Riechholz, **Rießholz,** s. v. w. Blattstück, Rahmstück.

Ried, s. v. w. Sumpf, Moor, Bach, Schilf oder ꝛc.

Riedauker, Deichufer, mit Schilf bewachsen.

Rieder, s. d. Art. Filz 2, Bd. I.

Riegel. 1) frz. barreau, engl. loop, ital. chiavaccio, span. certon, gebräuchlichste Art, um die eine Oeffnung verschließende Klappe, eine Thür oder dergleichen, festzuhalten. Ein dreh- oder schiebbares Prisma, an dem einen der beiden zusammenzuhaltenden Theile befestigt, paßt in einen

entsprechenden Haken oder Bügel an dem andern. Bei den drehbaren Riegeln, die man noch jetzt an Scheunenthoren ꝛc. häufig anwenden, heißt der vordere in den Halven oder Kloben des feststehenden Flügels oder in den Haken an der Pfoste eingreifende Theil Riegelkopf; das Mittelstück, wo sich der Riegel in der Regel um einen Bolzen dreht, heißt Riegelschaft, und der hintere Theil, der bei geöffnetem Riegel nach unten hängt, bei geschlossenem aber durch einen unterwärts gekehrten Haken am aufgehenden Flügel gehalten wird, Schwanz. Schon sehr frühzeitig wendete man neben diesen die jetzt bei weitem mehr gebräuchlichen Schubriegel an. Da aber auch ein solcher Riegel eben so leicht zu öffnen als zu schließen ist, so umgab man ihn mit einem Kasten, oder suchte ihn dergestalt schwer beweglich zu machen, daß dies mit der Hand nicht mehr geschehen konnte. Darüber jedoch s. d. Art. Schloß. Ueber die complicirte Einrichtung von Riegeln s. d. Art. Schubriegel, Nachtriegel, Basquill, Beschläge, Thür ꝛc. — 2) frz. barre, entretoise, engl. iutertie, auch Riegelband genannt, Querholz zwischen den Bändern oder Säulen in Fachwänden und ähnlichen Verbindungen; s. die Art. Fachwand, Bundwand, Jagdband, Riegelung 2 ꝛc. — 3) (Bergb.) unter den Zapfen des Rades bei Kunsträdern geschobenes starkes Stück Holz; — 4) an einem Fensterkreuz die Querleiste (Weitstab); s. d. Art. Fenster, vergl. auch d. Art. Latteiholz.

Riegel mit dem Zuge, s. d. Art. Basquille.

Riegelband (Schiffsb.), s. v. w. Riegel 2.

Riegelbohrer, frz. barroir, laceret; s. d. Art. Bandbohrer.

Riegelgleiche, Riegelstämme; s. d. Art. Bauholz g, S. 280, Bd. I.

Riegelgebäude, s. u. hölzerne Gebäude.

Riegelgeländer, s. d. Art. Brüstung.

Riegelholz, zum Riegeln zugerichtetes oder sonst passendes Holz.

Riegelnagel, hölzerner Nagel, zum Vernageln der Zapfenlöcher 1" im Mittel stark, 6—8" lang.

Riegelschaufel (Mühlenb.), s. v. w. Kropfschaufel.

Riegelschloß (Schloss.), s. v. w. Schließeschloß; s. d. Art. Schloß.

Riegelung (Schiffsb.), 1) s. d. Art. Regeling; — 2) alle durch eiserne und hölzerne Stützen getragene fachförmige Verbindungen schwacher Hölzer, die beim Schiffsbau vorkommen.

Riegelwand, Riegelwerk, s. v. w. Fachwand (s. d.) und Bundwand.

Riego, span. Bewässerungsbezirk. Man versteht unter Riego ebenwohl die Gesammtheit der Bewässerungsanstalten eines ganzen Bezirks, als die Gesammtheit der dieselben Benutzenden. Hie und da, namentlich in den Provinzen Murcia, Valencia, Granada ꝛc., ist dieses arabische Bewässerungssystem noch vollständig erhalten und es wacht über dessen Erhaltung und Handhabung ein von den Betheiligten selbst gewähltes Tribunal. Bei Anlage neuer Riego's muß man, namentlich mit den Almatriches (s. d.), den natürlichen Wasserbezirken (Inundationsgebieten) folgen und nur in besonders dringenden Fällen eine Wasserscheide mit den Canälen überschreiten, da durch solche Ueberschreitung die Anlage natürlich stets theurer wird. Genaueres s. in d. Art. Arabisch, Bewässerung, Alema ꝛc.

Riehe, fem. (Deichb.), s. v. w. Abwässerungs-graben.

Riemchen, lat. regula, frz. réglet, ital. regoletta, Plättchen, ein rechtwinklig vorstehendes, kleines laufendes Glied; in der Regel ist die Ausladung gleich der Hälfte der Höhe; s. übr. d. Art. Reif, Dorisch, Glied E, 1. b.

Riemen, 1) (Bergb.) zum Anhängen der Bergeisen vom Bergmann benutzte Kette oder Lederstreifen; daher 2) s. v. w. ein Satz Bergeisen, d. h. 18 Stück verschiedene Bergeisen, weil man in der Regel so viel täglich in jenem Riemen mit zur Grube nimmt; — 3) Lederstreif bei Riemenscheiben; — 4) (Wasserb.) seitlich befestigtes Querholz, zur Verbindung mehrerer Pfähle; — 5) (Schiffsb.) die Seitenbretter des Schiffes; — 6) s. v. w. Ruder; — 7) (Herald.) s. v. w. Linksschrägbalken.

Riemenholz, s. d. Art. Bauholz F. I. d.

Riemenkalk, s. v. w. Kyanit oder blättriger Bergkrystall, s. d.

Riemenmaaß (Meßk.), ein Flächenmaaß; es beträgt dessen Breite die, der Benennung nach, nächst kleinere Einheit des Längenmaaßes. Eine Riemenruthe z. B. ist 1 Ruthe lang u. 1 Fuß breit.

Riemenscheiben. Eines der einfachsten Mittel, die Bewegung einer rotirenden Welle auf eine andere zu übertragen, ist die Anwendung eines über beide straff gelegten Riemens, Gurtes, Seils, einer Schnur oder Kette, besonders wenn die zu treibende Welle von der getriebenen ziemlich weit entfernt liegt und die zu übertragende Leistung nicht zu groß ist. In Folge der Uebertragung der Bewegung nimmt das getriebene Rad dieselbe Umfangsgeschwindigkeit an, wie das treibende, und es verhalten sich die Umdrehungszahlen der Wellengeschwindigkeiten beider umgekehrt wie die Radhalbmesser. Die Treibriemen werden entweder offen (Fig. 1656) oder verschränkt, gekreuzt (Fig. 1657), übergelegt. Im ersteren Fall

Fig. 1656.   Fig. 1657.

drehen sich beide Räder A und B nach gleicher, im letzteren a und b nach entgegengesetzter Richtung. Der verschränkte Riemen muß beim Auflegen einmal um sich selbst herum gedreht werden.

Die treibende Ursache des Riemens ist allein die Reibung; ist diese nicht stark genug, so kann der Riemen noch eine Bewegung gegen die Scheibe annehmen, er kann rutschen. Daher muß die Reibung mindestens der fortzupflanzenden Kraft gleich sein. Ist α die Länge des Bogens, auf welchem der Riemen aufliegt, bezogen auf einen Kreis vom Halbmesser 1, ist ferner μ der Reibungscoefficient, P die Spannung des Riemens, L die fortzupflan-

zende Leistung, c die Umdrehungsgeschwindigkeit, so muß sein: $P c (e^{\mu\alpha} - 1) \gtrless L$, wobei $e = 2{,}71828\ldots$ die Grundzahl der natürlichen Logarithmen, bedeutet. Damit also der Riemen gut treibe, so müssen die Spannung, die Umdrehungsgeschwindigkeit, der Umfassungsbogen und die Reibung möglichst groß sein, doch darf man die letztere nicht durch rauhe Oberflächen zu vermehren suchen. Da die Riemen, namentlich wenn sie noch neu sind, sich dehnen, so muß man dieselben von Zeit zu Zeit nachspannen. Bei zusammengeschnallten Riemen hat dies keine Schwierigkeit; sind dieselben aber, wie jetzt gewöhnlich, zur Vermeidung des durch die Schnalle erzeugten Ruckes zusammengeschraubt, so würde es große Arbeit verursachen. Hier hilft man sich durch die sogenannten Spannrollen (Fig. 1658), an

Fig. 1658.

einem Winkelhebel mit Gegengewicht. Bei gekreuzten Riemen sind zwei solche Rollen nöthig. Als Material zu den Riemen wird gewöhnlich Leder verwendet und zwar am besten lohgares Kernleder. Surrogate dafür sind Kautschut, Guttapercha, baumwollene oder hanfene Gewebe, welche mit Kautschut überzogen und getränkt sind.

Bei der Ausführung giebt man den Kränzen der Scheiben nur so viel Stärke, daß sie sich im Guß nicht werfen, macht aber die Außenfläche etwas convex, damit der Riemen durch die Centrifugalkraft auf die Mitte derselben erhalten werde. Die Arme werden gerade und radial hergestellt oder gekrümmt. Bei Arbeitsmaschinen, wo die Umdrehungszahl der getriebenen Welle nicht stets dieselbe sein soll, wendet man die sogenannten Stufenscheiben an; um dabei beim Wechsel des Radhalbmessers nicht die Riemenlänge ändern zu müssen, ändert man den Scheibendurchmesser nach einem bestimmten Gesetz. An der Hauptwelle der Arbeitsmaschinen haben außerdem die Riemenscheiben meist noch eine zweite Scheibe neben sich, welche lose auf der Welle gebt, so daß man den Riemen leicht von der festen Scheibe auf die andere werfen und dadurch die Bewegung aufheben kann. Zu den Riemenscheiben gehören auch die Schnurscheiben, welche die Bewegung durch endlose Schnuren vermitteln. Dieselben haben eine Aushehlung von keilförmigem Querschnitt, in welcher die Schnur läuft.

Riemenstein, Backstein, der Länge nach auf der breiten Seite halbirt, also 3″ ins □ stark und 12″ lang.

Riemling, s. d. Art. Bret.

Riepel (Hüttenw.), s. v. w. Gestübe.

Ricsbord (Schiffsb.), an der Fütterung des Schiffes befestigte Planke.

Rieschholz, s. d. Art. Blattstück.

Riese, 1) s. v. w. Helm einer Fiale, s. d.; — 2) s. v. w. Holzrutsche, s. d.; — 3) s. v. w. Flachs-röste, s. d. Art. Darre; — 4) s. d. Art. Atlant, Christophorus ꝛc.

Rieselung, s. d. Art. Bewässerung 2.

Riesenbett und **Riesenstein**, s. d. Art. Hünen-bett und celtische Bauten.

Riesengebälk, s. v. w. Hauptgebälk, Kaffsims.

Rieß, 1) Papierquantität von 20 Buch à 24 Bogen; — 2) im Schieferverkauf s. v. w. 5 Ctr.

Rießloch, s. v. w. Ausröckelse beim Kohlen-brennen.

Rieul, St., angeblich Athener, Freund des Dionysius Areopagit, vom Evangelisten Johannes getauft und vom Papst Clemens als Apostel nach Gallien gesendet. Patron von Senlis. Weil einst die Kirche die Gläubigen nicht faßte, predigte er im Freien und gebot den Fröschen Schweigen. Bei seinem Begräbniß folgten die Hirsche dem Zug, von den Thränen bei seinem Gebet entstand eine Quelle. Er starb i. J. 130; darzustellen ist er als Bischof. Attribute sind: Frösche, Hirsche und ein Quell.

Riffeleisen, Riffelfeile, rechtwinklig gebogene Feile; s. d. Art. Feile.

riffeln, 1) s. v. w. befeilen; — 2) mit Furchen versehen (canäliren).

Rifle, engl., Büchsreifen, s. d.

Rigaer Holzhandel, s. d. Art. Bauholz, S. 281, Bd. I, und Maaß, S. 488, Bd. II.

Rigaud, frz., Steintern, Krebs im gebrann-ten Kalk.

Rigole, Riole, frz., überhaupt kleiner Abfluß-Graben, besonders ein durch den bedeckten Weg geführter, das Wasser aus dem Hauptgraben ab-leitender kleiner Durchschnitt; auch gewölbter Wasserlauf unter den Gossen einer Straße.

Rille (Wasserb.), ein Wassergraben.

Rimm (Wasserb.), s. v. w. Riemen 2.

Rin, jap. Maaß, s. d. Art. Maaß, S. 490, Bd. II.

Rin (germ. Myth.), über den verhängnißvollen Schatz waltende weise Nymphe eines der durch die Gegenden der Götter fließenden Flüsse (des Rheins).

Rinceaux, frz., nur aus geringeltem Laub-werk bestehende Arabesken.

Rinde, bildet die äußere Masse des Stammes und der Aeste der Holzgewächse. Sie zeigt in ihrer Jugend eine zarte Oberhaut, die beim spätern Alter abblättert, dann eine äußere und zu innerst den Bast (s. d.). Die Oberhaut (Epidermis) ist bei jungen Pflanzentheilen deutlich zu erkennen, besitzt Spalt-öffnungen und ist oft mit Haaren u. dergl. besetzt. Die äußere Zellenschicht der Rinde geht bei man-chen Bäumen in Korkbildung (s. d. Art. Kork) über, indem sich zahlreiche, in waagrechten Reihen zusammenhängende Zellen von flacher, fast tafel-förmiger Gestalt bilden, die bei ihrer völligen Aus-bildung Luft enthalten. Diese Korkzellen zeigen ein höchst eigenthümliches chemisches Verhalten. An jüngeren Rinden trifft man oft Rindenhöcker-chen, deren Entstehung auf einer partiellen Kork-bildung beruht. Durch Verdickung der Rinden-schichten bildet sich die Borke. Die äußeren Lagen derselben zerplatzen bei vielen Bäumen, da sie durch den stärker werdenden Stamm auseinander gedrängt werden. Die Rinde von Eichen, Tannen und Espen wird durch Lohgerber, von Eichen und Erlen durch Färber verbraucht.

Rindendach, s. d. Art. Dachdeckung B. 1. c, wird besonders bei Gebäuden in Gärten und Ein-siedeleien angewendet.

Rindenschwamm, s. d. Art. Weißfäule: die dort aufgeführten Pilze dringen von der Rinde aus in's Innere.

Rindenwülste; solche kommen an Pappeln, Roß-kastanien und einigen andern Baumarten vor. Sie bilden sich da, wo zwei vom Stamme abgenom-men wurden, indem daselbst zahlreiche Neben-knospen hervorbrechen. Dergleichen Zweigwuche-rungen geben Veranlassung zur Maserbildung, die den Kunsttischlern geflammte Hölzer zu seinen Möbeln liefert.

Rindr, Rindur, Rinda, eine der letzten Asin-nen, Odins Geliebte; bedeutete die Wintererde, zeugte mit Odin den Wali (Wassermann des Thier-kreises).

Rindsblut. Außer den in dem Art. Blut be-reits angeführten Verwendungen gebraucht man es noch zum Grundiren äußerer Anstriche, die in Laugenfarbe ausgeführt werden sollen; mit Lehm und Kalk vermengt giebt es einen festen Ofenkitt, auch wird es bei der Bereitung des Berliner Blau's gebraucht.

rindschälig, auch rindfällig, nennt man Holz, von dessen Kern sich die Rinde oder auch ein-zelne Jahrringe auf einer Seite oder ringsum ab-trennen. Es entsteht diese Krankheit dadurch, daß unreife Jahrringe als kalten, feuchten Jahren leicht faulen oder eintrocknen. In den dadurch er-zeugten Spalten entstehen dann gern Schwämme.

Rindsgalle. Wenn Anstriche und Malereien in Wasserfarben durch vieles Ueberstreichen trübe werden, so löse man eingedickte Rindsgalle in Wasser auf und überziehe die Malerei damit; die Farben werden dadurch sehr durchsichtig.

Rindsnierenfett, s. im Art. Gemälde.

Rindviehstallungen, s. d. Art. Stall.

Ring, 1) der Flächenraum zwischen zwei con-centrischen Kreisen. Sind r_1 und r_2 die Halbmesser dieser Kreise, ist ferner $r = \frac{r_1 + r_2}{2}$ der mittlere Halbmesser und $d = r_1 - r_2$ die Ringbreite, so ist der Flächeninhalt des Ringes $F = \pi (r_1^2 - r_2^2) = 2\pi r d$; — 2) ein Körper, welcher entsteht, wenn sich eine geschlossene ebene Figur um eine in der Ebene derselben liegende, dieselbe nicht schnei-dende Achse herumdreht; ist r die Länge, um welche der Schwerpunkt des Umfanges der Figur, und R derjenige, um welche der Schwerpunkt der Fläche von der Drehachse absteht, ist ferner der Umfang der Figur s, die Fläche derselben F, so ist die Oberfläche des Ringes $= 2\pi s r$, die Inhalt des Körpers $= 2\pi F R$. Wenn die sich drehende Figur ein Kreis ist vom Radius a, dessen Mittel-punkt von der Drehachse r absteht, so ist die Oberfläche des Ringes $4\pi^2 a r$, und der Inhalt $2\pi^2 a r^2$; — 3) als Glied s. d. Art. Astragalus, Reif, Anneau und Glied E 1.; — 4) s. unt. d.

Art. Armenring, Armirung, Beschläge, Röhre ꝛc.; — 5) bei Erbauung eines Hohofens, Dampfschornsteins oder dergl. als Richtschnur benutzter eiserner oder hölzerner Reif, an welchem eine Menge Seile hängen; — 6) s. v. w. Jahrring; — 7) an manchen Orten, namentlich in Schlesien, s. v. w. Markt, großer Hof; — 8) kreisförmige Einfriedigung eines Ortes, auch wohl der eingeschlossene Bezirk selbst; — 9) so viel Holzkohle, als man aus 10 Klaftern Holz gewinnt; — 10) im Stabholzhandel s. v. w. 240 Stück; 5 R. machen in Hamburg ein großes Tausend. In manchen Gegenden geben jedoch 248, 372 oder 496 Stück auf einen Ring; — 11) eine Quantität Torf von 8 — 9000 Stück; — 12) 5 Pfund Draht in einen Reifen gebunden, s. d. Art. Draht; — 13) (Symbol.) über den Ring Salomo's s. d. Art. Drusenfuß; Ringe als Attribut erhalten alle Bischöfe, ferner die Heiligen Arnoldus, Catharina, Ida, Oswald, Wilhelm Firmatus; Gregorius Eremita hat einen eisernen Ring um den Leib; — 14) (Herald.) s. v. w. Ballen 1.; — 15) (Mythol.) s. v. w. Baugi.

Ringbolzen, s. d. Art. Bolzen A. 3.

Ringel, 1) Kohlenmaaß = ¹⁄₂ Scheffel; — 2) Torfmaaß = 8 Soden.

ringeln. 1) Etwas Rundes, z. B. einen Rundstab, eine Säule ꝛc., mit runden Querstreifen versehen; — 2) s. v. w. abtränzen, s. d.; bei Obstbäumen geschieht diese Ablösung ringförmiger Rindenstreifen, der sogenannten Kaiserringe, wobei man aber den Bast nicht verletzen darf, in der Hoffnung größern Obstertrages im Frühjahr.

Ringgewölbe, s. d. Art. Gewölbe.

Ringing-loft, engl., Glockengiebel.

Ringmauer, lat. cingulum, frz. clôture, Mauer, die einen Raum (z. B. Stadt, Hof, Festung u. s. w.) ringsum einschließt; s. d. Art. Burg.

Ringplatte, s. d. Art. Heizung, Heerd, Küche ꝛc.

Ringsäule, frz. colonne annelée, engl. banded column, s. v. w. Bundsäule 4.

Ring Salomo's, s. u. Drusenfuß.

Ringsteine (Glasschm.), auf der Bank des Schmelzofens errichtete Platten.

Ringzapfen, s. d. Art. Blattzapfen II.

Rinken, 1) großer starker Ring; 2) starke Sorte Eisendraht; 3) s. v. w. Stab, s. Glied E. 2. a.

Rinmann's Grün, auch grüner Zinnober, Kobaltgrün genannt; ist eine Verbindung von Kobaltoxydul mit eisenfreiem Zinnoryd. Man erhält sie durch Mischung des salpetersauren Kobaltoryduls mit Zinnoryd und Salpetersäure, durch Abdampfen dieses Gemisches und starkes Glühen.

Rinne, 1) jede behufs des Wasserabflusses angelegte Vertiefung, s. d. Art. Wasserrinne, Dachrinne, Straßenrinne, Abzugskanal, Jauchengrube, Krinne, Abzugsgraben, Gerinne; — 2) frz. coulisse, engl. groove, span. jable (Tischl.), zum Hin- und Herschieben oder zum Befestigen eines Gegenstandes dienende Vertiefung.

Rinneisen, zum Tragen der Dachrinne bestimmter starker eiserner Haken.

Rinnenblech, s. d. Art. Blech, Kupferblech ꝛc.

Rinnleiste, Lysis, s. d. Art. Karnies 1, Glied E. 3. a. und Fig. 1185.

Rinnport, eigentlich Rinnbord (Mühlenw.), Seitenwand eines oberschlächtigen Gerinnes.

Rinnständer, s. d. Art. Mönch, Ablaß 1 und Fischteich.

Rinnstein, 1) frz. caniveau, s. v. w. Gossenstein, mit Rost versehener Stein in einer Lagerinne, um das Wasser in die unterirdische Schleuße einzulassen; — 2) frz. évier, s. v. w. Goßstein; s. d.

Rinnziegel, frz. tuile gouttière, engl. guttertile, Ziegel, in Gestalt theils halber, theils voller Röhren; s. d. Art. Formen der Ziegel.

Riole (Wasserb.), 1) s. v. w. Rigole; — 2) s. v. w. Drainröhre.

riolen, s. v. w. rayolen.

R. I. P., Abkürzung auf Leichensteinen, lies: Requiescat in pace.

Ripo, frz., 1) Charriereisen; — 2) Bossireisen.

Ripo, engl., Bossireisen; s. d.

Ripia, span., Bret; s. d.

Riposobild, frz. repos, engl. repose, Darstellung der auf der Flucht nach Aegypten ausruhenden heiligen Familie.

Rippe, 1) frz. formeret, nervure, engl. rib, nerve, ital. costa, vorstehender, nicht immer constructiv nöthiger, gurtbogenähnlicher Streifen am Gewölbe; s. d. Art. Rippengewölbe. Man unterscheidet: Wandrippe oder Schildbogen, frz. formeret, engl. vall rib; Langrippe oder Langgurt, frz. arc bornant, engl. longitudinal rib; Querrippe oder Quergurt, frz. nervure transversale, engl. transversal rib, crosspringer; Gratrippe, frz. nervure arétière, engl. groin rib; Diagonalrippe, frz. nervure diagonale, engl. diagonal rib; Scheitelrippe, frz. grande lierne, engl. ridgerib; Strebrippe, frz. tierceron, engl. intermediate rib; Zwischenrippe, frz. lierne, engl. lierne rib; Zierrippe, frz. nervure décorative, engl. surface-rib; vgl. auch d. Art. Lierne und Gewölbe E. 10; — 2) frz. lambourde, ähnliche Verzierung an Balkendecken, die dann Rippendecke heißt; s. d. Art. Decke I. 5; — 3) (Schiffsb.) frz. membre, engl. rib, die gekrümmten Innhölzer oder Spanten, welche mit Kiel und Steven das Gerippe des Schiffes bilden; — 4) (Schleußenb.) an den krummen Schleußenthüren die waagrechten Hölzer; — 5) (Deichb.) auf den Wällen angelegte Streifen von Rasenstücken zum Ansetzen mehrerer Landes; — 6) (Schmelzhütte) eiserne Schienen zum Zusammenhalten der Bleche des Treibbutes; — 7) (Schloss.) s. v. w. Nase; — 8) (Festungsb.) auch Ripphols genannt; s. d. Art. Batterieripe.

Rippengewölb, engl. groined vaulting, fauvaulting, fantracery-vaulting; s. d. Art. Gewölbe E. 10. In der besten Zeit der Gothik bildeten die Rippen im eigentlichsten Sinn des Wortes stets die Rippen des Gewölbes, indem sie sich frei hielten, auch ohne daß die Kappen zwischen ihnen, die Fächer, Felder, Schilde, frz. caissons, engl. cells, civary, escutcheon, severey, ausgewölbt waren.

Rippenstück, zu Einfassungen von Wehren als Bandsteine benutzte lange, schmale Quadern.

Risalit, franz. avant-corps, ressaut, ital. risalto, vorspringender Theil einer Façade.

Risbank, Rißbank, frz. risban, Lagerbasendamm, mit gepflasterter flacher Abdachung, Risberme, seewärts versehen.

Risch, Rische; s. d. Art. Gefälle, lebendiges Gefälle, sowie d. Art. Räusche.

rischdrähtig (Forstw.), Holz, dessen Fasern ganz parallel mit der Achse des Baumes laufen.

Rispe oder Windrispe, unterhalb, seltener und weniger gut oberhalb der Sparren überschnittenes, mit deren Oberkante bündig liegendes, horizontales Längen-Verbandstück, bei Dächern ohne Dachstuhl. An den Ecken des Gebäudes noch durch Windstreben mit den Sparren verbunden, um die Dächer gegen den Längenschub zu sichern. Auch wohl eine Art stehender Stuhl gerade unter dem Dachfirsten, s. d. Art. Dach C. II. 2. b., daher auch für Wolf oder Firsträhm gebraucht.

Riß, 1) frz. lézarde, fente, fistule, engl. rent, durch Fehlerhaftigkeit entstandene Spalten im Mauerwerk rc.; — 2) Deckenrisse in den Decken entstehen durch Feuchtigkeit, übermäßiges Senken der Balken rc.; — 3) s. d. Art. Kammbruch, Dammbruch, Kluft; — 4) s. d. Art. Baumkrankheiten; — 5) s. v. w. Fuß, Bahn eines Schiefersteins; s. d. Art. Dachdeckung II. 1; — 6) auch Abriß; s. d. Art. Bauzeichnung; — 7) Art des Bergbaues, wenn bei zu Tage ausgehendem Erzgang der Bau gleichfalls vom Tage hinein betrieben wird.

Rißblei, sehr breites Fensterblei.

Ritse oder Ritzing (Wasserb.), zur Hinderung des schnellen Ueberfalles von Wasser dienende, aus zwei Zäunen gefertigte Wand von dichtem Weidenbusch.

Ritter. Als solche werden daraestellt die Heiligen Cassius, Benignus, Georg. Mauritius, Ursus, Longinus, Sebaldus, Wilhelm, Robert, Martinus, Adrian, Constantinus, Constantius, Vitalis, Florian, Gereon, Venantius, Victor, Victorinus, Reinoldus.

Ritterakademie, s. d. Art. Cabettenhaus.

Ritterdach, s. v. w. Kronenbach; s. d. Art. Dachdeckung I. 3.

Rittergut, Ritterfitz, Edelhof. Ursprünglich ein Gut, dessen Besitzer dem Lehnsherrn zu Ritterdiensten verpflichtet ist und der Bewohner des Dorfes wieder als seine Lehnsleute zu betrachten hat. Da aber jetzt die Lehns- und Gerichtsvorrechte den Ritterqütern genommen sind, so gehören zu den Baulichteiten nicht mehr wie früher Befestigungswerke (par. s. Burg), sondern blos ein stattliches Wohnhaus und die zur Bewirthschaftung des Grundstückes nöthigen Wirthschaftsgebäude, sowie etwa Wohnungen rc. für die Dienstboten, engl. communs; s. d. Zu größeren Ritterqütern gehören oft noch Brauereien, Branntwein-, Ziegel- und Kaltbrennereien, sowie Fischerei, Mühlen und Schmieden, welche jedoch selten unmittelbar im Hof, Rittergutshof oder Gehöfte liegen. — Aehnliche Anlage verlangen die Domänen. Die Staatsdomänen (Kammer-, Kronqüter rc.) gehören dem Staat. Eigenthum des Regenten als solche sind: Chatoullengüter (Tafelgüter), die ein Fürst bei seiner Geburt (Wiegengüter) zu seinem Unterhalt erhalten oder von den Ersparnissen seiner Einkünfte angekauft hat. Die Anzahl und Größe der Wirthschaftsgebäude bemißt sich natürlich nach der Größe des Grundstückes und der Anzahl des auf demselben gehaltenen Viehes; der Charakter des Wohngebäudes habe etwas Repräsentatives. Ueber die weitere Einrichtung des Gehöftes rc. s. d. Art. Haus, Stall, Scheune, Hof, Bauergut rc. Wenn die Bewirthschaftung des Gutes in den Händen eines Pachters ruht, legt

man dessen Wohnung mit in das Gehöfte, das herrschaftliche Wohnhaus aber etwas entfernt davon, von einem Garten umgeben.

Ritualbücher, lat. libri rituales, frz. livres liturgiques, engl. ritual books, Bücher zu gottesdienstlichem Gebrauch, oft mit Miniaturgemälden illustrirt und mit einem reichen Einband geschmückt, dessen Verzierungen sich auf den Inhalt beziehen müssen. Zu diesem Behuf sind hier die wichtigsten aufgeführt: Abominarium, enthält Bannformeln; Agenda, s. d. v. w. Benedictionale oder auch s. v. w. Rituale; Alleluiarium, Sammlung der 20 Hallelujahpsalmen, die zwischen Ostern und Pfingsten gesungen werden; Antiphonarium oder Responsoriale, s. b.; Apostolicum, enthält die apostolischen Briefe; Benedictionale, die Segenssprüche für die Bischöfe; Breviarium, Brevier, Auszug aus dem Cursus, der die Lesestücke für die 7 canonischen Stunden enthält; Calendarium, Festtags- und Heiligenkalender; Collectare, Collectenbuch; Computus, lehrt die geistliche Zeitrechnung; Confessionale oder Poenitentiale, Anweisung zum Beichtehören, zur Absolutionsertheilung rc.; Consuetudinarium, Ordinale; Directorium od. Portiforium, Vorschriften für Abhaltung des Gottesdienstes rc.; Diurnale, Brevier ohne die Matutina und die Laudes; Emortuale, Vorschrift für den Krankendienst; Enchiridium oder Rituale, Gebete bei Taufe, Buße, Ehe, Abendmahl, Krankenbesuch, letzte Oelung rc.; Epistolarium, enthält die Sonn- und Festtagsepisteln; Evangeliarium, die vollen Evangelien; Evangelistarium, die Sonn- und Festtagsevangelien; Exorcismorum liber, enthält die Teufelaustreibungsformeln; Exultet, Rolle mit Bildern und umgekehrt darüber stebender Schrift, damit beim Lesen das vorn herabhängende Bild vom Zuhörer betrachtet werden kann; Ferialis liber, enthält den Dienst für die Heiligenfeste; Graduale, enthält die Tractus und Sequenzen, die beim Besteigen des Ambo gesungen werden; Homiliarium, Predigtsammlung; Horarium, Laiengebetbuch; Lectionarium, die zum Vorlesen bestimmten Bibelabschnitte; Legenda, Heiligenlegenden; Martyrologium oder Passionale, Märtyrerlegende; Matricula, Verzeichniß der Geistlichen an der betreffenden Kirche; Matutinalis liber, Ritual des Frühgottesdienstes; Memorialis liber, necrologium, Todtenbuch; Menologium, Calendarium und Martyrologium der griechischen Kirche; Missale, plenarium, Meßbuch; Obituarium, Ritual für Beerdigungen; Pontificale, Verrichtungen des Bischofs; Processionale, Instruction für Bittgänge; Prosarium, Prosen oder Hymnen, die vor dem Evangelium beim Hochamt gesungen werden; Psalterium, Psalterbuch; Regula, Ordensregel; Sacramentarium, handelt v. den sieben Sacramenten; Sacrarium, Instruction für Weihung des Wassers, der Kerzen rc.; Trophonarium, vermischte Gesänge; Ympnare, Hymnen; Venitare, der Hymnus Venite, exultemus Domino.

Ritz, 1) (Bergb. und Steinbr.) zum Einsetzen von Keilen in das Gestein eingehauene Schramme oder Rinne; — 2) jeder kleine Riß oder Spalte.

Ritzeisen, 1) (Bergb.) Brechwerkzeug oder Bergeisen, womit die Ritze in das Gestein geschlagen werden; um den Keil die Ritze besser zu erweitern, legt man unter den Keil erst ein Stück Blech, Ritzfeder genannt; — 2) (Schiffsb.) s. v. w. Zirtel, Krabber.

river, frz., annieten; f. d. Art. Niet u. Nietung.

Rivière, frz., engl. river, im Seemannsdeutsch Revier, schiffbarer Fluß.

Roba, span., f. v. w. Arroba.

Robert, St., 1) R. von Arbrissel aus England, gründete 1137 ein Cisterzienserkloster und starb 1159. Engel brachten ihm Speisen. Er ist abzubilden in der Kleidung des Ordens von Fontévrault und trägt auf bloßem Leib den ritterlichen Panzer; — 2) R. von Molesnes, erster Abt des Cisterzienserklosters Casa Dei, starb 1055.

Robinie, f. Akazie (Robinia Pseudacacia).

Roble, f. d. Art. Rothbuche.

Roble, span. 1) Eiche; — 2) eine als Bauholz benutzte südamerikanische rothe Holzart, dauert sehr gut unter dem Wasser aus.

Robling's System, f. d. Art. Brücke, S. 467.

Rocaille, frz., Grottenwerk; f. d. Art. Grotesken.

Roccella, f. d. Art. Lackmus u. Lackmusflechte.

Rochus, St., geb. 1293 in Montpellier, vertheilte sein Vermögen unter die Armen, pflegte die Pestkranken in Aquapendente ec., bekam selbst die Pest, genas aber; er starb 1327, unschuldig durch Mißverständniß eingekerkert. Abzubilden als armer Pilger, auf sein krankes Bein deutend, einen Hund zur Seite, der ein Brot im Maule trägt oder ihm die Wunde leckt. Er ist Patron der Wundärzte, der Kniee, der Pestkranken und der Stadt Montpellier.

rocken; so nennt man das Zusammentreiben des an die Böschung eines Dammes gelegten und dessen Betkleidung, Rock, bildenden Rasens, des Rockensoden, mit Schlägeln.

Rocking-stone, engl., f. d. Art. celtische Bauwerke 3.

Rococco, f. d. Art. Zopfstyl.

Rod, f. d. Art. Maaß, S. 484 u. 486, Bd. II.

Rodet, frz., waagrechtes Mühlrad.

Roe, roue d'étude, Lesepult in Form eines um eine Säule drehbaren Staffelrades, seit dem 14. Jahrhundert vorkommend.

Roede, f. d. Art. Maaß, S. 485, 490 u. 495.

Rödel, Rödelbalken, f. Reitel, Reitelbalken.

Röhrbohrmaschine, dient zum Durchbohren der Röhrenstämme, d. h. der Baumstämme, die zu Röhren bestimmt sind und welche man, je nach der gewünschten Weite der Rohre, einbohrige, zweibohrige oder dreibohrige nennt; f. d. Art. einbohrig. Der Bohrer ist an ein Kammrad befestigt und dreht sich mit diesem zugleich herum. Der zu bohrende Stamm bewegt sich mit einem Bohrwagen wie in Sägemühlen (f. d.) mittelst eines Sperrrades, in welches eine Schiebstange greift, auf einem Bohrstuhl.

Röhre, lat. fistula, frz. tuyau, überhaupt ein hohler Cylinder. In der Bautechnik werden Röhren vielfach gebraucht.

I. Wasserröhren. Zum Fortleiten des Wassers in weiter Strecke, d. h. in Röhrenfahrten zur Hebung desselben bei Pumpwerken; man fertigt sie aus Holz, Kupfer, Eisen, Stein, gebranntem Thon, Blei ec. 1) Holzröhren benutzte man früher fast ausschließlich und benutzt man vielfach noch jetzt zu Wasserleitungen, sowie als Brunnenröhren, ferner zu Jauchepumpen ec. Für Wasserleitungen sind sie einestheils insofern zu empfehlen, als der Frost schwer eindringt und das Wasser nicht leicht in gesundheitsschädlicher Weise verdorben wird; andererseits aber faulen sie leicht und bedürfen in Folge dessen zu häufiger Reparaturen, auch hält sich das Wasser nicht sehr kalt in denselben und schmeckt fast stets etwas faulig. Behufs Anfertigung derselben werden die Röhrenstämme in Röhrenblöcke von 9—20 Fuß Länge zerschnitten und in fließendem Wasser ausgelaugt. Darauf folgt die Bohrung, f. darüber d. Art. Bohrer, S. 412, Bd. I. Die erste Bohrung geschieht mit einem 1 Zoll starken Bohrer, die zweite mit einem 2 Zoll starken ec. Je nach der Anzahl der zu Erreichung der Weite nöthigen Bohrer heißen die Röhren dann einbohrig, zweibohrig ec. Zuletzt wird das eine Ende mit dem Maulbohrer zu einem Trichter, Röhrenmaul, erweitert und in dasselbe dann das entsprechend zugespitzte Ende, der Schwanz, der nächsten Röhre gesteckt. Doch fügt man die Röhren auch stumpf an einander, wobei die Dichtung und Befestigung durch doppelt zugeschärfte Ringe, sogenannte Buchsen, geschieht, die beiderseits in das Hirnholz eingetrieben werden. Die Holzwandung macht man gern eben so stark, als das Bohrloch weit ist. Man verwendet meist Eichen-, Kiefern-, Tannen- oder Erlenholz; das Eichenholz hält zwar am längsten, giebt aber dem Wasser auf geraume Zeit einen süßlichen Geschmack. 2) Kupferne Röhren werden besonders bei Warmwasserheizungsröhren, bei Badeanstalten, kurz da angewendet, wo ein anderes Metall zu schneller Oxydation unterworfen sein würde; sie halten sehr lange. Die Oxydation schreitet, wenn sich einmal eine Oxydkruste gebildet hat, sehr langsam vorwärts, aber sie sind für die meisten Zwecke zu theuer. 3) Eiserne Röhren. Gegossene Röhren sind spröde, gewalzte aber sehr dauerhaft. Blechröhren finden besonders für Fallrohre ec. Anwendung. Das Wasser wird in Eisenröhren leicht gelb gefärbt, schmeckt nach Rost, hat abführende Wirkung, erzeugt in der Wäsche Rostflecken ec. Man versieht daher die Eisenröhren innerlich mit einem Ueberzug von Theer, Firniß oder Pech, besser noch von Email. Für eiserne sowie für alle Röhren mit innerem Druck bestimmt sich die Wandstärke W in

Zollen nach der Formel $W = \dfrac{5 \cdot d \cdot p}{2k} + c$, wobei

d den innern Durchmesser, p den Druck pro ☐Zoll Rohrwandung in Pfunden, k aber den im Art. Festigkeit, S. 36 Bd. II, in der ersten Rubrik der Tabelle aufgeführte Werth ist. Steigt jedoch p über eine Atmosphäre, so tritt die Formel ein

$$W = \frac{5 \cdot d \cdot p}{2k}\left[1 + \frac{p}{2k} + \frac{1}{6}\left(\frac{p}{k}\right)^2\right] + c;\quad c$$

nimmt man dabei für Eisenblech und Schmiedeeisen = 1/8 Zoll, für Gußeisen = 1/4 – 3/8, für Messing = 1/7, für Zink und Kupfer = 1/8, für Blei = 1/3, für Holz u. gebrannten Thon = 1/2 – 1 1/4, für Sandstein = 1 1/4 Zoll an. Für Röhren mit äußerem Druck in Atmosphären gilt die

Formel $W = d\sqrt{\dfrac{11{,}31\,n}{E}} + \dfrac{c}{2}$, wobei E aus der

Tabelle im Art. Elasticität S. 704 im I. Band zu entnehmen ist. Demnach stellt sich z. B. für

Schmiedeeisen $W = 0{,}00731\, d\sqrt{n} + \dfrac{c}{2}$, für

Gußeisen $\quad W = 0{,}00873\, d\sqrt{n} + \dfrac{c}{2}$, für

Messing $\quad W = 0{,}01060\, d \sqrt[3]{n + \dfrac{c}{2}}$, für

Kupfer $\quad W = 0{,}00891\, d \sqrt[3]{n + \dfrac{c}{2}}$, für

Blei $\quad W = 0{,}02490\, d \sqrt[3]{n + \dfrac{c}{2}}$.

Die Vereinigung eiserner Röhren geschieht entweder durch Einschiebung des einen Röhrenendes,
des Halses, in einen am Ende der nächsten Röhre
angegossenen Kopf oder durch Ueberschiebung von
Muffen oder durch Verschraubung angegossener
Flanschen, und überdies durch Verkittung, resp.
Ausgießung mit Blei oder Zinn. Blechröhren
werden, um sie gegen Rost sicher zu machen, äußerlich getheert, dann mit Werrig umwickelt und mit
einem Ueberzug aus Bitumen, Kalkerde, Sand u.
etwas Harz versehen, indem man sie über den auf
einem Tisch ausgebreiteten gekochten Brei rollt;
innerlich werden sie mit einer mehr Bitumen enthaltenden Mischung gestrichen. Ueber das Verfahren, Blechröhren mit einer Verglasung zu versehen, s. d. Art. Eisen, S. 690, Bd. I. Vergl. auch
d. Art. Ausgleichungsröhren. 4) Bleierne
Röhren, s. d. Art. Bleiröhren. 5) Steinerne
Röhren steckt man in einander ,und verlittet sie
mit Kitt, aus gutem Firniß, gesiebtem Ziegelmehl,
ungelöschtem Kalk und etwas Bleiasche bestehend.
In ihnen hält sich das Trinkwasser meist sehr gut.
Ueber ihre Herstellung s. d. Art. Steinbohrmaschine 6.
6) Irdene Röhren von gebranntem Thon; über
ihre Herstellung s. d. Art. Thonröhren; sie sind meist
20—24 Zoll lang, an dem einen Ende mit so weitem
Hals versehen, daß die nächste Röhre hineingesteckt
werden kann, oder auch glatt, so daß eine Muffe
über die Fuge geschoben wird, und entweder bis
zur Verklutung gebrannt oder inwendig glasirt;
die Zwischenräume zwischen Hals und Kopf oder
zwischen dem Rohrende und der übergeschobenen
Muffe verstopft man ringsum mit Werrig, das in
in Unschlitt und Pech getränkt worden, und gießt
sie dann durch ein in der Muffe oder in der Ver-
stopfung gelassenes Loch mit Cement aus. Irdene
Röhren halten den Druck des Wassers nicht leicht
aus, wenn die Leitung in eine bedeutende Tiefe
hinabgeht. 7) Zink- und Messingröhren ꝛc.;
s. d. das betreffende Material behandelnden Art.
8) Cementröhren; s. d. Art. Cementröhren,
S. 532, Bd. I. 9) Röhren von asphaltir-
tem Papier. Endloses Papier auf Holzrollen
gewickelt, dabei mit eingedicktem Steinkohlentheer
überzogen und von außen mit Sand bestreut, abgezogen von der Holzrolle und mit Theer innerlich
getränkt. Sie sollen einen Druck ausbalten von 240
Pfd. auf den □Zoll, bei 6″ Weite und ½″ Wandstärke, und sogar für Gasleitung brauchbar sein.
Versuche müssen erst noch das Weitere ergeben.
10) Alle diese Röhren müssen so tief gelegt werden,
daß sie nicht durch den Frost leiden; bei über
Berg und Thal gehenden Röhrenleitungen müssen
die im Thal liegenden Röhren stärker sein; bei
quadratischem Querschnitt ist es besser, die Röhre
so ◇ zu verlegen, als so □, weil bei ersterer Lage
der Schlamm leichter mit abläuft.

II. Röhren zur Ableitung sehr unreinen
Wassers, also für Abtritte, Goßsteine, Beischleußen ꝛc. Am besten ist hierzu der sehr scharf
gebrannte Thon; Zink wird zwar vielfach ver-

wendet, hat aber eine sehr beschränkte Dauer,
ebenso getheertes Holz; s. übr. d. Art. Fallrohr,
Abtritt, Goßstein, Aalen, Schleuße ꝛc.
III. Röhren für Ableitung von Brodem,
Rauch ꝛc.; s. d. Art. Rauchröhre, Schornstein,
Dunstrohr, Brodemfang ꝛc.
IV. Röhren für Dampfheizung, Gasleitung ꝛc.,
am besten aus Eisen gewalzt; s. d. Art. Heizung,
Gas ꝛc. Neuerdings hat man Versuche gemacht
mit Röhren zur Wasser- und Gasleitung aus Holz
in Verbindung mit Steinkohlentheer, welche allerdings den gußeisernen und thönernen vorzuziehen
wären, weil sie durch die chemischen Agentien
nicht zerstört werden. Die Röhren werden durch
Kreissägen ausgesägt, nicht wie früher gebohrt,
indem man auf erstere Art noch nutzbares Holz
erhält. Dann erhitzt man in einem besonderen
Kessel den zum Imprägniren dienenden Steinkohlentheer. Die Hölzer stehen senkrecht im Kessel, in
dessen Innerem stets eine hohe Temperatur ist, und
ragen nur etwas über den Spiegel der Flüssigkeit
hervor. Das im Holze enthaltene Wasser fängt
an zu kochen und zu verdampfen, so daß im Innern des Holzes leere Poren zurückbleiben, in
welche die conservirenden Substanzen dringen und
dieselben gänzlich ausfüllen. Dann kommen die
Röhren etwa eine halbe Stunde lang in sehr flüssiges Erdpech zu liegen; hierauf in dickeres, und
zuletzt werden sie im Sande herumgerollt, damit
der Ueberzug Consistenz erhält.
V. Röhre nennt man auch die Rinne, welche
in der Mühle das gemahlene Getreide in den Beutel leitet.
VI. S. v. w. Kochröhre, Ofenröhre; s. d. betr.
Artikel.

Röhrenblech, s. d. Art. Blech, S. 372, Bd. I.

Röhrenbogenbrücke, s. d. Art. Brücke C. p.

Röhrenfahrt, **Röhrfahrt,** **Röhrenleitung,**
frz. conduit, engl. conduct, s. v. w. Reihe auf
einander folgender und mit einander verbundener
Wasserröhren. Vergl. d. Art. Röhrwasser, Aus-
gleichungsröhre, Erdröhre, Leitröhre ꝛc.

Röhrenfläche, s. d. Art. Fläche, S. 66.

Röhrenform, zum Gießen bleierner und eiserner Röhren, wird in einem Rahmen aus feinem
Sand und Gestübe hergestellt; ein eingelegtes rundes Holz, **Röhrenmodell,** giebt dem Sand die für
die äußere Gestalt der Röhren nöthige Höhlung;
der **Röhrenkern,** in diese Form gestellt, bringt
das Lichte der Röhre hervor; er besteht aus einer
mit einem Strohbild umwundenen eisernen Stange,
um welche ½—1 Zoll stark Lehm angeschlagen
wird, den man mit einer Schablone glatt dreht.
Etwas größer, als die Stärke der Röhrenwand
sein soll, muß der Zwischenraum zwischen Kern
und Form sein.

Röhrenholz. Im Holzhandel nennt man so
besonders glatte Stämme, 10 Zoll im Durchmesser
und 60 Fuß lang, aus denen Röhren gemacht
werden sollen.

Röhrenkitt, s. d. Art. Kitt.

Röhrenlibelle, eine in Messingfassung eingeschlossene Glasröhre, welche mit rectificirtem Weingeist so gefüllt wird, daß noch eine kleine Luftblase
bleibt; das Ganze ist auf einer Metallplatte befestigt und so eingerichtet, daß sich die Luftblase in
der Mitte des sichtbaren Theiles der Glasröhre

zwischen zwei auf derselben angemerkten Strichen befindet, sobald die Platte auf eine horizontale Ebene gesetzt wird. Will man daher eine Ebene, z. B. das Menselblatt des Meßtisches, horizontal richten, so muß man die Lage derselben so lange abändern, bis eine auf dieselbe nach beliebigen Richtungen gestellte Röhrenlibelle überall richtig einspielt.

Röhrenplatten, Bleitafeln zum Verfertigen von Röhren.

Röhricht, Schilf; s. d.

Röhrstämme, s. d. Art. Bauholz, F. I. d.

Röhrtrog, Röhrkasten, lat. immissarium, frz. auge, Brunnenkasten, geradlaufender Brunnen; s. d. Art. Röhrwasser.

Röhrwasser. Da das Brunnenwasser zu manchen häuslichen Arbeiten zu hart ist, auch nicht in allen Ortschaften genügend viel Brunnen-

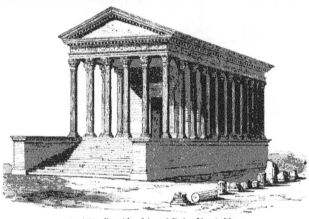

Fig. 1659. Tempel des Cajus und Lucius Cäsar in Nîmes.

wasser für den Bedarf der Einwohnerschaft erlangt werden kann, so leitet man oft Wasser aus einem in der Nähe der Stadt befindlichen Quell, Fluß, Brunnen, See oder Teich in die Stadt. Gegenwärtig bedient man sich dazu meist, statt der früher allgemein üblichen, gewöhnlich sehr kostspieligen, gemauerten Aquäducte (s. d.), der Röhrenleitungen, welche sich bei ihrer Ankunft in der Stadt daselbst verzweigen und das Wasser in die einzelnen Grundstücke leiten; in jedem Grundstück befindet sich entweder ein Reservoir, sei dies nun eine Cisterne oder auch ein offener Kasten von Stein, Eisen oder Holz, Röhrtrog genannt, oder die Verzweigung beginnt hier nochmals, indem das Wasser in die einzelnen Räume des Hauses geleitet wird, wo sich dann unter dem betreffenden Hahn Becken mit Ablaufröhre für den Ueberschuß von Wasser befinden. Nach dem Durchmesser des Auslaufhahns und der Geschwindigkeit des auslaufenden Wassers kann man die Menge des in einem gewissen Zeitraume auströmenden Wasserquantums und darnach dann die jährliche Gebühr für das zulaufende Wasser berechnen, s. d. Art. Wasserzoll; das im Grundstück nicht gebrauchte Wasser,

der Abfall, dient dann entweder zur Ausspülung der Cloaken oder fließt einem Nachbar zu. Die in den einzelnen Orten sehr abweichenden polizeilichen Einrichtungen einer solchen Wasservertheilung anzuführen, mangelt hier der Raum; über die technische Einrichtung s. d. Art. Wasser und Wasserleitung.

Römerstraßen, s. d. Art. Straßenbau.

römischer Cement, s. d. Art. Cement, S. 531, Bd. 1.

römische Dachpfannen, s. d. Art. Dachziegel.

römischer Styl, frz. style romain, engl. roman style. Ueber die kunsthistorische Stellung dieses Styls s. d. Art. Baustyl. Das römische Volk bildete sich durch Verschmelzung der samnitischen Völker mit den Latinern, die von ihrem Vorort Alba longa aus erst jene, dann auch die Etrusker unterjochten und 753 vor Christo Rom gründeten. In dem Charakter der Römer scheint das Wesen der Etrusker in vieler Beziehung seine höhere, consequentere Ausprägung erhalten zu haben. Sie waren mit einem großartig entwickelten praktischen Sinn begabt, ohne viel Phantasie und tieferes Gefühl für das Schöne zu haben; waren also wohl im Stande, großartige Anlagen zu concipiren, nicht aber dieselben ästhetisch durchzubilden. Darin vielmehr ließen sie sich, als ihr gesteigerter Reichthum eine ästhetisch unbegründete Prunkliebe bei ihnen ausbildete, stolz von den besiegten Völkern bedienen. Dieser Zug kommt selbst in der Religion zum Vorschein, indem die römisch-polytheistische Mythologie sich anfangs auf die Verehrung der Vesta (Hestia der Griechen) beschränkte, sich durch Aufnahme etruskischer, griechischer und später von den verschiedensten Völkern entlehnter Sagen und Göttergestalten als unorganisches Sammelwerk herausbildete. Um wie viel mehr mußte in den Kunstleistungen jener Zug hindurchleuchten! War ihnen doch die Kunst nicht wahres Lebensbedürfniß, sondern erschien ihnen nur als angenehme Dienerin der Macht und des Reichthums. Daher erscheinen denn die Bauten der Römer durchaus nicht als selbstständig aus dem Bedürfniß des geistigen Volkslebens herausgebildete Kunstwerke, sondern blos als mit fremden Kunstformen reichgeschmückte Erzeugnisse der fortgeschrittenen Bautechnik. Denn in Folge ihres praktischen Sinnes machten sie allerdings große Fortschritte in der von den Etruskern entlehnten Kunst des Wölbens, waren aber nicht im Stande, die dadurch entstandenen Constructionsformen organisch durchzubilden, sondern vereinigten den etruskischen (s. d. betr. Art.) Gewölbbau mit dem griechischen Säulenbau, ohne beide jedoch zu verschmelzen, indem sie vor die Pfeiler, welche als Bogenstützen, also als eigentlich Tragendes fungirten, noch Säulen mit Gebälken als ein scheinbar Tragendes setzten, ohne sich klar zu werden, daß dies eigentlich Unsinn sei. Denn abgesehen davon, daß eines von beiden eben unnütz war, wurden auch durch diese Stellung vor den Bogenpfeilern die Säulen so weit von einander

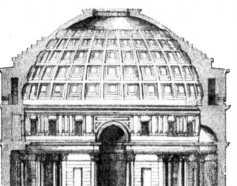

Fig. 1660. Pantheon in Rom.

abgerückt, daß ein Architrav sich nicht so weit frei tragen konnte; daher mußte derselbe entweder, ganz seinem Charakter widersprechend, als scheitrechter Bogen construirt werden, oder man legte ihn auf den zu diesem Zweck consolenartig aus-

ausgedehnt wurden. Je nach dem Vorschreiten dieser Umgestaltung könnte man die Geschichte der römischen Baukunst in Perioden eintheilen:

I. Periode. Etruskische Kunst unter römischer Herrschaft, ca. 700 bis ca. 200 vor Christus. Aus dieser Periode stammt die um 616 gegründete Cloaca maxima, während von dem um dieselbe Zeit erbauten Tempel des Jupiter auf dem Capitol nichts erhalten ist. Ueber die Formen dieser Periode s. d. Art. Etruskisch.

II. Periode. Umbildung der etruskischen zu römischen Formen durch Aufnahme griechischer Elemente; ca. 200 bis circa 40 v. Christus. Den besten Begriff von dem Gang dieser Umbildung geben die ältesten unter den Gebäuden Pompeji's.

Fig. 1661. Sibyllen-Tempel in Tivoli.

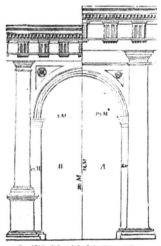

Fig. 1662. Römisch-dorische Bogenstellung.

tragenden Schlußstein des zwischenstehenden Bogens auf. War nun schon dadurch eine Abweichung von dem Organismus griechischer Bauformen bedingt, so zog diese wiederum so manche Abänderungen dieser Formen selbst nach sich, welche durch die gesteigerte Prachtliebe der Römer noch weiter

Mothes, Jllustr. Bau-Lexikon. 2. Aufl. 3. Bd.

III. Periode. Blüthezeit; 40 Jahre vor Christus bis circa 180 nach Chr. Aus dieser Zeit sind uns zahlreiche Gebäude geblieben, darunter sogar viele noch vollständig benutzbar, viele freilich nur in Ruinen. Als besonders charakteristisches Beispiel für die Beibehaltung griechischer Formen bei Tempelbauten unter Veränderung der Grundrißdisposition geben wir in Fig. 1659 eine Ansicht des vollständig erhaltenen Tempels des Cajus und Lucius Cäsar (Maison carrée) zu Nimes, und in Fig. 1661 die vom Verfasser restaurirte Ansicht des Sibyllentempels in Tivoli, als Beispiel für die dem römischen Styl besonders charakteristische unorganische Vermengung des Säulen- und Gewölbebaues, in Fig. 1660 den Durchschnitt

Fig. 1663. Vom Bogen des Septimius Severus.

des Pantheons zu Rom. In dieser Periode war nun auch die Umgestaltung der griechischen Säulenordnungen und deren Verschmelzung mit dem Gewölbpfeilerbau so weit gediehen, daß das Unorganische dieser Verschmelzung wenigstens nicht mehr zu grell sichtbar wird. Man unterscheidet:

    a) Die toskanisch-etruskische Säulenordnung, s. d. Art. Toskanisch.

    b) Die dorische Säulenordnung; s. d. Art. Do-

risch B. Dieselbe wurde gleich den andern Säulen, je nachdem man Postamente unter die Säulen stellte oder nicht, in verschiedenen Verhältnissen angeordnet; Fig. 1662 zeigt diese verschiedene Anordnung, freilich nicht nach antikem Muster, sondern nach den Restaurationsvorschriften Vignola's.

    c) Römisch-ionische Säulenordnung; s. d. Art Jonisch.

    d) Die korinthische Ordnung in ihrer römischen Umgestaltung; s. d. Art. Korinthisch II.

    e) Die römische oder composite Ordnung. Die korinthische Ordnung in ihrer reichen Ueppigkeit entsprach der Prunkliebe der Römer am besten und wurde daher am längsten unverfälscht angewendet, doch auch ihre Zeit kam. Der feine, zarte Schwung der Voluten wurde schwülstiger; sie wurden sogar häufig durch Adler, Pferde ꝛc. ersetzt; die Entasis wurde übertrieben, Fuß und Gebälk überreich verziert und bald war in der äußerst verschiedenartig gestalteten, sogenannten compositen Ordnung das korinthische Urbild kaum noch zu erkennen. Eins der reichsten und prägnantesten Beispiele dieser von den Römern neu erfundenen Säulenordnung, von dem Triumphbogen des Septimius Severus, 203 nach Christo erbaut, geben wir in Fig. 1663.

    IV. Periode. Verfall; 180 bis 340 nach Christo. Immer reicher und üppiger, aber auch immer plumper und excentrischer, wurde die Anordnung der eigentlich architektonischen Theile. Dazu kam noch, daß die Römer unter den ersten Kaisern bereits angefangen hatten, die Gebälke zwischen den immer weiter von einander abstehenden Säulen an die Mauermasse der Bogenstellung zurückzuziehen und sie demgemäß über den Säulen selbst zu verkröpfen; war schon dadurch die Horizontallinie, das Charakteristische des griechischen Säulenbaues, gebrochen, so wurde die Vertikalrichtung noch mehr zur Geltung gebracht durch das Aufsetzen jeder einzelnen Säule auf ein abgerissenes Stück Säulenstuhl, auf ein Postament, welches oft viel zu hoch im Verhältniß zur Säule war.

    Schon in der Blütezeit der römischen Kunst hatte sich der Gewölbebau immer weiter ausgebildet, immer großartiger gestaltet, und begünstigte die Entfaltung einer oft höchst großartigen Massenarchitektur. Hierin, sowie in der grandiosen Entwickelung der Grundrisse, bestand überhaupt die starke Seite der römischen Kunst. Nächst dem

Tonnengewölbe wurden Kreuzgewölbe über viereckigen und Kuppeln über runden und polygonen Räumen angewandt, dadurch aber mannichfaltigere Gliederung des Innern ermöglicht und so ein neues Element in die Architektur eingeführt. Zur Decoration dieses durch Reihen von Bogenblenden oder Nischen an den Wänden noch mannichfaltiger gegliederten Innern nun wurden, je später, um so mehr in loser, willkürlicher Weise, die Säulen verwendet. War schon äußerlich die griechische Säule ihrer ursprünglichen Bestimmung entfremdet, so wurde durch die Innenverwendung derselben diese Entfremdung noch entschiedener. Durch die Verschiedenheit der Bogen- und Pfeilerbreiten wurde das der Säulenordnung anhaftende Gesetz der Reihe aufgelöst und an ihre Stelle trat die Gruppe. Halbsäulen, Säulen und Pilaster wurden nahe an einander in solche Gruppen vereinigt; die Giebel wurden höher und erschienen oft blos als Blendgiebel an der durch die hoch aufsteigenden Gewölbdecken nöthig gewordenen

der Grundlage einer umfassenden Neubelebung der Architektur wurden, s. u. d. Art. Altchristlich und Romanisch.

Ueber die bei den Römern am bedeutendsten ausgebildeten Gebäudegattungen s. d. Art. Amphitheater, Aquäduct, Atrium, Bad, Basilite, Befestigung, Brücke, Castrum, Castellum, Circus, Columbarium, Columna, Denkmal, Ehrensäule, Forum, Grabmal, Haus, Mausoleum, Straßenbau, Tempel, Theater, Therme, Triumphbogen, Wasserleitung 2c.

römisches Gewölbe; so nannte man im vorigen Jahrhundert hier und da jedes Rundbogengewölbe. Die Römer kannten das Tonnengewölbe, Kreuzgewölbe, Spiegelgewölbe und Kuppelgewölbe.

Roe Neug, Meilenmaaß in Siam = 2000 Toisen, eingetheilt in 20 Jeds = 80 Sen = 1600 Nouas, Faden = 3200 Kens à 2 Cubit; s. übr. d. Art. Maaß, S. 490, und Elle, S. 713.

Fig. 1664. Römisches Rankenornament.

Ueberhöhung der Außenmauer über das Gebält, welche endlich zur Entstehung der Attila führte; die wenigen glatten Mauerflächen, die etwa noch blieben, wurden durch Quaderfugen getheilt und so wurde endlich der letzte Rest der griechischen Ruhe der allerdings oft sehr malerischen Bewirkung von Licht und Schatten aufgeopfert. Auch das Ornament, besonders das Rankenornament, wurde ungemein reich ausgebildet, allerdings zum Vortheil der malerischen Wirkung, aber zum Nachtheil der an griechischen Werken so schätzenswerthen Klarheit des Ausdrucks; ein Beispiel solchen Rankenornaments geben wir in Fig. 1664.

Unter den letzten Kaisern endlich begann man, sei es nun blos aus Sucht nach Abwechselung oder aus einem unbewußten Drang nach consequenterer Organisirung, die Bogen und Gewölbe nicht durch Pfeiler, sondern durch die Säulen selbst zu stützen; aber bei dem den Römern eigenen Mangel an schöpferischer Kraft vermochte man nicht die Säule dieser ganz neuen Bestimmung anzupassen, sondern ließ ihr die alte Capitälform und sogar einen verkröpften Würfel des auf horizontale Belastung deutenden Gebälts (s. d. Art. Capitäl); auch die Gewölbflächen trugen immer noch die den Balkendecken entlehnte Form der Cassettirung und die Stirnflächen der Bogen das Profil eines Architravs als Zeichen der Unfähigkeit der Römer, die constructiv von ihnen so hoch ausgebildeten Wölbformen mit Verständniß äußerlich organisch zu gestalten. Wie diese traurigen Resultate durch Hinzutreten eines neuen belebenden, rein geistigen Elements umgemodelt und zu

Rösche, Räusche, s. v. w. Gefälle, lebendiges Gefälle, auch Abzugsgraben; s. d. betr. Art.

rösches Erz, auch rösches Häuptel, rösches Hedel genannt, s. v. w. grob gepochtes Erz.

rösches Gewächs. 1) Sprödes Glaserz oder Silbererz; — 2) s. v. w. Schwarzgültigerz.

Röste (Hüttenb.). 1) auch Röststätte genannt, ein mit Kohlenstaub beworfener ebener Platz, auf welchem sich das Röstbett mit dem Rost befindet, unter freiem Himmel, von Mauern eingeschlossen, als Rösthof, oder unter einem offenen Schuppen, dem Röstschuppen, oder endlich in einem Haus, dem Rösthaus; — 2) so viel Erz, als mit einem Male geröstet wird.

rösten; ein metallurgischer Vorbereitungsproceß der Erze, aus denen Metalle dargestellt werden sollen. Der Proceß, bei welchem noch keine Schmelzung eintreten darf, ist entweder ein Oxydations-, Reductions-, Chlorations- oder Verflüchtigungsproceß. In den meisten Fällen büttenmännischer Verarbeitung der Erze hat man von Metallen den Schwefel, Phosphor, Arsen 2c. zu trennen. Die Eisenerze röstet man entweder in Haufen oder in Röstschachtöfen. Die Kupfererze werden in England in Röstflammöfen geröstet; s. auch d. Art. Hohofen II.

Röfterwerk (Schiffsb.), franz. caillebotis, engl. grating, Rahmen mit hölzernem Gitterwerk, womit die Oeffnungen der Luten bedeckt werden, um frische Luft unter Deck zu lassen. Bei Regenwetter und Sturm überdeckt man sie mit Persenningen (Persiennen).

23 *

Röstofen (Hüttenw.), s. d. Art. Brennofen, Flammofen und Schachtofen.

Röthe, s. d. Art. Färberröthe.

Röthel, Bergroth (Miner.), rothbraunes, stark abfärbendes Gemenge von Thon u. Eisenoxyd, hat erdigen Bruch, wird durch das Brennen dunkler und härter, ist in Wasser unlösbar, zieht aber Wasser ein. Um ihn dunkler zu machen, bestreicht man ihn mit 1 Thl. Baumöl und 3 Thln. Terpentinöl und legt ihn an einen trocknen Ort; er wird zu Röthelkisten geschnitten und in Holz eingefaßt. Trockenen oder in Wasser getauchten Röthel brauchen die Zimmerleute zum Abschnüren; s. d.

Röthelerde (Mineral.), Röthel, Bolus und englisch Roth.

Rogatian und **Donatian,** St., Brüder von vornehmer Familie aus Nantes; wurden als Jüng-

man so die Fallrohre und Ofenrohre; erstere werden meist aus Zinkblech oder verzinntem Eisenblech, doch auch aus Gußeisen und Kupfer gefertigt; s. übr. d. Art. Fallrohr. Ofenrohre (s. d.) fertigt man meist aus Schwarzblech, selten aus gebranntem Thon. Man schneidet zuerst das Blech zurecht, zu den Rohrknieen, die entweder scharfwinklig oder durch stumpfwinklige Glieder annähernd gerundet angelegt werden nach den im Art. Abwicklung gegebenen Regeln; dann beginnt die Krümmung mittelst der Rohrwalze (Fig. 1665 A), die an einem Bret a mittelst der Kurbel c drehbar befestigt ist, indem man das Blech hinter die Schiene b einklemmt und dann die Walze umdreht. Hierauf folgt die Lochung oder Vernietung, wobei man das Rohr auf ein in den Schraubstock gespanntes Rohreisen B oder auf eins der Nieteisen C und D auflegt; zuletzt klopft man das

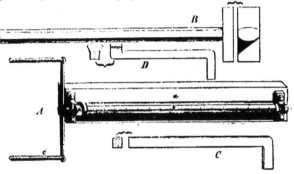

Fig. 1665.

linge Christen, deshalb 287 unter Diocletian eingekerkert; gefoltert und zum Beiltod verurtheilt, aber mit Lanzen durch den Hals gestochen. Abzubilden mit Beil und Lanze.

Roggenstein, s. d. Art. kalkige Gesteine, Oolith und Pfefferstein.

rognor, frz., beschroten.

Rogus, lat., Scheiterhaufen.

roh aufbrechen, s. d. Art. Ausbrechen.

Rohband, ganz feines Rollmessing.

Rohbau, s. v. w. unabgeputzt bleibender Bau, muß sehr sorgfältig ausgeführt werden; s. d. Art. Quaderwerk und Rohziegelbau.

rohbrüchig, s. d. Art. Eisen r.

Roheisen, auch Rauheisen, Raucheisen, Guß- oder Dacheisen. Eisen, welches man beim Schmelzen im Hohofen gewinnt. Ueber die Herstellung und Weiterbearbeitung des Roheisens s. d. Art. Eisen, Gußeisen und Hohofen.

roher Fluß, s. d. Art. Flußmittel.

roher Schlich, noch nicht gerösteter Schlich.

rohe Schicht (Hüttenw.), s. v. w. Rohschmelzen.

rohmig (Forstw.), s. v. w. rothbrüchig.

Rohofen, Schmelzofen für geringhaltige Erze, aus denen man hier ohne vorheriges Rösten durch das Rohschmelzen Rohstein und Rohblech gewinnt.

Rohr. 1) Im Allgemeinen ein langer, hohler Cylinder oder s. v. w. Röhre; besonders nennt

Rohr mit dem hölzernen Rohrschlägel glatt. — 2) (Schlosser) beim deutschen Schlüssel der hohle Theil, auch die das Schlüsselloch einfassende Dille; auch nennt man so die kleine Krampe zum Aneinanderbefestigen einzelner Theile in einem Schloß. — 3) a. **Pfahlrohr,** Wasserrohr (Arundo Donax L., Fam. Gräser), ein hohes Schilfgewächs in Süd- und Osteuropa, dessen Stengel zur Dachbedeckung, zu Weinspalieren ꝛc. gebraucht werden. b. **Binderohr** (Arundo Ampelodesmus Cyr.), ist in Nordafrika einheimisch und hat zähe Halme, die als Bindematerial verwendet werden. c. **Teichrohr,** gemeines Schilf (Phragmites communis, Fam. Gräser), ist bei uns an Teichen und Flußufern häufig, seine Halme werden besonders zum Berohren der Wände benutzt. d. **Amerikanisches, Quilagros** (Chusquea Quila Kth., Fam. Gräser), eine 20—30 Fuß hohe Grasart Chile's, deren Halme ähnlich wie unser Rohr, wegen seiner Biegsamkeit und Festigkeit aber auch zu Fahreisen verwendet werden. e) **Spanisches Rohr,** Drachenrohr, Malaccarohr; s. d. Art. Rotang.

Rohrblech, s. d. Art. Blech.

Rohrdach, s. unt. Dachdeckung B 3.

Rohrdraht, s. d. Art. Draht.

rohren, s. v. w. berohren; s. d.

Rohrfloß, s. d. Art. Floß.

Rohrhammer, s. unt. berohren.

Rohrhobel, s. d. Art. Hobel.

Rohrholz, s. d. Art. Bauholz n, S. 280, Bd. I.

Rohrkolben, breitblätteriger und schmal=
blätteriger(Typha latifolia et angustifolia, Fam.
Typhaceae), zwei einheimische Wassergewächse
von schilfähnlichem Wuchs; dienen ebenso wie
andere Arten, die in Südeuropa und Ostindien
wachsen, zu Flechtwerk, Matten und dergleichen.

Rohrnagel, österr. Stuccatornagel; s. d. Art.
Verbohren und Nagel.

Rohrschelle, s. d. Art. Fallrohr.

Rohrsparren, besonders schwache Sparren
zu denjenigen Dächern, welche mit Rohr gedeckt
werden sollen.

Rohrspritze, s. d. Art. Feuerlöschapparate.

Rohrständer, s. v. w. Mönch; s. d. u. Ablaß 1.

Rohrstengel, lat. calamus, canna, s. d. Art.
Jesus Christus und Marterwerkzeuge.

Rohschlacke oder Rolack (Hüttenw.), die beim
Rohschmelzen durch zu geringe Heizung und zu
heftiges Gebläse mit dem weißen Roheisen zu=
gleich entstehende Schlacke.

Rohschwefel, s. v. w. Treibeschwefel; s d.Art.
Schwefel.

Rohstahl, fertiger, aber noch unverarbeiteter
Stahl, der unmittelbar aus Roheisen durch Nieder=
schmelzen im Stahlheerde (dem Frischheerde ähn=
lich) gewonnen ist; s. d. Art. Eisen, S. 688, Bd. I,
u. d. Art. Gerben 2, sowie d. Art. Stahl.

Rohstahleisen, Spiegeleisen, Rohfußstahl, ge=
sotteni Stahl; s. d. Art. Eisen II. A. a.

Rohziegelbau. 1) Bau aus rohen, d. h. unge=
brannten Ziegeln. Bei vielfachem Wechsel von
Feuchtigkeit, Frost, Wasser ꝛc., z. B. im Grund=
bau, für Sockeln ꝛc., hält er sich nicht lange. Um=
fassungsmauern von Luftziegeln müssen gegen das
Einwirken der Witterung vollkommen geschützt
sein, durch vorspringende Dächer, Vertleidungen ꝛc.
— 2) Mauerwerk von gebrannten Ziegeln ohne
Abputz, wobei die Steinfugen entweder mit Kalk
oder mit Cement ausgestrichen werden, muß sehr
sorgfältig ausgeführt werden, ist aber bei Auswahl
lauter guter Ziegel haltbarer als Kalkputz und
einer großen ästhetischen Ausbildung durch An=
wendung von Formziegeln und dergl. fähig; s.
auch d. Art. Mauerverband.

Roje, s. v. w. Ruder.

Rolandssäule, Rulandssul, nach Einigen aus
Rothlandssäule, nach Anderen aus Rugelands=
säule, nach noch Andern aus dem niederdeutschen
hrôtland, Ruhm, abzuleiten. So heißen die, be=
sonders in Norddeutschland, auf den Märkten vie=
ler Städte stehenden kolossalen Ritterstatuen,
Zeichen der directen kaiserlichen Oberhoheit und
gewisser, den betreffenden Städten verliehenen
Rechte. Manche vermuthen in ihnen Standbil=
der des Kaisers Otto II., der den Beinamen der
Rothe hatte.

Rollbatterie (Kriegsb.), s. d. Art. Batterie.

Rollbillet, engl. frz. billette cylindrique,
moulure hachée, Rollenfries; s. d. Art. Billet.

Rollbaum, 1) s. v. w. Haspelbaum; — 2) s.
v. w. Drehbaum.

Rollbrücke, s. d. Art. Brücke, S. 470 Bd. I., u.
d. Art. Schleuße.

Rolle. I. (Mechan.) frz. poulie, lat. orbicu-
lum trochlea. Einfaches mechanisches Instru=

ment, zur Hebung von Lasten, Uebertragung einer
Kraft auf andere Richtungen ꝛc.; bestehend aus
einer Scheibe von Holz oder Metall, durch deren
Mitte eine Achse, Walzbolzen, geht, welche beider=
seits auf Lagern ruht. Der äußere Rand der
Scheibe ist vertieft, damit man ein Seil oder dgl.
umlegen kann. Die Wirkungsweise gründet sich
auf die Theorie des Hebels.

Die feste Rolle (Fig. 1666) kann als ein gleich=
armiger Hebel angesehen werden, dessen Dreh=
punkt in der Achse der Rolle liegt, während die

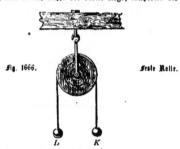

Fig. 1666.   **Feste Rolle.**

beiden Hebelarme nach den Punkten hin gehen, wo
das Seil auf die Rolle auf= und von ihr abläuft.
Die Hebelarme der Kraft und der Last sind gleich,
deshalb wird an Kraft durch eine feste Rolle nichts
gewonnen, vielmehr wegen der nicht zu vermei=
denden Reibung noch Etwas verloren. Doch kann
man durch eine feste Rolle die Richtung der
Kraft ganz beliebig ändern. Man nennt da=
her die festen Rollen auch Richtungsrollen,
Leitrollen ꝛc. Bei der beweglichen Rolle ist das
Seil an einem seiner Endpunkte befestigt, dann um
die Rolle gelegt, an deren Bügel oder Hülse an
einem Haken die Last hängt, während am andern

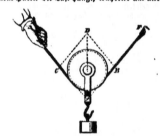

Fig. 1667. Bewegliche Rolle.

Ende des Seiles die Kraft wirkt. Hier gilt allge=
mein der Satz: An der beweglichen Rolle verhält
sich die Kraft zur Last, wie der Halbmesser der
Rolle zu dem vom Seil umspannten Bogen. Ist
also, wie in Fig. 1102 Art. Flaschenzug, der um=
spannte Bogen ein Halbkreis, d. h. sind die beiden
Seilenden parallel, so ist die Kraft nur halb so
groß, wie die Last, also K(A) : L(B) = 1 : 2. Bei
nicht parallelen Seilenden kann man die Krafter=
sparniß ermitteln a) durch das Parallelogramm
der Kräfte nach Fig. 1667, wo F die Spannung
am befestigten Ende, die Hand die Kraft K u. das

Gewicht die Last L darstellt, dann ist K : L =
AC : AD; F : L = AB : AD, wenn AD lothrecht ist; b) durch den Centriwinkel ACB, Fig.
1668. Setzt man AC = 1, so ist
P : Q = 1 : 2 sin ACD = DB : AE = AC : AB.

So lange also ACB größer als 60° ist, wird
Kraft erspart; sobald ACB kleiner als 60° wird,

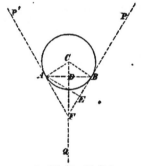

Fig. 1668. **Bewegliche Rolle.**

wird Kraft vergeudet. Ueber die wichtigste Verwendung der Rolle s. d. Art. Flaschenzug, Kehr-
block, Block, Kloben.

2. R., auch **Mandel** oder **Mangel** genannt,
Vorrichtung zum Glätten der Wäsche; besteht aus
einem Gestell mit glatter Bahn, auf welcher mittelst eines Kammrades und einer Kurbel ein
schwerer Kasten auf losen, harten, glatten Walzen
hin- und hergerollt wird; um letztere wickelt man
die Wäsche, worauf dieselbe bei Bewegung des
Kastens glatt gedrückt wird.

3. S. v. w. **Walze**, besonders die Stäbe, an
welchen die Rouleaux befestigt werden.

4. S. v. w. **Holzrutsche**, Erzrolle u. dergl.

5. S. v. w. **Riß** in einem Deich.

6. Ornament, besond. vorkommend als Schluß-
steinverzierung im Rococcostyl, welches einem auf-
gerollten Papier gleicht.

Rollenblech oder **Rollmessing**, s. d. Art. Messingblech 5; wird in Rollen von 5—6 Pfd. verkauft.

Rollenblei, s. d. Art. Bleiblech, Bleidach 2c.

Rollenbohrer, s. v. w. Bogenbohrer, s. d. Art.
Bohrer, S. 412 Bd. I.

Rollenkloben, frz. chape, Rollenhülse, auch
Flasche genannt; s. d. Art. Flaschenzug.

Rollenzinn, s. d. Art. Zinn.

Rollenzug (Maschinenw.), s. d. Art. Flaschenzug 2.

Roller, Lunte zum Dichten der Fenster und
Thüren; s. d. Art. Spalte.

rollig (Bergb.), s. v. w. locker, mürbe.

Rollkammer, ein in der Nähe des Wasch-
hauses befindlicher heller Raum, in welchem die
Rolle (s. d. 2.) aufgestellt wird.

Rollkasten, s. d. Art. Pochwerk.

Rollkorb (Kriegsb.), s. unt. Schanzkorb.

Rollkupfer, s. d. Art. Kupferblech.

Rollladen, eine Art Fensterladen, gleich einem
Rouleau (s. d.) aufwickelbar, aber aus schmalen
Holzstäbchen bestehend, die durch Charniere oder

Bindfaden rollbar verbunden, oder aus Eisenstäben, die an Kettenglieder gesteckt sind; erstere
Sorte ist bei Gewächshäusern zu empfehlen; letztere
wird jetzt vielfach an Verkaufsläden angewendet.

Rolllinie, s. d. Art. Cycloide.

Rollmoulding, engl., Rollglied, s. Fig. 1010
b u. c im Art. Englisch-gothisch; roll- and fillet-
moulding, s. Fig. 1010 d u. e daselbst.

Rollofen, 1) auf Rädern stehender kleiner
Windofen; — 2) Backofen für Feldbäckereien.

Rollschacht (Bergb.), s. v. w. Förderschacht;
s. d. Art. Grubenbau, S. 212, Bd. II.

Rollscheibe, s. v. w. Rolle 1.

Rollschicht oder **Rolllage,** eine Schicht auf die
hohe Kante gestellter Mauersteine; s. d. Art. Mauerverband und Abrollen.

Rollstange, s. d. Art. Pochwerk.

Rollsteine, s. v. w. Feldsteine.

Rollwagen, s. v. w. Blockwagen.

Roman style, frz., romanischer Styl; ogive
romane, romanischer Spitzbogenstyl.

Roman style, engl., antik-römischer Baustyl.

Romana, s. d. Art. Francisca 1.

Roman-Cement, s. d. Art. Cement, S. 529, Bd. I.

romanischer Styl, frz. style roman, engl.
romanesque style. Ueber die kunsthistorische
Stellung dieses Styls s. d. Art. Baustyle.

I. **Periode.** Carolingerzeit, frz. style gallo-
romain, carlovingien, roman primitif, Frühro-
manischer Styl. Gleichzeitig mit der Ausbildung
des byzantinischen Baustyls im Osten ging im

Fig. 1669. **Vorhalle des Klosters Lorsch.**

Occident aus der altchristlichen Bauweise der frühromanische Styl hervor, größtentheils blos durch
organische Weiterbildung der altchristlichen Formen. Diese Weiterbildung aber war bedingt durch
das christliche Element an sich und durch die selbst
bis in Italien sich geltend machenden germanischen
Einflüsse. Beide Factoren mußten in kurzer Zeit
die Baukunst frei machen von den den altchristlichen Bauten noch anhaftenden heidnisch-römischen
Reminiscenzen. Wir müssen in Bezug auf diese
Reminiscenzen zunächst auf den Artikel „Altchristliche Bauweise“ verweisen. Wie sehr man damals

noch, selbst im fränkischen und germanischen Mitteleuropa, an römischen Traditionen hing, zeigen uns die wenigen erhaltenen Reste jener Zeit; statt aller weitern Beschreibung geben wir unsern Lesern in Fig. 1669 die vermuthlich um 774 erbaute Vorhalle des Klosters Lorsch, mit ihrem fast römischen Unterbau und den von ionischen Pilastern getragenen sächsischen Bogen im Oberbau; ferner

Fig. 1670. Mauerdecoration d. Kirche S. Generoux in Poiton.

in Fig. 1670 einen Theil von der Mauerverband-decoration der Kirche von S. Generoux in Poitou, etwa um 900 n. Chr. gebaut, und in Fig. 1671 ein Capitäl nebst Gebälk von dem jedenfalls der Zeit von 820—900 angehörigen Portal der Kirche Notre Dame des Dons zu Avignon. Doch gar bald waren diese römischen Reminiscenzen, wenn nicht verschwunden, so doch durch die beiden oben genannten Factoren total umgemodelt. Die sich hieraus gestaltenden Veränderungen im Vergleich mit der altchristlichen Bauweise waren ungefähr folgende:

1. Der Rundbogen wurde noch consequenter durchgeführt und hier und da ein wenig überhoben.

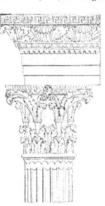

Fig. 1671. Aus Avignon.

2. Die Säulen erhielten eine bedeutendere Verjüngung ohne Entasis, die Canälirungen kamen in Wegfall, die Schäfte wurden größtentheils glatt bearbeitet, erhielten aber mehr Halsglieder, welche das Zusammenfassen der tragenden Kraft stark charakterisiren. Die Grundform des Capitäls, die nach unten abgerundete, verkehrte, abgestuzte Pyramide, wird hinter reich durchbrochenen Blättern verdeckt. Die Füße erhielten einen noch aufstrebenderen Charakter und ihre Profilirung wurde eckiger, namentlich kommt der Unterwulst häufig polygon profilirt vor.

3. Der Deckwürfel auf der Säule wurde consequent nach oben schräg ausladend gebildet und mit Netzwerk, Zickzack oder dergl. in flachem Relief verziert. Sein Hauptprofil war entweder eine

schräge Platte oder ein steifer Karnies, beides stark tragende Formen; hier und da, obgleich noch ziemlich selten, kommt der Karnies oder der Viertelstab vor. Beispiele von Capitälen dieser Zeit sind Fig. 1672 und 1673 aus dem Kreuzgang in Moissac (Tarne u. Garonne) und 1674 und 1675 aus der Kirche Notre Dame du Port in Clermont-Ferrand (Puy de Dôme).

4. Der Bogen wurde nicht mehr ganz glatt gelassen, sondern in der Regel mit einem Rundstab in Falz auf den Kanten eingefaßt; auch die Extrabos des Stirnbogens bekommen ein Plättchen als Einfassung.

II. Periode. Zeit der Sachsenkaiser, Mittelromanisch, frz. roman teutonique. Der Einfluß

Fig. 1672. Aus Moissac.

des byzantinischen Styls begann im südlichen Frankreich erst mit den venetianischen Ansiedelungen um's Jahr 980, in Deutschland schon unter Karl d. Gr. sich geltend zu machen, nachdem er

Fig. 1673. Aus Moissac.

in Ravenna zuerst den Boden des westlichen Europa's betreten hatte. Zunächst äußerte er sich in folgender Weise:

1. Der Centralbau begann eine wichtigere Rolle als bisher zu spielen.

2. Die Kuppeln bekommen einen Tambour mit einer Reihe kleiner Fenster.

3. Neben der Mosaik tritt die Malerei auf; die Mosaits der Fußböden werden größer in ihren Theilen.

4. Die sichtbaren Dachconstructionen werden immer seltener, meist treten Balkendecken mit Verschalung über den Balken (die also sichtbar bleiben) an ihre Stelle.

5. Die in Ornamenten angebrachten symboli-

Fig. 1674. Aus Clermont-Ferrand. Fig. 1675.

schen Figuren werden phantastischer gestaltet, auch häufiger wie früher als mit den Ornamenten verwachsen dargestellt.

6. Die Durchbrechung der Horizontallinie wird häufiger, der Rundbogenfries beginnt aufzutreten. Die Dächer werden etwas steiler (bis zu 35° gegen die Horizontale). Dadurch wird der Giebel als architektonisches Element eingeführt.

7. Die viereckigen Glockenthürme fangen an sich zu entwickeln, sie sind entweder von oben bis unten in viele Geschosse abgetheilt, in deren jedem eine Gruppe von zwei oder drei nur durch Säulen getrennten Fenstern mit Scheiben zwischen den Bogenwickeln sitzt, und haben dann schon häufig Gie-

8. Die Außenseiten der Kirchen sind nicht mehr blos waagrecht, sondern auch senkrecht getheilt. Die inneren Abtheilungen sind nämlich äußerlich durch Lisenen (ebenfalls ein neues Element) angedeutet, zwischen denen die schon etwas größer werdenden, immer aber noch ziemlich kleinen Fenster sitzen; die Lisenen sind unter dem Hauptsims durch Consolenreihen, in der letzten Zeit auch wohl durch Bogenfriese verbunden.

9. Querschiffe kommen mehr und mehr zur Geltung. Der Grundriß nimmt dadurch die Form eines Kreuzes an und über der Kreuzung erhebt sich eine Kuppel; das Mittelschiff des Kreuzstammes ist in der Regel nicht gewölbt, die Seitenschiffe nur selten. Die Vorhalle des Portals wird zum viereckig geschlossenen Raum, die Portale werden reicher gegliedert (s. Fig. 1676, das Portal von St. Tro-

Fig. 1676. Portal der Kirche Saint Trophime in Arles.

Fig. 1677. Wohnhaus aus Cluny.

bel auf den vier Seiten, oder sie zerfallen blos in zwei Theile; der untere enthält die Treppe und ist blos vertical durch Lisenen getheilt, oft im Ganzen gebößelt; der obere ist ein Pavillon mit mehrtheiligen Fenstern und noch ziemlich flachem Helmdach, welches aber allmälig steiler wird.

phime in Arles, aus dem Anfang des 11. Jahrhunderts); die Vorhöfe sind nur noch sehr selten, die Tribunalnische bekommt hie und da Fenster; der Chor wird höher gelegt und eine Crypta, doch noch immer selten, darunter angebracht.

10. Aeußerlich kommen Gewölbe und Kuppel

nur in äußerst seltenen Fällen zur Formalgeltung, sondern werden noch meist unter Dächern verborgen.

11. Bei den Profanbauten traten an die Stelle der bisherigen Einzelfenster die gallerieförmigen Fensterreihen, s. Fig. 1677, Wohnhaus aus Cluny.

III. Periode. Zeit der fränkischen Kaiser. Spätromanischer Styl, frz. style romano-byzantin, roman fleuri, secondaire, à cintre. Waren es auch lange Zeit nur einzelne byzantinische Anklänge, die allmälig in das occidentale System sich einschlichen, so veränderten diese Anklänge doch endlich durch ihr Verschmelzen mit demselben den romanischen Styl in Detailbildung und Disposition gegen den Anfang des 11. Jahrhunderts ziemlich vollständig.

Aber trotz der vielen byzantinischen Reminiscenzen, trotz der Anlehnung an das aus dem Lateinischen hervorgegangene frühromanische System, hat dieser Styl dennoch sein eigentlich schöpferisches Princip in der in ihn aufgenommenen germanischen Auffassung des Christenthums. Der Kern Italiens, namentlich Rom, wirkte sehr wenig in baulicher Beziehung in jener Epoche, und dies Wenige hängt fest an der Tradition, d. i. an altchristlichen Formen. Der Styl selbst ist seinem Grundcharakter nach ein hieratischer: die Geistlichkeit als Träger der Bildung hatte die Baukunst in Händen.

Die derselben gewordene Aufgabe wurde damals schon bei Weitem mannichfacher zu lösen unternommen als früher. In Beziehung auf Kirchenbau z. B. machen sich mehrere Varietäten bemerklich, welche gleichzeitig nebeneinander in Geltung standen.

1. Die flachgedeckte Basilika. Das Mittelschiff ist über die Vierung hinaus verlängert und der hohe Chor bildet so ein Quadrat, welches im Osten durch die Tribunalnische geschlossen ist; das Querschiff enthält drei Quadrate neben einander und springt demgemäß weit gegen die Seitenschiffe vor; die Crypta wird immer häufiger angewandt. Dadurch wird der Chor sehr erhöht; die Cancellen

runde, viereckige oder polygone Thürme westlich vor die Seitenschiffe gesetzt werden. Eins der besten Beispiele für diese Basilikenform ist die in der Hauptsache 1033 vollendete Michaelskirche zu Hildesheim, Fig. 1679 u. 1680. Die Profile der

Fig. 1679. S. Michael zu Hildesheim.

Fig. 1678. Aus Grinzhausen.

Fig. 1680. S. Michael zu Hildesheim.

fangen an, sich zum Lettner auszubilden. Die Arkaden zwischen Mittel- und Seitenschiff werden nicht immer von Säulen, sondern hie und da auch von Säulen und Pfeilern abwechselnd, auch wohl blos von Pfeilern getragen. Die Oberwände des Mittelschiffes werden höher und tragen über einer Fensterreihe eine flache Holzdecke. Die Fensterlaibungen sind abgeschrägt und bemalt, über den Arkaden zieht sich im Mittelschiff, die Höhe der Seitenschiffe andeutend, ein Gurtband hin. Der Thurmbau gestaltet sich organischer, indem zwei

Kämpfer und Basen ꝛc. werden immer steiler, elastischer und mannichfacher bewegt. Die Säulenbasis erhält Eckblätter, welche die Zwickel des Plinthus am Unterwulst ausfüllen; für das Capital wird die Würfelform aus dem Byzantinischen übernommen und es beginnt zwischen dieser Form und dem frühromanischen Capitälform ein Kampf, dessen Frucht eine Unmasse theils gänzlich unverstandener, theils merkwürdig schöner Variationen jener Capitälform ist, aus dem aber endlich eine, namentlich im Norden, streng und ernst durchgebildete Capitälform hervorgeht, die als eigentlich fertiges romanisches Capitäl anzusehen ist. Wir geben eins der schönsten in Fig. 1678 aus dem um 1170 vollendeten Palast zu Gelnhausen; die Ornamente erscheinen nicht mehr als Verbergung der eigentlichen Grundform, sondern rein als Verzierung, als ästhetische Hebung derselben; nur

Fig. 1681. Romanisches Consol.

im Süden, in Ungarn, Sicilien und Calabrien, ist dies weniger der Fall. Dort wendet man hie und da noch Umgestaltungen des korinthischen Capitäls an. Die Säule nebst Zubehör wird in ornamentaler Beziehung höchst mannichfach behandelt. Die

Fig. 1682. Romanischer Fries.

aus derselben Zeit. Aeußerlich wird, wie schon erwähnt, der Thurmbau organisch mit der Kirche verbunden, der Vorhof wird als Kreuzgang an die Südseite verlegt und macht im Westen dem reichen Portalbau Platz, dessen Laibungen sich stufenweis ausweiten; die Thüröffnung selbst wird viereckig, und so entsteht ein Bogenfeld, welches durch plastisches Werk verziert wird. Sehr oft gruppiren sich auch Thürme um den Chorbau und die Vierungskuppel fungirt als Hauptthurm. Ueberhaupt spricht sich in großer Mannichfaltigkeit der Thurmcombinationen ein bedeutender

Reichthum an individuellen Besonderheiten, hie und da wohl auch noch ein gewisses Schwanken aus. Namentlich germanisch ist das im Aeußern sich kundgebende Streben nach Bildung malerischer Gruppen durch Anlage reichgegliederter Choranlagen ꝛc. Lisenen, Rundbogenfries und Verkröpfungen der Gurtsimse an den Lisenen lassen die Horizontale als immer weniger wichtig erscheinen; eben dahin deutet das immer steiler

Fig. 1683. Aus Chartres.

Fig. 1684.

Halsflächen der Kämpfer, Friese, Gesimse ꝛc. werden mit mannichfachen Ranken- und Bandverschlingungen verziert. Die Pflanzentheile derselben erinnern nicht mehr an eine bestimmte Pflanzengattung und ordnen sich den geometrischen Linienverschlingungen unter, ebenso die oft sehr phantastischen Thiergestaltungen. Probe dafür s. Fig. 1681, Consol aus der 1210 vollendeten Kirche zu Gelnhausen, und Fig. 1682, ein Fries, ziemlich

werdende Dach und das Ueberhandnehmen der Helmdächer auf den Thürmen.

2. Die gewölbte Basilika. Durch die im Laufe des 12. Jahrhunderts siegende vollständige Ueberwölbung aller Theile der Kirche war man genöthigt, auch die Grundrißgestaltung aller dieser Theile in einen strengeren organischen Zusammenhang zu bringen, wodurch zugleich in vieler Beziehung eine noch malerischere Gestaltung herbei-

geführt ward. Auch wurde man nun genöthigt,
die Säulen zu verbannen und die sie ersehenden
Pfeiler erhielten bald eine, den Richtungen der
von ihnen ausgehenden einzelnen Gewölbtheile
entsprechende Gliederung durch Ansehen von
Halbsäulen und Säulchen, welche die Gurtbögen
tragen. Durch alle diese Veränderungen wurde
das Verticalprincip zu erhöhter Geltung gebracht, sowohl innen als außen. Die Umfassungsmauer konnte man nämlich nun in den Schildern
der Kreuzgewölbe verschwächen und brachte dafür
bei den Gewölbansfallspunkten sehr stark austra-
gende Lisenen, endlich Strebepfeiler an. Zwischen
Widerlager und Dach konnte man die Mauer
schwächen; so entstanden die kleinen Arkaden auf
Zwergsäulen dicht unter dem Hauptsims und

Fig. 1685. Wohnhaus in Cöln.

gleichzeitig die fliegenden Streben, von denen wir
eine der frühesten ausgebildeten (Chartres, 1145)
in Fig. 1683 mittheilen.

3. Was die Profanarchitektur dieses Styls
anbetrifft, so find uns leider sehr wenige Beispiele
derselben erhalten; eins der vollständigsten, ein
Wohnhaus in Cöln, geben wir unsern Lesern in
Fig. 1685. Um beim Entwerfen im romanischen
Styl wenigstens einigen Anhalt zu geben, legen
wir unsern Lesern in Fig. 1684 noch einige romanische Details vor und zwar in a und b Hauptsimse, in c ein Gurtsims, in d ein Sockelglied, in
e ein Säulenfuß u. in f eine Kämpferplatte.

IV. Periode. Zeit der Hohenstaufen. Uebergang zum gothischen Styl. Wie so eben erörtert,
waren sämmtliche Formen des romanischen Styls
theils aus kirchlicher, theils aus constructiver Begründung organisch herausgebildet, alle auch höchst

malerisch und trotz Derbheit und Ernst doch nicht
plump; sie gestalteten sich immer reicher, ihre Ausführung wurde immer correcter und endlich auch
künstlerischer. Ebenso aber, wie sie sich aus construc-
tivem Bedürfniß zuerst ausgebildet hatten, ebenso
auch wurden sie zunächst durch constructive Rücksichten verdrängt. Darüber s. d. Nähere in dem Art.
gothischer Baustyl und normannischer Baustyl;
der dort beschriebene Uebergang vom Romanischen
in's Gothische wird von Vielen als besonderer
Styl bezeichnet und romanischer Spitzbogenstyl,
vorgothisch, Uebergangsstyl, frz. romano-ogival,
style de transition, roman tertiaire ꝛc. genannt. Aber es war diese Zeit eben nur eine Durch-
gangsperiode, deren Erzeugnisse durchaus nicht genügend in sich selbst fertig sind, um einem höchst
inconsequenten Formensystem den Namen Styl
vindiciren zu können.

Fig. 1686. Dom zu Bamberg.

Auch war diese Uebergangsperiode im Ganzen
sehr kurz. Während noch die romanischen Formen
uns an dem 1239 vollendeten Westchor des Doms
zu Mainz ganz rein entgegentreten, während noch
um 1230 an dem im Jahr 1192 begonnenen Bam-
berger Dom (s. Fig. 1686) in spätromanischer Weise
gebaut wurde, begegnen wir bereits im Jahre 1227
an der Liebfrauenkirche zu Trier dem vollständig
entwickelten System der Gothik. Man kann allerdings diese Jahre nicht strict als Begrenzung der
Uebergangsperiode annehmen, denn schon vorher
finden wir an einzelnen Gebäuden Spitzbogenformen und noch nachher hie und da romanische.

Rückblick. Während der Styl der I. Periode
als Provinzialstyl für Oberitalien und den bis
dahin cultivirten Theil des Nordens zu betrachten
ist, die anglonormannische Bauweise (s. d.) aber als
Nachzügler dieses frühromanischen Styls, oder

24*

gewiſſermaßen als vorgeſchobener Poſten baulicher
Cultur angeſehen werden muß, verbreitete ſich der
mittelromaniſche Styl mit ungemeiner Macht
über alle cultivirten Länder des chriſtlichen Europa, ohne daß man eigentliche Provinzialſyſteme
unterſcheiden könnte. Die allerdings vielfach vorhandenen Abweichungen in den einzelnen Ländern
ſind vielmehr meiſt auf Rechnung des zu Gebote
ſtehenden Materials zu ſetzen, indem die romaniſchen Baumeiſter, und unter ihnen wiederum beſonders die des nördlichen Deutſchlands, die erſten
waren, welche das Material in der Form zur Geltung brachten, ſo daß Dispoſition und Detail-
formen ſich bedeutend abänderten, je nachdem die
Kirche in geputztem Bruchſtein, in Quaderbau
oder in Backſteinbau ausgeführt wurde; ja, ſie fanden es ſogar nicht unter ihrer Würde, ein bis dahin immer verachtetes, nur als Aushülfe betrach-
tetes Material, das Holz, für die Formgebung orga-
niſch zu verwerthen; ſ. darüb. d. Art. Holzarchitektur.

romaniſches Kreuzgewölbe, ſ. v. w. Gratgewölbe.

romaniſche Treppen, unterwölbte, ſchiefe
Flächen, oft ſtatt der Treppen in Thürmen angebracht; es giebt deren mehrere, auf denen man
hinauffahren kann.

romaniſirend, frühgothiſche Baudenkmäler
mit romaniſchen Reminiscenzen.

Romanismus, ſ. v. w. romaniſcher Styl.

romaniſcher Styl, frz. style mystique,
ſ. v. w. mittelalterlicher Bauſtyl.

Romanus, St., 1) der Märtyrer; Kriegsmann;
die Standhaftigkeit des Laurentius bekehrte ihn;
er wurde den 9. Auguſt 258 enthauptet. Abzubilden
als Krieger mit Schwert und Taufgefäß; — 2) R.
aus Lithauen, mit ſeinem Bruder David (beide
waren Söhne des Fürſten Wladimir) 1010 ermordet; — 3) Biſchof und Patron von Rouen, be-
ſiegte einen Drachen durch Umwerfen ſeines
Scapuliers, brachte die ausgetretene Seine wieder in ihr Bett. Erſcheint als Biſchof mit einem
Kreuz in der Hand, auf einem Fluß oder einem
Lindwurm ſtehend. Patron von Rouen und Paris,
gegen Wahnſinn und Beſeſſenheit.

rompre, frz., brechen; ſ. d.

Rompu, frz., gebrochener Stab, auch Rollenfries, Zickzack und ähnliche Friesverzierungen.

Romualdus, St., ſtarb 1027; abzubilden im
weißen Camaldulenſerkleid, ſeinen Mönchen eine
Leiter zeigend.

Rondache, frz., großer Rundſchild.

Rond-creux, frz., Kehle, Einziehung.

Rond.d'eau, frz., mit Raſeneinfaſſung verſehenes großes Waſſerbaſſin.

Rond de verre, frz., runde Fenſterſcheibe,
Butzenſcheibe; ſ. d.

Ronde-bosse, frz., Rundwerk.

Rondel, Rundeel, Rundtheil, frz. rondel;
1) (Feſtungsbauk.) runder, ſtarker Thurm, auch
runde Baſtion oder halbkreisförmiges, vor den
Thoren angelegtes Erdwerk; 2) rundes Beet ꝛc.;
3) überhaupt kreisrunde Figur.

Rondelle, frz., kleiner Rundſchild.

Rondenſteg, Rondenweg, frz. chemin rond,
ſ. d. Art. Feſtungsbaukunſt, S. 44, Bd. II.

Rondin, frz., ſ. d. Art. Bengel 2.

Rond point, frz., Apſis, Chorhaupt.

ronger, frz., anfreſſen; ſ. d.

Rood, ſ. d. Art. Maaß, S. 491, 495, Bd. II.

Rood, holyrood, engl., alt-engl. rode, Crucifix, oft mit den Nebenfiguren Maria und Johannes,
Triumphkreuz; rood-arch, Triumphbogen; rood-
beam, Querbalken unter dem Triumphbogen, mit
der Darſtellung des Gekreuzigten; rood-loft,
holy-loft, Lettner, wenn über demſelben der Crucifixus dargeſtellt iſt; rood-stairs, Treppe zum
Lettner; rood-screen, Cancelle, ſ. d. Art. Lettner;
rood-steeple, rood-tower, rood-turret, Centralthurm über der Vierung.

Roof, engl., Dach, Decke; coved-roof, offener
Dachſtuhl, im Profil ein halbes Achtel bildend;
gromed-roof, Rippendecke; fanwork-roof, mit
Fächerwerk, mit Maaßwerk verzierte Decke; false-
roof, Dachgeſchoß; fretted-roof, Decke mit langen
Caſſeten und gekehlten Balken; embossed-roof,
mit Maaßwerk verzierte Decke; foliated-roof,
Dach mit kleeblattförmigem Profil; kil-lessed-
roof, Zeltdach.

Roof, Rüf, Rof (Schiffsb.), beinahe wie der
Kaſten einer Kutſche geſtaltete, von Planken erbaute Hütte, nahe vor der Kajüte auf dem Verdeck
von Kauffahrteiſchiffen. Enthält Schlafſtellen der
Matroſen, auch wohl eine Küche mit Schornſtein,
ſowie ein Behältniß zum Mundvorrath.

Room, engl., Raum, Stube, Zimmer.

Roſa, hellroth mit bläulichem Schimmer; über
rofa Holzbeizen ſ. d. Art. Beize, S. 307, Bd. I.

Roſa de Lima, St., geb. 1586, geſt. 1617,
Dominicanernonne, erſcheint mit einer Roſe in
der Hand, auf dem Haupt eine Dornenkrone.

Roſa de Viterbo, St., ſtarb 1252 noch jung,
erſcheint als Franziskanerin, hat in der Hand oder
Schürze Roſen, in die ſich das Brod, das ſie den Armen gegen des Vaters Willen bringen wollte, verwandelte.

Rosace, frz., Roſette, Vielpaß, roſenförmiges
Feld an einer gewölbten Decke.

Roſalia, St., aus dem Geſchlecht Karl's des
Großen, am Hof erzogen, floh in eine Höhle bei
Palermo, ſtarb 1160; Patronin von Sicilien. Ab-
zubilden als Einſiedlerin, auf dem Haupt einen
Kranz von Roſen.

Fig. 1687. Dreiblättrige Fensterrose.

Roſe. 1) Die Roſe wird vielfach als Ornament,
mehr oder weniger ſtyliſirt, nachgeahmt. Sie bedeutet liebliche Reize, doch auch Märtyrerblut. Als Attribut erhalten Roſen: Amor, die Dioskuren,
Erato, Venus, bann die Heiligen Angelus, Benedictus, Aſcylus, Caſilde, Eliſabeth, Elzear, Victoria, Dorothea, Roſa, Roſalia. — 2) Roſe als
Ornament, ſ. b. Art. Blume und Glieb F. Auch
als Hohlkehlenbeſetzung in der anglo-normanni-
ſchen Bauweiſe kommen volle Roſen vor. —

3) (Herald.) fünfblätterige Blume, welche ſich
häufig in Wappen vorfindet. — 4) (Eiſenarbeit)
Fleck im Bruch des Stahles, welcher unreine
Regenbogenfarben hat. — 5) (Baut.) der obere
Theil bei Bogenfenſtern, in welchem die Glas-
ſcheiben in Form einer Roſe zuſammengeſetzt ſind.
— 6) Roſenfenſter, Fenſterroſe, frz. rose, engl.
rose-window, Rundfenſter mit Maaßwerk, dadurch
vom Radfenſter verſchieden, daß das Maaßwerk
aus runden Linien ohne gerade Speichen beſteht.
Fig. 1687 iſt z. B. eine dreiblätterige Fenſterroſe;
doch wird die Benennung auch für Vielpaß gebraucht. — 7) S. d. Art. Beule 1, Baumkrankheit,
Bauholz B. b. 2 ꝛc.

Roseaux, frz., lat. arundines columnarum,
mit Blumen umflochtene Stäbe in den Canälirungen einer Säule; ſ. d. Art. Blumenſtab.

Roſenblei (Bergb.), Bleierz mit Blättchen
auf der Oberfläche, welche um einen Mittelpunkt
liegen; wird in England gefunden.

Roſenholz; ſo nennt man eine Anzahl Holzarten
entweder wegen ihres roſenartigen Geruches, dann
aber auch wegen ihrer rothen Färbung. a) Wohlriechendes R., gelblichweiß ausſehend, kommt der
größern Menge nach von einem Windengewächs
(Convolvulus scoparius L.) der Canariſchen
Inſeln. Aus dem Stamm- und Wurzelholz wird
ein wohlriechendes Oel deſtillirt, mit welchem das
theure echte Roſenöl (aus Roſenblütenblättern)
gefälſcht wird; b) cypriſches R. gewinnt man von
Liquidambar orientale; c) das weſtindiſche,
engl. Rose-wood genannt, von Amyris balsa-
mistra L. auf Jamaika, feſt, dauerhaft, als Bauholz hochgeſchätzt, riecht angenehm; d) braſiliani-
ſches R., Pao de Rosa, Tulpenholz der Engländer, iſt ein prachtvolles Holz, deſſen Abſtammung
aber nicht ſicher bekannt iſt; man vermuthet, daß
es von einer Leguminoſe kommt. Andere nennen
Physocalymna floribunda (Fam. Weiderichge-
wächſe, Lithrarieae oder Lagerstroemiae) als
Mutterpflanze. Eine Sorte aus Guyana ſoll
von Licaria guyanensis (Fam. Lorbeergewächſe)
ſtammen; e) Roſenholz von Martinique ſoll von
Cordia scabra Desf., das oſtindiſche von Mu-
mienbehältern gedient haben; h) ſ. d. Art. Paliſanderholz, Lignum 22, Aspalath, Coledivienholz ꝛc.

Roſenkranz, 1) Kranz von Roſen, Attribut
der heiligen Dorothea; — 2) ſ. v. w. Paternoſter,
Perlſtab ꝛc.; ſ. d. Art. Glied F.

Roſenkupfer, Roſettenkupfer; ſ. d. Art.
Kupfer.

Roſenquarz (Mineral.); 1) bildet mächtige
Lagen in Granit und Gneuß, ſpielt in's Weißliche
und Graue und wird nur zu Juwelen verarbeitet;
findet ſich in Baiern, Sachſen, Frankreich u. a. O.
— 2) ſ. d. Art. Analzim.

Roſenzinn, ſ. v. w. feines ob. engliſches Zinn.

Roſette, frz. rosace, roson, engl. rosace,
1) Verzierung in halb erhabener Arbeit, in Geſtalt
einer alleinſtehenden, vollſtändig ausgebildeten
Blume von radial auseinander gelegten Blättern, gleichmäßig vertheilten Ranken oder dergleichen ꝛc.; — 2) kreisförmiger Schild mit Verzierung in Geſtalt eines Sternes oder einer Roſe,

einer centralen Eintheilung, Linienverſchlingung ꝛc.;
— 3) ſ. v. w. Radienſter, Rundfenſter mit radialen
Verzierungen (Maaßwerk); — 4) eine hellroſen-
rothe Malerfarbe; — 5) ſ. v. w. Saftgrün, ſ. d.

Rose-window, engl., Rundfenſter, Fenſterroſe.

Rosmarinöl, ſ. d. Art. Gemälde und äthe-
riſche Oele.

Rossignol, frz., Laus; ſ. d. Art. Auslaufen 2.

Rosso antico, ital., ſ. d. Art. Marmor und
Porphyr.

Roſt. I. Art der Gründung, ſ. d. Art. Grundbau II. A. Hier folgen noch einige ergänzende
Notizen:

1. **Sohlenroſt.** Querbohlen 2—4″ ſtark in
3—4′ Entfernung, auf dieſe legen ſich die Längs-
bohlen.

2. **Schwell- oder Streckroſt,** liegender Roſt, frz.
grillage. Querſchwellen 9—12″ breit, 6—9″ hoch,
3—5′ von einander, Langſchwellen 8—12″ ſtark,
nicht über 3½′ von einander. Die äußerſten Langſchwellen liegen 1—1½″ von den Enden der Querſchwellen; die Bohlen, 3—4″ ſtark, treten auf jedem
Ende 2″ vor.

3. **Pfahlroſt,** ſtehender Roſt. Starke Pfähle
3½—5′, Pfahlreihen 2½—3′, höchſtens 4′ von
einander, Zapfen 6″ lang, 3″ breit, 2″ ſtark, Holme
mindeſtens 10″ in's □ ſtark, Querſchwellen 8—10′
von einander, können 3—4″ über die Bohlen vorragen. Länge der Pfahlſpitzen 1½—2mal der
unteren Pfahlſtärke; ſ. d. Art. Pfahl, Pfahlſchuh,
Beſchuhen ꝛc.

II. **Feuerroſt,** engl. grate. Eine, meiſt aus
einzelnen, in entſprechenden Zwiſchenräumen parallel neben einander gelegten Stäben beſtehende
Unterlage für das Brennmaterial; die Oeffnungen dienen dazu, die Aſche in den Aſchenraum
(ſ. p.) fallen zu laſſen, wodurch der Zutritt neuer
Luft ununterbrochen möglich wird. Einige durch
die Praxis ziemlich ſicher feſtgeſtellte Angaben
folgen hier; über andere allgemeine Sätze, ſowie
über beſondere Roſtanordnungen, wie ſie durch
einzelne Heizanlagen bedingt werden, ſind die Artikel Brennofen, Feuerungsanlage, Heizung IV,
Dampfkeſſel V, Keſſelfeuerung, Kohlsofen, Ofen ꝛc.
nachzuſehen.

I. Stündliche Verbrennung von 100 Pfund des
betreffenden Brennſtoffes angenommen, beträgt
a) der Cubikinhalt des Feuerraumes für Steinkohle 7—8 Cubikfuß, hartes Holz oder Braunkohle
14—16 Cubikfuß, weiches Holz oder Torf 21—24
Cubikfuß, Holzkohle oder Kohls 17—20 Cubikfuß.

b) Die Entfernung der Roſtfläche vom tiefſten
Punkt des Keſſels betrage für Steinkohlen 13—15
Zoll, für hartes Holz und Braunkohlen 15—18 Zoll,
für weiches Holz und Torf 18—24 Zoll, für Holzkohle und Kohls 16—18 Zoll.

c) Die Größe der ganzen Roſtfläche für Steinkohle 7—8 □Fuß, für hartes Holz und Braunkohle
6—7 □Fuß, für weiches Holz und Torf 5½—6½
□Fuß, für Holzkohle oder Kohls 8—9 □Fuß.

d) Die freie Oeffnung der Roſtfläche für Steinkohle 2¼ □Fuß = ⁹⁄₁₀—¹⁄₄ der Roſtfläche, hartes
Holz 1 □Fuß = ¹⁄₁—¹⁄₄ der Roſtfläche, Torf 1,3
□Fuß = ¹⁄₆—¹⁄₄ der Roſtfläche, Kohls 2,3 □Fuß
= ⁹⁄₁₀—¹⁄₄ der Roſtfläche.

II. Die Stäbe ſind bei gewöhnlichen Feuerungen circa 1 Centimeter, bei größeren bis zu 5 Centimeter ſtark.

4. Die Beſchreibung complicirterer Roſte, wie
z. B. der Treppenroſte, Kettenroſte, beweglichen

Roſte ꝛc., würde hier zu weit in das Fach der Pyrotechnik hineinführen und wird deshalb auf die
in neuester Zeit sehr reichhaltig gewordene Special-Literatur verwiesen, z. B. über die Etagenroſte
von Lange und Koch auf Dingler's Polytech-
niſches Journal, Bd. 158, S. 241. Ein Roſt iſt
Attribut der Heiligen Laurentius und Vincentius.
III. Ein mit Faschinen oder Steinwerk aus-
geseßter Einbau von Pfahlwerk, oder ein bloß aus
Pfählen zuſammengeseßter Damm.
IV. Fußtritt des Chorgeſtühls; ſ. d.
V. Zum Zurückhalten der Unreinigkeit am
Einfluß von Wasserröhren angebrachte durchlö-
cherte Bleiſcheibe oder eiſernes Gitterwerk, auch
Rechen genannt.
VI. (Hüttenw.) Erz, welches geröſtet worden
oder erſt geröſtet werden ſoll; auch das behufs
des Röſtens abwechſelnd mit Holz zu einem großen
Haufen aufgeſchichtete Erz, oder ein mit Holz vermengter Kalthaufen, der in einer Grube oder im
Freien gebrannt werden ſoll.
VII. Rothbrauner Ueberzug, der ſich auf Eiſen
bildet, wenn es der feuchten Atmoſphäre ausge-
ſeßt iſt und weiter nichts iſt als Eiſenoxydhydrat.
Um das Roſten des Eiſens zu verbüten, muß man
die eiſernen Gegenſtände möglichſt vor Feuchtigkeit schüßen und von Zeit zu Zeit poliren. Oder
man taucht die Gegenſtände in ein Gefäß mit
Salzſäure von 18° Baumé und läßt dann ſogleich
einige kleine Zinkſtückchen zwiſchen dieſelben fallen
(1 Pfd. Zink reicht für mindeſtens 10 Ctr. Spiter-
nägel oder Bolzen zu). Die Säure löſt das Zink
ſofort und dieſes fällt als dünne Haut auf alle
Eiſenflächen in dem Augenblick, wo die Säure
dieſelben gereinigt, und schüßt die Gegenſtände
dann gegen das fernere Einwirken des Sauerſtoffes der Luft auf das Eiſen. Hierauf bringt
man die Gegenſtände noch naß in ein Bad, zu
welchem man, z. B. für Schiffsbeschlag und zum
Dachdecken, mit Vortheil eine Legirung von 15 Thln.
Zinn, 75 Thln. Blei, 5 Thln. Kupfer und 5 Thln.
Spießglanztönig benußt. Nach andern Chemikern
iſt Roſt ſ. v. w. Eiſenperoxyd; das Weiterroſten
beſteht darin, daß das Metall dem Roſt den dritten
Theil seines Sauerſtoffes entzieht und Eiſenoxydul
bildet, das ſich durch Sauerſtoffabsorption aus der
Luft in Eiſenperoxyd verwandelt. Dies kann man
verhindern durch Umwandelung des Eiſenperoxydes
in magnetiſches Oxyd ($Fe^3 O^4$), indem man die
Oberfläche des Eiſens künſtlich mit Oxyd überzieht
und dieſes in Wasser von 80—100° C. taucht.

Roſtbett (Hüttenk.), der Plaß, auf welchem ein
Roſt (ſ. d. VI.) zubereitet wird.

Roſtflecke wegzubringen. 1) S. d. Art. Flecke.
— 2) Auf Eiſen. Man puße ſie mit Kleinſchmieds-
ſchlacke oder einem paſſend geformten, mit Sämiſchleder überzogenen Stück Holz, welches mit
Tiſchlerleim beſtrichen und, wie dies trocken iſt,
mit feingeſiebtem Glaspulver oder geschlämmtem
Smirgel beſtreut iſt. Iſt der Roſt schon ſehr tief
eingefreſſen, ſo ſtreut man Pottaſche auf den Fleck
und wäscht ſie nach einigen Tagen mit warmem
Waſſer ab.

Roſtgründung, Roſtwerk, ſ. d. Art. Grundbau und Roſt I.

Roſtkitt, ſ. d. Art. Kitt 43 bis 52.

Roſtofen (Hüttenw.), ſ. v. w. Brennofen.

Roſtpfahl und Roſtschwelle, ſ. d. Art. Pfahl,
Roſt I. und Grundbau.

Roſtrum, lat., 1) Schiffsschnabel; — 2) ſ. d.
Art. Catheder und Lettner.

Roſtschließe, öſterreichiſch für Mauerlatte; iſt
ſie bloß 2—3" ſtark, ſo heißt ſie Roſtlade.

Roſtſteine (Ziegl.), lange, schmale Ziegelſteine,
welche zur Anlage von Roſten (ſ. d. II.) benußt
werden.

Roß, 1) ſ. v. w. Pferd, ſ. d. und Apoſtel 4. —
2) (Hüttenw.) Kohlenmaaß in Ungarn; —
3) geſpanntes Roß; ſ. d. Art. Balken V. b.

Roßgang, Roßkunſt, Roßmühle, ſ. d. Art.
Pferdegöpel und Mühle.

Roßkaſtanie, ſ. u. Kaſtanienbaum.

Roßkaſtanienbaumrinde, ſ. d. Art. Braun.

Roßkrücke, ſ. u. Schlammkrücke.

Roßramme, von Pferden bewegte Rammmaschine; ſ. d.

Rota, lat., frz. roue, roe, Rad; ſ. d. Art.
Leuchter und Glücksrad.

Rotang, Rattang (Calamus, Fam. Palmen),
iſt in zahlreichen Arten (90) in Oſtindien, auch auf
Malacca und den Sunda-Inseln einheimiſch, bildet
klimmende Sträucher von 2—300 Fuß Länge,
welche ſich mit ihren dünnen, aber ſehr feſten
Stengeln über andere Bäume und Gebüsche hin-
weglegen. Der Drachenblut-Rotang (C. Draco)
ſoll die braunen „Manila-Drachenröhre" liefern.
Die natürliche Ausschwißung der Frucht giebt
das beſte Drachenblut (D'jurnang); eine geringere
Sorte erhält man durch Erhißen und Ausquet-
ſchen der Beeren. Es wird beſonders von Singa-
pore und Batavia in den Handel gebracht und
meiſtens in Borneo gewonnen. Vorzüglich dient
es zum Färben des Terpentin-Firniſſes. — Eine
Rotang-Art (C. Scipionum) liefert die Malacca-
Röhre, die aber nicht auf Malacca, ſondern auf
Sumatra gewonnen wird. Die gewöhnlichen
Rotangs, die als Flechtmaterial für Stuhlſiße
und dergl. vielfach verarbeitet werden, ſtammen
vom Calamus Rotang, C. rudentum und C.
Royleanus in Südaſien. In Japan werden
ſelbſt Schränke, in China und auf den Sunda-
Inseln, beſonders auf Malacca, Schiffstaue werden
dargeſtellt. In Indien ſtellt man nicht ſelten Brücken
aus Rotang dar; ſ. auch d. Art. Java-Rotang.

Rotatio, lat., 1) Umdrehung; — 2) Kegel-
gewölbe; ſ. d. Art. Bad.

Rotationsachſe, ſ. v. w. Umdrehungsachſe;
ſ. d. Art. Bewegung, Cylinder, Kegel, Kugel ꝛc.

Rotationsellipſoid, ſ. d. Art. Ellipſoid.

Rotationsfläche, ſ. d. Art. Fläche, S. 66.
Der von einer ſolchen Fläche eingeschloſſene Kör-
per heißt Rotationskörper; vgl. ferner d. Art.
Meridian und Parallelkreis.

Rotationshyperboloid, ſ. d. Art. Hyperboloid, S. 297, Bd. II.

Rothau, geringer Bergkryſtall.

Rothbleierz, ſ. d. Art. Bleibaryt.

rothbrüchig, ſ. d. Art. Eiſen II. 2. l.

Rothbuche, ſ. d. Art. Buche 1.

rothe Eiche, ſ. d. Art. Eiche 1.

rothe Farbe. I. Die rothe Farbe bedeutete
früher ſowohl Tapferkeit und Liebe, als auch
Großmuth und Rache; man bezeichnet ſie in der
Heraldik durch ſenkrechte Striche. Roth iſt eine
der primären Farben; ſ. d. Art. Farbe. Es folgen

hier einige Recepte zu Bereitung der einzelnen Abtönungen und Schattirungen: 1) Nach Orange: gelb kommt zunächst ein Ton, welcher aus feiner Mennige oder Saturnusroth als Wasser-, Leim- und Oelfarbe herzustellen ist. 2) Dann folgt das eigentliche Orangeroth, in Oel hell aus Mennige, dunkel aus Venetianischroth zu bereiten. 3) Schar- lachroth, Bowfarbe, engl bowdye, hell aus Chrom- roth, dunkel aus Zinnober und Venetianischroth zu bereiten. 4) Das eigentliche Roth, Hochroth, hell aus Zinnober, etwas dunkler aus ganz reinem Carmin und Chromgelb; sehr dunkel, doch schon in das Braune übergebend, mit Krapp statt mit Carmin herzustellen. 5) Fleischroth aus Englisch- roth, am reinsten aus Colcothar (s. d.) herzu- stellen. 6) Blutroth (s. d.), auch aus Zinnober unter Beimischung von ein wenig Carmin oder auch aus Preußischroth herzustellen. 7) Cerise, aus Zinnober mit etwas mehr Carmin oder Car- minlack, dunkler mit ein wenig Wiener Lack. 8) Purpurroth. Reiner Carmin oder Lack mit sehr wenig Zinnober. 9) Carmoisinroth. Hell, unter dem Namen Rosenroth bekannt, aus Cochenille oder aus Wiener Lack und Weiß herzustellen; nähert sich schon sehr dem Violet.

Wenn man eine rothe Farbe heller oder dunkler nüanciren will, so muß dies mit großer Vorsicht geschehen, indem die rothen Farben fast sämmtlich durch Vermengung mit Weiß oder Schwarz leicht schmutzig oder bräunlich werden. Will man eine der erwähnten Abstufungen heller haben, so nehme man eine näher an Weiß liegende und mache sie mit Gelb hell, und umgekehrt, um sie dunkler zu haben, nehme man eine näher an Gelb liegende und mache sie mit Blau dunkel.

Dunkles intensives Roth giebt einen ernsten, würdigen Ausdruck, helles einen heitern, anmu- thigen, Purpurroth wirkt höchst prächtig, gelb- liches Roth wirkt lebhaft anregend, bläuliches Roth macht eine melancholische Wirkung.

II. Rothe Farbstoffe. a) Mineralische F. Unter den Erdfarben findet man wenig glänzende, meist in's Bräunliche ziehende, die als Wasser- und Oelfarben dienen; s. d. Art. Eisenroth, rothen Ocher oder Bergroth, Zinnober, Mennige, Berliner Roth, rothe Erde, Englischroth, Röthel, Bolus, Chromroth. Zu Schmelzfarben auf Glas und Thonwaaren dienen das Eisenroth, der Goldpur- pur, chromsaures Zinkoxyd 2c. Zum Färben des Glases in der Masse eignet sich besonders Man- gan (violet) und Kupferoxydul (rein roth).

b) Vegetabilische F. Unter den einheimi- schen angebauten Pflanzen ist Krapp oder Färber- röthe (s. d. betr. Art.) die wichtigste. Man stellt aus ihr vorzüglich Alizarin und Garanzin her. Fer- ner gewinnt man Saft- und Lackfarben aus den amerikanischen Rothhölzern, dem Campeche-, Per- nambut- (Fernambut-), Sappan-, St. Martha- u. Brasilienholz, aus dem afrikanischen Camwood und Barwood und dem ostindischen Santelholz, s. auch Chavawar. Schöne, aber leicht vergäng- liche Farben geben die Farbeflechten (Roc- cella): Orseille, Persio und Cudbear, die Alcanna, Saflor, Drachenblut, Scoranje, Chica und Har- mala. Zu manchen Zwecken benutzt man auch den rothen Saft der Päonien und Mohnblüthen, denjenigen der Heidel-, Hollunder-, Liguster- und Kermesbeeren. Auch Anilin und Chinolin, als Destillationsprodukte des Indigo's, der Braun- kohle und Steinkohle, liefern rothe Farbe.

c) Animalische F. Im Alterthum galten die Purpurschnecken als Hauptlieferanten dauerhafter rother Farben. Sie gehörten den Gattungen Buccinum und Murex an; später wendete man zu demselben Zweck die Kermesschildlaus (Coccus Hicis) an, die auf der Kermeseiche (Quercus coccifera) am Mittelmeer lebt, ebenso die pol- nische Schildlaus (Coccus polonicus), die in Osteuropa an den Wurzeln mehrerer Pflanzen sich aufhält. Sie wurden verdrängt durch die Carmin liefernde amerikanische Kaktusschildlaus (Coccus Cacti). Ostindien liefert einen rothen Gummi- lack, der durch die Lackschildlaus (Coccus Lacca) gefärbt ist und aus welchem man den rothen Lac- Lac und Lac-Dye ausgieht.

rothe Glätte (Hüttenw.), roth aussehende beste Sorte Bleiglätte; s. d.

rothe Glasur (Töpf.), besteht aus gepulver- tem Antimon und Hammerschlag.

rothe Gluth (Kupferschm.); kupferne Waaren streicht man häufig auf der äußeren Seite mit einer Lauge von Asche, Kienruß und Urin, glüht dann die damit bestrichene Waare nochmals und plätzt sie ab. Das dadurch gewonnene Ansehen heißt rothe Gluth.

rothe Holzbeizen, s. u. Beize, S. 308, Bd. I. u. Färben B. 5.

Rotheisenocher oder Rothocher (Mineral.), ocheriger (zerfallener) Rotheisenstein, ist zerreib- lich, abfärbend, matt, bräunlichroth bis blutroth, von erdigem Bruch, weiß angeflogen oder als Ueberzug, bisweilen derb, besteht häufig aus staub- artigen Theilen.

Rotheisenstein, wasserfreies Eisenoxyd, kommt in verschiedenen Varietäten vor; s. d. Art. Eisen- erz, Eisenglanz, Eisenstein 2c.

rothe italienische Erde (Mineral.), im Tos- canischen gegrabene rothe Erdfarbe.

rothe Kreide, s. d. Art. Kreide.

rothe Lackfarbe, s. u. Lack a. 1.

rother Arsenikbergschwefel (Mineral.), s. v. w. Bergschwefel, Auripigment.

rother Eisenthon, brausender; s. d. Art. Eisenthon.

rother Marmor, s. d. Art. Marmor und Imitation C.

rothes Eisenoxyd, s. u. Eisenoxyd.

rothes Gummi, s. d. Art. Gummiharze 22.

rothe Wasserfarbe für Fußböden von Ziegel- und Backsteinen. Zunächst streicht man die Ziegel mit Seifenwasser oder Wasser, welches 1/90 kohlen- saure Potasche enthält, um sie zu reinigen und zur Aufnahme der Wasserfarben vorzubereiten. Dann löst man 1/4 Pfd. flandrischen Leim in 8 Pin- ten Wasser auf, giebt dem kochenden Leim 2 Pfund rothen Ocher zu, rührt gut um, macht dann den einen Anstrich, auf den wieder getrockneten Boden einen zweiten mit Leinölfirniß und, nachdem dieser eingetrocknet, mit rother Leimfarbe einen dritten. Ist der Fußboden getrocknet, so reibt man ihn mit Wachs ab.

Rothfäule, Rothholm, Baumkrankheit, s. d Art Kernfäulniß. Man erkennt die Krankheit nur durch den Klang beim Anschlagen an den Baum.

rothfahl, s. d. Art. falb.

Rothfichte, s. d. Art. europäische Fichte.

Rothgültigerz, Rothsilber (Mineral.), hat halbmetallischen Glanz, cochenille-, auch morgenrothes Strichpulver, ist cochenilleroth, theils in's Bleigraue, halbdurchsichtig bis undurchsichtig, hat kleinmuschelichen Bruch, auch körnig, kommt derb, eingesprengt und vorzüglich oft angeflogen vor. Ritzt Gypsspath, ritzbar durch Kalkspath. Enthält 58—65 Thle. Silber, 23 Thle. Antimon oder 15 Thle. Arsenik und 17—19 Thle. Schwefel.

Rothguß, Rothmessing, s. d. Art. Tombad und Messing.

rothheizen (Hüttenw.), bei dem Zerrenfeuer das Eisen nur bis zum Rothglühen erhitzen.

Rothholz, 1) südamerikanisches; s. d. Art. Brasilienholz und Fernambut. — 2) Afrikanisches; s. d. Art. Camwood. Angolaholz und Santelholz. — 3) Rothholz von Norfolt stammt vom Blutholzbaum (Baloghia lucida) der Insel Norfolt, einem Baum mit dunkelglänzendem dichten Laube, 40' hoch, nicht dick; der blutrothe Saft ward früher auf Norfolt zum Färben von Decken, Beuteln ꝛc. verwendet. Man macht einen senkrechten Einschnitt von 4—5' Höhe bis zum Grund und setzt unten eine Röhre ein. Nach 12 Stunden erhält man ¼—1 Pinte Saft. —4) Mittelamerikanisches (redwood) kommt von Soymidia febrifuga (Fam. Cedreleae).—5) Eine Sorte stammt von Swartzia tomentosa (Fam. Swartzieae, Hülsengewächse), einem amerikanischen Baum. — 6) S. d. Art. Bois-d'huile. —7) Bimas-Rothholz, s. d. Art. Janaholz.

Rothholzspäne, zur Holzbeize verwendet; s. d. Art. Beize A. 9.

Rothkupfererz (Hüttenw.), s. u. Kupfererz und Kryftallographie 1.

Rothliegendes, Todtliegendes, nennt man eine sedimentäre Formation, welche in Deutschland gewöhnlich die Steinkohlenformation überlagert. Da dieses Liegende keine Erze enthält, nennt man es auch Todtliegendes. Diese Formation besteht aus zwei Abtheilungen: dem oberen Rothliegenden, bestehend aus groben Conglomeraten mit Zwischenlagerungen von Schieferthon und rothem Sandstein. Man findet in dieser Abtheilung versteinerte Baumstämme, namentlich riesige Baumfarren.—Das untere Rothliegende enthält sehr verschiedene Gesteine, wie Schieferthon, Sandstein, Thonstein, Hornstein ꝛc. Als Versteinerungen finden sich am häufigsten Landpflanzenreste, auch zuweilen Reste von Meeresfischen.

Rothmanganerz, s. d. Art. Braunstein.

Rothmetall, spröde Metallmischung von 6 Thln. Kupfer und 1 Thl. Zink.

Rothnägel (Schiffsb.), aus Kupfer gefertigte Nägel.

Rothsandstein, s. d. Art. Sandstein.

Rothschlag (Mineral.), s. v. w. Blätterblende.

rothseitig, rothbrüchig, rothhart, rothköpfig wird 1) das Fichtenholz dann genannt, wenn es stellenweise roth geworden; es ist meistens dann der Fall, wenn der Baum erst krumm und hierauf wieder gerade gewachsen ist; — 2) s. v. w. rothfaul; s. d. Art. Rothfäule.

Rothspießglanzerz (Mineral.), s. u. Antimon.

Rothstein, Albin (Mineral.), 1) s. v. w. Kieselmangan; — 2) s. v. w. Röthel.

Rothtanne, 1) europäische; s. d. Art. Fichte; — 2) amerikanische; s. d. Art. Pinus americana, Gaertn.

Rotie, frz., schwächere Erhöhung einer Mittellangwand durch den Dachstuhl hindurch.

rotirende Maschine, s. d. Art. Dampfmaschine, S. 622, Bd. I.

Rotonde, franz., lat. und span. rotunda, rundes Gebäude, runder Saal ꝛc.

Rotulus, lat., Rädchen, Scheibe, besonders die kleinen Flächen am Knauf eines Kelches, s. d.; vgl. d. Art. Pan, Tau.

Roucou, f. d. Art. Rucubaum.

Roue, frz., Rad, Roue de St. Catharine, Radfenster, Catharinenrad; roue symbolique, Glücksrad; s. auch d. Art. Leuchter.

Rouet, frz., 1) Rost, worauf das Gemäuer eines Brunnens fundirt wird; s. d. Art. Brunnenkranz; — 2) rouet de clocher, frz., zum Aufsitzen des Zimmerwerkes einer Thurmspitze dienender Bohlenkranz oder Mauerlatte.

Rouge, frz., roth, rouge sanguin, blutroth.

Rough-cast, coarse-plaster, engl., Spritzbewurf; s. d. Art. Putz und Berappen.

Rough-mason, rough-setter, engl., Bruchsteinmaurer, im Gegensatz gegen Steinmetz; roughwalling, unregelmäßiges Mauerwerk; to roughen, bespören; s. d.

Roulage, frz., s. v. w. Brüstung.

Rouleau, frz., A. überhaupt Rolle, Walze, besonders B. Rollladen, Rollvorhang. Der Gegenstand selbst ist bekannt genug. I. Die verschiedenen Arten sind folgende: 1) Schnurenrouleau, nach der gewöhnlichen Constructionsweise durch eine dem Rouleautuch entgegengesetzt auf das Ende des Stabes zwischen zwei Blechscheiben gerollte Schnur beweglich, die aber bei zu zeitiger Loslassung der Schnur sehr leicht aus der Rolle herausschnappt; — 2) durch eine oben über die Rolle am Ende des Stabes, unten über eine andere Rolle oder mittelst irgend eines der verschiedenen Rouleauklemmer straff gespannte Schnur ohne Ende lenkbar; solche Schnuren reiben sich leicht durch; — 3) englisches Patentrouleau mit einem Zahnrad, welches durch einen Sperrkegel zum Stehen gebracht wird, sobald man die Schnur los läßt; kann nicht über-schnappen, erfordert aber viel Kraftaufwand; — 4) durch eine dünne Kette ohne Ende vermeidet man die meisten Uebelstände. II. In Bezug auf den Stoff hat man 1) weiße Zeugrouleaux, jedenfalls der häßlichste Theil der modernen Wohnungseinrichtungen; — 2) bunte Zeugrouleaux, mit Oelfarben oder als Cerophonien mit Wachsfarben bemalt; können passend zur Decoration des Zimmers gemalt und brauchen nicht gewaschen zu werden, leiden aber sehr durch die Sonne; — 3) Holzrouleaux, bestehen aus schmalen Holzstreifchen, die durch Bindfadenumziehung mit einander verbunden sind, find sehr zweckmäßig; zwar werden die Rollen etwas dick, auch ist das Gewicht doch bei weitem größer, als bei gewöhnlichen R.; — C. Walzen zum Steintransport; rouleau sans fin, frz., Walze, die sich mit eisernen Zapfen in einem Gebräd bewegen und zur Fortschaffung großer Werkstücke dienen; — D. Schnede einer Console.

Roulon, frz., drehbare Sproffe einer Raufe.

Roundel, engl., Ring, Rundstab, Butzenscheibe, kleiner Rundschild.

Round-head, engl., Rundbogenfenster-
schluß; f. d. Art. Bogen, S. 397, Bd. I.
roussir, frz., f. d. Art. Anlaufen B.
Row of beads, engl., Perlstab; f. d.
Roya, f. d. Art. Coir.
Royalfortification, f. v. w. beständige Be-
festigung; f. d. Art. Festungsbau.
Royal-wood, f. d. Art. Königsholz.
R. P., auf Inschriften Abkürzung für Res
publica, Staat.
Rub, f. d. Art. Maaß, S. 489 und 512, Bd. II.
rubanné, frz., z. B. v. Säulenschäften, mit
Bandstreifen geziert.
Rubbio, ital., f. d. Art. Maaß, S. 492, 500
und 502, Bd. II.
Rubble, rubble-work, engl., f. d. Art.
Bruchsteinmauer, Mauerverband, Aestrich und
Angelsächsisch, S. 88, Bd. I.
Rubia, lat. u. span., Färberröthe; f. d. Art.
Alizarin, Krapp rc.
Rubigo, f. v. w. Rost, Metalloxyd.
Rubin, Edelstein, ist krystallisirte Thonerde.
Rubinblende (Mineral.), f. v. w. Blätter-
blende.
Rubinfluß, rubinrothes Glas; f. d. Art. Glas.
Rubrica, lat., 1) jede rothe Erdfarbe; —
2) roth geschriebene Initialen oder Ueberschriften
in Manuscripten und Inschriften.
Rucher, frz., Bienenhaus; f. d.
Ruckstein, f. d. Art. Celtisch 3.
Rucubaum (Bixa Orellana L., Fam. Bixaceae), Orleanbaum, Baum mittlerer Größe, in
Westindien und Südamerika öfter angebaut; das
rothe Fruchtmark (Orleans, Urucu, Roucou,
Arnotto, terra Orleana), giebt eine hübsche, jedoch wenig dauerhafte Orangefarbe für Wollen-
und Seidenzeuge.
rudeln, 1) (Hüttenw.) das Einfressen des
Erzes in den Heerd beim Schmelzen; rührt daher,
daß der Heerd von zu leichtem Gestübe gemacht
worden; — 2) f. v. w. umrühren, z. B. Kalt mit
einer Krücke.
rudenté, frz., verstäbt, gegliedert; daher
rudenture, Verstäbung der Canälirungen; f. d.
Art. cabling und Canälirung.
Ruder, 1) (Schiffsb.) auch Rieme, Riem genannt, das bekannte Schifferwerkzeug, am besten
aus eschenem oder anderem festen Holz zu fertigen. Der im Wasser befindliche Theil, das Blatt,
ist platt und am äußersten Ende am breitesten;
das obere abgerundete Ende heißt Pinne, Ruderpinne, Helmstock, frz. barre, engl. whipstaff, und
dient als Handgriff zur Bewegung des Ruders;
Ruder sind Attribut des Neptun, der Fortuna rc.
— 2) eine in einen Haken einfallende drehbare
Klinke; f. d. Art. Basquill I. a und bei a in Fig.
292, sowie h in Fig. 291; — 3) lat. rudis, f. v. w.
Rübrscheit, Kaltkrücke.
ruder, frz., bepicken; f. d.
Ruderatio, 1) Kalttrumpenästrich, Battuta;
— 2) Gußmauer, frz. hourdage, engl. backing-
wall.
Ruderbank (Schiffsb.), bei Galeeren, Ga-
léassen und ähnlichen Fahrzeugen als Sitz für die
Rudertnechte angebrachte Bänke, 10 Fuß lang,
1½ Fuß breit und 4 Fuß weit von einander entfernt.

Ruderbaum, Yaruribaum (Aspidosperma
excelsum Benth., Fam. Hundswürgergewächse,
Apocyneae), ist ein Baum Guiana's, dessen Holz
vortreffliche Ruder giebt.
Ruderklampen, Verstärkungen der Borde,
in deren Durchlochungen die Ruderstöcke oder
Dollen als Stützpunkte für die Ruder eingesteckt
werden.
rudoyer, frz., schnarchen; f. d.
Rudus, lat., Gemöll, Spanerde; rudus vetus,
Geröll, Schutt, Kummer; rudus novum, Aestrich-
masse; rudus redivivum, Aestrichmasse aus Schutt,
vergl. ruderatio.
Rück oder Hilgen, holsteinisch für Regal.
Rückauflanger, Rückstücke (Schiffsb.), Auf-
langer in der Gegend des Dahlbords.
Rückbret (Mühlenb.), f. v. w. Rückscheere.
Rücken, 1) (Wasserb.) f. v. w. Kamm; f. d.
Art. Bubne, Damm, Deich rc.; — 2) f. v. w.
Extrado; f. d. Art. Gewölbe, Bogen rc.; —
3) die von Balken bie obere Seite; — 4) (Kriegsb.)
das der Brustwehr entgegenliegende Erdreich bei
Laufgräben; — 5) (Maschinenw.) die der scharfen
Kante entgegengesetzte Seite bei einem Keil; —
6) (Schiffsb.) Aufbugt, jede erhabene Stelle, da-
ber: ein Schiff sticht einen Rücken auf, hat einen
Rücken, wenn das Vorder- und Hintertheil nied-
riger liegt als die Mitte; — 7) die obere scharfe
Kante eines Wehres.
Rückenbatterie, f. d. Art. Batterie.
Rückencaponière, f. d. Art. Caponière.
Rückenwehr, f. d. Art. Festungsbau S. 43.
Bd. II.
Rückfuß (Deichb.), landeinwärts gemachte
Verstärkung am Fuß eines Deiches.
Rückkehrkante, f. v. w. Wendecurve; f. d.
Art. Fläche, S. 65.
Rückkehrpunkt, f.b.Art.Curve, S. 584,Bd.I.
Rücklage, etwas zurücktretender Theil einer
Façade; vgl. d. Art. arrière-corps und courtine.
Rücklaken, f. d. Art. Teppich.
Rücklehne, frz. dossoir, und Rückgetäfel,
frz. haut dossoir; f. d. Art. Chorgestühl.
Rückpfeiler (Wasserb.), f. v. w. Contrefort,
stromabwärts gerichteter Strebepfeiler.
Rücksäulen (Mühlenb.), rückbare Säulen,
welche das Zapfenlager der Wellen enthalten; f.
d. Art. Mühlenbau.
Rückscheere (Mühlenb.), auf der Grundschwelle neben erwählter Kloß bei Panstermühlen; auf
dem Kloß befindet sich die Pfanne des Kammrades, im Kloß selbst aber ein Loch, wodurch ein
Hebel, Rückstange, gesteckt und gegen einen Bolzen
in der Grundschwelle gedrückt wird, zu Verschiebung der Rückscheere und zugleich zu Hebung des
Trillings am Stirnrad, wenn bei höherem Wasser-
stande das Wasserrad des Pansterwerkes gehoben
worden ist.
Rückschemel, f. u. Sägemühle.
Rücksprung, auch Rückweichung,frz.ressaut,
redent, engl. set of, recess, Gegensatz von Ausladung; Maaß für das Zurücktreten irgend eines
Bautheils gegen einen andern.
Rückstrahlung, f. d. Art. Licht.
rückwirkende Festigkeit, f.d.Art.Festigkeit.

Rückwirkungsrad, f. b. Art. Reaction.

Rückzann, Rückzaun, f. v. w. Berickung; f. b.

Rüdenschiene (Mühlenb.), f. v. w. Beutel=
arm; f. b. Art. Radewelle.

Rührhaken (Hüttenw.), zum Umrühren des
schmelzenden Erzes, Metalles oder Kobaltes die=
nender, an dem einen Ende hakenförmiger eiserner
Stab.

Rührnagel (Mühlenb.), f. u. Mühle.

Rührstange, Rührstecken, Rührstock, 1) auch
Rudel oder Krüde genannt, zum Umrühren von
Kalt, Sand zc., auch zum Aufrühren des im An=
sehen begriffenen Sandes in fließendem Wasser
dienende, mit einem Querholz versehene Stange;
— 2) f. v. w. Rührnagel.

Ruelle, frz., Bettnische, Ofenhölle.

rueller, frz., anhäufeln.

Rühdsel, f. b. Art. Maaß, S. 505.

Rüsche (Mühlenb.), f. v. w. Gefälle; f. b. Art.
Räusche.

Rüschelkohle, f. v. w. Blätterkohle, f. b.

Rüssel (Hüttenl.), der vordere enge Theil der
Form; f. b. Art. Hohofen.

Rüsselkäfer (Curculionida), kleine Käfer,
die sich durch die rüsselähnliche Verlängerung
ihres vorderen Kopftheiles auszeichnen. Am vor=
dern Ende des Rüssels liegt der kleine Mund mit
den zum Nagen harter Stoffe eingerichteten Freß=
werkzeugen. Die zahlreichen Arten dieser Familie
erweisen sich besonders dem Landwirth durch Zer=
stören der Fruchtzweige, junger Früchte und
Blüthen nachtheilig; einige jedoch auch dem Forst=
mann durch Zerfressen der Baumrinde, welches
das Erkranken und Absterben der Bäume herbei=
führt. Vergl. Art. Borkenkäfer.

Rüsselscheit, bei großen Elbflößen querüber
gelegte starke Hölzer, durch Kränze von zusam=
mengedrehten Weidenruthen, Rüsselkränze, mit
den darunter liegenden Stämmen verbunden.

Rüst (Schiffsb.), f. v. w. Rusten.

Rüstbaum, 1) f. v. w. Rüststamm; — 2) (Bergb.)
auf die Oeffnung eines Schachtes gelegte Bäume,
um den Haspel darauf zu stellen.

Rüstbock, f. b. Art. Bock II, 2 und 3.

Rüstbret, Rüstpfoste, frz. dosse, die auf ein
Gerüst gelegten Bretter; dürfen nicht zu schwach
und nicht querästig sein; f. b. Art. Bret und
Gerüst.

rüsten, 1) (Bergb.) über einem Schacht das
Gestell zu einem Haspel aufstellen; — 2) (Bauw.)
die Anfertigung eines Gerüstes, f. b.; — 3) das
Rüsten des Thones, geschieht durch Menschen oder
Thiere und besteht in vollkommen gleicher Mi=
schung des Thones mit dem ihm etwa noch bei=
lenden Sand oder einer andern Thonart durch
Kneten oder Treten.

Rüster, Rauhlinde, f. u. Ulme.

Rüster nachzuahmen, f. b. Art. Imitation A. o.

Rüsthölzer, 1) (Bergb.) vier bei Kunsträdern
um die Anwelle des Rades als Speichen gelegte
und mit einander verschränkte starke Hölzer; —
2) sämmtliche zu einem Baugerüst gehörigen Höl=
zer; — 3) (Kohlenb.) zu Verbindung des Nach=
rutschens der Erde, womit der Meiler bedeckt ist,
um den untern Theil desselben gelegte Stücken
Holz.

Rüstkammer, zu Aufbewahrung und Auf=
stellung von antiken Waffen zc. bestimmtes Ge=
bäude, auch Zeughaus, f. b.

Rüstklammer, f. b. Art. Klammer.

Rüstloch, Blindloch, lat. columbarium, frz.
trou de boulin, engl. putlog-hole, f. b. Art.
Gerüst.

Rüstnägel, zu Verbindung der einzelnen
Theile bei Erbauung eines Gerüstes gebrauchte
große eiserne Nägel.

Rüststamm, Rüststange, frz. échasse d'écha=
faud, baliveau, österreichisch Latenne, und Rüst=
strich, f. u. Gerüst und Bauholz E. I. d.

Rüstung, 1) f. v. w. Gerüste überhaupt, f. b.;
— 2) Gerüste im Wasser, um die Rammmaschine
darauf zu stellen; — 3) auch Rüstzeug genannt,
alle zum Heben großer Lasten oder zum Hervor=
bringen einer vortheilhaften Bewegung dienenden
Maschinen und Werkzeuge.

Rüttelstange, Rüttelstock, f. v. w. Rührnagel
oder Rübrstange.

ruferig, rufig, rufenbergig (Bergb.), f. v. w.
eisenschüfig, taltig, flößig.

Ruff, schwarze Schlade, die sich unter dem
blauen Glas beim Schmelzen der Smalte ansetzt.

Rufus, St., Bischof zu Capua, von St. Apol=
linaris getauft; darzustellen als Bischof, mit Beil
als Attribut.

Ruga, lat., Falte, Schraubengang.

Ruga investita, herumgezogene Schranke,
Balustrade; f. b. Art. Cancella.

Ruhebühne (Bergb.), f. b. Art. Bühne 5.

Ruhelager, f. b. Art. Bett.

Ruheleere, gerade, radiale Fuge bei einem
Gewölbbogen.

Ruheplatz, f. v. w. Podest, f. b. und Treppe.

Ruhepunkt, f. b. Art. Hypomochlion, Hebel zc.

Ruheriegel, der Theil eines Vorderwagens,
worauf das Bodenstück des Hinterwagens ruht.

Ruhesitz, ein in der Regel künstlich verstedter
Sitz in einem Garten oder Park; kann je nach
Geschmad mehr oder minder zierlich aus Eisen,
Stein, bearbeitetem oder rohem Holz hergestellt
werden.

Ruheständer, f. v. w. Zapfenständer.

Ruhesteine, f. v. w. Gewölbe, Anfänger.

Raillée, frz., Bestreichung eines Daches mit
Kalt.

Ruine, frz. ruine, verfallenes Gemäuer oder
Gebäude. Im vorigen Jahrhundert wurde es Mode,
künstliche Ruinen in Parks zu erbauen. Man hat
jedoch in neuerer Zeit diesen großen Unsinn meist
eingesehen und begnügt sich damit, die echten, zum
Theil herrlichen, malerisch gelegenen, an so vieles
Große erinnernden Ruinen der Burgen, Kirchen zc.
vor weiterem Verfall zu schützen, was übrigens
mit großer Vorsicht geschehen muß, namentlich die
Gründung bei Anlage von Stützpfeilern, damit
nichts einstürzt.

Ruinenmarmor, Florentiner Marmor; f. b.
Art. Marmor 9.

ruiner, frz., 1) besporen; — 2) einen Balken, den
Falz (frz. ruinure), für den Einschub einarbeiten.

Ruisseau, frz., Gosse, Tagerinne.

Rulle, Rülle, Rille (Deichb.), besonders in der

Nähe von Wasserwerken in einem Deich befindliche, ganz durchgehende Löcher und Oeffnungen.

Rullstones, engl., s. d. Art. Lagerung 1.

Rummeldeich, ein von einer ganzen Gemeinde unterhaltener Deichantheil.

Rumold, St., schottischer Königssohn, wurde Priester und Bischof zu Dublin, predigte und wirkte Wunder in Deutschland und Frankreich, dann unter den heidnischen Batavern. 775 wurde er von einem Kirchenbaumeister, dem er Buße gepredigt, durch einen Hammerschlag auf den Kopf getödtet. Abzubilden mit Insul, Stab und Hammer.

Rumpelkammer, frz. décharge, wird beim Entwerfen von Wohnungen in der Regel vergessen, obgleich sie nie fehlen sollte.

Rumpf. 1) Inbegriff aller durch Maurer gefertigten Gebäudetheile, mit Ausnahme des Daches und Deckenputzes; — 2) (Mühlenb.) auch Kaue, nach unten enger, meist viereckiger Kasten, zu Aufnahme des zu mahlenden Getreides; s. d. Art. Mühle; — 3) (Herald.) die besonders auf Helmen erscheinenden, an Armen und Füßen verkümmelten Bilder menschlicher Figuren; — 4) (Schiffsb.) frz. corps du navire, Schiffskörper ohne Takelage; — 5) s. d. Art. Leib.

Rumpfleiter, Gerüst, auf welchem der Rumpf (s. d.) steht.

Rumpfloch, Mehlloch an dem Beutelkasten.

Rumpfmulde, Rinne, durch welche das aus dem Rumpf laufende Getraide auf den Mühlstein geschüttet wird.

Rumpfzange (Hüttenw.), zum Tragen der Eisentheile aus dem Frischheerd unter den Hammer dienende große Zange.

Rundbaum (Maschinenw.), s. v. w. Anwelle, Welle, Haspelbaum, Wellbaum.

Rundbogen, frz. arc semi-circulaire, plein-cintre, engl. semi-circular arch, ein Bogen, dessen intrado einen Halbkreis bildet; s. u. Bogen I. 2; auch nennt man, obgleich nicht ganz richtig, im Gegensatz zum Spitzbogen die Hufeisen-, Korb- und Stichbögen so.

Rundbogenfries, frz. arcade demi-circulaire, engl. circular arched moulding, eine Reihe von Halbkreisbögen, die neben einander geordnet und zu einem ununterbrochen horizontal laufenden Glied verbunden sind. Die einzelnen Bögen sitzen auf Consolen oder sind auf vorgetragnen viereckigen Steinen auf; s. d. Art. corbel. contre-corbeau, arched.

Rundbogengewölbe, s. d. Art. Gewölbe.

Rundbogenstyl, frz. style à plein-cintre, nicht ganz scharfe, aber häufige Benennung für den romanischen Styl.

runde Befestigung (Kriegsb.), s. u. Festungsbaukunst.

Rundel, Rundtheil, s. d. Art. roundel.

Rundeisen. 1) Stabeisen mit kreisförmigem Querschnitt; s. d. Art. Eisen, S. 689, Bd. I; — 2) (Bildh.) gut verstählter Meisel mit gerundeter Schneide.

rund erhaben, s. w. Hautrelief; s. d. Art. Relief.

Rundfeile, Rattenschwanz; s. d. Art. Feile.

Rundfenster, lat. oculus, frz. oeil, engl. circular window, Fenster mit kreisrunden Gewänden;

ohne Füllung als runde Oeffnungen kommen sie schon im frühromanischen Styl vor, später mit speichenförmigen Radien, als Radfenster, Katharinenrad u. Glücksrad; endlich erreichen sie ihren Glanzpunkt durch Ausstattung mit reichem, stylgemäßem Maßwerk als Fensterrosen in der Gothik; s. d. betr. Art.

rundgespiegelter Schild (Herald.), s. v. w. Schuppenschild.

Rundhaue. 1) (Bergb.) zum Brechen des Gesteins dienende Keilhaue mit runder Spitze; — 2) beim Schürfen zum Aufbauen des Rasens und der Erde benützte Hacke mit gerundeter Schneide.

Rundhaupt, das halbrunde oder polygonale Ostende am Altarhaus einer Kirche, besonders wenn es mit einem niedrigen Umgang versehen ist; s. d. Art. Chevet, Chorschluß und Kirche.

Rundhobelmaschine, s. d. Art. Hobelmaschine.

Rundholz. 1) Unbehauenes Holz; s. d. Art. Bauholz F; — 2) rund bearbeitetes Holz.

Rundkirche, Rundcapelle, lat. ecclesia rotunda, frz. église circulaire; s. d. Art. Centralbau.

Rund-Ochsenauge, s. v. w. Ochsenauge.

Rundsäge, 1) Säge mit kreisförmigem Blatt, namentlich zum Sägen unter Wasser, oder auch auf Maschinen benützt; s. d. Art. Circularsäge; — 2) s. v. w. Laubsäge; s. d. und d. Art. Säge.

Rundsäule, s. v. w. vollrunde Säule, namentlich ohne Canälirung und Verjüngung; s. d. Art. Säule.

Rundscheite, frz. hachée, s. d. Art. Billet.

Rundstab, frz. tore, baguette, cordelière, engl. bead, bisel, roundel, s. d. Art. Glied E. 2. a und b, Astragal, Reif, Ring ⁊c.

Rundstabhobel, s. d. Art. Hobel.

Rundstock (Schiffsb.), zum Abmessen der Brüstung von Flußkähnen benützter langer, biegsamer Stab.

Rundwerk, frz. rondo bosse, engl. detached statuary, frei gearbeitete, körperliche Sculpturen, im Gegensatz gegen das Relief.

Rundzirkel, s. d. Art. Tasterzirkel.

Running ornament, engl., laufende Verzierung; running pulley, bewegliche Rolle.

Runse, auf einem Grenzstein ausgehauenes Zeichen (vielleicht aus Rune entstanden?).

Rupertus, St., Apostel und Patron von Oberbayern, Kärnthen und Salzburg, geboren 660, aus dem Geschlecht der Merovinger. Aus Worms, wo er Bischof war, vertrieben, wurde er von Theodor von Bayern berufen, den er taufte und der ihm Juvavium, jetzt Salzburg, nebst Umgegend schenkte. Er starb 718 nach segensreichem Wirken. Darzustellen ist er als Bischof mit einem Salztübel.

russische Bauweise. Der mit der griechischen Kirche eng verwachsene byzantinische Styl (s. d.) theilte die Geschicke jener Kirche. Schon im vierten Jahrhundert erschienen am Schwarzen Meer die schmale hohe Kuppel und die engen Abtheilen, welche das durch jene hohe Kuppel erzeugte geheimnißvolle Dunkel noch vermehrten (s. darüber d. Art. Armenisch und Mingrelisch). Die Kirche von Kertsch dürfte die älteste auf russischem Boden sein. 964 wurde Prinzessin Olga in Constantinopel getauft. Wladimir der Große (981—1015) baute die Holzkirche in Cherson, die jetzt zerstörte Desiatinnakirche in Kiew und die Basiliuskirche ebendaselbst, welche ein Quadrat mit drei Apsiden

Bauweise, nämlich die Vergrößerung des ursprünglichen byzantinischen Grundrisses, nicht durch ein Ausweiten der Verhältnisse, sondern durch äußeres Anhängen, selbst wenn man,

Fig. 1688. Churm des Iwan Welicki in Moskau.

an der Ostseite bildet, übrigens aber sehr dem Katholikon zu Athen ähnelt (s. Fig. 668). Prinz Jaroslaf (1019—1054) gründete die Irenenkirche

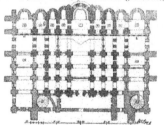

Fig. 1689. Grundriss der Cathedrale von Kiew.

in Kiew und die Cathedrale daselbst. An letzterer, deren Grundriß wir in Fig. 1689 mittheilen, zeigt sich deutlich der charakteristische Zug der russischen

wie dies wahrscheinlich ist, annimmt, daß die heller schraffirten Theile später angebaut sind.

Die Bauten des 11. und 12. Jahrhunderts zeigen noch alle äußerlich fünf halbkugelförmige Kuppeln auf hohem Tambour mit schmalen Fenstern, halbkreisförmige Giebel auf den Kreuzenden und schlanke Lisenen od. Halbsäulchen, unter einem bald einfach rundbogigen, bald bunter gestalteten Bogenfries. Im 13. Jahrhundert machten sich tatarische und persische Einflüsse geltend. Sie documentiren sich namentlich in der zwiebelähnlichen Kuppelform (s. Fig. 1295—1297 im Art. Holzarchitektur), ferner in der beinahe an die dschainistischen Bauten erinnernden Gestalt der Säulen, Thürme xc., in der Eselsrückenform mancher Bögen, in den beinahe an das Chinesische anstreifenden Formen mancher Decorationstheile xc. Der in Fig. 1688 links stehende Erzengeldom soll im 14. Jahrhundert erbaut sein, die 1479 geweihte Mariähimmelfahrtskirche, rechts hinten in Fig. 1688 theilweise sichtbar, erbaute Aristoteles Fioravanti aus Bologna, der sich möglichst den

erwähnten orientalischen Einflüssen entgegen=
stemmte. Um so siegreicher traten sie an der bei=
nahe toll phantastischen Kirche Vassili Blanskenov
(1534—1584 erbaut) auf; bald jedoch folgte eine
Reaction, durch die damals im Kern Europa's auf=
tauchende Renaissance erzeugt, ohne daß eigentlich
durchgreifende Veränderungen in der Architektur
durch die Einflüsse der Renaissance hervorgebracht
worden wären. Das Gesagte wird am Besten be=
stätigt durch einen Blick auf die Mittelgruppe in
Fig. 1688, den um 1600 unter Kaiser Boris
(1598—1601) erbauten Glockenthurm des Iwan
Welicki, nebst einem etwas niedrigern, zwar gleich=
zeitig erbauten, aber in seinem Untertheil um 1650
veränderten Glockenhaus, und auf den ebenfalls um

russisches Bad, s. d. Art. Bad 7.
russisches Glas, s. v. w. Frauen= oder Ma=
rienglas, s. d.
Ruste (Schiffsb.), franz. écotard, porte-
hauban, engl. chainwale, auch Rüste, an der
äußern Seite eines Schiffes platt und wasserpaß
hervorragende dicke Planken; dienen zum Anknü=
pfen der Wanttaue oder Jungfern der Wände, da=
mit diese den Schanddeckel und die Regelingen
nicht beschädigen, und um durch Abstumpfung des
Winkels, welchen die Wanten (Wände) gegen ein=
ander machen, die Masten besser zu unterstützen.
Wenig hinter jedem Mast liegen seine Rusten
(daher große, Fock= und Besanruste), am Steuer=

Fig. 1690. Kreml in Moskau.

1600 erbauten Thurm des heiligen Thores am
Kreml, Fig. 1691; der links davonstehende Pa=
villon soll Iwan dem Schrecklichen (1533—1584)
gedient haben, um den Hinrichtungen zuzuschauen;
er zeigt etwas mehr tatarische Formen als der
Thurm. Fig. 1690 zeigt noch einige solche Thürme.
Durch die nicht mehr abweisbaren, aber nur im
Detail aufgenommenen Einflüsse der Renaissance
wurden die Gestaltungen nur noch toller, zeigten aber
stets viel Phantasie, ja sogar Poesie; die Kirchen
heben sich streng gesondert los von dem Hinter=
grund der Profanarchitektur, die der allgemeinen
Zeitrichtung folgte, und so erhielt sich trotz einzel=
ner, von deutschen, italienischen und französischen
Architekten auf Befehl der Zaaren ausgeführter
moderner Bauten, die russische Bauweise dennoch
in der Hauptsache ziemlich unverändert bis auf
unsere Zeit.

russische Darre, s. d. Art. Darre.
russische Oesen, s. d. Art. Heizung und Ofen.
russischer Leim, s. d. Art. Leim III.

bord, und Backbord, in der Höhe des Raabolzes.
Ihre Stärke beträgt nach der Größe der Schiff
3—6 Zoll, ihre Breite ungefähr ³/₄ Zoll auf jeden
Fuß Länge des mittelsten Deckbaltens. Nach den
daran zu befestigenden Wandtauen richtet sich die
Länge. Man befestigt die Rusten gegen die Inn=
hölzer mit Bolzen, die durch die ganze Breite der
Rusten und Innhölzer geben und innerlich Vor=
stecker oder Splinte erhalten. An der schmälern
äußern Kante der Rusten macht man zum Einlegen
der Beschläge der Jungfern Einschnitte und legt
über diese Einschnitte als Bedeckung eine Leiste
oder Latte. Auch die Banduren der Stengen oder
Bramstengen werden von Rusten gehalten.
Rustée (Herald.), in der Mitte rund durch=
brochene Raute.
Rustica, sc. domus, lat., Bauerhaus, auch
der Theil eines Landhauses, der die Wirthschafts=
räume enthält.
Rustik, lat. opus rusticum, frz. rustique,
engl. rock, rustic-work, ital. sasso spezzato,

bäuerisches Werk, unbehauenes Quadermauerwerk oder Nachbildung von Quadern im Puß; unterscheidet sich von der gewöhnlichen Bossage (s. d.) durch stärkeres Hervortreten und vorstehende, unbehauene Bossen.

Fig. 1691. Thurm des heiligen Chores am Kreml.

Ruß. Die bei Verbrennung organischer Körper nicht vollständig verbrannten, im Rauch (s. d.) entweichenden Theile hängen sich bei Erkaltung und genugsamer Concentrirung an feste Körper als Ruß an. Man unterscheidet besonders: a) **Glanzruß,** ein durch Wärme ausgetrockneter Theer, setzt sich in Schornsteinen in Form einer mit öligen Theilen durchdrungenen Kruste an;

ist feuerfangend und giebt daher oft Veranlassung zu Essenbränden. Man verbraucht ihn besonders zu **Rußbraun,Bister** (s. d.). Der Glanzruß, welcher von Verbrennung thierischer, oder von thierischen Theilen durchdrungener Körper berrührt, enthält Ammonium oder Salmiak; der Ruß einiger Torfarten, Braunkohlen und Steinkohlen ist arsenikhaltig. b) **Flugruß,** ziemlich reine Kohle mit zufälligen Gemengtheilen und Spuren von Oel, setzt sich flockig an; man benutzt besonders **Lampenruß,** noch allgemeiner den durch absichtliche unvollkommene Verbrennung kohlenstoffreicher Körper gewonnenen **Kienruß** (s. d.) für den technischen Gebrauch.

Rußhütte, Rußkammer, s. d. Art. Kienhütte.

Rußkobalt (Miner.), schwarzer Kobalt, s. d.

Rußkohle, Lösch-, Staub-, Faserkohle, ordinäre Steinkohle von unebenem bis erdigem Bruch, seltener derb, meist aus lockern, staubartigen Theilen bestehend, zerreiblich, eisen- oder graulichschwarz, abfärbend, erhält durch Reiben Glanz, brennt leicht, giebt aber viel Ruß beim Verbrennen.

Rußschwarz, s. d. Art. Schwarz.

Ruthe, 1) s. v. w. schwacher Zweig (s. d. Art. Ferula), erscheint als Attribut der Maria, des Jeremias, Christophorus, Eleutherius; s. auch d. Art. Marterwerkzeuge, Geisel ꝛc.; — 2) s. u. Maaß A. und Baumaaß; — 3) s. d. Art. Bauholz, S. 281, Bd. I; — 4) auch Ruthenschlag genannt, Bezeichnungsweise der Zimmerhölzer; s. d. Art. Zeichen; — 5) (Schloss.) s. v. w. Kohlbaken; — 6) s. u. Band III. a. 1; — 7) s. v. w. Holzrutsche; s. d. Art. Flößen.

Ruthenglas, s. v. w. Glasruthe.

Ruthenium, ein dem Osmium verwandtes Metall, welches sich in Platinerzen findet.

Ruthenweiser (Glas.), zur Erweiterung der Nuthen bei Fensterrahmen dienendes Werkzeug, ist ein dünner eiserner Stab mit Griffen an beiden Seiten und mit einem scharfkantigen Dorn in der Mitte versehen.

Rutrum, lat., Spaten, Schaufel, Kalltrüde ꝛc.

Rutsche, 1) Bretrinne, um Kalt und Steine in derselben herunterzulassen; — 2) überhaupt steile, glatte Fläche, s. z. B. Abtritt, Holzrutsche, Flößen ꝛc.

Rutscher, s. d. Art. Schleifstein.

Rutschspalte, frz. chauve, s. d. Art. Scheiferbruch.

Ryju oder Schnur, zum Vermessen von Ländereien dienendes ostindisches Längenmaaß; s. d. Art. indische Baukunst, S. 321; eine Ryju hält acht Stäbe, deren jeder wieder vier Hasthas hält.

Rysglas, s. v. w. Frauenglas.

S. 1) Als Zahlzeichen im Hebräischen ꝃ ⟶ 60, ⟶ 300, ⟶ 60,000, ⟶ 300,000; im Lateinischen S ⟶ 90, S̄ ⟶ 90,000; im Griechischen und Gotbischen Σ ⟶ 200, ⟶ 200,000. — 2) Als Abkürzung S für ½, oder auch für sive, sacer, sanctus, Senatus, Salutem etc. — 3) In der Mechanik ist S gewöhnlich das Zeichen für den Sicherheitsmodul, s für den von einem bewegten Körper durchlaufenen Raum (spatium).

Saal, frz. salle, engl. Hall, room, Saloon. I. Festraum oder überhaupt sehr großer Raum. Die Säle sind natürlich ihrer speciellen Bestimmung gemäß verschieden einzurichten.

1. In Ballsälen bringt man gern das Orchester in der Höhe an und umgibt sie unten mit einer fortlaufenden breiten Stufe für die dem Tanz Zuschauenden. Auch müssen sie stets von einigen Nebenzimmern umgeben und sehr gut ventilirt sein, ohne daß jedoch die Tanzenden Luftzug trifft; am besten erreicht man dies durch Fenster unmittelbar unter der Decke, vielleicht in einer großen Hohlkehle. Die Ausschmückung sei leicht und heiter. Ein Tanzsaal darf nicht zu lang sein. Die Länge verhalte sich zur Breite ungefähr wie 3 zu 2 oder wie 5 zu 3.

2. Concertsäle können etwas länger sein, seien auch etwas ernster decorirt; über die Anbringung von Logen, Gallerien ꝛc., sowie über die sonstige akustische Einrichtung, s. d. Art. Akustik.

3. Gesellschaftssäle, die manchmal zu Aufführungen verwendet werden sollen, müssen mit einiger Rücksicht auf die Anforderungen eingerichtet werden, die man an Theater (s. d.) zu stellen pflegt. Namentlich aber sei man vorsichtig in Anbringung der Kronleuchter, welche nicht zu tief hängen dürfen.

4. Speisesäle können bei weitem länger sein als andere. Länge zur Breite wie 2 zu 1 oder 5 zu 2. Die Tafelbreite berechne man incl. der Stuhlreihen zu beiden Seiten zu 7 Fuß, den Raum für die Bedienung hinter jeder Stuhlreihe zu 4 Fuß, die Tafellänge à Person mindestens zu 2 Fuß.

5. Allgemeines. Vor allen Dingen sollte man Sälen nie weniger als die Hälfte ihrer Länge zur Höhe geben; quadratische Säle sind blos in kleinen Dimensionen hübsch. Directe Seitenbeleuchtung oder schöne Aussicht brauchen Säle eigentlich nicht, da sie nur selten bei Tag benutzt werden. Säle, welche eine ganz specielle Bestimmung haben, wie z. B. Bildersäle, Audienzsäle, Thronsäle, Arbeitssäle in Freimaurerlogen, Säle für Schulfeierlichkeiten, Säle für Parlaments- oder Senatsversammlungen, Säle für wissenschaftliche Vorlesungen ꝛc. müssen in Form, Größe, Einrichtung und Decoration diesen speciellen Zwecken genau angepaßt werden und sind darauf bezügliche Andeutungen in den Artikeln Bildergallerie, Schloß, Loge, Schule, Landhaus, Rathhaus ꝛc. gegeben. Die Wände großer Säle werden häufig zu schwach angelegt; die Balkenlage, welche den Fußboden bildet, bringe man möglichst gar nicht in Verbindung mit den Wänden, namentlich wenn, wie bei Tanzsälen, eine bedeutende Erschütterung des Fußbodens zu erwarten steht.

II. Im Mittelalter wurde häufig die ganze Wohnung eines Fürsten mit der Benennung Saal belegt.

Saalleiste, Sahlleiste, frz. lisière, s. d. Art. Roller und Anschrot.

Saardeich (Deichb.), das Land hinter einem Deich, aus welchem man die Erde für den Deich ausgegraben hat. Die Gruben müssen in gehöriger Entfernung von der Deichlinie stehen und dürfen nicht zu tief sein.

Saatkopf (Schiffsb.), s. v. w. Kohlschwinn; s. d.

Sabas, St. 1) In Palästina von reichen Aeltern geboren, wurde er, weil man den Vater Kriegsdienste nach Aegypten riefen, Verwandten übergeben, die sich seines Reichthums wegen um ihn zankten; von Ekel erfüllt, entsagte er seinem Vermögen und ging ins Kloster Flavinia. Einst lockte ihn ein Apfel außer der Eßstunde zum Genuß — er gelobte, fortan keine Aepfel mehr zu essen. Auf einer Reise nach Alexandrien fand er seine Aeltern wieder, die vergeblich versuchten, ihn dem Klosterleben abwendig zu machen. Er starb endlich 532 als Patriarch der Einsiedler in einer Höhle. Einst in eine Löwenhöhle gerathen, sagte er dem Löwen, der, zurückkehrend, ihn am Kleide zupfte, hier sei nicht Platz für sie beide; der Löwe ging. — 2) Auch Sabbes genannt, Heiliger der griechischen Kirche, Gothe unter Athanarich, wurde mit bei dem Priester Sansala der Osterfeier ertappt; an einer Wagenachse geschleift ꝛc., blieben Beide standhaft. Sabas wurde mit den Fingern an einem Balken, nach Andern an einem Feigenbaum aufgehängt, wies aber doch das heidnische Opferfleisch zurück, verspottete einen Lanzenstoß und wurde endlich in den Fluß Mussovo in der Walachei geworfen. Er starb 372 n. Chr. und wird mit der Wagenachse, die ihm noch am Hals hängt, dargestellt.

Sabbatherweg, s. d. Art. Maaß A., S. 513

Sabicaholz, ein feines und festes Nutzholz, welches von Cuba aus in den Handel kommt. Es stammt von Lysiloma Sabica Benth. (Fam. Hülsenfrüchtler, Leguminosae), einem der ächten Akazie nahe verwandten Baum.

Sabina, St., reiche, eitle Römerin, durch ihre christliche Sklavin Seraphia belehrt. Als letztere unter Hadrian enthauptet ward, gab sich Sabina als Christin an, wurde erst als wahnsinnig zurückgewiesen, dann aber im Jahr 120 ebenfalls mit dem Schwert enthauptet.

Sabinobaum (Taxodium distichum, Fam. Zapfenfrüchtler), ist einer der stärksten Bäume des mittleren Amerika (Mexiko, Louisiana); einer bei Oaxaca hat 38 Fuß im Durchmesser.

Sable, frz., 1) Sand. — 2) (Herald.) schwarze Tinctur.

Sablier, frz., Sanduhr.

Sablière, franz., eigentlich Schwelle eines Schwellrostes, oft aber ungenau für Saumschwelle, Mauerlatte, Blattstück gebraucht.

Sablon, franz., Flugsand, Triebsand; Sablonière, Sandgrube.

Sabord, frz., Stückpforte.

Sabot, frz., 1) metallner Schub am untern Ende eines Meublefußes, eines Rostpfahles 2c.; — 2) Leitholz der Seile; — 3) schuhförmige Badewanne; — 4) Hemmschuh.

Saboth, s. d. Art. Barbelo 2.

Sabulum, lat., Sand.

Saburra, lat., Ballast.

Sac, frz., s. d. Art. Maaß, S. 496 u. 499.

Saccharoïd, s. d. Art. kalkige Gesteine a.

Saccharometer, s. d. Art. Aräometer.

Sacco, Getreidemaaß in Italien und der Schweiz, 40 S. = 1 Amsterdamer Last. S. d. Art. Maaß, S. 500, und b. Art. Copello.

Sacellum, lat., Capelle, Betsäule, überhaupt kleines Heiligthum; bei den Alten kleiner, mit Befriedigung umgebener Altar ohne Dach.

Sack, 1) das bekannte beutelartige Gefäß. Als Attribut erhält es z. B. St. Callistratus; — 2) s. d. Art. Maaß, S. 499, 509, 510, Bd. 11; — 3) jede in Folge fehlerhafter Construction oder durch Alter entstandene Senkung in Dachflächen, Deichflächen, planirten Erdoberflächen 2c. Bei neuen Dächern werden Säcke oft durch schlechtes Anpassen der Aufschieblinge (s. d.) hervorgerufen.

Sackbaum (Antiaris saccadora Lindl., Fam. Brodfruchtartige, Artocarpeae D. C.), ein ostindischer Baum, dessen Bast zu Säcken verarbeitet wird.

Sackbohrer, Erdbohrer für weichen, wässerigen, aufgeschwemmten Boden; besteht aus einer 16—20' langen hölzernen, unten 3", oben 2" starken Stange, an deren Ende ein 3' langer Eisenstab mit circa 15" im Durchmesser haltenden Bügel- oder sichelförmigen Messer befestigt ist, an welchem wiederum ein Netz von Eisendraht hängt. Bei Umdrehung der Stange schneidet das Messer Boden ab, der in das Netz fällt und emporgezogen wird.

sacken, 1) s. v. w. sich setzen, senken, einen Sack bilden, vorzüglich von Deichen, die durch ihre eigene Schwere sinken, gebraucht; — 2) ein Schiff sacken lassen, heißt das Ankertau nachlassen und das Schiff rückwärts vom Strome treiben lassen. Geschieht auf kurze Strecken im Bereich

der Ausladeplätze, um anderen Schiffen Platz zu machen 2c.

Sackgerinne, s. u. Gerinne und Mühle.

Sackgründung, s. d. Art. Beton 3. a.

Sackmaaß, das Maaß der Senkung, des sich Sackens. Bei allen aus einzelnen, nur mechanisch mit einander verbundenen Theilen bestehenden Körpern, besonders bei Erdarbeiten, muß hierauf Rücksicht genommen werden.

Sackpumpe, s. v. w. Paternosterwerk (s. d.) mit ledernen Säcken.

Sackrad und Sackschaufeln, s. d. Art. Wasserrad und Mühle.

Sacome, frz., Simsprofil, Chablone.

Sacramentshäuschen, Sacramentschaff, Frohnwalm, Gottesbüttchen, lat. tabernaculum, turris, ciborium, engl. Sacrament-house, holyroof, locker, gods-house, spitzthurmartiges Sculpturwerk, bildet im unteren Theil einen vergitterten Schrank, welcher zu Aufbewahrung und Ausstellung der geweihten Hostien und der Monstranzen dient, seit dem 14. Jahrhundert in der Regel auf der Nordseite des Altars aufgestellt; vergl. auch b. Art. Ciborium, auch wohl für Monstranz (s. d.) gebraucht.

Sacrarium, lat., Heiligthum, Altarplatz, Schatzkammer des Tempels, Hauscapelle, Allerheiligstes; s. d. Art. Sakristei, Basilika, Kirche und Tempel.

Sacrificatorium, lat. Opferstätte, Altar.

Sacringbell, engl., Chorglocke; s. d.

Sacristei, frz. sacristie, sacraire, engl. sacristy, alt-engl. sacristry, sextry, sacrary, s. d Art. Sakristei.

Saddle-bars, engl., die Windeisen an den Fenstern.

Saddle-roof, engl., Satteldach.

Sadebaum (Juniperus Sabina L., Fam. Nadelhölzer, Coniferae), ist in Süddeutschland und am Mittelmeer einheimisch, bleibt meistens in Strauchform, wird deshalb mehr zu Parkanlagen als technisch benutzt. Seine Sprossen sind giftig und erfuhren medicinische Verwendung.

Säbelbretter, platte, seitwärts, hochkantig gekrümmte Bretter; s. d. Art. Bret.

Säbelholz, Kufenholz (Schiffsb.), krummes Holz, aus dem Säbelbretter geschnitten werden.

sächsische Bauweise, s. d. Art. Romanisch.

sächsischer Bogen, s. d. Art. Bogen, S. 399, Bd. 1.

Sächsischgrün, s. v. w. Neugrün.

Säckelbaum (Ceanothus ferreus Vent., Fam. Wegdorngewächse, Rhamneae R. Br.), ein starker Baum der Caribäischen Inseln, von welchen das Eisenholz von St. Croix in den Handel kommt.

Säge, frz. scie, engl. saw, Werkzeug zum Zertheilen von Holz, Stein, Metall 2c., dessen Hauptbestandtheil das Sägeblatt (s. d.) ist. Das Blatt ist entweder in einem Gestell befestigt, gespannt, oder blos an einem Ende mit Griff versehen, ohne Spannung. Zum Schneiden von Eisen werden die Zähne nicht ausgesetzt, auch muß das Blatt hierzu sehr hart sein. Man kat sehr viele Arten Sägen, deren gebräuchlichste hier benannt sind.

A. Ungespannte Sägen. 1) Die sogenannte Längen-, Bret- oder Klobensäge, 4—5 Ellen lang, mit einem festen und einem abzunehmenden Quergriff, dient zum Trennen (s. d.) der Balken und Stämme. 2) Kerb-, Trumm-, Bogen- oder Schrotsäge, 1½—2 Ellen langes, 4—7 Zoll breites Blatt, mit etwas convexer Schneidkante, auf jedem Ende mit aufrechtstehendem Griff (Horn) versehen, zum Verschneiden der Nutzhölzer. 3) Fuchsschwanz, Biberschwanz, Baumsäge ꝛc. Freies, kurzes, ziemlich breites Blatt ohne Gestell, mit einer Handhabe; s. d. Art. Fuchsschwanz. 4) Loch-säge, auch Stichsäge genannt; s. d. Art. Lochsäge.

B. Gespannte Sägen. 5) Die gewöhnliche Säge, Spannsäge, Gestellsäge, Stoßsäge, deren Form hinreichend bekannt ist. Die Klinge ist an jedem Ende zu einer Angel (s. d. 2 a) verschmälert, jeder Arm (s. d. Art. Arm 7 und b in Fig. 1692) des

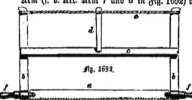

Fig. 1692.

Gestelles hat ein Loch; durch dieses geht ein Griff f (Horn), in dem die Angel befestigt ist. Diese Griffe sammt dem Blatt sind drehbar; durch das Drehen des Knebels d wird die Schnur e ver-kürzt, die Oberenden der Arme zusammengezogen, und da der Steg die Mitte der Arme in immer gleicher Entfernung hält, so wird hierdurch das Blatt a angespannt, wenn die Säge gebraucht werden soll. Man unterscheidet je nach der Größe ꝛc. a) Oertersäge, zum Zerschneiden größerer Arbeits-stücke. b) Handsäge, auch Schlitz- oder Schließsäge genannt. c) Absetzsäge, zum Absetzen der Zapfen, zum Zinken ꝛc. d) Schweifsäge mit sehr schmalem Blatt und mit geschränkten Zähnen, sonst in der Größe variirend; das Blatt ist meist auf einem Ende zum Ausbängen eingerichtet, um es durch die mit der Lochsäge gemachten Löcher einführen zu können. e) Ausbängesäge; s. d. f) Frebsäge, eine Art Schweifsäge, die mittelst eines Gestelles nach vorgezeichneter Linie geführt werden kann, um Fraisen (s. d.) zu erzeugen. 6) Laubsäge; s. d. Die Sägen zum Einstreichen von Schraubenköpfen gehören eigentlich hierzu. 7) Gratsäge; s. d. 8) Ab-setzsäge mit Anschlag, sehr ähnlich der Gratsäge, aber mit beweglichem oder festem Anschlag, um Einschnitte einer Kante parallel führen zu können. 9) Klobsäge, Gattersäge, Fourniersäge, frz. scie allemande, s. d. Art. Fourniersäge. 10) Schulp-säge; hier ist neben dem Blatt noch eine dünne Platte angeschraubt, die verstellbar ist, um die gewünschte Dicke der abzutrennenden Fourniere genau anzuhalten. 11) Steinsäge, Sägeblatt für manche Steinarten von Blei. 12) Rotative Säge, Bandsäge, besteht aus einem dünnen, ent-weder aus einzelnen Stücken zusammengesetzten oder aus einem Stück bestehenden endlosen Blatt, welches wie ein Riemen über zwei einander gegen-überstehende Scheiben gelegt ist. Die Breite des Blattes richtet sich nach dem zu zerschneidenden Holz. Erfunden ist sie von Candelot und Comp. in Paris und dient unter Anderm zum Fraisen ꝛc.; s. d. Art. Sägemaschine. Aehnlich, aber weniger

praktisch, ist die Kettensäge. 13) Kreissäge mit schneideförmigem Blatt; s. d. Art. Grundsäge, Circulargrundsäge ꝛc. 14) Auch die Bogenfeile ist eine Art Säge. 15) Als Attribut erhält der Apostel Simon eine Säge; s. d. Art. Apostel 9. ●

Sägeblatt, die so benannten blau oder violet angelassenen Stahlstreifen sind von verschiedener Länge, die größten etwas über 6 Fuß; die kleinsten macht man gewöhnlich von Uhrfedern. Ist das Sägeblatt mit auf den Stoß gesetzten, d. h. mit solchen Zähnen versehen, die ein rechtwinkliges Dreieck bilden mit der Grundlinie, so nennt man „Stoß" die Seite, nach welcher die Spitzen der Zähne hinzeigen. Bilden die Zähne gleichschenk-liche Dreiecke, so wird allerdings der leere Rück-lauf vermieden, aber die Säge geht schwerer; bei großer Geschwindigkeit, wie z. B. in Sägemaschinen, läßt man einen Zahn um den andern ausfallen, bringt wohl auch noch in der Zahnlücke eine besondere Vertiefung an. Die Gestalt eines Schwalben-schwanzes oder auch eines M ꝛc. haben die Zähne bisweilen bei großen Sägen. Auf der Zahnseite muß das Sägeblatt etwas stärker sein, damit es sich nicht einklemme in den zu zersägenden Gegen-stand, oder man schränkt die Zähne; s. d. Art. Aussetzen 2 und Fig. 192 u. 193. Beim Schärfen, durch Hindurchziehen einer Feile zwischen den Zähnen, beginnt man mit demjenigen Theil, der dem Griff zunächst liegt, und schärft so, daß die Feilenfläche mit dem Sägeblatt einen Winkel von etwa 30°, jedoch bei jedem zweiten Zahn nach einer entgegengesetzten Richtung bildet, die Feilenlänge aber horizontal liegt, während das Blatt in einer lothrechten Fläche zu erhalten ist. Dabei vergesse man nicht, jedem Zahn auch eine scharfe Spitze zu geben. Ist auf diese Einzelheiten gesehen worden, so stellt jeder Zahn einen scharfen Meißel dar, ohne zu reißen. Die englischen Sägeblätter haben unter sich gehende, sogenannte Wolfzähne, sind auch etwas spröde, daher unbequem dem Schärfen; die deutschen Sägen haben meist dreieckige Zähne, welche mit 60° ablaufen.

Sägeblock, Sägekloß, Sägeschrot, Bret-baum, zum Trennen in Bohlen u. a. m. bestimmter Baumstamm; s. d. Art. cuarton, Block und Bau-holz, S. 280, Bd. I. Man wählt hierzu Hölzer von mindestens 13 Zoll Zopfstärke und richtet sich mit der Länge nach dem Bedarf; öfters sind auch nicht hinlänglich brauchbare vorhanden und man muß kürzere aus schwächeren Sägeblöcken fertigen, wo man dann von den vorhandenen Bäumen die Stammenden zu Sägeblöcken nimmt, da sie weni-ger Aeste haben, die Zopfenden aber zu Bauholz verwendet. Ein Sägeblock von 14—15 Zoll obe-rem Durchmesser liefert

4	Stück	3-	zöllige	Bohlen, oder
6	"	2-	"	
8	"	1½-	"	Pfosten, "
9	"	1¼-	"	Bretter, "
10	"	1-	"	
30	"	2½	Zoll breite und 1½ Zoll starke Latten.

Sägebock, ist entweder unbeweglich oder zum Zusammenklappen eingerichtet.

sägeförmiger Käfer, s. d. Art. Holznager.

sägeförmige Werke (Kriegsb.), zu Ver-schanzung von Lagern ꝛc. dienende, zusammen-hängende Befestigungslinie, aus ein- und aus-gehenden Winkeln bestehend und auf einer ziemlich geraden oder großen Kreislinie basirt. Um das Enfilement zu vermeiden und denselben Punkt

26

direct aus mehreren Stücken zu beschießen, wo das Terrain zu anderer Aufstellung derselben zu eng ist, bedient man sich auch sägeförmiger Batterien, wo dann auf jeder Front 2—3 Geschütze neben einander stehen und die ausspringenden Winkel ziemlich oder ganz rechtwinkelig sind. Man muß ihr Profil sorgsam anlegen, da sie schwierig und langsam zu bauen sind und eine größere zu beschießende Linie darbieten.

Sägegatter oder **Sägerahmen.** Bei den Sägemühlen (f. d.) ist das Blatt in ein Gatter eingespannt, d. h. in einen Rahmen, welcher, durch eine Kurbel bewegt, in einem lothrechten Gestell auf- und niedergleitet. Je nachdem das Blatt eines verticalen Gatters in der Mitte oder an der Seite eingespannt ist, oder horizontal arbeitet oder das Gatter mehrere Blätter enthält 2c., nennt man es **Mittelgatter, Seitengatter, Horizontalgatter, Bundgatter** 2c.

Säge- oder **Schnittholz,** dasjenige Nutzholz, welches man der Länge nach auf Schneidemühlen oder mit der Hand in bestimmte, nach Stärke und Zweck verschiedene Theile trennt. Man benutzt hierzu nur fehlerfreie, gesunde und gerade Baumschäfte, woraus man Bohlen, Bretter, Säulen, Stollen u. a. m. schneiden kann. Schwache und kurze Bäume, solche, die vielen oder doppelten Splint, viele Aeste oder Astlöcher, Eislüfte, Kernrisse oder sonstige Fehler haben, geben keine taugliche Schnittnutzholzwaare.

Sägemaschine. Gleich anderen Werkzeugmaschinen werden auch Sägemaschinen in verschiedenster Constructionsweise fertig verkauft. Diese brauchen wir daher hier nicht zu beschreiben; im Nachstehenden geben wir einiges minder Bekannte über diesen Gegenstand. 1) Maschine, um Waldbäume leichter absägen zu können. Ein kurzes und ein langes Stück Holz, in einem Winkel vereinigt, befestigt man mit Klammern an den abzusägenden Baum. An dem langen Schenkel ist eine eiserne Feder angebracht und vermittelst eines Stiftes mit dem einen Ende des großen Sägeblattes vereinigt, welches am anderen Ende einen doppelten Griff hat. Das Blatt wird von der Feder wieder zurückgezogen, so oft die Arbeiter es an sich gezogen haben. — 2) Maschine zum Absägen von Pfählen unter Wasser. Es werden drei, oben in einer Spitze sich vereinigende Ständer in einer starken Planke befestigt; zwischen zwei eisernen Stiften geht ein Sägeblatt an der Seite der Planke, an jedem Ende des Sägeblattes befindet sich ein Ring, worin ein Seil geschlungen ist; das Seil geht an jedem äußeren Ständer unten über eine Rolle. Bringt man nun einen um eine Welle sich drehenden Waagebalken an der Spitze der drei Ständer an und befestigt das genannte Seil an den Enden des Waagebalkens, so wird die Säge hin- und hergezogen, wenn man den Waagebalken auf und nieder drückt. Das Einsenken der Säge unter dem Wasser geschieht durch Beschweren mit Steinen; s. auch d. Art. Grundsäge und Circulargrundsäge. — 3) Zum Holzschneiden. Wenn das eine Horn einer gewöhnlichen Spannsäge mit einem an einer Welle befestigten schweren Pendel oder Schwengel verbunden wird, so thut der Schwengel, wenn er einmal in Schwung gebracht worden, dieselben Dienste, wie ein Mensch; s. — 4) Maschine, um Steinplatten zu schneiden, s. u. Marmorsäge.

Sägemühle. Das treibende Werk einer Säge-

mühle muß die in der Regel senkrecht stehende Säge auf und nieder bewegen und zugleich das zu sägende Holz dagegen schieben. Die Säge ist in ein Gatter eingespannt, welches zwischen den Gattersäulen (s. d. 2.) durch einen Krummzapfen oder eine Excentriz vermittelst des Leitarmes oder Lenkers auf- und niedergetrieben wird.

Der zu zersägende Stamm liegt auf dem Klotzwagen, Sägewagen, Schlitten, der aus zwei langen Bäumen (Rammbäumen) besteht, starke Querstücke (Schemel) liegen, die seitwärts rückbar und oben etwas ausgehöhlt sind und auf denen der Stamm aufgeklammert wird. Der Schlitten wird auf zwei Straßbäumen bewegt mittelst der Rumpfwelle (Schlittenwelle), an der zwei Rumpfe sitzen, deren Zähne in entsprechende Zähne am Schlitten eingreifen.

Ein Balancier ist mit dem längeren Arm am Sägegatter, mit dem kürzeren (Schiebekopf) an einer eisernen Stange (Schlittenhaken, Schiebstange) befestigt, deren Ende in Form einer Klaue in das Schlittenrad greift, welches an der Rumpfwelle sitzt und einen gezahnten Rand hat. Dadurch nun wird jedesmal, wenn das Sägegatter gehoben wird, der Stamm der Säge näher geschoben. Die Säge selbst ist oben etwas breiter als unten. Das Aufbringen der Stämme auf den Schlitten geschieht mittelst einer schiefen Fläche, Eiling genannt. Es giebt auch Sägemühlen mit Kreissägen, rotativen Sägen; ferner kann man es einrichten, daß sich der Stamm nach jedem geschehenen Schnitt selbst seitwärts rückt, daß das Gatter, durch Daumwellen gehoben, von selbst wieder niederfällt 2c.; neuerdings werden die mehreren Sägemühlen natürlich durch Dampf getrieben. Fast allgemein ist jetzt die Einspannung mehrerer Blätter neben einander in ein Gatter, Bundgatter.

Sägespäne; solche werden oft zum Hinterfüllen und Unterstopfen der Fußböden und hölzernen Wände verwendet; gegen Mäuse sind sie zwar wegen des schnellen Zufallens etwa gewählter Canäle gut, aber nur wenn sie in hohen Schichten verwendet werden; kleines Ungeziefer aber hält sich nur gar zu gern darin auf, auch sind sie feuergefährlich, indem Feuchtigkeit sehr schnell an und faulen schnell; andererseits hält eine Zwischenfüllung von Sägespänen zwischen zwei Bretterwänden sehr warm. Man benutzt sie auch zum vorübergehenden Schutz guter Fußböden in Zimmern, während Decken und Wände reparirt werden.

Zu Bereitung von Kitt, künstlicher Holzmasse, Steinpappe 2c. finden sie vielfache Verwendung; f. d. Art. Bausteine, S. 293, Bd. I.

Sägespänkitt, zum Auskitten von Holzrissen 2c.: Sägespäne, Quart und Kalk untereinander gemischt und schnell verbraucht.

Sägespänmörtel, besteht aus Thon, Kalk und der nöthig erscheinenden Menge von Sägespänen, mit einem Viertheil Häckerling; dient zum Ueberziehen der Wände in sandarmen Gegenden; ist aber sehr dem Verderben durch Feuchtigkeit ausgesetzt.

Sägewerk, 1) s. v. w. Sägemühle; — 2) (Kriegsb.) s. v. w. sägeförmiges Werk.

Sägezahnverzierung, schräge Spitzzahnverzierung, frz. dents de scie, engl. saw toothed moulding, hatched moulding, anglo-normannische Gliedbesetzung; s. Fig. 1693.

Sängerchor, Sängerbühne in Kirchen, s. d. Art. Chor, Kirche, Loft, Akustik, Orchester 2c.

Sättigung, Sättigungscapacität (Chem.). Ein Körper ist mit einem oder durch einen anderen gesättigt, wenn jener Körper von diesem nichts mehr aufnehmen kann. Eine Auflösung wird gesättigt genannt, wenn das Lösungsmittel von dem zu lösenden Körper nichts mehr aufnimmt.

Fig. 1693. Zu dem Art. Sägezahnverzierung.

In Beziehung zur Salzbildung ist das Wort sättigen gleichbedeutend mit neutralisiren; man sagt: die Säure mit einer Base sättigen, d. h. die Eigenschaften der Base sowohl als die der Säure verschwinden machen.

Unter Sättigungscapacität versteht man die Sauerstoffmenge, welche in einer Base enthalten sein muß, um mit 100 Gewichtstheilen wasserfreier Säure ein neutrales Salz zu bilden. In den neutralen Salzen steht nämlich der Sauerstoffgehalt der Base zu dem der Säure immer in einem constanten Verhältniß:

100 Schwefelsäure (enthalten 60 Sauerstoff) werden durch 118 Kali „ 20 „
„ 77,5 Natron „ 20 „
„ 60 Kalt „ 20 „
neutralisirt;

100 Salpetersäure (enthalten 74,0 Sauerstoff) werden durch 87,4 Kali „ 14,8 „
„ 57,8 Natron „ 14,8 „
„ 51,8 Kalt „ 14,8 „
neutralisirt.

Verschiedene Mengen Basen, welche gleiche Gewichtsmengen Sauerstoff enthalten, können also dieselbe Menge einer Säure neutralisiren.

Die Sättigungscapacität der Schwefelsäure ist daher = 20, die Sättigungscapacität der Salpetersäure = 14,8, da sich in den neutralen schwefelsauren Salzen der Sauerstoffgehalt der Säure zu dem der Base wie 3:1 und in den neutralen salpetersauren Salzen wie 5:1 verhält.

Säule, Stiel, Ständer, Pfosten, lat. columna, frz. colonne, poteau, engl. column, post ꝛc. Im Allgemeinen jede aufrechtstehende Stütze, insbesondere aber eine freistehende Unterstützung einer senkrecht wirkenden Last, eigentlich nur dafern sie aus einem Stück besteht; doch nennt man auch aus mehreren Stücken bestehende Stützen (Pfeiler) dann Säulen, wenn sie in Gestalt einer solchen gearbeitet sind. Die Verhältnisse und Gestaltung der Säulen sind bedingt durch die zu tragende Last, durch die Höhe der Säule, durch die rückwirkende Festigkeit des Materials, aus dem sie gearbeitet wird, endlich aber durch die ästhetische Auffassungsweise des Entwerfenden. Nur wenn alle diese Factoren gehörig und auf streng logische Weise vereinigt in Anwendung kommen, wird eine Säule schön sein.

Aegypter, Ostindier, Tolteken ꝛc. verwendeten ursprünglich Holz zu ihren Säulen, und zwar theils einzelne Stämme, theils mehrere dergleichen zusammengeschnürt. Das vielleicht hie und da eintretende Ausbiegen dieser Stämme, sowie bei der später eintretenden Verwendung von Steinen theils die Wahrnehmung der bei jenem Ausbiegen entstandenen Form, theils eine gewisse Unterschätzung der rückwirkenden Festigkeit des Materials, theils endlich das ästhetische Gefühl der Formen und große Stärke der Säulen dieser Völker hervor. So drückt sich in diesen Säulen, zwar noch unentwickelt, aber ziemlich richtig, das Getragenwerden einer bedeutenden, von verschiedenen Seiten her horizontal aufgelegten, breiten Last durch eine aufrechtstehende Stütze aus, besonders im Schaft und Capitäl. Die Basis dagegen ist bei den meisten dieser Völker noch weniger ästhetisch durchgebildet. Bereits einen Schritt weiter gingen in Entwickelung der Holzformen die Assyrier und Perser, in Entwickelung der auf Holzformen beruhenden Steinformen und der originalen Steinformen die Pelasger, Phönizier und Azteken. Selbst bei den Griechen ging das Verständniß im Anfang nicht viel weiter als bei den letztgenannten Völkern (s. d. Art. Dorisch). Erst bei der ionischen Ordnung finden wir in dem ausgebildeten attischen Säulenfuß die Vertheilung des durch die Säule aufgefangenen und in ihr nach unten verpflanzten Druckes der Last auf eine breite Unterlagsfläche vermittelt. Das Zusammenfassen der Last am Oberende der Säule und das Herableiten des Druckes, welches schon bei den Aegyptern ꝛc. leise angedeutet war, findet sich schon bei den Assyriern ꝛc. durch Halsglieder und Canälirungen ausgedrückt; die abnehmende Stärke der Säule zeugt für größeres Vertrauen in Folge genauerer Kenntniß der rückwirkenden Festigkeit des Materials. Das Capitäl entspricht schon bei der dorischen Säule seiner Bestimmung auch in der Form; s. d. Art. Capitäl. In der korinthischen Ordnung vollendet sich die ästhetische Ausbildung der Säule als Stütze einer horizontal aufliegenden Last; s. auch d. Art. Ablauf und Anlauf. Die Römer mißverstanden die Bestimmung der Säulen Anfangs gänzlich; s. d. Art. römischer Styl. Später gaben sie ihnen eine neue Bestimmung, ohne sie aber derselben gemäß umzubilden. Diese Umbildung, angebahnt im altchristlichen Styl, wurde erst im romanischen Styl vollkommen durchgeführt. Das Capitäl bekam einen Aufsatz, die Form dieses Aufsatzes und des Capitäls entsprach dem Wesen einer zwar noch ziemlich breiten, aber nicht mehr horizontal in verschiedenen Richtungen vertheilten, sondern ziemlich vertical abwärts wirkenden, nach einem Punkt (der Achse der Säule) hinschiebenden Last, die der Vereinigung nicht erst bedurfte, daher fallen die Canälirungen weg; das Schrägankommen der Last wird durch die schräge Platte und die Schräglinien am Schaft ausgedrückt; man kannte das Material besser: die Schäfte werden schwächer und verlieren die Anschwellung, erhalten vielmehr an deren Stelle Binden; s. d. Art. Bindesäule, gebundene Säule, Band × 4, Säule ꝛc. Man wußte, daß die Last nicht so bedeutend wirkt, als unten: die Verjüngung wurde ausgeprägter. Man erkannte die rückwirkende Festigkeit als eine aufwärts wirkende Kraft: die Basis wurde steiler. Man würdigte den Werth eines breiten Fundaments und die Vertheilung des Druckes nach unten: Basis und Postamentwürfel wurden breiter. Die in die Falze eingesetzten Säulen (s. d. Art. infraposée) zeugen aber von noch nicht wieder gewonnenem Verständniß der Säulenbestimmung.

Die Gothik verwendete die eigentliche Säule nicht, sondern blos den Pfeiler, mit Diensten besetzt, die aber, als der Säule verwandt, auch säu-

26*

lenähnlich gestaltet wurden; da sie jedoch nur einen Theil der Last aufnahmen, nur nach einer Richtung hin thätig, sich an den Pfeiler anlehnten, brauchten sie nicht einmal die durch das Material vorgeschriebene Stärke zu haben. Capitäl und Fuß wurden ebenfalls dieser einseitigen Bestimmung gemäß gestaltet; vergl. d. Art. Bündelpfeiler, Dienst ꝛc. — Die Säulen der Renaissance- und Zopfzeit sind oft zu unsinnig, als daß man sie hier erwähnen sollte. Das falsche Verständniß der Säulenform, welches wir bei den Römern fanden, wurde in der Renaissance noch weiter getrieben. Dieses führte zu einer Menge neuer, aber nicht besonders erbaulicher Formen; die meisten derselben sind in d. Art. colonne und columna angeführt (s. auch d. Art. Kindersäule, Grottensäule).

Die Säule der Neuzeit (die gußeiserne Säule) bedarf noch der Durchbildung; über die Form, die für das Capitäl am richtigsten sein dürfte, s. u. Capitäl; der Schaft sei verjüngt, doch nicht ausgebaucht (habe keine Adjectio oder Entasis, s. d. Art. Anschwellung). Die Basis sei hoch und unten weit ausladend, wesentlich aus hohlen, strebenden Gliedern profilirt. Steht sie unter Bogen, so sei der Schaft glatt; trägt sie Balken, so kann er canälirt sein. In der Ornamentation hat man große Freiheit. Hölzerne Säulen, Ständer, Pfosten, frz. poteau, engl. post, macht man lieber edig als rund. Die Ornamente dürfen nicht sehr viel Ausladung haben und müssen sich ganz flach der Hauptform anschließen; auf das Capitäl legt man am schicklichsten Krummhölzer auf. Gewundene, in Nischen freistehende, eingeblindete, eingebundene Säulen, ebenso wie Halbsäulen, Dreiviertelsäulen, sind in sich selbst ein Widerspruch; alle diese Formen widersprechen der eigentlichen Bestimmung der Säulen. Auch gekuppelte Säulen wende man nur mit großer Vorsicht an, wie überhaupt alle Gruppen von mehreren Säulen; doch sind sie hie und da am Platz. Eine Säule als Träger einer ganz schmalen oder verhältnißmäßig sehr kleinen Last, z. B. einer Statue, darf durchaus nicht nach einer der antiken Säulenordnungen oder nach dem Vorbild einer ein Gewölbe tragenden Säule ꝛc. gestaltet werden; entweder erscheine sie, wenn sie von Metall ist, als durchbrochener Thurm, oder, dafern sie von Stein ist, erhalte sie eine sehr bedeutende Verjüngung und ein in seiner Hauptmasse sich nach oben zusammenziehendes, auf das Tragen einer schmalen Last durch eine breitere Stütze hindeutendes Capitäl. Ueber die Säulenformation der einzelnen Style s. d. betreffenden Art. und d. Art. Säulenordnung.

Säulenbaum, zu Säulen gebrauchter starker Baum. Man unterscheidet einfache, im Durchmesser 16—18 Zoll stark und 35—40 Ellen lang; doppelte, von 19—20 Zoll Durchmesser und 40—45 Ellen Länge.

Säulenbündel, frz. colonne fasciculée, s. d. Art. Bündelpfeiler und perche.

Säulencapitäl, s. d. Art. Capitäl, Halsglied, Hypotrachelium ꝛc.

säulenförmiger Basalt, s. u. Basalt.

Säulenfuß, s. v. w. Base, s. d. l. u. die die Style behandelnden Artikel.

Säulengang, Säulenhalle, Säulenlaube, Colonnade, Gang oder Gallerie, deren obere Bedeckung auf Säulen ruht, wurde von allen das Gewölbe nicht kennenden, besonders von den in

warmen Gegenden wohnenden Völkern, sehr häufig bei Tempeln, Marktplätzen, Bädern, Schauplätzen ꝛc., auch bei den Häusern vornehmer Leute angewendet; die Colonnaden haben entweder keine Wände oder es werden die Zwischenräume zwischen den Säulen mit Gitter- oder Mauerwert ausgefüllt; s. a. d. Art. Porticus, Halle, Arkade, Bogenlaube, Laube 2 ꝛc.

Säulengrünstein (Mineral.), Diorit, wenn er in Säulen abgesondert erscheint.

Säulenhals, engl. neck, s. Hals und Hypotrachelium.

Säulenkopf, auch Säulenknauf, κιονόκρανον. s. v. w. Capitäl, s. d.

Säulenkreuz, auch Stufenkreuz, Staffelkreuz (Herald.), s. v. w. Absatzkreuz, s. d.

Säulenkuppelung, ital. coppia de colonne, s. gekuppelte Säulen und Säule.

Säulenordnung, lat. ratio, genus columnarum, frz. ordre de colonnes, engl. order of columns. Während die Aegypter das Tragende noch nicht mit Bewußtsein in ein richtiger abgewogenes Verhältniß zum Getragenen zu bringen wußten und daher ihren Säulen und Gebälken noch keine stereotype Gestaltung gaben, war beides bei den Griechen der Fall. Ein solches als Norm dienendes Formen- und Verhältnißsystem nun nennt man eine Säulenordnung. Mit den verschiedenen Bauweisen, die die einzelnen Perioden der griechischen Kunst charakterisiren, veränderte sich auch dieser Typus und so entstanden nach und nach die dorische, ionische und korinthische Ordnung (s. d. Art. Griechisch). Bei den verschiedenen Bauten wurde dieser Typus natürlich von einem zo geistvollen Volk, wie die Griechen es waren, nicht sklavisch befolgt, sondern galt eben nur als Anhaltepunkt. Von den Römern wurden dieselben umgeändert und es kam noch die toskanische und römische dazu; s. d. Art. Römisch.

Im Mittelalter erhielten die Säulen eine so mannichfache Verwendung, standen in so häufig variirendem Verhältniß zum Getragenen, daß von einer Säulenordnung nicht die Rede sein konnte, an welche sich zu binden übrigens auch die Phantasie der mittelalterlichen Künstler viel zu lebendig war. In der Zeit der Renaissance (s. d.) kramte man unter dem Schutt der Vergessenheit die Regeln der Säulenordnungen wieder vor und glaubte sich besonderes Verdienst zu erwerben, wenn man ihre Zahl vermehrte; so entstand die deutsche, französische ꝛc. Säulenordnung; s. d. betr. Art. S. auch d. Art. Dorisch, Jonisch, Korinthisch, Säulen, Gebälke ꝛc.

Säulenschaft, mittlerer Theil einer Säule; s. d. Art. Schaft.

Säulenspath (Mineral.), s. Barytspath.

Säulenstein (Mineral.), s. Basalt.

Säulenstellung, zu Tragung einer Last oder zu Einschließung eines Raumes angeordnete Verbindung von Säulen.

Säulenstuhl, frz. stylobate, engl. basement-table, fortlaufendes Postament unter einer Säulenstellung. Das Unterstellen einzelner Säulenstuhlwürfel unter die einzelnen Säulen datirt aus der Verfallzeit römischer Kunst.

Säulenverdoppelung, Uebereinanderstellung von zwei, drei oder mehreren Reihen von Säulen. Wurde bei den Griechen nur im Innern der Gebäude angewendet. Die Römer wendeten sie hingegen am Aeußern von Prachtgebäuden, wie z. B. an Theatern, Grabmälern 2c. an, aber nie an Tempeln. Bei Decorirung mehrstöckiger Gebäude ist die S. nicht zu umgeben.

Säulenverjüngung, s. die die einzelnen Säulenordnungen betr. Art., sowie den Art. Säule.

Säulenweite, Entfernung der Säulen von einander, gewöhnlich von Achse zu Achse gemessen. Vitruv unterscheidet fünf Arten. Pyknostylos, s. dichtsäulig; Systylos, s. nahsäulig; Diastylos, s. d.; Aräostylos, s. d.; Eustylos, s. d.

Säulholz, s. d. Art. Bauholz, S. 280 im I. Bd.

säumen, die Kante von Brettern, welche noch die Rinde haben, nach einer geraden Linie bearbeiten; auch Bäume beschlagen oder vierkantig, viereckig sägen.

Säuren sind Körper, welche die Eigenschaft gemein haben, sich mit Basen (s. d. Art.) zu Salzen zu vereinigen. Man unterscheidet wie bei den Basen unorganische und organische Säuren. Die Metalloide sind leichter geneigt, Säuren zu bilden, als die Metalle. Es giebt zweierlei Classen von Säuren und zwar die sogen. Sauerstoffsäuren, in denen der Sauerstoff mit einem Metalloid verbunden, und die Wasserstoffsäuren, welche Verbindungen zunächst die Haloide oder Salzbilder mit Wasserstoff darstellen. Diese letzteren Säuren sind im wasserfreien Zustand gasförmig und wir verwenden nur ihre wässerigen Lösungen, so die Salzsäure, s. d. Art. 2c. Ueber die Verwendung und Darstellung der Säuren s. d. betreff. einzelnen Art., so auch d. Art. Holz 1.

Säurewaage, s. d. Art. Aräometer.

Saflor (Carthamus tinctorius, Fam. Korbblütler), liefert in seinen Blüten eine schöne rothe, aber sehr vergängliche Farbe. Der Saflor ist eine 1—2' hohe krautige, einjährige Pflanze, mit glänzenden grünen Blättern und rothgelben, zusammengesetzten Blüten. Man baut sie in Südeuropa und Aegypten. Mit S. wird mitunter der Safran gefälscht.

Safflor. 1) auch Saffer, Saffra, Zafras genannt, s. blaue Farbe und Kobaltfarben; 2) frz. carthame, eine aus den Blüthenblättern des gemeinen oder Färbesaflors genommene Saftfarbe, welche einen gummiartigen gelben und einen harzigen rothen Farbestoff enthält.

Safran, frz., s. Klid 2.

Safran (Crocus sativus All., Fam. Liliengewächse), ein Liliengewächs mit lilafarbiger, der Herbstzeitlose ähnlicher Blüthe und niederem Wuchs. Man baut ihn im Mittelmeergebiet und verwendet seine dreitheiligen, rothgelben, starkriechenden Blüthennarben als Gewürz und als Färbemittel. 200,000 Blüthen geben 1 Pfd. Safran.

Safranbaum (Memecylon), eine Baumgattung der natürl. Familie der Myrtenblüthigen, deren Arten vorzüglich dem südlichen Asien angehören. Blätter und Beeren des kopfförmigen Safranbaumes (M. capitellatum L.) auf Ceylon, desgleichen die von M. tinctorium Willd. u. M. sphaerocarpum D. C. auf den Mascarenhas und die vom eßbaren Safranbaum (M. edule Roxb.) in Vorderindien wendet man zu Herstellung einer safrangelben Farbe an. M. costatum L. auf den Sunda-Inseln giebt ein dauerhaftes Zimmerholz.

Safrangelb, Polychroit; so nennt man den

gelben Farbstoff des Safrans; man erhält denselben, wenn man Safran mit Wasser zum Extract verdampft und dieses mit Spiritus auslocht, bei dessen Verdunstung eine rothgelbe glänzende Masse zurückbleibt. Löst man diese Masse wieder in Wasser, so erhält man eine Farbstofflösung, mit welcher man Hölzer in verschiedenen Nüancen des Gelb beizen kann.

Safranholzbaum, hoher (Crocoxylon excelsum Eckl. et Zeph., Fam. spindelbaumartige Pfl. Celastrineae R. Br.), ist ein hoher Baum des Kaplandes, dessen Holz als „Gelbholz vom Kap" in den Handel kommt und eine schöne gelbe Farbe liefert.

Saft. Der Zellsaft der Pflanzen besteht der Hauptmasse nach aus Wasser; in diesem sind eine große Anzahl sehr verschiedener, theils organischer, theils unorganischer Stoffe aufgelöst, je nach den Pflanzen an Menge und Beschaffenheit abweichend. In jüngeren Pflanzenzellen ist der Saft gewöhnlich (durch sogen. Protoplasma, Pflanzenschleim, Bassorin) getrübt, in älteren wasserhell und farblos oder durch lösliche Farbstoffe gefärbt. Die wesentlichsten, im Saft enthaltenen Stoffe sind: Stärke, Inulin, Gummi, Dextrin, Pectose, Pectin (Pflanzengallerte), Zucker, fette und ätherische Oele, Harze, Wachs, Kautschuk, Gerbstoff, Klebermehl, Blattgrün, Alkaloide, Krystalle aus einer anorganischen Basis (meist Kalk) und einer organischen Säure (Kleesäure, Apfelsäure, Citronsäure 2c., oder einer mineralischen Säure (Schwefelsäure, Phosphorsäure) bestehend. Die Bewegung des Saftes innerhalb der Pflanze findet statt sowol in der Richtung von der Wurzel nach der Stengelspitze hin, als auch umgekehrt, und wird vermittelt durch die chemischen Einwirkungen der verschiedenen Stoffe auf einander, ferner durch physikalische Vorgänge, wie Endosmose und Exosmose, Capillarität, stellenweise Verdunstung 2c. Die in manchen Pflanzensäften enthaltenen ätherischen Oele und Harze tragen größtentheils zur Conservation des Faserstoffes in den getödteten Pflanzen bei, während die Fette und die kohlensäurehaltigen Stoffe, sowie auch viele der sogenannten Extractivstoffe und einzelne der Pigmente bei dem Aufhören der Circulation, d. h. also nach Abhauen der Pflanze, sich mit den oben erwähnten Säuren in verschiedene Verbindungen setzen, welche auf die nicht flüssigen Theile der Pflanzen zerstörend einwirken; deßhalb ist es zweckmäßig, gefällten Pflanzen den Saft zu entziehen, s. d. Art. Auslaugen und Fäulniß; das Vertreiben des Saftes aus lebenden Bäumen aber erzeugt Holzverderbniß.

Saftfarben sind zunächst Abkochungen von Pflanzenfarbstoffen, im Allgemeinen diejenigen Farben, welche, in Wasser ganz oder theilweise lösbar, auf Papier gestrichen nicht decken, sondern durchscheinen und daher zum Aquarelliren und zum Coloriren von Kupferstichen und Zeichnungen verwendet werden. Bindemittel: Gummi Arabicum oder Malzsyrup aus Luftmalz. Diese Saftfarben werden im Kleinen in Muscheln oder Porzellanschalen eingetrocknet oder zu Tuschen angefertigt, in größeren Massen in Blasen aufbewahrt, einige auch in flüssiger Gestalt als Tinten in den Handel gebracht. Ihre Auflösung erfolgt mit Wasser; vortheilhaft ist ein Zusatz von ein wenig Alaun, der die Farbe schönt und zur besseren Erhaltung des Extraktes dient.

a) **Blau.** Gefällter Indigo oder Indigcarmin ohne weiteren Zusatz, mit Gummiwasser angemacht; Lacmus, Heidelbeeren, Ligusterbeeren ꝛc. mit Zusatz von etwas Weinstein, Alaun und Kupfervitriol, zerquetschte Kornblumenblätter mit etwas Alaun versetzt.

b) **Braun**; s. d. Art. Bister und Sepia.

c) **Gelb**; s. d. Art. gelbe Farben, Safran, Beerengelb ꝛc.

d) **Grün**; s. d. Art. Grün XI. Auch aus Artischocken wird eine grüne Saftfarbe bereitet; s. auch d. Art. Saftgrün.

e) **Roth**; s. d. Art. rothe Saftfarbe, Carmin, Cochenille, Krapp, Alizarin, Anilin.

Saftfülle, Baumkrankheit, hat ihren Grund in zu feuchtem oder zu nahrhaftem Boden. Es legen solche Bäume zwar mehr, aber weicheres Holz, als gesunde an. Man erkennt die Krankheit aus den über die Gebühr langen und geschmeidigen Aesten, welche selten oder niemals Saamen tragen.

Saftgrün, frz. vert de vessie, Kreuzdornbeerensaft, auch Blasengrün genannt; s. d. Art. Grün VII, sowie d. Art. Kreuzdorn, Wegedorn, Beerengrün ꝛc.

Saftring, s. d. Art. Jahrring.

Sagette, frz., 1) Pfeil; 2) Thurmhelm.

Saghun, der indische Name für Titholz. von Tectonia grandis; s. d.

Saginarium, lat., Gänsesteige, Maststall für Federvieh.

Sahlband (Min.), die Steinart, welche die Erzgänge seitwärts gleichsam mit einem Band einfaßt.

Sahlbank, s. v. w. Sohlbank.

Sahlerde (Deichb.), s. v. w. grüner Rasen, Sahlung, s. v. w. Rasenbedeckung.

Sahlingen (Schiffsb.), frz. barres de hune, leichtes Gebälk am Top der Masten, um den Marskorb zu tragen; die dasselbe bildenden Stücken heißen Langsahlingen, frz. longis, engl. trestletrees, Dwarssahlingen, franz. barres traversières, engl. crosstrees. und Stülpsahlingen, frz. traverses doubles, engl. preventer-crosstrees.

Sahlweide, s. d. Art. Weide.

Sahm, Kohlenmaaß in Ungarn, von 34 Zoll Länge, 30 Zoll Breite und 12 Zoll Tiefe.

Saigerbleche (Hüttenw.), zwei in den Saigerheerd zu beiden Seiten der Saigerstücke zum Zusammenhalten des Feuers gestellte starke, mit Schienen versehene Bleche.

Saigerdarrofen, s. v. w. Darrofen; s. Darre G.

Saigerdörner oder Saigerrostdörner (Hüttenw.), aus den ausgesaigerten Kienstöcken geschmolzenes Kupfer.

Saigergekrätz (Hüttenw.), die beim Saigern entstehenden Abgänge.

Saigerglätte (Hüttenw.), beim Abtreiben des durch Saigern gewonnenen Werkes entstehende Bleiglätte.

Saigerhaken, zum Herausziehen des Gekrätzes und der Kohlen aus dem Saigerheerd dienendes gekrümmtes, mit langem hölzernen Stiel versehenes eisernes Werkzeug.

Saigern, abtreiben (Hüttenw.). Diese Operation bezweckt die Scheidung gewisser Metalle aus einem Gemenge von Körpern von verschiedener Schmelzbarkeit. So läßt sich z. B. das Wismuth von den Erzen und der Gangart, welche beide weniger leicht schmelzbar sind als das Metall, in einfacher Weise durch Erhitzen des Gemenges bis zum Schmelzen des Wismuths trennen. Es geschieht das Saigern auf dem Saigerheerd oder Saigerofen in der Saigerhütte, dem Saigerwerk. Fig. 1694 stellt einen doppelten Saigerheerd dar. Jeder derselben besteht aus zwei Mauern, Saigerbänken, die sich nach oben einander bis auf 2—3" nähern; zwischen denselben mauert man einen Grund von Steinen, in welchem kreuzweis ein Abzugscanal angebracht ist und auf dem nach vorn zu abhängige Gosse, die Saigergosse, angelegt wird; diese wird mit einem schmalen Gewölbe,

Fig. 1694. Saigerheerd.

die 2½—3 Fuß hohen Mauern aber mit Eisenplatten bedeckt, die sich jedoch über der Gosse nicht ganz berühren dürfen. Die Saigerbänke sind ebenfalls mit etwas nach der Spalte zu geneigten eisernen Platten, Saigerscharten, bedeckt und ihre inneren Seiten mit einem starken Blech ausgefüllt, das nach innen zu mit Lehm belegt ist, auch wohl so eingerichtet, daß sie nach beendigtem Saigern in die Höhe gezogen werden können, mit Hülfe von Kloben oder Ketten; zum Auffangen des Silbers, Bleies oder dergl. macht man von Lehm einen Tiegel, Saigertiegel t, vor jeder Gosse. Beim Beginn der Arbeit werden Saigerstücke (beim Schmelzen z. B. des Kupfers gewonnen, indem man Schwarzkupfer mit silberhaltigem Blei, Saigerblei, und etwas Glätte einschmilzt und die geschmolzene Masse in Scheiben von 2 Fuß Durchmesser und 3½" Dicke gießt) hochkantig auf die Saigerscharten gesetzt und durch dazwischen gesteckte Eisenstückchen 2—3 Zoll von einander gehalten; dazwischen und darauf bringt man glühende Kohlen. Beim langsamen Anfeuern schmilzt das silberhaltige Blei und tropft in die Saigergosse und gelangt von da in die Bleigrube t. Die zurückbleibende Masse nennt man Kienstöcke; sie werden in einem anderen Ofen stärker erhitzt, um noch Blei daraus zu gewinnen, und dann heißt das Zurückgebliebene Darrlinge, welche am besten im Flammofen gar gemacht werden. Die Hitze sei gerade hinreichend, um das Blei zu schmelzen; jedoch darf dieselbe nicht so stark sein, daß das Kupfer schmilzt, sondern dasselbe darf sich nur etwas zusammensetzen. Es dauert jedes Saigern 5—6 Stunden, doch wird gewöhnlich 5—6 Mal gesaigert, ehe man den Heerd erkalten läßt; s. auch d. Art. Aussaigerung.

Saignée, frz., kleiner Abzugsgraben.

Saillant, frz. (Kriegsb.), ausspringender Winkel.

Saillie, frz., Ausladung, Anwachsung, f. d. betr. Art.; saillir, f. ausladen, austragen.

saint, frz., adj. heilig; Saint, subst. das Heiligthum, das Heilige im Tempel Salomonis; Saint des Saints, das Allerheiligste. **Sainte-face,** sainte-image, Schweißtuch; saint-sépulcre, das heilige Grab; saint-graal, der Graal.

Saintz, altfrz., Choralglode, Sanctusglode, daher Glocke überhaupt.

Saits, f. d. Art. Maaß, S. 513, Bd. II.

Sakardanholz, f. d. Art. Jacarandenholz.

Sakristei, lat., sacrarium, secretarium, camera paramentorum, frz., sacristie, sacraire, engl. sacristy, sextry, sacrary, Hierateion, Gemach neben dem Altarplatz, zur Rechten des Altars, also auf der Evangelienseite, ursprünglich also auf der Südseite. bei der Umlehrung der Orientirung mit auf die Nordseite gekommen, zu Aufbewahrung der heiligen Gefäße und Gewänder. Da bei zunehmendem Reichthum aus diesem Vorrath Kirchenschatz wurde, so wurde die Sakristei zur Schatzkammer, gazophilacium, frz. trésoir, engl. treasury, Treskammer, woraus Dresekammer und Trostkammer entstanden, oder wegen der vielen Schränke, lat. armarium, almaria, frz. aumaire, engl. almery, ambry, Almerei. Wegen der hier vorgenommenen Umkleidung der Priester und Aufbewahrung der Gewänder hieß sie auch Gerkammer, Gewandhaus, Gerbekammer, lat. revestiarium, frz. garderobe, engl. vestry, revestry. Wo, wie bei griechischen Kirchen meist, bei größeren lateinischen ebenfalls oft, zwei vorhanden waren, hieß die südliche Diakonion, Photisterion oder Diakonikon und diente für die Akoluthen und niederen Geistlichen, für Aufbewahrung von Kohlen, Weihrauch, Kerzen ꝛc. Die nördliche Sakristei hieß Proskomide und wurde von den Priestern benutzt. Da sie auch zu Sitzungen des Kirchentribunals diente und hier der Kaiser vor und nach dem Gottesdienst sich aufhielt, auch hier die Priester die Begräßung der Büßenden und Diakonen entgegennahmen, erhielt sie auch die Namen receptorium, salutatorium, metatorium; in Niedersachsen kommt der Name Zither, Sytere, Synter vor. Bei der jetzigen Kirche ist sie in der Regel in einem Anbau auf der Nordseite, besser auf der Südseite in der Nähe des Hochaltars. Die Sakristei sei heizbar, trocken, hell und zugfrei.

Sala, span., Zimmer, Saleta, kleiner Saal.

Sala, mittellat., geräumiges Gebäude im fränkischen Herrscherhaus, welches Abtritte und Sklavenwohnungen enthält; f. d. Art. Haus, S. 241.

Salait (Mineral.), f. v. w. Malakolith.

Salamanderbaum (Antidesma Rumphii Tul., Fam. Nesselgewächse), ist ein Baum der Insel Amboina, dessen Rinde die Fähigkeit besitzt, dem Feuer lange zu widerstehen; daher der Name.

Salamines, f. d. Art. Maaß, S. 505.

Salalbaum, f. d. Art. Cercisholz, Judasbaum.

Sal-Baum (Shorea robusta, Fam. Dipterocargeen), einer der kräftigsten und geschätztesten Bäume Ostindiens, besonders häufig im sogenannten Terai am Südfuße des Himalaya von Assam bis zum Pendschab. Sein Holz ist als Nutzholz sehr gesucht.

Salbeiweide, f. d. Art. Weide.

Salbenbüchse, Salbengefäß, concha, narthex, f. d.; Attribut der drei Marien, der Magdalena, Johanna ꝛc.

Salbzimmer, f. d. Art. Bad 4 a.

Saldatura, f. d. Art. Loth.

Sales, f. d. Art. Maaß, S. 513, Bd. II.

Salic-hout (Buddleya salvifolia Lam., Fam. Larvenblüttler, Scrophularineae), ist ein Baum des Kaplandes, dessen schweres, hartes und zähes Holz daselbst besonders zu Wagen und Adergeräthen geschätzt ist.

Saliens, lat., Springbrunnen.

salinischer Marmor, f. d. Art. Marmor.

Salix, lat., Weide, f. d.

Salle, frz., Saal; Salle capitulaire, Capitelsaal; salle hypostyle, ägyptischer Saal; salle cyzicène, kyzitenischer Saal.

Salma, f. d. Art. Maaß, S. 492 u. 501, Bd. II.

Salmiak, Chlor-Ammonium; salzsaures Ammoniat, frz. Ammoniaque muriaté. Das Vorkommen des S. in der Natur beschränkt sich auf das Erscheinen als Sublimat bei Steinkohlenbränden, in Spalten der Lava ꝛc. Die meist undeutlichen und kleinen Krystalle bilden regelmäßige Octaëder, Würfel ꝛc., zerbröckeln an der Oberfläche leicht zu staubigem Mehl; der Salmiak sublimirt in weißen Dämpfen; Farbe wasserhell, weiß, in's Graue, Gelbe und Braune. Entwickelt erhitzt Ammoniakgeruch, ist leicht und vollständig in Wasser löslich. Benutzt wird der Salmiak in der Technik zu Darstellung des Salmiakgeistes und kohlensauren Ammoniaks, beim Verzinnen des Kupfers, Löthen der Metalle ꝛc. Gewonnen wird er durch Zersetzung der rohen kohlensauren Ammoniaks mittelst schwefelsauren Kalks und durch Sublimirung des dadurch entstandenen und getrockneten schwefelsauren Ammoniaks mit Chlornatrium. Es entweicht Salmiak und Glaubersalz bleibt zurück.

Salmiakgeist, farblose Flüssigkeit von 0,872 spec. Gewicht, die 32% Ammoniat enthält; um dieselbe zu machen, nimmt man ¹⁄₈ Pfd. Salmiak und eben so viel des besten gebrannten Kalks, stößt beides fein, erhitzt das Gemenge in einer Retorte und fängt das sich entwickelnde Gas in Wasser auf. Das Gas wird in großer Menge vom Wasser absorbirt und die entstehende Flüssigkeit heißt Ammoniat oder Salmiakgeist. Ueber die Benutzung f. z. B. d. Art. Beize A. 4.

Salomonisknoten (Herald.), f. d. Art. Löwe.

Salomonisring, f. d. Art. Drudenfuß.

Salon, frz., engl. saloon, span. salon, großer Saal, Gesellschaftsraum, Empfangszimmer; jetzt meist fälschlich für kleine Säle angewendet.

Salpeter, oder salpetersaures Kali, Nitrum. Der Salpeter ist ein weißes, in sechsseitigen Säulen krystallisirendes Salz, enthält kein Krystallwasser, löst sich im Wasser und schmeckt kühlend, schmilzt bei 350° und erstarrt zu einer krystallinen Masse beim Erkalten. Bei Rothglühhitze entweicht Sauerstoff und es bleibt salpetersaures Kali zurück; gänzlich zersetzt wird der Salpeter bei noch höherer Temperatur, verpufft auf glühenden Kohlen, ist leicht im Wasser, aber nicht in Alkohol löslich. Die Salpetergewinnung geschieht durch Auslaugen salpeterhaltiger Erde mit Wasser; durch Behandlung mit Potasche scheidet man dann die zugleich mit aufgelöste Kalk- und Talkerde aus und läßt die Lösung abdampfen und krystallisiren. Ein anderes, neues Verfahren ist die Anwendung des salpetersauren Natron (Chilisalpeter) und Zersetzung desselben mittelst Chlorkalium; dabei bilden sich die durch Krystallisation von einander trennbaren Körper: salpetersaures Kali und Kochsalz. Benutzt wird bekanntlich Salpeter zur Darstellung von Salpetersäure und zur Fabrikation von Schießpulver. Geben stickstoffhaltige organische Substanzen in Fäulniß über, bei Gegenwart von atmosphärischer Luft, genug Wasser und einer Base, wie Kalk, Kali, Natron, so orydirt sich das entgegenstehende Ammoniat auf Kosten des Sauerstoffs der Atmosphäre und es bildet sich Wasser und Salpetersäure, welche sich dann mit der Base verbindet; ist diese Base Kali, so entsteht Salpeter.

Da nun im Dünger, sowie in den Mauern der Ställe rc., stets Kali vorhanden ist, so bildet sich bei der Fäulniß des Düngers, Urins rc. salpetersaurer Kali, dabei wird der Kalk der Mauern mit verbraucht und die Mauer leidet. Der Schaden zeigt sich zunächst durch Abbröckeln, s. d., des Putzes, sowie durch Herausblühen kleiner Krystalle, s. d. Art. Ansschießen. Dies nennt man Mauerfraß, Salpeterfraß rc.; die rationellsten Mittel gegen denselben sind: Fernhalten aller faulenden organischen Substanzen, Reinhalten der Mauer und des Fußbodens, bei Düngerstätten also Isolirung derselben von den übrigen Umfassungsmauern, oder Tränken, d. i. vollständiges Sättigen der Kalkfugen mit einer anderen Säure, zu der der Kalk mehr Verwandtschaft hat als zur Salpetersäure. Gips z. B., d. i. schwefelsaurer Kalk, wird nicht von Salpeterfraß zerstört. Häufig aber helfen alle diese Vorsichtsmaßregeln nichts, weil salpetersaure Salze in den Ziegeln selbst entstehen, sobald der Ziegelthon nicht gehörig von Pflanzentheilchen gereinigt worden, die dann in Fäulniß übergehen. Am besten wird dies vermieden, wenn man den Thon im Herbst sticht und ausfrieren läßt, im Frühjahr dann gehörig auswäscht rc. Man hat dem Mörtel auch saure Milch und Molken beigemischt, um den Salpeter zu vermeiden; aber dies Mittel hat sich nicht bewährt.

Auch andere Mittel, z. B. Oelen und Theeren der Ziegel vor dem Putzen, Theerung und Oelfarbenanstrich auf den Putz rc., führen nur Verzögerung des Zerstörungsprocesses herbei. Sorgfältiges Auskratzen der Fugen, Herausbaden der kranken Steine, Austrocknen der Mauer durch Wärme und Ausfugen und Putzen mit Mörtel, der ganz frei von organischen Theilchen ist, Tränken mit Schwefelsäure, möglichst tief eindringendes Tränken mit Theer und Oel, sind wirksamere Mittel, doch sind sie alle nicht durchgreifend, indem ein schon sehr vom Mauerfraß (s. d.) ergriffener Bau kaum ganz von demselben wird geheilt werden können. Weiteres über Salpeter s. i. d. Art. Kalisalpeter, Kalksalpeter, blaue Glasmalerfarben, Beize A. 7, Ammoniakalisch rc., Nitrat, Mehlsalpeter, Naphtha rc.

Salpeterdrusen (Mineral.), eine Art Quarzdrusen, deren Krystalle abgestumpft, ungleichwinklig und zusammengedrückt sind, wie die Krystalle des Salpeters.

Salpetersäure, auch Scheidewasser genannt. Secundäres Produkt, entstanden durch Oxydation des Ammoniaks, s. d. u. Salpeter, der sich erzeugt, wenn stickstoffhaltige thierische Substanzen in Fäulniß übergehen. Die Salpetersäure kommt fast nie ohne Wasser vor. Das erste Hydrat derselben enthält 14,29 Proc. Wasser, hat 1,55 spec. Gew., ist eine farblose Flüssigkeit, die ungefähr

bei 86° zu sieden anfängt. Man erhält diese Säure aus dem Salpeter oder aus dem Chilisalpeter, indem man Gemenge dieser Salze mit Schwefelsäure aus Gasretorten destillirt. Die Destillationsprodukte, welche aus fast wasserfreier Salpetersäure bestehen, fängt man im Wasser auf. Sie wird zersetzt fast durch alle Nichtmetalle. Auf Metalle ist die Einwirkung der Salpetersäure meistens eine sehr lebhafte; Zinn und Eisen greift eine Säure von 1,48 spec. Gew. nicht an, während nach Zusatz von Wasser die Oxydation sogleich erfolgt. Von der concentrirten S. werden stickstoffhaltige organische Stoffe, wie Haut, Horn rc., dauernd gelb gefärbt. Benutzt wird die Salpetersäure zu Bereitung verschiedener Metallösungen und zu Trennung oder Scheidung des Goldes vom Silber (deshalb Scheidewasser genannt); zu Darstellung des Königswassers, mit Salzsäure vermischt, zum Aetzen, Färben und Oxydiren vieler Substanzen, so auch zur Fabrikation von Schießbaumwolle. S. auch d. Art. Beize A. 3 u. Holzstoff.

salpetersaurer Kalk, s. d. Art. Salpeter.

Salpetersaures Silberoxyd, s. d. Art. Höllenstein.

salpetersaure Talkerde, wird an der Luft feucht, löst sich in Wasser und Alkohol; findet sich in der Mutterlauge des Salpeters, auch im Brunnenwasser, schmeckt bitter.

salpetersaure Thonerde, bildet beim schnellen Abdampfen eine gummiartige Masse und läßt beim Zusetzen von Ammonium basisch saure Thonerde als kleisterartigen Niederschlag fallen; entsteht bei Bildung von Ammoniat in Lehmwänden.

Salpeterschaum, s. d. Art. Aphronitrum.

Salpetersiederei. Unter einem Strohdach macht man lange Haufen von Dammerde, Erde aus Viehställen rc. und begießt sie mit Urin; die ausschießenden Salze kratzt man ab, begießt die mit Lauge aus Holzasche und bringt sie zum Auslaugen in die Salpeterhütten; hier stehen Kübel oder Butten auf dem Laugenstuhl, der terrassenartig ist; die Lauge läuft von einer Butte zur andern, bis sie gesättigt ist, wo sie dann Sod oder Sud heißt und in einem Kupferkessel abgedampft wird, welcher sich aus der darüber stehenden Träufelbutte immer wieder füllt; der Salpeter scheidet sich bei einem gewissen Concentrationsgrad der Lauge als Mehl ab.

Saltadero, span., Springbrunnen.

Saltire, engl., Andreaskreuz.

Salttönde, s. d. Art. Maaß, S. 497.

Saltus, s. d. Art. Maaß, S. 514.

Salus Pythagorae, lat., Drudenfuß.

Salutatorium, lat., Audienzzimmer, auch Sakristei; s. d. Art. Haus und Sakristei.

Salva robba, ital., Garderobe, auch Speisekammer.

Salvator ab Horta, St., Patron gegen Fieber, im Franziskanerkleid, ein Bäumchen in der Hand, geht über glühende Kohlen. Tag der 18. März.

Salvatorbild, lat. Majestas, Christus in throno. Darstellung des verherrlichten Erlösers von einer Mandorla umgeben, auf dem Regenbogen thronend, die Rechte segnend erhoben, in der Linken ein Buch haltend; Schwert und Palme (wohl fälschlich als Ruthe gedeutet) gehen von seinem Haupt aus, auch das A und Ω stehen manchmal zu beiden Seiten.

Salz. 1) So heißt jede Vereinigung einer Säure mit einer Base, namentlich die Verbindung electropositiver Sauerstoffverbindungen mit electronegativen. Bei Vereinigung dieser letztgenannten Verbindungen entstehen die sogenannten Sauerstoffsalze, chemische Verbindungen, in welchen der eine Theil (die Base) aus einem Metall und Sauerstoff, der andere Theil (die Säure) aus einem Metalloid und Sauerstoff besteht.

Eine andere Art von Salzen bilden die sogenannten Haloidsalze; sie bestehen aus einem Metall und einem Halogen oder Salzbilder; Chlor, Brom, Jod, Fluor und mehrere zusammengesetzte Körper, wie Cyan, Rhodan 2c., gehören zu den Halogenen. Das gewöhnliche Kochsalz (s. unten 2) ist ein Haloidsalz. Kalisalpeter, Kalksalpeter, Gips, Pottasche, Soda u. v. a. sind Sauerstoffsalze.

Verbinden sich zwei Salze mit einander, so bezeichnet man das neu entstehende Salz als Doppelsalz; ein Beispiel bildet der Alaun, eine Verbindung von schwefelsaurem Kali mit schwefelsaurer Thonerde.

Enthält ein Salz Base und Säure gerade in solchem Verhältniß, daß beide einander neutralisiren, so heißt das Salz neutral. Treten die Eigenschaften der Säure mehr in den Vordergrund, so heißt das Salz sauer; waltet endlich bei einem Salz die Base vor, so heißt das Salz basisch.

Die meisten Salze können krystallisiren; es giebt aber auch amorphe Salze. Viele Salze sind trocken, andere, wie die Pottasche, Chlorcalcium 2c., sind zerfließlich, d. h. sie ziehen aus der Luft Feuchtigkeit an und bilden allmählich eine dickliche Flüssigkeit; wieder andere, wie Soda, Borax 2c., verwittern, d. h. sie verlieren an der Luft Wasser und zerfallen nach und nach zu einem Pulver.

Die Löslichkeit der Salze im Wasser ist sehr verschieden; in heißem Wasser sind die Salze löslicher als in kaltem; eine heiße, gesättigte Salzlösung setzt gewöhnlich beim Abkühlen Krystalle ab; man erhält hierdurch ein Mittel, Salze in schönen Krystallen darzustellen und von fremden Beimischungen zu reinigen; s. d. Art. Sättigung. — 2) Das Kochsalz, in der Regel „Salz“ genannt, ist Chlornatrium. Ueber seine Gewinnung s. b. Art. Salzwerk. In der Technik wird das Kochsalz zu Darstellung der Soda, der Salzsäure, in der Seifensiederei und Glasfabrikation, ferner auch zur Glasur der aus gebranntem Thon gefertigten Arbeiten gebraucht, sowie zu Vertilgung des Hausschwammes.

Salzbilder, Halogene, sind Körper, welche die Fähigkeit haben, mit Metallen Verbindungen zu bilden, welche den Sauerstoffsalzen ähnlich sind; s. d. Art. Salz 1; vergl. auch d. Art. Haloide.

Salzblume (Salzw.), an den Wänden der Bergbaugruben, sowie an Wänden und Fenstern in den Salzkothen und Trockenkammern sich anlegender Beschlag von Salzkrystallen, in Gestalt feiner Haare oder kleiner Sternchen.

Salzerde, 1) (Bergb.) jede Erdart, welche Kochsalz, Alaun, Vitriol oder Salpeter enthält; — 2) ein in Steinsalzgruben gesundenes Mineral, welches sehr viel erdige Theile hat; — 3) s. v. w. Bittersalzerde; — 4) s. v. w. mit Düngesalz vermischte Erde.

Salzfluß, s. v. w. Fluß 4; s. auch d. Art. Flußmittel.

Salzgestein, Gesteine, deren Hauptmasse aus einem salzig schmeckenden, löslichen Salz besteht, oder welche ein solches als wesentlichen Gemengtheil enthalten.

Salzkupfererz, s. v. w. Atacamit, s. d.

Salzmagazin, Salzhaus, 1) s. u. Salzwerk; — 2) Magazin zu Aufbewahrung und Verkauf des Salzes; muß trocken und kühl sein; s. übrigens d. Art. Magazin.

Salzmarmor (Mineral.), kleingefleckter Marmor, mit weißem Glimmer, in Gestalt der Salzkörner durchsetzt.

Salzsäure, Chlorwasserstoffsäure, gesättigte Auflösung von Chlorwasserstoffgas in Wasser. Die gewöhnliche Salzsäure hat 1,194 spec. Gewicht, ist eine farblose, ätzende, an der Luft rauchende Flüssigkeit; siedet bei + 110°; concentrirte Schwefelsäure entwickelt daraus Chlorwasserstoffgas. Das Königswasser bildet sie, mit Salpetersäure gemischt. Durch Zersetzung eines Chlormetalls mit Schwefelsäure und Wasser erhält man sie als Gas. Man gewinnt sie als Nebenprodukt aus Kochsalz und Schwefelsäurehydrat, bei Gelegenheit der Sodafabrikation. Wenn man Kochsalz mit Schwefelsäure und Wasser erhitzt, so wird Wasser zersetzt; es verbindet sich der Sauerstoff desselben mit dem Natrium zu Natron und dies bleibt als schwefelsaures Natron oder Glaubersalz mit Schwefelsäure verbunden zurück, während das Chlor sich zu Chlorwasserstoff mit dem Wasserstoff vereinigt und entweicht; bringt man Salzsäure mit Metalloxyd zusammen, so bildet sich Chlormetall und Wasser; die Chlormetalle lösen sich alle in Wasser, mit Ausnahme des Chlorsilbers und Quecksilberchlorürs; das Chlorblei löst sich schwierig; s. d. Art. Bleioxyd m. Verwendet wird die Salzsäure unter Anderem zu Beseitigung des Hausschwamms; s. d.

salzsaures Bleioxyd (Mineral.), s. v. w. Bleihorneerz; s. d. Art. Bleioxyd.

Salzschmant (Salzw.), beim Sieden der Sohle entstandener Schaum, der als Düngesalz benutzt wird.

Salzspindel, Salzwaage, s. d. Art. Aräometer und Halometer.

Salzstein, Salzschöpf (Salzscheep), 1) die der Salzsoole beigemischte Kalkerde, die sich im Sieden in Gestalt eines Steines an die Pfannen legt, auch Pfannenstein genannt; s. d. Art. Kesselstein; — 2) s. d. Art. Düngesalz; — 3) s. v. w. Salzmarmor.

Salzthon (Mineral.), bituminöser, kohlenstoffhaltiger Thon, durch die ganze Masse mit Salztheilen gemengt; zerfällt bei dauernder Lufteinwirkung nach und nach gänzlich, ist mehr oder weniger fett anzufühlen und zäh; hat feinerdigen Bruch, matten Glanz, ist grau ins Weißliche und Schwärzliche; s. d. Art. Lagerung f.

Salzwerk, Saline, Anstalt zur Gewinnung des Kochsalzes. A. Steinsalzwerk, Salzbergwerk. Das Steinsalz oder Bergsalz lagert theils in der Tertiärformation, theils in älteren Formationen abwechselnd mit Gips, Thon 2c., theils durch letztere verunreinigt, theils in krystallhellen Salzscheiben. Die Gewinnung geschieht entweder durch Bergbau in Strecken, Stroßen 2c., oder durch Sinkwerke, indem die Kammern unter Wasser gesetzt werden, welches das anstoßende Steinsalz auflöst, worauf die so entstehende Soole ausgepumpt wird. Eine andere Gewinnungsart des Steinsalzes besteht darin, daß man Bohrlöcher abteuft und eine Druckpumpe einführt, neben welcher Wasser hinabgelassen und als Soole wieder heraufgepumpt wird; s. übrigens d. Art. Dophirhaus.

B. Seesalzwerk, Salzgarten. An einer flachen Küste, deren Boden aus wasserdichten Thonschichten besteht, möglichst weit von der Mündung von Bächen und Flüssen, in einer sonnigen Lage, legt man Bassins an; s. Fig. 1695. Das Meer liegt hier rechts. Der Canal im Vordergrund, das Auswerf, führt das Wasser nach dem Sammelbassin; er ist 20—30 Fuß breit und durch eine Schleuße, die Auswerfschleuße, die bei Fluth öffnet, während der Ebbe geschlossen. Von hier geht das Wasser in das 6—7 Fuß tiefe, mit Thon ausgeschlagene Klärbassin (hier nicht mit dargestellt),

C. Quellsalzwerke, Soolwerke, Salzsiedereien. In diesen gewinnt man das Kochsalz aus dem Salzwasser, der Soole, welche entweder als Quelle zu Tage läuft, oder durch Brunnen, Salzbrunnen, im Brunnenhaus gehoben wird. Die Betreibung der Brunnenkunst geschieht durch Dampfmaschinen oder Wasserräder; oft ist dann eine Stangenkunst nötig, wenn in einiger Entfernung das Wasserrad angebracht werden muß. Gewöhnlich versieht man das Brunnenhaus mit einem Thurm, wenn die Soole gradirt werden soll. Die Soole hat nämlich meist nur 2—10 Prozent Salzgehalt; man concentrirt oder gradirt sie deshalb auf verschiedene Manier: a) man setzt sie in großen Behältern der Wärme aus; b) man läßt sie langhin über große, schiefliegende, der Luft und Sonnenwärme ausgesetzte Flächen hinfließen (Britschengradirung oder Dachgradirung); c) man läßt sie herabträufeln aus etwa 30—36 Fuß hoch gestellten

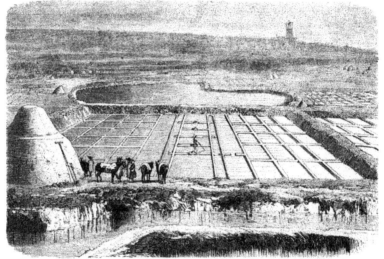

Fig. 1695. Salzgarten an der istrischen Küste.

wo sich Sand, Muscheln 2c. ablagern. Canälchen, die bloß 4—5 Zoll unter dem Fluthspiegel des Klärbassins liegen, leiten das Wasser nur während der Fluth in die Anreicherungsbassins, die 4—6′ tief sind; der unregelmäßig geformte Teich auf unserm Bild ist ein solches. Hier scheidet sich Gips als Pulver am Boden ab; die Soole wird durch die Sonne, Luft 2c. concentrirt; sobald sie etwa 27procentig geworden ist, schöpft man sie in die zu Beeten abgetheilten Krystallisationsbassins, campi, Felder, Beete, über. Diese liegen 1—2 Fuß über den Anreicherungsbassins, sind 1—1½ Fuß tief und mit einander durch Canälchen mit Schützen verbunden. Die Sonne verdunstet täglich 5—6 Zoll Wasserstand; nach 3—6 Monaten sind die Bassins bis zum Rand mit Salzkrystallen angefüllt, die mit dem Beil herausgehauen und in kegelförmige Haufen gebracht werden, welche man wohlbedeckt ein Jahr liegen läßt, damit die Bittersalzmutterlaugen ablaufen.

Behältern, durch gehörig dazu eingerichtete und der freien, durchgehenden Luft ausgesetzte Wände, Fig. 1696, die sogenannten Gradirwerke, deren durch Dornsäulen u. durch die auf Dornlatten (Rähmen) liegenden Balken, Dornlager, gebildeten Gefache mit Dornvasen aus Schlehbuschholz ausgefüllt werden. Der ganze Bau heißt Gradirhaus, Leckhaus, Leckwerk. Die Soole wird in ein Verhältniß im obern Raum des Thurmes gehoben und von da auf das nächste Gradirhaus geleitet. An den Dornen hängt sich Gips, Kalk, Eisen 2c. als Dornstein an, der durch Verbrennen der Dornen zu Dornasche gewonnen wird. Die durch einoder mehrfaches Hindurchfallen gereinigte und zugleich concentrirte, gradirte Soole sammelt sich in dem Bassin K. Man siedet nun die Soole, wenn sie von Natur stark genug, oder durch Gradirung hinlänglich verstärkt, angereichert worden ist, in dem Siedehaus (Salzkothe, Halle, Sode). Dies besteht aus zwei Theilen: a) Pfannenhaus;

hier steht der Ofen oder Feuerheerd, in Form eines langen Vierecks meistens in der Erde aufgeführt, so daß die aus starkem Eisenblech genietete, 80—100 Fuß lange, 20—25 Fuß breite, ¼—1½ Fuß hohe, über dem Heerd stehende Pfanne mit dem Fußboden gleich steht. Unter dem Schürloch in der vordern Seite des Ofens liegt ein Rost von Eisenstäben und unter diesem das Aschenloch; durch gemauerte Zungen ist der Ofen in Züge getheilt; der Rauchcanal wird aus der Ofenrückseite durch die Trockenstube geleitet. Die Pfanne ist mit einem Schwadenfang für den Salzbrodem bedeckt. Gut ist es, zwei Pfannen zu haben, eine Gradirpfanne, zum Einkochen, Stören und zum Reinigen der Soole durch Schäumen, und eine Sogg- oder Sockpfanne, zum eigentlichen Sieden. b) Trockenstube, Trockenkammer; an beiden Enden, wohl auch in der Mitte derselben, befinden sich Oefen. d) Salztrockenöfen aus Bleitafeln construirt und verbunden durch Blechröhren, und durch diese Oefen und Röhren zieht der Rauch in den Schornstein. Der Länge nach gehen durch die Kammer mehrere hölzerne Gestelle oder Horden, zum darauf Ausbreiten

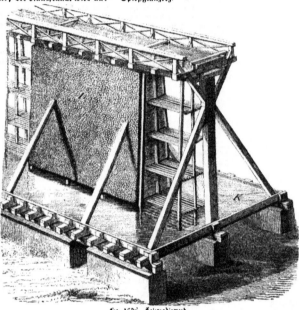

Fig. 1696. Salzgradirwerk.

des Salzes. Meist sind die Umfassungswände von Fachwerk und mit starken Brettern verschalt. c) Nach vollständigem Trocknen bringt man das Salz in die, gewöhnlich auf dem Boden über dem Pfannenhaus angebrachten, Salzmagazine. d) Salzkufen, verdeckte Soolenbehälter, müssen sich auch bei einem Salzwerk befinden, da nicht zu jeder Jahreszeit gradirt werden kann, und zwar Brunnensoolenbehälter zum Aufbewahren der Brunnensoole, und Siedsoolenbehälter für gradirte Soole. Man legt diese Behälter entweder über oder in der Erde an, beschlägt Boden und Wände mit starken Brettern, hinter denen man im ersteren Fall einen Damm aufwirft, in letzteren Letten einstößt; um die Brunnensoole bequem durch Röhre auf die Gradirhäuser und in die Pfannenhäuser zu leiten, legt man die Behälter möglichst hoch.

Samael, Sammael, Samiel, s. d. Art. Asasel.

Sambuca, mittelalt.-lat., althochd. sambuh, corrumpirt aus Cambuca, Sänfte.

Sambuca, lat., Sambyta; 1) harfenähnliches Instrument; — 2) strickleiterähnliches Belagerungswerkzeug.

Sambucus racemosus, Bergholder; S. niger, schwarzer Flieder, Baumholder, S. vulgaris, Lilac; s. d. Art. Flieder und Hollunder.

Samendarre, s. d. Art. Darre. [Samos.

samische Erde, weißer Thon von der Insel Samos.

Sammelbehälter, Sammelkasten, s. d. Art. Cisterne, Holz 3 und Senkgrube.

Sammelerz, s. v. w. Federerz; s. d. Art. Spießglanzerz.

samothrakischer Stein (Mineral.), alter Name für Pechkohle und Asphalt.

San Catino, ital. Graal, s. d.

Sancirna (ind. Styl.), Gebäude, bei welchem drei oder mehrere Arten Materialien angewendet worden.

Sanctimoniale, lat., Kirche eines Nonnenklosters.

Sanctuarium, lat., frz. sanctuaire, altfrz. camarille, engl. santuary, Allerheiligstes bei heidnischen Tempeln sowohl als bei Kirchen. Ueber d. erste s. d. Art. Tempel. Der Christ versteht darunter zwar gewöhnlich das ganze Chor der Kirche, im engeren Sinn jedoch nur den Theil, wo der Hochaltar steht. Ursprünglich hieß so nur der durch Vorhänge verhüllte Raum unter dem Tabernakel des Altars in altchristlichen Kirchen; die griechischen Katholiken, sowie Israeliten und Muhamedaner, haben die Verhüllung des Allerheiligsten sowie hie und da dessen Recht als Asyl, Freistätte, noch beibehalten.

Sanctusglocke, Signaturglode, engl. sauctebell, sacring-bell, sacringe, saunce, hostbell, mass-bell, s. d. Art. Chorglocke und March.

Sand, lat. Arena, frz. sable, engl. sand, überhaupt harter, klarer, zertheilter Stein, daher Glimmersand, Kalksand, Quarzsand; der letztere dient vor allen andern Sandarten am besten als Zusatzmittel bei den verschiedenen Mörtelarten; s. d. Art. Mörtel ꝛc. Quarzsand findet man besonders als a) Grubensand, auch Bergsand, Grabsand ꝛc. genannt, im flachen Land, in den Alluvial- und Diluvialablagerungen, in der Braunkohlenformation; b) als Flußsand an den Ufern und in den Betten von Flüssen, sowie c) als Meeressand an den Seeküsten. Der reinste ist gewöhnlich der Flußsand, da im Grubensand sich häufig Geschiebe von Thon und vegetabilischen Stoffen, im Meeressand aber Salztheile eingemengt vorfinden. Da für den Mörtel fremdartige Substanzen nachtheilig sind, so muß man, ehe man ihn anwendet, den Sand durch Waschen davon befreien; es ist bei der Mörtelbereitung außerdem noch zu berücksichtigen die Größe der Körner ꝛc.; s. d. Art. Mörtel, Kalk ꝛc. Der aus Sandstein (s. d.) gepochte Sand ist begreiflicherweise kostspieliger als der gefundene oder gegrabene Sand, doch wird er wegen seiner Scharfkantigkeit gern angewendet. Will man den Sand prüfen, so nimmt man eine Quantität davon zwischen die Hände und reibt ihn. Läßt er keine erdigen Theile zurück, so ist er zum Bauen tauglich; enthält er viel salzige oder vegetabilische Theile, so entsteht Salpeterfraß, Hausschwamm u. dgl. mehr. Man unterscheidet der a 1) Flugsand, fast zu feinkörnig zur technischen Benutzung; 2) Triebsand, der durch Wasser zusammengetrieben worden, wozu auch der Quellsand gerechnet wird; ist in der Regel sehr feinkörnig, aber doch etwas schärfer als der Flußsand, gut als Tünchsand anwendbar; liegt in der Regel unter dem Perlsand und Kies, aber über dem Gries, unter dem dann Lehm folgt; 3) Griessand, Grus, engl. gravel, besteht aus gröbern und kleinern Steinstücken, mit untermengtem klaren Sand und bie und da schon Lehmbrocken; 4) Perlsand, aus etwa linsengroßen bis erbsgroßen Stücken bestehend; 5) Kies, aus hasel- bis wallnußgroßen Stücken bestehend, in der Regel rundkörnig. Alle diese Sorten sind gelblich, durch Eisenoxyd oder auch durch Lehm lebhafter oder schmutziger gefärbt und daher ziemlich weich, d. h. sie saugen vermöge ihrer mit Lehm überzogenen Flächen wenig Kalkhydrat auf. Schärfer sind folgende ebenfalls gegrabene Sandarten: 6) vulkanischer Sand, besteht aus kleinen Schlacken und Lavakörnern, bisweilen mit Leucit-, Augitkrystallen, Glimmerblättchen ꝛc. vermengt, ist schwarz, schwer und glänzend; 7) Scheuersand (grober) und Streusand (feiner), beide weiß, aus reinen, erdfreien Quarzkörnern bestehend, doch dabei oft thon- oder auch kalkhaltig, in der Regel bei Töpferthon oder in der Nähe von Sandstein gefunden.

Sandapila, lat., Bahre, bes. für die Leichen Armer gebraucht.

Sandarach, A. (Mineral.) 1) f. v. w. Realgar. 2) Unächter S., bei den Römern Sandaraca, rothes Bleioxyd, unsere Mennige, bei den Spaniern sandix genannt. B. (Wachholderharz) 1) ächter Sandarach von der gegliederten Cypresse (Callitris quadrivalis Vent., Fam. Coniferae, Nadelhölzer) des nördlichen Afrika. Es ist der erhärtete Saft dieses Baumes (Resina Sandaracae, Resina vel Gummi Juniperi). In äthe-

rischen Oelen gelöst, giebt es einen guten Firniß. 2) Deutscher S., ist das Harz des gemeinen Wachholder (Juniperus communis, Fam. Coniferae), das zu Räucherungen Anwendung findet. S. d. Art. Firniß, S. 56.

Sandarachcypresse (Callitris, Fam. Nadelhölzer, Coniferae); eine Art davon ist auf Neuholland als Bauholz sehr geschätzt; liefert auch terpentinähnliches Harz.

Sandbad, s. d. Art. Bad 5.

Sandbank, s. d. Art. Bank 7 und Insel.

Sandbohrer, s. d. Art. Senkbohrer u. Brunnen.

Sandchaussée, s. Chaussée und Straßenbau.

Sandelholz oder Santelholz, 1) gelbes und weißes, vom Santelbaum (Santalum, Fam. Santalaceen), s. d. Art. Lignum 25 u. 26. Der Baum wird 3—4 Fuß dick, dabei aber nur mäßig hoch. Das innere Dritttheil des Stammholzes sieht gelb aus und wird als Ambraholz zum Fourniren feiner Geräthschaften verwendet. Je dunkler das Holz, je näher der Wurzel es entnommen ist, desto kräftiger ist sein rosenähnlicher Geruch. Der weiße Splint ist geruchlos und deshalb ohne Werth. Es verarbeitet sich gut, nimmt gute Politur an und kommt in armsdicken Stücken im Handel vor. — 2) Weißes Santelholz gleicht dem europäischen Kastanienholz, ist jedoch feiner und härter und nimmt schönere Politur an. Es ist gelblichweiß, schwer, feinfaserig und hat sehr feine, aber wenig geschlossene Poren; dabei ist es fast geruchlos. Es kommt von den myrtenblätterigen Santelbaum (Santalum myrtifolium, Fam. Santelgewächse) — 3) Andere Sorten Santelholz stammen von Santalum Freycinetianum, S. paniculatum, Fam. Santalaceen und vom Naihobaum. Diese Bäume kommen auf den Sandwichinseln noch in ansehnlichen Waldungen vor, die vom Gesetz besonders geschützt sind. — 4) Blaues Santelholz, s. v. w. Griesholz, s. d.; die Mutterpflanze wird von Hernandez Coatli oder Tlapalez genannt. — 5) Afrikanisches rothes Santelholz, s. d. Art. Camwood und Angolaholz. — 6) Rothes Santelholz oder Caliaturholz, red Sandalwood, auch Corallenholz, frz. bois de corail, genannt, kommt aus Ostindien und Koromandel von Pterocarpus santalinus, einer Leguminose. Es kommt in den Handel in schwärzlichen, innen blutrothen Stücken und dient ebensowohl zum Färben wie zu Zahn- und Räucherpulvern; ferner s. d. Art. Sappanholz und Corallenholz. — 7) Falsches Santelholz, ein gewürzhaftes, wohlriechendes Holz, ehemals unter dem Namen Pseudosantalum creticum bekannt, aber weniger technisch verwendet. Es stammt von Planera abelica, einem Gewächs, das unserer Ulme verwandt ist und auf den griechischen Inseln wächst.

Sandfang (Flußb.), kleiner Faschineneinbau an beschädigten Uferstellen, damit sich wieder frisches Land hinter demselben ansetze.

Sandform, s. d. Art. Gußeisen, Formsand ꝛc.

Sandglimmer, s. u. Glimmer.

Sandgries, grober Sand, jedoch nicht so grob wie Gries; s. d. Art. Sand.

Sandgrube, lat. Arenarium, 1) (Glasb.) hinter dem Aschenofen zu beiden Seiten angebrachte Gruben zum Hineinschütten glühenden Sandes; — 2) zu Gewinnung des Sandes (s. d.) gemachte Grube.

Sandguß, s. d. Art. Gußeisen, Bd. II, S. 226.

Sandhafer (Elymus arenarius, Fam. Gräser, Gramineae), ist ein starres graugrünes Gras von 2—5' Höhe, das in reinem Sandboden vortrefflich gedeiht und deßhalb sich sehr gut zur Befestigung von Dämmen eignet.

Sandhäger, Sandbank, Sandhorst, Sandhügel, Sandklinge, Häger (Wasserb.), Aufwurf in Strömen und Flüssen, aus Kies und Sand entstanden; man legt Treibbuhnen (s. d.) an, um sie fortzuschaffen.

Sandhölzer, Straken, Grundlagerhölzer, im Fundament eines Gebäudes horizontal auf die Sohle eines aufgeworfenen Grundgrabens gelegte Hölzer, die mit Bohlen überlegt werden; s. d. Art. Rost und Gründung.

Sandix, Massicot, wenn er in's Rothe schimmert, auch wohl Mennige; vergl. Sandarach 1.

Sandkalk, s. u. Kalk und Mörtel.

Sandkasten, 1) auf der Baustelle für den Mauersand vorgerichteter Kasten. Man macht ihn in der Größe, daß seiner Fuß seiner Höhe einem bestimmten Maaß, z. B. einer Schachtruthe Sandes, entspricht; — 2) (Mühlenb.) um der Versandung des Untergrabens vorzubeugen, wird ein Kasten zur möglichsten Läuterung des durchlaufenden Wassers vom Sand 2c., oberhalb der Räder oberschlächtiger Mühlen auf eingeschlagenen Pfosten, angebracht.

Sandmergel, hat eine beträchtliche Beimengung von Quarzsand. Es giebt dichten und schiefrigen dgl.; s. d. Art. Mergel 4.

Sandmörtel, s. d. Art. Kalk und Mörtel.

Sandmühle, Sandschöpfmaschine, s. v. w. Baager.

Sandpfad (Deichb.), ein auf der Kappe eines Deiches landeinwärts errichteter schmaler Damm, der eine Erhöhung des Deiches vertreten soll.

Sandrad, 1) Schöpfrad an einem Baager; — 2) durch darauf fallenden Sand bewegtes Schaufelrad; kommt nur bei kleinen Maschinen vor.

Sand-Riedgras (Carex arenaria, Fam. Cypergräser, Cyperaceae), treibt spannenhohe Stengel und Blätter, aber Wurzelstöcke von bedeutender Länge, die es zur Befestigung des losen Sandes sehr empfehlen.

Sandrohr (Psamma arenaria R. et L., Fam. Gräser, Gramineae), wächst besonders an den nördlichen Meeresküsten, wird 2—3 Fuß hoch und ist durch seine weitkriechenden Wurzeln ein ausgezeichnetes Mittel zur Befestigung des Flugsandes; der zähe Halm ist auch als Flechtwerk verwendbar.

Sandsack, Erdsack, 1½—2' lange Säcke von grober Leinwand, mit Erde gefüllt, zur Erbauung von Deckungen aller Art.

Sandsackbatterien, s. d. Art. Batterie.

Sandschaufel (Deichb.), s. d. Art. Mollboot.

Sandschiefer, 1) sehr zerbrechlicher Thonschiefer, mit vielen Sandkörnern gemengt; — 2) schieferiger Sandstein.

Sandschluß bei Oefen. Da mit Kitt verstrichene Oefen mit der Zeit den Rauch durchlassen, so ist es gut, die Fugen mit feinem Sand auszufüllen. Es wird dazu ein besonders geformter

Falz angebracht. Aeußerlich können dann die Oefen immer noch verstrichen werden, um das glatte Aussehen nicht zu beeinträchtigen.

Sandscholle, Sandschelle, mit feinem Flugsand bedeckte Strecken Landes, ungeeignet zum Anbau und schädlich, wenn der Wind den Sand auf Wiesen und Felder treibt. Um solch ein Stück Land fest zu machen, zieht man in angemessenen Zwischenräumen Gräben, errichtet in denselben Weidenruthenzäune und bedeckt dann die Zwischenräume mit Reisern von Nadelholz, die schräg und reihenweise in den Sand gesteckt werden.

Sandstein, besteht zunächst aus Quarzkörnern, die mit einander meist durch einen thon- oder kalkartigen, oft eisenschüssigen Cement verbunden sind; gehört zu den Flötzgebirgsarten. Man nimmt folgende Arten an:

1. **Grauwacke** (s. d.), auch Hartwacke, franz. psammite, genannt, die älteste Steinart dieses Geschlechts, enthält oft Feldspathkörner und mehr oder weniger Glimmer, fest mit einander durch ein thoniges Bindemittel verbunden; kommt grob- und feinkörnig vor. Grauwackeschiefer (s. d.) wird oft mit Thonschiefer verwechselt, ist aber erkennbar an den vorkommenden Glimmertheilen. Die Grauwacke ruht auf Uraebirgen, gewöhnlich unter grobkörnigem Sandstein, und wechselt mit Kalkflötzen ab; verwittert leicht und erzeugt frisch vermauert leicht Schwamm; soll sie daher als Mauerstein vortheilhaft verwendet werden, so lasse man sie an der Witterung ein volles Jahr liegen und wähle dann die bessern Steine aus.

2. **Alter rother Sandstein,** rother Uebergangssandstein, frz. grès pourpre, engl. old red sandstone, ruht theils auf Grauwacke, theils auf Glimmerschiefer; arobkörniges Conglomerat aus Quarzgeschieben, Brocken von Feldspath, Bruchstücken von Thon und Grauwackeschiefer, Glimmerschiefer, Glimmerblättchen, gebunden durch thonig-kalkigen oder kieseligen Teig, roth und braun, selten grau.

3. **Kohlensandstein,** frz. grès houiller, millstone grit, klein- oder feinkörnig, besonders aus Quarzkörnern bestehend, mit erdigem, thonigem oder kohlenschieferartigem Bindemittel. Grau in's Gelbe und Weiße. Giebt stellenweise treffliche Mühlsteine, während manche Stücke ungemein locker sind. Giebt auch einen guten Baustein ab, da er frisch aus dem Bruch sich in jeder Form bearbeiten läßt, an der Luft erhärtet, gut Mörtel annimmt und dem Feuer widersteht; findet sich in allen Steinkohlengegenden.

4. **Todtliegendes,** frz. grès ancien, pséphite, engl. newred conglomerate, in der Regel grobes Trümmergebilde aus Bruchstücken von Quarz, Granit, Gneiß, Glimmer, Thon- und Kieselschiefer, Feldsteinporphyr, Melaphyr 2c. Nach dem Teig, der diese Trümmer verkittet, unterscheidet man: a) Rothtodtliegendes, mit thonigem Bindemittel, durch Eisengehalt röthlich gefärbt. b) Weiß- oder Grautodtliegendes, das Bindemittel kieselig, kalkhaltig; hier und da Gips und Baryhtspath als Einschuß, in der Regel über dem Rothtodtliegenden oder unmittelbar auf Glimmerschiefer oder Grauwacke. Dient als Baustein zu Grundmauern 2c.

5. Der **eisenockerige Sandstein,** bunter oder rother Sandstein, Vogelensandstein, frz. grès bigarré, engl. variegated sandstone, kleine, mehr oder weniger abgerundete Quarzkörner, verbunden durch eisenschüssigen Thon, selten durch Quarz, feinkörnig, roth, oder roth und weiß gestreift und

gesteckt, Thongallen kommen häufig vor; bei vorherr=
schendem Bindemittel geht er in sandigen, schieferi=
gen, eisenreichen Thon über; taugt als Baustein
nicht, da er zerreiblich ist; zieht Feuchtigkeit an, wo=
durch das Eisen anschwillt, der Stein sich bläht und
blättert; widersteht dem Feuer nicht; findet sich an
der Saar und Mosel, im Thüringer Wald, am
Harz, Spessart, im Odenwald, Schwarzwald 2c.

6. Keupersandstein, frz. grès de Keuper; die
mergelartigen, kalk= und thonhaltigen Sand=
steine sind die schlechtesten, zerfallen sehr bald
an der Luft und halten kein Bindemittel. Dazu
gehört auch der Keupersandstein, eine graue,
grünliche, röthliche oder gefleckte, fein oder grob=
körnige, oft breccienartige Masse mit thoniger=
geligem Bindemittel; findet sich besonders in
Würtemberg und Baden.

7. Liassandstein, frz. grès de Lias, mit kalkarti=
gem Bindemittel, durch Glimmerblättchen mit unter
Schiefergefüge erlangend, steht im Wasser, verhärtet
an der Luft, nimmt den Mörtel gut an, widersteht
jedoch dem Feuer nicht und ist nur mit Ausnahme
zu Wohngebäuden zu verwenden; sein Bindemittel
ist zuweilen so reich an Eisen, daß die Felsart zu
einem gelben oder rothbraunen Eisensandstein wird.
Wird besonders in Würtemberg, Baden 2c. gefunden.

8. Grüner Sandstein, Quadersandstein, frz.
grès verd, engl. green-sandstone, weiß ins Graue
oder Gelbe, fast nur aus Quarztrümmern bestehend,
bald fein=, bald grobkörnig; Bindemittel thonig
oder kalkig, in geringerer Menge vorhanden, sodaß
die Quarzkörner in einander greifen; mitunter
sehr locker, leicht zu Sand zerfallend. Den Namen
Grünsandstein hat er von den oft vorkommenden
grünlichen Körnchen eines der Grünerde ähnlichen
Eisensilicats; findet sich besonders in der sächsi=
schen Schweiz, in Böhmen, am Harz und im Teu=
toburger Wald.

9. Eisensandstein, frz. sable ferrugineux, engl.
iron-sandstone, Hastingssand, Quarzkörner und
Rollstücke mit eisenschüssig=kieseligem Bindemittel,
sehr locker, braun bis Rothe.

10. Molasse, Braunkohlensandstein, frz. grès
tertiaire à lignites, Bindemittel kohlensaurer
Kalk. a) Lockere Molasse, feinkörnig, vorherrschend
Quarz, wenig Feldspath, Hornblende 2c. b) Feste
Molasse, fast blos Quarz, sehr wenig Glimmer.
c) Grobkörnige, fastbreccienartige; s.übr.Molasse;
kommt in Würtemberg und Baiern vor.

11. Muschelsand und Muschelsandstein; sandi=
ger Grobkalk, kalkiger Tegelsand, frz. grès co=
quillier, engl. faluns, crag, Quarzkörner, san=
dige Theile, Muscheln 2c. durch einen kalkigen,
kalkigtthonigen oder eisenschüssigen Teig mehr oder
weniger fest verbunden, hier und da Uebergänge
zu sandigem Kalk, auch zu festem Kalkstein. Grau
ins Braune oder Gelbe; findet sich im Mainzer
und Wiener Becken.

12. Jüngster Meeressandstein, Sand der See=
ufer, theils thonhaltig und eisenschüssig, wird
durch kalkige Einsickung zu einem oft nach 10 Jah=
ren schon ziemlich festen Sandstein verkittet.

Den Einwirkungen der Atmosphäre widerstehen
diese Sandstein=Arten je nach der Natur des Binde=
mittels ungleich. Bei manchen Arten ist die Dauer
ungemein groß. Der Kieselsandstein, d. h. der
Sandstein mit kieseligem Bindemittel, meist seiner
schweren Bearbeitung wegen nur als Pflasterstein
benützt, ist der härteste und dauerhafteste. Manche
hingegen, besonders die mit mergeligem Binde=
mittel, werden vom Regen geradezu ausgewaschen.

Dies wird noch dadurch begünstigt, daß bei den
meisten Sandsteinen die Schichtung der Flöze
deutlich und oft ausgezeichnet regelmäßig ist. Die
Lagen sind häufig durch Querklüfte getheilt, die
fast winkelrecht auf der Schichtung stehen, ja auch
unter einander sich winkelrecht schneiden, wodurch
schon im Felsen Quadern entstehen. Durch Aus=
waschung dieser Spalten und Fortschwemmung
des herausgespülten Sandes, der dann theils zu
Erde wird, theils in den Flüssen als Flußsand
weiter rollt, werden die einzelnen Quaderaufthür=
mungen isolirt, und in Folge dessen bilden Sand=
steingebirge oft unzugängliche Felsen und Klippen
von außerordentlicher Höhe und den wunderbarsten
Gestalten, theils senkrecht stehende und überhän=
gende kolossale Felsenwände, Klüfte, Schluchten
und Höhlen. Sandsteinblöcke als Findlinge kom=
men kaum, höchstens in Folge neuerer Ueber=
schwemmungen in Niederungen vor. Den Sand=
stein gebraucht man in der Baukunst seiner Bear=
beitbarkeit wegen als Mauerstein und zu großen
Werkstücken, als: Pfeiler, Säulen, Träger, Platten,
Treppen 2c.

Man hört nun in der Technik häufig als Sand=
steine alle solchen Steine bezeichnen, die im Bruch
sandige Textur haben; so wird z. B. in Leipzig
selbst von sogenannten Sachverständigen der rothe
Thonporphyr als Rochlitzer Sandstein bezeichnet.
Ferner heißt in den Rheinlanden eine Bimsstein=
breccie allgemein „Sandstein von Engers“ und die
bei Stuttgart, Tübingen, Fontainebleau 2c. bestehen=
den, mit feinem Sand übermengten Kalkspathkry=
stalle geben unter dem Namen „krystallisirter
Sandstein.“

Die Biegsamkeit des Sandsteines ist ziemlich be=
deutend. Wir sahen eine Platte von 8 Fuß Länge,
1¼ Fuß Breite und 3 Zoll Stärke sich, an beiden
Seiten aufliegend, ohne Belastung, blos durch
eigene Schwere, ziemlich 2 Zoll ein=, und bei Um=
kantung wieder geradebiegen; natürlich ist auch diese
Eigenschaft durch das Bindemittel bedingt, bei
freiliegenden Sturzen 2c. aber sehr zu berücksich=
tigen, die man nicht gern unter ¹⁄₇ der freien
Tragweite hoch macht.

Sandstein zu beizen, s. d. Art. Beize, S. 310,
Bd. I.

Sandstein zu färben, s. d. Art. Färben E c.

Sandstöber (Deichb.), s. v. w. Schüttingen.

Sandstraken, Sandstrecken (Schleußenb.),
s. d. Art. Sandhölzer.

Sanduhr, frz. sablier, engl. hour-glass, die
bekannte Uhr aus Doppelkegeln von Glas, die
mit Sand gefüllt sind, in einem Ständer, franz.
support, engl. stand, drehbar befestigt; darf
eigentlich auf keiner Kanzel fehlen.

Sandwelle, eine kleine Sandbank.

Sanftmuth, s. d. Art. Kardinaltugenden 10.

Sanguine, hématite, frz., Blutstein, s. d.

Sanidin (Mineral.), s. v. w. glasiger Feldspath.

Santar, Name der keltischen Grabhügel auf
Corsica.

Santon, frz. und span., arabisch Marabut,
Einsiedler=Capelle oder Grab eines muhameda=
nischen Einsiedlers, meist quadratisch mit einer
Kuppel bedeckt.

Santorinerde; findet sich auf der zu Grie=
chenland gehörigen Insel Santorin; ist ein trotz=
artiges Mineral, gelblichweiß, erdig, sehr trocken,

fühlt sich rauh an und ist untermengt mit einer Menge kleiner, gerundeter Brocken, die aus glasigem, porösem Feldspath bestehen. Sie wird zu Mörtel verwendet, besonders in Aegypten zum Wasserbau; s. d. Art. Cement.

Sape, frz., Unterminirung, Unterwühlung; saper, frz., eine Mauer durch Untergrabung einreißen, eine Felswand unterminiren und sprengen.

Saphir (Mineral.), Edelstein. Bruch muschelig in's Kleinkörnige, ritzt Topas, ritzbar durch Diamant, weißes Strichpulver, glänzt lebhaft glasig, durchsichtig. Gehalt: 98,5 Thle. Thonerde, 14 Thle. Eisenoxyd, ½ Thl. Kalkerde. Nach der Farbe unterscheidet man: a) rothen Saphir, auch Rubin genannt; b) weißlich-blauen, Luchssaphir oder Cordierit; c) rothschillernden, Katzensaphir; d) roth- und blauschillernden Girasolsaphir; e) bei den Alten hieß so der himmelblaue Lapis lazuli mit Goldpunkten, den sie auch Chrysopastos nannten; f) staubartigen, s. d. Art. Smirgel; g) brasilianischen, s. v. w. edler Topas; s. auch d. Art. Amethyst.

Saphirfarbe (Herald.), alte Benennung für die blaue Farbe.

Saphirfluß (Bergb.), häufig in Kupfergruben gefundener unächter Saphir, ein Bergkrystall von hell- oder dunkelblauer Farbe.

Saphirin, s. d. Art. Chalcedon 2.

Saphirus regulus (Mineral.), s. v. w. Lasurstein.

Sapin, franz., Tanne; Sapine, tannener Fehltram; s. d. Art. solive.

Sappanholz, Rothholz, rothes Santelholz, ist dem Fernambukholz ähnlich, aber von geringerem Werth. Es stammt von der Sappan-Cäsalpinie (Caesalpinia Sappan, Fam. Hülsengewächse) in Ostindien; s. auch d. Art. Blutholz und Brasilienholz.

Sapparit, Cyanit (Mineral.), ein Thonerdesilicat, hat rechtwinkelige, vierseitige Säule als Krystall, blätteriges Gefüge, unebenen Bruch, blaue Farbe und ritzt Flußspath; findbar auf der Insel Ceylon.

Sappe, span. zappa (Kriegsb.), Laufgraben; s. u. Festungsbaukunst, S. 44, wo die verschiedenen Arten aufgeführt sind. Die eigentliche Sappe ist eine Brustwehr aus mit Erde ausgefüllten Schanzkörben von 3' Höhe und 1½—2' Weite, die man neben einander aufstellt; die dahinter ausgehobene Erde wird darüber hingeworfen; die Krone der Brustwehr bilden die der Länge nach über die Körbe gelegten Sappenbündel, Faschinen, 3' lang, 1' stark, durch welche ein 3—4' langer Pfahl getrieben ist. Ferner unterscheidet man noch die Doppelsappe, doppelte Wendesappe, und einfache Wendesappe. Es wird auch wohl die bedeckte Sappe angewendet, wenn der Feind dieselbe ihrer ganzen Ausdehnung nach übersehen und bestreichen kann. Zu diesem Behuf werden 2 völlige Sappen in geringem Abstand von einander parallel vorgetrieben, der dazwischen stehen gebliebene

Erdtheil dann beseitigt und die Bedeckung durch Blinden, Horden und Deckfaschinen hergestellt.

saracenische Bauweise, frz. architecture sarrazine, engl. saracenic architecture. Der Name Saracene kommt zuerst bei St. Hieronymus vor, der darunter jedenfalls Araber, vermuthlich aus der Gegend von Sarata, versteht. Da nun die Araber nach Muhameds Erscheinen besonders über Aegypten und Sicilien sich ausbreiteten, so nennt man diejenige Richtung der muhamedanischen Kunst (s. d.), die durch die Bauten dieser Länder vertreten ist, die saracenische Bauweise. Schon in Aegypten giebt sich eine von dem reinen

Fig. 1697. Grabmoschee des Kail-Bay in Kairo.

arabischen Styl etwas abweichende Richtung kund, die bald zu vollständigem Organismus sich ausbildete; namentlich in Kairo zunächst zeigt sich an diesen Bauten ein geringeres Hervortreten byzantinischer Elemente, als an den asiatischen Zweigen des Styls, und ein größeres Streben nach Einheit des Totaleindrucks. Die Anlage und Flächeneintheilung ist massenhafter; die kräftigen Pfeiler sind aus Quadern aufgeführt; die Bogen erscheinen bereits an der Moschee Amru's aus dem Jahr 643 zugespitzt und nach unten ausgezogen, sondern sehr wenig gestelzt. An der Moschee Ibn-Tulun, in den Jahren 876—885 gebaut, erscheint der Styl bereits vollständig ausgebildet. Wir geben in Fig. 1699 ein Fenster dieſer Moſchee. Die Gliederungen ſind ſehr ſchlicht und einfach. Das Capitäl ſteht zwiſchen dem frühromaniſchen und byzantiniſchen, hat auch oft die ſchräg ausladende Deckplatte. Die Kuppeln ſitzen auf Pendentifs von ſehr einfacher Form, ſind niedrig, halbkreisförmig, außen in den frü-

Fig. 1698. Mameluckengrab.

hern Jahrhunderten rund, im 12. Jahrhundert mit einer kleinen Schneppe verſehen, vom 13. Jahrhundert an etwas geſpitzt, öfter etwas überhöht oder auf einen runden oder achteckigen Tambour geſtellt. Die Einfaſſung der Bogen in Vierecke iſt

Fig. 1699. Von der Moſchee Ibn Calun.

bei Weitem weniger conſequent durchgeführt, als im Arabiſchen und Mauriſchen, dennoch aber als Regel zu betrachten. Die in Fig. 1697 dargeſtellte Grabmoſchee des Kait-Bay in Kairo datirt aus dem Jahr 1463; beſonders charakteriſtiſch für dieſe

Bauweiſe ſind die zahlreichen Mameluckengräber, deren wir eins in Fig. 1698 geben. Eine in Einzelheiten etwas abweichende Ausbildung fand dieſe Bauweiſe, als die Saracenen ſich im 9. Jahrhundert, von 827 an bis 849, Sicilien unterwarfen, wo ſie romaniſche Bauten vorfanden und wo ihre Bauweiſe ſo manches romaniſche Element in ſich aufnahm. 909 ging Sicilien aus den Beſitz der Aglabiten in den der Fatimiten über und Palermo blühte raſch empor. Von da an bis um 1070, wo ſie von den Normannen wieder aus Sicilien vertrieben wurden, entſtand eine Reihe von Bauten, die theilweis noch erhalten ſind und an denen hauptſächlich Folgendes als abweichend vom arabiſchen Hauptſtyl auftritt. Die Moſcheen, unter denen ſich keine Djami befindet, ſind immer als Centralbauten mit Kuppeln, ſelten als dreiſchiffige, nie als mehrſchiffige Baſiliken behandelt. Die Kuppeln ſind wie oben beſchrieben, aber auf ziemlich hohen Uebermauerungen der vier Hauptbogen aufgeſtellt. Das Aeußere der Kuppeln iſt geradezu byzantiniſch. Hier und da ſind die Kuppeln innerlich etwas überhöht. Das Aeußere iſt an Moſcheen und an Wohnhäuſern in Quaderrohbau mit hohen, durch alle Geſchoſſe durchgehenden Spitzbogenblendarkaden ausgeführt, über die ſich der waagrechte arabiſche Zinnenſims legt. Es kommen Kloſter- und Kreuzgewölbe vor, Stalaktitengewölbe jedoch nur über Niſchen, in Fenſterblenden und an Pendentifs; am häufigſten iſt eine Balkendecke mit Conſolen unter den Hauptbalken u. hölzernen Stalaktitentheilchen in Zwickeln ꝛc. Arkaden beſtehen aus etwas überbobenen Spitzbogen auf Säulen, wie denn überhaupt ein einſeitiges, faſt übertriebenes Hochſtreben, jedoch ohne gänzliches Aufgeben der Horizontalen, ſich in allen Verhältniſſen, innen und außen, kund giebt; die Commaraxia iſt zwar in Aegypten vielfach angewendet, ſcheint aber in Sicilien faſt nicht gekannt worden zu ſein. Die Moſaikmuſter ähneln vielmehr ſehr den normanniſchen. Die Einrichtungen der Wohngebäude ſind geſchloſſen, burgähnlicher als die mauriſchen; Badegewölbe, Waſſerleitungen und Brücken ſind im Spitzbogen ausgeführt, letztere mit ſattelförmig über der Mitte des Fluſſes aufſteigendem Straßenzug, der oft ſo ſteil iſt, daß er durch Pferde nicht benutzt werden kann.

Saraph, geflügelte Schlange; bei den Hebräern Straſe von Gott, Bote des Zornes Gottes.

Sarbacane, frz., Löthrohr, ſ. d.

Sarbanchbaum, Sarbaum, örtliche Bezeichnung der ſchwarzen Pappel.

Sarder, Sardonyr, 1) braunrother Karniol mit weißen Achatadern; — 2) milchweißer Achat mit rother Zeichnung; — 3) Onyx mit weißlichen Achatſtreifen; ſ. auch b. Art. Chalcedon.

Sarg, lat. arca, conditorium, loculus, frz. cercueil, eng. coffin, 1) Todtenkaſten, Leichenkasten. Bei den Aegyptern waren die Särge nach der Form des menschlichen Körpers geschnitzt, ja sogar mit Gesicht, Händen und Füßen versehen, natürlich Alles in ziemlich breiten, gedrungenen Verhältnissen; s. übrigens d. Art. Aegyptisch. Ueber die assyrischen Särge s. d. Art. Assyrisch. Bei den Etruskern, Griechen und Römern waren die Särge in den seltenen Fällen, wo sie angewendet wurden, entweder ganz einfache Kästen oder Sarkophage (s. d.). Bei den Germanen u. Galliern waren es entweder Steinkisten, viereckig, oder hölzerne Kästen in Gestalt eines Schiffes. Im früheren Mittelalter bediente man sich im Norden Deutschlands und in England ausgehöhlter Monolithen mit flachen Deckeln, deren Form ungefähr der menschlichen Gestalt folgt; s. d. Art. Angelsächsisch. Später kamen metallene und hölzerne Särge in Gebrauch, deren Form auch jetzt in den verschiedenen Ländern sehr viele Abweichungen zeigt. Einen Sarg als Attribut erhält St. Gualfardus. — 2) Ueberhaupt s. o. w. längliches Behältniß, Kasten. — 3) Wetterdach beim Hohofen, für die Arbeiter, die denselben die Nacht über beschicken.

Sargewand, im südlichen Deutschland Längenwand eines Gebäudes, zum Unterschied von der kurzen Umfassungswand, Giebelwand.

Sargnägel, kleine Nägel mit verzierten runden Köpfen.

Sarkophag, lat. sarcophagus, frz. sarcophage, vom griechischen λίθος σαρκοφάγος, fleischfressender Stein, daher Sargstein, ein in Kleinasien brechender Kalkstein, der zur schnellen Verwesung beiträgt und mit dem man daher die Särge innerlich auslegte; davon abgeleitet s. v. w. Prachtsarg, sargähnliches Grabmal. Bei Aegyptern, Etruskern und Griechen hatten die Sarkophage, in welche der eigentliche Sarg hineingesetzt wird, in der Regel die Form viereckiger Kästen mit flachem Deckel; die Seiten waren häufig mit Reliefs verziert. In spät-griechischer Zeit, namentlich aber bei den Römern, wurden die Deckel mit Gesims versehen und erhielten Eckakroterien oder mindestens Hörner, so daß sie den Brandaltären ähnlich wurden; die Reliefs verbreiteten sich nicht mehr über die ganzen Seiten, sondern machten theilweise oder ganz einer Schrifttafel Platz. Allmälig wurde die angebahnte architektonische Gestaltung mehr durchgeführt, und im Mittelalter erscheinen die Seiten der Sarkophage vollständig architektonisch gegliedert; entweder sind sie in Felder getheilt oder durch Säulchen und Bogen ꝛc. in Abtheilungen getrennt, welche einzeln mit Inschriften, Ornamenten oder plastischen Darstellungen ausgefüllt sind. Statt der Säulchen treten dann wohl auch Strebepfeiler, Engel, Caryatiden oder dergleichen auf. Was die Deckel der Sarkophage betrifft, so sind dieselben schon bei den Römern häufig als Ruhebett für eine halb liegende, seitwärts gewendete Figur gestaltet. Im Mittelalter wird es dann fast typisch, eine Porträtfigur des Verstorbenen, liegend auf dem Sarkophagdeckel, darzustellen.

In der Renaissancezeit behielt man die mittelalterlichen Motive bei und decorirte sie mit antikisirenden Formen; in der Zopfzeit jedoch versuchte man vielfach, die an sich höchst unschöne Form eines modernen Sarges künstlerisch auszubilden, was zu den unglücklichsten Resultaten führen mußte.

Sarot, s. d. Art. Maaß, S. 513, Bd. II.

Sarrazine, frz., 1) Leuchterleuchter, s. d.; 2) eine Art Fallgatter; s. d. Art. Burg, S. 492, Bd. I.

Sarrazine, oeuvre de, frz., orientalische Arbeit, Ornamentation im byzantinischen Styl.

Sarter (Schiffsb.), s. d. Art. Charter.

Sarvatobhadra, s. d. Art. indische Baukunst, S. 325, Bd. II.

Sas, frz. 1) Gipssieb; — 2) Schleußenkammer.

Saschehu, Saschén ꝛc., s. d. Art. Maaß, S. 487, 488, 494, 506, Br. II, sowie den Art. Meile, S. 552, Bd. II.

Sash-frame, engl., Coulissenrahm.

Sash-window, engl., Schiebfenster.

Sasi, s. d. Art. Maaß, S. 512, Bd. II.

Sassafrasholz, Fenchelholz (vom Sassafrasbaum, Sassafras officinalis, Fam. Lorbeergewächse), wird von den südlichen Staaten Nordamerika's ausgeführt. Er riecht fenchelartig, ist dunkel gefärbt, gelbbraun, in's Röthliche ziehend, dabei weich und grobfaserig, findet aber nicht in der Technik, sondern nur in der Arzneikunde Verwendung.

Sassagummi, s. d. Art. Gummiharze 23.

saffanidische Baukunst. Nachdem Persien durch Alexander den Großen gestürzt war, herrschten die Seleuciden und Arsaciden über das Reich. Um's Jahr 223 n. Chr. erhob sich Ardschir Babekan, Sohn des Sassan, gegen Artabanos IV., stürzte denselben 226 und setzte sich als Artaxerxes auf den Thron seiner angeblichen Vorfahren. Seine Nachkommen, die Sassaniden, regierten bis 642 nach Chr. Wie sie im Allgemeinen danach strebten, das alte persische Reich neu zu beleben, so auch auf dem Gebiet der Kunst. Die

Fig. 1700. Aus Firuzabad.

sassanidische Bauweise zeigt daher so manche Reminiscenzen an die persische Kunst (s. d.), konnte sich aber doch nicht von römischem Einfluß freihalten; dies zeigt sich zunächst in der Anwendung des Gewölbebaues und der rundbogigen Nischen. Fig. 1704 ist ein Theil der Façade des um 250 erbauten Palastes von Al-Hadhr, 6 Meilen vom Tigris, westlich von Kaleb-Shergbat. Die Stadt Al-Hadhr war beinahe kreisrund und durch eine Steinmauer eingefaßt, die mit Thürmen versehen war. Der Palastbezirk ist circa 800 Fuß lang bei 700 Fuß Breite und in 2 Höfe getheilt. Dem inneren Hof ist unsere Façade entnommen. Die Räume, in welche die Thore führen, sind mit halbkreisförmigen Tonnengewölben

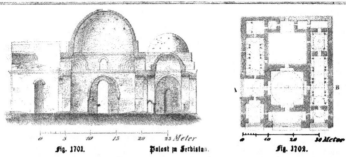

Fig. 1701. Palaſt zu Serbiſtan. **Fig. 1702.**

bedeckt. Einen weſentlichen Fortſchritt in der Conſtructionsmethode zeigt der Palaſt zu Ser-biſtan, erbaut 350, mit ſeinem ganz nach altperſi-

elliptiſch geſtaltet, zeugt aber durch ſeine Größe von hoher techniſcher Fertigkeit und großer Kühn-heit. Die Capitäle gehen von der korinthiſchen

Fig. 1703. Tak Kesra in Kteſiphon.

ſcher Weiſe gegliederten Grundriß (Fig. 1702) und ziemlich complicirtem Gewölbſyſtem, welches aus dem Durchſchnitt in Fig. 1701 hinlänglich er-hellt. Um's Jahr 450 erbaut iſt der Palaſt zu Firuzabad, der einen ſchon mehr zu den muha-medaniſchen Bauten hinneigenden Grundriß hat, deſſen Details aber in höchſt treffender Weiſe den Kampf zwiſchen altperſiſchen Elementen an den Thüren (ſ. Fig. 1705) und römiſchem Einfluß an der Façadenarchitektur (Fig. 1700) zeigen. Das Tak Kesra in Kteſiphon, von Khosru Nuſchirvan um 550 n. Chr. erbaut, zeigt, allerdings in ziem-lich unorganiſcher Weiſe auf einander geſtapelt,

Grundform aus, nähern ſich aber theils den byzan-tiniſchen, theils den ſpätromaniſchen. Der Aba-kus iſt eine reichgegliederte Platte; der Hals ein

Fig. 1704. Façade des Palaſtes in Al-Hadhr. **Fig. 1705.** Saſſanidiſche Thür.

Rundbogen, Halbſäulen und Spitzbogen in bun-tem Gemiſch. Der Hauptbogen (ſ. Fig. 1703) iſt

derb ornamentirter Wulſt; Säulenfüße, Haupt-ſimſe, Thüren xc. erinnern an den perſiſchen Styl.

Saffe, f. d. Art. Flug.

Sasse, frz., Wasserschaufel.

Sasse, engl., Schleuße, Schutzbret.

Sasso, ital., Stein, Fels; sasso quadrato, Quaderstein; sasso spezzato, Bossage; f. d.

Sata, Seah, Statum; f. d. Art. Maaß, S. 513.

Satinholz, f. d. Art. Atlasholz.

Satinocher (Mal.), feiner, gelbrötblicherOcher.

Satinspar, engl., f. d. Art. Bitterkalk.

satt, gesättigt, 1) von Farben f. v. w. vollständig, rein, unvermischt, z. B. sattgelb f. v. w. reingelb, hochgelb; — 2) f. v. w. vollgesogen, bei Tränkungen ꝛc.; f. d. Art. Sättigung.

Sattel, 1) bei Malzdarren das auf den Seitenwänden aufliegende Gewölbe; — 2) f.-u.-Windmühle; — 3) f. v. w. Holm; f. d.; — 4) Oberbedeckung eines doppelseitigen Wehres oder eines Bäres; — 5) Dach über dem Räderwerk einer Mühle; — 6) f. d. Art. Absatteln und Aufsatteln.

Sattelbaum, f. d. Art. Windmühle.

Sattelbret, f. d. Art. Bret.

Satteldach, franz. toit en batière, comble à deux égouts, f. d. Art. Dach, S. 589, Bd. I.

Sattelholz, frz. empanon, 1) auch Trummholz genannt; ein über einen Pfeiler oder über eine Säule gelegtes Holz, um den darauf ruhenden Trägern mehr Auflage und dadurch mehr Sicherheit gegen das Einbiegen zu geben. Es können zwei bis drei Sattelhölzer auf einander liegen, wodurch eine größere Einschränkung der Tragweite erreicht wird. Mit den Trägern werden die Sattelhölzer meist verschränkt, verzahnt oder verdübelt. Wenn Sattelhölzer an den Enden von Trägern oder Ballen angebracht sind, so daß sie in den Mauern oder auf Wänden liegen und nur nach einer Seite hin vorstehen, üben sie einen starken Seitenschub aus auf von hier vor bei verhältnißmäßig sehr starken Mauern entschuldigt werden. Auch sollten die Sattelhölzer nicht mehr als 4–5 Fuß weit, eines vor dem andern, vorspringen, außer in Verbindung mit Kopfbändern. Man kann mittelst dieser Construction in mannichfaltigster Anordnung Decken über sehr große, weite Räume, ohne Stützen oder doch mit nur geringer Anzahl derselben, herstellen; f. auch b. Art. Bräde, S. 455, Bd. I. — 2) Wenn man eine Wand, Säule, Esse ꝛc. im oberen Geschoß oder in der halben Höhe eines Geschosses aufsetzt, ohne daß sie vermöge ihrer Lage directe Unterstützung bekommen kann, so legt man entweder auf die nächsten Balken oder in die nächsten Mauern ein Querholz (Sattelholz, Faßholz oder Sattel genannt), auf welches man dann den betreffenden Gegenstand aufsetzt (aufsattelt). Besser ist es jedoch, weil feuersicherer, einen Bogen, oder, wo dies nicht geht, einen eisernen Sattel anzuwenden.

Sattelkammer, f. Geschirrkammer im Art. Geräthschuppen.

Sattelriegel (Mühlenb.), 1) Querriegel zur Befestigung des Sattels bei Windmühlen; — 2) den Sattel, auf welchem die Ziehwelle ruht, tragender Riegel bei Panstermühlen; f. d. Art. Angewäge.

Sattelthurm, f. d. Art. Giebelthurm.

Saturnia, f. d. Art. Juno.

Saturninus oder Sarnin, St. 1) Bischof und Patron von Toulouse, im dritten Jahrhundert von Rom nach Gallien zur Wiederbelebung des verfolgten Evangeliums gesandt. Die Heiden schlugen auf ihn ein, ein Priester stach mit dem Dolch nach ihm, dann wurde er 257 n. Chr. durch einen Stier geschleift. — 2) Saturninus aus Rom, wurde als Greis unter Diocletian zur Arbeit gepeitscht; da Diakon Sisinnius ihm half, wurden beide gefoltert und mit dem Schwert enthauptet. — 3) Ein dritter Saturninus wurde 304 unter Diocletian mit vielen Christen, darunter ein Kind, gemartert. Tag b. 11. Februar.

Saturnus (Myth.), bei den Griechen Kronos, Gemahl der Rhea, Sohn des Uranos und der Gäa. Trat nach Entmannung seines Vaters in Gemeinschaft mit Gäa als Ordner der Welt auf und regierte während des goldenen Zeitalters. Verzehrte seine Kinder, bis Zeus diesem Schicksal entging und ihn entthronte. Den Griechen galt er als Gott der Zeit, den Römern als Gott des Ackerbaues. Bei Darstellungen erhält er als Attribut die Sichel, giltig für griechische und römische Mythe, die dreiförmige Schlange und den Herrscherstab. Sein Hinterkopf ist gewöhnlich verschleiert und seine linke Hand darüber erhoben. Auch wird er mitunter als Greis abgebildet, mit Sense, im Begriff ein Kind zu verzehren, auch wohl geflügelt und einen Polos (Bild der Erdscheibe) auf dem Kopf. Auf einer bemoosten Kugel stehend, mit vier Augen und zwei Flügeln am Kopf, stellten ihn die Aegypter dar. Einzelne Monumente stellen ihn kahl, andere mit über die Stirn und an beiden Seiten herabfallendem lockigen Haar dar; auch wohl mit einem Pflanzensprößling, den einen Fuß mit einer Sandale umwunden, den andern nackt.

Satyr. Die Satyre, den Faunen (f. d.) ähnlich gestaltet, waren Repräsentanten der frohen Weinlaune und zugleich des dadurch erhöhten Geschlechtstriebes; dargestellt wie Hyläos; f. d.

Satyre, als allegorische Figur, bat in den Händen eine mit Lorbeeren gezierte Geißel, oder einen Momusstab. Umgeben von Werken des Persius, Juvenalis, Horatius ꝛc.

Satz. 1) (Bergb.) die zu einem Saugwerk gehörigen Pumpenröhren, auch Hubsatz genannt; ein niedriger Satz hebt bis zu 5 Lachter, ein hoher bis 12 Lachter. Der Satz wird matt, heißt f. v. w. der Kolben wird undicht; — 2) ein Satz Stempel, f. d. Art. Pochwerk; — 3) ein Satz Nußbutten sind 240 Stück; — 4) ein Satz Bohrer sind die zu völligem Ausbohren eines Loches nöthigen drei zusammengehörigen Bohrer, als: Anfangs-, Mittel- und Abbohrer; — 5) ein Satz Glieder, engl. set, eine Gruppe zusammengebängter Glieder; so z. B. bilden bei einem Hauptgesimse die Unterglieder den ersten, Hängeplatte mit Obergliedern den 2ten Satz.

Satzmeißel (Schloss.), zum Antreiben der Nietnägel dienender Meißel.

Satzwaage, f. d. Art. Setzwaage.

Sau, 1) auch Göpelhund, ein von dem Göpel bewegter Hund, f. d. I.; — 2) wenn beim Abtreiben des Silbers auf dem Heerd das Metall Löcher gräbt und den Heerd aufbebt, so sagt man: das Erz sitzt in der Sau, das Werk ist in die Sau gejagt; — 3) wenn im Hohofen durch nachlässigen Betrieb das schmelzende Erz erkaltet und sich festsetzt, so nennt man den dadurch entstandenen Klumpen eine Sau.

Saualpit (Mineral.), f. v. w. Epidot; f. d.

Sauberkasten (Mühlenb.), zum Aufbewahren des gesiebten Mehles dienender Kasten.

Sauberſieb, ſ. v. w. Beutelſieb.

Saucisse, frz. (Befeſtigungsk. u. Deichb.), lange, dünne Faſchine.

Sauerampfer, krautartige Gewächſe der Gattung Ampfer (Rumex L., Fam. Knöterichgewächſe, Polygoneae). 1) Sauerampfer (rumex acetosa) enthält Weinſteinſäure und ſauerkleeſaures Kali; 2) franzöſiſcher, auch römiſcher, grauer genannt (rumex scutatus), ähnlichen Gehalts; 3) kleiner oder Feldampfer, auch Sauerklee (rumex acetosella), benutzt zur Bereitung des Sauerkleeſalzes, wächſt auf ſandigen Wieſen und an Wegerändern, hat ſpießförmig-lanzettförmige, langgeſpitzte Blätter. In Gärten wird vielfach auch der 4) Gartenampfer (rumex patientia) gebaut. Aus ihm bereitete man ehedem ebenfalls Kleeſalz, wie aus dem Sauerklee; ſ. d.

Sauerdorn, ſ. d. Art. Berberitzſtrauch.

Sauerkalk, Weißkalk, der gebrannt, gelöſcht und in einer Grube eingeſumpft iſt; ſ. d. Art. Kalk und Mörtel.

Sauerklee (Oxalis acetosella L.), iſt ein ausdauerndes niederes Kraut ſchattiger Bergwaldungen Deutſchlands. Es hat dreizählige, kleeähnliche Blätter und zarte weiße, fünfblätterige Blüthenglöckchen mit 10 Staubgefäßen (Fam. Oxalideae D. C.). Er wurde ehedem ähnlich wie der Sauerampfer zur Herſtellung des Sauerkleeſalzes (Kali bioxalicum) benutzt, das jetzt jedoch faſt ausſchließlich durch Oxydation des Stärkemehls und Stärkezuckers erzeugt wird.

Sauerkleeſäure, Oxalſäure, hat die Eigenſchaft, aufgelöſte Kalkſalze zu zerſetzen und als unlöslichen, oxalſauren Kalk zu fällen; kann daher zu Bereitung von Gipsabgüſſen ꝛc. verwendet werden, welche den Einwirkungen des Regens vollſtändig widerſtehen.

Sauerkötel (niederd.), auf Schornſteinen aufgeſetzte, nach dem Winde ſich drehende Haube; ſ. d. Art. Rauch und Schornſtein.

Sauern (Hüttenw.), ſ. v. w. ſcheiden (Erz durch Säuren).

Sauerſtoff. Gewöhnlicher Sauerſtoff oder inactives Sauerſtoffgas, Lebensluft, iſt ein auf unſrer Erde ſehr verbreitetes gasförmiges Element. Im Waſſer iſt dieſes Gas zu 89%, in der Luft zu 23% dem Gewicht nach enthalten. Der Sauerſtoff bildet einen Beſtandtheil aller Oxyde und Sauerſtoffſalze und macht mindeſtens ein Fünftel unſerer feſten Erdrinde aus. Die Atmoſphäre enthält mehr als eine Trillion Kilogramme Sauerſtoff, mechaniſch gemengt mit Stickſtoff. Es gelingt nur auf Umwegen, Sauerſtoffgas rein aus der Luft darzuſtellen. Am beſten eignen ſich daher zu ſeiner Reindarſtellung ſolche ſauerſtoffhaltende Körper, welche den Sauerſtoff unter dem Einfluß von Hitze oder unter dem Einfluß einer höheren Temperatur unter gleichzeitiger Mitwirkung von Schwefelſäure abgeben.

So erhält man durch Erhitzen von chlorſaurem Kali, durch Schmelzen von Salpeter, durch Erhitzen von Queckſilberoxyd, Silberoxyd, Manganſuperoxyd, Braunſtein, ferner durch Erhitzen von zweifach-chromſaurem Kali mit Schwefelſäure, leicht reines Sauerſtoffgas.

Als billigſte Methode zur Gewinnung größerer Mengen Sauerſtoff für techniſche Zwecke empfiehlt ſich die Zerſetzung der Schwefelſäure oder ſchwefelſauren Salze in der Glühhitze. Man erhitzt z. B. in einer Retorte Ziegelſteinſtücke oder Platinblechſchnitzel zum Rothglühen und leitet auf die glühende Maſſe einen dünnen Strahl engliſcher Schwefelſäure. Die Säure zerſetzt ſich in ſchweflige Säure und in Sauerſtoffgas. Die ſchweflige Säure trennt man in Kühlröhren durch Waſchen mit Waſſer vom Sauerſtoff. Der auf dieſe Weiſe erzeugte Sauerſtoff koſtet pro Cubikmeter etwa 8—10 Ngr.

Das Sauerſtoffgas iſt ein farbloſes, geruch- und geſchmadloſes Gas, welches man ſelbſt bei einem Druck von 1350 Atmoſphären noch nicht in einen andern Aggregatzuſtand hat überführen können. Der Sauerſtoff unterhält und befördert die Verbrennung aller verbrennlichen Körper. In reinem Sauerſtoffgas verbrennen alle Körper viel lebhafter und ſicher, als in atmoſphäriſcher Luft. Beim Abſterben organiſcher Weſen iſt es der Sauerſtoff, welcher den langſamen Verbrennungsproceß, den wir Verweſung nennen, einleitet; ebenſo bewirkt er im Verein mit Kohlenſäure und Waſſer die Verwitterung ſelbſt der feſteſten Geſteine ꝛc. Er vermag ſich mit allen Elementen, mit Ausnahme des Fluers, zu verbinden. Den Proceß der Verbindung des Sauerſtoffs mit andern Elementen nennt man Oxydation; ſ. d. Art.

Die Anwendung des Sauerſtoffs im Großen beſchränkt ſich bisher auf ſeinen Gebrauch zu Erzeugung ſehr hoher Temperaturen.

Eine andere Modification des Sauerſtoffs haben wir in dem Ozon; ſ. d. Art.

Sauge, bei den Malzdarren ausgemauerte, aus dem hintern Theil des Ofens in die Höhe ſteigende Luftzugsröhre.

Saugkalk (Mineral), graue, gelblichweiße Gebirgsart, iſt kohlenſaurer, enthält mit etwas Kieſel, ſaugt mit Aufbrauſen Waſſer ein, iſt rauh, matt, undurchſichtig, löſt ſich in Salpeterſäure beinahe vollſtändig, ſieht dem Sandſtein ähnlich, enthält Petrefacten und iſt zu Mörtel brauchbar.

Saugloch (Maſch.), untere Oeffnung einer Saugröhre, d. h. des Rohres einer Saugpumpe.

Saugmutter (Maſchinenw.), bei Saugpumpen zu Anfüllung (Anfriſchung) des Stiefels und Kolbens dienende kleine Pumpe.

Saugpumpe, Saugwerk, ſ. d. Art. Brunnen und Pumpe.

Saugſand, ſ. v. w. Quellſand; ſ. d.

Saugſchacht, auch Bohrloch genannt; ſ. d. Art. Entwäſſerung 2.

Saugſchwungmaſchine, durch vereinte Schwung- und Saugkraft wirkende Maſchine zum Heben des Waſſers; ſ. d. Art. Centrifugalpumpe.

Saugſtange, Kolbenſtange einer Saugpumpe; ſ. d. Art. Pumpe.

Saugventilator, ſ. d. Art. Ventilation und Holz 3.

Saugwerk, ſ. v. w. Saugpumpe; ſ. d. Art. Brunnen und Pumpe. Will man Waſſer aus einem Sumpf ſaugen, ſo gebraucht man den Schleicher, d. i. eine in der Saugröhre ſteckende Röhre, welche auf einer Biſchofsmütze (ſ. d. 3.) ruht und durch deren Gewicht beim Sinken des Sumpfes mit hinab ſinkt.

Saukopf (Glash.), auf dem Ringſtein bei dem Schmelzofen liegender Deckſtein des Arbeitsloches.

Saum, 1) frz. orle, f. v. w. Plättchen; f. d. Art. Glied, cinctum, cimbia; — 2) (Herald.) f. v. w. innere Einfassung; f. d. Art. limbus; — 3) (Schiffsb.) zum Einfassen der Segel dienendes Stück Tau; — 4) bei zusammengeschmiedeten Eisenplatten die zusammengeschlagene Seite; — 5) f. d. Art. Maaß, S. 509, Bd. II.

Saumlade, frz. chanlate, Bret oder Latte, an dem untern Ende der Sparren quer über dieselben genagelt, damit die Fußschicht, Traufschaar, etwas flacher liegt als die anderen Dachziegel, und dadurch sicherer an dieselben anschließt, oder unterwärts quer an den Sparrenkopf genageltes Bret, dann auch Staublade genannt.

Saumlatte, 1) jede eine Fläche begrenzende Latte; — 2) (Mühlenb.) eine Latte, die nach der Richtung der Ruthen einen Windmühlenflügel begrenzt.

Saumon, frz., f. d. Art. Bleimulde, Block.

Saumschicht, f. v. w. Traufschaar; f. d. Art. Dachdeckung I. 1.

Saumschwelle, frz. sommier, engl. summer, brestsummer, bressummer, Träger einer Säulenwand, auch Oberschwelle einer Fachwand, besonders einer Umfassungsfachwand; oft ungenau gleichbedeutend mit Blattstück, Rähm, oder gar mit Fachwandsschwelle gebraucht; f. d. Art. Fachwand, Schwelle, Blattstück, Rähm, Bauholz, S. 281, Bd. I. 2c.

Saumwerk (Schiffsb.), ist bei Schiffen eine Manier der Verplankung, wo sich die Planken schuppenförmig decken; f. d. Art. Klinkerwerk.

saupoudrer, frz., bestäuben, f. d.

saurer Geist, f. d. Art. Beize A. 5.

Saussure's Hygrometer, f. d. Art. Hygrometer 1.

Saussurit (Mineral.), Bitterstein, magerer Nephrit (Jade, Lémanite), wesentlicher Gemengtheil des Gabbro, f. d.; erscheint in krystallinisch-körnigen Massen von unebenem, splitterigem Bruch, auf den Spaltungsflächen glas- und perlmutterglänzend, an den Kanten durchscheinend, schwer zersprengbar, Farbe weiß, in's Grüne und Graue, spec. Gew. 3,34—3,25; ritzt Flußspath, ritzbar durch Bergkrystall; wird von Säuren nicht angegriffen.

Saustein (Mineral.), f. v. w. Stinkstein.

Sautant, frz., f. d. Art. Löwe 4.

Sauterelle, frz., Stellwinkel, Schmiege.

Sautoir, frz. (Herald.), Andreaskreuz; f. d. Art. Heraldit VI.

Saxaul, Holz von Anabasis Ammodendron; specif. Gewicht des trocknen Holzes = 1,134. Aus dem Holz geschnitzte Spielsachen (Antilopenhörnchen, geglättete Holzplättchen 2c.) finden sich in Tschuden-Gräbern im Altai.

Saxogothea conspicua (Fam. Zapfenfrüchtler), ein Nadelholzbaum, der in Chile einheimisch und wegen seines Holzes geschätzt wird. Letzteres ähnelt dem unserer Weißtanne.

Saxon style, engl., f. d. Art. angelsächsische Bauweise.

Saxum quadratum, lat., Quaderstein. Die Römer verwendeten zu ihren Quadern den tufo litoide, frz. tuf lithoide, einen Kalktuff, den man u. A. in Rom selbst bricht.

Sayalakazie, f. d. Art. Gummiharze 3.

Sayana (ind. Styl), Pyramidentempel, bei welchem das Götzenbild liegend dargestellt wird. Sazön, f. d. Art. Maaß, S. 487.

Sc., auf Inschriften, Statuen 2c., für sculpsit (hat gestochen, ausgehauen, ausgemeißelt).

Scabellum, lat., aus dem Griechischen, 1) Fußgestell zum Aufsetzen eines Brustbildes; — 2) Sessel, Schemel; — 3) Fußbank, Hütsche.

Scaffold, engl., ital. scaffolo, Baugerüst, Rüstung, Bühne, Schaffot, Bücherbret.

Scagliola, ital. (Mineral.), eine Art Frauenglas in Florenz. Es wird calcinirt, fein gepulvert, mit Leim und Wasser, wohl auch unter Zuthat von Farbstoffen zu einem Teig gemacht und geformt, getrocknet, mit Bimßstein geschliffen und endlich mit Oel und Filz glänzend gemacht.

Scala, lat., Maaßstab; Scalae (plur.), Leiter, Treppe. Die Römer hatten a) scalae cochlides, Wendeltreppen; b) scalaria, die geraden Podesttreppen in den Theatern und Amphitheatern, f. d.; c) scalae pontes, Leitern; d) scalae murales, Sturmleitern; e) scalae graecae, mit einem Treppenhaus umbaute Treppe.

Scalare, neuslat., plur. —ia, 1) Stufentritt; — 2) f. d. Art. Scala b.

Scalarius, St., f. d. Art. Climacus.

Scale, engl., Maaßstab.

Scaletta, ital., f. d. Art. Bock II.

Scallage, scallenge, engl., f. v. w. Lichgate, S. 463, Bd. II.

Scalptura, lat., f. d. Art. Sculptur, Scalprum, Meißel.

Scalus, mönchslat., f. d. Art. Chorgestühl.

Scamillus, scamellum, lat. (Archit.), niedrige Bank, daher niedriger Aufsatz, Platte, ganz schwacher Boßen. Die von Vitruv erwähnten scamilli impares lassen vernünftiger Weise nur zweierlei Deutungen zu, die im Resultat auf dasselbe hinaus kommen. Entweder meint er damit, daß die Plinthen des Stylobats ungleich hoch sein, oder daß sie durch untergelegte Keilchen nach der Mitte zu höher gebracht werden sollen; beides, damit die sonst für das Auge eintretende scheinbare Einsenkung derselben nach der Mitte hin wegfalle. Einige, nicht technisch erfahrene Ausleger jedoch verstehen darunter Vorsprünge oder Erhöhungen des Unterbaues unter der Säule und des Gebälkes über denselben; noch andere einen besonderen Plinth, angebracht unter dem Plinth der Säulenbase, oder Ausbauchungen an dem mittleren Theil des Unterbaues 2c.

Scamnale, lat., Sitzpolster.

Scamnum, lat., Bank, f. d. und Lectus.

Scandaglio, ital., Bleisentel.

Scandula, Scindula, lat., Schindel.

Scantling, engl., Größe, Maaß, Normalmaaß, Maaßbret, f. d.

Scape, scapus, engl., Säulenschaft, Ablauf eines Säulenschaftes.

scapple, engl., aus dem Groben behauen.

Scapus, lat., griech. σκᾶπος, 1) Schaft einer Säule, eines Leuchters 2c.; — 2) Thürpfosten; — 3) Treppenspindel.

Scarabäus, Mistkäfer; galt den Aegyptern als Symbol der Weisheit und Schöpferkraft und wurde in der Ornamentik von ihnen vielfach verwandt; f. d. Art. ägyptischer Styl.

Scaraguayta, mittelalt.lat., für échauguette, f. d.; vielleicht aus Schaarwacht entstanden.

Scarcement, engl., Mauerabsatz.

Scarf, engl., Kerbe, BlADung.

Scarp, engl., Böschung.

scarpiren, 1) (Deichb.) f. v. w. planiren; — 2) (Kriegsb.) durch künstliches Abstechen eine steil abhängige Bergfläche ganz unersteigbar machen.

Scarpirschaufel, scharfe Schaufel zum Verpußen einer Rasenverkleidung.

Sceau, sceel, frz., Siegel; sceau du secret, Secretsiegel; f. d. Art. Reliquiengruft und Märsceller, frz., mit Blei vergießen. [tyrergrab.

Scena, lat., Bühne rc.; f. d. Art. Theater.

Scenerei, Bühnengerüst.

Scenographie oder Skenographie, perspectivische Ansicht, Prospect.

Scepter, eigentlich Skepter, griech. σκῆπτρον, lat. sceptrum, Herrscherstab; wird den Bildnissen und Wappen von Fürsten, Statthaltern rc., im Mittelalter blos souverainen Fürsten, beigegeben; f.übr.d.Art.Gerechtigkeitshand, Insignie, Krone rc., ferner d. Art. Concordia, Maria, Philosophie rc.

Schaalbret, Schaale rc.; f. d.Art. Schalbret rc.

Schaar, bei Ziegeldeckung f. v. w. Schicht, Reihe; f. d. Art. Dachdeckung, S. 602, Bd. I.

schaaren, f. v. w. am Ende zuschärfen, z. B. Schwartenpfähle.

Schaarwaage, f. v. w. Dossirbret, f. d.

Schabasit (Mineral.), f. v. w. Würfelzeolith.

Schabeisen, 1) (Bildh.) zum Bearbeiten weicher Steinarten dienendes, auf beiden Seiten gezahntes', gekrümmtes Eisen in einem Heft; — 2) (Tischl.) f. v. w. Ziehklinge.

Schaben (Blatta), so nennt man eine Gattung heuschreckenähnlicher Kerbtiere, die sich durch ihren glatten Körperbau auszeichnet. Ihre Fühler sind borstenförmig, 80gliederig, ungefähr so lang wie der Körper. Die Weibchen sind oft ungeflügelt. Da ihre Nahrung hauptsächlich aus denselben Stoffen besteht, welche der Mensch auch genießt, so halten sich mehrere Arten gern in den Wohnungen auf und werden durch ihre Näschereien, welche sie bei Nacht ausführen, sehr lästig. Die gemeine Küchenschabe (Bl. orientalis L.), „Schwaben, Preußen, Russen" in verschiedenen Gegenden genannt, ist dunkelbraun bis schwarz. Die deutsche Küchenschabe (Bl. germanica L.) ist viel kleiner und schmäler, bräunlichgelb, mit zwei schwarzen Längsstreifen auf dem Brustschild. Die größte Art ist die amerikanische Schabe (Bl. americana L.), von hellrothbrauner Farbe, dunkelgelbem, doppelt geflecktem Halsschild und sehr langen Fühlern. Ein Hauptschutz gegen diese Hausplage ist das Verstreichen aller Rißen und Reinlichkeit. Da, wo es angeht, kann man Schwefeldampf in die Schlupflöcher ziehen lassen oder bei gehöriger Vorsicht Schabenpulver, d. h. Arsenit, auf Lockspeisen setzen.

Schaber, 1) Vorrichtung zum Abstreichen der gemahlenen Oelsaat in Oelmühlen von den Läufern, wo sie sich anhängt; — 2) zum Schaben und Glätten verschiedener Metallarbeiten und zur Vergoldung bestimmten Eisens, gekrümmt und vorn mit einer Schärfe, sonst aber von verschiedener Gestalt.

Schabkäfer, f. d. Art. Holznager.

Schabklinge, f. v. w. Ziehklinge, f. d.

Schablone, vielfach übliche Schreibweise für Chablone, f. d.

Schach (Herald.), f. d. Art. Geschacht. Durchschneiden sich die Linien so, daß sie Rauten bilden, so heißt das Schach verschoben.

Schachbret oder Schachtafel(Herald.),f. d.Art. Geschacht und Gewürfelt, sowie Heroldsfigur 7.; Schachtafeln kommen auch als Helmschmuck vor.

Schachbretfries, Schachklötzchen, frz. damier, échiquier, breites Band, aus quadratischen Erhöhungen und Vertiefungen schachbretartig zusammengesetzt; f. auch d. Art. Würfelfries und Billet b.

Schachbretmosaik, lat. opus vermiculatum, f. d. Art. Fußboden.

Schachkreuz (Herald.), ein Kreuz mit Schach überzogen.

Schacht, 1) (Bergb.) f. u. Grubenbau, S. 212, Bd. II; — 2) ein mit Holz bestandenes Stück Land; — 3) f. v. w. Brunnen; — 4) (Deichb.) durch einen Deich führende Durchfahrt; — 5) f. d. Art. Hohofen.

Schacht auf Bolzen setzen (Bergb.), die Gevierte bei Verzimmerung eines Schachtes nicht unmittelbar aufeinander legen, sondern Bolzen dazwischen setzen; f. d. Art. Grubenbau.

Schachtbühne (Bergb.), Bühne oder Absatz in einem Fahrschacht, um die Fahrten zu befestigen und das Ein- und Ausfahren zu erleichtern.

Schachtelhalm, wintergrüner (Equisetum hiemale, Fam. Schachtelhalmgewächse), ein blüthenloses Gewächs der süddeutschen Sümpfe, das statt der Blätter gezahnte Scheiden an den Stengeltnoten trägt. Die scharfen Halme enthalten Kieselerde und dienen zum Glätten des Holzes; f. d. Art. Abschachteln. Andere Arten, z. B. der als Unkraut sehr lästige Acker-Schachtelhalm (E. arvense L.), finden in der Haushaltung als Scheuerkraut zumScheuern desZinnsVerwendung.

Schachterz (Bergb.), vom Gang durch Zufall, durch Schläge oder durch Feuer losgetrenntes Erz, welches aber noch nicht heruntergefallen ist.

Schachtfuß (Bergb.), f. d. Art. Schachtmaaß.

Schachtgestänge (Bergb.), f. v. w. Kunstgestänge.

Schachtgeviere, f. d. Art. Geviere, Minenhölzer, Grubenbau rc.

Schachtgründung, f. d. Art. Grundbau.

Schachtholz (Bergb.), Hölzer, womit ein Schacht inwendig ausgezimmert wird; es gehören dazu: Rüstbäume, Heidehölzer, Jöcher, Pfähle, Pfandeteile, Anpfähle, Strebestempel, Tragstempel, Wandruthen, Donhölzer, Füllbäume, Schachtstangen rc.; f. d. einzelnen Art.

Schachtlatte, Schachttonne (Bergb.), Donlatte, die auf Donhölzern (f. d.) liegenden Langhölzer der Bahn.

Schachtmaaß, Körpermaaß, das zur Länge und Breite die in der Benennung angeführte Maaßeinheit, zur Stärke die nächst niedrige Maaßeinheit hat; z. B. Schachtruthe, 1 Ruthe lang und breit und 1 Fuß stark, ebenso Schachtfuß und Schachtzoll; f. übrigens d. Art. Maaß.

Schachtmauerung, f. d.Art. Grubenbau und Grundbau.

Schachtmine, f. d. Art. Minenbau.

Schacht mit ganzem Schrot auszimmern (Bergb.), s. d. Art. Grubenbau.

Schachtnagel (Bergb.), starke Nägel, womit die Schachtlatten auf die Donhölzer befestigt werden.

Schachtofen; so heißen diejenigen Oefen, welche einen hohen, oben unbedeckten Raum, einen Schacht, enthalten, der zu Aufnahme des zu erhitzenden Materials allein oder zu Aufnahme desselben und des Brennstoffes zugleich dient.
A. Schachtöfen ohne Gebläse, Zugschachtöfen, dienen nie zur Schmelzung, nur zur Röstung oder Ausglühung der Eisenerze, Kupfererze 2c., ferner als Gasgeneratoren 2c.
B. Schachtöfen mit Gebläse, Geblässchachtöfen. Dahin gehören:
1. Eisenschachtöfen: a) Gebläsöfen mit offener Brust; s. d. Art. Hohofen. b) Geblässchachtöfen mit geschlossener Brust; s. d. Art. Blauofen. Sie haben unter der Ebene der Formen eine Oeffnung zum Ablassen der Schlacken. c) Abstichschachtöfen; s. d. Art. Cupolofen.
2. Geblässchachtöfen für Kupfer=, Silber=, Blei= und Zinnerze. Dieselben zerfallen a) nach ihrer Höhe in Hochöfen von mehr als 12 Fuß Schachthöhe; in Halbhohöfen von 6—12 Fuß Schachthöhe und in Krummöfen von weniger als 6 Fuß Schachthöhe; b) nach der Heerdeinrichtung in Tiegelöfen mit offener Brust, in Stichtiegelöfen mit geschlossener Brust und in Sumpföfen mit Vorheerd; Augenöfen oder Spuröfen mit einer offenen Abflußöffnung zerfallen wiederum in solche mit offenen Augen, mit verdeckten Augen und in Brillenöfen. Vergl. auch d. Art. Flammofen, Brennofen, Eisen, Abstichbrust 2c.

Schachtricht (Bergb.), Provinzialismus für Stollen.

Schachtscheider, s. d. Art. Grubenbau, S. 213, Bd. II.

Schachtschiene (Bergb.), starke eiserne Bleche, über die Stoßfugen der Schachtlatten geschlagen.

Schachtschwinge (Bergb.), s. v. w. Kunststange; s. d. Art. Feldgestänge.

Schachtstange (Bergb.), 1) s. v. w. Schachtlatte; — 2) s. v. w. Kunststange.

Schachtstempel (Bergb.), s. d. Art. Grubenbau.

Schachtstoß (Bergb.), kurze Seite eines Schachtes, wenn derselbe ein längliches Viereck zum Querdurchschnitt hat.

Schachtzimmerung, s. d. Art. Grubenbau.

Schachziegel (Herald.), s. v. w. Schindel.

Schacke (Feldmeßt.), Ring oder Raute zu Bezeichnung einer Ruthe oder halben Ruthe an einer Meßkette, auch überhaupt Meßkettenglied.

Schaddeich (Deichb.), s. v. w. Kesseldeich.

Schächerkreuz, lat. furca (Herald.), s. Art. Kreuz C. 9 und D. 14, ferner Gabel 2; gefülltes Schächerkreuz, s. d. Art. Kreuz C. 10. Wenn die Arme des Schächerkreuzes blos Theilungslinien sind, so ist dies eine Schildestheilung in Schächerkreuzform.

Schäfer, s. d. Art. Abdecken 3.

Schäferei, frz. bergerie, umfaßt die Wohnung des Schäfers, die Schafställe, einen Schafhof und eine Schafschwämme, sowie eine Schaftränke; s. übrigens d. Art. Stall, Bauernhof, Rittergut 2c.

Schäffleins-Pech, gelbes zerbrechliches Pech von muscheligem, glänzendem Bruch. Das Harz wird über Feuer geschmolzen, durch Stroh filtrirt und durch Säcke von Werg gepreßt.

schäften, 1) anschäften, schiften, s. d.; — 2) (Schiffsb.) auf eine gewisse Anzahl Kanonen geschäftet, bei einem Schiffe, s. v. w. mit so viel Stückpforten versehen.

Schälse, s. v. w. Baumrinde.

Schälgang, Spitzgang, Mühlgang, worin das zu Graupen bestimmte Getreide geschält wird.

schälken, s. v. w. behauen, s. d. 2.

Schälung (Wasserb.), s. v. w. Quai.

Schälungsmauer, s. d. Art. Futtermauer.

Schälungswand, s. d. Art. Bollwerk.

Schälweide, s. u. Weide.

schärfen, 1) s. d. Art. Abschärfen; — 2) (Mühlenb.) auf abgenutzte Mühlsteine frische Hauschläge machen.

Schärfhobel, s. d. Art. Hobel.

Schärpel, Tscherpel, Zscherpel, Steuerruder auf Flössen; s. d. Art. Floß, Zscherpel und Petschenschwarte.

Schaf, Prov. für Falzhobel, s. d.

Schafe, Schafhirt, Schäfer, kommen in der christlichen Kunst häufig vor, s. d. Art. Agnus Dei, Lamm, Gotteslamm, Hirt, Drago, Wendelin, Apollinaris I, Jesus Christus, Prophet Amos, Abraham, Daniel, Johannes d. Täufer, Regina, Johanna I, Agnes, Florens. Auch die Apostel werden als Lämmer dargestellt, Christus selbst als Widder (s. Hebr. XIII, 11, 12 und 3. Buch Mos. XVI, 5, 7).

Schaff, 1) jedes hölzerne Gefäß (namentlich in Franken); — 2) in Norddeutschland s. v. w. Schrank, Verschlag; — 3) s. d. Art. Maaß, S. 496.

schaffen (Hüttenw.), die Schlacken aus dem Heerd mit einem Haken, „Schaffenhaken", herausziehen.

Schaffhäuser Schloß, s. v. w. verzahnte Ueberblattung mit Keil, s. d. Art. Holzverbindungen A. 1. b.

Schaffot, frz. échafaud, engl. scaffold, span. Cadalso, überhaupt Bühnengerüst, jedoch insbesondere Blutbühne, Blutgerüst, Richtbühne, d. h. zur Vollziehung eines Todesurtheils bestimmtes Gerüst, bildet eine circa 7' erhöhten Bretfußboden; der Raum darunter ist in der Regel zum Sectionslocal eingerichtet und die Leiche sinkt sofort nach geschehener Hinrichtung durch eine Versenkung hinab.

Schafhof, zu einer Schäferei gehöriger Hof; s. d. Art. Stall.

Schafhook (Schiffsb.), Raum auf dem Verdeck vor der großen Winde.

Schafschwemme, wird meist in einem Teich, besser aber noch in einem Bach oder Fluß angelegt, am besten als ausgemauerter Canal von circa 5 Fuß Breite und 3 bis 3½ Fuß Wasserstand mit Banquetten an beiden Seiten für die die Schafe Schwemmenden; der Boden des Canals sei mit rundem Kies belegt. An beiden Enden führen Rampen hinab; das Wasser wird aber nicht direct aus dem Fluß hineingeleitet, sondern erst in ein stromaufwärts von der Schwemme gelegenes Bassin, wo es still steht und von der Sonne gewärmt wird.

Schafftall, s. u. Stall.

Schaft, lat. scapus, frz. fût, tronc, engl. shaft, body, scape, ital. trunco, vivo, überhaupt prismatischer oder cylindrischer Theil eines Körpers, der an seinen Enden an einen breiteren Theil anschließt, daher 1) Schaft eines Pfeilers, Kelchs, einer Säule, Säulenschaft, der Theil der Säule, des Pfeilers ꝛc. zwischen Fuß und Capital. Vergl. d. Art. shaft, cantonnirt, banded etc.; — 2) aus dem vorigen übertragen, s. v. w. Pfeiler als Theil einer Mauer, frz. pied-droit; so Eckschaft, Fensterschaft ꝛc., s. d. betr. Art.; — 3) (Schiffsb.) auch Schech genannt, s. d. Art. Kreech; dieser Schaft steht auf einem Kieleinschnitt und ist daran mit mehreren Bolzen befestigt; — 4) Schaft eines Leuchters, eines Kelches oder dgl., der säulenartige Mitteltheil desselben; — 5) Schaft eines Baumes, s. v. w. Stamm; — 6) Schaft einer Axt ꝛc., s. v. w. Heft oder Helm; — 7) (Herald.) Lanzenstiel, s. d. Art. Lanze, oder auch die Stäbe, woran oft vom Helmschmuck die Federn befestigt sind; — 8) Schaft einer Klinke (Schloß.), s. v. w. Hals, der über den Dorn geschobene, bei der Drehung als Achse dienende Theil einer solchen.

Schaftgesims, s. v. w. Basis.

Schafweide, s. d. Art. Weide.

Schakra, Attribut des Wischnu, in Gestalt eines flammenden Rades, Diener und Willensvollstrecker des strafenden Gottes; s. auch d. Art. Bistarma.

Schakwerk (Schiffsb.), Verzahnung einzelner Mastentheile und Raastäbe, vermittelst wechselseitig in einander greifender Einschnitte.

Schalbret, Schaldiele, Salkschlot, 1) s. d. Art. Beschalen, Beschlagbret und Bret 1.; — 2) s. u. Beischale, auch Schwarte genannt.

Schale, 1) flaches Gefäß; Attribut des St. Vitus, Nicolaus von Tolentino, Gottfried von Kappenberg, der Concordia ꝛc.; — 2) (Schiffsb.) von einem flachbodigen Flußkahn eine der untern Bordplanken, welche an dem Boden unter einem stumpfen Winkel anstoßen; — 3) s. v. w. Rinde, s. d. u. Kruste; — 4) Schale, auch Schaler (Bergb.), von den übrigen Gestein sich ablösende Wand oder Klumpen Erz; — 5) s. v. w. Beischale; — 6) s. d. Art. Fach 7, Fläche und Hyperboloid.

Schalenblende (Mineral.), Faserblende, s. v. w. Schwefelzink.

Schalenkalk (Mineral.), s. v. w. Erbsenstein.

Schalholz, 1) S. d. Art. Stabholz, Ausstaken, Fachwand ꝛc.; — 2) s. v. w. Schalbret; — 3) (Maschinenw.) Stücken Holz, welche zur Befestigung der Göpelhölzer zwischen die Korbhölzer genagelt werden; — 4) (Bergb.) in einem Schacht hinter das Geviere geschlagene, je zwei aus einem Klöppel gespaltene Stücke Holz, um das Erdreich festzuhalten; — 5) (Forstw.) im Wald bereits geschältes Holz; — 6) lat. longurius, s. d. Art. Brückenbau ꝛc.

Schalholzstange, s. d. Art. Bauholz, S. 280 und 281, Bd. I.

Schalk, 1) weißes Kalkmehl, welches wie Salpeterausschlag aussieht; — 2) s. v. w. Träger, Stütze.

schalkantig, s. d. Art. Baumkantig.

schalken (Schiffsb.), s. v. w. annageln.

Schall. Die Ursache des Schalles ward schon früh in einer innerhalb der Materie vorgehenden Bewegung gesucht und Newton, Bernoulli und Euler leiteten die mathematischen Gesetze des Schalles ab. Doch bringt ein Körper nur dann einen Schall hervor, wenn er mit so großer Geschwindigkeit schwingt, daß die Schwingungen nicht mehr zählbar sind. Die vorzüglich elastischen und expansiblen Körper, also die festen und die gasförmigen, sind demnach besonders geeignet zur Hervorbringung eines Schalles. Die Ursache der Schwingungen ist stets eine Stoßkraft, durch welche die getroffenen Körper ihre Form und Dichtigkeitsverhältnisse ändern und so lange schwingen, bis die alten Verhältnisse wieder hergestellt sind. Die Schwingungen schallender Körper sind dreierlei Art: Longitudinalschwingungen, Längenschwingungen, Transversalschwingungen, Querschwingungen und rotatorische, drehende Schwingungen. Die beiden ersten Arten von Schwingungen sind die am häufigsten vorkommenden. Weiteres s. im Art. Akustik, Brechung, Reflexion ꝛc.

Schalldeckel, frz. abat-voix, engl. sounding-board, type, über der Kanzel, ungefähr 2,5 Met. vom Fußboden angebrachtes, aufgehängtes Dach, welches den Schall der Worte nach oben zu entweichen verhindert. Den Schalldeckel innerlich kuppelförmig zu machen, ist unzweckmäßig, weil das dadurch entstehende Echo den Prediger belästigt; s. übr. d. Art. Kanzel.

Schalldeich, s. v. w. Schardeich.

Schallgefäß, s. d. Art. Echeion.

Schalleiter, s. d. Art. Akustik.

Schalloch, frz. baie de clocher, couie, engl. belle-arch, louvre-window, in Thürmen, wo Glocken aufgehängt sind, anzubringende Oeffnungen zum bessern Verbreiten des Glockenschalles; dürfen nicht zu klein sein und nicht über den Glocken angebracht werden; man macht sie gewöhnlich kreisrund oder in Form geluppeter Fenster, die blos durch ganz schmale Schäfte oder Säulchen getrennt sind. Um sie, da man sie nicht verschließen kann, vor dem Einregnen zu schützen, versieht man sie mit Jalousien, Schallbrettern, frz. abat-son, engl. louvre boards; s. d. Art. Glockenthurm.

Schalung. 1) (Deichb.) s. v. w. Schalung; — 2) frz. échasse, Wölbgerüstverschalung, besteht aus den Schallatten.

Schalm (Schiffsb.), schwache Latten z. Schalmen.

schalmen, 1) beschalmen (Schiffsb.), eine Lude oder ein Leck durch aufgenageltes geteertes Segeltuch und darüber genagelte Schalmen verwahren; — 2) s. v. w. anlaschen.

Schalnägel, 1½ bis 2 Zoll lang; s. d. Art. Nagel.

Schalstein, Blätterstein, 1) Spilite (Miner.), Gemenge von schiefriger Thonmasse mit kohlensaurem Kalk und Chlorit oder Diorit, dicht, von unebenem oder erdigem Bruch; braust mit Säuren auf, riecht beim Befeuchten thonig und hat meist unreine, graue und grüne Farben. Durch die sehr abweichenden Verhältnisse der Gemengtheile werden die mannichfachsten Abänderungen gebildet, sowie allmälige Uebergänge in ähnlich zusammengesetzte Gesteinmassen. Seltener sind die Gemengtheile so mit einander verbunden, daß eine vorwaltend schiefrige Thonmasse von weißen, spathigen Kalktheilen gleichmäßig durchdrungen und durch Chlorit oder Grünerde gleichförmig gefärbt ist. Man unterscheidet demnach: a) thonigen Schalstein, grau, widersteht der Witterung am besten; b) kalkigen Schalstein, licht, gelblich, grünlich oder graulichweiß; c) chloritischen Schalstein, berggrün von Farbe; d) quarzführenden Schalstein; e) porphyrartiger Schalstein; f) Mandelstein, s. d.; — 2) s. v. w. Tafelspath, s. d.

Schaltjahr und Schallmonat, s. d. Art. Jahr.

Schalung. 1) Bollwerk, auch Quai; — 2) jede mit Schalbrettern gefertigte Belleidung.

Schalungsmauer, s. d. Art. Futtermauer.

Schaluppe, Schluppe, lat. scapha, griech. σκάφη, frz. chaloupe, caïc, canot, engl. shallop, yawl, leichtes, scharf gebautes, zum Schnellsegeln eingerichtetes Boot. Man unterscheidet: Kapitänschaluppe, engl. barge, auch Labberlot oder große Schaluppe genannt, Pinasse für die Officiere des Oberstabs, Travaillesschaluppe, auf Grönlandsfahrern noch Galgischaluppe und Halsschluppe.

Schalwand; 1) s. v. w. Schalwerk; — 2) verschalte Fachwand; s. d. Art. Beschalen.

Schalwerk (Wasserb.), eine wasserdicht verschlagene Wand von Pfählen oder dicken Bohlen, Schalpfosten, zu Belleidung eines Deiches oder Dammes.

Schamel, Samiel, Engel, der die Gebete der Menschen zu Gott bringt.

Schamhusai, böser Engel, auch Asafel (s. d.) genannt, doch von demselben zu unterscheiden, da er vor der Sündfluth noch Buße that, nachdem er sich mit Usael der Schöpfung des Menschen widersetzt und auf der Erde geheirathet hatte.

Schandacaula (ind. Styl), sechsseitiger Pfeiler; s. d. Art. Indisch, S. 323, Bd. II.

Schandeck, Schanddeckel, Dahlbord od. Dollbord (Schiffsb.), frz. plat-bord, engl. gunnel, guu-walo, Planke, welche, das Eindringen des Regenwassers zwischen der Belleidung zu verhindern, oben auf die Kante der Seitenwände eines Schiffes breit aufgelegt wird; s. auch Dollbaum.

Schankhaus, s. d. Art. Restauration und Gasthof.

Schanzbaulehre (Kriegsb.), s. u. Festungsbau und Befestigungskunst.

Schanzbrücken, s. d. Art. Brücken, S. 470.

Schanze, 1) s. d. Art. Abschnitt, Horde und Festungsbau; — 2) (Schiffsb.) frz. gaillard d'arrière, demi-pout, s. d. Art. Castell 3 und Quarterdeck.

Schanzkleid (Schiffsb.), frz. pavois, engl. waist-cloth, am Geländer des Verdeckes bei Kriegsschiffen, auf der äußern Seite des Finkennetzes und der Regelingen, sowie um den Mastkorb angebrachte Belleidung von farbigem Tuch oder Bret, dann Klappbord oder Setzbord genannt.

Schanzkorb; frz. corbeille, gabion, span. ceston, gabion, 1) (Kriegsb.) mit Erde angefüllter geflochtener Reißigcylinder, zu Verkleidungen, Deckungen ꝛc. dienend. Man legt ein kreisförmiges Bret, mit 9—12 kleinen halbkreisförmigen Einschnitten am Umfang versehen, auf die Erde, schlägt

ringsum nach Maaßgabe dieser Einschnitte Pfähle ein, flicht oben und unten einen Kranz von Weidenruthen und fängt nun von unten an von einem Pfahl zum andern zu flechten; die Knoten der Ruthen müssen stets nach innen liegen. Zwei Mann müssen stets flechten und zwei Mann müssen fleißig tragen. Man unterscheidet: a) kegelförmige Körbe, zur Deckung der Infanterie auf die Brustwehr gestellt; oben 9, unten 6 Zoll weit, 1—1½ Fuß hoch; b) Körbe zum Sappiren, 2½—3 Fuß hoch, 2½ Fuß weit, cylinderförmig; man setzt sie dicht neben einander auf den Rand der Sappe und füllt sie so schnell als möglich mit Erde, nachdem man sie mit den Spitzen der Pfähle in die Erde getrieben; c) die auf die Brustwehr einer Schanze zu Deckung der Kanonen zu stellenden, 3—6 Fuß hoch, 1½—3 Fuß weit; man füllt sie mit Erde und stellt die Zwischenräume zwischen je zwei Schanzkörben mit Sandsäcken aus; d) Batteriekörbe, aus welchen man schnell ganze Batterien fertigen will, 5½—6 Fuß hoch, 2½—3½ Fuß weit; e) Rollkorb, zur Deckung der arbeitenden Sappeurs; wird quer vor die Sappe gelegt, nach deren Breite er gearbeitet wird; s. übr. d. Art. Festungsbau A. 3, Brücke E, S. 471, Bd. I. — 2) (Deichbau) zu eiliger Ausfüllung eines Deichbruches dienender Korb, der mit Erde ausgefüllt wird. — 3) S. v. w. Grundwase.

Schanzkorbbatterie, s. d. Art. Batterie.

Schanzkorbbrücke, s. u. Brücke, S. 470.

Schanzkorbverkleidung, frz. gabionnage, s. d. Art. Festungsbau, S. 41, Bd. II.

Schanzpfahl, s. d. Art. Palissade.

Schar (Bergb.), Einschnitt an einem Schacht- oder Tragstämpel.

Schardeich, 1) (Deichb.) s. v. w. Gefahrdeich; — 2) Deich, der kein Vorland hat.

Schare, schräges Strebeholz.

Scharf, neutr., nach vorn und hinten sich einengender Boden eines scharfgebauten Schiffes.

Scharfbolzen, s. v. w. Spitzbogen; s. d. Art. Bolzen.

Scharfe, fem., an einem Balken, Bret ꝛc. abgeschrägtes Ende zum Ueberschieben auf das ähnlich gestaltete Ende eines nächstliegenden Brettes.

Scharfeisen (Schiffsb.), zum Verdichten schmaler Risse in Bohlen mit Hanfwerrig einander, des kleines, einem Meißel ähnlichen Kalfatereisen.

scharf gebaut, frz. fin, engl. sharp, heißt ein Schiff, wenn es unten dem Kiel entlang sehr schmal zuläuft und deshalb tiefer im Wasser geht.

Scharfhobel, s. d. Art. Hobel.

Scharfmeißel (Klempn.), dient zum Ausschlagen durchbrochener Arbeit in Blech.

Schargang, Scharkluft, (Bergb.) Gang oder Kluft, der sich mit einem stärkeren vereinigt, oder ein solcher, der nicht genau nach Morgen, Mittag ꝛc., sondern nach einer Zwischengegend streicht.

Scharklofse, s. v. w. Klospe.

Scharlacheiche, s. d. Art. Eiche i u. m.

Scharlachfarbe, s. d. Art. Bowfarbe, Roth, Farbe und Saftfarbe, wird auch aus Kermesschildläusen (s. d. Art. Kermesbeeren 2.) gefertigt.

Scharlachlack (Mal.), Mischung aus Florentinerlack und Zinnkalt.

Scharlachocker, zur Glasmalerei (s. d.) dienende rothe Farbe, erhalten aus grünem Vitriol, den man calciniren läßt und dann wiederholt auswäscht in reinem Wasser.

scharlachrothe Beize, 1) für Holz; s. d. Art. Beize, S. 307, Bd. I.; — 2) für Knochen und Elfenbein; man lege die zu beizenden Massen etwa 20 Minuten in verdünnte, kalte Salpetersäure, spüle sie mit Wasser ab und bringe sie 15 Minuten lang in eine sehr verdünnte Lösung von Zinnchlorür; darauf siede man sie in einer Färbeflotte, welche durch Kochen von 60 Gran Karmin, 6 Drachmen Soda und 12 Unzen Wasser und durch Uebersättigen mit Essigsäure erhalten wird, bis der gewünschte Farbenton erreicht ist; — 3) um Marmor damit zu färben; man zieht Cochenille mit Alkohol aus und setzt etwas Alaunlösung zu; das Produkt wird warm aufgetragen.

Scharnierband, s. d. Art. Charnierband und Band III. a.

Scharre, 1) s. d. Art. Harzscharren und Baumscharre; — 2) s. d. Art. Kratze.

Scharreisen. 1) (Schiffsb.) s. v. w. Scharfeisen; — 2) s. v. w. Harzscharre, s. d.

Scharren, masc. 1) (Wasserb.) an Ufern zur Befestigung derselben eingeschlagene breite Pfähle; — 2) s. v. w. Marktplatz, namentlich wenn er überbaut ist; besonders werden so die Brod- und Fleischmarkthallen genannt; s. d. Art. Fleischmarkt.

scharriren, Schreibart für charriren, s. d. Art. Charriereisen.

Scharstock, Schärstock, Scheerstock (Schiffsb.) 1) auf Flußschiffen das unten zur Befestigung des Mastes dienende und zu diesem Behuf nach einer Rundung ausgeschnittene Holz; — 2) Scharstock des Decks, frz. hiloire, iloire, engl. carling, lange, gerade Stücken Holz, quer in die Deckbalken zur Verstärkung des Verdecks eingelassen; — 3) Scharstock der Luken, frz. vassole, chambranle, engl. coaming of the hatches, Einfassungsleisten der Luken.

Scharsdeich, s. v. w. Schardeich.

Scharte, Schießscharte, Einschnitt in der Brustwehr oder Deckung, durch welche gefeuert wird. Geschütze und Mannschaften erhalten hierdurch die beste Deckung; erstere kommen dann gewöhnlich nicht auf Bänke, sondern auf den natürlichen Horizont zu stehen. Vergl. d. Art. Bankscharte. Die Ricochetscharten, hinter welche Haubitzen zu stehen kommen, erhalten Sohlen, welche gegen die äußere Cretenlinie ansteigen, und gewähren hierdurch dem Geschütz und der Mannschaft vollkommene Deckung; — 2) überhaupt s. v. w. Spalte, Riß.

Schartenbacken, auch Schartenwand genannt, Seitenfläche der Scharte.

Schartenblende und Scharten blenden, s. d. Art. Blendung 2 b.

Schartenenge oder Schartensohle (Kriegsb.), s. d. Art. Festungsbau, S. 44, Bd. II.

Schartenzeile, s. d. Art. Festungsbau, S. 41.

Scharth (Deichb.), eine Ueberfahrt oder auch förmliche Durchfahrt, in die Kappe eines Deiches eingeschnitten.

Scharufer, vom Strom schon theilweis abgebrochenes Ufer.

Schatten, Lichtlosigkeit durch Unterbrechung der Lichtstrahlen. Beim Entwerfen ist auf die Wirkung des Schattens in praktischer und ästhetischer Beziehung Rücksicht zu nehmen; s. d. Art. Licht.

Schattenconstruction. Bei derselben macht man folgende Voraussetzungen: 1) Die Lichtstrahlen gehen von einem Punkt aus, oder sind parallel. 2) Sie pflanzen sich streng geradlinig fort. 3) Die Intensität des Lichts ist direkt proportional dem Cosinus des Einfallswinkels und indirekt dem Quadrat der Entfernung; endlich setzt man voraus, daß die Körper völlig undurchsichtig seien. — Die bei Beleuchtung eines Körpers entstehenden Schatten sind zweierlei Art, nämlich Schlagschatten und Selbstschatten oder Körperschatten. Unter den Schlagschatten versteht man den lichtlosen Raum, der dadurch hinter dem Körper entsteht, daß das Licht nicht in denselben einbringen kann; unter Schlagschatten auf einer Fläche den Durchschnitt dieser Fläche mit dem Schattenraum. In der Construction wird dieser Raum als völlig lichtleer betrachtet, obgleich er es in Wirklichkeit wegen der Reflexion an benachbarten Gegenständen nicht ist. — Der Schattenraum ist also ein Prisma oder ein abgebrochener Kegel, dessen Spitze im Lichtpunkt liegt. Derselbe wird gebildet von sämmtlichen Tangenten, die man vom Lichtpunkt aus oder in der Richtung der Lichtstrahlen an den Körper ziehen kann.

Die Berührungscurve des Kegels und des Körpers trennt den Schattenraum von den Punkten des Körpers, welche Licht empfangen. Man nennt diese Linie die Grenze des Selbstschattens. Sind d_1 und d_2 die Entfernungen zweier Punkte des Körpers vom Lichtpunkt, i_1 u. i_2 die ihnen zugehörigen Einfallswinkel, sowie I_1 und I_2 die Intensitäten des von beiden Punkten empfangenen Lichtes, so wird

$$I_1 : I_2 = \frac{\cos i_1}{d_1{}^2} : \frac{\cos i_2}{d_2{}^2}.$$

Für Sonnenlicht wird $d_1 = d_2$ und daher

$$I_1 : I_2 = \cos i_1 : \cos i_2.$$

Bei Schattirung von Rissen construirt man den Schatten meist für Sonnenlicht und läßt, wenn der Körper durch seine Parallelprojectionen gegeben ist, die Lichtstrahlen gewöhnlich in einer Richtung einfallen, welche mit den Projectionsebenen gleiche Winkel einschließt. — Um nun den Schatten darzustellen, d. h. die Projectionen zu tuschen, bereitet man sich eine Scala; an den Punkten, wo $\cos i = 1$ ist, trägt man den Ton gar nicht auf; dort, wo $\cos i = 0{,}9$, einmal, wo $\cos i = 0{,}8$, zweimal u. s. w. Auf den Punkten, wo Schlagschatten eintritt, wird der Ton 10 Mal aufgetragen, oder ein 10 Mal stärkerer Tuschton verwendet.

Ist die beleuchtete Fläche eine Ebene, so wird für dieselbe i constant, also auch die Intensität der Beleuchtung; eine ebene Fläche ist daher gleichmäßig zu tuschen. Bei Kegeln und Cylindern haben sämmtliche auf derselben erzeugenden Geraden liegenden Punkte dieselbe Tangentialebene, also auch denselben Einfallswinkel.

schattenfarbig (Herald.), so heißt eine in bloßen Umrissen ohne alle Tinctur dargestellte Figur, wobei natürlich das unter ihr befindliche Bild hervorscheint.

Schattenlinie (Herald.), s. d. Art. Beschattet.

schattiren, abschattiren 1. s. d. Art. Abschatten. Wenn ein in der Malerei nachgeahmtes Gesims rc. abschattirt werden soll, um es körperlich erscheinen zu lassen, so muß der diese Arbeit Fertigende die in der Natur sich herausstellenden Schattennüancirungen genau und sorgfältig studiren. Schlagschatten werden in der Regel etwas dunkler als Körperschatten sein und sich nach dem Rand zu etwas verlaufen; unter übrigens gleichen Verhältnissen erscheinen die Schatten in der Ferne blasser und unbestimmter, als in der Nähe; bei der Modulation der im Schatten liegenden Körpertheile, sowie theilweis beschatteter Körper, ist der Reflex zu berücksichtigen. Wo kein Reflex hindringen kann, sind die Schatten etwas dunkler zu halten. Die Schattenflächen erhalten dieselbe Farbe wie die Lichtflächen, nur etwas in's Graubläuliche nüancirt, außer wo ein farbiger Reflex zu berücksichtigen ist. Im Uebrigen s. d. Art. Licht, Farbe rc.

2. Das stufenweise Beizen oder sogenannte Schattiren des Ahorn-, Eschen-, Linden- oder andern weißen und gebeizten Holzes geschieht wie folgt:

Ein Kästchen von Eisenblech oder Kupfer, von der Länge der Fourniere und ungefähr 3—4 Zoll weit und hoch, füllt man mit weißem, durchgesiebtem Sand, stedt die Fourniere so tief in den Sand, als sie schattirt werden oder eine dunklere Farbe erhalten sollen, setzt das Kästchen auf glühende Kohlen, damit sich der Sand erhitze, und beobachtet dabei die Fourniere öfters, ob sie die gehörige braune Farbe erhalten haben. Bei einiger Aufsicht kann man so dem Holz Schatten und Licht geben und die Farbe verschmelzen. Will man geschnitzte Figuren, Ornamente, Laubwerk schattiren, so schmilzt man Zinn oder Blei in dem Kästchen, taucht die Holzstücken hinein und giebt ihnen dadurch die gehörige Schattirung.

schattirte Feile, s. d. Art. Feile a. 6.

Schattirung. 1) Abtönung vom Licht zum Schatten; s. d. Art. Licht und Schattiren; — 2) Schattirung einer Farbe; s. d. Art. Farbe C. S. 14.

Schatzamt, Schatzcollegium, s. v. w. Finanzverwaltung. Die Einrichtungen eines für ein Schatzamt bestimmten Hauses s. unt. Regierungsgebäude, Archiv rc.

Schatzhaus, Schatzkammer, Gebäude oder Raum, worin kostbare Gegenstände, besonders Gelder, aufbewahrt werden. Man giebt ihm außer dem eigentlichen Mauerwerk, der gewölbten Dede und den eisernen Thüren noch einen Mantel, mit eisernen Thüren versehen, und kann zwischen der Mantelmauer und der innern Mauer den Raum mit feinkörnigem Sand ausfüllen. Auch schließt man die Fenster mit eisernen Gittern und Läden und legt ein doppeltes Pflaster unter die Dielung. S. auch d. Art. Tempel, Pelasgisch, Kirche, S. 385, Bd. II, und Kirchenschatz.

Schaubbret (Mühlenb.), Schieber in der vordern Seite des Mehlkastens.

Schaube und Schaubendach, s. d. Art. Dachschaube und Dachdeckung, S. 603, Bd. II.

Schaubenlage, an eine Latte gebundene Reihe Dachschauben.

Schaubrod, heilige Brode, der Gottheit dargebracht; bei den Aegyptern, Griechen und Is-

raeliten üblich und auch in den ersten Zeiten der christlichen Kirche beibehalten, daher der Schaubrodtisch, mensa propositionis, auch in der Basilika (s. d. und Kirche) seinen Platz fand.

Schaubsand, s. v. w. Triebsand.

Schaubühne, s. unt. Theater und Bühne.

Schaucke, Schaumprahm (Schiffsb.), frz. rat de carène, engl. punt, Kiellichter, s. v. w. Bulle.

Schaudeich, s. v. w. Hauptdeich.

Schaue, Schaustange oder Stake, Stange mit Eisenspitze zum Fortstoßen der Schiffe durch Aufstemmen auf den Grund.

Schauer. 1) Barg, Berge, Regendach, zum Schutz gegen Wetter errichtetes Dach ohne Wände, blos auf Säulen stehend; — 2) s. v. w. Scheuer, Scheune.

Schauerbad, s. v. w. Douchebad; s. d. Art. Bad 4. f. ee, S. 194. Bd. 1.

Schaufel, frz. pelle, pale, engl. fan. Im Allgemeinen jedes zum Aufheben und Fortwerfen dienende Werkzeug, aus einem Stiel und einem Blatt, Schaufelblatt, bestehend. 1) Wurfschaufel, zum Auswerfen des Wassers aus Fundamentgruben bei 2—3 Fuß Höhe dienendes hölzernes Werkzeug, muldenförmig und mit einem Stiel versehen. 2) Schwungschaufel, ist größer als die Wurfschaufel. Man befestigt sie an ein aus drei Bäumen zusammengesetztes Gestell mittels eines Seiles so, daß ihre Grundfläche, wenn sie waagrecht steht, in ihrem tiefsten Stande, wenig entfernt vom Wasserspiegel ist. Bis nun das Wasser sich ausgießt, stößt ein auf einer Rüstung stehender Arbeiter, die Schaufel am Stiel haltend, senkrecht in's Wasser, und zwei auf dem Fangdamm oder Auswurfplatz stehende ziehen sie vermittelst zweier Stride in die Höhe. 3) Bei einem Wasserrad die in die Radfelgen eingeschobenen oder mit kleinen Zapfen befestigten Bretter. 4) Der flachere, breitere Theil am Ende eines Ruders. 5) Frz. patte, s. v. w. Ankerschaufel. 6) Handschaufel, Schippe, frz. racloir, mit ganz plattem Blatt versehene Schaufel zum Auswerfen von Sand rc. 7) Frz. aube, Radschaufel; s. d. Art. Wasserrad.

Schaufelband (Schloss.), schaufelförmiges Thürband; s. d. Art. Band III. b. 1.

Schaufelblatt. 1) S. d. Art. Schaufel; — 2) in den Hals der Welle eingelassener breiter, flacher Theil eines Wellzapfens.

Schaufelboden, Boden einer Sackschaufel; s. d. Art. Wasserrad.

Schaufelbohrer, s. v. w. Löffelbohrer.

Schaufelkranz (Mühlenb.), Kranz an einem Wasserrad.

Schaufelkunst, Schaufelwerk, Schaufelmühle, frz. machine à augets, s. d. Art. Paternosterwerk.

Schaufelrad. 1) (Mühlenb.) s. d. Art. Wasserrad; — 2) (Herald.) s. v. w. beschaufeltes Rad.

Schaufelung (Mühlenb.), sämmtliche Schaufeln an einem Wasserrad.

Schaufenster, Vorfenster, frz. étalage, engl. shops-window, geben Raum zur Anbringung von mancherlei Verzierungen, und sind bei dem Steigen des Handels und der Industrie zur Modesache geworden. Daher genügt es nicht mehr, dergleichen Fensterverzierungen dem Tischler allein zu überlassen; besser ist es, sie durch einen verständigen

29*

Architekten entwerfen zu laffen, welcher auf die schon vorhandene Architektur des Gebäudes und den Charakter der zur Schau auszuftellenden Gegenstände genügende Rückficht nimmt. Das Vorzüglichfte hierin haben bis jetzt London und Paris geleiftet; f. übr. d. Art. Verkaufslofal.

Schauhaus, f. d. Art. Agenen, Theater 2c.

Schauloch, f. d. Art. Brennofen, Kalkofen, Kokkhöfen, S. 402 im II. Bd. 2c.

Schaumdiele (Schiffsb.), Schaft am Steuerruder eines Flußschiffes, daffelbe, was beim Seeschiff der Ruderpfoften ift.

Schaumgips oder Schneegips, f. d. Art. Gips I. G.

Schaumkalk oder Schaumerde, Hoppiiche Erde, zerreiblicher Aphrit, im Voigtland und in Thüringen in Kalkflöhgebirgen in der Rauchwacke fowie in gewiffen Dolomiten derb und eingefprengt vorkommend, bildet blätterige Maffen lose verbundener, schuppenartiger Theile und unbeftimmtsekiger Bruchftücken; ift groß-, grob- und kleinkörnig, undurchfichtig, inwendig glänzend, abfärbend, faft zerreiblich, fühlt fich seidenartig an; spec. Gewicht = 2,53; von Farbe gelblich, grünlich und filberweiß. Man benutzt ihn zum Puhen von Spiegeln, Edelfteinen 2c. fowie, mit Gummiwaffer, Leimwaffer 2c. vermiicht, zum Weißen und Anftreichen von vorher abgeschliffenen Wänden und Tapetenpapier, wo er dann einen sehr schönen Silberglanz giebt.

Schaumlava, f. d. Art. Bimslava.

Schaumspath (Mineral.), f. v. w. Zeolith, f. d.

Schauplatz, f. u. Arena 1, Amphitheater und Theater.

Schauspieler. Als solche find darzuftellen die Heiligen Gelafius, Genefius, Pelagia 2c.

Schauspielhaus, f. d. Art. Theater.

Schauungspfahl, f. v. w. Deichpfahl.

Schech oder Schegg, frz. taillemer, engl. cutwater (Schiffsb.), knieförmiges Beleg des Vorderftevens, unten bis in's Waffer reichend, daffelbe also zuerft durchschneidend; trägt oben das vordere Bild.

Schechte, zur Bedekung der Reit- oder Strohdeiche dienende, einige Fuß lange Reiser.

Scheckirmeißel (Metallarb.), eine unten wie eine Feile gehauene Bunze zum Mattmachen des Grundes von getriebener Arbeit.

Schede, Scheede, Scheyde (Wafferb.), zum Niederdrücken der Faschinen dienende Stücken Holz.

Scheerde (Deichb.), mit Sand vermiichte Kleierde, läßt Waffer durch.

Scheelerz, f. d. Art. Wolfram.

Scheele's Grün, f. u. Grün B. I. d, Kupferoxyd und Neuwieder Grün.

Scheelspath, f. d. Art. Tungftein.

Scheep, f. v. w. Keffelftein, f. d. 2 und Salzwerk.

Scheeranker, f. d. Art. Anker 11, a.

Scheere, A. das bekannte Schneidewerkzeug. Als Attribut erhält es u. A. St. Agathe; f. auch d. Art. Zange. B. Denfelben Namen führen sehr viele Gegenftände, die einer Scheere ähneln, z. B.: 1) bei einem Flaschenzug den Kloben; — 2) im Mauerwerk die Zwischenräume der Bruchfteine,

welche demnächft ausgezwickt werden; — 3) bei Grund- und Wafferbauten die eingerammten, als Streben dienenden Pfähle; — 4) Scheere und Scheerzapfen, in Oefterreich Zarfen und Gungel genannt, Holzverbindung, ähnlich dem Schlitz und Schlitzzapfen, auch Gabel oder Steey genannt; f. d. betreffenden Artikel und Fig. 1706; — 5) f. d. Art. Eiienverbände A. 9, 11, 13; — 6) f. v. w. Kropfeifen, f. d.; — 7) (Schiffsb.) Leine, welche auf der freien Seite des Segels deffen beide Eden

Fig. 1706.

(Ohren) verbindet; — 8) f. v. w. Fingerling, f. d. — 9) Flügelscheere, f. d. Art. Fahne 6; — 10) flache Scheere, Minirwerkzeug; eine Art Meißel zum geräuschlosen Abschneiden der Erde, wird mit dem Ballen der Hand geschlagen.

scheeren, zusammenscheeren, frz. ourdir; z. B. zwei Stüden Holz mittelft der Scheere (f. d. 4) mit einander verbinden.

Scheergang (Schiffsb.), 1) der äußerfte Gang um ein Schiff; — 2) f. v. w. Sente.

Scheerloch, f. d. Art. Kropfeifen.

Scheerftüd, 1) f. d. Art. Scharftod; — 2) (Schiffsb.) zwei ftarke Hölzer, welche die mittelfte Duchte (f. d.) verbinden und zur Seitenhaltung des Maftes dienen.

Scheerwand, leicht transportable Wand, aus zusammengescheerten Hölzern conftruirt und mit Leinwand befpannt; f. d. Art. Bildergallerie.

Scheerwinkel, f. d. Art. Feftungsbau, S. 42.

Scheerwolle, Scheerflocken, f. d. Art. Flode.

Scheerzapfen, f. d. Art. Holzverband D. 1.

Scheetlood, niederdeutsch für Senkblei, Bleiloth.

Scheffel, 1) Getreidemaaß, in Deutschland noch sehr verschieden. Die wichtigften f. d. Art. Maaß, S. 499 ff.; — 2) Feldmaaß, Stück Landes, zu deffen Besäung ein Scheffel Samen erforderlich ift; f. d. Art. Maaß; — 3) viereckiger Kaften ohne Boden, 2 Ellen lang, 1½ Elle breit und ½ Elle hoch, in Sachsen 2c. als Steinmaaß, namentlich für Pflafterfteine, gebraucht.

Scheh, f. d. Art. Maaß, S. 497.

Scheibe, 1) überhaupt ein im Verhältniß zu seiner Ausdehnung dünner Körper, namentlich ein Cylinder, deffen Achslänge im Verhältniß zu seinem Durchmeffer sehr klein ift; — 2) f. v. w. Rolle, Walze, Haspelrad 2c.; — 3) der zum Auftruhen der Kappenftirn an Mulden- oder Kreuzgewölben oder eines Blendbogens oben rund ausgeführte Theil einer Mauer; — 4) (Maschinenw.) zur Liderung der Kolben gebrauchte runde Stücken Leder.

Scheibenblei, zur Befeftigung der runden Fenfterscheiben zugerichtetes Fenfterblei.

Scheibenbohrer, f. d. Art. Bruftleier.

Scheibenbolzen, f. d. Art. Bolzen A. I.

Scheibendampfmaschine, f. d. Art. Dampfmaschine, S. 622, Bd. I.

Scheibenfries, frz. besans, moulure dis-coïde, engl. pellets, studs, im normannischen und romanischen Baustyl als Ornament vorkom-mende Friese, besetzt mit neben einander gestellten Scheiben.

Scheibenglas, s. d. Art. Fensterscheibe u. Glas.

Scheibenkranz (Maschinenw.), die beiden Kränze am Göpelkorb, s. d. Art. Göpel.

Scheibenkunst, Scheibenwerk, eine Art Pa-ternosterwerk, s. d.

Scheibenmauerung, s. d. Art. Grubenbau, S. 215, Bd. II.

scheibenreißen, s. d. Art. Eisen II. C. b.

Scheibenring, um einen Bolzen vor den Splint oder die Schraubenmutter gelegter, flacher eiserner Ring.

Scheibenriemen, s. d. Art. Riemenscheibe.

Scheibenziehbank, s. d. Art. Drahtziehen.

Scheibenzug, s. v. w. Flaschenzug.

Scheide (Mühlenb.), Sprosse im Windmüh-lenflügel.

Scheidebalken, s. d. Art. Balken I. B. e.

Scheideband, Scheidelatte, 1) (Poch- und Stampfmühle) Querhölzer, die ober- und unter-halb der Hebezapfen der Stampfen angebracht sind und die Stampfen in gehöriger Lage erhal-ten; — 2) (Bergb.) Stangen oder Latten, in der Mitte eines Schachtes auf die Tonnenbretter auf-gehestet, damit die Kübel einander im Auf- und Niedergeben nicht treffen.

Scheidebank, Tisch, auf welchem Erz geschie-den wird; s. d. Art. Grubenbau A. e.

Scheidebogen, engl. pier-arch, die Bogen, welche das Mittelschiff von den Seitenschiffen tren-nen u. die Scheidemauern, d. i. die oberen Umfas-sungsmauern des Mittelschiffes, tragen; s. d. Art. Lichtgaden, Triforium und Bogen, S. 399, Bd. I.

Scheideerz (Hüttenw.), gutes, bereits vom tauben Gestein geschiedenes Erz.

Scheidehaus, s. d. Art. Grubenbau, S. 212.

Scheidemauer, lat. intergerium, frz. mur de refend, languette, mur mitoyen, 1) s. unter Scheidebogen; — 2) Mauer im Innern eines Gebäudes, verschiedene Zimmer oder Abtheilun-gen sondernd; s. d. Art. Mauer I. c., Mauerstärke und Wand.

scheiden (Hüttenw.), das taube Gestein von dem reichhaltigen Erz mechanisch durch Losschla-gen oder chemisch auf nassem oder warmem Weg trennen.

Scheideofen (Hüttenw.), Windofen, worauf eine eiserne Platte liegt, umgeben mit einem Rand von Backsteinen und mit Sand bedeckt, zur Erwärmung der gläsernen Scheidekolben beim Scheiden der Metalle auf nassem Weg.

Scheidepfähle (Mühlenb.), Stücken Holz, die an einem Gerinne senkrecht aufgestellt und mit Planken beschlagen sind, um ein Gefälle von dem anderen abzusondern.

Scheider, s. d. Art. Grubenbau, S. 213.

Scheideschwelle, Schwelle einer Scheidewand, welche in die Saumschwellen und auf die Balken eingekämmt wird.

Scheidewand, lat. paries directus, franz. paroi, entre-deux, concamération, cloison,

engl. enterclose, 1) s. d. Art. Wand; — 2) (Bergb.) beim Zerschlagen des Erzes mit dem Fäustel als Unterlage dienende Stein- oder Eisenplatte.

Scheidewasser, frz. eau forte, wasserhaltige Salpetersäure, s. d. Ueber den Gebrauch s. z. B. d. Art. Beize A. 3.

scheidig (Bergb.); wenn das taube Gestein sich leicht von dem Erz losschlagen läßt, nennt man solches scheidig.

Scheinbinder, s. d. Art. Binder und Kopfstück.

Scheinecke (Schloss.), an den Ecken eines Fensterflügels in Form eines rechten Winkels angebrachte eiserner oder messingener Beschlag.

Scheinfeder (Schloss.), an den deutschen Schlössern das Gehäuse, welches die wahre Feder verbirgt.

Scheinhaken (Schloss.), Scheinecke (s. d.) mit einer Oehse, welche auf den im Futter angeschla-genen Stützhaken paßt und so zugleich als Band dient.

Scheit, frz. bûche, Scheitverzierung; s. d. Art. Billet.

Scheitel, 1) (Wasserb.) von einem Damm die Krone, überhaupt von gewölbtem Boden der höchste Punkt; — 2) Bogenhaupt, der höchste Punkt eines Bogens oder Gewölbes; s. d. u. Wöl-bung; — 3) eines Winkels, der Punkt, in welchem die beiden, denselben begrenzenden geraden Li-nien (Schenkel) sich begegnen; — 4) eines Dreiecks, der Eckpunkt, welcher einer als Grundlinie betrach-teten Seite desselben gegenüber liegt; — 5) einer krummen Linie, der Punkt, in welchem dieselbe von einem Durchmesser geschnitten wird; — 6) eines Kegels, der Punkt, durch welchen stets die die Kegel-fläche erzeugende gerade Linie geht; — 7) einer Um-drehungsfläche, die Punkte, in welchen die Dreh-achse aus der Fläche heraustritt. S. auch d. Art. Hexagonal 2, Hyperbel II., Hauptachse.

Scheitelcapelle, s. d. Art. Kirche, S. 383.

Scheitelkante, s. d. Art. Hexagonal, Fläche 2c.

Scheitelpunkt, s. d. Art. Curve, Ellipse, Pa-rabel und Hyperbel.

Scheitelrippe, Rippe, im Scheitel einer Kappe entlang laufend; s. d. Art. Gewölbe und Lierne.

Scheitelwinkel, zwei Winkel, welche den Scheitel (s. d. 1) gemein haben und bei denen die Schenkel des einen in der Verlängerung von je-nen des anderen liegen. Scheitelwinkel sind ein-ander an Größe gleich.

Scheiterhaufen, lat. ustrum, ustinum, bu-stum, frz. bûcher, ferner vor dem Anbrennen pyra, griech. πυρά, nach dem Anbrennen rogus genannt, wurde bei den Griechen und Römern oft mit ungeheurem Luxus hergestellt. Einen Schau-terhaufen als Attribut erhalten die Heiligen Apollonia, Apollonius, Athenogenes, Augusta, Columba, Castus, Aristion, Agnes, Martina, Anastasia, Fructuosus, Polycarpus, Nicetas, Timotheus, Maura, Theodorus Tyro 2c.

Scheitmaaß, gesetzliche Länge der Klafter-scheite; s. d. Art. Maaß.

scheitrecht, s. v. w. geradlinig; scheitrechter Bogen, engl. straight-arch, square-headed window, s. u. Gewölbe und Bogen; scheitrechtes Fenster, frz. fenêtre droite, s. d. Art. Fenster.

Schellack, Blattlack, eine Art des Gummilad3 (f. d. 4), auch Tafellack genannt, bereitet man aus Stocklack vom Götzenbaum (f. d.), welchem man die Farbetheile durch Auskochen entzogen hat, durch Schmelzen über Kohlenfeuer und preßt ihn dann durch einen leinenen Beutel. Man formt ihn entweder durch Gießen in Formen, so lange er warm ist, oder durch Pressen zwischen Marmorplatten in mehr oder weniger dunkelbraune, halbdurchsichtige, dünne Tafeln. Er ist leicht lösbar in Alkohol, aber nicht in Wasser, wird benutzt zu Bereitung des Siegellacks und verschiedener Lackfirnisse, auch als Kitt für Steingut, Serpentin ꝛc., sowie, dick in Weingeist gelöst, als Politur und Holzkitt. Man streicht die Lösung auf die Fugen, legt ein Stück Flor dazwischen und preßt die Holzstücke kräftig zusammen; besonders guten Halt erreicht man dabei, wenn man die Fugen erst mit Leinöl tränkt. Der käufliche Schellack wird häufig mit billigen Harzen, namentlich mit Colophonium ꝛc., verfälscht. Um eine solche Verfälschung nachzuweisen, empfiehlt sich folgendes Verfahren: Man koche den Schellack in Voraußlösung (10 Thle. Schellack zu 5 Thln. Borax mit 100 Thln. Wasser). Es entsteht eine opalisirende Flüssigkeit; auf dem Boden derselben sind Unreinigkeiten und eine kautschukähnliche Substanz ausgeschieden. Beträgt nach dem Trocknen dieser Rückstand über 2%, so ist die Sorte schlecht; erscheint die Flüssigkeit nach der Abkochung milchig trübe und scheidet sie Flocken aus, so ist auf eine Verfälschung mit fremden Harzen zu schließen.

Schellackfirniß, f. d. Art. Firniß, S. 56, Bd. II.

Schellart, stumpfe Axt zum Zerschlagen, Zerschellen des Steinsalzes.

Schelle, 1) lat. tintinnabulum, campana manualis, frz. sonnette d'autel, engl. band-bell, Handglocke des Meßministranten; — 2) kleine Metallklapper, frz. grelot, dandain, engl. rattle.

Schellenbaum, brasilianischer, Ahovaibaum (Thevetia Ahovai D. C., Fam. hundswürgerartige Pflanzen, Apocyneae R. Br.), ist ein in allen Theilen giftiger Baum Brasiliens, dessen unerträglich stinkendes Holz nicht einmal zum Brennen taugt; in's Wasser geworfen tödtet es die Fische. Die harten Nüsse dienen zu Klappern, Schellen und Zierrathen; s. auch d. Art. Milchholzbaum.

Schellhammer, starker breiter Hammer zum Zerschlagen der Bruchsteine.

Schema, Figur, besonders wenn sie als Regel oder Vorschrift dient, Diagramm.

Scheme, engl., Plan, Entwurf.

Scheme-arch, engl., Stichbogen; s. d. Art. Bogen, S. 397, Bd. I.

Schemel, 1) Stuhl ohne Lehne, mit eingebohrten Beinen; — 2) bewegliches Gerüst; — 3) (Hüttenw.) am oberen Theil des Blasebalges, um denselben niederzuziehen, befestigtes Stück Holz; — 4) (Bergb.) auf der Docke des Schwenkbaumes bei einem Pferdegöpel angebrachter Sitz für den Treibknecht; — 5) (Kriegsb.) f. v. w. Banquet; — 6) f. v. w. Lenkschemel.

Schemelbohrer (Tischl.), f. v. w. Bankbohrer; s. d. Art. Bohrer, S. 412, Bd. I.

Schenke, Schenkhaus, frz. Cabaret, f. d. Art. Kretscham, Krug.

Schenkel, 1) Schenkel eines Bogens, eines Winkels, Wagebalkens, Zirkels ꝛc., frz. reins,

engl. flank, haunt, haunche, die beiden im Scheitel, Drehpunkt oder dergleichen zusammentreffenden Theile; f. z. B. d. Art. Fuß 6 und Ast 3 c.; — 2) eines Dreiecks (f. b.), die beiden Seiten, welche von den Endpunkten einer zur Grundlinie gewählten Seite nach dem gegenüberliegenden Eckpunkt gezogen sind; — 3) f. v. w. Steg am Triglyph; — 4) f. v. w. Schemel 2; — 5) (Bergb.) Fahrtschenkel, an den Fahrten die langen senkrecht stehenden Hölzer, worin sich die Sprossen befinden; — 6) f. v. w. Schemel 3; — 7) f. v. w. Höbestab oder auch Seitenpfosten einer Thür, eines Thürgewändes ꝛc.

Schenkeldeich, f. v. w. Armschlag; f. d.

Schenkelfußkluppe (Schloss.), Kluppe zum Bearbeiten der Schenkelfüße, worauf im Schloß die Besatzung ruht, f. Fig. 1707; der obere Einschnitt giebt die Lehre zu der Vertiefung für die Mittelbruchbesatzungen an.

Fig. 1707.

Schenkelringe, f. d. Art. Achsring.

Schenkmaaß, f. d. A. Maaß, S. 509, Bd. II.

Schenktisch, f. d. Art. Buffet.

Scherbe. 1) Maaß für Harzschlacken, im Lichten 4 Fuß 4½ Zoll lang, 1 Fuß 7¼ Zoll breit und 1 Fuß 1 Zoll hoch; — 2) auf einem Kasten ohne Boden bestehendes Erzmaaß, faßt ungefähr 4 Centner Erz; — 3) (Schiffsb.) f. v. w. Laschung und Kerbe.

Scherbenkarren (Bergb.), ungefähr eine Scherbe (f. b. 2.) fassender Laufkarren.

Scherbenkobalt (Min.), Fliegenstein (f. b.), gediegenArsenik; kommt auf Gängen, weniger auf Lagern, in Gneis, Glimmerschiefer, Porphyr ꝛc. vor, in derben Massen und eingesprengt, nieren- und traubenförmig, auch kugelig, gebogen, mit schaligen Absonderungen, Glanz schwach metallisch, Strich glänzend. Ritzt Kalkspath, ritzbar durch Flußspath. Wiegt 5,73—5,8, von Farbe lichtbleigrau, in's Zinnweiße, wird an der Luft bald schwarz. Knoblauchgeruch vor dem Löthrohr, leicht lösbar in verdünntem Salpeter als Pulver, mit Ausscheidung von arseniger Säure. Enthält außer Arsenik noch Spuren von Antimon und Silber.

Schere, f. d. Art. Scheere.

scheren, 1) f. d. Art. scheeren; — 2) (Schiffsb.) in Schiff scheeren, f. b. die Richtspanten und nach diesen die anderen Spanten aufstellen; hierauf die Scheergangen, Senten (f. b.), daran befestigen; entspricht etwa dem Aufrichten eines abgebundenen Gebäudes.

Schergang. 1) (Schiffsb.) f. v. w. Scheergang; — 2) f. v. w. Sente.

Scherhaken (Schiffsb.), frz. grappin tranchant, engl. sheerhook, zum Fassen des Tauwerks von feindlichen Schiffen an den Nocken der Raaen angebrachte eiserne Haken.

Scherm, eigentlich Schirm (Bergb.), in einem Gange die hängende und liegende Fläche.

Scherstocken oder **Scherstraken** (Schiffsb.), f. d. Art. Scharstock.

Schertau (Kriegsb.), bei einer nicht zu öffnenden Schiffsbrücke über den Fluß gespanntes Tau, zur Befestigung der Pontons.

Schetzhaken (Hüttenw.), zum Abheben der glühenden Kienstöcke vom Saigerheerd (s. d.) dienender, mit 4 Zacken und langem Stiel versehener Doppelhaken.

Scheuerleiste, s. v. w. Fußleiste, s. d. Art. Fußlambris.

Scheune, auch Scheuer, in Oesterreich Stadel genannt, lat. horreum, frz. grange, engl. barn, shed. 1. Für Getreide, Feldfrüchte, Heu. Das Innere derselben theilt sich in a) Banse oder Tasse, s. d. Art. Banse. Zur Größenberechnung Folgendes: Ein Morgen (preuß.) giebt Weizen oder Roggen etwa 2½ Schock Garben, zusammen 600 Cubikfuß à circa 50 Pfd., Hafer etwa 1½, Gerste 3½ Schock à 210 Cubikfuß, den Cubikfuß zu circa 30 Pfd. Hülsenfrüchte circa 400 Cubikfuß, Klee oder Heu 600 Cubikfuß. Den Fußboden in feuchten Bansen belegt man mit losem Strauchwerk oder versieht ihn auch mit festem Lehmschlag, ehe das Getraide eingebracht wird. b) Tenne oder Scheunenflur, s. d. Art. Dreschtenne. Die Tenne sei mindestens 36 Fuß tief, 14—15' hoch, 12' breit, Ueber den Fußboden s. d. Art. Dreschtenne und Aestrich; auch nimmt man wohl blos fetten Lehm, mit Theergalle oder mit Rindsblut angemacht. Nach ihrer Lage im Gebäude nennt man die Tenne: Mittellangtenne, Seitenlangtenne oder Quertenne. c) Den Dachraum läßt man in unmittelbarer Verbindung mit dem Bansenraum in solchen Scheunen, wo die Dachboden nicht zu Getraideschüttungen benutzt werden sollen; man läßt dann nur die Bindebalken hindurchgehen und die Dachbaltenlage fällt weg, oder man wendet einen liegenden Stuhl mit sehr hohen Stuhlsäulen an und kann dann die Stuhlbaltenlage zu Schüttböden benutzen. Bohlendächer sind mit günstigem Erfolg angewendet worden, um den Raum im Innern der Scheune möglichst holzfrei zu erhalten, was übrigens nicht einmal überall rathsam ist, da in manchen Gegenden das Getraide, selbst in trocknen Jahren, viel Neigung zum Stocken hat und dann die bei einem stehenden Stuhl oder sonstwie bei Unterbrechung des innern Raumes durch die Verbandhölzer entstehenden Lücken dazu dienen, Luftzug hindurchzulassen. Auch muß man die Umfassungsmauern oft zu stark machen, wenn man den innern Raum ganz holzfrei, das Dach freitragend macht. d) Umfassungswände. Hölzerne Wände sind wegen Feuergefahr nicht zu empfehlen, macht man sie dennoch, so verriegelt man sie von 3 zu 4 Fuß einmal, bei 6 und 7 Zoll Stärke der Schwellen, Riegel und Stiele. Wände von Lehm und gebrannten Mauersteinen kann man, wenn man alle 20 Fuß etwa einen Verstärkungspfeiler anbringt, ziemlich schwach machen; Mauern aus Feld- oder Bruchsteinen muß man mindestens 2 Fuß stark und mit Verstärkungspfeilern in 20 Fuß Weite anlegen. Pisèwände müssen mindestens eine Stärke von 2½ Fuß haben. e) Fenster erhalten die Scheunenmauern nicht, sondern Luftzüge; diese sind am besten 8—10 Zoll weit, 1½—2 Fuß hoch, stehen einander gegenüber und in einer Entfernung von 10—12 Fuß von einander; sie gehen im Grundriß in einer gebrochenen Linie durch die Wand, so daß man nicht hineinsehen, auch nicht hineingreifen kann. f) Deckung. Das Dach muß natürlich möglichst feuersicher sein, ohne viel Aufwand zu erfordern, s. bar. Dachdeckung.

g) **Grundform.** Man hat neuerdings vielfache Versuche mit runden, polygonen und quadratischen Scheunen mit Kreuztennen etc. gemacht, aber was man bei solchen Anlagen an Länge der Umfassungsmauern erspart, setzt man an Größe der Dachfläche wieder zu, ganz abgesehen von der Unbequemlichkeit einer solchen Scheune, die in der Regel in keine Gehöftanlage paßt; man kehrt daher immer wieder zu der alten Anlage zurück: ein langes Gebäude, welches, wenn irgend möglich, die eine Hauptfront gegen Osten kehrt und Quertennen mit dazwischenliegenden Bansen enthält. S. übr. noch die Art. bewegliche Scheune, Bauerhof, Getraidemagazin etc. Jedes Tennenthor, Scheunthor, muß mindestens eine Höhe von 14 Fuß und eine Breite von 11 Fuß haben.

2. **Für Tabak.** 100 Centner Tabak, zum Trocknen auf Scheunen gelegt, brauchen einen Raum von 1800 □Fuß, 20 Fuß hoch; Tabaksscheunen dürfen in Preußen nicht mit Ziegeln gedeckt werden.

3. **Für Torf.** 1 Klafter Torf wiegt 20—21 Centner und braucht circa 120 Cubikfuß Scheunenraum. Tiefe nicht über 40 Fuß, Höhe nicht über 20 Fuß.

4. Als Attribut erhalten Scheunen die Heiligen Ansovinus, Pelagia etc.

Scheunenboden, Scheunenflur, Scheunentenne, s. d. Art. Dreschtenne.

Scheven, s. d. Art. Flachsscheben.

Schicht, frz. cours, assise, engl. cors, course, 1) horizontale Lage eingehängter oder vermauerter Steine etc.; s. d. Art. Mauerverband, Dachdeckung etc.; — 2) die ganze Tiefe eines hohen Ofens; — 3) (Meßt.) Dicke einer Schachtruthe (3 Fuß); — 4) (Hüttenw.) ein auf der Schichtbank liegendes, mehrere Ellen langes und eine Elle breites, kupfernes Blech in den Zinnhütten, um darauf Zinn zu platten; — 5) Arbeitszeit in Bergwerken, meist = ½ Tag = 8 Stunden; Schicht machen, s. v. w. aufhören zu arbeiten; — 6) s. d. Art. Bergeschicht; 7) das Schmelzen im Hohofen, von einmaligem Abstechen des Metalls bis zum andern. Daher Schicht antreten, die zu einer Schicht nöthige Arbeit beginnen. Schicht beschicken, das Besetzen des Ofens mit so viel Erz, als nöthig ist zu einer Schicht; — 8) (Mineral.) die in Gebirgsmassen von verschiedener Dicke (wenige Zolle bis zu einigen Fuß) und Verbreitung (bis meilenweit) sich findenden dünnen, flächenähnlichen Massen. Sie liegen meist eben oder steigen oder fallen doch nur in flachen Winkeln. Schicht nennt man demnach auch solche Lagen in den gebrochenen Steinen, und solche Steine dann schichtig, wenn diese Schichten ziemlich parallel laufen, Schichtausgang über das Sichtbarwerden dieser Schichten an einer quer gegen dieselbe gerichteten Fläche oder zu Tage.

schichten, 1) überhaupt s. d. Art. Aufschichten; — 2) (Hüttenw.) für das zu schmelzende Erz die nöthige Mischung besorgen.

Schichthöhe, s. d. Art. Mauerverband und appareil.

Schichtenkohle, s. d. Art. Blätterkohle.

Schichtenverband, ein Verband für Pflasterung mit viereckigen Steinen. Die Steine liegen in parallelen Reihen so, daß die Fugen in den einzelnen Reihen wechseln.

Schichtglätte (Hüttenw.), von einem Abtreiben des Silbers zurückbleibende Bleiglätte.

schichtig, s. d. Art. Bruchsteinmauer.

Schichtpfeiler, s. d. Art. Pfeiler.

Schichtung (Mineral.), die Erscheinung, daß verschiedene, besonders neptunische Gesteine schichtenweise übereinander liegen und zusammen eine Gebirgsmasse ausmachen; s. d. Art. Gefüge und Bausteine IV. 3.

Schichtungsklnst, frz. chauve, die zwei Schichten (s. d. 8) trennende Fläche.

Schicksalsgöttin, s. d. Art. Fatum, Moira und Fortuna.

Schiebbrücke (Kriegsb.), s. v. w. Rollbrücke; s. d. Art. Brücke C. h.

Schiebebock, Schiebkarren, s. d. Art. Karre 1.

Schiebebühne, s. d. Art. Eisenbahn, S. 691, Bd. I.

Schiebefenster, frz. fenêtre à coulisse, fenêtre coulante, engl. sash-window; Fenster, dessen Flügel sich nicht drehen, sondern in Ruthen (coulisses) des Rahmens (sash-frame) auf und ab oder seitwärts, vor- und zurückschieben; s. d. Art. Fenster, Beschläge und Fensterflügel.

Schiebekloben (Schloss.), eine Art Zange.

Schiebekopf, s. d. Art. Sägemühle.

Schieber, überhaupt etwas Verschiebbares, durch Schieben sich Bewegendes, namentlich schiebbare Thüren, Deckel und Ventile.

Schieberad (Mühlenb.), zum Vorschieben des Schlittens dienendes Rad in einer Sägemühle.

Schieberkloben (Schiffsb.), s. v. w. laufender Block.

Schiebiken, der gemeine Hollunder, s. d. u. Flieder.

Schiebkasten, s. d. Art. Locker und Kasten.

Schiebladen, Fensterladen, welche mit eisernen Bolzen und Vorsteckern, mit Schrauben oder einem Schloß inwendig am Fenster befestigt und in einem Falz bei Seite geschoben werden.

Schiebthür, lat. cochlea, s. d. Art. Thür.

Schiebventil, s. d. Art. Dampfmaschine, S. 620, Bd. I. u. d. Art. Ventil.

Schiebwagen, s. d. Art. Bauerwagen.

Schiebwerk (Maschinenb.), s. v. w. Feldgestänge.

Schiebzeug (Mühlenb.), sämmtliche Theile einer Schneidemühle, welche das Fortrücken des zu schneidenden Gegenstandes bewirken; s. auch d. Art. Schubstange.

Schiedeschacht (Bergb.), zur Bestimmung der Grenze zweier Bergwerke angelegter Schacht.

Schiedmauer, s. v. w. Scheidemauer.

Schiedstein, s. v. w. Grenzstein.

schief nennt man: 1) eine gerade Linie gegen eine andere, wenn sie mit dieser keinen rechten Winkel bildet; 2) einen Winkel, wenn er kein rechter ist, also entweder spitz oder stumpf; 3) ein Prisma, wenn der Winkel seiner Seitenkanten u. der Grundfläche kein rechter ist.

schiefe Batterie, s. d. Art. Batterie.

schiefe Ebene, eine der einfachen Maschinen, bestehend aus einer Ebene, welche mit der Hori-

zontalebene einen Winkel einschließt. Wenn man einen Körper längs einer schiefen Ebene bis auf eine gewisse Höhe aufwärts bewegt, so wird eine weit geringere Kraft nöthig sein, als wenn er bis auf dieselbe Höhe senkrecht gehoben würde. Durch Anwendung der schiefen Ebene wird daher Kraft erspart. — Wenn ein Körper auf einer schiefen Ebene liegt, so wirkt das Gewicht desselben nicht senkrecht auf diese; dieselbe hat daher auch nicht den ganzen Druck der Last auszuhalten, vielmehr zerlegt sich das Gewicht in zwei Componenten, von denen eine senkrecht zur schiefen Ebene, die andere parallel hierzu wirkt. Die erstere bewirkt den Druck, die letztere sucht den Körper hinab zu bewegen; s. d. Art. Reibung. Will man also einen Körper durch eine zur schiefen Ebene parallel gerichtete Kraft auf der Ebene in die Höhe heben, so braucht dieselbe nur so groß zu sein, als die zur schiefen Ebene parallele Componente des Gewichtes. Ist α der Neigungswinkel der Ebene gegen die Horizontale, so ist die zur Hebung des Gewichtes G nöthige Kraft, wenn man zunächst von Reibung absieht, G sin α, während der Druck der Last auf die Ebene G cos α ist. Die letztere Componente kommt bei der Bewegung nur in so weit in Betracht, als sie Reibung erzeugt, deren Größe, wenn φ den Reibungscoefficienten u. ϱ den Reibungswinkel (s. d. Art. Reibung) bezeichnet, sein wird

$$\varphi \,.\, G \cos \alpha = G \tan g \, \varrho \cos \alpha.$$

Dadurch wird die zur Hebung der Last G nöthige, zur schiefen Ebene parallele Kraft P im Ganzen sein

$$G \,(\sin \alpha + \varphi \cos \alpha) = G\,\frac{\sin\,(\alpha + \varrho)}{\cos \varrho}.$$

Sieht man von der Beschränkung ab, daß die wirkende Kraft zur schiefen Ebene parallel sein soll, und wählt dieselbe ganz beliebig, gegen dieselbe unter einem Winkel β geneigt, so ist die Kraft, welche zum Aufwärtsbewegen der Last G nöthig ist:

$$P = \frac{\sin\,(\alpha + \varrho)}{\cos\,(\beta + \varrho)}\,G = \frac{\sin \alpha + \varphi \cos \alpha}{\cos \beta + \varphi \sin \beta}\,G.$$

Soll z. B. die Kraft P horizontal wirken, so muß sein β = — α und daher

$$P = G \tan g \,(\alpha + \varrho).$$

Wenn ein Körper längs einer schiefen Ebene herabgleitet, so ist seine Beschleunigung weit geringer, als wenn er senkrecht herabfiele; hierauf beruht die Anwendung der schiefen Ebene zu den sogenannten Rutschen. Ihre wichtigste Anwendung ist jedoch die, um Lasten mit Krafterparniß zu heben, als Schrottleiter, Fahrbrücke ꝛc. Auf die Theorie der schiefen Ebene gründet sich auch die des Keiles und der Schraube (s. d. betr. Art.).

Schiefer (Mineral.), engl. chiste, heißt jede in dünnern oder dickern, kleinern oder größern Tafeln brechende Steinart. Er erhält seinen Namen nach dem Hauptbestandtheilen; z. B. Dioritschiefer, s. d. Art. Dioritporphyr, ferner Kalkschiefer, Kohlenschiefer, Kieselschiefer, Glimmerschiefer, Talkschiefer, Lochen, Bardiglio lione, Klädon ꝛc. Namentlich aber bezeichnet man mit dem Namen Schiefer katerogen den Thonschiefer (s. d.), der dann häufig nach seiner Verwendung als Dachschiefer, Wetzschiefer, Griffelschiefer oder nach dem durch seine Schichtungsweise oder durch seine Gemengtheile herbeigeführten Aussehen z. B. als Fruchtschiefer, Knotenschiefer benannt wird. Bituminös wird der Schiefer genannt, wenn er mit organischen bituminösen Substanzen durchdrungen ist. Bei der trockenen Destillation geben solche

Schiefer Theere, aus welchen durch Rectification die Schieferöle erhalten werden, die hauptsächlich als Leuchtmaterial dienen und unter den Namen Photogen, Solaröl ꝛc. in den Handel kommen. Die dickflüssigeren Oele dienen als Maschinenschmieröl, aus den schwerflüssigsten setzt sich in der Kälte Paraffin ab.

Schieferalaun, s. v. w. Alaunschiefer; s. d. Art. Thonschiefer.

Schieferblau. 1) Eine Art Bergblau, vorzüglich in Kupferschieferflötzen gefunden; — 2) überhaupt jedes Dunkelgraublau ohne grünlichen Schimmer.

Schieferbret, Schalbret, zum Beschalen der Dächer vor der Deckung mit Schiefer.

Schieferdach, s. d. Art. Dachdeckung.

Schieferdeckerhammer, s. d. Art. Dachdeckerhammer.

Schiefergebilde, s. d. Art. Formation, Gefüge, Lagerung ꝛc.

Schiefergips (Mineral.), Gips, der schieferiges Gefüge hat.

Schiefergrün, Art Berggrün, an manchen Schiefern gefunden; ist ein verwittertes Kupfererz.

Schieferhacke, breite Hacke zum Bebauen der Dachschieferplatten im Bruch. Die Klinge ist 15 Zoll lang, 2½ Zoll breit, hat am Rücken eine Oehle für den Stiel.

schieferig, 1) s. d. Art. Gefüge und Bausteine, S. 291, Bd. I.; — 2) s. d. Art. Eisen, S. 687.

Schieferknoten, in rundlicher Gestalt im Schiefer zuweilen vorkommendes feuerfestes Gestein, womit man die Futtermauern in den Schmelzofen macht.

Schieferkohle, s. d. Art. Blätterkohle.

Schieferkopf (Bergb.), eine, erzhaltigen Schiefer enthaltende, Erdschicht.

Schieferlatten, bei Eindeckung eines Schieferdachs auf Latten verwendete Dachlatten.

Schiefermarmor, s. v. w. Kalkschiefer.

Schiefermergel, s. d. Art. Mergelschiefer.

Schiefernägel, kleine Nägel mit zweilappigen Köpfen; runde, flache Köpfe haben diejenigen (Bohznägel), mit welchen die Schlußsteine vernagelt werden; s. d. Art. Dachdeckung I. 2. u. Nagel.

Schiefernieren (Bergb.), kugelförmige oder plattrunde Stücken Schiefer.

Schieferplatte. 1) Zur Bedeckung niedriger Mauern dienende, 1—2″ dicke Platten; — 2) s. v. w. Dachschieferstein von größeren Dimensionen.

Schieferschwarz (Mineral.), in Schweden, Spanien und im sächsischen Voigtland gefundener zarter, kohlenhaltiger Thonschiefer; wird in starker Hitze roth und zu Wasserfarben gebraucht; s. d. Art. Abschwärzen.

Schieferspath, geformter Eonit, ist ein nur bei Schneeberg in Sachsen in krystallinischen Massen von gebogen wellenförmigem Gefüge vorkommender Kalkspath, weiß und perlmutterglänzend. In der Baukunst wenig von Nutzen, aber gut als Flußmittel.

Schieferthon (Mineral.), s. d. Art. Kohlenschiefer, Thonschiefer u. Kräuterschiefer.

Schieferweiß, 1) Bleiweiß, mit Stärke und Wasser zu einem Teig gemacht und in dünne

Schieben geformt; — 2) eine Art des Zinkweißes, ähnlich behandelt.

Schiefmaaß, s. v. w. Stellwinkel, Schmiege, s. d.

Schiefstand, od. Dockung (Mühlenb.), für die schräge Lage der Kropfschaufeln bei einem Wasserrad, s. d.

schiefwinkelig, frz. biais, s. d. Art. Winkel.

Schiene, 1) überhaupt schmaler Holz- oder Metallstreifen, besonders gebraucht zum Zusammenhalten nebeneinander liegender Verbandstücke ob. zur Sicherung einzelner Theile vor äußerer Verletzung; so z. B. als Armirung der Holzverbände, s. d. Art. Holzverband A. 1. D, Armirung ꝛc.; zum Zusammenhalten thönerner Ofenkästen, zum Beschlagen der Naben, Räder, Brunnenröhren ꝛc. werden Schienen von Flacheisen verwendet; — 2) über die gewalzten Eisenbahnschienen s. d. Art. Eisenbahn, S. 691, Bd. I., u. d. Art. Walzeisen; — 3) s. v. w. Reißschiene.

Schieneisen, s. v. w. Flacheisen.

Schienengeleise, s. d. Art. Eisenbahn.

Schienenholz, Schienenstöcke, statt des Rohres an eine Decke genagelte, dünn gespaltene Reißstäbe, die man mit Gips überputzt. Auch werden hölzerne Gebäude damit beschlagen, wenn sie mit Lehm berappt werden sollen.

Schienennägel. 1) Zum Aufnageln des Schienenholzes dienende kleine dünne Nägel mit facettirten Köpfen; — 2) s. v. w. Rabnägel; — 3) die großen Nägel mit Köpfen, die ungefähr einem Hufkopf ähneln, zum Aufnageln der Eisenbahnschienen auf die Schwellen.

Schienenunterlage (Eisenb.). Fast allgemein benutzt man jetzt die Querschwellen, auf deren jeder ein gußeiserner Schienenstuhl sitzt. Langschwellen sind wenig in Gebrauch. Beide Systeme aber erfordern häufig Reparaturen und kosten ungemein viel Holz. Man hat daher vielfach Versuche gemacht, dieselben durch Schienenblöcke von Stein, durch Terrassinschwellen, durch Schienenstühle von Eisen in den verschiedensten Formen zu ersetzen, unter denen die für Sachsen patentirten, von Hoffmann in Werdau erfundenen, die besten sein dürften. Wir müssen hierüber auf die betreffende Specialliteratur verweisen.

Schienenweg, s. v. w. Eisenbahn, aber auch jede in ähnlicher Weise, z. B. von Holzschienen, hergestellte Bahn, letztere namentlich auf sumpfigen Baustellen zweckmäßig.

Schienhaken, ungefähr zwei Ellen langer Haken beim Balggebläse, woran man unten den Schemel, oben den Hängehaken des oberen Balgbrettes befestigt.

Schienzange (Eisenw.), zum Halten und Regieren des Stabeisens beim Schmieden dienende Zange.

Schierhammer, zum Ebenen der Beulen an den Messingschalen dienender, vom Wasser getriebener, 15 Pfund schwerer Hammer mit glatter, verstählter Bahn.

Schierholz, glattes Holz ohne Knorren und Auswüchse.

Schierlingstanne (Pinus canadensis, Fam. Nadelhölzer), Hemlockstanne, ist eine in Canada einheimische Tannenart, von welcher das canadische Pech (Pix canadensis) der nordamerikanischen Apotheken gewonnen wird. Ihr Holz ist als Nutzholz geschätzt.

Schießbeere, s. d. Art. Faulbaum.

schießen, 1) s. d. Art. Sprengen der Steine; — 2) (Deichb.) einen Damm oder Graben schießen heißt, s. v. w. ihn aus- oder aufwerfen.

schießende Falle, s. d. Art. Schloß.

Schießer, 1) s. v. w. Dachgiebel; — 2) (Hüttenw.) s. v. w. Pochstempel.

Schießhaus. 1) S. v. w. Schützenhaus. Man errichtet dasselbe am Anfang des Schießplanes, eines mit Schießgraben und Schießständen versehenen, entweder genügend fern von allen bewohnten Gebäuden und frequenten Wegen gelegenen, oder gehörig verwahrten freien Plates. Es enthalte: Restaurationslocale, Schießzimmer, Gewehrkammern und Kammern zu Aufbewahrung des Schießmaterials; — 2) kleines Häuschen, meist in Form einer nach dem Ziel zu offenen Halle, am Anfang des Schießgrabens errichtet, an dessen Ende das Ziel steht. Meist enthält dasselbe eben nur diese Halle, worin sich der Schießstand befindet.

Schießhütte, eine Hütte, von Reißig oder Erde aufgeführt, mit Schießlöchern, um von da aus das Wild zu schießen.

Schießloch, s. v. w. Sprengloch.

Schießscharte, frz. meurtrière, engl. lophole. Die Gestalt derselben ist höchst mannichfach, doch kann man dieselben unter folgende Classen bringen: 1) offene Schießscharte, d. i. Zwischenraum zwischen den Zinnen (frz. créneau, merlon, engl. crenelle); — 2) geschlossene, frz. lézarde, sind entweder lang und schmal für Bogenschützen, dann frz. archière, lat. archeria genannt, oder mit einer kurzen Queröffnung für Armbrustschützen eingerichtet; dann frz. arbalétrière, lat. arbalisteria, ballistraria genannt; bei letzterer ist die Ausweitung nach Innen, frz. embrasure, bedeutender als bei ersterer. Für Feuerwaffen ist eine runde Ausweitung am untern Ende oder in der Mitte des Langschlitzes angebracht; sind die Scharten außen viel weiter herabgeführt als innen, so heißen sie chantepleure; s. übr. d. Art. Batteriebau, Festungsbau, S. 41, sowie d. Art. Zinne.

Schießwand. Um beim Scheibenschießen nicht durch weitergehende Kugeln Schaden anzurichten, wird eine dicke, aus Pfosten und Erde oder Lehm bestehende Wand hinter die Scheibe angebracht.

Schiff, 1) lat. navis, frz. navire, vaisseau, bâteau, engl. ship, vessel, ital. nave, vascello, span. navio. Im Allgemeinen nennt man jedes große Wasserfahrzeug Schiff, im engern Sinne heißen nur die dreimastigen, gattisch zugetakelten Fahrzeuge Schiff. Die Regeln der Schiffsbaukunst anzuführen, ja nur einen kurzen Ueberblick derselben zu geben, würde, namentlich bei der großen Umwälzung, welche die letzten Jahre auf diesem Gebiet gebracht haben, weit über die Grenzen dieses Buchs hinausführen. Auf die reiche Specialliteratur verweisend, geben wir hier nur einige wenige Andeutungen. Die Schiffsbaukunst zerfällt in einer. theoretischen und in einen praktischen Theil. Der erstere lehrt das Entwerfen der Schiffe nach den Regeln der Mechanik und Hydrostatik; der zweite beschäftigt sich mit der Ausführung des Schiffsgebäude nach dem Riß. Diese Ausführung ge-

schiebt auf der Werft, auf dort errichtetem Helling oder dem Stapel, s. d. betr. Art. Am Schiff selbst unterscheidet man das Achterschiff oder Hinterschiff, frz. arrière, poupe, engl. afterbody, hind-part, reicht vom Spiegel bis zum großen Mast; das Vorschiff, frz. avant, proue, engl. forebody, reicht vom Mast bis zum Galion; das Oberschiff, Oberwerk oder todte Werk, frz. oeuvre morte, engl. dead work, vom Wasserspiegel aufwärts; das Unterschiff, lebendiges Werk, frz. oeuvre vive, umfaßt den eingetauchten Theil. Benennungen und Beschreibung der einzelnen Theile sind ebenfalls sämmtlich in einzelnen Artikeln nachzusehen. Die Hauptgattungen der Kriegsschiffe sind: Linienschiffe, Fregatten, Corvetten, Briggen, Schooner, Kutter, Lugger, Kanonenboote, Brander und Bombarden, wozu neuerdings noch die schwimmenden Batterien, Monitors, Panzerschiffe ic. gekommen sind. Der Kauffahrteischiffe giebt es mehrere Hundert Arten, die wichtigsten derselben sind ebenfalls in besondern Artikeln behandelt, s. z. B. die Art. Jacht, Heckboot, Barke, Sloope, Galiotte, Hucker, Kutter, Lichter, Prahm, Schmake u. s. w. Alle diese Schiffsgattungen sind nicht nur in ihrer Größe, sondern auch in Form und Verhältnissen verschieden; besonders unterscheidet man auf den Kiel gebaute und platte Fahrzeuge, ferner offene und verdeckte ic. Das Verfahren beim Bau aber ist bei den meisten folgendes: Auf die Bahn der Helling oder des Stapels wird zuerst der Kiel aufgelegt, und dann wird ein Gerüst ringsum gebaut, an welches die Lehren für die Form des Schiffes (Senten) befestigt werden; an dieses Gerüst lehnen sich nun die unten im Kiel befestigten Spanten (Sparren) des Schiffsrumpfes, von denen je zwei einander gegenüberstehende ganz gleich sein müssen, deren Form selbst aber ebenso, wie die Form der Senten, je nach der Bauart des Schiffes, sehr verschieden ist. Unter einander und mit dem Vorder- und Hintersteven, die ebenfalls in dem Kiel eingezapft sind, werden die Spanten der Länge nach durch Barkhölzer, der Quere nach je zwei und zwei durch die Deckbalken verbunden. Dann wird das ganze Gerippe mit Planken beschlagen, vom Stapel gelassen und auf dem Wasser mit dem, je nach Bestimmung des Schiffes sehr variirenden Ausbau, sowie mit dem Takelwerk, versehen. — 2) Wenn ein Schiff im Wappen vorkommt, soll es meist Glückseligkeit bedeuten; bei der Blasonnirung muß angegeben werden, nach welcher Seite es gerichtet ist, wie viel Masten es hat, ob die Segel aufgespannt sind und ob es beladen erscheine. — 3) In der christlichen Symbolik bedeutet das Schiff Glückseligkeit, und als Mittel zur höchsten Glückseligkeit, sowie als Schutz gegen die Sündfluth der Versuchung (s. d. Art. Arche), die Kirche, deren Prototypus die Arche Noah ist (1. Petri III. 20, 21). In der Graalssage hat dieses symbolische Schiff drei Masten, einen rothen, einen weißen und einen grünen, christliche Liebe, Unschuld und Geduld. In der Mitte desselben steht ein Bett (Altar, auf dem der Heiland geopfert wurde). Daher soll auch die Kirche Schiffsgestalt haben, die natürlich blos angedeutet werden kann durch Zuspitzung des Grundrisses nach Osten, durch Thürme als Masten ic. Ferner ist auch das Schiff Attribut für Noah, Jonas, Melanius, Bertulph, Clemens, Castor 1, Nicolaus, Myra, Restituta, Ursula, Castrensis ic. — 4) In Folge dieser symbolischen Bedeutung heißt fast in allen christlichen Sprachen der für die Laien bestimmte Theil der Kirche

Schiff, lat. navis, quadratum populi, ecclesia, aula, griech. ναῦς, νεώς, frz. nef, engl. nave, ital. nave. Man unterscheidet Langschiff, Querschiff und bei jenem wieder Haupt- (Mittel-)schiff, lat. navis major, gremium ecclesiae, frz. grande nef, haute nef, nef centrale, engl. middle-aisle, myd-alley, u. Seitenschiffe (Männer- u. Frauenschiff) oder Nebenschiffe, Abseiten, lat. porticus, frz. nef latérale, petite nef, basse-nef, collatéral, bas-côte, contre-allée, engl. side-aisle, low-aisle, low-side; s. d. betr. Einzelartikel. — 5) Jedes Gefäß ohne Henkel und Füße; bei den Bauern auch wohl die Gesammtheit aller Wagen, Schlitten und anderen Fuhrwesens; — 6) in der nordischen Mythologie und in Aegypten galt das Schiff als Reisemittel der Götter. Es wurden daher die Götterbilder auf Schiffen oder Schiffsmodellen transportirt. So galt das Schiff des Ammon als Weltschiff (er lenkte die Welt), welches sich ohne Steuermann bewegte (Unsichtbarkeit Gottes) und am Steuerruder ein Auge hatte (Allwissenheit). Aehnlich ist die Argo der Griechen zu deuten, die, von den Dioskuren geleitet, nach Osten segelt und von der Leier des Orpheus in Lauf gebracht wird. Auch führten die Griechen bei den Panathenäen ein Schiff in Procession umher. Das Lebensschiff der Asen, Skidbladnir, konnte alle Asen aufnehmen und hatte stets günstigen Fahrwind, war auch das Symbol des Sommers, ließ sich im Herbst in einen sehr kleinen Raum zusammenlegen, wo dann das Roß Skeipnir an seine Stelle trat. Baldur's Schiff (Hringhornie) ist der Sarg der gesammten Asenwelt und so der Gegensatz von jenem. Das Schiff Naglfar, aus den Nägeln Verstorbener gebaut, nimmt bei seiner Vollendung alle sinnlichen Weltkräfte in sich auf und bezeichnet den Untergang der sinnlichen Welt. Hu's Schiff mit der eisernen Thür ist das geschlossene Zeugungsgefäß, hat eine Kornladung und wird durch ein Zauberschwert geöffnet (Befruchtung) zc.

Schiffbarmachung von Strömen; s. d. Art. Fluß- und Strombau.

Schiffbrücke, frz. pont de bateaux, engl. pontoon, f. d. Art. Brücke, S 470, Bd. I., Pontonbrücke, Brückenboot, Floßbrücke zc.

Schiffbugt, s. v. w. Krummholz; s. d. und d. Art. Bugt.

Schiffer, f. d. Art. Anker F. I., 7; u. d. Art. Nicolaus von Bari.

Schifferknoten, f. d. Art. Tau.

Schifflände, f. d. Art. Anfuhr und Landungsplatz.

Schiffmühle, f. d. Art. Mühle. Die Höhe der Räder beträgt 12—14 Fuß. Sie haben keine Reifen, sondern Schaufeln, die leicht unter einander verriegelt werden und 12 bis 20 Fuß breit sind; man befestigt sie unmittelbar an die Arme mit hölzernen Nägeln. In die Welle lockt und verkeilt man die Arme mit schwalbenschwanzförmigen Zapfen, oder die werden durch die Welle gesteckt und verkeilt. Um die Welle so wenig als möglich zu schwächen, legt man die Arme nicht in eine und dieselbe Ebene, sondern stellt sie hinter einander.

Schiffsbaake, f. d. Art. Baake 4.

Schiffsbalken, f. d. Art. Balken, S. 207. Bd. I.

Schiffsbank, f. v. w. Ruderbank.

Schiffsbauaccord, f. d. Art. Beilbrief 2.

Schiffsbauholz; als solches wird vorzüglich gebraucht: Ulme, Eiche, Kiefer, Lärche und Fichte. Man unterscheidet: Krummholz, d. h. einfach oder doppelt (S-förmig) gebogenes; gerades, dies ist entweder rund, zu Masten zc., oder vierkantig, zu Hintersteven zc. verwendet. Man nennt die geraden auch einfache Hölzer; f. übr. auch d. Art. Bauholz.

Schiffsbekleidung, f. d. Art. Futterdiele und Plante.

Schiffsblatt, Kupferblech zum Beschlagen der äußeren Schiffsseite.

Schiffsboden, der zwischen 2 Decken eingeschlossene Raum, Schiffsraum, oder der Fußboden desselben.

Schiffsbohrer, Schiffsbohrwurm, teredo navalis, wird bis 12 Zoll lang, ist dem Holz sehr verderblich. Mittel dagegen: Oel und Arsenit, oder Beschlagen mit Kupfer und Filz, oder Tränkung des Holzes mit Tabaksabkochung.

Schiffschuh, f. v. w. Schachtfuß, f. d. Art. Schachtmaaß.

Schiffsdampfkessel, Schiffsdampfmaschine; f. d. Art. Dampfkessel, Dampfmaschine zc.

Schiffsdock (Schiffsb.), f. d. Art. Dock.

Schiffsformen (Schiffsb.), bei Erbauung eines Schiffes die Lehrhölzer, welche demselben die Gestalt geben; f. d. Art. Sente.

Schiffsfußboden, f. d. Art. Bedielen.

Schiffsgebäude oder Scrippe, auch Schiffsrumpf, das Schiff mit Ausschluß der Masten und des Tauwerks.

Schiffshobel, unterscheidet sich von dem gewöhnlichen Hobel (f. d.) durch die convexe Längenbiegung der Bahn, wobei aber der Querschnitt gerade ist. Man versieht sie mit einfachen, doppelten, Schrop- oder Zahneisen und wendet sie beim Hobeln concaver Flächen an; es ist nicht nöthig, daß die Krümmung der Sohle genau die zu hobelnden Fläche sei, doch darf auch der Unterschied nicht zu groß werden. Die neuern englischen Schiffshobel sind sehr zweckmäßig eingerichtet, zum Gebrauch auf Krümmungen von verschiedenen Halbmessern. Es ist nämlich ein Eisenstück am Vorderende des Hobelkastens angebracht, das auf- und niedergeschoben und in jeder Stellung festgestellt werden kann, und sodann mit seinem unter die Sohle hinabreichenden Ende dem Hobel einen Stützpunkt auf dem Arbeitsstück giebt.

Schiffsholm, f. v. w. Schiffswerft.

Schiffsküche, Kombüse, Kabüse; f. d. Art. Küche B.

Schiffsladung, Schiffslast, f. d. Art. Last, Gewicht und Maaß.

Schiffsleim, Schifferleim, f. d. Art. Leim III.

Schiffslücke (Deichb.), quer durch einen Deich führender, ausgemauerter Weg von Manneshöhe und der Breite eines Karrens, um die Ladung eines Schiffes vom Lande aus nach dem Fluß oder Canal zu befördern. Man schließt sie im Sommer mit einem starken Thor, im Winter mauert man sie mitunter zu.

Schiffsluke, frz. écoutille, engl. hatchway, in die unteren Räume führende, mit Fallthüren versehene Oeffnungen in einem Deck. Man unter scheidet: große Luke, Vorluke, Achterluke, Stülpluke, Springluke oder lose Luke, Spielluke, Kolderluke und Flensluke.

Schiffsmaschinen, alle auf einem Schiff nöthigen Maschinen, wie Flaschenzüge, Rettungsmaschinen 2c., auch die Schiffsdampfmaschine.

Schiffsnägel (Schiffsb.), zum Aufnageln der Schiffsbekleidung dienende, ziemlich große Nägel mit breiter, teilartiger Spitze und starkem, zugespitztem Kopf.

Schiffsoberteil, alles über dem oberen Deck Befindliche.

Schiffsparquet, s. d. Art. Parquet 3. b.

Schiffspech. 1) Glaspech, gemeines schwarzes Pech, gewonnen aus dem Harz, das aus Rindeneinschnitten (Harzscharren) der gemeinen Kiefer (Pinus sylvestris L., Fam. Coniferae) ausfließt; — 2) Mischung von Pech, Theer, Harz und Unschlitt zum Calfatern, sowie zum Ueberziehen der Taue und ähnlicher Gegenstände.

Schiffsplanken, s. d. Art. Bret und Plante.

Schiffsraum, frz. cale, engl. hold, das unterste Geschoß des Schiffes zwischen dem Kohlschwinn und untersten Deck in ganzer Länge vom Vor- bis zum Achtersteven. Auf Kauffahrteischiffen wird der größte Theil der Ladung im Raum verstreut; auf Kriegsschiffen enthält der Raum alle Kriegs-, Mund- und sonstigen Schiffsvorräthe.

Schiffsrüstung, alle zur Auftakelung eines Schiffes nöthigen Geräthe, wie Taue, Segel 2c.

Schiffsschnabel, lat. rostrum, frz. éperon, chicambault, cagouille, engl. ships-beak, head, der eisenbeschlagene vordere Theil des Schiffes; s. d. Art. Rostrum.

Schiffsschnabelkrone, s. d. Art. Kranz i.

Schiffsschwert (Schiffsb.), frz. semelle, dérive, engl. lee-board, bei plattbodigen Schiffen zu jeder Seite des Schiffes angehängte, drehbare Bretschaufel, welche in's Wasser gelassen wird, damit auch in seichtem Wasser bei Seitenwind das Schiff nicht zu sehr von seinem Lauf abgetrieben wird, sondern steifer geht.

Schiffsseilkreuz (Herald.), Kreuz aus sich umwindenden Seilen; s. d. Art. Kreuz.

Schiffsspiegel (Schiffsb.), frz. arcasse, poupe, engl. sterne, buttock, der hintere, mit Schnitzwerk und Malerei verzierte Theil eines Schiffes, von dem Hintersteven an bis an die Kajüte, genauer von den Randsomhölzern bis zum Heckbalken.

Schiffsspiker, s. v. w. eiserner Nagel zum Schiffsbau. Man verkauft und benennt sie meist nach dem Gewicht, z. B. Sechzigpfundspiker, von denen 1000 Stück 60 Pfund wiegen; so hat man Dreißigpfundspiker 2c. bis herab zu Vierpfundspikern. Ferner unterscheidet man:

Name.	Länge.		Gew. in Zollpfden.
	1	Zoll	6 Pfd. pro 1000 Stück.
Schotspiker			
Laschetten	2—2½	„	10 „ 1000 „
enteite Laschetsen	3	„	20 „ 1000 „
doppelte	4	„	40 „ 1000 „
Fünfdaumspiker	5	„	80 „ 1000 „
Sechsdaumspiker	6	„	120 „ 1000 „
Siebendaumspiker	7	„	180 „ 1000 „

Außerdem hat man Sentspiker, auch Saumhaut, Dubbelspiker genannt, zum Anspikern der Spikerhaut; sind von sehr zähem Eisen und haben große Köpfe. Auch heißen die 4zölligen noch Blaffer, 3⅓zöllige Mittelblaffer, die 2½zölligen kleine Blaffer, 2½zöllige Großscharf, die 1⅓zölligen

Kleinscharf. Die Küperspiker sind 1¼ Zoll lang, die Pumpenspiker haben kaum ½ Zoll Länge, die Persenningsspiker sind noch kleiner, die Ruderspiker haben Zacken (Backen). Die kleinen Spiker haben meist dreilappige, die großen vierlappige, die 1—1¼ Zoll langen Platthooden haben große platte Köpfe, die Duckers oder Schlumpers sind eben so lang, haben aber einen ganz kleinen, platten Kopf, der versenkt wird. Die Klampspiker oder Bandnägel zum Verklinten sind kurz, dick und von zähem Eisen.

Schiffstau, frz. cable, s. d. Art. Tau.

Schiffstauverzierung, frz. cable, torsade, engl. cable-moulding, aus einem tauartigen, gedrehten Rundstab bestehende romanische und normannische Verzierung; s. d. Art. Cable.

Schiffstheer, s. d. Art. Theer.

Schiffswerft, s. d. Art. Werft. [Holznager.

Schiffswerftkäfer, s. d. Art. Holzfresser und

Schiffswinde, s. d. Art. Gangspill u. Winde.

Schiffziehmaschine, zum Losziehen der Schiffe von Sandbänken, oder zum Aufziehen derselben auf das Land dienende große Winden.

Schiftarm, s. v. w. Helfarm; s. d.

Schiftnagel, s. d. Art. Nagel.

Schiftung. Da bei einem Walmdach oder bei Einkehlen der Grat- resp. Kehlsparren nicht mit den andern parallel läuft, so können sie ihm zunächst liegenden Sparren den First resp. Fuß des Daches nicht erreichen, sondern werden kürzer als die anderen, stoßen unter schiefem Winkel an den Grat- resp. Kehlsparren an (schiften sich an denselben an) und heißen daher Schifter oder Schiftsparren; die Verbindung derselben mit jenem heißt Schiftung. Man unterscheidet zunächst einfache Schifter, diese können sein: Gratschifter oder Walmsparren, frz. empanon, oder Kehlschifter, ferner Doppelschifter, welche oben und unten geschiftet sind und also zwischen einem Gratsparren und einem Kehlsparren die Verbindung herstellen. In Beziehung auf die Schiftung selbst gelten folgende Unterschiede: a) legt man den Kehl- resp. Gratsparren mit den anderen in eine Ebene und schärft ihn ab, so daß die Anschiftungsfläche, der Schiftbacken, die Schiftwange, lothrecht steht, so nennt man dies eine Blei- (oder Loth-)schiftung; b) ist der Grat- resp. Kehlsparren rechtwinkelig gegen die Abgratungsfläche bearbeitet, so entsteht eine Schmiegschiftung; die Verschnittfläche heißt die Klebeschmiege oder Backenschmiege; c) liegt der Grat- resp. Kehlsparren um die ganze Sparrenstärke tiefer und ist oben nach den Dachfluchten bearbeitet, so werden die Schifter aufgeschiftet; d) liegt er nicht um die ganze Sparrenstärke tiefer und ist rechtwinkelig bearbeitet, so heißt die klauenähnliche Schiftfläche Geißfuß 2c.; am schwierigsten ist die Schiftung bei windschiefen Dachflächen oder gekrümmten Grat- resp. Kehlsparren. Näheres s. in Harres „Schule des Zimmermanns", Leipzig, O. Spamer, S. 140 ff.

Schild, neutr., 1) s. v. w. Stichkappe, s. d.; — 2) schwaches Wandstück zwischen stärkeren Pfeilern; s. d. Art. Schildbogen und Feld 1; — 3) (Schloß) bei den Thürbeschlägen mit eingestecktem Schloß derjenige Theil, der das Schlüsselloch in dem Thürrahmen bedeckt. Man steckt außer dem Schlüssel auch den Drücker und den

Griff des Nachtriegels durch das Schild, in welches dazu Oeffnungen gefeilt werden; s. übrigens d. Art. Beschläge und Schloß. — 4) S. v. w. Firma, Abzeichen eines Hauses, Etiquette ꝛc.

Schild, masc., 1) lat. scutum, franz. bouclier, écusson, écu, engl. shield, scutcheon, it. scudo. Der Schild, als Decke oder Schutz des Armes oder des ganzen Leibes, war bei den Alten von Holz, Weidengeflecht, starkem Leder, später von Metall; s. d. Art. Hürde, Tartsche, Clypeus, Ancile, Amazonenschild ꝛc. Ueber die Formen der Wappenschilde s. d. Art. Heraldit I-IV, über die Theilungen und Tingirungen ꝛc. aber Heraldit V, VI, VII., sowie die einzelnen Artifel, z. B. Geviert, Geschacht, Schachbret, Gespalten, Getheilt; der gemauerte Schild gehört in die Kategorie der geschachten Schilde. Der geschnittene Schild, frz. écu tranché, kann rechts oder links durchschnitten sein. Man nennt auch die Schilde in Sectionen getheilt, zum Gegensatz von Schilden, die nur ein einziges Feld haben; das Weitere s. in d. Art. Heraldit und Wappen. Alle vorzüglichen Figuren (vornehme) stellt man bei gespaltenen Schilden in die oberen Plätze, die übrigen aber nach ihrem Rang darunter. Bei einem zweimal getheilten Schild ist der mittlere Platz der vornehmste. Bei einem einmal getheilten Schild gilt der Platz auf der rechten Seite für den vornehmsten. 2) Schutzwehr von Tannenbrettern, äußerlich mit Tauwerk oder Blech überzogen, 5′ hoch, 2½″ breit, zum Schutz der Mineurs in den Gallerien. — 3) (Schiffsb.) Schild heißen am Schiff mehrere verzierte Theile, z. B. das an Hinter- und Vorderpflicht angebrachte Wappen des Eigenthümers, der Stadt, Provinz, am Hintertheil das Bild, welches den Namen des Schiffes anzeigt, mit den dazu gehörigen Verzierungen am Spiegel ꝛc., ferner heißt so der Bogen; s. d. Art. Bogen E. 2; — 4) (Wasserb.) Seitenwand einer Arche.

Schildbaum, 1) weißer (Adenanthera falcata L., Fam. Hülsenfrüchtler, Leguminosae), ist auf den Molukken einheimisch. Die Eingeborenen fertigen aus dem sehr festen und dichten Holz Schilde; — 2) rother (Pithecolobium Clypearia Benth.), zu derselben Familie gehörig, der Akazie ähnlich, ist in Südasien einheimisch, dient zum Anfertigen von Kähnen, ist jedoch nicht dauerhaft. Mit der Rinde färbt man die Fischnetze.

Schildbogen, frz. formeret, engl. wall-arch, 1) zwischen zwei Pfeiler an der Stockmauer gespannter Bogen an Kreuzgewölben; s. Gewölbe E. 6; — 2) Bogen, welchen man behufs Materialersparniß in Umfassungsmauern ꝛc. anbringt und schwach ausmauert; s. auch d. Art. Bogen, S. 400, und Blendbogen.

Schildbach, lat. testudo, besonders in großen Höfen, Sälen ꝛc. nach Art flacher Gewölbe gebildete Decke; s. d. Art. Testudo.

Schilderhaus, frz. guérite, meist von Brettern construirt; im Lichten 3 lang und breit, 8½′ hoch.

Schildesfuß (Herald.), frz. pointe de l'écu, Fußspalt, Sonderfußboden als Heroldsfigur entsteht, wenn die beiden oberen Fache eines zweigespaltenen Schildes eine von den unteren verschiedene Tinctur erhalten. Kommt unter ihm noch ein kleiner Theil des Schildes zum Vorschein, so

heißt er erhöheter Schildesfuß oder erniedrigter Balken; ist er kleiner als ein Drittbeil der Schildhöhe, so heißt er Fläche, verkleinerter Schildfuß, frz. plaine, champagne.

Schildeshaupt, frz. chef, ähnlich wie Schildesfuß, nur am Oberbeil des Schildes, bei Verkleinerung Gipfel, frz. comble, chef étrec, genannt; ist es herabgerückt, so daß die Grundfarbe über ihm zum Vorschein kommt, so heißt es erniedrigt, abaissé. Ist der zum Vorschein kommende Theil anders gefärbt, so heißt das Schildeshaupt überstiegen, frz. surmonté; s. auch d. Art. behangenes Haupt. Ist es durch einen schmalen Balken von dem unteren Schildestheil getrennt, so heißt es unterstützt, frz. soutenu.

Schildesspaltung und **Schildestheilung,** s. d. Art. Heraldit V., contr'écart, Gegenpfahl ꝛc.

Schildgurt, engl. wallrib, Gurtung, welche einen Schildbogen umsäumt.

Schildhalter (Herald.), Nebenstücke, außer den Schilden und Helmen zur Verzierung der Wappen gebraucht. Es sind in der Regel Figuren von lebenden, leblosen oder chimärischen Wesen, welche den Schild zu halten scheinen. Man pflegt wohl auch diejenigen Schildhalter, welche den Schild aufzuheben scheinen, support, und alle, welche ihn nur aufrecht erhalten, tenant zu nennen, oder man nennt die Figuren von Göttern, Engeln, Menschen tenans oder telamones, atlantes, colossi, Wappenknechte; sind es Thiere: supports; leblose Dinge: soutiens oder sustentacula.

Schildkröte, 1) s. d. Art. Japanisch und Nordamerikanisch; — 2) s. d. Art. Schildpatt.

schildkrotartiger oder **schildpattähnlicher Anstrich.** Man fertige aus einer rothen Lack- oder einer hübschen braunen Farbe einen beliebigen schwarzen Grund, reibe diesen mit Schachtelhalm, sobald er gehörig getrocknet, ordentlich ab, rühre in einem kleinen Gefäß Zinnober, in einem anderen Kien- oder Lampenruß, jedes mit einem besonderen Pinsel ein. Dabei mischt sich der Ruß mit dem Lack besser, wenn er vorher in einem kleinen Schmelztiegel und im Kohlenfeuer ausgeglüht wird. Nun trägt man auf den Grund zweimal reinen, unvermischten Lackfirniß auf, macht, wenn der Lack noch naß ist, mit der schwarzen Farbe Flecke in gehöriger Entfernung von einander, bläst sie auseinander, damit sie sich allmälig in Roth verlieren, und bringt dann sofort, ehe noch der Lack gerinnt oder trocknet, zwischen die schwarzen Flecke kleinere Zinnoberflecke, die sich ebenfalls verlieren müssen. Ueber schildpattähnliche Beizen s. d. Art. Beizen, S. 310, Bd. I.

Schildlaus, s. d. Art. rothe animalische Farben.

Schildlein (Herald.), kleiner, auf einem größeren der Art sitzender Schild, daß denselben eine Einfassung umgiebt und der innere Raum keine Figur, sondern nur eine Farbe enthält. Es gehört zu den uneigentlichen Heroldsfiguren; als Abbildung eines wirklichen Gegenstandes wird es zu den gemeinen Figuren gerechnet, wenn zwei und mehrere Schilde auf diese Weise auf den Hauptschild aufgelegt sind.

Schildmauer, 1) s. v. w. Stirnmauer; s. d. Art. Gewölbe; — 2) s. v. w. Futtermauer; —

3) in Weinbergen niedrige Mauern, welche den Abhang stufenartig theilen, um das Wasser aufzuhalten, damit es nicht Erde mit sich fortführe.

Schildpatt, künstliches, 1) aus Elfenbein. Wird Elfenbein mit verdünnter Salzsäure (10 zu 1) behandelt, so wird es biegsam und besteht nur noch aus Knorpel, welcher sich gleich thierischer Haut durch Lohe gerben läßt. Schwache Stücken Elfenbein werden dadurch innerhalb einiger Tage vollkommen erweicht. Bringt man sie dann in einen starken Aufguß von Eichenrinde und Galläpfeln, so erlangen sie darin bald wieder Härte und nehmen zugleich eine rothbraune oder braungelbe Farbe an, während sie völlig durchscheinend bleiben. Trocknet man sie in diesem Zustande, so kann man ihnen durch Goldauflösung, die mittelst eines spitzigen Schwammes stellenweise aufgetragen wird, täuschend das braungefleckte Ansehen von Schildpatt geben. — 2) Um hellem, blassem Horn das Ansehen von Schildpatt zu geben, taucht man Hornstücke, die vorher mit Bimstein geschliffen sind, eine kurze Zeit in warme, verdünnte Salpetersäure, dann wäscht man die Stücke mit Wasser und läßt sie gehörig austrocknen. Will man die ganzen Stücke braun färben, so bestreicht man sie mit einem Brei, der entsteht wird durch Vermischen gleicher Theile feingepulverten Kalks, Potasche, Colcothar und Graphit mit Wasser. Wenn man bloß die braunen Flecken des Schildkrotes haben will, bestreicht man die Stücken nur stellenweise mit diesem Brei.

Durch Goldchlorid lassen sich ebenfalls rothbraune Flecken, durch eine Lösung von salpetersaurem Quecksilberoxyd braune Flecken auf Horn hervorbringen.

Schildpattabfälle zu Platten zu vereinigen. Schildpatt wird bei 100° R. übersteigender Temperatur weich und biegsam, bläht sich aber auf, verändert die Farbe und verkohlt endlich. Bei fortgesetztem Kochen in Wasser aber wird es zu einer gallertartigen Substanz. Man kann dann von den Spänen Paquetchen in nassem Papier machen, pressen, dann die filzartig gewordene Masse in Salzwasser kochen, wieder pressen, wieder kochen und nochmals pressen, zuletzt mit Theer bestreichen und zwischen zwei Messingplatten legen.

Schildrand (Herald.), s. v. w. Einfassung.

Schildträger, s. d. Art. Schildhalter.

Schilf, s. d. Art. Rohr, Berohren, Studdecke Dachdeckung ꝛc.

Schilfbrücke (Wasserb.), eine aus Faschinen von Schilf gemachte und mit Brettern belegte Brücke über einen Morast.

Schilfdach oder Rohrdach, s. u. Dachdeckung.

Schilfdolde, s. d. Art. Blume und Neptun.

Schilfen (Glas.), zu besserer Dichtung, ehe die Scheiben eingesetzt werden, die Dichternuthen mit martigem Schilf oder Rohr ausfüllen; jetzt kaum noch hie und da im Gebrauch.

Schillerfels, s. d. Art. Gabbro und Grünstein.

Schillerquarz (Mineral.), s. v. w. Katzenauge.

Schillerspath, Diallage metalloide (Min.), oft mit Bronzit (s. d.) verwechselt, demselben allerdings ähnlich, aber nicht ganz identisch, doch gleich ihm bezeichnende Beimengung des Serpentins. Der Schillerspath ist grau, in verschiedenen Nüancen nach dem Braun hin. Das Gefüge seiner im Ganzen krystallinischen Massen und Blätt-

chen neigt sich mitunter zum Faserigen, Bruch uneben. splitterig, nach zwei Richtungen spaltbar. Er ist an den Kanten durchscheinend, hat metallähnlichen Perlmutterglanz, verbunden mit einem eigenthümlichen Schimmer; ritzt Kalkspath, ritzbar durch Flußspath, ist grün in verschiedenen Nüancen, in's Braune. Wiegt = 2,6 bis 2,7 und ist durch Schwefelsäure zersetzbar. Ueberhaupt versteht man unter den Namen Schillerspath, Schillerstein, gewisse zum Theil veränderte Augite und Amphibole, die also in die Gruppe der Silicate von Eisenoxydul und Talkerde gehören.

Schimmel nennt man eine ganze Anzahl kleiner Pilzarten, welche als weißer, grauer, gelblich oder anders gefärbter Ueberzug auf Brod und anderen Lebensmitteln, Flüssigkeiten, feuchtem Leder und dergleichen in den Wohnungen, besonders in feuchtwarmen Sommern, auftreten. Eine der gemeinsten Arten ist der gemeine Brodschimmel (Aspergillium glaucum), dann der graugrüne Pinselschimmel (Penicillium glaucum), der gemeine Kopfschimmel (Mucor mucedo) ꝛc. Die Schimmel pflanzen sich durch zweierlei Fortpflanzungszellen (Sporen) fort. Die eine Sorte derselben ist bestimmt, während des Winters zu ruhen und im ersten Frühjahr zu keimen; die zweite Sorte besorgt die Vermehrung während des Sommers. Die sehr kleinen und leichten Sporen werden in zahllosen Mengen durch die Luftströmungen verbreitet und wachsen, sobald sie auf eine geeignete Unterlage fallen, zu einem dichten Fadengeflecht aus, welches dann besondere Fruchtständer nach oben treibt. An letzteren erzeugen sich ohne vorhergegangene Blüthenbildung die Fortpflanzungszellen. Durch Einwirkung der letzteren auf stärke- und zuckerhaltige Flüssigkeiten wird Gährung der letzteren hervorgerufen. Man glaubt, daß Hefe nur eine besondere Form solcher Schimmelarten sei, und sucht gährungsfähige Stoffe vor der erwähnten Einwirkung dadurch zu behüten, daß man sie völlig luftdicht abschließt, nachdem man alle etwa bereits zu ihnen gelangten Keimzellen durch Kochen getödtet hat.

Schimmerglanz, s. d. Art. Glanz.

Schin, s. d. Art. Maaß, S. 497.

Schindel, 1) fr. bardeau, engl. shingle, ital. apicella, scandola, span. chilla, s. d. Art. Dachdeckung, S. 605 und Dachschindel, sowie Bauholz, S. 280; — 2) (Herald.) auch Span, Ziegelstein, Schachziegel ꝛc. genannt, auf einer der schmalen Seiten stehendes Viereck; es muß besonders gemeldet werden, daß die Schindeln quer oben schräg liegen. Man findet sie sowohl in bestimmter Zahl, als auch über das ganze Feld gestreut, und rechnet sie bald zu den gemeinen Figuren, bald zu den uneigentlichen Ehrenstücken; s. auch d. Art. Billet 2 und Heroldsfiguren 10.

Schindelbaum, großer (Imbricaria maxima Poir., Fam. Sapotaceae, Sternäpfelgewächse), ist auf den Molukken einheimisch und liefert das Eisenholz jener Inseln.

Schindeleisen, zum Ausstoßen der Ruthen von Dachschindeln dienendes eisernes Werkzeug.

Schindelfries, s. v. w. Schachbretverzierung.

Schindelnagel, 1) Nagel zum Aufhängen der Schindeln, 2—3 Zoll lang, 1½ Linie breit, 1 Linie dick, mit länglichem Kopf; s. d. Art. Nagel; — 2) (Mineral.) s. v. w. stängeliger Thoneisenstein.

Schindelsparren, zu Schindeldächern bestimmte Sparren, bedeutend schwächer als zu Ziegeldächern.

Schindelstamm, Tannen- oder Fichtenstamm, woraus Schindeln geschlagen werden sollen; muß ganz gerade, astlos 2c. sein; am besten sind dazu die in schattigen Gründen gewachsenen Bäume.

Schinder (Bergb.), einen anderen ergiebigen Gang oder Anbrüche abschneidender Flöz oder Gang.

Schingmu (chines. Myth.), heilige Mutter oder vielmehr Mutter des vollkommenen Verstandes; gebar den Buddha oder Fo als Jungfrau, da sie die Blume Lien-nbu (nelumbium, Lotos) gegessen hatte, welche sie auf ihren Kleidern, am Ufer eines Flusses, wo sie sich badete, fand. Ihr Bild findet man gewöhnlich hinter dem Altar in einer mit seidenem Vorhang verdeckten Nische, mit einem Kind an der Hand oder auf dem Knie, und um das Haupt eine Glorie.

Schinkeln, Gewölbrippen (niederrheinischer Provinzialismus).

Schinken, zu Anweisung des Stromstriches dienender kleiner Vorbau an Flußufern in Gestalt eines rechten Winkels.

Schipp, 1) Feldmaaß von 24 Quadratruthen zu 16 Quadratfuß in Schleswig; — 2) Hohlmaaß in Norwegen; s. d. Art. Maaß, S. 503, Bd. II.

Schippe, Schüppe; unterscheidet sich dadurch von der Schaufel (s. d.), daß das Blatt von Eisen ist; vom Spaten aber dadurch, daß es in einem stumpfen Winkel gegen den Stiel steht.

Schippenband, s. d. Art. Band III. b. 1.

Schirbel, ein Stück angefrischtes, geschmiedetes Stück Eisen, das zu Blech geschlagen wird.

Schirbelkobalt (Bergb.), s. v. w. Scherbenkobalt.

Schirben (Bergb.), Körpermaaß im Harz, ungefähr 2 Karren haltend (1¼ Elle lang, ³/₄ Elle breit und ½ Elle hoch). 70—90 Schirben gehen auf ein Treiben.

Schirl (Mineral.), s. v. w. Schörl.

Schirlkobalt (Mineral.), s. v. w. gediegenes Arsenik.

Schirm, frz. ombelle, 1) (Herald.) auch Schirmbret, Spiegel genannt, auf den Helm gestelltes rundes oder eckiges, mit Federn oder dgl. bestreutes Bret, worauf das Unterwappen sich wiederholt; — 2) (Bergb.) das Hangende an einem Gang; — 3) (Ziegl.) bei einem Feldziegelofen die Umfassungsmauer; — 4) s. v. w. Wetterdach.

Schirmbret. 1) Vorn an den Zwischenscheiben des Glasschmelzofens befestigtes, mit einem viereckigen Loch versehenes Bret, damit der Arbeiter beim Sehen in den Ofen nicht von der Gluth getroffen wird; — 2) denselben Zweck erfüllendes Bret bei Frischfeuern; — 3) s. Schirm 1.

Schirmdach, s. v. w. Wetterdach und testudo.

Schirmdeich, Deich, vom Hauptdeich stromwärts gehend, soll das Land gegen Wind und Wellen, Strom und Eis schützen.

Schirmkappe, s. d. Art. Schornstein.

Schirmmauer, in den Glashütten mannshohe Mauer um den Glasofen herum.

Schirmpalme (Talipotpalme, Corypha um-

braculifera L., Fam. Palme), ist auf Ceylon einheimisch. Die Blätter dienen zu Schirmen und Papier, die Blattfasern zu Stricken.

Schirmstand; so heißt eine Bilderblende, wenn die Nische nicht so tief ist, daß sie die ganze Figur aufnehmen kann, und also Baldachin und Console angebracht werden muß.

Schirmwand (Hüttenw.), Bretwand vor den Roststätten, um dieselben vor Wind zu schützen.

Schirrbalken, s. d. Art. Brücke, S. 454, Bd. I.

Schirrbeil, Beil zur Bearbeitung landwirthschaftlichen Geräthes.

Schirrholz, s. v. w. Nutzholz.

Schirrkammer, s. v. w. Geschirrkammer.

Schirrmeister, bei den Schmieden s. v. w. Werkführer.

Schistus, lat., schiste, frz. (Mineral.), s. v. w. Thonschiefer.

Schittbraun, s. d. Art. Braun, S. 429, Bd. I.

Schittim, nach Andern Sittim, eine Art Holz bei den Hebräern. Es ist noch nicht genau bestimmt, was für ein Holz es war. Einige halten es für Cedernholz, Andere für identisch mit dem arabischen Santon. Man unterschied schwarzen und weißen Sittim. Die Bundeslade war daraus gefertigt.

Schitttrog (Hüttenw.), Mulde, um das zu einer Schmelzschicht gehörige und beschickte Erz nach dem Ofen zu schaffen.

Schiwa, Schiwen, Siwa, Sib, Ischa, Ischwara, Ischana, Mabeschwara, Mahadö, einer der Hauptgötter der Indier, ursprünglich das Feuer, später überhaupt Personification des zerstörenden Princips (Rudra, der Blutige). Doch wirkt er auch wohlthätig als Sonne und Gatte der Parvati (Mond). Abgebildet wird Schiwa mit drei Augen (das dritte auf der Stirn ist das Symbol der strafenden Macht), auf dem Haupt den Mond, oft aber auch mit 5 Köpfen und 16 Armen, auf einem Stier reitend. Seine Hauptsymbole sind: Lingam, Dreizack und Schlangen; s. übr. d. Art. indische Kunst.

Schlacht. 1) (Deichb.) innerhalb eines Deiches ein Ort, wo man die Erde zu Ausbesserung desselben gräbt; — 2) (Wasserb.) das Wasser vom Ufer abhaltender, von Faschinenwerk hergestellter Damm; — 3) Bau von Pfahl- oder Mauerwerk am Ufer oder im Wasser zum Anlegen der Schiffe, auch Beschlächte genannt.

schlachten (Wasserb.), s. v. w. eine Schlacht anlegen oder ausbessern.

· Schlachthaus, frz. abattoir, échaudoir. 1) Oeffentliches Gebäude, wo die Fleischer das Schlachten des Viehes verrichten; besteht meist bloß aus einem Erdgeschoß, welches in mehreren Abtheilungen zum Abschlachten, zum Ausschlachten, Abrüben 2c. gehörig eingerichteten Hallen enthält. Der Fußboden ist mit Platten belegt und die Unreinigkeit wird durch Rinnen abgeleitet. Mit dem Haus steht ein Hof, der Schlachthof, in Verbindung, auch müssen für das zu schlachtende Vieh Ställe da sein, und zur Aufbewahrung des Fleisches ein guter Keller. Man legt diese Gebäude gern in den Vorstädten an fließendem Wasser an, oder es muß hinlänglich Röhrwasser zugeleitet werden. Auch muß in dem Gebäude eine Wohnung für einen

Aufseher und eine Schlachtsteuer-Expedition sein.
2) Zum Schlachten eingerichtetes Gebäude oder
Gemach in Privatgebäuden.

Schlachtlinie, frz. retranchement, s. d. Art.
Festungsbautunst, S. 43 im II. Band.

Schlachtverband (Schiffsb.), frz. poste des
malades, engl. cock-pitt, zum Verbinden der
Verwundeten auf Kriegsschiffen im unteren Raum
(Kuhbrücke) eingerichtetes Local.

Schlacke; so heißen die beim Schmelzen von
dem Eisen (s. d. und Hohofen) und anderen Erzen
sich bildenden Producte, bestehend größtentheils aus
erdigen und steinigen Theilen der Erze, aus den
Zuschlägen und aus oxydirtem Metall, die beim
Schmelzen eine glasartige, leicht gerinnende und
dann spröde Masse bilden. Nach Verschiedenheit
der Erze ist ihre Farbe schwarz, bläulich, grünlich
oder roth. Man unterscheidet sie nach den betreffenden Metallen, so z. B. bei Kupfer Roh- und
Garschlacke; s. d. einz. Artikel. Nach ihren Eigenschaften nennt man sie hart- oder schwerflüssig,
leichtflüssig, bitzig oder heißgrädig, d. h. tröpfelnd;
arme Schlacke enthält tein oder sehr wenig Metall,
reiche Schlacken werden wieder zu Gute gemacht,
indem man sie auslaubt, pocht und nochmals mit
verschmelzt; gepaufcht nennt man solche Schlacke,
woraus nach wiederholter Arbeit alles Metall herausgezogen ist. Schwülige Schlacke entsteht bei Verfertigung der Kupfererzproben; ist, da noch kleine
Körnchen an derselben hängen, knopperig und wenig
glänzend und zeigt an, daß die Probe nicht gar ist;
s. übr. d. Art. Hohofen II, Hohofenschlacke u. Lech.

Schlackenbett (Hüttenw.), der Ort, wohin
die Schlacken aus dem Schmelzofen gezogen oder
geworfen werden.

Schlackenblei (Hüttenw.), das Blei, was bei
dem Saigern des Kupfers gewonnen wird.

Schlackengang oder **Schlackentrift;** s. d. Art.
Hohofen I und Gang 4.

Schlackengrube (Hüttenw.), Grube am Vorheerd des hohen Ofens, in welche die Schlacken
gezogen werden.

Schlackenkienstöcke (Hüttenw.), das auf
dem Saigerheerd stehenbleibende Kupfer; s. d. Art.
Saigern.

Schlackenkobalt (Mineral.), eine Art Kobalt, der einer schwammigen Schlacke gleicht.

Schlackenlava, s. d. Art. Bimslava.

Schlackenofen (Hüttenw.), zum Schmelzen
der Schlacken dienender Krummofen, der von der
Brust aus circa 4 Fuß hoch, 3 Fuß 7 Zoll breit
und 3 Fuß weit.

Schlackenplatte, Sinterblech. 1) Die mit einer
Platte zugesetzte Seite an einem Frischheerd, vor
welcher der Arbeiter steht; — 2) beim Eisenfrisch-
heerd die eine Seitenwand, mit einem Auge versehen (Sinterloch, Stichloch); — 3) s. v. w. Damm-
platte; s. d.

Schlackenpochwerk, zum Klarschlagen der
Schlacken dienendes Pochwerk.

Schlackensand, s. v. w. Puzzuolane.

Schlackenschicht (Hüttenw.), die beim
Schmelzen mit in den Ofen gestürzte Quantität
Schlacken.

Schlackenzinn, aus den Zinnschlacken geschmolzenes Zinn, ist das beste und geschmeidigste.

schlackiger Eisenthon, s. d. Art. Eisenthon.

Schläfer, 1) (Deichb.) s. v. w. Schlafdeich; —
2) die heiligen sieben Schläfer, s. d. Art. Siebenschläfer.

Schlägel, zum Schlagen dienendes Werkzeug,
z. B. 1) (Zimmerm.) mit einem langen Stiel versehener Kloß, an beiden Enden mitunter mit
eisernen Ringen versehen; dient zum Eintreiben
der Pfähle in die Erde, zum Eintreiben der Keile
beim Holzspalten 2c.; — 2) ein rundes und viereckiges Stück Holz mit kurzem Stiel, meistens
von Weißbuche, um damit auf das Stemmzeug zu
schlagen, s. d. Art. Fäustel; — 3) zum Zerschlagen
der Steine in kleine Stücken auf Straßen dienender Hammer mit langem, federndem Stiel;
4) s. v. w. Ramm- oder Besetzschlägel, Bloc;
5) der Zapfen vor der Ablaßrinne eines Teiches;
6) s. v. w. Stempel in der Oelmühle, s. d. unter
Mühle.

Schlägeleisen (Hüttenw.), zum Losbrechen
der Bühnen und Ofenbrüche dienendes langes,
vorn spitziges Eisen.

Schlägelgrube, tiefstehende Stelle des Bodens in einem Fischteich, wo der Zapfen steht.

Schlägelpresse, Schlägelzeug (Mühlenb.),
die gesammte, zum Auspressen des Oels gebrauchte
Vorrichtung einer Oelmühle.

Schlägelstange, Schlägelarm (Mühlbaut.),
Theile der Schlägelpresse bei einer Oelmühle, s. d.

Schlägelwelle (Mühlenb.), eine mit der
Schlägelpresse in der Höhe gleichlaufende Welle,
in welcher die Schlägelstange beweglich aufgehangen ist.

schlämmen. 1) (Wasserb.) Ein Gewässer von
Schlamm und anderen Unreinigkeiten befreien. Bei
Canälen und Häfen geschieht es durch Baggern; bei
Flüssen dadurch, daß man dem Wasser eine große
Strömung giebt, oder durch Ausschaufeln, nachdem
das Wasser abgelassen ist, namentlich bei Teichen
und Canälen. Wenn ein Teich geschlämmt werden
soll, muß man alle Abflüsse so tief als möglich
legen, Hauptgräben zu den Abflüssen und zu
jenen Nebengräben ziehen. Für die Karren macht
man Fahrten von Brettern, sobald der Schlamm
getrocknet. Kann ein Teich nicht hinlänglich trocken
gelegt werden, so werde er im Winter geschlämmt,
wo der Schlamm gefroren ist. — 2) (Maler) Auf
einer Mauer oder Wand der erste Anstrich, der
zu den folgenden Anstrichen den Grund ausmacht.
Das Schlämmen geschieht mit weichem Pinsel,
Schlämmpinsel. Man braucht dazu pro 100 ☐Fß.
¼ Cubitfuß Kalt. — 3) (Ziegelbr.) Das Reinigen
von Ziegelthon oder Lehm, der mit Kies sehr vermengt ist und dennoch zu Ziegeln verarbeitet werden soll. In großen hölzernen, oben offenen Kasten
wird der Lehm zu einem Brei mit Wasser vermengt und durch eine Seitenöffnung des Kastens,
die mit einem Schieber geschlossen werden kann,
in eine Grube gelassen, wobei der Kies auf dem
Boden des Kastens zurückbleibt; auch der Töpfer
reinigt auf ähnliche Art den Thon vom Sande.
Braucht man blos eine kleine Menge reinen Thon,
so rührt man ihn zu einer Brühe in einem Gefäß voll Wasser, gießt diese durch ein Sieb in ein
Gefäß, nachdem der schwere Sand sich zu Boden
gesetzt hat, und gießt aus diesem zweiten Gefäß
das Wasser ab, sowie der Thon sich gesetzt hat;
ist es nöthig, so wird das Verfahren wiederholt. —
4) (Hüttenw.) Mittelst Wassers die metallischen
Theile gepochter Erze von den erdigen und steinigen

absondern, indem das Wasser die leichten Erd=
theile mit fortnimmt; geschieht in den nassen Poch=
werken, vorzüglich aber auf den Waschwerken
oder Planheerden.

Schlämmgerinne, Schlämmgraben (Hütt.),
1) s. v. w. Durchlaßgraben, s. d.; — 2) auch Schlämm=
kasten genannt, hölzerne Rinne, neben dem Sumpf
bei Pochwerken, in der das Wasser abläuft und da=
bei die Metalltheile absetzt, die es mit fortgenommen.

Schlämmgrube, Schlämmkuhle, Schlämpe,
s. d. Art. Schlemmgrube, Schlemmkuhle, Schlempe.

Schlafdeich, s. v. w. Binnendeich und Mit=
teldeich; s. d. Art. Deich 2.

Schlafkammer, Bettkammer, engl. truckle
bed, unheizbarer Schlafraum; s. d. Art. Kammer.

Schlafsaal, span. crujia; in Casernen, Gymna=
sien werden häufig Schlafsäle angelegt; man stelle
nie mehr als 2 Reihen Betten in einen Saal, und
zwar mit dem Kopfende nach den Längenwänden,
also mit den Füßen nach dem Mittelgang zu, der
noch mindestens 6 Fuß breit bleiben muß. Zwischen
je zwei Betten in der Längenrichtung des Saals
muß mindestens 3 Fuß Zwischenraum bleiben;
im Ganzen rechnet man auf jedes Bett circa 40
☐ Fuß Raum, incl. der Gänge.

Schlafzimmer, lat. cubiculum, dormitorium,
engl. bedchamber, standing=bed, auch Schlaf=
stube, in der Regel heizbar. Man lege sie nach Osten
oder Süden an (nach Westen gelegene sind zu
warm, nach Norden gelegene ungesund) und mache
Decken und Wände blau, ebenso die Rouleaur
oder Vorhänge.

Schlag. 1) In das Wasser gehängter Baum
zu Beschützung der Ufer und zu Abweisung des
Stromes. Man nimmt dazu Kiefern, Tannen,
Weiden, durchlocht sie an den Stammenden, zieht
Baßseile durch die Löcher und bindet sie an Pfähle,
welche in das Ufer gerammt werden. An die
Zopfenden werden Steine gebunden, damit sie zu
Boden sinken; — 2) (Steinarb.) frz. ciselure, die
erste Arbeit, um einen Stein zu behauen, eine Art
Falz oder vielmehr ein schmaler, ebener Streifen,
der an allen Kanten einer Steinfläche herumgeht
und bei weiterer Bearbeitung des Steines zur Richt=
schnur dient; s. d. Art. Beschlagen b; — 3) (Deichb.)
s. v. w. Deichpfand; — 4) (Schifffb.) eine an der
untern Seite des Steuerruders befestigte Plonke,
um mehr Wasser zu fangen und wirksamer das
Schiff zu steuern; — 5) Art. Länge Betten im Weinberge
breite Gräben, um das herabfließende Wasser ab=
zufangen; — 6) (Bergb.) s. v. w. Stolln; — 7) s.
v. w. Schlagbaum; — 8) s. v. w. Fallthür; — 9) s.
v. w. Gehau; — 10 Längenmaaß = ⅟₂ Ruthe, s. d.
Art. Maaß, S. 487, Bd. II; — 11) meißnischer
Provinzialismus für Stadtthor.

Schlagbalken, Balken, gegen welchen die
Thorflügel einer Schleuße oben anschlagen.

Schlagbaum, frz. barre, zu Absperrung
eines Weges angelegte Vorrichtung, aus einem
Baum bestehend, welcher entweder aufgerichtet
und niedergelegt, oder vor= und zurückgeschoben
werden kann.

Schlagbohrer (Schloss.), Hammer mit spitzi=
ger Finne, um in Stein Löcher für Thürhaspen ꝛc.
zu machen; man setzt auf den Stein die Ham=
merspitze auf, führt einige Schläge mit einem an=
deren Hammer darauf und dreht ihn dann etwas
herum.

Schlagbret, s. v. w. Traufbret.

Schlage (Steinw.), sehr schwerer eiserner Ham=
mer, womit die Keile bei dem Sprengen ange=
trieben werden.

Schlageisen. 1) (Steinarb.) Werkzeug zu
Herstellung ebener Flächen. Es ist 7—8 Zoll lang,
etwa ³/₄ Zoll im
Quadrat stark und
hat unten eine 1 bis
1½ Zoll breite, von
2 Seiten unter einem
Winkel von 9—10°
zugeschärfte Schlag=
bahn, s. Fig. 1708; —
2) s. d. Art. Breiteisen
und Meißel; — 3)
s. v. w. Baumstem=
pel, Eisen zum Stem=
peln der verkauften
Bäume; — 4) s. v. w. Kalthaken, Kalkkrücke, s. u. Kalk.

Fig. 1708.

schlagen. 1) Holz fällen und in Scheite zer=
schneiden; — 2) man sagt auch: einen Bogen schla=
gen, eine Brücke schlagen, z. B.: das Schlagen
von Brücken auf drei Borden (preußisch) = schla=
gen auf 20 Fuß Spannung.

Schlagverband, eine Art des Pflasterver=
bandes, ähnlich dem Schachbret, aber übereck gelegt.

Schlaggatter (Festungsb.), s. v. w. schweres,
drehbares Gatterthor, im Gegensatz zu Fallgatter.

Schlagholz. 1) Holz, das zum Hauen reif
ist; — 2) Buschholz; — 3) (Maschinenw.) Hölzer
am Göpelkorb, an die Korbhölzer zur Befestigung
derselben genagelt.

Schlagküpe, s. d. Art. Indigo.

Schlagleiste (Tischl.), frz. battement, eine
an der Kante eines Fensterflügels oder Thür=
flügels befestigte, wenige Zoll breite Leiste, die
mit der Flügelkante einen Falz bildet und das
Futter, oder bei Doppelthüren an den andern
Flügel anschlägt; s. d. Art. Thür und Fenster.

Schlagloth, engl. link, besteht aus 3 Theilen
Messing und 1 Thl. Zink und wird bereitet, indem
man die geschmolzene Masse in einen Eimer mit
Wasser, worein zwei Besen gesteckt sind, gießt, und
sie während des Eingießens mit einem Besen
schlägt, wodurch sie sich körnt; wird zum Löthen
verschiedener Metalle gebraucht und mit einem
Löffelchen auf die zu löthende Fuge gestreut. S.
übr. d. Art. Hartloth.

Schlagmaschine, s. v. w. Rammmaschine.

Schlagpfahl, an den Gatterthüren der Hecken,
Zäune ꝛc. der vordere Pfahl, woran die Thür
schlägt und an welchem sie geschlossen wird.

Schlagring der Glocke, s. d. Art. Glocke.

Schlagruder, Ruder, welches zum Gebrauch
auf die Borde gelegt wird.

Schlagruthe (Mühlenb.), die schnellere oder
langsamere Bewegung des Beutelwerkes in Wind=
mühlen bewirkender senkrechter Stock an der
Sichtwelle.

Schlagschatten, s. d. Art. Schattencon=
struction.

Schlagthür (Wasserb.), zum Schließen der
Schleußen blendende Thüren oder Thore. Schlag=
pfosten heißen die äußeren Pfosten solcher Thüren;
an den Schlagbalken (s. d.) schlagen die Schlag=
thüren oben an, unten an eine Schlagschwelle oder

Schlagfüll, auch Karbeele genannt, s. d. und d. Art. Drempel; die den Schlagbalken unterstützenden zwei Ständer heißen Schlagländer; das durch diese vier Stücke gebildete Thürgerüst heißt Schlagverbind und nebst den Thüren Schlagwerk; s. übr. d. Art. Schleuße.

Schlagwerk, 1) s. v. w. Ramme; — 2) s. d. Art. Schlagthür; — 3) s. d. Art. Uhr.

Schlamm, lat. limus, franz. limon, engl. slime, mud. 1) (Hüttenw.) das klare Erz, was aus den Planen gewaschen ist; — 2) in Flüssen, Teichen und Gräben sich zu Boden setzende, durch das Wasser in sehr feine Theile aufgelöste und in Brei verwandelte Erde.

Schlammkrücke. 1) (Salzw.) zum Herausziehen des Schlammes oder des zu Boden fallenden Salzes dienende kleine Krücke von Blech; — 2) (Wasserb.) breite, gebogene hölzerne, mit Eisen beschlagene Schaufel, in einem scharfen Winkel an eine Stange befestigt, oft so groß, daß sie von Pferden gezogen werden muß, zum Herausziehen des zurückgebliebenen Schlammes aus Canälen und Flüssen, welche mit dem Baggerhaken ausgeräumt worden; — 3) (Hüttenw.) auch Schlammküste genannt, zum Rühren des Schlammes auf Pfannenheerden und in Schlämmgraben dienende Krücke.

Schlammmühle, Schlammprahm ꝛc. (Wasserbau), s. d. Art. Bagger.

Schlammrechen oder Teichrechen, ein der Schlammkrücke (s. d. 2) ähnliches Instrument.

Schlammschiefer, s. v. w. Bergtorf; s. d. Art. Torf.

Schlammschlich (Hüttenw.), durch Schlämmen der Erze gewonnener Schlich.

Schlammzinn (Hüttenw.), Zinnzwitter, der geschlämmt oder zum Schlämmen bestimmt ist.

Schlammtorf, s. v. w. Torfschlamm.

Schlange. 1) s. d. Art. Bühne und Bleßwert; — 2) (Herald.) bedeutet im Wappen Klugheit, List ꝛc. und wird meist gebäumt dargestellt: man muß dann die Zahl der Windungen nebst der Stellung und der Richtung des Kopfes angeben. Drachenschlange heißt sie mit Flügeln, oft ein Kind fressend dargestellt; — 3) bei den Hebräern, Juden und anderen Orientalen, endlich auch bei den Christen, Symbol der Versuchung, der durch die Sinnlichkeit erzeugten Erbsünde; s. d. Art. Erbsünde. Auch die eherne Schlange des Moses gehört hierher, die aber zugleich als Prototypus der Kreuzigung Christi anzusehen ist. Vergl. übrigens d. Art. Drachen. Auch erscheint die Schlange als Attribut vieler Heiligen; s. d. Art. Hilarius, Paternus, Patricius, Phokas, Jacobus à Marcha, Romanus, Kardinaltugenden 4 und 5, Christina, Anatolia, Didymus, Habakuk ꝛc. Bei den Aegyptern hingegen erscheint als Sinnbild der sich immer verjüngenden Naturkraft eine sich in den Schwanz beißende Schlange, eine Schlange mit Sperberkopf als Sinnbild der wohlthätigen Gotteskraft. Um eine Wasserurne gewunden, bedeutet sie den guten Geist über dem Wasser; über einer blauen, gelben und rothen Kugel (Luft- und Feuerfarbe) ausgestreckt, den das All umschließenden Weltgeist. Eine goldene Kugel mit zwei Schlangen ist Symbol des Kneph, des ewigen Licht- und Feuergottes, auch Sinnbild der Gesundheit und Heillehre; s. auch d. Art. Kneph-schlange. Bei den Griechen war sie Attribut der Minerva und bedeutete die nimmer alternde Zeit, oder, sich in den Schwanz beißend, die Ewigkeit, auch war sie als Symbol des Ackerbaues der Ceres geweiht; ferner war sie das Symbol der Wachsamkeit und der Klugheit, s. d. Art. Agathodämon, Hermes, Caduceus ꝛc., aber auch des Neides und der Gewissensbisse; s. d. Art. Eumeniden. In der nordischen Mythologie kamen viele Schlangen vor als Personification von Neid, Bosheit, Ausschweifung, Lüge ꝛc.

Schlangenholz, ächtes, stammt 1) von dem Schlangen-Strychnos (Strychnos colubrina, Fam. Loganiaceae; s. auch d. Art. Brechnußbaum; in Indien als Mittel gegen Klapperschlangenbiß berühmt; — 2) vom ächten Schlangenholzbaum (Ophioxylon serpentinum L., Fam. Hundswürgergewächse, Apocyneae R. Br.); derselbe wächst in den Gebirgen Ostindiens; sein Holz ist jedoch nicht technisch, sondern gegen den Schlangenbiß medizinisch in Gebrauch. Eine dritte Art kommt von Strychnos moluccensis Benth. auf Java und den Molukken. Ueber unächtes Schlangenholz s. d. Art. Buchstabenholz.

Schlangenkreuz (Herald.), s. v. w. Kreuz C. 27, oder auch ein aus vier halben Schlangen bestehendes Kreuz; doppeltes Schlangenkreuz heißt es, wenn die Arme sich mit zwei Köpfen endigen.

Schlangenrohr (Canna de la Vibora), ist eine Palmenart (Kunthia montana H. et B., Fam. Palmae) Neugranada's, deren Saft bei den Indianern gegen Schlangenbiß als Heilmittel in Ruf steht und deren schlanke Schäfte zu Blaseröhren dienen.

Schlangensäule, aus zusammengewundenen Schlangen bestehende Säule; die Köpfe bilden das Capital; nicht zu billigende Gestaltung, s. d. Art. Säule.

Schlangenschnitt, frz. tortillé, s. d. Art. Heraldik VI.

Schlangenspritze, s. unt. Feuerlöschapparate.

Schlangenverband, s. v. w. schwalbenschwanzförmiger Pflasterverband.

Schlangenzaun (Teichb.), s. v. w. Schränkzaun.

Schlaper (Teichb.), s. v. w. Schläfer.

Schlat (Wasserb.), s. v. w. Schloth.

Schlauch, 1) zum Durchleiten von Flüssigkeiten, von Brettern, Blech ꝛc., meist aber von Leder oder Leinwand gefertigter enger Canal; s. d. Art. Abtritt, Feuerlöschapparat ꝛc.; — 2) aus einem Thierfell gefertigtes Flüssigkeitsgefäß. Attribut des Bacchus.

Schlauchblech, s. d. Art. Kupferblech.

Schlauchbrücke, s. d. Art. Brücke, S. 470, Bd. I.

Schlaucheisen, s. v. w. Rohrschelle.

Schlauchruthe (Wasserb.), zum Reinigen (Ausschlauchen) der Röhren bei Wasserleitungen dünne, zusammengebundene Stäbe, womöglich so lang, daß sie von einem Spund bis zum andern reichen.

Schlauchspritze, s. d. Art. Feuerlöschapparate.

Schlauder, 1) s. d. Art. Anker 1 u. 12; — 2) Schiffsb.) s. v. w. Gabelanker.

Schlaufdiele oder Schleifdiele, 1½ Zoll dickes Bret; s. d. Art. Bret.

Schlechte, 1) f. d. Art. Bubne; — 2) (Bergb.) f. v. w. Schicht oder Flöz, daher von der Seite zu einem Gang stoßendes Lager, Querschlechte; — 3) Ritzen in den Erdschichten; sind sie mit Erz ausgefüllt, so heißen sie edle Schlechte, mit einer Art Letten ausgefüllt sind es Schmerschlechte, und sind sie leer, Steinscheidungen; — 4) f. v. w. Schlacht.

Schlechtig (Bergb.), so heißt ein Gebirge, wenn es Ritzen und Spalten im Gestein hat.

Schleete, Lattstämme, an beiden Seiten etwas beschlagen, in der Mitte aufgespaltet; werden zum Belatten der Stroh- und Rohrdächer, sowie auch zum Anfertigen von Zäunen verwendet.

Schleier; erscheint als Attribut bei Juno, Hymen, Aldegundis, Ludmilla ꝛc.

Schlehendorn, Schwarzdorn (Prunus spinosa L., Fam. Mandelgewächse, Amygdaleae), mit bräunlichem, festem und zähem Holz, das sich gut poliren und überhaupt gut verbrauchen läßt; wächst strauchartig auf dürren Bergen, Aderrändern, in Heden und Vorhölzern. Die Zweige dienen zu Anfertigung der Gradirwände in Salinen.

Schleicher, f. d. Art. Saugwert.

Schleichtreppe, verborgene Treppe.

schleiern (Brunnenb.), luft- und wasserdicht machen (Kolbenstangen ꝛc.), indem man sie mit Lappen umwickelt.

Schleife. 1) Fahrzeug, besteht aus zwei niedrigen Schlittenkufen, durch starke Querriegel verbunden; — 2) (Hüttenw.) ähnliches Werkzeug zum Hin- und Herziehen des mit Zinnstein gefüllten Bergtroges auf dem Heerd; — 3) (Maschin.) bei einem Druckwerk, dessen Bläuel- oder Kolbenstange sich horizontal bewegt, ein Klotz, durch welchen die betreffenden Stangen geben und mittelst eines Bolzens befestigt sind. Die Schleife bewegt sich als Stütze der Stangen mit dem Lager- oder Straßbäumen hin und her und ist zu Vermeidung der Reibung auf der unteren Seite mit eisernen Knöpfen versehen; — 4) Tauschlinge; f. d. Art. Tau und Lägel l.

schleifen. A) Einem Gegenstand durch Reiben eine gewisse Glätte oder annähernde Politur geben. Mittel dazu sind: Bimsstein, Fischhaut, Kohle, Kork, Leder, Brennnesseln; Blutstein, Zinnasche, Knochenmehl, Kreide, Tripel, Glas- oder Sandpapier, gepulvertes Hirschhorn, Schachtelhalm, Glasscherben ꝛc., bei dem Steinschleifer Steine, meist von derselben Gattung. Hier folgen noch einige Notizen.

1. Schleifen von Holzarbeiten: a) Schleifen lackirter Holzarbeiten; wenn schon vor dem Auftragen von Farbe, Lackfirniß ꝛc. die Fläche so eben als möglich hergestellt wird, ist bei Uebung und Geschicklichkeit im Anstreichen ein Abschleifen des Lackes oft gar nicht nöthig. Soll aber die Arbeit vorzüglich schön werden, so muß der Lack geschliffen werden. Um Weingeistlackfirnisse möglichst fein zu schleifen, taucht man ein Stück reinen, festgewalkten, weißen Filz in Wasser, dann in weißpräparirtes und feinpulverisirtes Hirschhorn und reibt damit, schafft aber die Schleifmasse öfters mit einem weichen, in Wasser getränkten Schwamm hinweg, damit man sieht, wo die Schleifung noch nöthig ist. Endlich reinigt man den feingewordenen Schliff mit einem Schwamm und trocknet mit einem weichen leinenen Tuch sorgfältig ab. Zuletzt reibt man mit einem alten seidenen Tuch und feinem Haarpuder ab (polirt nach).

b) Um Lackfirniß oder in Lackfirniß eingerührte Farbe zu schleifen und zu poliren, thut man zwei Unzen gelben oder levantinischen Tripel, fein gepulvert, in eine Schaale mit so viel Wasser, daß der Tripel bedeckt ist, umlegt ein Stück Kork mit vierfach zusammengeschlagenem, feinem Flanell, taucht ihn in den Tripel und polirt damit. Um zu sehen, wie weit das Schleifen oder Poliren gediehen ist, reinigt man einen Theil der betreffenden Oberfläche mit dem feuchten Schwamm. Zuletzt reibt man mit einem Stück Schöpsenfett und feinem Mehl nach. Wichtig ist es, nicht zu stark zu reiben, auch nicht länger als nöthig ist, um die Oberfläche vollkommen glatt und eben zu machen.

c) Auf Oellackfirnissen schleift man mit feingeriebener Bimssteinmasse, einem Stück reinen, weißen Filzes und genug Wasser behutsam, bringt das Abgeschliffene mit einem nassen Schwamm rein hinweg und trocknet mit einem weichen leinenen Tuch wohl ab. Den letzten glasartigen Schliff giebt man hierauf dem Lack mit in Wasser fein abgeriebener, weißer, milder Kreide auf einem Stück Filz und Wasser. Dann reinigt man das Abgeschliffene mit dem nassen Schwamm, trocknet mit einem weichen Tuch Alles wohl ab und überfährt zuletzt die Fläche mit einem alten seidenen Tuch. Um alle Erhöhungen und kleinen Unebenheiten, die sich durch keine neuen Lackstriche verbessern und ausgleichen lassen, verschwinden zu machen und der lackirten Fläche den höchsten Grad von Glanz, Glätte und Schönheit zu verleihen, ist es nothwendig, die geschehenen Lackaufträge nach jeder Trocknung zu schleifen.

d) Schleifen und Vollenden der Mahagoniarbeiten. Nachdem man die Arbeit mit der Ziehklinge behandelt und mit Sandpapier so glatt wie möglich geschliffen hat, überstreicht man alle Theile mit einem in Möbelöl getauchten Pinsel und läßt die Arbeit so die ganze Nacht über stehen. Alsdann pudert man ganz feines Ziegelpulver mittelst eines baumwollenen Strumpfes gleichmäßig über die Arbeit und reibt letztere alsdann vor- u. rückwärts mit einem eisernen oder bleiernen, in ein Stück Teppich gewickelten Gewicht so lange, bis sie einen guten Glanz erhalten hat. Fühlen sich die Adern an irgend einer Stelle rauh an, so wiederholt man das Verfahren, trägt aber nicht zu viel Ziegelmehl auf, welches auch nicht trocken werden darf, sondern immer als Brei auf dem Teppichstück sitzen muß. Nachdem die Oberfläche vollkommen glatt geworden ist, putzt man die Arbeit mit einem Reiber aus einem Stück Teppich u. etwas feinen Mahagonispänen ab. Der einzige Mangel dieses Verfahrens ist, daß es dem Mahagoniholz eine dunklere Farbe giebt.

e) Schleifen des weichen Mahagoni und anderer poröser Hölzer. Nachdem man mit Ziehklinge und Sandpapier vorgeschliffen, befeuchtet man die Oberfläche mit einem Schwamm recht vollständig, dann schleife man mit feinem, von allen steinigen Theilen freiem Bimsstein nach dem Strich des Holzes, während man letzteren beständig mit Wasser anfeuchtet. Nach dem Trocknen wiederholt man das Verfahren.

2. Schleifen lackirter Metallarbeiten. Diese sind meist ein- oder mehrmal mit Farben angestrichen, die mit einem Kopallackfirniß abgerieben und damit verdünnt worden. Diese Farbe, wenn

31*

sie stark genug aufgetragen u. sehr trocken geworden ist, wird zuerst mit feingeriebener Bimssteinmasse und Wasser, mittelst eines zusammengerollten Stückes Filz, so lange geschliffen, bis sie die gehörige Glätte erreicht. Dann schleift man die Fläche noch einmal mit präparirtem Hirschhorn, Filz und Wasser. Wird über die Oelfarbe noch ein besonderer Lackfirniß gesetzt, so schleift man auch diesen, bei hinlänglichem Körper und bei gehöriger Austrocknung mit Filz, Baumöl u. Hirschhorn oder mit geschlämmter Kreide. Zuletzt reinigt man die Fläche von aller Fettigkeit mit trockenem Pulver von ungelöschtem Kalk auf weichem Rehleder und giebt den Glanz mit einem alten seidenen Tuch.

3. Schleifen lackirter Papparbeiten. Die völlig ausgetrockneten Lackfirnisse auf Papparbeiten werden mit feiner Bimssteinmasse, Wasser und einem Stück reiner Leinwand abgeschliffen, dann mit einem Tuch abgetrocknet, hierauf wieder eine Zeit lang mit Tripel und Baumöl abgeschliffen, mit weicher Leinwand getrocknet und zuletzt mit einem Pulver von feingeriebener Stärke polirt und mit einem alten seidenen Tuch nachgerieben. Weingeist- und Terpentinlackfirnisse schleift man erst mit Tripel und Wasser, dann mit Baumöl und Wasser und polirt zuletzt mit feinem Haarpuder.

4. Schleifen und Poliren des Kreidegrundes unter Vergoldung. Wenn derselbe ganz trocken geworden, befeuchte man eine kleine Stelle auf einmal und reibe sie mit einem Stück feinen, in Wasser getauchten Tuches, bis alle Beulen und Unebenheiten entfernt sind. Wo die Finger nicht in die Zierrathen eindringen können, wickle man das nasse Tuch um ein Hölzchen, welches in die betreffende Stelle paßt.

5. Schleifen lackirter Lederarbeiten. Wenn der aufgetragene Lack seine völlige Trocknung erhalten hat, wird die Arbeit mit feingeschlämmter Kreide und reinem Wasser mittelst eines Stückes Filz geschliffen. Dann giebt man Glanz mit einem alten seidenen Tuch.

6. Schleifen gewöhnlichen Oelanstrichs auf Holz, Stein, Putz ꝛc.; geschieht ebenfalls mit Wasser, Filz u. Bimsstein, worauf man mit einem Schwamm reinigt, mit reiner weißer Leinwand trocknet und nochmals mit Hirschhorn nachschleift.

7. Schleifen der Steinarbeiten, s. d. Art. Marmor, Alabaster, Granit ꝛc.; Sandstein wird mit Sandstein oder Granit und Wasser geschliffen.

8. Schleifen der Messingblechwaaren. Diese werden durch Abreiben mit Bimsstein, dann mit Schleifkohle (s. d.) und zuletzt mit englischer Erde geschliffen.

B. Frz. dévoyer. Einen Schornstein schleifen, d. h. ihn ein Stück ganz waagerecht oder in schräger Richtung aufwärts weiter führen, ist nachtheilig wegen des verminderten Rauchabzugs, auch hie und da wegen der Feuergefährlichkeit verboten; belastet auch das Gebäude ungemein; s. übr. d. Art. Schornstein; — 1) s. v. w. zerstören, abbrechen, von einem Festungswerk ꝛc.; — 2) s. v. w. schärfen, namentlich Schneidewerkzeuge; geschieht entweder auf einer Streichschale oder auf dem Schleifstein.

Schleifenlinie, s. d. Art. Lemniscate.

Schleifkohle; dient zum Schleifen nicht zu harter Metalle; das tauglichste Holz dazu bietet der schwarze Hollunder, doch verwendet man auch Linden- und Weidenholz; man schneidet das ausgesuchte Holz in beliebige Stücken, läßt es gehörig austrocknen, bestreicht jedes Stück stark mit Lehm und läßt es dann einen Töpferofenbrand bestehen, oder man thut die Holzstücken in ein dicht verschlossenes Gefäß von Eisenblech, läßt dies tüchtig durchglühen und mit Erde überschüttet kalt werden. Man bedient sich dieser Kohle nach Art der sogen. Streichschalen oder Wetzsteine mit Wasser oder bei feinerem Schliff mit etwas Oel.

Schleifmühle. Durch ein Mühlwerk werden verschiedene Schleifsteine und hölzerne, mit Leder überzogene Polirscheiben getrieben; s. übr. d. Art. Mühle.

Schleifstein. Man kann dieselben folgendermaaßen eintheilen:

A. Nach Form und Benutzungsweise. 1) Rutscher; der ungefähr in Ziegelform bearbeitete Stein liegt fest in einem Kasten; der Arbeiter bewegt die zu schärfende Fläche des Werkzeuges auf der Oberfläche des Steines immer unter gleichem Winkel hin und her; da dies ziemlich schwierig ist, werden die Schneiden meist etwas rundlich; — 2) Drehstein. Bei diesem ist das Schleifen leichter gleichmäßig zu bewerkstelligen, doch nutzen sich die Steine gern ungleichmäßig ab und werden unrund, so daß sie von Zeit zu Zeit nachgearbeitet werden müssen. Fig. 1709 giebt ein sehr zweckmäßiges Gestell zu einem solchen Drehstein; a ist der Stein,

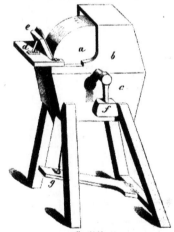

Fig. 1709.

b ein Deckel, um das Herausspritzen des behufs Verhütung der Erhitzung in den Schleiftrog c zu füllenden Wassers zu verhüten; das Bretchen e, mittelst der Vorrichtung d stellbar, ist die Auflage für das Werkzeug, f ein Schwunggewicht, welches auch weglebjuben oder noch besser durch ein Schwungrad ersetzt werden kann, g ein Trittbret; der Stein selbst, von Gestalt wie ein kleiner Mühlstein, hat in der Mitte ein viereckiges Loch, um die Achse mit Kurbel durchzustecken; oft steht über dem Schleifstein noch ein Gestell mit einem Wassergefäß, woraus auf den Stein Wasser tröpfelt; — 3) Wetzstein oder Streichschaale, s. d. betr. Art.

B. Nach dem Material. 1) Natürlicher, gewöhnlich Sandstein von feinem Korn; — 2) Künstlicher Schleifstein. Man mahlt naß ganz fein 44 Thle. gelben, schmelzbaren Thon und 60 Thle. Bleiglätte, trocknet und mischt dies mit gleich viel Smirgel. Das Ganze wird wieder naß gemahlen, halb getrocknet, geformt und gebrannt. Man kann auch 9 Thle. schwefelsaures Blei zu 4 Thle. Thon nehmen u. dann auf 10 Thle. der Mischung 13 Thle. Smirgel.

Schleiftreppe, s. v. w. Schleichtreppe.

Schleifzapfen, eine Art des Jagdzapfens; kurzer Zapfen, wie ihn Stiele oder Riegel erhalten, die in schon stehende Holzwände eingezogen (eingeschleift) werden sollen. Die Zapfenlöcher, Schleiflöcher oder Schleifzapfenlöcher, werden zu diesem Zwecke nach einer Seite hin so weit und zwar in Bogenform auslaufend verlängert, daß der Stiel wie der Radius in einem Kreis hinein bewegt werden kann. Entsprechende Form muß auch der Zapfen erhalten.

Schleifzeug, eine Art der Hemmung, s. d. bei Wagen.

Schleimrüster, rothe Rüster (Ulmus fulva Michx.), ist eine in Nordamerika einheimische Ulmenart, deren Holz technisch und deren Rinde medizinisch benutzt wird. Der schleimige Bast ist ohne alle Zubereitung genießbar.

Schleimruthe, s. d. Art. Schlauchruthe.

Schleimstock (Mineral.), verhärteter Mergel.

Schleiße, dünner, 2—3 Fuß langer Fichten-, besser noch Kieferholzspan, hie und da als Fackel gebraucht.

schleißen; 1) spalten, aufreißen; — 2) s. v. w. ausspänen.

Schleißholz, s. v. w. gemeine Fichte.

schlemmen, s. d. Art. Schlämmen.

Schlemmgrube (Ziegl.), Erdhöhlung, worin der Thon gereinigt, geschlämmt wird; s. d. Art. Schlämmen.

Schlemmkuhle (Ziegel.), Loch, worin der Thon eingesumpft wird. Dies ist auch dann nöthig, wenn der Thon bereits durch Lagern im Freien eingeweicht ist; s. d. Art. Ziegelfabrikation.

Schlempe. 1) (Zieglerausbruch) s. v. w. dünnflüssiger Brei; — 2) der nach dem Abdestilliren des Branntweins aus der weingaren Maische in der Destilirblase bleibende Rückstand.

Schlenge, s. v. w. Buhne, Bleßwerk.

Schlengel, 1) niedersächsisch für niedriges Wehr; — 2) Reihe von zwei oder drei nebeneinander schwimmenden, mit einander verbundenen Bäumen, rund um die Ducs d'Albe in einen Hafen gelegt, um den Eingang desselben nur an bestimmten Stellen offen zu halten. Auf den Bäumen stellt man einen Plankenfußboden her.

Schlengenwerk, s. v. w. Schlacht.

Schlenke (Wasserb.), vom Wasser in der Erde ausgespülte Vertiefung oder Rinne.

Schlenker, langes, schlankes Holz.

Schleppdach, s. v. w. Pultdach, s. d.

Schleppe. 1) Bei Stangenkünsten hölzerne Walzen, worauf man die Stangen zur leichteren Bewegung gehen läßt; — 2) (Bergb.) zum Fortziehen des Schleppkastens oder Schlepptroges dienende Stangen; — 3) Kluft neben einem Gang.

schleppen. 1) (Bergb.) zwei Gänge od. dergl. schleppen, wenn sie eine Strecke neben einander fortgehen; — 2) (Bauw.) s. v. w. schleifen, s. d. B.

Schleppkasten, Schlepptrog (Bergb.), zum Fördern des Erzes an Oerter, wo man mit Hunden und Karren nicht hinkommen kann, dienender Kasten von Brettern.

Schleppkette (Bergb.), eine Kette, um Lasten damit auf der Erde fortzuziehen. Man versieht sie, damit sie leicht um ein Stück Holz ꝛc. gelegt werden kann, mit einem Schlepphaken (Schleppklammer).

Schleppkübel, Schlepptonne (Bergb.), auf der einen Seite flacher Erzkübel; dient in flachen Schächten, wo er, mit der flachen Seite auf den Schachtstangen liegend, in die Höhe gezogen wird. Man nennt das Beschläge der flachen Seite Schlepphappe.

Schleppriegel (Schloss.), bei deutschen Schlössern mit mehreren Riegeln ein großer Riegel, durch den die übrigen Riegel in Bewegung gesetzt werden.

Schleppschienen (Bergb.), mit Seife bestrichene starke Stücke Holz, bei Stangenkünsten da an das Gestänge geschraubt, wo dasselbe schleppt.

Schleppstein, s. v. w. Läuferstein in Blockmühlen.

Schleppwerk (Bergb.), Feldgestänge, s. d., das eine Last mit Hülfe von Ueberleitung über Rollen hebt.

Schleppzug, s. d. Art. Drahtziehen.

Schler, Schlee, Sler, Sleep, frz. slée, engl. sled, sledge (Schiffsb.), starke Planke, eben so lang und breit wie der Kiel eines Schiffes, unten nach der Form der Helling conver gebaut, versehen mit einigen aufrechtstehenden Spitzen und mit eisernen Rasen, zum Durchziehen der Taue, an den Seiten. Sind mehrere starke Taue, Reibtaue, mit Flaschenzügen an die Schler gehakt und dieselbe unter dem Kiel befestigt worden, so läßt sich das Schiff zum Ausbessern und Kalfatern auf die Helling durch Winden heraufziehen, aufholen.

Schlenderscheibe (Maschinenw.), s. v. w. lose Rolle.

Schlenper oder Dücker, dicker, kurzer, kopfloser Schiffsnagel; s. d. Art. Schiffsnagel.

Schleuße. I. Schifffahrtsschleuße. Schleuße, Klause, frz. écluse, engl. sluice, lock. Ist in Canälen und Flüssen die Schifffahrt durch Stromschnellen, Wehre, oder überhaupt durch zu starkes Gefälle oder Durchkreuzungen, oder durch Vereinigung zweier Canäle von verschiedenem Niveau und andere Umstände behindert, so werden Schleußen angelegt. Es giebt nun nach Einrichtung und Construction verschiedene Arten der Schleußen.

A. **Fangschleuße,** auch Kasten-, Zapfschleuße, Kammerschleuße, auch wohl vorzugsweise Schleuße genannt, s. Fig. 1710 u. 1711. Eine solche hat drei wesentliche Theile. 1) Das Ober- oder Vorderhaupt GG, d. i. eine halsartige, mittelst der Thore verschließbare, stromaufwärts gerichtete und nach außen beträchtlich erweiterte Oeffnung. Das Thor bei B u. J heißt oberes Thor, Oberthor, frz. porte de tête, bei einer Schleuße am Meere Ebbethor, seine Flügel schlagen stromaufwärts und legen

fich dann in Mauervertiefungen (Lager) J, Fig.
1710. — 2) Die Schleußenkammer oder der Kasten
B, C ist das Behältniß, worin die Schiffe stehen,
während das Wasser sinkt oder steigt, also ringsum möglichst wasserdicht zu arbeiten und genügend groß für ein Schiff anzulegen. 3) Das Unterhaupt L ähnelt dem Oberhaupt; die Thorflügel
schlagen auch hier stromaufwärts. Das Thor heißt
Unter- resp. Fluththor, porte de mouille.

Der Boden von Kammer und Unterhaupt liegt
in gleichem Niveau, nämlich in dem Niveau des
unteren Stromtheils; der Boden des Oberhauptes höher, nämlich in dem Niveau des
oberen Stromtheils, und dieser Niveauunter-
schied heißt der Fall der Schleuße. Die die äußere
Erweiterung der Häupter einschließenden Wände
heißen Flügel, Schleußenflügel, der enge Theil
F F die Kehle oder der Hals. Die Stelle, wo die
Lager für die Thorflügel sind, heißt vorzugsweise
das Haupt. Eine früher sehr beliebte Art von
Kammerschleußen, die Kesselschleußen, mit
kreisrunder Kammer, werden jetzt nicht mehr angelegt. Ist das Gefälle des Flusses an einer

Platz haben müssen, jedoch auch nicht zu viel
Spielraum haben dürfen, um den Wasserbedarf
nicht unnütz zu vergrößern. — 2) Den Fall der
Schleuße kann man bis zu 20 Fuß höchstens annehmen, wobei aber die Unterthore schon sehr viel
Druck auszuhalten haben. Man nimmt deshalb
den Fall in der Regel zu 6—8, nicht gern über 12
Fuß an. Ueberhaupt, namentlich aber bei ge-
tuppelten Schleußen, vertheile man den Fall
gleichmäßig. Nur wenn Seitengewässer einfließen,
gebe man den unter der betreffenden Einmündung
liegenden Schleußen etwas mehr Fall. Ist man
genöthigt, auch ohnedies einer Schleuße mehr Fall
zu geben, als den übrigen, so bringe man daneben
einen Behälter an, in den man das überflüssige
Wasser einlaufen lassen kann. Schleußen, bei
denen — z. B. bei Schleußen am Meer — auf keine
gleichmäßige Fluthhöhe zu rechnen ist, müssen verhältnißmäßig stärker construirt sein oder bei
hochsteigender Fluth in der Kammer bis auf die
Hälfte gefüllt werden. — 3) Man berechne den
Wasserbedarf der Schleuße stets etwas reichlich,
da Thor und Wände nicht absolut wasserdicht her-

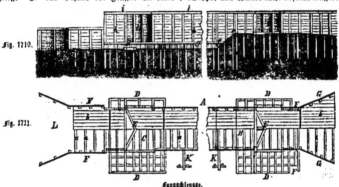

Fig. 1710.

Fig. 1711.

Fangschleusse.

Stelle so bedeutend, daß es mit einer Schleuße
noch nicht überwunden werden kann, so legt man
nicht zwei oder mehrere einzelne Schleußen in geringer Entfernung von einander an, sondern man
rückt sie ganz nahe zusammen, tuppelt sie, legt ge-
tuppelte Schleußen an, wobei man z. B. für 5
Schleußen blos 6 Thore, 1 Oberhaupt und 1 Unterhaupt braucht, also bedeutend an Kosten erspart.

B. Stauschleuße, Affenschleuße, écluse à van-
nes, engl. swelling-sluice; eine solche hat nur
e in Thor (Fig. 1712 u. 1713), an einer verengten
Stelle des Betts angelegt, erleichtert allerdings die
Fahrt stromabwärts, erschwert sie aber stromaufwärts, braucht sehr viel Wasser und erfordert
bedeutende Reparaturen, ist daher nicht zu empfehlen, während die sub A angeführten viel
mehr Vortheile bieten.

C. Spülschleußen. Dies sind an Flußmündungen und kleinen Häfen gegen das Versanden angelegte Stauschleußen, die geöffnet werden, wenn
genug Wasser angesammelt ist, so daß es schnell genug durchschießt, um den Sand zc. wegzuspülen.

D. Allgemeine Regeln bei Anlage von Schleu-
ßen:1. Breite, Länge und Tiefe der Schleuße richtet
sich nach den Maaßen und dem Tiefgang der durch-
zulassenden Fahrzeuge, die bequem in der Kammer

zustellen sind, auch jährlich circa 32 Zoll hoch
Wasser verdunstet, was allerdings zum größten
Theil durch den Regen wieder ersetzt wird. Abgesehen von dem hierfür nöthigen Zuschuß, ist bei
Berechnung des Wasserbedarfs Folgendes zu berücksichtigen: wenn ein Schiff mehrere einzeln
stehende Schleußen abwärts passirt, so braucht es
immer nur so viel Wasser im Ganzen, als zum
Füllen einer solchen Schleuße nöthig ist, da dieses Wasser stromabwärts das Schiff begleitet.
Steigt das Schiff durch mehrere abgesonderte und
gleichstehende Schleußen hinauf, so braucht man
ebenfalls nur die einfache Wassermasse zu rechnen,
da dieses Wasser bei der nächsten Schleuße dem
eben passirten Canaltheil ersetzt wird; nur der
letzte, oberste Theil des Canals hat die zu beschaf-
fende Wassermasse aus dem Wasservorrath der
Canalhaltung zu entnehmen. Anders stellt sich
die Sache bei Anlage getuppelter Schleußen; die
zum Flottbleiben des Schiffes in einer Schleuße
nöthige Wassermenge heißt die Flottmasse; hingegen
die, welche zum Auf- und Absteigen des Schiffes
hineingelassen werden muß, die Fallmasse. Wenn
nun die Schleußen in Größe und Fall einander
gleich sind, so sind auch Flottmasse und Fallmasse
als gleich anzunehmen; nehmen wir diese Einheit

z. B. zu 4000 Cubitfuß an; soll nun ein Schiff hinabsteigen, so findet es die Räume a, c, e (Fig. 1714) mit Waſſer angefüllt, b aber muß von g aus mit 4000 Cubitfuß gefüllt werden, weil ſich bei Nichtgebrauch der Ueberſchuß über den Waſſerſtand a d durch die Thore filtert; bei Uebergang des Schiffes aus g nach b werden 3000 Cbtf. nach g getrieben; es demnach zu dieſer Füllung nöthige einfache Waſſermaſſe von 1000 Cbtf. reicht dann aus, um von a aus d zu füllen, wobei das Schiff nach a bis b abſinkt ꝛc. Beim Aufſteigen hingegen tritt das Schiff zuerſt nach e und drückt 3000 Cubitfuß nach h zurück, die als verloren zu betrachten ſind; nun wird von oben aus f gefüllt, das Schiff ſteigt damit nach f und geht in c über. Daraus erhellt Folgendes: Jede von mehreren gekuppelten Schleußen braucht beim Aufſteigen eine Waſſereinheit, beim Abſteigen aber wird für alle zuſammen blos die einfache Fallmaſſe gebraucht. Daher die gekuppelten Schleußen gegen die einfachen von demſelben Fall, denn alle gekuppelten Schleußen zuſammen haben, zwar eine bedeutende Waſſerer-

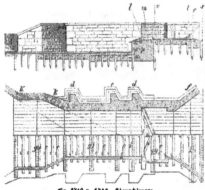

ſparniß gewähren, aber bedeutend mehr Waſſer brauchen, als einzelne, getrennt von einander angebrachte Schleußen. 4) Die Ausführung der Schleußen muß mit großer Vorſicht geſchehen, namentlich in Flüſſen und am Meer. Nach dem Ausgraben der nöthigen Vertiefungen unterſuche man den Grund genau; iſt es nöthig, ſo ſchlägt man Pfahlroſte; die Kammern und Häupter müſſen dabei ſeitwärts, vorn und hinten mit vollen Spundwänden eingefaßt werden, um das Eindringen des Waſſers hinter die Wände und unter den Boden zu verhüten; zwar können dieſe Wände ſchwach, müſſen aber möglichſt dicht ſein. Die Ausführung in Holz als Balkenſchleuße kann auf verſchiedene Weiſe geſchehen. a) Es kommen auf die Grundpfähle c c Fig. 1710 blos Querſchwellen a a Fig. 1711, und auf dieſe direct die Bohlen b, welche den Schleußenwollroſt bilden. Die Spundpfähle der Seitenwand gehen dann etwas über den Boden hinauf und tragen die Wandſchwellen g; in dieſen ſtehen Ständer h, oben durch Holme i verbunden, auf der Rückſeite (Landſeite) mit Spundbrettern beſchlagen und durch hölzerne Anker k (ſ. d. Art. Anker) mit dem Ufer verbunden. Dieſe Conſtruction iſt nicht ſicher gegen das Ausheben des Bo-

dens durch Grundwaſſer. b) Auf die Spundpfähle der Seitenwände werden Sandſtraden, und auf dieſe die Querſchwellen (Stichbalken) befeſtigt, auf denen der geſpündete Bohlenboden ruht; auf dieſem liegen Querbalken, Nadeln, die in die Koppelbalken oder Wandſchwellen eingezapft ſind, welche als Ständerwerk die Seitenwände tragen. c) Ebenſo, nur ſind die Wandſchwellen auf die Kuppelbalken aufgeblattet. 5) Die eigentlichen Häupter, ſammt dem Lager für die Thorflügel, mauere man ſtets, auch bei übrigens hölzernen Schleußen, da ſie vom Druck des Waſſers am meiſten zu leiden haben. In Fig. 1711 ſind D die Roſte zu dieſer Mauerung, welche hinter den Spundbrettern mit Bruchſteinen ausgefüllt werden kann. 6) Hals und Flügel werden ebenſo wie die Kammern conſtruirt. Querſpundwände d (Fig. 1710) ſind nöthig unter dem Drempellager, am Ober- und Unterhaupt und am Abſturz c der Fallfläche e, f. Die Thore ſchlagen in einem ſtumpfen, mit dem Scheitel ſtromaufwärts gerichteten Winkel zuſammen; als Grundlage und Anſchlag dient ihnen der Drempel E Fig. 1711, ein nach jenem Winkel geſtaltetes Dreieck; er beſteht aus dem geraden Schlag- oder Grundbalken l in Fig. 1713, auch Grundſchwelle, frz. racinal, genannt, dem rechtwinklig in demſelben liegenden Hauptſtück m und den ſtrebenartig daran gelegten beiden Karbeelen, Schwellen, Sohlſtücken oder Seitenſchwellen n n, engl. lock-sill, welche zuſammen die geſprengte Sohle bilden. Der Zwiſchenraum iſt mit ſtarken Bohlen angefüllt. 7) Die Thorflügel laufen in Meſſingpfannen, welche entweder in den Kropfſteinen, im Mauerwerk oder an einem Thürpfoſten, der Horvel, ſitzen, und beſtehen aus einer Schwelle, der Wendeſäule (Achſe, Ständer), dem Rahmſtück (Oberſtück), dem Vorderſtück (Anſchlagſäule), einer Strebe und zwei oder mehr Riegeln; das Bohlen-

beleg läuft mit der Strebe parallel und iſt geſpündet. Der obere Zapfen der Wendeſäule hat einen kupfernen Deckel. Am Kopf der Anſchlagſäule iſt eine Stange, der Fangbaum, an die Kette zum Aufziehen und Schließen der Thore befeſtigt; die Kette wird durch eine Erdwinde bewegt. Um das Waſſer in die Kammer ein- oder herauslaſſen zu können, wenn ein Schiff darin ſteht und ſich heben oder ſenken ſoll, ſind unten in den Thorflügeln Oeffnungen, Klinkete, angebracht, die durch Schütze verſchließbar ſind. 8) Schleußen am Meer bekommen Ebbe- und Fluththore, d. h. in jedem Haupt zwei Thore mit entgegengeſetzter Richtung und entſprechendem Drempel. 9) Steinerne Schleußen, Fig. 1712 u. 13. Die Mauer des Falles p gründe man 3' tiefer, als der Boden der Kammer werden ſoll, zwiſchen zwei Reihen von Spundpfählen. Unter dem Schwellroſt bringe man eine Bruchſteinausmauerung von 15" Höhe zwiſchen die Pfähle. Die Grundſchwellen c müſſen mindeſtens 2 Fuß unter die Seitenmauer greifen, einige derſelben i noch weiter, und werden derſelben entlang durch Wandſchwellen h verbunden. Die Balken werden ausgemauert und mit doppeltem Bohlenboden belegt. Die Fallmauer p wird von Quadern ausgeführt und mit Bohlen verkleidet, die an eingemauerten Balken oo befestigt werden. Der Boden am Fall muß doppelt sein. Vor dem Boden des Oberhauptes lege man eine Rißbermer s, d. h. eine schräg eingehende Verkleidung von Bohlen an, um das Einreißen des Wassers unter dem Grund zu vermeiden; das Gemäuer, worauf sie liegt, sei 4 Fuß breit und mindestens 3 Fuß tief, unter dem Boden des Canals gegründet, auch stromaufwärts noch durch Querspundwände g verwahrt, welche überhaupt in regelmäßigen Zwischenräumen gewissermaßen als Binder angebracht sind. Gut ist es, den Boden über die Häupter hinaus zu verlängern und so einen Schleußenvorboden zu erzeugen, um Unterspülung zu vermeiden. Auf die Fallmauer kommt der Oberdrempel zu liegen und dahinter ein abschüssiger, etwas übertragenderBohlenboden. Die Seitenmauern der Kammern führt man senkrecht, am besten ganz in Quadern oder doch in Ziegelmauerwerk mit Quaderverkleidung auf, und bedeckt sie oben mit Steinplatten. Die Strebepfeiler d e, wenn man solche anbringt, vertheile man an die verschiedenen Ecken und Ansatzpunkte der einzelnen Schleußentheile, in den Kammern aber circa 15 Fuß von einander, die Flügelmauern f k brauchen keine. Den Schleußenboden kann man auch in Steinen und zwar bei schlechtem Grund auf Rost ausführen, man mauert ihn dann in Verband mit den Grundmauern der Seitenwände von Bruchsteinen in gewöhnlichem Mörtel, die letzte Schicht aber (Kette), 15 Zoll stark, aus gut verbundenen Quadern oder Ziegeln in Cement; darüber kommt eine Schicht Cementguß, darauf aber Quadersteine oder Astrach, s. d. 10) Den Spülschleußen giebt man in der Regel Drehthüren. Statt der Fangschleußen bedient man sich auch der Rollbrücken, das ist eine Art Wehr, dessen lange, stromabwärts gekehrte Schrägfläche mit drehbaren Walzen belegt ist, über welche die Schiffe aufgezogen werden; sie sind jedoch aus vielen Gründen unzweckmäßig.

II. **Wasserregulirungsschleußen.** Zum Durchlaß des Wassers durch Deiche ꝛc. dienende Schleuße; s. d. Art. Siel. Schleuße nennt man auch jede Vorrichtung zum Aufhalten (Stauen) und beliebigen Durchlassen des Wassers, z. B. Durchlässe an Wehren für Flöße, die Durchlässe bei Bewässerungsanlagen, die sogenannten Vorfluther und andere Oeffnungen zu Regulirung oder Ausgleichung des Wasserstandes in verschiedenen einander berührenden Gewässern oder Gerinnen. Alle dergleichen Durchlässe sind für gewöhnlich durch einen Schutz, ein Schutzbret, frz. lançoir, vanne, zugesetzt.

III. **Unrathsschleuße,** frz. égout, s. v. w. Kloate. Wenn eine Stadt mit Schleußen versehen werden soll, die von einem Fluß passirt ist, so thut man wohl, Wasser aus diesem Fluß in die Schleußen, diese aber stromabwärts vom Ort wieder in den Fluß zu leiten. Wo gar kein fließendes Wasser ist oder man sie nicht verunreinigen will, muß man sie in einen Teich oder in eine künstliche Grube mindestens ¼ Meile von der Stadt ausmünden lassen, wo ihrem Inhalt zunächst auf chemischem Wege alle seine nutzbaren chemischen Bestandtheile entzogen werden, worauf man das zurückbleibende, ziemlich gereinigte Wasser dem Fluß zuführt. Durch diese chemische Ausnutzung wird ein ganz bedeutender Werth, der bei der gewöhnlichen Art der Schleußenanlagen verloren geht, erhalten, indem jeder Mensch durchschnittlich jährlich 10 Centner feste Excremente im Werth von

2⅓ Thlrn. und 8 Centner Urin mit 30 Pfd. festem Rückstand im Werth von 2⅓ Thlrn. producirt. Bei Eintritt der sauern Gährung verlieren die flüssigen ihren Werth fast ganz, die festen zur großen Hälfte. Wenn man aber die flüssigen Excremente aus der Abtrittsgrube mit in die Schleuße aufnimmt, so wird dieser Werthverlust vermindert. Die durch die Straßen sich hinziehenden Schleußen nennt man Commun- oder Hauptschleußen, engl. sewers, die aus den Nebenstraßen in dieselben mündenden Nebenschleußen oder Zweigschleußen, engl. drains, die aus den einzelnen Grundstücken in dieselben führenden aber Privat- oder Beischleußen. Wenn man, was eigentlich wo möglich immer geschehen sollte, die Hauptschleußen mannshoch macht, braucht man blos von 200 zu 200 Fuß Reinigungsöffnungen anzubringen, die entweder mit Dobelhölzern in Gevierten (Schleußenschrot) oder besser mit gußeisernen Deckeln belegt werden. Bei kleineren Hauptschleußen müssen aller 60 Fuß solche Oeffnungen sein; das Regenwasser aus den Dachrinnen leitet man ebenfalls durch Röhren in die Schleußen und dient dasselbe wesentlich zur Flotthaltung derselben. Die Schleußen selbst nun sind entweder mit viereckigem Querschnitt, also in zwei lothrechten oder wenig gebößchten Wänden von Bruchsteinen oder Ziegeln ausgeführt, oben mit Steinplatten bedeckt oder überwölbt, oder sie erhalten eine aufrecht stehende Ellipse als Querschnitt; doch ist hier der Mehraufwand an Arbeitslohn viel bedeutender, als der Gewinn an Haltbarkeit, welche übrigens, namentlich an Vereinigungsstellen, gar nicht groß ist, da sich ein Verband dort nur schwer herstellen läßt, wenigstens in Backsteinen. Sehr zweckmäßig und daher auch neuerdings vielfach angewendet sind die zu Klinker gebrannten Thonröhren; zu den Beischleußen benutzt man solche von 6—8″ lichter Weite, zu den Nebenschleußen 8—10″, zu den Hauptschleußen 10—15″ Weite; je enger sie sind, desto mehr nimmt die Flüssigkeit den Schlamm mit fort. Die Tageöffnungen an Goßsteinen, Rinnsteinen ꝛc. müssen gut verwahrt werden, damit die Dünste der Schleußen die Luft in Straßen und Häusern nicht verpesten. Einiges darüber s. in d. Art. Wasserschluß; eine ebenfalls sichere Abschließung bewirkt man dadurch, daß man grobzerkleinerte Holzkohle auf Siebe schichtet und damit die Ausgangsöffnungen überdeckt. Die Kohle nimmt die schlechten Gase in sich auf, so daß aller üble Geruch beseitigt wird, während der unterirdische Luftzug nicht beeinträchtigt wird; dabei ist die Erneuerung dieser Luftfilter alle drei Monate erforderlich.

Schleußendeich, Deich, durch welchen Schleußen hindurchgehen.

Schleußeneinfaß, Schleußenfall, Fall einer Schleuße, s. d.; das Maaß, um wie viel eine Schleuße höher liegt als die andere.

Schleußencanal, Schleußenstrom, s. v. w. Binnertief; s. d. Art. Außertief und Siel.

Schleußenkammer, s. unt. Schleuße.

Schleußenmauer, Seitenwand einer Schleußenkammer, frz. bajoyère; erhalten meist keine Böschung. Es erfordern solche Stellen, wo das Wasser heftig anprallt, eine besonders gute Cementirung.

Schleußenschutz, Schutz in den Schleußenthoren.

Schleußenwehr, s. d. Art. Aufziehwehr und Wehr.

Schlich, 1) verborgener geheimer Gang oder Ort; — 2) gepulverter, mit Wasser verbundener Körper, bes. 3) Erzschlich, Schliech, gereinigtes und gepochtes Erz; der am meisten Metall haltende heißt Häuptel, dann folgt Mittelschlich, dann Schwenzel oder Schwämmsel.

Schlichkrücke, Krücke zum Herauswerfen des Schlichs beim Auswaschen.

Schlichkübel (Hüttenw.), zum Abmessen oder Wägen des zum Rösten bestimmten Schlichs dienender Kübel.

Schlichstube, s. v. w. Heerdstube.

schlicht, schlichtig, s. v. w. ganz glattbearbeitet.

Schlichtart, s. v. w. Breitbeil.

Schlichte 1) (Zinng.) zum Glätten der Formen von Gips zu feinen Gegenständen dienender Anstrich aus Hefen und Eisenschwärze; — 2) (Stückg.) zum Abschlichten oder Glätten des auf die Kernstange getragenen Lehmes dienender Brei von Asche, Kreide und Milch; — 3) Tünche oder letzte glatte Mörtelbekleidung.

schlichten, überh. s. v. w. glätten; 1) (Deichb.) Glatt= und Festschlagen der Erdklöße bei Verfertigung eines Deiches; — 2) (Metallarb.) mit einer feinen Feile einen Gegenstand glätten oder bearbeiten; — 3) s. unt. Schlichte 2; — 4) (Zimm.) s. v. w. mit dem Breitbeil glatt behauen, auch mit dem Schlichthobel abhobeln; s. übrigens d. Art. Abschlichten.

Schlichtfeile, s. d. Art. Glättfeile und Feile a. 4 und b. 11.

Schlichthammer (Klempn.), aus hartem Holz gefertigter Hammer zum Glätten des Bleches.

Schlichthobel, s. u. Hobel und Hobelmaschine.

Schlichtklinge, s. v. w. Ziehklinge.

Schlichtpinsel, weicher Pinsel zum Ausbreiten und Glätten der aufgetragenen Farbe.

Schlich ziehen (Hüttenw.), den Schlich im Gefälle eines Pochwerkes mit Wasser überlaufen lassen und umrühren, damit das Wasser das trübe Gestein fortführt, das Metall aber sich in dem nächsten Gerinne zu Boden setzt.

Schlick, von Flüssen oder auch von der Fluth des Meeres auf den Grund des Wassers mit fortgenommene und an manchen Stellen am Meeresufer beim Eintritt der Ebbe angesetzte fette, mit Sand vermischte Erde.

Schlickargia, Schlickerei (Deichb.), Verfahren, auf einem Grund Deiche anzulegen, der mit Schlick tief belegt ist. Man fährt Anfangs nur auf einer schmalen Linie die Erde an, welche zwar einsinkt, doch auch den Schlick bei Seite drängt, so daß man für den Deich nach und nach festen Grund gewinnt.

Schlickbalken, Querschwelle unter dem Schleußenboden; s. d. Art. Schleuße I.

Schlickdamm, Schlickdeich, Schlickfang, wird angelegt, damit das durch ihn zum Stillstehen gebrachte Wasser seinen Schlamm oder Schlick zu Boden fallen lassen kann. Auch heißen so diejenigen Deiche, welche entweder gar kein Vorland haben, oder doch nur zur Ebbezeit durch ein sandiges oder schlammiges Watt geschützt werden; s. auch d. Art. Deich.

Schlickfänger, Vorrichtung, um das Wasser zum Ablagern des Schlickes zu nöthigen; dazu

gehören Schlickdämme, Schlickzäune, Lehnen, Tummelwerke ꝛc.

Schlickfall (Wasserb.), Neigung des Wassers, den bei sich führenden Schlamm fallen zu lassen; dies tritt da ein, wo das früher rasch laufende Wasser in langsameren Fluß kommt; am meisten im März, April und September bis November, die deshalb Schlickmonate heißen.

Schlickharke, eine große Egge, aus Balken mit starken Zacken bestehend, wird hinten an ein Schiff gebunden durch das Wasser geschleppt, um sich ansetzen wollenden Schlamm aufzurühren, damit ihn die Strömung abführen könne.

Schlickpflug, besteht aus zwei keilförmig nach vorn zusammenstoßenden hölzernen Pflugscharen; wird gebraucht wie die Schlickharke (s. d.), worauf jedoch der durch ihn bei Seite geschobene Schlamm ausgeschaufelt oder mit Modernetzen herausgenommen wird.

Schlickpumpe, s. d. Art. Schleicher.

Schlickwall, ein Watt (s. d.), welches mit Schlick überzogen ist oder aufgeschlickt werden soll.

Schlickweide, ital. salix triandra, s. d. Art. Weide.

Schlickzaun, Schlickhäger, ein Schlickfänger, aus geflochtenem Zauneinbau bestehend; s. d. Art. Anhägerungsarbeiten.

Schliefer, s. v. w. Splitter; schlieferiges Holz, d. i. solches, welches leicht splittert, hat nur geringe relative und fast gar keine rückwirkende Festigkeit.

Schlier, s. v. w. Mergel, auch für Lehm.

Schließanker, 1) s. v. w. Gabelanker, s. u. Anker; — 2) auch Schließe, Vierpaß, eiserner Rahmen, wie man solchen innerlich in einen Schornstein scharf einpreßt, wenn selbiger nach innen in sich zusammenzusinken droht.

Schließbaum, 1) s. v. w. Schlagbaum; — 2) s. v. w. Baum 4.

Schließblech, 1) Blech mit Oeffnungen, in welche die Riegel eines Schlosses eingreifen; s. d. Art. Beschläge, S. 328, Bd. I.; — 2) s. v. w. Schlüsselschild; s. d. Art. Schild 3 und Schloß.

Schließbolzen, Bolzen, an einem Ende mit einem Kopf, an dem anderen mit einem Loch versehen, durch welches eine Schließe (s. d.) gesteckt wird.

Schließe, 1) schwacher Blechstreif, welcher durch eine Oese gesteckt und dann umgebogen, oder erst federartig zusammengebogen und dann durchgesteckt wird, so daß er durch seine Federkraft darin festgehalten wird; — 2) bei Gitterverzierungen ein Stück Stabeisen, welches zwei Schnörkel zusammenhält; — 3) s. Schließanker im Art. Anker 7; — 4) s. v. w. Schußbret; — 5) bei Kunstgestängen das je zwei Lenker verbindende Bret, mit drei Schließlöchern versehen.

schließen, 1) Von einem Schlüssel oder Schloß: gut passen, seine Schuldigkeit thun; — 2) einen Bogen schließen, den Schlußstein eintreiben; — 3) eine Schicht schließen, den letzten Stein in selbige einsetzen.

Schließenstange, Schließenritze und Durchschub; österreichisch für Anker,-Oehse und Splint; s. d. Art. Anker.

Schließfeder, s. d. Art. Schließe I.

Schließhaken, frz. fermoir, nappe, moraillon, ein bügelförmiges, mit Hakenansatz versehenes Eisen, an die Ecke des Thürgewändes ꝛc. befestigt, in welches die bebende Falle und der Riegel des Schlosses eingreift und dadurch zuhält; s. d. Art. Schloß, Basquill.

Schließkappe, frz. gâche, mit einem Kasten überbauter Schließhaken, auch wohl für Schließblech (1) gebraucht.

Schließkeil, Holzkeil, zum Verkeilen der Haspelarme in der Welle.

Schließknie, Schloitnie, Backenknie des Galions, frz. jouterau, joutterau, engl. cheek of the head (Schiffsb.), krumme Hölzer, welche den Ausleger des Galions am Vorsteven mit dem Bug des Schiffes verbinden.

Schließkopf, s. d. Art. Niete.

Schließlage, oberste Buschlage vom Reißwert bei Deichbauten.

Schließnagel, frz. barreau, s. v. w. Proßnagel; s. d. Art. Wagen.

Schließriegel, s. d. Art. Schloß.

Schließsäge, Schlitzsäge, eine Handsäge mit sehr feinem, 20—24″ langem Blatt und wenig geschränkten Zähnen (7—9 auf den Zoll).

Schließweger (Schiffsb.), s. v. w. Balkentracht.

Schließzwinge, Schraubknecht, s. d. Art. Leimzwinge.

Schliethstange, Schlötelstange, s. d. Art. Bauholz F. I. f.

schlimm (oberdeutsch schläb, sliem, schläm), s. v. w. schräg.

Schling, bei Schleußen, Sielen ꝛc. der zur Grundlage des Schleußenbodens dienende Rost; auf die dazu eingeschlagenen Pfähle kommen die Schlingbalken oder Schlickbalken zu liegen und auf diese die Schlingbohlen, die den Schleußenboden bilden; s. übrigens d. Art. Schleuße ꝛc. Bei doppeltem Boden heißen die Balken des oberen Schlamm- oder Kleibalken.

Schlingbaum, s. v. w. Mehlbaum.

Schlinge, 1) frz. maille, engl. loop; s. d. Art. Tau; — 2) s. d. Art. Fallgrube.

schlingern, 1) den Sand auswerfen aus einem Canal ꝛc.; — 2) ein Schiff schlingert oder rollt, heißt: es schwankt unruhig hin und her; kann durch Pardunen oder Schiffsschwerter, sowie durch Höherbringen des Schwerpunktes vermieden werden.

Schlinglorbeer (Cassyta filiformis L., Fam. Lorbeergewächse, Laurineae), ist ein Schlingstrauch Cochinchina's, aus dessen Blättern ein zäher Schleim gepreßt wird, der einen guten Kitt giebt.

Schlingpflanze, s. d. Art. Arabesken, Garten, Laube ꝛc.

Schlingröhre, auch Schlungröhre, s. v. w. Saugrohr.

Schlingstrauch, oder wolliger Schneeball (Viburnum lantana L., Fam. Hollundergewächse, Sambuceae), wird nicht sonderlich stark, das Holz ist feinlangfaserig, nicht sehr dicht, hart und fest, aber zähe, biegsam, von mittelmäßiger Dauer, grünlichweiß von Farbe und mit einer starken Markröhre versehen. Dazu gehört auch die Schwalkenbeere oder der gemeine Schneeball (Viburnum opulus) mit weißem oder gelblichweißem, langfaserigem, dichtem, hartem und zähem Holz, das ebenfalls eine starke Markröhre hat, leicht reißt und sich nicht gut hobeln läßt.

Schlingstube, s. v. w. Brunnenstube.

Schlippe, frz. tour de chat, engl. slype; s. d. Art. Brandgasse.

Schlitten, 1) s. d. Art. Sägemühle und Mühle; — 2) frz. charriot, engl. sledge, s. d. Art. Chablone und Lehrlatte; — 3) frz. berceau, engl. cradle, Gerüst, auf welchem die Schiffe erbaut werden und welches man mit ihnen vom Stapel laufen läßt, theils um ihnen eine gegen das Umfallen sichernde breite Unterlage zu geben, theils um die Entzündung des Kiels durch die Reibung zu verhindern. Es wird dann im Wasser auseinandergenommen und vom Schiff entfernt; die Haupttheile sind die Schlittenbalken, frz. coites, anguilles, engl. balgeways, auf denen die Schlittenständer, frz. colombiers, engl. poppets, stehen; — 4) s. d. Art. Bagger 2. d.

Schlittenhaken, Schlittenwelle ꝛc., s. d. Art. Sägemühle.

Schlitz, engl. nock, überhaupt langes, schmales Loch, künstlich erzeugte Spalte, doch auch schmaler, langer Schnitt; s. bes. d. Art. Diglyph, Dreischlitz, Triglyph ꝛc.

Schlitzfenster, frz. lézarde, langes, schmales Fenster, in der Regel nach innen beträchtlich erweitert.

Schlitzgraben, 1) Seitengraben bei der Wiesenbewässerung, wird aus dem Hauptgraben gespeist; — 2) in der Grabensohle eines Festungsgrabens angelegter tiefer, schmaler Graben zum Ablassen des Wassers, in der Regel oben 12—14 Fuß, unten 4—6 Fuß breit, 6—7 Fuß tief und ausgemauert, wohl auch noch mit Pallisaden besetzt.

Schlitzzapfen, frz. languette, s. d. Art. Holzverband A. 1, c. und B. 1, b.

schlöten, einen Graben aufwerfen.

Schlötterdeich, s. d. Art. Schlotdeich.

Schloiknie, s. d. Art. Schließknie und Knie.

Schlope, Schloppe, Wasserriß, Beschädigung an einem Deich oder Ufer.

Schlosserblech, Schlosserlatun, ziemlich starkes Messingblech.

Schloß, frz. serrure, fermeture, palastre, engl. lock. I. Der Theil der Beschläge an Kasten, Laden, Thüren ꝛc., welcher dazu dient, die Thürflügel ꝛc. an dem Gewände ꝛc. festzuhalten. Die ältesten ägyptischen, griechischen und römischen Verschlußvorrichtungen waren nicht eigentliche Schlösser, sondern bestanden in Schubriegeln mit Zuhaltungen, d. h. mit Einschnitten, Vorsprüngen ꝛc., in welche Stifte fielen, oder in Fallriegeln, die in Haken einfielen. Bei beiden Arten wurde die Oeffnung dadurch bewirkt, daß man mit einem durch die Thür gesteckten Hebel, der schon frühzeitig schlüsselartige Gestalt annahm, im erften Fall ben zuhaltenden Stift, im zweiten Fall ben Riegel felbft, aufhob. Seit dem Mittelalter find die Schlöffer allmälig fehr vervollkommnet worden und es giebt viele Arten derfelben.

A. Deutfche Schlöffer: 1. Deutfches, offenes Schloß (auch Schnappfchloß genannt), hat einen Schließriegel und zwar einen fchießenden Riegel, der durch eine in der Scheinfeder ftedende fpiralförmig gewundene Feder vorgedrückt wird und mit feinem Angriff von dem im Schloß fich drehenden Schlüffel gepadt, zurüdgezogen wird und nur fo lange hinten bleibt, als man den Schlüffel in diefer Stellung läßt; fobald man aber den Schlüffel rüdwärts dreht oder herauszieht, wird die Feder frei und der Riegel fchnappt, fchießt vor und greift in den Schließhaken ein. Das Schloß wird auf der Innenfeite der Thür angefchlagen, ift ganz offen oder mit durchbrochenem Gehäufe verfehen; durch die Thür führt das Schlüffelloch, in deffen Mitte ein Zapfen (Stift oder Dorn) fteht, das hohle Rohr des Schlüffels in das Schloß ein. Auf der innern Seite öffnet man es unmittelbar durch Ziehen an dem Schwanz (Blindfchlüffel) des Riegels. Die gewöhnlichen derartigen Schlöffer find nur halbtourig, d. h. wenn der Riegel weit genug zurüd ift, bleibt der Schlüffel ftehen, indem feinem Bart der Angriff entgegenfteht und als Aufhalter dient, oder das Schloß hat einen befonderen Aufhalter, der in eine Kerbe des Riegels einfällt, fobald derfelbe weit genug zurüdgefchoben ift; diefer Aufhalter hat dann meift einen aus dem Schloß vorftehenden Knopf; durch einen Drud auf diefen wird der Riegel ausgelöft und fchnappt vor, daher der Name Schnappfchloß. Andererfeits giebt es aber auch deutfche Schlöffer mit fehr complicirtem Eingerichte der Schlüffel, wovon jeder einzelne Theil den Angriff eines anderen Riegels trifft, fodaß dann ein folches Schloß nicht mittelft Nachfchlüffels geöffnet werden kann, ja oft felbft mit dem richtigen Schlüffel nur bei Kenntniß irgend eines befonderen Griffes und nach 12—14 Touren fich öffnen läßt; folche Schlöffer heißen Berirfchlöffer.

2. Deutfches Kaftenfchloß. Einrichtung ähnlich, jedoch von einem Gehäufe (Kaften) umgeben. Der Riegel fpringt hierbei meift nicht von felbft wieder vor, fondern wird durch einen befonderen Drüder, in der Regel als Knöpfchen unten aus dem Kaften vorragend, fo weit vorgefchoben, daß die Feder dann auf ihn wirken kann. Das Schloß hat entweder auf beiden Seiten ein Schlüffelloch oder auf der Kaftenfeite einen Schwanz am Riegel. Oft ift mit folchen Schließfchlöffern noch eine Falle verbunden, und zwar in der Regel eine hebende (f. d. Art. Falle 3), welche durch Drüder (f. d. 1), Knebeldrüder oder Klinke (f. d. Art. Griff 2 und 4) regiert wird und oben auf dem Schließhaken eingreift. Die Schlüffeldorne find oft auf die complicirtefte Weife façonnirt.

B. Franzöfifche Schlöffer, erfunden von Joh. Gottfr. Freitag aus Gera (geb. 1724). Der Riegel deffelben ift eine Eifenftange mit rechtedigem Querfchnitt, die in gerader Linie durch den Schlüffel vor- und zurüdgefchoben wird und zu diefem Behuf mit Zahneinfchnitten (Angriffen) verfehen ift; die Größe der Tour (d. h. das Maaß der Schiebung bei jedesmaliger Umdrehung des Schlüffels) hängt von der Höhe des Bartes und der Entfernung des Riegels vom Drehpunkt des Schlüffels ab, welche nach einer alten Schlöffer-

regel fo eingerichtet wird, daß die Unterkante des Riegels in die Mitte der Barthöhe fällt; macht man dabei die Barthöhe gleich der doppelten Rohrftärke des Schlüffels, fo ift die Länge der Tour gleich der Barthöhe des Schlüffels. Soll alfo der Riegel blos eine Tour machen (das Schloß eintourig fein), fo muß man die Barthöhe gleich dem gewünfchten Schluß (das Totalmaaß, wie weit der Riegel vorgefchoben werden foll) machen und die anderen Maaße darnach einrichten. Um nun den Bart zc. nicht fo groß zu bekommen, macht man zwei- oder breitourige Schlöffer. Rüdt man den Riegel näher, als bis in die Mitte der Barthöhe, fo wird die Tour größer als die Barthöhe und umgekehrt.

Man kann dies aber auch bei größerer Entfernung erreichen, wenn man die Angriffe nicht in den Riegel einfeilt, fondern an denfelben anfetzt. Der Schlüffel felbft befteht aus dem Bart (f. d.), dem Rohr oder Stab und dem Handgriff, auch Ring oder Raute genannt. Die Höhe des Bartes, durch die Schlußlänge beftimmt, bedingt auch feine Stärke. Die Länge des Bartes wird beftimmt durch die Stärke, die man dem Schloß geben kann; diefe ift bei eingeftedten Schlöffern durch die Holzftärke des Thürholzes befchränkt. Kaftenfchlöffer kann man beliebig did machen, doch bedingen fie bei ftarken Thüren fehr lange Schlüffelrohre, welche dann auch wegen Gefahr des Abdrehens ftärker fein müffen; die Stelle, bis zu welcher man den Schlüffel in das Schlüffelloch einzufchieben hat, damit er in das Schloß paßt, wird in der Regel durch ein Gefenke (verzierten Abfatz) bezeichnet; auch die Raute kann man verzieren.

Die Sicherheit eines Schloffes gegen unbefugtes Oeffnen mit Nachfchlüffeln oder Dietrichen wird erreicht durch die Verfchiedenheit des Bartes und der demfelben entfprechenden Theile des Schloffes. Der Bart erhält nämlich zunächft auf feiner breiten Fläche Einfchnitte und dadurch in der Anficht vom Ende des Rohres her eine gebrochene oder gefchweifte Form, der dann die Geftalt des Schlüffelloches genau entfpricht, fo daß kein Schlüffelbart von anderer Form, er müßte denn fehr fchmal fein, in das Loch eingeführt werden kann; ferner macht man quer durchgehende Einfchnitte, Einftriche durch den Bart, und diefe heißen Brüche; am gebräuchlichften ift es, einen Einfchnitt in der Mitte des Bartes zu machen, wo er dann Mittelbruch heißt; von ihm aus gehen dann oft noch Zweigeinfchnitte, welche aber alle keine befondere Sicherheit gewähren, weil ein fogenannter Hauptfchlüffel alle die diefen Mittelbruchzweigen entfprechenden Verfperrungen im Schloß nicht trifft. Die Einfchnitte, welche parallel mit dem Rohr in den Bart gehen, oder doch von diefer Richtung nicht fehr abweichen, heißen Reife. Die diefen Einfchnitten entfprechenden, ihnen bei der Drehung des Schlüffels als Bahn dienenden kreisförmigen Eifenftreifchen im Schloß felbft heißen Befatzung (f. b.) oder auch Verfperrung, Eingerichte oder Gewirre. Es giebt dem nach Mittelbruchbefatzungen, Reifbefatzungen zc. Die Eingerichte werden an den Schenkelfüßen befeftigt, zwei kleinen Eifenplättchen, die an beiden Enden mit Schrauben verfehen find, welche durch Schloßblech und Dedblech hindurch gehen. Ein zu verfchiedenen Schlöffern mit Mittelbruchbefatzung gehöriger Hauptfchlüffel erhält eine große Oeffnung in der Mitte, während ein zu verfchiedenen Reif-

32*

besatzungen gehöriger in der Regel hakenförmig ausgeschnitten sein muß. Die französischen Schlösser nun werden eingetheilt wie folgt:

1. **Schließschloß für Laden-, Schrankthüren ꝛc.** Kastenschloß ohne Drücker. Man nennt es je nach der Seite, wo der Riegel aus ihm heraustritt, ein Rechts- oder Linksschloß. Der an der Thür anliegende Boden des Schlosses heißt Deckblech, die sichtbare Seite das Schloßblech, die Seiteneinfassung der Umschweif, die Seite aber, durch welche der Riegel heraustritt, der Stulpen oder Vorderstrudel, ist in der Regel mit dem Schloßblech aus einem Stück gefertigt. Daß der Riegel sich geradlinig vor- und zurückschiebt, wird durch zwei Führungen erreicht, sein Kopf, d. h. der vordere dickere Theil, geht durch eine genau seiner Größe entsprechende Oeffnung im Stulpen und außerdem geht sein Schaft, d. h. der hintere, dünnere Theil, mit einem Schlitz auf einem Stift; auch ist an dem Deckblech innerlich eine den Riegel in seiner Lage haltende Schleppfeder angebracht. Da die französischen Schlüssel nicht hohl sind, so gehen sie nicht auf einem Stift, sondern in einem Führungsrohr, welches durch das Holz der Thür und das Schloßblech hindurchreicht; das Bleiben des Riegels in der durch die Umdrehung des Schlüssels ihm gegebenen Lage wird durch die Zuhaltung bewirkt; dies ist eine Feder, welche mit einem Hakenansatz, s. b. Art. Ansatz 7, oben in den Riegel eingreift, und während der Umdrehung des Schlüssels durch denselben ausgehoben wird, wodurch dann der Riegel frei wird. Da das Schloß nur von einer Seite (durch das Holz hindurch) geschlossen wird, so ist im Schloßblech kein Schlüsselloch angebracht, sondern nur ein rundes Loch, durch welches das Ende des Schlüsselrohres in seiner Richtung erhalten wird.

2. **Einfaches Drückerschloß**, kann Kastenschloß oder eingestekt sein; besteht in letzterem Fall blos aus einem Gehäuse, in dem eine hebende Falle (s. d. Art. Falle 4) an den viereckigen Zapfen des Drückers angestekt und also durch denselben drehbar ist, welche von oben durch eine Druckfeder wieder in ihre Lage (zum Verschluß) gebracht wird, wenn man sie durch Herabdrücken oder Drehen des Griffes gehoben hat. Da, wo der Zapfen durch die Schloßdecke geht, steckt er in einer runden Buchse (Nuß); s. übr. b. Art. Falle, Drücker, Griff ꝛc.

3. **Kastenschloß mit Schließriegel und hebender Falle** ist eine Vereinigung von 1 und 2 in einem Kasten; wenn dieser Kasten mit über den Schließhaken oder Schließkloben hinweggreift und diesen verdeckt, wobei das Schloß natürlich auf der Seite der Thür sein muß, wohin dieselbe schlägt, so nennt man das Schloß überbaut; wenn der Schließhaken aber sichtbar ist (wie allemal, wenn ein solches Schloß auf der innern Seite der Thür sitzt), so heißt es nicht überbaut; ist der Schließhaken extra überbaut, so heißt er Schließklappe.

4. **Kastenschloß mit Schließriegel u. schießender Falle**; eine solche wird bei Drehung des Griffes durch einen an dessen Achse sitzenden Daumen zurück und durch eine hinter ihr angebrachte Feder wieder vorgeschoben. Da sie also beim Oeffnen gar nicht aus dem Stulpen vorsteht, so braucht sie keinen Schließhaken, sondern blos ein in das Futterholz, resp. die Kante des stehenden Flügels (bei Flügelthüren) eingelassenes Schließblech. Der Kopf der schießenden Falle wird meist schräg

gearbeitet, damit sie beim Zuwerfen der Thür auch ohne Drehung des Griffs von selbst in das Schließblech einfällt.

5. **Schließschloß mit Falle und Nachtriegel.** Der Nachtriegel sitzt meist unter dem Schlüsselloch, oder auch zwischen Riegel und Falle, und wird durch ein aus dem Kasten vorn oder unten herausstehendes Knöpfchen oder auch durch einen Drücker regiert.

6. Alle diese Schlösser nun können mit Schlüssellöchern und Griffen von beiden Seiten versehen werden und heißen dann zweiseitig, frz. bénarde; auch können sie, dafern man die Kästen derselben schmal genug macht, als eingestekte (s. d.) Schlösser verwendet werden. Dies geschieht namentlich bei eleganten Thüren.

7. Die vorstehend genannten sind die einfachsten und am meisten gebrauchten Schloßarten; nun giebt es allerdings noch sehr verschiedene Arten, welche anzuführen ur¹ zu beschreiben hier jedoch zu weit führen würde; wir begnügen uns daher, nur noch einige zu nennen. Die Schlösser mit Basquillriegeln schließen nach oben und unten, die halbtourigen mit doppeltem Riegel sind bei halber Umdrehung des Schlüssels offen, bei ganzer aber verschlossen. Manchmal giebt man dem Riegel zwei Köpfe, auch läßt man den Riegelschaft durch eine Oeffnung in den dazu angebrachten Hinterstrudel führen; ferner kann man die schießende Falle so einrichten, daß dieselbe durch Drehung des Griffes bewegt wird, möge dies nun nach vorn oder nach hinten geschehen, oder daß man durch einen Griff zwei Fallen regieren kann. Weitere Veränderungen liegen in der Form des Riegels, der z. B. sich innerlich im Schloß herumdreht als Radriegel, oder als Jagdriegel geradlinig fortschiebt und in einen in das Schloß eingreifenden Bügel eingreift, oder in der Form der Zuhaltung. Besonders künstlich und in schwierig zu errathender Weise eingerichtete Schlösser nennt man Verirrschlösser.

C. **Vorlegeschlösser.** Die Vorlegeschlösser erhalten entweder Radriegel (die sich um einen Stift drehen) oder Jagdriegel, die sich geradaus in die Oehse des Bügels hineinschieben. Solche Jagdriegel, die also innen im Schloß sich bewegen und in Riegel eingreifen, welche auf dem Schließblech sitzen, erhalten auch die Schlösser an Kastendeckeln, Fallthüren ꝛc.

D. **Sicherheitsschlösser.** Das Chubbschloß, nach seinem Erfinder so genannt, hat die Eigenthümlichkeit, daß sein Riegel durch mehrere Zuhaltungen an seiner Bewegung verhindert wird, die nur durch den zum Schloß bestimmten, zu diesem Behuf auf dem Reif mit Absätzen und Einschnitten versehenen Schlüssel alle zu gleicher Zeit ausgehoben werden. Aehnliches findet bei dem Brahmaschloß statt, jedoch mit dem Unterschied, daß hier der Riegel nicht direct durch den Schlüssel, sondern durch die Zapfen an dem Boden eines Cylinders bewegt wird, wenn dieser mittelst des Schlüssels gedreht wird. Zu diesem Behuf ist das Schlüsselrohr mit sternförmig stehenden Zahnen versehen und gebohrt. Der Cylinder selbst ist eben so genutzt wie das Schlüsselrohr, und diese Nuthen werden durch die Zuhaltungen ausgefüllt, die, alle verschieden, mit den Einschnitten des Schlüssels correspondiren, welche ebenfalls verschieden tief sind, und nur wenn alle diese Zuhaltungen mittelst des Schlüsselrohres in eine gewisse Tiefe hinabgedrückt werden, läßt sich der

Schlüssel drehen. Eine im Cylinder befindliche Spiralfeder bringt nach Vollendung der Tour Alles wieder in die vorige Lage. Wegen des Specielleren verweisen wir auf die betr. Specialliteratur, besonders auf F. Fink, Schule des Bauschlossers, Leipzig, O. Spamer, wo auch die verschiedenen Schlösser und Schloßtheile abgebildet sind.

E. Fabrikschlösser sind möglichst wenig anzuwenden, da sie häufig eine der erwähnten Constructionsweisen in der Form des Schlüsselloches und Bartes fingiren, ohne ihr innerlich zu entsprechen, daher sehr leicht mit Dietrichen oder Nachschlüsseln zu öffnen sind. Auch sind sie meist nicht dauerhaft genug gearbeitet.

II. S. v. w. Gevierte; s. d. Art. Grubenbau C. a.

III. S. v. w. Reihe von Schlußsteinen bei einem Tonnengewölbe.

IV. Wohnhaus eines souverainen Fürsten, wohl auch Herrenhaus eines großen Rittergutes. Dieselben waren früher fast stets, gegenwärtig jedoch höchst selten befestigt. Ein Schloß, frz. château, engl. castle, enthält außer der eigentlichen herrschaftlichen Wohnung noch Empfangs- und Audienzzimmer, Wartesäle, Bankethallen, Speisesäle, Tanzsäle, auch in der Regel eine Bibliothek, Gemäldegallerie, Waffensammlung ꝛc., welche möglichst von der eigentlichen Wohnung aus bequem zugänglich und bei Gelegenheit von Gesellschaften vereint benutzbar sein müssen. Außerdem enthalte es noch die Wohnungen der verschiedenen Beamten, sowie ausgedehnte Bedienungs- und Bewirthschaftungsräume, Absteigequartiere für Fremde ꝛc. Die Anfahrten, Eingänge, Vestibules, Treppenhäuser ꝛc. müssen imponiren, die Gesellschaftsräume groß, elegant und zum Theil prunkvoll, die Wohnräume selbst vornehm, aber doch bequem eingerichtet sein. Bei den Bewirthschaftungsräumen ist Uebersichtlichkeit und Zugänglichkeit eine Hauptsache, doch dürfen sie von den vornehmeren Zugängen aus nicht sehr bemerklich sein. Unmotivirte Weitläufigkeit ist eben so zu vermeiden, als übertriebene Raumersparniß. Sehr selten nur wird man ein Schloß als ein einziges Gebäude herzustellen vermögen, vielmehr in der Regel sich gezwungen sehen, dasselbe als Complex mehrerer Gebäude zu gestalten, wodurch übrigens in der Regel auch leichter eine imposante und zugleich malerische Wirkung erzielt wird.

Näher eingehende Normen für Vertheilung der Räumlichkeiten lassen sich kaum geben, weil dieselbe natürlich wesentlich von den specielleren Verhältnissen und Anforderungen in den einzelnen Fällen abhängt.

V. Bei Kunstgestängen die gekerbten Enden der Stangen, sowie eine gezahnte Stange, die zwei Schwingen verbindet.

VI. S. d. Art. Schnecke 2.

Schloßbalken, s. d. Art. Schlußbalken.

Schloßblech, 1) s. d. Art. Eisen, S. 689, Bd. I; — 2) s. v. w. Schloßdeckel oder Deckblech bei Kastenschlössern; s. d. Art. Schloß I. B.; — 3) s. v. w. Schlüsselschild.

Schloßcapelle, Capelle zum Gebrauch der Bewohner eines Schlosses; s. d. Art. Burg und Capelle.

Schloßkasten, kann von Eisen oder Messing sein; s. übr. Schloß I. B.

Schloßnagel, Schloßspiker, s. unt. Nagel.

Schloßriegel, Schließriegel; s. unt. Schloß.

Schlossergeräth; solches erhalten z. B. St. Baldomerus, Apelles, Raymund Nonnatus ꝛc.

Schlosserstäbe, s. d. Art. Eisen, S. 689, Bd. I.

Schlosserlattun, s. d. Art. Messingblech.

Schlot, Schloth, Schlat (masc.), Schlolle (fem.). 1) Im Allgemeinen jeder Canal zum Abzug von Wasser oder Unreinigkeiten; besonders s. v. w. Schornstein und Abtrittsrohr; s. d. Art. Abtritt; — 2) Kluft an der Sohle eines Flötzes; s. d.

Schlotdeich(Deichb.), längs der Abwässerungsgräben und Canäle hingeführte kleine Deiche.

Schlotsteine, s. d. Art. Schornsteinverband.

schlottern, stottern bei einer Maschine, s. v. w. keinen gleichförmigen Gang haben, welches gewöhnlich von der ungleichen Bearbeitung und Eintheilung der Zähne und Triebstöcke herrührt.

Schluchter. 1) Geländer an Brücken und Wegen; — 2) Graben.

Schluck, die unreinen und undurchsichtigen Stücke des Bernsteines.

Schlüssel, 1) franz. clef, engl. key, clicket. Man unterscheidet hauptsächlich a) deutsche oder weibliche, d. h. hohle, ausgebohrte, und b) französische oder männliche, d. h. massive Schlüssel. Aber auch der massive Stab des letzteren wird Rohr des Schlüssels, Schlüsselrohr, genannt. Alles Weitere s. in d. Art. Schloß I. Vergl. auch d. Art. Dode 7, Bart; s. ferner die Art. Benignus, Petrus, Apostel 1, Gerechtigkeit, Ansehen, Benno, Mauritius, Melicertes, Mauritius ꝛc.; — 2) (Mühlb.) auch Schlüsselkeil genannt, Doppelkeile, um Räder auf eisernen Wellen zu befestigen; — 3) (Ziegelfabr.) eine Vertiefung in dem Rand der einen Mutterform, so genannt, weil sie dem andern Theil der Mutterform einen festen Schluß verschafft; — 4) s. d. Art. Schraubenschlüssel; — 5) bei Darstellung von Schlüsseln in der Heraldik giebt man die Richtung des Bartes und die Gesammtstellung an; in Gestalt eines Andreaskreuzes stellt man sie bald hinter den Schild, bald unter die Krone die päpstlichen Schlüssel, die übrigens auch Attribut des Petrus sind und von denen der rechte golden, der linke silbern ist; — 6) doppelt gebogene Haken, womit das Bergbohrers Oberstück an das Mittelstück befestigt wird.

Schlüsselanker, s. d. Art. Anker 7.

Schlüsselbalken, s. d. Art. Balken II. C., S. 204, Bd. I.

Schlüsselbart, s. d. Art. Blatt 6, Bart und Schloß I.

Schlüsselgesenke, Schlüsseldocke (Schloss.), Verzierung zwischen Rohr und Raute des Schlüssels, aber auch die mit runden Reifen versehene Platte (Gesenke), worin beim Fertigen der Schlüssel das Rohr oder der Schaft gerundet wird.

Schlüsselkluppe (Schloss.), s. d. Art. Bartkluppe.

Schlüsselkreuz, Schlüsselringkreuz, fr. croix cléchée, engl. cross patance (Herald.), Prinzkreuz, tolosanisches Kreuz; s. d. Art. Kreuz D. 13.

Schlüssellehre, s. B. in der Figur zu dem Art. Schublehre.

Schlüsselloch, frz. entrée, s. d. Art. Schloß I.

Schlüssellochklappe, Dorn, frz. cache entrée; f. d. Art. Schloß.

Schlüsselräute, Schlüsselring, Reif, franz. anneau de clef, rouet de clef, clavier.

Schlüsselräutenkluppe, eine Kluppe (f. d.) zum Richten der Schlüsselräuten; f. Fig. 1715.

Schlüsselrohr (Schloff.), f. d. Art. Schloß I.

Schlüsselschild, Schlüsselblech, franz. cache, engl. escutcheon, außen auf die Thür zc. aufgesetzte Platte von Metall oder Horn zc., die das Schlüsselloch enthält.

Fig. 1715.

Schlüsselweg (Mühlenb.), Ruthe in den eisernen Wellen, worein die Schlüssel oder Schlüsseltheile kommen.

Schluff (Töpf.), magerer, sandiger Thon.

Schluft. 1) (Ziegl.) Zwischen zwei Bänken befindlicher hohler Raum in einen Brennofen, worin man das Feuer anmacht, auch f. v. w. Feuerloch; — 2) (Bergb.) f. v. w. Kluft.

Schlund. 1) (Bergb.) Auf bedeutende Länge streichende Kluft; — 2) (Mühlenb.) am Gerinne die Stelle, wo das Wasser hinein tritt; — 3) bei Wasserpumpen der untere Theil vom Saugrohr.

Schlundloch (Mühlenb.) die Endöffnung in dem Gerinne, woraus das Wasser bei oberschlächtigen Mühlen auf die Räder fällt.

Schlundöffnung, die sämmtlichen zum Durchdringen des Wassers dienenden kleinen Oeffnungen am Saugrohr; f.d.Art. Saugwerk und Pumpe.

Schlundröhre, Schlungröhre, f. v. w. Saugrohr; f. d. Art. Saugwerk und Pumpe.

Schlupfgang, frz. couloir, Nebencorridor.

Schlupfhafen, frz. cale, f. d. Art. Hafen.

Schlupfpforte, Schlupfthor, f. d. Art. Guichet, Ausfallspforte, Poterne, Festungsbau zc.

Schlupfsäge (Tischl.), eine Art Schrotsäge.

Schlupfwespen, f. d. Art. Ichneumoniden.

Schluß. 1) f. v. w. Bogenschluß, Gewölbschluß; — 2) f. d. Art. Schlußarm.

Schlußarm (Maschinenw.), am Göpel die Arme zur Unterstützung des Radkranzes; die Stellen, wo diese Arme in den Kranz eingezapft sind, heißen der Schluß.

Schlußbalken, f. v. w. Wolf, Firsträhm.

Schlußbolzen, f. d. Art. Anker.

Schlußgesims, f. d. Art. Gesims und Sims.

Schlußkeil (Maschinenw.), zum Festtreiben der Arme eines Haspels in den Löchern der Welle dienende hölzerne Keile.

Schlußkrämpe, die eine umgebogene Seite bei Breitziegeln, Dachpfannen der Theil, der die nächstfolgende Schicht überdeckt.

Schlußsäge (Tischl.), f. v. w. Schließsäge.

Schlußstein, lat. cuneus, clavis, franz. clef, clausoir, engl. key-stone, span. dovéla, 1) an einem Bogen oder Gewölbe der letzte oberste Stein, dessen Eintreibung die anderen Wölbsteine zusammendrückt und dadurch die Spannung der Wölbung hervorbringt; der aber eigentlich nicht mehr als jeder andere Stein der Wölbung zu

Erhaltung dieser Spannung beiträgt, wenigstens bei gerabschichtigen Tonnengewölben, während er bei Kreuzgewölben, Sterngewölben zc. allerdings sehr wichtig ist; doch braucht er bei diesen nicht aus einem Stück zu bestehen, sondern man kann ihn ringförmig aus mehreren Stücken construiren, bei welchem also, wo jede Schicht als solcher Ring zu betrachten ist, ganz weglassen. Es sind die Gewölbschlußsteine oft medaillonförmig verziert oder hängen zapfenartig (z. B. in der Spätgothik) herab, wo sie dann Abhängling, Schlußknauf, lat. nodus, engl. boss, heißen. S. d. Art. Bogen, Bossen, Abhängling; Gewölbe, Wölbung, gothischer Baustyl und Archivolte. — 2) Die obersten Dachschiefer eines Schieferdaches; f. d. Art. Dachdeckung II. 1.

Schlußziegel, f. d. Art. Dachziegel 6, Breitziegel und Dachdeckung I. 6.

Schlutholz, eigentlich Schlußholz, ein quer über mehrere Balken aufgekämmter Rahmen; dient dazu, die Balken vor dem Werfen zu hüten und gegenseitig in gehöriger Entfernung zu halten.

Schlutte (Deichb.), ein bisweilen den Fuß eines Deiches durchweichender Sumpf oder Morast in der Nähe des Deiches.

schmachtend (Herald.), so heißen die Wappenthiere, wenn sie die Augen geschlossen und den Mund offen halten, ohne die Zunge sehen zu lassen.

Schmack. 1) (Gerber.) f. v. w. Lohe; — 2) (Schiffsb.) frz. semaque, engl. smack, unten plattes, vorn und hinten sehr voll gebautes, zweimästiges Handelsfahrzeug; — 3) f. v. w. Gerbersumach; f. d. Art. Sumach.

Schmalbret, f. d. Art. Bret.

Schmaleisen. 1) (Schiffsb.) zum Eintreiben des Werrigs neben einem Nagel oder in kleinere Oeffnungen dienendes, in der Mitte ein wenig gekrümmtes Kalfatereisen; — 2) (Hüttenw.) das nach ausgegangenem Feuer im Ofen zurückbleibende Eisen; wird zu groben eisernen Waaren benutzt.

schmaler Schrot (Hüttenw.), eine Art Beileisen.

schmaler Weg; eine Mauer aus Steinen auf den schmalen Weg aufführen heißt, sie so bid machen, als die Steine breit sind.

schmalgeschacht (Herald.), f. v. w. geschindelt; f. d. Art. billeté.

Schmalt, f. v. w. Email; Schmalte, f. d. Art. Smalte.

Schmatze, 1) f. v. w. Wurzelblock; — 2) österreichisch für stehende Verzahnung; f. d. Art. Verzahnung.

Schmauchfeuer, f. d. Art. Brennen 4.

Schmeißfliegen; so nennt man mehrere Arten Fliegen, welche ihre Eier oder Larven an Fleisch und andere thierische Stoffe ablegen, um ihrer Brut Gelegenheit zum Verzehren derselben und dadurch zur Entwickelung zu verschaffen. Die am meisten vorkommenden Arten sind: 1) Die blaue Fleisch- oder Schmeiß-Fliege (Musca vomitoria L.) mit glänzend blauem, schillerndem Hinterleib und schwarzen Querbinden. Sie macht sich durch ihr starkes Summen während des ganzen Sommers bemerklich. Die Eier kriechen schon nach 24 Stunden aus, die Maden sind binnen 8 Tagen ausgewachsen, und nach wiederum 8 Tagen verläßt die ausgebildete Fliege die Tonnenpuppe. 2) Die graue Fleischfliege (M. carnaria L.), länger und schlanker als jene, mit schwarz gewürfeltem Hinterleib. Das Weibchen legt gewöhnlich die schon im Leibe ausgeschlüpften Maden. 3) Die Aasfliege (M. cadaverina L.), glänzend goldgrün. Besser als durch Aufstellen von Giften schützt man Fleisch gegen die Schmeißfliegen durch Florgaze- oder Feindrahtkästen, bei denen man jedoch den Deckel solid macht, da die Fliegen ihre Eier sonst hindurchfallen lassen.

Schmelz, auf rauhen, namentlich aus Metall oder gebranntem Thon bestehenden Gegenständen durch theilweise Schmelzung des Materials selbst, oder einer aufgetragenen Mischung hervorgebrachte glatte und glänzende Oberfläche, also f. v. w. Email, Fluß, Glasur, Glasfluß ꝛc.; f. d. betr. Art.

Schmelzarbeit, 1) (Hüttenw.) das Schmelzen des Erzes, Glases, Blaufarbenglases ꝛc.; — 2) f. v. w. emaillirte Arbeit.

Schmelzeisen, f. d. Art. Eisen, Gußeisen und Roheisen.

schmelzen, Schmelzpunkt. Die Operation des Schmelzens hat zum Zweck, feste Körper durch Hitze in den tropfbarflüssigen Zustand überzuführen. Die Scheideprocesse in der Metallurgie sind fast sämmtlich auf die Schmelzung basirt; es lassen sich viele Metalle im geschmolzenen Zustand durch ihre spec. Schwere von einander scheiden, sowie man auch Metalle aus den Erzen vermöge der verschiedenen Schmelzbarkeit der Metalle vom Gestein ꝛc. scheidet.

1. Man theilt überhaupt die Schmelzungen in 4 Klassen, je nach den chemischen Veränderungen, welche man durch die Schmelzung erzielt: a) oxydirende Schmelzung, wobei die leicht oxydirbaren Metalle von den schwer oxydirbaren getrennt werden; b) reducirende Schmelzung, welche die Trennung des Sauerstoffs von oxydirten Metallverbindungen bezweckt; c) solvirende Schmelzung, bei welcher durch gewisse Zusätze (Bleioxyd, Kieselerde ꝛc.) gewisse Theile des Schmelzgutes in Gemeinschaft mit den Zuschlägen in Fluß gebracht werden; d) präcipitirende Schmelzung, welche die Trennung eines Metalls von Schwefel durch Schmelzen mit einem anderen Metall zum Zwecke hat.

Der Schmelzpunkt ist diejenige Temperatur, bei der ein fester Körper in den flüssigen Zustand übergeht. Der Schmelzpunkt verschiedener Körper ist sehr verschieden. Einige in neuerer Zeit gefundene, besonders Kadmium enthaltende Metalllegirungen (f. d.) haben einen wenig höheren Schmelzpunkt als 60°. Folgende Tabelle giebt die Schmelzpunkte verschiedener Substanzen an nach dem Celsiusthermometer:

Gehämmertes englisches Eisen	1600°
weiches französisches Eisen	1500°
strengflüssigster Stahl	1400°
leichtflüssiger Stahl	1300°
graues Gußeisen	1200°
leichtflüssiges weißes Gußeisen	1050°
Gold	1250°
Silber	1000°
Bronze	900°
Antimon	432°
Zink	360°
Blei	331°
Wismuth	256°

Zinn	230°
Schwefel	109°
Legirung aus 8 Wism., 5 Blei, 3 Zinn	100°
" 4 Wism., 1 Blei, 1 Zinn	94°
Natrium	90°
Kalium	58°
Phosphor	43°
weißes Wachs	68°
gelbes Wachs	61°
Stearin	49—43°
Eis	0°
Terpentinöl	—10°
Quecksilber	—39°.

Die Erscheinungen, welche Körper beim beginnenden Schmelzen zeigen, sind gleichfalls verschieden. Manche Körper bleiben bis zum Schmelzen vollkommen spröde und fest, andere werden beim Erwärmen, ehe sie schmelzen, weich, wie Glas, Eisen, Wachs u. A. Die meisten Körper dehnen sich im Momente des Schmelzens aus, andere ziehen sich zusammen. Das Wismuth z. B. dehnt sich um $\frac{1}{30}$ seines Volumens aus; Eis von 0° hat ein größeres Volumen, als Wasser von 0°. Wachs, Schwefel, Paraffin u. f. w. sind Körper, welche sich beim Flüssigwerden ausdehnen. Es giebt auch Körper, welche bei Temperaturen unter dem Schmelzpunkt flüssig bleiben, wie z. B. Schwefel, Zinn, Phosphor. Beim Erstarren dieser Körper aber stellt sich der Schmelzpunkt schnell wieder her und man hat gefunden, daß Schmelzpunkt und Erstarrungspunkt dieselbe Temperatur haben.

2. (Hüttenw.) Das Schmelzen, um das Metall aus den Erzen zu gewinnen, geschieht in Schmelzöfen; Blei und Zinn gewinnt man auch durch Saigern und Rösten. Es heißt:

a) Schmelzen über dem Tiegel oder Schmelzen auf leichtem Gestübe, wenn man keinen Lehm zu dem Kohlengestübe, woraus der Heerd des Schmelzofens gemacht wird, nimmt; ist Lehm dazu genommen, so heißt es Schm. über den schweren Gestübe.

b) Schmelzen über das halbe Auge, wenn ein halbrundes Loch in dem Stein vor der Vorwand des Ofens sich befindet, das man während des Schmelzens verstopft und, wenn der Tiegel im Ofenheerd vollgeschmolzen ist, öffnet.

c) Schmelzen über das offene Auge, wenn ein großes rundes Loch in dem Stein des Vorheerdes sich befindet, durch welches das geschmolzene Metall in einen Vorheerd läuft, wo die Schlacken abgehoben werden.

d) Schmelzen über das verstopfte Loch; wenn sich kein Vorheerd an dem Ofen befindet, verstopft man das Auge der Vorwand während des Schmelzens mit Lehm und läßt das geschmolzene Metall des vollen Tiegels im Ofen nach dem Abstechen in einen Tiegel vor dem Ofen laufen.

e) Schmelzen über die Spur, wenn, wie meist beim Kupferschmelzen, bei einem Ofen mit einem Vorheerd sich eine Oeffnung, "Spur," zwischen Vorheerd und Vorwand befindet, und Erz und Flüsse nebst Schlacken beständig in den Vorheerd rinnen, wo die Schlacken abgehoben und die Werkscheiben abgerissen werden.

f) Schmelzen über den Stich, wenn nur ein Loch in das verstopfte Auge der Vorwand gestochen wird, worauf das geschmolzene Metall in eine Spur oder einen Tiegel fließt.

g) Schmelzen über den halben Sumpf, wenn der Tiegel nicht ganz bis an die Brandmauer reicht.

h) Dunkel schmelzen, wenn man das Feuer und das ganze Werk so regiert, daß oben aus dem Ofen keine helle Flamme ausſchlägt, wobei man aber den Einſatz des Ofens nicht zu tief herabſinken laſſen darf.

Schmelzeſſe (Kupferh.), Vorrichtung zum Schmelzen des Kupfers; bei dazu gehörige Schmelzheerd, eine halbkugelähnlich ausgemauerte Höhlung, wird mit naſſem Sand auf den Boden ausgeſtoßen und faßt 2³/₄—5½ Ctr. Kupfer. Er iſt übrigens, wie ein anderer Schmelzofen, mit Gebläſe, Form und Windröhre verſehen.

Schmelzfarbe, frz. couleur fusible, engl. vitrified colour, auf Glas, irdene Gefäße und Metalle angewendete Metallfarben, werden nach dem Aufbringen eingebrannt; ſ. d. Art. Farbe, Glasmalerei, Email, gelbe Farben, blaue Farben ꝛc.

Schmelzglas, frz. émail, ital. canutillo, 1) ſ. v. w. Email; — 2) ein aus 1 Theil Flußſpath, 1 Theil Kalt und 1½ Theil Thon beſtehender Fluß. Man kann es kalt zerſtoßen und ſo verbrauchen, oder man ſchmilzt es erſt zuſammen, worauf es dann, auf ein Eiſen gegoſſen, im Waſſer gelöſcht, geſtoßen und geſiebt wird. Ueber die Verwendung ſ. d. Art. Glaſur, Email ꝛc.

Schmelzhitze, ſ. d. Art. Schmelzen und Heizung IV.

Schmelzhütte ſ. d. Art. Hüttenwerk.

Schmelzkeſſel (Zinng.), zum Schmelzen des Zinnes dienender, in einen Heerd oder Ofen eingemauerter, großer eiſerner Keſſel.

Schmelzkitte müſſen erſt durch Hitze flüſſig gemacht werden. Man rechnet zu ihnen: Harz, Schwefel, Wachs, Talg, Siegellack ꝛc. und die unter dem Namen Loth zur Verbindung verſchiedener Metalle gebräuchlichen Metallmiſchungen. S. d. Art. Kitt, Löthung, Hartloth, Schlagloth ꝛc.

Schmelzmittel, ſ. d. Art. Flußmittel und Schmelzpulver.

Schmelzmühle, ſ. d. Art. Glättmühle.

Schmelzofen, 1) (Hüttenw.) zum Schmelzen der Erze dienender Ofen, je nach Umſtänden ſehr verſchieden eingerichtet. Die einzelnen Arten ſ. in d. Art. Ofen, Schachtofen, Flammofen, Cupolofen, Brennofen, Eiſengießerei, Glas ꝛc. — 2) (Blaufarbenw.) Ofen zum Schmelzen des Blaufarbenglaſes, ungefähr 12 Fuß lang, 11 Fuß breit, oben mit einer Kuppel verſehen, unten mit treuweiſen Abzugscanälen, damit im Ofen ein Waſſer bleibe. Genau in der Mitte des Fußbodens wird ein 2¼ Fuß weites und 2 Fuß hohes Aſchenloch von der ganzen Länge des Ofens nach angelegt und zu 2 Drittheilen der Länge mit einem flachen Gewölbe bedeckt. Roſt und Feuerheerd werden darüber angelegt und zwei Schürlöcher angebracht, in gleicher Höhe vorn und hinten in der Umfaſſungsmauer. Darüber errichtet man ein flaches Gewölbe mit einer 2 Fuß langen, 1½ Fuß breiten Oeffnung in der Mitte, durch welche die Flamme in den obern Raum ſchlägt, wo zum Aufſtellen der Glashäfen ein Heerd angelegt wird; das Wertloch zum Einſetzen der Häfen iſt in dieſer Höhe, über jedem Hafen aber zum Einbringen des Gemenges und Ausſchöpfen des geſchmolzenen Glaſes ein Schöpfloch angebracht. Die kuppelförmige Haube, mit eiſernen Ringen umgeben, ſchließt dieſen Raum. Der Ofen muß erſt einige Tage ausgewärmt werden, ehe das Schmelzen beginnt, und nur nach und nach wird das Feuer verſtärkt. — 3) (Glasmal.) Zum Schmelzen des gemalten Glaſes dienender,

von Backſteinen conſtruirter, kleiner viereckiger Ofen. — 4) S. d. Art. Porzellanofen.

Schmelzproceß, ſ. d. Art. Schmelzen, Gußeiſen, Hohöfen ꝛc.

Schmelzpulver, Schnellfluß; ſo wird ein Gemenge von 3 Thln. Salpeter mit 1 Thl. Schwefel und 1 Thl. Sägeſpänen genannt. Dieſes Pulver läßt ſich leicht entzünden und verbrennt mit ſolcher intenſiver Wärmeentwickelung, daß man leicht in die Miſchung hineingeworfene Silber- oder Kupferſtückchen ſchmelzen kann.

Schmelzſtahl, ſ. d. Art. Stahl und Eiſen, S. 688 im I. Band.

Schmelztiegel, 1) (Kupferh.) Einguß von geſchmiedetem Eiſen, worein man das geſchmolzene Kupfer gießt. Man ſtreicht ihn beim Gebrauch mit magerm Thon-oder wohl auch mit Lehm, mit Sand vermiſcht, aus. — 2) (Hüttenw.) zum Sammeln des geſchmolzenen Metalls dienender Tiegel am Schmelzofen; ſ. d. Art. Tiegel.

Schmelzwerk, 1) derjenige Theil einer Erzausbeutungswerkſtätte, worin das Schmelzen (ſ. d.) vorgenommen wird. Das Schmelzwerk muß nahe am Pochwerk (ſ. d.) liegen, und vortheilhaft iſt es jedenfalls, daſſelbe auch möglichſt nahe am Gewinnungsort ſelbſt anzulegen. Es enthält die Erzſchlämme, die Wäſche, die Röſtſtätten und als Hauptbeſtandtheil den Schmelzofen; ſ. d., ſowie auch d. Art. Bleihütte, Eiſen, Gießerei, Hüttenwerk ꝛc. — 2) S. v. w. emaillirte Arbeit; ſ. d. Art. Email und Heraldik VII.

Schmerkalk, eingemachter Kalk, der nicht mehr die geringſten Körnchen oder Klümpchen enthält.

Schmerkluft, Schmerſchlechte (Bergb.), ſ. d. Art. Kluft.

Schmerzensmutter, heilige, ſ. d. Art. Maria.

Schmetterling, war bei den Alten Bild des Unkörperlichen, daher Beigabe des Hypnos (Schlafgottes), der Pſyche (Seele), ferner Symbol der Unſterblichkeit, der Liebe, des Strebens nach Licht, in der mittelalterlich-chriſtlichen Symbolik Bild der Veränderlichkeit und des Leichtſinns.

Schmiedbares Eiſen, ſ. d. Art. Eiſen.

Schmiedeambos, ſ. d. Art. Ambos a.

Schmiedeeiſen, frz. fer de forge, ſ. v. w. Stabeiſen, ſ. Eiſen S. 687 ff. im I. Band; über ſchmiedeeiſerne Balken ſ. d. Art. Balken, Eiſenbau, Brücke, Eiſenbach; über Vergoldung des Schmiedeeiſens ſ. d. Art. Gußeiſen, S. 226 im II. Band.

Schmiedeeſſe, Schmiedefeuer. Die einfachſten Schmiedefeuer beſtehen aus einem Schmiedeheerd nebſt Schurz. Der Heerd hat meiſt unter ſich ein Gewölbe zu Aufbewahrung des Tagevorraths an Kohlen. Auf der Heerdfläche befindet ſich eine ſeichte Vertiefung der Feuergrube, meiſt mit äußeiſernen Rückplatten verſehen, durch welche faſt am Boden der Feuergrube die Form des Blaſebalgs oder ſonſtigen Gebläſes gelegt iſt; vor die Feuergrube legt man einen Block von Stein oder Gußeiſen. Statt des gemauerten Schurzes bringt man wohl auch einen Blechhut, Buſen, an, unter welchem der Rauch in den Schornſtein geht. Oft wird ein Theil des Raums unter dem Heerd für die Schlacken oder Aſche, die durch eine Oeffnung der Heerdoberfläche eingeſtrichen werden. Die Heerdfläche bedeckt man meiſt mit einer Gußeiſenplatte

Zweckmäßig ist es, einen steinernen oder gußeisernen Löschtrog gleich in die Heerdfläche einzulassen. Die Form steckt zuweilen in einem durch
zufließendes Wasser kühl erhaltenen Mantel.
Andere wieder empfehlen, den Wind vorher zu
wärmen, indem man das Gebläserohr hart am
Feuer vorbeiführt. Es wird dadurch an Kohle erspart, aber das Feuer brennt etwas fauler. Behufs der Arbeiten zu Gasleitungen, Wasserleitungen rc. hat man auch transportable Schmiedefeuer.
Um Braunkohlen rc. brennen zu können, wird
etwas hinter der Feuergrube ein Gitterkorb angebracht, worauf die Braunkohlen getrocknet und vorgewärmt werden. Schwefelreiches Feuerungsmaterial ist nicht zu brauchen.

Schmiedehammer, frz. ferretier, s. Hammer.

schmieden, Eisen, das glühend gemacht worden, mit Hämmern ausdehnen, in die gewünschten Formen bringen. Es geschieht das Glühen in der Regel auf einem Schmiedeheerd in dem
vermittelst eines Gebläses angefachten Feuer von
Schmiedekohlen, wozu man am liebsten Fichten- u.
Buchenholzkohlen nimmt; in Steinkohlenfeuer wird
das Eisen leicht brüchig. Wenn das Eisen den gehörigen Grad Gluth erhalten hat, wird es mit der
Schmiedezange herausgenommen, auf den Amboß
gehalten und mit einem der Schmiedehämmer, oder
auch mit einem anderen Instrument, bearbeitet.

Schmiedesinter, s. v. w. Hammerschlag.

Schmiedestock, s. d. Art. Amboß.

Schmiege, 1) jeder schiefe Winkel, auch jede
geneigte Ebene, daher auch so viel wie Abfasung,
besonders wenn sie horizontal läuft, ferner s. v. w.
Fensterausschrägung, dann auch Klay genannt. Vgl.
d. Art. Abschmiegen, Anschmiegen, Balkenschmie-
gen, Bevel, Klay, Glied E. 1. c. rc. —2) Auch Schmiegwinkel, Winkelfasser oder Kluft genannt, frz. sauterelle, recipi angle, zur Messung von Winkeln die-

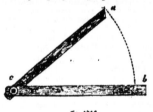

Fig. 1716.

nenbes Werkzeug, besteht aus 2 mittelst eines streng
gehenden Gelenkes verbundenen Linealen, von denen
das eine b c, Fig. 1716, der Kopf, das andere, a c, die

Fig. 1717.

Zunge genannt wird. Bei weitem zweckmäßiger
ist die doppelte Schmiege, Fig. 1717, wo der Kopf

a in einem Schlitz der Zunge b verschiebbar ist,
weil diese zugleich als Gehrmaaß dienen kann. —
3) Ein aus mehreren Stücken bestehender, zusam-
menklappbarer Maaßstab; s. d. Art. Maaßstab.

schmiegen, Etwas nach einem Schmiegwinkel
anfertigen, oder einen solchen bilden.

schmiegend (Herald), von Löwen, s. v. w
sitzend, sonst s. v. w. gekrüpft.

Schmieglage oder **Stromlage,** Mauerverbin-
dung, deren Längefugen schräg gegen die Flucht-
linie gerichtet sind. Man braucht dazu die Schmieg-
ziegel, Klempziegel, Spitzziegel, Ziegel mit einem
schrägen Kopf; s. d. Art. Ziegelfabrikation und
Mauerverband.

Schmiegungsebene einer Curve, s. v. w.
Krümmungsebene, s. d. Art. Curve III., S. 582,
Bd. I, und Krümmung II., S. 425, Bd. II.

Schmiegwinkel, s. d. Art. Schmiege 1.

Schmierbäume (Schiffsb.), sind starke Bäume,
die zu beiden Seiten eines Schiffes gelegt sind, welches vom Stapel läuft, um das Umstürzen desselben zu verhindern. Man glättet sie mit Talg
oder Schmeer; zugleich werden große hölzerne be-
schmierte Keile, Schmierhölzer, hinten unter den
Kiel getrieben, um ihn auszuheben und fortzuschlei-
sen zu lassen; s. d. Art. Helling und Schlitten.

Schmierweg, zum Hinabgleiten von Schlitten behufs des Holztransports an Bergabhängen
hergerichteter Schienenweg, aus 2 Reihen Balken,
auf der Oberfläche geebnet und mit Fett oder Theer
bestrichen; damit die Schlitten nicht seitwärts gleiten, sind neben den Balken Latten angebracht.

Schmirgel, s. d. Art. Emirgel.

Schmirgelpapier, s. d. Art. Abschleifen,
Glaspapier, Poliren rc.

Schmitz (Bergb.), fettige, schmierige Erdart.

Schmuckcypresse, Name für die, den echten
Sandarach liefernde, gegliederte Cypresse; s. d.
Art. Sandarach.

Schmucktanne, brasilianische (Araucaria
brasiliensis Lamb., F. Nadelhölzer, Coniferae),
Pinheiro der Brasilianer, ein schöner Nadelholzbaum jenes Landes, aus dessen Rinde ein dem Terpentin ähnliches Harz fließt.

Schnabel, 1) (Zimmerm.) Benennung des
waagerechten oberen Balkens, des Auslegers am
Krahn, am Richtbaum, an der Rammmaschine rc.—
2) Das kurze Ausgußrohr an der Dachrinne statt
des besseren Fallrohres; s. d. Art. Abtraufe.—
3) Ausguß, der durch eine Mauer geführt wird und
wenigstens eine Viertelelle hervorragen muß.—
4) Der dünne Theil des Armes an Schiffsankern,
der an die Schaufeln stößt. — 5) S. v. w. Schiffsschnabel; s. d.

Schnabel einer krummen Linie, s. d. Art.
Rückkehrpunkt.

Schnabelkopf- u. **Schnabelspitzenverzierung,**
s. d. Art. Beak-head und Beak-moulding.

schnabeln (Schiffsb.), ein Holz an seinem
Ende mit einem Ausschnitt so versehen, daß in diesen Ausschnitt gerade ein anderes Holz paßt, also
s. v. w. ausschneren.

Schnabelzange (Hüttenw.), mit langen gebogenen Kneipen versehene große Zange; dient, um
die Schmelztiegel aus dem Feuer zu nehmen.

Schnaidstein, s. d. Art. Grenze.

33

Schnaken oder Mücken werden in solchen Wohnungen lästig, die in der Nähe von Sümpfen, stehendem oder langsam fließendem Wasser liegen. Jene zweiflügeligen Insekten durchleben ihren Larven- und Nymphenzustand im Wasser, nähren sich von faulenden Vegetabilien und verlassen das Wasser bei völliger Ausbildung. Die gewöhnlichste Art ist die gemeine Stechmücke (Culex pipiens L.) oder Singschnake, mit gelbbraunem, durch 2 bunte Längslinien getheiltem Rückenschild und hellgrauem, braungeringeltem Hinterleib. Etwas größer ist die Hainschnake (C. nemorosus Meig.). Gegen Mückenstiche wendet man Einreibung der getroffenen Stellen mit Salmiakgeist (Ammoniak) mit Erfolg an.

Schnalle, frz. fermail, erscheint in den mannichfachsten Formen in Wappen.

Schnallwerk, zum Emporheben und Loslassen des Rammklotzes, an einer Rammmaschine (s. d.) dienende Vorrichtung.

Schnarchen, das Geräusch, welches man bei einer Saugpumpe beobachtet, wenn dieselbe statt Wasser auch Luft mit einzieht.

Schnaumast, frz. mât de senau, engl. snowmast (Schiffsb.), schiefe Spiere hinter dem Mast, bis an die Sahlingen des Marses reichend, um an demselben die Gaffeln der Schnausegel fahren zu lassen.

Schnauze, 1) (Schloss.) eiserne Schienen, unter Federn gelegt, damit letztere nicht zu sehr den Theil abreiben, worauf sie befestigt sind; — 2) s. b. Art. Chorgestühl.

Schnecke, 1) frz. corne de bélier, limaçon, volute, engl. scroll, s. v. w. Volute, am korinthischen, römischen ꝛc. Capital, die kleineren Schneckchen, Geäste, lat. cauliculi, frz. tigettes, engl. twists, stems; — 2) (Kriegsb.) Schloß einer Faschine, d. i. der über der Wiedenschlinge gebildete Knoten; — 3) s. d. Art. archimedische Schnecke.

Schneckenauge, s. u. Auge 1.

Schneckenbohrer, zum Bohren hölzerner Wasserröhren dienender Bohrer mit schneckenförmigem Gewinde.

Schneckenfeder (Masch.), s. v. w. Spiralfeder.

Schneckengang (Maschinenw.) um eine Welle spiralförmig laufende Rinne, worein sich eine Kette oder ein Seil legt. — 2) Mehrfach getrümmter Gang in Gärten.

Schneckengewölbe, s. u. d. Art. Gewölbe.

Schneckenklee, s. b. Art. Arabesken.

Schneckenlinie, Schneckenzug, s. b. Art. Spirale und Helix.

Schneckenmantel, Brettbekleidung des äußeren Umfanges bei der archimedischen Schnecke (s. b.).

Schneckenmarmor (Mineral.), mit versteinerten Schnecken durchsetzter Marmor.

Schneckenmühle, Schneckenpumpe, s. v. w. Wasserschnecke.

Schneckenofen, mit schraubenförmig aufsteigenden Zügen versehener cylindrischer Ofen.

Schneckenrad, s. b. Art. Wasserhebmaschine und Schöpfrad.

Schneckenschnitt, frz. tiercé en girons, s. b. Art. Heraldik VI.

Schneckenstiege, Schneckentreppe, frz. escalier en limaçon, en hélice, engl. turnpike-stair, vise, s. v. w. Wendeltreppe.

Schneckenwelle, Schneckenspindel, Welle an Wasserschnecken.

Schnede, 1) (Wasserb.) Abzugs- oder Grenzgraben. — 2) Rand von Eis, der bei Eisfahrten an den Ufern sich ansetzt, oder an benselben an solchen Stellen stehen bleibt, wo das Wasser eine gewisse Ruhe hat; trägt viel zum Schutz des Ufers bei.

Schnee. Ueber die Last eines Schneefalls auf der Dachung s. d. Art. Dach, S. 589, Bd. I.

Schneeballstrauch, s. d. Art. Schlingstrauch.

Schneegips, s. v. w. Schaumgips, s. u. d. Art. Gips 6.

Schneelatten, auf Schieferdächern werden häufig, damit im Winter bei Thauwetter der Schnee von den glatten Schieferplatten nicht haufenweise abrutsche, 2 Fuß vom untern Dachrande 3—4 Zoll dicke Stangen an Haken, Schneehaken, hängend angebracht.

Schneeloch; über vorspringenden Theilen eines Gebäudes, sowie in Einkehlen, entstehen häufig flache Stellen auf Dächern, wo bei eingetretenem Thauwetter der Schnee eine Zeit lang liegen bleibt. Da hierdurch das Dach sehr leidet, muß man solche Stellen vermeiden.

Schneidebank oder **Schnitzebank,** Schnittbank, 1) eine Bank von solcher Breite, daß man bequem darauf reiten kann. Mitten durch die Bank, etwa 2 Fuß von dem einen Ende, geht ein Holz, Fußholz, welches sich um einen Bolzen bewegt; es hat oben einen Kopf mit vorspringender Ecke, unten einen Fußtritt; der Kopf neigt sich vorwärts und die vorspringende Ecke brückt auf die Bank, wenn man das Fußholz mit dem Fuß zurückschiebt; dadurch kann ein darunter gelegtes Stück Holz bequem fest gehalten und bearbeitet werden. — 2) (Ziegl.) Zum Zerschneiden des Thons dienende Vorrichtung, ähnlich der Hädselbank.

Schneideblock, s. v. w. Sägeblock.

Schneidebohrer, s. v. w. Bodenbohrer oder Löffelbohrer.

Schneideeisen, das mit einer Schneide versehene untere Stück eines Bergbohrers.

Schneidehölzer, die zu Bauholz oder zu Brettern bestimmten Bäume, die von Aesten befreit, aber noch nicht getrennt sind.

Schneideiche, s. b. Art. Bauholz F, I, n. 2.

Schneidekranz, s. b. Art. Brunnenkranz 1.

Schneidemühle, Schneidegatter ꝛc., s. u. b. Art. Mühle und Sägemühle.

Schneiderelle, dreieckige Latte, meist als Säumling beim Säumen baumkantiger Bretter abfallend; s. b. Art. Facebret, Latte ꝛc.

Schneidesteine, mit der Säge geschnittene Steine, im Gegensatz von behauenen Steinen oder Werkstücken.

Schneidewerk, s. v. w. Sägemühle.

Schneidmodel, s. d. Art. Reißmodel.

Schneidstock (Schlosser.), Werkzeug zum Einspannen größerer Eisenstücke, an welchen Schrau-

Fig. 1718.

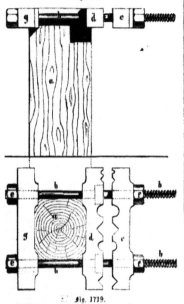

Fig. 1719.

bengewinde geschnitten werden sollen, s. Fig. 1718 u. 1719. Der hölzerne Stock a ist 4—5 Fuß tief in die Erde eingesetzt, aus der er noch 2½ Fuß emporragt. An seinem Unterende in der Erde sind 2 Lagerschwellen angeschraubt und fest überrammt. Am Oberende sind die Gußstücke g, d mittelst der Schrauben b b befestigt, indem in d Schraubenköpfe versenkt, bei e e Muttern angeschraubt sind. Mittelst der Muttern werden die zu bearbeitenden Gegenstände zwischen c u. d eingeklemmt.

Schneidung (Schiffsb.), die durch die Barkhölzer hervorgebrachte Gestalt eines Schiffes.

Schnellfluß, s. d. Art. Schmelzpulver.

Schnellloth, aus Silber oder Zink mit Kupfer, Messing und Blei bereitete leichtflüssige, zum Löthen dienende Metalllegirung; s. d. Art. Löthen, Loth ꝛc.

Eine Legirung aus 1—2 Theilen Cadmium, 7 bis 8 Theilen Wismuth, 2 Theilen Zinn und 4 Theilen Blei schmilzt bei 65—77° Celsius, meist aber schon bei 55°. Zinn, Blei und Britanniametall können damit unter heißem Wasser von 70° an rein geschabten Stellen gelöthet werden; Zink, Kupfer, Eisen, Messing und Neusilber aber unter Wasser, welchem einige Tropfen Salzsäure zugesetzt sind.

Schnellmörtel, frz. béton, s. d. Art. Béton und Mörtel.

Schnelltrocknender Firniß, s. d. Art. Firniß.

Schnellwaage, frz. bardonneau, s. Waage.

Schnellwerk; so heißt eine Kunstramme, wenn der Rammkloß mittelst Haken und darein fassenden Klingen so befestigt ist, daß er, wenn er schnell am Läufer hinaufgezogen wird, sich selbst durch das Anprallen oben löst und herabfällt; s. d. Art. Rammmaschine.

Schneppenbogen, frz. plein-cintre à talon, s. d. Art. Bogen, S. 399, Bd. I.

Schnepper, 1) (Mühlenb.) im Mühlenflügel an dem untersten Ende des Windbretlagers angebrachte hölzerne elastische Latte, damit, wenn ausgethürt werden soll, das Windbret leicht herausgenommen werden kann; der Schnepper klemmt sich beim Einsetzen des Windbrettes unter die mittlere Leiste desselben. — 2) (Schloss.) Feder, welche bewirkt, daß der Riegel, der während des Zuziehens der Thür am Schließblech zurückgleitet, dann in dasselbe einspringt; s. d. Art. Schloß I. A.

Schneppkarren, Sturzkarren, s. d. Art. Karre C.

Schneuße (d. h. Schlinge), unrichtiger Fischblase; so heißen im gothischen Maaßwerk gewisse Figuren, welche höchst selten allein, meist zu zwei, drei, vier, fünf, sechs ꝛc. vereinigt auftreten, wie Fig. 1720 dies zeigt. Wie aus der Figur, aus welcher auch die Construction deutlich zu ersehen ist, hervorgeht, giebt es rundbogige und spitzbogige Schneußen. Dieselben werden meist mit Nasen besetzt.

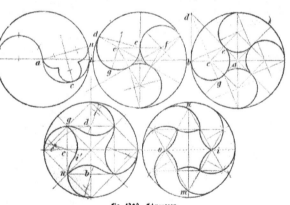

Fig. 1720. Schneußen.

Darüber, sowie überhaupt über die weitere Ausführung, s. d. Art. Zweischneuß, Dreischneuß ꝛc.

Schnittbohle, s. d. Art. Bret.

Schnittebene, s. d. Art. Fläche, S. 63, Bd. II

Schnitteisen, f. b. Art. Eisen, S. 688, Bd. I.

Schnittholz, die verschiedenen Sorten Bretter, Bohlen, Latten, Halbholz, Kreuzholz ꝛc.; f. b. Art. Block, Blochholz, Bauholz, S. 279—281, Bd. I ꝛc.

Schnittling, f. v. w. Dachtraufziegel.

Schnittriß, f. v. w. Fugenschnitt. [bank.

Schnitzbank, Heinzelbank, f. v. w. Schneide=

Schnitzer (Tischl.), spitzes Messer von gutem Stahl, mit mehr oder weniger langem Heft ver= sehen, die Klinge ist meist 4—5 Zoll lang, die Schneide geradlinig, der Rücken gebogen. Ist das Heft sehr lang, so ist er am Ende gebogen, damit man ihn auf die Schulter legen und so mit größerer Kraft und Sicherheit schneiden kann.

Schnitzwerk, engl. entaile, embossing, ital. intaglio, f. b. Art. Ballenbecke, Boisserie, Pla= stik, Intaglio, Holzbildhauerei ꝛc.

Schnörkel, bunt und kraus gewundene Linie, daher auch jede nach solchen Linien, besonders in sinnloser Weise gestaltete Verzierung; schnörkel= haft, von Verzierungen gebraucht, f. v. w. unorga= nisch und ungraziös.

Schnürbock, f. b. Art. Abschnüren 2; die Schnürböcke werden am besten mindestens 3—4 F. von der Grundgrube rückwärts gestellt. Man schlägt zu diesem Behuf drei Pfähle an Punkten ein, die unter sich einen rechten Winkel bilden, und ver= bindet sie durch 2 waagerechte Latten, welche also ebenfalls einen rechten Winkel bilden und die Ecken des Gebäudes gewissermaßen umfassen.

Schnürboden, ist ein auf Lagern gefertigter waagrechter Bretboden, worauf man die Zeichnung zu feinen Zimmermannsarbeiten, z. B. Treppen, in natürlicher Größe aufträgt; vgl. b. Art. Auf= schnüren, ételon, Grundschlag und Mall.

Schnüre, 1) (Steinarb.) im Gestein vorkom= mende Linien von anderer Textur und Farbe; — 2) (Herald.) f. b. Art. Liebesseile.

schnüren, 1) f. b. Art. Abschnüren, Anschnü= ren und Aufschnüren, Ankreiden und Behauen. — 2) Jemanden schnüren, d. h. Jemanden, der einen Bau betreten hat, aber nicht zu den Bauleuten ge= hört, durch Vorhalten einer Schnur anhalten und mit einem gewissen Ceremoniell sowie in vorge= tragenen Versen ihm zu verstehen geben, daß er sich mittelst eines kleinen Trinkgeldes loskaufen soll. — 3) (Bergb.) Zwei Zechen schnüren mit ein= ander, d. h. sie grenzen zusammen.

Schnürhaken (Kriegsb.), an den Rändern des Pontons neben den Balkenausschnitten vorge= schraubte Haken, um mit Schnürleinen die Balken festzuschnüren.

Schnur, 1) f. v. w. Richtschnur, Maaßschnur, Bleiloth; f. ferner b. Art. Abschnüren, Behauen ꝛc. — 2) (Herald.) f. v. w. sehr schmale Einfassung; Rand, Leiste, Umschweif eines Wappens; — 3) (Ziegl.) im Brennofen in 2 Reihen gesetzte Ziegelsteine, die einen kleinen Zwischenraum zum Durchziehen der Gluth lassen; — 4) (Bergb.) Längen= maaß = 7 Lachter.

Schnurgerinne, Schußgerinne, Gegensatz von Kropfgerinne, abschüssiger Theil des Gerinnes un= terschlächtiger Wasserräder, wenn sein Boden gerad= linig ist.

Schnurgerüst, beim Abstecken (f. b. sowie Ab= schnüren 2) gebrauchtes Gerüst, bestehend aus je zwei zusammenhängenden Schnürböden (f. b.),

an jeder Gebäudeecke. Durch Einschnitte, Kerben im Querholz, kann man nun die Mauerstärken, die Lage der Banquette, der Fundamentmauern ꝛc. angeben und deren Fluchtlinien durch eine Schnur, die zwischen den correspondirenden Kerben sehr resp. Querhölzer von einem Schnurgerüst bis zum andern ausgespannt wird, herstellen. dann lothet man von dieser Schnur herab und richtet sich mit dem Aus= graben ꝛc. darnach.

Schnurschlag, f. u. b. Art. Abschnüren, Be= hauen 1 und Zeichen.

Schnursteine, Ziegelsteine, genau nach den Maaßlatten als Lehrsteine angesetzt, um welche der Maurer die Schnur schlingt, um darnach die Lage sämmtlicher Steine der Fronte zu bestimmen.

Schnur strecken (Bergb.), von einem gewissen Punkt aus im Berggebäude vermessen.

Schob, mittelalt.=lat. cova, engl. sheaf, frz. javelle, Schaube, f. v. w. Dauchschaube.

Schober, große Schaube, Haufen, 1) regel= mäßig aufgeschichteter Haufen von Heu, Stroh, Getraide oder Holz im Freien in Gestalt eines Kegels oder parabolisch geformt, auch Feimen, Puppe oder Diemen genannt; um das Auspülen bei Getreideschobern durch Regen ꝛc. zu verhindern, werden die Aehren nach innen gelegt; — 2) f. v. w. Barg, Berge, Schauer, f. b.

Schock. Ein neues, großes oder schweres Schock enthält eine Zahl von 60 Stück. Man zählt manche Baumaterialien darnach, als: Nägel, Bretter, Lat= ten ꝛc., und zwar ist es bei Brettern ꝛc. zu einem Maaß geworden: ein Schock Bretter enthält so viel Holz, als zu 60 Spündbrettern zureichen würde, also von den geringern Sorten je nach der Größe z. B. 100—120 Schalbretter ꝛc. Ebenso rechnet man z. B. auf ein Schock 120 Stück Blechtafeln. Ein altes kleines oder schlechtes Schock ist verschie= den, von 20 bis 40 Stück.

Schockernägel, Bildernägel, kleine, dünne, spitze Nägel mit kleinen, schmalen Köpfen.

Schölbretter (Deichb.), auf einer Deichkappe aufgesetzte Bretter, um das Ueberlaufen beim An= schwellen des Wassers zu verhindern.

Schölbusch (Deichb.), an den Deichen oder am Ufer da befestigtes Reisholz, wo das Wasser heftig anschlägt, am besten Tannenholz. Man nennt Schölwasen die kurzen Bündel, Schölfaschinen dagegen die langen Bündel solchen Reisholzes.

Schölstelle (Deichb.), vom Wasser ausge= spülte Stelle.

Schölung (Deichb.), die auch an der Seite, wo keine Brandung ist, bemerkliche Bewegung des Wassers.

Schönbaum, capensischer (Calodendron ca= pense Thbg., Fam. Diosmeae), Baum des Caplandes, liefert gutes und geschätztes Nutzholz.

Schönfahrfegel, f. b. Art. Segel.

Schönheitslehre, f. b. Art. Aesthetik.

Schönmütze, harzige (Eucalyptus resinifera Sm., Fam. Myrtengewächse), ein ansehnlicher Baum Neuseelands, der aus Rindeneinschnitten das austra= lische oder Botany=Bai=Kino aussondert. Die Blätter schwitzen bei Sonnenhitze das Manna aus. Das Stammholz liefert Nutz= und Brennholz, von den Tischlern wird es rothes Gummiholz (f. b. Art.)

genannt. Mehrere verwandte Arten besitzen die=
selben Eigenschaften, z.B. E. mannifera, dumosa,
longifolia, amygdalina ꝛc.

Schönroth (Bergb.), im sächsischen Erzgebirge
gefundene rothe Erde, die als Anstrich benutzt wird

Schönsäulig, s. d. Art. Eustylos.

Schönus, s. d. Art. Maaß, S. 513 im II. Bd.

Schöpfbehälter (Wasserb.), Wasserbehälter,
worein durch irgend eine Maschine Wasser geführt
wird, um von da aus entweder weiter geleitet
oder auf's Neue durch Pumpen gehoben zu werden.

Schöpfbrunnen, s. d. Art. Brunnen, S. 475
im I. Band.

Schöpfbuhne oder **Schöpfkopf**, s. d. Art.
Buhne, S. 488 im I. Band.

Schöpfe, an Deichen oder Flüssen eine Stelle,
wo, um bequem Wasser einschöpfen zu können, bis
zum Wasserspiegel hinab Stufen angelegt sind.

Schöpfeimer, lat. antlaterion, span. arcaduz, zum Wasserschöpfen beim Grundbau dienender
lederner oder hölzerner, mit eisernen Ringen ge=
bundener Handeimer.

Schöpfkasten, lat. haustrum; die das Schö=
pfen verrichtenden Behältnisse an der Peripherie
eines Schöpfrades. Auch befindet sich ein kleiner
Kasten, der **Schöpfkasten**, an dem Schaufelkranz
eines unter= oder mittelschlächtigen Wasserrades,
das eine Walkmühle treibt; dieser Kasten schüttet
das geschöpfte Wasser in eine Rinne, und diese
leitet es zum technischen Bedarf in's Innere der
Mühle.

Schöpfkübel, s. v. w. Schöpfeimer; s. auch
d. Art. Feuerlöschapparate.

Schöpfmaschine, **Schöpfwerk**, lat. antlium,
tolleno, Maschine, um Wasser zu einer gewissen
Höhe zu heben, ohne daß, wie bei den Saug=
oder Druckwerken ꝛc., der Druck der Luft mitwirkt.
Man rechnet hierher zunächst die verschiedenen Va=
ternosterwerke, die Baggermaschinen, die archi=
medische Wasserschnecke, die Cagniardelle, die Hebe=
schaufeln, die Wasserzange, s. d. betr. Artikel;
ferner das Schöpfrad und das hydraulische Pendel.
Ein an einem Gerüst aufgehängtes Pendel, unten
versehen mit 2 Kasten, die Wasser schöpfen, wenn
das Pendel hin= und hergeschwungen wird, und es
nach entgegengesetzten Seiten hin auswerfen.

Schöpfrad. Ein Rad, das oben am Kranz
oder an der Welle das Wasser ausgießt. 1) Schau=
felrad. Die Schaufeln sind entweder offen, wobei
das Rad zwischen zwei Wänden geht, dennoch aber
eine Menge Wasser wieder herausfällt, oder sie
sind so eingerichtet, daß sie unten durch das
Wasser gehend sich füllen und, in die Höhe gekom=
men, sich in ein daneben befindliches Gerinne aus=
gießen. 2) Kastenrad. Kasten sind an der Stirn eines
unterschlächtigen Wasserrades zwischen den Schau=
feln angebracht und an der Seite mit Oeffnungen
versehen, wodurch sich das in die Höhe gehobene Was=
ser ausgießt. 3) Eimerrad. Bewegliche Kasten oder
Eimer sind an der Seite des Radkranzes angehängt, so
daß dieselbe stets in senkrechter Richtung, also mit
den Oeffnungen nach oben, hängen. Es stoßen
diese Eimer, wenn sie die größte Höhe erreicht
haben, an ein daneben angebrachtes Holz, worüber
sie wegschleifen müssen, so daß der Eimerboden ge=
hoben und das Wasser in ein daneben befindliches
Gefäß gegossen wird. 4) Schneckenrad, eigentlich

eine Trommel mit schneckenförmigen Zellwänden;
s. d. Art. Wasserhebemaschine.

Schörl, Aschenzieher (Mineral.); eins von den
Silicaten, welche Vorsäure und Fluor enthalten;
s. d. Art. Turmalin. Farbe dunkelgrün bis schwarz,
Bruch muschelig, Glanz glasartig; erwärmt durch
Reibungen, entwickelt der Schörl Electricität. Er
findet sich als Beimengung jüngerer Granite,
Gneiße, Glimmerschiefer ꝛc.; a) schwarzer oder
gemeiner Schörl, auch Aphricit genannt; b) grün,
edler Turmalin; c) rother Aphrit; d) violetter,
auch Axinit oder Thumerstein genannt; e) Kies=
schörl oder Gahnit, s. d. Art. Automolith ꝛc.

Schörlblende (Mineral.), s. v. w. Hornblende.

Schörlschiefer, grauer, körniger Quarz, ge=
mengt mit krystallinischen Theilen von schwarzem
Schörl; s. d. Diese Gemengtheile sind bald nach
allen Richtungen innig mit einander verbunden,
bald wechseln sie lagenweise mit einander, wodurch
eine abwechselnd schwarze und weiße Bänderung
hervorgebracht wird. Die Structur ist schieferig.
Als Beimengungen erscheinen Glimmer, Chlorit,
Granat und Zinnstein.

Schößchen, frz. châssis, Afterflügel, kleine
Klappe von Blech oder auch von Glas in einem
größeren Fensterflügel, oder auch in einem Fenster,
das nicht geöffnet wird.

Schola, lat. griech. σχολή, 1) eigentlich Ruhe,
Muße, daher Ruhesitz, s. d. Art. Bad; — 2) Be=
schäftigung mit schöner Kunst und Wissenschaft,
daher der Ort, wo dies geschieht, die Schule.

Scholastica, St., Schwester des heiligen Be=
nedikt; nöthigte denselben einst, länger als gewöhn=
lich bei ihr zu bleiben, wodurch sie ihn vor einem
Gewitter rettete; daher Patronin gegen Gewitter.
Drei Tage später starb sie (i. Jahre 543). Benedikt
sah ihre Seele als Taube zum Himmel fahren; dar=
zustellen als schwebende Benediktinernonnenleib.

Schooß, Ständer, frz. giron (Herald.), Heroldo=
figur, entsteht, wenn man den rechten Oberplatz des
gestalteten Schildes abgesondert darstellt; besteht
also aus einer halben schrägen Linie, aus der rech=
ten Oberecke hervorkommend und in des Schildes
Mitte an eine gegen diese gezogene, halbe, quere,
waagrechte Linie stoße nd.

Schopfdach, österreichisch für Walmdach.

Schopp, Schoppseite (Hüttenw.), bei einem
Hohofen s. v. w. Stichseite.

Schoppen, frz. escope, Flüssigkeitsmaaß; s.
d. Art. Maaß.

Schoppen oder Schuppen, franz. échoppe,
ein leichtes hölzernes Gebäude zu Aufbewahrung
von Geräthen, Brennmaterialien ꝛc.; unterscheidet
sich von den nicht zu den Gebäuden zu rechnenden
Schauer dadurch, daß es Wände hat.

Schore, engl. shore, 1) (Wasserb.) am Rand
der Teiche und Dämme eingeschlagene breite Pfähle
zum Schutz gegen das Abspülen; — 2) (Schiffsb.)
die auf dem Stapel das Schiff während des Baues
aufrecht haltenden Stützen oder Steifen.

Schorf (Wasserb.), Bündel Stroh oder Schilf.

schorfig nennt man an einem Deich die grüne
Dosirung, wenn sie durch das Wasser an manchen
Stellen ausgespült ist.

Schornstein, lat. caminus, frz. cheminée,
engl. chimney, Feueresse, Esse, Oesse, Feuermauer,
Rauchcanal. Die ältesten bestimmten Nachrichten

über den Bau von Essen lauten dahin, daß in England Rauchcanäle seit 1150 vorkommen; in Frankreich hat der Abt Roger († 1178) im Kloster Bec zuerst welche angelegt. Ein gut construirter Schornstein trägt wesentlich zu Erleichterung der Heizung (s. d.) bei, ein schlecht construirter hingegen erschwert nicht nur die Heizung, sondern läßt auch einrauchen (s. b.), d. h. den Rauch, welcher nur bei genügendem Luftzug abzieht, in die Räume des Hauses eindringen; dieser Luftzug nun nimmt allerdings 8—10 Proc. des Heizeffectes mit fort, bei ungenügendem Luftzug hingegen und dadurch verursachter unvollständiger Verbrennung wird der Wärmeverlust oft noch viel größer. Der Luftzug in einem Schornstein aber ist nur die Wirkung von dem Gewichtsunterschied zwischen der äußeren kalten Luft und der erwärmten im Schornstein, welche sich auszudehnen strebt; je größer nun die Wärme der inneren Luft, oder die Menge der erwärmten Luft im Verhältniß zu der äußeren kalten ist, desto besser zieht der Schornstein; man kann also den Zug auf zweierlei Art vermehren: durch Erhöhung der Schornsteine oder durch Steigerung der Temperaturdifferenz, welche letztere künstlich durch Anbringen von Flammen im unteren Theil des Schornsteins erreicht werden kann. Außerdem können noch folgende Regeln, als in der Erfahrung begründet, zur Nachachtung beim Schornsteinbau empfohlen werden:

1. Metallene Schornsteinröhren bieten namentlich bei Steinkohlenfeuerung Anlaß zu Bildung von Schwefel- und Vitriolansaß, ferner halten sie nicht lange, setzen leicht Ruß (s. d.) an x.

2. Gemauerte Schornsteine haben diese Uebelstände nicht, namentlich wenn sie innerlich geputzt sind; noch besser sind gebrannte, innerlich glasirte Thonröhren, die unmauert werden.

3. Runde Schornsteine sind zweckmäßiger als eckige, weil sie dem spiralförmig aufsteigenden Rauch weniger Hinderniß bieten.

4. Es ist sehr zweckmäßig, freilich nicht immer ausführbar, die Schornsteine oben weiter zu machen als unten.

5. Je enger der Schornstein bei gleicher Höhe ist, um so mehr hat er Zug, doch hat dies natürlich seine Grenzen, da ein zu enger Schornstein den Rauch nicht schlucken würde. Für einen gewöhnlichen Zimmerofen rechne man mindestens 9—10 Quadratzoll Querschnitt, demnach dürfen in einen 6″ weiten kreisförmigen Sch. höchstens drei Heizungen eingeführt werden, in einen 8″ weiten 5, in einen 9″ weiten 6, in einen 11″ weiten 9, in einen 12″ weiten 11 x. Eine täglich gebrauchte Kücheneinrichtung mit Kochmaschine x. braucht so viel Heizcanal wie drei Zimmeröfen x.

6. Der Schornstein muß möglichst vor Abkühlung, also vor Berührung seiner Außenfläche durch kalte Luft, geschützt sein, d. h. man lege die Schornsteine nicht in Umfassungswände; geschieht die Berührung durch Außenluft auf allen Seiten, so ist sie nicht so nachtheilig, als wenn sie einseitig stattfände.

7. Man vermeide möglichst, daß eine Luftströmung, z. B. Wind, oben in den Schornstein eintritt. Zu diesem Behuf führe man sie über den Firsten des Hauses hinauf, oder, dafern man das nicht kann, über ein sehr hohes Gebäude, ein Berg, ein hoher Baum x. in der Nähe befindlich ist, suche man das Eintreten an solchen Gegenständen oft stauenden Windes in die Schornsteinöffnung durch künstliche Mittel zu verhindern.

Man hat in dieser Richtung bereits die umfassendsten Versuche angestellt. Viele dieser Versuche waren so wenig rationell begründet, oder wegen ihrer Complicirtheit so schnellem Verderben ausgesetzt, daß sie sich unmöglich bewähren konnten. Erwähnt seien nur einige dieser Versuche, um anzudeuten, welcherlei Constructionen man zu vermeiden hat. Dahin gehören:

a) Ringsum angebrachte Seitenöffnungen mit Thürchen, die sich durch den Wind schließen und die gegenüberstehenden aufstoßen.

b) Haube oder Hut. Drehbare Röhre mit einer Seitenöffnung, die bei der Drehung der Röhre mittelst einer daraufstehenden Windfahne sich selbst windabwärts stellt, ist, wie überhaupt alle mit Ventilen, Klappen und anderen Charniervorrichtungen versehenen Schornsteinaufsätze, leicht dem Einrosten ausgesetzt.

c) Auch der vielfach empfohlene Mohrenberg'sche Aufsatz ist viel zu complicirt und enthält zu viel Charniere und Klappen, als daß er sich lange halten könnte; wir sehen daher von einer Beschreibung desselben ab.

d) Besser erreicht man den Zweck, indem man dabei auch zugleich das den Rauch kältende Einregnen verbindet, durch einen Schornsteinaufsatz. Die Constructionen desselben sind ungemein mannichfach; nur einige der bewährtesten und noch nicht allgemein bekannten sollen hier angeführt werden.

e) Das einfachste jedenfalls ist eine Deckplatte, getragen von einzelnen Säulchen, über ein ringsum offenes Blechhäuschen; fehlerhaft ist es, das Dach eines solchen Häuschens innerlich offen zu lassen, denn in dem dadurch entstehenden trichter- oder kuppelförmigen Raum versackt sich der Rauch. Die Decke etwa in der Mitte herabhängen zu lassen, würde eben so fehlerhaft sein, weil der Wind dadurch noch leichter in den Schornstein eingeführt wird; sie sei innerlich vielmehr waagrecht.

f) Venetianischer Kegelaufsatz. Der oben zugedeckte Schornsteinkopf ist ringsum mit langen, hohen Oeffnungen versehen; unter denselben steht eine Reihe Consolchen und auf dieser erhebt sich ein oben erweiterter Trichter (Mantel). An der Seitenfläche der Consolchen stößt sich der Wind, tritt zwischen derselben in den Trichtermantel ein, fährt oben wieder heraus und dient so, statt zur Hemmung, zur Beförderung des Rauchabzuges; alles Uebrige erhellt aus Fig. 1721.

g) Venetianischer Zweierkeraufsatz. Die Einrichtung ist so deutlich aus Fig. 1722 zu ersehen, daß keine weitere Beschreibung nöthig ist.

h) Venetianischer Viererkeraufsatz. Vierseitiges Haus mit Seitenöffnungen, vor deren jeder ein Schutzblech, resp. Schutzstein, in Entfernung von 4—6 Zoll steht, welcher wenigstens doppelt so breit ist wie die durch dasselbe gedeckte Oeffnung; s. Fig. 1723 u. 1724. Diesen Aufsatz unter Hinzufügung der Diagonalscheide a a hat der Verf. mehrfach mit sehr günstigem Erfolg angewendet. Er sehr kann bequem ganz in Ziegeln ausgeführt werden.

i) Auf einer etwas (aber nicht trichterförmig, sondern durch einen Ablaß) erweiterten Verlängerung des Schornsteins steht ein Haus mit diagonal von der Mitte ausgehender Wandabtheilung. Die Seitenöffnungen werden mit Persiennen versehen; s. Fig. 1725 u. 1726.

k) Seutebrück'scher Schornsteinaufsatz, s. Fig. 1727; besteht in seiner Hauptsache darin, daß die

Schornsteinröhre in zwei, resp. vier Arme getheilt wird, die sich oben wieder vereinen, und von denen die dem Wind zugekehrten allemal dazu dienen, den Wind einzuführen, der dann den Rauch durch den entgegengesetzten Arm abtreibt.

l) Aehnlich im Princip, aber doch etwas anders, ist der in Fig. 1728 dargestellte Aufsatz.

m) Thonröhrenaufsatz, Fig. 1729, wird meist ohne das Dach angewendet, doch ist dies unzweckmäßig, weil gerade das Dach das Einfahren des Windes von oben am wirksamsten abhält; die oft sehr schön verzierten englischen Thonröhrenaufsätze sind wegen des Mangels der Seitenöffnungen und des Daches nicht zu empfehlen.

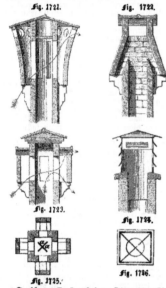

Fig. 1721.   Fig. 1722.

Fig. 1723.   Fig. 1724.

Fig. 1725.   Fig. 1726.

n) Drehbares Dach auf einem Thon- oder Zinkröhrenaufsatz, s. Fig. 1730. Die Wetterfahne bewirkt die Drehung.

o) In Fig. 1731—33 geben wir noch einige maurische Schornsteinaufsätze aus Malaga.

p) Schornsteinaufsatz mit beweglichem Dach (Fig. 1734) besteht aus einem Cylinder von starkem Eisenblech, an dessen oberem Theil drei eiserne Stangen in gleichen Entfernungen von einander befestigt werden. Die Stangen vereinigen sich oberhalb des Cylinders zu einer Stange, auf welche das kegelförmige Dach von Eisenblech dergestalt gesteckt wird, daß die Stange durch die etwas abgestumpfte Dachspitze hindurchgeht. Die Stange erhält am oberen Ende nach Aufsetzung des Daches eine Schraubenmutter oder einen Knopf, damit das Dach, welches auf der Stange bloß lose aufliegt, vom Winde nicht abgehoben werden kann. Letzteres muß einige Zoll über den oberen Rand des Cylinders hinabreichen und erhält als unteren Durchmesser etwa die dreifache Weite des Cylinders. Der Wind, von welcher Seite derselbe auch kommen mag, wird den Rauch im Schornsteine nicht zurückhalten können, indem das kegel-

förmige Dach in der Richtung des Windes sich an den Cylinder legt und so das Eindringen desselben in den Schornstein verhindert, während dem Rauch auf der dem Wind entgegengesetzten Seite stets ein freier Ausgang bleibt.

8. Die innere Fläche des Schornsteins muß möglichst glatt sein, damit sich der Ruß schwer ansetzt.

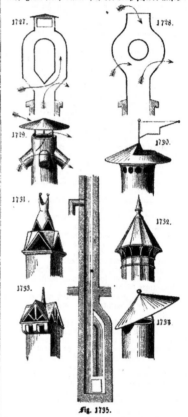

1727.   1728.

1729.   1730.

1731.   1732.

1733.   1734.

Fig. 1735.

9. Das Rohr muß möglichst ohne alle Schleifung ununterbrochen senkrecht aufwärts gehen, weil jede Schleifung den Zug stört.

10. Alle Thüren, Schieber ıc., welche zum Verschluß von Röhren dienen, müssen von unverzinntem oder rauhverzinntem Eisenblech angefertigt werden.

11. Schornsteinröhren und Vorgelege sollten stets vom Grund aus fundamentirt sein und nie in den verschiedenen Stockwerken auf Gebälke gestellt, aufgesattelt werden. Doch kann man bei genügender Gebäudehöhe hiervon abweichen; s. d. Art. Sattel.

12. Der Zug in Essen über geschlossenen Feuerungen ist stets lebhafter, als über offenen durch Rauchmäntel. Außer den im Art. Rauchmantel

empfohlenen Vorsichtsmaaßregeln ist es daher gut, in solche Essen den Rauchcanal einer geschlossenen Feuerung einzuführen; wo es jedoch irgend thunlich ist, vermeide man offene Heerdfeuerungen gänzlich.

13. Vermehrt wird der Zug in den Essen durch genügende Einführung von kalter Luft vor der Heiztür. Ventilation in den Küchen thut daher gute Dienste.

14. Die Feuerungen sind so anzuordnen, daß die Rauchcanäle behufs des Einführens in die Esse nicht zu weit (nicht gern über 6') seitwärts gezogen werden müssen.

15. Gewöhnlich giebt man solchen Einleitungsröhren etwas Steigung nach der Esse zu. Verfasser hat aber in seiner Praxis gefunden, daß bei Thonröhren dies allerdings richtig, bei Blechröhren es aber besser ist, ihnen nach dem Schornstein hin etwas Fall zu geben, wodurch das Tropfen der durch Erkalten flüssig werdenden Rauchtheile gänzlich vermieden und das Einstoßen widrigen Windes in den Ofen bedeutend vermindert wird.

16. Man vermindere die Anzahl der Schornsteine nicht zu sehr, lege aber dieselben thunlichst gruppenweise zusammen.

17. Kommen in der Mitte eines Gebäudes mehrere Röhren nebeneinander zu liegen, so muß man gewöhnlich einige Decken- und Dachbalken auswechseln, indem Holzwerk stets einige Zoll von den Schornsteinröhren entfernt sein muß.

18. Je zwei nebeneinander liegende Schornsteine müssen durch eine Zunge von mindestens drei Zoll Stärke von einander getrennt sein, welche aber erst über der Reinigungsthür beginnt. (S. unten sub 24.)

19. Die Umfassungen gemauerter Schornsteine mache man mindestens 6 Zoll stark.

20. Weite, sogenannte Steigeessen, welche von Menschen, Schornsteinfegern, befahren werden, dürfen nicht unter 15 und nicht über 24 Zoll weit sein, russische, runde und quadratische, Kugelessen mindestens 6 Zoll.

21. Ueber die Maaße von Schornsteinen für Dampfmaschinen s. d. Art. Dampfesse.

22. Einzelne Röhren dürfen ohne Verstärkung oder Anankerung höchstens 12 Fuß, doppelte nur 16 Fuß hoch freistehen.

23. Jeder Schornstein muß unten, wo er beginnt, und dafern keine Laufbretter auf dem Dach sind, oder dafern er einen Aufsatz hat, oben im Dach eine Seitenöffnung, Reinigungsöffnung, haben, bei weiten Schornsteinen zum Einsteigen für den Kaminfeger, bei engen aber zum Einführen der Maschine; diese besteht in der Hauptsache aus einem Seil, an welchem ein Besen und eine Kugel hängt; unten angelangt, wird die Kugel und der Ruß herausgenommen und der Besen leer zurückgezogen. Doch ist das Verfahren je nach der Construction der Maschine etwas verschieden; man hat namentlich in neuerer Zeit vielfach versucht, solche Maschinen zu construiren, die sich verschiedenen Essenweiten anpassen, doch sind diese Versuche bis jetzt immer an der Zerbrechlichkeit solcher Maschinen gescheitert.

24. Da die Maschine beim Herabgleiten den Schornstein ziemlich dicht verschließt, so wird der Ruß entweder durch die untere Reinigungsthür in den Keller oder, wenn diese verschlossen ist, in die Zimmer getrieben. Wo zwei Essen neben einander stehen, lasse man unten die Zunge erst über

der Reinigungsthür beginnen, bei einzeln stehenden aber thut man gut, unten ein Stück doppelte Esse zu machen, welche vielleicht dreimal so lang wie die Maschine ist, so daß der Ruß und die durch die Maschine zusammengedrängte Luft, während die Maschine das untere Stück passirt, durch den Zweig aufsteigen kann; s. Fig. 1735.

25. Es ist Rücksicht darauf zu nehmen, daß nicht zu nahe an die Giebel Feuerungen kommen, oder nicht zu weit vom Ausfallspunkt der Walmen nach den Giebelmauern hin, überhaupt nicht zu weit vom Firsten des Gebäudes entfernt.

26. Russische Schornsteine kann man oft, ohne daß Vormauerungen und Vorgelege nöthig sind, in den starken Mittelwänden anlegen.

27. Einen größeren Querschnitt, als in 20 erwähnt, erhalten die Schornsteine für Siedefeuer, noch größer für Schmelzfeuer und alle Feuerungen, die für größeren Betrieb bestimmt sind. In der Regel selbständige, vom Fundament aus freistehende, sehr hohe Schornsteine erhalten die Schmelzfeuer, eben so die Feuerungen für Dampfkessel; s. d. Art. Dampfesse.

28. Bei starken Küchen- und Siedefeuern führt man die unteren Schichten der Schornsteinwände mit Lehm statt mit Kalkmörtel auf, versieht auch wohl die Schmelz- und Dampfmaschinenschornsteine unten inwendig mit Chamottesteinfütterung, welche mit feuerfestem Thon aufgeführt wird.

29. Die von Hrn. v. Ganges erfundenen Luftkammern, welche in Vereinigung mehrerer Schornröhren zu einem Raum unter dem Austritt aus dem Dach bestehen, haben sich nicht bewährt. Uebrigens s. noch d. Art. Heizung, Feuerungsanlage, Esse, Ofen, Brennmaterial, Rauch, Ruß ꝛc.

30. Schornstein nennt man auch den in der Mitte des Kohlenmeilers gelassenen Raum zur Erzeugung des beim Abbrennen des Meilers nöthigen Luftzuges.

Schornsteinaufsatz, — Schornsteinhaube, Schornsteinhut, kann hausähnlich sein, frz. cage de cheminée, engl. louvre, lantern, cover, oder röhrenförmig, engl. chimney-shaft, oder kronenartig, engl. tymbre-crest. Ueber die zweckmäßigste Construction von Schornsteinaufsätzen s. d. Art. Schornstein 7.

Schornsteinbusen, die Krümmung, nach welcher Schornsteine gewölbt (geschleift) sind; je größer der Radius und je steiler die ganze Lage eines solchen Busens, desto geringer ist der Nachtheil der Schleifung.

Schornsteinfegemaschine, zum Reinigen der Schornsteine dienende Maschine, besteht aus einem langen Stiele mit zwei oben befindlichen Schenkeln, welche auseinander gedrückt und zusammengezogen werden können durch einen Kloben, und an denen Bürsten angebracht sind. Anwendbar ist diese Maschine natürlich nur bei geraden Schornsteinen und auch sehr zerbrechlich. Besser ist ein Bügel mit kreisförmiger Bürste; s. übr. d. Art. Schornstein I. 23, 24.

Schornsteinkasten, Vereinigung zweier oder mehrerer Schornsteinrohre über dem Dach. Natürlich muß eine jede Röhre von der anderen durch eine Quermauer, Zunge, getrennt sein, welche mindestens 1/2 Stein stark sei. Man muß den Schornsteinkasten mit dem Forst in gleiche Höhe führen; trifft er aber nicht ganz auf den Forst, so darf man ihn nicht nach dem Forst hin durch den Dachboden schleifen, sondern behalte die lothrechte

Lage desselben bei. Ebenso ist es wünschenswerth, daß man des Schornsteinkastens wegen keine Balken, Sparren und Kehlbalten auswechselt. Man wölbe nie zwei oder drei Schornsteinkasten zusammen, blos um sie im Firsten senkrecht aus dem Dache in die Höhe führen zu können. Auch darf der Rauchfang nicht an einem Trumpfbalten hängen.

Schornsteinklappe, zum Verschließen der Schornsteinöffnung dicht am Rauchmantel dienende Thür, aus einer oder zwei Blechtafeln bestehend; diese drehen sich um Charniere u. sind zum Oeffnen und Schließen mit Seilen oder Dräthen versehen. Man verhindert damit das Zurücktreten des Rauches aus dem Schornsteinrohr; auch dienen sie zum Zurückhalten des herabfallenden Regens und Hagels, wenn auf dem Heerd kein Feuer brennt, sowie des Zuges und der Kälte.

Schornsteinmantel, s. d. Art. Rauchfang, Rauchmantel und Mantel.

Schornsteinverband. 1) Der Verband für Steigeessen besteht in der Regel blos aus Läufern, wobei aber regelmäßig in jeder Schicht die Fugen wechseln und möglichst das Verwenden von Steinstücken vermieden werden muß. Auch die Zungen müssen dabei mit den Umfassungen in gehöriger Verband gebracht werden. — 2) Bei runden Schornsteinen kann man ohne Formziegel kaum auskommen und richtet sich der Verband nach der in den verschiedenen Gegenden Deutschlands sehr verschiedenen Gestalt dieser Formsteine, so daß sich allgemein giltige Vorschriften dafür kaum geben lassen. Jedenfalls sollen auch hier die allgemeinen Regeln für den Mauerverband, s. d.

Schoß. S. v. w. Geschoß, Stockwerk; — 2) (Bergb.) eingestürztes Erdreich oder Gestein; — 3) s. v. w. Schiebthür oder Fallthür.

Schoßbret (Schleußenb.), s. v. w. Schußbret.

Schoßbühne (Bergb.), s. u. Bühne 5.

Schoßgerinne. 1) (Hüttenw.) die Rinne bei Pochwerken, in welcher das Wasser aus dem Pochtrog abläuft; auch kleingepochte Erze, welche dies Wasser mit sich führt; — 2) (Mühlenb.) s. v. w. Schußgerinne; s. d. Art. Schnurgerinne.

Schoßriegel, s. u. Gerüst und Netzriegel.

Schoßrinne, in den Einkehlen der Dächer neben Dachfenstern und Schornsteinen angebrachte kleine Rinne von Hohlziegeln.

Schoßthür (Schleußenb.), in einem Schleußenthor vor einer in demselben angebrachten Oeffnung (Klinket, s. d. Art. Schleuße I. I. e.) befindliche kleine Thür. Die Oeffnung ist in der Regel 2 Fuß breit und 3 Fuß hoch, die Thür ist 3 Zoll dick, besteht aus einem inneren Lager von zweizölligen gefalzten Bohlen mit einer äußeren Decklage von einzölligen gefalzten Brettern und zwar so, daß sich die Holzfasern überkreuzen und beide Lagen vernagelt sind. Die zweizölligen Bohlen stehen 2 Zoll vor der Oeffnung über, so daß sie an beiden Seiten Spunde bilden, mit denen sie in den 2 Zoll tiefen und 2 Zoll breiten Falzen der 4 Zoll breiten senkrechten Schoßthürleisten auf- und niedergehen können. Eine Krampe in der Mitte der Thür hält die senkrechte Zugstange, welche oben Zähne erhält, mit denen sie von einem Getriebe ergriffen wird, so daß sie mittelst einer Kurbel regiert werden kann.

Schoten, 1) sind am ionischen Capital die von

der Schnecke nach dem Eierstab herab reichenden gebogenen Verzierungen, ähnlich einer Samenkapfel; — 2) (Schiffsb.) an den unteren Ecken der Segel, Schothörner genannt, befestigte Taue, um die Segel auszuspannen.

Schotendorn, unechte Akazie (Robinia pseudacacia, Fam. Hülsengewächse, Leguminosae). Das Holz von ausgewachsenen Bäumen ist hart, schwer, fest und dauerhaft, hält in allem Wetter gut aus und ist weder der Fäulniß noch dem Wurmfraß unterworfen. Nach dem Austrocknen wird es so hart, daß ein eiserner Hobel es nur schwach angreift. Es hat eine schöne gelbe, zuweilen in das Grünliche spielende, glänzende, atlasartige Farbe, ist nach dem Kern hin dunkler gestreift, oft mit schmalen, purpurfarbigen Adern durchzogen. Wegen seines feinen Kornes, obgleich es ziemlich große Poren hat, nimmt es eine treffliche Politur an und läßt sich gut beizen, reißt aber leicht auf. Wenn man es mit grünen welschen Nußschalen und einer schwachen Beize aus Galläpfeln und Vitriol, wozu arabisches Gummi und Weingeist gemischt werden, kocht, so bekommt man eine Farbe wie grünes Ebenholz.

Schott, Schotting, 1) (Schiffsb.) frz. cloison, fronteau, engl. breastwork, bulkheads, wainscot, Scheidewand aus Bret zum Abtheilen der inneren Räume. Man unterscheidet Schott der Hütten, der Schanzen oder Sturmpflicht, dann Bad-Henneschott, d. h. hinteres Schott der Bad, Langschotten und Dwarschotten im Raume, ferner Traljeschott oder Rösterschott, d. h. Lattenverschlag; — 2) (Schiffsb.) ein besonderer Knoten zum Anschlingen von Tauen an Holzwert; — 3) (Wasserb.) s. v. w. Aufziehschütze und Schoßthür.

Schottbolzen (Schiffsb.), an dem einen Ende mit einem Kopf, an dem andern mit einem Splintgat (Schließloch) versehener Bolzen.

Schotter, s. v. w. Steinschutt, grober Kies, mit Lehm untermengt.

Schotterstraßen. Die Oberfläche des Straßentörpers wird ausgehoben und ein Bett, wie bei gewöhnlichen Pflasterungen, für das Pflaster bereitet. Die dazu zu nehmenden Steine müssen pyramidal und in einer Straße von 9 Meter Breite für die Mitte ungefähr 18, und für den Rand der Straße ungefähr 8 Centim. dick sein. Die Räume zwischen den Steinen werden mit Schotter (Schlid) ausgefüllt, den man dicht einschlägt. Eine Schicht von zerschlagenen Steinen wird dann 10 Centim. dick, über die Mitte und nach jeder Seite 2,7 Meter breit aufgetragen; diese Steine dürfen nicht über 6 Centim. dick sein. An dem nachbleibenden Rand der Straße breitet man kleinere Steine oder groben Kies bis zur gleichen Höhe aus. Die Straße wird nun zum Befahren so lange geöffnet, bis die obere Schicht vollkommen dicht geworden. Dann kommt eine zweite Schicht Steine, ungefähr 5 Centim. dick, über die Fahrbahn, während die Seiten wieder mit kleinerem Material bis zur Herstellung des Profils der Straße ausgefüllt werden. Eine Bekleidung von reinem groben Kies, ungefähr 4 Centim. hoch, wird dann auf die Oberfläche gebracht und die Straße dem Verkehr geöffnet. Die Steine zur Beschotterung brauchen nicht so fest zu sein wie Pflastersteine, da sie dem Angriff des Fuhrwerks weniger ausgesetzt sind. Die Oberfläche aber muß aus möglichst hartem Material bestehen. Die Ueberliesung erleichtert im Anfang das Befahren der Straße, da sie aber das Binden der Steine verhindert, so ist sie eigentlich fehlerhaft.

schottische Turbine, s. d. Art. Turbine.

Schottramme, s. v. w. Rammmaschine.

Schottstander (Wasserb.), Ständer mit Falzen, in denen ein Aufziehschütze geht.

Schoversegel oder Schönfahrtsegel, s. v. w. großes Segel, Hauptsegel; s. d. Art. Segel.

schräg, s. v. w. schief; besonders versteht man unter schräg, frz. rampant, s. v. w. von der Lothrechten oder Waagrechten abweichend; seltener gebraucht man das Wort schräg, frz. biais, für schiefwinkelig oder windschief. In der Heraldit heißt schräg jede der Diagonalrichtung des Wappens folgende Figur oder Theilung daher Schrägbalken oder Schrägstraße, frz. contrebande, s. v. w. Faden oder Gehänge, s. d.; ein schmaler Schrägbalken heißt Schrägstab. Schrägrechts heißt von rechts oben nach links unten gehend; schräglinks das Umgekehrte; fängt die Diagonale nicht in der Oberecke an, so heißt sie Schrägfäule.

Schrägblatt, s. d. Art. Blatt 7, A. b, c, d, h, k.

Schräge, 1) das Maaß für die Abweichung einer Mauerflucht oder dgl. von der rechtwinkligen oder lothrechten Richtung, s. z. B. d. Art. Böschung; — 2) s. v. w. Schrägplatte; — 3) s. v. w. Abdachung.

schräger Stoß, schräges Blatt, Zusammenschneiden auf Gehrung, Holzverbindung, bei den Tischlern häufig, seltener bei den Zimmerleuten, stets aber in Verbindung mit Bolzen, Schrauben, Holznägeln ꝛc. angewendet als Längenverbindung, wenn die Verbindungsfuge Unterstützung erhält und keinen Druck auszuhalten hat; s. auch d. Art. Holzverband D. 4.

Schrägesims, um die Strebepfeiler herumgeführtes Sockel- oder Gurtgesims.

schräge Stempel (Bergb.), in der Schachtverzimmerung zwischen die Wandruthen, damit selbe nicht so leicht zusammengedrückt werden, gestellte Strebehölzer. Sie heißen, je nachdem sie steiler oder flacher stehen, schrägstehende oder schrägliegende Stempel.

Schrägfuß oder Schräghaupt (Herald.), eine schräge Linie, durchschneidet entweder den Fuß oder das Haupt des Schildes, kann rechts oder links sein, je nachdem die Linie anfängt.

Schrägkreuz, s. u. Kreuz C. 2.

Schrägmaaß, s. v. w. Gehrmaaß; s. Gehrung.

Schrägplatte oder Schmiege, s. d. Art. Glied E. 1. c.; schräge Hängeplatten, s. Fig. 1736, sind widersinnig und deshalb streng zu vermeiden.

Fig. 1736.

Schrägseitenschild, s. d. Art. Heraldit V.

Schrägung, s. v. w. Böschung, Abdachung.

Schrägzapfen, s. d. Art. Zapfen.

schrämen oder schrammen (Bergb.), eine Schramme (s. d.) hauen.

Schrämhammer (Bergb.), Spitzhammer, um damit tiefe Einschnitte in den Felsen zu hauen, in welche dann die Keile eingesteckt werden. Man bedient sich hierzu auch eines unten gut gehärteten, zugeschärften Brecheisens, Schrämspieß genannt.

Schränkeisen, eisernes Werkzeug in Gestalt eines mit Einschnitten versehenen Messers; dient dazu, die Sägezähne seitwärts zu biegen, um den Schnitt derselben weiter zu machen, was besonders dann geschieht, wenn man nasses Holz zu schneiden hat; s. d. Art. Sägeblatt.

schränken, s. d. Art. Schränkeisen, Sägeblatt und Ausfetzen.

Schränkwände, Wände aus horizontal über einander gelegten Hölzern, die an den Ecken auf einander geplattet oder über einander geschnitten, d. i. verschränkt sind, so daß das Holzende noch über den Schnitt heraußsteht. Angewendet bei Blockbäusern; s. d. sowie Fig. 448 und 449.

Schränkwerk oder Bockwerk (Wasserb.), man fertigt längs des Ufers Kästen aus Bauholz, füllt diese mit großen Steinen aus und verankert sie auf der Landseite, braucht aber keinen Damm dahinter zu errichten.

Schränkzaun (Deichb.), auf Packwerken zur festeren Verbindung derselben angelegter niedriger Zaun.

Schraffirung, frz. hachures, engl. hatching, 1) in einfachen Linien ausgeführte Schattirung, s. d.; die in zwei sich durchkreuzenden Lagen ausgeführte Schraffirung heißt Kreuzschraffirung, frz. contre-hachure, engl. cross-hatching; — 2) die Andeutung der Farben in Wappen durch Linien; s. d. Art. Heraldit und die einzelnen, die Farben betreffenden Artikel.

Schragboden, s. d. Art. Deck 2, d.

Schragen, 1) überhaupt jedes, namentlich bewegliches Gestell, z. B. ein nach Art der Sägeböde construirtes Tischgestell; s. z. B. d. Art. Bierschragen; — 2) Holzhaufen aus verschränkten Scheiten, daher Holzmaaß; s. d. Art. Maaß, S. 507.

Schram (Hüttenw.), ein starkes Stück Holz, als Unterlage der Blasebälge an dem Balggerüste.

Schramme, 1) (Bergb.) beim Erzgewinnen durch Schießen; eine schmale Vertiefung neben dem Bohrloch, damit das Gestein durch den Schuß besser gehoben wird. Man macht sie durch den Schrämhammer, s. d. — 2) In die Seitenwand eines Ganges getriebener schmaler Ort, um von der Seite das Erz zu gewinnen.

Schrammstein (Straßenb.), Prellstein, an Einfahrten zur Seite etwas hervorragend eingegraben; s. d. Art. Radstößer.

Schrank, frz. armoire, engl. almery (Tischl.); man hat verschiedene Arten Schränke, z. B. Brodschränke, engl. covie, pantry, Büffetschränke, Speiseschränke, Fliegenschränke ꝛc. Die Maaße und Einrichtungen derselben richten sich natürlich nach dem jedesmaligen Bedürfniß. Ueber Bücherschränke s. d. Art. Bibliothek und Regal; Schränke für Zeichnungen, Kupferstiche ꝛc. sind der Regel tischhoch und mindestens 4 Fuß breit und 3 Fuß tief; innerlich werden sie meist mit Schiebern statt mit Kasten versehen; Wäsch- und Kleiderschränke, frz. chiffonières, macht man nicht gern über 7 Fuß hoch, Breite verschieden, Tiefe $1\frac{1}{2}$—2 Fuß. Schränke mit vielen kleinen Schubladen nennt man auch Cabinet. In den katholischen Kirchen werden mannichfache Schränke, franz. huches, engl. hutches, zu den heiligen Gefäßen ꝛc. gebraucht.

Schranke, lat. limen, frz. barre, engl. lice, durch Latten, Gitter ꝛc. hergestellte leichte Einbauung eines Raumes; s. übrigens d. Art. Cancelle.

Schrankstangen, s. d. Art. Bauholz F. I. d.

Schranne, 1) s. v. w. Schranke; — 2) ein Ort, der mit Gitterwerk eingefaßt ist, wo Etwas verkauft wird, auch s. v. w. Scharren.

Schraper, Schrape, frz. racle, grattoir, engl. scraper, zum Abkratzen von allerlei Unreinigkeiten dienendes, an einem hölzernen Stiel befestigtes, leicht gekrümmtes Eisen.

Schrapper, Schrapphobel, s. v. w. Schropp- oder Schorfhobel.

Schraube, frz. vis, engl. screw, eine einfache mechanische Maschine, welche entsteht, wenn ein Prisma nach Richtung der sogenannten Schraubenlinie (s. d.) um einen cylindrischen Kern gewunden wird, mit anderen Worten, wenn eine ebene Figur so auf dem Mantel des Cylinders fortschreitet, daß die Ebene dieser Figur stets durch die Achse des Cylinders geht und die beiden in dem Cylindermantel liegenden Endpunkte der Grundlinie zwei gleiche Schraubenlinien beschreiben. Der herumgewundene prismatische Wulst heißt das Gewinde der Schraube. In der Praxis werden nur zwei Arten von Gewinden angewandt, nämlich die flachgängigen und die scharfgängigen; bei den ersteren ist die Erzeugungsfläche ein Rechteck, bei den letzteren ein gleichschenkeliges Dreieck. Zu einer vollständigen Schraube, wie sie wirklich praktisch verwendet wird, gehört neben diesem umwundenen Cylinder, der sogenannten Schraubenspindel, noch ein in einem Hohlcylinder vertieftes Gewinde von denselben Dimensionen, die Schraubenmutter. Beim Gebrauch wird die Schraubenspindel durch die Mutter gesteckt, was man entweder durch Drehung der Schraube, oder der Mutter, um die gemeinschaftliche Achse erreichen kann. — Man unterscheidet rechtsgängige und linksgängige Schrauben; bei den ersteren steigt das Gewinde von links nach rechts, bei den letzteren von rechts nach links. Auch hat man neben den hier betrachteten einfachen Schrauben noch doppelte oder mehrfache, mit zwei oder mehreren um denselben Cylinder gelegten Gewinden. Solche mehrfache Schrauben können nur auftreten, wenn das Gewinde stark ansteigt.

Die Schraubenspindel hat oben einen Kopf, an welchem die Kraft wirkt. Damit diese eingreifen könne, ist in dem Kopf entweder ein Einschnitt oder eine Durchbohrung angebracht, so daß man einen scharfkantigen Gegenstand einsetzen, denselben als Hebel benutzen und so die Schraube umdrehen kann. Oft hat auch der Schraubenkopf eine bestimmte eckige Form, so daß man mit Hülfe eines Hebels, welcher einen gleichgeformten Ausschnitt besitzt, des sogenannten Schraubenschlüssels, die Schraube umdrehen kann.

In Bezug auf die Leistung der Schraube kann man das Verhältniß der Kraft zur Last aus den Gesetzen der schiefen Ebene ableiten. Es verhält sich nämlich die Kraft zur Last, wie die Höhe eines Schraubenganges zu dem Umfang des Kreises, welchen der Angriffspunkt der Kraft beschreibt. Bei diesem Gesetze sind jedoch die Reibungswiderstände nicht berücksichtigt, so daß dasselbe durch diese bedeutend modificirt wird.

Bei der Construction scharfgängiger Schrauben bedient man sich jetzt fast allgemein der Whitworth'schen Schraubenscala. Ist nach derselben d der Durchmesser des Schraubenbolzens, p die Ganghöhe in englischen Zollen, so wird

$$p = 0{,}14 + 0{,}08 \, d''.$$

Die Form des Gewindes wird so bestimmt, daß der Winkel an der Spitze des gleichschenkeligen Dreiecks, welches den Querschnitt bildet, 55° beträgt. Die Tiefe des Gewindes ist daher

$$t = 0{,}96 \, p.$$

Von dieser Tiefe nimmt man außen und innen ⅙ weg und rundet so die Kanten ab. Bei flachen Gewinden existirt keine bestimmte Uebereinkunft; Viele nehmen hier $p = 0{,}08 + 0{,}09 \, d$, Andere $p = 0{,}09 \, (1 + d)$. Ist endlich P die Belastung einer Schraube in englischen Pfunden, so ist

$$d = 0{,}0188 \, \sqrt{P}.$$

Bei den mannichfaltigen Anwendungen der Schraube ist bald die Mutter fest und die Spindel beweglich, bald jene beweglich und diese fest; bald sind beide so beweglich, daß der eine Theil nur die fortschreitende, der andere die drehende Bewegung annimmt. Ein Beispiel der festen Schraubenmutter zeigt die Schraubenpresse; ein solches, wo die Spindel nur die drehende, Mutter die fortschreitende Bewegung annimmt, der Schraubstock. Man verwendet die Schrauben:

1. Als Befestigungsmittel zweier Körper. Soll zum Beispiel an einem eisernen Körper eine eiserne Platte befestigt werden, so wird ein rundes Loch in die Platte gebohrt, so weit, daß die Schraube bequem hindurch kann, eine Mutter dagegen in den zweiten Körper eingeschnitten, deren Gewinde etwas länger als das der Schraube sein muß. Um zwei Platten mit einander zu verbinden, sowie um Eisenringe ꝛc. um Holz zu befestigen, bohrt man in sämmtliche zu verbindende Theile runde Löcher, steckt durch dieselben einen Schraubenbolzen, d. h. eine Schraube mit Schraubenkopf, und setzt auf diese eine passende Mutter auf; nach der Stärke der Mutter und der etwaigen Nachgiebigkeit der zusammenzuschraubenden Körper richtet sich die Länge des Gewindes. Beim Einschrauben von metallenen Schrauben in Holz wird bloß vorgebohrt und die Schraube (s. d. Art. Holzschraube) bereitet sich dann ihre Mutter selbst. Der Schraubenkopf erhält oben einen Einschnitt zum Hineinfassen mit dem Schraubenzieher; ist der Schraubenkopf oben eben und nach unten abgeschärft, so daß er sich ganz in die Platte einsteckt so heißt die Schraube eine Schraube mit versenktem Kopf. Hat die Mutter nicht dieselbe Form wie der Kopf, sondern Lappen, so heißt sie Flügelschraube (s. d.). Je nach dem Material, aus dem die Mutter besteht, oder in das sie befestigt wird, benennt man die Schrauben folgendermaßen: a) Holzschrauben, meist mit einer Spitze versehen, die Gänge sind in der Regel ziemlich steil und die Gewinde haben dreieckigen Querschnitt, sind scharfgängig; solche geben nämlich bedeutend mehr Reibung als flachgängige; b) Metallschrauben, mit dreieckigem oder auch mit viereckigem Gewindequerschnitt und am Ende gerade abgeschnitten; c) Steinschrauben, diese sind an einem Ende mit einer Metallmutter versehen, an dem in den Stein greifenden Ende aber vierkantig und entweder mit Lappen, nach Art der archimedischen Schraube (s. d.), versehen (Lappenschraube), oder bloß behufs des Einkittens aufgehauen (Klauenschraube).

2. Um kleine, geradlinige Bewegungen zu erzeugen. Besonders gehört hierher die Stellschraube

34 *

und Mikrometerschraube. Erstere wird benutzt, um Instrumente auf einen gewissen Ort einzustellen; letztere, um genaue Messungen auszuführen. Ist p die Ganghöhe und wird der Schraubenkopf, der zu diesem Zweck mit einer Eintheilung versehen ist, um einen Winkel von $\beta°$ gedreht, so rückt die Schraube dabei um ein Stück s fort, welches

bestimmt ist durch die Gleichung $s = p \cdot \dfrac{\beta°}{360°}$.

Natürlich müssen solche Mikrometerschrauben sehr genau construirt sein, so daß namentlich der Steigungswinkel überall derselbe ist, sonst würde die Genauigkeit eine illusorische sein.

3. Zur Ausübung eines großen Druckes, namentlich bei Schraubenpressen und Prägwerken; s. d. Art. Presse.

4. Als Druck- oder Klemmschraube, um das Verschieben zweier Körper gegen einander zu verhindern.

5. Zum Heben von Lasten; s. z. B. d. Artikel Schraubensatz. Hierher gehört auch die Schraube ohne Ende, welche aus einer durch eine Kurbel oder durch ein Rad in Umdrehung versetzten Schraubenspindel (Fig. 1737) und einem Zahnrad besteht,

Fig. 1737.

dessen Zähne in das Gewinde der Schraube eingreifen. Bei jeder Umdrehung der Schraube geht der Zahn des Rades um eine Ganghöhe vorwärts; der Abstand je zweier Zahnmittel von einander muß also der Ganghöhe gleich sein. Ist R der Halbmesser des Zahnrades, p die Ganghöhe, l die Länge der Kurbel, r der Halbmesser der Welle, auf welcher das Rad sitzt und an welcher die Last W wirkt, so ist die zum Heben derselben aufzuwendende Kraft $P = \dfrac{rp}{2Rl\pi} W$. Die Zähne des Rades stehen auf dem Umfang desselben geneigt, und zwar ist ihre Neigung gleich dem Neigungswinkel der Schraube. Weiteres über Anwendung, Anfertigung ꝛc. der Schrauben s. in d. folg. Artikeln.

Schraubenblatt, durch eiserne oder hölzerne Schraube verstellbarer Theil der Vorder- und Hinterzange an einer Hobelbank; s. d.

Schraubenbohrer, ist ein mit stählernen unterbrochenen Gewinden versehener Cylinder, mit welchem Schraubenmuttern hergestellt werden. Das Loch dazu in dem Eisenstück wird erst mit einem gewöhnlichen Bohrer kreisrund vorgebohrt und der Schraubenbohrer mit hebelartigen Hand-

haben absatzweise nach und nach hineingedreht; zuerst der sogenannte Vorbohrer mit der größten Unterbrechung des Gewindes, dann der Nachschneider mit geringerer, und bei tiefem Gewinde noch der Normalbohrer mit sehr geringer Unterbrechung des Gewindes.

Schraubenbolzen, frz. croc à vis, s. d. Art. Bolzen und Schraube.

Schraubencanal, innere Seite einer Schraubenmutter.

Schraubeneisen, frz. filière à vis, zum Verfertigen der Schraubenmutter und der Schrauben auf der Drehbank dienendes Werkzeug. Das, womit die eigentliche Schraube an das sich drehende Stück angeschnitten wird, gleicht einem Meißel, dessen Schneide aus mehreren Zähnen besteht. Zum Drehen der Schraubenmutter dient ein Eisen, frz. fer à écrou, an der Seite mit ähnlichen Zähnen versehen.

Schraubenfläche, s. d. Art. Schraubenlinie.

Schraubengang, frz. pas de vis, eine Umwindung an der Schraube; s. d.

Schraubengebläse, s. d. Art. Gebläse.

Schraubengerinne (Mühlenw.), in den eigentlichen Gerinnen von Panstermühlen beweglich angebrachtes Gerinne von Pfosten, das mittelst Schrauben höher oder niedriger gestellt wird, um auf das Wasserrad bei jeder Stellung desselben das Wasser zu leiten.

Schraubenhahn, Ausflußhahn, der mittelst einer Schraube drehbar ist.

Schraubenkloben, frz. mordache, ein kleiner Schraubstock.

Schraubenknecht, Schraubknecht, Schraubenzwinge, s. d. Art. Leimzwinge b.

Schraubenkunst, Maschine, bei welcher irgend eine Kraft mittelst Schrauben vermehrt oder fortgepflanzt wird; — 2) Schraubenkunst mit rückgängigen Schrauben, Pumpwerk, betrieben durch eine Schraube ohne Ende, die abwechselnd links und rechts gedreht wird.

Schraubenlinie, frz. helice, engl. helix, eine krumme Linie auf dem geraden Kreiscylinder, welche alle Erzeugende desselben unter gleichem Winkel schneidet. Wird der Mantel des Cylinders abgewickelt, so erscheint jede darauf verzeichnete Schraubenlinie als gerade Linie, oder vielmehr als ein System von parallelen geraden Linien, bei welchen stets der Endpunkt der einen mit dem Anfangspunkt der nächstfolgenden in derselben Parallelen zur Basis liegt. Theilt man daher den abgewickelsten Mantel eines Kreiscylinders durch Parallellinien zur Basis in gleiche rechteckige Theile, zieht in jedem derselben die Diagonale und wickelt den Mantel wieder auf, so bilden diese Diagonalen eine Schraubenlinie, welche in beliebig vielen Windungen an dem Cylinder aufsteigt. Der auf irgend welcher Erzeugenden gemessene Abstand zweier auf einander folgenden Windungen heißt die Ganghöhe, der constante Winkel der Schraubenlinie gegen die Basis der Steigungswinkel. Ist l die Länge einer ganzen Windung, r der Halbmesser der Basis, p die Ganghöhe, so ist $l = \sqrt{p^2 + 4\pi^2 r^2}$, worin π die Ludolph'sche Zahl bedeutet.

Wenn sich eine gerade Linie so fortbewegt, daß sie stets auf einer Schraubenlinie hingleitet und dabei die Achse, und zwar unter constantem Winkel, schneidet, so entsteht eine Schraubenfläche, welche, je nachdem dieser Winkel ein rechter oder ein schiefer ist, ebenfalls rechtwinkelig oder schief genannt wird; die Fläche selbst ist windschief. Wenn man dagegen an die Schraubenlinie in allen Punkten Tangenten legt, so entsteht eine abwickelbare Fläche, welche ebenfalls den Namen Schraubenfläche führt. Auch auf den Kreiskegel kann man eine Linie zeichnen, welche alle Erzeugende derselben unter gleichem Winkel schneidet; doch besitzt diese nicht, wie die Schraubenlinie auf dem Cylinder, neben der Eigenschaft der gleichen Neigung zugleich die der gleichen Steigung. Die Projection dieser Curve auf die Grundfläche des Kegels ist die logarithmische Spirale.

Schraubenmikrometer, s. d. Art. Mikrometer.

Schraubenmutter, frz. écrou, engl. matrize, s. d. Art. Schraube und Mutter.

Schraubenmutterblech, frz. contre-rivure, Scheibe als Unterlage einer Schraubenmutter.

Schraubenpresse, s. d. Art. Presse.

Schraubenrad, s. d. Art. archimedische Schraube.

Schraubensatz, Schraubenwinde, s. v. w. Hebeschraube; s. d.

Schraubenschlüssel, frz. clef à vis, tournevis, zum Fassen und Auf- oder Zuziehen der Holz- oder Eisenschrauben mit eckigen Köpfen oder auch der eckigen eisernen Schraubenmuttern dienender eiserner, etwas gekröpfter Stab, an einem oder an beiden Enden mit viereckigen oder sechseckigen Löchern versehen. Je nach Beschaffenheit dieser Löcher nennt man die Schraubenschlüssel offene oder geschlossene; auch hat man Schraubenschlüssel mit seitwärts eingesetzten Stiften, die in entsprechende Löcher auf den Köpfen der Schrauben passen; ferner zangenförmige, die zu Schrauben von verschiedener Größe zu brauchen sind; ferner Universalschraubenschlüssel, welche aus einem Griff mit einem festen u. einem verstellbaren Schenkel bestehen. Die Art, wie diese Schenkel mittelst Schrauben einander genähert und entfernt werden, ist sehr mannichfach.

Schraubenschneidezeug. Die Schraubenspindeln werden mittelst eines Muttergewindes geschnitten; für kleine Schrauben sind mehrere solche Gewinde in den Schneideisen, einem flachen Eisen, in zunehmender Größe neben einander angebracht. Bei größeren besteht das Gewinde aus mehreren Theilen (Backen), die in eine Schneidekluppe eingespannt und allmälig einander genähert werden. Die Constructionsweisen dieser Kluppen sind sehr verschieden; s. d. Art. Schraubenbohrer und Schraube.

Schraubenstock, s. v. w. Schraubstock.

Schraubentreiber, archimedische Schraube.

Schraubenzeug, eine mit einem Schraubengewinde versehene Stange, deren sich die Brunnenmacher bedienen, um das Ventil aus dem Saugrohr zu ziehen.

Schraubenzieher, meißelartiges Instrument, gebraucht, um Schrauben, die quer über den Kopf einen Einschnitt haben, einzulassen oder herauszuziehen. Um das häufig vorkommende Ausgleiten beim Anziehen der Schrauben zu verhüten, hat man an gewöhnlichen einfachen Schraubenziehern an beiden Seiten je eine federartige Schiene angebracht, deren vorderes Ende zangenartig gebogen, das hintere aber mit Gewinde versehen ist. Der Schraubenzieher sammt den Schienen befindet sich in einer Hülse, welche hinten mit einer Schraubenmutter versehen ist, in der das erwähnte Schraubengewinde der Schienen läuft. Durch Vorwärtsschrauben dieser Hülse werden die zangenartig gebogenen Enden der Schienen so zusammengepreßt, daß sie die Schraube unter dem Kopf derart festhalten, daß der Schraubenzieher nicht ausgleiten kann und so schneller und sicherer operirt.

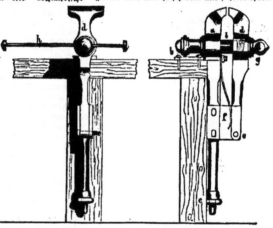

Fig. 1738. Schraubstock. Fig. 1739.

Schraube ohne Ende, s. d. Art. Schraube.

Schraubmühle, Maschine, welche durch eine Wasserschraube (s. d.) bewegt wird.

Schraubstock, Kloben, frz. étau. 1) Schraubstock der Schlosser. Vorrichtung zum Festhalten von Metallstücken, die gefeilt oder bearbeitet werden sollen. Ein Schraubstock ist eigentlich eine Art große Zange, deren zwei das Maul bildende Backen, bei den gewöhnlichen Schraubstöcken (s. Fig. 1738 u. 1739) um ein Charnier unten drehbar, oder bei den Parallelschraubstöcken an einer Stange verschiebbar befestigt sind (Fig. 1740) und durch eine Metallfeder auseinander gehalten werden. Der eine Backen ist an die Feilbank oder sonstige Werkbank oder auch an einen Block befestigt, und über jener Feder reicht die eine Schraube durch beide Backen, mit der sie zusammengezogen werden; kleine Handschraubstöcke heißen Feillkloben oder Handkloben, —

2) Schraubstock der Tischler. Eiserne Schraubstöcke werden von den Tischlern selten verwendet; hingegen folgende 2 Arten von hölzernen Parallel-

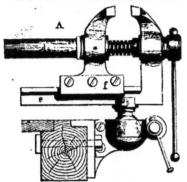

Fig. 1740. Parallelschraubstock.

schraubstöcken ziemlich häufig: a) Schraubstöcke zum Einspannen langer Bretter behufs des Fügens derselben, auch Fügebock genannt, s. Fig. 1741. Es

Fig. 1741. Fügebock.

sind stets deren zwei erforderlich. b) Schraubstock als Leimpresse, s. Fig. 1742. Eine solche ist meist

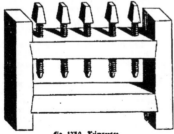

Fig. 1742. Leimpresse.

40—45 Zoll im Lichten breit. Der Gebrauch bedarf keiner Erklärung. Die Umdrehung der Schrauben geschieht mittelst Schraubenschlüssels.

Schreckstein, s. v. w. Schrammstein, s. d.

Schreibblei, s. d. Art. Graphit und Wasserblei.

Schreibsecretair. Ist meist 6—7 Fuß hoch, 3—3½ Fuß breit und 2 Fuß tief.

Schreibtafel, Attribut der St. Bläsilla.

Schreibtisch. Ein solcher kann die mannichfachste Form haben; er sei mindestens 4' breit und 3' tief. Der Platz für die Kniee des Schreibenden sei mindestens 2¼ Fuß breit und eben so hoch, bei 3 Fuß Tiefe.

Schrein, mittelalt.-lat. screona, escrinium, frz. escrin, écrin, châsse, engl. shrine, altengl. scrin, ital. scrigno, im Allgemeinen s. v. w. Schrank, jetzt nur in einigen Gegenden noch in diesem Sinn üblich, im anderen besonders in Bezug auf die zu heiligem Gebrauch bestimmten Schränke, so für die Schränke in der Sakristei; s. auch d. Art. Flügelaltar, Altarschrein, Reliquienkasten ꝛc.

Schreiner, Baumeister, Beiname mehrerer Holznager; s. d.

Schreinerbeil, s. v. w. Handbeil; s. Beil.

Schricken, 6—8 Zoll starke, 10—12 Fuß lange buchene oder sonst hartbölzerne Pfähle, welche, in schräger Richtung durch das Floß in den Grund des Stromes geschlagen, dasselbe stellen.

Schrift, 1) s. d. Art. Hieroglyphe, Inschrift, Majuskel, Mönchsschrift, Minuskel; — 2) (Maschinenw.) auf einem Rad vorgerissene Vertheilung der Zähne. Sind die Zähne zu dünn, so heißt die Schrift jung; wenn die Zähne zu dick ausfallen, grob oder grob.

Schriftgewölbe, s. v. w. Archiv.

Schriftgranit oder Pegmatit, Abänderung von Granit, enthält sehr wenig oder keinen Glimmer; s. d. Art. Aplit.

Schriftholz, Letternholz, Griesholz, Muskatholz, Schlangenholz; s. d. Art. Buchstabenholz.

Schriftrollen erhalten als Attribut die Propheten.

Schrifttellur, Schriftertz, Schriftgold, engl. graphic-tellurium, Sylvanerz (Min.), Mineral, welches sich in Begleitung von Quarz und Gold im Porphyrgebirge von Offenbanya in Siebenbürgen findet. Es besteht meistens aus einer Verbindung von Tellursilber mit Tellurgold. Kann zum Schreiben verwendet werden.

Schrittzähler, Wagen mit genau bekanntem Radumfang, so daß man durch Zählung der Umdrehungen die Länge des durchlaufenen Wegs ermessen kann; s. auch Pedomètre.

Schrobhobel, auch Schropphobel, Schrusshobel, Schrupphobel, Schorfhobel, Schrothobel, Hobel mit convexer Schneide; s. d. Art. Hobel und Hobelmaschine.

Schrobsäge, s. v. w. Lochsäge.

Schröckstein (Mineral), s. v. w. Nephrit.

Schröpfen, österreichisch; s. v. w. aufbauen 1.

Schröter. 1) s. v. w. Schroteisen, Schrotmeißel, Schrothammer; — 2) (Forstw.) lucanus, Hirschkäfer, Gattung der Hainkäfer. S. d. Art. Hirschkäfer und Balkenschröter.

Schröterhörner (Herald.), Wappenfigur, den Oberkiefern der Hirschschröter ähnlich, die Zacken nach innen gekehrt, nicht mit Schröterblättern zu verwechseln, wo die Zacken nach außen gekehrt sind.

Schrot. 1) (Bergb.) a) s. v. w. Geviere; s. d.

Art. Grubenbau, S. 213; b) (Mühlb.) Gebäude
an der Seite der Radstube, auch das kleine Gebäude über dem Rad; — 2) (Forstw.) a) in drei oder
mehrere Scheite gespaltete starke Stücken Holz;
b) Stücken Stamm von 6—12 Fuß, zu Sägeblät-
tern oder Röhren bestimmt; — 3) (Steinm.) von
den Steinen die Abgänge; — 4) (Hüttenw.) a) von
einer Eisenstange oder einem Kupferbarren abge-
schlagenes Stück; b) bei dem Eisenschmelzen
in dem Ofen zurückbleibende Eisenkörner; c) s. v.
w. Beileisen, s. d.; — 5) s. v. w. Anschrot; —
6) grobgemahlenes Getraide; — 7) (Steinbr.) in
das Gestein gearbeitete Rinne zum Einsetzen der
Keile.

Schrotarbeit, Schrottarbeit, lat. opus inter-
rasile, [frz. manière criblée, manière de Ber-
nard Milnet, engl. dotted plates, style of the
Mazarine-bible, eine dem Holzschnitt ähnliche
Art des Metallschnittes, in Deutschland in der
ersten Hälfte des 15. Jahrhunderts erfunden.
Der Grund, verziert durch eingeschlagene Punkte
oder Teppichmuster, bleibt erhaben stehen und
druckt schwarz.

Schrotaxt. 1) (Zimmerm.) Die große Axt,
womit Bäume gespaltet, Balken beschlagen werden. Sie unterscheidet sich vom Handbeil durch
Höhe der Klinge, Schmalheit des Nackens und
Länge des Helms; — 2) (Bergb.) Axt mit eisernem Stiel.

Schrotbau, s. d. Art. Schrotwand.

Schrotbaum, s. d. Art. Schrotleiter.

Schrotbohrer, Bohrer, der am Ende einen
Haken zum Herausziehen der Späne hat, zum
Bohren von Brunnenröhren ꝛc.

Schroteisen, Schrote, überhaupt starker Meißel, mit dem man rauchten kann; 1) (Zimmerm.)
Stechbeutel mit gerader, einseitig zugeschärfter
Schneide, von ⅛—3″ Breite, zum Ausputzen der
Zapfenlöcher, zu deren Ausstemmen man sich vor-
her des Stemmeisens bedient hat, s. d. Art.
Meißel 2; — 2) Steinmetzwerkzeug, welches man
zum Abschroten (s. d. 2.) des Steines gebraucht.
Man hält die Schärfe gegen den Stein und schlägt
mit dem Schlägel auf den breiten Kopf; — 3) s.
d. Art. Schrothaue; — 4) (Kupferb.) Werkzeug,
um von einem massiven Stück Kupfer unter dem
Hammer ein kleines Stück loszuschlagen; die ge-
schärfte Klinge bildet einen rechten Winkel mit dem
Griff; — 5) s. d. Art. Baummeißel; — 6) s. d.
Art. Abschroter.

schroten, 1) s. v. w. gewaltsames Spalten oder
grobes Zermalmen des Metalles, Holzes ꝛc.; — 2)
eine Brunnenröhre mit dem Schrotbohrer erweitern; — 3) (Bergb.) durcharbeiten durch das Gestein und dies so etwas aushöhlen; — 4) durch
Schieben oder Wälzen auf einer schiefen Ebene aufwärts schaffen; — 5) s. d. Art. Schrot 7 und Abschroten 2; — 6) s. d. Art. Schrothaue; — 7) die
Bühnen im Grundbau (s. d.) mit Schrothölzern
oder Schroten (s. d. 1.) ausbauen oder abdecken.

Schrotfuß (Maur.), Faß, um kleine Quantitäten Mörtel oder Tünche darin zu bereiten, oder
Hausfarben zu mischen.

Schrothammer, s. d. Art. Hammer und Hartmeißel.

Schrothaue (Ziegl.) eine Art Hacke zum
Reinigen des Lehms von Steinen; die viereckige
Klinge ist etwas gebogen und hat ein Oehr zum

Hineinstecken eines hölzernen Stieles. Man schneidet (schrotet) damit den etwas angefeuchteten
und auf einen Haufen geschlagenen Lehm auf der
Schrotbank in dünne Scheiben.

Schrobhobel, 1) s. v. w. Schrobhobel; — 2) s.
v. w. Rimmhobel bei den Böttchern.

Schrotholz, die zur Schachtverzimmerung
verbrauchten Gevierthölzer.

Schrotkasten (Mühlenb.). Zum Aufbewahren
des Schrotes (s. d. 6) dienender Kasten, in welchem
des Mehlbeutels vordere Oeffnung mündet, der
also auch das Schrot aufnimmt, welches noch einmal unter den Steinen zermalmt werden soll.

Schrotleiter, besteht aus zwei starken und
glatten Langbäumen, Schrotbäumen, welche gewöhnlich rund bearbeitet und durch schwache Riegel oder Eisenstangen verbunden sind; man legt
sie als schiefe Ebene an, um Lasten auf- und abzu-
laden.

Schrotmeißel (Schloss.), Hammer mit scharfer
Finne, dient als Meißel zum Abschroten; s. d. Art.
Abschrote, Hartmeißel, Frischeisen, Aufschroten ꝛc.

Schrotmühle, Mahlgang zum Schroten des
Getreides und des Malzes bei Mahlmühlen und
in Branntweinbrennereien; die bie und da zu diesem Zweck übliche Handmühle, construirt wie eine
Kaffeemühle, nutzt sich schnell ab. Das Arbeits-
organ beider besteht aus zwei auf der Oberfläche
gerippten eisernen Cylindern, die ungefähr 3 Fuß
lang und 1 Fuß im Durchmesser sind und sich gegen einander bewegen, herumgedreht durch ein
Tretrad oder mittelst einer Kurbel.

Schrotröhre (Mühlenb.), bei jedem Mahlgang
die Röhre, welche das Schrot in den Sichtekasten
leitet.

Schrotsäge, Trumsäge, Trummsäge, Kerb-
säge, eine Bogensäge, dient zum Abschroten, Ab-
schwarten, Baumfällen ꝛc.; s. d. betreffenden Art.,
sowie die Art. Säge 1, Säge ꝛc.

Schrotscheere, aus Gußeisen bestehende, mit
starken Stahlbacken versehene Scheere, deren einer
Schenkel an ein Gestell befestigt ist, während der
andere mittelst einer Lenkstange und Kurbel durch
Wasser- oder Dampfkraft hin- und hergeführt
wird. Die aus dem Walzwerk kommenden, glühenden, langen und starken Bänder, welche ferner
zu Blechen verwalzt werden sollen, werden durch
die Scheere in kleine, gleichlange Stücken, Schrote,
zerschnitten, indem diese in gleichem Tempos auf-
und zugebt und der Arbeiter die Stange durch
die Scheere bis an eine dahinterliegende Platte
schiebt. Auch zum Säumen der schon gewalzten
Bleche wird die Scheere benutzt; s. d. Art. Blechscheere.

Schrotwaage, österreichisch für Setzwaage ob.
Bleiwaage; s. beide Art. sowie Abwiegen.

Schrotwand, s. d. Art. Blockwand, Blockhaus
und Schränkwand. Genau genommen heißt
Schrotbau eigentlich diejenige Art des Holz-
baues, wobei man in regelmäßigen Zwischenräumen Pfosten aufrichtet, die mit Falzen versehen
sind; die Zwischenräume werden durch Füllhölzer
(s. d.) ausgefüllt, deren Hirnenden Zapfen haben,
die in jene Falze passen.

Schrotwerk (Bergb.), s. d. Art. Grubenbau,
S. 218, Schroten 7 ꝛc.

Schrubbel, Zieglerwerkzeug, womit der Sand
auf der Bahn ausgebreitet und geebnet wird.

schrubben, schruppen, schrupfen, Holz aus dem Gröbsten hobeln, geschieht mit dem Schrobhobel.

Schub, 1) (Schiffsb.) nennt man an Schiffen die Krümmung der ersten Reihen Bretter der äußeren Verkleidung vom Kiel herauf bis über die Bauchstücke; — 2) s. v. w. Kegelschub; — 3) Seitendruck eines Gewölbes; s. d. Art. Widerlager und Festigkeit.

Schubband, Schubbüge, s. d. Art. Fachwand, Strebeband, Winkelband, Jagdband, Band I.

Schubfenster, s. d. Art. Schiebfenster.

Schubfestigkeit, s. d. Art. Festigkeit.

Schubkarre, frz. brouette, s. v. w. Schiebkarre; s. d. Art. Karre 1.

Schublehre. So heißen zum Unterschied von den festen Lehren die beweglichen Caliber. In Fig. 1743 stellt A eine feste Lehre zum Schmieden von Eisenstäben, B eine Schlüssellehre, C aber

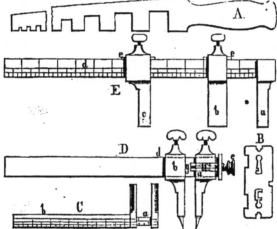

Fig. 1743. Schublehren und Schlüssellehre.

eine Schublehre zum Messen der Dicken von Körpern dar; die Zunge a ist in der Scheide b verschiebbar und gleich dieser mit Maaßstab versehen; behufs genauer Messungen dient die Schublehre D mit Berichtigungsschraube, Mikrometerschraube e; der Schenkel a ist an die Zunge d nur mittelst der durch diese Schraube e bewirkten Verschiebung des Mittelstückes f, also nur sehr wenig, d. h. bis g verschiebbar, kann aber ebenso wie der bewegliche Schenkel b durch Flügelschrauben festgestellt werden. E ist Doppelschublehre; der Schenkel a ist fest an der Zunge d, die Schenkel b und c sind beweglich und werden durch die Feder c und Flügelschraube festgestellt.

Schublinie, Drucklinie, s. d. Art. Bogen und Wölbung.

Schubloch (Hüttenw.), durch den Hut gehende Löcher am Treibeheerd, um Holz auf den Heerd zu schieben.

Schubriegel (Schloss.), in Falzen oder in einer Kramme verschiebbarer Riegel von Holz oder Eisen; s. d. Art. Riegel, Schloß, Fenster ꝛc.

Schubstange, Stange zu Umtreibung des Blockrades bei Sägemühlen (s. b.); sie ist nämlich mit dem kurzen Arm der Welle durch einen hölzernen oder eisernen versplinteten Nagel an dem einen Ende drehbar verbunden und erhält am andern Ende ein scharfes Eisen, mit welchem sie in den Zahn eines Sperrrades eingreift, so daß sie, durch die Bewegung der Welle vor- und rückwärts geschoben, ruckweise das Sperrrad, und somit das Blockrad, Zahn für Zahn herumtreibt; eine ähnliche Schubstange wird bei Schnupftabaksmühlen angewendet, wo sie die Stampfkübel langsam um ihre Achse dreht.

Schubwand (Bergb.), Theile eines Ganges, welche das Wasser abgeschoben hat; s. auch d. Art. Geschiebe.

Schüppe, s. v. w. Schaufel.

Schür (Hüttenw.), Schlacken, Kohlen ꝛc., die durch den Untertheil des Auges oder der Brust nach beendigtem Schmelzen herausgezogen werden. Schür geben heißt, den untern Theil des Auges öffnen und die Schlacken herausziehen.

Schürbelkohle (Mineral.), s. v. w. Blätterkohle.

Schüreisen, eiserne oder hölzerne Stange, mit eisernem Ansatz, der vorn scharf und spitzig ist; dient, um die über den Roststäben eines Feuers liegenden, herabgefallenen oder ausgebrannten kleinen Kohlen, oder Asche und Schlacke, mittelst Hin- und Herfahren zwischen diesen Roststäben oder über diesen, herauszuschaffen.

Schürf, Schürfschacht (Bergb.), neu angelegter Schacht, um neue Erze zu entdecken; s. d. Art. Grubenbau, S. 212, Bd. II.

Schürfeisen, s. v. w. Ziehklinge.

schürfen (Bergb.), in die Oberfläche der Erde graben, um Gänge, Klüfte oder Flöze zu entdecken.

Schürfhobel, s. v. w. Schrobhobel.

Schürgasse, s. d. Art. Brennofen 1.

Schürhaken (Hüttenw.), Schüreisen (s. d.) in Hakenform.

Schürheerd (Hüttenw.), Heerd in einem Brennofen, s. d.

Schürloch, Heizloch, in einem Ofen das Loch, durch welches das Feuer angezündet oder auch nur geschürt wird; auch die Oeffnung unterhalb des Rostes, wodurch das Feuer den nöthigen Sauerstoff oder Zug erhält. Es ist klein und verschließbar; s. d. Art. Brennofen.

Schürofen, 1) der Theil am Brennofen, in welchem sich das Feuer befindet; — 2) s. v. w. hoher Ofen.

Schürschaufel (Hüttenw.), eine Schaufel zum Wegwerfen der ausgezogenen Ofenbrüche.

Schürstachel (Hüttenw.), s. d. Art. Schüreisen.

Schürze, zum Anhängen der Schachtstangen dienende kurze Kette.

Schüssel, 1) s. v. w. Pfanne, Zapfenlager; — 2) (Schiffsb.) s. v. w. Back; — 3) s. d. Art. Schinus; — 4) Schüsseln sind Attribute der Heiligen Gottfried von Kappenberg, Nicolaus von Tolentino, Vitus ꝛc.

Schüsselblech, s. d. Art. Blech.

Schütt, s. d. Art. Insel 1.

Schüttboden, Schütthaus, Schüttkasten, s. d. Art. Getraideboden.

Schütte, s. v. w. Schützbret.

Schüttekarren, s. v. w. Kippkarren; s. unt. Karren 3.

Schütteldamm, Schüttung (Wasserb.), in einen Graben eingeworfener Damm, um das Wasser aufzuhalten.

Schüttgang, s. d. Art. Gang.

Schüttgelb, Factitium luteum, eine gelbe Lackfarbe, wird bereitet a) durch Abkochung von Kreuzbeeren, Gelbbeeren oder einem Gemenge derselben mit Wau und Quercitronrinde mit Alaunlösung; s. übrigens d. Art. Lackfarbe 2 und Färberkreuzdorn; b) aus dem in Deutschland einheimischen Färbe-Ginster (Genista tinctoria), einer Leguminose mit gelben Schmetterlingsblumen.

Schütting, 1) (Deichb.) um den Anflug des Sandes zu vermehren, auf dünnem und sandigem Vorland von Rohr und Weidenruthen errichtete niedrige Zäune. — 2) In Bremen s. v. w. Gildehaus der Kaufleute.

Schüttstein, s. v. w. Goßstein, s. d.

Schüttwasser, s. v. w. Stauwasser, auch übergetretenes Wasser bei Ueberschwemmungen.

Schützblech, 1) bei Röhrenleitungen blecherner Schütze; — 2) rinnenförmiger Blechstreifen, welcher in dem oberen spitzen Winkel, den ein Schornsteinkasten mit der Dachfläche bildet, unter die Dachsteine gelegt wird, damit dem Kasten entlang das Regenwasser nicht in das Gebäude dringe.

Schütze (masc.), Schütz (neutr.), Schützbret, Fall, Schott, Verlath (Wasserb.), bei Wasserleitungen, besonders bei Bewässerungscanälen und Gerinnen, sowohl Mühl- als Freigerinnen, angebrachter Verschluß. Ein aus einem oder mehreren an einander gefügten Brettern gefertigter Laden oder ein einzelnes Bret, Schützbret, oder endlich eine Blechtafel, Schützblech, wird auf einer oder zwei Leisten oder Säulen, Schützkielen, festgenagelt oder geschraubt. Das Ganze geht in den Falzen zweier, zu den Seiten der Schützenöffnung stehenden Ständer und hängt oben an einer Kette, welche, um die zwischen den Ständern befindliche Welle gewunden, den Schützen auf- und niederzulassen dient, wenn dies nicht mittelst eines Hebels, der Schützstange, geschieht.

Ein Freigerinne hat nur einen Schützen. Wehre bestehen oft aus einem oder mehreren nebeneinander liegenden Schützen, wenn das Wasser entweder

zum Theil oder so viel als möglich abgelassen werden soll.

Man giebt einem Mühlgerinne in der Regel zwei Schützen und zwar zwischen den Grießsäulen einen, den Hauptschützen, und vor dem Rad einen, den Radschützen. Der Hauptschütze ist zugleich Radschütze nur bei unterschlächtigen Rädern im Schnurgerinne.

Radschützen hebt man nur so viel auf, als der Strahl, der auf das Rad fällt, Stärke haben soll, und es befindet sich deshalb eine gezahnte Stange an dem Schützstiel, s. Fig. 1737, in welche ein Getriebe oder Hebelwerk greift. Als Klappe werden die Schützen für oberschlächtige Räder aufgedreht. Ist hohes Wasser vor den Schützen, so sind sie des großen Seitendruckes wegen schwer zu bewältigen, und man theilt daher solche Schützen in zwei Theile, die man einzeln aufzieht, oder richtet es so ein, daß dicht hinter dem oberen Theil der untere Theil steht, der zuerst aufgezogen wird und dann mittelst eines Vorsprunges den oberen Theil mit in die Höhe nimmt.

Man unterscheidet Spann- oder Stauschütze, die ein Stück aufgezogen werden, so daß das Wasser unter den Schützen herabströmt, ferner Ueberfallschütze, bei denen das aufgestaute Wasser über ein Schützbret mit abgerundetem Kopf oder über gekrümmte Leitschaufeln, endlich Coulissenschütze oder Leitschaufelschütze, bei denen es durch gerade Leitschaufeln dem Rad zugeführt wird.

Schützel (Schleußenb.), s. v. w. Klinket; s. d. Art. Schoßthür.

schützen, 1) ein Gerinne oder dergleichen gegen das vorstehende Wasser mittelst eines Schützes schließen; — 2) vermittelst Bremswerkes Windmühlen und Wassergöpel anhalten.

Schützenaufzug (Wasserb.), Vorrichtung zum Aufziehen und Niederlassen der Schütze.

Schützengräbchen, s. d. Art. Festungsbau, S. 41, Bd. II.

Schützenhaus, s. d. Art. Schießhaus.

Schützenkopf. Wenn ein Schütze aus einer einzigen Bohle besteht, welche nur um wenige Zoll vor dem Rad aufzuziehen geht, so nagelt man in der Mitte der Bohle ein eichenes Stück Holz (Schützenkopf) an dieselbe statt des Stiels; dies erhält oben einen Schlitz, worin mit einem Splintbolzen die Schützstange befestigt wird.

Schützge, Benennung für den hinteren Theil des Pontons.

Schützkasten. Ueber dem Kehrrad eines Wassergöpels stehender großer viereckiger Kasten, worein man ein Fluder aus dem Hauptfluder führt.

Schützstiel, Stiel (s. d.), wenn das Wasser durch ein bloßes Schützbret gesperrt wird.

Schützstange, am Schützen befestigte Stange, mit welcher man jenen regiert; sie kann, wenn ein Getriebe eingreifen soll, gezahnt werden, oder wird als Hebel um eine liegende Welle drehbar gemacht; an dem einen Arm hängt dann der Schütz, an dem anderen längeren Arm eine Zugstange.

Schützstube (Wasserb.), meist identisch mit der Radstube: Raum, worin das Räderwerk für den Schützzug sich befindet.

Schützthüren (Wasserb.), die wie Schleußenthüren construirten Schützen an Flutschleußen.

Schuffe, s. d. Art. Bierschuffe.

35

Schuh. 1) Eiserne Armirung von Pfahl-
spitzen; s. d. Art. Pfahlschuh, vergl. auch d. Art.
Eisenschuh, Pfahl, Rost, Anschuhen, Beschläge,
S. 328, Bd. I, Holzverband II. A. 1 und D; —
2) s. v. w. Fuß, Längenmaaß; s. d. Art. Fuß und
Maaß; — 3) kleiner beweglicher Kasten am Rumpf
einer Mahlmühle, der die Getraidekörner durch
seine schüttelnde Bewegung, die durch den Rührnagel hervorgebracht wird, nach und nach auf den
Mühlstein auswirft; — 4) bei einer senkrechten Göpelwelle oder einem in Angeln stehenden Thorweg
die obere Zapfenpfanne; — 5) ein Stück Holz bei
Kunststangen, wodurch der Stednagel geht; —
6) Beschläge an den unteren Enden der Stampfen
in Oelmühlen und Pochwerken; — 7) (Hüttenw.)
vorn an die Balgliese gestecktes und bis in die
Form reichendes, rundgeschmiedetes Eisen; —
8) bei einer Brechstange das doppelt gebogene
Ende; — 9) die bekannte Fußbekleidung, erscheint
nebst Schuhmachergeräth als Attribut der Heiligen Crispinus, Cuseus, Eutropius, Sergius,
Sagon, Hedwig, Aquila, Prisca, Crispinian und
Theobald.

Schuhblock oder **Schenkelblock,** 1) (Schiffsb.)
ein Violinblock (s. d.), dessen untere Scheibe in
einer Ebene liegt, welche die der oberen rechtwinkelig durchschneidet; — 2) s. v. w. Rammbär.

Schule, Schulgebäude. Allgemeine Erfordernisse für sämmtliche Gattungen der Schulgebäude sind: vollständig gesunde, trockene und
luftige, aber nicht zugige, möglichst rauchfreie Lage,
unbeschränkter, namentlich nicht sehr von Fuhr-
werk frequentirter Zugang, niedrigstufige, leicht
zu ersteigende Treppen mit hohem, dichtem Geländer, gute Ventilation, aber ohne Zugluft;
gleichmäßige, nicht austrocknende Temperatur im
ganzen Gebäude. In den Abtritten suche man
unter den Brillen durch Eisenstäbe das Hinab-
stürzen von Kindern zu verhindern; sehr wünschenswerth ist ein Garten oder mindestens ein
mit Bäumen bepflanzter Turn- und Spielplatz 2c.
Zu vermeiden ist Folgendes: die Nähe von fließendem Wasser, leicht zugängliche Bassins und
Brunnen, Freitreppen, Terrassen, Perrons, Bal-
kons, dunkle Gänge, Luftheizung, Heizung der
Oefen von innen, ganz eiserne Oefen 2c.

Erforderliche Räume in allen Schulen sind: die
Classenzimmer zur Ertheilung des Unterrichts, ein
Festsaal, Bibliothek-, Sammlungs- und Archivlo-
cale, Zimmer für die Lehrer (zum Ausruhen, zu
Besprechungen und Berathungen, zum Verhören
strafälliger Schüler), Carcer, Wohnung des Ca-
stellans 2c. Außerdem erfordern noch folgende
Gattungen der Schulen besondere Einrichtungen:
1. **Kinderschulen.** Man rechne man
auf jedes Kind je nach dem Alter 6½ bis 8 Quadratfuß incl. der Gänge. Die Schultafeln seien
mindestens 1¾ Fuß breit, und auf jedes Kind
rechne man 2 Fuß Länge, die Bank stehe 6 Zoll
vom Tisch entfernt und sei 1 Fuß breit, hinter der
Bank bis zum nächsten Tisch mindestens ein Fuß
Zwischenraum; s. übrigens Näheres in d. Art.
Bank; das Catheder sei nicht zu hoch und habe
hinter sich eine schwarze Tafel. Der Bet- und
Festsaal enthalte ein Positiv.
a) **Bürgerschulen.** Sie seien leicht zugänglich
und nicht an zu-belebten Straßen gelegen, auch
möglichst gleichmäßig zu Stadt vertheilt, in
jeder derselben sei eine Lehrerwohnung; Turnsaal
und Turngarten sind wünschenswerth.

b) **Armenschulen,** ebenso wie a. Es ist ein
großer Fehler, die Armenschulen einfacher oder
mit weniger Sorgfalt zu erbauen als Bürgerschulen.
c) **Waisenhäuser.** Diese müssen ganz besonders
sonnig und gesund liegen. Die Spiel-, Speise-
und Wohnräume lege man nach Süden, die Unter-
richtsräume nach Norden, die Sammlungsräume
u. s. w. nach Westen, Küchen- und Oeconomieräume
nach Osten, Schlafsäle nach Osten oder Süden,
doch ist letzteres vorzuziehen; keinesfalls darf man
das Dachgeschoß zu Schlafsälen benutzen. Der
Director nebst Familie, der Oeconom, einige der
unverheiratheten Lehrer, eine oder einige Pflegerinnen der Kinder 2c. müssen Wohnung im Waisenhaus selbst erhalten, ebenso sind ein kleiner
Garten, Waschhaus, Rollkammer, Plättstube und
einige Werkstätten nöthig, um die Mädchen in
häuslichen Arbeiten, die Knaben in Gewerbs-
arbeiten zu unterrichten.
d) **Kleinkinderbewahranstalten und Spiel-
schulen.** Betsaal und Spielsaal entweder getrennt
oder vereinigt, Küche und kleine Oeconomie,
Spielgarten und Wohnung der Pflegerin oder
Directrice, freundliche Ausstattung und genügende Größe, der inneren Räume sowohl wie des
Gartens, sind Haupterfordernisse.
e) **Besserungsanstalt für verwahrloste Kinder.**
Aehnlich wie e, nur in der Regel kleiner, namentlich muß man leichte Uebersichtlichkeit und vollständige Verschließbarkeit des ganzen Grundstücks
im Auge behalten. Die Anstalten für die Kinder-
arbeit müssen Berücksichtigung finden. Auch
Strafräume (Carcer) dürfen nicht fehlen.
f) **Findelhaus.** Dies gehört zwar eigentlich
nicht vollständig unter die Schulen, da aber die
Kinder oft bis zum 6. Jahre darin bleiben, so
müssen sie unter d erwähnten Einrichtungen darin
vorgesehen sein, außerdem aber Säle zur Aufstellung der Wiegen und der Betten für die Nähr-
mütter und Pflegerinnen, Laufgänge und Lauf-
körbe für die laufenlernenden Kinder, Wickel-
tafeln 2c. im Innern des Gebäudes; ein Garten,
frei von aller Zugluft, mit schattigen Gängen und
sonnigen Räumen, ein Trockenplatz, Wasch- und
Platträume 2c. sind nicht zu entbehren.
g) **Dorfschulen.** Die Classen sind nach 1 a einzurichten, doch fällt häufig der Fest- und Betsaal
weg, sowie auch die Locale für Bibliothek und
Sammlungen. Bei Dörfern ohne Kirche tritt dafür
eine Capelle hinzu. Die Wohnung des Lehrers
befindet sich neben oder über den Classen; die
Schule wird möglichst nahe an Kirche und Pfarre
errichtet.
2. **Schulen für Halberwachsene.** In den Classen
rechnet man 8—10 Quadratfuß pro Schüler incl.
Gang. Die Schreibtafeln müssen mindestens 2 Fuß
breit sein, die Bänke 15 Zoll, übrigens wie unter
1; s. auch d. Art. Bank. Besondere Erfordernisse
sind:
a) **Bei Realschulen.** Außer den Classenzimmern
sind nothwendig: Locale für Sammlungen, Laboratorien für Unterricht in der Chemie und
Physik, Zeichensäle (10—12 Quadratfuß pro
Schüler. Schemel statt der Bänke, Tafeln von
3 Fuß Minimalbreite); Saal mit Hobelbänken,
Drehbänken 2c. zum Unterricht im Modelliren 2c.,
bei Aufnahme von Alumnen, ebenso wie bei
allen Alumneen die nöthigen Schlafsäle, Wohn-
für je 20, Wohn-, Speise- und Arbeitszimmer für
je 10 Schüler, Wohnung für einen verheiratheten

und einige unverheirathete Lehrer oder Inspectoren, Turnsaal, großer Garten ꝛc.

b) Gymnasien, Kloster- und Fürstenschulen: Aehnlich wie a, nur können die Laboratorien wegfallen und dafür ein Musitsaal eintreten. Die Arbeitszimmer sind in den höheren Classen für eine kleinere Anzahl (1—4 Schüler) einzurichten. Die Inspectorenzimmer müssen zahlreicher sein. Carcer, Fechtboden, bedeckter Spaziergang, Capelle ꝛc. kommen noch hinzu.

3. Schulen für Erwachsene (Akademien). In den Classen rechnet man 9—12 Quadratfuß pro Schüler incl. Gang. Die anderen Dimensionen entsprechend.

a) Gewerbschulen (polytechnische Schulen). Zu den Anforderungen an eine Realschule kommen hier noch vergrößerte Laboratorien und Modellirsäle, Bibliothek mit Lesezimmer, Local für Modellsammlungen, Observatorium ꝛc.

b) Seminar, ungefähr wie ein Gymnasium, aber es ist nicht so strenge Uebersichtlichkeit nöthig, auch fällt meist der Fechtboden weg. Bibliothek und Lesezimmer darf nicht fehlen, je 2 Schüler erhalten zusammen ein Wohn- und Arbeitszimmer. Schlafsäle höchstens zu 10 Betten.

c) Kunstschulen; s. d. Art. Akademie; Wohnungen für Schüler kommen selten vor.

d) Forstakademien. Außer den unter a und b gedachten Erfordernissen ist nöthig: ein großes Local für Aufstellung der forstwirthschaftlichen Sammlung, welche große Klöße als Holzproben ꝛc. umfaßt, und ein Garten mit Baumschule, Schießstand, Reitbahn ꝛc.

e) Militärschule, s. d. Art. Cadettenhaus; nöthig sind Reitbahn, Exercierhaus und Fechtboden.

f) Landwirthschaftliche Akademien. Außer den unter a und b gedachten Anforderungen sind nöthig: Reitbahn, Bahn zu Fahrübungen, Local zu botanischen Sammlungen, chemisches Laboratorium, Modellsaal für landwirthschaftliche Maschinen, Zeichnensaal, Garten mit Baumschule, Obstschule und Veredlungsstätte, auch sonst zu landwirthschaftlichen Versuchen eingerichtet; ist kein der Anstalt zu Gebote stehendes Rittergut oder dergl. in der Nähe, so muß die Anstalt selbst mindestens einige kleine Felder und Wiesen pachten und bewirthschaften, auch das dazu gehörige Vieh halten.

g) Universität. Ein Universitätsgebäude enthalte: die Aula zu großen Festen, Versammlungen ꝛc., außerdem die Aulen oder Hörsäle für die Collegien, von verschiedener Größe, Locale für Bibliothek, naturhistorische Sammlungen, ein anatomisches Theater (s. d. Art. Anatomiegebäude), chemische und physikalische Laboratorien, archäologisches Cabinet, Cabinete für die Professoren, ein Versammlungslocal für den akademischen Senat, Local für das Universitätsgericht, eine Canzlei für das Universitätsrentamt, ein Convictorium nebst zugehörigen Wirthschaftsräumen und Wohnung des Oekonomen, Wohnungen der Pedelle und des Universitätsprofoßen, in deren Nähe die Carcer; viele Universitäten haben eine besondere Kirche nebst Wohnungen für die Prediger, Organisten und Küster.

Was nun die äußere Architektur von Schulgebäuden betrifft, so sei dasselbe zwar ernst und einfach, aber nicht düster, neige sich eher zum Freundlichen hin. Kinderschulen namentlich sollten ein auf das kindliche Gemüth anlockend wirkendes Aeußere haben. Die Schulen für Erwachsene

müssen hingegen ernster und würdiger, ja in den Verhältnissen sogar großartig gehalten werden. Ferner müssen alle Schulen monumental gehalten sein und sich von Wohnhäusern durch eine gewisse Würde der Erscheinung unterscheiden.

Schulholzbaum (Alstonia scholaris R. Br., Fam. hundswürgerartige Pflanzen, Apocyneae), ostindischer Baum mit feinfaserigem, weichem Holz, eignet sich zur Vertäfelung von Zimmern und zur Anfertigung von Schreibtafeln.

Schulpweiß, f. v. w. Schieferweiß.

Schulter 1) (Kriegsb.) das Stück Wall zwischen der Face und der Flanke eines Bollwerks, f. d.; — 2) die beiden vorderen Schiffsseiten zwischen Gallion und Fockmast.

Schulterband, s. d. Art. Band 1 b.

Schulterpunkt, d. i. Scheitelpunkt des von Face und Flanke gebildeten Schulterwinkels einer Lünette oder Bastion.

Schulterschnitt, frz. tranchée, bande, f. d. Art. Band IX, Fig. 256 und Heraldik V.

Schulterwehr, f. d. Art. Festungsbau, S. 42, Bd. II.

Schuppen, Schoppen, frz. échoppe, hangar, engl. shed, covert, f. d. Art. Geräthschuppen, Remise und Holzschuppen. Auch errichtet man bei Bauten intetimistisch Schuppen aus eingegrabenen Pfählen, mit Brettern bekleidet; s. d. Art. Bauhütte 1. und Bude.

Schuppenband, f. d. Art. Band, S. 223, Bd. I, und Thürzuwerfer.

Schuppendach, f. d. Art. Dach, S. 604, Bd. I.

Schuppenkohle (Mineral.), eine Art von Pechkohle mit schaliger Absonderung.

Schuppenverband, f. Mauerverband B. II.

Schuppenverzierung, frz. écailles, imbrications, engl. scollops, kann entweder über ganze Flächen erstreckt sein, oder als Schuppenfries, Bandsims mit schuppenförmigen Verzierungen, nur streifenweis angewendet werden; s. v. Art. scolloped.

Schur (Hüttenw.), f. v. w. Schür.

Schurbogen, Hauptbogen, frz. archivolte, douelle, f. d. Art. Bogen, S. 400, Bd. I, und Archivolte.

Schurf, 1) (Bergb.) senkrechte, nicht tiefe Grube zur Aufsuchung von Erzgängen; macht man sie tiefer, so heißt sie Schurfschacht; f. d. Art. Schürf; — 2) die ein Steinlager bedeckende Erde und Gerölle.

Schurfhobel, f. v. w. Schrobhobel.

Schurz, 1) f. u. Heizung, Mantel, Küche 12, Abschürzen und Rauchfang; die gemauerten Schurze sind schwerfällig und plump, belasten auch das Gebäude zu sehr; wenn man aber doch statt eines Blechschurzes einen gemauerten anzulegen genöthigt ist, so soll man ihn wenigstens nicht auf ein Holz, Schurzholz, legen, sondern auf eiserne Träger, Schurzeisen, Rauchfangeisen oder auf Holz; — 2) (Bergb.) zum Fangen und Umstürzen der heraufgezogenen Tonnen bei Treibschächten dienende Kette; — 3) frz. ceinture (Herald.), f. v. w. Gürtel; — 4) unterer vorstehender Theil eines weit auslandenden Daches, besonders des Kothenbaches in Salzwerken.

Schurzhaken, Haken am Schurz eines

Schmiedefeuers zur Befestigung der Kette, um den Blasebalg in die Höhe zu ziehen.

Schurzkette, s. d. Art. Schürze.

Schurzwerk, eine aus aufeinander liegenden gefügten Bohlen, Schurzbohlen, gefertigte Wand. Man überschneidet die Bohlen an den Ecken, wie bei der Schränkwand, kann aber auch die Bohlen gegen Säulen stoßen oder in Falze legen, wie bei der Schrotwand.

Schuß (Wasserb.), das schnelle Herabströmen des Wassers auf einer schrägen Fläche.

Schußbaum (Bergb.), Bäume oder Hölzer über den Schacht gelegt, damit nichts hineinschieße, vielmehr sicher darunter gearbeitet werden könne. Das so gebildete Gerüst heißt Schußbühne.

Schußbolzen, Schußeisen, zum Ausstanzen kreisförmiger Scheiben aus Blechen oder Platten dienende, senkrecht auf- und niedergehende Spindel mit kreisrunder Schneide, in Stanzwerken.

Schußbret (Wasserb.), s. v. w. Schützbret.

Schußdach, s. v. w. Pultdach; s. d.

Schußgatter (Wasserb.), vor dem Ausguß eines Wasserbehälters ꝛc. angebrachtes Gitterwerk.

Schußgefälle (Mühlb.), das Gefälle des Wassers auf dem Schußgerinne.

Schußbrücke, Schußgerinne (Mühlb.), 1) unterschlächtiges Gerinne, wenn es geradlinig ist, mitunter vom Griesswerk bis zum Abfallboden reichend; s. d. Art. Gerinne; — 2) auch Schußladen genannt, s. v. w. Gefällladen; s. d.

Schußloth, s. v. w. Bleiloth.

Schußriegel, s. d. Art. Gerüst und Netzriegel.

Schußspalten (Kriegsb.), sind in steinernen Mauern längliche, viereckige Löcher, bald aufrecht stehend, bald liegend angebracht. Man macht sie 12 Zoll auswendig und 8 Zoll inwendig breit, von 1 Fuß bis 20 Zoll lang, oder äußerlich 4 Zoll, inwendig 1 Fuß weit, oder in der Mitte 4 Zoll weit, und 6—8 Zoll nach außen und innen sich erweiternd. Sie dürfen nicht unter 7 Fuß äußerlich über dem Fußboden stehen, im Innern 4¼ Fuß im Erdgeschoß und in den höhern Stockwerken nur 3 Fuß. Vergl. auch d. Art. Schießscharte.

Schussermühle, Maschine zum Anfertigen von kleinen Steinkugeln, sogenannte Schusser oder Märmeln.

Schuti (ind. Mythol.), der den Dreizack führt, Beiname des Schiwa.

Schutt, 1) Geröll, Bauschutt, Knack, frz. déblai, décombres, beim Abbrechen alter Gebäude, oder durch Verbauen der Ziegelsteine ꝛc. während eines Neubaues entstehendes Gemenge von Stein- und Kalkbröckeln, dient zum Planiren unebener Terrains, auch um Feßlboden, Gewölbe ꝛc. zu überfüllen. Doch nehme man zu keinen Schutt, welcher faulige Holztheile, fruchtbaren Boden ꝛc. enthalten könnte, oder von Gebäuden herstammt, die mit Salpeter, Schwamm, Wanzen oder dergl. behaftet waren; — 2) s. v. w. Schüttung, Schütteldamm.

Schuttboden, s. v. w. Schüttboden; s. d. Art. Getreideboden.

schutten (Wasserb.), s. v. w. schützen, stauen, die Strömung des Wassers aufhalten.

Schuttrinne, beim Abtragen eines Gebäudes eine aus drei Brettern zusammengenagelte, mit

einem Boden und zwei Wänden versehene, oder aus zwei Brettern mit scharfem Winkel unten hergestellte Rinne, die man schräg an das Gebäude, meist auf einer Leiter, anlegt, um den Schutt darin herabgleiten zu lassen. Besser ist es jedoch, die Rinnen auch oben zu schließen, also zur Schuttröhre zu machen, damit nicht zu viel Staub entstehe und der Schutt auf einen Haufen komme.

Schutz, 1) beim Grundbau ein kleiner, aus Erde aufgeführter Fangdamm, wenn auf natürlichen Boden gegründet werden soll, und nur auf wenige Fuß Frontlänge großer Andrang von Wasser vorhanden ist; — 2) s. v. w. Schütz.

Schutzbeschläge, s. d. Art. Beschläge II.

Schutzblatt, s. v. w. Eckblatt; s. d.

Schutzblech, s. d. Art. Schützblech.

Schutzbret, 1) (Landb.) zum Schutz vor herabträufelndem Regen über Thüren oder Fenstern angebrachte bretterne Verdachung; — 2) zu Verhinderung des Hinausspringens von Getreidekörnern dienender Vorsatz bei Scheunenthoren, auch Scheunenbret genannt; — 3) kleiner Schütze; s. d.

Schutzbrücke (Wasserb.), Laufbrücke, um beim Aufziehen der Schütze bequem hinlangen zu können, längs dem Gerinne oder Wehr angelegt.

Schutzbuhne (Wasserb.), s. u. Buhne, S. 488.

Schutzdach, engl. oriel, s. d. Art. Wetterdach.

Schutzdamm, 1) s. d. Art. Deichdamm; — 2) s. v. w. Binnendeich.

Schutzflügel, einen Hafen für kleine Fahrzeuge bildender Damm von Packwerk, ins Wasser gebaut.

Schutzgatter, 1) (Wasserb.) s. v. w. Schußgatter; — 2) (Festungsb.) s. v. w. Fallgatter.

Schutzgeister, s. d. Art. Genien.

Schutzkasten (Wasserb.), bei oberschlächtigen Mühlen ꝛc. s. v. w. Schützkasten.

Schutzkette oder Schutzseil, s. v. w. Schurzkette an Gestängen.

Schutzkolbe (Teichb.), s. v. w. Zapfen.

Schutzmauer, s. v. w. Brandgiebel.

Schutzpfeiler, s. d. Art. Brücke, S. 449, Bd. I.

Schutzteich, (Mühlteich, Sammelteich stromaufwärts von Mühlen.

Schutzwand (Wasserb.), s. v. w. Grieswerk.

Schutzwappen, s. d. Art. Heraldik u. Wappen.

Schutzwehr, 1) neutr. (Wasserb.), bei einem größeren Flusse, mit einer Oeffnung in der Mitte, verschlossen mit einem Schutzbret, kann, um Schiffe, Flöße und dergleichen hindurchzulassen, geöffnet werden; — 2) fem., s. d. Art. Festungsbau.

Schutzwelle (Wasserb.), Welle des Schützes (s. d.), woran derselbe mit Ketten befestigt ist.

Schwabe, frz. Prussien, s. v. w. Schabe.

Schwadeneisen, s. d. Art. Brodemklappe.

schwäbischer Gang (Bergb.), s. v. w. schwebender Gang.

Schwäderich (Mühlenb.), die tiefe Stelle im Wasser unter den Wasserrädern.

Schwäle, s. d. Art. Bär 4.

Schwängel, s. d. Art. Brunnen, Glocke und Schwengel.

Schwänzel (Hüttenw.), 1) der untere Theil des Gerinnes in dem Schlämmgraben; — 2) s. v. w. geringer Schlich.

Schwärze (Bergb.), 1) aus verwitterten Erzen bestehende schwärzliche, metallische Erde. — 2) s. v. w. schwarze Farbe. a) Schwärze aus Steinkohlentheer: 100 Pfd. gelöschter Kalk werden mit 80 Pfd. Steinkohlentheer innig gemischt und 9 Pfd. Kalialaun zugesetzt; der Teig wird bei ausgeschlossener Luft in irdenen Tiegeln oder eisernen Cylindern geglüht, nach dem Erkalten wird die Masse aus dem Cylinder herausgenommen, gemahlen und das Produkt als Schwärze verwendet; geänderte Verhältnisse von Theer und Kalk liefern Nüancirungen von Braun und Grau. b) Braunschweiger Schwärze. Man siede in einem eisernen Kessel über einem schwachen Feuer 45 Pfd. Asphalt wenigstens 6 Stunden lang, und gleichzeitig in einem andern eisernen Kessel 6 Gallonen frischgesottenes Oel; während letzteres kocht, bringe man nach und nach 6 Pfd. Bleiglätte hinzu, fahre aber mit dem Sieden fort, bis die Flüssigkeit sich klebrig anfühlt, dann schöpfe man sie in den Kessel mit dem Asphalt. Beides muß nun mit einander sieden, bis es sich zu harten Kügelchen drehen läßt, worauf man es abkühlt und mit Terpentinöl mischt, bis es die rechte Consistenz erlangt hat.

Schwalben; sind Attribut der Minerva.

Schwalbenschwanz, lat. securicula, frz. queue d'aronde, engl. dove-tail, swallow-tail, 1) bei Verbindung zweier Bretter im rechten Winkel ꝛc. Zapfen, dessen Ende breiter ist als sein Ansatz, in der Regel als Schlitzzapfen gearbeitet; als Lochzapfen nur mit Verkeilung oder in zwei Theilen anwendbar, die dann durch einen Keil auseinander getrieben werden; — 2) falscher Zapfen oder Dobel, der in der Mitte schwächer oder schmäler ist, als an beiden Enden; — 3) s. d. Art. Dachfenster; — 4) Zangenwerk, dessen Flügellinien nach der Kehle des Werkes convergiren; s. d. Art. Festungsbau, S. 42, Bd. II.

Schwalbenschwanzband (Schloss.), an den Enden sich ausbreitendes Thürband; s. d. Art. Band.

Schwalbenschwanzblatt, Hakenblatt, welches hinten breiter ist als vorn, und daher gegen den Zug viel Halt bietet; wird auch in Stein ausgeführt; s. d. Art. Blatt 7. A. 1., Holzverband A. 2. d. und Eisenverband A. 12 und 15.

Schwalbenschwanzbohrer (Bergb.), ein an der Schneide sich in zwei Spitzen oder Ecken theilender Bohrer.

Schwalbenschwanzdachfenster, s. d. Art. Fledermaus und Dachfenster 3.

schwalbenschwanzförmige Dobel, Wölfe, Handhaben ꝛc.; bestehen aus zwei Theilen, die unten breiter als oben sind, in das ebenso gestaltete Loch eingeschoben und durch einen Keil, den man dazwischen schiebt und befestigt, auseinander gedrängt werden.

Schwalbenschwanzzapfen mit Versatzung oder Brüstung; s. d. Art. Holzverband A. 1. k. und Blatt 7. A. 1.

Schwalch (Glockeng.), in der Zwischenmauer des Gießofens gelassene Oeffnung, wodurch die Flamme auf das zu schmelzende Metall schlägt.

Schwalchboden, s. d. Art. Brauerei I. c.

Schwaleisen (Eisenhammerw.), Eisen, das unten in dem Ofen stehen bleibt, wenn das Schmelzfeuer ausgeht, und das seiner Härte wegen zu Pflugscharen ꝛc. gebraucht wird.

Schwall, 1) noch so viel Metall enthaltende Schlacken, daß sie zu Gute gemacht werden können; — 2) besonders tiefe Stelle in einem Fluß.

Schwallig, von dem durch den Wind angetriebenen Wasser ausgerissene Stelle eines Ufers.

Schwamm, auch Feuchtschwamm genannt, s. d. Art. Hausschwamm, Fäulniß und Baumfällen; — 2) Badeschwamm; — 3) s. d. Art. Marterwerkzeuge.

Schwammbaum, s. v. w. rindschäliges Holz, kann zu Stacken, Windelboden ꝛc. verwendet werden.

Schwammholz, bei den Gewächshäusern alter Construction der über die steilgeneigten Fenster hohlkehlförmig vortragende Holzsims; sollte zum Schutz gegen Hagel, als Reverbère ꝛc. dienen.

schwammige Dammerde, s. d. Art. Blaseerde

schwammiger Eisenthon, s. d. Art. Eisenthon 5.

Schwammjoch, die Querschwellen beim Grundbau einer Arche oder Schleuße; sie sind entweder auf allen Pfählen mit Zapfen, die ganz hindurchreichen und verkeilt sind, oder, wenn jene dazu nicht lang genug, in die Endpfähle, die über sie hinaufreichen, dadurch befestigt, daß man in den Pfählen einen auf den Grad gearbeiteten Kerb giebt und die Querschwellen von der Seite einschiebt.

Schwammmaschine, nach Art der Paternosterwerke eingerichtete Wasserhebungsmaschine, wo statt der Scheiben Schwämme in flanellenen Säcken angebracht sind. Diese sind an einem Seil ohne Ende, Schwammseil, das um zwei Wellen oder Körbe geht, befestigt und werden zwischen zwei Walzen (Ausdrückwalzen) ausgedrückt; diese Walzen helfen bei ihrer gegen einander gerichteten Rundbewegung das Seil forttreiben.

Schwammziegel, s. d. Art. Bausteine, S. 293.

Schwan. Bei den Griechen Attribut des Apollo, Symbol der Todesahnung. Bei den Indiern als Reittbier des Brama, Symbol der im Ocean schwimmenden Erde. Bei den Germanen Symbol der Schuldlosigkeit und des Lebensgesanges. In der christlichen Kunst Symbol der Einsamkeit, Attribut der Heiligen Luthbert und Hugo. Bei den Protestanten Symbol Luthers.

Schwanenhals, auch Eßhaken, Sförmig gebogener Haken, zu verschiedenem Gebrauch; s. auch d. Art. Basquill.

Schwanenhalsbogen, österreichisch für steigender Bogen.

Schwanenhalsstiege, österreichisch für Treppe mit steigendem Bogen unter der Wange; s. d. Art. Treppe.

Schwangrad (Maschinenw.), s. v. w. Schwungrad.

Schwankruthen (Wasserb.), zum Verbinden eingerammter Pfähle dienende lange Hölzer.

Schwanz, 1) das untere Ende der Stämme, Schwarten ꝛc.; — 2) (Bergb.) am Hunde ein Ring, worin ein Seil befestigt wird; — 3) s. u. d. Art.

Riegel, Schloß ꝛc., überhaupt häufig für Ende, namentlich wenn solches zum Anfassen benutzt wird; s. auch d. Art. Daumen.

Schwanzhammer (Hüttenw.), 40—50 Pfund schwerer Hammer, s. Fig. 1744, von den Daumen b einer Daumwelle a getrieben. Sein Stiel ist ein zweiarmiger Hebel, wird am kurzen Ende (Schwanz) c von den Daumen getroffen oder von einer Ziehstange mittelst des Schwanzringes e ergriffen, wodurch der Kopf des Hammers, der am längeren Arm befindlich ist, in die Höhe geschnellt wird, der kurze Arm c aber auf den Prellklotz d aufschlägt und dadurch beim Zurückfallen noch größere Gewalt übt.

Fig. 1744. Schwanzhammer.

Schwanzmühle, s. u. Holländerin.

Schwanzriegel, frz. barre à queue, s. d. Art. Riegel.

Schwanzsäge, Lochsäge, aber am Ende des Blattes in die Höhe gebogen, um es bei der Arbeit mit der linken Hand anfassen zu können.

Schwanztau, s. v. w. Bocktau.

Schwartbret, Schmalbret, Ortdiele, Zaundiele, Endbret, s. d. Art. Bret.

Schwarte, frz. dosse-flache, engl. outsideplank, span. caga, auch Ortdiele, Abtrennig, Balkenschlote, Klappe, Schale, Schälig, Dosse ꝛc. genannt; s. d. Art. Beischale und Bret.

Schwartenpfahl (Minenbau), Schwartenbretter oder Bretter, mit welchen die Seitenwände der Brunnen, die Gänge ꝛc. verkleidet werden; s. d. Art. Minenholz.

Schwarz, frz. noir, engl. black. I. Schwarze Farbe. Man bezeichnet der dem Schwarz sich nähernden dunkleren Farben häufig durch Kohlschwarz, Pechschwarz und Rabenschwarz, indem absolutes Schwarz kaum herzustellen ist. Man benutzt namentlich folgende schwarze Färbmittel: Die schwarzen Erdfarben werden hauptsächlich als schwarze Körperfarben benutzt; sie bestehen meist aus einem innigen Gemenge eines sehr milden, weichen Thones mit fein vertheilter Kohle. Die schwarze Kreide oder das Zeichenschiefer gehört in diese Kategorie. Die besten Sorten kommen aus Italien, Spanien und Frankreich. In Thüringen und in der Umgegend von Osnabrück findet sich ebenfalls ein dem Zeichenschiefer sehr ähnliches Mineral. Der thüringische Zeichenschiefer wird, als Oel- oder Schieferschwarz, fein gemahlen in den Handel gebracht. Die Zeichenschiefer finden sowohl als Oel- als auch als Wasserfarbe Verwendung. Die sogenannte Pariser

Kreide ist ein Kunstproduct, bestehend aus einem innigen Gemenge von Kienruß und Thon; s. übrigens d. Art. Kreide. Der Graphit liefert eine schöne schwärze, metallisch glänzende Wasserfarbe auf Eisen, Stein und Holz. Zu schwarzen Körperfarben dienen vorzüglich noch die durch Verkohlung gewisser organischer Substanzen bei Luftabschluß erhaltenen Producte, und diejenigen, welche durch Verbrennung von Oelen und Harzen bei unvollständigem Luftzutritt erhalten werden. Es sind dies namentlich folgende Substanzen: Die gemeine, feingepulverte Holzkohle aus weichen Hölzern; das Spanischschwarz, aus Korkabfällen dargestellt; das Frankfurterschwarz, s. d. Art. ꝛc. Die Knochenkohle oder das Beinschwarz dient hauptsächlich für ordinäre Anstriche; bie und da auch zur Fabrikation der schwarzen Lacke und Firnisse. Ferner finden Verwendung der Kienruß (s. d.) oder der Ruß der Oele. Zum Schwarzfärben des Holzes dient das gerb- und gallussaure Eisenoxyd oder Eisenoxydul. Man legt die Hölzer zu diesem Zweck in gewisse Eisensalzlösungen (s. d. Art. Beize) und färbt dann in einer gerbsäurehaltigen Farbebrühe, z. B. einer Abkochung von Galläpfeln, Eichenrinde, Knoppern, Schmad u. dergl. aus. Zu schwarzen Schmelzfarben auf Glas und Thonwaaren dienen Kobalt-, Uran- und Manganoxyd, welche mit einem leichtflüssigen Glasfalz gemengt, aufgetragen und eingebrannt werden. S. im Uebrigen d. Art. Farbe, Färben, Beize, S. 308, Bd. I., Pariser Schwarz, Birkenruß, Schieferschwarz, Email, Atramentum. Blauschwarz erreicht man durch dunkeles Ultramarin, durch Indigo mit sehr wenig Roth und Schwarz, durch dicke Einkochung von Blauholz ꝛc.; Braunschwarz z. B. durch Birkenruß; s. auch d. Art. Atramentum. Grünlichschwarz durch Indigo und Tusche ꝛc.; s. übrigens d. Art. Aethiops, Asphalt IV., Gallus, Bister ꝛc.

II. Frz. sable. In der Heraldik (s. d. VII.) bezeichnet man Schwarz durch kreuzende, senkrechte und horizontale Striche; es bedeutet Traurigkeit, Einfalt, Trauer ꝛc. In einigen englischen Wappen findet sich Schwarzgelb als besondere Tinctur und wird bezeichnet durch diagonal sich kreuzende Striche.

III. (Eisenarb.) Nicht mit der Feile polirte und nicht verzinnte Eisenwaaren nennt man schwarz.

Schwarzalbe, die schwarze Pappel.

Schwarzblech, frz. tôle, ital. piastra di ferro, s. d. Art. Eisenblech und Blech sowie d. Art. Dachbedeckung IV., 2, S. 604, Bd. I.

Schwarzbleierz, Bleisuperoxyd, s. d. Art. Bleierze; dient zur Bereitung der Mennige, s. d.

Schwarzbleiweiß (Mineral.), s. v. w. Wasserblei.

Schwarzbraunsteinerz, Schwarzmanganerz (Mineral.), s. d. Art. Mangan und Braunstein.

Schwarzdorn, s. d. Art. Schlehendorn.

Schwarzebenholz, s. d. Art. Ebenholz.

schwarze Glätte (Hüttenw.), die beim Silbertreiben gleich hinter dem Abstrich folgende Glätte.

schwarze Glasur (Töpf.), ist herzustellen aus 1 Theil Silberglätte, 7 Theilen Braunstein und etwas Sand, welches man auf der Glättmühle mahlt; s. d. Art. Glasur.

Schwarzeisenstein, enthält 81% Manganoxydoxydul; man braucht ihn zum Reinigen und

Entfärben des Glases, zum Malen auf Porzellan und als Emailfarbe; s. auch d. Art. Psilomelan.

schwarze Krätze (Hüttenw.), die beim Schmelzen auf schwerem Gestübe entstehende, als Vorschlag beim folgenden Schmelzen benutzte Krätze.

schwarze Kreide. 1) Natürliche: unreiner Schiefer; s. d. Art. Thonschiefer und Kreide; — 2) künstliche: besteht aus Thon, Kreide, Ruß und Gummiwasser.

schwarze Pappel, s. unter Pappel.

schwarzer Bernstein, s. d. Art. Bernstein.

schwarzer Firniß, s. unter Firniß.

schwarzer Fluß, s. d. Art. Flußmittel.

schwarzer Glaskopf, s. v. w. Brauneisenstein.

schwarzer Marmor, s. d. Art. Marmor 5 u. 10.

schwarzer Zinnober, s. d. Art. Aethiops, Quecksilber und Zinnober.

schwarzes Erdharz, s. d. Art. Asphalt.

schwarzes Roheisen, s. d. Art. Eisen II. C.

schwarzes Rosenholz, s. d. Art. Jacarandenholz.

Schwarzfichte, österreichische, s. Pinus austriaca.

Schwarzgültigerz (Mineral.), 1) s. v. w. dunkles Fahlerz; — 2) Sprödglanzerz, ein Silbererz, Verbindung von Schwefelsilber mit Schwefelantimon, etwas Eisen, Kupfer, Arsenik und erdige Theile; ist eisenschwarz, in's Bleigraue, hat muschligen Bruch und starken metallischen Glanz.

Schwarzholz. Im Allgemeinen s. v. w. Nadelholz; s. d. Art. Bauholz A. a. 2, besonders: 1) Rhamnus frangula L. (Fam. Wegdornewächse), ist stark braun, wollig, marmorirt und nimmt schöne Politur an, erreicht jedoch selten eine ansehnliche Stärke, deshalb nur zu kleinen Gegenständen verwendbar; — 2) Schwarzholz, australisches (Acacia Melanoxylon, Fam. Hülsenfrüchtler), eine neuholländische Akazienart, welche ein zähes, dichtkörniges, elastisches und dauerhaftes Holz besitzt, das eine schöne Politur annimmt. Die Stämme werden 1 bis 1½ Fuß dick.

Schwarzholzbaum (Melanoxylon Braúna Schott, Fam. Hülsenfrüchtler, Leguminosae), Maria preta der Brasilianer, ein starker brasilianischer Baum, welcher eines der geschätztesten Bauhölzer jenes Landes liefert. Aus Holz und Rinde wird eine schöne rothbraune Farbe bereitet.

Schwarzkupfer (Hüttenb.), das aus dem zweiten Schmelzen der Kupfererze erhaltene Kupfer, noch mit Bergarten und anderen Metallen vermischt.

Schwarzkupfererz, s. v. w. dunkles Fahlerz.

Schwarzloth, frz. noir fusible, noir vitrié, engl. vitrified black, zum Darstellen von Umrißlinien, Schatten, Verzierung und Inschriften auf den farbigen Hüttengläsern gebrauchte schwarze Schmelzfarbe der Glasmaler.

schwarz machen, s. d. Art. Abschwärzen.

Schwarzmessing, Messingblech mit unpolirter brauner Oberfläche, als Dachdeckung sehr zu empfehlen, auch in Tyrol vielfach schon verwendet.

Schwarzpech, s. d. Art. Pech und Baumkitt.

Schwarzspießglanzerz (Mineral.), s. v. w. Bournonit.

Schwarzstein (Mineral.), s. v. w. Braunstein.

Schwarztanne, 1) Pinus vulgaris; s. d. Art. Fichte; — 2) Pinus nigra Act., in Nordamerika; s. d. Art. Pinus.

Schwarzzinn, zum Schmelzen fertiges Zinn.

Schwebästrich, zwischen den Balken in Balkendecken befindlicher Aestrich; wird am einfachsten durch strohumwundene und von oben und unten mit Lehm bestrichene Stakhölzer hergestellt; s. auch d. Art. Windeldecke.

Schwebebogen, schwebende Strebe; s. d. Art. Schwibbogen.

Schwebefenster, s. v. w. Schiebefenster.

schwebend (Herald.), heißt eine Heroldsfigur, wenn sie die Umfassung des Wappens nirgends berührt.

schwebende Firste (Bergb.), Firste, die nicht mehr feststeht, sondern einzusinken droht.

schwebende Gärten, s. v. w. hängende Gärten; s. d. Art. Assyrisch.

schwebender Fußboden, nicht überall festaufliegender Fußboden, zumal solcher, unter welchem der Raum zwischen den Lagerhölzern leer gelassen worden ist.

schwebender Gang (Bergb.), Gang von ganz oder fast horizontaler Richtung.

schwebendes Gerüst, Schwebgerüst, s. u. Gerüst und fliegendes Gerüst.

schwebende Mauer, auf Bogen ruhende Mauer; s. d. Art. Mauer I.

schwebende Mittel (Bergb.); so nennt man die nur im Hängenden eines Stollens sich befindenden Anbrüche.

schwebender Sumpf, eine Senkgrube, die oben mit einer Bühne bedeckt und mit Rasen wohl verwahrt ist; man legt dergl. für das Grubenwasser an, wenn es sich auf keine andere Weise beseitigen läßt.

schwebendes Feld (Bergb.), eine vollständig ausgebeutete Grube, welche bloß ihre Bergveste noch besitzt.

schwedische Fließe, aus grobem Marmor gefertigte graue und braune Platten; s. d. Art. Fließe und Fußboden.

schwedische Haube, welsche Haube, geschweiftes Kuppeldach für Thürme; s. d. Art. Haube, Helm, Dach ic.

schwedisches Dach, s. v. w. Kronendach; s. u. Dachdeckung, S. 602, Bd. I.

schwedisches Grün, s. d. Art. Scheele's Grün.

Schwefel, lat. sulphur, frz. soufre. I. Allgemeines und Vorkommen dess. Schwefel ist ein Metalloïd, Aequival. — 16, spec. Gewicht — 1,975–2,066. Dieses Element findet sich ziemlich reichlich, meist mit Metallen verbunden, als Schwefelmetall, Schwefelkies, Schwefelblende, Schwefelglanz, doch auch rein in Krystallform, ferner auch als Schwefelwasserstoff und als mit Basen verbundene Schwefelsäure, z. B. im Gips, Schwerspath, Cölestin, ferner in Pflanzen und thierischen Körpern. Gewonnen wird er in Sicilien, wo er in fast reinem Zustand neben thaltigen und thonigen Steinen ganze Höhlungen und Klüfte in Stalattitenform erfüllt; in Quito, Island, Polen, Tripolis ic., auch in Deutschland kommt er theils rein, theils von Steinsalz oder Bitumen begleitet, mit Gips und Braunkohlen vor, doch in so geringer Menge, daß man ihn in Deutschland vorzugsweise aus Eisen= und Kupferkies darstellt; s. übr. bar. d. Art. Arsennickes, Auripigment, Grüherz, Realgar, sowie Schwefelarsenit, Schwefelblende, Schwefelerde ꝛc.

II. Schwefel tritt gleich dem Kohlenstoff in drei allotropischen Zuständen auf, nämlich amorph oder in zweierlei Form krystallisirt, daher er auch dimorph genannt wird. Diese drei Modificationen sind: I. α-Schwefel oder Schwefelspath, in Sicilien und Spanien, in rhombischen Oktaëdern. Bruch muschelig in's Unebene; diesen kann man künstlich darstellen, wenn man eine andere Modification des Schwefels in Schwefelkohlenstoff löst und der freiwilligen Verdunstung überläßt; spec. Gewicht = 2,045—2,061, er rißt Kalk, ist rißbar durch Kalkspath, schwefelgelb in's Rothe, Braune und Gräue, verbrennt mit blauer Flamme, ist unlöslich im Wasser, auf trockenem und nassem Weg leicht löslich in Alkalien. Bei natürlichem Vorkommen ist ihm etwas Thon= oder Kieselerde, Bitumen oder Kohle verbunden.

2. β-Schwefel, prismatischer Schwefel, gemeiner Schwefel, krystallisirt in schiefen, rhombischen Säulen, die man erzeugen kann, wenn man Schwefel schmilzt, bei beginnendem Erkalten die Deckschicht durchstößt und den zum Theil noch flüssigen Schwefel ausgießt; kommt in der Natur vor als Faserschwefel oder Schwefelerde. Spec. Gewicht = 1,982.

3. γ-Schwefel, amorpher Schwefel, bleibt, nach dem Schmelzen in Wasser gegossen, längere Zeit plastisch; spec. Gewicht 1,967—2,04.

III. Der Schwefel löst sich nicht in Wasser, wenig in Alkohol und Aether, leicht in Terpentinöl, Schwefelkohlenstoff und fetten Oelen, läßt sich aus letzterer Lösung nicht unverändert wieder ausscheiden, schmilzt bei 112° zu einer öligen Masse, wird bei 116° dunkelroth und dick, bei 250° teigartig, dann aber wieder ganz dünnflüssig, bleibt aber braun. Bei 420° beginnt er zu sieden und verwandelt sich in dunkelrothbraune Dämpfe, die sich in kaltem Raume als Schwefelblume anlegen; an der Luft entzündet er sich bei 260°. Behufs Gewinnung des Schwefels bricht man z. B. in Sicilien die Schwefelmassen, theils in offenen Gruben, theils auf Gängen, sondert die Erze in reichere und ärmere, und schmilzt erstere in eisernen Kesseln, wobei aber eine Hitze von 150° C. nicht überstiegen werden darf, weil sonst der Schwefel wieder dickflüssig wird und die Abscheidung der erdigen Unreinheiten nicht erfolgt. Diese

Fig. 1745. Schwefelofen.

setzen sich nämlich zu Boden. Das Flüssige schöpft man ab und gießt es in nasse Holzformen, in denen es zu Rohschwefelblöcken erstarrt. Der Bodensatz, um mit den ärmeren Erzen vermengt zu werden, wird in die 12—16, in einen liegenden Ofen (Fig. 1745) ein-

gelassenen Thonkrüge a a gebracht und vermöge der Hitze durch die Röhren b in die Krüge c übergetrieben, destillirt, in welchen sich die Dämpfe zu flüssigem Schwefel condensiren, der durch d in das mit Wasser halbgefüllte Gefäß e überläuft. Sehr verschwenderisch ist die in Sicilien hier und da noch übliche Methode, den Schwefel in Meilern zu schmelzen, wobei der Schwefel selbst als Brennmaterial benutzt wird und also ein großer Theil desselben verloren geht. Bei der Gewinnung aus Kiesen (doppelt Schwefeleisen) würde man durch Glühhitze den Schwefel so weit abtreiben können, daß nur einfach Schwefeleisen zurückbliebe; da aber der Rückstand dabei schmelzen würde, treibt man die Hitze meist nur bis zum Zusammensintern des Erzes, wobei man allerdings nur den dritten Theil des Schwefelgehaltes gewinnt. Diese Gewinnung geschieht in thönernen Retorten, ganz ähnlich wie die Destillation der Steinkohlen behufs der Gasbereitung. Die Rückstände, Schwefelbrände, werden zu Erzeugung von Eisenvitriol verwendet. Durch die beschriebene Destillation des natürlich vorkommenden Schwefels oder des Schwefelkieses gewinnt man zunächst den Rohschwefel, der, wie erwähnt, in hölzerne Formen fließt, die man zuvor anfeuchtet; er erhält man Stangenschwefel. Die weitere Bearbeitung geschieht im Schwefelläuterofen; s. d. Wenn man Schwefelleber durch Säuren zersetzt oder ein unterschwefligsaures Salz mit einer Säure zusammenbringt, entweicht Schwefelwasserstoff u. es fällt Schwefelmilch, d. i. Schwefel in feinzertheilter Form, zu Boden.

IV. Angewendet wird der Schwefel zu Erzeugung von unterschwefliger Säure, schwefliger Säure, Schwefelsäure, Schießpulver, Zinnober, zur Erzeugung von sehr scharfen Abgüssen; s. d. Art. Abguß, Abschwefeln; zu Vulkanisirung des Kautschuks und der Guttapercha ꝛc., statt des Bleies zum Eingießen, Vergießen von eisernen Dobeln in Stein ꝛc.; s. d. betr. Artikel; ferner zu Bereitung verschiedener Kitte; s. d. Art. Kitt; zur Erzeugung einiger Farbestoffe; s. d. Art. Zinnober ꝛc.

V. Von den Verbindungen des Schwefels mit anderen Körpern (deren Zahl sehr groß ist) wollen wir hier zuvörderst einige wichtigere Verbindungen des Schwefels mit Sauerstoff erwähnen.

1. Die unterschweflige Säure kommt nicht isolirt vor, sondern nur in Verbindung mit Basen. Das unterschwefelsaure Natron löst frischgefälltes Chlor- und Jodsilber auf, dient daher in der Daguerreotypie zu Entfernung des Jodsilbers, zu Beseitigung des Chlors aus geblichten Gegenständen (heißt daher Antichlor) ꝛc.

2. Die schweflige Säure, ein gasförmiger Körper, entsteht durch Verbrennen von Schwefel an der Luft. In der Natur kommt sie unter den Exhalationen der Vulkane vor; sie bildet sich außerdem durch mannichfaltige chemische Processe, durch Rösten von Schwefelmetallen bei Luftzutritt, durch Erhitzen der Schwefelsäure mit gewissen Metallen, mit Kohle, Schwefel und organischen Substanzen und dergleichen.

Um Schwefligsauergas darzustellen, übergießt man gewöhnlich Kupfer oder Kohle mit concentrirter englischer Schwefelsäure und erhitzt. Das sich entwickelnde Gas wird von Wasser in großen Mengen absorbirt und die Flüssigkeit besitzt ganz den stechenden Geruch des Gases. Das Gas selbst sowohl als auch die Lösung desselben in Wasser haben die Eigenschaft, organische Substanzen zu bleichen; man benutzt diese bleichende Wirkung häufig in der Technik, z. B. zum Färben und Bleichen einiger Stoffe, zum Entfärben der Metalle ꝛc.; s. d. Art. Anschwefeln. Die zu bleichenden Stoffe taucht man entweder in eine wässerige Lösung der Säure, oder man hängt die mit Wasser befeuchteten Substanzen in einer verschlossenen Kammer auf, in welcher Schwefel in einer Schale verbrannt wird. Die schweflige Säure kann in gewissen Fällen auch als Feuerlöschmittel dienen, namentlich dann, wenn das Feuer in ganz geschlossenen oder einseitig geschlossenen Räumen entsteht. Bei einer in Brand gerathenen Esse z. B. reicht die Entzündung einer Hand voll Schwefelfäden im unteren Theil der Esse aus, um nach kurzer Zeit den Brand zu tilgen.

3. Die **Schwefelsäure**, die höchste und wichtigste Oxydationsstufe des Schwefels, ist für sehr viele technische sowie häusliche Zwecke eine ganz unentbehrliche Mineralsäure. In der Natur findet sich diese Säure selten frei vor, wohl aber in einer großen Anzahl von Mineralien an Basen gebunden, im Gips, Schwerspath, Cölestin ꝛc.; Bittersalz, Zink- u. Kupfervitriol, Alaun, Eisenvitriol u. Glaubersalz sind andere Verbindungen der Säure mit Basen; s. d. betr. Art. Die ganz wasserfreie Schwefelsäure, die nicht im Handel vorra, ist ein weißer asbestartiger Körper, der sich wie Wachs kneten läßt, aber leicht verflüchtigt. Im Handel kommen zwei Arten vor:

a) Die englische Schwefelsäure, gewöhnlich Vitriol genannt, ist eine Verbindung von wasserfreier Schwefelsäure mit mehr oder weniger Wasser; je geringer der Wassergehalt ist, desto schwerer und dickflüssiger ist die Säure. Die Stärke der Säure läßt sich daher durch ihr spec. Gewicht bestimmen; die höchst concentrirte hat das spec. Gewicht 1,843 und siedet bei 326º C.; diese kommt nicht im Handel vor. Die beste rectificirte Säure hat nur ein spec. Gewicht von 1,825 und enthält 73,5% wasserfreie Säure. Die Bereitung der englischen Schwefelsäure geschieht im Großen dadurch, daß man schweflige Säure durch Salpetersäuredampf im Gegenwart von Wasserdampf in Schwefelsäure überführt. Das Verfahren der Schwefelsäurefabrikation ist etwa folgendes: Man bereitet zuerst schweflige Säure, entweder durch Verbrennung von Schwefel auf einem Heerd unter Luftzutritt, oder durch Röstung gewisser Kiese, namentlich der Pyrite in Schachtöfen, die nebeneinander aufgestellt sind und sich alle in einem einzigen Abzugscanal vereinigen. Die auf die eine oder andere Art dargestellte Säure wird in 5 bis 6 große Bleikammern geleitet. In die erste Kammer wird fortwährend Salpetersäure eingeleitet, außerdem münden in alle Kammern Röhren, welche in dieselben feine Wasserdampfstrahlen einblasen. Die Salpetersäure liefert der schwefligen Säure einen Theil Sauerstoff und oxydirt sie zu Schwefelsäure, welche sich mit dem vorhandenen Wasser in die Bleikammern niederschlägt, s. auch d. Art. Schwefelsäurefabrik. Die auf diese Weise gebildete Kammersäure ist sehr verdünnt und muß durch Destillation concentrirt werden. Die concentrirte käufliche Schwefelsäure, eigentlich Schwefelsäurehydrat, ist eine schwach gelbliche, ölartige Flüssigkeit von höchst ätzenden Eigenschaften. Sie zerstört organische Stoffe höchst energisch; Pflanzenstoffe, Holz ꝛc. werden von ihr bald geschwärzt (verkohlt). Sie zerstört selbst im verdünnten Zustand mancherlei Substanzen und eignet sich z. B. vorzüglich, Fußböden von einer

Schmutzdecke zu befreien; ebenso eignet sie sich verdünnt zum Putzen von Metallgegenständen ꝛc. Die wichtigeren Verbindungen der Schwefelsäure sind an betreffenden anderen Orten des Lexikons beschrieben.

b) Die Nordhäuser Schwefelsäure ist eine an der Luft rauchende ölige Flüssigkeit von viel energischer zerstörenden Wirkungen als die englische Säure. Sie bildet ein Gemenge von wasserfreier Schwefelsäure, mit Schwefelsäurehydrat. Man erhält diese Säure durch Erhitzen von an der Luft verwittertem Eisenvitriol in thönernen Retorten. Der Gebrauch der Nordhäuser Schwefelsäure ist durch die große Ausdehnung, welche die Fabrikation der englischen Schwefelsäure erhalten hat, bedeutend in den Hintergrund gedrängt worden. Sie dient nur noch etwa zur Auflösung des Indigo's.

VI. Von den übrigen chemischen Verbindungen des Schwefels seien hier nur folgende erwähnt:

1. Schwefelwasserstoffgas hat die Eigenschaft, viele Metalloxyde aus ihren Lösungen als Schwefelmetalle zu fällen. Durch die dabei entstehende Farbenveränderung liefert es ein Mittel, die Metalle zu erkennen.

2. Schwefelkohlenstoff, Schwefelalkohol, dient als Auflösungsmittel für Schwefel und Phosphor, als Trennungsmittel des Schwefels und zur Vulkanisirung des Kautschuks.

3. Schwefelmetalle; s. d.

Schwefelabdrücke, s. d. Art. Abguß.

Schwefelalkohol, s. v. w. Schwefelkohlenstoff; s. d. Art. Schwefel.

Schwefelammonium, Trennungsmittel für viele Metalle.

Schwefelantimon, Grauspießglanzerz; s. d. Art. Antimon.

Schwefelarsenik, s. d. Art. Auripigment und Realgar.

Schwefelbarium, s. d. Art. Barytbersalze.

Schwefelblausäure, Sulfocyanwasserstoff, Rhodanwasserstoffsäure (Chem.), Verbindung von Blausäure mit Schwefel (⅛ Wasserstoff, 1¼ Stickstoff, 1½ Kohle und 4 Schwefel), dargestellt durch Zersetzen des Rhodankalium (schwefelblausauren Kali) mit Phosphorsäure; ist wasserhell und färbt organische Substanzen sowie Eisenoxydsalze blutroth. Schwefelblausaures Eisen kann zum Rothbeizen von Sandsteinen verwendet werden.

Schwefelblei, s. d. Art. Bleiglanz.

Schwefelblumen, s. d. Art. Schwefel.

Schwefelcadmium, s. d. Art. Cadmium.

Schwefelcalcium, dies erhält man durch Glühen von 7 Thln. Gips mit 1 Thl. Kohle.

Schwefelchlorür, wird gebraucht zum Vulkanisiren des Kautschuks.

Schwefeleisen, s. d. Art. Schwefelkies und Strahlkies (Markasit). Schwefeleisen kann man bereiten durch Zusammenschmelzen von Eisenfeile und Schwefel, in einem Schmelztiegel zu gleichen Theilen schichtweis gelegt, oder durch Erhitzen von 1 Theil Schwefelblumen und 2 Theilen Eisenfeile, zu einem Teig mit Wasser gemacht, über gelindem Kohlenfeuer; in feuchter Luft und bei Berührung von Säuren entwickelt es Schwefelwasserstoff.

Schwefelerde, Mehlschwefel (Mineral.), erdiger oder lockerer Schwefel, Farbe Schwefelgelb in's Graue; s. d. Art. Schwefel.

36

Schwefelerz (Mineral.), jede Steinart, deren Hauptbestandtheil Schwefel ist; s. d. Art. Schwefel, Arsenikkies, Schwefelkies ꝛc.

Schwefelform, s. d. Art. Abguß, Form ꝛc.

Schwefelgrube (Bergb.), eine Grube, in welcher Schwefel oder Schwefelerz gebrochen wird.

Schwefelhütte. Einiges über die hier vorzunehmenden Arbeiten s. unt. Schwefel III. Der Schwefel wird aber auch als Nebenprodukt beim Rösten der Erze gewonnen. Wenn auf der Röste (s. d.) Holz aufgeschichtet und Schwefelkies aufgeschüttet ist, wird angezündet; nach drei Tagen ist es verbrannt. Nach vierzehn Tagen wird die Oberfläche fettig, nun werden 20 bis 25 Löcher hineingestochen (Schwefelfänge) und mit Vitriolklein geebnet, auch unten Luft gemacht, dadurch aber der Brand etwas wieder angefacht. Dadurch sammelt sich der Rohschwefel in den Löchern; dieser kommt in das Schwefelhaus. Hier wird er in einer eisernen Schwefelpfanne bei gelindem Feuer geschmolzen und läuft von da zur Reinigung in einen Kupferkessel. Die noch

Fig. 1736. **Schwefelläuterofen.**

unreinen Theile werden dann durch Destillation im Schwefelläuterofen gereinigt. Statt auf der Röste gewinnt man aber auch den Schwefel im Schwefeltreibofen, s. d.

Schwefelkies, Markkien. 1) Zweifach Schwefeleisen, gemeiner Eisenkies, kommt am häufigsten hexaëdrisch krystallisirt vor. Er ist härter als Feldspath, weicher als Quarz, findet sich baum- und nierenförmig, kuglig, zellig, blätterig, als Geschiebe, eingesprengt, als Versteinerungsmasse verschiedener Schnecken ꝛc.; hat grobkörnigen, in's Muschelichte gehenden Bruch, Metallglanz, gelbe Farbe, spec. Gewicht = 5, giebt im Kolben freien Schwefel und etwas schweflige Säure, erscheint manchmal zu Brauneisenstein umgewandelt; — 2) Strahlkies, Speerkies, Markasit, verwittert leicht und bildet Vitriol; — 3) Leber- oder Magnetkies; s. d. Art. Leberkies. Vergl. auch d. Art. Hohofen II und Hornblendeschiefer.

Schwefelkobalt (Mineral.), s. d. Art. Kobalterze.

Schwefelkohle (Mineral.), Steinkohle mit mattem Bruch, behält ihre Gestalt beim Verbrennen, enthält: wenig Bergöl, viel Schwefelsäure u. erdige Bestandteile, ist ungesund zum Zimmerheizen.

Schwefelkohlenstoff, s. d. Art. Schwefel.

Schwefelkupfer, s. d. Art. Buntkupfererz, Fablerz und Kupfer.

Schwefelläuterofen oder **Schwefelraffinierofen** (s. Fig. 1746), enthält eiserne Destillirkolben B, aus denen die Dämpfe in die Kammern A treten, sich hier, wo eine niedere Temperatur unterhalten wird, zu Schwefelblumen condensiren und am Boden absetzen; später wird die Kammer hierzu zu warm; es schlägt sich nur noch flüssiger Schwefel nieder, wird bei h abgezapft und in die Formen i gelassen. Die Retorte B faßt 500—600 Pfd., der Vorwärmkessel D aber 1500—1600 Pfd. Schwefel; aus diesem fließt dann der Schwefel schon einigermaßen gereinigt in die Retorte B über; auch wird dadurch der Luftzutritt in die Kammer vermindert, welcher Schuld ist, daß ein Theil des Schwefels zu schwefliger Säure verbrennt, die dann durch noch mehr Sauerstoffentnahme aus der Luft zu Schwefelsäure wird und den Stangenschwefel versäuert; die Thür G wird nur zur Ausräumung der Schwefelblumen geöffnet, c ist die Thür zur Ausräumung des Rückstandes aus der Retorte, f ein Sicherheitsventil, e eine Klappe zu Abschließung der Luft während der Räumung der Retorte.

Schwefelleber; so nennt man mehrere in Wasser lösliche Schwefelmetalle. Dazu gehört: Schwefelkalium, -ammonium, -calcium ꝛc.

Schwefellöffel (Hüttenw.), zum Herausnehmen des Unreinen ꝛc. aus der Schwefelpfanne und dem Schwefelkolben dienender eiserner, durchlöcherter Löffel.

Schwefelmetalle,

1) feste, dahin gehört Schwefeleisenmangan; —
2) flüchtige, Schwefelquecksilber, Zinnober; —
3) lösbare, s. Schwefelleber. Viele derselben zeichnen sich durch eine intensive Färbung aus, so daß man sie als Farbematerialien benutzt hat. Es sind dies namentlich: Schwefelarsen, Schwefelzinn (Musivgold), Zinnober (Schwefelquecksilber). Schwarze Schwefelverbindungen sind: Schwefelblei, Schwefelkupfer, Schwefeleisen ꝛc. Künstlich stellt man die Schwefelverbindungen dar entweder durch Zusammenschmelzen der betreffenden Metalle mit Schwefel, oder durch Fällung der entsprechenden Metallauflösungen mit Schwefelwasserstoff oder Schwefelammonium.

Schwefelmilch, s. d. Art. Schwefel.

Schwefelmolybdän, kommt in der Natur krystallisirt vor, ist bleigrau, glänzend, schuppig und blätterig, biegsam und fettig anzufühlen; besteht aus 1 Thl. Molybdän und 2 Thln. Schwefel.

Schwefeln, s. d. Art. Abschwefeln, Anschwefeln und Schwefel.

Schwefelnaphtha, s. d. Art. Naphtha.

Schwefelnickel, s. d. Art. Nickel und Haarkies.

Schwefelpfanne, s. d. Art. Schwefelhütte.

Schwefelquecksilber, s. Aethiops u. Zinnober.

Schwefelröste, s. d. Art. Schwefelhütte.

Schwefelsäure, s. unter Schwefel. Ueber den Gebrauch s. d. Art. Beize A, Conservirung, Imprägniren, Holzstoff, Hygrometer ꝛc.

Schwefelsäurefabrik. Auf die Details der Fabrikation können wir begreiflich hier nur insoweit eingehen, als dieselben Einfluß auf die Anlage der Fabrikationslocale und Apparate haben. 1) Bei Fabrikation der Nordhäuser Schwefelsäure dienen als Rohmaterial die Abgänge, die als Mutterlauge bei Krystallisation des Vitriols bleiben. Durch Eindampfen derselben in Pfannen erhält man den Vitriolstein, den man in Thonretorten in einem Galerenofen destillirt, d. h. in einem langen liegenden Ofen, in welchem die Retorten zu beiden Seiten in mehreren Reihen übereinander so eingelegt sind, daß ihre Hälse vorstehen und die Vorlageröhren gleich den Ruderreihen einer Galeere von diesen Hälsen ausgehen. Erst nach einigen Stunden des Feuerns kommen aus diesen Röhren statt der sauren, wässerigen Dämpfe und der schwefligen Säure, die man entweichen läßt, die Nebel der wasserfreien Säure zum Vorschein; nun werden die Vorlagen angekittet, welche ein wenig Wasser enthalten.

2) Bei Fabrikation der englischen Schwefelsäure wird zuerst durch Verbrennen des Schwefels schweflige Säure erzeugt, und dazu noch weiterer Sauerstoff durch Hinzubringen von Salpetersäure gefügt. Früher, bei Erfindung der Methode durch Ward, wurde zu diesem Zweck mit dem Schwefel zugleich Salpeter verbrannt, worauf man die Dämpfe in Glasballons mit etwas Wasser leitete, bis Roebuck diese Ballons durch Bleikammern ersetzte. Darauf müssen die Salpetergase wieder gewonnen und endlich die erhaltenen Säuren concentrirt werden. Die Bleikammern A B C (Fig. 1747) stehen nicht auf, sondern hängen frei über ihrem mit Rädern versehenen Boden. Den Verschluß bildet die gleich Anfangs hineingegossene sehr schwache Schwefelsäure; DE ist der Schwefelofen, in welchem der Schwefel auf anfänglich von unten erhitzten eisernen Platten brennt und zugleich den Dampfkessel mit heizt. In diesen Ofen wird Luft in Ueberschuß zugelassen; so gelangt schweflige Säure und Luft zugleich in den Raum F; der Dampfkessel sendet seine Wasserdämpfe durch Röhren in die verschiedenen Räume, zuerst oben links in A, wo dieselben die in F aufgestiegene schweflige Säure mit sich in die Kammer A hineinreißt. In der zweiten Kammer B befindet sich die Salpetersäure auf dem Vertheilungsapparat a, welche einen Theil ihres Sauerstoffes an die schweflige Säure abgiebt, die dadurch zum Theil

zu Schwefelsäure wird; die dabei bleibende salpetrige Säure theilt sich in Folge der vorhandenen Wasserdämpfe in Salpetersäure und Stickstoffoxyd, welches sich wiederum von der miteingeführten Luft Sauerstoff entnimmt ꝛc. Der größte Theil dieses Processes geht in der Kammer C vor sich. Das so entstandene Gas- und Dampfgemisch

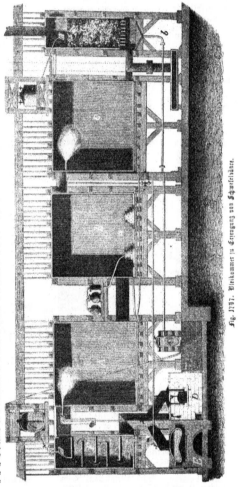

Fig. 1747. Bleikammer zu Erzeugung von Schwefelsäure.

geht durch einen flachen Kühlkasten b und durch die Kohlsschichten G, welche von oben immer mit concentrirter Schwefelsäure getränkt werden, um so die salpetrige Säure und das Stickstoffoxyd zu nochmaligem Gebrauch aufzufangen; die damit geschwängerte Säure fließt nämlich durch eine Röhre nach dem Apparat c, von wo sie durch

36*

Dampfdruck nach f aufgetrieben wird, um auf die Staffeln in F herabzuträufeln, wo sie durch den Wasserdampf aus einer kleinen Dampfröhre verdünnt wird und die salpetrigen Dämpfe an die eintretende Säure abgiebt. 3) Hier und da wird der Schwefelkies auf Schwefelsäure bearbeitet, indem man ihn in dem Fig. 1748 dargestellten Ofen, Anfangs mit Kohle, später für sich allein verbrennt. Die oberen Seitenöffnungen a a dienen zum Nachfüllen des Kieses, die unteren b b zu Regulirung des Luftzutrittes. Der Mittelcanal leitet die aufsteigende schweflige Säure in die

Fig. 1748. **Schwefelkiesofen.**

Bleikammern; in diesem Mittelcanal steht eine Pfanne mit Salpeter, der Schwefelsäure beigemischt ist. Die in den Bleikammern erzeugte Säure, **Kammersäure**, sammelt sich im Bodenkasten der Hauptkammer C (Fig. 1747) an, welcher etwas tiefer liegt als die der andern, und wird hierauf in flachen Bleipfannen abgedampft, die reihenweise hintereinander stehen, die tiefste zunächst am Feuer; in der obersten geschieht die Reinigung von salpetrigem Gase durch Darüberhinstreichen von schwefliger Säure, die vom Schwefelofen herkommt und das von dem salpetrigen Gase angezogene Stickgas in die erste Bleikammer mit fortführt. Die Böden der Abdampföfen sind durch untergelegte Ziegel oder dgl. vor zu starker Erhitzung gesichert. Dennoch kann hier die Concentration nur bis zu 60° Baumé getrieben werden. Die weitere Concentration geschieht in einem Platinkessel, der in einem außeisernen Mantel sitzt, und wird meist bis 66° Baumé getrieben.

Schwefelsäurehydrat, concentrirte Schwefelsäure; s. d. Art. Hydrat und Schwefel.

schwefelsaure Verbindungen werden in der Bautechnik häufig gebraucht, doch führen wir blos einige hier an:
1. schwefelsaure Thonerde; s. d. Art. Alaun.
2. schwefelsaure Kaliktalerde ꝛc.; s. d. Art. alkalische Tinktur;
3. schwefelsaures Calciumoxyd; s. d. Art. Gips.
4. schwefelsaures Baryt, Schwerspath; s. d. Art. Baryt;
5. schwefelsaures Bleioxyd, Bleivitriol; s. d. Art. Bleioxyd;
6. schwefelsaures Eisenoxyd; s. d. Art. Eisenoxyd ꝛc. Eisenvitriol;
7. schwefelsaures Kobaltoxyd: a) neutrales — roth, b) basisches — fleischfarben;

8. schwefelsaures Kupferoxyd; s. v. w. Kupfervitriol; s. d.
9. schwefelsaures Natron; s. d Art. Glaubersalz;
10. schwefelsaures Quecksilberoxyd, s. v. w. weißer Zinnober;
11. schwefelsaures Zinkoxyd; s. d. Art. Zinkvitriol;
12. schwefelsaures Kali; s. d. Art. Kali und Alkalien;
13. doppelt schwefelsaures Kali; s. d. betr. Art.
14. schwefelsaure Magnesia; s. d. Art. Bittersalz.

Schwefelschlacke (Hüttenw.), beim Läutern des Schwefels zurückbleibende schwärzliche, schlackichte Körper.

Schwefelsilber, s. d. Art. Rothgültigerz.

Schwefelsinter (Mineral.), in ganz lockerem Zusammenhang sich absetzender, graugelber Niederschlag aus Schwefelwasser.

Schwefeltreibofen oder **Schwefelbrennofen**, ist ein circa 16 Fuß langer, 6½ Fuß breiter, 2—3 Fuß hoch aufgemauerter Ofen. Der Heerd geht durch den ganzen Ofen durch. In der Ueberwölbung ist oben ein Loch von 4 Zoll; durch dieses schlägt die Flamme in den mit einer Haube geschlossenen Raum. Hier liegen die Schwefelröhren, Retorten, die mit Kies gefüllt werden; sie sind 4 Fuß lang, vorn 1 Zoll, hinten 6 bis 8 Zoll weit, und mit einem Deckel versehen. Die schmale Oeffnung steht aus dem Ofen vor und mündet in das eiserne Schwefelpfännchen, in dem etwas Wasser ist und in das der Schwefel läuft, der nun als Treibschwefel in den Läuterofen kommt.

Schwefelwasserstoffgas, Verbindung von Schwefel mit Wasserstoffgas, riecht sehr unangenehm nach faulen Eiern und ist der Gesundheit nachtheilig; s. d. Art. Abtritt und Grube. Gegenmittel: Chlorkalkaufstellung oder Eingiehen von Eisenvitriollösung.

Schwefelwerk, s. v. w. Schwefelhütte.

Schwefelwismuth (Mineral.), s. u. Wismuth.

Schwefelzink, Blende (Mineral.), kommt als Strahl- u. Faserblende vor, ritzt Kalkspath, ist ritzbar durch Apatit. Diamant- bis Perlmutterglanz, Farbe verschieden; s. übr. d. Art. Blende.

schweflige Säure, s. d. Art. Schwefel und Bleichflüssigkeit.

schwefligsaure Verbindungen; finden nur selten in der Bautechnik directe Anwendung, öfter schwefelsaure Verbindungen; s. d.

Schweif: 1) Bei doppelten Blasebälgen Verlängerung des Mittelbodens, an die der Balg befestigt ist; — 2) (Bergb.) bei einem Gang das Ausgehen der Ende, wo nur armes Erz oder taubes Gestein gebrochen wird, daher 3) armes Erz, z. B. Bleischweif, Eisenschweif; — 4) Schweif des Strebepfeilers, die hintere Seite desselben; — 5) s. v. w. Schwanz, s. d.; — 6) eiserne Stange, welche man an eine große Stück Eisen anschweißt, um dasselbe beim Schmieden besser regieren zu können.

Schweifeisen (Tischl.), Stemmeisen mit sehr breiter oder gebogener Schneide, zum Nacharbeiten geschweifter Holzflächen.

Schweifen, Holz mittelst der Schweifsäge oder auf der Sägemaschine bogenförmig ausschneiden.

Schweifsäge, s. d. Art. Säge; ist der Handsäge ähnlich, doch sehr klein und mit sehr schmalem Blatt; meist so eingerichtet, daß man ihr Blatt aus- und einhängen kann, um mitten aus einem Bret einen Kreis auszuschneiden. Dazu wird erst ein Loch vorgebohrt und das Sägeblatt hindurchgesteckt.

Schweiffpiegelnd (Herald.), mit ausgebreitetem Schwanze dargestellter Pfau.

Schweifung, überhaupt Krümmung, namentlich flachkarniesförmige; Schweifung der Glocke; s. d. Art. Glocke.

Schweige, s. v. w. Meierei, Vorwerk.

Schwein. Bei den Griechen galt der Eber als Strafruthe der Götter, das Schweinopfer als Besiegelung von Bündnissen; ferner ward das Schwein der Aphrodite (wegen des Adonis) und der Ceres (wegen der Fruchtbarkeit) geweiht: es galt als Sinnbild ungezähmter Stärke und Wildheit. Bei den Kelten galt das Schwein als Mittel, Druden und andere böse Geister zu vertreiben. In der christlichen Kunst ist das Schwein Attribut des heiligen Antonius, außerdem Symbol des Wälzens im Pfuhl der Sünde, der Völlerei, des zänkischen Neides ꝛc.

Schweinestall, s. d. Art. Stall.

SchweinfurterGrün, s. d. Art. Grün B. I. c.

Schweinsfedern (Schloss.), auch spanischer Reiter, Knopf mit vielen Spitzen, eine Art Sonne, auf oder neben Stacketen angebracht, um das Seitwärts-Herumklettern oder Uebersteigen zu verbinden.

Schweinskopf, Vorrichtung, um große Steine auf kurze Entfernung zu transportiren, bestehend aus zwei zusammengewachsenen Aesten oder Wurzeln, worüber ein Querholz oder eine Leiste geschnitten und mit starken Nägeln befestigt ist, um das Herabgleiten der Steine zu verhindern. Vorn ist ein Kopf daran, woran ein Seil oder eine Kette zu Anbringung der Pferde geschlungen wird.

Schweinstrog, s. d. Art. Stall.

Schweiß. 1) Der Zustand des Eisens, wenn es in großer Hitze weich zu werden beginnt, so daß die Schlacken zerfließen, das Eisen selbst aber noch nicht schmilzt; — 2) (Salzw.) die aus Schwitzquellen hervorquellende Soole.

Schweißbad, s. d. Art. Assum und Bad.

Schweißen. 1) Roheisen in Schweißhitze bringen und hämmern, wodurch es von Schlacken reinigt und geschmeidiger macht. — 2) S. v. w. anschweißen, s. d. Ueber Anschweißen des Gußeisens s. d. Art. Gußeisen, S. 227, Bd. II, Eisenloth, Angießen, Eisen V. d und k, S. 690. Das Anschweißen besteht darin, daß man die zu vereinigenden Stücke von Eisen oder Stahl durch Erhitzung so weit erweicht, daß sie sich durch Hämmern gleichsam zusammenkneten lassen. Die Schweißnabt sucht man möglichst zu verlängern und stellt sie daher thunlichst schräg gegen den Querschnitt.

Schweißhitze, auch blos Hitze, oder fließende Hitze genannt (Eisenarb.), der dem Eisen im Koblenfeuer gegebene Hitzgrad, welcher erforderlich ist, um das Eisen in Schweiß (s. d. 1) zu bringen und dann schweißen zu können. Wenn das Eisen zur Weißhitze gebracht wird, indem man durch eine Verhüllung mit Boraxpulver oder Lehm die Verschlackung hindert, so nennt man dies trockene Schweißhitze; wird aber das Eisen oder der Stahl

beim Erhitzen mit leichtflüssiger Schlacke, Schweißschlacke, oder mit Sand, Schweißsand, umgeben, so heißt dies saftige Schweißhitze. Der Stahl erfordert weniger Schweißhitze als das Eisen. Beim Schweißen des Stahles wendet man statt des Schweißsandes gepulverten Schwerspath, gestoßenes Glas, gestoßene glasirte Thonwaaren, Boraxpulver oder ein Schweißpulver (s. d.) an.

Schweißpulver, 1) 2 Gewichtstheile krystallisirter Soda werden in einem eisernen Topf geschmolzen und dann gepulvert: 7 Theile Blutlaugensalz werden durch fortgesetztes Hämmern zu Pulver gemacht, beides vermengt; ferner wird Borax in einem glühenden Tiegel calcinirt, gepulvert und nach Bedarf obigem Gemenge zugesetzt; — 2) um Stahl an Eisen zu schweißen: 11 Thle. Borsäure, 9 Thle. Kochsalz, 4 Thle. Blutlaugensalz und 2 Thle. kohlensaures Natron.

Schweißtuch, s. d. Art. Marterwerkzeuge, Orarium und Veronika.

Fig. 1749.

schweizer Bauart. Auf dem Gebiet des Kirchenbaues haben die Schweizer stets denselben Gang eingehalten, wie die benachbarten Länder. Auch die Profanbaukunst der Schweizer ist zwar, gleich der anderer Länder, dem allgemeinen

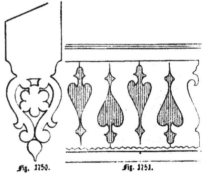

Fig. 1750. *Fig.* 1751.

Gang der Kunstgeschichte gefolgt, so daß es geradezu falsch ist, von Schweizerstyl zu sprechen, hat aber durch alle Style hindurch sich gewisse Eigenthümlichkeiten bewahrt.

Diese bestehen hauptsächlich in Folgendem:

Die Häuser sind zwar im Unterbau massiv,

im Oberbau aber entweder ganz von Holz aus-geführt, oder mindestens in Fachwerksbau; die Dächer tragen sehr weit aus, Sparren, Winkel-bänder 2c. sind mehr oder minder reich durch Schnitzwerk 2c. verziert. Unter dem Schutz des Daches, bei zweigeschossigen Häusern ringsum, bei bloß einstockigen mindestens am Giebel, steht eine Gallerie auf den oft sehr weit vorgetragten Balkenköpfen, ohne von der Erde aus durch Säulen unterstützt zu sein. Das Dach ist ziemlich steil (zwischen 30 und 40°) mit Ziegeln oder Schindeln gedeckt und in letzterem Fall mit Steinen belegt. Fenster und Thüren sind mit geschweiften Verklei-dungen umgeben. Das Obergeschoß ist oft mit äuße-ren hölzernen Treppen versehen, deren Geländer geschnitzt ist und welche nach den um das Haus herumführenden Gallerien führen. Wir geben in Fig. 1749 die Abbildung eines hübschen Schwei-zerhauses, in Fig. 1750 einen Abhängling als Verdeckung der Pfettenenden am Giebel und in Fig. 1751 ein Brüstungsmuster. [ter Krämpe.

Schweizerhut (Herald.), runder Hut mit brei-
Schwelchboden, Schwellboden, s. d. Art. Brauereianlage.
schwelen, durch langsames Feuer verbrennen, s. d. Art. Kien und Pech.
Schwelgerei, s. d. Art. Kardinaltugenden 5.
Schwellbret, zwischen die Zarge oder das Futter einer Thür unten befestigtes Bret, das mit zum Anschlag für die Thür und zu Abhal-tung des Luftzuges dient. Es erhält entweder einen Falz, wie die übrigen Wandungen des Futters, oder man läßt die Thür ohne Falz daran schla-gen. Doch zieht man es im Innern der Gebäude, zumal bei eleganten Zimmern, vor, den Fußboden innerhalb der Thür eben durchgehen zu lassen. Dabei muß die Arbeit aber sehr sorgfältig sein, damit die Thür nicht auf dem Fußboden aufschleife, noch eine zu große Fuge bleibt, die man übrigens häufig noch durch eine weichhaarige Bürste ausfüllt.
Schwelle (fem.), österr. Schweller (masc.), niedersächs. der Sull, die Sülle, der Dürpel, in Dithmarschen der Drüssel, lat. solea, frz. solive, dormant, engl. sleeper; s. v. w. Sohle, Unter-lage, besonders horizontal liegendes Holz als Un-terlage, daher namentlich 1) frz. seuil, engl. sill, s. v. w. Thürschwelle; s. d. Art. Schwellbret u. Sohl-bant;—2) frz. semelle, engl. sole, zum Tragen einer Fachwand (s. d. 1) dienendes horizontales Stück Holz, worein Säulen und Bänder eingezapft sind. Man kämmt oder dollt die Schwelle auf die Balken des unteren Geschosses und locht sie für die Säulen und Bänder der aufstehenden Fachwand; in der Regel sind nur bei Wänden, wo gar keine die Balken stehen, Schwellen nöthig. Die Stöße macht man häufig stumpf, verwahrt sie aber mit Klammern. Die Stöße müssen aber stets auf Balken treffen; s. auch d. Art. Saumschwelle, Bund-schwelle und Kreuzschwelle;—3) (Fußrähmen, Dachschwelle, frz. semelle, racinal du comble, engl. pole-plate genannt, unterer Rahmen eines Dachstuhles; s. d. Art. Dach, S. 594, Bd. I; nicht mit Mauerlatte zu verwechseln;—4) Eisen-bahnschwelle;—5) (Bergb.) quer über die Pfuhl-bäumen liegende Hölzer, worin die Haspelstützen stehen;—6) frz. sablière, plate-forme, engl. ledger, auch Legde, Schwelle eines Schwellrostes.
Schwelleiche, s. d. Art. Bauholz, S. 280, Bd. I unter b.

Schwellholz, 1) s. v. w. hölzerne Schwelle; —2) das zu solchen, besonders zu Rostschwellen brauchbare Holz; s. d. Art. Bauholz, S. 281 und 282. Bd. I
Schwellrost, s. d. Art. Grundbau, Rost 1. b, und Enrochement.
Schwellung, 1) das Ansteigen des Wassers unterhalb der Mühlräder in einem Mühlgraben, wenn es so weit geht, daß die Räder stocken; —2) s. v. w. Anschwellung; s. d.
Schwellwerk, sämmtliche Schwellen und Zu-behör beim Schleußenbau, Grundbau 2c.
Schwemme, s. d. Art. Schafschwemme.
Schwemmjoch, s. d. Art. Schwammjoch.
Schwengel. 1) (Maschinenw.) zweiarmiger Hebel (z. B. an Wasserbrunnen die Handhaben, an der Glocke der Hebel); ist entweder a) mit einem Ende in einer Welle befestigt und wird auf- und niedergezogen, oder bewegt sich b) wie ein Balan-cier oder Druckhebel, um einen Bolzen in der Mitte, Schwengelbolzen, Schwengelangel, in der Scheere einer Säule, Schwengelstütze; c) eine an-dere Art gleicht einem Pendel, an welchem unten ein schweres Gewicht hängt, der oben in einer Welle befestigt ist, deren Seitenarme die Pumpen-stangen heben und niederdrücken, sobald man den Schwengel hin- und herbewegt, was sehr er-leichtert wird durch den Schwung des Gewichtes; — 2) (Mühlenb.) s. v. w. Lenker bei Sägemühlen; — 3) (Hüttenw.) das die Blasebälge in die Höhe ziehende Gewicht; — 4) s. v. w. Schwenkbaum 1.
Schwengelbrunnen, Schwengelpumpe, s. d. Art. Brunnen, S. 475, Bd. I, und Pumpe.
Schwengelkunst, Schwengelwerk, Wasser-hebungsmaschine, welche mittelst des Schwengels in Bewegung gesetzt wird.
Schwengelverschluß, s. d. Art. Basquill.
Schwenkbaum, Deichsel, 1) Baum, an wel-chen die Pferde eines Göpels gespannt sind; — 2) s. v. w. Lente bei Sägemühlen.
schwenken, ein Bret oder sonstiges Holz schwen-ken heißt, es dergestalt über ein anderes legen, daß das Zopfende des einen da liegt, wo das Stamm-ende des andern liegt. Vgl. d. Art. Béchevet.
Schwenkkessel, frz. cuvette, s. d. Art. Kessel.
Schwenkleine, Schwungleine, Lenkseil, s. d. Art. Einschwenken und Abschwenken.
Schwenzel (Hüttenw.), s. v. w. Schwänzel; s. d. Art. Begrünen.
schweppen, s. d. Art. Begrünen.
Schwere, das allen irdischen Körpern eigen-thümliche Bestreben, sich dem Mittelpunkt der Erde zu nähern. Ueber die Art und Weise dieser Bewegung, des sogenannten freien Falles, s. d. Art. Fall. Der Fall ist, abgesehen von den Hin-dernissen der Bewegung, wie Luftwiderstand 2c., an allen Orten eine gleichförmig beschleunigte Be-wegung; die Beschleunigung der Schwere g (s. d. Art. Fall) ist zugleich ein Maaß für die Intensität der Schwere, und da an demselben Ort alle Körper gleich schnell fallen im luftleeren Raum an demselben Ort alle Körper gleich schnell fallen. Dagegen ist die Größe g verschieden für verschie-dene Punkte auf der Erdoberfläche. Man hat ge-funden, daß, während g die Beschleunigung der Schwere bei 45° Breite = 9,80896 Meter ist, die Beschleunigung g' bei einer andern Breite φ gleich ist: $g' = g (1 - 0{,}002841 \cos 2\varphi)$. Die Beschleu-

nigung der Schwere nimmt hiernach von den Polen nach dem Aequator zu ab. Die Ursache hiervon ist sowohl die Abweichung der Erde von der Kugelgestalt, als auch die Centrifugalkraft, welche bei der Umdrehung der Erde entsteht und am

Aequator am größten ist $\left(\text{etwa } \frac{1}{289}g\right)$. — Die Richtung nach dem Erdmittelpunkt, in welcher ein Körper fällt, ist zugleich Richtung der Schwerkraft; sie wird mit Hülfe des Bleiloths gefunden. Sobald sich dem freien Fall ein Hinderniß, etwa ein feststehender Körper, entgegenstellt, so üben die Körper auf diesen einen Druck aus, welcher ihr Gewicht genannt wird. Das Gewicht G ist abhängig von der Masse M, d. h. von der Menge der in den Körpern enthaltenen Materie, und von der Beschleunigung der Schwere, daher setzt man: G = Mg. Die Ursache der Schwere ist eine wechselseitige Anziehung aller materiellen Körper auf einander; also wirkt streng genommen auch jeder fallende Körper anziehend auf die Erde, in deren Folge die Erde sich ihm nähert; da jedoch die Masse aller irdischen Körper verschwindend klein gegen die Masse der Erde ist, so kann man sich dies so denken, als ob die Erde allein anzöge. Die Intensität dieser anziehenden Kraft der Erde nimmt ab mit dem Quadrat der Entfernung vom Erdmittelpunkt. Newton hat gezeigt, daß auch alle Körper des Sonnensystems durch anziehende Kräfte, welche alle Körper wechselseitig auf einander ausüben, in ihren Bahnen erhalten werden. Man nennt diese Kräfte die allgemeine Schwere oder Gravitation.

Schwerebene und Schwerlinie, s. d. Artikel Schwerpunkt.

Schwererde, s. d. Art. Baryt.

Schwerflüssig, s. v. w. strengflüssig; s. d. Art. Flußmittel.

Schwerpunkt. Da die Gewichte aller Theilchen eines schweren Körpers Kräfte sind, welche ihrer Richtung nach durch den Mittelpunkt der Erde gehen, dieser aber im Vergleich zu den Dimensionen der Körper als unendlich fern angesehen werden kann, so kann man auch annehmen, daß die Gewichte aller einzelnen Theilchen ein System paralleler Kräfte bilden. Die Resultirende aus diesen Kräften ist das Gewicht des ganzen Körpers, der Mittelpunkt der parallelen Kräfte dagegen führt den Namen des Schwerpunkts. Wird ein Körper in seinem Schwerpunkt unterstützt, so befindet er sich in indifferentem Gleichgewicht, d. h. er bleibt in jeder Lage in Ruhe. Jede gerade Linie durch den Schwerpunkt heißt Schwerlinie, jede Ebene durch denselben Schwereben. Durch zwei Schwerlinien oder drei Schwerebenen ist der Schwerpunkt bestimmt. Man kann ihn daher leicht experimentell auf folgende Weise finden: Man hängt den Körper in einem Punkt a (Fig 1752) an einem Faden auf; dann wird die Verlängerung dieses Fadens durch den Schwerpunkt gehen, also eine Schwerlinie sein; eben dasselbe führe man ein zweites Mal aus, indem man den Körper in einem andern Punkt b (Fig. 1753) aufhängt; der Durchschnittspunkt beider so erhaltenen Schwerlinien ist der Schwerpunkt des Körpers. Auf diese Weise läßt sich bei ebenen Scheiben der Schwerpunkt leicht ermitteln, bei anderen Körpern wird man dagegen nicht im Stand sein, die Verlängerung des Fadens in's Innere genau anzugeben.

Dagegen kann man bei sämmtlichen regelmäßig gestalteten Körpern den Schwerpunkt leicht durch Rechnung finden, wenn nur die Dichtigkeit sich nicht ändert, oder wenigstens das Gesetz bekannt ist, nach welchem die Aenderung vor sich geht.

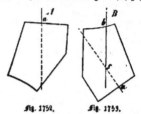

Fig. 1752.   **Fig. 1753.**

Sind $x_1\ y_1\ z_1,\ x_2,\ y_2,\ z_2\ldots$ die Abstände der Theilchen eines Körpers von drei Coordinatenebenen, sowie $G_1,\ G_2,\ G_3\ldots$ die Gewichte der einzelnen Theilchen, so werden die Abstände des Schwerpunktes von den drei Coordinatenebenen

$$x = \frac{G_1\ x_1 + G_2\ x_2 + \ldots}{G_1 + G_2 + \ldots}$$

$$y = \frac{G_1\ y_1 + G_2\ y_2 + \ldots}{G_1 + G_2 + \ldots}$$

$$z = \frac{G_1\ z_1 + G_2\ z_2 + \ldots}{G_1 + G_2 + \ldots}$$

Ist der Körper homogen, so kann man die Gewichte der einzelnen Theile auch durch die Volumina ersetzen; sind Körper nach einer oder nach zwei Richtungen wenig ausgedehnt, wie Bleche oder Drähte, so kann man sie als Flächen oder als Linien ansehen und den Schwerpunkt mit Hülfe voriger Formeln ebenso bestimmen, wenn man nur statt der Volumina Flächen oder Linien einführt. Im Allgemeinen wird die Bestimmung des Schwerpunktes mit Hülfe der Integralrechnung auszuführen sein. Zwei Sätze können die Berechnung oft sehr abkürzen, sie lauten: Die Schwerpunkte regelmäßiger Räume fallen mit den Mittelpunkten derselben zusammen; diejenigen symmetrischer Räume liegen in den Symmetrieachsen oder Symmetrieebenen. Es folgen im Nachstehenden die Schwerpunktsbestimmungen für die wichtigsten geometrischen Linien, Flächen und Körper, stets unter Voraussetzung homogener Masse.

I. Für Linien.

1. Der Schwerpunkt einer geraden Linie liegt in ihrer Mitte.

2. Der Schwerpunkt des Umfanges eines Dreieckes liegt in dem Mittelpunkt des Kreises, den man in das Dreieck einschreiben kann, welches man erhält, wenn man die Mittelpunkte der Seiten verbindet.

3. Ist k die Sehne eines Kreisbogens, b die Bogenlänge, r der Radius, so liegt der Schwerpunkt des Bogens auf der geraden Linie vom Mittelpunkt des Kreises nach dem Mittelpunkt des Bogens, und zwar von ersterem um die Strecke $x = \frac{rk}{b} = \frac{2r\sin\beta/2}{\beta}$ entfernt, wobei β den Centriwinkel des Bogens bedeutet. — Für den Halbkreis ist $x = \frac{2r}{\pi} = 0{,}6366\,r$, ungefähr $\frac{7}{11}r$; für den Quadranten $x = 0{,}90031\,r$, ungefähr $\frac{9}{10}r$.

II. Für ebene Flächen.

1. Der Schwerpunkt eines Parallelogrammes liegt im Schnittpunkt seiner Diagonalen.

2. Bei einem Dreiecke schneiden sich die geraden Linien, welche die Scheitel mit den Mittelpunkten der gegenüberliegenden Seiten verbinden, im Schwerpunkt des Dreieckes; dabei ist die Entfernung des Schwerpunktes von der Spitze $\frac{2}{3}$ jeder solcher Linie.

3. Sind z_1, z_2, z_3 die Abstände der drei Eckpunkte eines Dreiecks von einer Ebene, so ist der Abstand des Schwerpunktes von derselben Ebene

$$z = \frac{z_1 + z_2 + z_3}{3}$$

4. Der Schwerpunkt eines Paralleltrapezes ABCD (Fig. 1754) wird gefunden, wenn man CE = AB und AF = CD macht, und sodann EF sowie die Verbindungslinie GH der Mittelpunkte beider Seiten AB und CD zieht. Der Schnittpunkt beider Linien EF u. GH ist der Schwerpunkt S des Trapezes. Wenn AB = a, CD = b und die Höhe des Trapezes h, so ist auch der senkrechte Abstand des Punktes S von der Grundlinie AB gleich $z = \frac{h}{3} \cdot \frac{2b + a}{a + b}$.

Fig. 1754.

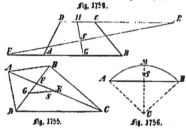

Fig. 1755.   Fig. 1756.

5. Um den Schwerpunkt des unregelmäßigen Vierecks ABCD (Fig. 1755) zu finden, ziehe man die beiden Diagonalen AC und BD, welche sich in F schneiden mögen, trage BF von D aus auf BD ab nach G, halbire AC in E, ziehe EG und theile dies in 3 Theile. Der erste Theilpunkt von E aus ist der Schwerpunkt S.

6. Der Schwerpunkt eines Kreissectors liegt auf der Mittellinie desselben und steht vom Mittelpunkt des Kreises um $z = \frac{2 \, r \, k}{3 \, b} = \frac{4 \, r \sin \beta/2}{3 \, \beta}$ ab, wo die Bedeutungen von r, k, b, β wie in I, 3) sind.

Für den Halbkreis wird $z = 0,4244 \, r$, nahezu $= \frac{4 \, r}{3 \, \pi}$;

für den Quadranten: $z = 0,6002 \, r$, nahezu $\frac{3}{5} \, r$.

7. Der Schwerpunkt S eines Kreissegments AMB (Fig. 1756) liegt auf der Mittellinie, vom Mittelpunkt C des Kreises um das Stück $CS = z = \frac{k^3}{12 \, F}$ entfernt, wobei k = AB die Länge der Sehne und F der Flächeninhalt des Segmentes ist.

8. Der Schwerpunkt eines Parabelsegmentes liegt auf der Mittellinie und steht von der Basis um $\frac{3}{5}$ der Höhe ab.

III. Für Oberflächen.

1. Der Schwerpunkt eines Prismenmantels liegt in der Mitte der Linie, welche die Schwerpunkte der Umfänge beider Grundflächen verbindet.

2. Der Schwerpunkt des Mantels einer Pyramide oder eines Kegels liegt in der Verbindungslinie des Schwerpunktes des Umfanges der Grundfläche mit der Spitze, und zwar von letzterer um $\frac{2}{3}$ dieser Linie entfernt.

3. Der Schwerpunkt einer Kugelzone liegt in der Mitte der geraden Linie, welche die Mittelpunkte der beiden Begrenzungskreise verbindet.

IV. Für Körper.

1. Der Schwerpunkt eines Prisma's liegt in der Mitte der geraden Linie, welche die Schwerpunkte der beiden Grundflächen verbindet.

2. Der Schwerpunkt jeder Pyramide und jedes Kegels liegt in der Linie von der Spitze nach dem Schwerpunkt der Grundfläche und steht von jener um $\frac{3}{4}$, von dieser um $\frac{1}{4}$ dieser Linie ab.

3. Sind z_1, z_2, z_3, z_4 die Abstände der 4 Ecken einer dreiseitigen Pyramide von einer Ebene, so ist der Abstand z des Schwerpunktes von derselben Ebene $z = \frac{z_1 + z_2 + z_3 + z_4}{4}$.

4. Der Schwerpunkt einer abgekürzten Pyramide liegt in der Linie, welche die Schwerpunkte der beiden Grundflächen F_1 und F_2 verbindet; ist h die Höhe des Körpers, so ist der Abstand des Schwerpunktes von der Grundfläche F_1: $z = \frac{F_1 + 2\sqrt{F_1 F_2} + 3 F_2}{F_1 + \sqrt{F_1 F_2} + F_2} \cdot \frac{h}{4}$. Für einen abgekürzten Kreiskegel mit den Basishalbmessern r_1 und r_2 ist daher

$$z = \frac{r_1^2 + 2 r_1 r_2 + 3 \, r_2^2}{r_1^2 + r_1 r_2 + r_2^2} \cdot \frac{h}{4}.$$

5. Sind a_1, b_1 die Kanten der untern, a_2, b_2 der obern rectangulären Basis eines Obelisken von der Höhe h, so ist der Abstand des Schwerpunktes von der Basis $(a_1 b_1)$

$$z = \frac{h}{2} \cdot \frac{a_1 b_1 + 3 a_2 b_2 + a_1 b_2 + a_2 b_1}{2 (a_1 b_1 + a_2 b_2) + a_1 b_2 + a_2 b_1}.$$

6. Der Schwerpunkt eines schief abgeschnittenen dreiseitigen Prisma's von den Kantenlängen h_1, h_2, h_3 liegt von der Basis entfernt um $z = \frac{h_1^2 + h_2^2 + h_3^2 + h_1 h_2 + h_1 h_3 + h_2 h_3}{4 (h_1 + h_2 + h_3)}$ sowie von der Seitenfläche, welche nicht an der Kante h_1 liegt, wenn zugleich H_1 der Abstand dieser Kante von ihr ist: $z_1 = \frac{H}{4} \left(1 + \frac{h_1}{h_1 + h_2 + h_3} \right)$.

7. Der Schwerpunkt eines Kugelsectors steht vom Centrum ab um die Strecke $z = \frac{3}{4} \left(r - \frac{h}{2} \right)$, wobei h die Höhe des Segmentes ist. Bei der Halbkugel ist $z = \frac{3}{8} \, r$.

8. Der Schwerpunkt eines Kugelsegmentes (einer Calotte) steht vom Centrum der Kugel ab um $z = \frac{3}{4} \cdot \frac{(2 r - h)^2}{3 r - h} = \frac{3 r_1^2}{2 h (3 r_1^2 + h^2)}$ und von der Grundfläche der Calotte um $z_1 = \frac{h}{4} \cdot \frac{4 r - h}{3 r - h} = \frac{h}{2} \cdot \frac{2 r_1^2 + h^2}{3 r_1^2 + h^2}$, wobei r den Kugelhalbmesser, r_1 den Halbmesser der Grundfläche des Segmentes, h die Höhe desselben bedeutet.

9. Der Schwerpunkt einer körperlichen Kugelzone, welche von zwei Grundflächen mit den Halbmessern a und b begrenzt ist und die Höhe h besitzt, steht von der Basis mit dem Halbmesser a ab um $z = \frac{h}{2} \cdot \frac{2 a^2 + 4 b^2 + h^2}{3 a^2 + 3 b^2 + h^2}$.

10. Der Schwerpunkt eines Rotationsparaboloides steht von der Basis um ⅖ der Höhe ab.

11. Der Abstand des Schwerpunktes einer Zone eines Rotationsparaboloides von der größten Basis, deren Halbmesser R sei, ist

$$z = \frac{h}{3} \cdot \frac{R^2 + 2r^2}{R^2 + r^2}.$$

12. Die Schwerpunkte zusammengesetzter Körper werden nach der allgemeinen Formel berechnet, indem man die Körper in ihre Theile zerlegt; s. übr. d. Art. Concentrisch, Dreieck, Druck, Futtermauer, Hydrostatik, Widerlager, Wölbung, Ausladung ꝛc.

Schwerspath, Neschgips, s. d. Art. Baryterdesalze, Chromgelb, Bassin, Patentweiß, Kitt ꝛc.

Schwert, 1) in Richtung eines Strebebandes von einem festruhenden Körper nach einem zu befestigenden geführtes Bret oder schwaches Stück Bauholz. So verbindet man z. B. durch ein schräge-gerichtetes Bret eine aufgestellte, zu vermauernde Thürzarge provisorisch mit der Balkenlage. Definitiv werden Dachstüble, die nicht mit den nöthigen Bändern versehen sind, ebenfalls abgeschwertet; s. d. Art. Kreuzstrebe. — 2) Vier Schwerter, zwei große und zwei kleine, sind bei der holländischen Windmühle nach dem Stert gerichtet, von den äußersten Enden der außerhalb hervortretenden Schwertbalken, und durch Schraubenbolzen befestigt. — 3) (Schiffsb.) s. v. w. Schiffsschwert. — 4) Bei den Alten war das Schwert blos Symbol des Krieges, bei den Germanen Attribut der Ued, in der mittelalterlichen Symbolik aber und in der Heraldik bedeutet es Adel und Gerechtigkeit (s. d.), Macht, Gewalt und christlichen Heldenmuth. Hinter dem Wappen ist es ein Zeichen der weltlichen Gerichtsbarkeit, namentlich des Rechts über Leben und Tod. Als Attribut kommt es zu den Heiligen Accursius, Agnes, Albanus, Artemius, Aquilinus, Amandus, Augusta, Barbara, Bonifacius, Catharina, Charitas, Columba, Constantinus, Cyprianus, Cyriacus, Donatian, Donatus, Dorothea, Dympna, Eudocia, Eugenia, Eugenius, Euphemia, Eusebia, Eutropius, Evaristus, Evasius, Ewald, Ezechiel, Fabian, Fedronia, Firminus, Flavianus, Friedrich von Utrecht, Georg, Ja, Johannes, Irene, Juliana, Julianus, Leocadia, Margaretha, Maria, Martinus, Mauritius, Maximus, Melitina, Nicephorus, Petrus9, Jacobus, Regina, Pholas, Pamphilius, Pantratius, Pantaleon, Placidus, Paulus, Protasius, Petrus Martyr, Thomas Becket; s. auch d. Art. Marterwerkzeug und Kurschwert.

Schwertbalken (Mühlenb.), zwei Balken, die bei der holländischen Windmühle über die Jugbalken gekämmt sind; der große Schwertbalken, 36 Fuß lang, liegt mit der einen Langseite über dem Mittel der Mühle, ist, so weit er innerhalb der Haube sich befindet, 14 Zoll im □ stark, außerhalb aber verjüngt er sich und erhält Abwässerungen; der Zapfen der unteren stehenden Hauptwelle liegt an seiner Seite an und hat einen hölzernen Ueberwurf, auch ist er verstrebt mit den beiden Jugbalken. Der kleine Schwertbalken ist 24 Fuß lang, trägt die Stiele der Hinterwand und ist, so weit diese Wand reicht, 12 Zoll im □ stark, nach beiden Enden zu, wie der große Schwertbalken, mit Abwässerungen verjüngt. Von außen ist der Stert (s. d.) in der Mitte des kleinen Schwertbalkens angebolzt und mit den

Enden beider Schwertbalken durch die Schwerter (s. d. 2) unverrückbar verbunden.

Schwertfegerdraht, sehr schwacher Messingdraht.

Schwertfegergold, s. Blattgold.

Schwertklospen, zwei Klospen (s. d.), in's Kreuz über Bohlen gelegt.

Schwertlatte, zum Abschwerten benutzte Latte; s. auch d. Art. Windlatte.

Schwertlilie, californische (Iris tenax Dougl.), in Californien, liefert feste Fasern zu Stricken.

Schwertsägemaschine, Steinsäge (s. d.), wenn das Blatt ohne Zähne, also glatt wie ein Schwert ist.

Schwibbogen, Schwiebbogen, 1) engl. pierrach, s. v. w. Schwebebogen ꝛc., überhaupt jeder Bogen, worunter man durchgehen kann, insbesondere aber fliegende Strebe, franz. arc boutant, engl. flying butress. Noch in der ersten Hälfte des 12.

Fig. 1757. Aus Rheims. Fig. 1758. Von St. Ouen.

Jahrhunderts findet sich nirgends eine Spur von Strebebögen. Man fing den Seitenschub der Hauptschiffwölbung durch die Halbtonnengewölbe der Seitenschiffe auf. Erst in der zweiten Hälfte des 12. Jahrhunderts trat man und die Idee, diese Halbtonnengewölbe zwischen den Widerlagspunkten der Hauptschiffwölbungen heraus zu schneiden. Eins der ältesten Beispiele mögen die Strebebögen an der Kirche St. Remy zu Rheims sein, dann folgen die Cathedralen von Soissons und Amiens. Seine Vollendung fand dies romanische Strebebogensystem in dem doppelten, aber durch eine Arkadenreihe zusammen in einer vereinigten Strebebogen der Cathedrale zu Chartres, s. Fig. 1683 im Art. Romanisch; der oberste einzelne Bogen entspricht der Scheitelhöhe der Joche und dient zugleich als Strebe gegen den Seitenschub des

Dachstuhls. Während des Emporblühens des gothischen Styls gelangte das Strebepfeiler=system zu einer hohen Ausbildung. Der nächste Schritt zeigt zwei gleiche oder doch fast gleiche Strebebögen, von denen der untere am Wider=lager, der obere am Scheitel des Mittelschiffgewöl=bes sich anlegt, siehe z. B. in Figur 1757 die etwa aus der Zeit von 1230 stammenden Strebebögen von der im Jahr 1211 begonnenen Cathedrale zu Rheims; am Kölner Dom und an der von 1220

Fig. 1759. Aus Amiens.

bis 1288 erbauten Cathedrale zu Amiens (Fig. 1759) ist das System schon vollständig ausgebil=det. Die Anordnung bei fünfschiffigen Kirchen möge Fig. 1758, von der 1318 begonnenen Kirche St. Quen in Rouen, veranschaulichen. Weiteres s. in den Art. Gothisch, Französisch=Gothisch 2c. — 2) S. v. w. überbaute Gruft; s. d. Art. Grab=mal A. 3.

Schwielen, 1) (Bergb.) aus dem umliegenden Schieferstein sich leicht ausschälende Stücken Ku=pferschiefer in Gestalt langer Nieren; — 2) s. d. Art. Baumkrebs.

Schwieping (Schiffsb.), 1) zur Verbindung der obersten Auflanger der Spanten dienende starke Latte; — 2) spitzes Ende eines Taues.

Schwimmbad, Schwimmbassin, s. d. Art. Bad, S. 194, Bd. I.

Schwimmbaum, s. d. Art. Baum 4.

Schwimmen. Man sagt: die Steine schwim=men, wenn sie in zu dünnem Kaltmörtel verlegt worden, so daß die Oberfläche des Steines das in dem Mörtel befindliche Wasser nicht genügend aufsaugen und mit demselben also auch nicht zum Binden kommen kann. Derselbe Fall findet dann mit dem darunter befindlichen Lagerstein statt, und kann so der Stein auf seinem Lager äußerst leicht verändert werden.

schwimmend (Bergb.), s. v. w. sumpfig, mit Wasser durchzogen.

schwimmende Mauer. Eine Mauer, inner=halb der äußern Umfassungsmauer in einem Wasserbassin aufgeführt; man schlägt den Zwi=schenraum zwischen beiden Mauern mit fettem Thon aus.

schwimmender Rost, s. v. w. liegender Rost, s. unt. Grundbau und Rost.

schwimmende Ziegel, s. d. Art. Bergmehl.

Schwimmkugel und Schwimmstab sind In=strumente zur Messung der Geschwindigkeit der Ströme; s. d. Art. Geschwindigkeit und Strom.

Schwimmstein (Min.), eine Art Kiesel, knollig und nierenförmig, erscheint auf Feuerstein als Ueberzug, ritzbar durch Kalkspath; Farbe gelblich=grau, in's Weiße spielend, wiegt 0,5, besteht wesent=lich aus Kieselsäure.

Schwimmwage, s. d. Art. Aräometer.

schwinden, an körperlichem Umfang abneh=men, geschieht 1) beim Holz durch Zusammen=trocknen, wobei es dann gewöhnlich aufreißt; s. d. Art. Holzverderbniß und Bauholz, S. 270, Bd. I; — 2) beim Gußeisen durch Erkalten, bei Anferti=gung der Formen ist hierauf Rücksicht zu nehmen; s. darüber d. Art. Gußeisen II. — 3) Das Schwin=den bei Mauerwerk, auch Setzen genannt, ist nicht allein Folge von Zusammendrückung des Erd=bodens durch nach und nach immer vermehrte Last, sondern auch Mauern, welche auf absolut fest=stehenden Rosten aufgeführt werden, setzen sich durch Zusammendrückung und Zusammentrocknen der Mauerfugen. Man sei daher vorsichtig bei Ver=bindung des Ziegelmauerwerkes mit Sandstein, der kleinere Fugen hat und daher weniger schwindet, d. h. man lasse einen kleinen Spielraum, so weit die Mauer über den Sandstein reicht. — 4) (Ziegl.) Schwinden des Thons; die Theilchen des Thons rücken schon beim Trocknen näher aneinander, die anfänglich entstandenen Poren werden enger, die spec. Schwere nimmt zu und die Masse wird so dicht, daß sie keine Eindrücke mehr annimmt. Während bei gesteigertem Hitzgrad die Poren immer enger werden und also der Thon während des Brennens an specifischem Gewicht zunimmt, ist dies mit der Dichtigkeit der Masse an sich nicht der Fall. Diese erreicht bei dem Anfang der Glühhitze ihren Culminationspunkt und geht mit der Weißglühhitze wieder auf denselben Grad zurück, den er nach dem Trocknen unter 100° C. hatte. Im Anfang verliert nämlich der Thon noch Wasser und zwar, nachdem er bei 150° C. getrocknet war, noch 8½%. Von da an bleibt sich sein Gewicht gleich, aber in der Glühhitze vermehren die Thontheilchen ihr Volumen, vermindern also ihre Dichtigkeit. Sie nähern sich aber natürlich auch zugleich einander, woraus eine Verminderung der Zwischenräume, also eine vermehrte Dichtig=keit der ganzen Masse erfolgt. Das Schwindmaaß für den gebrannten Thon beträgt ungefähr 8% jeder einzelnen Dimension; ziemlich sicher geht man, wenn man dem Modell in jeder linearen Ausmessung so viel rheinländische Zoll Größe giebt, als der gebrannte Gegenstand sächsische Zoll messen soll. — 5) Das Schwinden aufge=schütteter Erdmassen, z. B. der Deiche, beträgt 12—16%; s. d. Art. Erdarbeiten.

Schwindgrube, Mullgrube auf dem Hof eines Wohnhauses, die außer der Unreinigkeit zugleich das sich ansammelnde Regenwasser 2c. aufnimmt und darauf berechnet ist, daß die Flüs=sigkeiten in den Erdboden ziehen und der trockene Rückstand von Zeit zu Zeit wieder ausgeräumt wird. Sie erhalten Seitenmauern und auf der

Erdgleiche einen hölzernen Rahmen und müssen bis auf eine auffaugende Erdfchicht hinabgetrieben fein; alfo wo eine Lehmfchicht vorhanden ift, muß diefe durchftochen werden, und auf der durchlaffenden Erdfchicht legt man feinen Fußboden an, trohdem aber verunreinigen fie nicht nur den Grundboden auf weiterem Umfang, wodurch oft die Fundamente nabeftehender Gebäude leiden, die Häufer den Schwamm bekommen, die Luft verpeftet wird ꝛc., fondern es verfchlämmen fich auch die Zwifchen= räume des auffaugenden Bodens allmälig und dann fchwindet eben die Flüffigkeit nicht mehr.

Schwindmaaß, f. d. Art. Schwinden.

Schwingarm, kleine oder Nebenfchwinge, zwifchen zwei Hauptfchwingen befindlich, wenn das Geftänge feiner Länge wegen in der Mitte noch einer Unterftützung bedarf.

Schwinge. 1) Der Stiel eines Hammers bei Walkmühlen, f. d. Art. Mühle IV. 7; — 2) (Schiffsb.) von einem Rand zum andern bei kleinen Fahrzeugen gehendes Querholz, um beim Ziehen des Fahrzeuges das Tau daran zu be= feftigen; — 3) Schwinge der Feldgeftänge, auch Zwinge, gabelförmiges Holz, welches das daran befeftigte Geftänge in feiner Richtung erhält; f. auch d. Art. Kunftkreuz; — 4) gerades, nicht fehr ftarkes, pfoftenartiges Holz; — 5) f. v. w. Mauer= recht 1, d. h. Abfatzmaaß einer Mauer.

fchwingen, mit Zinn die aufgefchlitzten Ecken des Fenfterbleies zugießen.

fchwingende Mafchine, f. d. Art. Dampf= mafchine, S. 622, Bd. I.

Schwingungspunkt eines Pendels; f. d. Art. Pendel.

Schwippende (Deichb.), das fpitze oder dünne Ende vom Reisholz der Fafchinen.

Schwipplage, die oberfte Lage des Reisholzes bei Reiswerken, bei der deffen Schwippende nach außen zu liegen kommt.

Schwitzbad, frz. étuve, f. d. Art. Bad.

Schwitzkaften, f. d. Art. Bauholz, S.273, Bd.I.

Schwöpen (Deichb.), mit Rafen, Schwöpel= foden, belegen; f. d. Art. Rafen und Deckfoden.

Schwöppung, f. d. Art. Luckung.

Schwülen (Mineral.), f. d. Art. Schwielen 1.

Schwungbaum, f. d. Art. Brüde, S.469, Bd.I.

Schwungbret, f. d. Art. Bad, S. 194, Bd. I.

Schwungkugelregulator, f. d. Art. Centri= fugalregulator, Dampfmafchine und Regulator.

Schwungpumpe, f. v. w. Reactionsmafchine.

Schwungrad, eine an der Welle einer an und für fich ungleichförmig gehenden Mafchine fitzende, meift radförmige, fchwere Maffe, welche dazu beftimmt ift, den Gang der Mafchine gleich= förmiger zu machen, alfo zu den Regulatoren (f. d.) gehört. Gewonnen wird durch Anwendung eines Schwungrades nicht an Kraft, fondern ein Theil derfelben wird verloren, weil durch Hinzufügung einer fchweren Maffe die Hinderniffe der Bewegung ver= größert werden; ift alfo die Bewegung einer Ma= fchine an fich gleichförmig genug, fo ift ein Schwung= rad nicht allein unnöthig, fondern fogar nachtheilig. — Der Wirkungsgrad eines Schwungrades wächft mit feinem Trägheitsmoment; dabei ift es, um diefelbe Regelmäßigkeit zu erzeugen, gleich, ob

eine fchwerere Maffe in geringerer Entfernung, oder eine leichtere Maffe in größerer Entfernung angebracht wird; ift aber das Schwungrad fchwer und klein, fo muß der Zapfen ftärker werden und es vergrößert fich die Reibung, fowohl in Folge des verftärkten Zapfens, als auch in Folge der grö= ßeren Belaftung. Auf der andern Seite erfordern große und leichte Schwungräder viel Raum und laufen mit einer Gefchwindigkeit um, die oft ge= fährlich werden kann. Ein gußeifernes Schwung= rad, welches mehr als 100' Peripheriegefchwin= digkeit befitzt, ift vor dem Zerreißen nicht mehr gefichert; bei den gewöhnlichen Fabrikdampfma= fchinen erreicht man aber diefe Grenze bei weitem nicht (etwa 30'). — Bei kleineren Mafchinen find die Schwungräder oft aus Holz und nur am Rand mit eifernen Reifen verfehen; gr ere Mafchinen dagegen haben gußeiferne Schwung= räder, kleinere Räder werden gleich aus einem Stück gegoffen und erhalten am beften getrümmte Arme; größere dagegen müffen aus mehreren Theilen zufammengefetzt werden. Sehr häufig benutzt man die großen Kammräder der Haupt= welle zugleich als Schwungrad, d. h. man ver= zahnt das Schwungrad und zwar gewöhnlich mit Holzkämmen. Dabei macht man die Höhe des Schwungringes nicht gern fehr groß, weil dann die Kammftiele zu lang werden müßten, und ver= größert lieber die Breite. — Man foll die Schwung= räder immer fo nahe als möglich an den Theil bringen, den fie zu reguliren haben; alfo entweder in die Nähe der ungleichwirkenden Kraft oder des ungleichen Widerftandes, damit durch die Stöße nicht etwa zwifchenliegende Mafchinentheile zer= ftört werden; f. übr. d Art. Dampfmafchine, S. 622 ff, Bd. I, ferner die Art. Balancier und Kurbel.

Schwungradruthe, ein Theil der Drehbant eines Gürtlers.

Schwungradskloben, die Zapfenlager in den Wellen kleiner Schwungräder.

Schwungfchaufel (Mafchinenw.), f. v. w. Hebefchaufel.

Schwungfcheibe, ein aus voller Scheibe be= ftehendes Schwungrad.

Schwungfeil, lat. antarii funes, frz. hau= ban, verboquet, f. d. Art. Schwenkfeil und Lentfeil.

Schwungftöcke, ftatt eines Schwungrades dienende, an der Welle fitzende, an den Enden mit Gewichten verfehene Stäbe.

Schwungftrebe, an einem Glockenftuhl ftarke Strebe, in der Richtung des Schwunges der Glocke angebracht.

Sciagraphia, lat., griech. σκιαγραφία, engl. Sciagraphy, Schattenriß, Profil, Durchfchnitt.

Scie, frz., Säge; scie à refend, Bogenfäge.

Scindula, lat., Schindel.

Scipio, lat., griech. σκίπων, Scepter.

Sclaven, erfcheinen als Attribut der Heiligen Johannes de Martha, Vincent de Paula, Petrus von Nolasca ꝛc.

Scobina, lat., Holzfeile, Rafpel.

Scobis, lat., Span, namentlich Feilfpan ꝛc.

Scoinson, frz., f. v. w. Ecoinçon.

Scolezit, f. v. w. Mefotyp.

scolloped, engl., frz. imbriqué, mit Schuppen befetzt; dergleichen Befetzung war im romanifchen

Styl bei Friesen und Flächen üblich, dabei standen entweder die Mittelpunkte wechselnd, wie in
Fig. 1760, frz. imbrication, oder ohne Ver-
bandgrab untereinander, frz. contre-imbrication;
s. Fig. 1761 und d. Art. Mauerverband B. II.

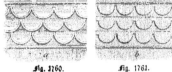

Fig. 1760. *Fig. 1761.*

Scollops, engl., Schuppenverzierung.

Sconce, engl., 1) Schanze; — 2) Schranke, Cancelle; — 3) Wandleuchter; — 4) an der Wand befestigte Bank; — 5) Pendentif; — 6) Bekrönung.

Scorlus (Mineral.), s. v. w. Schörl.

Scorpion, s. d. Art. Afrika und Arglist.

Scorzo, s. d. Art. Maaß, S. 492 und 502,
Bd. II.

Scotia, lat. u. engl., griech. σκοτία, frz. sco-
tie, Schatten, Dunkelheit, daher Hohlkehle, Einziehung.

Screen, engl., auch skreen, lattice, franz.
écran, Schranke, Gitter, Cancelle, Blende; s. auch
d. Art. Haus, S. 242, Bd. II

Scrinium, lat., frz. écrin, engl. shrine, ital.
scrigno, Schachtel, Schrein, Schrank, Heiligenschrein.

Scriptorium, lat., Schreib- und Studir-
zimmer in einem Kloster.

Scroll, engl., Rollwerk, Rankenverzierung,
Schnörkel, Schnecke, Spruchband; grolier scroll,
aus verschlungenen Halbkreisen und aus Curven
bestehende Verzierung.

Scullery, engl., Spülküche, s. d. Art. Küche 8.

Sculptur, lat. sculptura, franz. sculpture,
Schnitzkunst, Bildhauerkunst, aber auch
Werke derselben, dafern sie in hartem Material gearbeitet sind; mit Unrecht auch für solche aus wei-
cherem Material gebraucht. Wenn man bei Beschreibung eines Bauwerkes von Sculptur spricht,
so meint man in der Regel nur an sich selbständige,
einzelne, dem Gebäude angefügte Kunstwerke,
während man die rein ornamentalen, unmittelbar
zu den Architekturformen gehörigen Bildhauerarbeiten plastische Ornamente nennt. Doch ist
diese Unterscheidung durchaus nicht motivirt.
Ueber die gegenseitige Stellung der Bildhauerei
und Architektur s. d. Art. Plastik.

Scure, ital., Beil, s. d.

Scutula, lat., 1) Walze zum Fortschaffen von
Lasten; — 2) Marmorplättchen zu Herstellung
gemusterter Fußböden, Fliese; — 3) Raute in
einer Stickerei.

Scutum, lat., vom griech. σκύτος, Leder, frz.
écusson, écu, engl. scutcheon, scouchon,
skownsiom, ital. scudo, 1) Schild, s. d. Art.
Heraldit 1. a; — 2) Fensterschild.

Seal, engl., Siegel; seal-engraving, Stem-
pelschneiderei; seal-matrix, Siegelstempel; seal-
ring, Siegelring; s. d. Art. Reliquiengrab.

Sea-mile, engl., Seemeile; s. d. Art. Meile.

Seat, engl., Sitz, Kirchenstuhl; oppen-seat,
altengl. Pew, offener Kirchenstuhl; closed-seat,
vergitterter Kirchenstuhl; seat-form, s. d. Art.
Chorgestühl.

Sebaldus, St., Patron von Nürnberg, däni-
scher oder dacischer Königssohn, nach Anderen
Bauer, lebte im 9. Jahrhundert im Wald, da,
wo jetzt Nürnberg steht, als Einsiedler, bekehrte
Wisbach und die Umgegend zum Christenthum.
entwich in der Brautnacht heimlich. Als er einst
nahe am Verhungern war, brachte ihm ein Engel
Speisen. Einen Ketzer bekehrte er dadurch, daß
auf sein Gebet derselbe bis zum Hals in die Erde
einsank; ferner verbrannte er Eiszapfen statt Holzes. Er befahl bei herannahendem Tod, seine Leiche
auf einen mit zwei wilden Ochsen bespannten Wagen zu laden und ihn da zu begraben, wo dieselben
stehen bleiben würden. Die Ochsen hielten an der
St. Peterscapelle, wo noch sein Grab ist. Abzubilden ist er als Ritter oder Einsiedler mit zwei
Ochsen zur Seite, oder das Modell der Sebaldus-
kirche zu Nürnberg tragend.

Sebastedom, vom Griechischen, ein einem
griechischen Kaiser zu Ehren oder für ihn erbauter
Tempel, Denkmal, Palast rc.

Sebastian, St., Patron von Oettingen und
St. Sebastian, sowie gegen die Pest, Edelmann
aus Narbonne, in Mailand erzogen, Befehlshaber
der Leibwache unter Diocletian. Der Kaiser entdeckte, daß er Christ war, und befahl, ihn mit
Pfeilen zu erschießen. Er blieb scheinbar todt liegen. Durch die Pflege der Irene, Gattin des Ca-
stulus, geheilt, zeigte er sich dem Kaiser und wurde
um d. J. 290 mit Stöcken und Geißeln zu Tode ge-
prügelt. Gewöhnlich wird er dargestellt nackt an
einen Pfahl oder Baum gebunden und mit Pfeilen
durchschossen, besser aber in freier Stellung in
vornehmem römischem Kriegercostüm, einige Pfeile
in der Hand haltend, mit einem kleinen Bart auf
der Oberlippe.

Sebil, s. d. Art. Moschee.

Secante, 1) eine gerade Linie, welche eine
krumme Linie in mehr als einem Punkt trifft, sie
also durchschneidet; s. d. Art. Curve, Fläche,
Kreis rc.; — 2) als trigonometrische Function
eines Winkels in einem rechtwinkeligen Dreieck
das Verhältniß der Hypotenuse zu der desselben Winkel

anliegenden Kathete, so daß auch $\sec\alpha = \dfrac{1}{\cos\alpha}$.

S. übrigens d. Art. Trigonometrie.

Sechs. Eine Zahl ist durch 6 theilbar, wenn
sie sowohl dem Kennzeichen der Theilbarkeit durch
2, als auch durch 3 genügt, d. h. wenn ihre letzte
Stelle gerade und ihre Quersumme durch 3 theilbar ist. In der Symbolik des Mittelalters spielte
die Sechs eine sehr hervorragende Rolle: wegen
der sechs Schöpfungstage, der sechs Weltalter, sowie
in Bezug auf die Auferstehung Christi nach drei
Tagen und drei Nächten, und auf den Tempel zu
Jerusalem.

Sechseck, reguläres. Die Construction desselben ist sehr einfach und gründet sich auf den Satz,
daß der Radius eines Kreises sich im Umfang
desselben genau sechsmal als Sehne herumtragen
läßt. Daher braucht man nur, wenn die Seite
des Sechseckes vorgeschrieben ist, mit derselben
als Halbmesser einen Kreis zu beschreiben, hierbei
im Umfange sechsmal abzutragen und die Theilpunkte zu verbinden; s. auch d. Art. Hexagon.
Wegen der Einzeichnung eines Sechsecks in das
andere s. Fig. 1762.

Sechser, s. d. Art. Bauholz E. 1, S. 279, Bd. I.

Sechſerblech, ſ. d. Art. Blech 2, d.

Sechſernagel, ſind circa 12" lang (zum Aufnageln der Sparren auf den Rahmen); das Stück
koſtete ſechs Pfennige, woher auch der Name.

Sechſerzink, ſ. d. Art. Zink.

Sechsflach, ſ. d. Art. Heraëder.

Sechsort, Sechsstern, auch Schild
Davids genannt. Durchſteckung zweier
gleichſeitigen Dreiecke. Iſraelitiſches
Symbol, ſ. Fig. 1765. Auch von den
Freimaurern adoptirt und mannichfach
gedeutet; nicht mit dem Drudenfuß (ſ. d.)
zu verwechſeln. In der chriſtlichen
Symbolik wird er auf die von den
Alten angenommenen drei Elemente und
die Dreieinigkeit, die ſich gegenſeitig
durchdringen,! oder auch gleich dem

Fig. 1762. Sechseck.

und dem zwiſchen ihnen liegenden Bogen der
Curve eingeſchloſſen iſt; insbeſondere iſt ein
Kreisſector die von zwei Halbmeſſern und dem
zwiſchenliegenden Kreisbogen begrenzte Fläche; —
2) der körperliche Raum, welcher von einer Kegel-
fläche und dem zwiſchen derſelben liegenden Theil
einer krummen Oberfläche umſchloſſen iſt; insbeſondere ein Kugelſector, wobei man
zur Spitze des Kegels den Mittelpunkt
der Kugel und für den Kegel ſelbſt einen
geraden Kreiskegel wählt.

secundäre Bauſtyle, ſ. d. Art.
Bauſtyl, S. 296, Bd. I.

Secundärformation, ſ. d. Art. Ge-
birgsformation und Lagerung.

Secunde, der 60. Theil einer Minute (ſ. d.), gleichviel, [ob dieſe ein

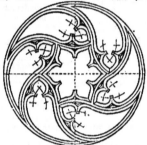

Fig. 1763. Sechspaß.

Fig. 1765. Sechsort.

Fig. 1764. Sechsschneuß.

Kreuz auf Durchdringung des Alten Teſtaments
durch das Neue gedeutet ꝛc.

Sechspaß, ſ. d. Art. Paß u. Fig. 1763.

ſechsſäulig, ſ. d. Art. Heraſtylos.

Sechsſchneuß, gothiſches Maaßwerk nach
Fig. 1764. Näheres darüber ſ. im Art. Schneuß.

Sechstelholz, dreimal getrenntes Bauholz.

ſechſte Ordnung, ſ. d. w. deutſche Säulenordnung.

Sechster, Drehling von ſechs Stöcken.

Sechsunddreißiger und Sechziger, ſ. d.
Art. Bauholz, S. 280, Bd. I.

Sechter, ſ. d. Art. Maaß, S. 498, Bd. II.

Secke, verzierte gezogene Leiſte aus Blech oder
maſſivem Metall.

Seckenzug, Walz- oder Ziehvorrichtung zu
Erzeugung von Secken; die Einrichtung iſt ähnlich
wie beim Drahtziehen, ſ. d.

Secret, ſ. v. w. Abtritt, ſ. d.

Secretarium, lat., abgeſonderter Ort, Sakri-
ſtei, auch für Scriptorium und Beichtſtuhl gebraucht.

Secretſiegel, lat. sigillum secreti, secretum,
frz. scel du secret', cachet, engl. secretum,
kleines Privatſiegel, als Gegenſiegel zum Verſchluß
der Briefe gebraucht.

Section, lat. sectio, frz. und engl. section,
1) Durchſchnitt; — 2) Schildestheilung; sectio
aurea, goldener Schnitt; —

Sector, 1) bei einer krummen Linie die Fläche,
welche von zwei ſich ſchneidenden geraden Linien

Winkelmaaß oder ein Zeitmaaß iſt. Der Name iſt
die Abkürzung von minutum secundum; das
Zeichen für die Secunden ſind zwei an der Anzahl
derſelben oben angeſetzte Striche, z. B. 45".

Secundus, St., Gefährte des St. Mauritius,
Mitglied der thebaniſchen Legion, wurde unter
Maximian enthauptet, worauf Mauritius ſeine
Seele durch einen Engel gen Himmel tragen ſah.
Er war von einer Wolke getauft worden, daher
abzubilden mit dem Schwert, eine Wolke über ihm.
Er iſt Patron von Aſti und Avila.

Securicula, lat., griech. 1) πελεκίδιον, kleines Beil; — 2) πελεκῖνος, Schwalbenſchwanz,
ſ. d.

Securis, lat., Beil, ſ. d.

Seddjadeh, ſ. d. Art. Moſchee.

Sedes, lat., griech. ἕδρα, Sitz, Stuhl; sedes
confessionalis, ſ. v. w. Beichtſtuhl; sedes cathedra, ſ. v. w. Cathedra; sedes episcopalis,
ſ. v. w. Biſchofsſtuhl.

Sedile, consessus, lat., feſter Sitz, Dreiſitz,
Levitenſitz, Biſchofsſtuhl; sedile mobile, ſ. d.
Art. Chorgeſtühl.

Sedimentärformation, Sedimentärgebilde.
Zu dieſer Formation rechnet man alle aus Waſſer
abgeſetzten Geſteine, die einen weſentlichen Antheil
an der Zuſammenſetzung der Erdrinde nehmen.
Vorherrſchend ſind ſandige, thonige und kalkartige
Geſteine, wie Sandſtein, Conglomerate, Thon,
Thonſchiefer, Kalkſtein, Mergel und Dolomit.
Zwiſchen dieſen Ablagerungen finden ſich auch
Gips, Steinſalz und Kohlen. Die beſondere Art

der Ablagerungen sedimentärer Gebilde läßt sich unterscheiden in 1) mechanische Ablagerung von Gerölle, Sand, Thon und dergl.; — 2) chemisches Absetzen von kohlensaurem Kalt, Gips, Steinsalz u. s. f.; — 3) Anhäufung von Pflanzenresten zu Torf, Kohlenlager rc.; — 4) Sedimente von thierischen Resten, wie von kalkigen und kieselartigen Schalen, woraus sich später Kalksteine, Kieselgesteine rc. bildeten.

Alle diese verschiedenen Gesteinsbildungen gehören verschiedenen Bildungszeiten an und aus der Uebereinanderlagerung und den darin enthaltenen Versteinerungen kann man erkennen, welcher Formationsperiode das Gebilde angehört. Die in Deutschland beobachtete Reihenfolge dieser Formationen ist folgende:

Neueste Bildungen: Schlamm, Sand, Gerölle, Torf, Infusorienlager rc.

Diluvialperiode: Lehm, Sand, Gerölle, Höhlenschlamm, Bohnerz, Kalktuff, Torf, Infusorienlager.

Tertiärperiode: Süßwasserkalk, Tegel, Molasse, Braunkohlen-, Nummulitenformation, Grobkalk.

Kreideperiode: weiße Kreide, Quadersandstein und Pläner.

Juraperiode: Deisterformation, weißer Jura, brauner Jura, Lias, schwarzer Jura.

Kohlenperiode: Zechstein, Rothliegendes, Steinkohlen- und Kohlenkalkformation.

Grauwacke: Devonformation, Silurformation. Dann folgen in der Regel die krystallinischen Schiefergesteine.

Vorstehende Aufzählung dieser Formationsreihen hat sich aus der Verbindung vieler Beobachtungen in verschiedenen Gegenden ergeben; die Schichtenreihen sind natürlich in jeder einzelnen Gegend nur lückenhaft entwickelt, manchmal sind die ursprünglich regelmäßigen Lagerungsverhältnisse bedeutend gestört, so daß man geradezu das unterste Glied zu oberst antreffen kann.

Sedimentiren; von Flüssigkeiten, s. v. w. sich dadurch abklären, daß das Unreine sich zu Boden setzt.

Seeakademie, Navigationsschule, hat im Allgemeinen die Einrichtung einer Gewerbschule; meist werden diese Schulen in alten Schiffen eingerichtet.

Seeanker, s. d. Art. Anker.

Seearsenal, Seerüsthaus, Seezeughaus; frz. arsenal de marine, engl. dockyard with its warren or gunwharf. Gebäudegruppe zur Anfertigung und Aufbewahrung aller zu Ausrüstung einer Kriegsflotte nöthigen Waffen und Materialien aller Art. Enthält folgende Gebäude oder Räume: ein eigentliches Zeughaus zur Aufbewahrung fertiger Waffen, Pulvermagazine, Modellkammern, Vorrathsräume für die verschiedensten Schiffsausrüstungsgegenstände, Eisengießerei, Stückgießerei, Waffenschmieden, Gewehrfabriken, Zimmerplätze, Schiffswerften, Hellings, Schlossereien, Schmieden, Segelmacherei, Reeperbahnen, Ankerschmiede, Bäckerei rc. Die ganze Anlage braucht also ein sehr ausgedehntes Terrain, welches übrigens am Tiefgangswasser liegen und mit Canälen durchschnitten sein muß. Allgemeine Vorschriften für die gegenseitige Lage der Gebäude lassen sich kaum geben; es hängt vielmehr hier eigentlich Alles von localen Vorlagen und Bedürfnissen ab.

Seebad, s. d. Art. Bad 1.

Seebaake, s. d. Art. Baake 4.

Seebuhne (Wasserb.), Buhne (s. d.) zum Aufhalten des Sandes an Meeresküsten. Ihre Direction richtet sich nach der Lage des Ufers und der Richtung des daselbst wehenden Hauptwindes; sie besteht aus Pfahlwerk, mit Faschinen ausgefüllt und oben mit Steinen abgedeckt.

Seedeich, zur Bewallung der See; s. d. Art. Deich.

Seeerde, graue Thonerde.

Seeerz, Raseneisenstein.

Seegat, Durchfahrt durch die Sandbänke der Flußmündungen.

Seegras, 1) Wasserriemen, Wier (Zostera marina L.), ist eine der wenigen Blüthenpflanzen, welche auf dem Grund flacher Meeresstellen wachsen. Sie treibt lange, riemenförmige Blätter bis 1½ Fuß lang, 3 Linien breit, frisch dunkelgrün, getrocknet tabaksbraun. Sie werden zu Polstern und Betten gebraucht, sind sehr biegsam und können Jahre lang naß liegen, ohne zu faulen. Es halten sich in ihnen keine Motten auf. — 2) Eine Art Riedgras (Carex brizoides L., Fam. Cyperaceae), die auf feuchten Stellen wächst und in manchen Gegenden, z. B. am Rhein, ebenfalls zum Polstern (Waldhaar) gebraucht wird.

Seehafen, s. d. Art. Hafen.

Seekreuzdorn, weidenblätteriger Sanddorn (Hippophaë rhamnoides L., Fam. Oleaster-Pfl.), ein 15' hoher Strauch des Mittelmeergebietes, dessen Holz grünlichweiß, nach dem Kerne zu braun geflammt, grobkurzfaserig, sehr hart, fest und glatt ist; dasselbe läßt sich schön beizen, färben und poliren.

Seelen. Auf mittelalterlichen Bildern werden die Seelen meist in Kindergestalt dargestellt und zwar die Seelen der Christen, der nach der Taufe gestorbenen Kinder rc. als lebende Kindlein, die Seelen Ungetaufter als todte Kindlein; auch werden die Seelen der abgestorbenen Kinder und Frauen als Tauben dargestellt.

Seelenwägung, frz. pesée des âmes, psychostasie, engl. weighing of souls, Darstellung des Erzengels Michael mit der Waage, Seelen der Auferstandenen wägend; s. d. Art. Engel.

Seeling, engl. Deck; s. d. Art. Ceiling.

Seemeile, s. d. Art. Meile.

Seerose (Nymphaea, Fam. Seerosen-Gewächse), kommt in einer weißblühenden (N. alba) und in einer gelbblühenden Art (N. lutea) bei uns auf Teichen und langsam fließenden Gewässern vor. Die in Aegypten einheimische blaue Seerose (N. coerulea) und die Lotos-Seerose (N. Lotus), welche letztere rosaroth blüht, sind an alten ägyptischen Bauwerken häufig als Verzierungen, als Säulencapitäle rc. angebracht. Die ostindische Lotus (Nelumbium speciosum), die für die ostindische Sculptur und Mythologie dieselbe Rolle spielt, gehört auch hierher.

Seeschlagbaum, s. d. Art. Baum 4.

Seestein, s. d. Art. Bernstein.

Seetang (Fucus), dies sind blüthenlose Pflanzen (Kryptogamen), die im Meer wachsen, sehr verschiedene Gestalt und Farbe (schwarz, braun, grün,

roth, violet, gelb) haben und in ihrer Asche mancherlei Salze enthalten. Manche sind für den
Menschen genießbar, andere verbrennt man, um
aus ihnen Soda, Jod und Brom zu gewinnen,
oder gebraucht sie zum Düngen. Aus ihnen wird
die sogenannte Varec-Soda hergestellt.

Seewarte, s. v. w. Leuchtthurm; s. d.

Segel, frz. voile, engl. sail, ital. und span.
vela (Schiffsb.). Die Segel werden aus mehreren
Kleidern, d. h. Segeltuchbreiten, zusammengenäht
und mit einer Taueinfassung, Leit, versehen, haben
auch verschiedene Lägel, d. h. Tauschlingen, behufs
der Befestigung von Tauen. Die dem Hintertheil
zugekehrte Seite heißt die innere Segelseite, das
Straffspannen der Segel heißt brassen. Man kann
sie auf verschiedene Weise in Gruppen theilen:
1. Nach der Art ihrer Zurüstung. 1) Raasegel,
frz. voile carrée, engl. square-sail, ital. vela
rotonda, span. vela de cruz, ist viereckig und
hängt an einer Raa. 2) Luggersegel, Ewersegel,
frz. voile de boursette, de longre, au tiers,
engl. lug-sail. Die Raa ist nicht in der Mitte,
sondern an einem Drittheilspunkt am Mast angehängt, der längere Theil steht nach der Leeseite
und höher, das Segel ist trapezförmig. 3) Topsegel, frz. hunier, engl. top-sail, auch Marssegel, oberstes Raasegel. 4) Fliegeklappe, Bram-
segel, noch über dem Topsegel bei einigen Fahr-
zeugarten. 5) Ruthensegel, Rufsegel, frz. voile
à antenne, latine, d'artimon, engl. mizen-yard-
sail, antenna-mizen, trapezoidische Segel an
schräg hängender Raa, sogenannte Antenne; die
lateinischen oder Antennesegel sind dreieckig.
6) Settinsegel, lateinische Segel, die aber am
Unterende der Antennen noch ein kurzes stehendes
Leit haben. 7) Gaffelsegel, frz. voile à corne,
engl. gaff-sail, trapezförmiges Segel, das oben
an einer Gaffel hängt. 8) Baumsegel, frz. voile
à gui, à baume, engl. boom-sail, Gaffelsegel,
welches unten einen Giekbaum hat. 9) Gieksegel,
engl. spanker, Baumsegel, dessen Giekbaum
länger als die Gaffel ist. 10) Schnausegel, frz.
voile de senau, engl. snow-sail, try-sail, Gaffelsegel, dessen Gaffel und Baum nicht am Mast,
sondern an einem Schnaumast hängen. 11) Brigg-
segel; Gieksegel am großen Mast einer Brigg
oder Brigantine. 12) Schunersegel, Gieksegel an
den beiden Masten eines Schuners; man unterscheidet Vorschunersegel und Großschunersegel.
13) Kuttersegel, Jacht- oder Schlupsegel, ebenfalls
ein Gieksegel. 14) Schmacksegel, Gieksegel einer
Schmacke. 15) Sprietsegel, frz. voile à livarde,
à baleston, engl. sprit-sail, viereckiges Segel,
durch eine Stange, Spriet, beinahe in der Diagonale ausgespannt, besonders auf Binnenlandern,
Booten und Flußschiffen angewandt. 16) Gli-
ding-Guntersegel, frz. voile de houari, span.
vela escandalosa, dreieckiges Segel, mit dem
Rod an eine Raa gebunden, die mittelst eines
Falles am Mast fährt. 17) Stagsegel, frz. voile
d'étai, engl. stag-sail, heißen alle Segel ohne
Rücksicht auf ihre Gestalt, die mit Lägeln an den
Stangen oder Leitern aufgezogen werden; zu ihnen
gehören die Klüver; s. d. 18) Leisegel, Leesegel, frz.
bonnette, engl. studding-sail, wird bei günstigem
Wind neben dem Raasegel beigesetzt und unten
durch Leesegelspieren ausgespannt, die von den
Raaen durch Bügel an den Nocken hinausgeschoben
werden. Die Segel unter 17 und 18 zusammen
heißen Beisegel.

II. Nach der Stelle der Bemastung, wo sie angebracht werden, werden die Segel eingetheilt:
1. In Vorsegel und Achtersegel, je nachdem sie vor
oder hinter dem Mittelpunkt des Schiffes stehen.
2. In Untersegel oder Obersegel, je nachdem sie
unter oder über dem Mars stehen.
3. Nach ihrer speciellen Stelle. Eine vollständige
fregattische Besegelung umfaßt folgende Segel:
a) Am großen Mast: Großsegel, Schoversegel,
Schönfahrtsegel, frz. grande voile, engl. main-
sail, Raasegel unten am großen Mast; — großes
Marssegel, frz. grand hunier, engl. main-top-
sail, Raasegel an der großen Stenge; großes Bram-
segel, frz. grand perroquet, engl. main topgal-
lant-sail, Raasegel an der großen Bramstenge; —
großes Oberbramsegel, frz. grand perroquet
volant, engl. main royal, Raasegel an der großen
Oberbramstenge.
b) Am Fockmast und seinen Stengen: Focksegel,
Focke (s. d.); — Vormarssegel, frz. petit hunier, engl.
fore-top-sail; — Vorbramsegel, frz. petit perroquet; — Voroberbramsegel.
c) Am Besahnmast oder Kreuzmast: Besahnsegel,
ein Gieksegel, engl. mizen-sail; das Kreuzsegel,
frz. perroquet de fougue, engl. mizen top-sail; —
das Kreuzbramsegel oder Gretchen, frz. perruche,
und das Oberkreuzbramsegel, frz. perruche volante.
d) Unter dem Bugspriet: Blinde, Blindsegel,
man unterscheidet die Schiebblinde Unterblinde,
große Blinde, frz. civadière, engl. sprit-sail;
und Oberblinde, frz. contre-civadière, engl.
spritsail-topsail, welche ihre Raa unter dem
Klüverbaum hat.
e) An den Stagen: große Stagsegel oder Deck-
schwabber am großen Stag oder dessen losem Stag.
Das Großstengestagsegel am Stag der großen
Stenge; — großer Marsflieger oder Mittelstagsegel
an dem Leiter zwischen großem Stag und großem
Stengestag ꝛc.; hierher gehören die Klüver,
Mittel- und Sturmklüver, die Besahnstagsegel
oder Aap.
f) Neben den Raasegeln: Großleesegel, Groß-
marsleesegel ꝛc.
4. Manche sehr große Schiffe führen außerdem
noch: a) Schnausegel, Oberbramleesegel, engl. sky-
sail, skay-scraper, kleines Raasegel über dem
großen Oberbramsegel. b) Schnausegel am großen
und am Fockmast. c) Ein großer Bramflieger
über dem großen Bramstengestagsegel. d) Ein
Vormarsflieger zwischen Klüver und Vorstenge-
stagsegel. e) Ein Butenklüver; s. d. Art. Klüver.
f) Kreuzgaffelsegel oder Gaffeltopsegel an der
Kreuzstenge über der Besahn.

III. Nach ihrer besondern Bestimmung unterscheidet man: 1. Reservesegel, frz. voile de re-
change, engl. spare-sails. 2) Wintersegel, Win-
terbramsegel, auf einigen Meeren werden bei
stürmischem Winter besondere, kleinere Bram-
segel geführt. 3) Kühlsegel, Windsegel, frz.
manche à vent, engl. wind-sail, Schlauch
von Segeltuch, mit dem weiten Ende am Mast
dem Wind entgegengehängt, mit dem andern Ende
in den Raum geleitet, um gute Luft in den Raum
zu bringen. 4) Pfortsegel, Ballastkleid, frz. pré-
lart, voile à lest, engl. port-sail, s. v. w. Per-
sennig an der Ballastpforte.

Segelbalken (Schiffsb.), frz. maître bau, engl.
midship-beam, der längste aller Deckbalken, liegt
im Mittelspant in der größten Breite des Schiffes,
dient als Hauptmaaß bei Bestimmung vieler Di-

mensionen im Schiffsbau; s. auch d. Art. Balten VI, 4.

Segelbaum, s. d. Art. Mast.

Segelstange, s. d. Art. Raa, Gaffel, Gietbaum, Spier, Spriet.

Segelstein, s. v. w. Magneteisenstein.

Segeltuch, mit Theer getränkt, wird als provisorische Bedachung häufig verwendet, ferner als Beleg für Deiche gegen heftigen Wogenandrang ꝛc.

Segelwindmühle. Hie und da werden die Windfelder der Ruthen bei holländischen Mühlen mit Segeln bekleidet, man nennt sie in diesem Fall Segelwindmühlen.

Segment, die Fläche zwischen dem Bogen einer krummen Linie und der zugehörigen Sehne.

Segmental-arch, engl., frz. arc en segment, Stichbogen; s. d. Art. Bogen, S. 397, Bd. I.

segnende Hand, s. d. Art. Jesus Christus.

Segner'sches Wasserrad, auch Barker's Mühlrad genannt, die einfachste Gestalt der Reactionsturbinen, wird in der Praxis fast gar nicht mehr angewendet. Es besteht aus einer mit Wasser gefüllten, um ihre Achse drehbaren vertikalen Röhre, welche am unteren Theil zwei horizontale Arme mit seitlichen Ansätzen trägt, aus denen das Wasser wieder ausfließt. Bei diesem Ausfluß wird dem ohne diese Ansätze allseitig gleichen Druck auf der einen Seite ein Theil weggenommen, der auf die entgegengesetzten Punkte der Arme wirkende einseitige Druck bewegt daher die Arme und dreht das Wasserrad um seine Achse. Weiteres s. im Art. Turbine.

Segur, span., Beil.

Sehachse, 1) (Feldmeßk.) die nach dem beobachteten Gegenstand von dem Auge gezogene gerade Linie. Man bestimmt sie bei Meß- und Nivellirinstrumenten durch Diopter, oder giebt dem Objectivglas bei Fernröhren ein Fadenkreuz, welches mit dem Auge an der Ocularglase die Achse angiebt. — 2) S. d. Art. Perspective.

Sehne od. Chorde heißt diejenige gerade Linie, welche zwei Punkte einer krummen Linie verbindet, also eine begrenzte Secante, s. d. Weiteres s. im Art. Chorde. Ein Vieleck, dessen Seiten Sehnen oder Curven bilden, heißt der Curve eingeschrieben. Dahin gehören besonders die in einen Kreis eingeschriebenen regelmäßigen Vielecke, s. d. Art. Regulär, sowie die eingeschriebenen Vierecke, die sogenannten Sehnenvierecke. Bei letzteren ist die Summe zweier einander gegenüberliegenden Winkel 180°. Auch ist nach dem Ptolemäischen Lehrsatz in jedem, einem Kreise eingeschriebenen, Viereck die Summe aus den Produkten je zweier gegenüberstehenden Seiten gleich dem Produkt der Diagonalen. Sind a, b, c, d die vier Seiten eines Sehnenvierecks und bezeichnet man zur Abkürzung die halbe Summe der Seiten mit s, so ist der Flächeninhalt desselben

$$F = \sqrt{(s-a)(s-b)(s-c)(s-d)};$$

s. übrigens d. Art. Curve, S. 582, Chorde, Fläche, S. 62, Hyperbel II., Kreis ꝛc.

Sehwinkel, der Winkel, welchen zwei vom Auge aus nach den Endpunkten eines Körpers gehende gerade Linien, Sehlinien, mit einander bilden, aus dessen Größe man zugleich die Größe des Gegenstandes ermitteln kann, wenn die Entfernung desselben bekannt ist; s. d. Art. Perspective.

Sei, s. d. Art. Maaß, S. 499, Bd. II.

Seidel, 1) Flüssigkeitsmaaß, in manchen Gegenden = $\frac{1}{4}$ Maaß, in anderen = $\frac{1}{2}$ Maaß; 2) Kohlenmaaß = 4 Kübel.

Seidenholz, s. d. Art. Atlasholz.

Seidenpapier, sehr dünnes, durchscheinendes Papier, wurde ursprünglich nur in China und zwar aus der zweiten Rinde des Bambus gemacht.

Seidenwollenbaum (Salmalia malabarica Schott. et Endl., Fam. Sterculiaceae), ein ansehnlicher Baum Ostindiens, dessen feine, seidenartige Samenwolle gern zum Ausstopfen von Polstern benutzt wird. Zu gleichem Zweck wird auch die rothe Samenwolle des rothen Seidenwollenbaumes (Bombax Gossypinus L.) in Südasien verwendet.

Seife, frz. savon, engl. soap. Seife ist eine chemische Verbindung fetter Stoffe mit Kali oder Natron; die Fabrikation derselben erfordert eine ziemlich große, feuerfeste Küche mit guter Ventilation. Ihre Verwendung in der Technik ist ziemlich mannichfach. 1) Als Bindemittel für Anstrich. Man kocht 15 Gramm Caragheenflechte, 15 Gramm weiße Seife, 2 Liter Wasser zur Hälfte ein, setzt 180 Gramm Zinkoxyd oder kohlensaures Bleioxyd zu, läßt es durch ein Sieb laufen und setzt die beliebige Farbe zu. — 2) Als Reinigungsmittel für Oelgemälde; s. d. Art. Gemälde, Lackiren derselben d. — 3) Als Schmiere der Maschinentheile und Taue, da sie die letzteren nicht, wie der Theer, spröde macht. — 4) Als Grundirmittel für Mauern vor dem Leimfarbenanstrich; es wird dazu meist Schmierseife (Kaliseife, grüne Seife) genommen; s. eigens d. Art. Anstrich und Stubenmalerei. — 5) Als Ersatz für die Holzschnitte. Es kann eine Gravirung in Seife mit einem harten, spitzen Instrument fast mit eben der Leichtigkeit, Freiheit und Schnelligkeit ausgeführt werden, als eine gewöhnliche Zeichnung mit dem Bleistift. Jeder so hervorgebrachte Strich ist klar, scharf und bestimmt. Ist die Gravirung fertig, so kann ein Abguß davon in Gips genommen werden. Sie verträgt es sogar, ohne zu leiden, in geschmolzenem Siegellack abgedruckt zu werden.

Seifengebirge, Seifenlager, nennt man alle Sand-, Lehm- oder Geröllablagerungen, welche Metallkörner, Körner und Krystalle verschiedener Edelsteine oder Erze enthalten und aus welchen man durch einen Auswasch-, Ausseifungsprozeß die Metalle oder Edelsteine gewinnen kann. Solche Ablagerungen gehören zum Theil der Dilluvial-, zum Theil auch der Alluvialperiode an.

Man unterscheidet Goldseifen, Platinseifen, Zinnseifen ꝛc., und die Benennung Seifen rührt daher, daß man zur Gewinnung der werthvollen Körner das Ablagerungen einem Waschprozeß unterwirft, indem man durch Wasser die leichten Erd- und Steintheile abschwemmt, sodaß nur die schweren Metall- oder Edelsteinkörner liegen bleiben.

Das Gold Californiens und des Ural wird größtentheils aus Seifenlagern gewonnen; ebenso das Platin und auf vielen Plätzen auf Banka und Billiton auch das Zinn.

Seifensiederlauge, s. d. Art. alkalische Tincturen, Lauge und Pottasche.

Seifenstein, Speckstein, Steatit (Mineral.), für Ofen- und Heerdfeuerungen brauchbarer, in Massen oder Nestern vorkommender, feuerbeständi-

Seifenzinn, s. d. Art. Zinn. [diger Stein.

seiger, adj. (Bergb.), s. v. w. lothrecht.

Seiger, subst., 1) s. v. w. große Uhr; — 2) das an einem Faden befestigte Bleiloth.

Seigerblech 2c., s. d. Art. Saigerblech 2c.

Seigergang (Bergb.), lothrechter Gang.

Seigergestänge (Berg- u. Wasserb.), Stangenkunst oder Theile derselben, wo die Lenkstangen lothrecht herunterlaufen.

Seigerlinie, s. v. w. lothrechte Linie.

seigern, s. d. Art. Abseigern und Saigern.

seigerrecht, s. v. w. lothrecht.

Seigerriß (Bergb.), lothrechter Durchschnitt eines Grubengebäudes auf der Zeichnung.

Seigerteufe, lothrecht gemessene Tiefe eines Schachtes.

seihen, Flüssigkeiten durch kleine Oeffnungen behufs der Reinigung fließen lassen, z. B. bei Saugpumpen (s. d. Art. Seiherblech); auch seiht man größere Massen, z. B. ganze Bäche, durch vorgeschüttete Holzkohlen.

Seiherblech, Seiher, Seiger, Seigerblech, das um den unteren Theil eines Saugrohres befestigte durchlöcherte Blech.

Seihgefäß, lat. colum, colatorium, sion, frz. couloir, passoir, Metallsieb, durch welches der Diakon den Abendmahlswein in den Kelch goß.

Seil, frz. corde, engl. rope, cord. A. Hanfseil. Die Flachseile, welche bei Göpeln 2c. zum Aufziehen gebraucht werden, bestehen aus mehreren neben einander gelegten und zusammengenähten Rundseilen; letztere werden in folgender Weise unterschieden: a) Litze, s. d in Fig. 1766, besteht aus einer größeren oder geringeren Anzahl zusammengedrehter Fäden, e, e, die aus Fasern d gesponnen sind. b) Schnur oder Bindfaden a, besteht aus 3 oder 4 schwachen Litzen, man hat deren von 1/3 Linie bis zu 2 Linien stark und von beliebiger Länge, meist aber in Stücken zu 120 Fuß. c) Strick oder Leine, besteht aus 3 oder 4 Schnuren à 4 Litzen, zusammen etwa 3 bis 6 Linien stark, meist 60—100 Fuß lang. d) Strang, Rüstseil oder Klafterschnur, eben so stark wie c, aber meist nur 6—8 Fuß lang, an einem Ende mit einer Schlinge, an dem andern mit einer Zuspitzung versehen. e) Seil, Bindetau, besteht aus 4 Schnuren à 6—8 Litzen, ist 1/2—3/4 Zoll stark, meist 24 Fuß lang; auf Bestellung ist natürlich jede Länge zu haben. f) Pfahltau, 4 Litzen à 10—16 Fäden, 3/4—1 Zoll stark, 80 Fuß lang. g) Kranztau, Flößtau, 4 Litzen à 20—30 Fäden, 1 1/4 Zoll stark, 20—24 Fuß lang. h) Anfahrtstau, 1 1/4 Zoll stark, 240 Fuß lang. i) Rammtau, 4 Litzen à 50 Litzen, 1 1/2—1 1/2 Zoll stark, 100 Fuß lang. Weiteres s. im Art. Tau. Vergl. ferner die Angaben in d. Art. Festigkeit und Gewicht. Vor dem Gebrauch müssen die Seile lang gehängt und geschlagen werden, damit die oft vorhandene überflüssige Zusammendrehung beseitigt wird, welche sonst die so lästigen, zum Theil auch für das Seil schädlichen Ueberschlingungen, Kinken, erzeugt. Sehr wichtig ist natürlich die gute Conservirung der Seile. Man hat dazu folgende Mittel:

1) Einreiben mit Wachs oder Seife. — 2) Theeren; geschieht entweder durch Anstrich mit Theer oder besser während der Anfertigung folgendermaßen: Man erhitzt den Theer durch Dämpfe, zieht die Fäden oder Litzen einzeln durch den heißen Theer, jedoch so geschwind, daß weder die Hitze nachtheilig auf die Hanffasern einwirken kann, noch die Fasern zu viel Theer in sich aufnehmen. Beim Theeren der Seile im Ganzen leidet das Seil durch Ueberhitzung, auch kann der Theer

Fig. 1766.

nicht bis zur Mitte des Seiles bringen, so daß innerlich häufig Gährung und Fäulniß entsteht. — 3) Tränken mit Kreosot; übertrifft das Theeren in seinen Wirkungen. Die betreffenden Seile werden vorher mit einer verdünnten Leimlösung bestrichen und in ein starkes Lohbad genommen; die Leimsubstanz wird durch die Einwirkung der Gerbsäure auf die Pflanzenstoffe niedergeschlagen, die dann die kreosothaltige Flüssigkeit leicht absorbiren. Ueber den Gebrauch der Seile s. d. Art. Flaschenzug, Rolle, vergl. auch d. Art. Reibung und Steifigkeit.

B. Drahtseile und Kettentau, s. d. betreffend. Artikel, sowie d. Art. Festigkeit und Gewicht.

C. Längenmaaß, in Danzig = 10 Ruthen, in Böhmen zwischen 52 und 64 Ellen differirend.

Seilaufwand, das Maaß, um wie viel eine Last an einem Seil emporgezogen wird.

Seilbrücke, s. d. Art. Brücke, S. 471, Bd. I.

Seilkorb, der auf der Windewelle eines Göpels befindliche stärkere Cylinder, um den sich das Seil wickelt. Man versieht die Peripherie mit rinnenförmigen Einschnitten, damit sich das Seil nebeneinander spiralförmig aufwickelt.

Seilkreuz, frz. croix cablée, s. d. Art. Kreuz C. 14.

Seilmaschine (Mech.), ein Seil oder eine Verbindung von Seilen, an welchen Kräfte wirken. An dem Angriffspunkt jeder Kraft erleidet das Seil eine Aenderung seiner Richtung oder bildet einen Winkel; derselbe heißt ein Knoten und ist entweder fest oder beweglich. Die Kraft, welche ein Seil in der Richtung seiner Achse fortpflanzt, heißt die Spannung deſſelben; die Spannungen an den Enden eines Seilſtückes ſind gleich und entgegengeſetzt. — Gleichgewicht findet an einer Seilmaſchine nur ſtatt, wenn es an jedem einzelnen Knoten eintritt, d. h. wenn ſich in jedem Knoten die Spannungen der beiden dort zuſammentreffenden Seilſtücke und die wirkende Kraft das Gleichgewicht halten. Bei einem loſen Knoten ſind in der Gleichgewichtslage die beiden Seilſpannungen gleich; der Knoten wird daher ſo lange verſchoben, bis die Kraft den Winkel der beiden Seilſtücke halbirt. Ein an verſchiedenen Punkten von Kräften ergriffenes Seil bildet ein Vieleck, welches man ein Seilpolygon nennt; die an demſelben angebrachten Kräfte müſſen der Art ſein, daß ſie ſich, wenn man ſie nebſt den beiden Spannungen und den Endſtücken in einem Punkt parallel zu ſich ſelbſt zuſammenbringt, das Gleichgewicht halten.

Seil ohne Ende, ein Seil, deſſen Enden ſo mit einander verbunden ſind, daß es einen Kranz bildet und zwei Seilräder, Windewellen ꝛc., verbindet.

Seilrad, Seilſcheibe, ſ. unter Rad und Riemenſcheibe. Man rechnet dazu auch die Gabel- und Kettenräder.

Seilradhaspel, ſ. d. Art. Haspel.

Seiltrum (Maſchinenw.), bei Anwendung von Seilen in der Art, daß dieſelben verſchiedene Rollen und dergleichen paſſiren, der zwiſchen je zwei ſolchen befindliche Theil des Seiles.

Seite, frz. côté, engl. side, 1) Seite einer Figur, eines Körpers; ſ. d. Art. Ecke I. 3, Figur, Fläche, Polygon, Regulär ꝛc.; — 2) (Hüttenw.) beim Hohofen heißt die Seite der Dame die vordere Umfaſſungsmauer, durch welche das geſchmolzene Metall abfließt. Seite des Zuſtrittes heißt die hintere Mauer, von wo her das Erz eingeſchüttet wird; Blaſebalgſeite und Gegenwindſeite die beiden anderen; — 3) (Schiffsb.) Theil des Schiffes vom Bord bis zum tiefſten Bergholz oder Boden und vom Bug bis zum Billen und Heck. Die dem Wind zugelehrte Seite heißt Luvſeite, die andere die Leeſeite.

Seitenabriß, Seitenanſicht, ſ. d. Art. Façade.

Seitenaltar, frz. autel subordonné, Nebenaltar; ſ. d. Art. Altar.

Seitenanker, ſ. d. Art. Anker 11, c.

Seitenbeiſtoß, ſ. d. Art. Beiſchub 2.

Seitenblech (Hüttenw.), ſtarkes blechernes Beſchläge der Pochwange eines Pochwerkes.

Seitenbret, ſ. d. Art. Bett.

Seitencanal, ein Canal, der Waſſer in den Hauptcanal leitet oder bei Bewäſſerungen aus demſelben entnimmt.

Seitencapelle, ſ. d. Art. Capelle, Kage, Kirche ꝛc.

Seitencorridor, Seigang oder Nebencorridor, ſ. unt. Corridor.

Seitendamm, neben oder vor dem Hauptdamm hingeführter kleiner Damm.

Seitendruck des Waſſers, ſ. d. Art. Hydroſtatik.

Seitenflächen, bei allen ebenflächigen Körpern, an welchen man eine oder mehrere Grundflächen unterſcheidet, diejenigen Flächen, welche

nicht Grundflächen ſind; z. B. bei einer Pyramide alle im Scheitel zuſammenlaufenden ebenen Flächen.

Seitenflügel, ſ. d. Art. Flügel und Riſalit.

Seitengallerie, ſ. d. Art. Gallerie.

Seitengaſſe, neben einer Hauptſtraße ſeitwärts gehende Gaſſe, nicht unter 20 Fuß breit zu machen.

Seitengebäude, ſ. d. Art. Nebengebäude.

Seitengewände, Seitenpfoſten, die aufrechtſtehenden Theile einer Thür- oder Fenſtereinfaſſung; ſ. d. Art. Gewände, Pfoſten und Fenſterſtock.

Seitengräben, ſ. d. Art. Eiſenbahn, S. 692.

Seitenkamm, ſ. d. Art. Kamm 10.

Seitenkante, Durchſchnittslinie zweier Seitenflächen, im Gegenſatz zu den Grundkanten, ſ. d.

Seitenkraft, ſ. d. Art. Componente u. Kraft.

Seitenmauer, ſ. v. w. Grenzmauer, auch überhaupt für Umfaſſungsmauer; ſ. d. Art. Mauer.

Seitenoberlicht, frz. jour d'en haut, ſ. d. Art. Licht und Oberlicht.

Seitenpfähle (Herald.) entſtehen, wenn auf ein Schild eine Tinktur ſo aufgelegt wird, daß ſie nur zwei Streifen des Feldes an den Seiten leer läßt, oben und unten aber anſtößt.

Seitenpforte und Seitentrempel, ſ. unter Pforte.

Seitenprofil, ein zweites Längenprofil, das dem Hauptlängenprofil parallel, aber mehr zur Seite des Gebäudes genommen wird.

Seitenrollen, Conſolen zu beiden Seiten einer Thür- oder Fenſterverdachung.

Seitenſchiff, Seitennavate, Nebenſchiff, Abſeite, griech. κλίτη, frz. aile, courtine, basse-nef, contre-allée, bas-coté, collatéral, engl. aisle, isle, yle; ſ. d. Art. gothiſcher Bauſtyl, Schiff, Baſilika und Kirche.

Seitenſchub, frz. poussée oblique, engl. lateral-thrust, ſ. d. Art. Widerlager, Wölbung und Componente.

Seitenſchwelle heißen z. B. im Schwellwerk der Ramme die beiden, die Vorderſchwelle mit der Hinterſchwelle verbindenden Schwellen. Ihre Befeſtigung geſchieht mittelſt Zapfen und eiſerner Ueberwürfe.

Seitenthür, ſ. d. Art. Thür.

Seitentonnen (Bergb.), in den Förderſchachten an die Einſtriche und Stöße der Tonnenbretter angenagelte Bretter, um beim Herauf- und Herunterziehen den Kübel vom Hin- und Herſchleudern abzuhalten.

Seitenverſtärkung, ſ. d. Art. Balken V. c. d.

Seitenwand, die auf den Fenſterwänden eines Zimmers ꝛc. rechtwinkelig ſtehenden beiden Wände.

Seitwende oder Seilwand (Deichb.), hinter dem Hauptdeich landeinwärts angelegter Deich.

Sek, ſ. d. Art. Maaß, S. 484.

Seladongrün, hellgrün mit blaugrauem Schimmer, ungefähr wie Maigrün, aber weniger lebhaft.

Selbſtausſtürzung, Vorrichtung zum Umſtürzen aufgewundener Kübel, Eimer ꝛc., ſo daß die Hebemaschine sich ohne Unterbrechung fortbewegen kann, was dadurch bewirkt wird, daß der drehbar angehängte Kübel gegen ein Hinderniß stößt oder darüber hinweggleitet.

Selbstentzündung. 1) Wenn Wolle, Baumwolle, Leinwand, Lumpen, Werg, Bastmatten, Moos, Hobelspäne, Stroh, Sägemehl mit fetten Oelen, namentlich solchen, die an der Luft selbst eintrocknen, wie Mohnöl, Leinöl, Hanföl ꝛc., getränkt, nachher z. B. durch die Sonnenstrahlen erwärmt, dann vor völliger Trocknung fest zusammengepackt wurden und vor Abkühlung geschützt waren, so entzünden sie sich häufig selbst. Zur Verhütung solcher Selbstentzündung bringe man niemals geölte, lockere Gegenstände in Masse zusammen, sondern breite dieselben dünn aus, vermeide jede starke Erwärmung, sowie das Zusammenpacken, Aufeinanderhäufen, Zusammenschnüren ꝛc. Wenn in gewerblichen Anstalten, wie z. B. in Wollspinnereien, Tuchfabriken, größere Mengen von geölten Wollabfällen sich aufsammeln, ist es durchaus nöthig, dieselben in einen feuerfesten Raum zu bringen und daselbst ausgebreitet aufzubewahren. — 2) Auch Heu ist, wenn es noch feucht, sehr zur Selbstentzündung geneigt.

Selen, ein dem Schwefel verwandtes Metalloid; findet sich an Blei, Kupfer ꝛc. gebunden.

Selenit, Blättergips (s. d.), auch s. v. w. Gypsspath.

Selice, ital., Kies, Kiesel; selice romano, Basanit; seliciata, Steinweg.

Seliqua, s. d. Art. Maaß, S. 514.

Sella, Sessel, Chorgestühl; sella castrensis, plicatilis, s. d. Art. Faldistolium und Bischofsstuhl.

Selle, frz., Sattel; comble en selle, Satteldach; sellerie, Geschirrkammer.

Sellette, frz., Sitzbret eines Chorstuhls; s. d. Art. Chorgestühl.

Selma, griech. (Schiffsb.), das Verdeck oder das obere Getäfel eines Schiffes.

Selmis, griech., Getäfel, Gerüst, Gebälk, auch Baltenholz.

Selvage, engl., Anschrot; s. d. und Anwurf.

semaphorische Zeichen, s. d. Art. Telegraph.

semé, frz. (Herald.), zahllos bestreut, besäet.

Semelle, frz., Dachstuhlschwelle; semelle d'étai, Hebelade.

semi-circulaire, frz., halbkreisförmig.

semi-classical, engl., antikisirend.

semicubische Parabel, s. d. Art. Neil'sche Parabel.

Semi-dome, frz. und engl., Halbkuppel.

Semi-l'argent, frz., das Silber nachahmende Metallmischung, ähnlich dem Metall wie angegriffen von Säuren. Hauptbestandtheile sind: Weißkupfer, Zint, Zinn und etwas Blei.

Semi-l'or, Semior, frz., Mannheimer Gold, geschmeidige goldfarbene Metallmischung, welche sich sehr gut zu geriebener Arbeit verwenden und im Feuer vergolden läßt. Man schmilzt 6 Loth Zint in einem eisernen Ofen, der so eingerichtet ist, daß das Zint, so wie es schmilzt, abfließen kann, um sich von dem gebildeten Oryd zu reinigen. In einem Tiegel schmelzt man 1 Pfund Kupfer und schüttet, sobald es fließt, 4 Loth Messing hinzu, rührt es mit einem hölzernen Stab um, setzt das Zint hinzu, rührt nochmals gut durcheinander, thut einen Fingerhut voll Salpeter hinein und gießt das Gemisch dann in die Form aus.

Seminar, s. d. Art. Schule 2. 3. b.

semi-norman, engl., spätnormannisch; s. d. Art. Anglo-normannisch und Englisch-gothisch.

Semiobolus, Semissis. Semistula, Semodius, Semuncia, s. d. Art. Maaß, S. 514, Bd. II.

Sen, s. d. Art. Maaß, S. 490 und 495, Bd. II.

Senaculum, lat., Senatssitzungslocal.

Senatorium, lat., Senatorenplatz; s. d. Art. Basilika, Holzarchitektur und Kirche.

Senegalgummi, s. d. Art. Gummiharze 24.

Senfholz, von der glatten Tetranthera (Tetranthera tersa, Fam. Lorbeergew.), hat seinen Namen von seinem senfartigen Geruch. Die nasse Rinde erzeugt auf der Haut Brennen.

Senfmühle; dieselbe hat, wie jede andere Mahlmühle, einen Läufer mit einem Auge, der jedoch mit der Hand gedreht wird; er hat 12 Zoll Durchmesser, eine Ausschüttöffnung zur Seite des Bodensteins und flache, feinkörnige Mahlflächen. Die ganze Maschine braucht circa 36 ☐Fuß Raum.

sengen (Schiffsb.), das Ausbrennen der faulen Stellen des Holzes beim Ausbessern eines Schiffes.

Senkblei, 1) auch Bleifaden, Bleiwurf; s. d. Art. Bleiloth und Bleisenkel; — 2) (Schiffsb.) auch Grundeisen, frz. sonde, zu Erforschung der Tiefe des Wassers und der Beschaffenheit des Untergrundes dienender bleierner, abgekürzter Kegel, dessen Fuß 1 — 2 Zoll tief ausgehöhlt und mit Talg ausgeschmiert ist. Man unterscheidet a) das Schwer- oder Tiefloth, oft über 40 Pfd. schwer, hängt an einer über 100 Faden langen Leine (Lothleine); b) Mittelloth, wiegt 20—40 Pfd., die Leine ist bis 100. Faden lang. c) Handloth, 6—9 Pfd., Leine 30 Faden lang und durch Knoten in einzelne Faden eingetheilt.

Senkbrunnen, 1) s. d. Art. Brunnengründung und Grundbau; — 2) s. d. Art. Senkgrube; — 3) s. d. Art. Brunnen, S. 476, Bd. I.

Senkdamm (Wasserb.), s. v. w. Senkkribbe.

Senke, 1) (Deichb.) s. v. w. Senkung; s. auch Schwindung; — 2) s. v. w. Gesenke 1.

Senkeisen, eiserner Dorn mit abgestumpftem Ende, wird auf den Kopf eines eingeschlagenen Nagels aufgesetzt, um durch Hammerschläge den Kopf ins Holz einzutreiben (zu versenken).

Senkel, 1) s. v. w. Senkeisen; — 2) (Hüttenw.) kleine fingerdicke Haspen am Treibhute zur Befestigung der Rippen desselben an die Bleche; — 3) (Deichb.) s. v. w. Schlickfänger; — 4) zum Zusammenbesten hölzerner Gerinne dienende kleine eiserne Klammer; — 5) s. v. w. Senkblei.

Senkelblech, s. d. Art. Blech.

Senkelkiel (Bergb.), s. v. w. Ansteckkiel.

Senkelloth, s. v. w. Bleiloth und Senkblei.

senken. Jedes neue Gebäude wird und muß sich senken (frz. s'affaisser, arbeiten, s. d.), und es kommt also nur darauf an, die Senkung in einer gewissen Gleichmäßigkeit zu erhalten; wenn die Lasten des Gebäudes selbst ganz gleichmäßig vertheilt sind, so muß man im Grundbau eine gleichmäßige Tragkraft zu erzielen suchen, also z. B. an einzelnen weicheren oder wässerigen Stellen diese Tragfähigkeit erhöhen (s. Baugrund und Gründung); werden aber einzelne Gebäudetheile wesentlich schwerer, z. B. Thürme ꝛc., so müssen diese einen stärkeren Grund erhalten; oder besser noch, man suche durch Bögen im Grund ꝛc. einen Theil der Last solcher schweren Theile auf den Grund der leichteren mit zu vertheilen. Um aber durch die Senkung des Gebäudes in den Mauern möglichst wenig Risse und Abtrennungen zu erhalten, baue man thunlichst **schnell auf**, lasse aber dann das Gebäude möglichst lange, etwa einen Winter und die Hälfte des Frühjahrs, stehen, ehe man den Abputz und Ausbau beginnt. Verwerflich ist aber die leider hie und da noch sehr angepriesene Methode, das Fundament im Herbst zu legen und den Winter über liegen zu lassen, ehe man weiter baut; man muß die ganze Belastung aufbringen, so lange der Mörtel in den Fugen noch nicht vollständig erhärtet ist, vielmehr noch nachgiebt, etwa sich quetschen wollende Fugen also keinen zu großen Widerstand leisten und andere durch die Senkung zum Aufgehen getriebene Fugen sich noch erweitern können, ohne mörtellos zu werden, s. auch d. Art. Schwinden; — 2) (Bergb.) s. v. w. absenken; — 3) (Brunnenarb.) unter dem Kranz und der Brunnenmauer die Erde herausgraben, damit beides tiefer hinabsinke.

Senkerde (Wasserb.), Erde zu Ueberschüttung des Reisigs bei Senk- und Packwerken. [s. d.

Senkfäustel (Bergb.), die größte Art Fäustel,

Senkfaschine, s. d. Art. Faschine.

Senkgrube, frz. rayon, puisard, engl. sinkhole, ital. chiavica. 1) Ueber den Zweck der Senkgruben s. d. Art. Sammelkasten, Schleuße und Schwindgrube, wo auch Einiges über ihre Einrichtung nachzulesen. Entfernung vom Fundament des Gebäudes mindestens 20 Fuß, Tiefe mindestens 2 Fuß, tiefer als Unterkante-Banquette und jedenfalls durch die wasserhaltenden Schichten des Bodens hindurchzutreiben und wasserdicht zu ummauern; auf längere Zeit sind die Senkgruben nie brauchbar, weil sie mehr oder weniger doch verschlammen. — 2) Die Senkgruben in Kellern, wo Wasser hineintritt (bei dem Steigen des Wasserstandes von nahen Flüssen ꝛc.), sind nur Mittel, um das Wasser schneller wieder los zu werden, nicht aber den Eintritt zu verhindern; doch kann man auch letzteres wenigstens annähernd erreichen, wenn man die Gruben von circa 1 Fuß über dem Niveau des Flußbettes an bis circa 1 Fuß über das Niveau des höchsten Wasserstandes, auch wenn dieses über dem Kellerfußboden liegt, so stark mit Cement ummauert, daß sie vollständig wasserdicht sind, und unten mit ganz magerem Kies auswirft, wonach das Wasser die umliegenden Keller allerdings weniger belästigt, weil ihm in einer so beschaffenen Grube das Steigen leichter gemacht wird. — 3) Die Senkgruben in Gußsteinleitungen, Schleußen ꝛc., auch Schlammfänge genannt, sollen nur dienen, damit sich größere Unreinigkeiten, als Schlamm ꝛc. zu Boden setzen und das Wasser, dadurch etwas dünnflüssiger geworden, die Röhre schneller durchfließe; müssen ringsum und unten wasserdicht sein und von Zeit zu Zeit gereinigt werden.

Senkkästen, zur Gründung in Wasser; s. d. Art. Grundbau, S. 220, Bd. II.

Senkkolben, zum Einschlagen der Löcher in Eisenplatten, besonders für die zu versenkenden Schraubenköpfe dienender, nach unten zu verjüngter eiserner Dorn.

Senkkorb, zum Abhalten der Unreinigkeit dienender Korb, von Weidenruthen oder von Draht, worein man das Saugwerk einer Pumpe stellt.

Senkkribbe, Senkdamm, Senkschlacht (Wasserb.), den Wellen und dem Sturm guten Widerstand leistender Einbau in Wasser, besonders am Meeresufer; wird aus einzelnen Senkstücken verfertigt, über diese s. d. Grundbau, S. 220, Bd. II. Man legt mehrere Senkstücke neben und über einander zu dem ganzen Einbau, dann wird das Ganze noch mit Steinen beschwert und umgeben.

Senklage (Deichb.), s. v. w. Schwipplage.

Senklerblech, s. d. Art. Blech 9.

senkrecht, frz. vertical, engl. vertical, aneud, heißt eigentlich s. v. w. lothrecht, d. h. gerade nach dem Mittelpunkt der Erde gerichtet. In der Bautechnik wird es auch fast allgemein in dieser allein richtigen Bedeutung gebraucht; in den mathematischen und physikalischen Lehrbüchern aber findet man es sehr häufig mit winkelrecht und rechtwinkelig verwechselt; s. d. Art. Winkelrecht.

senkrechte Batterie, s. d. Art Batterie.

Senkrechtführung, s. d. Art. Gerabführung.

senkrechtes Rad, bewegt sich um eine liegende Welle 'n einer senkrechten Ebene.

Senkschacht, s. d. Art. Grundbau, S. 219.

Senkspaten (Brunnenb.), starker Spaten mit etwas gekrümmtem Stiel, um beim Senken der Brunnen (s. d.) an den Seiten des Brunnenlochs unter dem Kranz die Erde auszustechen.

Senkstrich, s. d. Art. Achsstrich, überhaupt lothrechte Linie.

Senkung, frz. fonture, s. d. Art. Senken 1.

Senkwaage, s. v. w. Aräometer.

Senkwasch (Wasserb.), vom französischen vache, Kuh, im Innern mit Steinen ausgefüllte, große Bündel von Reißholz.

Senkwasen, s. v. w. Grundwasen.

Senkwerk, s. d. Art. Senkkribbe, Grundbau, Brunnengründung, Brunnen und Sinkwerk.

Senkwinde (Mühlenb.), Winde, mit welcher Getraide auf den Boden gezogen wird.

Senne, Weideplatz des Viehes in den Alpen; **Sennhütte,** die Wohnhütte des Hirten, des Senners; ist thunlichst in der Mitte des Weideplatzes als Blockhaus erbaut.

Sense (Myth.), Attribut des Todes und der Zeit, des Chronos oder Saturnus; deutet auf die Vergänglichkeit alles Zeitlichen, das wie abgehauenes Gras verschwindet; s. auch d. Art. Albertus und Valentinus.

Sente, Scheergang, frz. lisse, engl. ribbard (Schiffsb.), die, die Längenbiegung, den Strack, der Seiten bestimmenden und zu dem Ende bei Beginn der Erbauung eines Schiffes auf die Innhölzer oder Spanten genagelten schwachen, biegsamen Latten. Man unterscheidet: Sente der Scheerweite, Sente des Weits, frz. lisse du fort, in der Linie der größten Weite des Schiffes; — Flughsente, Sente der Schneidungen, Sente des Scharfs, frz. lisse des façons, engl. rising-line, endet auf dem Vor- und Hintersteven und liegt am Mittelspant in der Gegend des Tops der Bauchstücke, wo das Schiff über dem Kiel am engsten ist; Zwischensenten, die zwischen jenen liegenden; Topsente, frz. lisse de platbord, engl. driftrail, noch höher aufwärts, in der Höhe des Schandecks; —

Sente der Verzeunung, frz. lisse d'accastillage, engl. rail, topside-line, ganz zu oberst; s. übr. d. Art. Scheeren und Schiff. Sentenriß heißt der wasserpasse Riß, weil auf ihm die Senten mit projicirt werden.

Sentine, frz. cale (Schiffsb.). 1) Das auf dem Schiffsboden sich sammelnde Wasser; — 2) auch die Rinne, wodurch dasselbe abfließt, Pumpensod.

Sepia, schön brauner Farbstoff, der durch Eintrocknen des sich im sogenannten Tintenbeutel des Tintenfisches findenden Saftes gewonnen wird; s. d. Art. Braun.

Septum, neutr., lat., Ort, Teich, Garten 2c., der durch eine Mauer oder einen Zaun eingeschlossen ist; s. d. Art. Basilika.

Sepulchrum, lat., frz. sepulcre, engl. sepulchre, Grab, s. d. Sepulchrum altaris oder tumba, lat., Reliquiengruft, s. d. Art. Altar. Sepulchrum dominicum, lat., frz. saint sepulcre, engl. easter-sepulchre, heiliges Grab; chapelle sépulcrale, Grabkapelle; pierre sépulcrale, Grabstein, inscription sépulcrale, Grabschrift.

Sepultúra, lat., frz. sepulture, Begräbniß, Grabstätte.

Sequoia, Riesen-Sequoia (Sequoia gigantea Endl., Fam. Nadelhölzer, Coniferae), eine der größten Baumarten der Erde; wird bis 300 Fuß hoch und 10 Fuß im Umfang, kommt jedoch in so kleinen Zahlen vor, daß sie technisch kaum benutzt wird.

Sera, lat., Vorlegeschloß.

Serail, Frauenabtheilung im muhamedanischen Wohnhaus, streng abgeschieden von der Straße, mit vergitterten Fenstern 2c. Wo der Hausherr mehrere Frauen hat, bekommt jede ihr besonderes Apartement.

Sérancolin, frz. (Mineral.), isabellenfarbige, roth und agatfarbig gefleckte Marmorart, in Frankreich vorkommend.

Seraph, plur., Seraphim, s. d. Art. Engel I, a.

Seraphia, St., ebenso abzubilden wie ihre Herrin Sabina, s. d., S. 200.

Seraphiel, bei den Muhamedanern der Engel, der von Allah ausgesandt wird, um durch Posaunenblasen das jüngste Gericht anzukündigen.

Seraphius a Monte Granario oder de Æculo St., Capuziner; Tag d. 12. October.

Serapion, St. 1) Unter Kaiser Decius bei einem Aufstand gegen die Christen in Alexandrien wurde auch Serapion in seinem eigenen Haus aufgegriffen, gefoltert und aus dem Oberstock auf die Straße geworfen; demgemäß darzustellen; — 2) Serapion Sindonites, in Leinwandkleidung darzustellen; — 3) Serapion von Tuni, als Bischof darzustellen.

Serapis (ägypt. Myth.), wird dargestellt als bärtiger, gelockter Mann mit langem Gewand, ein Maaß auf dem Kopf, neben sich ein Thier mit Hund-, Löwen- und Wolfskopf, von Schlangen umwunden.

Serbische Bauweise. Dem fleißigen Forscher F. Kanitz in Wien verdanken wir die erste Kenntniß dieser Abzweigung des byzantinischen Styls. Die im 12. Jahrhundert erbaute Kirche zu Studenica hat als Kern des Grundrisses ein Quadrat, an welches sich ostwärts ein dreischiffiges Joch mit drei Apsiden, in Nord und Süd zwei kleine, niedere Vorhallen, westlich ein tonnengewölbter Raum von

der Breite der durch eine achteckige Kuppel bekrönten Vierung und ein durch eine Thürwand abgeschlossener Narther anschließen. Der Styl der Ornamente ist fast rein byzantinisch, während die eigentlichen architektonischen Verzierungen sich mehr den Formen des romanischen Styls, wie er im Occident sich ausbildete, nähern. Wir geben in Fig. 1767 einen Theil der Apsisansicht; die Thiere zwischen den Ornamenten sind zum Theil symbolisch, zum Theil dem Thierkreis entnommen. Zur Seite des

Fig. 1767. Apsis von Studenica.

Fensters befinden sich, arg verstümmelt, eine Menschen- und eine Thiergestalt (vielleicht Reste von Evangelistenzeichen?). Selbst die um 1360 erbaute weiße Kirche zu Krusevac zeigt noch byzantinische Anlage mit einem kleinen Narther, über dem sich der Thurm mit schönen Zwillingsfenstern erhebt; sämmtliche Details sind in ihren architektonischen Formen noch rein byzantinisch, die eigentlichen Ornamente aber zwar auch noch byzantinisch, jedoch sehr verwildert, so daß sie sich den armenischen und mingrelischen nähern. Die um dieselbe Zeit gebaute Kirche zu Ravanica hat vollständig byzantinischen Grundriß. Vier Säulen tragen die Kuppel, im Osten stehen 3 Apsiden, in Nord und West je eine, im Westen ein Narther; von der Detailbildung giebt Fig. 1768 einen Begriff. Die Kirche von Manassia, um 1400 erbaut, hat fünf streng byzantinische Kuppeln mit hohem Tambour und niedrigem, etwas glockenförmig geschweiftem, achtseitigem Dach; ebenso geschweift, also acht byzantinisch, sind die Giebel; selbst bei noch spätern, ganz klein und einfach, zum Theil in Holz ausgeführten Kirchen ist wenigstens die byzantinische Disposition beibehalten.

Serenus, St., apokrypher Schutzheiliger für heiteres Wetter.

Sereth, f. d. Art. Maaß, S. 513.

Serge, engl., Kerze, f. d.

Sergius, St., Gefährte des St. Bacchus; vornehmer Römer, unter Maximian gefoltert; man zog ihm hohe Schuhe mit Stacheln und Frauenkleider an, führte ihn höhnend durch die Stadt ꝛc. Engel heilten seine Wunden, zuletzt wurde er enthauptet.

Serial-picture, engl., Bildercyclus.

Serpentin, Serpentinfels, frz. ophiolite, engl. common Serpentin. Unklar gemengtes plutonisches Gestein, bricht nur derb; dicht, aber meist sehr feinkörnig; hat splitterigen Bruch; steht in der Härte zwischen Gipsspath und Flußspath, spec. Gew. 2,5—2,6; Farbe ist Grün ins Braune, Rothe, Graue und Schwärzliche; der Stein ist oft sehr schön gezeichnet. Hier und da findet sich Granat,

Glimmer, Schillerspath, Bronzit, Magneteisen, Kupfer-, Eisen- und Arsenik-Kies in den Serpentin eingeschlossen; er tritt namentlich häufig mit Gabbro auf. Man bricht ihn besonders bei Waldheim und Zöblitz in Sachsen, auf der Insel Elba ꝛc. Uebr. f. d. Art. Ophiolith, Ophit u. Marmalith.

Serpentine (Wasserb.), bei einem Flusse, Canal oder Bergstraßenzug die schlangenförmige Krümmung, überhaupt Schlangenlinie, auch schlangenförmig vorgetriebener Laufgraben.

Serra, lat., Säge, serrula, Handsäge; serrula manubriata. Lochsäge.

Serrated, engl., Sägezahnverzierung, Zickzack.

Serre, frz., Gewächshaus, f. d.

Serricornia und **Sesia,** f. d. Art. Holznagel und Holzraupe.

Serrure, franz., Schloß; — serrure à bosse, serrure cachée, Blindschloß, f. d.

Serrurerie, frz., Schlosserarbeit.

Serfebaum, f. v. w. Elsebeerbaum.

Servante, frz. 1) Büffettisch, f. d. Art. Abschenke u. Anrichte; — 2) Kammerdiener, kleines Tischchen.

Servatius oder Servation, St., Patron von Worms und Mastricht, Schutzheiliger für das gute Gelingen von Plänen, Bischof von Tungern und Mastricht, kämpfte gegen die Arianer; starb zu Utrecht 384. Ueber seinem Grab ward nie Schnee gesehen. Abzubilden als Bischof mit einem Adler, der ihn gegen die Sonne mit einem Flügel schützt und mit dem andern ihm Luft zuweht.

Servitus, lat., Frohnlast; über die für das Bauwesen wichtigsten Servituten f. d. Art. Baurecht. Vgl. auch d. Art. Calefagium und Lichtrecht.

Servulus, St., gichtbrüchiger und gottergebener Bettler im Atrium von S. Clemente in Rom, starb 590.

Sesam (Sesamum orientale L., Fam. Personatae, Larvenblütler), ist eine einjährige, bis 5 Fuß hohe Pflanze, etwas dem Fingerhut ähnlich, die man wegen ihrer an fettem Oel (Sesamöl) reichen Samen im Orient häufig anbaut.

Sesgo, span., masc., Gährung, Schmiegschnitt.

Sessel. 1) (Mühlenb.) in manchen Mahlmühlen statt des Rumpfleiter dienendes Gestell; — 2) beweglicher Stuhl ohne Lehne; f. d. Art. Chorstuhl, Kirchenstuhl, Bischofsstuhl, Placet ꝛc.

Sesselleiste, österreichisch für Fußleiste, f. d.

Sester, f. d. Art. Maaß, S. 496, 505, 506.

Sesuncia, f. d. Art. Maaß, S. 514.

Setier, Setiere, f. d. Art. Maaß, S. 498, 502, 509.

Setine, f. d. Art. Maaß, S. 494.

Set-off, engl., off-set; Absatz.

Settlement, engl., französ. affaissement, Sentung.

Settels (Deichb.), Betleidung von Rasensoden an der Außenseite steiler Deiche.

Setzbord, Sitzgang, frz. fargue, falque, engl. washboard (Schiffsb.), breite Diele, bei hochgehender See auf den Bord eines kleinen Fahrzeuges gesetzt.

Setzbret, Setzstufe, Futterbord, f. d. Art. Treppe.

Setzbühne (Hüttenw.), mit hohem Rand versehener Tisch in Pochwerken; man stürzt darauf das gepochte Erz und nimmt es von da weg in das Sieb.

Setzcompaß, f. d. Art. Grubencompaß.

Setzeisen. 1) S. v. w. Senkeisen, f. d.; — 2) f. d. Art. Einsetzeisen.

setzen. 1) (Deichb.) eine steile Dossirung mit Rasen bekleiden; — 2) (Hüttenw.) in den Schmelz= ofen Erz und Kohlen schütten; — 3) das ge= pochte Erz in ein Sieb thun, mit dem Sieb in einem Wasserfaß untertauchen und schütteln, da= mit sich das Klare absondere; — 4) (Bergb.) sich erstreden, z.B. in die Tiefe setzen; — 5) sich setzen, f. v. w. sich senken.

Setzfäustel (Bergb.), f. v. w. Senkfäustel.

Setzgraben (Bergb.), in das Gestein einge= sprengte kleine Erzstücken.

Setzhaken (Hüttenw.), große Zange zum Her= ausheben der glühenden Stücke aus dem Ofen.

Setzhammer (Schloss.), hat eine je nach der im Arbeitsstück gewünschten Vertiefung gestaltete Schneide, mit welcher er auf das glühende Eisen gesetzt wird, worauf man mit einem Posekel auf den flachen Kopf des Hammers schlägt.

Setzholz. 1) Sperrkegel zum Hemmen des Pferdegöpels; — 2) f. d. Art. Fenster.

Setzlatte (Bergb.), f. v. w. Lachterlatte.

Setzloch. 1) (Hüttenw.) die Oeffnung am Schmelzöfen, wodurch das Erz hineingethan wird; — 2) bei einem Theerofen die obere Oeffnung.

Setzmeisel, 1) f. v. w. Senkeisen; — 2) eine Art. Meisel.

Setzpfosten (Wasserb.), theils zu Unterstützung des Griesholms, theils zu den Schützen gehörige kleinere Ständer zwischen den Griesständen.

Setzrohr (Hüttenw.), zum Eintragen des Er= zes dienende trichterförmige Erweiterung des Schachtes bei Krummöfen.

Setzsoden (Deichb.) unterste Reihe Soden bei der Deichbekleidung.

Setzsohle, f. v. w. Schwelle in Fachwänden.

Setzstab, f. d. Art. Fenster.

Setzstange; 1) f. v. w. Setzeisen; — 2) eiserne Hebestange, um große Steine in die gehörige Lage zu bringen.

Setzstempel, zu Vertheilung der Schlösser an den Kunststangen gebrauchter Hammer.

Setztrog (Hüttenw.), Trog zum Einschütten des Erzes und der Kohlen in den Ofen.

Setzwaage, Bleiwaage, über die verschiede= nen Arten f. d. Art. Waage; über den Gebrauch f. d. Art. Abwägen 4, Nivellirinstrumente ꝛc.

Setzwäsche, f. d. Art. Grubenbau, S. 212.

Setzweger, franz. feuille bretonne, engl. spirketing (Schiffsb.), Weger, f. d., die auf den Wassergängen und Binnenklötzern der einzelnen Decken stehn und bis zu den Untertrempeln der Pforten auflangen.

Setzwelle (Mühlenb.), f. v. w. Beutelwelle.

Setzzirkel, f. v. w. Tasterzirkel.

Seuil, frz., Schwelle, Sohlbank.

Sevenbaum, f. d. Art. Sadebaum.

Severey, severy, engl., Feld, Abtheilung, Fach, Reihung eines zusammengesetzten Gewölbes.

Severianus, St., vertheidigte in der Kirchen= versammlung zu Chalkedon 451 die Katholiten gegen die Eutychianer, als Bischof von Skytho=

polis, wurde 452 meuchlerisch überfallen und mit Steinen an den Füßen erhängt.

Severin, St., 1) Apostel und Patron von Oesterreich, Baiern, Kärnthen ꝛc., wegen der Höhe seiner Gestalt, seiner Wahrsagergabe und seiner Freundlichkeit hoch verehrt; starb 483. Wird dargestellt als Bischof, eine Kirche (die von Hei= ligenstadt) tragend, mit gen Himmel gerichteten Blicken; — 2) Abt zu St. Moriz in Wallis, heilte den König Chlodwig durch Auflegung eines Mantels und starb 507; ist Patron der Leinweber; — 3) Severin aus Bordeaux, auf einer Kirchen= versammlung zu Köln zum Bischof an die Stelle des Arianus Euphratas gewählt; Engel verkün= deten ihm 397 den Tod des St. Martin; starb 408, indem er seinen Freund Amandus in Bor= deaux besuchte, nachdem er lange als Einsiedler gelebt hatte.

Severus, St., 1) von Auranches, als Bischof, ein Pferd neben sich, da er früher Pferde gehütet; 2) Severus von Ravenna, als Bischof mit Tuch= machergeräth, auf der Schulter eine Taube, die ihn bei der Bischofswahl bezeichnete, starb 390; — 3) Severus von Rom, Patron von Barcellona, abzubilden mit einem Nagel in der Hand.

Sevum minerale, f. d. Art. Bergfett.

Sextans, Sextanr, Sextarius, lat., f. d. Art. Maaß, S. 513 ff.; vergl. d. Art. Kyathos, Con= gius, Hemina.

Sextant (Feldmeßk.), Winkelmeßinstrument, besteht aus einem Sechstelkreis, in 60 Grade ein= getheilt, als Boden, ist wohl auch an den Seiten mit Spiegeln versehen, wo es dann Spiegelsertant heißt. Der eine Spiegel steht fest, der andere ist auf dem Boden beweglich; wird nun der eine Gegenstand auf den Nullpunkt einvisirt und man rückt den zweiten Spiegel so, daß der zweite Ge= genstand durch Reflexion den ersten Gegenstand bedt, so kann im Winkel auf dem Grundbogen abgelesen werden, den die Visirlinien nach beiden Gegenständen im Standpunkt des Instrumentes mit einander bilden.

Sextocalendae, lat., f. d. Art. Jahr.

Sgraffito, ital., frz. manière égratignée, f. d. Art. Graffito.

Shaft, engl., lat. scapus, 1) Schaft einer Säule, einer Lanze; eines Kelchs; shafted, mit Schaft ver= sehen; slender-shaft, Dienst; shafted impost, mit Capital versehener Gewölbeanfall; vergl. d. Art. banded, continuous, discontinuous, corbeled, beaded, Bowtele, Impost ꝛc.; — 2) f. Arm 1.

S-haken, engl. S-hook, f. d. Art. Eshaken u. Blankhaken. [Blendarkade, f. d.

shallow, engl., seicht; shallow arcade, ——

S-hammer (Klemp. und Schmied.), Hammer mit S-förmiger Bahn, um diese Form auf Blech ꝛc. einzuschlagen.

Shedroof, engl., Schutzdach, Pultdach.

Sheet, engl., dünne Platte, Ruderband; sheet-anchor, Pflichtanker, Nothanker; sheet-cable, Pflichtankertau; sheet-metal, Blech.

Shelf, engl. 1) Sims, Bret, Bort, Real; — 2) Sandbank, Riff.

Shell, engl., Schale; shell of a vaulting, Wölbfläche; shell-limestone, f. d. Art. kaltige [Gesteine c.

Shield, engl., Schild, f. d. ——

Shingle, engl., Shindle, altengl. Schindel.

Shoar, engl., Stütze, Spreize.

Shouldering-piece, engl., Knagge, Console.

Shredding, engl.,
Knagge, Aufschiebling.

Shrine, engl., Schrein,
Tabernakel; s. d. Art. Heiligenschrein.

Shroud — Croud,
engl., Crypta.

siamesische Bauweise.
Siam gehört zu den Län-
dern, wo der Buddhais-
mus Landesreligion ist,
doch heißt Buddha hier
Sanona Cadom. Die
Priester bilden keine ei-
gene Kaste, die Aebte der
Klöster (Wats) sind zu-
gleich Lehrer. Die alte
Geschichte ist noch unbe-
kannt. Seit der Bekannt-
schaft mit den Europäern
1547 wurde das Reich
vielfach durch Bürger-
kriege heimgesucht. Auch
von dem jetzigen Zustand
ist nur wenig bekannt. Die
Hauptstadt Bangkok, an
beiden Ufern des Menam
erbaut, ist eine Wasser-
stadt. Die meisten Straßen
sind Flußarme oder Ca-
näle mit erhöhten Trot-
toirs für den trotzdem vielfach unterbrochenen Fuß-
verkehr; auch findet man
ganze Reihen schwimmen-
der Häuser, die, von Holz
erbaut, auf Bambus-
flößen ruhen. Die Pago-
den oder Wats folgen im

Fig. 1769. Grabpagode der Könige von Siam.

Fig. 1770. Vorhof eines siamesischen Tempels.

Allgemeinen dem Buddhisten-Typus, sind aber bei weitem schlanker. Fig. 1771 stellt eine in Stein ausgeführte Pagode zu Bangkot dar; Fig. 1769 aber die hölzerne Grabpagode der Könige, mit einigen Tabernakeln, wie sie über den Sarkophagen errichtet werden. Diese sind gleich den Wohnungen der Menschen von Holz. Nur für Gott durften früher steinerne Gebäude errichtet werden; erst ganz in neuester Zeit hat man begonnen, steinerne Wohnhäuser zu errichten; doch sind auch viele, ja die meisten Pagoden von Holz aufgeführt. Die Zugänge und Vorhöfe der Tempel sind vielfach durch Statuen ꝛc. ausgezeichnet, s. z. B. Fig. 1770. Die Leichen Armer werden in einem umhegten Raum den Aasgeiern und Hunden preisgegeben. Vornehme werden auf einem Scheiterhaufen im offenen Sarg verbrannt oder vielmehr verglüht, indem man den Sarg durch Begießen vor der Verbrennung zu schützen sucht, der dann mit der Asche in einem der erwähnten Tabernakel verwahrt wird.

sibirische Ceder, s. d. Art. Zirbelkiefer.

sibirischer Turmalin, auch Siberit, Rubellit genannt, s. d. Art. Turmalin.

Sibyllen; sie werden, da sie, obgleich heidnische Wahrsagerinnen, doch den Messias verkündigten, oft den Propheten gegenüber gestellt.

Siccativ. Unter diesem Namen begreift man diejenigen Mischungen, welche den Zweck haben, Oelanstriche schnell trocknend zu machen. Siccative sind nichts Anderes als starke, schnelltrocknende Firnisse. Nachfolgende sind die besten Verfahrungsweisen, Siccative darzustellen:

1. Man kocht 2 Pfd. feingeriebene Bleiglätte mit 10 Pfd. Leinöl und setzt zuletzt 2—3 Loth entwässerten Zinkvitriol zu.

2. 25 Pfd. Leinöl werden erhitzt, dann mit 2 Pfd. Bleiweiß, 3 Pfd. Bleiglätte, 3 Pfd. Bleizucker und 3 Pfd. Mennige (welche Substanzen sehr fein gerieben und gut gemischt worden sind) allmälig versetzt u. 8—10 Stunden lang schwach gekocht. Die abgekühlte Masse wird dann mit 40 Pfd. Terpentinöl gemischt, auf einem Sandbad schwach erwärmt und sich einige Tage selbst überlassen; unten scheidet sich eine dicke braune Masse ab, welche zu dunklen Farben Anwendung finden kann; die darüber stehende klare Schicht ist ein Siccativ für alle Farben, enthält jedoch viel Blei.

3. In neuerer Zeit werden die Siccative vielfach durch Behandeln des Leinöls mit Manganpräparatur hergestellt. Mit solchen Firnissen bringt man bei Verwendung zu Anstrichen mit Zinkweiß kein Blei in die Farbe und sie sind, da sie sehr schnell trocknen, den obigen vorzuziehen.

4. Unter dem Namen Siccativ zumatique de Barruel ist ein Mittel empfohlen worden, das bei Zusatz von $2\tfrac{1}{2}$% zu Zinkweißfarben als sehr zweckmäßig gefunden wurde. Es wird erhalten durch Vermischen von 5—6 Theilen borsaurem Manganoxydul mit 95 Thln. Zinkweiß.

Siche, Sindje, kleiner Wassergraben, das um Binnenwasser nach den Hauptabzugsgräben hinzuleiten.

Sichel, s. d. Art. Ceres, Jahr, Jahreszeiten, Rothburga.

Sichelfruchtbaum (Drepanocarpus senegalensis Nees, Fam. Hülsenfrüchtler), im äquatorialen Westafrika einheimisch, giebt das afrikanische Kino, das jedoch wenig in den Handel kommt.

Sichelschnitt, frz. faucille; s. d. Art. Heraldik VI.

Sicherheitslampe, eine Lampe, welche man ohne Gefahr an Orten, wo sich entzündliche Gase, namentlich Kohlenwasserstoffgas, entwickeln, zur Beleuchtung anwenden kann. Die zuverlässigste, von Davy construirt, beruht auf der Erscheinung, daß verbrennende Gase ihre Entzündung nicht durch ein Drahtgeflecht fortpflanzen. Die Flamme einer

Fig. 1771. Wat zu Bangkok.

gewöhnlichen cylindrischen Oellampe wird seitwärts und oben von einem Drahtgeflecht umgeben, welches etwa 750—900 Oeffnungen auf den Quadratzoll hat. Befinden sich entzündliche Gase in einem Raum, so dringen dieselben auch ins Innere der Lampe und verbrennen darin, doch pflanzt sich die Entzündung nicht nach außen fort; erst wenn das Gas $\tfrac{1}{8}$ der ganzen Menge ausmacht, wird die Explosion so heftig, daß die Lampe erlischt; in diesem Fall ist aber auch die Luft zum Einathmen untauglich. Damit im Fall des Erlöschens der Bergmann noch hinreichend Licht habe, umgab Davy die Flamme mit einem spiralförmig gewundenen Platindraht, welcher, von der Flamme einmal erhitzt, von den umgebenden Gasen noch lange Zeit glühend erhalten wird.

Sicherheitsmodul, s. d. Art. Festigkeit.

Sicherheitspfahl, s. d. Art. Mahlpfahl.

Sicherheitsschloß. Ueber die Brahma- und Chubbschlösser s. d. Art. Schloß D). Gleich den genannten gehört das dem Erfinder Winkler in Wien patentirte Sicherheitsschloß zu den Combinationsschlössern; der wesentlichste Theil desselben sind zwei in einander steckende hohle Cylinder, deren innerer die Riegelführung bewerkstelligt; im Inneren desselben befinden sich 3, 5—7 horizontal über einander liegende eiserne runde Scheiben, welche an ihrer Peripherie zwei gegenüberliegende kleine Ansätze haben, die über den Cylinder durch Längenschlitze hinaus reichen und im äußeren in Längennuthen gehen, so daß der innere nicht gedreht werden kann; in der Innenhöhlung des äußeren Cylinders laufen Quernuthen ringsum; die Scheiben werden durch eine Spirale immer aufwärts gedrückt. Wenn nun die Scheiben alle so weit hinabgedrückt werden, daß sie an die Quernuthen kommen, so können sie und mit ihnen der innere Cylinder gedreht werden. Der Schlüssel hat, den Tiefen entsprechend, bis zu welchen die Scheiben hineingedrückt werden müssen, Absätze, so daß er einem ausgezogenen Fernrohr gleicht; vorn besitzt er einen kleinen Bart zur Drehung des Cylinders.

Sicherheitsventile haben den Zweck, den höchsten zulässigen Druck einer tropfbaren oder elastischen Flüssigkeit anzugeben und zugleich zu verhindern, daß dieser Druck überstiegen wird. Das Ventil muß so lange dicht geschlossen bleiben, als jener Druck noch nicht erreicht ist; sobald er aber an diese Grenze gelangt, sich ungehindert öffnen und einige Zeit in gehörig geöffnetem Zustand verbleiben. Hinsichtlich des dichten Schlusses ist es nöthig, daß die Berührungsflächen möglichst gut auf einander geschliffen seien, die Gestalt aber dabei gleichgiltig. Damit aber das Ventil sich zu gehöriger Zeit öffne, können die meisten Ventile, namentlich Kegelventile, nicht zur Anwendung kommen, weil sie zu wenig Sicherheit bieten; am besten ist das flach aufgeschliffene Ventil, da die Adhäsion möglichst klein werden wird, indem man die Sitzfläche verkleinert. Auch der Umstand, daß zwei auf einander abgeschliffene ebene Flächen einen konisch zu werden suchen, ist bei dieser Verkleinerung maaßgebend. Die Marimalbreite des Sitzes ist zwei Millimeter. Da endlich der höchste zulässige Druck nicht überschritten werden kann, muß die Flüssigkeit in gehöriger Menge abströmen können, das Rohr muß daher weit genug sein. Bei Dampfkesseln muß die Weite d des Dampfrohres in allen Staaten vorgeschrieben; in Frankreich ist z. B.

$$d = 26 \sqrt{\frac{s}{n - 0{,}412}} \text{ Millim.,}$$

wo s die Heizfläche des Kessels in Quadratmetern, n die Anzahl der Atmosphären bedeutet. Die gewöhnliche Einrichtung des Sicherheitsventiles bei Dampfkesseln zeigt Fig. 1772. Auf dem mit dem Dampfkessel in Verbindung stehenden Dampfrohr liegt das Ventil, welches unten drei Bügel hat, damit eine seitliche Verschiebung des Ventils unmöglich werde. Das Ventil wird durch das an einem Hebel sitzende Gewicht niedergedrückt

und kann sich nur dann heben, wenn das statische Moment des Dampfdruckes dasjenige des Gewichts übersteigt. — Damit der Dampf in gehöriger Menge ausströme, muß sich das Ventil um ¼ seines Durchmessers heben; in seiner gewöhnlichen Gestalt thut es dies nicht; man hat daher verschiedene Verbesserungen versucht. Die eine bezweckt, das Ventil in dem Augenblicke zu entlasten, wo es sich hebt; das Hausson'sche Sicherheitsventil dagegen sucht die Ausströmungsöffnung zu vergrößern, indem es die Sitzfläche ringförmig macht.

Fig. 1772.

sichern (Hüttenw.), das gepochte Erz mit Wasser in dem Sichertrog hin und her rütteln und dadurch scheiden. Der Sichertrog ist ein hängender, länglicher, vorn schmaler, hinten breiter Kasten. Diese Art Scheidung, Sicherung (s. d. Art. Bart 7), wird vorher zur Probe und dann erst im Großen ausgeführt.

Sicherpfahl (Wasserb.), s. v. w. Aichpfahl, s. u. Mahlpfahl 2.

Sicherstein (Hüttenw.), s. v. w. Probirstein.

sichtbarer Dachstuhl; s. d. Art. Dach und Decke, S. 632, Bd. I.

Sichtearme, s. d. Art. Arme 3.

Sichter. 1) (Mühlenb.) s. v. w. Mehlsieb, Beutelwerk; — 2) (Wasserb.) auch **Sichterhöhle,** die durch einen Deich führende hölzerne Rinne, um das Binnenwasser abzuleiten; — 3) s. v. w. Siebwert und Sichtzeug.

Sichtewelle, Siebwelle (Mühlenb.), Welle des Beutelwerks.

Sichtewerk, Sichtzeug, Siebwerk (Mühlb.), s. v. w. Beutelwerk.

Sioilious, s. d. Art. Maaß, S. 514, Bd. II.

Sickergraben, s. d. Art. Sielergraben.

Siclos, s. d. Art. Maaß, S. 513, Bd. II.

Sicomoro, span., Maulbeerfeigenbaum.

Sida, Side, Sammetpappel, Malvacee mit bastfähnlichen Hautfasern, die zum Spinnen von Seilen benützt werden können.

Side-aisle, engl., Seitenschiff, s. d.

Side-board, engl., Büffet, Anrichtetisch; **sidepost,** 1) Seitenpfosten; — 2) s. v. w. Queenpost.

siderisches Jahr, s. d. Art. Jahr.

Siderit, s. d. Art. Blauspath.

Sieb. Auf den Bauen ꝛc. werden verschiedene Siebe gebraucht, um den Sand und andere in gekleintem Zustand zu verwendende Materialien durchzusieben; das gröbste dieser Siebe ist der Durchwurf, das feinste das Haarsieb; s. beides.

Sieben, als symbolische Zahl s. d. Art. Symbolik, bedeutet die Vereinigung der Dreieinigkeit und der vier Elemente, erinnert an die sieben Maklabäer, die sieben Engel, den siebenarmigen Leuchter, die sieben Säulen der Weisheit Salomo's, an die sieben Kirchen, die sieben Weiber des Jesaias, die sieben Briefe Pauli, die sieben Gaben des heil. Geistes (Jesaias XI, 2. 3); wegen des siebenten

Tages ist sie Sinnbild der Vollendung und Heiligung, der Lobpreisung (118. Psalm, 164), der Verzeihung, die siebenmal siebenzigmal ertheilt werden soll. Ferner denke man an die sieben Bitten des Vaterunser, die sieben Seligkeiten, die sieben Planeten, die sieben Diatonen der Kirche, die sieben Boten des Herrn, das siebente Weltalter der Gottesruhe in unbegrenzter Ewigkeit. Auch hatten die alten Baptisterien sieben Stufen zu dem Tauftuch hinab; über die sieben Tauben s. d. Art. Jesus Christus.

Siebenblatt, Siebenpaß, Siebenschneuß, werden analog gebildet wie die Dreipässe, Sechspässe, Dreiblätter 2c.

Siebeneck. Eine genaue Construction des regelmäßigen Siebenecks blos mit Cirkel und Lineal ist nicht ausführbar. Das Einfachste ist jedenfalls, in den Kreis, in den es eingeschrieben werden soll, mit Hülfe des Transporteurs, einem Centriwinkel von $^{360}/_7 = 51$ Grad, 25 Minuten und 44 Secunden anzutragen, dessen Sehnen eine Seite des Siebenecks giebt; s. übrig. d. Art. Vieleck.

Siebenflach, s. d. Art. Heptaëder.

Siebenschläfer. Sieben Brüder, Constantinus, Dionysius, Johannes, Malchus, Martinianus, Maximianus und Serapion, wurden unter Decius als Christen verfolgt und flohen in eine Höhle, deren Eingang Decius vermauern ließ; Decius starb 251. Im Jahr 447 wollte ein Bürger von Ephesus die Höhle als Schafstall einrichten, und siehe da, die sieben Brüder schlafen noch, erwachen, senden nach Brot 2c. Nachdem Kaiser und Bischof sie gesehen, starben sie.

Siebenziger, s. d. Art. Bauholz, S. 280, Bd. I.

Siebmaschine, Siebwerk, frz. égrappoir, heißt jede, größere Siebe zu irgend einem Behuf in ununterbrochenem Gang hin- und herbewegende Maschine. So z. B. in Pochwerken zur Sonderung des feinen Gutes von dem noch einmal unter die Stampfen zu werfenden groben Erz 2c.

Siebwäsche, s. d. Art. Grubenbau, S. 212.

Siechenhaus, lat. infirmarium, frz. infirmerie, maladrerie, engl. infirmary, s. d. Art. Lazareth und Hospital.

Siedehaus (Hüttenw.), s. w. Salzkothe; s. d. Art. Salzwerk.

Sieden einer Flüssigkeit, der Uebergang derselben in den gasförmigen Zustand. Während des Siedens zeigt die Flüssigkeit stets dieselbe Temperatur, man mag ihr so viel Wärme zugeführt haben, als man will; es wird also während dieser Zeit alle Wärme nur zur Verwandlung in Dampf, nicht zur Erhöhung der Temperatur verwandt. Die während des Siedens constante Temperatur heißt der Siedepunkt; derselbe ist für verschiedene Flüssigkeiten sehr verschieden. Außerdem hängt er sehr von dem Druck ab, unter welchem das Sieden vor sich geht; so siedet Wasser unter dem Recipienten der Luftpumpe viel eher als unter Atmosphärendruck. Folgendes sind die Siedepunkte einiger Flüssigkeiten bei dem gewöhnlichen Atmosphärendruck von 760 mm.

Ammoniak	—40° C.
Schweflige Säure	—10°
Cyangas	+18°
Schwefeläther	+36°
Schwefelkohlenstoff	47°

Alkohol	75°
Wasser	100°
Terpentinöl	157°
Kreosot	203°
concentr. Schwefelsäure	325°
Quecksilber	360°
Leinöl	376°

Durch Substanzen, welche im Wasser aufgelöst sind, wird der Siedepunkt erhöht; so siedet eine gesättigte Lösung von Kochsalz erst bei 108,4°.

Sieder, Siederöhre, s. d. Art. Dampfkessel.

Siederei, Siedewerk, Siedehütte, Anstalt, wo mittelst gleichförmigen Feuers Flüssigkeiten behufs ihrer Reinigung oder chemischen Umwandlung gesotten, mittelst fortgesetzten Siedens abgedampft werden 2c. Es giebt Theersiedereien, Salzsiedereien, Alaunsiedereien 2c.; s. d. einzelnen Art. Besondere Sorgfalt muß man natürlich bei der Anlegung einer solchen Siederei auf die Leitung der Feuercanäle verwenden.

Siège, frz., Sitz; siége d'évêque, s. d. Art. Bischofstuhl und Chorgestühl; siége d'aisance, Abtrittssitz.

Siegel, frz. cachet, sceau, s. d. Art. Secretum, Sigillum und Legende.

Siegesbogen, Siegespforte, Siegesthor, s. v. w. Ehrenpforte, Triumphbogen.

Siegesgehänge, Siegeszeichen, Trophäen, sind als Verzierung einer Ehrenpforte oder dergleichen verwendbare, zusammenhängende und mit einander verschlungene Kriegsgeräthe; s. übrigens d. Art. Armatur.

Siegessäule, s. d. Art. Denkmal.

Siegeswagen, antiker Wagen, biga (zweispännig), oder quadriga (vierspännig), worin die Siegesgöttin oder der gefeierte Triumphator steht.

Sickergräben (Wasserb.), dienen zur Entwässerung und Urbarmachung sumpfigen Landes; man führt sie in ein fließendes Gewässer, womöglich mit gleichmäßigem Gefälle von 1 bis 1½ Zoll auf 100 Fuß Länge, und füllt sie mit großen, Spielraum gebenden Steinen aus, so daß das Wasser zwischendurch sickert und in eine mittlere, 6 bis 9 Zoll breite Oeffnung gelangt, die mit Steinen überdeckt wird. Statt der Steine benutzt man auch Faschinen, die mit Rasen bedeckt werden, oder alte hölzerne Wohlstücke, die mit Bohlen oder Rasen bedeckt und mit Erde überworfen werden; s. übrigens d. Art. Abzugsgraben, Drainage, Entwässerung 2c.

Siel, Syl, Sohle, Siehl (Wasserb.), zum Herauslassen des hinter einem Deich sich sammelnden Wassers durch den Deich gelegte Schleuße, welche zugleich verhindert, daß das vor demselben aufgestaute Wasser hinter den Deich trete.

I. **Eintheilung.** 1) Das einfachste sind natürlich die Sichter (s. d. 2), die aber blos anwendbar sind, wenn der innere Grund u. Boden über dem äußern Fluthniveau liegt; — 2) Schußsiel, Schützensiel, einfacher offener Canal oder auch überbauter Durchlaß, mit einem Schütz versehen, dient zugleich, um das Wasser bis auf eine gewisse Höhe hinter den Deich treten lassen zu können, um dem Vorwasser ein Gegengewicht entgegenzustellen, sowie um das Binnenland zu bewässern, abzuschlicken 2c.; — 3) Ebbe- und Fluthsiel, Pumpensiel, Pumpsiel, diese sind oft über 18 Fuß breit und 14 Fuß hoch im Lichten und bekommen, um das Land vor der plötzlich steigenden Fluth zu sichern, vor dem Deich zwei Flügelthüren, die sich durch den Druck des wachsenden Wassers bei eintretender Fluth selbst verschließen; tritt hingegen Ebbe ein und das Binnenwasser wird höher als das Außenwasser, so öffnen sich die Flügelthüren wieder und das Binnenwasser tritt aus; — 4) Klappstiel, ebenso wie die vorigen, nur kleiner; bei geringem Binnenwasser angewendet. Ihnen giebt man, statt eines doppelten Thores, eine nach außen aufgehende und von oben herabhängende Klappe.

II. Anlage und Ausführung. Alle diese Siele können von Stein oder Holz erbaut werden; es werden entweder, wie bei dem Schleußenbau (s. d.), Grundpfähle und Spundwände geschlagen, Sandstraten und Kleybalken gelegt, oder man legt auf den abgeebneten Boden, 6—8 Fuß auseinander, hölzerne Unterlagen und darauf direct die Sandstraten, auf die man die Kleybalken aufstämmt. Die Enden der Kleybalken 2c. müssen außen bündig verschnitten werden; auf die Kleybalken kommen nun die Koppelbalken und zwischen diese der Sielboden (aus Bohlen), der durch die in die Koppelbalken (Langschwellen) eingezapften Nadeln gehalten wird. In die Koppelbalken werden die Ständer eingezapft, die circa 14 Zoll im Lichten von einander entfernt sind und außen Pfostendeleg erhalten; sie tragen in Zapfen die Querbalken, auf denen starke Deckpfosten liegen. Ein Siel mit solchen Wänden heißt Ständersiel, wenn aber die Wände nach Art der Blockwände gebaut sind, heißen sie Balkensiele; ganz kleine können blos aus Bohlen construirt werden und heißen dann Kumpfsiele. Das Thürgerüst heißt das Schlaggebinde; es besteht, wie bei den Schleußen, aus Ständern und einem Trempel, wozu aber noch eine obere Schlagschwelle oder ein Oberdrempel kommt. Das Vorsiel, d. h. das Haupt nach der Fluth zu, bekommt etwas mehr Breite als die Kammer, die auch Binnersiel heißt, und seine Flügel sind so gebaut, wie die Wände der Kammer. Die Thüren laufen etwas an, auf 5 Fuß um 1 Zoll, so daß sie beim Gleichgewicht des Wassers von selbst zufallen, gehen auch blos bis zum Winkel auf. Bei sehr weitem Siel bringt man zwei Paar Thore hinter einander an, das äußere heißt dann Fluththor, das innere Ebbe- oder Spillthor, auch Noththor oder Binnenschleuße. Solche Siele erhalten dann noch ein Binnenvorsiel. Das Binnenwasser wird dem Siel durch einen Canal zugeführt, welcher Binnertief heißt; über diesen und das Außertief s. d. betreffenden Art. Vor Erbauung des Siels muß natürlich die dazu nöthige Vertiefung, Sielgrube oder Sielkuhl, ausgestochen und umwallt oder mit Fangdämmen versehen werden, um im Trocknen arbeiten zu können.

Sieltief, s. d. Art. Siel und Binnertief.

Sienaerde, s. d. Art. Terra di Siena.

Sienit, Syenit, ist ein Granit, aus welchem der Quarz und der Glimmer fast ganz verschwunden sind, wogegen Hornblende mit Feldspath ein gewöhnlich grobkörniges Gestein bildet. Das Gestein erscheint massig und liegt bald auf Granit, Gneuß und Thonschiefer, bald ist es ihnen eingelagert. Der Syenit bildet Gänge in der Kreide u. im Sandstein. Er liefert einen guten Baustein, wird zum Straßenbau, zu Trottoirs, als Bruchstein und in der höheren Baukunst verwendet; verwittert fast noch langsamer als der Granit.

Sierra, span., Säge; ausgezacktes Gebirge.

Sigillum, lat., frz. sigille, sceau, Siegel; sigillum majestaticum, Majestätssiegel; sigillum secretum, Secretsiegel; sigillum altaris, Marmorplättchen auf der Reliquiengruft eines Altars.

Sigismund, St., König von Burgund, Stifter des agaunischen Klosters, ermordete,den von seiner zweiten Frau fälschlich als Verschwörer ihm angezeigten Sohn erster Ehe, that nach Entdeckung der Wahrheit strenge Buße, mußte dann vor den Verwandten seiner ersten Frau fliehen, wurde endlich 516 enthauptet und in einen Brunnen geworfen, wo dann Wunder geschahen. Abzubilden als König mit dem Schwert.

Siglen, lat. sigla aus signa, singula, franz. sigles, auf Inschriften Anfangsbuchstaben, statt der ganzen Wörter gesetzt.

Sigma, lat., 1) halbkreisförmiges Speiselager; s. d. Art. Triclinium; — 2) Sitze, welche kreisförmig um das Warmwasserbecken (piscina) im römischen Bad herumlaufen.

Signaculum, signum Dei, lat., Einmal, eine runde Scheibe, bezeichnet mit X oder mit einem stehenden Kreuz; s. d. Art. Christus. Kommt als Attribut der Engel, ferner auf Kelchfüßen 2c. vor.

Signage, frz., Zeichnung, die Eintheilung der Glasscheiben zu einem Fenster, besonders behufs der Glasmalerei desselben.

Signal (Feldmeßk.), die am Hauptpunkt eines Terrains aufgesteckte Stange, um danach bei einer Aufnahme visiren zu können.

Signal, s. d. Art. Monogramm.

Signaturglocke, s. w. w. Chorglöckchen.

Signo, frz., Zeichen; signe-lapidaire, maconnique, Steinmetzzeichen; signe d'appareil, s. v. w. repère, s. d.

Signet, sinet, Privatsiegel, Siegelring, Buchzeichen, Buchdruckermarke.

Signinum opus, lat., Schlagästrich aus Ziegelbroken und Mörtel.

Sikkativ, s. d. Art. Siccativ.

Silanus, lat., Springbrunnen.

Silber, I. (Mineral.) lat. argentum, franz. argent, engl. silver, dasjenige Metall, dessen Kenntniß und Gebrauch bis in das früheste Alterthum zurückreichen. In der Natur findet sich dieses Metall weit verbreitet, aber nur selten in größeren Mengen. Es kommt gediegen in ziemlich reinem Zustand, in Würfeln krystallisirt vor; häufiger jedoch in Dentriten, in baar-, drahtförmigen und anderen Bildungen. In Verbindung mit Schwefel tritt es häufig auf; es findet sich kaum ein Bleiglanz, der nicht Silber enthielte. Die Verbindungen von Silber mit Chlor, Brom, Jod mit Selen, Tellur und Antimon finden sich ebenfalls in der Natur; s. d. Art. Erze. Für die Erze, die meist mit gediegenem Silber zusammen vorkommen, sind die Bergwerke des Harzes, die Gruben des Erzgebirges, Schwarzwaldes 2c. altberühmte Fundörter. Es findet sich dort vorzüglich auf Silbererze im Granit, Gneuß, Syenit, Glimmerschiefer 2c.

Das reine Silber hat 10,5 spec. Gewicht, es ist härter als Gold, aber weicher als Kupfer. Die Dehnbarkeit des Metalles ist so groß, daß es sich bequem zu Blättchen von $\frac{1}{100000}$ Zoll Dicke ausschlagen und zu Draht, wovon 100 Fuß nur 0,005 Gran wiegen, ausziehen läßt. Das Silber schmilzt etwas über 1030° C., ist bei gewöhnlicher

Temperatur indifferent gegen den Sauerstoff der Luft, Feuchtigkeit und Kohlensäure; ist jedoch sehr empfindlich gegen Schwefelwasserstoff; nur Spuren brauchen davon in der Luft verbreitet zu sein, um dem Silber sofort ein gelbes, braunes bis schwarzes Ansehen zu geben (Schwefelsilber-bildung). Silber ist leicht löslich in Salpetersäure; Schwefelsäure löst es in der Wärme; Salzsäure ist fast ohne Wirkung auf Silber. Aus den Silberlösungen wird das Metall durch leicht oxydirbare Metalle, wie Eisen, Zink, Kupfer zc., oder durch reducirende Salze, Eisenvitriol, Zinnchlorür zc., entweder als graues, glanzloses Pulver, oder als schwammige Masse gefällt. Organische Verbindungen, namentlich die Aldehyde und alkalische Zuckerlösungen, fällen das Silber aus Lösungen als zusammenhängende, glänzende Metallhaut, welche Eigenschaft man für die Glasversilberung benutzt hat. In Folge der großen Verwandtschaft zum Schwefel werden nicht selten silberne Gegenstände an der Luft durch eine oberflächliche Bildung von braunem oder schwarzem Schwefelsilber glanzlos; man wickelt deshalb silberne Sachen an bewohnten Orten, um sie vor dem Einfluß des Schwefelwasserstoffes zc. zu schützen, in Bleiweißpapier ein.

II. Darstellungsmethoden des Silbers aus seinen Erzen. Nur selten werden dem Hüttenmann reine Silbererze zur Verhüttung geboten; ist dies aber der Fall, so wird der Silbergehalt durch Amalgamation zu Gute gemacht. In der Regel ist die Silbergewinnung mit der von Blei- und Kupfergewinnung verbunden. Man verarbeitet den silberhaltigen Bleiglanz erst durch Rösten mit Kohle zu metallischem Blei, in welches auch das Silber mit übergeht, und bringt diese Masse auf den Treibherrd, eine Art von Flammofen, welcher einen aus porösem Kalkmergel geschlagenen vertieften Heerd besitzt; auf diesem Heerd wird das silberhaltige Blei unter Zuführung eines stetigen Luftstromes geschmolzen; das Blei oxydirt sich und fließt als Bleiglätte ab, während das Silber auf dem Heerd zurückbleibt und sich zuletzt durch den Silberblick zu erkennen giebt.

Bei der Verarbeitung von silberhaltigen Kupfererzen erhält man durch Reduction derselben ein silberhaltiges Kupfer, das silberhaltige Schwarzkupfer oder den silberhaltigen Kupferstein. Aus dem Schwarzkupfer wird das Silber durch Bleizusatz durch Schmelzen (s. d.) ausgezogen; Blei und Silber schmelzen zusammen und die beide Metalle trennt man dann auf dem Treibheerd. Den Kupferstein entsilbert man jetzt nicht mehr durch Amalgamation, sondern durch Extraction auf nassem Wege. Man röstet gewöhnlich den Kupferstein mit Kochsalz, wodurch das Schwefelsilber in Chlorsilber übergeht. Die noch heiße Masse bringt man dann in hölzerne Bottiche und löst das Chlorsilber in concentrirter Kochsalzlösung; aus dieser Chlorsilber-Chlornatriumlösung fällt man das Silber mittelst feinzertheiltem Cementkupfer als Metallschwamm; die entstehende Kupferlösung wird über metallisches Eisen geleitet, wodurch man schließlich das Kupfer wieder in fein zertheilter Gestalt gewinnt. Das Ziervogel'sche Verfahren zur Silbergewinnung beruht darauf, daß schwefelsaures Silberoxyd in der Hitze viel schwerer auflöslich, als schwefelsaures Kupferoxyd und Eisenvitriol. Man führt die Schwefelmetalle des Silbers, Kupfers und Eisens durch einen Röstprozeß in schwefelsaure Salze über; diese glüht man so lange, bis

Eisen- und Kupferoxyd sich ausgeschieden haben; durch Auslaugen mit heißem Wasser erhält man dann eine Lösung von schwefelsaurem Silberoxyd, aus welcher man durch Kupfer das Silber niederschlagen kann.

III. Die Verwendung des Silbers ist eine sehr mannichfache. Da reines Silber zu weich und dem Abnutzen zu sehr unterworfen ist, werden zu Silberfachen meist Legirungen von Kupfer und Silber verarbeitet. Für die Bestimmung des reinen Silbergehalts (Feinsilber) einer solchen Legirung haben sich in den verschiedenen Ländern verschiedene technische Bezeichnungen festgestellt.

Die Mark Feinsilber wird in Deutschland zu 16 Loth à 18 Grän gerechnet. 14löthiges Silber enthält also in 16 Thln. 14 Thle. Silber u. 2 Thle. Kupfer. In Oesterreich, Bayern zc. wird nur 13löthiges Silber, in Preußen, Sachsen u. Hannover dagegen nur 12löthiges Silber verarbeitet.

Um eine Silberlegirung auf ihren Feingehalt zu prüfen, ist die sogenannte Strichprobe sehr gebräuchlich. Man macht nämlich mit der zu untersuchenden Legirung einen Strich auf dem Probirstein, einem schwarzen Kieselschiefer, und vergleicht die Farbe des Strichs mit der des Strichs einer Probirnadel von bestimmtem Feingehalt. Der Strich löst sich in Salpetersäure, durch Salzsäure entsteht eine käsige, weiße Trübung von Chlorsilber. Diese Probe giebt natürlich nur sehr annähernde Resultate. Ein schärferes Resultat kann man nur durch Abtreiben der Legirung im kleinen Maaßstab erzielen. Viele Gegenstände werden nur mit einer feinen Silberschicht überzogen; s. d. Art. „Versilberung."

IV. Von den zahlreichen Verbindungen des Silbers mit verschiedenen Elementen wollen wir hier nur einige erwähnen.

Das Silberoxyd, eine Verbindung von Silber mit Sauerstoff, ist ein schwarzes Pulver, welches beim Erhitzen sofort wieder in Silber und Sauerstoffgas zerfällt.

Das Schwefelsilber, gleichfalls ein schwarzes Pulver, entsteht durch Zusammenschmelzen von Silber und Schwefel oder durch Fällung einer Silberlösung mit Schwefel-Wasserstoff; in der Natur findet sich diese Verbindung vielfach verbreitet. S. d. Art. Silbererze.

Das Chlorsilber oder Hornsilber entsteht, wenn irgend eine Silberlösung mit Salzsäure versetzt wird; es ist ein weißer, käsiger Körper, welcher durch das Sonnenlicht geschwärzt wird; es scheidet sich fein zertheiltes Silber aus. In Ammoniak, Chlornatrium, Cyankalium u. unterschwefligsaurem Natron ist das Chlorsilber leicht löslich, in Säuren unlöslich.

Aehnliche Verbindungen sind das Brom- und Jodsilber. Die Zersetzbarkeit dieser 3 Körper durch Sonnenlicht und ihre leichte Löslichkeit in unterschwefligsaurem Natron begründet ihre Anwendung in der Photographie.

Unter den Sauerstoffsalzen des Silbers ist das salpetersaure Silberoxyd, der sogenannte Höllenstein, s. d. Art., von besonderer Wichtigkeit. Man erhält ihn durch Auflösen von reinem Silber in Salpetersäure und Eindampfen der Lösung bis zur Krystallisation. In Berührung mit organischen Körpern zersetzt sich dieses Salz und färbt dieselben unter Abscheidung von metallischem Silber schwarz. Darauf beruht die Anwendung zum Schwarzbeizen von Horn, Elfenbein zc.

V. S. d. Art. Heraldik VII.

Silberahorn, s. d. Art. Ahorn 5.

Silberamalgam, findet sich in der Natur
krystallisirt und enthält wesentlich Silber u. Quecksilber in wechselnden Verhältnissen. Künstliches
Amalgam zum Versilbern wird durch Zusammenreiben von Quecksilber mit Silber bereitet. 1 Thl.
Silber mit 6—10 Thln. Quecksilber eignet sich am
Silberarsenik, Spießglanzsilber. [besten.

silberartiges Metall, erhält man durch
4 Thle. Nickel, 5 Thle. Kupfer, 1 Thl. Blei, Zink,
Eisen, Antimon; es läßt sich walzen und wie Silber verarbeiten.

Silberbaum, 1) s. d. Art. Silberpappel; —
2) auch Silberfichte, Name für die schöne Protea (Protea speciosa L., Fam. Proteaceae) im
Kapland.

Silberbeschläge, an Thüren ꝛc., ist zwar sehr
theuer, aber auch sehr dauerhaft.

Silberblättchen, s. d. Art. Blattsilber u. Versilberung.

Silberblau, sehr blasse, schimmernde Nüance
des Blau.

Silberblech, wird in der Bautechnik nur zum
Belegen von Simstheilen und als Anglaise (s. d.)
verwendet.

Silberblende, s. v. w. Rothgültigerz.

Silberbrandung, s. v. w. Silberschwärze.

Silberbronzepulver, s. Bronzefarben 14.

Silberbronzirung, auf Gips, s. d. Art. Bron-
Silberdraht, s. d. Art. Draht. [ziren F. c.

Silbereiche, Grevillea robusta. Moreton-
Bai, Australien. Holz schön, zu Körben sehr geeignet (auch Silberweide genannt).

Silbererze, Minerale, welche Silber enthalten
und, wenn sie reichlich genug vorkommen, zur Silbergewinnung verarbeitet werden, finden sich ausschließlich auf Gängen in Gneis, Thonschiefer, Grauwacke (in Gesellschaft mit Blei- und Kupfererzen)
und enthalten das Silber vorwiegend an Chlor
oder Schwefel gebunden. Die wichtigsten sind:

Das Hornerz, mehr oder weniger reines Chlorsilber; findet sich hie und da in solchen Massen, daß
es verhüttet werden kann.

Das Glaserz, Silberglanz, reines Schwefelsilber, bildet mit andern Schwefelmetallen eine
Reihe von Doppelsulfuraten, das Sprödglaserz,
Schwefelantimon mit Schwefelsilber, die Roth-
gültigerze, Schwefelantimonsilber und Schwefelar-
senfilber, die in verschiedenen Farben vorkommen.

Seltener für die Silbergewinnung geeignet sind:
der Polybasit (Schwefelsilber- Schwefelantimon),
der Miargyrit, das Weißgültigerz u. die silberhaltigen Fahlerze.

Die silberhaltigen Bleiglanze, Kupferkiese u.
Kupferglanze dienen am häufigsten zur Silbergewinnung.

Silberfarbe, Silbergrau, geben Bleiweiß,
Indigo und ein wenig Schwarz, je nachdem die
Schattirung es erheischt; über silberfarbene Holz-
beizen s. d. Art. Beize, S. 309.

Silberflecken zu vertilgen. Die schwarzen
Flecken, welche entstehen, wenn eine Silberlösung
auf einen Gegenstand geträpfelt wird, lassen sich
einfach durch Betupfen mit Cyankalium entfernen.
Wegen der Giftigkeit dieses Mittels erheischt jedoch die Anwendung des Cyankaliums große

Vorsicht. Gefahrlos, aber etwas langsamer, kommt
man zum Ziel, wenn man die mit Silberflecken
versehenen Gegenstände mit Chlorwasser oder
Chlorkalklösung öfter bestreicht und die Stellen
dann mit Salmiakgeist oder einer concentrirten
Lösung von unterschwefligsaurem Natron wäscht.
Durch Befeuchten der Stellen mit Jodtinktur und
nachheriges Waschen mit unterschwefligsaurer
Natronsäure kann man die Flecken gleichfalls ent-

Silberglätte, s. v. w. Bleiglätte, s. d. [sernen.

Silberglanz (Mineral.), s. u. Silbererze.

Silberloth, für 15—16löthiges Silber, besteht
aus 3 Thln. Silber und 1 Thl. Messing; für
13löthiges Silber aus 2 Thln. Silber und 1 Thl.
Messing; s. übr. d. Art. Loth, 3. g.

Silberman, silbernes Mannel (Bergbau),
Stelle, wo mehrere Silbergänge sich vereinigen
oder einer sich verzweigt.

Silbermulm, s. d. Art. Silberschwärze.

silberne Gegenstände zu reinigen.

1. Man wasche sie mit reiner Soda und Wasser
mittelst eines Schwammes und spüle sie dann mit
bloßem Wasser ab.

2. Man reibe sie mit weichem Leder oder einer
sehr weichen Bürste, welche man vorher mit weißem
pulverisirten Hirschhorn bestreut hat.

3. (Auf elektrolytischem Weg.) Man bringt eine
gesättigte Lösung von Borax in Wasser, oder eine
Aetzkalilauge von mäßiger Concentration in bef-
tiges Sieden, und taucht hierin die in ein sieb-
artiges Gefäß von Zink gelegten Gegenstände ein,
worauf die größtentheils aus einem Anflug von
Schwefelsilber bestehenden braunen Stellen verschwinden und der schönste Silberglanz zum Vorschein kommen wird. In Ermangelung eines
Zinksiebes kann man auch die in die Flüssigkeit
eingetauchten Gegenstände an verschiedenen Stellen mit einem Zinkstäbchen berühren.

Silberoxyd, s. d. Art. Silber,

Silberpapier, Verfertigung desselben. Aus
Zinnsalz (Zinnchlorür) wird das Zinn mit Salzsäure angesäuertem Wasser durch ein eingestell-
tes Zinkblech als feines Pulver niedergeschlagen,
welches um so feiner ist, je verdünnter die Lösung
gemacht wird. Das Zinn wird mit Wasser und
zuletzt mit verdünnter Essigsäure ausgewaschen
u. getrocknet; das Metallpulver wird mit Gummi
oder Leimwasser angerieben und auf das Papier
aufgetragen.

Silberpappel, s. u. Pappel; vergl. d. Art.
Espe und Herkules.

Silberschaum, 1) s. v. w. Silberblättchen od.
Blattsilber, s. d. u. Versilberung; — 2) flüssige
Silberschlacke auf dem Silber im Treibheerd;
— 3) heiße Bleiglätte.

Silberschwärze, Silbermulm (Mineral.), als
Ueberzug des Silberglanzes vorkommendes Er-
zeugniß mehr oder weniger weit vorgeschrittener
Zersetzung des Silberglanzes; dunkelbleigrau, ins
Schwarze und aus matten, staubartigen Theilchen
bestehend.

Silberstein, verhärtete Silberschlacke vom
Ausschmelzen der Silbererze.

Silbertalk, s. v. w. Schaumerde.

Silbertanne, s. u. Tanne.

Silbertripel (Mineral.), s. v. w. Polirschiefer, s. d.

Silbervitriol, f. v. w. schwefelsaures Silber.

Silberweide, f. b. Art. Weide. [oryd.

Silberweiß, 1) f. b. Art. Silberfarbe; — 2) f. v. w. weißer Glimmer.

Silberzahn, zackig gestaltete gediegene Silberstufe.

Silberzain, Silberzähn, Silberbarre, lat. later, viereckiges Stück geschmolzenes Silber.

Silen, Erzieher des Bacchus (f. b.), in der Regel als alter, fetter Faun dargestellt.

Silentiarius, St., darzustellen mit dem Finger auf dem Mund; vergl. b. Art. Johannes.

Silentium, lat. Silentium, frz. viergo au silence, Madonnenbild mit schlafendem Christuskind. [Hornstein.

Silex, lat. u. frz., Kiesel; silex corné, frz.,

Silicat, f. v. w. kieselsaures Salz, f. u. Kieselsäure.

Silicium, ist neben Sauerstoff und Aluminium das verbreitetste Element auf der Erde. Es kommt nie frei in der Natur vor, sondern meist als Sauerstoff gebunden als Kieselerde. Man kann es in drei Modificationen künstlich darstellen und zwar als amorphes, graphitartiges und krystallisirtes Silicium.

Sill, cill, engl., altengl. sole, soyle, sule, Schwelle, Thürschwelle, Sohlbank.

Sille, 1) f. v. w. Strick, Strang; — 2) f. v. w. Siel.

Sillon, frz., 1) Zugbrücke; — 2) Brustwehr an der Innenseite des Festungsgrabens; — 3) Furche, Spalte.

Silo, Maurentödter, gegrabener, festgestampfter oder ausgemauerter, 10—20 Fuß tiefer und ebenso weiter Graben; auf dem Boden und an den Seiten mit Stroh- und Rohrdecken ausgefüttert, oben mit Pfosten und 1 Fuß Erde bedeckt. Dergleichen sind in Aegypten, Asien, Spanien, Rußland ꝛc. gebräuchlich zum Aufbewahren des Getraides, welches sich darin viele Jahre hindurch bewahren läßt, ohne irgendwie zu leiden; am besten ist es, die Einfüllungsöffnung von oben, die Oeffnung zum Herausnehmen aber sehr klein unten von der Seite in Röhrenform, mit einem Schieber verschließbar zu machen, damit auch beim Herausnehmen von Getraide keine Luft hineinkomme. Die obere Oeffnung wird nach der Füllung sofort vermauert. Ein Mittel, Silo's wasser- und luftdicht herzustellen, f. in b. Art. Asphalt.

Silpa-Sastra, f. indische Baukunst, S. 321.

silurische Formation, so nennt man das Mittelglied jener ältesten Ablagerungen der Uebergangs- oder Grauwackenformation. Von den überaus mächtigen Ablagerungen aus der frühesten geologischen Periode kann man drei Glieder unterscheiden. Das obere, devonische, das mittlere, silurische, u. das untere cambrische. In Deutschland findet man die silurische Formation besonders vollständig in Böhmen, weniger deutlich im östlichen Harz und im Voigtland. Sie ist überaus reich an Versteinerungen; eine kennzeichnende Rolle spielen namentlich die Graptolithen, Trilobiten und Orthoceratiten.

Silverius, St.; weigerte sich, mit Anthimus in Gemeinschaft zu treten, wurde deßhalb auf der Kaiserin Theodora Befehl von Belisar gefangen genommen; starb nach Einigen auf einer wüsten Insel den Hungertod, nach Andern durch Meuchelmord 538; abzubilden als Papst mit Ketten in der Hand.

Sima, 1) f. v. w. Kranzleiste, Kalkleistenverkleidung, in der Regel in Form eines Karnieses, doch auch in der Form eines Echinus oder Viertelstabes mit Plättchen u. darauf gestellten Stirnziegeln; f. b. Art. Glied E. 3. a.; vergl. b. Art. Cymatium, Karnies, Mäander, Jonisch, Korinthisch.

Simarubacea, f. b. Art. Bitteresche.

Simbleau, frz., Zirkelschnur, Bogenleier.

Simbolik, f. b. Art. Symbolik.

Simeon oder **Symeon,** St., 1) Priester, der Christum beschnitt; f. Lukas II. 25; — 2) Bischof, Bruder des Apostels Jacobus minor (f. Apostelgesch. I., 13.), verließ um's Jahr 66 Jerusalem und zog nach Pella, kehrte nach Zerstörung Jerusalems dahin zurück, wurde unter Trajan 106 gefangen, zum Götzenopfer aufgefordert, gegeißelt und gekreuzigt. Abzubilden als Bischof am Kreuz; — 3) Simeon Stylita, stand fast sein ganzes Leben hindurch auf einer 3 Fuß breiten und 40 Fuß hohen Säule, nachdem er als Jüngling schon in ein strenges Kloster gegangen war; starb 70 Jahre alt i. J. 459, am Geländer seiner Säule lehnend; — 4) Simeon von Trient, ward als zweijähriger Knabe am Charfreitag 1472 von den Juden in der Synagoge zu Trient geschlachtet, dann nach Art eines Gekreuzigten aufgestellt u. mit Stichen vollends getödtet (?). Abzubilden als Kind mit einem Kreuz.

Simétrie, frz., f. b. Art. Symmetrie.

Simmer, f. b. Art. Maaß, S. 498.

Simon, St., 1) der Apostel, genannt Zelotes, mit einer Säge; f. b. Art. Apostel 9. Er ist Patron von Goslar; — 2) Simon Stock, in England 1165 geboren, bezog als 12jähriger Knabe einen hohlen Eichenbaum (daher sein Beiname Stock), wurde später Carmeliter, eifriger Mariendiener, wohnte selbst lange auf dem Berge Carmel und wurde Ordensgeneral. Auf seinem Sterbebett erschien ihm 1265 Maria und überreichte ihm ein wunderthätiges Scapulier.

Simorg, f. b. Art. Anka.

Simri, f. b. Art. Maaß, S. 500, 512.

Simpertus, St., abzubilden mit einem Wolf, der einen Menschen zerreißt.

Simplicius, St., wurde mit Faustinus (f. b.) unter Diocletian enthauptet, ihre Schwester Beatrix im Kerker erdrosselt; beide tragen ein Schild, das sogenannte Simpliciuswappen, mit drei Lilienstengeln und einer Kreuzfahne.

Simpson'sche Regel, eine Regel, den Inhalt ganz beliebig gestalteter ebener Flächen mit großer Annäherung zu finden. Sie besteht in Folgendem: Um den Inhalt der Fläche ABCD, Fig. 1773, zu finden, errichte man auf der Basis AB = a in gleichen Abständen von einander die Höhenper-

Fig. 1773.

pendikel b_0, b_1, b_2, b_3... b_n, wobei n eine gerade ganze Zahl sein muß; alsdann ist der Inhalt der ganzen unregelmäßigen Fläche sehr nahe:

$$F = \frac{a}{3n}\left[h_0 + h_n + 4(h_1 + h_3 + \dots + h_{n-1}) + 2(h_2 + h_4 + \dots + h_{n-2}) \right].$$

Bei der Entwickelung dieser Formel werden die einzelnen Bögen zwischen drei aufeinander folgenden Theilpunkten als Parallelbögen angesehen. Eine weniger genaue Formel geht hervor, wenn man die Bögen zwischen je zwei Theilpunkten als gerade Linien auffaßt; alsdann wird

$$F = \frac{a}{n}\left[\frac{1}{2} h_0 + h_1 + h_2 + \dots + h_{n-1} + \frac{1}{2} h_n \right].$$

Die Simpson'sche Regel läßt sich auch anwenden, wenn die Anzahl der Streifen eine ungerade ist; in diesem Fall trennt man ein Stück von drei Streifen, etwa die drei ersten, ab, und berechnet dasselbe nach einer andern Formel, nämlich:

$$F = \frac{a}{8}\left(h_0 + 3(h_1 + h_2) + h_3 \right).$$

Sims. Jede gegliederte Begrenzungs-, Neigungs-, und Verbindungsfläche. Ein Glied (s. d.) allein kann nie einen Sims ausmachen, mindestens 2—3 Glieder sind dazu nöthig; wird er complicirter, so nennt man ihn Gesims (s. d.). Man theilt die Simse hauptsächlich nach ihrer Stellung ein in

a) Fußsims, Sockelsims, s. d. Art. Sockel und Fußgesims; kann entweder für das ganze Gebäude gelten, oder blos für einen Theil, dafern man das Gebäude, z. B. nach Stockwerken, in einzelne Theile zerschneidet.

b) Gurtsims, s. d.

c) Sohlbank oder Brüstungsgesims, ist je nach dem Styl blos so breit, wie das Fensterlichte, u. rechts und links gerade abgeschnitten (gothisch), dann zwischen die Gewände eingeschoben, oder trägt noch die Gewände und ist dann verkröpft; die Gestaltung ist überhaupt sehr mannichfach, doch gebe man ihnen jedenfalls genügende Abwässerung und Unterschneidung.

d) Verdachung, s. d. Art. Fensterverdachung, Thürverdachung und Ueberschlagsims.

e) Kämpfergesims, s. d.

f) Hauptsims, Dachgesims, Kaffsims, auch oft schlechthin Sims genannt.

Ein Hauptsims, zur Abschließung einer größern lothrechten, mehr oder weniger unterbrochenen Fläche dienend, muß natürlich einerseits eine dieser Fläche proportionale Bedeutsamkeit erhalten, anderseits aber diese Fläche entweder vollständig von der Luft isoliren, streng abschließen, wodurch das Gebäude etwas Strenges, Ernstes, Gewichtiges, fast Schweres erlangt, oder aber gewissermaßen mit der Luft vereinigen, verschmelzen, was durch Unterbrechung der für einen solchen Sims allerdings natürlichsten Horizontalrichtung geschieht, und wodurch das Gebäude, falls bei diesen Unterbrechungen die Horizontale noch wesentlich vorherrscht, einen um so leichteren, heiterern Charakter erhält, je seiner diese Unterbrechungen sind, während in strenger Regelmäßigkeit wiederkehrende u. gestaltete Unterbrechungen mit vorwiegender Verticalrichtung (z. B. die Fialen bei gothischen Kaffsimsen) dem Gebäude einen Charakter ernsten Aufstrebens, und wenn sie einfach sind, wie Zinnen, etwas Strenges, Gewichtiges ohne Beimengung des Schwerfälligen verleihen.

In ihrer Form richten sich Hauptsimse natürlich nach dem Styl des Gebäudes und erhalten z. B. bei antikisirenden Gebäuden gewöhnlich die Form eines Kranzgesimses von einer Säulenordnung oder einige Glieder derselben. Höhe und Ausladung richtet sich nach den Stockwerken der Gebäude (mindesten 10—12 Zoll bei einem einstockigen, 15—18 Zoll bei einem zwei- bis dreistockigen Gebäude). Am dauerhaftesten und bei Wahl eines, Steinformen verlangenden Styls das einzig Richtige sind natürlich die steinernen Simse. Man verfertigt sie von Ziegeln oder von Werkstücken. Die hölzernen Simse werden an die Ballenköpfe angezapft oder an Knaggen genagelt, die man unter den Balken befestigt oder in die Mauern einlegt. Man streicht sie in der Regel mit Oelfarbe, um ihnen eine größere Dauer zu geben, und bepudert sie, um Unwahrheit und Unsinn voll zu machen. Bei Wahl von Holzformen wird man in der Regel die Sparren sehen lassen, oder, dafern man sie verschalt, die Unterseite der Hängeplatte schräg, nach der Sparrenschräge, laufen lassen, wodurch man sogar im Anschluß an antike Formen den Holzcharakter beibehalten kann. Bei der Wahl mittelalterlicher Holzarchitektur muß die eigentliche Construction zur ästhetischen Geltung gebracht werden, indem man Ballenköpfe, Sparrenköpfe, Aufschieblinge rc. sehen läßt, und die zwischen dieselbe gehörende Bretausfüllung gliedert. Bei der einfachsten derartigen Gestaltung genügen Bretter, welche an die Balken genagelt sind, ferner Schlußbretter zwischen den Sparren und Verwahrung der Sparrenköpfe durch Wetter- oder Traufbretter. Die Gestaltung der Simse kann natürlich ungemein mannichfach sein.

Simshobel, Kehlhobel, Hobel, der so eingerichtet ist, daß man die innern Kanten eines Flächenwinkels aushobeln kann, daher beim Falzen zumal unentbehrlich ist. Er ist 11—12" lang, $\frac{1}{2}$—$1\frac{1}{2}$" breit und hat zur Seite des Eisens nach unten kein Holz, sondern das Eisen ist mit den Seitenflächen des Kastens bündig, eher noch etwas breiter. Bei hartem, sprödem, maserigem Holz giebt man ihm zuweilen auch Doppeleisen. Der steile Simshobel unterscheidet sich nur durch die steilere Stellung des Eisens, mit 65° Neigung, von dem gewöhnlichen Simshobel, dessen Eisen 45 Grad Neigung hat; ersterer wird auf hartem, dichtem oder maserigem und ästigem Holz gebraucht. Die Späne treten hier nicht durch das Keilloch, sondern durch eine Oeffnung, die den Kasten quer durchsetzt. Die Schneide hat eine dem gewünschten Simsprofil entsprechende Gestalt.

Simskachel, s. v. w. Gesimskachel.

Simsleiste, lat. impages, s. d. Art. Leiste und Leistenwerk.

Simson, wird abgebildet mit dem Eselskinnbacken in der Hand, oder mit einem Löwen kämpfend rc.; ist Prototypus theils Christi, theils (als Richter) Petri.

Simsstein, s. v. w. Gesimsstein.

Simswerk, Gesammtheit der an einer Façade rc. angebrachten Simse.

Simsziegel, s. d. Art. Gesimsstein und Ziegel.

Simszichen, s. d. Art. Gipssims.

Simulée, frz., arcade simulée, s. d. Art. Blendbogenstellung.

Sinaerbe, s. v. w. Sienaerde oder Terrabesiena.

Sinakel, s. d. Art. Signaculum.

Sinedra, span., Zuschauersitz im Theater ꝛc.

Singakademie; enthält, außer einem Concertsaal für große Aufführungen von Oratorien, kleinere Säle zu Proben, zum Unterricht und zu musikalischer Unterhaltung, Bibliothek, Zimmer für Partituren und ausgeschriebene Stimmen, Wohnungen des Directors, des Hauswärters, Garderoben, und Versammlungszimmer. Im Innern muß das Gebäude mehr Harmonie als auffallende Pracht entfalten, äußerlich in einem freundlichen Styl ausgeführt werden.

Singe, frz., eigentl. Affe, 1) Kreuzhaspel, Kreuzwinde; — 2) Storchschnabel. [bühne ꝛc.

Singechor, s. d. Art. Chor, Lettner, Sänger-

singler, frz., aufschnüren, besonders Kreise mit Hülfe einer ausgespannten Schnur (simbleau) schlagen.

Singmücke, s. d. Art. Schnaken.

singulär; so nennt man alle Punkte in einer Curve oder alle Punkte und Linien einer krummen Oberfläche, welche vor den übrigen Punkten oder Linien gewisse ausgezeichnete Eigenschaften voraus haben. Zu den singulären Punkten der Curven gehören die Knoten, Spitzen, isolirten Punkte, Wendepunkte, Stillstandspunkte ꝛc.; zu den singulären Linien der Flächen z. B. diejenigen, in welchen sich zwei Flächentheile schneiden. Ueber das singuläre Integral s. d. Art. Integral.

Sinha (ind. Styl), Name des Löwen, mit welchem die Cantha (s. d.) öfters verziert wird.

sinistre, frz. (Herald.), links, links getheilt.

Sink, engl., Becken in der Piscina.

sinken, 1) s. v. w. sich senken; — 2) immer tiefer bineinarbeiten, z. B. einen Schacht.

Sinkstück (Wasserb.), Senkfaschine; s. d. Art. Faschine.

Sinkstückbau, s. d. Art. Grundbau E 3. g.

Sinkwerk, 1) versenkter Brunnen, der für ein aufzuführendes Gebäude als Fundamentpfeiler dient, sowohl bei tiefem Moos- oder Torfboden, als wenn ein Pfahlrost auf derselben Stelle gestanden hat und ausgezogen werden mußte, wo dann oft ein neuer Pfahlrost nicht angewendet werden kann. Ein Brunnen von größerem Durchmesser kommt unter jede Ecke des Gebäudes, dann werden alle Brunnen mit einander durch massive Bogen verbunden, in der Regel so, daß über diese Bogen die Fensteröffnungen zu stehen kommen. Man füllt den innern Raum der Brunnen entweder mit Bauschutt, mit Feld- oder Kalksteinen aus, oder er wird von unten ausgemauert unter fortwährendem Auspumpen des Wassers. Bei Ausfüllung mit Bauschutt würde der Kranz den Bogen allein tragen müssen, deshalb ist es dann vorzuziehen, Schwellen über sämmtliche Brunnen zu legen und das Mauerwerk des Gebäudes darüber aufzuführen. Dabei verbindet man die Brunnen, damit die Schwellen zwischen ihnen nicht hohl liegen, durch eine etwa 2 Fuß hohe Gründungsmauer. Weiteres s. d. Art. Brunnengründung und Grundbau D. — 2) Die ins Steinsalz gehauenen Weitungen zur Erzeugung von Soole, s. d. Art. Salzwerk. — 3) S. v. w. Gesenk 4.

Sinnbild, s. d. Art. Symbol.

Sinne, schweizerisch für Eimer.

Sinople, 1) heraldisches Grün; — 2) eine Jaspisart; s. auch d. Art. Aventurin.

Sinter. 1) Auch Zunder genannt, die glühenden Schuppen, die beim Hämmern des glühenden Eisens sich von demselben ablösen; — 2) ein gelblich-röthlicher Schlamm, der sich aus der Soole an den Gradirwerken anschlägt; besteht aus Gips, Kalk und Eisenoxyd; — 3) überhaupt jeder Niederschlag aus kalkführendem Wasser, Sinterwasser, an Körpern, zwischen denen das Wasser hindurchsickert; s. übr. d. Art. Kalksinter.

Sinterasche, s. v. w. Asche von halbfaulem Holz.

Sinterkohle (Mineral.), diejenigen Steinkohlenarten, welche beim Brennen zusammensintern (allmählig schmelzend in sich zusammensinken).

Sintotempel, s. d. Art. Japanisch, S. 306, Bd. II.

Sinus. 1) Meerbusen, Bucht, bauchiges Gefäß, überhaupt jede Krümmung, Einbiegung; — 2) Maaß der Krümmung eines Kreisbogens, daher auch eines Winkels oder einer Zahl, z. B. bei einem Centriwinkel α der Quotient aus der, von dem einen Ende des einen Radius auf den andern gefällten, Winkelrechten, also die halbe Sehne s des Bogens für den verdoppelten Winkel, getheilt durch den Radius r, also $\sin. \alpha = \dfrac{\frac{1}{2}s}{r}$. Sinus versus ist gleich dem Sinus eine trigonometrische Function, sin. vers. $\alpha = 1 - \cos. \alpha$ ist gleich dem Abschnitt des andern Schenkels zwischen dem Fußpunkt des Sinus und der Peripherie, oder gleich der Pfeilhöhe eines mit dem Radius 1 beschriebenen Kreisbogens, dessen Centriwinkel gleich α ist. Auch ist

$$\text{sin. vers. } \alpha = 2 \left(\sin. \frac{\alpha}{2} \right)^2.$$ Man wendet diese trigonometrische Function nur noch wenig an und führt statt derselben lieber den Cosinus ein; — 3) in der Maurersprache s. v. w. Stich oder Pfeil, d. i. größte Entfernung des Bogens von der zugehörigen Sehne, also eigentlich sinus versus des halben Winkels.

Sinuslinie, eine Wellenlinie, hat die Gleichung

$$y = a \sin. \frac{x}{b}.$$

Sion, syon, lat., Seihgefäß.

Sjoo, s. d. Art. Maaß, S. 512, Bd. II.

Siparium, im römischen Theater spanische Wand, besonders benutzt zu Verdeckung der Unterbühne bei Scenenveränderungen.

Sipeeribaum, s. d. Art. Grünherzholz.

Siphon (Wasserb.), griech. σίφων, lat. sipho, 1) Springbrunnenröhre. — 2) Heber, Ducker. Soll bei einer Wasserleitung das Wasser über Erhöhungen und tiefere Stellen geleitet werden, so bedient man sich mit Vortheil einer Röhre, unter Berücksichtigung der im Art. Heber gegebenen Regeln. Bei Erfüllung der dort gestellten Bedingungen erhält der Luftdruck auf dem Wasserspiegel Uebergewicht als bewegende Kraft und es geschieht fortdauernd die Durchströmung des Wassers durch die Röhre mit derselben Geschwindigkeit, als wenn die Druckhöhe gleich der lothrechten Entfernung der Ausmündung des Hebers vom Wasserspiegel wäre.

In jeder vollkommen gefüllten und absolut wasserdichten, weiten oder engen Röhre kann man demnach das Wasser zunächst über einen Berg leiten, dessen Gipfel bis 32 Fuß über der Ausmündungsfläche steht, dann aber beliebig durch Thäler und über Berge, dafern keiner derselben höher ist als der erste. Darauf beruhen die arabischen Wasserleitungen (s. d. Art. arabischer Styl und Aquäduct), sowie die neuerdings vielfach ange= wendete Hindurchleitung des Wassers in ge= krümmten Röhren, Dückern, Siphons unter der Sohle der Flußbetten. Da man aber Röhren von bedeutenden Dimensionen nicht absolut wasserdicht herstellen kann, so muß man darauf, sowie auf die Reibung, etwas von den zu erreichenden Höhen abrechnen; ferner kann man beim Deichbau den Siphon statt der Ueberläufe anwenden, d. h. an Stellen, wo das Wasser, wenn es außen bis zu einer gewissen Höhe gestiegen ist, durchgelassen wer= den soll, wo jedoch auch die niedrigste Normalhöhe bestimmt ist. Man mauert hier einen Heber an einer entsprechenden Stelle ein, dessen Einmün= dung in der Gleiche des niedrigsten und dessen oberer Wendungspunkt in der Höhe des höchsten Wasserstandes vor dem Deich liegt. Natürlich steigt zugleich mit dem äußeren Wasser auch das im Heber; beim höchsten Wasserstand ist der Ein= mündungsarm gefüllt, in dem vordern Schenkel die Luft ausgetrieben und hinter dem Deich resp. Berg stürzt das Wasser mit großer Schnelligkeit aus dem Heber heraus in Gräben 2c.

Sira, St., wird abgebildet einen Strick um den Hals, neben sich einen Hund, der sie zerreißen sollte, aber verschonte.

Siraballi-Holz, ein festes und angenehm riechendes Holz; stammt von mehreren Arten Oreodaphne (Fam. Lorbeergewächse) ab.

Sirenen, Acheloïden (gr. Myth.), drei Klip= pen bei Capri, personificirt als Töchter des Fluß= gottes Achelous und der Melpomene, Gespielinnen der Proserpina; da sie dieser nicht zu Hülfe kamen, wurden sie von der Ceres zur Strafe halb in Vögel, nach Andern halb in Fische verwandelt; wohnten auf den genannten Klippen zwischen Italien und Sicilien, verlockten durch ihren schö= nen Oberkörper und ihren Gesang die Schiffer und tödteten sie dann, bis endlich Ulysses ihnen widerstand, worauf sie sich ins Meer stürzten; sie hießen Parthenope, Ligea und Leukosia.

Sirex Gigas, s. d. Art. Holzwespe.

Sirichhout (Tarchonanthus camphora= tus, Fam. Compositae, Korbblütler), ein baum= artiger Strauch des Kaplandes, dessen dichtes, schweres Holz eine schöne Politur annimmt und sich gut zur Anfertigung musikalischer Instrumente eignet.

Siros, gr., lat. sirus, s. v. w. silo. Manche leiten das Wort Scheuer daher.

Sissu (Dalbergia), eine ostindische starke Baumart, die dauerhaftes, schönes Nutz= und Bauholz liefert.

[d. Art. Maaß.

Sister, Getraidemaaß = ⅟₁₆ Last, s. d. und

Sistrum, Isisklapper, Musikinstrument, bei den Aegyptern besonders zum Isisdienst gebraucht.

Sistyle, frz., s. d. Art. Systylos.

Si-to-oh-balli, s. d. Art. Buchstabenholz.

Sittgelb, s. v. w. Schüttgelb.

Sittiggrün, Papageigrün.

Situationsplan (Zeichen.), Grundriß einer ganzen zu bebauenden oder schon bebauten Ge= gend, eines Gebäudes oder eines Grundstückes, worauf Gebäude gebaut werden sollen 2c. Die Art und Weise, Berge, Wasser, Bäume, Sümpfe 2c.

in Situationsplänen anzudeuten, ist in den ver= schiedenen Theilen Deutschlands noch so verschie= den, daß wir davon abstehen müssen, hier Vor= bilder dafür zu geben.

Sit, s. d. Art. Abtritt, Bank, Cavea 2c.

Sitzbad, Halbbad, frz. bidet, pudet, s. d. Art. Bad und Badestuhl.

Sitzbank, s. d. Art. Bank I.

Sitzbret, s. d. Art. Abtritt.

Sitzer (Schiffsb.), frz. genou, engl. first fut= tock, erste Verlängerung der Spanten; man unterscheidet Sitzer des Flachs, und verkehrte Sitzer; s. d. Art. Inholz und Katsporen.

Sitzstock (Bergb.), Sitz des Bergmanns beim Flötzbau.

Sivacantha, fünfseitiger Pfeiler; s. d. Art. Indisch, S. 323, Bd. II.

Sivastica, s. d. Art. indische Baukunst, S. 326.

Siwa, s. d. Art. Indisch A.

Sixtus, St., auch Xystus, Papst, wurde ent= hauptet, daher als Papst mit Schwert abzubilden.

Skalden, Dichter und Sänger der nordischen Völker.

Skäppa, s. d. Art. Maaß, S. 509, Bd. II.

Skapolith, pyramidaler Feldspath.

Skenophylakion, Geräthekammer, s. d. Art. Kirche C.

Skew, engl., skew-table, stumpfwinklige Un= terlage eines Mauerhutes; skew and crest, oben rundgegliederter Mauerhut; skew-arch, s. d. Art. Bogen II, 3, S. 399, Bd. I.

Skiff, engl., Boot, s. d.

skin, engl., berappen, s. d.

Skizze, frz. croquis, brouillon, esquisse, épure, engl. sketch, erster, flüchtiger Entwurf, überhaupt flüchtig aus freier Hand nach der Natur oder aus der Phantasie gefertigte Zeichnung.

Skjäppa, s. d. Art. Maaß, S. 491 und 497.

Skotie, s. d. Art. Glied E. 2. i.

Skrupel u. Skrupler, s. d. Art. Maaß, S. 485.

Skythensteine, s. d. Art. Celtisch 4.

Slab, engl., Steinplatte, Leichenstein.

Slate, engl., Schiefer, Dachschiefer.

Sleeper, dormant-tree, engl., Schwelle; Eisenbahnschwelle; Mauerlatte.

Slempholz (Schiffsb.), franz. brion, engl. forefoot, starkes, krummes Vorderende des Kiels, auch Stevenlauf, Unterlauf des Kiels, Anlauf des Kiels zum Vorsteven genannt.

Slempklotz, s. d. Art. Kiellotz.

Slendershaft, engl., schlanter Schaft, Dienst.

Sliata, russ., = Marienglas.

Slicktorf, s. v. w. schwestiger Torf.

Sliding-knot, engl., blinde Schleife.

Slip, engl., s. d. Art. Helling.

Slope, engl., Schmiege, Fase, Schrägplatte; s. auch d. Art. Bevel.

Sloping, engl., Böschung, Abschrägung; — Sloping-rafter, Schiftsparren.

Slough, engl., Schlauch, Balg.

Smalblad, s. d. Art. Lapelhout.

Smalte, Saflor, Schmalte, lat. smaltum, esmaltum, eigentlich Schmelz, Email, s. d. Be= sonders aber wird so genannt ein aus Kobalt in den

Blaufarbenwerken gewonnenes gefärbtes Glas, frz. cendre-bleue, welches, zu feinem Pulver verrieben, in den Handel kommt. Sie ist weniger zur Kaltmalerei als zur Pastell-, Wasser-, Wachs- und Oelfarbenmalerei brauchbar. Ueber Bereitung dieses Blauglases s. d. Art. Blaufarbenwerk. Die feinste, höchst blaue Sorte giebt das Königsblau, die blassere, gröbste den Eschel (Sumpfeschel) oder Aeschel. Die saphirblaue Smalte steht in Bezug auf Durchsichtigkeit und Lichtbrechung dem Ultramarin nach. Ein Email aus gleichen Theilen Thon und Kalk mit Kobaltoxyd hat diesen Fehler nicht. Alle Smalte hat das Unangenehme, bei Anwendung auf Kalk grün und schwarz zu werden; an der Luft angewendet bleicht sie namentlich als Oelfarbe sehr. Ihr Färbevermögen ist 40mal geringer als dasjenige des Berliner Blaues, sie deckt auch nicht gut, trocknet aber sehr rasch. Um Lasurstein im Anstrich nachzumachen, streicht man zuerst mit gewöhnlicher blauer Farbe an und bestäubt dann mit grober Smalte, ehe der Anstrich trocken geworden ist, oder streicht vorher blos mit gutem trocknenden Oel, das das Smaltepulver ebenfalls annimmt; s. auch d. Art. Nickel.

Smaragd ist eine Varietät des Beryls (s. d. Art.), welche sich durch ihre ausgezeichnet schöne grüne Farbe von diesem unterscheidet. Er findet sich in der Natur theils eingewachsen in verschiedenen krystallinischen Gebirgsarten, theils in aufgewachsenen Krystallen in Drusenhöhlen, theils auch auf secundärer Lagerstätte, lose und zum Theil als Gerölle. Ausgezeichnete Fundorte sind: Salzburg, Columbien u. Sibirien. Der orientalische Smaragd ist mehr oder weniger dunkelgrün und nicht so schön wie der eigentliche Smaragd. Seine Härte ist 7—8, das spec. Gewicht 2,6—2,7. Man verwendet den Smaragd zu den verschiedensten Gegenständen des Schmuckes. Bei der Bestimmung des Preises ist namentlich auf Reinheit, Schönheit und Feuer der Farbe und Größe des Volumens zu sehen. Ein Karat wird mit 10—14 Thlrn. bezahlt. Smaragde von blasser und unreiner Farbe werden das Karat zu 1¹/₃—2 Thlr. verkauft. Bei seiner Verwendung zu Schmucksachen wird er mit Smirgel zersägt, auf einer kupfernen Scheibe mit Smirgel geschliffen und auf einer Zinnscheibe mit Bimsstein, Tripel oder Zinnasche und Wasser polirt.

smaragdgrüne Beize auf Marmor. Man schmilzt sogenannten destillirten Grünspan und Wachs zusammen, trägt dies auf den Stein im warmen, flüssigen Zustand auf und nimmt es, nachdem es kalt geworden, an der Oberfläche wieder weg; es dringt bis auf 4—5 Linien in den Stein ein.

Smaragditfels (Miner.), s. v. w. Eklogit.

Smaragdmalachit, Euchroit, s. d. Art.

Smearing, Porzellanlüstre, s. d. [Malachit.

Smirgel, auch Schmirgel, Korund, Hartstein, Gemenge von wahrem Korund mit Magneteisenstein oder Anhäufung ganz kleiner Saphire. Enthält meist Thon-, wenig Kieselerde; spec. Gewicht = 3,74, Farbe blaugrau bis indigblau. Pulverisirt wird er als Polir- und Schleifmittel für Metall und Glas gebraucht.

Smock-mill, engl., holländische Windmühle.

Smyrna-Traganth, s. d. Art. Traganth.

Snur, s. d. Art. Maaß, S. 493, Bd. II.

Soocage, engl., Baufrohne.

Socke, Zocke, Sockel, lat. soccus, crepido, franz. und engl. socle, Mauerfuß, franz. pied de mur, wohl auch Plinthe genannt, äußerliche Verstärkung am Unterende eines Mauerkörpers, dient zugleich als Zierde und darf bei Anordnung einer Façade eigentlich nie weggelassen werden, indem sonst die Façade leicht ein gebrechliches, eingesunkenes Ansehen erhält. Die Sockeln werden meist von großen behauenen Steinen oder Bruchsteinen gefertigt, oder mit Steinplatten, Sockelplatten, engl. earth-tables, tablestones, bekleidet. Ein Sockel sollte nie unter 2 Fuß hoch sein, kann aber bei hochliegendem Parterre 3—4, ja sogar 5—6 Fuß hoch werden. Bei geringer Ausladung und Höhe wird er nach oben meist blos mit einem Sockelabsatz, Wasserschlag, engl. watertable, versehen. Bei größeren Dimensionen erhält er eine Begrenzung durch Sockelglieder, engl. base-moulding, mit einigen steigenden Gliedern verziert. Am besten eignen sich dazu Sturzrinnen, Kropfrinnen, mit einem darüber liegenden, etwas zurücktretenden, und einem darunter liegenden, etwas vorspringenden Plättchen, stehende Hohlkehle, Viertelstab ꝛc. Mitunter wird er mit vollständigem Gesims als abgesonderter Theil nach Art eines Stylobats (s. d. Art. Säulenstuhl), also mit Fußgesims und Obgesims verziert und dann in der Regel noch eine niedrige Obersocke auf ihn gestellt.

Sockelgesims, einer Säule, einem Pilaster oder einem Gebäude das unterste, die Sockel, Basis, Plinthe bekrönende, Gesims.

Sockelplatte, 1) s. d. Art. Socke; — 2) s. d. Art. Atroterium, Plinthus, Base ꝛc.

Soda (früher auch Schmalz oder Aschensalz genannt), ist die Bezeichnung für Salzgemenge, welche wesentlich aus kohlensaurem Natron bestehen. Man unterscheidet natürliche und künstliche Soda. Die natürliche Soda findet sich in der Natur als Auswitterungsprodukt in der Nähe von Natronseen, z. B. in Ungarn bei Szegedin, bei Stuhlweißenburg ꝛc. Die Erde ist an solchen Orten ganz mit Natronsalz durchschwängert; man laugt die Erde mit Wasser aus und dampft die Flüssigkeiten zur Trockne; die trockene Masse enthält bis 90% kohlensaures Natron. Gewisse Pflanzen, so namentlich Salicornia, Salsola, Atriplex ꝛc., liefern Aschen, welche reich an kohlensaurem Natron sind. Die Alicante-Soda mit 30% kohlensaurem Natron wird durch Einäschern der Pflanze Salsola Soda in Spanien dargestellt. In England gewinnt man aus verschiedenen Tangarten eine Soda, welche unter dem Namen Kelp ausgeführt wird; diese Soda enthält viel Kochsalz und Kalisalze.

Der Bedarf von Soda zu den verschiedensten Zwecken würde durch die in der Natur sich findenden Vorräthe nur zum kleinsten Theil gedeckt werden können; man stellt daher den größten Theil der Soda künstlich dar und zwar wählt man als Material, welches in Soda umgewandelt werden soll, das Kochsalz. Dieser Proceß der Umbildung des Kochsalzes in kohlensaures Natron ist von Leblanc zuerst in die Praxis eingeführt worden. Er besteht einfach darin, daß man das Kochsalz mittelst Schwefelsäure in Glauberfalz verwandelt, dieses dann mit Kohle und Kalk schmilzt, aus der so erhaltenen Schmelze in besonderen Auslaugekästen die Soda in Lösung gewinnt und dann durch Abdampfen zur Krystallisation bringt. Die wasserhellen Krystalle, welche man aus gereinigter Soda durch Eindampfen der klaren Lösung bis zu 33° B. erhält, enthalten 10 Aequivalente Krystallwasser. Dieses Salz bekommt man meistens im Handel; es verwittert an der Luft und löst sich sehr leicht in Wasser; die Lösung schmeckt ätzend. Die Hauptverwendung in der Technik findet die Soda bei der Seifenfabrikation. Sie dient ferner als kräftiges Reinigungsmittel für Holzwaaren 2c. Ihre Wirksamkeit als Reinigungsmittel begründet sich in der Verwandtschaft des in ihr enthaltenen Natrons zu fettigen Stoffen, mit denen sie eine leichtlösliche Seife bildet; dann außerdem noch darauf, daß die Pflanzen- und Thierfaser durch das Salz etwas angegriffen wird. Die Soda hat in vielen Fällen die Pottasche verdrängt, so in der Fabrikation von Glas 2c. Bei der Darstellung von Alaun, Blutlaugenholz u. f. f. kann natürlich ein Ersatz des Kali's durch Natron nicht stattfinden.

Sodalith (Mineral.), ist eine Verbindung von kieselsaurem Natron mit kieselsaurer Thonerde und Kochsalz; dieses Mineral, welches sich am Fuße des Vesuvs, in Norwegen, zu Rieden in Rheinpreußen 2c. findet, krystallisirt tesseral, gewöhnlich in Rhomben-Dodecaëdern, ist farblos, grün, blau, glasartig glänzend, Härte 5—6, spec. Gewicht 2,3. Vor dem Löthrohr schmilzt es leicht zu einem Glase; in Säuren, Salz- oder Salpetersäure ist es unter Kieselgallertabscheidung löslich.

Sodarückstände, 1) f. d. Art. Bausteine, künstliche; — 2) in dünnen Schichten geben diese Rückstände sehr leicht in Gips über; solcher Gips kann großem Druck nicht, wohl aber dem Regen und Frost widerstehen, daher zu Fußwegen sehr gut; — 3) als Unterlage für den Schotter und Knack auf Chausseen werden sie in das geebnete Steinbett festgestampft, mit Sand bedeckt und dann der Steinüberbau aufgebracht; — 4) auch zum Pisébau (f. d.) verwendet man sie.

Sodbrunnen, gegrabener Brunnen; **Sodbord,** Brunnenkranz.

Sode, 1) f. d. Art. Salzwerk; — 2) f. d. Art. Soda; — 3) Soden (masc.), f. d. Art. Deichbedeckung, Rasen, Klüfte und Decksoden.

Sodengerüst (Deichb.), die ausgestochenen Soden vorläufig aufnehmendes Gerüst, von wo aus sie dann verfahren werden.

Sodengruft, Raum, wo Soden oder Rasen zur Schröpfung ausgestochen werden.

Sodgrube, f. v. w. Brunnenschacht; **Sodruthe,** Zugstange an einem Ziehbrunnen; **Sodschling,** Ziehbrunnenumfassung.

Södung, Sodenbeleg; f. d. Art. Deckung.

Söhlig (Minenb. u. Bergb.), f. v. w. waagerecht.

Söller, lat. solarium, engl. solar, soler, soller, ital. solaro, das Sonnige, daher f. v. w. Balcon, aber auch Erker, jedoch auf der Sonnenseite gelegen, aber auch für Speicher gebraucht; f. d. Art. Altan, Antesolarium, Balcon, Boden, Chor, Erker, Plattform 2c.

Sömmer, f. d. Art. Maaß, S. 505.

Soersalz, f. d. Art. Soda.

Soevalibaum (Engelhardtia spicata Bl., Fam. Walnußgewächse, Juglandeae), ist ein riesig starker und hoher Baum des Sunda-Inseln und Molukten, der sich durch besonderen Harzreich-

thum auszeichnet. Das Harz hängt in armesbis schenkeldicken, zapfenartigen Stücken von den Hauptästen herab und sammelt sich in Menge zwischen Rinde und Holz. Das feinere, reinere wird zum Räuchern und arzneilich, das unreinere beim Schiffsbau, zu Fackeln und dergl. angewendet. Das harte, schwere, blaßrötliche Holz verwendet man vorzugsweise zu Wagenrädern.

Soffite, frz.-, engl. soffit, 1) Leibung, Untersicht eines Bogens, einer Hängeplatte, eines Architravs, einer Balkendecke; — 2) Felderdecke, f. d. Art. Caffettendecke; — 3) die eine Decke darstellenden, in der Regel perspectivisch dargestellten Felder oder dergl. verzierte Decorationsstücke, oben über die Bühne gehängt.

Sog, Sood, 1) Kasten im Schiffsraum, worin sich das Wasser sammelt und wohin die Pumpen reichen; — 2) hinteres Scharf oder Schneidung des Schiffes.

Sogpfanne, f. v. w. Siedepfanne; f. d. Art. Salzwerk.

Sogstück, f. v. w. Pietholz.

Sohlband, Sohlbank, lat. solam, limen, frz. seuil, engl. sill, cill, sole, ital. limitare, f. v. w. Schwellstück einer Thür oder eines Fensters, dafern die Gewände darauf stehen; f. d. Art. Fenster, Abschrägen, Abwässerung, Brüstung 2c.

Sohle, 1) f. d. Art. Grubenbau, S. 212, Bd. II; — 2) f. d. Art. Bühne; — 3) (Mineral.) Steinlage, worauf ein Flöz ruht; — 4) überhaupt flache Unterlage, auch jede tiefliegende Horizontalfläche; — 5) beim Hobel f. v. w. Bahn; — 6) bei Schießscharten f. v. w. Schartensohle; — 7) f. d. Art. Anlage 4 und 5.

Sohlenriß, Grundriß einer Wasserleitung, der die Krümmungen der Röhren von oben gesehen darstellt; Seigerriß ist die Seitenansicht.

Sohlholz, 1) Schwelle (f. d.) im Fachwerk; — 2) f. d. Art. Bauholz, S. 281.

sohliger Bruch, an einer Stangenkunst f. v. w. horizontale Ablenkung in eine andere Richtung mittelst kleiner Schwingen.

Sohlkunst (eig. Soolkunst), die aus Pumpen bestehende Förderungsmaschine der Soole in Gradirwerken.

Sohlstück, 1) f. v. w. Sohlholz; — 2) bei einem Bergbohrer das achte Unterstück, auch Sohllöffel genannt; — 3) der zu einer Sohlbank zu bearbeitende Werkstein; — 4) f. v. w. Sohlbant; — 5) gesprengte Sohle; f. d. Art. Schleuße.

Sohlung, f. d. Art. Luckung.

Soie, frz., f. d. Art. Angel 2, b.

soi-même, frz., altfrz. soy-mesme, 1) in natürlichen Farben; — 2) f. v. w. aus einem Stück gefertigt.

Sol, f. d. Art. Apollo.

Sol, frz., engl. soil, 1) Liegendes, Boden, Erdboden; — 2) Feld, f. d. Art. Heraldik VIII.

Soladura, span., Steinplattenpflaster.

Solana, span., f. v. w. Söller.

Solapa, span., Rabatte.

Solar, engl., altengl. soler, solere, soller, lat. solarium, Dachraum, Söller.

Solar, span., Baustelle, Stammhaus, auch Erdgeschoß.

Solarium, lat., 1) hochliegendes Zimmer,

welches von der Morgen= und Abendsonne beleuch=
tet wird; s. auch b. Art. Söller; — 2) Sonnenuhr.

Solaröl. Mit diesem Namen bezeichnet man
die schwerer flüchtigen Produkte der trockenen De=
stillation von Braun= und Steinkohle. Da der
Siedepunkt dieser Produkte oberhalb 130—150°
gelegen ist, so brennt dieses Oel schwieriger an als
das Photogen; in chemischer Beziehung ist es dem
gereinigten amerikanischen Steinöl (Petroleum)
analog.

Solda, engl., Schuppen, Anwurf.

Soldaten, Soldatentracht, s. d. Art. Didy=
mus, Theodora; s. übrigens b. Art. Krieger.

Solder, Soldadura, Soldering, s. b. Art.
Loth, Löthung.

Soldo, s. b. Art. Maaß, S. 485.

Sole, Soole (fem.), überhaupt jedes mit einem
Salz, namentlich aber das mit Kochsalz geschwän=
gerte Wasser; s. b. Art. Salzwerk.

Sole, frz. und altengl., Schwelle, Sohlbank,
Sohle, Mauerlatte, Lauge.

Solea, griech. σωλέα, im Gegensatz gegen das
Beema (s. d.), Unterchor; s. b. Art. Kirche.

Soleion, s. b. Art. Kirche, S. 385, Bd. II.

Soleil, frz., Sonne, besonders die Strahlen
am Ostensoir, s. b.

Solenhofer Platten, s. b. Art. Lithographir=
stein.

Solenkasten (Salzw.), bei einem Gradirwerk
der Hälter, worin die Wände stehen.

Solera, span., 1) Oberteil einer Mauer,
Zinne; — 2) unterer Mahlstein, Bodenstein.

Soleria, span., Fließe zum Pflastern.

Solide, frz., 1) gewachsener Boden; — 2) mas=
sive Mauermasse.

Solin, frz., Kalkleiste beim Ziegeldach.

Solium, lat., 1) Lehnstuhl mit sehr steiler
Lehne, Thron; — 2) Sarkophag; — 3) s. b. Art.
Bad.

Solive, frz., engl. binding-joist, 1) Lagerholz
der Bretter oder Dielen bei hölzernen Fußböden;
— 2) Längebalken in den französischen Balkenla=
gen; s. b. Art. Balkendecke und Balkenlage; —
3) französisches Holzmaaß, 6 Fuß lang, 1 Fuß
hoch, 1⅓ Fuß dick.

Soliveau, frz., engl. bridging-joist, ein dün=
ner, schwacher Balken, Polsterholz; s. b. Art. Bal=
kendecke und Balkenlage.

Solive passante, frz., Träger; solive de
protection, Schutzbaum; solivé, von Balken ge=
tragen; solivage, Balkenberechnung; solivette,
kleiner Jochbaum, Baujoch; solivure, Balkenlage.

Solle, frz., Grundbalken, Schwelle.

Soma, s. b. Art. Maaß, S. 500, Bd. II.

Sombrajo, span., s. b. Art. Laube, S. 447.

Sombrero, span., Schaudeckel, Kanzelhimmel.

Sommellerie, frz., Kellerei, Weinmagazin.

Sommer (Schiffsb.), s. v. w. gerader Balken.

Sommer, sommer-beam, engl., s. b. Art.
Sommier.

Sommerbierkeller, werden in trockenen Fel=
sen gebaut, oder in trockenem, thonigem oder
lehmigem Erdreich tief gemauert. Schlechter sind
die in Sand= oder Kiesboden, und die schlechtesten
die, wo das Zutreten des Grundwassers ꝛc. zu be=
fürchten ist und man nicht die gehörige Ableitung
herstellen kann. Ein Sommerbierkeller ist um so
besser, je tiefer und kühler er ist. Man kann auch,

wenn man in Folge des Terrains keinen tiefen
Keller erhält, Thonerde oder trockenen Kies 15 Fuß
hoch über dem gewölbten Keller aufschütten und
gut einstoßen. Ebenfalls gute Dienste leisten dop=
pelte, gewölbte Keller mit Luftschicht zwischen den
Gewölben. Die Wärme darf nicht über 8° R.
steigen, denn das Bier verdirbt bei 10—12°; s.
übrigens b. Art. Bierkeller, Eiskeller und Keller.

Sommerdeich, s. d. Art. Deich 4.

**Sommereiche, Masteiche, Ferkelreiche, Augst=
eiche,** s. b. Art. Eiche a. und Baueiche.

Sommerfenster, bei Anwendung von Dop=
pelfenstern die Fenster, die Sommer und Winter
bleiben.

Sommerhaus, s. b. Art. Laube, Landhaus,
Gartenhaus, Pavillon ꝛc.

Sommerladen, s. b. Art. Fensterladen.

Sommerlinde, s. u. Linde.

Sommerpalast, Sommerresidenz, für fürst=
liche Personen auf dem Lande errichtetes Wohn=
haus; s. b. Art. Schloß, Palast und Landhaus.

Sommerseite (Baut.), Sonnenseite, Süd=
und Südostseite.

Sommerstieleiche, s. u. Eiche a.

Sommerstube, 1) gegen Mittag gelegene
Stube; — 2) zur Benutzung im Sommer bestimm=
tes, also gerade auf der Nordseite anzulegendes
Zimmer.

Sommerweg, s. b. Art. Chaussée und Stra=
ßenbau.

Sommet, franz., Gipfel, z. B. Giebelspitze,
Scheitel eines Bogens; s. b. Art. Bogen, S. 400.

Sommier, franz., engl. sommer, summer,
1) Gewölbanfänger, Anfangsstein; — 2) Balken=
sturz, s. b. Art. Drischübel; — 3) Träger,
Brückenbaum, Unterzug, Saumschwelle; — 4)
Tragstein; — 5) Balkentracht.

Somnus, s. d. Art. Hypnos.

Sonde, frz., span. sonda, Senkblei, Bleiloth,
Bergbohrer.

Sondirruthe, auch Dübpstange genannt (s. b.),
ähnlich dem Bergbohrer, aber ohne Bohrschraube.

Sonne, s. b. Art. Apollo, Baldur, Harpo=
krates, Helios, Janus ꝛc. Als Attribut erscheint
die Sonne bei Darstellung der Heiligen Bernhar=
dinus, Columbanus, Ewald, Ferrerius.

Sonnenbaum, japanischer (Retinospora ob-
tusa Sieb. et Zucc., Fam. Coniferae, Nadel=
hölzer), ein heiliger, dem Sonnengott geweihter
Baum Japans; das geschätzte Holz desselben ist
weiß und glänzt seidenartig. Am Hofe des Kaisers
bestehen alle Geräthschaften aus demselben.

Sonnenfang, s. b. Art. Schwammholz.

Sonnenlicht, s. b. Art. Licht.

Sonnenstäubchen, s. b. Art. Paramanu und
Indisch, S. 321.

Sonnenuhr, lat. horologium, gnomon, frz.
cadran, engl. sundial. Die Römer hatten sehr
verschiedene Sonnenuhren, daher die verschiedenen
Namen, wie z. B. Hemisphäron, Hemicyclium,
conus, Heliotrop, Arachne ꝛc. Im Mittelalter
war es am gebräuchlichsten, die Sonnenuhren an
Giebeln oder Thüren, auf der Südseite oder an einer
Ecke anzubringen, meist in Gestalt eines Ziffer=
blattes, weiß angestrichen und mit Ziffern besetzt,
mit einem schräg hervorstehenden Zeiger, in der

Mitte der Oberkante befestigt, deffen Schattenstrich, von der Sonne gebildet, die Zeit anzeigt. Natürlich sind sie jetzt ihrer Unzuverlässigkeit wegen fast ganz verschwunden.

Sonnenwerk, f. d. Art. Auswerk.

Sonnette, frz., 1) Gerüst einer Rammmaschine; — 2) Meßglöckchen.

Sopanda, span., starker Balken, Unterzug.

Sopapo, span., Ventil.

Sopha, 2½—3 Fuß tief, 6½—8 Fuß lang.

Sophia, St., edle und fromme Wittwe, hatte 3 Töchter, Fides, Charitas und Spes (Glaube, Liebe, Hoffnung, deren Mutter Weisheit ist); Fides, 12 Jahre alt, wurde unter Hadrian gestäupt, entblößt, durch Abschneiden der Brüste verstümmelt, mit Flammen und siedendem Pech gebrannt; die 10jährige Spes wurde ähnlich gemartert und die 9jährige Charitas wurde mit glühenden Steinen geworfen und mit eisernen Bohrern durchbohrt; endlich wurden alle Drei enthauptet. Sophia starb am dritten Tage auf dem Grabe ihrer Kinder.

Sophonias, f. d. Art. Zephanja.

Sophora japonica (Fam. Leguminosae), Weihboa, liefert in China die am meisten geschätzte gelbe Farbe.

Sophronia, St., 1) Märtyrerin, tödtete sich selbst, um sich den Wüstlingen Maxentius und Maximinus zu entziehen; — 2) Einsiedlerin, Vögel bedecken ihren Leichnam mit Blumen.

Sopléte, span., Löthrohr, f. d.

Sorbapfelbaum, Sorbeerbaum, Sorbus x., f. d. Art. Eberesche.

sorren, frz. amarrer, engl. lash, seize, f. v. w. festbinden mit einem Tau und mit Knebeln, sogenannten Sorrklampen.

Sortie, frz., Ausgang, Ausfall, Ausfallthür.

Sotano, span., unterirdische Keller.

Soubassement, socle continu, franz., Grundmauer, glatter gemauerter Sockel.

Souche de cheminée, frz., Schornstein, so weit er über das Dach vorsteht.

Souchet, franz., tiefster, noch nicht völlig ausgebildeter Banksteine eines Steinbruches.

souder, frz., 1) Bauhölzer stumpf zusammenstoßen; — 2) löthen; soudure, Loth, Löthung; soudure de plomb, Bleiloth; soudoir, Löthkolben.

Soufflet, frz., 1) f. d. Art. Torus; — 2) f. d. Art. Balg 2, Blasebalg; soufflerie, Blase.

Soufflure, frz., f. d. Art. Blase. [maschine.

Soufre, frz., Schwefel; soufre natif, soufre de mine, f. d. Art. Bergschwefel.

Souillard, frz., Eisbrecher.

Sounding-board, engl., Schalldeckel, Kanzelhaube.

Soupape, frz., Ventil, Klappe, Spundpfropf.

Soupente, frz., 1) f. d. Art. Bock; — 2) Hängeboden, Zwischenboden.

Soupirail, frz., Kellerloch, auch Luftloch in Röhrenleitungen.

sourdre, frz., aufquellen.

Sous-brisure, frz., f. d. Art. Beizeichen.

Souse, source, souste, altengl., Kragstein.

Sousfaite, frz., Giebelspieß, Giebelsäule.

Soutènement, mur de soutènement, frz., f. d. Art. Stützmauer, Futtermauer.

Souterrain, lat. cantina, zu Wohnungen eingerichtetes Kellergeschoß (f. d.), welches nicht ganz unterirdisch, sondern mehr als gewöhnlich über die Erdgleiche geführt ist. Zur Verschönerung und Trockenlegung eines Gebäudes trägt ein hohes Souterrain in der Regel viel bei.

Sowdels, engl., altengl. soudlets, saddlebars, Windeisen an den Fenstern.

Sozon, St., Heiliger der griechischen Kirche, wurde unter Maximian in's Feuer geworfen; wird in Schuhen mit Stacheln abgebildet.

Spachtel, frz. bézeau, f. d. Art. Spatel.

spänen, f. v. w. ausspänen, f. d.

Spänmühle, Maschine, worauf zur Liderung von Pumpenkolben, die dann, so gelidert, Spänkolben heißen, dienende Holzspäne von bestimmten Dimensionen gehobelt werden.

spätgothisch, f. d. Art. Gothisch.

spätnormannisch, f. d. Art. Anglonormannisch und Normannisch.

Spätrenaissance, f. d. Art. Barockstyl und Renaissance.

spätromanisch, f. d. Art. Romanisch.

Spaguetzug, falsche Schreibweise für Espagnolette, f. d. [nolette, f. d.

Spahn, f d. Art. Span.

Spake, f. v. w. Hebebaum.

Spale, altd., für Latte, Pfahl.

spalen, altd., für spalten oder zuspitzen.

Spalier, Spallier, Spalett, Spallet, franz. espalier, engl. espalier, fence, ital. spalliera, spalletta, span. espaldera, eigentlich mit Schulterung zu übersehen (von Schulter, frz. espale, épaule, ital. spalla, span. espalda), zunächst Gitterbrüstung der Schiffsschulter, dann auch jede aus Latten, Eisenstäben, runden Stangen und Aesten oder dergl. bestehende Einfriedigung, von Gittern dadurch zu unterscheiden, daß außer den zur Befestigung dienenden Säulen und Riegeln (f. d. Art. Lattenzaun) die die eigentliche Einhegung bildenden Latten unter einander sich nicht überkreuzen, sondern parallel sind; doch können sie aufrecht, schräg oder waagerecht angebracht werden. Die aufrechten müssen oben zugespitzt werden, damit das Regenwasser nicht so leicht in das Hirnholz eindringe. Man hat noch andere Ableitungen des Wortes aufgestellt, z. B. von Spale, spalen, ferner von palus, Pfahl, oder von pellis, Fell, Ueberzug.

spaliren, 1) ein Spalier anfertigen oder Etwas an einem Spalier befestigen, anspaliren; — 2) Latten an die Wand nageln, um dann Leinwand oder Tapete freischwebend zu befestigen; f. d. Art. Tapete.

Spalierlatte, frz., échalas, schwache Latte, in der Regel 1 Zoll ins ☐ stark.

Spaliernagel, f. d. Art. Nagel.

Spallettladen, f. d. Art. Fensterladen 4.

Spallettthür, Thür in einer starken Wand, welche mit schwachem Gewände, Anschlag und ausgeschrägter Laibung versehen ist.

Spallettwand, bei Fenster und Thüren so viel wie ausgeschrägte Laibung, f. d.

Spalm (masc.), oder Spalme (fem.), frz. espalme, f. d. Art. Schiffslitt, Schiffstheer, Holztheer.

spalmiren oder spalmen (Schiffsb.), f. v. w. calfatern, theeren.

Spalt 1) (masc.), **Spalte** (fem.), Kluft, frz. crevasse, lézarde, in dem Gestein oder Holz durch Einflüsse des Wetters und dergl. oder durch Auftheilen und dergl. entstandener Riß, namentlich wenn er hindurchgeht. Um Spalten im Holz mit Kitt auszufüllen, schmilzt man 2 Thle. gelbes Wachs und* rührt 2 Thle. fein pulverisirten, gebrannten Ocker hinzu, erhält Alles im Fluß und gießt dann die Fugen, Ast- oder andern Löcher damit aus; wird steinhart, widersteht der Nässe sehr gut, weniger der Wärme ꝛc., s. übr. d. Art. Auskitten ꝛc. — 2) S. v. w. offene Fugen bei Thüren und Fenstern. Zum Verschließen derselben bedient man sich meist der Saalleiste, Egge, Anschrot von Tuch, gedrehter Wülste von Werrig, mit Werrig ausgestopfter Zeugschläuche, ferner der Moosguirlanden; auch verklebt man die Spalten mit Papier oder dergl. Besser sind die für Sachsen patentirten Lunten oder Roller, die auf einer Art Lockenkrämpel gefertigt und mit Leim überzogen sind. Blanier in Paris fertigt hierzu baumwollene Roller an, die mit einem gummiartigen Ueberzug versehen sind, wodurch sie zugleich fester und elastischer werden. Sie werden in jeder Stärke zubereitet, von einem Durchmesser von einigen Millimetern an bis zu 20 und 40 Millimeter, im Verhältniß zu den zu verschließenden Spalten, an deren Wände sie sich fest anlegen. — 3) Auch Stechscheit, langgestielte Eisenschaufel zum Rasenausstechen.

Spaltbarkeit, s. d. Art. Bauholz, Baustein, Holz ꝛc. Vergl. auch d. Art. Spaltholz.

Spaltbuhne, s. d. Art. Buhne, S. 488, Bd. I.

spalten, klöben, in Oesterreich spranzen, die Theile eines langfaserigen, schiefrigen oder blättrigen Körpers durch Eintreiben eines keiligen Instruments von einander absondern.

Spaltholz, 1) dasjenige Nutzholz, welches die Eigenschaft besitzt, leicht und gerade zu spalten; s. d. Art. Bauholz, S. 279 ff., Bd. I. Die Spaltbarkeit der Hölzer hängt von dem inneren Bau derselben ab, wenn nämlich die Holzfasern des Stammes oder Schaftes der Länge nach fester als seitwärts mit einander zusammenhängen. Vorzüglich liefert die Stieleiche, der Hornbaum, die Esche, der Maßholder und alle Nadelhölzer, besonders die Tanne, leicht- und gerabspaltiges Holz. Dagegen lassen sich Ulme, Ahorn, Birnbaum ꝛc. schwer spalten. Im Allgemeinen lassen sich alle Hölzer um so leichter spalten, je weniger sie drehschüftig (windschief), maserig, ästig und rindenbeulig sind; je größer Festigkeit, Zähigkeit, Härte und Dichtigkeit sie besitzen, sowie übrigens nur gesunde Hölzer von gerader Richtung und ziemlich gleichförmiger Stärke spaltbar sein können. Auch spaltet Holz, wenn es noch frisch und saftig, als wenn es schon alt und ausgetrocknet ist. — 2) Das zu Staten, Spaltern, gespaltene Holz; das Spalten geschieht am besten in der Saftzeit.

spaltiges Holz, Holz, welches beim Trocknen an der Luft Risse und Spalten bekommt; dies zu verhindern, wird es auf erhöhte Unterlagen gelegt, oder über Kreuz oder im Quadrat aufgestapelt.

Spaltung, s. d. Art. Heraldik V.

Spaltungsfläche, so nennt der Steinarbeiter die Fläche, nach welcher sich ein Gesteintheil von selbst oder doch am leichtesten vermöge seines Gefüges von der anderweiten Gesteinmasse im Steinbruch

ablöst. Es muß beim Gewinnen der Steine große Rücksicht darauf genommen werden, da sie erstens die Arbeit bedeutend erleichtert und zweitens dem Stein eine schöne, gerade Fläche giebt. Beim Verlegen der Steine im Mauerwerk legt man gern die Spaltungsfläche horizontal.

Span oder **Spahn,** frz. copeau, büchette, planure, cale, tringle, engl. chip, splint, shred, shaving, angelsächs. spon, schwed. spån, niedersächs. Spoon, in Osnabrück Spaunt, isländ. spann, 1) s. v. w. Abschnitzel, Abgespaltenes, Zerspaltenes. Die in der Bautechnik namentlich gebrauchten Späne sind: Eisenfeilspäne, Drehspäne von verschiedenem Material, Sägespäne, Hobelspäne ꝛc.; s. d. betreffenden Art. — 2) Besonders zurecht gemachte dünne Holzstreifen; s. d. Art. Dachspan, Schindel, Schleiße, Ausspänen ꝛc.; — 3) s. v. w. Splint, äußeres Holz eines Baues; s. d. Art. Bauholz; — 4) s. v. w. Grünspan; — 5) (Heraldik) s. d. Art. Heroldsfigur 12; — 6) **Span** oder **Spann,** s. d. Art. Spannweite, Tragweite; — 7) Verhältnisse eines Schiffes, wie sie sich im Querdurchschnitt darstellen; — 8) s. d. Art. Maaß, S. 484, Bd. II.

Span, engl., Spannung, Spannweite.

Spandach oder **Schindeldach,** s. unter Dachbedung.

Spandrille, frz. reins, engl. flanc, spandrel, alt-engl. spaundre, dreieckige Zwickelfläche zwischen einem Bogen (s. d. S. 400, Bd. I) und dessen etwaiger rechtwinkligen Einfassung. In Fig. 1774 geben wir eine verzierte römische Spandrille.

Fig. 1774. **Spandrille.**

Spanfarbe, aus Farbeholz ausgelochte Saftfarbe.

Spange, lat. firmaculum, frz. fermail, 1) (Mühlenb.) die dünnen Latten bei Windmühlen, welche, von beiden Seiten die Spletten einfassend, mit denselben durch hölzerne Pflöcke vereinigt werden und die einzelnen Spletten zu einer Splettthür verbinden; — 2) auf die Spundstücke aufgesattelte Balken, um die Wände der Gerinne bei Wassermühlen höher zu machen; — 3) Unterschwelle zum Schleußen und Sielen.

Spangrün, in's Blaue fallendes Grün, aus Grünspan bereitet oder doch demselben ähnlich.

Spanholz, s. d. Art. Spaltholz und Span.

spanische Befestigungsmanier, s. d. Art. Befestigungsmanier.

spanische Kreide, s. d. Art. Speckstein.

spanisch Gelb, so heißt auch das Auripigment; s. d. Art.

spanischer Reiter, starke gespitzte, auch wohl mit Eisen beschlagene Andreaskreuze, im Festungsbau (f. d. S. 43, Bd. II) als Hinderniß gebraucht. Es werden deren mehrere durch einen Querbalken verbunden.

spanischer Schild, s. d. Art. Heraldit III. 3.

spanisches Rohr, s. d. Art. Rohr und Rotang.

spanische Wand, transportable, in der Regel zusammenklappbare, aus mit Tapeten bekleideten leichten Rahmen bestehende Holzwand. Sie wird benutzt, um Säle oder größere Räume in kleine Zimmer zu verwandeln und wieder beliebig herzustellen, ferner als Bettschirm 2c.

spanisches Schwarz, oder Korkschwarz, gewinnt man durch Verkohlen des Korkes in verschlossenen Gefäßen. Unter allen schwarzen Farben reibt sich diese am leichtesten und erlangt eine große Zartheit, besonders durch ihren bläulichen Schimmer.

spanisches Weiß, s. v. w. basisch-salpetersaures Wismuthoxyd; s. d. Art. Perlenweiß.

Fig. 1775. Thür aus Valencia.

spanisch-gothische Bauweise, span. arquitectura tudesca. Nachdem die im J. 411 eingedrungenen Gothen beinahe 300 Jahr Spanien beherrscht hatten, wurden sie von den Muhamedanern auf ein Minimum von Länderbesitz reducirt; aber dies Minimum wurde die Wurzel für den Stamm, dessen Sproß schon nach kaum 200 Jahren den Muhamedanern gefährlich ward. Bereits 1085 eroberte Alonso III. Toledo; so weit Spanien damals christlich war, herrschte natürlich der romanische Styl. 1131 erwarb Robert von der Normandie die Herrschaft von Tarragona und bald fand die normännische Bauweise Eingang, die sich natürlich von maurischen Einflüssen nicht frei halten konnte. Die Kathedrale von Tarragona, 1131 begonnen, zeigt den normännischen Styl an ihren älteren Theilen sogar noch stark im Kampf mit romanischen und arabischen Elementen, während ihre spätern Theile, wie die alten Theile der Kathedrale zu Leon, 1199 begonnen, namentlich der kleinere der zwei Thürme an der Hauptfaçade, schon einen bei weitem entwickelteren Styl zeigen, der aber erst an den alten Theilen der 1221 begonnenen Kathedrale zu Burgos zu einer solchen Entwickelung in Grundriß und Detailform gelangt ist, daß man ihn gothisch nennen kann; dasselbe gilt von den alten Theilen der 1226 begonnenen Kathedrale zu Toledo; letztere, besonders aber die 1298 begonnene Kathedrale (Seü) von Barcelona und viele andere Kirchen Spaniens, zeigen so ungemein viel Deutsches, namentlich in den Einzelformen, daß man vermuthen muß, es seien, wenn nicht die bauführenden Werkmeister, so doch ein guter Theil der an den Bauten beschäftigten Steinmetze Deutsche gewesen. Die Kathedrale von Toledo hat nun zwar ein Spanier, Pedro Perez, entworfen, aber an der Kathedrale zu Burgos war 1442, wo nach langer Pause der Hochbau begonnen ward, Meister Johann von Köln Werkführer, der den Thurmbau errichtete, während die Vierungskuppel erst 1539 von Philipp von Burgund erbaut wurde; s. Fig. 1776. Beide zeigen schon spätgothische Formen (gótico florido). Auch der Migalete von Valencia ist 1381 von einem Deutschen, Johann Frant, in ziemlich schwerem Styl begonnen worden. Ein ungemeiner Baueifer entwickelte sich im 15. Jahrhundert; Könige, Adel und Geistlichkeit wetteiferten in Begründung großartiger Bauten und auch die Bürgerschaft wollte nicht zurückbleiben. Die Ausführung aber war jetzt fast lediglich in den Händen von Ausländern; Deutsche, Niederländer, Franzosen und Italiener wanderten ein, und unter ihren Händen, durch ihren oft wechselnden Einfluß, gleichzeitig mit der nicht zu vermeidenden Einwirkung der maurischen Elemente, entstand ein Styl, der, weit entfernt von der Keuschheit der frühern deutschen Gothik, selbst die damals geübte blühende Gothik Frankreichs und die systemlose Gothik Italiens noch weit übertrifft an Zügellosigkeit phantastischen Schwungs. Die Kühnheit gothischer Construction wird hier zu einer mit den Bedingnissen und Gesetzen des Gleichgewichts spielenden Verwegenheit. Die Zierlichkeit wird zu Geziertheit, die Decorationsfülle zur Ueberladung. Die schmückenden Details überwuchern förmlich die architektonischen Gerippe. Namentlich bei Gliederung und Profilirung der Gewölbrippen, und bei Gestaltung der Bogenformen scheinen die damaligen Architekten viel weniger nach einer effectvollen Ausbeutung der Stylformen, als vielmehr nach Neuheit um jeden Preis und nach Belegen für die unbeschränkte Macht ausgeklügelter Constructionen in Besiegung aller technischen Schwierigkeiten gestrebt zu haben. Aber gerade dieses Beseitigen aller strengen Regeln, diese Aufnahme maurischer, also in Spanien heimischer Formen, dieses Verschmelzen mit der mozarabischen Bauweise, sind wohl die hauptsächlichste Ursache, daß die Gothik sich in Spanien länger hielt, als in jedem andern Land, und namentlich gegen das Auftreten der Frührenaissance einen ungemein zähen Widerstand zu leisten vermochte. Wir geben unsern Lesern zum Schluß noch in Fig. 1775 eine Thür aus Valencia als Beispiel, wie man zu Beginn des 16. Jahrhunderts die Gothik, mit maurischen Formen vermischt, bei ziemlich einfachen Profanbauten handhabte.

Spankolben, Spanmühle, s. d. Art. Spän=
mühle.

Spanloch, s. d. Art. Hobel.

Spann, s. d. Art. Maaß, S. 484 und 509.

Spannagel, zur Befestigung der Dachspäne
(s. d.) dienender, 2¼ Zoll langer eiserner Nagel.

Spannbalken, s. v. w. Spannriegel.

Spannbett, s. d.
Art. Bett, S. 336,
Bd. I.

Spannblech, s. d
Art. Kluppe.

Spannbogen, s.
d. Art. Bogen B. I. 10

Spanndienst, die
einer Gemeinde gesetz=
lich hier und da noch
obliegende Verpflich=
tung, die nöthigen
Fuhren zu öffentlichen
Bauten ꝛc. umsonst zu
leisten.

Spanne, s. d. Art.
Maaß, S. 485, Bd. II.

spannen, einen
Bogen spannen, s. v.
w. eine Oeffnung mit
einem Bogen schlie=
ßen; auch sagt man
eine Schnur spannen
für ausspannen.

Spanner, s. d.
Art. Erdbogen.

Spanngurt, s. d.
Art. Dach, S. 601,
Bd. I.

Spannhammer,
s. d. Art. Hammer.

Spannholz, 1)
(Mühlenb.) bei einem
Sägegatter, worin
die Säge eingespannt,
das Querholz, wel=
ches das Sägeblatt
straff hält; — 2) s. d.
Art. Bauholz, S.
280, Bd. I.

Spannkette,
engl. look, 1) (Brü=
ckenb.) angewendet
bei Kettenbrücken, s.
d. Art. Brücke 3. C. q.;
— 2) die Kette, wo=
mit die Baumstämme
ꝛc. auf den Wagen auf=
gebunden werden.

Spannrahmen, 1) s. v. w. Griesholm; s. d.
Art. Griesbaum; — 2) s. v. w. Sägegatter.

Spannriegel, frz. amoise, maître-'entrait,
tirant, engl. collarbeam (ungenau auch cross-
beam, fälschlich tiebeam), it. asticciuolo, 1)(Müh=
lenb.) Riegel zwischen den Griessäulen (gegen 10
Zoll stark); — 2) Verbandstück in dem Binder eines
liegenden Dachstuhles; s. d. Art. Dach C. II. 2

Fig. 1776. Kathedrale von Burgos.

Spannkraft, s. d. Art. Dampf und Expan=
sionskraft.

Spannland, s. d. Art. Maaß, S. 494, Bd. II.

Spannloch (Mühlenb.), Loch zum Heraus=
nehmen des Mehles von der Seite des Mehlkastens.

Spannnagel, 1) s. v. w. Schloßnagel; —
2) Bolzen in der Hobelbank, um Etwas damit fest=
zuspannen.

und 3, Brücke B. 2 u. Hängewand; — 3) die Hölzer,
die durch die Tiefe eines Gebäudes von Fachwerks=
wänden unter den Balken liegen, um die gegen=
überstehenden Langwände mit einander zu ver=
binden; jetzt noch selten angewendet; — 4) die
4 stärkeren Balken im Thurm der holländischen
Windmühle heißen Spannriegel und bilden zu=
sammen den Spannriegelverband, welcher sich in
jeder Etage des Thurmes wiederholt; s. d. Art.
Windmühle.

Spannring, frz. taſlement, 1) bei einer holländiſchen Windmühle, meiſt inwendig achteckige, auswendig rund bearbeitete ringförmige Dachſchwelle aus zwei oder mehr Eichenbohlen, an die beiden Jugbalken, Tragriegel oder Spannriegel (ſ. d. 4) geſchmiegt und an denſelben mit ſtarken eiſernen Nägeln oder Schrauben befeſtigt. Sie werden noch durch 14 Stichbalken unterſtützt, auf den Oberring verkämmt und bilden dann die Schwelle für die Bohlenſparren der Haube; — 2) ſ. v. w. Sperrring, theils offene, theils geſchloſſene Ringe zum Zuſammenzwängen der Schmiedezangenſchenkel.

Spannriß, Zeichnung eines Schiffes ohne Beplankung.

Spannrolle, ſ. d. Art. Riemenſcheibe.

Spannſchicht, ſ. d. Art. Bogen, S. 399, Bd. I.

Spannſeil (Mühlenb.), ſ. v. w. Zugſeil.

Spanntau, 1) Tau, welches bei einer Schiffbrücke die Pontons im vorgeſchriebenen Abſtande erhält; — 2) Doppelfaden oben im Sägegatter, der das Sägeblatt anſpannt.

Spannung, Spannweite, frz. portée, engl. span, auch Tragweite, Tracttiefe von einem Bogen, Brückenjoch, Gewölbe ꝛc., 1) die lichte Weite, ſ. d. Art. Bogen, S. 400; 2) Tragweite, daher aus ſ. v. w. lichte Tiefe eines Raumes, eines Gebäudes; — 3) bei Seilen und Ketten ſ. v. w. Anſpannung, d. b. Maaß der Kraft, mit welcher die abſolute Feſtigkeit derſelben in Anſpruch genommen iſt; — 4) bei den Zähnen der Räder, auch Klemmung genannt, die Reibung derſelben, wenn ſie durch fehlerhafte Conſtruction zu groß iſt.

Spannungsmeſſer, ſ. d. Art. Dampfindicator.

Spannungsrolle, ſ. d. Art. Riemenſcheibe.

Spannweite, ſ. v. w. Spannung 1 und 2.

Spannwinde, Winde, deren Rückgang ein Sperrrad verhindert, um Seilen ꝛc. die nöthige Spannung zu geben.

Span-piece, engl., Ankerbalken.

Span-roof, engl., ſichtbarer Dachſtuhl, ſ. auch d. Art. Compass-roof, Dach A und Decke.

Spant oder Spann, frz. couple, engl. frame, ital. quaderno (Schiffsb.), aus ſtarkem Krummholz zuſammengeſetzte Rippe des Schiffes; beſteht aus Lieger oder Bauchſtück, auch Pikſtück genannt, Auflanger und verkehrtem Auflanger. Man unterſcheidet: 1) Richtſpant, Scheerſpant, frz. couple de levée, engl. chief-frame, werden in gleicher Entfernung von einander aufgerichtet, im Seitenund Spantriß gezeichnet und bedingen die Geſtalt des Schiffes; — 2) Füllungsſpant, Füllſpant, frz. couple de rempliſſage, engl. filling-timber, ſtehen zwiſchen jenen; — 3) Hauptſpant, Mittelſpant, Lehrſpant, das mittelſte und weiteſte von allen Spanten, frz. maître-couple, engl. midship-frame; — 4) Vorderſpanten, alle vor 3 ſtehenden Spanten; — 5) Achterſpanten, alle hinter 3 ſtehenden Spanten; — 6) Balancierſpanten; es giebt deren 2, die einander ganz gleich ſind, und wovon eines im Vorderſchiff, das andere im Achterſchiff ſteht, das vordere heißt auch Luvſpant; — 7) Hukſpanten ſind diejenigen Spanten, deren lothrechte Ebene nicht winklig auf dem Keil ſteht, ſondern einen ſchiefen Winkel, Huk, mit demſelben macht; —

8) Obrſpant, frz. couple de coltis, das vorderſte Spant bei Beginn der Bank; — 9) Spiegelſpant, das hinterſte Spant, von den Randſomhölzern gebildet.

Sparcaſſengebäude, ſ. d. Art. Leihhaus.

ſparen, ſ. d. Art. Ausſparen.

Spargelſtein, ſ. d. Art. Apatit.

Sparheerd, zum Erſparen von Feuermaterial eingerichtete Heerdanlage. Sie iſt für große Küchen zu empfehlen. Die Töpfe hängen über dem Feuer in Löchern der Heerdplatten, in welche runde Ringe und Platten genau paſſen; ſ. übr. d. Art. Heerd.

Sparkalk, Bindekalk, auch Lederkalk (ſ. d.) und Sperrkalk genannt, aus ſchlechterem Gips oder aus Mergelerde gebrannter Kalk; ſehr weiß, aber wenig bindend.

Sparofen, ſ. d. Art. Heizung, Heerd, Ofen ꝛc.

Sparrbaum, an einem Göpel die ſenkrechte Welle, um welche die Pferde laufen; auch wohl die ſenkrechte Hängedocke, die an dem Göpel befindlich iſt.

Sparren, Raſſe, Raſter, lat. asser, frz. chevron, charon, engl. yard, rafter, spar, sperrbatter, alt-engl. leversyle, ital. cautiero, corrente, cavalletto, I. die zur Bildung einer Dachfläche ſchräg aufgeſtellten Hölzer; ſ. d. Art. Dach.

A. Befeſtigung derſelben; 1) unten: a) ſie ſtehen mit Zapfen in Zapfenlöchern der Balken; b) ſie haben Zapfenlöcher und liegen damit in einem Zapfen des abgeſchrägten Balkenende, unzuverläſſig; c) ſie ſind auf das Rahmſtück der Wand oder auf eine quer über die Balken liegende Schwelle ꝛc. aufgeklaut; d) ſie ſind auf das rechtwinklig verſchnittene Balkenende aufgeklaut; e) ſie ſind mit einem geächſelten Zapfen in einen Rahmen ꝛc. eingezapft; — 2) oben: a) ſie erhalten an den obern Enden (bei einem gewöhnlichen Sattelbach) Schlitzzapfen oder Scheeren, durch welche ſie zu zwei und zwei verbunden und dann gezapft werden; b) ſie werden je zwei und zwei an einander verblattet; c) ſie werden auf einen Wolf aufgeklaut und in der Firſtlinie verſchnitten, dann brauchen die Leerſparren einander nicht direct gegenüber zu liegen; d) ſie ſind auf das Rahmſtück der von Holz abgebundenen Wand (bei einem Pultdache) aufgeklaut; e) in den auf dem Stuhl liegenden Kehlbalken zapft man bei dem Manſardenbache die untern Sparren; die Zapfenlöcher müſſen wegen des Schubes, den die Sparren gegen den Balken verurſachen, ſo weit zurückgeſetzt werden, daß das Ausſpringen des Holzes vor dem Zapfenloch im Balken nicht möglich iſt; übr. ſ. u. Dach B. Binder 3.

B. Eintheilung nach ihrer Geſtalt; zunächſt unterſcheidet man gerade und krumme oder geſchweifte; über letztere ſ. d. Art. Bohlendach, ferner auch Kniesparren; ſ. d. Art. Kneerafter.

C. Sparrenſtärke; dieſelbe richtet ſich nach der freien Tragweite zwiſchen den Rahmen, Pfetten und ſonſtigen langliegenden Unterſtützungshölzern, nach der Entfernung zwiſchen den Sparren (Sparrenweite, ſ. d.) und dem dadurch, ſowie durch das Material der Dachbedeckung bedingten Gewichtstheil, den jeder Sparren zu tragen bekommt; in der Regel rechnet man bei 5—6 Zoll Breite des Sparrens die Stärke für ſchweres Deckmaterial bei ſteilen Dachflächen auf jeden Fuß Freitragung

=⁵/₈ Zoll, bei flachem Dach =³/₄ Zoll, für leichtes Deckmaterial bei steilem Dach ¹/₂ Zoll, bei flachem Dach ⁵/₈ Zoll.

D. Eintheilung nach Lage resp. Verwendung.

α) Bindesparren (s. d.), je zwei bilden ein Gesparre, engl. couple-close, und mit dem zugehörigen Ausbindeholz einen Binder (s. d.), und halten somit eigentlich das Dach.

β) Leersparren sind auf die von dem Binder getragenen Langhölzer, direct oder durch Vermittelung der Balken ꝛc., aufgelegt.

γ) Gratsparren, s. d.

δ) Kehlsparren liegen in einer Einkehle oder Dachkehle, sind in der Regel gleich dem Gratsparren, Bindesparren und nehmen die Kehlschifter auf.

ε) Schifter, s. d. betreffenden Art.

II. Das zu Sparren geeignete oder bestimmte Bauholz; s. d. Art. Bauholz, S. 280, Bd. I.

III. Der heraldische Sparren (s. d. Art. Heroldsfiguren 4) besteht aus einem rechten und linken Schrägbalken, welche, von den beiden Unterwinkeln auslaufend, in der Mitte zusammenstoßen und hier eine Spitze bilden.

Sparrenbaum, 1) schwacher Baum, nur zu Sparren verwendbar; — 2) Spießbaum des Göpels.

Sparrenfeld, Raum zwischen je 2 Sparren.

Sparrenkopf, lat. canterius, ital. cantiero, mensola, 1) die untern sichtbaren Enden der Sparren bei einem Dache; sie werden vielfach zur Verzierung mit benutzt und sodann ausgeschweift und gemalt; — 2) beim antiken Säulen-Gebälk ein unter der hängenden Platte befindlicher kleiner Kragstein; s. d. Art. Dielenkopf, Mutulus, Kragholz, Modillon und Dorisch.

Sparrenkreuz, frz. chevron appointé, s. d. Art. Kreuz C, 21.

Sparrennagel, frz. dent de loup, Nagel von 7—9 Zoll Länge; man wendet solche Nägel da an, wo die Sparren aufgeklaut sind, oder wo man fürchtet, daß der Sparrenschub ein Ausspalten des Holzes vor dem Zapfenloch verursachen könnte.

Sparrenschnitt, frz. chevronné, engl. couple-close, s. d. Art. Heraldik VI.

Sparrenschub. Im Allgemeinen ist derselbe R = P · sin. φ, wenn φ der Neigungswinkel gegen die Horizontale, P die über die Sparren gleichmäßig vertheilte Last ist, für Pultdächer

$$R = \frac{P}{2 \cdot \sin. \varphi},$$

ebenso für jede Seite eines Satteldaches. Weiteres s. in d. Art. Kraft, Componente, Resultante ꝛc. [Dach ꝛc.

Sparrenschuh, s. d. Art. Schuh, Armirung.

Sparrenschwelle, frz. semelle, engl. pole-plate, Fußrähm, untere Schwelle eines Dachstuhles, auf welcher die Sparren ruhen.

Sparrenstempel und **Sparrenzimmerung,** s. d. Art. Grubenbau, S. 214.

Sparrenweite, von Mitte zu Mitte gerechnete Entfernung der Sparren von einander. Man macht sie bei

Ziegeldach	3¹/₂—4	Fuß,
Kron- oder Doppeldach	3—3¹/₂	„
Lehm- und Asphaltdach	3¹/₂—4	„
Pappdach	4—5	„
Schieferdach	3—3¹/₂	„
Metalldach	4—4¹/₂	„
Schindeldach	4—5¹/₂	„
Rohr- und Strohdach	5—7	„

Sparrenwechsel, frz. guigneau, s. d. Art. Wechsel.

Sparreis, s. d. Art. Bauholz F. I. d.

Sparrwerk, lat. contignatio, Speer, Dachgesparr, Gesammtheit aller Sparrhölzer und Ausbindehölzer, überhaupt sämmtliche Holzconstruction eines Daches.

Sparry gipsum, engl., s. d. Art. Blättergips.

Spartum, s. d. Art. Esparto.

Sparver, engl., s. d. Art. Betthimmel und Baldachin 2.

Spasimo, ital., Kreuztragung.

Spatel, Spachtel, frz. bezeau, kleiner Spaten, breites Messer von Holz, Horn, Elfenbein, Eisen ꝛc., möglichst dünn und elastisch, je nach dem speciellen Gebrauch verschieden groß. Solche Spatel dienen z. B. zum Abstreichen und Reinigen der Maurerkelle, zum Fugenverstreichen, wo man mit einer größeren Kelle nicht hinein kann, zum Abreiben von zarten Farben, zum Abnehmen derselben von der Reibschale ꝛc.

Spaten, lat. rutrum, s. a. d. Art. Grabschaufel; die eiserne Klinge ist meist 9 Z. lang, 7 Z. breit, mit einer Tülle versehen, worin ein Stiel von trockenem Holz steckt; wird besonders zum Umgraben oder Ausstechen lockeren Bodens gebraucht. Attribut des St. Fiacrius, Emblem der Arbeitsamkeit.

Spaterecht, s. d. Art. Deichrecht.

Spath, frz. spath, engl. spar (Mineral), Ausdruck, das Blätter-Gefüge bezeichnend, für solche Mineralien, die, wenn sie gespalten oder zerschlagen werden, eine glänzende, mehr oder weniger spiegelnde Oberfläche zeigen. Da es sehr verschiedenartige „spathige" Substanzen giebt, ist stets noch eine genauere Bestimmung beigefügt: Kalkspath, Feldspath, Flußspath ꝛc.; s. d. betr. Art.

Spathasche, die aus weißem Kalkspath gebrannte Asche.

Spatheisenstein, Eisenspath, Sphärosiderit, toblensaures Eisenoxydul, löst sich leicht in Schwefelsäure; beim Abdampfen entstehen schöne Eisenvitriolkrystalle. Ist der Spatheisenstein unrein, so wird er vorher kalt mit Salzsäure von 4° gewaschen; s. d. Art. Eisenerz und Hohofen II.

Spath fouilleté, frz., Blätterspath, s. d.

spathiger Gips, s. w. w. Blättergips.

spathiges Eisenblau, s. d. Art. Eisenblau.

spauled rubble, engl., verzwicktes Bruchsteinmauerwerk, d. h. solches, bei welchem die Fugen zwischen den großen Steinen mit kleinen verzwickt sind.

Speak-house, engl., Sprechzimmer.

Specialstollen, s. d. Art. Grubenbau, S. 212.

specifisch (von species, die Art), im Allgemeinen das einem Körper Eigenthümliche, daher insbesondere: 1. specifisches Gewicht, das Verhältniß der Dichtigkeit eines Körpers zu der als Einheit genommenen Dichtigkeit eines anderen. Nun ist aber die Dichtigkeit das Verhältniß der Masse zum Volumen oder einfach die in der Volumeneinheit befindliche Masse und die Masse ist wieder dem Gewichte proportional; daher ist auch das specifische Gewicht das Verhältniß zwischen dem Gewichte eines Körpers und dem das Maaß gebenden, z. B. des Wassers, bei gleichem Volumen. Das Wasser, welches bei allen Bestimmun-

41 *

gen specifischer Gewichte fester und flüssiger Körper zur Grundlage gewählt und dessen specifisches Gewicht gleich 1 gesetzt wird, muß destillirt sein und wird gewöhnlich im Zustande seiner größten Dichte, also bei etwa 4° R., genommen. Ist γ das Gewicht der Volumeneinheit des Wassers, γ_1 eines anderen Körpers, so ist das specifische Gewicht ε desselben $\varepsilon = \dfrac{\gamma_1}{\gamma}$, also $\gamma_1 = \varepsilon\gamma$. Daher ist das Gewicht des Körpers beim Volumen V

$$G = V\,\varepsilon\gamma, \text{ also } \varepsilon = \frac{G}{V\cdot\gamma}.$$

Im Art. Gewicht, S. 148, Bd. II, sind für eine Reihe in der Praxis vorkommender Körper die specifischen Gewichte angegeben. Bei der Bestimmung derselben wird besonders das archimedische Princip benutzt, nach welchem jeder Körper beim Untertauchen in eine Flüssigkeit so viel an Gewicht verliert, als das von ihm verdrängte Volumen Flüssigkeit wiegt. Das specifische Gewicht fester Körper wird gewöhnlich mit Hülfe der hydrostatischen Waage bestimmt. Dieselbe ist eine ganz gewöhnliche Waage, nur ist bei ihr die eine Waagschale unten mit einem Häkchen versehen, so daß man Körper mittelst eines Seidenfadens anhängen und in ein Wassergefäß tauchen lassen kann. Man bestimmt nun sowohl das absolute Gewicht eines Körpers, als auch dasjenige, welches er besitzt, wenn er sich im Wasser befindet; ist das erstere G, das letztere G₁, so ist der Gewichtsverlust, d.i. das Gewicht der verdrängten Wassermenge, $V\gamma = G - G_1$, daher $\varepsilon = \dfrac{G}{G-G_1}$. Ist ein Körper leichter als Wasser, taucht er also nicht ganz unter, so wird an ihm ein schwerer Körper befestigt, dessen specifisches und absolutes Gewicht man bereits kennt. Eigentlich müssen die Bestimmungen des specifischen Gewichtes auf den luftleeren Raum reducirt werden, weil beim Abwiegen in der Luft ebenfalls ein Gewichtsverlust stattfindet, welcher gleich dem Gewicht der verdrängten Luft ist; doch ist dieser so gering, daß er übersehen werden kann. Zur Bestimmung der specifischen Gewichte der Flüssigkeiten dienen die sogenannten Senkwaagen oder Aräometer (s. d.), die man in sehr verschiedenen Formen hat. Die specifischen Gewichte der Gase werden gewöhnlich im Verhältniß zu dem der Luft angegeben und dabei das specifische Gewicht der Luft gleich 1 gesetzt. Man bestimmt dasselbe dadurch, daß man einen Ballon luftleer macht, genau wiegt, dann hintereinander mit Luft und mit Wasser füllt und jedes Mal wiegt. Wird das Gewicht des Ballons von den bei der zweiten und dritten Wägung erhaltenen Resultaten abgezogen, so erhält man die Gewichte gleicher Volumen Wasser und Luft und so das specifische Gewicht der Luft in Bezug auf Wasser. Ebenso verfährt man bei anderen Gasen.

2. Specifische Wärme, das Verhältniß der Wärmecapacität (s. d.) eines Körpers zu derjenigen des Wassers. Dabei ist die Wärmecapacität die Fähigkeit des Körpers, Wärme aufzunehmen, und wird gemessen durch die Anzahl der Wärmeeinheiten oder Calorien (s. d.), welche nöthig sind, um die Temperatur um einen Grad zu erhöhen. Daher ist auch die specifische Wärme die Anzahl der Wärmeeinheiten, welche nöthig sind, um die Gewichtseinheit des Körpers auf eine um einen Grad höhere Temperatur zu bringen. Manchmal nimmt man auch statt der Gewichtseinheit die Volumen-

einheit und unterscheidet so specifische Wärme bei gleichem Volumen und bei gleichem Gewicht.

Species (Arithmetik), die vier Grundoperationen der Arithmetik, nämlich Addition, Subtraction, Multiplication und Division, wozu man mitunter auch wohl die Potenzirung und die Wurzelausziehung rechnet.

Speck. Ueber den Gebrauch desselben s. d. Art. Abschleifen, Schleifen, Poliren, Sägeschärfen ꝛc.

Speckbaum (Spekboom der Kapbauern, Pterocelastrus typicus Meisn., Fam. Celastrineen), ein Baum am Kapland, dessen helles, weiches Holz zu Kohlen gebraucht wird. Das Holz des nahe verwandten Pt. rostratus Meisn., „Witpeer" genannt, ähnelt demjenigen unseres Apfelbaumes und wird von den Colonisten zu allem Wagenwerk, besonders zu Radfelgen, verarbeitet.

Speckdach, gespicktes Dach, Stroh- oder Rohrdach, wo das Rohr oder Stroh mit Lehm vermengt wird; s. u. Dachdeckung B. 3 und Lehmschindel.

Speckdamm, Specke, Spittdamm, Dickeldamm, zur Abfahrt der Deicherde und zum Begehen stehengebliebener Streifen von Erdreich.

Speckfirsten, Firsteindeckung des Speckdaches; um ihn zu bilden, trägt man 3 Fuß breit neuen Lehm von der Firstlinie abwärts auf das fertige Dach auf, dann wird kurz gehauenes Stroh oder Rohr eingesteckt und dem Dachbret eingeschlagen, so daß auf wenigstens 4 Zoll die Rohrstengel an beiden Dachflächen zusammentreffen. Der obere Raum wird mit weichem Lehm ausgefüllt, und unmittelbar darauf die Hohlsteine in denselben gedrückt, so daß je die Rohrstengel bedecken. Kalk benutzt man nur, um des einen Hohlsteines Rasenende auf das Schwanzende des anderen zu legen und beide mit einander zu verstreichen.

Speckhout, Kerserhout (Kigellaria africana, Fam. Erythrospermeae), ein Baum des Kaplandes, dessen Holz wegen seiner weichen Beschaffenheit gern zu Dachsparren verwendet wird.

Speckkäfer (Dermestes lardarius L.), ist 12 Linien lang, gezeichnet durch eine hellbraune, breite, quer über die Wurzel der Flügeldecken laufende Binde, auf welcher je drei schwarze Punkte stehen. Dieser Käfer erscheint vorzugsweise im Frühjahr in den Häusern, verzehrt Fleisch, Speck und andere thierische Stoffe, richtet aber im Larvenzustand an denselben Dingen noch größere Verwüstungen an. Seinetwegen müssen ausgestopfte Thiere ꝛc. mit Arsenik vergiftet werden.

Specklilie, s. d. Art. Geisblatt.

Speckseite, s. d. Art. Speckdach zu bereiten den Tafeln, die den Lehmschindeln ähnlich, nur größer sind.

Speckstein, Laret, spanische Kreide, wird zu kleinen Bildhauerwerken ꝛc. verarbeitet, worauf die erhaltenen Gegenstände gefärbt und gebrannt werden und dadurch ein onyxartiges Ansehen erhalten, auch so hart werden, daß sie am Stahl Funken geben; auch dient er zum Poliren von Gips, Serpentin und Marmor, zum Vorzeichnen auf Tuch, Glas ꝛc., zum Fleckausmachen ꝛc. Er kommt nesterweise und in größeren und kleineren Stücken, in mehr oder weniger zersetztem, theils selbst zu Speckstein umgewandeltem Glimmerschiefer, in Form von Pseudomorphosen nach Quarz-, Kalkspath-, Feldspath-, Augit- u. v. a. Krystallen derb, nierenförmig, traubig mit splitterigem Bruch ins Unebene von grobem und kleinem Korn vor. An den Kanten durchscheinend, fettig anfühlbar, ritzbar durch Gipsspath, wiegt — 2,6 — 2,797; Farbe Weiß ins Gelbe, Grüne und Graue; wird nicht angegriffen von Säuren. Das Mineral gehört in die Gruppen der wasserhaltigen Bittererdesilicate. Auch der Agalmatolith (s. d.) erhält den Namen Speckstein, ebenso auch Pechstein und Topfstein, s. d.

Spectaculum, lat., Schauplatz; s. d. Art. Agone, Circus, Hippodrom, Theater ꝛc.

Spectrum, s. d. Art. Licht IV.

Specula, lat., Luginsland, Beobachtungsthurm an der Küste ꝛc.

speculatory, engl., s. d. Art. Lowsidewindow.

Specus, lat., griech. σπέος, Höhle, auch das Innere eines Aquäductes.

Speer, 1) s. d. Art. Sparrwerk; — 2) Speer als Attribut; s. d. Art. Ceres, Diana und Lanze.

Speiche, frz. rayon, ꝛc. s. d. Art. Arme 2, Rad, Haspel, Schwungrad, Helfarm, Radarm ꝛc.

Speicher, Spieker, 1) lat. granarium, farraria, horreum, frz. grenier, grange, engl. barn, granary, ital. granario, span. camaranchon, s. v. w. Magazin, namentlich wenn es schon in seinen Stockwerken Schüttboden ꝛc. hat; Mauerstärken, Tragweiten der Binder ꝛc. müssen sich nach der zu erwartenden Belastung richten. Die Geschoßhöhe ist selten über 13 Fuß. Aufzugsvorrichtungen, Speicheraufzüge, frz. écharpes, sind so bequem wie möglich einzurichten, am besten unter jedem Ausleger mit Winde in jedem Geschoß eine Thür, aus der ein Schienenweg ein Stück vorragt, worauf kleine Wagen stehen, die herausgeschoben werden, die bis dahin aufgezogene Last aufnehmen und auf den Schienen in die Gänge des Innern befördern; auf den Durchkreuzungen der Gänge sind dann Drehscheiben; Umfassung und Dach seien möglichst feuerfest, das Gebäude freistehend; s. übr. d. Art. Getreideboden u. Magazin. — 2) In Westphalen s. v. w. Wohnhaus des Bauernhofes, bei Bremen s. v. w. Herrenhaus.

Speidel, 1) s. v. w. Meißel; 2) s. v. w. Keil.

Speierbaum, 1) s. d. Art. Elsbeerbaum; — 2) s. d. Art. Eberesche.

Speigat, Speggatt, Speiloch, frz. dalot, engl. scupperhole (Schiffsb.), runde, selten viereckige Löcher an der Seite des Verdecks zum Ablaufen des Wassers.

Speil, 1) hie und da für Sparren; — 2) s. v. w. Splint.

Speiröhren, s. d. Art. Wasserspeier.

Speise, frz. speise. So nennt der Hüttenmann die beim Ausschmelzen von arsen- oder antimonhaltenden Kobalt- und Bleierzen entfallenden Producte; es sind Verbindungen, welche Arsen und Antimon enthalten, so z. B. die Kobaltspeise der Blaufarbenwerke ꝛc.; überhaupt jedes zugerichtete Gemenge, namentlich von Metallen, so z. B. Glockenspeise, Bleispeise, frz. speise de plomb; Mauerspeise ist s. v. w. Mörtel.

Speisegefäß, lat. ciborium, frz. ciboire, réserve, s. d. Art. Ciborium und Peristerion.

Speisehahn, Hahn bei Druckwerken, Wassergefäßen, Dampfkessel ꝛc., der sich beliebig öffnen und schließen läßt und die Anfüllung der Röhren und Gefäße mit Wasser vollbringt.

Speiseiche, s. d. Art. Eiche h.

Speisekammer, Speisegaden, Speisegewölbe, frz. garde-manger, engl. pantry (vergl. d. Art. Gewölbe III.), Gemach zur Aufbewahrung von Speisen; liegt womöglich in der Nähe der Küche, darf nicht zu kalt und im Sommer nicht zu warm und muß vor den Sonnenstrahlen geschützt sein. Es wäre am zweckmäßigsten, die Speisekammer im Kellergeschoß anzulegen, wo aber nicht immer die nöthige, sehr lebhafte Ventilation erreicht werden kann. Man bringe sie daher lieber auf der Nord- oder Ostseite des jedesmaligen Geschosses, zu dem sie gehört, an, versehe sie aber mit entweder sehr hoch oder sehr niedrig stehenden, an sich niedrigen Fenstern; diese sind, um Ungeziefer abzuhalten, mit Gaze oder gezogenem Drahtgewebe zu versehen; s. d. Art. Fliegenfenster.

Speisekeller, s. d. Art. Keller.

speisen, 1) eine Röhre oder Gefäß durch Hähne, Röhren ꝛc. mit Wasser versehen; — 2) in einer Mahlmühle den Stein speisen, heißt: auf den frischgeschärften Stein zuerst nicht Kleie, sondern Korn aufschütten, um etwa lose gebliebene Steintörnchen fortzubringen; — 3) die Mahlmühle speisen, den leeren Rumpf wieder mit Getreide versehen; — 4) bei Wassermühlen, die Räder hinreichend mit Aufschlagewasser versehen.

Speiseröhre (Wasser- u. Maschinenb.), dient zum Leiten des Wassers in eine andere Röhre. So heißt jedoch nicht die Röhre bei Dampfmaschinen, welche aus dem Reservoir der Kaltwasserpumpe den Condensator speist; auch nicht die, welche aus dem Reservoir der Speisepumpe, d. h. der Heißwasserpumpe, speist, sondern nur die unmittelbar das Wasser dem Kessel zuführende Röhre; s. d. Art. Dampfmaschine.

Speisesaal, lat. coenaculum, frz. cenacle, salle à manger, engl. diningroom. Derselbe liege nicht zu weit von der Küche, doch so, daß kein Geruch aus derselben eindringen kann; am besten ist es, die Porzellankammer und das Buffet (s. d.), die man übrigens in einen Raum vereinigen kann, zwischen beide zu legen. Die Tafelbreite rechne man zu 3½—4½ Fuß, für jeden Speisenden 2 Fuß Tafellänge, für jeden Stuhl von der Tafelkante aus 2 Fuß Tiefe, Bedienungsgänge an der Wand mindestens 3 Fuß, zwischen den Tafeln mindestens 4 Fuß, also durchschnittlich für jeden Speisenden 11—14 ☐Fuß; dies sind die Minimalmaaße. Vgl. auch d. Art. Saal, Kloster, Triclinium.

Speisesopha, s. d. Art. Lectus u. Triclinium.

Speisestube, Speisezimmer, richte man für eine große Familie zu circa 10 Personen ein.

Speiseträger, hie und da für Handlanger.

Speisgelb, Speißgelb, Blaßgelb, ins Braunröthliche spielend.

Speiskobalt, Arsenikkobalt, Festungskobalt, Arsenikkies, Graupenkobalt, zinnweiß ins Stahlgraue, außen grau oder gelb angelaufen, metallisch glänzend oder auch nur scheinend (grauer Speiskobalt). Dieses meist verbreitete unter den Kobalterzen kommt auf Gängen vor mit Arsenik und Nickelerzen, selten auf Lagern in Granit,

Gneiß, Glimmer- und Kupferschiefer in Begleitung von Barytspath und Quarz; s. übrigens d. Art. Kobalt.

Spelz, s. d. Art. Dinkelweizen.

Spengler, südd., für Klempner.

Spenglerblech, s. d. Art. Blech.

Spenstempel, s. d. Art. Bauholz, S. 280, Bd. I.

Speos, ein in den Felsen gehauener Tempel; s. d. Art. Aegyptisch.

Spera, lat., frz. épier, engl. spire, s. d. Art. Helm.

Sperber, s. d. Art. Aegyptisch, Kneph, Minerva.

Sperberbaum, s. v. w. Eberesche, auch für Berberizen.

Spere, engl., altengl. spure, durchbrochene Schranke am unteren Ende eines Saales.

Spermacetikerzen, s. d. Art. Leuchtstoffe.

Sperranker oder Spreizanker, s. d. Art. Anker 2.

Sperrbaum, s. v. w. Schlagbaum.

Sperrbuhne (Wasserb.), dient zum Abdämmen eines Flusses, indem sie durch die ganze Breite desselben hindurchgelegt wird. Die Errichtung ist ganz dieselbe, wie die der gewöhnlichen Buhnen (s. d.), man muß aber zugleich von beiden Ufern aus und in der Mitte etwas schnell arbeiten, weil das durchströmende Wasser immer mehr Grund austieft und den Schluß der Buhne erschwert. Angelegt wird sie: 1) wenn ein Fluß in mehrere Arme getheilt war, dadurch eine zu geringe Wassertiefe für die Schifffahrt hatte und nun mehrere oder ein Arm abgeschnitten wird; — 2) wenn bei einem durchgerissenen Deich das in das Binnenland stürzende Wasser abgeschnitten werden soll. Wenn die Sperrbuhne von dem Hochwasser überströmt wird, so erleidet doch hinter der Buhne der abgesperrte Raum Auskolkungen und die Verlandung geschieht sehr langsam; ziemlich gleichgiltig ist dabei, wo die Buhne angelegt wird. Liegt jedoch die Krone der Sperrbuhne über dem höchsten Oberwasserspiegel, so ist es am vortheilhaftesten für die Verlandung des Armes, die Buhne direct an die Ausmündung des zu sperrenden Armes zu legen.

Sperrhahn (Maschinenb.), bei zu großer Geschwindigkeit einer Dampfmaschine zum Absperren des Dampfes dienender Hahn in dem Dampfzuleitungsrohr, der mit dem Regulator in Verbindung steht und von diesem gedreht wird.

Sperrhaken, 1) auch Sperrfeder, Sperreisen, Sperrkegel, Sperrklinke, Palle genannt, ein über dem Sperrad drehbar angebrachter Haken. Er liegt, um einen Bolzen drehbar, mit der concaven, zugespitzten Seite auf den Zähnen des Rades. Dreht sich nun das Sperrrad nach der richtigen Seite, so giebt der Haken nach und fällt in den zugeführten Zahn wieder ein; bei versuchter Rückbewegung des Rades aber stemmt sich dieser gegen den Haken und er sperrt das Rad; — 2) Haken einer Hemmkette; — 3) auch Sperrklinke oder Klinkhaken genannt, s. v. w. Fensterwirbel; — 4) s. v. w. Dietrich; s. d. Art. Sperrzeug 2.

Sperrholz (Maschinenw.), ein Holz, statt des Sperrhakens zwischen die Zähne eines Rades gestellt, oder unter eine Stampfe, Walze rc. als Keil geschoben, zur Hemmung.

Sperrkegel, frz. estoquiau, s. v. w. Sperrhaken 1.

Sperrrad, dient zum Anhalten einer Maschine, sowie zur Verhinderung der Drehung nach der ungünstigen Seite. Dieses Rad hat ringsherum einseitige Zähne, Sperrzähne, deren flacher Schenkel nach der Seite hin gerichtet ist, wohin sich das Rad drehen soll; s. d. Art. Haspel.

Sperrzeug (Räderw.), 1) zu einer Sperrung, s. d. zur Verhinderung der Weiterbewegung überhaupt oder der Umdrehung nach der ungünstigen Seite erfordernde sämmtliche Theile; — 2) die Haken und Dietriche zur Oeffnung (Aufsperrung) von Schlössern, wo der Schlüssel zerbrochen oder verloren ist.

Sperrvor, engl., Gestell eines Trag- oder Betthimmels; s. d. Art. Baldachin.

Spes, St., s. d. Art. Sophia.

Sphäre, s. v. w. Kugel, s. d.

Sphärik (Geometr.), der Inbegriff von Lehrsätzen über die Kugel; insbesondere die Untersuchung der auf der Kugelfläche liegenden krummen Linien.

sphärisch, etwas auf einer Kugel Liegendes, daher: 1) sphärisches Dreieck, s. d. Art. Dreieck 2; — 2) sphärische Curve, eine krumme Linie auf der Kugel; — 3) sphärisches Pendel, ein solches, dessen Punkte sich auf Kugelflächen, deren Mittelpunkt der Drehpunkt ist, bewegen, während das gewöhnliche Pendel in derselben Ebene bleibt und in Kreisen schwingt.

Sphäristerion, griech., Ballhaus, s. d. und Palästra.

Sphäroid, Afterkugel, richtiger, aber wenig gebrauchter Name für Ellipsoid, insbesondere für das Rotationsellipsoid mit eingedrückten Polen; daher sphäroidische Trigonometrie, die Untersuchung der auf dem Ellipsoid liegenden Dreiecke. Dieselbe ist für die Geodäsie von besonderer Wichtigkeit, weil die Erde ein Umdrehungsellipsoid ist, welches durch Rotation einer Ellipse um ihre kleine Achse entsteht, und weil in Folge dessen die Geodäsie ihre Messungen sämmtlich auf einem Sphäroide auszuführen hat.

Sphärometrie, Kugelmeßkunde.

Sphärosiderit, so nennt man den in kugeligen Gestalten vorkommenden Eisenspath oder auch Gemenge desselben mit Thon, oder in sphärischen Gestalten vorkommende Brauneisenerze und braune Thoneisensteine.

Sphärulit, Modification des Perlsteins, s. d.

Sphenoëder, s. d. Art. Krystallographie 4.

Sphinx, Sphinge, lat. sphinga (Mythol.), nach der griechischen Sage ein den Thebanern von der Hera zur Strafe zugeschicktes Ungeheuer, von Typhon und der Echidna gezeugt, mit Kopf, Brust und Händen eines Mädchens, einem Hundeleib mit Löwenklauen, einem Schlangenschwanz, Flügeln und Menschenstimme; verschlang Alle, die ein von ihr aufgegebenes Räthsel nicht zu lösen vermochten. Als Oedipus die Lösung „der Mensch" gefunden, stürzte sie sich von einem Felsen hinab. Daher im Allgemeinen jedes Menschthier. Die Sphinx wurde von den Aegyptern als ein Löwe mit Brust und Kopf einer Jungfrau abgebildet, jedoch ohne Flügel, mit einer Art von Schleier auf dem Haupt, auch wohl mit vielen Brüsten, und auf dem Haupte das Fruchtmaaß des Serapis. An allen ägyptischen Tempeleingängen befand sich das Bild. Es war den Aegyptern ein Symbol der Fruchtbarkeit des Landes und der Geheimnisse der Natur. Von den Griechen, denen sie als Symbol eines schrecklichen Geheimnisses galt, wurde sie wie oben beschrieben dargestellt, von andern Völkern noch anders; s. d. Art. Assyrisch, Persisch, Chimäre rc. Vergleiche auch d. Art. April, Jabel, Minerva.

Sphragistik, Siegelkunde.

Spica testacea, Formziegel zu Herstellung des opus spicatum; s. d. Art. Fischgrätenverband.

Spiccatura, ital., Anwachsung, s. d.

Spicknadel (Deichb.), s. d. Art. Krampe 2.

Spickpfähle, Verpfählung, Pfählchen rc., ein Annäherungshinderniß in Gräben, Vorgräben, in den Zwischenräumen von Wolfsgruben, vor Tambour-Pallisadirungen rc., besonders gegen Cavallerie; besteht in 1—2 Zoll starken, 3—4 Fuß langen, zugespitzten Pfählchen, welche schachbretförmig und in ungleicher Höhe eingeschlagen werden.

Spiegel, lat. speculum, frz. miroir, engl. mirror, smooth-surface, reflector. 1. Jede glatte Fläche, welche die auffallenden Lichtstrahlen so zurückwirft, daß durch dieselben ein Bild vor derselben stehenden Gegenstände erzeugt wird; s. d. Art. Reflexion.

1. **Theoretisches.** Wenn die Spiegel vollkommen glatt wären, so müßten sie die Bilder geben, welche den gespiegelten Gegenständen an Helligkeit völlig gleich wären; dies ist aber nicht der Fall, und in Folge dessen sind die Spiegelbilder stets weniger hell. Nach der Gestaltung der Oberfläche unterscheidet man ebene und gekrümmte Spiegel. Die Gesetze der ebenen Spiegel folgen sehr einfach aus dem Reflexionsgesetz, daß der Einfallswinkel dem Reflexionswinkel gleich ist. Ist P (Fig. 1777) der leuchtende Punkt und gehen von ihm Strahlen aus, PA, PB rc., so werden diese sämmtlich reflectirt, und zwar so, daß sie von einem Punkt l''

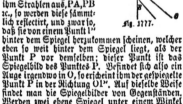

Fig. 1777.

hinter dem Spiegel herzukommen scheinen, welcher eben so weit hinter dem Spiegel liegt, als der Punkt P vor demselben; dieser Punkt ist das Spiegelbild des Punktes P. Befindet sich also ein Auge irgendwo in O, so erscheint ihm der gespiegelte Punkt P in der Richtung Ol''. Auf dieselbe Weise findet man die Spiegelbilder von Gegenständen. Werden zwei ebene Spiegel unter einem Winkel zusammengestellt, so bringt jeder zwischen beide gebrachte Gegenstand in jedem von beiden ein Spiegelbild hervor; dieses aber erzeugt wieder im andern Spiegel ein Bild u. s. f. Ist der Winkel beider Spiegel 60°, so sieht das zwischen beiden aufgestellte Auge jeden zwischen den Spiegeln befindlichen Gegenstand sechsmal, nämlich einmal im Original und fünfmal im Bild. Ueberhaupt beträgt bei Winkelspiegeln, deren Winkel der nte Theil von 360° ist, die Anzahl der Spiegelbilder n—1.

Gekrümmte Spiegel werfen das Licht nach denselben Gesetzen zurück, wie ebene. Man unterscheidet von ihnen Hohlspiegel und Convexspiegel. Ist die spiegelnde Oberfläche, wie gewöhnlich, ein Theil einer Kugel, so vereinigen sich die von einem Punkt aus auffallenden Strahlen nur dann nach der Reflexion nahezu in einem Punkt, wenn der Spiegel im Verhältniß zu der ganzen Kugel sehr klein ist. Der Mittelpunkt der Kugel heißt der Krümmungsmittelpunkt des Spiegels, der Mittelpunkt der spiegelnden Fläche der optische Mittelpunkt; die Verbindung beider Mittelpunkte ist die Hauptachse. Fallen auf einen solchen Spiegel parallel zur Achse Lichtstrahlen auf, so werden diese nahezu in einen Punkt zurückgeworfen, welcher der Brennpunkt heißt und in der Mitte zwischen dem Krümmungsmittelpunkt und dem optischen Mittelpunkt liegt. Geht der leuchtende Punkt in's Endliche, so rückt sein Bild dem Krümmungsmittelpunkt näher und fällt mit diesem zusammen, wenn der Leuchtpunkt selbst dahin gerückt ist. Bewegt sich der Leuchtpunkt noch weiter dem Brennpunkt zu, so rückt das Bild immer weiter hinaus und fällt in's Unendliche, wenn der Leuchtpunkt in den Brennpunkt gelangt ist. Rückt derselbe aber noch weiter, so fällt das Licht hinter den Spiegel, die Lichtstrahlen werden also wie bei ebenen Spiegeln so reflectirt, als ob sie von einem Punkte hinter dem Spiegel herkämen. Ein solches Bild wird ein scheinbares genannt. — Convexspiegel geben stets reelle Bilder. Vergl. auch d. Art. Hohlspiegel.

2. **Herstellung der Spiegel.** Tauglich zu Spiegeln sind alle Körper, welche undurchsichtig oder, dafern sie durchsichtig sind, doch einen dunklen Hintergrund haben; dabei müssen sie eine glatte Oberfläche besitzen oder anzunehmen vermögen; dahin gehören stehende Wasserflächen und insbesondere die Metalle. Je härter das Metall, desto besser ist der Spiegel; so würde angelaufener Stahl ein sehr gutes Material sein, wenn er nicht leicht oxydirte; s. d. Art. Spiegelmetall.

3. Metallspiegel sind jetzt außer zu wissenschaftlichen Zwecken nur noch wenig in Gebrauch; s. übr. Reflector und Reverbère.

4. Wegen der vorwiegenden Anwendung versteht man unter der Benennung Spiegel namentlich die auf der Rückseite mit Quecksilber oder Zinn-Folie belegten Glasplatten, frz. glace, engl. looking-glass; dieselben müssen sehr vor allen, die Folie etwa zersetzenden oder zur Oxydation bringenden Dämpfen, vor Wandfeuchtigkeit rc. bewahrt werden. Hinterlegung mit Holz ist in dieser Beziehung bei weitem nicht so gut wie mit Pappe, namentlich wenn solche geölt ist.

5. Neuerdings belegt man Spiegel nicht mit Quecksilberamalgam, sondern mit Silber, welches aus einer ammoniakalischen Lösung durch Aldehyd, Zucker, Weinsäure oder dergl. reducirt ist, oder mit einer Lösung von weinsaurem Silberoxydammoniak. Solche Spiegel sind billiger und ihre Fabrikation weniger gesundheitsgefährlich als bei Quecksilberspiegeln; sie geben den gespiegelten Gegenständen einen warmen Ton und reflectiren etwa 20% mehr Licht als die Quecksilberspiegel. Erhalten kann man sie bei Crämer und Comp. in Doos bei Nürnberg und bei Petitjean in Paris, Brüssel und Genf.

6. **Biegsame Spiegel,** frz. miroirs ductiles. Man trägt auf einem mit Eiweiß überzogenen Papier oder Gewebe mehrere Schichten eines durchsichtigen Firnisses auf, die zusammen nachher das Glas der gewöhnlichen Spiegel ersetzen; dann

überzieht man ein Blatt Stanniol auf der einen Seite mit einer oder mehreren Schichten eines Firnisses, der kein Wasser enthält; nachdem dieser Ueberzug genügend getrocknet ist, bedeckt man dieselbe Seite des Stanniolblattes mit einer Schicht irgend eines Leims, welcher dazu dient, das Stanniolblatt auf Papier, Gewebe, Holz oder eine andere Substanz zu befestigen. Man gießt nun auf die andere Seite des Stanniolblattes Quecksilber, welches mit dem Stanniol ein Amalgam bildet. Auf dieses legt man dann das zuerst erwähnte, mit Eiweiß überzogene Papier oder Gewebe, die gefirnißte Seite nach unten, und bewirkt durch Pressung, daß das amalgamirte Stanniolblatt und die auf dem Papier oder Gewebe angebrachte Firnißschicht sich fest mit einander verbinden. Dann wird das Papier oder Gewebe entfernt, zu welchem Zwecke man es an der Rückseite mit Wasser befeuchtet, worauf es, indem das Wasser das Eiweiß auflöst, sich leicht ablösen läßt. Man hat nun einen wirklichen Spiegel, der um so schöner ausfällt, je reiner und durchsichtiger der angewendete Firniß war. Dieser Spiegel kann sogleich für die Stelle, welche er nachher einnehmen soll, gemacht werden, indem man ihm bei der Anfertigung die etwa nöthige Krümmung giebt. Man kann aber auch die fertige Spiegelfläche biegen. Durch farbige Firnisse kann man hübsche Effecte erzielen. Als Attribut und Embleme erhalten Spiegel die Narrheit, Natur, Weisheit ꝛc.

II. Einem gefaßten Spiegel ähnliche Fläche. 7. Kleine runde Felder, mit denen die Gesimsglieder bisweilen verziert werden; s. d. Art. Glied F. 8. Spiegel des Gewölbes, s. d. Art. Gewölbe und Spiegelgewölbe. 9. An der Thür s. v. w. Füllungsfläche zwischen den Ausgründungen.

III. 10. Spiegel oder Spalt, die schmalen Markstrahlen, wie sie auf der Oberfläche eines nach der Richtung der Stammhalbmesser durchschnittenen Stammes erscheinen; s. d. Art. Holz I. 11. Eine von Natur wie geschliffen erscheinende Seite eines Fossils. 12. Schillernder Fleck, z. B. Auge eines Pfauenschweises.

IV. 13. Lat. puppis, frz. arcasse, poupe, engl. stern, sternframe, battock, die ganze Hinterseite eines Schiffes, eigentlich aber nur derjenige Theil, der von den Randsomhölzern und Hedbalken begrenzt wird, höchstens unter Hinzufügung der Hintergilling.

Spiegelblende, s. d. Art. Blätterblende.

Spiegeldecke, engl. coved ceiling, Plafond, von Kehlen umgeben, aber in der Mitte eben; s. d. Art. Decke, S. 632, Bd. I.

Spiegeleisen, Spiegelfloß, ist so hart, daß es selbst Stahl und Glas schneidet; s. d. Art. Eisen II. A. a. und Hohofen III.

Spiegelfasern, s. d. Art. Markstrahlen, Holz, Holzarten und Imitation.

Spiegelfeld, der durch Gliederung von der übrigen Wandfläche abgeschlossene Raum einer Façade oder inneren Wandpußes, auch s. v. w. Spiegel 6, 8, 9.

Spiegelfelge (Mühlenb.), Felge (Speiche) eines Drillings, s. d. Größerer Festigkeit wegen werden die Felgen nur auswendig rund gearbeitet.

Spiegelfenster, Spiegelscheibe, Fenster aus starkem, geschliffenem Glas, durch die man von der Straßenseite aus nicht in das Zimmer sehen

kann, wohl aber eine Spiegelung erblickt; s. d. Art. Fenster.

Spiegelgewölbe, römisches Gewölbe, s. d. Art. Gewölbe.

Spiegelglas, 1) s. d. Art. Glas; — 2) auch überhaupt starkes, geschliffenes Glas.

Spiegelleuchter, s. d. Art. Armleuchter 2 und Leuchter.

Spiegelmetall, ist eine sehr harte, politurfähige Kupferzinnlegirung, welche zu Metallspiegeln angewendet wird. Ein Zusatz von Arsen macht die Legirung dichter und daher politurfähiger. Man schmilzt das Kupfer zuerst und rührt das Zinn nach und nach ein. Das Arsen, von dem nur wenig genommen werden darf, wird erst beim Umschmelzen der Legirung zugesetzt. 32 Thle. Kupfer, 15—16 Thle. Zinn und etwa 1—2 Thle. Arsen geben eine solche Legirung.

Spiegelschleifmühle, eine Kurbelwelle wird durch das Mühlrad bewegt und durch an dieselbe befestigte Lenkstangen werden die gegossenen Spiegelplatten auf einer mit Smirgel und andern Schleifingredienzen versehenen Sohlplatte hin- und hergezogen.

Spiegelsextant, s. d. Art. Sextant.

Spiegelstein, s. v. w. spathiger Gips, Marienglas.

Spiegelung, s. d. Art. Licht.

Spiegelwand, Wand, woran der Spiegel hängt oder die ganz mit Spiegeln belegt ist.

Spiegelwrange, s. d. Art. Wrange.

Spiker, 1) s. v. w. Nagel, s. d. Art. Nagel und Schiffsspieker; — 2) s. d. Art. Spißbolzen.

Spikerback, frz. équipet, s. d. Art. Back 6.

Spikerhant, franz. doublage, engl. sheating, span. embôn, Bekleidung mit dünnen Föhren-Planten, auf den Hauptplanken gespiekert, so weit das Schiff im Wasser geht.

Spielbecher, s. d. Art. Marterwerkzeuge.

Spielraum, frz. jeu, jouée, s. d. Art. Fenster und Thür.

Spiere oder Sparren, frz. épart, engl. spar, lange, dünne, runde, gerade Stücken Kiefern- oder Tannenholz, die im Schiffsbau, so wie sie gewachsen sind, zu kleinen Masten, Raaen, Gaffeln ꝛc. verbraucht werden.

Spierlingsbaum, s. d. Art. Eberesche b.

Spießbaum, 1) s. v. w. Sparrbaum; — 2) frz. chèvre, 2 bis 3 oben an einander befestigte Stämme, als Gerüst über einen Brunnen oder Schacht gestellt, um den Flaschenzug daran zu hängen.

spießen; Seile spießen heißt, die Enden 8—12 Zoll lang aufdrehen und in einander verflechten.

Spießglanz, Spießglanzerz ꝛc., s. d. Art. Antimon.

Spießnagel. 1) Ein langer, dünner Nagel; — 2) Nagel, der schräg (auf den Zug) eingeschlagen wird.

Spikehead, engl., Lanzenspitze, s. Lanze.

Spikfirniß, aus Wachholder, Spitöl (Lavendelöl) und Terpentinöl nebst Wachholderharz bereitet.

Spill (neut.), frz. cabestan, engl. capsteru, ital. argano; span. cabrestante, senkrecht stehende Welle oder Winde auf Schiffen. Man unterscheidet: 1) Bratspill, s. b.; — 2) Gangspill: a) großes oder Hinterspill, hinterm großen Mast auf dem ersten Deck; b) zweites Gangspill auf dem Oberdeck, nahe hinter der Kabelgattute; c) drittes oder kleines Gangspill auf der Bank; — 3) loses Spill (Krüppelspill), transportabel.

Spillbaum, 1) s. d. Art. Faulbaum und Spindelbaum; — 2) s. v. w. Haspelbaum, Welle einer Winde.

Spille (fem.), frz. amoise, 1) s. v. w. Spindel oder ein der Spindel ähnlicher Theil, welcher sich dreht oder um welchen sich Etwas dreht; — 2) s. v. w. Spill und Spillbaum 2; — 3) Haspelarm, s. d. Art. Arme 2.

Spillrad (Mühlenb.), Rad an der Welle, in dessen Kranz Querhölzer (Spillen 3) angebracht sind.

Spillradhaspel, s. d. Art. Haspel.

Spillthür, eine sich um eine Spindel drehende Thür.

Spina, lat., langer Dorn, Rückgrat, daher der lange Mittelraum im Circus ꝛc.; s. d. Art. Circus, Euripus, Hippodrom und Fala.

Spind (masc.), 1) s. v. w. Splint; s. d. Art. Maaß, S. 506, Bd. II. [Schrank.

Spinde (fem.), 1) s. d. Art. Bett 1; 2) s. v. w.

Spindel, überhaupt jeder Cylinder, um den sich Etwas dreht, oder der sich dreht. Daher 1) Achse oder Welle kleiner Räder; ein Cylinder, um welchen ein Schraubengang sich windet; — 2) die starke Welle der Wasserschraube; — 3) die senkrechte Göpelwelle ꝛc.; — 4) (Zimmerm.) engl. newel, noel, die Säule, in welche sich die Stufen einer Wendeltreppe stoßen, s. dar. d. Art. Treppe; — 5) (Herald.) s. v. w. Wecke, s. d. Art. Heroldsfiguren 10 u. 12; — 6) auch Thurmspille, Mittelsäule eines Thurmdaches, s. d. Art. Helm, Haube und Dach, in die sich die Sparren zapfen und die Kopf und Fahne trägt; s. auch d. Art. Mönch.

Spindelbaum, Spillbaum, 1) Pfaffenhütchen (Evonymus europaeus, Fam. Celastreen), bleibt bei uns meistens strauchartig; sein sehr festes, zähes und feines Holz kommt deshalb gewöhnlich nur in kleineren Stücken vor und ist vorwiegend zu kleinen Gegenständen gesucht. Es giebt auch schöne Zeichenkohle. Es wird von den Tischlern zu feinen Einlegearbeiten verwendet; — 2) s. v. w. Spindel 4 und Spillbaum 2.

Spindelbohrer, auch Centrumbohrer, s. d. Art. Brustleier.

Spindelbuche, s. v. w. Hainbuche.

Spindeldocke, s. d. Art. Drehbank.

Spindelgewölbe, Gewölbe, welches sich auf einer Seite gegen einen freistehenden Pfeiler stützt, z. B. Unterwölbung einer Wendeltreppe.

Spindelholz, Holz vom Spindelbaum und vom weißen Ahorn.

Spindelkopf, Schraubenkopf, der durchlocht ist und mit einem Hebel herumgedreht wird.

Spindellappen (Maschinenb.), Plättchen, das an einer Spindel hervorragt und worein ein Sperrrad greift und so die Spindel hin- und hertreibt.

Spindelscheibe, ein zur Drehbank eines Gürtlers gehöriger Theil.

Spindeltreppe, s. u. Treppe.

Spindelzapfen (Maschinenb.), Zapfen, um welchen die Spindel sich dreht.

Spindelzunge (Maschinenb.), am Spindelbaum eines Göpels die untere viereckige Warze des Bleulzapfens.

Spinell, frz. alumine magnésiée (Mineral.), Almandin. Die Krystalle haben zur Kernform ein regelmäßiges Oktaëder, muschelichten Bruch. Ist den Kanten durchscheinend bis undurchsichtig, ritzt Quarz, ritzbar durch Saphir, graulich-grünes Strichpulver. Wiegt — 3,64. Farbe Schwarz mit einem Stich ins Braune und Grüne. Glänzt lebhaft glasig. Säuren greifen ihn nicht an. Der chemischen Zusammensetzung nach ist der Spinell wesentlich eine Thonerde-Talkerdeverbindung; viele Spinelle enthalten Kieselerde und Eisenoxydul.

Man unterscheidet verschiedene Varietäten des Spinells; erwähnenswerth sind: Der edle Spinell, der sich in kleinen rothen Krystallen in Indien, auf Ceylon, in Böhmen, Siebenbürgen ꝛc. findet. Der blaue Spinell; derselbe ist nur halbedel, findet sich in Schweden und Mähren in nur durchscheinenden Körnern von matter blauer Farbe. Der schwarze Spinell oder Pleonast, enthält 16—20% Eisen, findet sich ziemlich häufig in Krystallen von schwärzlich-grüner Farbe. Der Chlorospinell, derselbe findet sich krystallisirt, grasgrün im Ural. Der edle Spinell hat je nach seinen verschiedenen Farbenabänderungen verschiedene Namen erhalten; der an Farbe dem Rubin nahestehende heißt Rubinspinell. Der Almandinspinell ist cochenillroth, in's Blaue und Violette stechend. Der Essigspinell ist essigroth und von geringerem Werth. Der Rubinbalais oder Balasrubin ist blaßroth bis rosenroth und weniger geschätzt als der Rubinspinell. Der Werth der Spinelle hängt, außer von der Größe, im Allgemeinen von der Lebhaftigkeit und Reinheit der Farbe ab.

Spinne, Gliederthier, bei welchem Kopf und Bruststück verwachsen sind. Sie besitzt 8 Beine, besteht keine Verwandlung, athmet durch Lungensäcke und hat glatte, oft zahlreiche Augen. Die in den Wohnungen vorkommenden Arten fertigen sich gewöhnlich ein Netz zum Fang der Insekten und werden dadurch eben so lästig, wie durch letzteres nützlich. Eine der gewöhnlicheren ist die gemeine Hausspinne (Tegenaria domestica), bräunlich-grau gefärbt. Sie fertigt in einem Winkel ein waagerechtes Gewebe, das in eine Röhre endigt, in der die Spinne ihren Sitz nimmt. Sie ist als Wetterprophetin in Ruf gekommen. Ohne Gespinnst geht der Webeknecht oder Kanker (Phalangium opilio) bei Nacht in den Gebäuden auf die Jagd kleiner Insekten aus. Die Spinne als Attribut s. d. Art. Conrad 1, Nor-

Spinner, s. d. Art. Kiesernspinner. [bert ꝛc.

Spinnrocken und Spindel sind Embleme der Arbeitsamkeit. [Maaß, S. 497.

Spint, 1) s. d. Art. Splint; — 2) s. d. Art.

Spira, lat., Pfühl, Schaftgesims, Basis, auch Kegel, überhaupt jeder runde, nach oben verjüngte Körper; daher auch frz. épier, engl. spire, s. v. w. Helmdach; spirae atticae, lat., attischer Säulenfuß.

42

spiral, engl., 1) schraubenähnlich gewunden; — 2) helmdachförmig.

Spirale. I. Schneckenlinie, Schlangenlinie, eine krumme Linie, welche um einen festen Punkt unendlich viele Umläufe macht und in demselben entweder seinen Anfang nimmt, oder sich in unendlich vielen, immer enger werdenden Umläufen um denselben windet, ihn aber nie erreicht. Die analytische Gleichung dieser Linien gestaltet sich am einfachsten, wenn man Polarcoordinaten zu Hülfe nimmt, deren Pol in jenem festen Punkt liegt. Wir wollen die wichtigsten Spiralen kurz betrachten und dabei stets voraussetzen, daß, wie gewöhnlich in der höheren Mathematik, die Winkel nicht in Graden ausgedrückt werden, sondern als Längen des entsprechenden Bogens auf einem Kreise vom Halbmesser 1.

1. Die archimedische Spirale, deren Gleichung ist: $r = \alpha \varphi$. Bei ihr ist also der Radiusvector dem Winkel φ, der sogenannten Anomalie, proportional. Um eine solche Spirale zu construiren, theile man einen Kreis in eine Anzahl gleicher Theile und in eben so viele eine durch den Pol gehende gerade Linie. Durch die ersteren Theilpunkte ziehe man radiale Linien, durch die letzteren concentrische Kreisbögen um den Pol.

1. Umgang: 1 2 3 4 5 6 7 8, »
2. 9 10 11 12 13 14 15 16. ⁕⁕

Bei Fig. 1780 ist 9 als Theilungszahl angenommen. Da a c in 13 Theile zertheilt wird, so hat der Punkt bis nach a bereits ¹³/₉ Umgang durchlaufen. Diese Figur stellt zugleich eine andere Methode der Tangentenzeichnung dar. Man zieht mit dem Radius c i aus c, durch i, einen Kreisbogen; trägt die Länge von ²/₉ Umfang desselben von i nach p, wobei i p die Tangente von diesem Kreisbogen ist; dann 2 von den Theilen des Radius a c von p nach q, rechtwinkelig auf i p, so ist i q die gewünschte Tangente. Beim ornamentalen Zeichnen wird diese archimedische Spirale sehr häufig verlangt; dabei ist meist die Höhe und Breite des Raumes, den sie füllen soll, und die Anzahl der Windungen gegeben. Soll aber die Spirale ganz regelmäßig sein, so bedingt die Anzahl der Windungen mit der Anzahl der Radien schon ihre Dimensionen. Hat z. B. eine nach links gewundene Spirale (Fig. 1781) vier volle Windungen und 6 Strahlen, also 6 Einheiten auf die Windungsbreite, so werden die Strahlen vom Mittelpunkt bis a, wo die 4 Windungen voll sind, 24 Einheiten, nach b bin 19 Einheiten, nach c hin 19½, nach d hin 20, nach e hin 21, nach f hin

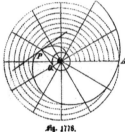

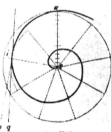

Fig. 1778. **Fig. 1779.** **Fig. 1780.**

Alsdann schneiden diese jene Radien in Punkten der archimedischen Spirale (Fig. 1778). Um die Normale eines Punktes P zu construiren, ziehen man mit dem Halbmesser a einen Kreis um den Pol, errichte auf dem Radius des Punktes P im Pole ein Perpendikel und verbinde den Schnittpunkt Q beider mit dem Punkte P; alsdann ist PQ die Normale des Punktes P und die Tangente steht in P senkrecht darauf. Dabei ist der Halbmesser a oder $OQ = \dfrac{OA}{2\pi}$. Der Flächenraum eines Sectors einer archimedischen Spirale, welcher von den beiden Radien r und r_1 begrenzt wird, ist $\frac{1}{6a}(r^3 - r_1^3)$. Die Fläche des ersten Umlaufes ist also $\frac{1}{6a} \overline{OA^3} = \frac{\pi}{3} \overline{OA^2}$. Die Rectification der archimedischen Spirale läßt sich auf die Bestimmung der Länge eines Parabelbogens zurückführen.

Man kann begreiflicherweise die concentrischen Kreise weglassen und legt nur die Maaße 1, 2, 3 ꝛc. auf die Radien auf. Sobald ein Umgang voll ist und der zweite angetreten wird, bleibt die radiale Umgangsbreite constant; denn bei Fig. 1779 z. B. folgen die Radienlängen in nachstehender Weise:

22, nach g hin 22½, nach h 23 Einheiten messen; also wird die ganze Höhe = 45 Einheiten, die ganze Breite = 42 Einheiten sein. Allgemein gefaßt wird eine Spirale von n Windungen und p Strahlen $(2 \cdot n \cdot p) - \frac{1}{2}$ p Höhe und $(2 \cdot n \cdot p) - p$ Breite haben. Stimmt nun die Aufgabe, d. h. die Dimension des auszufüllenden Raumes, nicht mit diesem Resultat überein, so wird die Spirale keine regelmäßige, sondern eine gedrückte; soll z. B. die Spirale nach rechts gewunden sein, 3³/₄ Windungen und 4 Strahlen haben, so würde sie $(2 \cdot 3\frac{3}{4} \cdot 4) - 2 = 28$ Einheiten Höhe und 26 Einheiten Breite erhalten. Hat nun aber der auszufüllende Raum z. B. 60 Zoll Höhe und 40 Zoll Breite, so ist keine vollkommene, sondern zwei annähernde Lösungen möglich; entweder nämlich theilt man die Höhe in 28 Einheiten, deren jede also $\frac{60}{28} = 2\frac{1}{7}$ Zoll mißt, die Breite in 26 Einheiten, deren jede $\frac{40}{26} = 1\frac{7}{13}$ Zoll mißt, und die Spirale gestaltet sich nach Fig. 1782 (die Windungsbreite in der Höhenrichtung wird dabei $= 8\frac{4}{7}$ З., in der Breitenrichtung $= 6\frac{2}{13}$ Zoll), oder man nimmt die Windung etwa zu 5 Zoll allgemein an und behält dann einen

Kern übrig, der 25 Zoll hoch und 7½ Zoll breit ist, wie in Fig. 1783.

2. Die parabolische Spirale hat die Gleichung $r = a \varphi^2$. Während bei der vorigen die radialen Abstände je zweier auf einander folgender Windungen gleich sind, nehmen sie hier mit dem Abstande vom Pole immer mehr zu und zwar sehr rasch; bei 8 Radien z. B. wachsen die Radienmesser wie folgt:

1, 4, 9, 16, 25, 36, 49, 64,
81, 100, 121, 144, 169, 196, 225, 256.

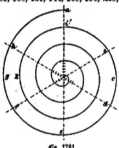

Fig. 1781.

3. Die Fermat'sche Spirale, deren Gleichung $r = a \sqrt{\varphi}$. Bei ihr werden die Windungen immer enger, je weiter man sich vom Pole entfernt. Die Radien stellen sich wie folgt:

1; 1,414; 1,732; 2; 2,2361; 2,449; 2,646 ꝛc.

4. Die hyperbolische Spirale $r = \frac{a}{\varphi}$.

Bei derselben wird r unendlich, wenn $\varphi = 0$ wird. Die Radien folgen sich im 1, ½, ⅓, ¼, ⅕, ⅙ ꝛc. Die Curve hat eine Asymptote, welche vom Pole um a absteht, und nähert sich von dieser ab dem Pole immer mehr, um ihn aber erst nach unendlich vielen Windungen zu erreichen. Eigentlich lassen sich dieselben also in ihrem inneren Theile gar nicht zeichnen; annähernd geschieht dieses nach Fig. 1784: c ist ein Punkt der einen Asymptote a 34 einer gleichseitigen Hyperbel, deren andere

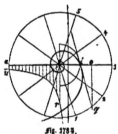

Fig. 1784.

Asymptote x y ist; der Radius c a ist in 15 gleiche Theile zerlegt. Die in den Theilpunkten errichteten Ordinaten werden, die erste auf den Radius c 1, die zweite auf c 2 ꝛc. aufgetragen. Eine Eigenthümlichkeit dieser Curve ist, daß sie eine constante Subtangente (s. b.) hat, welche gleich a wird, heißt, und daß man in Folge dessen sehr leicht an dieselbe die Tangente legen kann. Joh. Bernoulli

hat zuerst gezeigt, daß die hyperbolische Spirale eine der Curven ist, welche ein Punkt beschreiben kann, sobald er von einem festen Punkt im umgekehrten Verhältniß der Cuben des Abstandes angezogen wird.

5. Der Lituus des Cotes, dessen Gleichung $r^2 \varphi = a^2$. Die Gestalt der Curve ist nahezu diejenige der hyperbolischen Spirale, doch geht die Asymptote durch den Pol, auch kommen die Windungen nicht so schnell an den Pol heran.

6. Die logarithmische Spirale. Bei ihr

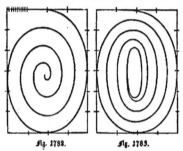

Fig. 1782. *Fig. 1783.*

sind die Radien einander geometrisch proportional, während die Winkel in arithmetischem Verhältniße zunehmen. Die Gleichung derselben ist

$$r = a e^{\frac{\varphi}{m}},$$

worin a eine constante gerade Linie, m irgend ein Zahlenfactor und e die Grundzahl der natürlichen Logarithmen bedeutet. Die Radien wachsen also, wenn φ wie 1, 2, 3, 4 ꝛc. zunimmt und der zweite Radius das Doppelte des ersteren ist, wie 1, 2, 4, 8, 16, 32 ꝛc.; ist der zweite Radius das Dreifache des ersteren, wie 1, 3, 9, 27 ꝛc., so ist der zweite Radius das 1½fache des ersten, wie 1, 3/2, 9/4, 27/8 ꝛc. Die logarithmische Spirale ist eine der wichtigsten und interessantesten geometrischen Curven. Sie besitzt die Eigenschaft, daß sie alle durch den Pol gehenden geraden Linien unter demselben Winkel schneidet, dessen Tangente gleich der Zahl m ist; ferner, daß ihre Evolute, ihre Evolvente und noch eine größere Anzahl der Curven, welche aus ihr nach irgend welchem Gesetze abgeleitet werden können, mit ihr selbst congruent sind. Die Curve nähert sich, ohne jedoch eine Asymptote zu haben, wie die hyperbolische Spirale und der Lituus, dem Pole immer mehr, um ihn erst nach unendlich vielen Windungen zu erreichen. Die Rectification führt auf ein höchst einfaches Resultat; bemerkenswerth ist, daß trotz der unendlich vielen Windungen doch der Bogen s von irgend einem Punkte bis zum Pole eine endliche Länge hat; er ist nämlich $s = r \sqrt{1 + m^2}$. Der zwischen zwei Radienvectoren r und r_1 und der Spirale enthaltene Sector hat den Flächeninhalt

$$\frac{1}{4} m (r^2 - r_1^2).$$

In der Praxis ist die logarithmische Spirale mehrfach anwendbar; so kann man nach derselben am besten die viereckigen Näber construiren.

Die logarithmische Spirale würde sich auch bei Weitem am besten für Construction der ionischen Voluten eignen, da sie die einzige ist, bei welcher man die Zunahme der Windungsbreite beliebig regeln kann; doch würde die Bestimmung dieser Zunahme unter Rücksicht auf die Dimensionen des auszufüllenden Raumes zu sehr complicirten Rechnungen führen. Die gewöhnlich in den architektonischen Handbüchern gegebenen Constructionsweisen sind aber ebenfalls sehr complicirt; auch werden nach denselben die Spiralentheile immer mit dem Zirkel gezeichnet, wobei nie eine graziöse Linie erreicht wird, die sich eben nur aus freier Hand zeichnen läßt. Wir geben daher hier ein für alle Fälle brauchbares Verfahren an, um Spiralen mit gleichmäßiger Verbreiterung der Windungsweite zu zeichnen. In der Regel haben solche Spiralen ein sogenanntes Auge, das als Rosette oder dergl. reglirt wird und von welchem die Außenkante des sich herumwindenden Bandes oder Stäbchens als Tangente ausgeht. Der Punkt, wo dies geschieht, ist also der eigentliche Anfangspunkt. In der Regel wird man eine volle Anzahl von Windungen wünschen; bei unserem Beispiel (Fig. 1785) haben wir deren 3 angenommen. Man

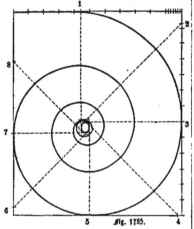

5   *Fig. 1785.*   4

lege nun die Zeichnung so auf das Bret, daß das Ende der Windungen obenhin kommt; dann wird der erste Strahl von dem Anfangspunkt aus lothrecht aufwärts gehen; die anderen Strahlen sind Tangenten an einer kleinen Ellipse, auf die wir bald zurückkommen. Bei 8 Strahlen (diese Zahl ist für das Zeichnen am bequemsten) und 3 Windungen haben wir also 24 gleiche Breitezunahmen der Windungen als Einheiten anzunehmen, so daß sich die Windungsbreiten auf die Strahlen vertheilen wie folgt:

Strahl.	Windungsbreite.		
8	1	9	17
7	2	10	18
6	3	11	19
5	4	12	20
4	5	13	21
3	6	14	22
2	7	15	23
1	8	16	24

Die ganze Spirale braucht also an Höhe 84, an Breite 72 Einheiten, wozu noch die Maaße für das Auge kommen, um die Totaldimensionen zu

bestimmen; sind aber letztere gegeben, so bestimmen sich die Dimensionen des Auges durch eine Vergleichung beider; nun verhält sich an der Volute, die unserer Figur als Muster vorliegt, an einem Capital vom Tempel am Ilyssos zu Athen die Breite zur Höhe wie 13:11, oder, was dasselbe ist, wie 91 : 77; demnach bleibt für das Auge ein Rechteck von 7 Einheiten Höhe und 5 Einheiten Breite übrig, dessen Lage in der Figur man beim Beginn der Zeichnung dadurch findet, daß man von rechts herein die auf den Strahl 3 entfallenden 42 Einheiten, von links die 30 Einheiten des Strahles 7, von oben die 48 Einheiten des Strahles 1 und von unten die 36 Einheiten des Strahles 5 aufsetzt. Der Kreis wird nun an das Rechteck so angezeichnet, daß er es in der Mitte der Oberseite und an beiden unteren Ecken berührt; darauf sticht man an der linken Seite (bei sich rechts windender Spirale), sowie oben und unten, eine Einheit von der Rechtecksseite herein; in dem so gewonnenen kleineren Rechteck sitzt die oben erwähnte kleine Ellipse; an diese zieht man nun die Tangenten und trägt auf diese von der Peripherie des Kreises aus die Windungsmaaße. Durch Verbindung der hierdurch gefundenen Punkte erhält man die Spirale.

Außer den ionischen Schnecken (s. d. Art. Volute) werden auch die Grundrisse für die Wälzer (s. d. Art. Treppe), die Schnecken der Consolen, die caulicoli an den korinthischen Capellen ꝛc. nach der Spirale gezeichnet.

II. Spirale oder Spiralkorb nennt man auch einen Seilkorb an Göpeln, die dann Spiralgöpel heißen, und an Bremswerken, der das Seil durch spiralförmige Erhöhungen nöthigt, sich neben einander in einzelne Windungen zu legen.

III. Die Benennung Spirale wird auch, obgleich unrichtig, doch vielfach für Schraubenlinie gebraucht, von der sie sich aber dadurch unterscheidet, daß die Schraubenlinie sich an eine Cylinderfläche anlegt, die Spirale aber der Grundriß einer Linie ist, die an einer Kegelfläche aufsteigt.

Spiralfeder (Maschinenb.), Metallfeder, in Form der Spirale gebogen, giebt äußeren Einwirkungen durch ihre Elasticität nach und hat zugleich das Bestreben, wieder ihre vorige Form anzunehmen.

Spiralgebläse, s. d. Art. Gebläse und Cagniardelle. [Limaçon.

Spiralgewölbe, s. d. Art. Gewölbe und

Spiralpumpe, s. v. w. Wasserschnecke, s. d.

Spiralrolle (Maschinenb.), eine die Spiralfeder andrückende Rolle.

Spiralwuchs, s. d. Art. Bauholz, S. 268.

Spire, engl., Spitzthurm, Thurmspitze, Helmdach.

Spiridion, St., Patron von Oviedo, Schäfer, unter Maximianus Galerius als Christ zu Bergwerksarbeit verurtheilt, dabei eines Auges beraubt und an einer Kniescheibe gelähmt; dann wurde er Bischof von Trimythus auf Cypern, betheiligte sich an der nicäischen und sardischen Kirchenversammlung und starb 348. Einst wurden Diebe, die seinen Schafstall bestehlen wollten, von unsichtbaren Kräften festgehalten. Früh begrüßte er sie scherzend und schenkte ihnen ein Schaf. Eine Schlange verwandelte er in Geld für die Armen. Er wird dargestellt als Bischof, mit einem Stachel, einer Schlange ꝛc.

Spiritus, lat. spiritus vini. Weingeist, wird durch Destillation gegohrenen Weines oder überhaupt geistig gegohrener Flüssigkeiten, die Alkohol enthalten, gewonnen; Näheres s. in der sehr reichhaltigen Specialliteratur. Es ist eine wasserhelle, dünnflüssige, brennend schmeckende Flüssigkeit von angenehmem Geruch, die sehr leicht verdunstet, aus der Luft Wasser anzieht, und, mit Wasser gemischt, Wärme entwickelt.

Spec. Gewicht — 0,794,
Siedepunkt — 78°,
Gefrierpunkt noch unter — 68°.

Verbrennt mit blauer Flamme zu Wasser und Kohlensäure. Er wird vielfach in der Technik verwendet, namentlich als Auflösungsmittel für Harze, Alkaloide, ätherische Oele ꝛc.

Wasserfreier oder absoluter Alkohol enthält kein Wasser, sondern 100% Alkohol.

Spiritus von 80—85% Alk. heißt höchst rectificirt,
" " 60% " " rectificirt,
" " 30—50% " " Branntwein;
s. d. Art. Branntweinbrennerei, Alkoholometer ꝛc. Ueber seine Anwendungen s. d. Art. Saftfarben, Beizen, Politur, Schleifen ꝛc., Reinigung, Flecke ꝛc.

Spirituswaage, s. d. Art. Aräometer.

Spital, Spittel, engl. spittle, s. v. w. Hospital.

Spithamen, s. d. Art. Maaß, S. 513.

Spitt, s. v. w. Spatenstich, oder die Masse Erde, die man mit einem Spatenstich fördert.

Spittdamm, s. v. w. Specddamm.

Spittdobbe, s. v. w. Deichgrube.

Spitten (Deichb.), Erde ausstechen und mit Schaufeln in die Karre laden.

Spittung, 1) Ausgrabung mit Spaten; — 2) der in Deichgruben von Ueberschwemmungen zurückbleibende Schlamm.

Spitz; so nennt man einen Winkel, wenn er kleiner als 90° oder ein rechter ist; spitzwinkelig ein Dreieck, wenn alle Winkel desselben spitz sind.

Spitzahorn, auch Bergahorn und Leinbaum genannt, s. d. Art. Ahorn 2.

Spitzbalken, s. d. Art. Balken I. E. und Hahnbalken.

Spitzbecher, s. d. Art. Kyathos und Maaß, S. 514.

Spitzblasebalg, s. d. Art. Blasebalg u. Balg.

Spitzbogen, frz. ogive, arc aigu, engl. pointed arch, Bogen, der im Scheitel gebrochen ist; s. d. Art. Bogen B. I. 5, 9, 11, 13, 15, 17, 19, 21, 22, 23, 24 ꝛc., sowie d. Art. Eselsrücken, Kielbogen, ogive ꝛc. I. Manche Freunde der Gothik haben in übel verstandenem Eifer nachzuweisen gesucht, daß der Spitzbogen schon bei den Alten in Gebrauch gewesen sei. Nun steht allerdings fest, daß Spitzbogen bereits im hohen Alterthum vorkamen (s. darüber d. Art. Aegyptisch, Assyrisch, Pelasgisch, Lykisch ꝛc.), aber diese Spitzbogen sind entweder rein constructiver Natur und nicht künstlerisch durchgebildet, oder sie sind bloß decorativ und in diesem Fall als Nachahmung irgend einer Holzconstruction anzusehen. Von der Einführung einer Bogenform in die Architektur kann aber erst dann die Rede sein, wenn dieselbe zugleich constructiv und decorativ verwendet ist, d. h. wenn ihre constructive Form ästhetische Durchbildung erfahren hat. Dies tritt in Bezug auf die Spitzbogen zuerst bei den sassanidischen, armenischen und romanischen Bauten einerseits, bei den saracenischen andererseits ein.

II. Nach diesem — zunächst wohl nur als Aeußerung von Versuchen zu betrachtenden — Auftreten findet sich der Spitzbogen als vollständig berechtigte architektonische Form in der saracenischen und normannischen Bauweise, sowie in dem spätromanischen, sogenannten Uebergangsstyl, ziemlich häufig, in der Gothik vorwiegend angewandt, und zwar zunächst als reiner Spitzbogen. Ueber die Constructionsweise dieser Bogen, d. h. über die Art, sie aufzureißen, ist so viel geschrieben, gesprochen und gestritten worden, daß schon ein Referat über alle diese Meinungen ein Buch füllen würde; es genüge hier zu erwähnen, daß man unter Anderm durch Abwickelung von Cycloïden, durch Abscissen und Ordinaten unter den mannichfachsten Verhältnissen, endlich durch Auftragen von Curven nach logarithmisch ꝛc. berechneten Formeln für die Widerstandslinien die alten Spitzbogenformen zu finden glaubte. Abgesehen davon, daß aller Wahrscheinlichkeit nach die Werkmeister des 12. Jahrhunderts die höhere Mathematik, besonders die Logarithmen und Curvengleichungen, nicht kannten, daher eine solche Berechnung nicht vornehmen konnten, widerspricht auch der Thatbestand einer solchen Annahme. Verfasser dieses hat viele wohlerhaltene (nur solche natürlich eignen sich dazu) Spitzbogen aus der besten Zeit ausgemessen und nach diesen Vermessungen besteht ein solcher Bogen aus zwei Zirkelbogen, welche zusammentreffen über der Mitte der Spannweite, wobei die Mittelpunkte bald zwischen den Kämpfern, bald außerhalb der Kämpfer in der Verlängerung der Kämpferlinie, oft aber auch ein Weniges über oder unter ihr liegen. Dabei ist aber die Lage dieser Mittelpunkte so mannichfach, daß man auch der Theorie, welche diese Punkte aus in die Bogen eingezeichneten Polygonen, Dreiecken, Quadraten und deren Diagonalen ꝛc. bestimmen will, nicht Glauben schenken kann, selbst wenn man darüber hinwegsehen wollte, daß diese Theorie, im Gegensatz zu der vorerwähnten, theils die mathematischen Kenntnisse unserer Vorfahren unterschätzt, theils namentlich ihnen einen Hang zu geometrischer Spielerei zutraut, der mit dem hohen, würdigen Ernst dieser Leute nicht vereinbar wäre. Vielmehr geht aus den genauen und sorgfältigen Beobachtungen, die der Verfasser dieses in Deutschland, Frankreich, Italien und Spanien angestellt hat, hervor, daß die Baumeister des Mittelalters — wenigstens in der guten Zeit, denn im späteren Mittelalter trat allerdings die erwähnte Spielerei immer mehr und mehr auf — einfach aus der Höhe der Widerlagspfeiler zunächst die Richtung construirten oder berechneten, welche die Drucklinie annehmen mußte, um der Stabilität des Pfeilers nicht zu nahe zu treten; durch diese Druckliniendirection wurde zunächst die Bogenhöhe bestimmt. Weiter ist anzunehmen, daß die Meister bei der weiteren Bestimmung der Höhe und Weite durch das Vorhergehende bereits festgestellten Curve selbst nicht mehr künstelten, sondern zur Verbindung der beiden gegebenen Punkte des Widerlagspfeilers und Scheitelpfeilers die stetigste unter allen Curven, einen Kreisbogen, wählten und dieselbe mit besserer Herableitung der Widerstandslinie willen an die Verticallinie der Pfeiler tangiren ließen, wenn es irgend anging, denn durchgängig findet sich auch dies nicht vor, da, wie bereits bemerkt, hie und da der Mittelpunkt unter der Kämpferlinie liegt. Einige statisch wichtige Resultate waren damit erreicht, z. B. daß der auf hohe Pfeiler gestellte Bogen spitzer, der auf niederen stumpfer wurde; dabei wollen wir durchaus nicht in Abrede stellen, daß eine Berechnung der Curve, basirt auf die neuesten Fortschritte der Gewölbtheorie, vielleicht dazu führen würde, den statischen Vorzug des Spitzbogens, die Fähigkeit, bei sehr geringem Widerlager große Lasten zu tragen, noch bei weitem zu steigern; namentlich dürfte eine weitere Entwickelung des englischen Spitzbogens (s. d. Art. Tudorbogen) zu solchem Resultat führen. Ueber die Anfertigung der Wölbgerüste und Anordnung der Wölbfugen s. d. Art. Bogenbasen.

III. Theils auf das Gesagte, theils auf anderweite eigene Untersuchungen gestützt, lassen wir hier einige Regeln in Beziehung auf die Gestaltung der Spitzbogen, besonders in ästhetischer Rücksicht, folgen.

Je niedriger die Pfeiler im Verhältniß zur Oeffnung, desto niedriger mache man auch den Bogen. Ist die Weite größer als die Pfeilerhöhe, so nähere er sich fast dem Halbkreis; enge und niedrige Oeffnungen mit steilem Bogen haben ein beengtes, gequetschtes Ansehen. Enge und hohe Oeffnungen mit niedrigem Bogen sehen wie von oben her zusammengedrückt aus, breite Oeffnungen mit hohem Bogen sehen wie im Ganzen eingesunken aus ꝛc.; die Ausweitung der Laibung (Breite der Glieder) betrage stets weniger als die Hälfte der Lichtenöffnung. Die Glieder lasse man nie vor der umgebenden Mauerfläche vorstehen. Etwaige Baldachinverdachungen dürfen nur mit ihren Consolen unter den Kämpfer hinabreichen; Ueberschlagsgesimse dürfen nie über dem Kämpfer aufhören; sitzt, wie dies bei Portalen oft geschieht, die Gliederung des Bogens auf einem Baldachin auf, so stelle man diesen mit den durchbrochenen Theilen des Bogenwerkes, mit seiner Hauptmasse aber über dem Kämpfer, damit in der Fernwirkung die Kämpferlinie markirt sei ꝛc.

IV. Ueber die verschiedenen Arten des Spitzbogens und dessen Umwandlung in den verschiedenen Stylen s. d. Art. Bogen, Bogenlehre, Analonormannisch, Englisch-gothisch, Französisch-gothisch, Gothisch, Italienisch-gothisch, Normannisch, Romanisch, Spanisch-gothisch, Venetianisch ꝛc., sowie die zugehörigen Illustrationen.

Spitzbogenfries, aus Spitzbogen gebildete Reihe, gleicht im Uebrigen dem Rundbogenfries, s. d.; vergl. auch d. Art. Bogenfries, corbel-table und arched.

Spitzbogengewölbe, s. d. Art. Gewölbe.

Spitzbogenstyl, s. d. Art. gothischer Baustyl.

Spitzbohrer. 1) Ein Werkzeug, wie ein eiserner Stachel gestaltet, mit einem Heft versehen, dem Tischler dienend; — 2) Bohrer, in Form einer Schraube endigend; — 3) s. d. Art.

Spitzbolzen, s. d. Art. Bolzen B. [Ausreiber.

Spitze, 1) eines Winkels, der Durchschnittspunkt der beiden einschließenden Schenkel; — 2) einer Kegelfläche, der Punkt, durch welchen alle dieselbe erzeugenden geraden Linien gehen. Vergl. auch d. Art. Ecke 2; — 3) (Herald.) frz. pointe, s. d. Art. Heroldsfiguren 8, entsteht, wenn zwei Linien aus verschiedenen Gegenden des Schildes zusammenlaufen und die Fläche einen spitzen Winkel zwischen diesen beiden Linien der Figur bildet.

Man unterscheidet: gerade, aufsteigende Spitze, mit dem Scheitel nach oben gekehrt; gestürzte Spitze, pointe chaussée; rechts oder links gekehrte Spitze, pointe mouvante du flanc sénestre oder dextre; gegen den Oberwinkel gekehrte, pointe en bande; gegen den Unterwinkel gekehrte, pointe renversée en bande; erniedrigte, wenn sie, unten beginnend, nicht bis zum Haupt des Schildes aufsteigt; wenn sie nicht unten beginnt, sondern schwebt, heißt sie Triangelspitze; — 4) s. Spitzhacke, Spitzhaue ꝛc.

Spitzeisen, Steinmetzwerkzeug, gleicht einem Meißel, hat aber statt der Schneide eine vierseitig pyramidal geformte Spitze, vermöge welcher es verhältnißmäßig tief eindringen kann und sich zum Wegsprengen größerer Fragmente eignet.

spitzen, mit der Spitzhaue bearbeiten.

Spitzenschnitt, s. d. Art. Heraldik VI.

Spitzgewölbe, s. goth. Baustyl u. Gewölbe.

Spitzgiebel, steiler Giebel, s. d. Art. Giebel, gothischer Baustyl und Wimperge.

Spitzhacke, Sicke, frz. pic, dient zum Auflockern des harten Erdreichs; an einem langen hölzernen Stiel sitzt ein Eisen mit beilähnlichem Nacken, während die andere Seite der Klinge in einer scharfen Spitze endigt.

Spitzhammer, Steinbrecher- und Minirwerkzeug; das gegen den Stiel querstehende Klinge läuft vorn in einer langen Spitze zu und ist hinten mit einer glatten Bahn versehen; s. d. Art. Hammer.

Spitzhaue oder Krampe, Steinmetzwerkzeug, ähnlich der Spitzhacke, aber mit kürzerem Stiel, in der Regel mit zwei Spitzen versehen (s. Fig. 1786) als Zweispitze, oder auch mit einer Fläche und einer Spitze als Spitzfläche, Flächspitze; s. auch d. Art. Haue.

Fig. 1786.

Spitzhelm, s. d. Art. Helmdach.

Spitzhund, s. d. Art. Hund.

spitzkappenförmig, franz. chapé (Herald.), gleicht der Spitze, nur daß hier die Pyramide das Feld bildet, die Umgebung aber die Figur; umgekehrt spitzkappenförmig, beschubt, befußt, frz. chaussé, ähnelt ebenso der gestürzten Spitze. Beides vereinigt, also eine Raute als Feld durch die Figur hindurchschauend, heißt Bekleidung, franz. chapé-chaussé.

Spitzleiste, im Grundriß halbrunde, unten spitze Console.

Spitzmeißel, s. v. w. Spitzeisen.

Spitzpfahl, unten zugespitzter Pfahl. Man beschlägt ihn entweder auf allen vier oder nur auf zwei Seiten, oder läßt ihn rund, was besser ist, da durch das Behauen die Fibern des Holzes getrennt und die Pfähle geschwächt werden. Sollen die Pfähle mit Bohlen bekleidet werden, bei Bollwerken, Schälungen, Schleußenwänden ꝛc., oder Halbholz daran gelegt werden, so wird die betreffende Seite nach dem Einrammen blos so viel als nöthig behauen. Sind sie zum Tragen bedeutender Lasten bestimmt, so ist es vortheilhaft, das dünne oder Zopfende nach unten zu bringen. Gewöhnlich werden die Pfähle senkrecht eingeschlagen, doch ist eine schräge Stellung besser, wo ein Seitendruck vorhanden ist, z. B. bei Brückenpfählen ꝛc. Das Ausziehen des Pfahles, z. B. bei Brücken, die durch das Eis ꝛc. gehoben werden, wird erschwert, wenn man das Stammende des Pfahles nach unten hin bringt; s. übr. d. Art. Grundbau, Aufpfropfen, Pfahlschuh, Ausziehen ꝛc.

Spitzsäule, s. d. Art. Obelisk, Helmdach und Fiale, auch fälschlich für Pyramide gebraucht.

Spitzstahl, Steinmetzwerkzeug, ähnlich dem Spitzeisen (s. d.), aber kleiner und härter, auf harten Steinarten angewendet.

Spitzstein, s. v. w. Klempziegel.

Spitzthurm, Thurm mit spitzem Dach.

Spitzwinder, s. d. Art. Bohrer, S. 411, Bd. I.

spitzwinklig, s. d. Art. Spitz, Winkel, Dreieck ꝛc.

Spitzzahnverzierung, frz. dent de scie, engl. indented moulding, trowel- point moulding, in der normannisch-romanischen Bauweise häufig vorkommende Gliederbeschung; s. d. Art. Eingezahnt und Fig. 962, welche verkehrt abgedruckt ist.

Splatt, große, gerissene Schindel.

Splay, engl., Einschnitt zwischen zwei Zinnen, Ausschrägung der Fensterlaibung; counter-splay, nach innen und außen gehende Abschmiegung der Fensterwände; splayed arch, s. d. Art. Bogen, S. 399, Bd. I.

Spleiße, Splette, s. v. w. Spließe.

Spleißheerd, überwölbter Heerd zum Großgarmachen des Kupfers, auch Spleißofen genannt, steht in der Spleißhütte; s. d. Art. Saigern.

Splettnagel, s. v. w. Splint 3.

Splettthür (Mühlenb.), bei einer Windmühle, die durch Belegen der Scheiden der Ruthen mit Spletten gebildete Fläche, gegen welche der Wind trifft. Die Spletten liegen neben oder auch übereinander und sind von beiden Seiten mit dünnen Leisten, den Spangen, überlegt; man schlägt durch beide Spangen und die Leisten hölzerne, auch wohl eiserne Nägel, Spangennägel genannt, für jede Splette einen.

Spließdach, s. d. Art. Dachbedung, S. 602.

Spließe oder Spliffe, 1) nicht spitzer Splitter; — 2) s. d. Art. Dachspließe; — 3) s. v. w. Splatt; — 4) s. d. Art. Splint 3.

Spließzaun, s. d. Art. Spalier und Zaun.

Splint, frz. aubier, aubour, 1) auch Spint, so nennt man das jüngere Holz der mehrjährigen Holzgewächse, dessen Markstrahlen noch Saft führen; der Splint eines im Frühjahr gefällten Stammes ist feucht und anders gefärbt als das ältere, sogenannte Kernholz. Er besteht aus sehr dünnen, nicht ausgebildeten und mit fleischartiger Masse umhüllten Fasern. Als krankhafte Erscheinungen findet man a) doppelte Splintlagen, doppelsplintiges Holz (s. d.). Diese Krankheit steht mit der Kernschäle (s. d.) in sehr naher Verwandtschaft und macht das Holz zu technischen Zwecken meist untauglich. Denn solch „splinttodtes" Holz besitzt eine mindere Dichtigkeit, als das übrige reife und gesunde Holz, und ist keiner gleichförmigen Austrocknung fähig, daher sich denn beim Trocknen völlige Absonderung der unausgebildeten Holztheile einstellt; s. auch d. Art. Holz und Kernholz. b) Unvollkommner Splint, der nicht um den ganzen Baum geht, c) eine blau gefleckte, weichere Splintlage ꝛc. Viel stärkeren Splint als ausgewachsene Bäume haben junge Stämme im stärksten Wachsthum, so ist ihnen ist oft der Kern kaum so fest, als der Splint alter Bäume. Zu einer größeren Festigkeit bringt man den Splint bei Eichen, wenn man diese 1—1½ Jahr vor dem Fällen bis zur Wurzel herab schält; s. d. Art. Abschälen. Mehr als der Kern ist der Splint der Verwesung ausgesetzt, auch von geringerer Festigkeit; — 2) s. d. Art. Spließe in seinen verschiedenen Bedeutungen; — 3) auch Splintbolzen, Schleiße, Schließbolzen, Durchschub, Vorstecker, Schließe; s. d. betr. Art. sowie d. Art. Bolzen und Anker 7. Bei Mauerankern sind die Splinte oft bis 10 Fuß lang; 4) hölzerner Splint, hat die Form eines Keils; man treibt ihn in den am Ende eines Verbandstückes befindlichen Schlitz mit dem Hammer gegen ein anderes festes Stück Holz ein, so daß er verbunden mit diesem fest anschließt.

Splintkäfer (Lyctus), sind sehr schmale, etwas niedergedrückte Käfer, deren Larven als eine Sorte sogenannter Holzwürmer vorzugsweise Splintholz angreifen und hierdurch ebenso Bauwie Nutzholz zerstören, in welchem sie sich niedergelassen haben. Die gemeinste Art ist der gemeine Splintkäfer (L. canaliculatus F.). Um vor den Zerstörungen des Splintkäfers sicher zu sein, hat man Splintholz zu vermeiden. Sind Geräthe doch aus solchem angefertigt worden, so müssen sie möglichst bald einen bloßen Oelfarbenstrich erhalten, kommen aber, sobald Risse im Anstrich entstehen, sofort wieder in Gefahr, von dem Splintkäfer angegriffen zu werden, da die Mutterkäfer ihre Eier in dieselben ablegen.

Splißgang oder Splißgang (Schiffsb.), s. d. Art. Gang 3.

splißen (Schiffsb.), 1) frz. écarver, engl. to scarf, zwei Hölzer nebeneinander durch eine Kluft oder eine Zunge zusammenfügen; — 2) auch splißen genannt, frz. épisser, engl. to splice, s. v. w. spießen.

Splißhammer oder Splißhammer (Schiffsb.), s. d. Art. Hammer 4.

Splitt, kleines Wetterfähnchen auf Flußschiffen.

Splitte, 7—8′ lange, 1″ breite und 1‴ dicke Streifen von Haselnuß oder Eiche. Sie werden auf der Schneidebank auf 2 Seiten geebnet. Man verwendet sie zur Bedeckung des Holzwerkes bei Fachwand statt der Berohrung, wobei das Holz zuvor mit Lehm angesetzt und mit gehacktem Stroh wieder bedeckt ist. Befestigt werden diese Streifen mit den Splittnägeln, welche 1½″ lang und mit breiten, flachen Köpfen versehen sind. Sind die Streifen von Eichenholz, so brauchen die Nägel nur 1¼" lang zu sein, müssen aber unter dem Kopf wenigstens eine Stärke von ⅛" haben und mehr kolbig als schlank sein.

Spodium, s. v. w. Knochenkohle. Bei dem Brennen der Knochenkohle in den sogenannten Spodiumbrennöfen entwickeln sich viele stinkende Gase und Dämpfe, welche man in den Öfen alter Construction unter den Rost einer besonderen Feuerung leitet, um sie dort zu verbrennen. Man kann aber auch diese Gase bei zweckmäßiger Anlage der betreffenden Luftzüge unter den eigenen Rost des Ofens leiten oder mittelst Hindurchführung solcher Canäle durch das Feuer dergestalt erhitzen, daß sie im Ofen selbst mit verbrennen, wodurch man an Brennmaterial spart. Einen solchen Ofen hat L. Stöger in Breslau 1860 erfunden; er ist für Oesterreich patentirt und in der Illustrirten Gewerbezeitung, Jahrgang 1861, Seite 20, veröffentlicht.

Spöker, s. d. Art. Spieker. [öffentlicht.

Spoliatorium, Spoliarium, lat., Auskleidezimmer für die todten Gladiatoren, doch auch im Bad; s. d. Art. Bad und Apodytorium.

Sponda, lat., Seite eines Bettrahmens, daher auch das ganze Bettgestell, Scheidewand; s. auch d. Art. Brüstung, Bett, Lectus, Chorgestühl.

Spongia, lat., Badeschwamm.

Spongites pumicosa, s. d. Art. Bimskorall.

Spont, auch Spund, bei einer waagrechten Röhrenleitung ein in bestimmten Zwischenräumen — etwa von 100 Fuß — angebrachtes senkrechtes Rohr, um vorkommenden Falls erforschen zu können, wo sich die Röhrenleitung verstopft habe.

Sporen, (Sporn (Wasserb.), 1) s. v. w. Holzbuhne, überhaupt Buhne; — 2) s. d. Art. Festungsbau, S. 41; — 3) s. d. Art. Eisbrecher; — 4) engl. spur, s. v. w. Strebpfeiler, besonders an Futtermauern; — 5) (Schiffsb.) Klotz, in dessen Loch der Mast gesetzt wird; s. d. Art. Spur; — 6) Emblem der Arbeitsamkeit; — 7) zum Belegen des Kopfes der Papiermühlstampfen dienende eiserne Platte.

Spornräder, s. d. Art. Rad c. [Platte.

Sprachfenster, Fenster in der Wand eines Zimmers oder einer Gefängnißzelle nach der Flur hinaus, oder in Wänden von Comptoirs, Aufseherzimmern, sowie in Nonnenklöstern.

Sprachgewölbe, Echogewölbe, akustisches Kunststückchen.

Sprachgitter, lat. craticula, frz. grille, eng vergittertes Sprachfenster in Klöstern, Beichtstühlen, Gefängnissen ꝛc.; s. d. Art. Kloster und Galiläa.

Sprachzimmer, lat. locutorium, frz. parloir, engl. parlour, locutory, speak-house, 1) Zimmer, wo die Mönche, resp. Nonnen, mit einander zu conversiren pflegen; — 2) engl. forensic parlour, Zimmer, wo ihnen die Besprechungen mit fremden Personen gestattet werden und das durch ein Sprachgitter abgetheilt ist; — 3) auch Zimmer, worin man einer anderen fremden Person Audienz ertheilt, also Audienzzimmer, Comptoir ꝛc.

Spranznagel, s. d. Art. Nagel.

Spreißel, 1) ganz schwaches Bret; — 2) s. v. w. Schließe; — 3) s. v. w. kleine Spreize.

Spreizanker, s. d. Art. Anker 2.

Spreize, Spreizbaum, Spreizholz, gegen einen Körper, der rutschen oder abgleiten will gestelltes

Stück Holz; z. B. beim Fundamentgraben werden die steilen Wände der Erdgrube mit Brettern belegt, und gegen diese mehrere Spreizbäume schräg an die Grabensohle oder an schon aufgeführte Fundamentstücke oder gegen besondere Unterlagen, Erdladen, frz. couches, gestemmt; an das Oberende der Spreize pflegt man, um die Wirkung auf eine große Fläche zu verbreiten, ein Querholz, Spreizenkopf, frz. chapeau d'étai, zu befestigen.

spreizen, 1) s. d. Art. Absteifen und Abspreizen; — 2) s. v. w. trümmen; s. d. Art. Balken 2. u. 2.

Sprengarbeit, s. d. Art. Sprengen 3.

Sprengbock, s. d. Art. Bock 11. u. Sprengwerk.

Sprengbohrer, Setzbohrer, s. d. Art. Sprengen 3. a und Bohren 1.

Sprengbrücke, s. d. Art. Brücke, S. 456, Bd. I.

sprengen. 1. Sprengen der Balken. Eine Balkenverstärkung, bei Ueberdeckung tiefer Räume durch Balken, kann auf verschiedene Weise geschehen: a) durch Krümmen eines Holzes; s. d. Art. Balken 3. V. a. Kann man kein krumm gewachsenes Holz bekommen, so trümmt man es künstlich; s. d. Art. Balken V. e. 2. und d. Art. Krümmung des Holzes. Uebrigens wird durch diese künstliche Krümmung die Tragfähigkeit nicht sehr vermehrt, da zwar die Fibern bei senkrechter Belastung des Balkens nach den Seiten hin gewölbartig wirken, aber doch durch das Krümmen etwas aus ihrem natürlichen Zusammenhang kommen. Auch giebt ein solcher Balken viel Seitenschub, darf daher nicht eingemauert werden. b) Aus mehreren Stücken; s. Balken V. b. c. d.

2. Sprengen der Bogen. Da sich jeder Bogen etwas senkt (s. d. Art. Senten und Sentmaaß), muß man die Lehrbogen höher machen, als man den Bogen wünscht. Dieses Höhermachen heißt sprengen. Das Sprengmaaß ist gleich der Summe des Sentmaaßes für den gemaueten Bogen und des für das Gerüste. Bei scheitrechten Bogen beträgt dies etwa 1/24 der Spannweite, so viel wird also der Steg getrümmt. Die Sprengung dient nicht direct dazu, die Tragkraft zu vermehren, sondern nur dazu, daß der Bogen sein richtiges Maaß, wenn er sich gesetzt hat, behalte, obgleich allerdings eine übertriebene Senkung die Tragkraft vermindern würde.

3. Sprengen der Steine. Freiliegende Steine zerschlägt man mit eisernen Schlägeln, zersprengt sie mit Pulver oder mit eichenen, in Wasser oder Essig getauchten Keilen oder durch Erbsen, s. d. Man muß dabei die Lagerhaftigkeit der Steine berücksichtigen, indem sich manche parallel, andere rechtwinkelig zur Lagerfläche am leichtesten sprengen lassen. Schwieriger zu sprengen ist ein Stein, wenn er unter dem Wasser liegt; am schwierigsten, wenn er noch im Bruch ist und mit dem Gestein oder Felsen noch zusammenhängt.

a) Das Sprengen mit Keilen wendet man an bei dichten und festen, wenig oder wenig zerklüfteten, sowie bei geschichteten oder in auf einander liegende Bänke abgetheilten, also spaltbaren, schiefrigen Gesteinen. Zuerst geschieht das Abschroten (s. d. 2), auch Abschlitzen genannt. Dann arbeitet man den Schlitz mittelst einer Art scharfspitziger, flacher Werkzeuge, der Picke (s. d.), 1—4 Zoll breit und 3—12 Zoll tief aus und bringt die Keile, Sprengkeile, in nicht zu großen Entfernungen von einander an. Es ist zweckmäßig, jeden Keil (Fimmel) zwischen Futter

(f. d. 7) zu legen. Auch müssen die Keile entweder regelmäßig der Reihe nach oder alle gleichzeitig und nicht zu rasch eingetrieben werden. Die Absprengung sehr umfangreicher Blöcke wird erleichtert und gesichert, wenn man von dem Grund des Schlitzes aus in der Fortsetzung von dessen Ebene eine Anzahl Löcher tief ins Gestein, auch wohl ganz durch dasselbe bohrt, und zwar mit dem Spitzeisen oder Sprengbohrer, einem großen Meißel, der während der Arbeit nach jedem Schlag gedreht wird und dessen Schneide die gewünschte Breite des Bohrloches hat, während der Schaft schwächer ist.

b) Schießarbeit, Absprengen von Gesteinmassen mittelst Schießpulver, neuerdings auch mit Schießbaumwolle oder Sprengöl. Man bohrt ein cylindrisches Loch in der Richtung der gewünschten Absonderungsfläche, von der Oberfläche aus ins Innere der Steinmasse mit dem Sprengbohrer (über die verschiedenen Arten der Sprengbohrer f. d. Art. Bohrer 1). Dieses Sprengloch versieht man am Boden mit einer angemessenen Menge Pulver oder Sprengöl, besetzt oder versetzt es dann mit einem passenden Stoff und zündet durch eine Sprengleitung die Ladung an. Das Geräth (Gezähe), welches zu Herstellung der Löcher dient, heißt Bohrgezähe; zum Laden und Versetzen Schießgezähe. Man rechnet zu ersterem die Bohrer, Bohrfäustel und Krätzer, zu letzterem die Räum- oder Schießnadel und den Stampfer.

Sprengkohle für Glas. 8 Theile gepulverte Buchenkohle werden mit ¼ Theil Bleizucker (essigsaurem Bleioxyd) gemengt und so viel Tragantschleim zugesetzt, bis die Masse sich gut in federkielstarke Stängelchen ausrollen läßt. Das Sprengen des Glases ist darauf gegründet, daß Glas keine starke Erhitzung und darauf folgende plötzliche Abkühlung vertragen kann, ohne einen Riß zu bekommen. Zeichnet man daher auf einem Glas die Richtung des Risses durch einen Kreidestrich vor und macht dann an einer Stelle einen etwas tiefen Feilstrich in das Glas, so wird, wenn die angezündete Kohle an diesen Feilstrich gehalten wird, ein Riß im Glase entstehen, welcher sich fortpflanzt, wenn das Glas langsam gedreht und die glühende Kohlenspitze unter gelindem Anblasen in der vorgeschriebenen Bahn weitergeführt wird.

Sprengöl, Nitroglycerin, ölige, hellgelbe Flüssigkeit von 1,6 spec. Gewicht, seit mehr als 20 Jahren wissenschaftlich gekannt, aber erst seit 1865 durch die Erfindungen A. Nobel's in Hamburg der Technik zugänglich gemacht. Es hat dem Gewicht nach die 8fache Sprengkraft des Pulvers, während die Volumenvermehrung bei der Verbrennung etwa 13mal stärker ist als beim Pulver; bei der Verbrennung werden Wasserdampf, Kohlensäure, Stickstoff und etwas Sauerstoff erzeugt. Man erspart bei Anwendung desselben im Vergleich zu der Pulversprengung bedeutend an Zeit und Geld. In Folge der großen Geschwindigkeit der Explosion können sogar weiche und brödlige Gesteine, die sich mit Pulver nicht sprengen lassen, mittelst des Nitroglycerins gesprengt werden. Da das Sprengöl in Wasser nicht löslich ist, so können auch Sprengungen nasser Gesteine und unter Wasser damit leicht ausgeführt werden. Es detonirt nicht durch directes Feuer, sondern durch Hammerschläge, wobei sich aber die Explosion nicht im Oel fortpflanzt; sondern nur die getroffenen Theile detoniren, oder durch Erwärmung bis

180° C., während es bis 100° C. gefahrlos erwärmt werden kann. Am sichersten geschieht die Explosion durch eine heftige Erschütterung, die dadurch erzielt wird, daß ein Zündhütchen oder dergl. im Oel selbst zur Explosion gebracht wird. Man bedarf dazu die vom Erfinder nebst dem Sprengöl zu beziehende Patrone, Holzzünder, Zündhütchen und Zündschnüre; auch für das Verfahren selbst ertheilt der Erfinder besondere Instruction. Der Hauptnachtheil des Sprengöles, welcher aber gegen seine enormen Vortheile nicht in's Gewicht fällt, besteht darin, daß es bei niedriger Temperatur (6—8° R.) schon gerinnt und in diesem Zustand bei heftigen Stößen explodirt.

Sprengpinsel, f. d. w. Anstreer, f. d.

Sprengwand, f. d. Art. gesprengte Wand.

Sprengwerk, freitragende Ueberspannung eines Raumes mit Seitenunterstützung von unten, indem man einen Bogen oder Bock (f. d. 1) erzeugt, dessen zwei Enden fest in die Widerlager verspannt sind. Beim reinen Sprengwerk besteht der Bock aus einem Spannriegel und aus Streben, die von der Umfassungswand ausgehen. Ist die Spannung zu weit, so hängt man den Balken oder auch den Spannriegel mittelst einer oder mehrerer, durch das Sprengwerk abgestrebten Hängesäulen auf, und es entsteht sodann ein Häng- und Sprengwerk; f. d. Art. Hängewerk. Ueber die Anwendung beider f. d. Art. Balken, Brücke, Dach, Holzverbindung, Wand ꝛc.

Sprengwerkbrücke, f. d. Art. Brücke, S. 456, Bd. I.

Spreu, Sprau, Kaff, Amm, Gaster, Aster, Schutt aus ausgedroschenem Stroh; wird so verwendet, wie Häcksel und Sägespäne; f. d. betr. Art.

Spreuboden, lat. palearium, f. Speicher.

Spriegel oder Sprügel, überhaupt dünne, krumme Stange, besonders: 1) statt der Dachlatten, doch auch statt der Spließen, z. B. zu Zäunen, Stakwänden ꝛc. verwendete, gespaltene junge Bäume; — 2) dünne Ruthen und Holzsplitter, die man unter dem Putz, statt des Rohres, an Decken und Wände nagelt, oder mit denen der Grubenzimmermann die Fugen zwischen den Pfählen ꝛc. ausfüllt; — 3) dünne Aeste, gebogen in die Einkehle genagelt, um die Dachziegel darauf zu hängen; — 4) überhaupt schwache Bügel.

Spriegelzaun, besteht entweder aus senkrecht eingestedten Latten, mit Spriegeln umflochten, oder aus Säulen mit 3 Querriegeln, um welche die Spriegel geflochten werden.

Spriet oder Sprett, frz. baleston, livarde, engl. sprit, Diagonalspiere eines Sprietsegels; f. d. Art. Segel.

Spring, frz. source, engl. spring, Quell, Brunnen.

Spring, springer, springing, engl., Bogenanfang, Anfangstein, Kämpferlinie, Ansatz einer Wölbung.

Springbrunnen, lat. meta aquae, frz. fontaine montante, engl. water-spout, span. chorrito, 1) einfach aufsteigender Strahl, frz. jet d'eau, engl. well-spring; das Steigrohr stehe in Mitten einer Wasserfläche in kunstlosem Becken. — 2) Façonnirter Springbrunnen, f. d. Art. Fontaine. Vgl. a. d. Art. Champignon, Girandа, Florwasser und die im Artikel Fontaine anderweit angezogenen Artikel. Bei Anlegung von Springbrunnen sind besonders folgende Sätze zu berücksichtigen: a) bei gleichem Wasserzufluß gelangt der Strahl um so höher, je enger die Ausflußmündung, das Springloch, ist; b) bei gleichem Durchmesser der Fall- und Steigeröhre und Ausflußmündung springt der Strahl halb so hoch, als das Wasser vorher fällt; c) je glätter die Röhren innerlich sind, um so höher steigt der Strahl. Mehr s. u. Wasserkünste und Wasserleitung.

Springstock, Springröhre, Sprungröhre, die aufsteigende Röhre des Springbrunnens, s. d.

Springthurm, s. d. Art. Bad 2.

Sprinkeo, engl., Weihwedel.

Spritze, s. u. Feuerlöschapparat und Feuerspritze.

Spritzenhaus, zu Aufbewahrung der Feuerspritzen, Feuerlöschapparate ꝛc. dienendes kleines Gebäude. Zweckmäßig ist es, eine Stube für die Feuerwache oder andere Wachmannschaft darin oder dabei anzulegen; über die Maaße s. d. Art. Geräthschuppen.

Spritzwurf, Spritzbewurf, Besenputz, Anwurf. Vermengt man den Mörtel mit kleinen Kieseln oder mit den beim Sieben des Gipses zurückbleibenden Gipsknoten und schleudert diesen Mörtel mit der Kelle an die Wand, so entsteht eine körnige, rauhe Fläche, welche aber trotzdem gleichmäßig werden muß, wenn der Maurer die nöthige Uebung hat. Ist dies nicht der Fall, so kann man mit einem Reißbesen nachhelfen; s übr. d. Art. Putz und Berappen.

Spröderz, s. v. w. strahliger Bleiglanz.

Sprödglanzerz (Mineral.), s. v. w. Schwarzgültigerz.

Sprosse, 1) s. u. Fenstersprosse; — 2) s. v. w. Leiterstufe; — 3) (Mühlenb.) an Windmühlenflügeln s. v. w. Scheide. Sie werden von elastischem Kiefernholz so lang geschnitten, daß sie noch etwa 1½ Zoll lang über der Saumlatte des Windfeldes hinausragen, sind 2½ Zoll breit und, so weit sie in der Ruthe stecken, ⅚ Zoll stark, verjüngen sich aber nach beiden Enden bis auf 1½ Zoll Breite und 1 Zoll Stärke. Ihre gegenseitige Entfernung ist 13—15 Zoll. Sie geben dem Windfeld die Windschiefe, indem die Neigung jeder Sprosse eine andere ist. Dies erreicht man durch die Stellung der Sprossenlöcher in den Ruthen, die erst rund vorgebohrt und dann mit dem Stemmeisen viereckig nachgearbeitet werden. Von der vorderen Kante der Ruthe liegen die Vorderkanten dieser Löcher auf der schmalen Seite des Windfeldes sämmtlich 1½ Zoll zurück, aber nach der breiten Seite des Windfeldes zu kommen sie in verschiedenen Abständen von der vorderen Kante heraus. Die Sprossen werden hindurchgesteckt und an den Enden durch eiserne Nägel mit der Saumlatte verbunden. Diese liegt bündig mit den Sprossenenden auf der schmalen, für das Windbret bestimmten Seite. Auch wird manchmal, um die Ruthe zu erleichtern, eine Sprosse um die andere nahe der Ruthe abgeschnitten, was jedoch nicht geschehen darf, wenn statt des Windbrettes Heckzeug angewendet wird.

Sprossenfenster, Fenster, bei welchen die Glastafeln in Holz gefaßt sind, zum Unterschied von Fasefenstern, wo dieselben mit Blei gefaßt sind.

Sprossenhobel (Glaser); das Gestell (der Kasten) gleicht ziemlich dem anderer Simshobel,

hat aber ein nach oben und ein nach der Seite mündendes Loch vor dem Keil für den Austritt der Späne. Man hat Sprossenstabhobel und Sprossenkehlhobel, Hobel zur halben Sprosse, Hobel zur ganzen Sprosse ꝛc.

Spruchband, frz. banderole, pancarte, engl. label, scroll, in der mittelalterlichen Kunst häufig vorkommendes Band mit verschlungenen Enden, mit Wahlsprüchen ꝛc. besetzt, auch Bandrolle, fliegender Zeddel genannt; s. d. betr. Art.

Sprudelstein, ein Kalksinter, der namentlich bei Karlsbad gefunden wird; s. d. Art. Badesinter und Aragon.

Spühle, 1) s. v. w. Schöpfe, s. d.; — 2) Bretterhäuschen zum Ausspühlen und Wässern des Kattuns in Kattunfabriken, am besten auf einem Floß über fließendem Wasser zu errichten.

Spühlküche, Spühlküch, franz. escuellerie, engl. scullery, Aufwaschraum neben der Küche, mit Heerd und Kesselfeuerung zu versehen; s. d. Art. Küche 8.

Spühlraum, s. d. Art. Brauerei-Anlage.

Spülschleuße oder Jagdschleuße (Wasserb.), s. d. Art. Schleuße 1. E. Man bringt sie besonders vor einem Hafen an, damit das Fahrwasser nicht versandet oder verschlämmt, sondern immer in derselben Tiefe bleibt. Gewöhnlich liegt sie in einem Seitencanal und wird vom Flusse gespeist. Verschlossen wird die Schleuße durch ein Drehthor, das in zwei ungleiche Theile getheilt ist und eine Drehsäule in der Theilungslinie erhält, so daß der schmälere Flügel die Schleußenöffnung verschließt und ein besonderer Canalumlauf auf den breiteren Flügel mündet. Um das Thor zu schließen, schützt man den Canalumlauf zu, öffnet ein im breiten Flügel befindliches Schütz, das Wasser fließt ab und es gewinnt das Hochwasser ein Uebergewicht gegen den schmäleren Flügel, der sich schließen muß; soll die Schleuße geöffnet werden, so öffnet man den Seitencanal, das Hochwasser stellt sich auf beide Flügel in die Waage und gewinnt also ein Uebergewicht gegen die breiteren Flügel, der den schmäleren Flügel zurückdreht.

Spülstein (Wasserb.), s. v. w. Rinnstein und Goßstein.

Spülvorrichtung für Latrinen, s. d. Art. Abtritt und Latrine.

Spündeboden, s. d. Art. Decke, S. 632.

Spündebret, Spundbret, s. d. Art. Bret.

spünden, spunden, s. v. w. mittelst des Spundhobels an ein Bret oder Holz Feder, Zapfen oder Ruth arbeiten.

Spündnagel, s. d. Art. Nagel.

Spund, 1) s. v. w. Feder, s. d. Art. Feder 2 und Ruth, sowie Fig. 1543; — 2) Bretstückchen, das, um einen darunter befindlichen Nagelkopf zu verdecken, in ein Bret oder in einen Ballen eingelassen wird; — 3) s. v. w. Pfropf im Spundloch; — 4) s. v. w. Aussteigeladen; — 5) Zapfen im Ablaß eines Teiches.

Spundbalken, Balkenwechsel bei einem Spund. s. d. 4.

Spundbaum, s. d. Art. Fachbaum.

Spundbohle (Wasserb.); Wände aus Spundbohlen, d. h. aus zusammengespündeten Bohlen, 4—6 Zoll stark; halten beinahe eben so gut den Wasserdurchfluß ab, als Wände aus Spundpfählen (s. d.), können also auch als Spundwände dienen; sie werden am einfachsten durch Einrammen der Bohlen hergestellt, was aber blos da angeht, wo sie des weichen Bodens wegen, ohne zu zerspalten, eingerammt werden können, sonst stellt man sie auf Schwellen; s. d. Art. Bohlenwand, sowie d. Art. Schleuße, Siel, Spitzpfahl ꝛc.

Spundhobel, s. d. Art. Nuthhobel.

Spundloch, in Kübeln, Fässern ꝛc. die Einfüllungsöffnung, die dann mit einem Pfropfen oder Spund geschlossen wird.

Spundpfahl, Salzbürste oder Bartbalken, frz. palplanche, 8–12 Zoll dick, viereckig zugespitzt, auf der einen Seite mit Spund, auf der entgegengesetzten Seite mit Nuth versehen; s. d. Art. Spundwand und Grundbau.

Spundstück, s. d. Art. Gerinne.

Spundwand, 1) eingerammte Spundwand, als Uferwand sowie als Grundbefestigung oder Wasserwand, Blendwand, bei Schleußen, Fangdämmen ꝛc. verwendet; s. d. Art. Kehrwand. Die Spundpfähle oder Spundbohlen (s. beide Art.) werden in dicht geschlossenen Reihen eingerammt und dann mit einem Holm überdeckt. Darauf werden, bei Fangdämmen, Schleußen, oder wo sonst mehrere Reihen in gleicher Entfernung von einander gebalten werden sollen, die Zangen ob. Querschwellen mit einem 3 Zoll tiefen Schwalbenschwanz gelegt, und dann darüber der Bohlenbeleg oder die Bartplanken. Vergl. d. Art. Brücke, Schleuße und Grundbau, S. 219, Bd. I. Die Stärke der Spundwände bestimmt sich nach dem Sei-

Fig. 1787. Spundwand.

tendruck des Erdbodens. Um die Pfähle in gehöriger, gerader Richtung und zugleich dicht und fest einzurammen, legt man auf eine Rüstung von eingestoßenen Spitzpfählen zwei Stücke Holz (Zwingen) in der Breite der Spundwand auseinander und verbindet sie an den Enden durch Treibriegel. Zwischen diese Zwingen werden die Spundpfähle gestellt und eingerammt. Man legt bei langen Spitzpfählen auch 2 Reihen solcher Zwingen an, wo man die untersten Lehren heißen. Das dicht Aneinanderschließen der Spundpfähle sucht man durch Spreizen und Keile zu erhalten. Bei langen Spundwänden und wichtigen Bauten ist es auch gut, wenn in größeren Zwischenräumen, etwa alle 15 bis 20 Fuß, ein starker Pfahl eingefügt wird, wenn er dann auch etwas vorstehen bleibt. Die Spundnuthen können oben einen halben Zoll breiter sein als unten. — 2) Auf Schwellen gestellte Spundwand, sowohl als Blendwände, Fußbölzungen, wie auch als Hauswände benutzt; die Spundpfosten greifen mittelst Zapfen in die durchgehende Nuth der Schwelle ein und sind in einander verspundet; ebenso wie mit der Schwelle, werden sie oben mit dem Rähmen, bei Oeffnungen mit den Riegeln verbunden (s. Fig. 1787); da bei solchen Wänden kein Längenverband im Holzwerk angebracht werden kann, so thut man wohl, am Haupted eiserne Zugbänder anzubringen. 3) Riegelwand, mit gespündeten Brettern verschlagen.

spunzeln, s. v. w. durchpudern; s. u. d. Art. Aufpudern und Durchzeichnen.

Spur, engl., Sporn, Strebe.

Spur, 1) s. v. w. Zapfenlager einer stehenden Welle, s. d. Art. Band III. a. 5. und Angel 1; — 2) die mit dem Spureisen, einem sichelförmigen Eisen, in's Gestübe geschnittene Rinne, worin das Metall aus dem Ofen in den Spurheerd oder Vorheerd (s. d.) fließt; — 3) die Grube, worin das aus dem Ofen kommende Werkblei sich sammelt; — 4) die erste Vertiefung beim Bohren in's Gestein, s. d. Art. Sprengen 3; — 5) Vertiefung, worin ein Mast ruht; — 6) s. v. w. Gleis, auch Breite zwischen 2 Gleisen. Ueber die Spurweite der Eisenbahnen s. S. 691, Bd. I; — 7) Spur in Erde beim Deichbau, Vertiefung zum Einlegen des untersten Sodens; — 8) s. v. w. Nuth, Falz; — 9) s. d. Art. Grundschnitt und Grundebene, sowie Projectionslehre.

Spurkasten (Mühlenb.), auf dem Steg mit Schraubenbolzen befestigter offener Kasten mit vier Seitenwänden, zwischen denen die Spur, d. h. die Pfanne mit Mühleisens, sitzt und gewöhnlich genau schließt; wenn sie Spielraum hat, giebt man ihr einen oder zwei Spurhaken, mit denen sie in Falzen des Spurkastens liegt.

Spurstein, auch Oberlech, Kupferlech, Dünnstein, Sporstein genannt, schwefelhaltige Kupferschlade.

Square, subst., engl., 1) freier viereckiger Platz, Straßenviertel; — 2) s. d. Art. Maaß, S. 490.

square, adj., engl., rechtwinkelig, viereckig; square head, gerade Ueberdeckung; square headed arch, scheitrechter Bogen; square foot, Quadratfuß; square billet, s. d. Art. Billet; square headed trefoil, Kragsturz; s. d. Art. Bogen I. 25.

Squilla, lat., Schelle, Meßglocke.

Squillery, Scullery, Spülküche, s. d.

Squinch, sconce, engl., 1) Pendentif, Trompe; — 2) Winkelband; — 3) Bogenanfänger.

Squint, engl., s. v. w. Low-side-window.

Staak ꝛc., s. d. Art. Stack ꝛc.

Staatsgebäude, s. d. Art. Regierungsgebäude und Gebäude.

Staatsgefängniß, s. d. Art. Gefängniß, die Zellen müssen aber etwas anständiger als bei einem Zuchthaus ꝛc. eingerichtet sein.

Staatszimmer, s. v. w. Prunkzimmer oder Salon; s. d. Art. Anordnung und Haus.

Stab, 1) s. v. w. Astragal, s. d. u. Rundstab, sowie d. Art. Glied E. und F.; — 2) Maaß, s. d. Art. indische Baukunst, S. 321, s. auch d. Art. Maaß, S. 488, und Elle, S. 709 ff.: im tyroler Bergbau = 2 Fuß 3 Zoll; — 3) auch Stock genannt, franz. bâton (Herald.), einzelner Pfahl, schmäler als der dritte Theil des Schildes; s. d. Art. Heroldsfiguren; — 4) s. d. Art. Bischofsstab und Krummstab, sowie d. Art. Pilgerstab, Gerechtigkeitsstab, Scepter. Stäbe als Attribut erhalten Joseph, Chamael, Jodocus, Gebhard, die Freier der Maria, ferner alle Aebte, Aebtissinnen,

Pilger ꝛc.; — 5) s. d. Art. Fenster u. Maaßwerk; — 6) s. d. Art. Weileisen 2; — 7) s. d. Art. Daube.

Stabeisen, ist s. v. w. Schmiedeisen, in Form von Stäben gewalzt oder gestreckt; s. d. Art. Eisen und Schmiedeisen. Man unterscheidet Stangeneisen, Blech- und Mustereisen. Das Stangeneisen, auch wohl katerogen Stabeisen genannt, zerfällt wiederum in Flacheisen, Bandeisen, Quadrateisen, Rundeisen und Formeisen. Näheres s. im Art. Eisen, S. 689, Bd. I. Vergl. ferner d. Art. Doppeleisen, Bandeisen und Hobofen III.

Stabergerinne (Mühlenb.), Gerinne eines Staberrades; s. d. Art. Gerinne.

Staberrad (Mühlenb.), s. unter Mühle A. 3. a.; die Schaufeln haben keinen Boden und jedes Rad treibt nur einen Gang, auch sind Stabermühlen oft mittelschlächtig.

Staberzeug (Mühlenb.), Vorrichtung, wodurch ein Staberrad auf- und niedergelassen werden kann.

Stabhammer, ein Aufwerfhammer, der das Eisen durch Strecken (nicht durch Walzen) in die verlangte Form des Stabeisens (s. d.) bringt. Er wird durch Dampf oder durch ein Wasserrad mittelst der Daumenwelle in Bewegung gesetzt.

Stabhammergerüst, hölzernes oder eisernes Gerüst, in welchem der Stabhammer ruht.

Stabhammerhütte, Stabhammerwerk, Stabeisenhütte, Eisenwerk, wo man das Roheisen zu Stabeisen verarbeitet. Die Einrichtungen sind sehr verschieden; s. d. Art. Eisenhütte.

Stabhobel, zum Ziehen von Rundstäben an der Kante eines Brettes oder einer Bohle dienender Hobel. Der Kasten ist oben und unten dicker als in der Mitte, wo eine breite, tiefe Furche der Länge nach hinläuft. Das Spanloch befindet sich in dem oberen, dicken Theil, worin das Eisen mittelst eines Keiles festgehalten wird. Der nach dem verlangten Profil gekrümmten Schneide des Eisens entspricht die Hobelsohle, deren äußerster Rand einen nach innen vorspringenden Anschlag an der linken Seite bildet, der an der Kante des Holzstückes bei der Führung hinläuft.

Stabholz, 1) 1½—2" starkes, 6—8" breites, 4—4⅕' langes Holz; — 2) s. d. Art. Quassienholz.

Stabilität, das Vermögen eines Körpers, durch sein Gewicht allein sich in seiner Lage zu erhalten und irgend einer Kraft, welche ihn umzuwerfen versucht, Widerstand zu leisten. Ist S der

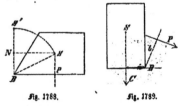

Fig. 1788.　　**Fig. 1789.**

Schwerpunkt des Körpers, P die Größe und Richtung der Kraft, welche den Körper um die Kante B umzuwerfen versucht; ist b das von B aus auf die Kraft P und a das von B aus auf die durch den Schwerpunkt gehende Verticale gefällte Perpendikel (Fig. 1788), so hat man es mit einem Win-

telhebel zu thun, dessen Drehachse in B liegt und an welchem daher Gleichgewicht eintreten wird, wenn das statische Moment der Kraft P dem des Gewichtes G gleich ist, also wenn G a = P b. Ist Pb ein wenig größer als Ga, so dreht sich der Körper um die Kante B und verliert seine Stabilität. Man kann daher das Produkt G a als Maaß der Stabilität anführen. Bei einem rechtwinkligen Parallelepiped, dessen Kanten a, b und c sind, wobei c vertikal gerichtet sein und die Drehung um die Kante b vor sich gehen soll, ist die Stabilität S = ½ a²b c γ, wobei γ das Gewicht der Volumeneinheit bedeutet. Dagegen ist für eine gebröschte Mauer, bei welcher die obere Breite b, die Länge l, die Höhe h und die Böschung der Rückseite n ist, die Stabilität gegen das Umwerfen um die scharfe Kante

$$S = k l \gamma (\tfrac{1}{2} b^2 + n b h + \tfrac{1}{3} n^2 h^2).$$

Macht man aus derselben Menge von Material eine rein parallel-epipedische Mauer von derselben Länge und Höhe, so wird die Stabilität kleiner.

Außer dieser Stabilität im statischen Sinn giebt es noch eine dynamische Stabilität, welche gemessen wird durch die Arbeit, welche man aufwenden muß, um einen Körper aus seiner ursprünglichen Lage in eine solche zu bringen, wo sein Schwerpunkt senkrecht über der Drehkante liegt. Sind B P = x und P S = y die beiden Coordinaten des Schwerpunktes (Fig. 1789), so ist die gesuchte dynamische Stabilität

$$\text{St.} = G \cdot NS_1 = G (\sqrt{x^2 + y^2} - y).$$

Stabulum, lat. griech. σταϑμός, 1) s. v. w. Stabel; — 2) Stall; — 3) Herberge.

Stabwurz, Abraute, Eberreiß, s. d.

Stachel, Attribut des Agathokles, Spiridion, Zenais ꝛc.; s. d. Art. Dorn.

Stachelkelcheiche, s. d. Art. Eiche c.

Stachelkeule, Attribut des Fidelis.

Stachelschweinholz, s. d. Art. Cocospalme.

Stackdecke, Stakdecke, gestakte Decke, s. v. w. halber Windelboden; s. d. Art. Decke.

Stacke, Stake, Staake, frz. estache, allgemein s. v. w. Stock, Steden, Pfählchen, Stange, bes. 1) s. d. Art. Ausstaken, Fachgerten und Fachholz; — 2) eine Art Ruder mit Spitze zum Aufstoßen auf den Grund; — 3) auch Stackdeich, ein durch Bezimmerung gegen das Wasser geschützter Deich; — 4) s. v. w. Buhne, s. d.

Stackel, Stakade, frz. estacade, 1) jede Umgebung mit Pfählen; s. d. Art. Gatter, Einfriedigung, Lattenzaun und Pallisade; — 2) Staken- oder Pfahlzaun; — 3) Spalier aus gehobelten Latten.

Stackholz, Stakholz, franz. palançon, engl. quarter, s. d. Art. Fachholz und Fachgerte.

Stackwand, Stakwand, lat. paries craticius, s. d. Art. Bleichwand, Ausstaken und Kleber. Stackwand im engern Sinn heißt eine solche Wand, wenn die Staken aufrecht zwischen die Riegel der Fachwand geklemmt werden, mit ihren Enden in Falzen oder zwischen Leisten an diesen Riegeln stehend. Die Staken werden dann mit Strohleiben durchflochten und hierauf die Lücken und Vertiefungen mit Lehm ausgewellert.

Stackwerk (Wasserb.), 1) eine gegen Anspülung des Ufers gefertigte Zaunbefestigung; s. d. Art. Stacke 3; — 2) s. d. Art. Ausstaken, Auswellern, Lehm und Lehmbau.

Stadel, 1) leichtes Gebäude zur Aufbewahrung verschiedener Gegenstände, also Schauer, Schoppen ꝛc.; — 2) in Obersachsen Bauplatz (auch Stabl genannt); — 3) ſ. v. w. Roſtſtätte; ſ. d. Art. Hoboſen II.

Stadion, griech. στάδιον, lat. stadium, 1) Längenmaaß; ſ. d. Art. Meile und Maaß, S. 513; — 2) Rennbahn für Wettläufer zu Fuß, ein Theil der Paläſtren und Gymnaſien, auch als Agone ſelbſtändig angelegt; das Ende, wo die Sitze halbkreisförmig herumgingen, heißt griech. σφενδόνη, lat. funda.

Stadt und Stadtanlage, ſ. d. Art. Ortsanlagen, indiſcher Bauſtyl, oppidum, Burg ꝛc.

Stadtgraben, Graben, der vor der Mauer um eine befeſtigte oder doch geſchloſſene Stadt führt, möglichſt oberhalb der Stadt von dem durchſtrömenden Fluß ein- und unterhalb deſſelben in den Fluß wieder ausmündet. Er dient außer der Vertheidigung auch dazu, die Waſſermenge zu vertheilen, wenn der Fluß zu hohes Frühlingswaſſer führt und Ueberſchwemmungen veranlaßt.

Stadtgut, Oekonomiegut, Bauernhof in einer Stadt. Da meiſt die Gebäude enger bei einander ſtehen müſſen, als auf dem Land, ſo muß wegen der Feuersgefahr doppelte Vorſicht, bei Anlage ſowohl als bei Bewirthſchaftung angewendet werden.

Stadthaus, ſ. v. w. Rathhaus.

Stadtkirche, in einer Stadt die Hauptkirche; ſ. d. Art. Kirche.

Stadtmauer, lat. moene, ſ. d. Art. Ringmauer, Befeſtigung, Feſtungsbaukunſt, Ortsanlagen, ſowie verſchiedene Stylartikel. Eine Stadtmauer iſt Attribut des St. Antoninus.

Stadtſchuh, ſ. d. Art. Maaß, S. 483.

Stadtthor, ſ. d. Art. Ortsanlagen 4 und Thor. Städtiſche Thore, welche ſehr viel paſſirt werden, erhalten am paſſendſten drei Durchgänge, zwei à 16 Fuß in der Mitte, für Wagen und Reiter, wovon einer für die Einfahrenden, der andere für die Herausfahrenden; ferner zu jeder Seite noch einen von je 8 Fuß für Fußgänger. Ueber Decoration der Stadtthore ſ. d. Art. Armatur ꝛc.

Stadtwaage, ſ. v. w. Rathswaage.

Stäbchen, Stäblein, kleiner Rundſtab, ſ. unt. d. Art. Aſtragal, Bedmould, Glied, Ring und Reiſchen. Stäbe kommen als Embleme der Ariſtokratie (ſ. d.), ferner der Einigkeit ꝛc., auch als Attribute vor; ſ. d. Art. Stab.

Stäbchenzelle, ſ. d. Art. Diatomeen.

Stäben, ſ. v. w. die Kante eines Brettes oder einer Bohle mittelſt Hobelns mit architektoniſchen Gliedern verſehen.

Stählen, ſtahlartig härten oder mit Stahl beſetzen, z. B. die Schneiden oder Spitzen von Werkzeugen; ſ. d. Art. Stahl.

Ställe, ſ. u. Stall.

Stämmeiſen, ſ. v. w. Stemmeiſen.

Stämmſchützenſtange, Stange im Innern einer Mühle oder andrer durch Waſſer getriebener Werke, welche durch Hebel mit der eigentlichen Schützſtange des Gerinnes zuſammenhängt, ſo daß man von innen durch Abſchützen des Waſſers das Werk aufhalten kann; ſ. d. Art. Schütze ꝛc.

Ständer, 1) frz. poteau, engl. post, in Wänden oder unter Trägern ſ. v. w. Stiel oder Säule ſ. d. Art. Fachwerk, Bauholz, S. 282, Stiel, Säule, Pfoſten ꝛc.; — 2) Rüſtſäule, welche den Lehrbogen zu tragen hat; — 3) (Mühlenb.) auch Hausbaum genannt, ſ. u. Hausbank; — 4) (Herald.) franz. giron, lediges Dreieck, Winkelmaaß; liegt an der rechten Hauptſpitze des Schildes an und berührt des Schildes Herz mit der Spitze (ſ. Fig. 1790); — 5) ſ. d. Art. Ablaß 1, Mönch und Fiſchteich; — 6) Unterſatz einer Bockwindmühle; — 7) auch ſ. v. w. ſtehende Welle; — 8) ſ. v. w. Piedeſtal.

Fig. 1790.

Ständerkreuz (Herald.), ſ. d. Art. Kreuz C. 32.

Ständerſiel (Schleußenb.), ſ. u. Siel.

Ständerwerk, ſämmtliche Riegel und Säulen in einer Fachwand.

ſtänglichter fluſſaurer Kalk, ſ. d. Art. fluſſaurer Kalk.

Stärke, 1) ſ. d. Art. Kardinaltugenden 9; — 2) ſ. d. Art. Holz 1.

Stärkefabrik, Gebäude zur Zubereitung von Stärkemehl (ſ. d.); muß viel Waſſer haben und vor Allem einige große Räume enthalten; das Erdgeſchoß kann mit Ziegeln oder Steinen gepflaſtert werden; das obere erhält einen Gipsäſtrich; das untere enthält die Pumpe, aus der das Waſſer in die Gährbottiche läuft; aus dieſen läuft die Maſſe in die Abflußwannen und von da auf den Rahmentiſch. Der Ofen zu Heizung des Obergeſchoſſes ſteht ebenfalls unten. Oben befindet ſich die Backkammer. Aufzüge im Innern des Gebäudes dürfen nicht fehlen; man ſorge für hinlänglichen Raum zu Aufſtellung der verſchiedenen Bottiche, Repoſitorien und Rührapparate, ferner für reines Waſſer und fortdauernde Ableitung des verbrauchten Waſſers mittelſt Röhren u. Gräben.

Stärkemehl (Amylum), daſſelbe findet ſich ſehr häufig in den Pflanzenzellen; iſt ein Kohlenhydrat, beſtehend aus etwa 10 Theilen Kohlenſtoff, 20 Thln. Waſſerſtoff und 10 Thln. Sauerſtoff, und hat im Leben des Gewächſes die Bedeutung eines Reſerveſtoffes. Vergl. d. Art. Amydam. In der Technik wird das Stärkemehl beſonders zur Bereitung von Stärkekleiſter (ſ. d. Art. Kleiſter) gebraucht, dieſer aber dient zu den mannichfachſten Arbeiten; ſ. d. Art. Tapete, Transparent, Gemälde, Leinwand ꝛc.

Stärkemühle, Mühle in Stärkefabriken, wo das Zerquetſchen des eingeweichten Weizens durch Walzen und das Zermahlen der Stärke durch eine Handmühle vor ſich geht.

Stäve, Benennung für den vorderen, ſpitz zulaufenden Theil eines Pontons, den Vordertheil eines Schiffes, Steven (ſ. d.), analog. [Stabholz.]

Staf, plattdeutſch für Stab, Stafholz für **Staff,** engl. Stab, Stock; ſ. d. Art. Biſchofsſtab.

Staffe, ſ. v. w. Stufe.

Staffel, 1) ſ. v. w. Leiterſproſſe oder Stufe, überhaupt auch für Treppe; — 2) lat. gradus superiores, frz. gradins, ital. gradini, auch Altarſtaffel, der auf der Altarplatte hinten befindliche Stufentritt zu Aufſtellung der Leuchter, Reliquien ꝛc.; — 3) ſ. v. w. Stapel.

Staffelei, frz. chevalet, engl. easle, das bekannte Malgeſtell der Maler; über Staffelbilder ſ. d. Art. Bild.

Staffelgiebel, Giebel mit abgetreppten (s. d.) Schenteln.

Staffelkreuz, s. v. w. Absatzkreuz, s. d.

Staffelring (Mühlenb.), s. v. w. Warzenring.

Staffirmalerei, frz. peinture imagière, Malerei auf Sculpturen in Stein und Holz.

Stafrum, s. d. Art. Maaß, S. 509.

Staften, s. d. Art. Maaß, S. 496.

Stag, frz. étai, engl. stay, Tau, das den Mast hält. Man unterscheidet: das große Stag, Fock- oder Vor-Stag, Besahnstag, großes Stengen-Stag, Vorstengen-Stag ꝛc., ferner das Laufstag oder Klimmstag, frz. garde-corps, engl. manrope.

Stagauge, obere, sehr künstliche Schlinge des Staaes an der Stagmaus; s. d. Art. Maus 3. a.

Stagblock, Woodshost, ein starker, durchlochter Block ohne Scheibe, welcher zum Spannen der Mastentaue oder Stage gebraucht wird ꝛc.

Stage, engl., 1) Absatz, hauptsächlich an einem Strebepfeiler; — 2) Geschoß, franz. étage; — 3) Bühne, s. d.

Stahl, frz. acier, engl. steel. **I. Allgemeines.** Der Stahl ist eine Verbindung des Eisens mit Kohlenstoff, welche weniger Kohlenstoff als das Roheisen und mehr als das Stabeisen enthält. Hat sein törniger Bruch ohne schimmernden Glanz, rostet nicht so leicht, ist härter, elastischer, weniger zäh mit klingt stärker als das Eisen, ist dichter und wird nicht so leicht magnetisch, hält aber die magnetische Kraft länger, glüht im Feuer eher und läuft mit höheren Farben an; s. d. Art. Anlaufen. Polirt spielt der Stahl in's Graue. Spec. Gewicht 7,66—7,9. Alle Stahlsorten enthalten Silicium, Phosphor, Mangan und eine kohlen- und stickstoffhaltige, in Kali zum Theil lösliche Substanz, welche durch ihre Zusammensetzung und Eigenschaften vom Kohlenstoff verschieden ist. Es ist unmöglich, dem Eisen die Stahl bildenden Elemente, die es enthält und die durch Hinzukommen von Kohlenstoff bei der Cementation Stahlbildung bewirken, zu entziehen. Der Stahl bildet sich unter dem doppelten Einfluß von Kohlenstoff und Stickstoff; ersterer kann durch Silicium oder Borax, letzterer durch Phosphor ersetzt sein. Die Eigenschaften eines guten, fehlerfreien Stahles müssen sein: gleichförmige Härte, Elasticität und Geschmeidigkeit, gleichmäßiges, feinkörniges Gefüge, reine und blanke Oberfläche. Schwefel, Phosphor und Kupfer beeinträchtigen die Eigenschaften eines guten Stahles. So erzeugt Phosphorgehalt Kaltbruch, Schwefel- oder Kupfergehalt Rothbruch ꝛc.

II. Gewinnungsarten. 1. Aus Roheisen gewinnt man Stahl, indem man dem Roheisen Kohlenstoff entzieht; dies geschieht auf verschiedene Weise: a) **Stahlfrischen.** Die Gewinnung des Rohstahles, Frischstahl, auch Schmelzstahl, Mod, genannt, stimmt im Princip mit der Herstellung des Stabeisens überein. Die Verbrennung des im Roheisen enthaltenen Kohlenstoffes durch den Sauerstoff der Atmosphäre oder durch eisenoxydulreiche Schlacken wird jedoch früher unterbrochen, als bei der Stabeisenerzeugung. Das Frischen des Stahles weicht von dem Stabeisenfrischen auch dadurch ab, daß man das Garwerden unterhalb des Gebläsestromes zu bewirken sucht, um die Entkohlung in jedem Augenblick unterbrechen zu können. Man verwendet am liebsten weißes Roheisen, besonders Spiegeleisen. Die fertig

gefrischte Luppe, der Stahlschrei oder Luppenstahl, wird unter dem Hammer gezängt, in mehrere Stücken, Schirbel, geschlagen und diese werden zu Stäben gestreckt. Der Stahl heißt dann gegerbter Rohstahl; manganreiche Eisenerze, zumal Eisenspath, geben den besten. Die spröden Stücke heißen Edelstahl. Schmelzstahl ist Frischstahl, der mit Ausschluß der Luft durch eine Decke von Glaspulver und Kohle bei hinreichend hoher Temperatur umgeschmolzen und dann in Formen gegossen ist. b) **Stahlpuddeln.** Diese neuere Methode ähnelt sehr dem Eisenpuddeln; auch hierzu eignet sich am besten weißes Roheisen und Spiegeleisen. Die Heerdsohlen der übrigens dem Eisenpuddelofen sehr ähnlichen Stahlpuddelösen werden durch Wassercirculation kühl gehalten. Man setzt dem Eisen garende Mittel, besonders Rohschlacke, Braunstein u. Kochsalz, zu. Das ganze Verfahren erfordert große Vorsicht. Der im Puddelofen gebildete Rohstahl wird in Luppen formirt, die man unter dem Hammer zängt, dann in Schweißöfen unter Abhaltung der Luft durch Bedeckung mit Kohlösche in Schweißhitze bringt und hierauf zu Stäben ausschmiedet, die in kaltem Wasser gehärtet werden. c) **Stahlglühen.** Man umstellt dünne Stäbe und Platten von Roheisen so mit pulverisirtem Rinkoryd, Braunstein, Hammerschlag ꝛc., daß dieselben sich nicht berühren, und glüht sie. Der Sauerstoff dieser Oxyde verbrennt sehr langsam den Kohlenstoff des Eisens, und es bildet sich der sogenannte Glühstahl. d) **Stahlbereitung nach Bessemer,** bei welcher das Roheisen unmittelbar durch wohl abgemessene Entkohlung in Gußstahl verwandelt wird. Dies ist nur bei so hoher Temperatur ausführbar, daß das entkohlte Eisen ganz dünnflüssig ist; am besten kann man dies erreichen, wenn man das Roheisen direct vom Hohofen in den Stahlofen fließen läßt; wo dies nicht geht, muß die Gießkelle, welche das Roheisen aufnehmen soll, vorher möglichst erhitzt und dann in kürzester Zeit in den Stahlofen entleert werden. Da die Entkohlung dadurch geschieht, daß sich die Gebläseluft Sauerstoff im Eisen verbreitet, so darf sie eingeblasene Luft keine Abkühlung herbeiführen. Das Roheisen muß möglichst gleichmäßig und manganreich sein. Möglichste Gleichmäßigkeit in Gestalt, Trockenheit, Wärme des Stahlofens, Temperatur und Feuchtigkeitsgehalt der Luft sind nothwendig. Die Luft muß mit so hohem Druck eingeblasen werden, daß er den Druck der Eisensäule übersteigt und die Luft schnell durch das Eisen strömt. Der Ofen muß sehr hoch und nicht weit sein, damit der Sauerstoff von der durchströmenden Luft vollständig verbraucht wird. Sobald das Blasen aufhören soll, werden durch die Gebläseluft selbst Thonpfropfen in der Düse vorgestoßen und so das schmelzende Eisen verhindert, in die Formen einzubringen, die zu einer Reihe an dem Boden des Ofens stehen und excentrisch gerichtet sein müssen, so daß das schmelzende Eisen in rotirende Bewegung kommt. Die Gebläseluft darf nicht verhitzt werden, aber auch nicht feucht sein. Durch zu weit geführte Entkohlung wird statt des Stahles ein Mittelding zwischen Stahl und erweichtem Eisen gewonnen, welches großblätterig, krystallinisch im Bruch, kurz Stickstoffeisen ist, welches für galvanoplastische Zwecke ꝛc., sonst statt zu nichts gebrauchen läßt. Bleibt zu viel Kohlenstoff im Eisen zurück, so erhält man ein Mittelding zwischen Stahl und Roheisen, wel-

ches sehr hart, aber nicht geschmeidig und schweißbar ist. Das Verfahren, welches Bessemer selbst
anwendet, besteht in Folgendem: Gutes schwedisches Roheisen wird in einem Flammofen nieder-
geschmolzen, in einem Grapen abgestochen und in
ein birnförmiges Gefäß von Gußeisen entleert.
In dieses Gefäß ist ein zweiter Boden von mit
Löchern versehenen Chamottesteinen eingesetzt
und der Raum zwischen beiden Böden durch Sei-
tencanäle mit den hohlen Zapfen in Verbindung
gebracht, die zur Unterstützung des Gefäßes mit
seinem Inhalt dienen und um welche dasselbe gewendet werden kann. Die Eingußmündung des
Gefäßes ist zur Seite abgebogen, so daß das flüssige Metall den Chamotteboden erst dann bedeckt,
wenn das Gefäß gekippt wird. Durch das Gefäß
wird nun gepreßte Luft getrieben, welche den Kohlenstoff verbrennt; nach 25 Minuten schon kann
man den erhaltenen Gußstahl in Formen gießen.

2. **Darstellung des Stahles aus
Schmiedeeisen.** Diese besteht darin, daß man
dem Stabeisen Kohlenstoff zuführt. a) **Cementiren.**
Durch Glühen von Schmiedeeisen mit Kohlenpul-
ver unter Abschluß der Luft erhält man Cementstahl oder Brennstahl. Man schichtet Schienen
von möglichst reinem Schmiedeeisen, das aus mit
Holzkohlen erblasenem Roheisen dargestellt ist,
vollständig umgeben mit Cementirpulver, in wohl
zu verschließenden Kapseln (sogenannten Cemen-
tirkästen) aus feuerfestem Thon oder Stein, auf,
bedeckt sie mit Sand und unterwirft sie nach langsamer Erwärmung mehrere Tage lang der Weißglühhitze. Das Cementirpulver besteht aus Holz-
kohlenklein, Holzasche, Hornabfällen, Blutlaugensalz, Kochsalz, Pottasche, Thierkohle, Kalk, Zink-
feilspänen 2c. Gewöhnlich ist der Cementstahl auf
der Oberfläche blasig und heißt deshalb Blasen-
stahl; man stellt ihn auch dar durch Erhitzen
von Eisen in einem Strom von Leuchtgas. Jedenfalls muß durch Gerben oder Umschmelzen
verbessert werden. b) **Einsetzen.** Eine oberflächliche Cementirung des Eisens, also eine Stahl-
haut, Verstählung fertiger Gegenstände, erlangt
man, wenn man diese Gegenstände in Büchsen von
Eisenblech bringt, mit Thierasche, Kohle oder koh-
lenstoffhaltigen Körpern umgiebt, die Büchse mit
Lehm verstreicht und einige Zeit glüht, darauf
aber in Wasser ausschüttet. c) **Oberflächliche
Verstählung von Eisen:** Man macht das
Eisen rothwarm, überstreicht es mit nachstehender
Masse gleichmäßig, läßt diese im Feuer abbrennen und kühlt durch Eintauchen in Wasser [5 Gew.-
Theile reine Hornspäne, 5 Th. Chinarinde, 2½ Th.
Kochsalz, 2½ Th. gelöstes Blutlaugensalz (Kalium-
eisencyanür), 1½ Th. Kalisalpeter, 10 Th. schwarze
Seife werden mit einem Teig gemengt u. in Stangen
geformt]. d) Ostindische Stahlbereitung. Die Herstellung des ostindischen oder Wootzstahles, der
zu den ächten Damascenerklingen verwendet wird,
wird zwar verschieden angegeben, läuft aber im
Ganzen auf eine Cementirung kleiner Stabeisen-
stücke unter Umhüllung mit Holzspänen und frischen Blättern hinaus.

3. Darstellung des Stahles durch Zusammenschmelzen von Roheisen und
Schmiedeeisen mit sauerstoffreichen Substanzen. Roheisen mit vollkommener Spiegelfläche von
circa 5% Kohlenstoffgehalt und Stabeisen von höchstens ¼% Kohlenstoffgehalt werden mit Spatheisenstein und Braunstein in Graphittiegeln unter Abschluß der Luft eingeschmolzen. Der so gebildete

Gußstahl wird noch im Ofen durch Abschöpfen der
Schlacke gereinigt, rasch in gußeiserne Formen gegossen und erkaltet, dann gleichmäßig in Flammöfen angewärmt und ausgeschmiedet oder gewalzt.

III. **Verfeinern des Stahles.** Der Stahl besitzt
häufig unganze Stellen, hat auch nicht ganz gleichmäßigen Kohlenstoffgehalt. Zu Beseitigung dieser
Uebelstände dient das Verfeinern, Raffiniren. Dies
geschieht auf zweierlei Weise: 1) **Gärben.** a) Der
Roh- oder Cementstahl wird zu 2 F. langen, 1—1½
Linien dicken und 1—1½ Zoll breiten Stäben
ausgeschmiedet. Mehrere solcher Stäbe werden
zusammengeschweißt und zu einem Stabe gestreckt.
b) Die Schienen werden in einem Flammofen mit
einem Bad geschmolzener Eisenschlacke bedeckt
und einige Stunden liegen gelassen. — 2) **Umschmelzen.** Der Stahl, namentlich der durch Cementation erzeugte, wird in kleine Stücke zertheilt,
nach dem Ausleben der Bruchflächen fortirt und
in feuerfesten Thontiegeln in einem stark erhitzten
Windofen 3—5 Stunden lang geschmolzen und
dann wie anderer Gußstahl behandelt.

IV. **Verhalten des Stahles, Verschiedenes.**
1. Der Stahl läßt sich gleich dem Schmiedeeisen
schmieden, hämmern, schweißen und strecken; mit
dem Roheisen theilt er die Schmelzbarkeit und das
Feinkörnige od. Dichte. Die Härte übertrifft die des
Schmiedeeisens. Es ist möglich, dem Stahl jeden
beliebigen Härtegrad zu ertheilen. Wird nämlich
glühender Stahl plötzlich abgekühlt, so wird er
glashart und so spröde, daß er sich nicht weiter
verarbeiten läßt. Erhitzt man ihn nicht bis zur
Glühhitze, so wird er durch das Ablöschen weicher
als vorher. Wird gehärteter Stahl geglüht und
allmählich abgekühlt (nachgelassen), so nimmt seine
Härte ab. Bei Ueberhitzung verbrennt der Kohlenstoff. S. d. Art. Anlassen und Anlaufen.

2. Durch das Härten ändern sich das spec. Ge-
wicht, die Elasticität und Festigkeit des Stahles. Die
Dichtigkeit wechselt von 7,5—7,8. Der ungehärtete
Stahl übertrifft die Festigkeit des Schmiedeeisens;
die Elasticität läßt sich durch Härten zum höchsten
Grad der Federhärte steigern. Die Farbe des
Stahles ist gewöhnlich ein lichtes Grauweiß;
durch Schmelzen und schnelles Abkühlen wird die
Farbe der des weißen Roheisens ähnlich. Zur
Politur ist der Stahl mehr geeignet als Eisen.
Die Ausdehnung durch die Wärme ist für verschiedene Stahlarten verschieden und beträgt
0,001074—0,001369 für 0° bis 100° C. Der
Schmelzpunkt des Stahles liegt zwischen 1300—
1400° C. Er schmilzt also schwerer als Roheisen,
leichter als Schmiedeeisen. Er ist schweißbar, aber
bei sehr kohlenstoffreichem Stahl liegt die Schweißhitze dem Schmelzpunkt so nahe, daß die Schwei-
ßung nur unvollkommen gelingt; die weicheren
Sorten lassen sich mit Schmiedeeisen verschweißen.

3. Stahl erhält durch langes Hitzen in Wasserstoffgas die Eigenschaft, seine Dehnbarkeit nach
dem Härten beizubehalten. Er läßt sich auch hämmern, schmieden und strecken, um so leichter, je
kohlenstoffreicher er ist.

4. Wird Stahl bis zum Weißglühen wiederholt erhitzt, so verschwindet die feinkörnige Structur, er wird grobkörnig, brüchig und mürbe.
Das ist überhitzter, nicht verbrannter
Stahl. Um ihn wieder herzustellen, wird er bis
zum Rothglühen erwärmt und in eine Masse
aus 10 Pfund Harz, 5 Pfund Thran, 2 Pfund
8 Loth Asa foetida getaucht, oder mit einem
Pulver bestreut, 8 Loth doppeltchromsaures Kali,

4 Loth Salpeter, ⅛ Loth Gummi arab., ⅛ Loth
Alaun, oder man taucht ihn in warmes Wasser.

5. **Damascirter Stahl** zeigt, wegen beige-
mengter Eisentheilchen, wenn er auf der Oberfläche
mit Säuren geätzt wird, verschiedenartig gefärbte
Adern und verliert auch durch Umschmelzen diese
Eigenschaft nicht.

6. Das **Verstählen** des Eisens findet namentlich bei Anfertigung von Schneidwerkzeugen Anwendung, die nur eine stählerne Schneide bekommen sollen. Man erhitzt die im Feuer liegenden
Eisenstücke möglichst schnell und bestreut sie mit
einem sogenannten **Schweißpulver**, bestehend aus
⅛ Thle. Borax, 2 Thln. Salmiak und 2 Thln.
Blutlaugensalz.

7. **Legirter Stahl.** Durch Zusammenschmelzen von Stahl mit kleinen Quantitäten anderer
Metalle, wie Silber, Rhodium, Chrom, Nickel ꝛc.,
werden Legirungen erhalten, die den reinen
Stahl in vielen Beziehungen übertreffen und eine
vorzügliche Damascirung annehmen. Dahin gehört z. B. der **Wolframstahl.** Durch Zusatz von
Wolfram zum Gußstahl wird Dichtigkeit und
Härte des letzteren bedeutend erhöht; mit 5% Wolf-
ramgehalt zeigt der Stahl einen gleichmäßigen,
hellblauen Bruch und läßt sich sehr leicht schweißen.
Näh. s. in d. Illustr. Gewerbezeitung 1861, S. 8 ff.

8. Der **deutsche Stahl** ist etwas weicher als der
englische; Werkzeuge aus deutschem Stahl werden
leichter stumpf als die aus englischem Stahl gefertigten, letztere aber springen leichter aus und
vertragen ein Wuchten nicht gut. Zu Hobeleisen
ist daher der englische, zu Stemmzeug der deutsche
Stahl vorzuziehen.

9. Weiteres über **Stahlbereitung** ꝛc. s. in den
Art. Eisen, S. 688 u. 689, Bd. I, Brescianstahl,
Gußstahl, Hohofen III., Faschenstahl, Flottstahl.
Ueber das Blauanlaufen des Stahles vergl. d.
Art. Anlassen, Anlaufen und Eisen, S. 690, Bd. I.

Stahlfarbe, dieselbe erhält man durch Mischung von Bleiweiß, Berliner Blau, feinem Lack
und Grünspan.

Stahlfeilspäne, s. d. Art. Eisenfeilspäne,
Feilspäne und Beize.

Stahlhammer (Hüttenw.), ein Hammer wie
der Stabhammer, nur kleiner.

**Stahlhammerwerk, Stahlschmiede, Bres-
cianhammer,** Gebäude, worin die Stahlbereitung
und das Ausschmieden des Stahles vorgenommen
wird. Ueber die Einrichtung s. d. Art. Eisenhammer ꝛc.

Stahlstein, so nennt man den Spatheisenstein,
welcher zur Stahlfabrikation angewendet wird.

stained glass, engl., in der Masse gefärbtes
Glas.

Staja, Stajo, Stajuolo, s. d. Art. Maaß, S.
485, 500 u. 510.

Stair, engl., altengl. steyr, stypp, Stufe;
stairs (plur.), s. d. w. Treppe; stair-case, Treppenhaus; stair-flight, Treppenflucht; stair-flyer,
gerade Treppe; stair-landing, Ruheplatz, Podest;
stair-riser, Steigung, Futterstufe; stair-tread,
Auftritt; stair-vyse, Schneckentreppe; Wendeltreppe; stair-winder, Wendelstufe.

Stake ꝛc., s. d. Art. Stack ꝛc.

Staker, 1) s. v. w. Kleber; — 2) Eisenstange
zum Schüren im Schmelzofen.

Staket, s. v. w. Stadet.

Stalagmiten, Stalaktiten. Diese beiden Namen bezeichnen Tropfsteingebilde, deren Gestalten
kegel- oder zapfenförmig sind. Beide Tropfstein-
arten finden sich in Höhlen und entstehen aus den
an den Gesteinswänden niedertropfenden Flüssigkeiten (Lösungen von kohlensaurem Kalk und kohlensäurehaltigen Wässern), durch Absonderung des
kohlensauren Kalkes. **Stalagmiten** nennt
man diejenigen Gebilde, welche auf dem Boden der
Höhlen entstehen; das dickere Ende der kegelförmigen Gestalt ist am Boden angewachsen, während
die Spitze nach oben ausgeht. Bei den **Stalaktiten** ist das dickere Ende, die Basis des Zapfens,
an der Decke angewachsen und die Spitze nach
unten gerichtet. Beide haben krummflächige Oberfläche und zeigen im Innern oft schalige Absonderungen, welche mit der äußeren Oberfläche parallel
laufen. Die Stalaktiten finden sich krystallinisch,
tryptokrystallinisch bis amorph. Viele dieser Gebilde sind im Innern hohl, so daß sie röhrenartige
Tropfsteine mit oder minder dicken Wänden
darstellen. Die maurischen Zellengewölbe haben
manches Aehnliche von den Stalaktitengestaltun-
gen und heißen deshalb Stalaktitengewölbe; s. d.
Art. Gewölbe, Arabisch und Maurisch.

Stall, franz. étable, engl. stable, stall, sty,
span. cuadra. Stallgebäude erfordern eine trockene
Lage; wenn die Eingangsthüren auf der Nord- und
Ostseite liegen, werden die Thiere am wenigsten von
den Insekten belästigt. Da aber Ställe stets directe
Eingänge haben müssen, so würden sie dadurch
leicht zu kalt werden, und man legt daher die Thüren meist nach Süden oder Südosten. Bei allen
Ställen muß man für guten Ablauf der Jauche,
aus dem Stalle sowohl als aus der Düngerstätte,
nach der Güllegrube oder Jauchengrube (s. d.)
sorgen. Vergl. auch d. Art. Bauernhof, Hof ꝛc.

1. **Pferdestall, Marstall,** frz. écurie. Pferdeställe seien trocken, im Sommer kühl, im Winter
warm. In größeren Ställen werden gewöhnlich
die Pferde mit den Köpfen an die Langmauern
gestellt; bei kleineren Stallungen ist es aber vortheilhafter, die Stände an die Quermauern zu
vertheilen. Größere Stallungen erfordern besondere Geschirr-, Knecht-, Futter-, Häckselkammern ꝛc.
Auch diese müssen womöglich directe Eingänge vom
Hof aus erhalten. Der Dachraum wird als Heu-
boden benutzt und es führt von der Futterkammer
eine Stiege auf denselben. Directe Oeffnungen durch
die Stalldecken sind wegen des Verderbens des
Heues durch den Dunst entschieden zu verwerfen.

Die Stände werden, wenn sie blos durch Latir-
bäume (s. d. Art. Barren, Latirbaum, Pilar ꝛc.)
getrennt sind, 4—5½ Fuß breit und 7—11 Fuß
lang, je nach der Größe der Pferderace; wenn sie
aber als Kastenstände durch feste Wände getrennt
sind, 6—7 Fuß breit u. 7—10 Fuß lang gemacht.
Den Gang macht man bei einer Standreihe 5½—8
Fuß, bei zwei Reihen Ständen 7—14 Fuß breit.
Bei größeren Pferdestallungen lege man auch
Fohlenställe à 36—40 ☐Fuß pro Fohlen, Kran-
kenställe, die womöglich geheizt werden können,
Gastställe für fremde Pferde ꝛc. an. Die Höhe der
Pferdeställe betrage nicht unter 10 Fuß, je nach
Größe der Race bis zu 14 Fuß; die Thüren sind
mindestens 4 Fuß breit und 8 Fuß hoch zu machen.
Die Fenster lege man so, daß das Licht den Thie-
ren nicht direct ins Auge falle, und 8 bis 9 Fuß
über dem Fußboden an. Für die Ventilation des
Stalles dienen sogenannte Dunstschläuche, die

lothrecht über das Dach aufsteigen, und durch die Umfassungsmauer ganz dicht an der Decke geführte Luftzüge, welche nach außen zur Ableitung des Condensationswassers etwas Gefälle erhalten.

Die Decke kann sein: a) ein Gewölbe, und dies ist jedenfalls allen anderen vorzuziehen; man legt es am besten auf eiserne Träger als flaches Tonnengewölbe, die Träger aber auf eiserne Säulen, die zugleich als Pilarstände dienen können. b) Verschalung mit Brettern, am besten Stulpdecke. Wenn die Bretter gehobelt sind und ganz gut im Anstrich gehalten werden, halten sie sich ziemlich lange. c) Gestreckte od. halbe Windeldecke. Alle anderen Deckenarten taugen nichts für Ställe.

Fußboden: In den Gängen am besten Ziegelpflaster, rauhe Steinplatten oder Asphalt; für die Stände sind am besten querliegende Eichenbohlen, 3—6 Zoll stark, von 8 zu 8 Zoll durchbohrt (³/₄—1 Zoll weit), Lager 8—9" ☐ stark. Fall auf die ganze Standlänge 3½—5 Zoll nach dem Gang zu. Unter den Lagern eine Pflasterung aus harten Ziegeln in Cement oder mindestens unter jeder Reihe von Löchern zu Abführung der Flüßigkeit ein kleiner Canal (Harncanal), der in einen größeren (die sogen. Brutrinne), mündet.

Krippen. Unten 10 Zoll, oben 12—13 Zoll weit, 10—12 Zoll tief; Länge mindestens 4 Fuß, in der Regel aber gleich der Standbreite. Oberkante je nach der Größe des Pferdes 3—4 Fuß vom Standboden. Die Krippen können hergestellt werden: a) aus 2—2½ Zoll starken Bohlen; die Pferde kauen gern am Holz, deshalb sind hölzerne Krippen nicht zu empfehlen oder mindestens an der Kante mit Eisenschienen zu beschlagen. b) Sandstein ꝛc. versäuert zu leicht. c) Gebrannter glasirter Thon ist in vielen Beziehungen sehr empfehlenswerth, doch schwierig zu befestigen. d) Gußeisen, inwendig emaillirt. Solche Krippen sind äußerlich meist 18—20 Zoll breit, blos 9 Zoll tief u. werden in einen Rahmen von 4 Zoll starkem Eichenholz eingelegt. e) Marmor, namentlich weißer, ist sehr zu empfehlen. — Den Raum unter der Krippe benutzt man zur Aufbewahrung von Streu, schließt ihn auch oft durch einen leichten Bretterverschlag oder schrankähnlich ab.

Raufen, Futterbarren. Unterkante 12—16 Zoll über der Krippe; a) hölzerne, in Form von Leitern, 3 Zoll Sprossenweite; b) eiserne, am besten auch leiterförmig, doch meist in einzelnen Stücken, für ein Pferd, in der Regel korbförmig, 2 Fuß hoch, 2½ Fuß breit. Die gußeisernen sind durchaus nicht zu empfehlen.

II. Rindviehstallungen: 1. Kuhstall. Höhe: 9 bis höchstens 11 Fuß im Lichten. Umfassungswände mindestens 2 Fuß stark. Luftzüge über den Fenstern macht man 1 Fuß breit, 6 Zoll hoch, durch Klappen verschließbar, doch können sie auch andere Formen haben. Die Thüren seien mindestens 4 Fuß breit und 6½ Fuß hoch. Fenster 1 bis 2½ Fuß breit und eben so hoch, 6 Fuß über dem höchsten Fußboden, auf 10 ☐Fuß Grundfläche 2 ☐Fuß Fensteröffnung. Zur Decke eignet sich blos Gewölbe oder gestreckter, kein halber Windelboden; ist der Futterboden über dem Stall, so läßt man in der Decke ungefähr von 30 zu 30 Fuß eine Oeffnung mit Falltbür, 3—4 Fuß ins ☐ groß; an Nebenräumen sind erforderlich: Futterboden, pro Kuh circa 300 Cbft., mit Heuluden zu versehen; Grünfutterschuppen, pro Kuh 4—6 ☐Fuß; ferner Mägde- u. Knechtekammern. Die Einrichtung des Stalls selbst ist sehr verschieden:

a) Langstellung; die Krippen an den Wänden zu beiden Seiten so, daß die Kühe mit den Köpfen nach den Umfassungswänden stehen. Dann benutzt man den Mittelgang zugleich als Futtergang, es muß also das Futter in jeden Stand hineingetragen werden; dies erschwert aber die Fütterung, ist daher weniger zu empfehlen. Innere Gebäudetiefe 22—24 Fuß.

b) Langstellung, wobei die Thiere mit den Köpfen gegeneinander stehen, mitten durch einen gemeinschaftlichen Futtergang von 6—7 Fuß Breite von einander getrennt. An den Wänden laufen Mistgänge von mindestens 3½ Fuß Breite hin. Gebäudetiefe 28—30 Fuß.

c) Langstellung, Mistgang von 6—8 Fuß Breite in der Mitte, höher gelegen als die Stände; der Dünger wird entweder regelmäßig über diesen Gang hinausgeschafft oder bleibt liegen, die Krippen sind dann zum In-die-Höhe-stellen einzurichten, der Stall selbst demgemäß höher zu machen; die Futtergänge an den Seiten 4 Fuß breit. Nach den neuern Regeln der Landwirthschaft allen andern vorzuziehen. 29—31 Fuß Gebäudetiefe.

d) Querstellung, wobei die Krippen nach der Gebäudetiefe gelegt sind.

Die Maaße für die Stände sind: für einen Ochsen 7—8 Fuß lang ohne Krippe, 4—4½ Fuß breit; für eine Kuh 6½—7½ Fuß lang ohne Krippe, 3½—4 Fuß breit. Fortlaufende Krippen sind weniger zu empfehlen als einzelne. Man fertigt sie am besten von Granit oder von gebranntem Thon (glasirt säuert leicht), 16—18 Zoll breit, 2 Fuß lang, 9—12 Zoll tief, die Oberkante vom Fußboden 2½ Fuß hoch. In der Regel werden zwei und zwei Kuhstände zu einem vereinigt, dann kommt eine Wand von 3—4 Fuß Höhe; in den Winkeln des so entstandenen Doppelstandes werden die Kühe angebunden.

2. Jungviehstall; pro Stück 18 ☐Fuß excl. Gänge. Kälberstall pro Stück 14—16 ☐Fuß, zwischen den Ständen 4 Fuß hohe Wände.

3. Ochsenstall. Auf 30—40 Kühe ein Stier, kann mit im Kuhstall stehen, muß aber einen Stand mit starken, 5 Fuß hohen Seitenwänden erhalten. Der Ochsenstall und Mastviehstall wird am besten nach dem Kuhstall gesondert, aber nach denselben Regeln angelegt, auch müssen die Krippen wegen der Hörner etwas von der Wand abgerückt werden. Zur Pflasterung eignen sich am besten kleine Kieselsteinplatten oder Ziegelsteine. Dabei muß der Fußboden um 6—12 Zoll über das äußere Erdniveau erhöht werden. Der Kuhbof kann mit der Düngerstätte vereinigt werden, besser aber liegt man ihn hinter den Stall als Raseplatz an; er erhält in beiden Fällen eine Barriere von 6 Fuß Höhe, womöglich directen Eingang vom Stall aus, und einen Wassertrog.

III. Schafstall, frz. bergerie. Die Hauptfront nach Süden; erhält keine Querwände, sondern nur einen möglichst freien Raum. 1) Für Muttervieh und Lämmer. Der Dünger wird mittelst Wagen herausgeschafft, es müssen deshalb die etwaigen Ständer wenigstens 10 Fuß auseinander kommen. Thore mindestens 10 Fuß hoch; in der Langfront von 60 zu 60 Fuß ein Thor. Stallhöhe zwischen 10 und 12 Fuß. Der Fußboden, 6—8 Zoll über dem Erdniveau, erhält eine Sandausfüllung. Die Fenster seien 3—4 Fuß breit, 3 Fuß hoch und 6—7 Fuß erhöht über dem Fußboden. Etwaige Holzsäulen sind rund oder wenigstens achtedig zu machen. Grundfläche auf einen Jährling 5—6

□Fuß, auf einen Hammel 6—7 □Fuß, auf ein Mutterschaf 7—8 □Fuß. Umfassungswände von Ziegeln nicht unter 18 Zoll; Lehmwände mindestens 3 Fuß stark, über hohem Bruchsteinsockel. Luft-züge bei 12 Fuß Maximalabstand 2 Fuß lang, 1 Fuß hoch. Decke halber oder gestreckter Windel-boden. Futter, Bodenraum pro Schaf 30—40 Cubitfuß. Raufen sind in der Regel doppelt und in der Mitte des Raums aufgestellt. Unterkante 18 Zoll über dem Fußboden, Raufen selbst in Form von 18 Zoll hohen liegenden Leitern mit 4 Zoll Sprossenweite. Krippen zum Salz 6 Zoll breit und tief aus Spündebrettern. 2) Die Sprungkam-mer für den Bock erhalte 6 Fuß hohe, mit Brettern verkleidete Bohlenwand, 15—20 □Fuß pro Bock. Krankenstall 5—7% des ganzen Stalles. 3) Der Schafhof wird mit Hürden umgeben, mit Gras und womöglich mit fließendem Wasser versehen; s. auch d. Art. Schafschwemme, Schäferei 2c. IV. **Ziegenstall.** 9—10 □Fuß pro Stück, sonst wie Schafställe eingerichtet.

V. **Schweineställe.** Front nach Mittag, Aus-gang nach einem kleinen, mit Wasser versehenen, mit Mauern eingefaßten Schweinehof. Auf ein Ferkel rechnet man 5—6 □Fuß, auf ein einjähriges Schwein 6—7 □Fuß, auf ein zweijähriges Schwein 8—10 □Fuß, bei einzelnen Kothen aber auf ein Mastschwein 16—20 □Fuß, auf eine Zuchtsau oder einen Kämpen oder Eber 35—40 □Fuß. Die Höhe betrage 6—8 Fuß, der Fußboden liege 1 Fuß höher als das Hofniveau. Man stellt der-gleichen Stallungen entweder aus Pfosten oder Blockwänden, besser aus massiven Mauern oder Steinplatten her. Neuerdings giebt man den ein-zelnen Kothen nicht mehr besondere Thüren, sondern theilt sie durch 4½—5 Fuß hohe Steinwände oder Bohlwände, nach dem Gang zu durch Eisengitter ab, und stellt in die Vorderwand dieser Gitter Tröge, die man vom Gang aus füllt und welche besondere Gitterklappen haben, damit das Schwein während des Einschüttens nicht hinzu kann. Ein jeder solcher Trog sei 12—16" breit, 12" tief, 18—20" erhöht; für Ferkel 18" breit und 6" tief, 3—5" vom Fußboden erhöht. In jedem Kothen lege man eine trogartige Vertiefung im Fußboden für den Koth der Schweine an; der Gesammtraum wird dann in einer Höhe von 9—10 Fuß überwölbt und beizbar gemacht. Der Fußboden besteht aus Steinplatten oder Klinkerpflaster.

VI. **Federviehstallungen.** Wenn es die Raum-verhältnisse gestatten, so ist es allemal gut, ein eigenes Gebäude dafür aufzuführen. Man legt dann die Räume für Gänse und Enten ins Par-terre, darüber kommen die Hühner und zu oberst die Tauben. Der Fußboden des Parterres wird 12—18 Zoll erhöht und mit hartem Material aus-gepflastert; s. auch d. Art. Federviehstall. 1) Tau-benschlag. Auf ein Paar Tauben rechnet man eine Zelle von 18 Zoll Höhe und Breite und 2—2½ Fuß Tiefe. Die Oeffnungen seien 6 Zoll ins □groß, durch Klappen oder Schieber für die Nacht verschließbar, auch ist der Taubenschlag durch Sonnen 2c. gegen Angriffe des Marders zu verwahren; am besten wird er als Thurm oder in einen Giebel ange-bracht, die Zellen haben nach hinten Oeffnungen. um den Dünger, die Eier 2c. herausnehmen zu können. 2) Hühnerstall. In der Regel rechnet man auf ein Huhn 1½ □Fuß. Die Hühnersteige enthält 6—8" Sprossenweite. 3) Großfedervieh. Man rechnet auf eine Ente 1½ □Fuß, auf eine Gans 2½ □Fuß, auf einen Truthahn, calicuti-schen Hahn oder Henne 3 □Fuß. Allen solchen Ställen giebt man 6—7 Fuß Höhe. Mastzellen sind etwas kleiner, bes. sehr niedrig (8—12 Zoll hoch) zu machen. Bei Brütställen muß für geeig-nete Heizung im Winter Sorge getragen werden.

Stallanlagen, s. d. Art. Stall.

Stallbaum, s. v. w. Latirbaum, Barre.

Stalle, frz., lat. stallus, stallum, Chorstuhl; stallwork, engl., Chorgestühl; stalldesk, Stirn-wand eines Chorgestühles.

Stallhof, frz. basse-cour, **engl. base-court,** s. d. Art. Hof.

Stallmoppe (Ziegl.), so heißen holländische, besonders hartgebrannte Steine, 6—7 Zoll lang, 3½ Zoll breit, 1¼ Zoll dick.

Stalln, Roheisengewicht = 1½ Centner.

Stamm, 1) s. v. w. Schaft; — 2) s. d. Art. Baum; — 3) s. v. w. Baumstumpf, Stock, Wurzelstoß.

Stammbaum Christi, frz. arbre de Jessé, tige de Jessé, engl. tree of Jesse, Darstellung der Reihenfolge der Vorfahren Christi von Jesse (Jesaias 11, 1) bis zu Maria als Mandelzweig mit der Mandelfrucht Christus. Am häufigsten kam dieser Stammbaum als Mosaik oder Gemälde an Wänden, Decken und Gewölben vor; ein interes-santes Beispiel der Verwendung als Fenster-maaßwerk, vereinigt mit Glasmalerei, das Jesse-fenster der Cathedrale von Dorchester, geben wir unsern Lesern in Fig. 1791.

Stammende, unteres Ende eines Baumes, behauenen Stammes, Brettes oder dergleichen; s. d. Art. Baumfällen.

stammfaul, s. v. w. kernfaul, wenn es äu-ßerlich nicht erkannt werden kann.

Stammgeld, s. d. Art. Anweisegeld.

Stammholz, Oberholz im Gegensatz zu Busch-holz.

Stammkirsche, s. d. Art. Weichselkirsche.

Stammlohden, Schößlinge aus den Wurzel-stöcken gefällter Bäume.

Stampfbau, s. d. Art. Pisée.

Stampfe, frz. maillet. 1) (Mühlenb.) Die Wirkung einer Stampfe hängt von ihrem Gewicht und der Höhe ab, von welcher sie herabfällt. Die Stampfen sind lothrechte oder auch geneigte Ständer, die durch Daumen gehoben werden und dann wieder niederfallen. Die Stampfe hat eine hindurchgesteckte Latte (Hebelatte), oder einen Schlitz, wo der Daumen einer Welle eingreift. In Oelmühlen sind die Stampfen 5 Zoll breit, 4 Zoll dick, 10—13 Fuß hoch; in Pulvermühlen bei gleicher Länge 4 Zoll breit und dick. Gegen das Aussplittern giebt man ersteren unten einen Eisenbeschlag, letzteren eine messingene Einfassung, ebenso dem Grubenstock, worein sie fallen; Papier-mühlen haben Stampfhämmer; s. d. Art. Schwanz-hammer; — 2) s. v. w. Jungfer, s. d. Art. Ramm-maschine.

Stampfer, Werkzeug, mit dem man beim Sprengen (s. d. 3) in das Loch die Besatzung ein-stößt; besteht aus einem runden, 1½—2 Fuß langen, ¾—1 Zoll starken Stab von Eisen oder hartem Holz, am untern Ende etwas dicker und zu einem Kopf abgerundet, dessen Durchmesser dem des Bohrloches nahe kommt; seitwärts ist eine Furche für die Räumnadel.

Stampfgang (Mühlenb.), die zum Betrieb jeder Stampfe (s. d. 1) gehörige Einrichtung.

Stampfgerüst (Mühlenb.), Gerüst, worin die Stampfen (s. d. 1) sich bewegen. Es besteht aus Säulen mit darüber gelegten Rahmen und den die Stampfen dicht umschließenden Scheidelatten. Gegen die letzteren entsteht beim Heben der Stampfe oft ein Seitendruck, der aber um so geringer wird, je kürzer die Hebelatte ist und bei Stampfen mit Schlitzen ziemlich ganz wegfällt.

Stampfkrahn, Kunstramme; s. d. Art. Rammmaschine.

Stampfmühle, Stampfmaschine, Stampfhaus (Mühlenb.). Man rechnet hierzu die Oelmühlen, die Pulvermühlen ꝛc., s. d. Art. Mühle.

Stampfstock, s. v. w. Grubenstock.

Stampfwerk, 1) s. v. w. Stampfmühle; — 2) s. v. w. Pochwerk, s. d.; — 3) Maschine zum Zerkleinern der Lohe und anderer Dinge, sowie zum Schälen des Hirses; s. übr. d. Art. Stampfmühle, Daumwelle, Mühle ꝛc.

Stampfzeug; dazu gehören Stampfen, Grundstöcke u. Daumwelle; s. d. betr. Artikel.

Stancheons, Stanchel, engl., frz. étançon, ital. sbirra, 1) überhaupt Gitterstab, Geländertraille, besonders aber die Gitterstäbe mit Lanzen- oder Blätterspitzen, ferner die aufrechten Eisenstäbe zwischen den steinernen Pfosten der gothischen Fenster; — 2) Pfeiler, Docke in einer hölzernen Gallerie.

Stand, 1) im Stall (s. d.) Raum für ein Stück Vieh; — 2) einzelner Platz in der Kirche; s. d. Art. Kirchenstuhl; — 3) offener Verkaufstisch, s. d. Art. Markt; — 4) Stand des Holzes im Wald; s. d. Art. Bauholz B. a. 1.

Standard, engl., 1) Rüststange; — 2) Fensterprosse; — 3) stehender Leuchter; s. d. Art. Leuchter.

Standarte, s. d. Art. Fahne 7.

Standbaum, Sarren, 1) s. v. w. Pilar; — 2) lothrecht gestellter Stempel, welcher bei der Anlage eines kreisrunden Bauwerkes in den Mittelpunkt gestellt wird, um von diesem aus die kreisrunden Linien durch Leiern (s. d.) bestimmen zu können; — 3) bei einem Gerüst die senkrecht aufgerichteten und in die Erde gegrabenen Stämme; — 4) Leiterbaum an einer Bockleiter.

Standbild, s. d. Art. Bildsäule u. Statue.

Standbohle, Bebohlung in einem nicht durchgängig gebohlten Pferdestall unter den Vorderfüßen auf 3 Fuß Breite längs der Krippe.

Stander, s. d. Art. Fahne 4.

Standeszeichen (Herald.), Insignien oder Zeichen, die auf den Helm gesetzt, hinter den Schild gesteckt, auf die Seite gestellt, unten angebracht oder rund um den Schild gehangen werden. S. z. B. d. Art. Krone, Insignien, Hut, Mütze, Abtsstab, Bischofsstab, Schlüssel, Schwert, Kurschwert ꝛc.

Standhaftigkeit, s. Anker F. u. Kardinaltugenden.

Standleuchter, s. d. Art. Leuchter. [genden.

Standlinie, auf einem zu vermessenden Feld möglichst lang abgesteckte gerade Linie zur Anschließung der anderen Linien und Winkel.

Standloch (Zimmerm.), Loch in einer Unterlage für den dazu passenden Zapfen, Standzapfen eines Ständers.

Fig. 1791. Stammbaum Christi (Jessefenster) der Cathedrale zu Dorchester.

Standpfosten, freistehende Holzsäule.

Standriß, s. d. Art. Aufriß.

Standwand, Holzwand zwischen zwei Ständen eines Pferdestalles; s. d. Art. Stall 1.

Standwasser (Mühlenb.), s. v. w. Aufschlagwasser.

Stange, 1) schwaches, langes, rundes Holz, verwendet zur Herstellung von Zäunen, zum Rüsten, Abstecken ꝛc.; s. d. Art. Baum 2.; — 2) s. d. Art. Maaß, S. 488, Bd. II.

44*

Stangeneisen, 1) f. d. Art. Stabeisen und Eisen, S. 687 ff. Bd. I; — 2) Spindel, womit die in den Schacht führende Kunststange an das Kreuz befestigt ist.

Stangengang, der in gerader Richtung fortlaufende Theil einer Stangenkunst.

Stangenkohle; ständig abgesonderter Anthracit; die Absonderung ist nicht krystallinisch; die Stangenkohle ist eisen- bis pechschwarz, hat muscheligen Bruch und halbmetallischen Glanz.

Stangenkunst, Stangenwerk, Stangenleitung, Kunstgestänge; f. d. Art. Feldgestänge.

Stangennagel, Bolzen im Kopf einer Schwinge, zur Verbindung der Enden zweier Lenkstangen bei Feldgestängen.

Stangensäule, 1) f. v. w. Dienst, f. d.; — 2) f. d. Art. Fuselée.

Stangenzinn, f. d. Art. Blockzinn und Zinn.

Stangenzirkel zum Beschreiben großer Kreise. Besteht aus einer Stange von Metall oder Holz, an deren einem Ende zum Einsetzen in den Mittelpunkt sich eine Spitze rechtwinklig gegen die Stange gestellt befindet. Eine längs der Stange, je nach dem gewünschten Radius, verschiebbare Hülse ist mit Bleistift- oder Reißfedereinsatz versehen und kann festgeschraubt werden; f. d. Art. Zirkel.

Stangiew, f. d. Art. Maaß, S. 504, Bd. II.

Staniol, eigentlich Stanniol (von stannum, Zinn), Blattzinn, starke Folie, sehr dünn gewalztes Zinn (bis zu nur 0,01" Stärke), f. d. Art. Zinn. Wird zum Ueberzug von Wänden und Holzwerk, um das Ausschlagen der Nässe zu verhindern, ferner als unächtes Blattsilber, sowie als Spiegelfolie, zum Belegen der Dachschiefer 2c. gebraucht; f. d. Art. Dachdeckung, S. 604, Bd. I.

Stanislaus Kostka, 1) St., geboren 1550 in Rostkow, gestorben 1568 in Rom, Patron von Polen; wird dargestellt als zarter Jüngling im Jesuitenkleid, zur Seite einen Engel; — 2) 1030 in Krakau geboren, Bischof von Krakau, erweckte einen Edelmann vom Tod, um für ihn zu zeugen, that den König Boleslaw in den Bann und wurde dafür von demselben 1079 erschlagen. Darzustellen als Bischof mit dem Schwert.

Stankrohr, f. d. Art. Abtritt.

Stannit (Min.), so heißt das sogenannte weiße Zinnerz aus Cornwallis; es findet sich als Pseudomorphose nach Orthoklas und besteht aus Zinnoryd, Kieselsäure, etwas Thonerde, Eisen.

Stanza, ital., Zimmer. [oryd und Kalt.

Stanze, Metallunterlage, auf die man beim Prägen in Blech das zu prägende oder zu treibende Blech legt und dann mit der genau dazu passenden Bunze (f. d. Art. Bunze und Matrize) darauf schlägt oder preßt.

Stapel, nordd. Staffel, lat. stabulum, 1) frz. chantier, étape, Holzstall, Holzplatz; — 2) frz. chantier, cale, engl. stocks, slips, Uferplatz zum Ausladen, namentlich aber zum Bauen der Schiffe; — 3) gleich Stabel, Stäbchen, einer der Pfeiler, die die Salzpfannen tragen; — 4) frz. amas, tas, pile, ein Stoß so auf einander gelegter Bretter, daß dieselben parallel liegen und, nur durch ganz schwache Hölzchen, die man dazwischen legt, getrennt, die Luft zulassen, dadurch aber sehr gut austrocknen. Ueber den Unterschied zwischen Aufschränken und Aufstapeln f. d. beid. betr. Art.

Stapelholz, 1) aufgestapeltes Holz; f. d. Art. Stapel 4; — 2) die kleinen Zwischenhölzchen; f. d. Art. Stapel 4; — 3) frz. tin, engl. block, die Stützen eines im Bau begriffenen Schiffes.

stapeln, f. d. Art. Aufstapeln und Stapel 4.

Stapp, f. d. Art. Maaß, S. 504, Bd. II.

Star, engl., Stern; starmoulding, Sternverzierung, f. d.

Stara, Starollo, Staro, f. d. Art. Maaß, S. 492, 499, 501, Bd. II.

starkes Bauholz, sind Stämme, die beim Beschlagen mindestens einen Querschnitt von 10 Zoll im ☐ geben.

starkes Blech, Blech, wo der ☐Fuß mehr als 1½ Pfund wiegt.

Statif (Feldmeßt.), das ein Meß- oder Nivellirinstrument 2c. tragende Gestell.

Statik, die Lehre vom Gleichgewicht der Körper. Da aber alle Bewegungserscheinungen Kräfte zur Ursache haben, so kann man die Statik auch definiren als die Lehre vom Gleichgewicht der Kräfte unter einander. In Hinsicht auf den Aggregatzustand der Körper unterscheidet man eine Statik der festen, flüssigen und gasförmigen Körper, oder Geostatik, Hydrostatik und Aërostatik.

Statik der Bauwerke; das Nothwendigste darüber ist, so weit der Raum eines Lexikons es gestattet, in besonderen Artikeln aufgeführt: f. d. Art. Balken, Festigkeit, Eisenbau, Sparrenschub, Gewölbe, Erddruck, Hydrostatik, Hängewert, Widerlager, Wölbung, Futtermauer 2c. Was in diesen Artikeln nicht enthalten ist, darüber ist die betreffende Special-Literatur zu Rathe zu ziehen.

Station, 1) f. v. w. Ruheplatz für die Wallfahrtenden auf einem Calvarienberg. Diese Stationen sind entweder Ruhealtäre, oder auch blos Betsäulen oder kleine Capellchen, geziert mit der Darstellung der betreffenden Scenen aus der Leidensgeschichte Christi; f. d. Art. Berg 3, Christus, Kirche und Wallfahrt; — 2) f. d. Art. Bahnhof.

statisches Moment, f. d. Art. Moment 1. Das statische Moment der Resultirenden ist gleich der Summe der statischen Momente der Componenten, der feste Punkt mag dabei liegen wo er will. Bei dieser Addition der Momente ist jedoch auf das Vorzeichen derselben Rücksicht zu nehmen, d. h. darauf, ob sämmtliche Kräfte nach derselben Richtung um jenen festen Punkt wirken; wirkt eine der Kräfte im entgegengesetzten Sinne, so wird das Moment derselben negativ.

Statue, Standbild, f. d. Art. Bildsäule, Attribut, Allegorie, Gruppe, Denkmal 2c. Statuen werden von Holz, Stein oder Metall gefertigt. Die letzteren, namentlich Bronzefiguren, sind theils hohl, theils massiv gegossen. Sehr alte, besonders römische und ägyptische, sind mit einer grünen Schicht, Pattina, überzogen, unter welcher eine röthliche Substanz und unter dieser erst die wirkliche Bronze, in der Regel von vorzüglichster Qualität, zeigt, welche beim Reiben mit einer Schlichtfeile Metallglanz annimmt. In der Regel hat sich bei wirklich alten Statuen in dem äußersten grünen Ueberzug das Zinn in Zinnoryd verwandelt, das Kupfer aber in einfaches Chlorkupfer und Kuplferoryd, welche sich mit einander verbunden haben (diese Verbindung findet sich auch in der Natur als Salzkupfererz vor). In der innern Schicht hat sich die Bronze in Kupferorydul und Zinn-

oxyd umgewandelt. Die gewöhnliche Reinigungs=
methode durch Abwaschen und Bürsten vermindert
das Volumen und verändert dadurch die Gestalt der
Figuren. Vermittelst Wasserstoffgaas stellte Pro=
fessor Chevreul die Statuen vollkommen wieder
ber, ohne die Größe zu vermindern; s. übr. b. Art.
Antikenerkennung 2c. Man unterscheidet: Sta=
tuette, Bildsäule, die unter halber Lebensgröße ist;
— statue allegorique, allegorische Bildsäule,
s. b. Art. Bildsäule und Allegorie; — statue
colossale, Statue von mehr als gewöhnlicher
Lebensgröße; — statue currule, Statue auf
einem bespannten Siegeswagen; — statue
equestre, Reiterstatue; — statue hydraulique,
Springbrunnenaufsatz in Form einer Statue; —
statue pedestre, Statue zu Fuß, stehend; —
statue persique, s. b. Art. Caryatiden 2c.; —
statue romaine, Statue im römischen Costüm.

Statuaire, frz., Bildhauer; colonne statu-
aire, Säule, die eine Statue trägt (s. b. Art.
Säule und Denkmal); fontaine statuaire,
Brunnen mit Bildsäulen.

Status nascens, lat. (Chem.), Abscheidungs=
moment. Gewisse Körper treten bei chemischen
Vorgängen aus einer Verbindung aus und in
eine neue Verbindung ein, ohne vorher den freien
Zustand angenommen zu haben. In dem Mo=
mente ihrer Ausscheidung können sie auf andere
Körper umbildend, zersetzend wirken, während sie
das nicht thun, wenn man dieselben Körper im
freien Zustand verwendet. So wirkt z. B. freies
Wasserstoffgaas nicht zersetzend auf Salpetersäure
ein. Mischt man aber Zink mit verdünnter Schwe=
felsäure und setzt diesem Gemisch eine Salpeter=
säure haltende Flüssigkeit zu, so wird die Salpeter=
säure im Augenblick der Entstehung des Wasser=
stoffes zu Ammoniak umgebildet. Ozon z. B.
oxydirt gewisse Körper sogleich, während gewöhn=
licher Sauerstoff diese Eigenschaft in weniger
starkem Grad hat. Man sagt daher von Körpern,
welche im Entstehungsaugenblick auf andere um=
bildend wirken, die neue Verbindung entstehe durch
Wirkung des betr. Körpers im status nascendi.

Statute mile, engl. s. b. Art. Meile.

Stau, 1) Stauwasser, Aufqualm, Wasser, wel=
ches wegen Mangel an Abfluß anschwillt; —
2) s. b. Art. Stauwehr; — 3) s. b. Art. Stauung.

Staubbach, s. b. Art. Bach.

Staubboden (Mühlenb.), Boden über dem
Beutelkasten zum Sammeln des vom Beutelwerk
auffliegenden Mehlstaubes.

Staubbronze, s. b. Art. Bronzefarben.

Staubkalk, 1) trocken gelöschter und zerfalle=
ner Kalk; — 2) staubige Kalkerde; s. Bergmehl.

Staubmühle, 1) s. b. Art. Getreidereinigungs=
maschine; — 2) auch Straubmühle, Mühle mit
Straubrad, s. b.

Staubsand, s. v. w. Flugsand.

Stauch, 1) s. b. w. Stau; — 2) ein Mühlrad
geht im Stauch, d. h. ist durch zu hohen Wasser=
stand in der Umdrehung gehemmt.

stauchen, 1) mit dem Ende eine glühende
Eisenstange, ein Holz 2c. aufstoßen, bis sie einen
Kopf erhält; — 2) s. v. w. anstauen, s. b.

Stauchweger (Schiffsb.), die untersten Kimm=
weger; s. b. Art. Weger.

Staudeich (Wasserb.), Deich, durch welchen
das Wasser gestaut wird.

Stauden (Mühlenb.), Säulen, in denen die
Schwingen einer Papiermühle gehen.

stauen (Wasserb.), s. b. Art. Anstauen.

Stauf, 1) (Bergb.) s. v. w. Stufe, Spitze; —
2) s. v. w. Stuff, Stäbchen; s. b. Art. Maaß.

Stauhölzer (Wasserb.), Hölzer, die man, um
das Wasser zu stauen, in eigens dazu eingemauerte
Falze der Schleußenwände horizontal über einan=
der berabschiebt.

Staupsäule, lat. pilloricium, franz. pilori,
engl. pillory, s. v. w. Pranger.

Staurolith, Kreuzstein, Granatit, prismatoi=
discher Granat (s. b.) (Mineral.). Verbindung von
Eisenoxyd mit Kieselsäure, ist röthlichbraun in's
Graue, Glanz fettig bis glasig; ritzt Feldspath,
wird durch Topas geritzt. Kaum durchscheinend,
durch Schwefelsäure theilweise zersetzbar, findet
sich namentlich in krystallinischen Schiefergebirgs=
arten.

Stauschleuße, span. azud, 1) s. b. Art.
Schleuße 1. D.; — 2) Schleußenthor in einem
Wehr, wird geöffnet und geschlossen, indem man
eine verticale Achse dreht, die das Thor in zwei
ungleiche Theile theilt 2c.; s. b. Art. Spülschleuße.

Stauung. Die Aufstauung von Wasser wird
sowohl der Bewässerung wegen vorgenommen,
als auch als Annäherungshinderniß bei Belage=
rungen gebraucht.

Stauwasser, s. b. Art. Stau 1.

Stauwehr, Stauwerk, Wehr, welches zur An=
stauung einer bestimmten Wassermenge dient und
in der Regel mit einem Schützen versehen ist; s.
übrigens b. Art. Wehr und Bewässerung.

Stawkirche, Stawwerkskirche, s. b. Art.
Reiswerk 2 und Holzarchitektur.

Stay-bar, engl., eiserner Querstab unter dem
Bogenfelde eines Fensters.

Staykfald, altengl., Gerüst, Schaffot; Stayk-
fald-hole, engl., Rüstloch.

Steap-ravines, engl., s. b. Art. Haus, S.
242. Bd. II.

Stearin (Chem.), bezeichnet in allgemeinster
Bedeutung alle festen Fette, im Gegensatz zu den
flüssigen, welche Oleïne genannt werden. In der
Kerzenfabrikation geht das aus verschiedenen Fett=
säuren (Stearin= und Palmitinsäure) gemengte
Material unter dem Namen Stearin, aus welchem
die Kerzen gefertigt werden. Das eigentliche Stea=
rin ist stearinsaures Lipployxd und bildet den
Hauptbestandtheil der Talgarten. Die Bereitung
kann auf folgende Weise geschehen: Man schüttelt
geschmolzenen Rindertalg längere Zeit mit der
8–10fachen Menge Aether. In der Wärme löst
sich Alles; beim Erkalten bleibt Oleïn gelöst, wäh=
rend Stearin in perlmutterglänzenden Krystall=
blättchen aus der ätherischen Lösung fällt. Ein
mit Oleïn gemengtes Stearin wird erhalten, wenn
geschmolzener Talg bis auf 38º unter beständigem
Umrühren abgekühlt wird. Das Stearin scheidet
sich dabei in kleinen Körnchen, die im Oleïn schwim=
men, aus und wird durch Pressen vom Oel be=
freit. Da das auf diese Weise erhaltene feste Fett
in Bezug auf Härte, Höhe des Schmelzpunktes und
somit auch auf Brauchbarkeit zur Kerzenfabrikation
hinter den festen Fettsäuren zurücksteht, so bedient
man sich zur Fabrikation der Stearinkerzen (s. b.
Art. Leuchtstoffe) namentlich der aus Palmöl und
Talg gewonnenen festen Fettsäuren.

Stearinfirniß, s. d. Art. Firniß, S. 57, Bd. II.

Stearinsäure und Palmitinsäure bilden die festen fetten Säuren des Talges und des Palmöls. Man gewinnt sie auf folgende Weise: geläuterter Talg oder gereinigtes Palmöl werden mit einer hinreichenden Menge Wasser in eine hölzerne Schmelzkufe gebracht, auf deren Boden ein spiralförmig gerolltes, durchlöchertes Dampfleitungsrohr aus Kupfer liegt. Aus diesem Rohr läßt man so lange Dampf ausströmen, bis Alles geschmolzen ist; dann verseift man die geschmolzenen Massen mit Kalk (auf 100 Thle. Talg 15—20 Thle. Kalt) und läßt 7—8 Stunden, nach welcher Zeit die Verseifung vollständig ist, Dampf einströmen. Die unlösliche graue Kalkseife scheidet sich nach dem Erkalten auf der Oberfläche aus; sie wird abgenommen, zwischen Walzen zermahlen und dann durch Schwefelsäure zersetzt. Diese Zersetzung geschieht in einem Bottich, der mit Bleiplatten ausgelegt ist und auf dessen Boden eine durchlöcherte Dampfröhre liegt. 100 Thle. Talg erfordern durchschnittlich 25 Thle. engl. Schwefelsäure. Nach 3—4 Stunden ist die Zersetzung der Seife durch Schwefelsäure vollendet; die festen Fettsäuren schwimmen in geschmolzenem Zustand auf der Oberfläche der sauren Flüssigkeit; am Boden hat sich der größte Theil des gebildeten Gipses ausgeschieden. Nach dem Erkalten nimmt man die erstarrten Fettsäuren ab und wäscht sie mit sehr verdünnter Schwefelsäure und dann mit heißem Wasser. Die dann erkaltete erstarrte, bräunliche Masse stellt ein Gemenge von fester Stearin- und fester Palmitinsäure mit flüssiger Oelsäure dar; letztere wird durch Pressen der Masse entfernt. Durch wiederholtes Umschmelzen und Waschen der festen Fettsäuren mit heißem Wasser rc. erhält man die festen fetten Säuren schließlich rein und verwendet sie dann zur Kerzenfabrikation.

Stealit, 1) Specstein; — 2) Pagodit.

Stechbeutel, Schroteisen, franz. ciseau-plat, dient zum Ausstemmen der Zapfenlöcher und anderer Vertiefungen, hat eine gerade, einseitig nach einem Winkel von 18—24° zugeschärfte Schneide, von ⅛ bis zuweilen 3 Zoll breit, und ist schwächer als Lochbeutel und Stemmeisen. Vergl. auch d. Art. Meißel.

Stecheiche, s. d. Art. Stechpalme und Eiche g.

Stecheisen, Stechstahl, 1) meißelartiges Minirwerkzeug; — 2) Eisenstange zum Anstechen (s. d.) des Schmelzofens; — 3) s. v. w. Stechbeutel; 4) vollkreisförmiger Hohlmeißel.

Stechen, frz. ramper, so sagt man von Gewölbekappen, deren Scheitel, abweichend von der Horizontalen, schräg in die Höhe geht, aufwärts sticht, oder nach unten sich neigt, abwärts sticht; s. d. Art. Stichkappe.

Stechgrube, s. d. Art. Ziegelfabrikation.

Stechgüdse, kleiner Hohlmeißel der Schiffsbauer.

Stechhelm, engl. jousting-helmet, Helm mit geschlossenem Visir und Augenschlitzen; s. d. Art. Helm.

Stechkanne, s. d. Art. Maaß, S. 499 u. 512, **Stechknie,** s. d. Art. Knie. [Bd. II.

Stechmücke, s. d. Art. Schnaken.

Stechpalme (Ilex aquifolium, Fam. Stechpalmenpflanzen), Hülsen; ist ein Strauch mit har-

ten, glänzenden, immergrünen Blättern, deren Spitzen und Zähne stechend sind; s. d. Art. Hülse. Das Holz wird leicht gelbbraun. Nach dem Fällen werden die Fourniere sofort geschnitten u. einzeln zum Trocknen aufgehängt; aber 3—4 Wochen wird der sich ansetzende Schimmel abgebürstet, dann nimmt das Holz schöne Politur an.

Stechschüppe, (Geräthschaft bei der Ziegelfabrikation, s. d.

Steckbaake, s. d. Art. Piquet.

Steckbaum, s. d. Art. Wachholder.

Steckelkiel, Stöckelkiel, Röhrchen in einer Pumpe, in welchem das Ventil befestigt ist; s. d. Art. Ansteckkiel.

Stecken, Holzmaaß; s. d. Art. Maaß, S. 498.

Steckfaschine, s. d. Art. Faschine.

Steckfeder, s. d. Art. Schließe 1.

Stecklinge, so nennt man solche abgeschnittene Zweige von Bäumen (besonders bei Weiden und Pappeln), die, in die Erde gepflanzt, Wurzeln treiben und zu neuen Bäumen erwachsen.

Stecknagel, zur Befestigung eines Gegenstandes mit einem andern dienender eiserner Stift mit einer Oese, den man durch über einander treffende Löcher steckt.

Steckruthe, s. d. Art. Kohlenbrennen.

Steckwerk, s. d. Art. Bindwerk.

Steeple, engl., altengl. stepyl, stepull, Thurm; s. d. Art. Kirchthurm.

Steert, s. d. Art. Stert; Steertmühle, s. d. Art. Holländerin und Windmühle.

Steg, 1) griech. μηρός, lat. femur, merus, frz. cuisse, engl. mews, shank, shang, leg, am Triglyph der vordere ebene Streif zwischen den Schlitzen; — 2) lat. stria, franz. côte, engl. filet, zwischen den Canneluren einer Säule stehender Streifen; s. d. Art. Glied E. 1. b. und Leiste; — 3) (Maschinenb.) verschiebbare, zum Zapfenlager liegender kleiner Wellen dienende Metallplatte; — 4) bei scheitrechten Gewölbbogen der hölzerne, schwach gekrümmte Lehrbogen; — 5) (Stangent.) Gleitholz oder Rolle zu Unterstützung der Kunststange in der Mitte; (Mühlenb.) Riegel im Mühlgerüste (s. d.); — 7) schmale Brücke, überhaupt schmaler Weg; — 8) s. v. w. Fensterprosse; — 9) s. v. w. Rahmholz; — 10) dem Sägeblatt paralleles Holz im Gatter; — 11) s. d. Art. Bant VI.

stehende Rückwelle (Mühlenb.), die als Ausrücker zweier Räder oder Frictionskegel dienende stehende Welle.

stehende Welle, 1) Welle mit senkrecht stehender Achse; — 2) s. w. w. stehender Karnies; s. d. Art. Karnies.

stehende Winde (Mühlenb.), s. d. Art. Winde.

stehende Zwillinge (Stangent.), an einer liegenden Welle, also in einer Verticalebene, sich bewegende Zwillinge.

stehender Dachstuhl, s. d. Art. Dach II. 2. c. d.

stehender Haspel, s. v. w. Erdwinde.

stehender Leitarm, stehender Lenker, unten in einem Zapfen sich drehender Leitarm horizontaler Kunststangen.

stehender Riegel (Schloss.), ein solcher, der nicht durch die Feder, sondern durch den Schlüssel fortgeschoben wird.

ſtehender Roſt, ſ. d. Art. Grundbau II. A. 3, S. 219, Bd. II.

ſtehender Stiefel, bei einem Pumpwerk der Stiefel, worin die Kolbenſtange auf und nieder geht.

ſtehendes Druckwerk, 1) Druckwerk mit ſtehendem Stiefel; — 2) Kunſtkreuz mit ſtehender Hauptwelle, wobei die Pumpen, welche es treibt, einen liegenden Stiefel haben; wird nur da angewandt, wo das liegende Kunſtkreuz ſich nicht über den Pumpen befinden kann, oder wo die einzelnen Pumpen unregelmäßig und weit auseinander ſtehen, ſo daß die an den Armen des Kunſtkreuzes ſich befindenden Lenkſtangen verſchieden lang, auch wohl gebrochen ſein müſſen.

ſtehendes Rad, Vorgelege ꝛc., erklärt ſich wie ſtehende Welle.

ſteif, 1) ſo wird ein Bauſtück oder innerer Verband genannt, wenn es durch eine die rückwirkende Feſtigkeit angreifende Laſt nicht niedergedrückt wird; ſ. d. Art. Feſtigkeit; — 2) von Erde, ſ. v. w. fett; ſ. d. Art. Klei.

Steifblätter, engl. stiffleafs, ſ. d. Art. Glied F., Blätter und Leaf.

Steife, 1) frz. étançon, bécal, ſ. d. Art. Abſteifen und couche, ſ. v. w. Stempel; — 2) Maaß der rückwirkenden Feſtigkeit.

ſteifen, ſ. d. Art. Abſteifen.

Steifigkeit, der Widerſtand, welchen ein Seil gegen das Umbiegen um eine Rolle oder gegen das Aufwickeln auf eine Welle leiſtet. Sie hängt ſowohl von dem Material ab, aus welchem das Seil gefertigt iſt, als auch von der Art und Weiſe der Zuſammenſetzung, und kann nur durch Experimente ermittelt werden. Verſuche dieſer Art ſind beſonders von Coulomb und Weißbach angeſtellt worden. Nach dem erſteren ergiebt ſich der Steifigkeitswiderſtand der Hanfſeile, wenn d die Stärke des Seiles, a den Scheibenhalbmeſſer, beides in Zollen, und Q die Spannung des Seiles in Zollpfunden bedeutet.

Für neue Seile: $S = \dfrac{d^{1,7}}{a}(13,31 + 0,295\,Q)$,

für gebrauchte: $S = \dfrac{d^{1,7}}{a}(6,39 + 0,141\,Q)$.

Bei gepichten Seilen iſt dieſer Widerſtand im Mittel noch um ⅛, bei naſſen um ¼ größer.

Steig, ſ. v. w. Steg 6 und 7.

Steige, ſ. v. w. Treppe.

Steigebaum, ſ. v. w. Treppenwange.

Steigegerüſt (Mühlenb.), Treppe, um auf das Mühlgerüſt zu kommen.

ſteigen und **fallen**, ſo ſagt man von Gebirgsgängen, wenn ſie mit ziemlich unbedeutender Neigung von der Horizontalen abweichen; ſ. d. Art. Antiklinallinie.

ſteigender Bogen, ſ. unter Bogen 2. e.

ſteigendes Geſims, von der Horizontalrichtung abweichendes Geſims.

ſteigendes Gewölbe, ſ. d. Art. Gewölbe.

ſteigende Welle, ſ. d. Art. Karnies 1 und Glied E. 3. a.

Steiger, Einſteigegerüſt auf Landungsplätzen.

Steigeröhre, Steigrohr, frz. corps de dé-

gorgement, bei Druckpumpen, Waſſerheizung ꝛc. die Röhre, worin das Waſſer in die Höhe ſteigt.

Steighöhe (Mühlenb.), iſt die geſetzlich feſtſtehende Höhe, um welche das Oberwaſſer anſteigen darf; es giebt ſie ein Pegel an. Droht das Waſſer höher zu ſteigen, ſo muß das Freigerinne geöffnet werden.

Steiglitz, Stieglitz, Stiegel, Verſperrung eines Fußweges für Reiter ꝛc. durch ein Thürgerüſt oder ein Drehkreuz.

Steigrad, ſ. v. w. Sperrrad.

Steigſchenkel, der höhere Schenkel einer communicirenden Röhre, in welchem das Waſſer aufſteigen ſoll.

Steigung, frz. montée, 1) Geſammthöhenunterſchied zwiſchen Anfang und Scheitel einer Brückenbahn, eines Gewölbes, eines anſteigenden Weges ꝛc.; — 2) die Höhe einer Treppenſtufe; ſ. d. Art. Treppe.

ſteil ſind Linien oder Flächen, die mit der Horizontalen einen Winkel über 45° bilden; ſteil abhängen, ſ. d. Art. Abſchüſſig.

Steilpfahl (Deichb.), ſenkrechter Pfahl beim Deichbau, der mit einer Strebe abgeſteift iſt.

ſteilrecht, ſ. v. w. ſenkrecht und vertical.

Stein, lat. lapis, frz. pierre, 1) ſ. d. Art. Bauſteine. Das Wort Stein iſt eigentlich nur auf einfache Mineralien zu beziehen, wird aber in der Regel auf alle härteren Mineralien ausgedehnt; — 2) Steine als Attribut erhalten die Heiligen Albertus, Arabus, Barnabas, Bavo, Calixtus, Comgallus, Euphraſia, Euſebius, Stephan, Severianus, Hieronymus, Liborius, Medardus, Juſtus, Paſtor, Chriſtian, Emerentiana; — 3) (Heraldik) ſ. d. Art. Heroldsfiguren 12; — 4) armeniſcher Stein wird der Laſurſtein (ſ. d.) ſowie ein durch Kupferlaſur blau gefärbter Kalkſtein genannt, welcher dem Laſurſtein ähnlich war und als blaue Farbe verwendet wurde; — 5) Stein der Weiſen, eine von den Alchymiſten gedachte Subſtanz, die alle Krankheiten heilen und Metalle in Gold verwandeln ſollte; — 6) lithographiſcher Stein, ſ. v. w. Lithographirſtein.

Steinanwürfe, ſ. d. Art. Feſtungsbaukunſt.

Steinart, ſ. d. Art. Fläche 2.

Steinbalken, ſ. d. Art. Balken, S. 208.

Steinbau, iſt ein blos aus Steinen, mit Ausſchluß alles Holzwerkes, aufgeführter Bau; iſt ſehr koſtſpielig, aber feuer- und bombenfeſt; ſ. d. beiden Artikel.

Steinbeile, ſ. d. Art. Beilſteine.

Steinbock, ſ. d. Art. Karte 1.

Steinbockshorn, ſ. d. Art. Horn 4.

Steinbohrer, ſ. d. Art. Bohrer, Sprengbohrer, Abſchroter, Anfangsbohrer, Kronbohrer, Kolbenbohrer ꝛc. Außer den in dieſen Artikeln einzeln behandelten Bohrern iſt noch zu empfehlen ein Steinbohrer mit Diamant, erfunden von dem Genfer Uhrmacher Leſchot. Man nietet ein Stück ſchwarzen braſilianiſchen Diamant in einen eiſernen Ring ein und ſtellt ſo einen Kranzbohrer her, der mittelſt eines Getriebes ſchnell umgedreht wird, wobei man zugleich Waſſer zuſtrömen läßt, um das Bohrloch rein zu erhalten. Auf dieſe Weiſe kann man in einer Stunde einen cylindriſchen Kern von 1½ Zoll Durchmeſſer und 6—7

Zoll Tiefe herausbohren, welcher aber von Zeit zu Zeit abgebrochen werden muß, um das Nachbringen des Bohrers möglich zu machen; s. Deutsche Industrie-Zeitung 1863.

Steinbohrmaschine, Maschine zum Bohren steinerner Röhren; sie ist auf einem hölzernen Gerüst angebracht, welches mit der Sohle und mit einer Mauer fest verbunden ist. Fig. 1793 ist ein Grundriß der Maschine, Fig. 1792 Durchschnitt derselben nach A B, Fig. 1793. Das Gerüst hat ein Plateau P Q von Eichenholz, welches mit 5 cylindrischen Oeffnungen versehen ist. An den unteren Querschwellen C, D sind die Bohrer E, F befestigt, und auch die gußeisernen Ansätze mit

Fig. 1792.

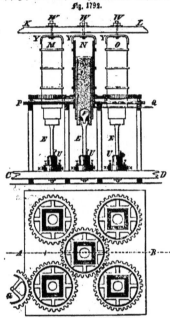

Fig. 1793. Steinbohrmaschine.

ihren Stützen, welche als Muffe und Träger für die Röhren dienen. An den oberen Balken K, L sind fünf bewegliche und doppelte Kasten M, N, O aufgehängt, von denen der eine in dem anderen verschiebbar ist. Der Bohrmeißel hat eine der zu erlangenden Bohrweite entsprechende Stärke. Die unbewegliche Bohrstange ist unten in einem gußeisernen Fuß U durch Keile befestigt, und dieser Fuß oder Muff ist mit den Schwellen C, D ebenfalls durch Schließteile fest verbunden und wird nach vollendeter Bohrung weggenommen; während der Bohrung leitet die Bohrstange den Stein bei seinem Niedergang; letzterer gelangt auf drei bewegliche stählerne Meißel v, v, die in drei Falzen in dem gußeisernen Fuß mittelst der Stellschrauben x verschiebbar sind, wodurch man in Stand gesetzt ist, den Durchmesser beliebig zu verändern. Der erste oder äußere der Kasten M, N, O ist mit dem ihn bewegenden Räderwerk an einem eisernen

Bügel Y aufgehängt, der sich um den Kopf eines Bolzens W drehen kann. Der untere Theil des Räderwerkes ist cylindrisch; er rollt auf gußeisernen Walzen, welche durch bewegliche eiserne Gehäuse festgehalten werden. Dieser äußere Kasten hört etwa einen Centimeter über der Plattform P Q auf und ist mit eisernen Bändern umgeben; eine seiner Seiten öffnet sich mittelst Haspen und Haken; der zweite innere Kasten umschließt den Stein, welcher ausgebohrt werden soll. Zwischen beiden Kasten findet ein hinlänglicher Spielraum statt, so daß sich der zweite in dem ersten verschieben kann. Die innere Kasten, sowie der von demselben umschlossene Stein, drücken mit ihrem ganzen Gewicht auf die Bohrschneide, damit der Stein ziemlich schnell durchbohrt wird. Der Motor theilt die Bewegung einem der Räder G mit, durch dessen Drehung natürlich die anderen ebenfalls gedreht werden. Die auf diese Weise in Bewegung gesetzten Trommeln pflanzen die Bewegung auf die in dem inneren Kasten befindlichen Steine fort, welche niedergehen, bis die Bohrung vollendet ist. Dann ruht der Stein auf den Meißeln v, v auf. Diese Meißel nehmen den ganzen viereckigen Theil des Steines auf eine Tiefe von 5—6 Centimetern weg und runden ihn regelmäßig ab; dadurch wird der Hals an diesem Ende der Röhren erzeugt. Um nun das andere Ende der Röhren, welches einen Muff bildet, herzustellen, ersetzt man die breiten Meißel durch einen Bohrer, welcher die Bohrung um 6 Centimeter erweitert, so daß das hervorstehende Ende der anderen Röhre hineinpaßt.

Fig. 1794 zeigt in a und b das Halsende, in c und d das Muffenende einer gewöhnlichen Röhre, in e die Ansicht, f und g die Durchschnitte einer Röhre, die rechtwinkelig mit einer anderen verbunden werden kann.

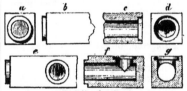

Fig. 1794. Steinröhren.

Steinbrechrecht, s. d. Art. Baurecht.

Steinbronzirung, s. d. Art. Bronzefarben.

Steinbruch, lat. latomia, lapicidina, franz. carrière, engl. quarry, stonepit, Tagebau, Pinke. Kennzeichen für das Dasein von Steinbrüchen in Gegenden, wo die Felsen nicht sichtbar, sind: Tannenholzwälder auf Abhängen, Quellen, die höher liegen als der nächste Fluß, feinsandiger Boden in nassem Grund, Thon und Sand vermischt in nassem Grund, Mergelboden, kalkhaltige Erde, Salzquellen, metallhaltige Quellen, sehr gekrümmte Flüsse, Stromschnellen, Einsickerung fließenden Wassers, Erdbeben, blätteriger rauher Boden, seichte Flüsse, die sich bei starkem Gefäll doch sehr ausbreiten 2c. An Stellen, wo eines dieser Anzeichen vorhanden ist, schlägt man eine spitze eiserne Stange in den Boden; wenn sie nach einiger Zeit durchaus nicht weiter hineingeht, ist Wahrscheinlichkeit für Auffindung von Steinen da, und man geht nun mit dem Bergbohrer an die eigentliche Untersuchung. Wenn die Steine sehr tief lagern, gewinnt man sie mittelst Grubenbau; wenn es aber angeht, legt man lieber offene Steinbrüche an. Zu diesem Behuf wird das zu gewinnende Gestein von der solches überdeckenden Dammerde, oder von anderen Schichten neuerer Entstehung entblößt, „man deckt auf" oder „räumt ab", und dann beginnt das Sprengen (f. d. 3) oder das Ausbrechen mit Brecheisen ꝛc.

Steinbrücke, f. d. Art. Brücke.

Steinbuche, f. v. w. Hainbuche.

Steinbühler Gelb, eine dem Chromgelb ähnliche Farbe; es ist unreiner chromsaurer Kalk, dargestellt durch Fällen von chromsaurem Kali mit Chlorcalcium in concentrirten Lösungen.

Steinbuhne, f. u. Buhne.

Steinbutter, f. d. Art. Bergbutter.

Steindach, f. d. Art. Dach, S. 590.

Steindamm, f. d. Art. Chaussée.

Steindeich (Deichb.), mit Steinen gepflasterter oder damit beschütteter Deich.

Steindöbel, Steindübel; f. d. Art. Dübel.

Steindruckkalkstein, f. Lithographirstein.

Steineiche, Bergeiche, lat. carrasca, f. d. Art. Eiche b.

Steineisen, 1) kurzer Steinbohrer; — 2) Steinmeißel.

Steiner, Benennung gewisser Hölzer beim Bau der Flußschiffe.

Steine zu färben, f. d. Art. Färben E.

Steinfarbe, 1) zu mischen aus gelbem Oder, Umbra und Bleiweiß; — 2) f. d. Art. Anstrich C.1; — 3) Steingrün, aus Kalk und grüner Erde oder Kupfergrün zu mischen.

Steinfichte, f. d. Art. Fichte und Pinus pinea.

Steinflachs, f. d. Art. Amiant.

Steinfourniere, f. d. Art. Marmorfourniere.

Steingemälde, f. d. Art. Mosaik.

Steingeröll, Steingrus, Maculatur, f. d. Art. Graus, Halde, Schutt und Geröll.

Steingevierte, f. d. Art. Gevierte.

Steingrund, f.d.Art. Baugrund u. Grundbau.

Steinguß, an der Luft erhärtende, weiche, mörtelartige Masse, zur Darstellung plastischer Arbeiten mittelst Abformung; f. d. Art. Steinmasse, Stuck, Marmor III. 7, sowie Cement ꝛc.

Steingut, frz. grès, faïence, gebrannter Thon mit oberflächlicher harter Glasur, dadurch von dem durchgeschmolzenen Porzellan unterschieden. Die Steingutfabriken erfordern fast dieselbe Einrichtung wie Porzellanfabriken (f. d.). Die Steingutfließen bestehen aus Pfeifenthon und Kies, gebrannt und mit Salz glasirt (f. d. Art. Fließen); sie halten keinen Frost und keine schnelle Abkühlung aus; f. d. Art. Kacheln und Glasur.

Steinhaue, 1) Haue mit hölzernem Stiel, zum Abbrechen der Steine im Steinbruch oder von alten Mauern; — 2) f. d. Art. Spitzhaue.

Steinkalk, f. u. Kalk und Kalkmörtel A.

Steinkarre, f. d. Art. Karre.

Steinkiste, f. d. Art. Celtisch G.

Steinkitt, f. d Art. Kitt, Oelkitt, Sandsteinkitt, Marmor, Lithocolla, Bassin ꝛc.; nachfolgend beschriebener Steinkitt dient für die verschiedensten

Steine, sowie für Porzellan, Glas ꝛc., ferner zur Kittung von Holz auf Stein, von Holz oder Stein auf Metall ꝛc. Es wird gewöhnlicher Tischlerleim in so viel Wasser mittelst Wärme gelöst, daß man eine fast honigdicke Lösung erhält. In diese noch heiße Leimlösung trägt man unter Umrühren so viel fein gepulverten gelöschten Kalk ein, bis die Masse zu dem bestimmten Gebrauch dick genug ist; zu feineren Gegenständen muß sie dünn sein, um die gekittete Stelle möglichst wenig sichtbar zu erhalten. Die zu kittenden Gegenstände werden vor dem Kitten gelinde erwärmt. Nach dem Kitten läßt man das Ganze einige Zeit in Ruhe, worauf man den etwa herausgepreßten, noch weichen Kitt über den Fugen mit nassen Lappen wegbringt. Ist der Kitt erhärtet, so bekommt man die Stelle nicht mehr ganz rein. Obgleich Leim und Kalk für sich in Wasser löslich sind, so wird doch der daraus bereitete Kitt unter Mitwirkung von Wärme und Luft (besonders letzterer länger ausgesetzt) mit der Zeit unlöslich im Wasser. Bei Metallen giebt man dem warmen Kitt etwas Schwefelblumen bei.

Steinklammer, f. d. Art. Klammer. Man vergießt sie mit Blei, mit Schwefel oder mit Kitt.

Steinkohle, frz. charbon de terre, houille noire, charbon minéral, engl. pit-coal, sea-coal, Zersetzungsproduct untergegangener Vegetationen.

I. Zu Entstehung der mächtigen Kohlenablagerungen, wie wir sie in der Steinkohlenformation finden, sind außerordentlich große Zeiträume erforderlich gewesen, nach Bischof's Berechnung etwa 6 Millionen Jahre. Der ursprüngliche Bildungsprozeß der Kohlen aus den Pflanzen war zuerst ein langsamer Verbrennungsprozeß, eingeleitet unter Mitwirkung des Wassers und des Sauerstoffes der Atmosphäre; dieser Oxydationsprozeß ist aller Wahrscheinlichkeit nach durch Luftabschluß gehemmt worden, denn sonst würde das Endresultat, ebenso wie bei der allmähligen Vermoderung des Holzes, eine vollständige Zersetzung der organischen Substanzen in gasartige Verbindungen sein. Nach Absperrung der Atmosphäre aber trat nun eine theilweise Zersetzung der noch übrigen Gase derart ein, daß nur der im Holz selbst enthaltene Sauerstoff zur Bildung oxydirter Bestandtheile auf Kosten eines Theiles des Kohlenstoffes diente. In Folge dieses Prozesses bildeten sich Kohlenoxydgas, Kohlenwasserstoff und dergl., bis auch diese Zersetzung endlich zu einer Art Stillstand gelangte.

II. Die Steinkohlen enthalten die nämlichen Elemente wie Holz, nur in einem anderen Verhältnisse, als die ursprüngliche Pflanzensubstanz. Der Gehalt an Kohlenstoff ist viel größer geworden, während sich der Wasserstoff- und Sauerstoffgehalt vermindert hat. Nach Bischof können 100 Theile Holz von der Zusammensetzung 49,1% Kohlenstoff, 6,3% Wasserstoff und 44,6% Sauerstoff, durch Abscheidung von 57,6 Kohlensäure und 20,4 Kohlenwasserstoff, oder durch Bildung von 54,2 Kohlensäure und 4,0 Wasserstoff, oder endlich durch Abscheidung von 15,7 Kohlensäure, 29,8 Wasser, im ersten Falle 22,0, im zweiten Falle 41,7 und im dritten Falle 54,5 Steinkohle von der Zusammensetzung 82,2 Kohlenstoff, 5,5 Wasserstoff und 11,3 Sauerstoff liefern. Während bei der Steinkohle noch nicht alle nichtkohligen Elemente entfernt sind, ist beim Anthracit und Graphit (f. d. Art.) die Verkohlung des Holzes als eine nahezu

45

vollständige. Die Steinkohlen sind mehr von Wasserstoff und Sauerstoff befreit als die Braunkohlen, enthalten aber immer noch hinreichende Mengen von diesen Körpern und ebenfalls noch etwas Stickstoff, um bei der Verbrennung wasserstoff- und stickstoffhaltige Gase neben gewissen Theerproducten zu liefern, welcher Umstand die Steinkohle zur Anwendung in der Industrie so geeignet macht.

III. Der Werth einer Steinkohle hängt nicht nur im Allgemeinen von dem Gehalte derselben an Kohlen- und Wasserstoff ab, sondern namentlich auch von der Menge der nach der Verbrennung übrig bleibenden Asche. Der Aschengehalt der Steinkohlen wechselt sehr. Gute Kohlen enthalten nur einige Procente, auch manchmal unter 1 Proc., schlechte bis zu 20 Proc. und mehr. Der Schwefelgehalt der Steinkohlen ist gleichfalls variabel; ein zu reicher Schwefelgehalt macht die Kohle für gewisse Zwecke unbrauchbar.

Kohlenstoff- und wasserstoffreiche Steinkohlen werden stets von größerem Effect sein, als andere, welche ärmer an diesen sind, dagegen einen höhern Sauerstoffgehalt besitzen; der Sauerstoff drückt den Verbrennungswerth herab. Einen Maaßstab für die Verwendbarkeit der Kohle bildet endlich noch die Ausbeute an Coaks.

IV. Tabellarische Uebersicht über die procentische Zusammensetzung der gebräuchlichsten Kohlen.

Fundort und Namen der Kohlen.	Spec. Gew.	Kohlenstoff	Wasserstoff	Stickstoff	Sauerstoff	Schwefel	Asche	Coaks.
Englische Kohlen.								
Anthracit von Wales	1,39	90,4	3,3	0,8	3,0	0,9	1,6	92,1
Splintkohle von Glasgow	1,31	82,1	6,4	—	10,4	—	1,1	—
Pechkohle von Edinburgh	1,32	67,0	5,4	—	12,6	—	14,6	—
Backkohle von Newcastle	1,28	87,1	5,2	—	6,0	—	1,4	—
Cannelkohle von Wigan	1,27	80,1	5,5	2,1	8,1	1,5	2,7	60,3
Durchschnitt von 18 Proben aus Newcastle	1,25	82,1	5,3	1,3	5,7	1,2	3,8	60,7
Durchschnitt von 28 Proben aus Lancashire	1,27	77,9	5,3	1,3	9,5	1,4	4,9	60,2
Durchschnitt von 36 Proben aus Wales	1,31	83,8	4,7	1,0	4,1	1,4	4,9	72,6
Preußische Kohlen.								
Wettiner Grube, Oberflöz	—	77,5	5,1	—	5,3	—	12,0	
Segen Gottes-Grube, Waldenburger Revier	—	82,0	5,2	—	10,2	—	2,5	
Gräfl. Hochberg'sche Gruben dito.	—	70,9	5,6	—	14,3	—	9,1	
Oberschlesisches Revier: im Durchschnitt	—	75,0	4,7	—	13,5	—	3—4	
Saarbrücker Revier: Gerhard-Grube	—	72,4	4,4	—	15,0	—	8,1	
Duttweiler Grube	—	83,6	5,1	0,6	9,0	—	1,5	
Jade-Revier bei Eschweiler: James-Grube, Flöz Großkohl	—	89,5	4,2	—	4,0	—	2,2	
Werms-Revier b. Aachen: Neulauerweg-Grube	—	88,6	4,1	—	4,4	—	2,9	
„ „ Alte Grube, Großlangenberg	—	90,4	4,0	—	4,1	—	1,4	
Sächsische Kohlen.								
Zwickau, Rußkohle vom Bürgerschacht	—	82,1	5,3	0,6	10,4	0,3	1,1	
„ Pechkohle vom Auroraschacht	—	73,8	4,7	0,6	14,1	0,5	6,2	
Zwickauer Kohlen { von Planitz	—	77,3	4,2	0,2	9,3	0,5	4,0	
von Zwickau	—	72,2	4,8	0,2	12,3	1,8	2,4	
von Niederwürschnitz	—	71,6	4,3	0,2	10,8	1,5	4,5	
Plauen'scher Grund { von Hänichen	—	68,2	3,7	0,5	11,0	1,1	12,0	
von Potschappel	—	64,4	3,3	0,2	14,5	0,8	14,0	
von den königl. Werken	—	56,5	3,8	0,1	10,8	3,1	23,4	
„ „ „	—	65,4	4,2	0,1	11,0	1,3	14,6	
Belgische Kohlen.								
Mons { Levant du flénu	—	82,9	5,2	—	10,1	—	1,7	66,3
Bellevue	—	86,4	4,4	—	6,0	—	3,1	79,9
Charleroi { Frien kaisin	—	86,4	4,6	—	5,3	—	3,5	83,8
Sans les Moulins	—	88,7	4,2	—	5,2	—	1,8	85,3
Französische Kohlen.								
Napoleon-Perier-Flöz	—	84,8	5,5	—	6,8	—	2,8	66,8
Epinac	—	86,5	5,1	—	11,8	—	2,5	—
Courrières, pas de Calais	—	82,7	4,1	—	4,8	—	8,6	86,4
Anthracitkohle, Lamure	—	89,0	1,6	—	4,6	—	4,5	—
Céral, Departement Aveyron	—	74,8	4,7	—	9,6	—	11,8	—

V. Eintheilung in Bezug auf **gewisse äußere Eigenschaften:**

1. Die Pech- oder Glanzkohlen sind pechschwarz, stark glänzend, leicht zersprengbar von muscheligem Bruch. Man findet diese Kohlen außer in England, Spanien und Frankreich auch in Sachsen bei Planitz, in Schlesien bei Waldenburg u. s. w. Eine besondere Abart dieser Kohle ist der Gagat, der sich durch besondern Glanz und durch Härte auszeichnet; er ist politurfähig und wird in England zu Schmucksachen aller Art verarbeitet.

2. Die Cannelkohle ist grau bis pechschwarz, weniger leicht zersprengbar, hat einen flachschieferigen Bruch, harzigen Glanz, feste, gleichmäßig

Textur; sie brennt, an der Luft erhitzt, leicht und mit schöner gelber Flamme. Findet sich fast nur in England, sparsam in Schlesien bei Waldenburg und Altwasser. Sie liefert reichliche Mengen gasförmiger Zersetzungsprodukte und wird namentlich zur Gasfabrikation benutzt. Die Coaksausbeute ist gering.

3. Die Faserkohle findet sich in England, bei Kusel in der Rheinpfalz, bei Planitz und Potschappel in Sachsen derb, in dünnen Lagern und eingesprengt; ist weich, leicht zerreiblich, von faseriger Textur und graulich- bis sammtschwarz.

4. Die Grobkohle ist gewöhnlich dickschieferig, grobkörnig und von unebenem Bruch; wegen Beimengung von viel erdigen Theilen weniger brennbar als andere Sorten. Man findet sie im Plauenschen Grunde bei Dresden und in Schlesien.

5. Die Schiefer- oder Blätterkohle ist weniger glänzend als die Pechkohle, oft bunt angelaufen, graulich und bräunlich-schwarz; sie bildet derbe Massen von blätteriger oder schieferiger Textur mit unebenem bis unvollkommen muscheligem Bruch. Sie wird in Schlesien an verschiedenen Orten, in Sachsen bei Zwickau und Hainichen, im Saarbrückischen, in der Rheinpfalz 2c. gefunden.

6. Die Rußkohle ist matt, mürbe und zerreiblich mit unebenem bis feinerdigem Bruch, stark abfärbend.

VI. Eintheilung in bergmännischer Beziehung:
Die Dachkohle, obere, meist schlechtere Steinkohle; die Letten- oder Bankkohle, die sich unter den Flözen befindet und meist mit Letten, Thon und Sand gemischt in unbedeutenden Lagern der Keuper- und Muschelkalkformation vorkommt.

Die Brandkohle, eine sehr geringe Art von Steinkohlen, die beim Verbrennen Steine in der Gestalt der Kohlen zurücklassen; die Grundkohle, eine sehr weiche Art von Steinkohle, die wenig Hitze giebt.

VII. Eintheilung nach Art der beim Verbrennen der Steinkohlen zurückbleibenden Theile.
Die Backkohlen werden beim Erhitzen ganz weich und geben eine zusammengebackene, mehr oder weniger poröse Kohle.
Die Sinterkohlen werden beim Erhitzen nicht weich, sondern sintern zu festen Massen zusammen.
Die Sandkohlen zerfallen beim Erhitzen, ohne weich zu werden, und hinterlassen eine sandartige, pulverige Kohle. Das verschiedene Verhalten der Kohlen beim Erhitzen ist durch die Bestandtheile resp. die chemische Zusammensetzung derselben bedingt.

VIII. Benutzung der Steinkohlen zur Heizung.
Großer Aschen- und Sauerstoffgehalt stimmt den Brennwerth der Steinkohlen herab. Es ist ein Vorurtheil, wenn man glaubt, durch Anfeuchten erlangten die Kohlen einen bessern Heizeffect, denn durch Ueberführung des Wassers in Dampf geht unter allen Umständen eine bedeutende Wärme verloren.
Bei vollständiger Verbrennung der Steinkohlen erzeugen sich Kohlensäure, Wasser, schweflige Säure und etwas Stickgas. In der Praxis findet aber niemals eine vollständige Verbrennung statt, so daß unter den Verbrennungsprodukten immer noch fein vertheilte Kohle, Ammonial- und andere Verbindungen sich befinden. Ueber die Mittel zu möglichst vollständiger Verbrennung s. d. Art. Heizung, Rauch, Brennstoffe 2c.

IX. Benutzung zur Fabrikation von Leuchtgas, und flüssigen und festen Destillationsprodukten. In dieser Beziehung sind namentlich die wasserstoffreichen Kohlen sehr geschätzt.

Bei der trockenen Destillation der Kohlen entwickelt sich zuerst das einige Procente betragende hygroskopische Wasser, welches den Kohlen stets anhaftet; dann entweichen brennbare Gase, Kohlenoxydgas, Kohlenwasserstoffe u. s. w., während bei Steigerung der Temperatur gleichzeitig eine wässerige Flüssigkeit und dann eine ölige, immer dicker werdende Masse übergeht, deren Mischung im Ganzen mit dem Namen Theer bezeichnet wird. Im Rückstand bleibt aschenhaltige Kohle, Coaks. Quantität und Beschaffenheit der entwickelten Gase sind nach Art der Kohle und nach Grad und Schnelligkeit der Erhitzung verschieden. Im Allgemeinen besteht das Gas aus etwas Kohlensäure, Kohlenoxyd, verschiedenem Kohlenwasserstoffe, Grubengas, etwas Stickgas, schwefliger Säure und Wasserstoffgas; dann findet man auch geringe Mengen condensirbarer Producte, wie Benzol, Schwefelkohlenstoff, Toluol, Schwefelwasserstoff u. s. w. in dem Gasgemenge.

Die condensirbaren Producte der Destillation scheiden sich beim Stehen in eine leichte, wässerige Flüssigkeit und in ein dickes Liquidum, den Theer. Die wässerige Flüssigkeit enthält namentlich Ammoniakverbindungen, geringe Mengen organischer Basen und Theertheile gelöst. Man bezeichnet sie mit dem Namen Theer- oder Gaswasser und benutzt sie zur Darstellung von Ammoniaksalzen.

Der eigentliche Theer besteht aus Oelen verschiedener Art, welche durch mechanisch mit übergerissene Kohlentheile schwarz und dick geworden sind. Früher wurde dieser Theer fast nur als Anstrichmittel benutzt. Jetzt stellt man aus ihm verschiedene Producte, wie Benzin, leichte und schwere Theeröle und Steinkohlentheerpech dar; s. d. Art. Steinkohlentheer und Steinkohlentheeröle.

Das wichtigste Product bei der trockenen Destillation der Steinkohlen sind die Coaks. Die Ausbeute an Coaks ist abhängig von dem Gehalt der Steinkohlen an Asche und Sauerstoff. Gute Kohlen geben im Durchschnitt 60—66% Coaks. Weiteres s. in d. Art. Coaks.

X. Die Gewinnung der Steinkohlen ist eine rein bergmännische Arbeit. Die Production eines technisch so wichtigen Rohmaterials hat sich im Laufe der letzten Jahrzehnte in beträchtlicher Weise gesteigert. Das productivste Land in dieser Beziehung ist England. Die Gesammtkohlenförderung betrug im Jahre

1854 aus 2397 Gruben	1293228000	Centner,
1857 „ 2867 „	1307894000	„
1861 „ 3052 „	1772704000	„

Die Vereinigten Staaten produciren etwa jährlich

	300000000	Centner,
Preußen	280000000	„
Belgien	168000000	„
Frankreich	150000000	„
Sachsen	30000000	„

Von den im Jahr 1854 in England zu Tage geförderten 1300000000 Centner Kohlen, wobei in den Gruben 230000 Arbeiter beschäftigt wurden, dienten allein 130000000 Centner der englischen Eisenindustrie und 22000000 Centner der Gasfabrikation.

Steinkohlenasche; so nennt man den Rückstand, welcher nach der vollständigen Verbrennung der Steinkohlen bleibt. Er besteht wesentlich aus Eisenoxyd, Thon, etwas Kalk und Magnesia; außerdem enthält er Schwefelsäure und nur Spu-

ren von Altalien. Früher benutzte man an Thonerde reiche Aschen zur Alaunfabrikation; im Bauwesen wird die Asche mannichfach gebraucht; s. d.
Art. Dachdeckung B. 4 und 5, sowie d. Art. Ausfüllung, Aschenkalk, Hausschwamm, Aestrich,
Dreschtenne 2c. Ferner dient die Steinkohlen-
schlacke als Zuschlag zu Wasser-, sowie zu Luftmörtel; s. d. Art. Kaltmörtel und Mörtel. Schlacken-
stücken muß man zerstampfen; wenn man 2 Thle.
Asche, 1 Thl. Schlackenlein und 1 Thl. Sand
mengt und dann vom Gemisch 2 Thle. auf 1 Thl.
Kalk giebt, erhält man einen ganz vorzüglichen
Luftmörtel; wird statt des Sandes Ziegelmehl
genommen, so wird der Mörtel hydraulisch.

Steinkohlenformation; die Steinkohle pflegt
in den Ablagerungen einer ganz bestimmten geologischen Periode vorzukommen, welche man die
Kohlenperiode nennt, und in den Ablagerungen
dieser Periode findet sie sich wieder vorzugsweise
in einer bestimmten Formation, der Steinkohlenformation. Diese letzte besteht vorherrschend aus
einer Wechsellagerung von grauem Sandstein,
Kohlensandstein, Schieferthon und Kohlenschiefer.
Zwischen diesen Schichten liegen die Steinkoh-
lenlager, deren Mächtigkeit in einzelnen Gegenden sehr verschieden ist. Die Zahl der Kohlenlager über und unter einander ist gleichfalls verschieden; im Plauenschen Grunde findet man 4 u. 5,
in Zwickau 10—12, in Saarbrück über 100 Lager.
Die Mächtigkeit der einzelnen Lager ist zuweilen
sehr gering, des Abbauens nicht werth, beträgt
manchmal aber auch 10, 20 und über 100 Fuß.
Die Steinkohlenformation liegt bei vollstän-
biger und normaler Entwickelung der sedimentären
Formationsweise über der Kulmformation oder
dem Kohlenkalkstein und unter dem Todtliegenden.
Die Ablagerung der Steinkohle ist jedoch nicht
immer auf die Steinkohlenformation beschränkt,
sondern man findet sie auch in ältern und neuern
Ablagerungen, z. B. in der Kulmformation selbst,
bei Hainichen; in neuern Formationen der Juraperiode in Ungarn 2c.
Da die Steinkohlen durch Anhäufung von
Pflanzentheilen, sei es nun durch torfartiges Ueber-
einanderwachsen oder durch Zusammenschwemmen
und spätere Bedeckung der angehäuften Pflanzen-
massen, entstanden sind, so kann man auch die
Kohlen unter dem Einfluß emporgedrungener
Eruptivgesteine an andern Orten von tertiärem
Alter finden. Sie finden sich z. B. auch unmittelbar auf Grauwacke, Gneis oder Granit und unter vielen neuern Formationen, da das Rothliegende und der Kohlenkalkstein nicht überall in
der Steinkohlenformation vorhanden sein müssen.
Um mit einiger Sicherheit das Vorkommen der
Kohlen zu vermuthen, bedarf es genauer Bekannt-
schaft mit der Formation der betreffenden Gegend.
Wichtige Momente bei der Aufsuchung der
Steinkohlen bilden die Lagerungsverhältnisse.
Abdrücke von Sigillaria, der Schuppenbäume,
baumförmige Lycopodien der Kohlenperiode, und
Abdrücke der Calamiten oder baumförmigen Equi-
setaceen (Schachtelhalme), bilden sehr charakteristische Versteinerungsformen der Steinkohlenformation. Findet man solche Pflanzenabdrücke in
den grauen Schieferthonen oder Sandsteinen oder
auch in den Sphärosideriten, so ist das ein Beweis,
daß dieselben wirklich der Steinkohlenformation
angehören.
Da die Steinkohlenformation recht oft unter
Depressionen oder beckenförmigen Vertiefungen

der Oberfläche gefunden wird, so hat man auch
die besondere Oberflächengestaltung als charakteristisches Merkmal für die Anwesenheit der Steinkohlenformation angesehen; dieses Kennzeichen
trügt indessen sehr häufig, da solche Erscheinungen
auch Folgen allgemeiner Vorgänge, die von der
Kohlenbildung unabhängig sind, sein können.
Bei Aufsuchung von bedeckten Kohlenlagern
und bei Beurtheilung erbohrter Kohlenstöße muß
man sehr vorsichtig zu Wege gehen und stets erfahrene Sachverständige zu Rathe ziehen.

Steinkohlengas, s. d. Art. Steinkohle, Leuchtstoffe und Gas.

Steinkohlentheer, s. d. Art. Theer, dient
besonders zum Anstrich von Holzwerk und Eisen-
werk gegen Fäulniß, sowie als Surrogat des
Asphaltes; s. d. Art. Aestrich, Anstrich, Ausmauern,
Baumkitt, Dachdeckung, Dreschtenne, Fäulniß,
Imprägniren 2c.

Steinkohlentheeröl, Steinkohlenöl. Wird
Steinkohlentheer destillirt, so geht zuerst ein leichtes
Oel von 0,77 spec. Gewicht über, hernach kommen
Oele, welche dunkler, dicker, flüssiger und schwerer
als Wasser sind.
Die leichten Steinkohlentheeröle bilden ein
Gemenge verschiedener Kohlenwasserstoffe, Benzol,
Toluol, Cumol 2c. Das mit verdünnter Schwefelsäure gereinigte leichte Steinkohlentheeröl kommt
im Handel unter dem Namen Benzin (s. d. Art.)
vor; es dient zu Auflösung von Harzen (Guttapercha 2c.), zu Fabrikation von Firnissen, zum Reinigen von mit Fett beschmutzten Gegenständen 2c.
und namentlich auch zu Darstellung des Ani-
lins. Das wenigere reine, leichte Steinkohlentheeröl
wird als Photogen zur Beleuchtung benutzt.
Das schwerere Oel von 0,95 spec. Gewicht wird
als Solaröl bezeichnet und dient theils als Brennöl,
theils als Zusatz zum Schmieren für Maschinen; es
enthält 6—10% Kreosot, wird aber oft fälschlich
Kreosot genannt; s. d. Art. Imprägniren und
Kreosot.
Die dickflüssigen, schweren Producte,
welche mit steigender Temperatur bei der Destillation von Theer übergehen, enthalten basische Körper, Carbolsäure, Anilin, Picolin, Leucolin 2c.,
welche sich aus den dickflüssigen Oelen durch wiederholtes Schütteln mit verdünnter Schwefelsäure
ziehen lassen. Durch Uebersättigen der sauren
Flüssigkeit mit einem Alkali und durch Destillation
lassen sich die flüchtigen Basen daraus gewinnen.
Der zähe Rückstand bei der Destillation der Theeröle bildet das Steinkohlentheerpech; s. d. betr. Art.
Reinigung des Steinkohlentheeröls von Theer-
und Schwefelverbindungen. Ein gußeiserner, mit
Dampfgehäuse versehener Cylinder wird vorzugsweise mit Kalkhydrat beschickt, von dem das feine
Pulver abgestäubt ist, und dann ein wenig über
den Siedepunkt des zu reinigenden Oels erhitzt;
dann läßt man das Oel in den untern Theil des
heißen Reinigers gelangen und durch denselben
durchziehen, worauf man es condensirt. Das dabei erzeugte Gas läßt man von gelöschtem Kalk
absorbiren. Der Reiniger muß sehr langsam mit
dem Oel beschickt werden, damit der Theer nicht
mit übergeht; ist das gereinigte Oel nicht farblos,
so geht es entweder zu rasch durch oder das Reini-
gungsmaterial ist gesättigt und muß erneuert
werden.

Steinkohlentheerpech; so wird der zähe,
dunkelbraune Körper genannt, der nach der Destil-

lation der Theeröle in der Retorte bleibt. Durch Glühen deſſelben erhält man Naphthalin und andere schwere Kohlenwaſſerstoffe.

Dieses Pech wird zu dem sogenannten künſt= lichen Asphalt verwendet, indem man zu der heißen Maſſe Kalk und etwas Gips mengt und dann Sand und kleine Steine zuſügt.

Ein Gemenge von 2 Thln. Schwefel mit 3 Thln. Steinkohlentheerpech eignet ſich vorzüglich als Anſtrich für Holz und Metalle. Das Pech dient auch z. B. in Mancheſter zum Dichtmachen des Straßenpflasters. Der nicht zu ſtark eingedickte Theer wird mit Vortheil zur Fabrication von Theerpappe, Theerfilz ꝛc. verwendet. Miſcht man 100 Thle. Steinkohlentheerpech mit 10—12 Thln. Harz und 10 Thln. Kalk, so erhält man ein ſehr gutes Schiffspech.

Steinkrahn (Mühlenb.), Krahn, um den Läufer von dem Bodenſtein, ohne ihn zu beſchädigen, abheben zu können, wenn man beide Steine ſchärfen will. Er iſt von Holz oder Eiſen und ſteht zwi= ſchen den, um ein Stirnrad herumliegenden Mahl= gängen in der Mitte. Durch den Ausleger, der ſammt dem Ständer herumgedreht werden kann, führt eine ſtarke Schraubenspindel herab, die in einem Bügel endigt, welcher herabgelaſſen den Läufer umfaßt; zwei in einerlei Durchmeſſer liegende Löcher ſind in den Mantel gebohrt, durch welche der Stein mittelſt Bolzen an den Bügel befeſtigt und in die Höhe gewunden wird.

Steinkreide; ſo wird im Gegenſatz zur ge= ſchlämmten die natürlich vorkommende Kreide genannt, welche ſich durch ſandige und kieſelige Beimengungen nicht zum Gebrauch eignet, ſondern erſt geſchlämmt werden muß.

Steinkreis, Steingehege, Steinreihe, Stein= ring, engl. stone-henge, ſ. d. Art. Celtiſch 7 u. 8.

Steinkropf (Mühlenb.), 1) ſ. v. w. Stein= krahn; — 2) (Waſſerb.) der Kropf eines Gerinnes unter dem Rad, wenn er aus Werkſtücken herge= ſtellt iſt.

Steinmark (Mineral.), feſte Varietät des Kaolin, dient zum Poliren geſchliffener Steine, kommt als Ader in Grauwacke, Porphyr ꝛc. vor, iſt weiß, grau, lavendelblau, fleiſch= und ziegel= roth, ockergelb, bisweilen gefleckt; matt, wird durch den Strich glänzend, undurchſichtig, auf dem Bruch eben und erdig, fühlt ſich fettig an. Erhärtet zu einer zerbrechlichen Maſſe im Feuer und iſt im Waſſer unveränderlich.

Steinmaſſe. Außer den unter „Bauſteine" angeführten künſtlichen Steinen ſind noch folgende Fabricate zu erwähnen:

a) Als Mühl= und Schleifsteine und zu Orna= menten zu gebrauchen: 10 Liter Sand, 1 Liter Feuerſteinpulver, 1 Liter pulveriſirter Thon, 1 Liter Löſung von kieſelſaurem Natron werden zu einem vollkommen gleichmäßigen Teig verarbeitet und in Gipsformen gegoſſen oder gepreßt, welche zu= vor mit Oel ausgeſtrichen und mit feinem Glas= pulver ausgeſtreut werden, damit die Maſſe nicht anklebe. Zum Trocknen erhitzt man die Gegen= ſtände in einem verſchloſſenen Raum bis zu 100° C. und läßt sodann die Dämpfe heraus, wor= auf man die Steine im wieder geſchloſſenen Raum vollends trocknen läßt. Nach dem Trocknen wer= den ſie auf einer Unterlage von trocknem Sand in einen Ofen gebracht (ähnlich den Steingutöfen), aber durch aufrecht geſtellte Thonplatten getrennt,

auf welche man andere querüber legt, welche wieder als Unterlage für Steine dienen. Der Ofen wird 24 Stunden langsam gefeuert, nach 48 Stunden bis zur Rothglühhitze getrieben, worauf 4—5 Tage abgekühlt wird; die ſo gewonnene Stein= maſſe iſt im Korn ſehr gleichmäßig und wird ſelbſt durch heißes Waſſer und Säuren nicht angegriffen.

b) Man läßt eine Miſchung von 200 Theilen gebranntem Gips, 2 Thln. hydrauliſchem Kalk, 1 Thl. flüſſiger Waſſerglas=Gallerte und 100 Thln. Waſſer in einer Form erhärten, mit Seife beſtrichenen Form erhärten; dieſe muß binnen 20—22 Minu= ten geſchehen, worauf man die Steine herausnimmt und 14 Tage an der Luft trocknen läßt.

c) Feuerfeſte Steine, ſogenannte stourbridges, verfertigt man in der Gegend von Birmingham durch Formen und Brennen aus einem dort ge= fundenen, dunkelgrauen, ſehr ſchweren, harten Thon; dieſer Thon hat ſteinartiges Anſehen, unebe= nen, feinſplitterigen Bruch, iſt theils matt, theils ſchwach glänzend; er zerfällt im Waſſer zu einem nicht feinen, ſondern aus kleinen, zähen Klümpchen beſtehenden Schlamm, und liefert erſt durch an= haltendes Bearbeiten einen ziemlich feſten Thon= brei. Er enthält in 100 Theilen: 69,993 Kieſel= erde, 19,050 Thonerde, 6,800 Waſſer und 2,702 Eiſenoxyd.

Steinmehl, 1) (Mühlenb.) das Mehl, welches ſich an den inneren Mantel des Läufers anlegt; — 2) (Waſſerb.) das Pulver, das aus Ziegel= oder Kalkſteinen zur Bereitung waſſerdichten Mörtels gemacht wird; — 3) (Steinmetz.) das Mehl, welches aus dem Bohrloch beim Steinboh= ren herausfällt.

Steinmeißel, ſo heißen alle Meißel (ſ. d.) der Steinmetzen.

Steinmergel, Mergel (ſ. d.), wenn er verhär= tet iſt.

Steinmetze, Patron derſelben iſt St. Maving.

Steinmetzenzug, Krahn, mit einem Flaſchen= zug verſehen, zum Gebrauch der Steinmetzen.

Steinmetzordnung, ſ. d. Art. Bauhütte 2.

Steinmetzeichen, frz. signe lapidaire, ma= çonnique, Monogramm, von den Steinmetzen des Mittelalters auf die von ihnen bear= beiteten Steine aufgearbeitet oder auch als Siegel benutzt; nicht zu verwechſeln mit dem Zeichen, frz. repère, signe d'appareil, das man behufs rich= tiger Verſetzung an die Steine macht; ſ. d. Art. Bezeichnung und Zeichen. Man nannte ſie auch

Fig. 1795.

Ehrenzeichen, und es erhielt ein jeder Lehrling, ſo= bald er Wandelgeſell wurde, vom Meiſter oder von der Geſellſchaft der Bauhütte (ſ. d. 2) ein ſolches, welches aber blos aus rechtwinkelig zu= ſammengeſetzten Linien beſtehen durfte (ſ. Fig. 1795 a), während die richtigen Geſellen ſchiefwin= kelig zuſammengeſetzte (b), die Meiſter Kreisli= nien (c), die Werkmeiſter endlich noch Vollkreiſe (d) führten. Die Entziehung des Zeichens war eine Ehrenstrafe und konnte auf Zeit oder auf immer geschehen.

Steinmörtel, aus Kalk, Sand und zerkleinerten Steinen zusammengesetzter Mörtel; s. auch d. Art. Béton.

Steinmühle (Mühlenb.), 1) Schuttermühle, s. d.; — 2) Steinschneidemühle; s. d. Art. Marmorsäge und Säge, sowie Mühle.

Steinöl, Bergöl, Erdöl, ist ein Product der Zersetzung organischer Substanzen im Innern der Erde. Es entquillt entweder freiwillig dem Boden oder man gewinnt es an geeigneten Orten durch Abteufen von Brunnen.

In größter Menge findet es sich im Birmanischen Reich und in Westpennsylvanien. Außerdem findet man es in Ungarn, Galizien und in verschiedenen Gegenden Deutschlands in geringerer Menge. Das Steinöl bildet ein Gemisch der verschiedensten Kohlenwasserstoffe, welche durch fractionirte Destillationen daraus gewonnen werden können. Im Handel kommt es entweder roh oder gereinigt vor; es ist leichter als Wasser, löslich in Alkohol und Aether; es löst Phosphor und Schwefel in der Wärme auf.

Das gereinigte Steinöl wird als Leuchtstoff (s. d.) in besonders dazu construirten Lampen gebrannt und dient auch als Heizmittel, namentlich an seinem Fundort, indem man Klumpen Thon damit befeuchtet und anzündet. Ferner findet es in der Neuzeit Verwendung zur Anfertigung von Firnissen, als Lösungsmittel für Kautschuk und Fette. Vergl. auch d. Art. Petroleum, Asphalt, Naphtha ꝛc.

Steinpappe, frz. carton-pierre, 1) zu Dachdedung (s. d.), S. 606, Bd. I. Die dazu bestimmte Pappe wird in siedenden Theer getaucht, dann in heißes Wasser gelegt, dann wieder 5 Stunden lang in Theer gesotten und endlich mit Sand bestreut; — 2) zu Verzierungen im Innern (zu Capitälen, Rosetten, Bilder- und Spiegelrahmen, Leuchtern, Ampeln ꝛc.); wird auf verschiedene Weise bereitet. a) in einem gut gereinigten Faß von der nöthigen Größe mische man 36 Pfd. Schlämmkreide mit 2 Pfd. feinem Gips, dann koche man 24 Loth trockene, feine Papierstreifen und zerreibe oder zermalme sie ganz fein. Dazu gebe man 6 Loth fein gestoßenen Alaun und 1½ Loth rohe Baumwolle. Alles dies vermische man gut mit einander; ferner lasse man 5 Pfd. guten Leim und 3 Pfd. feinen Firniß in 2 Maaß Flußwasser 1 Stunde bei gelindem Feuer kochen, dann gieße man den Sud heiß auf die im Fasse bereits befindlichen Ingredienzen, rühre sie sofort gut durcheinander und zwar so lange, bis die Masse anfängt steif zu werden. Diese Masse drückt man in die aus Gips oder Zink verfertigten Formen scharf ein, läßt die Form mit der eingedrückten Masse in einer Trockenkammer bei 35 bis 40 Grad Hitze 24 Stunden stehen und formt dann aus. Die so verfertigten Gegenstände erhalten eine außerordentliche Festigkeit und haben die Eigenschaft, daß sie jede Färbung, Vergoldung, Versilberung und Politrung leicht annehmen; b) s. d. Art. Papiermaché; c) 1 Theil Faserstoffe, im Holländer zertheilt, 3 Thle. Wasserglas, 1 Thl. Kalk, 2 Thle. Thon, 1 Thl. Sand, 2 Thle. Zinkoxyd werden zusammen gemahlen und innig gemischt; die so hergestellte knetbare Masse ist zu Ornamenten, doch auch zu Dachdedungsplatten, Fußboden, Wandvertlei-

dung ꝛc. brauchbar. Zur Herstellung glatter Oberflächen überzieht man die Formen vorher innerlich mit derselben Masse, doch dünner und ohne die Faserstoffe angemacht.

Steinpfeiler, s. d. Art. Celtisch 2.

Steinpflaster, Pflaster (s. d.) von natürlichen Steinen.

Steinplatte, zu Fußboden, zur Vertleidung der Mauern ꝛc. dienende, aus natürlichen Steinen behauene oder geschnittene Platte.

Steinring, 1) (Mühlenb.) zum Binden des Läufers dienender eiserner Ring; — 2) s. d. Art. Burg; — 3) s. d. Art. celtische Bauwerke 8.

Steinröhre, s. d. Art. Steinbohrmaschine.

Steinruß, s. v. w. Schieferschwarz.

Steinsäge, dient zum Auseinandertrennen der Steine, mit Hülfe hinzugefügten Sandes und Wassers, indem man sie in die Fuge hin- und herschiebt. Es ist eine Säge ohne Zähne, die in einem Gerüst hängt. Zum Schneiden bärterer Steine dienen Sägeblätter mit Diamantspitzen statt der Zähne. Empfehlenswerth ist die Steinsäge nach Oven: Auf einem gußeisernen Tischgestell befindet sich eine Anzahl Laufrollen, über welchen der die Steine der Säge zuführende Schlitten läuft; das Sägeblatt ist kreisförmig. Die Räder und Getriebe sind mittelst Excentrics und Sperrkegeln so eingerichtet, daß die Schlitten, wenn er mit der Waare die Säge passirt hat, mittelst einer Ausrückstange zum Zurücklaufen gebracht werden kann.

Steinsalz, findet sich in beiden Massen, nicht selten von ungeheurem Umfang, theils deutliches Blättergefüge zeigend, theils körnig, auch in Platten und tropfsteinartig, auch in Würfeln, sehr vollkommen spaltbar nach allen ihren Flächen, selten in feinfaseriger Textur (faseriges Steinsalz). Es ist durchscheinend bis vollkommen durchsichtig, ritzt Gipsspath, ritzbar durch Kalkspath, wiegt —2,3—2,2; Farbe Weiß, Grau, Blau, Roth, Gelb und Grün, glänzt zwischen Wachs und Glas; Gehalt an Chlornatrium ist zwar stets vorwiegend, doch aber sehr verschieden; s. übrigens d. Art. Salz, Salzwerk und Lagerung f.

Steinsarg, s. d. Art. Sarg, Sartophag und Gualfardus.

Steinsatz, s. d. Art. Chaussée.

Steinschicht, frz. cours, engl. cors, s. d. Art. Schidt.

Steinschneidemaschine, s. d. Art. Steinsäge, Marmorsäge ꝛc.

Steinschnitt, franz. coupe de pierres, engl. stone-cutting, stereotomy, Reißschnitt, Fugenschnitt, Lehre vom Verband mit gebauten Steinen, von der demgemäßen Gestaltung derselben, dem Aufzeichnen und Aufrechnen dieser Gestaltungen, so wie dieselben in Rücksicht auf die Drucklinien, Schwerlinien ꝛc. und auf die Festigkeit der Steine gewählt werden müssen; der Steinschnitt, namentlich bei Gewölben von complicirter Form und bei der Wölbung schiefer Brücken, ist ziemlich schwierig und oft auch sehr complicirt; s. d. Art. Kernbogen, Bogenverband, Mauerverband ꝛc. Die gesammte Lehre des Steinschnitts zu geben, mangelt hier der Raum. Das Nothwendigste findet man in Harre's Schule des Steinmetzen. Leipzig, Otto Spamer.

Steinschraube, 1) Schraube, nach Art der archimedischen Schraube gestaltet; — 2) das aufgehauene Ende eines Steinbübels, s. d. Art. Schraube; — 3) in Messingwerken die Presse, womit man beim Gießen der Messingtafeln beide Steinformen zusammenpreßt.

Steinschwele, s. v. w. Kohlenschiefer.

Steinseil, beim Fördern von Erzen gebrauchtes Windeseil.

Steinsetzer, Dammsetzer, s. v. w. Pflasterer; s. d. Art. Besetzschlägel und Pflaster.

Steinsprengen, s. d. Art. Sprengen. Neuerdings empfiehlt man folgende Steinsprengmaschine: Auf einem Wagen ist ein großer Blasebalg und ein eiförmiger, eiserner, mit Kohlen gefüllter Feuerbehälter angebracht. An einem Ende des letzteren treibt der Blasebalg Wind in die Gluth, an dem anderen tritt durch ein kurzes Mundrohr, welches man nahe gegen den davor befindlichen Steinblock richtet, der heiße Luftstrahl aus. Zur Bedienung gehören zwei Arbeiter. Es erfolgt die Zersprengung des Gesteines binnen 5—30 Minuten, wozu je nach Größe und Festigkeit nur $1/21$—$1/12$ Wiener Metze harte Holzkohle verbrannt zu werden braucht.

Steinstock (Wasserb.), s. v. w. Steinbuhne.

Steintuff, 1) s. d. Art. Kalktuff und Tuffstein; — 2) als Baustein benutzt, enthält weiße, mehlige Leucite, deren Uebergänge bis zum krystallisirenden Mineral gehen; Schuppen von braunem Glimmer, Krystalle von Augit und hin und wieder kleine Stückchen von Feldspath, auch mitunter rundliche und eckige Stücke von Kalkstein liegen in ihm; erdig und fast muschelig im Bruch, mitunter feinkörnig, von Farbe rothbraun, mit orangefarbigen Flecken, welche von Bruchstücken einer schlackigen, bimssteinartigen Lava herrühren.

Steinunterlage, s. d. Art. Eisenbahn.

Steinverband, s. d. Art. Mauerverband.

Steinverließ, ausgemauerte Grube.

Steinwagen, s. d. Art. Binard und Wagen.

Steinwalze, wie Gartenwalze, nur größer.

Steinweg (Straßenb.), Straße, mit kleinen Steinen gepflastert.

Steinwerksrecht, s. d. Art. Bauhütte 2.

Steinwinde, s. d. Art. Winde.

Steinwurf, frz. jettée, s. d. Art. Grundbau, S. 220, Bd. 11, sowie auch Festungsbaukunst, Bubne ꝛc.

Steinzange, a) Kropfzange, s. d. Art. Kropfeisen (nur uneigentlich Zange genannt, heißt auch Wolf); b) wirkliche, große Zange mit doppelten gekrümmten Haken; s. auch d. Art. Teufelsklaue und Adlerzange.

Steinzerkleinerungsmaschine, erfunden von Whitney, s. Fig. 1796, beruht auf dem System der Kniepresse. Ein starker Hebel a hat in d seinen Stütz- und Drehpunkt, während sein anderes Ende durch eine Zugstange c mit einer Kurbelwelle b verbunden ist, auf welcher zwei kleine Schwungräder S und eintretenden Falles eine Riemenscheibe oder sonstige Vorrichtungen zur Kraftübertragung befindlich sind. Am einen Hebel, nahe an dessen Drehpunkt, ruht ein starker Bolzen, an dessen Kopfe 2 Hebelarme f, f¹ ihren Stützpunkt finden; der eine Hebel f¹ stemmt sich gegen einen festen Riegel g, der andere gegen den Quetscher

h, der in i als Schwinge aufgehängt ist. Wird der Hebel a angezogen, so wirkt er durch den Bolzen in den aus f und f¹ gebildeten Kniehebel. Da f¹ einen festen Widerstand findet, so kann bei der Streckung des Kniehebels ein Ausweichen nur in der Richtung nach dem Quetscher h erfolgen, welcher dadurch gegen die ihm gegenüberliegende feste Wand k geschoben wird und Alles, was sich in dem Zwischenraum zwischen h und k befindet, mit großer Kraft zerdrückt. Nach vollendetem Ausschube zieht beim Rückgang des Hebels eine Gummifeder l den Quetscher zurück. Der Stützpunkt g für den Hebel f¹ kann durch einen Keil

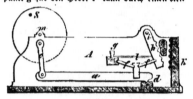

Fig. 1796.

verstellt und dadurch der Zwischenraum zwischen h und k innerhalb gewisser Grenzen verändert werden. Auf die angreifenden Flächen der Wand k und des Quetschers h sind gerippte Platten geschraubt. Alle im Vorstehenden bestehenden Maschinentheile finden ihre Auflagerung in einem starken gußeisernen Rahmen A, der vorn durch die Wand K geschlossen ist. Die Bedienung der Maschine besteht aus 4 Mann, welche pro Tag 120,000 Pfund Kalksteine zu zerkleinern im Stande sind. Bruchstücke von $1/4$—$1/2$ Cubikfuß Größe der Maschine übergeben, werden von dieser in Stücken von 30—40 Cubikzoll Inhalt wieder zurückgeliefert, wobei sie den Kraftaufwand von 6—7 Pferdekraft erfordert. S. d. Berg- und Hüttenmännische Zeitung. 1863.

Stele, griechisches Grabmal (s. d.), in Form einer aufrechtstehenden Platte oder eines hermenartigen Pfeilers, meist mit einer Akroterie gekrönt. Wir haben bereits in Fig. 70 eine solche Stelenbekrönung gegeben.

Stellage, franz., 1) auf Böden oder Bänken liegende kleine Rüstung aus Brettern; — 2) s. v. w. Real und Gestell.

Stelle, s. d. Art. Decimalbruch.

Stellfalle, Stellschütze (Wasserb.), kleiner Schütze.

Stellhaken, s. v. w. Sperrhaken.

Stellmaaß, der Reißschiene ähnlich eingerichtetes Lineal; der Unterschied ist der, daß der Kopf nicht ganz am Ende des Lineals befindlich ist; s. d. Art. Reißmodel, Schmiege und Schublehre.

Stellramme, zum schief Einrammen der Pfähle dienende Ramme, deren Läuferruthe in eine beliebige schiefe Richtung gebracht werden kann.

Stellschraube, 1) zum Reguliren gewisser Maschinentheile dienende Schraube, so eingerichtet, daß die durch selbige verbundenen Theile einander näher oder entfernter gebracht werden können; — 2) s. v. w. Schraube ohne Ende.

Stellung nach den Himmelsgegenden, 1) s. d. Art. Anordnung; — 2) s. d. Art. Bauholz B. a. 3.

Stellwinkel, frz. Sauterelle, s. d. Art. Schmiege und Winkelmaaß.

Stellzirkel, Zirkel mit einem graduirten Kreisbogen, der, an einem Fuß befestigt, durch den Schlitz des anderen Fußes geht und daselbst mit einer Flügelschraube befestigt werden kann, so daß man im Stande ist, den Winkel abzulesen, den die Zirkelöffnung hat, und den Schenkel des Zirkels in der hervorgebrachten Stellung fest zu erhalten.

Stelzbogen, frz. arc exhaussé, engl. stilted arch, s. d. Art. Bogen B. I. 16, 17.

Stelze, 1) der für den Steg und die Rumpfleiter in Mahlmühlen ausgesägte Ständer, s. d. Art. Mahlgerüst; — 2) s. v. w. Steise; — 3) auch Trempel genannt, die kurze Stütze des Spießbaumes in Göpeln und Hohöfen.

Stem, Blattstiel, Stengel, Kelchschaft, Stamm.

Stemmart, zum Fällen von Bäumen dienende tolbige Art.

Stemmeisen, franz. ciseau à deux biseaux, Lochbeutel, Beißel, Betel, Balleneisen, Meißel zu gröberen Arbeiten; stärker als der Stechbeutel, ½ bis 1½ Zoll breit, von beiden Seiten schräg zugeschliffen; s. d. Art. Meißel a.

stemmen, s. d. Art. Ausstämmen.

Stemmgeschwell, s. v. w. Schleußendrempel; s. d. Art. Schleuße.

Stemmgurt, s. d. Art. Dach, S. 601.

Stemmthor, Schleußenthor, was aus zwei Flügeln besteht; s. d. Art. Schleuße.

Stemmzeug und Stechzeug, sämmtliche Meißel, die zu Tischler- und anderen Holzarbeiten gebraucht werden. Die englischen sind ganz von Stahl, meistens Gußstahl, und bis zur Angel gehärtet. Die deutschen sind nur von Eisen und mit Stahl verschweißt, aber in der Regel zuverlässiger als die sehr spröden englischen; man versieht sie mit sechs- oder achteckigen Heften und treibt sie mit der Hand oder mit einem hölzernen Schlägel in das Holz. Zwischen Angel und Meißel sitzt eine Krone, um das tiefere Eindringen in den Heft zu verhindern, um dessen Ende eine Zwinge gegen das Aufreißen geschoben wird.

Stempel, Stämpel, Stämpfel, frz. poinçon, 1) (Stampfw.) s. v. w. Stampfer; — 2) (Pumpw.) s. v. w. Pumpenkolben; — 3) Form, welche durch Aufschlagen auf dünne oder weiche Körper sich auf denselben abdrückt; s. d. Art. Prägung und Treiben, sowie Matrize, Stanze, Bunze, Waldhammer 2c.; — 4) s.v.w. kurze Säule; s. Auslauf, Gerüste, Stempelwand, Minenbau, Grubenbau 2c.

Stempelschlag, s.d.Art. Grubenbau, S. 214.

Stempelstange (Pumpenw.), s. v. w. Kolbenstange.

Stempelwand, Kniestock; s. d. Art. versenktes Gebälke, Dach und Balkenlage.

Stencil, stencil-plate, engl., Chablone.

Stender, s. d. Art. Ständer.

Stenge, franz. mât de hune, engl. topmast, s. d. Art. Mast.

Stengewantsviolblock, ein Violinblock mit Scheiben gleichen Durchmessers, dessen Gehäuse in der Mitte tief eingezogen und an den breiten Seiten tief eingekerbt ist. An dem Stengewant fest gebunden, laufen die Toppenanten und Reeftalien der Marssegel über dessen Scheiben.

Stop, engl., Stufe.

Stephan, St. 1) Der erste Blutzeuge, Patron von Halberstadt, Perigeaux, Baiern, Auxerre, Lothringen, Metz, Toulouse, Bourges, Nimwegen, Pfalz, Châlons, sowie Ostfriesland, Breisach, Limoges, Regensburg und Speyer, mit einer Palme, in der Kleidung eines Diakonen, einen Stein tragend,weil er gesteinigt wurde; s. Apostelg. 6, 7; — 2) von Ungarn, in Gran 977 geboren, 997 König geworden, starb 1038, als König mit Krone und Scepter; — 3) Stephan der Mönch, im Jahre 768 in der Bilderstürmzeit mit einer Keule erschlagen; — 4) Stephan der Papst, unter Valerianus und Gallienus im Jahre 257 enthauptet.

Stephansstein, s. d. Art. Chalcedon.

Stephenson's Brückensystem, s. d. Art. Brücke, S. 466, Bd. I.

Störe, frz., ital. stero, s. d. Art. Maaß, S. 498, 500, Bd. II.

Stereobat, Stereom (vom Griechischen), die Grundmauer, der Grundbau.

Stereochromie, so nennt man ein Verfahren der Wandmalerei, welches den Gemälden fast unbegrenzte Dauer sichert. Die Arbeit beginnt mit der Herstellung des Mörtelgrundes, der durch Verkieselung mit Wasserglaslösung steinartige Festigkeit bekommen und mit der Mauer gleichsam verschmelzen muß. Der erste Bewurf geschieht mit gewöhnlichem Kalkmörtel, welchen man gut trocknen läßt und öfters mit einer Lösung von kohlensaurem Ammoniak bestreicht; dann wird die so vorbereitete Fläche öfters mit Natronwasserglaslösung, welche durch Zusammenschmelzung von 3 Theilen trockenem, kohlensaurem Natron mit 2 Theilen feinsten Quarzpulver und durch Auflösen des Schmelzproduktes in Wasser hergestellt wird, getränkt. Auf diesen so erhaltenen Untergrund bringt man dann ben Obergrund, der auf ähnliche Weise, aber noch sorgfältiger, aus magerem Kalk und möglichst scharfeckigem Sand und durch nachberiges Verkieseln mit Natronwasserglaslösung bereitet wird. Darauf wird nun gemalt. Die Farben werden entweder mit reinem Wasser oder mit ganz verdünnter Wasserglaslösung angerieben. Das fertige Bild wird durch eine Lösung von Wasserglas, die mittelst einer Spritze als seiner Regen auf den Farben vertheilt wird, fixirt.

Für die Stereochromie sind Farbstoffe organischer Pigmente, sowie diejenigen Farben, welche durch Alkalien zerstört werden, wie Berliner Blau 2c., ausgeschlossen. Passende Farben sind: Bleiweiß, Barytweiß und Kreide; Neapelgelb und chromsaurer Baryt; Zinnober und Mennige; Smalte und Ultramarin; Schweinfurter Grün; Caput mortuum; Kienruß und Knochenkohle.

In neuester Zeit hat man die Stereochromie auch für gewöhnliche Zimmeranstriche in Anwendung gebracht. Man tränkt den Mörtelgrund mit einer Wasserglaslösung von 33° Baumé, reibt die Farben mit dieser Lösung an und giebt schließlich noch einen Ueberzug von Wasserglas. Die so erzielten Anstriche sind sehr dauerhaft und lassen sich sogar mit Seifenwasser abbürsten; s. auch d. Art. Anstrich IV..6 u. 7.

Stereographie, s. v. w. perspectivische Zeichnung.

Stereometrie, wörtlich Körpermeßkunde, der Theil der Geometrie, welcher seine Untersuchungen nicht auf Linien und Figuren in der Ebene beschränkt, sondern sich z. B. mit der Lage gerader Linien gegen Ebenen, von Ebenen gegen Ebenen, mit der Berechnung der Körper und ihrer Oberflächen ꝛc. beschäftigt; s. d. Art. Ebene, Fläche und Geometrie.   [Stabt ꝛc.

Stereorama, Modell eines Hauses, einer

Stereotomie, s. v. w. Steinschnitt.

Stern, 1) s. v. w. Sternschanze; — 2) freier Platz im Garten oder Wald, von dem aus mehrere gerade Gänge (im Wald Schneußen genannt) gehen; — 3) Hintertheil eines Schiffes; — 4) Sterne erhalten als Attribute Aurora, Harpokrates, die Dioskuren, Venus ꝛc.; s. auch d. Art. Maria 1, Athanasia, Bruno, Johannes 14, Drei II. 4.

Sternachat, s. d. Art. Achat.

Sternanisbaum, Babianenbaum (Illicium, Fam. Magnoliaceen Juss.), ist dem Lorbeerbaum ähnlich; technische Verwendung findet das Holz nicht.

Sternapfelbaum, 1) schwarzer (Bumelia nigra Sw., Fam. Lapotaceae), auf Jamaika, hat ein vorzüglich festes Holz, das man zum Häuserbau benutzt; — 2) weißer, s. d. Art. Galimetaholz.

Sternbilder, s. d. Art. Thierkreis und ägyptischer Baustyl.

Sternbogen, frz. arc en contre-courbe, arc enfléchi, kommen besonders im spätgothischen Styl als Fenster- und Thürschlüsse im Profanbau vor; s. d. Art. Bogen B. I. 24 und Fig. 1797.

Fig. 1797. Sternbogen.

Sterngewölbe, schottisch pend, s. Gewölbe.

Sternkeil, schmaler Meißel, dient dem Schlosser zum Durchschlagen von länglichen Löchern in Blech; s. Fig. 1798.

Sternkreuz (Herald.), s. d. Art. Kreuz C. 33.

Sternkunde, s. Astronomie.

Sternrad, s. v. w. Stirnrad.

Sternsaphir, Asterin (Miner.), durchscheinende Varietät des Saphirs. Man unterscheidet: Rubin-, Saphir- und Topasasterin, je nachdem das ihm eigenthümliche Sternlicht im Innern bei rothen, blauen oder gelben Varietäten vorkommt.

Sternsäulenstein, Asteriensäule, versteinerte Madreporenröhre (eine Art Koralle).

Sternschanze, s. Festungsbau, S. 42, Bd. II.

Sternspath, s. v. w. Kalksinter.

Sternstein, versteinerter Seestern, Asteroid.

Sternverzierung, kommt sowohl als einzelnes Ornament, frz. étoile, engl. star, astorite, s. Fig. 1799 a, als auch in Reihen als Plattenbesetzung

und Friesfüllung, engl. astreaded moulding, s. Fig. 1799 b, vor.

Fig. 1799.

Sternwarte, s. d. Art. Observatorium.

Stert, Steert, Sterz, Schwanz, Wendeholz, bei einer Windmühle der lange, starke Baum, der von der Hinterseite, Stertseite, aus weit hervorragt; dient zur Drehung der Mühle oder Haube. Bei der Stertmühle oder Bockwindmühle (s. d.) liegt er fast waagerecht zwischen den Fugbalken über dem Sattel. Bei holländischen Windmühlen verbolzt und verstrebt man ihn mit den Schwertbalken (s. d. u. Schwert) mittelst vier Schwertern und dreht mittelst desselben nur die Haube.

stetig, so nennt man die Funktion einer Veränderlichen x, wenn sie sich um eine unendliche kleine Größe ändert, sobald die veränderliche Größe x eine unendlich kleine Aenderung erhält.

Steuer, Steuerruder, Kehrruder, Leitruder, frz. gouvernail, engl. rudder, helm (Schifffb.), sitzt am Hintersteven und besteht aus Pfosten, innen mit Haken, die in die Fingerlinge des Hinterstevens greifen; zur Vermehrung der Breite des Steuers dient der keilförmige Klick und die Hacke.

Steuerbord, franz. stribord, tribord, engl. starbord (Schifffb.), die rechte Seite des Schiffes.

Steuergebäude, enthält die nöthigen Expeditionen, Kassen- und Archivräume; außerdem aber Niederlagen, offene Hallen mit Brückenwaagen ꝛc. für die zu verzollenden Gegenstände.

Steuertonne, s. d. Art. Maaß, S. 491. Bd. II.

Steuerung (Maschinenb.), an einer Dampfmaschine oder Wassersäulenmaschine die Vorrichtung, welche den Dampf oder das Wasser zwingt, abwechselnd über und unter den Kolben zu treten, und dabei auf der anderen Seite des Kolbens den verbrauchten Dampf oder das verbrauchte Wasser abführt; geschah früher meist durch Steuerhähne, deren hohle Gänge die verschiedenen Röhren durch verschiedene Hahnstellung abwechselnd anders communiciren lassen; durch Hebel und Schiebestange, wird die jedesmalige Hahndrehung bewirkt. Jetzt geschieht die Steuerung meist durch Steuerschieber, Dampfschieber, s. d. und d. Art. Coulisse 6, sowie d. Art. Dampfmaschine, S. 620, Bd. I. Die Bewegung des Schiebers wird durch ein Excentrik (s. d.) regulirt, welches, wenn die Verhältnisse genau so wären, wie die Theorie lehrt, um 90° gegen die Kurbel verstellt sein müßte. Um jedoch Stöße zu vermeiden, läßt man den Schieber bereits bei Beginn des Kolbenweges etwas aus seiner mittleren Lage heraustreten. In Folge dieses Vorausgehens, des sogenannten linearen Voreilens, muß auch das Excentrik um etwas mehr als 90° gegen die Kurbel verstellt sein; man wähle etwa 120°. Damit hierbei kein Dampf comprimirt wird, macht man die Deckfläche des Schiebers etwas größer als die Canalbreite, so daß bei Beginn des Kolbenspieles etwas für den Dampf vollständig gesperrt, der Ausgang etwas geöffnet ist. Dadurch wird zugleich eine

46

geringe Expansion erreicht. Bei Expansionsmaschinen benutzt man zu Absperrung des Dampfes gewöhnlich zwei Schieber, von denen der eine, der Vertheilungsschieber, den Zufluß des Dampfes in den Cylinder regulirt, während der andere, der Expansionsschieber, den Zufluß des Dampfes zu dem ersten Schieber regulirt und zuweilen ganz absperrt; jeder Schieber erhält seine eigene Bewegung. Dabei kann man auch noch die Einrichtung treffen, daß der Grad der Expansion verändert werden kann, selbst während des Ganges der Maschine (Meyers variable Expansion). Man hat auch versucht, durch den Vertheilungsschieber selbst zu expandiren, doch muß man dabei die gewöhnlichen Kreisexcenter aufgeben und dieselben vielmehr so einrichten, daß der Schieber beim Hin- und Hergang während der Zeit, in welcher der Dampfzufluß abgesperrt ist, still steht. Die gewöhnlichste Steuerung dieser Art ist die Saulnier'sche. Außerdem hat man noch die Canalschieber und die Kreisschieber; bei den erstern, die namentlich bei Woolf'schen Maschinen noch in Gebrauch sind, ist der Schieber durchbohrt; die letzteren haben keine Längen, sondern Kreisbewegung und kommen besonders an amerikanischen Maschinen vor.

Steven, frz. étrave, capion, engl. stem, s. d. Art. Schiff, Hintersteven, frz. étambort, engl. sternpost, und Vordersteven.

Stheno, s. d. Art. Medusa.

Sthoopa, s. d. Art. buddhaistische Bauweise.

Stibadium, Sigma, überbaute halbrunde Ruhebank.

Stibium, s. d. Art. Antimon.

Stich, 1) s. d. Art. Anhieb 2 und Zeichen; — 2) f. v. w. Stichballen; — 3) s. d. Art. Abstichzeichen; — 4) der Raum, wohin das geschmolzene Erz fließt und wo es sich abkühlt, s. d. Art. Schmelzen; — 5) tiefe Stelle in einem Fischteich (s. d.), Zuflucht der Fische im Winter; — 6) s. d. Art. Absprengen, Bogenstich und Pfeil.

Stichanker, s. d. Art. Anker 1. u. 11. f.

Stichauge, Stichloch 2c., s. d. Art. Abstich 3, Abstichbrust, Hohofen, Schmelzen, Lech 2c.

Stichart, s. v. w. Kreuzaxt und Queraxt.

Stichbalken, frz. blochet, engl. hammer, beam, s. d. Art. Balken und Dach, S. 590, Bd. I.

Stichbogen, Flachbogen, franz. arc bombé, arc en segment, engl. schemearch, segmentalarch, Bogen, der nach einem Kreissegment ausgeführt ist, also in einem stumpfen Winkel gegen die Widerlager anstößt; s. d. Art. Bogen B. I. 3, 4. Man wendet ihn neuerlich sehr häufig an; er hat den Vortheil, daß er nicht viel Platz in der Höhe wegnimmt, wenig Material erfordert und höhere senkrechte Pfeilerwände gewährt, also z. B. bei Brücken größere Durchflußweite. Bei Anwendung des Stichbogens gilt, wie bei jeder Ueberwölbung, der Satz: je höher das Bogensystem, desto stabiler der Bau; je flacher das Bogensystem, desto mehr steigert sich der Seitenschub, und es erfordern solche Gewölbe deshalb starke Widerlager oder großen Aufwand von Eisenwerk.

Stichbogenfenster, franz. fenêtre bombée, Fenster mit einem Stichbogen überwölbt.

Stichbogengewölbe, s. d. Art. Gewölbe.

Stichbret, Bret, an Stelle eines Stichbalkens verwendet.

Stichel (Metallarb.), 1) Werkzeug zum Graviren in Metall, s. d. u. Flachstichel und Hobelmaschine; — 2) s. d. Art. Pfahleisen, auch Vorpfahl genannt.

Stichelhaus, s. d. Art. Drehbank.

Stichheerd, Nebenheerd, Vortiegel, kesselförmig mit Gestübe ausgekleidete Vertiefung neben dem Vorheerd (s. d.), in welche man das abgestochene Erz laufen läßt.

Stichhöhe, s. d. Art. Wölbhöhe, Bogenstich, Pfeil, Busen und Sims.

Stichholz, 1) s. d. Art. Bauholz i. 1, S. 280, Bd. I.; — 2) s. d. w. Pfropfen des Stichauges, Abstichlochs (s. d.), welches man nach vollendetem Stich mit dem Sticheisen herausstößt; s. d. Art. Abstechen 8.

Stichkappe, Lünette, in die Rundfläche eines Gewölbes einschneidende, über einem Fenster besonders eingewölbte, aufsteigende (s. d. Art. Stechen) dreieckige Kappe, z. B. bei Sterngewölben, über Kellerfenstern, in Tonnengewölben 2c.

Stichmaaß, das Maaß zwischen zwei Körpern oder Ebenen, besonders wenn es sich wiederholt, wie z. B. die Stufenhöhe einer Treppe, und man es daher öfters hintereinander abmißt (absticht). Dann thut man meist wohl, sich eine Lehre dazu zu schnitzen, die dann auch Stichmaaß, franz. jauge, heißt.

Stichofen, Schmelzofen auf den Stich; jeder Schmelzofen, aus welchem man das Erz dadurch ablaufen läßt, daß man die Augen aufsticht; s. d. Art. Lech, Schmelzen und Schmelzofen.

Stichsäge, s. v. w. Lochsäge.

Stichseite, s. d. Art. Seite.

Stichstein, s. d. Art. Dachdeckung A. II. 1, u. z. in Fig. 851.

Stichwand, Wand des Schmelzofens, worin der Abstich geschieht, das Auge eingestochen wird.

Stickdeich, s. v. w. bestickter Deich.

Sticke, Werkzeug zum Abstechen der Torfstücke und Rasensoden.

Stickel, alles Material zu Bestickung eines Deiches, also Rohr, Schilf, Stroh, Weidenruthen, Rasensoden, Pfähle zum Einschlagen zwischen die Faschinen 2c.

Stickstoff, Salpeterstoff oder Azotgas, ist in der atmosphärischen Luft in vorwaltender Menge vorhanden, außerdem in einigen mineralischen Substanzen, in Pflanzen- und Thierkörpern als wesentlicher Bestandtheil. Er ist ein permanentes, farb- und geruchloses Gas, kann weder die Verbrennung noch die Athmung unterhalten. Er löst sich in Wasser nur wenig, läßt sich auch nicht direct mit anderen Körpern verbinden; die Vereinigung geht stets im Augenblick des Freiwerdens des Stickstoffes (in statu nascendi) aus einer Verbindung vor sich. Er unterscheidet sich von anderen Gasen mehr durch negative als durch positive Eigenschaften.

Stiefel (Pumpenw.), s. d. Art. Brunnen B. 1, Pumpe und Saugwerk.

Stiefellliederung, s. d. Art. Beledern, Liderung [u. Pumpe.

Stiege, s. v. w. Treppe.

Stieglitz, s. d. Art. Steiglitz.

Stiel, 1) frz. manche, hampe, engl. handle, helve, der Griff, mit welchem ein Hammer oder dergl. regiert wird, f. auch d. Art. Helm, Heft; — 2) frz. poteau, engl. post, jedes zur Unterstützung dienende, senkrecht stehende Holz, auch Säule, Ständer, Stempel ꝛc. genannt; f. d. betreffenden Art. sowie d. Art. Fachwand; — 3) f. d. Art. Schleuße.

Stieleiche, 1) f. d. Art. Eiche a.; — 2) f. d. Art. Bauholz b, S. 280, Bd. I.

Stielwerk, das Gerippe einer Fachwand (f. d.), aus Schwelle, Rahmstück und Stielen bestehend.

Stier, f. d. Art. Ochs, die daselbst angezogenen Artikel u. d. Art. Blandina und Marciana.

Stiergefechtsplatz, f. d. Art. Amphitheater und Arena.

stiff leaf, engl., f. d. Art. Blätter und Englisch-gothisch, S. 720, Bd. I.

Stift, 1) kleiner Bolzen; — 2) f. d. Art. Drahtstift; — 3) Dornstift, Erzstift, f. v. w. bischöfliches oder erzbischöfliches Capitel; Gesammtheit der einem solchen gehörigen Gebäude; auch f. v. w. Hospital, Pensionat oder Erziehungsanstalt für adelige Frauen, halbklösterlich einzurichten; f. übr. d. Art. Kloster und Capitelsaal.

Stiftband, f. d. Art. Band III. c. 2 und Fig. 261.

Stiftkluppe (Schlosser.), Kluppe (f. d.) zum Aufnieten der Stifte an Blech, f. Fig. 1800.

Stiftmosaik, Stiftgemälde; f. d. Art. Mosaik.

Stiftshütte, f. d. Art. israelitische Bauweise.

Fig. 1800.

Stiftskirche, lat. ecclesia collegiata, auch Collegialkirche oder Probsteikirche genannt, die zu einem Collegiatstift gehörige Kirche; f. d. Art. Kirche, S. 385, Bd. II, und Münster; so heißen aber auch häufig die Kirchen der Augustinernonnen und der großen Benedictinerklöster.

Stig, f. d. Art. Maaß, S. 509, Bd. II.

Stigma, lat. Wundmal.

Stil, genauere, aber minder gewöhnliche Schreibweise für Styl, f. d.

Stilbit, Blätterzeolith, f. d. Art. Zeolith.

Stil de grain, frz., goldgelbe Saftfarbe, mit Alaun aus Avignonbeeren bereitet.

Still, engl., Brennhelm.

Stillicidium, lat., Traufrecht, f. d. Art. Baurecht.

stilted arch, engl., gestelzter Bogen; f. d. Art. Stelzbogen und Bogen.

Stilus, lat., Griffel, Schreibstift, Schaft eines Pfeilers.

Stimulus, lat., Stachel, f. d. Art. Bischofsstab.

Stingene, f. d. Art. Maaß, S. 486, 492, Bd. II.

Stinkbaum, f. d. Art. Faulbaum und Traubenkirsche.

Stinkfluß (Min.), ist bituminöser Flußspath, der sich namentlich in Wölsendorf in Oberbaiern findet. Er enthält wahrscheinlich Ozon.

Stinkholz, frz. bois puant, übelriechende Holzarten, von verschiedenen Pflanzen und aus verschiedenen Ländern; die wichtigsten derselben sind folgende: 1) Canarisches St. von einer Lorbeerart (Oreodaphne foetens N. a. E., Fam. Lineae). Der ansehnlich große Baum enthält einen rothen Saft von scharfem Geschmack und so furchtbarem Gestank, daß er sogar die Lungen

angreift und die Holzhauer nur in Unterbrechungen von mehreren Tagen denselben fällen können. 2) Neuholländisches St., von Olax stricta R. Br. (Ilicineae); — 3) Ceylonisches St., von Olax zeylanica, hat den Geruch von Menschenkoth, einen salzigen Geschmack und wurde ehedem medizinisch benutzt. Es ist sehr hart, fest, dauerhaft und schwer, nimmt auch vortreffliche Politur an. 4) Mexicanisches St., ist das Holz des Stink-Sumach (Rhus perniciosum H. et B., Fam. Anacardiaceae R. Br.). Es ist erfüllt von einem sehr giftigen und stinkenden Milchsaft. 5) Stinkholz von Guiana, stammt von Gustavia angusta L. und G. urceolata (Fam. Barringtonieae) in Guiana und Cayenne; hat einen starken Aasgeruch. 6) Javanisches St., kommt von Saprosma arboreum Bl. (Fam. Coffeeae), riecht wie menschliche Excremente und wird deshalb nur als Curiosität benutzt, nicht technisch verwendet. 6) Stinkholz von Mauritius, ist das Holz des Foetidia mauritiana, Commers. (Fam. Barringtonieae). In frischem Zustand riecht es sehr übel, gleicht sonst aber in seinen Eigenschaften jenem des Nußbaumes und wird ebenso benutzt. 7) Stinkholz vom Kap, von Oreodaphne bullata N. ab E., Fam. Laurineae des Caplandes, verbreitet besonders beim Bearbeiten sehr unangenehmen Geruch, ist sehr hart und dauerhaft und nimmt eine vorzügliche Politur an. Es ähnelt dann dem Wallnußholz und dient bes. zu Büchsenschäften; zum Schiffsbau eignet es sich besonders gut, da es nicht leicht von Würmern angefressen wird. 8) Knoblauchartiges St., Sipo d'Alho, ist das Holz des reichblütigen Stinkholzstrauches (Seguiera floribunda und alliacea Mart., Fam. Petiverieae). Es besitzt einen starken Knoblauch- oder Asafötibageruch, ist reich an Kali und die aus ihm bereitete Lauge dient zum Klären des Zuckersaftes und zur Seifenbereitung.

Stinkquarz, f. d. Art. Fettquarz.

Stinkstein, 1) Stinkkalk, f. d. Art. Kalk c. 11; Bockstein, bituminöser Kalkstein, Mühlstein, Marlite; —2) Stinkschiefer, bituminöser Mergelschiefer; — 3) Lucullan, schieferiger Stinkkalk; — 4) Stinkspath, Kohlenspath, bituminöser, blätteri-

Stinkweide, f. d. Art. Gagel. [ger Kalkspath.

Stipa tenacissima L. (Fam. Gräser) liefert zähe Halme, die in Spanien, Griechenland und Nordafrika zu Flechtwerk verwendet werden.

Stipito, ital., Thürpfosten, Gewände.

Stirn, 1) beim Holz f. v. w. Hirnholzseite, — 2) bei einem Bogen oder Gewölbe die vordere und hintere Seite, woran man, wie in einem Querschnitt, die Bogenform sieht; — 3) f. d. Art. Stirnrad.

Stirnbogen, engl. frontal-arch, f. d. Art. Bogen, S. 400, Bd. I; das Wort wird auch ungenauerer Weise gleichbedeutend mit Schildbogen (f. d.) gebraucht.

Stirnbohle, Stirnbret, Bret, welches vor die Stirn der Dachbalkenlage, also vor die nach unten schräg einwärts abgeschnittenen Balkenköpfe genagelt, die Stelle des Gesimses vertritt.

Stirnfläche, f. v. w. ebene Stein, Bogen ꝛc. nach außen gekehrte Fläche; f. d. Art. Fläche, S. 66.

Stirnfuge, f. d. Art. Fuge und Joint.

Stirnjoch, Landjoch (Brückenb.), das dem Land zunächst gelegene Joch bei hölzernen Brücken; f. d. Art. Brücke, S. 451, Bd. I.

Stirnmauer, 1) ſ. v. w. Futtermauer, ſ. d., und Brücke, S. 449, Bd. I; — 2) an der Stirn eines Gewölbes in die Höhe geführte Mauer.

Stirnmittel, ſ. v. w. Hirnring; ſ. d. Art. Hirnholz; wird um die Hirnenden eines Holzes herumgelegt, damit es nicht zerſpringt.

Stirnpfeiler, ſ. d. Art. Brücke, S. 449, Bd. I.

Stirnrad, ſo heißt ein Zahnrad im Gegenſatz zu Kammrad, wenn die Zähne ſich auf der Peripherie (Stirn) des Rades befinden; ſ. d. Art. Rad.

Stirnwand, 1) engl. benchend, Seitenwand eines Chorgeſtübles (ſ. d.). — 2) Querwand eines Tonnengewölbes; bei einem Kreuzgewölbe alle vier Wände, daher auch mit Schildwand verwechſelt; ſ. d. Art. Gewölbe; — 3) Vorderwand; ſ. d. Art. Fronte.

Stirnziegel, lat. antefixum, frz. antéfixe, ital. frontato, die zur unterſten Reihe verwendeten, mit einer verzierten Stirn, Palmette, Kopf ꝛc. verſehenen Hohlziegel in der italieniſchen und römiſchen Dachdeckung; ſ. d. S. 603 und 5 in Fig 848.

Stoa, 1) Säule; — 2) Halle, Säulengang.

Stochiacah, ſ. d. Art. Maaß, S. 493, Bd. II.

Stock, 1) (Räderw.) ſ. v. w. Treibſtock; — 2) ſ. d. Art. Heroldsfiguren 1; — 3) ſ. v. w. Etage, Stockwerk; — 4) ſ. d. Art. Stab; — 5) ſ. v. w. Gewände; ſ. d. Art. Fenſterſtock und Thürſtock; — 6) kurze, dicke Säule; — 7) (Forſtw.) ſ. v. w. Wurzelblock; — 8) ſ. v. w. Bunze; — 9) ſ. d. Art. Stockung ꝛc.

Stockausſchlag, ſo nennt man die Triebe, welche der Stock (ſ d. 7) eines abgeſchlagenen Baumes treibt. Den Nadelhölzern fehlt dieſe Fähigkeit; andere Bäume, wie Weide, Pappel, Linde, überhaupt die meiſten Laubbäume, haben dieſelbe in verſchieden hohem Grad, vorzugsweiſe wenn ſie ihre normale Höhe noch nicht erreicht haben.

ſtocken (Steinarb.), Steine mit gekrönelten Flächen bearbeiten, ohne Anwendung des Gründels, ſ. d. Man bringt mittelſt des Stockhammers (ſ. d.) nach dem Boſſiren mit dem Spitzeiſen das Körnige der Oberfläche hervor.

Stockfäſchinen, ſ. d. Art. Feſtungsbau N. 1.9.

Stockhammer, Pickhammer, Kraushammer, Werkzeug des Steinmetzen, mit ſtumpfen, vierſeitigpyramidalen Erhöhungen auf ſeinen beiden quadratiſchen, nach Form eines Kugelſegmentes ſchwach gewölbten Bahnen; dieſe Spitzen bröckeln beim Aufſchlagen nur kleine Trümmer ab; ſ. übr. d. Art. Gründl und Hammer.

Stockhaue, ſ. v. w. Radehaue.

Stockholz oder Wurzelholz der Bäume, iſt verhältnißmäßig etwas leichter als das Stammholz. Es wird als Brennholz beim Hüttenbetrieb in manchen Gegenden dem letzteren vorgezogen, weil es billiger iſt als dieſes und ſeiner lockeren Beſchaffenheit wegen ein raſches Flammenfeuer liefert. Es enthält, obſchon es bei Nadelhölzern oft ſehr harzreich iſt, weniger Brennſtoff, entwickelt eine plötzlichere Hitze und deshalb augenblicklich einen höheren Hitzgrad.

Stocklack, ſ. d. Art. Gummilack und LacLac.

Stocklaterne, frz. falot, ſ. d. Art. Laterne.

Stockpanſter (Mühlenb.), Panſterzeug (ſ. d. Art. Panſtermühle), bei welchem der Lagerriegel mittelſt der Erdlade auf und niedergewuchtet wird.

Stockrinne, eine ſtatt aus Brettern aus einem ganzen Baumſtamm gefertigte Waſſerrinne.

Stockſchraube, die Schraube, welche ſich an einem Schraubſtock befindet.

Stockſchwamm, ſ. v. w. Holzſchwamm.

Stockung, 1) naſſe Stockung oder naſſer Stock. Zeichen: feuchte, kalte Luft, widriger, fauler Geruch, naſſe dunkle Flecke an den Wänden und Schimmelanflug. Urſache: innere Mauerfeuchtigkeit, der die Zeit zum Ausdünſten nicht gelaſſen, die Gelegenheit dazu durch zu zeitigen Oelfarbenanſtrich genommen worden iſt, ſowie mangelnde Unterkellerung oder Ventilirung der Räume und der Mauern. Mittel dagegen: gute Ventilation, Abhauen des Putzes, Freilaſſen der Mauern auf einige Zeit und dann erſt wieder Putzen. — 2) Trockene Stockung; findet ſich mehr im Holz als in den Mauern, namentlich heißt ſo bei im Balten, welche, dem Luftzug ganz abgeſperrt, mit den Köpfen feſt eingemauert ſind ꝛc., eintretende langſame Fäulniß, ſ. d.

Stockwerk, lat. balco, frz. étage, engl. stage, story, ital. span. palco, Etage aus oder mit Holzwänden, ſ. d. Art. Etage, Gaden, Geſchoß und Haus. Man unterſcheidet meiſt: a) Kellergeſchoß, frz. cave, souterrain, engl. underground, dieſes liegt ganz oder als Souterrain theilweiſe in der Erde; b) Erd, Unter oder Bodengeſchoß, frz. rez de chaussée, engl. basement story (Parterre); c) Hauptgeſchoß, BelEtage; d) Obergeſchoſſe, frz. étages, engl. over-stories; e) Knieſtock oder Attica, oben unter dem Dach; f) Dachgeſchoß, frz. galetas, engl. garret; g) Halbgeſchoß, Mezzanine, auch Entresol, zwiſchen den mittleren Geſchoſſen; ſ. d. betr. Art.

Stockwerksbatterie, ſ. d. Art. Batterie.

Stockwerksbau, Stockwerksminen, Etageminen, Strecken oder Minenanlagen, in verſchiedenen Tiefen unter einander liegend; ſ. d. Art. Grubenbau, S. 215, und Minenbau.

Stockwinde, Winde mit Schraube ohne Ende.

Stockzange (Schloſſ.), kleine Zange, um feine Arbeiten damit faſſen zu können.

Stockzwinge, ſ. v. w. Schraubenzwinge oder Schraubſtock.

Stöckchen (Mühlenb.), ſ. v. w. Spur des Mühleiſens.

Stöckel (Pumpw.), ſ. v. w. Ventil.

Stöckelkiel, ſ. v. w. Steckelkiel.

Stöpe, Queröffnung durch einen Deich, um durchfahren zu können.

Stöpenloch, ſchmale Stöpe, ſ. a. Schlippe.

Störeiſen, ſ. v. w. Schüreiſen.

Stößel (Mühlenb.), ſ. v. w. Stampfe.

Stof, Stoof, ſ. d. Art. Maaß, S. 506 ff.

Stofe, ſ. v. w. Stube, Zimmer.

Stoff, ſ. d. Art. Materie.

Stola, ſ. d. Art. Biſchof; Attribut des Paulus von Conſtantinopel und des Achatius.

Stollen, Stolln, 1) 2—3″ im ☐ ſtarkes Schnittholz; ſ. d. Art. Baubolzn, S. 280, und Bettſtollen; — 2) (Bergb.) ſ. d. Art. Grubenbau, S. 212 ff.; — 3) ſ. v. w. Dode.

Stollenauszimmerung, Stollenflügel, Stollentreiben; ſ. d. Art. Grubenbau, S. 212 ff.

Stollngestänge (Bergb.), Stangen, die das Ausweichen der Karren auf den Schienenwegen verhindern.

stolz (adj.), f. v. w. steil; stolzen, hervorragen, emporstehen.

Stolz (subst.) f. d. Art. Kardinaltugenden 5. **Stone,** engl., Stein; Stone-cutting, Stereotomy, f. v. w. Steinschnitt; Stone-henge, f. d. Art. Keltisch 8.; Stone-roof, gewölbte Decke; Stone-ware, Steingut.

Stoopen, f. d. Art. Maaß, S. 512, Bd. II.

Stop, Stopa, f. d. Art. Maaß, S. 486, Bd. II.

Stopf, Mörtel aus Thon und vielem Sand bereitet, womit das Stichloch des Hohofens verschlossen wird.

Stopfbüchsen, dienen zur Herstellung eines dichten Schlusses zwischen einem festen Deckel und einer beweglichen Stange, z. B. bei Dampfmaschinen zwischen Kolbenstange und Cylinderdeckel, oder zwischen Schieberstange und Schieberkastendeckel rc.; bei Pumpen da, wo die Kolbenstangen austreten. Das Innere einer Stopfbüchse besteht in der Regel aus Hanfzöpfen; diese elastische, den dichten Schluß bewirkende Einlage befindet sich in einer Büchse, welche mit Hülfe von Fig. 1801. Schrauben durch einen Metallkranz verschlossen wird (Fig. 1801). Die Dichtung muß auf die Stange einen beständigen Druck ausüben, welcher hinreichend ist zum dichten Schluß, aber auch nicht so bedeutend, daß übermäßige Reibung entstehe. Damit die Dichtung immer in gutem Zustand erhalten wird, muß sie häufig geschmiert werden, weshalb der Verschluß stets eine kleine Ausböhlung erhalten muß, durch welche das Oel eintritt.

Stopffarbe, zum Verschmieren der Ritzen im Holz dienender Kitt aus altem Rüböl und Bleiweiß.

Stopfhader, zur Liderung gebrauchte alte Stücken Seil.

Stopfholz, hölzerner Stab, der beim Verlegen der Steinplatten und Dielentafeln zum Unterstopfen des Sandes rc. gebraucht wird.

Storax. 1) Das käufliche Storaxharz kommt nicht von Styrax officinalis, sondern ist ein Gemisch des Harzes von Liquidambar-Arten mit Rindentheilen, oder ein aus verschiedenen Harzen bereiteter Körper. Von mehreren Styrax-Arten (z. B. Styrax ferrugineum, reticulatum und Pamphilia aurea, Fam. Styraceae) wird auch in Brasilien ein Storax gesammelt (Storax von Bogota); — 2) der ächte Storax kommt von Styrax officinalis (Fam. Styraceae) in Kleinasien, wird aber daselbst fast nur arzneilich verwendet. Flüssiger Storax wird gewonnen aus dem amerikanischen Amber- oder Storaxbaum (Liquidambar styraciflua) durch Destillation der kleingeschnittenen Zweige, ferner von dem Rasamalabaum (Liquidambar Altingiana, Fam. Storaxgewächse), einem der schönsten Bäume, welche man kennt. Derselbe wächst an den Gebirgen Java's in mittlerer Erhöhung und treibt einen Stamm von 150 Fuß Höhe. Vergl. auch d. Art. Benzoë.

Storblech, f. d. Art. Blech.

Storchschnabel, 1) f. v. w. Krahn (f. d.); — 2) eine Copirmaschine (f. d. Art. Copie) besteht im Allgemeinen aus einem Parallelogramm, gebildet von 4 an den Winkeln drehbaren, auch verschiebbaren Stäbchen, ist aber sonst sehr verschiedener Construction.

Story, engl., Stockwerk.

Stoß, 1) (Minenb.) Seitenwand der Brunnen. — 2) (Grubenb.) Seitenfläche des Stollens; f. d. Art. Grubenbau, S. 212. — 3) Stumpfer, schräger Stoß, f. unter Holzverband A, I. — 4) S. v. w. Ort. — 5) Die Wechselwirkung zweier Körper, welche einander so begegnen, daß der eine von ihnen den Raum des andern einnehmen will. In Folge dieser Wechselwirkung ändern sich die Bewegungszustände der Körper. Die Richtung, in welcher der Stoß eintritt, die Stoßlinie, steht senkrecht auf der Berührungsfläche der beiden Körper. In dieser Richtung üben beide Körper einen gleich starken Druck auf einander aus. Je nachdem jene Stoßlinie durch den Schwerpunkt der beiden bewegten Körper geht oder nicht, hat man einen centralen und einen excentrischen Stoß. Außerdem unterscheidet man den geraden und den schiefen Stoß; bei dem ersteren ist die Richtung der Bewegung zugleich Richtung der Stoßlinie, bei dem letzteren findet dies nicht statt.

Sobald zwei mit der Geschwindigkeit c und c_1 bewegte Massen M und M_1 an einander treffen, wird ein Zusammendrücken der sich berührenden Theile eintreten, und dieses wird so lange dauern, bis die Massen gleiche Geschwindigkeit haben,

$$v = \frac{M c_1 + M_1 c_2}{M_1 + M_1}$$

Sind die Massen ganz unelastisch, so wird es dabei bleiben und die Massen werden sich beide mit derselben Geschwindigkeit fortbewegen. Dabei geht stets Arbeit verloren, weil diese auf die Formänderung verwandt wird. Sind dagegen die beiden sich stoßenden Körper vollständig elastisch, so dehnen sie sich im nächsten Augenblick nach dem Zusammendrücken wieder aus und in Folge dieser elastischen Rückwirkung wird die Geschwindigkeit des langsamer bewegten Körpers um das Zusammendrücken vermehrt und die des schnelleren um so viel vermindert, als die Veränderung während des Zusammendrückens betrug. Also wird die Geschwindigkeit des einen Körpers $2v - c_1$ und des anderen $2v - c_2$. Sind beide Körper von gleicher Masse, so tauschen sie ihre Geschwindigkeiten aus; ist daher der eine Körper vor dem Stoß in Ruhe, so wird nach dem Stoß der andere Körper still stehen. — Hierbei findet kein Verlust an Arbeit statt. — Sind endlich beide Körper unvollkommen elastisch, so dehnen sie sich in der zweiten Periode nur unvollkommen wieder aus und es geht wenigstens ein Theil Arbeit verloren.

Die Stoßkräfte sind an Maschinen nachtheilig, da neben dem Verlust an Arbeit noch der Nachtheil eintritt, daß die betreffenden Maschinentheile sich schneller abnutzen, daß ihre Verbindung lockerer und der ruhige Gang gestört wird.

Stoßbalken einer Bettung, ein am vorderen Ende quer über die Bettung befestigter Balken; dient dazu, daß die Brustwehrböschung beim Vorbringen des Geschützes nicht beschädigt wird.

Stoßbank, f. d. Art. Fügebank.

Stoßbau, f. d. Art. Grubenbau, S.215, Bd. II.

Stoßbret, s. v. w. Sehstufe; s. d. Art. Futterstufe und Treppe.

Stoßeisen, 1) Werkzeug zum Abstoßen des Putzes von Decken oder Wandflächen; — 2) zu Bodenuntersuchung dienende spitze eiserne Stange.

stoßen, stumpf an einander fügen; s. d. Art. Stoß 3.

Stoßfläche, 1) Fläche, wo zwei lange Körper sich mit ihren beiden schmalen Seiten berühren; — 2) an der Schaufel eines Wasserrades die Fläche, gegen welche das Wasser trifft; — 3) die vordere, vom Wind getroffene Fläche des Windfeldes einer Windruthe; s. d. Art. Fläche S. 66.

Stoßfuge, s. v. w. Stoßfläche beim Mauerverband; s. d. Art. Fuge und Joint.

Stoßgefälle (Wasserb.), s. v. w. Schußgefälle.

Stoßklammer, Klammer, die auf dem Stoß zweier Hölzer eingeschlagen wird.

Stoßpfahl, Schutzpfahl, Radstößer, Abweiser; s. d. betr. Art.

Stoßreitel (Hammerw.), etwas ansteigendes und weit herausragendes Holz oben an dem Hammergerüst, wogegen der Kopf des Aufwerfhammers geworfen wird, zur Vermehrung der Geschwindigkeit seines Falles.

Stoßrinne, enges Ende eines oberschlächtigen Gerinnes, zunächst am Rad.

Stoßsäge, Handsäge mit sehr dünnem Blatt.

Stoßschaufeln, bei einem oberschlächtigen oder Kropfrad die äußern Theile der gebrochenen Schaufeln.

Stoßstange, s. d. Art. Bläuel 2.

Stoßverschießen, s. d. Art. Grubenbau, S. 213, Bd. II.

Stoßzange, Stoßzug, s. d. Art. Drahtziehen.

stottern, s. d. Art. Schlottern.

Stoß, s. d. Art. Maaß, S. 408, Bd. II.

Stoup, engl., altengl. stope, stoppe, Weihbecken, Weihkessel.

Stourbridge, s. d. Art. Steinmasse.

Straakortstein, Strackortstein, s. d. Art. Ortstein und Dachdeckung 1, S. 604, Bd. I.

Strackholz, s. v. w. Streckholz; — 2) s. d. Art. Schleuße.

Strada, ital., Straße; strada ferrata, Eisenbahn.

Strafhaus, s. d. Art. Arbeitshaus.

Strahl, Baumkrankheit, s. d. Art. Bauholz B.b.2.

Strahlbaryt, s. d. Art. Baryterdesalze.

Strahldouche, s. d. Art. Bad 2.

Strahlen, s. d. Art. Nimbus, Glorie, Heiligenschein und Demetrius.

Strahlenbrechung, s. d. Art. Brechung, Licht und Reflexion.

Strahlengewölbe, s. Fächergewölbe unter d. Art. Gewölbe.

Strahlenkrone, engl. beams, s. d. Art. Gloria, vgl. auch d. Art. Latona und Maria.

Strahlenreif, s. d. Art. Kranz k.

Strahlgips, Zeolith, Federspath, Gipsspath (s. d.) mit strahligem Gefüge; s. d. Art. Gips.

Strahlkies, Kammkies (Mineral.), erscheint derb, auch nierenförmig und in Kugeln, von Farbe speisgelb, zum Grauen neigend, erkennbar an seinem strahligen Gefüge ꝛc.; s. d. Art. Schwefelkies.

Strahlstein (Mineral.), 1) eine Art Augit (s. b.), auch Diopsid genannt; — 2) auch Actynolith, Asbestoid, Byssolith genannt, Art der Hornblende (s. d.); erscheint nur beim Eklogit (s. d.) als wesentlicher Gemengtheil.

Strahlsteinschiefer, s. d. Art. Grünstein.

Straight-arch, engl., scheitrechter Bogen, s. d. Art. Bogen, S. 397; straight roundangular-arch, s. d. Art. Bogen, S. 399, Bd. II.

Strandkiefer, Seestrandfichte (Pinus pinaster W., P. maritima D. C.), ist im südlichen Europa zu Hause und vertritt daselbst die Stelle unserer gemeinen Kiefer, s. d.

Strang, s. d. Art. Seil.

Strap-work, engl., Nestelverzierung, stellt sich durch kreuzende, verknotete Schnuren dar.

Straß, eine Krystallglasmasse, zur Nachahmung von Edelsteinen benutzt; s. d. Art. Glas.

Straßbaum, Längenbalken bei hölzernen Brücken, s. d. Art. Brücke und Brückenballen; — 2) in den Sägemühlen die langen Kreuzbölzer, worauf der Blockwagen geht; — 3) im Schacht die Bäume, auf denen die Tonnen gleiten; s. d. Art. Grubenbau, S. 213, Bd. II.

Straße, Weg, der bestimmte Begrenzungen hat. In Städten und Dörfern durch zwei Reihen Häuser, im freien Felde durch Bäume oder Gräben begrenzt und durch letztere entwässert, in den Städten durch Tagerinnen und Schleußen; zu diesem Behuf muß die Mitte der Straße stets etwas höher liegen als die Seiten. Der Straßenbau ist ein besonderer Zweig des Bauwesens; auch mit die wichtigsten Lehren desselben anzuführen mangelt hier der Raum. Bei Bestimmung der Straßenlinien, des Straßenzugs sind hauptsächlich zwei Punkte zu berücksichtigen: zunächst der Verkehrsbedarf, dann aber die Beschaffenheit des Terrains. Damit das Längengefälle nicht zu groß werde (1:400 dürfte als Maximum gelten), wird man oft der Straße Krümmungen geben müssen, die wiederum nicht zu kurz sein dürfen. Der kleinste zulässige Krümmungsradius dürfte wohl 100 Fuß sein. In Bezug auf Breite und Profil der Fahrbahn, des Dammes ꝛc. gilt dasselbe für alle Fahrstraßen, was im Art. Chaussée gesagt ist. Die Bänke (s. d. II. 2) sind nicht unter 7 Fuß Breite anzulegen.

A. Der Construction nach kann die Straße sein:
1. Gepflastert, s. d. Art. Pflaster, Straßenpflaster, Holzpflaster.

2. Macadamisirt: der Erddamm wird 4—6 Zoll hoch mit höchstens faustgroßen Steinen überschüttet und erhält bei 30 Fuß Breite 3 Zoll Erhöhung in der Mitte; s. auch d. Art. Chaussée u. Asphalt VII.

3. Chaussirt, s. d. Art. Chaussée. Außer den dort genannten Materialien sind noch zu empfehlen: Sienit, Hornblendefels, Hornsteinporphyr.

4. Römische Straße, lat. via strata.
Zuerst wird die Straßenbreite durch zwei Furchen bezeichnet und der Boden dazwischen bis zum gewachsenen Boden ausgehoben. Die so entstehende Vertiefung wird mit Steinen ausgefüllt (substratum pavimentum) und diese Ausfüllung gerammt. Darauf kommt eine 10 Zoll hohe Lage (statumen) breiter, auf's Flache verlegter Steine, trocken oder in Kalk verlegt, dann eine 8—10 Zoll

hohe Schicht (rudus, ruderatio, f. d.) kleine Kiesel, mit Mörtel vergossen und festgerammt, dann der nucleus, ein Cement von Kalk und Ziegelbrocken, auch wohl von Lehm und Kalk oder dergleichen, in den die letzte Schicht (summum dorsum, summa crusta) von Kies und Mörtel aufgeschüttet oder von breiten Platten gepflastert wird. Im ersten Fall heißt die Straße via glareata: wird statt des Mörtels Lehm verwendet, heißt sie via terrena. Die Fahrbahn, agger, war bogig profilirt. Die Seitenwege, Bänke, crepido, umbo, margo, waren etwas erhöht und mit Kieseln (gomphus) oder mit Platten bedeckt.

5. Sandchausséen, nach Art der macadamisirten, aber blos von Kies aufgeschüttet. Es muß der Kies hierbei sorgfältig von allen Erdbeimengungen befreit werden; vergl. d. Art. Besanden.

6. Schotterstraße (f. d.). Basalt, Grünsteinporphyr, Quarz, Eisenschlacken, Granit, Klinkerbrocken, Tuffstein, Flußsand, sind zum Bau der eben angeführten Straßenarten brauchbar, hingegen Sandstein, Brocken von weichen Ziegeln, schieferiger und blätteriger Thon und Kalkstein, lehmiger Sand 2c. nicht anzuwenden.

B. Ihrem Zweck nach unterschieden die Römer zunächst öffentliche Straßen, viae publicae, auch consulares, praetoriae, militares, regiae, solemnes und aggeres publici genannt, und Privatwege, viae privatae, vicinales, agrariae; ferner unterschieden die Römer callis, Saumpfad, ½ Fuß römisch breit; semita, Steig, 1 Fuß breit; iter, Fußweg, Richtsteig, 2 Fuß breit; actus, Fahrweg, 4 Fuß breit, und via, Straße, 8 Fuß breit.

1. In Städten. Einiges über Breite 2c. f. d. Art. Ortsanlage. a) Hauptstraßen, Straßen schlechtweg, werden am besten gepflastert, mindestens chaussirt; sie sollten nie unter 48 Fuß, doch auch wegen der Einflüsse des Klima's und der Platzverschwendung nie über 60 Fuß breit sein, und sind in der Regel mit Trottoirs, Tagerinnen und Schleußen (f. d. 5.) zu versehen; b) Nebenstraßen, Gassen, 30 bis 48 Fuß breit; c) Seitengassen oder Gäßchen, f. d. Art. Seitengasse; d) Sackgassen und dergl. sind jedenfalls zu vermeiden.

2. Auf dem flachen Lande. a) Heerstraße, Landstraße 2c.; Minimalmaaße 2c. f. unter d. Art. Chaussée. Pflaster ist hier unzweckmäßig, doch stellenweise, z. B. auf Triebsand, die einzige Methode, um genügende Dauer zu erlangen. Bei sehr belebten Straßen sei die Fahrbahn 24—30 Fuß, jeder Fußweg 10—12 Fuß breit; b) Communicationsweg, mindestens Sandchaussée, besser Schotterstraße, erfordert mindestens 18 Fuß Fahrbahn und einen Fußweg von 6 Fuß Breite, sowie zwei Gräben; c) Feldweg, mindestens ein Graben, Fahrbahn von 10 Fuß und ein Fußweg von 4 Fuß Breite.

C. Nach Beschaffenheit des von ihr durchzogenen Terrains kann dieselbe Straße an verschiedenen Stellen sein: a) Hochstraße, Dammstraße, frz. chemin haussé; Böschung (f. d.) legt man 1—1½füßig an, je nach Beschaffenheit des Materials; Längengefälle Maximum 1 : 500; b) Hohlweg, Durchstich, Fahrbahn wie gewöhnlich, Grabensohle mindestens 2 Fuß unter der Dammcrete und 1—2 Fuß breit. Böschung 1½füßig oder flacher, Graben nach den Enden des Durchstiches zu abfallend; c) Tunnel (f. d.); d) Gallerie, an Felsen und an mit Lawinen drohenden Abhängen hinleitende überbaute Straße, die Ueberdachung meist von Holz mit steilem Dach oder gewölbt; e) Serpentine in Zickzack ansteigend. Krümmungs-

radius an den Einkehren mindestens 40 Fuß; f) Kreuzweg, lat. groma, compitium, bivium, trivium, quadrivium, divortium, diverticulum, muß stets als Ausweitung der Straße gestaltet sein.

Straße, frz. fasce, f. v. w. Mittelstelle; f. d. Art. Heraldik VI.

Straßenabraum, f. d. Art. Chausséestaub.

Straßenbalken (Herald.), franz. contrefasce, f. d. Art. Gegenbalken.

Straßenbaum, f. v. w. Straßbaum.

Straßenbrücke, f. d. Art. Brücke, S. 469.

Straßendamm, f. d. Art. Straße u. Damm.

Straßengraben, f. unter d. Art. Chaussée, Straße und Graben.

Straßenpflaster; die verschiedenen Methoden des Steinpflasters 2c. f. unter d. Art. Pflaster. Neuerdings empfiehlt man vielfach gußeisernes Straßenpflaster; dasselbe besteht aus netzförmigen Büchsen (Setzkapseln), sie sind ungefähr 1 Fuß oder mehr im Durchmesser und haben gewissermaßen die Gestalt eines liegenden Rades, dessen Speichen und Felgen, Rippen und Ränder sich gegenseitig halten und ziemlich dicht stehen, auch gereiht sind, so daß der Huf eines Pferdes nicht zwischen den einzelnen Rippen Raum findet, auch weder der Huf noch ein Wagenrad gleiten kann. Sie greifen mit Vorsprüngen in Kerben der nebenliegenden ein, so daß sie unverrückt bleiben. Die Zwischenräume werden mit einem Gemenge von Sand, Stein, Muschelschalen 2c. ausgefüllt. Die Rippen und Ränder haben alle gleiche Höhe, circa 5 Zoll. Ihre Breite, oben 1 Zoll, erstreckt sich 1 Zoll tief und verjüngt sich dann keilig bis auf den Boden.

Das Steigen und Sinken des Erdbodens in Folge des Frostes findet Spielraum in den Zellen oder Zwischenräumen, ohne daß sich deshalb die Kapseln selbst verrücken. Die beim Verlegen leicht zu erzielende geringe Wölbung und die feste Verbindung durch die Vorsprünge und Kerben verleiht diesem Pflaster eine sich selbst stützende Kraft. Trotzdem können die Kapseln mit Leichtigkeit weggenommen und wieder eingesetzt werden, ohne die Nachbartheile zu verschieben. Natürlich ist dieses Pflaster sehr reinlich. Die Massenoberfläche in den Zwischenräumen der Kapseln wird nämlich etwas tiefer gehalten als die Eisenoberfläche, so daß Füße, Räder 2c. nie mit der Erde in Berührung kommen. Man schätzt die Dauer eines solchen Pflasters auf 25 bis 50 Jahre.

Straßenreinigungsmaschine; die meisten solcher Maschinen sind fahrbar und so eingerichtet, daß eine Anzahl sich drehender Bürsten oder Besen vermittelst einer Verzahnung mit den Wagenrädern in Verbindung steht. In einer neuen, verbesserten Maschine hingegen sind wechselweise wirkende Bürsten oder Besen angebracht, die sich vor- und rückwärts bewegen, fast ganz wie die Handbesen. Jeder Besen arbeitet unabhängig von dem andern und wird in seiner Stellung durch eine Feder erhalten, welche jedoch dem Besen eine nachgebende Bewegung gestattet und ihn über Steine oder andere im Wege liegende Hindernisse sich hinwegheben läßt, ohne die anderen Besen in ihren Verrichtungen zu stören. Der Kehricht wird auf ein sich drehendes Tuch ohne Ende hinaufgeschoben und von hier aus, indem sich die Maschine durch die Straße fortbewegt, zur Seite derselben in langen Reihen abgeworfen.

Straßenrinne, Lagerinne zu Abführung des sich sammelnden Regenwassers und verbrauchten Wirthschaftswassers zwischen Fahr- und Fußweg, von Zeit zu Zeit mit einer Eingußöffnung in die Schleußen (s. d. III.), die mit einem Rechen oder Rost zu verschließen ist. Sohle mindestens 6 Zoll unter dem Trottoir, Gefälle mindestens 1 : 100; s. übrigens d. Art. Pflaster.

Straßenträger, s. d. Art. Brücke, S. 453, und Brückenbalken.

Straßenübergänge, s. d. Art. Eisenbahn, S. 692, Bd. I.

Straßfluß, s. d. Art. Straß und Gasfluß.

Stratageum, lat., Arsenal, s. d.

Stratelates, s. d. Art. Theodorus.

Straubergerinne, Straubgerinne, s. d. Art. Gerinne; ist ein Kropfgerinne, das man anlegt, wenn man ein lebendiges Gefälle von 30—72 Zoll hat, jedoch die Wassermenge zu klein ist, um mehrere Stäber oder Pansterräder anzulegen.

Straubermühle, Straubmühle (Mühlenb.), s. unter d. Art. Mühle A.

Straubrad, Strauberrad, Staubrad, das Rad einer Straubmühle, unterschlächtiges Wasserrad mit nur einem, sehr starken Ring, auf dessen Stirn die Schaufeln angesetzt sind; an ihren Enden sind sie durch Spriegel mit einander verbunden; s. auch d. Art. Mühle.

Strauch, Gewächs, das gleich vom Boden aus Aeste treibt.

Strauchholz, Astholz von Sträuchern, am besten von Weiden, wird angewendet zu Zäunen, Staken, Faschinen 2c.; s. auch Busch, Buschwerk 2c.

Strauchwerk, Uferbefestigung aus Strauchholz; s. d. Art. Buschwerk.

Strawberry-leaves, engl., Erdbeerblätter; s. d. Art. Tudorblume.

Strebe, franz. décharge, jede Stütze gegen schrägen Schub. Wenn sie A. von Holz gemacht wird, muß sie also selbst schräg stehen und zwar möglichst genau in der Schubrichtung; vorzugsweise werden Strebe genannt: 1) die hölzerne Schrägstütze zwischen Balken und Hängesäule, in Oesterreich Sprengband, lat. canterius, frz. arbalétrier, engl. back, span. jabalcon, s. d. Art. Dach, S. 594, und c. in Fig. 796 und 798, sowie b. Art. Hängewand, Hängewerk 2c.; — 2) das Sturmband in einer Fachwand, s. d.; — 3) Sprengstrebe, |Fußstrebe, Klammersparren, lat. capreolus, frz. contrefiche, coyer, engl. strut, ital. chiave, s. c. in den angezogenen Figuren; — 4) s. d. Art. Strebeband. B. Von Stein gefertigt erhält sie entweder die Gestalt eines steigenden Bogens und heißt dann Strebebogen, oder sie ist ein Strebepfeiler; s. d. betr. Art.

Strebeband, Strebebüge, Klammerband, frz. colle, gousset, lien, engl. brace, ital. razza, kleines Winkelband am Fuße einer Säule (s. d. Art. Band I. a.), also nicht ganz gleichbedeutend mit Gegenstrebe; s. d. Art. Strebe A. 3.

Strebebau, s. d. Art. Grubenbau, S. 215.

Strebebogen, fliegende Strebe, Fluchtstrebe, lat. fornix, franz. arc-boutant, engl. flying buttress; s. d. Art. Schwibbogen I.

Strebepfahl, Pfahl, der, in schräger Richtung eingerammt, strebend wirken soll, z. B. Endpfähle an Brückenjochen, Eisbrecher 2c.

Strebepfeiler, lat. anteris, erisma, orthostata, frz. boutoir, appui, contrefort, éperon, fillole, engl. butment, abutment, buttress, ital. puntello. Die Strebepfeiler können lothrecht und unverjüngt sein, dann werden sie oben mit einer Deckplatte oder einer Abdachung versehen oder sie sind lothrecht, aber in Absätzen (engl. stages, set-off) aufgeführt und oben mit Abdachung oder Giebelchen(gablet)versehen oder sie sind im Ganzen schräg angelegt. Dienen sie als a) Verstärkung von Futtermauern, so wirken sie gegen den Erddruck; wenn h die Höhe der Futtermauern in Fußen ist, so betrage die Breite der Strebepfeiler 1/3 h + 2 Fuß; die Stärke unten 1/10 h + 1 1/2 Fuß. Die Entfernung derselben sei 1 bis 1 1/2 h, doch nie über 18 Fuß. Weiteres s. in d. Art. Brücke und Futtermauer.

b) Bei Wölbungen; gegen Tonnengewölbe 2c. sind sie unnütz; nur gegen Gewölbe, deren Druck auf einzelne Punkte concentrirt ist, wie z. B. Kreuzgewölbe, sind sie zu brauchen. Hier geht man im Allgemeinen ziemlich sicher, wenn man die untere Stärke der Strebepfeiler, incl. des in der Längenmauer stehenden Theiles,

$$-\frac{D}{8}\left(\frac{3D-H}{D+H}\right)+1+\tfrac{1}{6}h$$

macht, wobei D die Diagonalweite des Kreuzgewölbes, H dessen Wölbhöhe und h die Widerlagshöhe, Alles in Fußen ausgedrückt, ist; die Breite aber sei mindestens gleich 1/3 der Stärke; s. übrigens b. Art. Widerlager und Wölbung.

c) Ueber die ästhetische Gestaltung der Strebepfeiler s. d. Art. Anglo-normannisch, Englisch-gothisch, Gothisch, Französisch-gothisch, Normannisch u. s. w. sowie d. Art. Lafchene.

Strebesäule, Strebe in einem Hängewerk, s. d.

Streckbarkeit, s. d. Art. Dehnbarkeit.

Streckbaum, 1) s. d. Art. Streicher 2; — 2) auch Streckbalken genannt, s. v. w. Straßenträger; s. d. Art. Brücke, S. 453.

Streckdecke, s. v. w. gestreckter Windelboden, s. d.

Strecke, 1) Maaß bei den Pflasterern, 6 Ruthen lang und 1/2 Ruthe breit; — 2) s. d. Art. Grubenbau; — 3) (Kriegsb.) Strecke einer Kriegsbrücke, Name für jede Balkenlage von einer Unterstützung zur andern.

Strecken, 1) des Eisens 2c.; Eisen und anderes Metall verlängern, geschieht durch Hammerschläge oder Pressung, auf der Streckmaschine, dem Streckwerk, nachdem das Metall glühend gemacht worden ist; s. d. Art. Eisen, S. 689, Bd. I; — 2) des Glases; Ausbreiten der geblasenen Cylinder nach dem man sie aufgerissen, zu Tafeln; — 3) Etwas an Ort und Stelle hinlegen, z. B. Schwellen 2c.; — 4) s. d. Art. eine Strecke (2) treiben; — 5) Feld strecken, s. v. w. einen Grubenbau zu Tage abtiefen, um zu zeigen, wie weit er geht.

Streckengestänge (Bergb.), weithin waagerecht laufende Stangenkunst.

Streckenzimmerung, s. d. Art. Grubenbau.

Strecker, auch Streckstück genannt; Strecklage, Streckschicht oder Streckerschicht; hierüber s. unter d. Art. Läufer, Binder und Mauerverband.

Streckfuge, s. v. w. Stoßfuge.

Streckhammer, Hammer zum Strecken 1. gebraucht; s. d. Art. Aufwerfhammer, Hammerwerk und Schwanzhammer.

Streckholz, 1) schräges Lager für die zu schleifenden Schornsteine; — 2) s. d. Art. Streicher 2; — 3) s. d. Art. Bauholz F. I. a., S. 279, Bd. I; — 4) auch **Streckling** (Stangenf.), kurzer Balken auf Böden liegend, zum Tragen der Zapfenlager für die Schwingen.

Strecklatte, s. d. Art. Dachdeckung A. 5.

Streckofen, Ofen zum Strecken 2; s. auch d. Art. Glas.

Streckortstein, eigentlich Straakortstein, s. d.; s. auch d. Art. Bordstein.

Streckrost, s. d. Art. Rost.

Streckschwelle, s. v. w. Grundschwelle, Hauptschwelle; s. d. Art. Schwelle.

Stroeper, s. d. Art. Maaß, S. 490.

Streichbalken, 1) s. d. Art. Balken I. I. B. c. und Balkenlage; — 2) auch Streichholm genannt; s. d. Art. Brücke, S. 452.

Streichbank, Streichtisch (Ziegl.), zum Formen der Ziegel dienende Bank.

Streichbaum, Leithholz, sehr leicht drehbare Walze, bei Haspeln ꝛc., damit die Seile ꝛc. nicht aus der beabsichtigten Richtung kommen.

Streichblech, s. v. w. Schließblech.

Streiche, s. v. w. Flanke.

Streicheisen, s. d. Art. Fugeisen.

streichen, s. v. w. Formen der Ziegel.

Streicher, Streichholz, 1) beim Formen der Ziegel zum Abstreichen (s. d.) gebrauchtes Stück glattes, hartes Buchenholz, 2 Zoll breit, 1 Zoll dick und wenigstens 8 Zoll länger, als der breiteste Rahmen breit ist; — 2) engl. putlog, auch Streckholz, in Oesterreich Polsterholz genannt, bei Rüstungen die mit der Mauer parallelen Hölzer, worauf die Querhölzer oder Netzriegel gelegt werden; s. d. Art. Gerüst.

Streichkalk, s. v. w. Steinkalk, auch für Lederkalk.

Streichlinie, Defenslinie, s. d. Art. Festungsbau, S. 43.

Streichmaaß oder Streichmodel, 1) s. v. w. Reißmaaß, s. d. Auch hat man, um bis auf den Boden von Hohlkehlen und Vertiefungen zu reichen, Streichmaaße, deren Stäbe gekrümmt sind; — 2) s. v. w. Streicher 1, nicht blos zum Abstreichen 5, sondern auch zum Reguliren von eingemessenem Getreide ꝛc. gebraucht.

Streichruder, Ruder, welches aus freier Hand geführt wird.

Streichruthe, s. d. Art. Brücke, S. 452.

Streichschale, längliche Art Wetzsteine, am besten aus Wetzschiefer (s. d.) gearbeitet; s. d. Art. Abstreicher, Abziehstein ꝛc. Zum Schärfen feiner Werkzeuge benutzt man meistens Oelsteine, s. d.

Streichscheibe, s. v. w. Leitrolle; s. d. Art. Rolle.

Streichschindel, s. v. w. Strohlehmschindel; s. d. u. Dachdeckung, S. 606, Bd. I.

Streichstange, engl. pole, 1) s. u. d. Art. Gerüste und Auflauf; — 2) Verbindung des Lenkschemels mit der Sprengwaage an dem Rüstwagen oder Leiterwagen.

Streichtorf, s. v. w. Baggertorf, wird gleich Ziegeln geformt (gestrichen).

Streichwehr, 1) s. v. w. Ueberfallswehr; — 2) s. v. w. Flanke; s. d. Art. Festungsbau.

Streichwinkel, s. Festungsbau, S. 43, Bd. II.

Streichzaun, s. d. Art. Schlickzaun.

Streif oder Streifen, engl. string, 1) der Architrav der ionischen und korinthischen Ordnung (s. d. betreffenden Art.) ist in Streifen getheilt, und zwar so, daß stets der obere Streif etwas über dem darunterliegenden hervorragt; — 2) mit Schnitz- oder Bossirwerk versehenes Bändchen; — 3) frz. tranglé, fasce (Herald.), schmaler Balken oder Pfahl; s. d. Art. Balken, S. 208, Bd. I, und Heroldsfiguren 2.

Streifbalken, s. v. w. Ortbalken; s. d. Art. Balken I. B. c.

Streiferz, strahliges Bleierz.

Streifhobel, s. d. Art. Holzadernhobel; er ähnelt dem Leistenhobel und hat an der Seitenbahn einen Vorstoß. Die Eisen haben 1½ bis 1½ Zoll Breite.

Streitbaum, s. d. Art. Latirbaum.

Streitkolben, Attribut des Fidelis, Nicomedes und Vitalis.

Streitkolbenbaum, neuholländischer (Casuarina equisetifolia, Fam. Casuarineae), das Holz ist grau und braunroth-geschäckt, von vielen schief verlaufenden Adern durchzogen, die sich federartig zertheilen und so einer Casuarfeder ähneln. Es ist außerordentlich hart.

Stretoher, engl., s. v. w. Strecker; s. d. Art. Binder und Läufer.

strengflüssig, heißgrätig, s. v. w. schwer schmelzbar; s. d. Art. Schmelzen und Flußmittel.

Streu, s. d. Art. Spreu und Stroh.

Streubucht, Streukasten, zur Aufbewahrung der Streu in Ställen besonders abgeschlagener Raum, in der Regel unter der Krippe.

Stria, lat., 1) Steg zwischen den Canneluren; — 2) Falz.

Striatura, lat., Hohlkehlung, Canälirung.

Strich, 1) Längenmaaß = Linie; s. d. Art. Maaß, S. 486; — 2) Getreidemaaß = 1¹/₁₂ Dresdener Scheffel; s. d. Art. Maaß, S. 492; — 3) so viel Ziegel, als zu einem Brand auf einmal gestrichen werden; — 4) s. d. Art. Bausteine, S. 291; — 5) Querholz beim Bolzenschrot; s. d. Art. Grubenbau C. c.; — 6) s. v. w. Einstrich im Schlüsselbart; s. d. Art. Bart 1 und Bartkluppe.

Strich der Minerale. Die Farbe gepulverter Minerale ist häufig von der Farbe des Minerals in compacten Massen verschieden. Gleichgefärbte Minerale zeigen oft verschieden gefärbte Pulver. Um die Farbe des Pulvers zu sehen, genügt in den meisten Fällen das Ritzen mit einem Messer oder einer scharfen Feile. Diese Manipulation nennt man den Strich; er dient zur Unterscheidung mehrerer äußerlich ähnlichen Mineralien. Die Farbe des Mineralpulvers läßt sich sehr gut erkennen, wenn man mit dem Mineral auf eine rauhe, weiße Porzellanbiscuitplatte einen Strich macht; s. auch d. Art. Bausteine, S. 291.

Strichseite (Wasserb.), bei Buhnen die gegen den Strom gerichtete Seitenfläche.

Strichzaun, s. d. Art. Schlickzaun.

Strick, frz. corde, 1) s. d. Art. Seil; Stricke erscheinen als Attribut der Heiligen Godoleva, Desiderius, Beatrix, Sira, Colmar, Johannes a deo.

Strickattalea, s. d. Art. Attalea.

Strickbaum, so nennt man zwei Arten Baubinien am Senegal (Bauhinia reticulata D. C. und rufescens Lam., Fam. Hülfenfrüchtler), deren Bast daselbst zu Stricken verarbeitet wird.

Strickgras, so nennt man insbesondere eine Grasart des Kaps (Restio tectorum Thbg., Fam. Restiaceae), welche dort ein Hauptmaterial zum Dachdecken abgiebt. Zur Anfertigung von Stricken werden in den verschiedenen Ländern sehr mannichfache Gräser mit verwendet.

Strickleiter, ganz aus Seilen angefertigte Leiter; zur Sicherung wird mitunter je die dritte oder vierte Sprosse von Holz gemacht.

Striegel, der einen Wasserausfluß verstopfende Zapfen, auch die ganze Ablaßvorrichtung, also Zapfen, Schacht, Gerinne und Rösche. Dann heißt der Zapfen Striegelzapfen. Ein Striegel kann liegend oder stehend sein, der letztere heißt auch Mönch. Steht er vor dem Damm im Trockenen, so heißt er Freistriegel; steht er im Wasser, so heißt er nach seiner Höhe Grund=, Mittel= oder Oberstriegel. Noch giebt es Helf=, Neben= oder Beistriegel, zur Reserve bei Reparaturen ꝛc.

Stries, frz., Säulenriefen, Canneluren.

Striga, lat., Zeltreihe; s. d. Art. Castrum.

strigile, frz., s. v. w. Sförmig. [Pfeife.

Strigilis, lat., 1) Striegel; — 2) Candilrung,

String, string-cours, tablet, engl., Bandgesims, Gurtgesims, laufende Verzierung an demselben.

Stripwork, engl., Rippenwerk an Gewölben.

Strix, lat., Hohlkehle.

Stroh, frz. paille, engl. thatch. In Deutschland wird besonders das Stroh von Roggen, Weizen, Hafer und Gerste, in anderen Ländern das Stroh mancher anderen Grasarten mannichfach im Bauwesen gebraucht. Ueber die verschiedenen Anwendungen; s. u. A. d. Art. Dachdeckung, S. 605, Baumaterial d., Lehm, Stackwerk, Decke, Spreu, Rohr ꝛc.

Strohband oder Krampe, aus Stroh gedrehtes Seil; s. d. Art. Anhägerung.

Strohboden. 1 Gebund Stroh braucht 3 Cubikfuß Raum, wiegt 10 Pfd. und giebt 1¼ Scheffel Häckel, s. d.

Strohdach, s. u. d. Art. Dachdeckung, S. 605.

Strohdeich (Deichb.), Deich, mit Stroh auf der Böschung belegt.

Strohdocke, s. d. Art. Docke 9.

Strohfeile, s. d. Art. Feile a. 2 und b. 9.

Strohgelb, mattes, etwas grünliches Hellgelb; s. d. Art. Gelb. Um strohgelbe Leimfarbe zu bereiten, löse man in Wasser die nöthige Quantität Kreide auf, mische Chromgelb oder Schüttgelb, mit Wasser abgerieben, sowie etwas Grün oder sehr wenig Blau, nach gewünschten Farbenabstufung bei und setze den nöthigen Leim zu.

Strohlatte, Spaltlatte zu Stroh= und Rohrdächern.

Strohlehm, frz. bauge, bousillage, mit zerkleinertem Stroh vermengter Lehmteig zu Stak= und Wellerwänden, sowie zu Decken; s. d. Art. Häckel, Decke, Stackwand, Feuerfest 3 ꝛc.

Strohlehmschindeln, s. d. Art. Lehmschindeln und Dachdeckung, S. 606.

Strohmagazin, s. d. Art. Magazin, Speicher, Scheune ꝛc.

Strohmal (Wasserb.), s. v. w. Mal 1.

Strohmatten, werden zum Zudecken von Mistbeeten, Gewächshäusern ꝛc., auch an Fenstern als Rollladen (s. d.) gebraucht.

Strohpatzen, s. v. w. Lehmpatzen.

Strohsparren, s. d. Art. Bauholz, S. 280.

Strohwiepe, Strohschaube, s. d. Art. Dachbedung, S. 603, Dachschaube und Schaube.

Ströme des Paradieses, s. d. Art. Berg 3.

Strom (Wasserb.), größerer Fluß, der also bedeutende Tiefe, Breite und Geschwindigkeit hat. Zur guten Regulirung derselben gehört vor Allem, daß er schiffbar erhalten werde und keine Ueberschwemmungen verursache. Bauten an einem Strom oder Fluß, also Strombauten, finden daher statt entweder im Flußbett oder längs des Ufers und haben den Zweck, entweder Uferbeschädigungen durch das Wasser abzuhalten, resp. auszubessern, oder Sandlager zu vertreiben, oder endlich die Strombahn zu verlegen, die Normalbreite zu beschränken ꝛc. Maaßgebend bei allen hierauf bezüglichen Arbeiten ist zunächst der Druck, den das Wasser auf die Ufer übt (s. darüber d. Art. Hydrostatik), sodann die Wassermenge, welche in jeder Secunde passirt — dem Produkt aus dem Flächeninhalt des Stromprofiles und der Geschwindigkeit des Wassers; daher ist diese Stromgeschwindigkeit zu ermitteln; s. darüber d. Art. Geschwindigkeit, Gefälle, Jnclinometer, Stromquadrat, Wassermesser ꝛc.

Um einen Strom zu reguliren, muß man nicht nur diese, sondern auch noch locale Ermittelungen anstellen und sich darnach richten; die Stellen, wo Sand oder Schlick, von dem Strom angelegt, dessen Schiffbarkeit beeinträchtigen, müssen einer stärkeren Strömung eröffnet und, nach geschehener Ausbaggerung (s. d. Art. Baggern) frei gehalten werden. Die Stellen, wo der Strom abspült, müssen gegen diese Abspülung gesichert werden. An Stellen, wo der Strom schon viel abgespült hat, müssen Anhägerungsarbeiten (s. d.) vorgenommen werden. An Stellen, wo er leicht austritt, muß man die Ufer erhöhen; s. d. Art. Uferbauten, Deich, Buhne ꝛc.

Alle diese Arbeiten werden aber keinen dauernden Vortheil gewähren, wenn man nicht die Ursachen der schädlichen Stromwirkungen aufsucht u. beseitigt. Geradlaufende Wässer werden bei gleichmäßigem Gefälle jedenfalls nur übertreten, wenn das Profil die Wassermenge beim höchsten Wasser nicht mehr zu fassen vermag. Da nun aber diese Wassermenge im Frühjahre oft so bedeutend wird, daß ein sie fassendes Strombett kaum herzustellen wäre, so würde selbst die Geradlegung nicht vollständig gegen Ueberschwemmungen schützen. Man begnügt sich daher in der Regel mit der bei weitem billigeren Beseitigung der ärgsten Krümmungen, wodurch der Andrang des Wassers schon bedeutend vermindert wird. Um den Schaden bei Ueberschwemmungen zu mindern, thut man am besten, entweder alte, von der Natur gebahnte, oft aber bis nahe zur Unkenntlichkeit veränderte Flutbetten (s d. 2) aufzusuchen und zu restauriren, oder neue Flutbetten herzustellen, in Form von Canälen mit sehr flachen Böschungen, die ganz zu Wiesewachs benutzt werden können. Solche Canäle legt man am besten in gerader Linie als Sehnen der Flußkrümmungen an; ihr Boden erhält das Niveau des höchsten Wasserstandes, welchen das Strombett ohne Ueberschwemmung zu fassen vermag; steigt das Wasser höher, so fließt es in den geradlinigen Flutbetten schnell zu Thal, ohne der Umgegend zu schaden.

Um Abspülungen und Anhägerungen, je nach Bedarf, herbeizuführen, resp. zu verhindern, giebt es sehr verschiedene Mittel, s. dar. d. Art. Anflößen, Anhägern, Anker B, Ankerbuhne, Anspülen, Bagger, Bespickern, Bett, Bleßwerk, Blockwerk, Brücke, Buhne, Busch, Buschwerk, Deckwerk, Deich, Ebbe und ff., Eisbrecher, Faschine, Futtermauer, Gefälle, Gerinne, Geschwindigkeit, Grundwase, Kluftdamm, Kolk, Kranzpfähle, Lahne, Moder, Mollboot, Mühle, Näther, Pfahl u. ff., Pflanzungen, Polder, Quertief, Riego, Schlacht, Scheere, Schleuße, Schlic, Schränkwerk, Stackwerk ꝛc.

Stromanker, bei Schiffbrücken Anker, welche gegen den Strom geworfen werden.

Stromarm (Wasserb.), von einem größern Strom abgehender und von ihm gespeister Theil. Afterarm heißt er, wenn er wieder in den Hauptstrom zurückgeht, also zu raschem Abfluß und zu Verminderung einer Ueberschwemmung nichts beiträgt. Zu Bewässerung entfernter Gegenden ꝛc. ist ein solcher Arm sehr nützlich, oder auch zum Treiben von Mühlen, muß aber abgedämmt werden, wenn er dem Hauptstrom so viel Wasser entnimmt, daß die Schiffbarkeit gefährdet wird.

Strombahn, Stromrinne, Thalweg, der Streifen längs in einem Fluß, wo er am tiefsten ist; s. d. Art. Stromstrich.

Strombett (Wasserb.), Boden des Stromes zwischen den Ufern; s. d. Art. Strom und Flußbett.

Strombrücke, s. d. Art. Brücke, S. 468, Bd. I.

Stromdeich, s. d. Art. Deich.

Stromenge (Wasserb.), Stelle, wo ein Strom schmäler ist und daher in der Regel schneller fließt.

Stromfeld, das ganze bei Hochwasser vom Wasser eingenommene Gebiet eines Stromthales; s. d. Art. Anhägerungsarbeiten 3.

Stromhafen, s. d. Art. Hafen.

Stromkarte, Karte von einem Strom oder einem Theil desselben. Sie muß weiter geführt sein, als die Länge beträgt, an welcher oder um welcher willen Strombauten vorgenommen werden sollen. Auf derselben sind anzugeben die Uferlinien, die Begrenzungslinien der verschiedenen Wasserstände, die Richtung der Strombahn, die Länge der Untiefen, der Stromstrich und andere bemerkenswerthe Stellen, so weit sie zu ermitteln. Es darf nicht an Querprofilen fehlen, die durch Auspeilung ermittelt werden müssen. Auch vorhandene Abbrüche, Pflanzungen, Nivellements-profile, Schleußen, Brücken ꝛc. müssen angegeben und wo nöthig im größern Maaßstab auf besondere Blätter aufgetragen werden; auch dürfen Angaben über Art und Beschaffenheit der vom Strom durchschnittenen Aecker, Wälder, Wiesen ꝛc. nicht fehlen.

Stromlage, Stromschicht, Stromverband, s. d. Art. Schrieglage und Mauerverband c. III, S. 541, Bd. II.

Stromnivellement, bei dem Nivelliren von Strömen ist das Steigen und Fallen des Stromes am Pegel genau zu berücksichtigen. Ein möglichst richtiges Längennivellement der Wasserfläche erhält man, wenn man zur Seite des Stromes die Nullpunkte der beiden die Arbeitslänge einschließenden Pegel nivellirt, und zu gleicher Zeit an

beiden Pegeln von zwei Beobachtern den Stand des Wasserspiegels verzeichnen läßt. Die Querprofilaufnahme geschieht am besten bei niedrigem Wasserstand im Wasser selbst durch Auspeilen. Für den höchsten Wasserstand werden die Querprofile hernach mit Hülfe der beim Längennivellement festgestellten Stationspunkte nachgetragen.

Strompfeiler, im Wasser stehender Brückenpfeiler; s. d. Art. Brücke.

Stromprofil (Wasserb.). Außer dem im Art. Stromnivellement angegebenen Verfahren kann man auf folgende Weise die Stromprofile aufnehmen. Ein quer über den Fluß gespanntes Seil wird in kleinere oder größere Theile von 1—5 Ruthen abgetheilt und durch farbige Läppchen oder überhaupt kenntlich die Theilpunkte bezeichnet. Bei schmalen Flüssen kann man das Seil frei von einem Ufer zum andern spannen. Bei breiten Strömen unterstützt man es durch Kähne ꝛc. Dann werden in den bezeichneten Theilpunkten die Tiefen mittelst einer am untern Ende mit einer 3″ starken runden Holzscheibe von 12″ Durchmesser versehenen Stange gemessen, bei größeren Tiefen mittelst eines Senkbleies.

Stromquadrant (Wasserb.), Instrument, um die Geschwindigkeit des Wassers in beliebiger Tiefe zu messen. Es besteht aus einem an einem Gestell befestigten Quadranten, dessen einer Halbmesser horizontal steht. Eine Schnur ist an dem Mittelpunkt des Quadranten befestigt, an deren Ende sich eine Kugel befindet, die auf beliebige Tiefe ins Wasser gesenkt werden kann. Die Kugel treibt der Strom fort, bis das senkrecht abwärts wirkende Gewicht der Kugel sich mit dem horizontalen Wasserdruck im Gleichgewicht befindet, worauf man aus dem Winkel α der Schnur gegen die Lothrechte die Geschwindigkeit berechnen kann, indem diese annähernd $= K \sqrt{tang. \ \alpha}$ ist, wobei K eine Constante ist, die von Größe und Gewicht der Kugel abhängt und durch Versuche bestimmt wird. Nimmt man statt des Kreisbogens einen viereckigen Rahmen zu Aufhängung des Strompendels, so kann man die Tragweite direct messen.

Stromrichtung, s. d. Art. Stromkarte und Strombahn, vergl. d. Art. Brücke, S. 447.

Stromscala, Tabelle verschiedener gefundener Stromgeschwindigkeiten, um daraus die mittlere Geschwindigkeit des Wassers in einem bestimmten Stromprofil zu finden.

Stromscheide, 1) (Wasserb.) die Stelle, wo der Wasserspiegel in einem Canal am höchsten liegt, von wo er auf beiden Seiten abfällt; — 2) Stelle, wo ein Stromarm abgeht oder eine Landspitze sehr weit in den Strom vorragt.

Stromschnelle, Katarakt, Flußstrecke mit auffallend starkem Gefälle, was aber noch nicht stark genug ist, um von einem Wasserfall zu sprechen.

Stromschütze, s. v. w. Pfeilervorhaupt; s. d. Art. Brücke, S. 449, Bd. I.

Stromstrich (Wasserb.), die gerade oder krumme Linie in der Strombahn, wo das Wasser am schnellsten fließt, liegt nicht immer in der Mitte, sondern zieht sich bei gerader Strombahn nach der größern Tiefe der Bettes, oben dahin, wo der Boden am weichsten ist, also am leichtesten vom Wasser ausgetieft werden kann. Je mehr sich die Strombahn krümmt, um so mehr weicht der Stromstrich von der Mittellinie nach außen ab.

Strontium. Das Strontium ist ebenso, wie das Barium, Calcium ꝛc., ein in der Natur sich nie frei findendes Metall. Es ist silberweiß, dem Calcium in seinen Eigenschaften sehr ähnlich. Mit dem Sauerstoff verbindet sich das Metall in zwei Verhältnissen: 1) zu Strontiumoxyd, Strontianerde, und 2) zu Strontiumsuperoxyd. Die Strontianerde findet sich in der Natur mit Kohlensäure verbunden als Strontianit; sie wird durch starkes Glühen des genannten Minerals dargestellt; das Strontiumoxyd bildet eine grauweiße, poröse Masse, schmeckt und reagirt alkalisch und zerfällt mit Wasser und Wärmeentwicklung zu einem weißen Pulver, dem Strontium-Oxydhydrat. In der Natur findet man das Strontium noch als schwefelsaures Strontiumoxyd im Cölestin. Alle Strontiumsalze zeichnen sich durch die Eigenschaft aus, Flammen schön carminroth zu färben. Salpetersaurer Strontian und Chlorstrontium bilden einen unentbehrlichen Bestandtheil der rothen bengali-

Stroß, schwäbisch, für Hohlkehle. [schen Feuer.

Stroßbaum, 1) am Göpel Leitbaum des Seils; — 2) am Kunstgestänge die das Gestänge tragenden Lanadhölzer.

Stroße (Bergb.), s. d. w. Absatz, geflissentlich gelassene Stufe; stroßenweise abbauen, abtrossen, s. v. w. Stroßenbau betreiben; s. d. Art. Grubenbau E, S. 214, Bd. II.

Stroß, hier und da für Steinsturz, Steinblock.

Structur, lat. structura, 1) Bauart, Constructionsweise eines Gebäudes, auch Mauerverband, s. d.; 2) bei Steinen s. v. w. Gefüge, Gewebe.

Strüffeldraht, Vierbandsdraht, vier Mal durch die Ziehscheibe gezogener, also sehr dünner Messingdraht.

Struffe, s. d. Art. Bracteat.

Strut, strutting-piece, straining-piece, engl., Gegenstrebe, zur Unterstützung der Hauptstreben dienendes Strebeband, das sich auf den Spannriegel oder gegen den Fuß der Hängesäule stemmt.

Strychnin, s. d. Art. Chinolin. [stemmt.

Strychnos nux vomica, Brechnußbaum.

Stuba, stupa, lat., frz. étuve, span. estufa, warmes Bad, heizbarer Raum, Stube.

Stubbe, 1) Wurzelstock eines gefällten Baumes; — 2) auch Stutz, Stoß, niedriges Fäßchen.

Stube, 1) (Rammmasch.) Raum zwischen den Ruthen für die Arbeiter; — 2) in einem Haus verschließbarer, heizbarer Wohnraum; s. d. Art. Zimmer und Haus.

Stubendielen, s. Art. Bret, Diele.

Stubenofen, s. u. Ofen.

Stuck, lat. tectorium, frz. stuc, engl. pargetting, stucco, stucq, ital. stucco, zu Verzierungen und Gesimsen an Decken und Wänden, als Putztünchung, ital. intonico, auf ganzen Flächen, Fußböden ꝛc. verwendete Mischung von Gips und Kalk. Das Wort ist deutschen Ursprunges, von dem alten hochdeutschen stucchi = crusta, Kruste.

1. **Weißstuck,** ital. stucco lustro, s. d. Art. Gipsstuc c, Marmorstaub ꝛc.

2. **Kalkstuck.** Schon fertigen Kalkmörtel, zu gleichen Theilen mit Gips vermischt, kann man auch zu äußeren Verzierungen, wie zu Gesimsen, Fenstergewänden ꝛc., gebrauchen, indem er der Witterung widersteht, sobald er völlig ausgetrocknet und dann mit Oelfarbe gestrichen ist.

3. **Graustuck.** Statt des Sandes wird feiner Steinkohlenstaub genommen; hält sehr gut, doch nicht gegen den Frost, wenn er vorher feucht geworden.

4. **Eisenstuck,** besteht aus Gips und Eisenfeilspänen; wird äußerst fest; darüber sowie über einige andere Stuckmischungen s. d. Art. Gipsstuck.

5. Die Wand wird zunächst mit grobem Gips oder Spartalk geputzt, darauf mit Gips, der in Leimwasser sein angemacht ist, getüncht, dann mit Bimsstein geschliffen, mit Gipsbrei in starkem Leimwasser abgerieben und mit Tripel und Leinwandballen polirt, dazwischen nach vollständiger Trocknung mit einer Bürste mit Leinöl getränkt. Das Leimwasser kann man mit Erdfarben versetzen und dadurch den Stuc färben.

6. **Marmornachahmung in Stuck.** Kugeln aus Gips und verschieden gefärbtem Leimwasser werden zu einer großen Kugel zusammengeknetet und dann breit gewalzt; muß sehr schnell geschehen; s. auch d. Art. Gipsmarmor.

7. Erhärtungsmittel für den Stuc giebt es verschiedene: a) mehrmaliges Eintauchen in Wasser sofort nach der ersten Erhärtung; b) Einlegen in Alaunlösung und nachheriges Trocknen in der Wärme; so gehärteter Stuc ist aber fleckig und saugt die Nässe sehr an; c) der gebrannte Gips wird in Alaunlösung angerührt und nochmals gebrannt, dann aber wieder mit Alaun angemacht zum Gießen; d) Anmachen mit Sauerkleesalz, s. d.; e) Anmachen mit weinsaurem Natronsalz oder Seignettesalz; f) s. d. Art. Wasserglas.

Stuckatornagel, österreichisch für Rohrnagel.

Stuckaturdeckel, Stuckdecke. 1) Man bringt in Entfernungen von einigen Zollen Einkerbungen an, oder schlägt 1 Zoll lange hölzerne Nägel ein. Das Sicherste aber ist das Berohren, s. d. Das Rohr muß enthülset und mindestens 3''' stark sein. Dann wird mit besonders fettem Kalt, welcher mit Sand gemengt und dem etwas Gips zugesetzt ist, geputzt und mit Gips getüncht; — 2) s. d. Art. Gipsdecke.

Stuckmarmor, 1) s. d. Art. Gipsmarmor und Stuc 5 und 6. — 2) S. d. Art. Impastation. — 3) Auf Wände. Die Wand erhält einen rauhen Anwurf von Gips und Kalt, auch werden damit alle Simse und Kehlen gezogen. Nun wird Gips mit Leimwasser zu einem Brei angemacht, mit Erd- und Saftfarbe, die ebenfalls mit Leimwasser angemacht ist, gefärbt, je nach Wunsch, in Rollen getrennt, diese Rollen wieder zusammen geknetet, auf die Wand aufgewalzt und dann gespachtelt; eingesprengte einzelne Flecke werden nachträglich aufgebracht; nach dem Ausbessern einzelner Lücken ꝛc. wird mit Sandstein, dann mit Bimsstein und endlich mit Blutstein geschliffen. — 4) Zu Tischplatten, Consolen ꝛc. Von den einzelnen gefärbten Teigen werden unregelmäßige Stückchen von verschiedener Größe abgerissen und, mit Gipsmehl bestreut, in eine Schüssel gethan; seiner Gips wird nach der gewünschten Grundfarbe des Marmors dünn angemacht, dieser Brei auf einen Tisch geschüttet, die Schüssel darauf ausgeschüttet und Alles unter einander geknetet, doch nicht zu sehr, dann aber in die Form gebracht, die für Tischplatten blos aus einem Tisch mit Rand besteht, darin gehörig ausgebreitet und fest gedrückt und endlich mit grobem Gips die Form vollgegossen; nach zwei Tagen wird die Form abgenommen und umgedreht. Die dadurch zur oberen gewordene untere Fläche wird mittelſt eines Spachtels mit Glys von der Grundfarbe ausgebeſſert, dann geſchliffen wie 3 und zuletzt nochmals mit in Leimwaſſer angerührtem Gips beſtrichen, wieder abgeſchliffen, mit Baumöl geſtrichen, mit einem feinen leinenen Lappen abgewiſcht und mit Sämiſchleder nachpolirt.

Stuckputz, ſ. d. Art. Putz.

Stud, engl. 1) aufrechte Leiſte eines Täfelwerks; — 2) Scheibe, stud-moulding, Kugelfries, Scheibenfries, studded, mit kleinen Perlen beſetzt. Studded trells heißen daher die Perlbänder, die in den romaniſchen Ornamenten eine ſo große Rolle ſpielen; ſ. z. B. Fig. 723; namentlich die Streifen des Lozenge ſind häufig ſo beſetzt.

Studel. 1) (Schloß.) frz. cramponnet, Gehäuſe der Nuß in einem Schloß, auch Riegelklampe; ſ. d. Art. Schloß und Hinterſtudel; — 2) ſ. v. w. Thürzarge, Thürſtock; — 3) ſtarkes, vierkantig behauenes Holz zum Studelbau.

Studelbau oder Stundelbau, eine Art Packwerk zur Uferbefeſtigung, beſtehend aus Lagerbäumen und in dieſe eingeſetzten viereckigen Studeln, welche dann mit Faſchinen verpackt werden.

Stübbe, Stübe, ſ. v. w. Geſtübe.

Stübchen, Stübich, Stoof, Stof, Flüſſigkeitsmaaß; ſ. d. Art. Maaß, S. 497, 503 und 506.

Stückbank, auch Stückbett oder Stückwall genannt; ſ. d. Art. Feſtungsbau, S. 44, Geſchützbank. Batterie.

Stückelſcheere, zum Zerſchneiden von Metallplatten dienende Scheere.

Stückfaß, ſ. d. Art. Maaß, S. 497.

Stückgießerei, Gebäude, worin Geſchütze gegoſſen werden. Es muß ſich darin ein Schmelzofen, gewöhnlich ein Flammofen befinden, ſowie für die Einſenkung der Stückform eine Dammgrube, ferner die nöthigen Dreh- und Bohrmaſchinen, die Werkſtätte zum Anfertigen der Modelle, zum Ciſeliren ꝛc.

Stückgut. Kanonengut, wird verſchieden gemiſcht: a) 1 Thl. Zinn, 8 Thle. Kupfer; b) 1 Thl. Zinn, 5 Thle. Kupfer; c) 9 Thle. Zinn, 6 Thle. Meſſing, 85 Thle. Kupfer; d) 7 Thle. Zinn, 4 Thle. Meſſing, 89 Thle. Kupfer; e) Galmei u. Kupfer.

Stückholz, ſ. d. Art. Bandholz, S. 281.

Stückofen, ſ. d. Art. Luppenfriſchofen.

Stückpforte, ſ. d. Art. Feſtungsbaukunſt, S. 41, Bd. II, und Pforte 3.

Stückſäge, ſ. d. Art. Stichſäge.

Stulpdecke, ſ. u. geſtülpte Decke.

Stürzel, Köbbel, abgeſchrotenes Stück Stangeneiſen, woraus Blech gewalzt werden ſoll.

ſtürzen, ausſchütten, umwerfen. Ein Gang ſtürzt ſich, ändert ſeine Richtung gegen die Horizontale, wird flacher oder ſteiler.

Stürzeplatz, Stürzbühne (Bergb.), Ort, wo das Umſtürzen der geförderten Kübel und Tonnen geſchieht.

Stürzhaken (Bergb.), an der Stürzkette bängender Haken über dem Stürzkübel, woran beim Heraufkommen die Tonnen oder Kübel gehängt und dann von den Stürzern geſtürzt werden.

Stürzkarre, ſ. v. w. Kieplarre, ſ. u. Karre.

Stützanker, ſ. d. Art. Anker 3.

Stützbalken, ſ. d. Art. Balken II. D. a.

Stützband, ſ. d. Art. Band 1. b.

Stützbogen bei Futtermauern, liegende Bogen zwiſchen den Strebepfeilern, um den Erddruck von den ſchwächeren Mauertheilen zwiſchen den Strebebogen abzuhalten.

Stütze. 1) Jedes, eine Laſt, beſonders proviſoriſch, doch auch definitiv tragende Bauſtück; ſ. d. Art. Steife, Spreize, Säule, Stiel, Strebe, Brizenſäule ꝛc.; — 2) (Herald.) frz. chevron étréci, im Schild alleinſtehender ſchmaler Sparren.

Stützenwechſel, diejenige Anordnung vieler Kirchen, bei welcher die Arkaden abwechſelnd von Pfeilern und Säulen getragen werden.

Stützhaken (Schloſſ.), Bandhaken, ſ. b. 1, wenn ſolcher weit vorſteht und deshalb noch beſonders geſtützt wird; ſ. d. Art. Band u. Angel.

Stützmauer, ſ. v. w. Futtermauer.

Stützpfahl, ſ. v. w. Langpfahl u. Strebepfahl; ſ. d. Art. Pfahl.

Stützpfeiler, ſ. u. Pfeiler.

Stufe. 1) (Bergb.) frz. mine, engl. ore, ſ. v. w. Stück Erz, als Probe einer Erzgattung; — 2) lat. gradus, frz. dégré, échelon, marche, engl. gree, stair, pace, step, ſ. d. Art. Treppe, marche chamfrainée bis m. rampante ꝛc.

Stufeiſen. 1) ſ. v. w. Ritzeiſen; — 2) ſ. v. w. Spitzhammer.

Stufenbatterie, ſ. d. Art. Batterie.

Stufenbrücke, Laufbrücke mit treppenartigen Stufen.

Stufenkreuz (Herald.), ſ. d. Art. Abſatzkreuz und Kreuz C. 3.

Stufenleiter, Treppenleiter, Leiter, welche ſchmale Trittbretter ſtatt der Sproſſen hat.

Stufennagel, ſ. d. Art. Nagel.

Stufenreihen u. Stufenringe, lat. moeniana, ſ. d. Art. Amphitheater und Theater.

Stufenſchnitt, Treppenſchnitt, frz. pignonné, vivré, ſ. d. Art. Heraldik VI.

Stuferz. 1) Eiſenſtein in großen Stücken; — 2) ſ. d. Art. Stufwerk.

Stuffſtein, ſ. v. w. Tuffſtein.

Stufwerk, von Natur ganz reines, zum Schmelzen geſchicktes Erz; die in der Wäſche haus abgehenden kleinen Brocken heißen Stufſchlich.

Stuhl, im Allgemeinen ſ. v. w. Unterſatz, 1) das bekannte Sitzwerkzeug, frz. chaise, engl. carol; Maaße für einen Stuhl: Sitzhöhe 16—19 Zoll, Sitzbreite vorn 19—24 Zoll, hinten 17—21 Zoll, Sitztiefe 18—20 Zoll, Lehnhöhe vom Fußboden 3—5 Fuß, Lehnenneigung mindeſtens 1 Zoll pro Fuß; über dieſe Maaße, ſowie über das Stuhlprofil, ſ. übrigens d. Art. Bankprofil u. Meubles; einen glühenden Stuhl erhalten als Attribut die Heiligen Attalus und Chriſtoph; — 2) ſ. v. w. Kirchſtuhl, Beichtſtuhl, Chorſtuhl, Thron ꝛc., in Weſtphalen ſ. v. w. Cancellen; — 3) die und da für Abtritt gebraucht; — 4) ſ. v. w. Dachſtuhl; man unterſcheidet bekanntlich liegenden und ſtehenden Stuhl; ſ. d. Art. Dach und Dachſtuhl; — 5) ſ. v. w. Säulenſtuhl; — 6) ſ. v. w. Säule, Stiel; — 7) in Salzwerken ſ. v. w. ¹⁄₂₀ der ganzen Füllung, des Werkes = 4 Kuz = 48 Pfannen = 240 Zober = 1920 Eimer Soole; — 8) ſ. v. w. Haſpel.

Stuhlbalken, engl. camberbeam, f. d. Art. Balken I. D., II. B. ꝛc.

Stuhlbohrer, Stuhlbeinbohrer, f. d. Art. Bankbohrer.

Stuhlgerüst, Wölbgerüst, das man bei Aufstellung der oberen Gewölbsteinreihen bei Brücken über die Pfeiler und auch wohl über die Mitte des Lehrgerüstes abwechselnd stellt; über denselben bringt man ein Transportgerüst an.

Stuhlmeister, f. d. Art. Bauhütte 2.

Stuhlmühle, f. d. Art. Bandmühle.

Stuhlpfette, f. d. Art. Pfette 2 a. u. Dach, S. 593, Bd. I.

Stuhlrahmen, Stuhlschwelle, Stuhlwandriesche, Stuhlsäule, engl. ashler-piece, f. d. Art. Dach, S. 592, Bd. I., Rähm, Schwelle ꝛc.

Stuhlrohr, f. d. Art. Bindrottig und Rohr.

Stuhlwand, frz. cours de pannes, engl. ashlering, Gesammtheit der auf einer Seite des Daches stehenden Stuhlsäulen mit ihren Schwellen und Rähmen als Längenverbindung des Daches.

Stukk, f. d. Art. Stuc.

Stulp, die Seite des Schloßkastens, durch welche der Riegel ein= u. ausgeht; f. d. Art. Schloß.

Stulpdecke, f. d. Art. Decke, S. 653, Bd. I.

Stulpe (Pumpenw.), der lederne Ring um den Pumpenkolben, zur Liderung gehörend.

Stumpf heißt 1) die Verbindung zweier Körper, wenn dieselben nur mit Flächen ohne Zapfen oder Blatt dicht an einander stoßen (f. d. Art. Holzverband); so sagt man von Thüren: stumpf in dem Falz gehen, d. h. ohne Ueberschlag; — 2) ein Winkel, der mehr als 90° mißt; stumpfwinkelig daher ein Dreieck, eine Ecke ꝛc. nach einem stumpfen Winkel gestaltet, einen stumpfen Winkel enthaltend.

stumpfe Bastion (Fest.), f. u. d. Art. Bastion.

Stumpfgasse, f. v. w. Sackgasse.

Stundenglas, engl. hourglass, f. Sanduhr.

Stundenscheibe, 1) f. v. w. Zifferblatt; — 2) f. v. w. Sonnenuhr.

Stundenzeiger, f. d. Art. Uhr.

Stunsel, f. v. w. Stütze, Steife.

Stunze, hohes, schmales Faß.

Stupa, lat., f. d. Art. Stuba.

Stupa, Sou-tu-po, f. v. w. Tope; f. d. Art. Buddhaistisch.

Stuppa, lat., Stuppe, f. v. w. Werrig.

Stuppwachs, Stopfwachs, Bienenharz, f. v. w. Pichwachs, f. d.

Sturmband, frz. guette, contre-vent, I) auch Sturmbiege, Schubbiege genannt; f. d. Art. Band 1. g und Fachwand; — 2) f. d. Art. Sturmlatte.

Sturmbock, lat. bercellum, aries, frz. bélier, 1) f. d. Art. Aries, Bock VIII. und Widder; — 2) eine Holzverbindung in Dächern mit hohem, hölzernem Giebel und in Bohlendächern; sie besteht aus schrägen Stielen und Schubbändern und dient zur Begegnung der Wirkung eines auf den Giebel gerichteten Sturmes.

Sturmbret, Bretter mit durchgeschlagenen starken Nägeln, angewandt als Annäherungshinderniß bei Kehlschließungen, auf dem Glacis, in Vorgräben, in Breschen ꝛc.

Sturmbrücke, f. d. Art. Brücke, S. 470, Bd. I.

Sturmdach, franz. mantelet, f. d. Art. Blendung 2.

Sturmdeich, f. d. Art. Binnendeich.

Sturmfaß, f. d. Art. Feuerfaß und Feuerlöschapparate.

Sturmhaken, 1) am Fensterfutter befestigter eiserner Haken, der in eine an dem Fenster befestigte Oese greift, wenn dasselbe nach außen geöffnet ist, um das Zuwerfen durch den Wind zu hindern; — 2) f. d. Art. Feuerlöschapparate.

Sturmius, St., geboren 712, erzogen von St. Wigbert, Abt von Fulda, Apostel der Sachsen. Abzubilden als Benedictinerabt mit Evangelienbuch und Einhorn.

Sturmlatte, 1) schwache Kreuzhölzer, welche, um den Windschub aufzuheben, kreuzweis über einander geschnitten, zwischen den liegenden Stuhlsäulen oder an der Innenseite der Sparren angebracht werden; — 2) f. d. Art. Festungsbau, S. 43, Bd. I.

Sturmlücke, f. d. Art. Bresche.

Sturmpallisade, Pallisade auf der Berme oder an der Escarpe, mit der Spitze gegen die feindliche Seite geneigt.

Sturmpfähle und **Sturmschwelle,** f. den Art. Festungsbau, S. 43, Bd. II.

Sturmthür (Mühlenb.), bei Windmühlen die oberste Thür der Flügel.

Sturmverband (Mühlenb.), Verband der Sturmbänder in den Thurmwänden der holländischen Windmühlen.

Sturz, 1) Oberschwelle, Hyperthyron, lat. superliminare, limen superius, frz. linteau, plate-bande, fermeture de baye, engl. lintel, ital. trave liminare, span. dintel, obere Bedeckung einer Fenster= oder Thüröffnung; sie besteht meist aus einem Stück, Sturzstück, von Eisen, Holz oder Stein, gerade, scheitrecht oder bogenförmig gearbeitet, oder aus mehreren Stücken als gewölbter Sturz, Sturzbogen, ein nach den Regeln der Wölbungskunst zusammengesetztes Mauerstück darstellend. Ueber die Entlastung der Stürze f. d. Art. Entlastungsbogen, Ablastebogen und Ausfüttern; — 2) (Windmühlen.) f. v. w. Stert; — 3) f. v. w. Schurz, Heerdmantel.

Sturzbach, f. d. Art. Bach.

Sturzbad, f. v. w. Douchebad.

Sturzbalken, f. d. Art. Balken II, D. c.

Sturzbett, f. d. Art. Brücke, S. 449.

Sturzblech, f. d. Art. Blech und Eisen, S. 689.

Sturzbühne, f. d. Art. Stürzeplatz.

Sturzdecke, Sturzboden, f. d. Art. Decke, S.

Sturzhaken, Sturzkette, f. d. Art. Stürzhaken ꝛc.

Sturzhebel (Bergb.), f. v. w. Stürzhaken.

Sturzholz span. dintel, Drischemel, Holz, welches einen Sturz (f. b. 1) bildet; f. d. Art. Balken II, D. c.

Sturzkarren, Schneppkarren, f. d. Art. Karren 3.

Sturzlatte, f. v. w. Steg für ein scheitrechtes Gewölbe oder einen in Wellerwerk auszuführenden Fenstersturz.

Sturzliderung (Pumpenw.), f. v. w. Liderung des Pumpenkolbens.

Sturzpfähle (Wasserb.), Pfähle unter dem Fachbaum.

Sturzrad (Bergb.), das obere Rad des Paternosterwerkes für Erzkübel.

Sturzriegel, Oberriegel, Oberschwelle, span. cabezéro, Riegel (f. d.), der den Sturz eines Fensters in einer Fachwand bildet.

Sturzrinne, f. d. Art. Karnies 2 und Glied E 3 e.

Sturzschleuße, Cataract, Schleuße (f. d.) mit schrägem Kammerboden. [boden.

Sturzträm, f. d. Art. Decke, S. 633, u. Tram=

Stuterei, frz. haras, enthält zunächst die nöthigen Pferdeställe, einige Beamtenwohnungen, Weideplätze und Teiche zu Pferdeschwämmen.

Stutzen, f. d. Art. Brochet und Maaß.

Stutzuhr, f. d. Art. Montre und Uhr.

Stupbolzen, Bolzen mit stumpfer Spitze.

Styl, griech. στύλος, Säule, Griffel. Da im Lateinischen dies Wort in der Schreibart stylus und stilus vorkommt, so ist man noch nicht einig darüber, ob man im Deutschen Styl, Stil oder Stiel schreiben soll; indessen schreibt man meistens das Wort in der Bedeutung von Säule und Griff „Stiel", in der Bedeutung von künstlerischem Formensystem aber „Styl" und „Stil". Ueber letztere Bedeutung f. Architektur, Baustyl, Bauweise rc. Wenn ein Gebäude oder sonstiges Kunstwerk Styl haben soll, sind vor allen Dingen Anachronismen (f. d.) zu vermeiden und Consequenz in Anordnung, Ausschmückung rc. festzuhalten; f. d. betreffenden Art., vergl. auch d. Art. Lapidarstyl, sowie die die einzelnen Baustyle betreffenden Artikel, wo sich auch die französischen und englischen Benennungen der Style meist angeführt finden.

Styl de graine, frz., Beerengelb, f. d.

stylagalmatisch, so heißt ein Gebälk, das durch Figuren getragen wird; f. d. Art. Caryatide.

Stylidion, Decke, Geländersäulchen, Zwergsäule.

Stylobat, f. v. w. fortlaufendes Fußgestell, Säulenstuhl, Sockelbau.

Stylolithen, so nennt man eigenthümliche stänglige Kalkgebilde, die sich im Muschelkalk von Rüdersdorf bei Berlin finden.

Stylometrie, Säulenmeßkunst, die nicht gerade sehr beneidenswerthe Fertigkeit, nach der für die Säulenordnungen aufgestellten Maaßtabelle jene sclavisch aufzutragen.

Styrax, f. d. Art. Storax.

Styx, Grenzfluß der Unterwelt, über den Niemand zurückkehren konnte; f. d. Art. Hades.

Suaatpfahl, f. d. Art. Grenze.

Suage, souage, frz., wulstiger Rand eines Metallbeckens rc.

Subapenninen=Formation, f. Lagerung.

Sub-arch., engl., Abstufung eines abgetreppten Bogens, eingesetzte Bogen eines gothischen Fensters, Quergurt eines Gewölbes, besonders aber Schurbogen, Tragbogen, Archivolte.

Subgrunda, lat., Dachtraufe, Traufschicht; Subgrundatio, Wetterdach; Subgrundarium, Begräbniß für ganz kleine Kinder.

Sublica, lat., Grundpfahl.

Sublimat, so nennt man das Quecksilberchlorid oder ein durch Verflüchtigung (Sublimation) als fester Körper erhaltenes Product.

Subnormale und **Subtangente**, f. d. Art. Curve, S. 583, Bd. I.

Subscus (udis), lat., Klammer.

Subsellium, subsella, lat., Sitzbank; f. d. Art. Chor, Kirche, Basilika, Amphitheater und Theater, vergl. auch d. Art. consessus.

Subsolanus, f. d. Art. Apheliotes.

Substitution; dieselbe besteht in der Einführung eines Werthes einer Größe in einen analytischen Ausdruck, welcher von dieser Größe abhängt. So kann man mit Hülfe von Substitutionen ein System von Gleichungen mit mehreren unbekannten Größen auflösen, indem man aus der einen Gleichung die eine unbekannte Größe durch die anderen ausdrückt, den für dieselbe erhaltenen Werth in die übrigen Gleichungen einsetzt, aus einer der so erhaltenen Gleichungen eine zweite unbekannte Größe durch die andere ausdrückt und so fortfährt.

Substratorium, lat., Fußteppich am Chorgestühl, f. d.

Substructio, lat., Grundbau, Gründung.

Subtraction, Abziehen, das Verfahren, wie man aus dem Ganzen und einem Theil desselben den anderen Theil finden kann. Das Ganze heißt der Minuendus, der gegebene Theil der Subtrahendus und der übrigbleibende Theil der Unterschied oder Rest.

subtrilobé (arc-), frz., Kleeblattbogen mit Nasenwerk.

Succession, armes de (Heraldr.), Erbschafts=, Erbfolgewappen.

Succhio, ital., lat. subula, Bohrer, Ahle, f. d.

Succinasphalt, Succin, Succinit, f. d. Art. Agstein, Asphalt und Bernstein.

Sucheisen, f. v. w. Visitireisen; f. auch d. Art. Steinbohrer.

Suchstollen, f. d. Art. Grubenbau, S. 212.

Sucrerie, frz., f. v. w. Zuckersiederei.

Sucula, lat., Haspel, Winde.

Sud, f. d. Art. Sod.

Sudarium, f. d. Art. Bischofsstab.

Sudatorium, sudatio, lat., Schweißbad; f. d. Art. Bad.

Sudha (ind. Styl), ein Gebäude, welches nur aus einer Art von Material besteht.

Sudracantha (ind. Styl), f. d. Art. Indisch.

südindischer Styl, f. d. Art. Indisch.

Südwestwind, f. d. Art. Argestes.

Suela, span., Schwelle.

Süll, Sull, 1) f. v. w. Drempel; f. d. Art. Schleuße; — 2) f. v. w. Stiel.

Suelo, span., 1) Fußboden; — 2) Stockwerk.

Sülze, Sulze, f. v. w. Sole.

Summer, f. d. Art. Maaß, S. 505, Bd. II.

Sünden, symbolisch und allegorisch dargestellt; f. d. Art. Kardinaltugenden und Symbolik.

Sündenfall, frz. désobéissance, engl. fall of man, f. d. Art. Paradies, Paradis u. goth. Styl.

suer, frz., beschlagen.

Suerte, span., f. d. Art. Maaß, S. 495, Bd. II.

Süßerde, f. d. Art. Beryllerde.

Süßholzsaft, f. d. Art. Braun A. 5.

Süßwasserkalk, nennt man den Kalkstein tertiärer und quaternärer Formationen, der sich durch seine Petrefacten als Absatz aus süßem Wasser erweist; s. d. Art. Lagerung und kalkige Gesteine i.

Süßwasserquarz (poröses Quarzgestein), im Wechsel mit Lagen eisenschüssigen, thonigen Sandes oder Mergels, zuweilen nur von Dammerde bedeckt; führt Versteinerungen mehrerer Arten von Cyclostoma, Planorbis, Limnaea, Bulimus und Helix, auch verquarzte Holztheile.

Suggestus, lat., span. sugesto, Kanzel; s. auch d. Art. Amphitheater.

Suhlbank, Sahlbank, s. d. Art. Sohlbank.

Suif fossile, franz. Bergfett.

Suile, lat., Schweinestall, der mehrere Kothen, lat. harae, enthält.

suinter, frz., ausqualmen.

Sule, 1) s. v. w. Säule; — 2) s. d. Art. Sole.

Sulphur und Zusammensetzungen, s. d. Art. Schwefel.

Suln, Werk, das beim Rösten des Rohsteines zusammenläuft.

Sulnofen, Kupferschmelzofen mit $2\frac{1}{2}$ Ellen hoher Brust; Abstich an der Seite, Vorheerd fehlt.

Sumach, Rhus, Schmack. 1) Perrücken-Sumach (Rh. Cotinus L., Fam. Anacardiaceae R. Br.), s. d., auch Gelbholz, Fisetholz, Young Fustik, Färberholz genannt, oft als gelbes Brasilienholz verkauft. Das Holz giebt gelbe und die Wurzel schöne rothgelbe Farbe, womit sich gelb beizen läßt. 2) Glatter Sumach (Rh. glabrum L.), hat weiches, leichtes, feinfaseriges, gelbbraunes Holz; die gelbbraunen, violet geflammten und gemaserten Wurzeln werden zu eingelegten Arbeiten verwendet. 3) Copal-Sumach (Rh. copallinum L.), s. d., erhielt seinen Namen daher, daß man irrthümlich von ihm den Copal herleitete. Die Wurzel färbt roth. 4) Hirschtolben-Sumach (Rh. typhinum L.), ursprünglich virginisch, jetzt in Europa vielfach verbreitet, fast verwildert; sein Holz bietet zu kleiner, ausgelegter Arbeit. Es ist feinlangfaserig, weich, am Splinte weiß, gegen den Kern zu goldgelb, flammig, mit einer starken Möhre versehen. Die Wurzel färbt roth. 5) R.Vernix, der Saft giebt den japanischen Firniß, der Samen Brennöl. 6) Korallen-Sumach (Rh. Metorium L.), in Westindien einheimisch, liefert falsches Quassienholz und das Doctor-gum, ein weißgelbes Harz, welches medizinisch benutzt wird. 7) Gerber-Sumach, Essigbaum (Rh. Coriaria L.), in Südeuropa einheimisch, Blätter und junge Zweige kommen gestoßen als „Schmack" in den Handel und dienen zum Gerben des Saffian- und Corduanleders, ebenso zum Schwarzfärben. 8) Amerikanischer Firniß-Sumach (Rh. venenatum D. C.); der Milchsaft giebt einen vortrefflichen schwarzen Firniß; der Baum selbst ist dagegen schon durch seine Ausdünstung, noch mehr durch Berührung der Blätter, gefährlich. Aehnlich giftig sind mehrere verwandte amerikanische Arten (Rh. Toxicodendron Michx., Rh. radicans., quercifolium Mich., Rh. pumilum Michx.). 9) Chinesischer Sumach (Rh. semialatum Murr), liefert die chinesischen Galläpfel; aus den Beeren bereitet man guten Firniß. Aehnliche Galläpfel kommen auch von Rh. Osbeckii Sieb.

.Sumidero, span., Kloake, Schleuße.

Summe; die arithmetische Summe, Summe im engeren Sinn, ist eine Größe, welche mehreren anderen ihrer Theile, zusammen genommen, gleich ist, bei welcher also jeder Theil durch sein Hinzutreten die anderen vergrößert; die algebraische Summe dagegen kann auch zur Differenz werden, wenn positive und negative Größen neben einander auftreten. Die Summe einer convergenten unendlichen Reihe ist der Werth, welchem sich die algebraische Summe ihrer Glieder immer mehr nähert, je mehr Glieder man mitnimmt; so ist z. B. $1 + \frac{1}{2} + \frac{1}{4} + \frac{1}{8} + \frac{1}{16} + \frac{1}{32} + \cdots = 2$.

Summenzeichen, s. d. Art. Integralzeichen.

Summer, sommer, engl., s. Saumschwelle.

Summum altare, lat., s. d. Art. Hochaltar.

Sumpf, 1) (Pumpenw.) in einem Schacht der Boden, wo sich das Wasser sammelt; — 2) (Wasserb.) auch Morast, Moor, s. d., Erde, die tief liegt und durch angesammelte Feuchtigkeit durchnäßt ist. Ueber die Trockenlegung der Sümpfe s. d. Art. Entwässerung, Drainage, Trockenlegung, Schleicher, Auffüllung, Modermühle; über das Bauen auf Sumpfgrund s. d. Art. Baugrund, Grundbau, Brunnen ꝛc.; — 3) in Pochwerken Grube, in die das Schlämmwasser geleitet wird, damit das darin enthaltene Gut sich ansetze; — 4) kastenähnlicher Raum vor dem Rad eines Hüttenwerkes, worin man Wasser aus Dämmen und Rinnen sammelt; — 5) in Vitriolwerken s. v. w. Kühlpfanne; — 6) im Grubenbau doppelte Bretterwand, mit Letten ausgestoßen; — 7) mit Wasser gefüllte Tonne, worin das glühende Eisen gelöscht wird; — 8) Grube zum Einsümpfen des Lehmes; — 9) s. v. w. Gradirfaß; — 10) bei Kunstzeugen oder verkuppelten Pumpen der Trog, in den die niedere Pumpe ausgießt und aus dem der höhere schöpft.

Sumpfeisenerz, s. d. Art. Raseneisenstein; kommt als harter Stein und in Brödeln vor, ist in ersterem Zustande als Erz wenig ergiebig und mehr als Baustein benutzt, da es an der Luft dauerhaft ist und ein tüchtiges Mauerwerk giebt.

Sumpferz, Modererz; s. d. Art. Eisenerz.

Sumpfgas, Sumpfluft, Grubengas, leichtes Kohlenwasserstoffgas; ist ein farbloses, geruchloses Gas, welches sich überall bildet, wo Pflanzenüberreste unter Wasser in Fäulniß übergehen. Es ist leichter als die Luft, brennt mit blauer Flamme und findet sich auch häufig in Steinkohlenbergwerken, wo es Ursache zu den heftigen Explosionen und Zerstörungen in den Gruben wird, wenn es, mit Luft gemengt, durch eine Flamme zur Entzündung kommt.

Sumpfholz, Bruchholz; s. d. Art. Bruch 7.

Sumpfkiefer, s. d. Art. Pinus austr. Michx.

Sumpfkiel, s. d. Art. Schlungröhre.

Sumpfkorb (Pumpenw.), s. d. Art. Senkkorb.

Sumpfschlamm, Sumpfschlick, gewaschenes Sumpferz.

Sumpf- oder Morasttorf, im Alter auf den Landtorf folgend; ist locker, leicht, besteht besonders aus Moosen und Sumpfpflanzen.

Sumpfübergang, s. d. Art. Eisenbahn, S. 692, Bd. 1.

Sumpfwasser, s. d. Art. Bruchwasser.

Sun, 1) s. d. Art. Maaß, S. 490; — 2) s. d.

Sundial, engl., Sonnenuhr. [Art. Hanf b.

Sunna (nord. Myth.), Gottheit der Sonne.

Superaltare, lat., Altaraufsatz, Altarschrein.

Supercilium, 1) Ueberschlagsblatt ob. stehender Karnies (s. d.), wenn er sehr steil und weit abwärts überschlagend ist; — 2) Sturz, Architrav und Leiste; s. d. betreffenden Art.

Superficies, lat., frz. surface, 1) jede Oberfläche; — 2) katexogen für Dach; — 3) s. d. Art. Baurecht.

Superliminare, limen superius, lat., Sturz.

Superoxyde sind indifferente Metalloxyde, welche mehr Sauerstoff enthalten als die basischen Oxyde und weniger Sauerstoff als die Säuren; s. d. Art. Oxyde.

Superporte, Thürstück, Verzierung, Bild ꝛc. über einer Thür.

Suppedaneum, lat., Fußbret des Crucifixes.

Supplement, s. v. w. Ergänzung; insbesondere ist das Supplement eines Winkels, der Supplementswinkel, die Ergänzung desselben zu 180°.

Support, frz. 1) Ständer, Träger, Säule; s. auch d. Art. Drehbank; — 2)(Herald.) Schildhalter.

Supportamento, ital., Kämpfer.

surbaissé, frz., gedrückt; z. B. arc surbaissé, elliptischer Bogen, doch auch Stichbogen.

Surbase, engl., Dedgesims, Oberglied eines Fußgestelles; s. d. Art. Postament und Sockel; surbased arch, spitzer Stichbogen; s. d. Art. Bogen I, 19.

Surgidero, span., s. v. w. Quai.

surhaussé, frz., überhöht, z. B. arc surhaussé, engl. surmounted arch, gestelzter Bogen; s. d. Art. Bogen, S. 398.

Surinam-Kautschuk, kommt vom ächten Federharzbaum (Siphonia elastica Pers., Fam. Euphorbiaceae).

sur le tout, s. d. Art. Heraldik V.

surmonté, Wappenstück, das über sich unmittelbar ein anderes hat.

surplomber, frz., être en surplomb, überhängen, von einer Mauer, aus dem Loth gewichen sein.

Surtida, span., Hinterthür, Ausfall.

Susanna, 1) über die alttestamentliche Susanna s. d. Art. Daniel; — 2) Susanna v. Rom, Patronin von Cadix, lehnte jede Heirath ab und wurde 295 enthauptet; darzustellen mit Schwert und Krone.

suspendre, frz., aufhängen; Suspense, aufgehängtes Ciborium.

Suspensura, lat., schwebender Boden, hohlliegende Decke; s. d. Art. Assum und Bad.

Suttung, s. d. Art. Baugi.

Swallow-tail, engl., s. d. Art. Dovetail.

Swartia, s. d. Art. Jacarandenholz.

Sweep, engl., s. v. w. Soffite.

Swelling, engl., Anschwellung, s. b. [brücke.

Swipe, plyer, engl., Zugbaum einer Zug-

Syderolith, eigentl. Siderolith (Eisenstein), eine sehr harte Art gebrannten Thons.

Syenit, eigentlich richtige Schreibweise für Sienit, s. d.

Sykomore, 1) Maulbeerfeige (Ficus Sycomora, Fam. Feigen), besitzt ein schönes Holz, das zu den Mumiensärgen das Hauptmaterial liefert; — 2) in Nordamerika Volksname für die amerikanische Platane (Platanus occidentalis).

Syles, altengl. für Sparren.

Sylvester, St., Papst unter Constantin, rief einen Ochsen, den ein Rabbiner durch Zauberei

Rothes, Illustr. Bau-Lexikon. 2. Aufl. 3. Bd.

getödtet hatte, durch Gebet ins Leben zurück; starb 335, wird dargestellt als Papst mit einem Ochsen.

Symandre, franz., hölzernes Surrogat der Glocken.

Symbol, griech. σύμβολον, lat. symbolum, Sinnbild, Bild oder Zeichen, um dadurch eine Idee abstrahirend, auf das innerliche Wesen des Darzustellenden eingehend, auszudrücken; s. Allegorie.

Symbolik, Bilderlehre, Lehre von der sinnbildlichen Darstellung, doch auch Gesammtheit sinnbildlicher Darstellungsweise.

I. **Eintheilung der Symbolik.**

Man kann in der Baukunst von zwei Arten der Symbolik sprechen: a) Symbolik der Formen und Verhältnisse, Symbolik des Charakters des Bauwerkes. Diese ist größtentheils unbewußt oder unwillkürlich, wenigstens insoweit, als das Wesen, die Religion und der Charakter des Volkes sich in den Formen eines Styles ausspricht; bewußt hingegen insofern, als Charakter und Bestimmung eines Gebäudes sich in den Verhältnissen und in dem durch das Gebäude hervorgebrachten Eindruck ausspricht; die dahin gehenden Andeutungen sind in den Artikeln gegeben, welche die Baustyle, resp. die einzelnen Gebäudegattungen, behandeln. b) Symbolik der Einzelformen. Dies ist eine Art Hieroglyphenschrift; in ornamentaler Anwendung werden gewisse Formen, gewisse Zahlen ꝛc. dem Beschauer vorgeführt, deren Bedeutung er kennt, weil sie für diese Bedeutung typisch angenommen sind. Diese Bildsprache hat sich natürlich vielfach verändert. Ueber ägyptische, persische ꝛc. Symbolik finden sich in den die Style sowie die einzelnen Symbole behandelnden Artikel die bei der noch nicht genügend fortgeschrittenen Forschung bis jetzt möglichen Notizen. Vergl. auch d. Art. Hieroglyphen. Ueber die Symbole der christlichen Kirchenbauten des Mittelalters aber sei hier noch, außer dem in den Stylartikeln und in d. Art. Basilika, Kirche, Paradis ꝛc. Beigebrachten, noch Folgendes angeführt: Die Symbole waren theils historisch oder mythisch, d. h. sie deuteten irgend eine Begebenheit aus dem christlichen Legendenkreise an und traten dann oft als Attribute (s. d.) auf, oder sie sind moralischen Inhaltes, d. h. sie stellen irgend eine Idee oder christliche Religionswahrheit dar.

II. **Symbolische Darstellung bestimmter Personen.** 1. Bei den symbolischen Darstellungen der Dreieinigkeit (s. d.) findet man außer dem daselbst Angeführten noch häufig folgende Symbole: a) Für Gott Vater: eine segnende Hand, vom sechsstrahligen Stern umgeben. b) Für Christus: ein Lamm am Kreuz mit dreieckigem Nimbus; ein Lamm, das sich in einen Kelch verblutet; ein weißes Lamm am blutigen Kreuz; ein Kreuz auf rothem Grund mit Blumenkranz und Taube; ein Phönix (Auferstehung), Einhorn, Fisch (s. d.), zugleich als Symbol der Taufe (Manche wollen auch die Fischblase im Fenstermaßwerk dahin deuten); ein Löwe (als Löwe aus dem Stamm Juda); Melchisedech und Isaak als Vorbeutungen des Heilandes; ein Regenbogen (Versöhnung mit Gott) als Attribut Christi; ferner s. d. Art. Christus, Jesus, Monogramm, Osterei, Salvatorbild, Heiligenschein ꝛc. c) Der Heilige Geist wird fast nur als Taube (s. auch Ciborium) dargestellt, bloß bei Ausgießung desselben als Flämmchen, sehr selten als Adler.

2. Für die Jungfrau Maria. Außer den

48

im Art. Maria aufgezählten Darstellungen gelten für sie symbolisch: die Lilie des Hohen Liedes; der Thurm Davids; Pforte (des Himmels); Richtersitz, als Sitz der Weisheit (Ausgangspunkt des Heilandes); der Morgenstern; ein goldenes Haus oder die Arche. Als Attribute aber sind ihr beigegeben: Drachen und Schlangen, von ihr zertreten; Sterne und Lilien besetzen den Mantel; unter den Füßen der Mond; zwölf Sterne als Nimbus um das Haupt; Regenbogen, Kronen, Blumen im Grab ꝛc.

3. Für die Engel; Erzengel, s. d. Art. Engel; Cherubim (s. d.), auch häufig blos als geflügelte Köpfe; Seraphim mit sechs Flügeln, wovon vier als Gewandung dienen. Engel sind stets bekleidet darzustellen, sonst werden sie zu Amoretten.

4. Teufel, Sünde ꝛc. Die Laster, die Todsünden und der Teufel sind nackt darzustellen. Schlange, Basilisk, Drache, Natter und Lindwurm sind des Letzteren Attribute, treten auch oft ihn symbolisirend auf, wie auch der Löwe, aber ohne Flügel; Hörner bedeuten Gewalt und Macht, s. d. Art. Ammon. Daher hat auch der Teufel Hörner. Ein Schweif bedeutet Beharrlichkeit, also auch im Bösen. Bocksfüße erinnern an die Böcke als Verdammte.

5. Biblische Personen. Ueber Adam und Eva s. d. betr. Art. und Paradies. Ueber andere Personaldarstellungen überhaupt s. die Personalartikel, sowie die Art. Evangelist, Apostel, Propheten. Nur sei hier erwähnt, daß alle alttestamentliche Wissenschaft durch Rollen, die neutestamentliche durch Bücher dargestellt wird; der Heiland erhält daher Rolle und Buch.

6. Heilige: Nach den Aposteln rangiren zunächst die Märtyrer, dann die Bekenner, dann die heiligen Jungfrauen und Wittwen. Der Heiligenschein (s. d.) kann bei Darstellung lebendiger heiliger Märtyrer auch viereckig sein (vier Angeltugenden), z. B. beim heiligen Gregor, Paulus von Nola, Abt Johannes, Papst Paschalis ꝛc. Die Märtyrer bekommen außer ihren Marterzeichen die Palme oder, namentlich die heiligen Krieger, eine Fahne mit dem Kreuz in die Hand; die Bekenner blos ihr Legendenzeichen und ein kurzstieliges Kreuz oder eine Lilie, die heiligen Jungfrauen eine Lilie, ferner als Bräute Christi den Brautkranz, die heiligen Wittwen und Büßerinnen die durch ihre Legenden gebotenen Attribute.

III. Symbolische Darstellung von Begriffen. 1. Symbolische Menschengestalten. Dahin gehören a) die symbolischen Heiligen, d. h. solche Heilige, die theils ihrem ganzen Wesen und Leben nach, theils wenigstens ihrem Namen nach, blos symbolisch aufzufassen sind, z. B. Christophorus, der den Herrn (im Herzen) durch das Meer (der Zeitlichkeit) trägt (s. d. Art. Christoph). St. Georg (s. d.) als Personification des Kampfes gegen das Heidenthum (die von ihm gerettete Jungfrau bedeutet die bekehrte Stadt oder die beschützte Kirche) ꝛc. b) Rein symbolische Gestalten, z. B. Darstellung der christlichen Kirche als gekröntes Weib mit Kelch, Hostie und Kreuz; Judenthum als Weib in Trauer, die Binde der Verblendung über den Augen, mit Gesetzestafel und zerbrochenem Stab. Die Tugenden (s. d. Art. Kardinaltugenden) sowie die ebendort aufgeführten Laster werden meist als Weiber dargestellt.

Bei allen diesen ist Farbe, Form und Schnitt der Kleidung, ebenso wie bei den Heiligen, dem Charakter und bildlichen Sinn der

Figur entsprechend, also symbolisch, zu wählen; namentlich aber ist bei den Heiligen die Tracht ihres Standes und ihrer Zeit genau und gewissenhaft beizubehalten. Nur Kaiser Constantin und die deutschen Kaiser z. B. dürfen den Doppeladler führen, s. d. Art. Adler. Sandalen deuten auf die Nachfolgerschaft der Apostel, der Gürtel auf Enthaltsamkeit und Wahrheit, die Stola auf das Joch des Herrn, der Panzer auf Gottesgerechtigkeit, der Schild auf den Glauben, die Tunica auf die Anmuth und Freude vor und in dem Herrn; die Handschuhe deuten darauf, daß die Linke nicht wissen soll, was die Rechte Gutes thut, sowie daß es sich für den Opferer zieme, reine Hände zu haben. Die Mitra oder Inful mit zwei Spitzen bezieht sich auf die zwei Testamente, mit ihren zwei Bändern auf Geist und Buchstaben des Gesetzes; die rothen Fransen auf das Blut, das der Priester für sein Amt zu vergießen bereit sein soll; der goldene Reif der Mitra auf den ganzen Umkreis der heiligen Schriften, in denen er Bescheid wissen soll; der Ring auf die Verlobung mit der Kirche; der Stein desselben auf den Schatz der Schätze, das Himmelreich; s. übr. Bischof und Bischofsstab ꝛc. Der Stab ist ein anderer für Bischöfe, Erzbischöfe, Abt ꝛc., doch erhalten ihn auch die Apostel, Engel ꝛc. als Zeichen der heiligen Botschaft. Was die Farben anbelangt, so s. zunächst d. Art. Heiligenschein; es bekommen außerdem einen rothen Nimbus die Enthaltsamen, einen grünen die Verheiratheten, einen gelben die Büßer. Weiß bedeutet Unschuld, Roth ist die Farbe des heiligen Geistes (b. d. Hebräern Scharlach die Farbe der Lehre), Blutroth die Farbe des Märtyrerthums. Roth kann durch Gold vertreten werden. Grün ist die Farbe der Hoffnung, Schwarz die der Trauer, Violet die Farbe des Fastens, Gelb in der katholischen Welt die Farbe des Büßers, im alten Bunde die Farbe des reinen Gewissens, Blau die Farbe der Demuth, Gold die Farbe der Glorie. Das Nackte soll nur bei den Darstellungen des Märtyrertodes und des Sündhaften vorkommen. Nackte Engel und Christuskinder sind jedenfalls unkirchlich.

2. Symbolische Thiergestaltungen. Die der Thierwelt entnommenen Darstellungen sind die mannichfachsten und eigenthümlichsten der mittelalterlich-christlichen Kunst; dieselben erscheinen entweder: a) als einfache, vollständige Thiere; b) als Menschen mit einzelnen Thiertheilen; c) als aus Theilen mehrerer Thiere zusammengesetzte Wesen ohne menschliche Theile.

Ueber diese Darstellungen ist sehr viel gefaselt worden. Dieselben wurden häufig für Zoten und Späße oder gar für gnostische, also unchristliche Symbole gehalten. Neuere Forschungen sowohl, als näheres Eingehen in den Geist mittelalterlicher Kunst haben nun zwar diese Ansichten Lügen gestraft, noch aber ist lange nicht das ganze System dieser so ungemein reichen Symbolik bekannt. Doch auch das, was davon bekannt ist, ist viel zu reichhaltig für den beschränkten Raum eines Lexikons; wir begnügen uns daher hier, nur Einiges davon anzuführen. Die Thiere bezeichnen größtentheils Neigungen und Leidenschaften, einzelne Thiertheile Eigenschaften und Zustände des Herzens ꝛc. Dadurch erklären sich dann die Zusammensetzungen von selbst.

a) Vollständige Thiere. Unter Anderen symbolisirt das Pferd den Uebermuth, brünstige Sinnenlust, der Maulesel die Dummheit, der Löwe den Antichrist, die Jungen des Löwen die Jünger des Bösen, das verführte Volk; doch ist der Löwe auch Bild des Heilandes, s. auch d. Art. Löwenköpfe; der Drache oder Basilisk bedeutet den Teufel, Schlange und Storpion die Teufel und Ketzer, die Schlange bedeutet aber auch Klugheit, sowie das Ablegen des alten Adams, die eherne Schlange am Kreuz den Heiland, der Hirsch die Sehnsucht nach dem Herrn und die christliche Nächstenliebe; der Hund (s. d.) die Welt und ihre Bosheit, die Ketzer und Jrrlehrer, Heiden und Sünder, doch gilt der Hund auch als Bild der Treue; der stumme Hund deutet auf gewissenlose Wächter, der bellende auf den Neid; das Schwein auf wüste Sinnenlust, Undankbarkeit, aus Trägheit entsprungen ꝛc. (der Schweinehirt auf die Götzendiener); der Fuchs auf den Frevel und die Heuchelei; der Wolf auf Raubgier, Hinterlist, Haß, Lüge ꝛc.; der Ochs auf Arbeitsamkeit; der Stier auf Stolz und Beharrlichkeit des Regenten, in gutem und in schlechtem Sinn; Kühe und Kälber auf das leicht zu lockende Volk und als demüthige Opferthiere auf die fromme Gemeinde; Schafe auf das Volk der Gläubigen; Widder auf die Apostel und Blutzeugen.

Der Affe ist Symbol des Teufels, als des fratzenhaften Nachahmers Gottes, doch auch der Neugier, dummen Eitelkeit und Selbstüberhebung, der Geilheit, Naschhaftigkeit, Heuchelei, des Spottes mit heiligen Formen ꝛc.; Böcke bedeuten die Gottlosen, die Sinnlichkeit, Unzucht ꝛc., aber auch die Sühnopfer (daher den Heiland); Ziegen die Kirche der Heiligen und Bußfertigkeit; das Einhorn bedeutet den Heiland, als von einer Jungfrau geboren; der Bär bedeutet Gefräßigkeit und Warnung vor Verspottung des Heiligen; der Biber List und Schlauheit gegen die Anfechtungen des Teufels und gegen Angriffe der Gottlosen; der Esel kommt vor als Sinnbild der Ahnung des Heils, der freudigen Leidtragung, doch auch der Gotteslästerung und der Undankbarkeit und des Wälzens im Pfuhl der Sünde; das Kameel als Bild des demüthigen Christen, doch auch der Rache; Hase und Jgel sind Bilder der Reue, doch ersterer auch der Geilheit und Furcht, letzterer der Sündhaftigkeit; der Phönix ist Symbol der Auferstehung; die Taube ist bekanntlich Symbol der Unschuld und des heiligen Geistes; der Rabe Bild der Unreinheit, doch kommt er auch als Erinnerung an die Vatersorgen Gottes, als Brotbringer der Propheten ꝛc. vor; der Adler (s. d.) hat mehrere Bedeutungen; der Geier bezeichnet die Habgier; der Strauß die Thorheit der Welt; der Sperling die Seele des Menschen, doch auch die Unbesonnenheit des Menschen im Gegensatz zur Allweisheit Gottes; das (gewöhnlich am Felsen nistende) Wasserhuhn bedeutet den Christen, der auf Christum, den Felsen, sich stützt. Der Hahn deutet auf Wachsamkeit, s. übrigens d. Art. Hahn; das Huhn auf die Liebe Christi, das Rebhuhn auf Streitsucht, der Storch auf Pietät, Liebe zu den Aeltern und Barmherzigkeit. Der Pelikan ist ein Bild Christi, der Wiedehopf der Gesetzlosigkeit. Die Sumpfvögel bedeuten Hangen am Koth. Die Spinne ist Bild der Gebrechlichkeit des Jrdischen und Eigennutzes. Die Ameise soll ermahnen, in der zeitlichen Welt für die ewige zu sammeln. Die Biene ist ein Bild der Aufopferung für's Gemeinwohl. Die Hundsfliege bedeutet blinde Schamlosigkeit. Die Amphibien bedeuten im Allgemeinen Wankelmuth, der Frosch die Ruhestörer, Jrrlehrer, Schmäher und

den Hochmuth auf irdischen Besitz, die Eidechse die Verläumdung; die Bedeutung des Gewürmes, d. h. der Schlangen und Amphibien, als Heiden und Sünde, und der Fische als gute Christen, ist bekannt, s. übr. d. Art. Fisch. Die Kröte bedeutet Schnähsucht, der Aal gemeine Ausschweifung, die Klapperschlange Gefährlichkeit der Heuchelei, der Blutegel Unersättlichkeit, die Hyäne deutet auf gemeine Verläumdung, die Schildkröte auf öffentlich ruchloses Leben, geistige Blindheit, Verstellung bei steter Bereitschaft, anzugreifen; Trägheit, Leckerei ꝛc., der Spitzhund auf Vermessenheit, die Dogge auf böse Nachrede, der Pudel auf Zorn, der Pfau auf Eitelkeit, die Fledermaus auf Hangen am Jrdischen. S. auch d. Art. Eule, Fuchs, List, Amphibien, Apokalyptisch ꝛc.

b) Die zum Theil menschlichen Gestalten bezeichnen in der Regel einen noch nicht ganz unter die Herrschaft des Lasters versunkenen, oder auch einen auf der Umkehr zur Tugend begriffenen Sünder, z. B. der Centaur den Menschen, dessen Geist seine Sinne beherrscht, die Sirene die Wiedergeburt aus dem Pfuhl der Sünde durch das Wasser der Taufe ꝛc. Doch findet man auch Menschentheile, z. B. menschliche Füße oder Gesichter, blos um die betreffenden Leidenschaften um so genauer und deutlicher durch die Stellung resp. Ausdruck derselben bezeichnen zu können; so deutet z. B. kräftige menschliche Füße auf die noch vorhandene Möglichkeit, sich zuzurichten, abgemagerte auf Schwäche nach Ausschweifungen, mit zerlumptem Anzug auf Liederlichkeit, eine menschliche Nase auf die Fähigkeit, das Gute und Böse zu unterscheiden; der menschliche Mund, halb geöffnet und ernst, auf Gebet, lächelnd auf Liebe, welche nun durch die beigegebenen Thiertheile als geistige oder sinnliche bezeichnet werden kann, ein Stutzerkopf auf Eitelkeit ꝛc.

c) Thiertheile. Jm Ganzen sind die Menschentheile am leichtesten zu deuten, schwieriger schon ist die Deutung der bei zusammengesetzten Gestalten vorkommenden Thiertheile, über deren Deutung wir wenigstens Einiges hier anführen wollen, um eine Anleitung zu geben. Zähne: Wunsch, Etwas zu besitzen, z. B. Fledermauszähne, ungemäßigte Liebe zu irdischen Gütern. Maul oder Schnauze eines Thieres deutet auf dasjenige Darlegung des durch das betreffende Thier bezeichneten Hanges, z. B. geöffnete Hundeschnauze mit lechzender Zunge auf Gefräßigkeit, geschlossene auf Treulosigkeit, bellende auf Schmähung und Neid, offene Schnauze auf offene Verhöhnung des Heiligen.

Der Kopf eines Thieres deutet Vorherrschen von dessen Eigenschaften im darzustellenden Charakter an. Vorderbeine deuten auf ein Bestreben, einen zu erwartenden Zustand, z. B. vom wilden Thier Lust nach Beute, Lust, Andere zu verführen, von der Sau Gefahr, im Pfuhl der Sünde zu versinken, Krallen Heftigkeit, die zu schlechten Handlungen verleitet, Vogelkrallen Erpressung, vom Pferde (galoppirend) Jagen nach Vergnügungen ꝛc. Hinterbeine deuten auf die Vergangenheit, als Ursache des gegenwärtigen Zustandes, also z. B. von der Sau: vorhergegangenes Wälzen im Pfuhl der Sünde, vom Löwen gelungener Sieg des Teufels über bessere Regungen, von der Hyäne Selbstüberhebung, Eigenlob, gestützt auf die Verläumdung Anderer. Flügel deuten auf Gemüthserregungen und Seelenkraft, z. B. phantastische Flügel, als unbrauchbar, auf Ohnmacht zum Aufschwung und auf Abschweifungen der

Phantasie, halbentfaltete Flügel auf Trotz, ganz entfaltete, aber schwache, auf Prahlerei, entfaltete starke auf beginnendes Wiederaufstreben zum Besseren, Flügellosigkeit auf gänzliche Erschlaffung 2c. Der Schwanz deutet auf Beharrlichkeit, z. B. der Fuchsschwanz auf beharrliche Heuchelei, ein kurzer Schwanz auf Wankelmuth, oder auch auf Materialismus, eingezogener Schwanz auf Feigheit, Schwanz mit Büschel auf beharrliche Hestigkeit, nachhaltenden Zorn (Rache), Ringelschwanz auf Arglist, Schwanzlosigkeit auf Vergessenheit des

sten vollständig erforscht. Einige Andeutungen können wir jedoch geben.

Gras und Heu sind Bilder der Vergänglichkeit des Fleisches, Heu ist auch ein Bild der Sündhaftigkeit; Ceder bedeutet Schönheit, ebenfalls vergänglich; Weizen bedeutet oft die Gläubigen und die Lehren des Glaubens; Untraut ist des Teufels Aussaat, ähnlich ist der Gegensatz von Oelbaum und Oleaster (Olivenweide) zu deuten, sowie der Fruchtbaum und der dürre Baum; der fruchtbare, auf den uneblen Baum gepfropft, deutet auf das Verhältniß des Christenthums zum Judenthum, auch wohl dargestellt durch einen Baum, aus dem

Fig. 1802. **Symbolisch verzierter Gefässhenkel.**

und Reinigung von der Sünde; die **Mandelnuß** oder der **Mandelbaum** deutet auf die geheimnißvolle Empfängniß der Jungfrau, ebenso der brennende Dornbusch auf Wachsamkeit des Herrn, sowie auf die Auferstehung und das Osterfest; die Myrrhe oder Weihrauchstaude auf die Auferstehung des Fleisches; der Granatapfel auf die Einheit der Kirche und ihre vielen Bekenner. Der **Maulbeerbaum** symbolisirt, wegen seiner festen Wurzelung, den festen, unerschütterlichen Glauben an Gott; die Lilie die Reinheit und Keuschheit; Weinstock und Rose sind Bilder des Heilands; die Palme ist Attribut der Sieger und Gerechten; Weintraube und Aehren deuten auf das Abendmahl. Weinstock und Ulme sind zu deuten auf den Armen und Reichen, der Apfel auf die Erbsünde 2c.; s. auch d. Art. Blätter und Blumen.

4. Symbolische Geräthschaften und andere Gegenstände.

Die Kelter deutet den Heiland und seine Märtyrer an, übr. f. d. Art. Anker, Arche, Kirche, Schiff, Schwert, Berg, Kelch, Kreuz, Attribut, Embleme und noch viele andere. Ueber Nägel, Zange 2c. f. d. Art. Marterwerkzeuge.

Lebensendes. Der **Bauch** symbolisirt den Körper; **dicker Bauch:** Behagen an sinnlichem Wohlbefinden, Hundebauch Völlerei, Froschbauch Aufgeblasenheit, Heuschreckenbauch Geilheit, Eselsbauch Herrschaft des zu wohlgepflegten Körpers über den Geist, Katzenbauch Eitelkeit. Die **Ohren** sinnbilden das Aufhorchen und Einathmen äußerer Eindrücke, Ohren eines Wolfes Lauern auf die Beute, Hasenohren Furcht und falsche Scham, Menschenohren Horchen auf das Wort Gottes. **Hörner:** Heftigkeit einer Erregung, Stierhörner Unbändigkeit, Bockshörner Hochmuth, Widderhörner Kampfbereitschaft.

3. Symbolische Pflanzen und Pflanzentheile. Die Pflanzensymbolik ist, da bis jetzt gleichzeitige Gewährsschriften fast ganz fehlen, noch am wenig-

Ein geschlossener Beutel deutet auf Geiz, ein offener auf Mildthätigkeit, ein umgeschütteter auf Verschwendung; Edelsteine auf das kostbare Blut der Märtyrer; eine Fahne auf den Triumph Christi über den Drachen. Der Fels ist Symbol Christi und Petri, doch auch der Jungfrau Maria. Die Geißel erinnert an die Buße, die Glocke an Wachsamkeit gegen Versuchung. Kränze deuten auf ein gottseliges Ende; eine Krone bedeutet Sieg und Lohn, Vollendung, Preis des Gerechten; über die Bedeutung der Kleidungsstücke s. ob. unt. 1.

5. Symbolik der Farben s. unt. 1 und in d. Art. Farbe 2c.

Uebrigens vergleiche der geneigte Leser noch die Artikel Allegorie, Apostel, Attribute, Embleme, Engel, Evangelisten, Jesus, sowie die einzelne Heilige betreffenden, und manche andere Artikel. Die romanische Symbolik ist noch bei weitem unerforschter als die gothische. Als Beispiel für Verwendung symbolischer Figuren geben wir in Fig. 1802 einen romanischen Gefäßhenkel.

Symbolum heroicum, lat. Devise.

Symmetrie, die Erklärung des Wortes, s. unt. d. Art. Ebenmaaß und Gleichmaaß. 1) In künstlerischer Beziehung. In Beziehung auf Wirkung muß ein Kunstwerk, wenn es auf Schönheit soll Anspruch machen können, allerdings symmetrisch sein, d. h. die Wirkungen der einzelnen Theile müssen unter einander im Gleichgewicht stehen. Von einem bedeutenden Mißverstehen des Begriffs Symmetrie aber zeugt es, wenn man dieselbe so weit treiben zu müssen glaubt, daß man dadurch die Logik verletzt, und z. B. blos der Symmetrie willen einer Rumpelkammer ebenso elegante Fenster giebt, als einem Salon. Durch solche Symmetrie, d. h. durch ganz gleichmäßige Vertheilung der Theile von einer Mittellinie aus, wird sehr oft die Zweckmäßigkeit und Wahrheit, somit also auch die Schönheit eines Gebäudes, verletzt. — 2) Geometrische Gebilde heißen symmetrisch, wenn sie in allen ihren Theilen übereinstimmen, aber doch nicht congruent sind, d. h. nicht so auf einander gelegt werden können, daß sie einander decken; z. B. zwei Schrauben von derselben Ganghöhe u. demselben Durchmesser, von denen aber

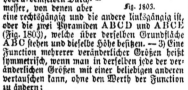

Fig. 1803.

eine rechtsgängig und die andere linksgängig ist, oder die zwei Pyramiden ABCD und ABCE (Fig. 1803), welche über derselben Grundfläche ABC stehen und dieselbe Höhe besitzen. — 3) Eine Function mehrerer veränderlicher Größen heißt symmetrisch, wenn man in derselben jede der veränderlichen Größen mit einer beliebigen anderen vertauschen kann, ohne den Werth der Function zu ändern;

so sind z. B. $x_1{}^2 + x_2{}^2 + x_1 x_2$ oder $x_1 x_2{}^2 + x_1{}^2 x_2 + x_1 x_3{}^2 + x_1{}^2 x_3 + x_2 x_3{}^2 + x_2{}^2 x_3$ symmetrische Functionen. Die Coefficienten einer algebraischen Gleichung sind symmetrische Func-

tionen der Wurzeln; sind z. B. x, y, z die drei Wurzeln der cubischen Gleichung

$$x^3 + ax^2 + bx + c,$$

so ist
$$-a = x_1 + x_2 + x_3$$
$$b = x_1 x_2 + x_1 x_3 + x_2 x_3$$
$$-c = x_1 x_2 x_3.$$

Newton hat zuerst gezeigt, daß man alle symmetrischen Functionen, insbesondere die Summe der Potenzen der Wurzeln, ausdrücken kann durch die Coefficienten der Gleichung. So ist für die Gleichung dritten Grades

$$x_1{}^2 + x_2{}^2 + x_3{}^2 = a^2 - 2b \text{ u. s. w.}$$

Symphorianus, St., Edelmann aus Autun; weigerte sich um 180, vor einem heidnischen Festzug auf die Kniee niederzufallen, wurde enthauptet. Darzustellen als römischer Bürger mit Schwert.

Synagoge. Dieselbe sei mit dem Altar gegen Südosten gerichtet. Der Haupteingang ist im Nordwesten und dient den Männern, welche das Schiff der Synagoge inne haben. Die Frauen gelangen durch Seiteneingänge in die ihnen zugewiesenen Emporen. Der Altarplatz liegt sehr hoch und enthält den durch einen Vorhang verschlossenen Schrank für die Thora (Gesetzrollen), zu dessen Seiten Nischen für Blumen sein können. Vor demselben steht ein Doppelpult, rechts davon der siebenarmige Leuchter. Dann ist noch für Plätze zu sorgen für die Vorsänger, Redner, Rabbiner, Gemeindevorsteher, Synagogenwächter, für eine Kanzel, Sängerbühne 2c. Die Plätze vertheilen sich nach dem Ritus, der bei den verschiedenen Secten der Israeliten verschieden ist. Bei der innern Ausschmückung kann Farbenreichthum herrschen; doch sind alle bildlichen Darstellungen zu vermeiden, höchstens einige symbolische Andeutungen gestattet, z. B. die heiligen Zahlen 5, 7, 10, s. d. Art. Zahl; ferner die Namen der Engel des Talmud, zwei Hände mit ausgebreiteten Fingern. Zur israelitischen Symbolik gehört ferner, daß die Synagoge kein sichtbares Dach hat, sondern einen Zinnensims, daß die Fenster hoch angebracht sind 2c.

Synekdoche, Tabernakel oder Wandschrank neben dem Altar, zur Aufbewahrung der geweihten Hostien.

Synthesis, s. v. w. Zusammensetzung, also in der Mathematik das Verfahren, wobei man zur Erforschung von Erkenntnissen von den Gründen zu den Folgen fortschreitet, während die Analysis von den Folgen zu den Ursachen übergeht.

Syphon, Ducker, mittellat. capola, s. d. Art. Siphon und Canal.

Syringa, Rohrholz, s. d. Art. Flieder, wohl vom deutschen Flieder (Sambucus) zu unterscheiden; beides sind Markhölzer und zum Bauen nicht brauchbar.

Syrinx, 1) s. d. Art. Hyläus; — 2) s. v. w. Hypogäon.

syrisch-muhamedanische Bauweise, s. d. Art. muhamedanische Bauweise.

Systyl, s. v. w. Basaltaspis.

Systylon, s. d. Art. Nahesäulig.

Sznur, s. d. Art. Maaß, S. 486.

T 1) als Zahlzeichen: T = 160; t̄ = 300; ... = 300,000; ꝟ = 9; — 2) in den Formeln der Mechanik bezeichnet T gewöhnlich das Trägheitsmoment, t die Zeit; — 3) s. v. w. Antoniuskreuz; s. d. Art. Kreuz D. 3.

Tau, s. d. Art. Chinesisch, S. 546, Bd. I.

Taakel, s. d. Art. Takel.

Tabaksfabrik. Eine solche bedarf folgende Räume, die auch möglichst in der hier gewählten Reihenfolge anzuordnen sind: 1) Niederlage für den Rohtabak, Tabakslager; die Tabaksballen werden auf Bretunterlagen aufgeschichtet und sind vor feuchter und dumpfiger Luft zu hüten; — 2) Räume zu Abwägung oder Abzählung der Blätter, Sortirung und Vertheilung derselben; — 3) Tabakswäsche, womöglich mit laufendem Brunnen, gut entwässertem und wasserdichtem Fußboden und ebensolchem Wandputz zu versehen; — 4) Tabaksküche, zum Sieden, Beizen ꝛc. der Tabaksblätter; — 5) Wickelsäle, Säle uno Zimmer zu Verarbeitung des Tabaks, zum Wickeln der Cigarren, Spinnen des Tabaks, Mahlen, Schneiden ꝛc. des Schnupftabaks ꝛc.; — 6) Trockenstuben mit Hordenregalen ꝛc., Tabaksdarren; s. d. Art. Darre, S. 629, Bd. I; — 7) Räume zum Abzählen, Abwiegen und Verpacken der fertigen Waaren in kleinen Quantitäten; — 8) Tabaksboden, zum Aufbewahren fertiger Waaren in Kleinvorrath ꝛc.; — 9) Packraum zu Verpackung der abzuliefernden, resp. fortzusendenden Waaren in großen Kisten ꝛc.; — 10) Comptoirs, Cassen- und Aufsichtsräume in entsprechender Vertheilung. Weiteres hängt von speciellen Wünschen der Bauherren ab.

Taberna, lat., eigentlich Bretterbude, daher Verkaufsbude, ferner eigentlich taberna meritoria, deversoria, Herberge an der Heerstraße; s. d. Art. Kirche, S. 382, Bd. II.

Tabernakel, lat. tabernaculum, casula, frz. tabernacle, engl. holy-roof, hovel, housing, eigentlich Bretterbaracke, Zelt, Frohnwalm ꝛc., säulengetragener Ueberbau, auf den Seiten offen, zunächst 1) ein solcher Ueberbau über dem Altar, s. d.; — 2) der in diesem Ueberbau befindliche Schrank; s. d. Art. Ciborium 2; — 3) Sacramentshaus (s. d.), auch Herrgottshäuschen oder Schaff genannt, an der Nordwand des Chors in der Nähe des Altars; — 4) Bilderdach, Engelhäuschen, auf Strebepfeilerabsätzen ꝛc. angebracht. Der Obertheil des Tabernakels ist oft sehr hoch in luftigem Fialenwerk oder als Helmdach ausgeführt; wenn dieser Helm kuppelförmig und mit geschweiften Wimbergen umgeben ist, heißt er Bischofsmütze. S. d. Art. goth. Baustyl, Italienisch-gothisch, Baldachin, Bilderblende, Reliquienschrein, Kirche ꝛc. Das Wort ist entnommen aus Psalm 42, 3.

Tablatura altaris, lat., Altaraufsatz, s. d.

Table, frz., Tafel, Tisch, Platte; sainte table, Altar; t. d'autel, Altarplatte; t. de dessous d'autel, Antipendium; t. de communion, Altarschranke, wo die Laien das Abendmahl empfangen; t. de dessus d'autel, s. v. w. Retable; t. de césar, s. d. Art. Celtisch 5; t. feuillée, vertieft in eine Mauer eingelegte Tafel; t. en saillie, dergl. vorspringende; t. d'attente, leerer Wappenschild.

Table, engl., Platte, Tafel, Bret, Band, Vortensims; earth-table, Sockelblendplatte; ground-table, grass-table, Banketplatte; table-tomb, Altargrab, altarförmiges Grabmal; bench-table, innerer Sockel, Steinbank längs einer Wand oder um einen Pfeilerfuß, wie sie in gothischen Hallen häufig vorkommen; table-stone, Simsstein; corbel-table, Bogenfries; s. d. Art. Corbel.

Tableau, frz., 1) Lichtenseite der Umrahmung einer Oeffnung; — 2) s. v. w. Bild, Gemälde; — 3) t.-cloant, -ouvrant, -ployant, s. v. w. Flügelaltar; tableau votif, Votivtafel.

Tablet, engl., Säulengebälk, Gurtband, Gurtsims, Gesims.

Tablette, frz., Tabulat, 1) Täfelchen; — 2) Ballenkopf; — 3) s. d. Art. Mauerabdeckung; — 4) Gesims; — 5) Wandgestelle, Regal, auf Knaggen ruhend.

Tablier, frz., **Schachbret; tablier de pont** levis, Flügel einer Zugbrücke.

Tablinum, tabularium, tabulinum, im römischen Wohnhaus Gesellschaftszimmer, Archiv, Ahnensaal ꝛc.; s. d. Art. Haus, S. 241, von den dort hängenden Bildern (tabulae) so genannt.

Tablon, span., Bret.

Tabula, lat., Tafel; tabula acu picta, gestichtes Antipendium.

Tabulatio, lat., Gebälk, Gesims.

Tabulatum, lat., getäfelter Fußboden, Tribune, Empore; tabulatus, getäfelte Decke; tabulatus lapideus, Gewölbe, daher Tabulat, getäfelter Corridor im Kloster.

Tacchio, ital., s. d. Art. Klampe 3.

Tace, engl., taf, Antoniuskreuz; s. d. **Art. Kreuz D. 3.**

Tächel, s. d. Art. Dächel.

Täfelchen, s. d. Art. Abakus.

täfeln, s. d. Art. Abtäfeln.

Täfelwerk, Täfelung, Tablettenwerk, lat. intabulatio, coassatio, frz. tabletterie, engl. checker-work, wainscot, ostrich-board, Betleibung der Wände und Decken, zusammengesetzt aus Feldern oder Tafeln mit Kehlstößen von Stein oder Brettern oder im Putz; s. d. Art. Boisserie, Cassettendecke, Fußboden, intestinum opus, Lambris etc.

Täglichsanker, s. d. Art. Unter E.

Taenia, lat., griech. ταινία, breites Band, daher auch Platte mit nur geringer Ausladung; s. auch d. Art. Fascia und Jupiter.

Tafel, lat. tabula, frz. tableau. 1) Jede abgegrenzte ebene Figur, z. B. an Thüren, Fenstern, breiten Schäften, Pfeilern ꝛc. angebrachte vorspringende oder vertiefte Ebene, durch Simse eingefaßt oder durch Malerei angedeutet; — 2) s. v. w. länglicher Tisch; die Maaße für Speisetafeln s. unt. Speisesaal; — 3) (Feldmeßt.) hölzerne vieredige Visirscheibe, die an einem langen, in Fuße und Zolle eingetheilten Stab verschiebbar und durch ein Kreuz in vier gleiche Quadrate getheilt ist; — 4) Dielentafel; s. d. Art. Fußboden und Bedielen; — 5) s. v. w. Plinthus oder Platte; — 6) s. d. Art. Blech und Glas; Schreibtafeln kommen vor als Attribut des Moses und Cyrillus.

Tafelblei, s. v. w. Rollenblei; s. d. Art. Blei und Bleidach.

Tafelbret, s. d. Art. Bret.

Tafel-Chickrassie, s. d. Art. Chickrassie.

Tafelfußboden, s. d. Art. Bedielen d.

Tafelgemach, Tafelsaal; s. d. Art. Speisesaal.

Tafelglas, zu Spiegeln und Fensterscheiben in Tafeln gefertigtes Glas, zum Unterschied vom Hohlglas (Gefäßglas) so genannt; s. d. Art. Glas.

Tafelholz, von der wirteligen Alstonie (Alstonia scholaris, Fam. Apocyneae), wird in Indien benutzt, um Schreibtafeln für die malayischen Schulknaben daraus zu fertigen. Die Schrift läßt sich durch Reiben mit einem scharfen Blatt leicht wieder entfernen.

Tafelkachel, s. d. Art. Kachel.

Tafellack, s. v. w. Schellack.

Tafelmalerei, panel-painting, s. Malerei.

Tafelscheere, große Scheere zum Zerschneiden gegossener Messingplatten in Stäbe oder Zaine.

Tafelscheibe, eine größere Fensterscheibe.

Tafelschiefer, s. v. w. Dachschiefer.

Tafelschörl, s. d. Art. Schörl.

Tafelspath (Mineral.), 1) s. v. w. Wollastonit; — 2) s. v. w. Schalstein.

Tafelstein, s. d. Art. Celtisch 5.

Taßement, frz., s. d. Art. Spannring 1.

Tagegebäude, s. d. Art. Grubenbau A.

Tagehänge, Tagekluft; s. d. Art. Kluft.

Tagelicht, kleines Fenster ohne Glas.

Tagelöhner, s. d. Art. Handlanger; Tagelöhnerhäuser, auch Drescherhäuser genannt; s. d. Art. Arbeiterwohnungen.

Tagelohn, ist dem Accord entgegengesetzt bei Bauarbeiten. Complicirte Arbeiten sollten nur in Tagelohn ausgeführt werden, ebenso Grundbauten, da man nicht voraussehen kann, was für Schwierigkeiten und Hindernisse vorkommen.

Tagepumpe, bei einer Wasserhaltung die oberste, ihr Wasser zu Tage bringende Pumpe.

Tagerinne, span. badén, s. d. Art. Gosse.

Tageslicht, s. d. Art. Licht.

Tagesteine, Steine aus offenem Steinbruch.

Tagestollen, Tageschacht, Tagerösche, Tagestrecke, s. d. Art. Grubenbau, S. 212, Bd. II.

Tagewasser, Oberwasser, das von Regen und

Schnee in die Erde gedrungene Wasser. Vergl. d. Art. Grundwasser.

Tagewerk, s. d. Art. Maaß, S. 490, Bd. II.

Taglia, ital., schwacher Balken, auch Schnitt, Dobelholz, Kloben eines Flaschenzuges. [metz.

Tagliapietra, ital., frz. taille-pierre, Steinmetz.

Tagmata, s. d. Art. Maaß, S. 493, Bd. II.

Tagoara-Rohr (Bambusa Tagoara Mart., Fam. Gräser), eine Art Bambusrohr in Brasilien, daselbst in ähnlicher Weise beim Bauen und zur Anfertigung verschiedener Hausgeräthe benutzt, wie die ächten Bambusen in Asien. Die Stärke der Halme wechselt von ¼ bis 6 Zoll.

Tahulla, span., Flächenmaaß = ¼ Fanega, ungefähr = ¼ Morgen.

Tailladage, frz., Anschlitzung.

taillé (Herald.), s. v. w. links durchschnitten s. d. Art. Heraldik V.

Tailloir, frz., Capitäl, Deckplatte, Abakus.

Tain, frz., Blattzinn.

Takel, frz. palan, engl. tackle, auf Schiffen s. v. w. Flaschenzug sammt Rollentau.

Takelwerk, frz. gréement, engl. takelage, rigging, span. jarcia (Schiffsb.), alles zu Ausrüstung eines Schiffes gehörende Geräth, als Taue, Segel, Winden, Anker ꝛc.; theilt sich in stehendes und laufendes Takelwerk.

Tako-pat-Palme (Livistonia Jenkinsiana Griff., Fam. Palmen) in Assam: ihre großen, schirmförmigen Blätter sind zu Hüttendächern, Hüten und dergl. sehr beliebt.

Talatro, span., Bohrer, s. b.

Talcium, s. v. w. Magnesium; s. d. betr. Art.

Talent, griech. τάλαντον, lat. talentum, Waage, daher ein bestimmtes Gewicht Silbers, etwa 26178 Grammes, und daher der Werth dieser Silbermasse etwa 5561 Francs.

Talg, wird zum Dichten gegen Wasser, zum Einschmieren ꝛc. vielfach verwandt; ferner s. d. Art. Leuchtstoff. Baumwachs, Illumination.

Talgschmelze, als Liderung zwischen den Kniestücken der Brunnenröhren dienender Kranz von Leinwand, in Talg getränkt.

Talgschmelzerei, ist meist mit Seifensiederei verbunden, wird jedoch auch als selbstständiger Geschäftsgang betrieben. Das Local dazu sollte stets feuerfest sein. Die Abführung der Dämpfe und Riechstoffe, welche sich sowohl beim nassen als beim trocknen Schmelzen des Talges mit Dampf oder über freiem Feuer entwickeln, geschieht am sicherften mittelst eines Rohres nach dem Schornstein einer stets im Gang befindlichen Feuerung. Wo trocken geschmolzen wird, muß der Deckel des Talgkessels von starkem Eisenblech und mit einem Einschnitt für das Rührscheit versehen sein. Wegen des Ausschöpfens des geschmolzenen Talges muß der Deckel ferner aus zwei, durch ein Charnier mit einander verbundenen Theilen bestehen. Wo man die Kosten nicht scheut, sind die Schmelzeinrichtungen mit gespanntem Dampf die praktischsten.

Talipotpalme, s. d. Art. Schirmpalme.

Talje, frz. palan, engl. long-tackle, Windezeug, unten mit einer, oben mit zwei Rollen im Block.

Talk, s. v. w. Speckstein; s. auch d. Art. Baustein, S. 291, Bd. I.

Talkerde, s. Art. Magnesia und Bittererde.

Talkerdeglimmer und Talkglimmer, s. d. Art. Chlorit und Glimmer.

Talkerdeminerale, s. unt. d. Art. Magnesit, Bitterkalk, Bitterspath, Speckstein, Meerschaum, Amiant.

Talkschiefer; in großen Lagen kommt der Talk nur als Talkschiefer vor. Dieser kommt dem Glimmerschiefer in mancher Hinsicht sehr nahe, hat dünne, tafelartige Krystalle, gebogene, blätterige Massen, lose verbundene schuppige Theile, in derben Partien mehr oder weniger vollkommenes Schiefergefüge, fühlt sich fettig an, ist ritzbar durch Gipsspath, sehr mild und zähe, in dünnen Blättchen biegsam, aber nicht elastisch. Glänzt perlmutterartig bis glasig.

Talkspath, s. d. Art. Magnesit.

Taloche, frz., lat. taulachia, kleiner Schild.

Talon, frz. 1) Kehlleiste, s. d. Art. cyma und Glied E.; arc-en-talon, Eselsrücken; — 2) talon de la quille, s. d. Art. Kiel; — 3) s. d. Art. Maaß, S. 491, Bd. II.

Talus, talut, frz., s. v. w. Böschung, Abdachung.

Talutmauer, geböschte Futtermauer, namentlich wenn sie kalt, d. h. ohne Mörtel aufgeführt ist.

Tambour. 1) (Kriegsb.) Verschluß eines offenen Vertheidigungswerks durch Pallisaden; — 2) (Baut.) frz. tambour de dôme, tholobate, cylindrischer, also trommelförmiger, doch auch polygoner Unterbau einer Kuppel, der sich über einer Bogenstellung oder über vorkragenden Pedentifs erhebt, überhaupt jeder trommelartige Bautheil; s. d. Art. Kuppel; — 3) s. d. Art. Campana 2; — 4) tambour de porte, Windsangwand innerlich an einer Thür.

Tambour-Pallisade, s. d. Art. Festungsbau, S. 43, Bd. II.

Tau, s. d. Art. Maaß, S. 495, Bd. II.

Tana, ital., Seilerbahn, Reeperbahn; s. d. Art. Seearsenal.

Tandelmarkt, s. v. w. Trödelmarkt.

Tane, s. d. Art. Maaß, S. 497, Bd. II.

Tang, Seegras, fucus, giebt blaue, rothe und violette Saftfarbe; s. auch d. Art. Algen.

Tangelholz, s. v. w. Nadelholz, s. d. Art. Bauholz A. a. 2.

Tangente, 1) s. v. w. berührende Gerade einer krummen Linie; diejenige unbegrenzte gerade Linie, in welche eine, die Curve in zwei Punkten schneidende Sehne übergeht, wenn der zweite Punkt dem ersten unendlich nahe gerückt ist; s. d. Art. Curve, Fläche, Hyperbel, Kreis ꝛc.; — 2) das begrenzte Stück der Berührungslinie, welches bei Parallelcoordinaten zwischen dem Berührungspunkte und der Abcissenachse liegt, oder bei Polarcoordinaten zwischen dem Berührungspunkte und dem Radiusvector, welcher auf dem seinigen im Pole senkrecht steht; — 3) die Tangente an einen Kreis kann man sich auch begrenzt denken durch zwei Radien, von denen der eine dem Berührungspunkt angehört, die andere seiner Lage nach durch den Winkel bestimmt wird, den man am Mittelpunkt mit dem ersten bildet; dadurch wird die Tangente zu einer trigonometrischen Function (s. d.), welche abgekürzt mit tg. oder tang. bezeichnet wird und das Verhältniß der Tangente zum Radius ausdrückt, also für einen spitzen Winkel in einem rechtwinkligen Dreieck das Verhältniß der gegenüberliegenden Cathete zur anlie-

genden; tg. $\alpha = \dfrac{\text{Berührende}}{\text{radius}}$; da z. B. in einem rechtwinkeligen Dreieck, in welchem ein Winkel 45 Grad beträgt, beide Catheten gleich sind, so ist tang. 45° = 1. Es ist auch tg. $\alpha = \dfrac{\sin.\ a}{\cos. a}$. tg. 0° = 0, tg. 90° = ∞.

Tangentenviereck, ein Viereck, dessen vier Seiten einen Kreis berühren, welches also einem Kreise umschrieben ist. In einem solchem Viereck ist die Summe zweier gegenüberliegenden Seiten gleich der Summe der beiden anderen Seiten.

Tangentialebene, die Ebene, welche eine krumme Fläche in einem bestimmten Punkte berührt; s. d. Art. Fläche, Oberfläche, Hyperbolisch ꝛc.

Tangentialkraft, s. d. Art. Centralbewegung.

Tangentialrad, s. d. Art. Turbine.

Tanne, im weitern Sinne jeder Nadelbaum des Geschlechtes Pinus, s. d. Art., u. desgl. Nadelhölzer; im engern Sinne die Rothtanne oder Fichte (s. d.) und endlich die gewöhnlich schlechthin Tanne oder auch Bunge genannte Weiß- oder Edeltanne (s. d.); sie heißt auch Silbertanne oder Edelfichte. Ferner gehören hierher: die ächte Balsamtanne (Abies Fraseri l'oir), Double balsam Fir, eine Tannenart des Alleghany-Gebirges, welche bis 100 Fuß hoch wird und in großer Menge ein balsamisches Harz liefert; ferner gelbe Tanne (yellow pine, Pinus mitis), in Canada und im Staat New-York einheimisch, wird 40 Fuß hoch und hat ein gelbes Holz, das in den Vereinigten Staaten viel zu Stubendielen verarbeitet wird.

tanné, frz. lohbraun, lohfarben.

Tannenfichte, s. d. Art. Fichte.

Tannenholz (von Abies pectinata), ist weiß und ziemlich fest. Die Grenze der Jahresringe ist markirt. Es ist fast geruchlos, da ihm die Harzgänge fehlen. Die Markstrahlen sind ziemlich lang, bestehen aber nur aus einer einzigen Zellenreihe. Es spaltet leicht und in sehr dünnen Blättern. Die Stämme sind sehr schlank, schön gerade, bis 140 F. hoch, 3—4 F. am Grund im Durchmesser. Sie liefern Maßbäume, Bauhölzer u. Mühlwellen. Das Tannenholz hat nicht die Tragkraft wie das der Kiefer und Fichte. Letztere sind weniger elastisch. An Dauer soll das alte Tannenholz alle andern Bauhölzer übertreffen und nach 300 bis 500 Jahren noch „knochenfest" erscheinen. Als Brennholz steht es der Fichte nach. Ein Cubitfuß frisch wiegt 59 Pfd., durch das Trocknen vermindert sich das Gewicht bis 26 Pfd.; s. auch d. Art. Holz 3., Holzarten, Holzasche, Holländer, Holzbildhauerei, Krümmung ꝛc.

Tannenpalme, frz. élate, s. d. Art. Palme.

Tannenzapfen, s. d. Art. Pinienzapfen, wird häufig als Verzierung auf Ecken, am Schluß von Gewölben, in den Ecken von Zahnschnitten, unter Hängesäulen u. s. w. angebracht.

Tannenzapfenbraun, zu mischen aus braunem Oker, Bleiweiß und Umbra.

Tannenzweig, s. d. Art. Jahreszeiten.

Tannerie, frz., Gerberei.

Tantal, auch Columbium, eisengraues Metall, tritt in der Natur meist als Tantalsäure in einer Reihe seltener Mineralien auf, so im Tantalit, s. d.

Tantalit, Mineral, findet sich in Granit eingewachsen bei Tamela und Kimito in Finnland,

Broddbo und Finbo in Schweden und an andern Orten. Er enthält, neben Tantalſäure, Mangan- und Eiſenoxydul, Zinnſäure und etwas Kieſelerde.

Tanzkunſt, wird meiſt dargeſtellt unter dem Bild der Muſe Terpſichore.

Tanzplatz, Platz im Freien, zum Tanzen eingerichtet, am beſten mit Cement oder feinem Aſphaltfußboden.

Tanzſaal, Tanzboden, Ballſaal, Saal zum Tanzen eingerichtet, ſ. d. Art. Saal 1 und Ballhaus. Der Fußboden muß parquettirt ſein und wird zwar meiſt mit Oel gebohnt, beſſer jedoch mit Wachs gewichſt.

Taong, ſ. d. Art. Maaß, S. 490.

Taper, engl., Kerze, Licht, ſ. d. Art.

Tapering, engl., Einziehung.

Tapete, griech. τάπης, lat. tapes, tapete, tapetum, langhaariger Wollſtoff, welcher zu Wandbekleidungen und Teppichen benutzt wird. Unſere moderne Tapete beſteht aus Papier, oder aus baumwollenem, ſeidenem, wollenem und kameelhaarenem Zeug, vergoldetem oder verſilbertem Leder, und iſt auf verſchiedene Art gemalt, bedruckt, benäht, überfirnißt u. ſ. w.; vergl. d Art. Ameublement, Druck, Bronzefarben ꝛc.

1. Gewirkte Tapeten ſind die älteſten. a) hautelisſe-Tapeten, Gobelins, auch hochſchäftige oder hochlettige genannt, mit ſenkrecht aufgebäumter Kette, ſind die koſtbarſten; b) basse-lisſe-Tapeten, tiefſchäftige, mit waagrecht laufender Kette; c) türkiſche oder perſiſche, aus feiner, meiſt ziemlich dunkler Wolle gewirkt.

2. Niederländiſche Tapeten, aus Linnen oder Wolle gewebt: a) Solche, auf welche die Muſter gemalt ſind; b) Flockentapeten (ſ. d.), deren Grund durch grobe Leinwand gebildet iſt, auf welchem dann durch Flock- oder Scheerwolle die Figuren hergeſtellt ſind, beſitzen geringe Haltbarkeit; vergl. auch d. Art. Bergame.

3. Tapeten von gepreßtem, theils bemaltem oder bedrucktem, theils vergoldetem und verſilbertem Leder ſind in der neueſten Zeit etwas billiger geworden und werden ſehr ſchön hergeſtellt, halten ſich auch ganz vorzüglich.

4. Papiertapete. In neuerer Zeit am meiſten in Anwendung: man kann durch Farbendruck fortlaufende ſowie abgepaßte Muſter oder auch geſchloſſene Gemälde darauf herſtellen, ſowie allerlei architektoniſche Verzierungen. Zur Fabrikation derſelben wendet man Maſchinenpapier an, in Deutſchland meiſt von 20 Zoll Breite, in Frankreich etwas breiter. Dieſes Papier wird mittelſt Druckformen, die in Meſſing oder Holz geſchnitzt ſind, mit Oelfarbe oder Leimfarbe bedruckt, nachdem es zuvor mit Leimwaſſer reſp. Firniß angefeuchtet worden iſt. Die holzfarbigen Tapeten werden nach der im Art. Imitation gegebenen Vorſchrift bemalt, ebenſo die marmorfarbigen. Man kann auch mit einfarbigen Papier tapezieren und daſſelbe dann bemalen. Die Befeſtigung der Tapeten geſchieht folgendermaßen:

Gewirkte müſſen, bevor ſie auf die Wand befeſtigt werden, zuſammengenäht werden, dann werden ſie auf Leiſten ringsum an der Wand proviſoriſch mit Nägeln befeſtigt; bei langen Wänden auch noch an Leiſten in gewiſſen Abſtänden, dann nach und nach ſtraff gezogen und feſtgenagelt.

Papiertapeten leimt man meiſt unmittelbar auf die Mauer, doch muß dieſe ganz eben, friſch getüncht und mit Leim getränkt, auch von etwaiger

Farbe befreit ſein, weil der Leim ſonſt nicht haftet. Wenn nicht alle dieſe Bedingungen erfüllt ſind, oder die Tapete beſonders zart iſt, belebt man die Wand zuvor mit einer Lage von Maculatur. Feuchte Wände überzieht man erſt mit Bleiblättchen, oder beſſer mit Zinkfolie, und klebt erſt dann die Tapeten auf. Bretwände oder ſehr unebene Wände beſpannt man erſt mit Schotterleinwand, engl. amabouk, welche man vor dem Aufbringen der Tapete noch mit Maculatur belegt.

Tapetenband, ſ. v. w. Nußband.

Tapetenkleiſter, a) man rührt nach und nach in 9 Maaßtheile Waſſer 1 Th. Weizenmehl in einem außeiſernen Topf ein und läßt es unter beſtändigem Umrühren 10—15 Minuten kochen; b) ¼ Pfd. Leim wird in 4 Maaß Waſſer aufgelöſt, mit 2 Loth Alaun gekocht und auf 1 Pfd. eingeweichte Stärke gegoſſen, dabei aber ſtark umgerührt; gut iſt es, etwas Coloquinthen oder Wermuth beizumengen, wegen der Wanzen.

Tapetenlack, um Tapeten vor zu ſchnellem Schmutzen zu bewahren: 1 Pfd. rectificirter Weingeiſt, ¼ Pfd. Maſtix, 4 Loth Terpentinöl, 4 Loth trockner Terpentin vermiſcht, geſchüttelt u. gekocht.

Tapetenreinigung. Hierzu bedient man ſich ſeidener Lappen, oder trockenen Brodes bei Papiertapete, bei Oelfarbentapete des Waſſers, bei gewirkter Tapete verfährt man nach Art. Reinigung.

Tapetenſchabe (Tinea Tapezella L.), iſt eine kleine, circa 5 Linien lange Motte, ſ. d. Art. Motte. Sie legt ihre Eier an Kleider, Pelzwerk, Tapeten, Federn u. dergl. Die aus denſelben ſchlüpfenden kleinen Raupen bauen ſich aus den von ihnen bewohnten Stoffen einen cylindriſchen Sack, den ſie bewohnen und nach Bedürfniß vergrößern. Mittel gegen dieſelben ſ. im Art. Motte.

Tapetenthür, liegt mit der Wand ſowie mit der Verkleidung bündig und wird mit Leinwand bezogen, worüber Tapete geklebt wird. Die Schlagleiſte iſt von Blech und ebenfalls mit Tapete überzogen; die Bänder ſind Charnier- oder Nußbänder.

tapezieren, betaffeten, eine Wand mit Tapete (ſ. d.) überziehen.

Tapferkeit, iſt ſymboliſch darzuſtellen als weibliche Figur, neben ſich einen Löwen, oder zu ihren Füßen eine Löwenhaut, mit Schwert und Keule.

Tapia, arabiſche Piſée, ſ. d. Art. Piſéebau c.

Tapis, fr., engl. tapestry, Teppich, auch Tapete.

Tappart, frz., engl. tabart, Pilgermantel, ſ. d. Art. Pilgerſtab.

tar, engl., theeren.

Taranga, ſ. d. Art. indiſche Baukunſt, S. 323, Bd. II.

Tarapalme (Corypha Talliera Roxb., Fam. Palmen), iſt in Bengalen einheimiſch, die zähen Blattfaſern zum Feſtbinden der Hausbalken und Latten gebraucht, laſſen ſich auch zu Geſpinnſten verarbeiten.

Tarare, frz. (Mühlenb.), Kornreinigungsmaſchine, beſtehend aus einer ſchrägliegenden, feſten Trommel von Drahtſieben, in der ſich ein um eine Welle befeſtigtes Syſtem von Bürſten und Reibeblechen dreht: der Schmutz der eingelaſſenen Getraidekörner fällt durch das Gitter und wird durch einen Windfang verwezt, während am Ende der Trommel die reinen Körner herabfallen.

Taraſius, St., Geheimſchreiber des Kaiſers Conſtantin Porphyrogennetos, dann Patriarch

49

von Constantinopel; trat gegen die Bilderstürmer auf und starb i. J. 806. Abzubilden als Bischof mit Heiligenbildern.

Tarbea, span., großer Saal.

Targina, mittellat., Zarge.

Tariere, franz., Bohrer.

Tarme, Huckmann (Schiffsb.), f. v. w. Terme, Telamon.

Tarras, f. v. w. Traß.

Tarsia, ital., eingelegte Arbeit.

Tartane (Schiffsb.), kleines, leichtes Schiff.

Tartarus, f. b. Art. Chaos.

Tartsche, lat. tergum, frz. targe, tavellas, engl. target, beinahe mannshoher Schild der alten Deutschen, von Leder, mit dem Rückentheil von Thierhäuten belegt; f. b. Art. Heraldik II.

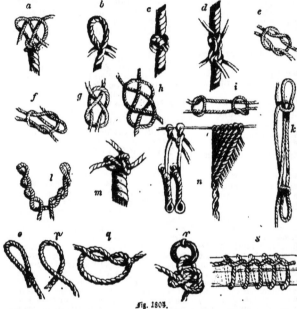

Fig. 1804.

Tassel, engl., Quaste, Troddel.

Tassemont, frz. Senkung.

Tasterzirkel, Bauchzirkel, Baummesser, Greifzirkel, Laufzirkel, Krummzirkel, f. b. Art. Zirkel.

Tatianus, St., f. d. Art. Kirchenväter.

Tatze, f. b. Art. Daumen.

Tatzenkreuz (Herald.), frz. croix pattée, croix formée, engl. patted cross, f. d. Art. Mantuanisches Kreuz und Kreuz D. 9.

Tau, frz. cordage, engl. rope, f. v. w. starkes Seil. Ein Tau ist um so fester, je feiner die einzelnen Fäden, woraus es besteht, gesponnen sind. Einschmieren mit Theer ist da von Nutzen, wo Nässe zu befürchten; im Trocknen aber wird die Reibung und die Gefahr der Erhitzung dadurch vermehrt. Es werden die Taue zu verschiedenen Arbeiten benutzt und heißen darnach: Pfahltau, 80' lang, 1" stark; Kranztau, 20' lang, 1¼" stark; Flohrtau, 20—24' lang, 1½" stark; Anfahrtstau, 240' lang, ¼" stark; Rammtau, 100' lang, 1½" stark; Baumreep, Hißtau, Knotentau ꝛc.

Die verschiedenen Manieren, Taue an einander oder an andere Gegenstände zu befestigen, sind: 1) Der einfache oder deutsche Knoten, Fig. 1804 q; am Ende eines Seils angewendet wird er zur blinden Schleife. 2) Der Fischerknoten, beim Verlängern der Taue angewandt; zieht sich sehr fest und ist beim Nachlassen leicht zu lösen; f. Fig. 1804 i. 3) Gerader Knoten, das Ende eines Seils in der Mitte eines andern anzuschlingen; f. Fig. 1804 e. 4) Gerader Knoten mit Schleife, f. Fig. 1804 f. 5) Weberknoten, Fig. 1804 g, sehr fest. 6) Kunte, Fig. 1804 r, zieht sich nicht, löst sich aber leicht beim Nachlassen des angezogenen Taues, daher sehr praktisch. 7) Feuerwerksknoten, Fig. 1804 s, zur Umwidlung von Hölzern, größerer Taue durch kleinere ꝛc. 8) Die Bucht, Fig. 1804 o, wird mit Hülfe von Umwidlung eines kleinen Seils geschlossen. 9) Schlag, um an die Mitte eines Seils Etwas anzuhängen, Fig. 1804 p. 10) Schildknopf; um die Tauenden gegen das Auftresseln zu schützen, werden die Drähte oder Fäden derselben aufgedreht und nach Fig. 1804 a verknüpft. 11) Kreuzknopf, zu demselben Zweck, nach Fig. 1804 m. 12) Augsplissung, Schlinge nach Fig. 1804 b. 13) Schauermannsknopf, Knoten in der Mitte des Taues, Fig. 1804 c. 14) Verbindung

Tasche (Wasserb.). 1) Schöpfrinne an einem Paternosterwerk; — 2) (Schiffsb.) Verdoppelung von Plankengängen in der Gegend der Wassertracht; — 3) Lehmklumpen, vor dem Gebläse auf den Spleißheerd gesetzt, um den Wind zum Aufwärtsgehen zu zwingen; — 4) f. v. w. Dachtasche, flacher Dachziegel, f. b.

Taschendach, f. v. w. Pultdach, f. b.

Taschenkunst, Taschenwerk (Wasserb.), f. v. w. Paternosterwerk.

Tas de charge, frz., Kragstein für Gewölbrippen.

Tasse, frz. tas. 1) S. b. Art. Banse; — 2) tas mobile, bewegliche Scheuer; f. b. Art. Feime.

Tasseau, frz., Kragstein, Console, Knagge; besonders heißen so die Knäggchen an den Dachstuhlsäulen, zur Tragung der Dachpfetten.

zweier Tauenden durch Verfplissung, Fig. 1804 d. 15) Plattstich, Fig. 1804 h. 16) Verschlingung zur schnellen Verkürzung langer Taue, Fig. 1804 k. 17) Verschlingung zur Anhängung an Halpe und Ring, Fig. 1804 l. 18) Verflechtung zu Flechtmatten, Fig 1799 p.

Nun giebt es noch viele andere, die aber so bekannt find, daß wir ihre Anführung für unnötbig halten, f. auch d. Art. Rotang.

Tau, Saukreuz, frj. tan, 1) Antoniuskreuz, tau en bande, f. d. Art. Kreuz D. 3.; — 2) Krückstock des Chorbischofs.

taub, so nennt man kraftlose Baumaterialien, geringhaltige Erze ꝛc.; f. auch d. Art. Kluft.

Taube, f. d. Art. heiliger Geist, Ciborium, Liebe, Symbolik und Dreieinigkeit; ferner Eulalia, Altegundis, Cölestin, Melana, Gualterius, Mauritius, Medardus, David, Fabian, Albertus, Kardinaltugenden 5, Joachim, Jodocus, Oswald, Ursula, Scholastica, Peter von Alcantara, Thomas von Aquino, Remigius, Gregor der Große, Severus, Hilarius ꝛc.

Taubelmauer, äußere Umfassung eines Bassins.

Taubenhaus, Taubenschlag, lat. columbarium, frz. lanterne; f. d. Art. Stall, Peristerion, Loculamentum etc.

Taubenkopfglied, f. d. Art. Capota.

Taubenmarmor, f. d. Art. Imitation.

Taubenschwanz, f. d. Art. Dovetail.

Taubrücke oder Seilbrücke (Kriegsb.), f. u. Brücke D. d. S. 471, Bd. I.

Tauchteich, f. d. Art. Baptisterium und Kolymbäthra.

Taudis, frj., Rumpelkammer, Verschlag.

Taufbecken, Taufstätte, Taufbrunnen, Taufcapelle, f. Baptisterium und Kirchengefäße.

Taufel, f. v. w. Schaufel am Wasserrad.

Taufkanne, Gießgefäß, f. Kirchengefäße.

Taufstein, Sadstein, Fünt, lat. fons baptismalis, frz. fonts baptismaux, engl. vantstone, aus dem Baptisterium (f. d. 3) in der Art angegebenen Weise entstandenes Bassin aus Stein oder auch (dann Taufländer zu nennen) aus Holz oder Metall, in romanischer Zeit von vier-, häufiger noch vieleckiger, prismatischer, auch cylindrischer Gestalt, später pokalförmig, also bestehend aus einem Fuß, frz. pédicule, engl. stem, und dem Taufkessel, frz. calice, engl. bason, innerlich zur Aufnahme des Taufwassers mit kesselartiger Vertiefung, zum Einsetzen des Taufbeckens, bedeckt durch einen Dedel, Taufsteindeckel, lat. custodia, frz. couvercle, engl. cover, der häufig in einen Baldachin ausläuft und am Gewölbe der Kirche so aufgehängt ist, daß man ihn in die Höbe ziehen kann. Ueber die Stellung f. d. Art. Kirche, S. 385; in den mittelalterlichen Kirchen Englands stand er am Westende bei der südlichen Thür.

Taurant, f. v. w. Anborn.

Tauromachie, f. v. w. Stiergefechtsplatz, f. d. und Amphitheater.

Taut, Thaut, Thauel, f. d. Art. Hermes.

Tautochrone, auch Isochrone, krumme Linie, auf welcher ein sich bewegender Körper stets dieselbe Zeit braucht, um den tiefsten Punkt zu erreichen, er mag ausgeben von welchem Punkte der

Linie er wolle. Im luftleeren Raum oder bei einem der Geschwindigkeit proportionalen Widerstand ist die Tautochrone eine Cycloide, deren Basis horizontal liegt. Könnte man ein Pendel nötbigen, so zu schwingen, daß der schwere Punkt desselben eine Cycloide beschriebe, so würden alle Schwingungen, wie groß sie auch wären, gleich lange dauern. Wenn man zwischen zwei an einander stebenden Cycloidenzweigen mit horizontaler Basis einen Faden aufhängt, dessen Länge gleich dem doppelten Durchmesser des Erzeugungskreises der Cycloide ist, so beschreibt ein am unteren Ende dieses Fadens angebrachter schwerer Punkt eine Evolvente der Cycloide, welche bekanntlich eine congruente Cycloide ist. Der praktischen Anwendung dieser Vorrichtung an Uhren ꝛc. stebt jedoch die unvollkommene Biegsamkeit des Fadens entgegen.

Tauverzierung, f. Cable und Normannisch.

Tauwerk, Gesammtheit aller Taue an einem Schiff, zerfällt in stebendes und laufendes.

Tauwerk von Palmenfasern. Hierzu werden verwendet die Coir, d. b. die äußere faserige Hülle der Kokosnuß, Piacaba, Fasern von Leopoldina Piacaba und Attalea funifera, werden zu Besen, Bürsten, Decken und dergl. verarbeitet. Erstere Palme liefert die bessere Sorte und wächst häufig zwischen dem Rio Negro und Rio Blanco. Aehnliche Fasern liefern die Arenga saccharifera, die Mauritia Canara und einige Chamaerops-Arten. Bei letzteren umstehen die Fasern den Grund der Blattstiele.

tavelliren, das Besprenkeln einer Fläche mit Farbe; f. d. Art. Imitation E. und F.

Tavola, ital., 1) Bret, Tafel, f. d.; — 2) f. d. Art. Maaß, S. 492 ff., Bd. II.

Tavolato, ital., bretternes Gerüst.

Tavoletta piccola, ital., Dachschindel.

Tare. Bei Taxation von Bauten können dreierlei Absichten vorliegen: 1) Was eine rein gewerbliche Tare behufs Regulirung der Baurechnungen oder dergl. anlangt, so sind eben nur die augenblicklich geltenden Preise für Material und Arbeitslohn zu berücksichtigen; — 2) soll ein Gebäude als solches, also als mit dem Bauplatz untrennbar verbundenes Ganze, tarirt werden, so ist zu den Herstellungskosten noch der Bodenwerth nach dessen augenblicklichem Cours zu berechnen; — 3) gilt es, den Zeitwerth eines bebauten Grundstückes behufs eines Verkaufes, einer Erbtheilung, einer Brandentschädigung ꝛc. festzustellen, so kann man auf zweierlei Weise verfahren: a) man stellt zuerst den effektiven, oder den nach den auf den benachbarten Grundstücken üblichen Miethpreisen ꝛc. zu tarirenden jährlichen Miethbetrag der Räumlichkeiten fest und zieht davon alle auf dem Grundstück haftenden Ausgaben an Abgaben, Steuern, Brandcassenbeiträgen, Wasserzinsen, Essenreinigungslöhnen, Grubenräumungskosten, Hausmannslöhnen, Verwaltungskosten, Unterhaltungs- und Reparaturkosten und wie sie sonst beißen mögen, ebenfalls nach jährlichem Betrag ab; den dadurch gefundenen jährlichen Reinertrag capitalisirt man so, daß sich das Capital mindestens à 5% verinteressirt. Ist das Gebäude ganz oder theilweise baufällig, so hat man die Umbaukosten zu veranschlagen und von dem gefundenen Capital abzuziehen. b) Man berechnet den Neuwerth (N) des Gebäudes, d. b. die Summe, die das Gebäude neu herzustellen kosten würde, und ergründet thunlichst genau das Alter (A). Aus der Constructionsweise ergiebt sich nach folgender Tabelle die ganze Dauer (D) des Bauwerkes und also nach Abzug des Alters die künftige Dauer (d). Nennt man nun den Zeitwerth Z, die Entwerthung E, so ist

$$D = d + A,\ d = D - A,\ A = D - d;\ N = Z + E,$$

$$Z = N - E,\ E = N - Z;\ Z \text{ liegt zwischen } \frac{N \cdot d}{D}$$

und $N\left(1 - \frac{A^2}{D^2}\right)$ mitten innen; ebenso liegt d zwischen $\frac{D \cdot Z}{N}$ und $D\left(1 - \sqrt{\frac{E}{N}}\right)$; A liegt zwischen $\frac{D \cdot E}{N}$ u. $D\sqrt{\frac{E}{N}}$, und E zwischen $\frac{NA}{D}$ und $N\frac{A^2}{D^2}$ mitten innen. In nachstehender Tabelle ist der Neuwerth, der natürlich sich nach den jeweiligen, also variirenden Preisen richtet, als Capital angenommen, die Dauer (D) nach Jahren angegeben, der Amortisationsbetrag, d. h. der jährliche Entwerthungsbetrag (E) in Procenten des Neuwerthes, die Unterhaltungskosten (U) ebenfalls in Procenten in jährlichem Durchschnittsbetrag angegeben; dabei ist aber zu bedenken, daß sie nicht alljährlich zur Verwendung kommen. Vielmehr vertheilen sie sich so, daß man, wenn der jährliche Durchschnittsbetrag nach derselben bei 200 Jahren betragen würde, in den ersten 3 Jahren davon etwa jährlich 20 Thlr., im 4. Jahr etwa 150 Thlr., im 5.—9. etwa 50 Thlr., im 10. wiederum 200 Thlr., im 11.—15. etwa 60 Thlr., im 16. 300 Thlr., im 17.—20. etwa 70 Thaler ꝛc. verbraucht.

Bauart und Zweck des Gebäudes.	D. Jahre.	E. Procent.	U. Procent.
Wohnhaus mit gewölbtem Keller, ausgebautem Dach, massiv in Umfassungen und Scheidungen	250	$^2/_5$	$^1/_2$
Wohnhaus mit gewölbtem Keller, ausgebautem Dach, massiven Umfassungen, Fachscheidungen ꝛc.	180	$^5/_9$	$^2/_3$
Wohnhaus, theilweise unterkellert, oder mit Balkenkeller, unausgebautem Dach, Fachscheidungen	160	$^5/_8$	$^3/_4$
Wohnhaus mit Fachwerksumfassungen	100	1	$1^1/_4$
Werkstätte, Brennerei, Brauerei ꝛc., zum Theil gewölbt	100	1	$^7/_8$
Dergleichen in Fachwerk	70	$1^3/_7$	$1^1/_2$
Magazine, Speicher, mit massiven Mauern	170	$^{10}/_{17}$	$^5/_9$
Ställe, gewölbt	150	$^2/_3$	$^7/_{12}$
Scheunen, Schuppen, Ställe u. dergl., massive Mauern, Balkendecken	100	1	$^5/_6$
Dergleichen in Fachwerk	80	$1^1/_4$	$1^3/_4$
Backöfen, Brennöfen ꝛc.	25	4	$2^1/_2$
Massive Uferbauten, Brücken ꝛc.	75	$1^1/_3$	$1^1/_3$
Dergleichen Einfriedigungsmauern	100	1	$^1/_2$
Pflasterung	60	$1^2/_3$	$^1/_2$
Hölzerne Uferbauten und Brücken	25	$1^2/_3$	$2^1/_3$
Planken und Zäune	15	$6^2/_3$	$2^1/_2$

Taxusbaum, s. d. Art. Eibenbaum.

Taxusbaum nachzuahmen, s. d. Art. Imitation A. r.

Teakholz, s. d. Art. Tekholz.

Teca, lat., teca corporalium, s.d.Art. Bursa.

Technologie, Beschreibung und Erklärung derjenigen Verfahrungsarten und Hülfsmittel, durch welche die rohen Naturprodukte zu Gegenständen des Gebrauches verarbeitet werden. Wird bei dieser Verarbeitung nur die Form geändert, so gehört der Gegenstand in die mechanische Technologie; wird dagegen das Material selbst geändert, so kommt er der chemischen Technologie zu.

Tecla, s. d. Art. Thekla.

Tectorium opus, lat., Putz aus Kalk und Sand, Studküberzug.

Tectum, lat., span. techo, Dach; tectum pectinatum, s d. Art. Dach, S. 589.

Tee, s. d. Art. Indisch, S. 327, Bd. II.

Tegel, 1) s. v. w. Dachziegel im Niedersächsischen; — 2) s. v. w. Thonmergel; s. d. Art. Mergel und Letten.

Tegelformation, s. d. Art. Lagerung b.

Tegelkalk, s. v. w. Grobkalk.

Tegula, lat., griech. κέραμος, ital. tegola, Dachziegel (s. d. Art. Dachdeckung 7); per tegulas, heißt nicht durch das Dach, sondern zwischen zwei Dachflächen hindurch, z. B. im Atrium durch das Impluvium oder unter dem Impluvium hin.

Teianker, franz. ancre d'affourche, engl. small bower, Hülfsanker, der neben dem eigentlichen Anker noch ausgeworfen wird.

Teich, frz. étang. Zu Anlegung eines künstlichen Teiches wählt man gern an sich schon etwas vertiefte Terrainstellen, am besten eine stromabwärts verengte Thalweite, da man diese mit sehr kurzem Damm über Pantano (s. beides) verschließen kann. Der Grund unter dem Teich und Damm muß entweder von selbst wasserhaltig sein, oder durch eingebrachten Lettig dazu gemacht werden; Pantanos gründet man am besten auf Felsengrund. Die Dicke des Dammes bestimmt sich nach dem hydraulischen Druck; s. d. Art. Hydrostatik. Zuleitungsgräben sollen mindestens $^1/_{100}$ Fall haben und möglichst wasserdicht sein, beim Einfluß aber einen Schlammfänger und Schützen haben. Ableitungscanäle sind dreierlei nöthig: 1) Ablauf- oder Fluthbett oben in der Krone des Dammes, um das Ueberlaufen zu verhindern; — 2) Teichfenster, Speisungsröhre, welche das Wasser zum Gebrauch aus dem Teich entnimmt, in der Regel als Schleuße, Ablauf, Auslauf oder Abzug, oder als Rohr mit einem Schraubenbahn gestaltet; s.d. betr.Art.:— 3) Teichgrundzapfen oder Ablaß (s. b.), s. d. Art. Mönch, Escuridor, Bewässerung, Fischteich, Arbollon, Grundzapfen, Ständer ꝛc.

Teichel, 1) irdene oder hölzerne Brunnenleitungsröhre, Drainröhre; — 2) in Kärnthen f. v. w. Luppe.

Teichelholz, f. d. Art. Bauholz, S. 280.

Teichgräberspaten, vorzüglich in nassen, zusammenhängenden Erdarten und Torf gebraucht; besteht aus festem, rothbuchenem Holz mit einem Handgriff, beschlagen mit einem scharfen, 6 Zoll langen, 5 Zoll breiten, mit Federn an den Seiten versehenen teilförmigen Eisen.

Teichrechen (Teichb.), 1) f. d. Art. Rechen; — 2) f. v. w. Teichharken; f. d. Art. Schlammkrücke.

Teichrohr, f. d. Art. Rohr.

Teiel, Teil, 1) plattd. für Ziegel, daher Teilfeld, Lehmgrube; Teilhof, Ziegelei; — 2) f. Teul. T-eisen, f. d. Art. Eisen, S. 689.

Teja, span. (fem.), Ziegel, daher tejado, Ziegeldach; tejadillo, tejaroz, Verdachung, Wetterdach; tejar, Ziegelei; tejuela, kleiner Ziegel, aber auch Fournure. Tejo (masc.), 1) Ziegelbrocken; — 2) Eibenbaum; — 3) Metallbarren.

Tekholz, Tik-, Teak-, Djatti- oder Thekabaumholz, indische Eiche, kommt vom Tekbaum (Tectonia grandis, Fam. Verbenaceen, Eisenkräuter), indisch Sagbum, in Conchinchina Cap-Sao genannt, das beliebteste Bauholz Ostindiens. Die Radschas auf Java mußten ihren Tribut zum Theil in Tekstämmen entrichten und in Batavia wurden jährlich gegen 50—60,000 Stämme erhalten, die höchst geschätzten Schiffszimmerholz abgaben. Die größten Tekwälder sind in Pegu, Tenasserim, Assam und auf Malabar. Ein Schiff, welches i. J. 1706 aus Bombay-Teakholz gebaut ward, war erst 1805 unbrauchbar geworden. Es kann gleich frisch verarbeitet werden. Es enthält statt der Gerbsäure unseres Eichenholzes, welche das Eisen zum Rosten bringt, ein Oel, welches den Rost bindert. Dieses Holz sieht unserem Eichenholz ähnlich, hat einen starken Geruch und wird nicht leicht von Termiten angegangen. Gefäße aus Teakholz sollen wegen seines Gehaltes an eigenthümlichen, bittern Säften schlechtes Wasser unschädlich machen.

Tektonik, Kunst des Zusammenfügens starrer, stabförmig gestalteter Theile zu einem in sich unverrückbaren System; umfaßt die Herstellung von Rahmwerken, Geschränken, Stützwerken und Gestellen. Die ihr dienenden Gewerbe sind Zimmerei, Tischlerei, Glaserei und Schlosserei, insofern sie sich mit Gittern und dergleichen beschäftigt.

Telamon, griech. τελαμών, Träger, männliche Bildsäule, ein Gebälk oder andere Last tragend; f. d. Art. Atlanten.

Telegraphenstation; enthalte ein Expeditionszimmer, unmittelbar daneben, blos durch einen Glasverschlag getrennt, den Raum zu Aufstellung der Maschine und die Schlafkammern der dienstthabenden Beamten. Erklärungen über Maschinen, Leitungen rc. würden außerhalb dieses Wörterbuches liegen; f. a. d. Art. Eisenbahn, S. 692, Bd. I.

Telesabaum (Pittosporum bicolor Hook., Fam. Pittosporeae), ein Baum auf Van-Diemensland, der gutes Nutzholz liefert.

Telesphoros, St., Grieche, Einsiedler, seit dem J. 127 Papst, ordnete die 40tägigen Fasten, wurde 138 unter Antonius Pius mit der Keule erschlagen, daher mit der Keule abzubilden oder mit dem Kelch, über dem drei Hostien schweben.

Telle (fem.), schweizerisch für Zaunlatte, Spalierlatte.

Tellenon, Krahn der alten Griechen.

Teller, f. d. Art. Leuchter.

Tellercapitäl, in der englischen Frühgothik, hat glockenförmigen Hals und einen aus mehreren Rundstäben bestehenden kreisförmigen, also tellerähnlichen Abakus.

Tellur, lat. tellurium, franz. tellure, ein Metall, auch Sylvan genannt, ist silberweiß, glänzend, spröde, schmilzt leichter als Antimon, schwerer als Blei, spec. Gewicht = 6,24; gediegen kommt es in der Natur nur in sehr geringer Menge vor mit etwas Tellureisen und Gold gemengt, außerdem aber in verschiedenen Tellurerzen: a) Tellursilber; b) Tellurwismuth, 60 Wismuth, 36 Tellur, 4 Schwefel; c) Tellursilberblei; d) Tellursilbergold oder Schrifttellur. Es enthält: Tellur 51,00, Gold 24,00, Silber 11,33, Blei 1,50 und Spuren von Kupfer, Eisen, Antimon, Schwefel und Arsenik. e) Tellurblei; f. Blättertellur.

Tembesubaum, Tembusa (Fagraca peregrina Bl., Fam. Loganiaceae), f. Eisenholz 3.

Temenos, griech. τέμενος, heiliges Gebiet, heiliger Hain; f. u. d. Art. Tempel.

Temoin, frz., f. d. Art. Maaßkegel, Dame, Pabe, Blindloch rc.

Tempel, griech. ναός, νεώς, lat. templum. Das Wort templum, griech. τέμενος, bedeutet eigentlich den durch den Augur mit seinem Stab am Himmel bezeichneten Kreis, doch auch Gipfel, Spitze, daher Dachpfette, Warte, Auslugpunkt, später auch Bühnengerüst, erhöheter Platz für die Auguren, Berathungsplatz, Gemeindeversammlungsplatz, heilige Einhegung, heiliger Hain, heiliger See. In dieser Beziehung war templum also gleichbedeutend mit fanum, delubrum, sacellum. In der Kunst haben sich alle diese Begriffe so concentrirt, daß Tempel eben so viel als gottesdienstliches Gebäude bedeutet, während im Munde des Volkes noch da die einzelne jener Begriffe und die heiligenden Beibegriffes entkleidet, den Namen Tempel beibehalten haben, z. B. Gemeindeplatz, Dorfstein, Gitterlatte rc. Auch sagt man noch bie und da tempeln für anhäufen, aufstapeln, Tempel für Haufen, Erhöhung.

I. Ueber die Tempelanlagen der nicht classischen Baustyle f. d. Art. ägyptischer Styl, indischer Baustyl, Aztekisch, Peruanisch, Toltekisch, Chinesisch, Japanisch, Celtisch, Phönitisch, Israelitisch, Pelasgisch, Etruskisch rc.

II. Ueber die Tempel der Griechen, namentlich in Bezug auf ihre Charakteristik, f. Einiges in d. Art. griechischer Baustyl. Wie dort erwähnt, standen die Tempel in der Regel auf einem Stufenunterbau (Krepidom, griech. κρηπίδωμα, oder Stereobat), in einem heiligen Hain oder sonstigem durch eine Mauer (Peribolos) abgegrenzten Terrain (Temenos), zugänglich durch Propyläen, f. d. Auf der platten Oberfläche des Stereobats, dem durch Platten gebildeten Stylobat, erhebt sich der Tempel in der Regel als Rechteck, an den schmalen Seiten mit Giebeln; am Ostgiebel führt der Eingang durch die Vorhalle (Pronaos) in die Cella (Naos, Sekos), an deren Hinterwand in den Weihtempeln das Götterbild unter einem Baldachin (aedicula) stand, zu beiden Seiten die Weihgeschenke an den Langwänden, vor dem Bild der Rauchaltar und Opfertische, auf denen man die

Weihgeschenke niederlegte. Das Weihbecken stand im Pronaos. Bei größeren Tempelanlagen liegt hinter der Cella noch ein Opisthodomos (Hinterbaus, Schatzkammer); bei den eigentlichen Culttempeln ist am Ende der Cella noch eine besondere Abtheilung (Abaton, Abdyton, sanctuarium, penetrale) für das Bild der Gottheit angebracht. Die Beleuchtung der Cella geschah entweder bloß durch die Thür und Seitenfenster (Beweis der Sibyllentempel in Tivoli), dann hieß der Tempel eine Kleithros, s. d., oder sie geschah von oben durch eine Lichtöffnung, das Opeion; war dieses groß, so wurde der Tempel zum Hypäthros, s. d.

Manche Tempel hatten auch noch ein Posticum, d. h. eine Halle an der Rückseite. Nach der Bestimmung könnte man unterscheiden: a) Culttempel, zum gewöhnlichen Gottesdienst, der vom Laien vor dem Tempel an dem im Temenos stehenden Brandopferaltar verrichtet wurde, während bloß Einzelne, durch besondere Ceremonien vorbereitet, das Innere betreten durften. b) Agonaltempel oder Weihetempel, τελεστήρια, μέγαρα; ihnen fehlte der Brandopferaltar, das Abdyton und das Weihwasserbecken; sie dienten nicht bloß als Götterwohnungen, sondern auch als Versammlungshäuser der Gemeinde, namentlich aber zur Aufbewahrung von Weihgeschenken und Processionsgeräthschaften. In baulicher Beziehung ist zwischen beiden kein großer Unterschied. Die gewöhnliche Classificirung griechischer und römischer Tempel datirt aus ziemlich spätclassischer Zeit und kann in Folgendem zusammengefaßt werden:

A. Nach der Gestaltung des Grundrisses.

1. **Viereckige Tempel.** Diese können wiederum sein: a) Astylos; ein solcher besteht aber bloß aus einer Cella mit Thür und Stufen. b) Antentempel, lat. templum in antis, griech. ναός ἐν παραστάσιν, Cella mit πρόναος zwischen zwei Anten, s. u. Antae; meist stehen

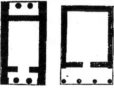

Fig. 1805. Fig. 1806.

vorn zwischen den Anten nur 2 Säulen. c) Doppelantentempel, mit Pronaos und Posticum, s. Fig. 1805. d) Prostylos, s. Fig. 1806. e) Amphiprostylos, mit Säulenhallen an beiden Enden; alle bisher genannten Tempel sind Apteraltempel (s. d.), während alle folgenden mit einem Umgang, lat. ambulatio, griech. πτερώμα, versehen sind; jeder folgende Tempel kann daher innerhalb der Säulenhalle nach einer der obengenannten Gattungen gestaltet sein. f) Peripteros, griech. ναός περίπτερος, von Manchen ungenau auch οἶκος περίστυλος genannt, mit einfacher Säulenhalle ringsum, s. Fig. 1807. g) Pseudoperipteros, mit Halbsäulen an der Langseite kommt nur in später Zeit vor. h) Dipteros (s. d.), mit doppelten Säulenhallen ringsum. i) Pseudodipteros, Nachahmung des Dipteros, mit bloß einer Säulenhalle, aber in so großem Abstand von der Cellenmauer, daß sie auf den ersten Blick für doppelt gehalten wurde; konnte natürlich nur mit sehr weit freitragendem Deckmaterial ausgeführt werden. k) Es kamen auch noch reichere Gestaltungen vor, indem man z. B. die Cella selbst als Amphiprostylos mit Anten und zwischenstehenden

Säulen hinter dem Prostylos in eine Dipteralhalle hineinsetzte, so daß an beiden Schmalseiten vier Säulenreihen entstanden, s. Fig. 1808. In diesem Beispiel ist die hypäthrale Cella mit einem Peristyl versehen und auch die Decke des Abaton durch Säulen getragen.

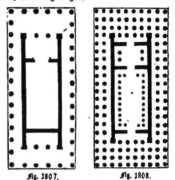

Fig. 1807. Fig. 1808.

2. **Tempel mit abweichendem Grundriß**; zu diesem geh rt z. B. das Erechtheion in Athen, der Tempel zu Eleusis ꝛc.

3. **Runde Tempel.** a) Monopteron, s. d. b) Peripteron mit runder Cella und Säulenhalle ringsum (Fig. 1809); beide Formen sind nur als Agonaltempel anwendbar; s. auch d. Art. Centralbau.

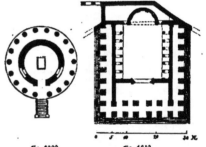

Fig. 1809. Fig. 1810.

B. Nach der Zahl der Säulen a) an der Vorderfront. Tetrastylos mit 4 Säulen, Hexastylos, Oktastylos, Dekastylos, Dodekastylos, s. d. betr. Art., oder b) nach der Gesammtzahl der Säulen; s. z. B. Hekatonstylos.

C. Nach der Weite des Zwischenraumes der Säulen: Pyknostylos, s. d. Art. Dichtsäulig; Systylos, s. d. Art. Nahsäulig; Eustylos, s. d.; Diastylos, s. d., u. Aräostylos, s. d. Die in den angezogenen Artikeln gegebenen Bestimmungen sind übrigens nur als ungefäbre Bestimmungen zu betrachten, wie denn überhaupt diese ganze Eintheilung, als nachträglich getroffen, durchaus nicht vollständig ist, vielmehr sich auch noch sehr viele zwischen den vier erwähnten Arten liegende Tempelformen vorfinden; vgl. auch d. Art. Etruskisch.

III. Die Römer befolgten in ihren Tempelanlagen theils die griechische Anordnung, theils die etrustische, beide aber nicht streng, indem sie die Gestaltung des Grundrisses sehr reich und mannichfach modernisirten, namentlich seit sie in der Kunst des Wölbens so weit vorgeschritten waren, daß sie dieselbe auf Tempel anzuwenden unternehmen konnten, wo dann in Innen- und Außengestaltung des Grundrisses und Aufbaues die reichsten Combinationen zum Vorschein kamen. Eine der schönsten Grundrißdispositionen, die auch der der altchristlichen Kirche ziemlich nahe kommt, zeigt der Tempel des Mars Ultor in Rom, Fig. 1810.

IV. Ueber die Construction der Tempel ist Einiges schon in den betreffenden Stylartikeln gegeben. Mehr zu geben erlaubt hier der Raum nicht. Wir verweisen daher auf „die Baustyle" von Carl Busch, Leipzig, Otto Spamer.

Ueber die Bemalung der Tempel s. d. Art. Polychromie, Dorisch ꝛc. Uebrigens vergl. noch d. Art. Baustyl, Agalma, Agora, Forum, Kirche, Basilika ꝛc. Tempel als Attribut erhalten z. B. St. Artemius, Zacharias, Theodorus Tyro, Martina ꝛc.

Tempelherrenkreuz. 1) Gleicharmiges rothes Kreuz auf weißem Grund; — 2) s. d. Art. Antoniuskreuz, symbolisches Zeichen der Tempelherren, wohl zu unterscheiden vom Templeïsenkreuz oder Fylfot, s. d., welches das symbolische Zeichen der Templeïsen oder Gralsritter war, deren Cultus und Sagenkreis vielfach auf Gestaltung der romanischen Stylformen Einfluß geübt hat.

Tempera, eigentlich jedes Farbebindemittel, Temperirmittel, namentlich aber Eiweiß, Honig und Leim.

Temperamalerei, frz. peinture en détrempe, engl. distemper painting, eine besondere Art Malerei; s. d. Art. a tempera, détrempe, Farbe, Malerei ꝛc.

Temperatur, der Wärmezustand eines Körpers oder der Grad seiner Erwärmung; s. d. Art. Thermometer und Wärme.

Temperirofen, zum Erkalten der fertigen Glasarbeit dienender Kühlofen; s. d. Art. Glas.

Templa, lat., Dachpfetten.

Temple, span. 1) Haus der Tempelherren, Templerburg; — 2) al temple, s. v. w. a tempera.

Templeïsenkirchen. In wieweit die Gralsritter oder Templeïsen mit den Tempelherren zusammenhingen, dies zu untersuchen ist hier nicht der Ort. Gewiß ist, daß unter den Kirchen, die einem dieser beiden Orden zugeschrieben werden, sich sehr viele Centralbauten befinden, welche ziemlich große Aehnlichkeit mit der Beschreibung des Gralstempels im jüngern Titurell zeigen. Die eerhaltene derselben ist die yglesia de los Templeïses zu Segovia, Fig 1811, welche zwar erst 1204 erbaut ist, dennoch aber noch streng dem romanischen Styl folgt. Der altarähnliche Tisch in der Mitte des oberen Mittelraumes trug eine Copie des Gral. Die Kirche wird jetzt nicht mehr benutzt.

Templet, Template, engl. Krummholz, Pfette, Chablonenbret.

Templinöl, Krummholzöl, s. Terpentinöl.

Templum, lat., 1) Altar, Tempel; — 2) Schiff der Basilika.

Ten, s. d. Art. Maaß, S. 513, Bd. II.

Tenaille, frz. 1) Zange; — 2) Zangen- oder Scheerenwerk (Kriegsb.); s. d. Art. Scheere, Festungsbau, Befestigungsmanier ꝛc.

Tenaillenspitze u. **Tenaillenwinkel;** s. d. Art. Festungsbau, S. 43, Bd. II.

Tonant, tenon, engl. u. frz., Zapfen.

Tenants (Heralb.), Schildhalter.

Tender, s. d. Art. Dampfwagen.

tendre, frz., anziehen, s. d.

Teneberleuchter, lat. hezra, hercia ad tenebras, occn, frz. herse, zwölf gelbe Wachskerzen tragender dreieckiger Lichtständer (Dreieinigkeit und Apostel). Die Form ist ähnlich der des siebenarmigen Leuchters der Jsraeliten. Zur symbolischen Bezeichnung des Heilandes steht eine große weiße Kerze auf der Spitze (auch wohl mit 14 gelben Kerzen, die 3 Marien und 11 Apostel darstellend), in der Marterwoche gebraucht.

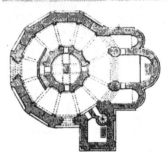

Fig. 1811. Templeïsenkirche zu Segovia.

Tennantit (Mineral), Glied aus der Gruppe der Fahlerze, härter als Kupferglanz, hat unebenen Bruch, Metallglanz, graue bis schwarze Farbe; Gewicht 4,42. Es ist eine Verbindung von Schwefelkupfer mit Schwefelarsen und etwas Eisen.

Tenne, Tennig, Tennenflur, Tennenboden, s. d. Art. Aestrich, Dreschtenne, Diele, Hausflur, Scheune ꝛc.

Tennenpatsche, Tennenschlägel, frz. battoir, s. d. Art. Erdschlägel und Britsche.

Tenon, frz., Zapfen, Klammer.

Tensa, lat., Processionswagen für die Gottesbilder; s. d. Art. Apene.

Tension, s. v. w. Spannung.

Tentorium, lat., griech. σκηνή, ausgespanntes Zelt.

Tenzuß, bei den Arabern und Türken Räucherheerd.

Teocalli, s. d. Art. Aztekisch, Mittelamerikanisch und Toltekisch.

Tepidarium, s. d. Art. Bad 4 u. Gewächshaus.

Teppich, lat. tapete, tapetia, frz. tapis, tapisserie, engl. tapestry. Ueber die Wahl der Farben zu Teppichen f. d. Art. Farbe und Decoration; über die Verwendung zur Wandbekleidung f. d. Art. arabischer Styl und Tapete, sowie Kirche. Ein Teppich ist Attribut des Paulus; f. d. Art. Apostel 2. In katholischen Kirchen hat man Wandteppiche, lat. vesta, vestimenta, vela, pallia, frz. tenture, engl. hanging; b) Rückläße an den Chorstühlen, dorsalia; c) Vorhänge an Ciborium, Fenstern rc., lat.cortinae, frz. courtines; d) Fußteppiche, lat. pedalia, stragula, substratoria, dürfen nicht mit Figuren besetzt sein; e) Fastentuch; f) Antipendium.

Teote, f. d. Art. Mittelamerikanisch.

terailler, frz., auffüllen.

Terebra, lat., griech. τέρετρον, Bohrer.

Teredo, f. d. Art. Bohrwurm.

Terme, lat. terminus, f. v. w. Herme (f. d.), auch als Karyatide, Grenzsäule rc. wenn sie mit einer Büste versehen sind, ist der viereckige Theil in der Regel unten schmäler wie oben und hat ein Fußgesims.

Terminale, frz., chapelle terminale, Capelle, dem Chorschluß einer Kirche angehängt; f. d. Art. Lady-chapel.

Termiten (Termes), häufig, obschon unrichtig, weiße Ameisen genannt, haben in der Gesammtgestalt viel Aehnlichkeit mit den Ameisen, ebenso in ihrer Lebensweise in Kolonien aus Arbeitern und Geschlechtstermiten, weichen aber durch helle Färbung, sowie durch die vier gleichgroßen, sehr zarten Flügel der völlig entwickelten Thiere von denselben ab. Sie legen von ihren Bauten aus unterirdische oder bedeckte Gänge an, sind sehr lichtscheu und richten dadurch, daß sie alle möglichen abgestorbenen pflanzlichen und thierischen Stoffe verzehren, heillosen Schaden an. Sie sind in fast allen Tropenländern in zahlreichen Arten vorhanden; die gelbfüßige Termite (T. flavipes Koll), ist auch an einigen Orten in Europa eingeschleppt worden. Um Waaren vor ihnen zu schützen, stellt man die Füße der Traggestelle in Wassergefäße. Ein Mittel, um das Holzwerk der Häuser gegen sie zu schützen, giebt es nicht.

terne, frz., f. d. Art. Blind.

ternir, f. d. Art. Anlaufen B.

Terpentin, eigentlich Terebinthin, nennt man verschiedene balsamische Harze, die in europäischen und außereuropäischen Nadelhölzern vorkommen und daraus durch Einschnitte, die im Frühjahr in die Rinde der Bäume gemacht werden, in Form dicklicher Harzsäfte ausfließen. Im Handel kommen verschiedene Sorten von Terpentin vor; einige sind klar, andere durch ausgeschiedene körnig-krystallinische Massen mehr oder weniger getrübt. Der deutsche oder gemeine T., eine klebrige, dickflüssige, körnige Flüssigkeit, besteht aus Terpentinöl, zwei sauren Harzen und einem im Wasser löslichen Körper von bitterem Geschmack, und wird hauptsächlich von Pinus sylvestris (Kiefer) gesammelt; er erhärtet bei längerem Aufbewahren an der Luft. Der französische T. kommt von der Strandkiefer (Pinus pinaster) und ist dem deutschen in Ansehen, Geruch u. Geschmad ähnlich; er besitzt die Eigenschaft, mit gebrannter Magnesia zu erhärten. Der beste ist der Bordeauxterpentin. Der Straßburger T., von Pinus picea, ist klar, während der venetianische T., der von Pinus larix, dem Lerchenbaum, stammt, milchig getrübt erscheint. Der karpathische T. stammt von Pinus Cembra, der Zirbelkiefer, und ist dem ungarischen ähnlich, welcher aus abgeschnittenen

Zweigen von Pinus pumilio ausfließt. Der cyprische T., die feinste Sorte, von der Terpentinpistazie (Pistacia terebinthus); ist theuer, da ein großer Baum jährlich höchstens ⅛ Pfund erzeugt. Der amerikanische T. kommt von der amerikanischen Sumpfkiefer, Pinus palustris in Virginien, der Weihrauchskiefer, Pinus paeda, der Weymuthskiefer, Pinus Strobus rc. Ein dem Terpentin ähnlicher Saft wird auch aus dem ostindischen Satinbaum (Chloroxylon Swietenia) gewonnen; f. auch d. Art. canadischer Balsam, Baumkitt, Baumwachs rc. Die verschiedenen Terpentinsorten finden mannichfache technische Verwendung, so namentlich zu Firnissen und dgl. und zur Darstellung des Terpentinöls.

Terpentinöl; dasselbe wird entweder direct durch Destillation der Zweige, Zapfen und Nadeln verschiedener Pinusarten, oder durch Destillation des Terpentins mit Wasser gewonnen. Man unterscheidet nach der Abstammung verschiedene Terpentinölsorten; so das deutsche, aus dem Terpentin verschiedener Kiefern, Fichten und Tannen; das französische, aus dem Bordeaux-Terpentin der Strandkiefer gewonnen; das englische, fast ausschließlich aus amerikanischem Terpentin dargestellt; das gemeine Tannenzapfenöl, Templinöl oder Krummholzöl, aus dem ungarischen Terpentin gewonnen. Im rohen Zustand reagiren diese Oele sauer, sind mehr oder weniger gefärbt und stellen Gemenge verschiedener Kohlenwasserstoffe dar. Um das rohe Oel zu reinigen, schüttelt man es wiederholt mit Wasser und destillirt, oder man schüttelt das rohe Terpentinöl mit Kali-Kalkmilch (100 Thle. Oel, 100 Thle. Wasser, 1 Thl. Kalk und 1 Thl. Pottasche) und destillirt ab. Die Entwässerung des destillirten Oels geschieht mit Chlorcalcium. Das gereinigte Terpentinöl ist farblos, dünnflüssig, von eigenthümlichem Geruch und brennendem Geschmack; es löst sich leicht in Aether, in fetten und ätherischen Oelen, daher es als Verfälschungsmittel der letzteren gebraucht wird; es ist schwer löslich in wässerigem Weingeist, leichter in absolutem Alkohol. Es löst Harze, Fette und Kautschut und dient bei der Bereitung wasserdichter Zeuge als Lösungsmittel für Kautschut, hauptsächlich aber zur Firniß und Oelfarbenbereitung. Zur Beleuchtung wird es häufig mit andern Leuchtstoffen, Alkohol, Holzgeist rc., gemischt angewendet, namentlich das mit besonderer Sorgfalt rectificirte T., welches als Camphin in den Handel kommt. Ein dem Terpentinöl sehr nabestehendes Oel, das Kienöl, wird durch Destillation des weißen Theers mit Wasser erhalten. Es ist gewöhnlich gelb oder rothbraun gefärbt und besteht aus einer Auflösung von Brandharzen und Brandölen in Terpentinöl. S. übr. d. Art Firniß, S. 57, Bd. I, Gemälde, Rotang rc.

Terpsichore, f. d. Art. Musen 9 und Hymen.

Terra bituminosa, f. d. Art. Bergtorf.

Terra coloniensis, f. d. Art. Cölner Erde.

Terra cotta, ital., terre cuite, frz., baked-clay, engl. 1) Thonerde, an der Luft getrocknet und gebrannt; — 2) aus gebrannter Erde gefertigte, mit glasirtem Ueberzug versehene, plastische Arbeiten.

Terra de Siena, ital., frz. terre de Sienne, terre d'Italie, ein bei Siena vorkommender eisenoxydhaltiger Thon, der gepulvert als natürliche, oder gebrannt und gepulvert als gebrannte Terra de Siena im Handel zu finden ist. Die gebrannte Sienische Erde ist eine schöne braune Malerfarbe.

Terrado, terrazo, terrero, sp., s. Terrasse.

Terrain, frz., Erdoberfläche, Erdboden in Beziehung auf dessen Tauglichkeit zu einem bestimmten Zweck nach Gestaltung und innerer Beschaffenheit, z. B. zu Gewinnung eines Erzes, zum Graben eines Brunnens, zu Errichtung eines Gebäudes 2c. Einiges über dahin einschlagende Anforderungen an Beschaffenheit des Terrains s. u. d. Art. Baugrund, Ortsanlage, Grubenbau, Steinbruch, Festungsbau 2c.

Terrainplan, s. d. Art. Festungsbau.

Terra rubra, lat., s. d. Art. Englischroth.

Terras (Mineral.), s. v. w. Traß.

Terra sigillata, lat., s. d. Art. Bolus.

Terra umbra, s. d. Art. Umbra.

Terrasse, franz. terrasse, engl. terrace, ital. rialto, span. terrado, eigentlich Erderhöhung, durch die Böschung oder Futtermauer gehalten, also Perron, doch auch, obgleich fälschlich, für Plattform gebraucht; — 2) (Bildh.) fehlerhafte Stellen im Marmor, Risse 2c.; sie verhindern eine schöne Politur.

Terrassen von Asphalt, s. d. Art. Asphalt 3.

Terrassenziegel, s. d. Art. Formen der Steine.

terrassiren, mit Abstufungen versehen oder eine Terrasse anlegen.

Terra-verte, s. v. w. Veroneser Grün.

Terraza, span., großes Thongefäß, Vase.

Terrazgo, span., Grundstück, Feld.

Terrazzo, ital., s. d. Art. Battuta.

Terre, frz., Erde; terre argileuse, terre grasse, Lehm; terre émaillée, glasirter Thon.

Terre plein, franz. 1) (Festungsb.) Binnenraum einer Verschanzung; — 2) Wallgang.

Terrier, frz., unterirdisches Gemach.

Tertiärformation. Ungefähr mit dem Auftreten des Menschen auf der Erde schloß eine geologische Periode ab, in welcher gewisse Ablagerungen aus dem Meerwasser sowohl als auch aus süßen Wässern entstanden waren. In dieser Periode unterscheidet man primäre, secundäre, tertiäre und quaternäre Bildungen. Die sämmtlichen Ablagerungen sind durch Versteinerungen gekennzeichnet. Die tertiären und quaternären Ablagerungen enthalten Ueberreste von Thieren und Pflanzen noch lebender Arten, während die primären und secundären Bildungen Versteinerungen enthalten, die gänzlich von allen lebenden Arten verschieden sind. Für sämmtliche Bildungen hat man neuerdings den Namen Tertiärformation beibehalten und man begreift darin alle jene Ablagerungen aus Thon, Sand, Mergel, Kalkstein, Sandstein, Conglomerat 2c. mit untergeordneten Einlagerungen von Braunkohlen, Gips, Eisenstein und Steinsalz, welche organische Ueberreste theils noch lebender, theils ausgestorbener Species enthalten. Für die Zeiträume der Bildungen dieser Formation lassen sich keine scharfen Grenzen ziehen; zu den neu- oder obertertiären Bildungen rechnet man diejenigen Ablagerungen, bei welchen in Bezug auf die Versteinerungen die lebenden Species die ausgestorbenen überwiegen. Die mitteltertiären Bildungen enthalten lebende und ausgestorbene Species in gleichem Verhältniß und bei den alt- oder untertertiären Bil-

dungen überwiegen die ausgestorbenen Species weit die lebenden. Die Braunkohlenformation Norddeutschlands z. B. gehört zu den mitteltertiären Ablagerungen, ebenso die Molasseformation, s. d. Das ganze Rheinbecken bis Basel enthält theils neu-, theils mitteltertiäre Ablagerungen, ebenso die Tegelablagerungen des Wiener Beckens. Zu den untertertiären Bildungen gehören die Sandsteine u. Schieferthone des Alpen- und Karpatengebietes; s. auch d. Art. Lagerung b.

Tertulla, span., Theaterloge.

Tertullian, s. d. Art. Kirchenväter.

Tesa, s. d. Art. Maaß, S. 500, Bd. II.

Tescalipuzla, s. d. Art. Mittelamerikanisch.

Tessella oder tessera, lat., von τέσσαρες, vier, viereckiges Steinchen, Würfel, z. B. Mosaiksteinchen, daher tesseratum opus oder tesselated pavement, engl., Mosaitpflaster.

Tesseralkies, s. d. Art. Kobalterze.

Tesseralsystem, s. d. Art. Hexaëder II. und Krystallographie.

Test (masc.), auch Teste (fem.). 1) (Hüttenk.) größere Capelle (s. d. III.); — 2) tesselförmige Vertiefung auf dem Treibheerd zu Silberproben, zum Feinbrennen des Silbers 2c.; wird aus geliebter, geschlämmter, mit Ziegelmehl vermischter, mit Wasser angefeuchteter Holzasche mit einem Stempel, der Testkeule, schichtenweise festgestoßen und mit dem eisernen Testring oder der 4—6 Zoll starken Testkugel geebnet.

Testa, lat., Ziegel, Backstein als Stoff, also s. v. w. Terracotta.

Testaceen, s. v. w. Terracotten (von testa, lat., der Scherben).

Testament, altes und neues, s. d. Art. Kirche, Symbolik, Kreuz, Sechsstern, Gesetztafeln 2c.

Tester, testoon, engl., Baldachin, der platt anliegt; s. d. Art. Baldachin 3.

Testkörner, die in schlecht gearbeitetem Test zurückbleibenden Metallkörner.

Testpfanne, Testscherben, Testschüssel, dienen statt des Heerdes als Unterlage für den Test, s. d.

Testudinatum, s. d. Art. Atrium A. e.

Testudo, lat., eigentl. Schildkröte, Chelone, 1) zur Deckung angreifender Soldaten bei den Alten dienendes Sturmdach; — 2) überhaupt s. v. w. Schutzdach; — 3) flaches Gewölbe.

Tetardos, s. d. Art. Maaß, S. 514, Bd. II.

Tête, frz., Kopf, 1) s. v. w. vordere Seite, Stirn eines Bogens, auch für Bogenfeld; — 2) der Sappen und Laufgräben vorderes Ende; — tête de chevalement, s. v. w. Sattel; tête de pont, Brückenkopf, Brückenschanze; tête plate, Kopf im Flachrelief; tête saillante, en saillie, im Hochrelief; tête de clou, Nagelkopfverzierung; tête de trèfle, Kleeblattbogenfeld.

Tetradoron, griech. τετράδωρον, vier Querhände breite Mauerziegel, im alten Griechenland gewöhnlich beim Bau von Privathäusern gebraucht; die fünf Querhände breiten, an öffentlichen Bauten verwendeten hießen Pentadora.

Tetraëder, ein von vier ebenen Dreiecken eingeschlossener Körper, mit 6 Kanten und 4 Ecken, also dreiseitige Pyramide. Besonders versteht man jedoch allein unter Tetraëder diejenige Pyramide, deren 4 Begrenzungsdreiecke gleichseitig und congruent sind. Der dadurch hervorgehende Körper gehört zu den 5 regelmäßigen Polyëdern.

Ist a die Seite eines regulären Tetraëders, so ergeben sich aus derselben der Halbmesser r der umschriebenen, ϱ der eingeschriebenen Kugel, die Oberfläche O und das Volumen V mit Hülfe der Formeln:

$$r = \frac{a}{4}\sqrt{6}; \quad \varrho = \frac{a}{12}\sqrt{6}; \quad O = a^2\sqrt{3}; \quad V = \frac{a^3}{12}\sqrt{2};$$

s. auch d. Art. Krystallographie und Hexaëder a.

Tetragon, s. v. w. Viereck; **Tetragonalsystem,** s. d. Art. Krystallographie.

Tetrakishexaëder, s. d. Art. Hexaëder II. und Krystallographie.

Tetraklin, Speisetafel mit Lagern auf vier Seiten; s. d. Art. Triclinium.

Tetramorph, griech. τετράμορφος, Vereinigung der vier Evangelistenthiere in einen Körper (nach Ezechiel 1, 6 und 10, 14); s. d. Art. Evangelisten.

Tetraphoren, vier Karyatiden, zum Tragen einer gemeinschaftlichen Last vereinigt.

Tetrapyrgie, Landhaus mit vier Thürmen.

Tetrastylos, griech. τετράστυλος, s. d. Art. Tempel B. und Atrium A. c.

Teufe (Bergb.), s. v. w. Tiefe.

Teufel. Die hauptsächlichsten symbolischen Darstellungsweisen desselben sind: Drache, Löwe, Wolf, Schlange, Affe, Bock, Geier ꝛc.; s. d. betr. und d. Art. Symbolik. Teufel als Attribut erhalten Petrus, Cölestin, Asasel, Deodat, Antonius, Genoveva, Dympna, Gudula, David, Melanius, Norbert, Goar, Lanfrancus, Nicolaus v. d. Flühe, Theodulos, Geminianus, Hidulph, Johannes Thaumaturgos, Juliana ꝛc.

Teufelseiche, s. v. w. Winter- oder Steineiche, s. unt. Eiche b.

Teufelsklaue, frz. renard, engl. dog, 1) Werkzeug, um unter Wasser liegende Steine herauszuziehen, auch Greifzange genannt, in Gestalt einer Scheere oder Zange mit zwei großen eisernen Klauen (umgebogenen Gabeln) an einem starken eisernen Bolzen. Man hängt sie im Gleichgewicht und geöffnet an das Tau eines Krahns und läßt sie auf den fortzuschaffenden Stein herab, der an den Seiten von dem anliegenden Sand (mittelst Grimphaken und Grundschippe) befreit worden. Hat die Zange, deren Arme durch einzelne Taue gelenkt werden, den Stein gefaßt, so werden die Enden der Arme oberhalb des Bolzens durch starke Taue gleichmäßig angezogen, und Zange nebst Stein in die Höhe gehoben, dabei jedoch das Seil, an dem der Bolzen befestigt, locker gelassen, sonst öffnet sich die Zange; — 2) s. v. w. Balthaken, s. d., vergl. auch d. Art. Adlerzange.

Teufelsschluß, so nennen die Tischler den Jupiterschnitt, s. d. Art. Blatt A. i.

Teufhammer, zum Hohl-Austreiben des Metalls dienender Hammer.

Teul, Klumpen Roheisen, wird beim Frischen abgebrochen, eingeschmolzen, platt geschlagen, in Stücke zerhauen und zu Stabeisen gestreckt.

Teusenbaum (Forstw.), junge Buche.

Teut, Tot, Theot, Gottheit der alten Deutschen, von welchem sie ihre Abkunft herleiteten; ungefähr dieselbe, wie der ägyptische Kneph und Hermes Thaut; s. d. betr. Art.

Texte, frz., Evangeliarium; s. d. Art. Ritualbücher.

Textrinum, lat., griech. ναυπήγιον, Dock; s. d.

Texturveränderung des Eisens, s. d. Art. Eisen, S. 689, Bd. I.

Th, hebr. Thau, das griechische Thetha; θ' ist als Zahlzeichen = 9, ͵θ = 9000, ͵ϡ = 400.

Thaaut, s. d. Art. Hermes.

Thaïs, St., schöne, liederliche Dirne aus Ägypten; von Paphnutius zur Buße beredet, blieb sie drei Jahre lang in versiegelter Zelle und starb einige Tage nach ihrer Lossprechung. Abzubilden als kniende Büßerin.

Thalamos, griech. θάλαμος, s. v. w. Cubiculum, s. d. Art. Haus, S. 241, Bd. II.

Thalassius (Mineral.), 1) s. v. w. Beryll; — 2) s. d. Art. Hymen.

Thalbrücke, s. d. Art. Brücke, S. 469, Bd. I.

Thalbuche, s. d. Art. Bergbuche.

Thalia (Myth.), s. d. Art. Musen 4.

Thallit (Mineral.), s. v. w. Epidot, gemeiner, auch Grünstein, Pistacit, Strahlstein ꝛc. genannt.

Thallium; ein in den Schwefelkiesen von Thaux Vamur in Belgien, in denen von Nantes ꝛc. sich findendes, dem Blei sehr nahestehendes Metall, theils schließt es sich aber auch den Alkalimetallen an. Es ist hämmerbar, schmilzt bei 290° C. und oxydirt leicht an der Luft. Die Thalliumsalze sind meistens farblos und krystallisirbar; viele sind in Wasser löslich.

Thallo, s. d. Art. Horen.

Thalschiff, stromabwärts fahrendes Schiff.

Thalschütze, Thalpfeilerkopf; s. d. Art. Brücke, S. 449, Bd. I.

Thanatos, s. d. Art. Ker und Fackel.

Thatch, engl., Dachstroh, Dachrohr, -ziegel.

Thatching, engl., alt-engl. thacktile, Dachdecken.

Thaueisen (Brunnenb.), zum Aufeisen zugefrorner Brunnen dienender Eisenstab, dessen Spitze beim Gebrauch glühend gemacht wird.

Thaumaturga Brigitta, Patronin von Irland, bat über dem Haupt eine Feuerflamme.

Thaupunkt, s. d. Art. Hygrometer und Thermometer.

Theater, griech. θέατρον. Allgemeine Regeln bei Anlage von Theatern, die schon Vitruv giebt, sind: Man sehe auf gesunde Lage und sorge für gute Ventilation, bequeme, leicht zu controlirende Zugänge, freie Ausgänge ꝛc. Der innere Raum sei akustisch gut eingerichtet.
A. **Griechische Theater.** 1. **Eigentliche Theater.** Die griechischen Theater wurden möglichst an natürliche Bergabhänge angelegt, resp. zum Theil in dieselben eingearbeitet, so daß man sehr wenig oder gar keinen Unterbau nöthig hatte. Die ältesten, schon vor der künstlerischen Ausbildung des Drama's errichtet, um den dionysischen Chorreigen beizuwohnen, zerfielen meist in den Tanzplatz (χορός, ὀρχήστρα) und in den Zuschauerraum. In der Mitte der Orchestra stand der Dionysosaltar (θυμέλη), später kam hierzu noch die Bühne. Wir geben in Fig. 1812 den Grundriß, in Fig. 1813 einige Details des griechischen Theaters zu Segeste (Ägesta) auf Sicilien nach eigner Ausmessung. Der Zuschauerraum (κοῖλον) bildete meist, doch nicht immer, wie in unserem Beispiel, etwas mehr als die Hälfte eines kreisförmigen Trichters; oben umgiebt denselben eine Umfassungs-

mauer, an die sich innerlich ein breiter Gang (δια-
ζώμα), n a, früher stets unbedeckt, später meist mit
Säulenhallen versehen, anlehnt. Die oberen Sitzstufen l sind in unserem Beispiel spätern Ursprungs.
Von hier abwärts ziehen sich in concentrischen
Kreisen die Sitzreihen s herum, bei größeren Anlagen durch ebenfalls kreisförmige Gänge (größere
Stufen, κατατομή) in Ränge und außerdem in
gleichmäßigen Zwischenräumen in Keile (κερκίδες)
durch radial liegende Zugangstreppen b getheilt,
durch die man von den oben befindlichen Zugängen
nach allen Sitzen bis herab zur Orchestra, der
innern unter Grundebene d e f g h, gelangen kann.
Die Futtermauer d h
bildet die Grenze des
Proskenion (προσκή-
νιον) und eine der-
selben parallel gelegte
Mauer i k bildet die
Fronte der Skene
(σκηνή, Zelt); der
Raum zwischen beiden
Linien hieß Logeion
(λογεῖον). Hier be-
wegten sich nur die
tragischen und komi-
schen Schauspieler;
der Chorus war in
der κονίστρα, dem
mit Sand bestreuten
Theil d e g h der Or-
chestra, placirt, zu der
man auch zu beiden
Seiten des Proscenii
durch den unbedeckten
Zugang (δρόμος oder
πάροδος) n o gelan-
gen konnte, der in un-
serm Beispiel auf das Proskenion führt und nach
welchem zu die Sitzstufen Seitenlehnen hatten,
sowie auch die unterste Sitzreihe nach der Orchestra
zu eine Brüstung hatte. Die Orchestra stand mit
dem Proskenion, dieses mit der Skene durch höl-

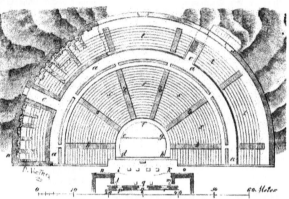

Fig. 1812. Grundriss des Theaters zu Segeste.

Fig. 1813. Details vom Theater zu Segeste.

zerne Treppen (κλίμακες) in Verbindung. Die
Skene bestand aus einer Rückwand (ἐπισκήνιον)
und zwei vorspringenden Flügeln (παρασκήνια).
Die Vorderwand, sammt dem hinter ihr unter der
Bühne gelegenen Raum, hieß ὑποσκήνιον. In der
Rückwand waren drei, bei größeren Theatern auch
fünf Thüren; die mittlere, q, führte in das Haus
und vor ihr stand ein Altar (ἀγυιεύς) des Apollo,
sowie ein Tisch zum Opferbackwerk (θυμέλη).
Diese Thür führte zu dem Aufenthaltsort der
Hauptrolle; die rechte, r, führte zu dem Aufenthalts-

ort der Personen zweiten Ranges, der Bürger,
in die Stadt; die linke, p, für die niedrigen Rollen
zum Auftreten dienend, führte in einen verfallenen
Tempel oder ins Freie; bei der Komödie befand
sich neben der Mittelthür der Eingang zu einem
Stall (κλίσιον), auf einem Vorhang (παραπέτασμα)
dargestellt, die rechte Thür führte zu einem Wirthshaus, die linke zu einem Gefängniß. Bei den Nebenthüren standen Spillen l m, an denen dreiseitige (περίακτοι), drehbare Coulissen angebracht
waren, deren vorgedrehter Theil also die Scenen-
veränderung andeutete.
Noch gab es folgende Maschinen und Deco-

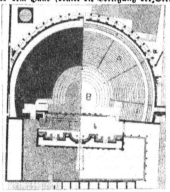

Fig. 1814. Plan des grossen Theaters von Pompeji.

rationsstücke: das Ekkyklema (ἐκκύκλημα), dies war
ein Gestell mit einem Sessel darauf, zum Vorrollen
aus dem Haus (deutet die Verlegung der Scene
in das Innere des Hauses an); die ganz ähnliche,
aber etwas größere (ἐξώστρα), eine Maschine,
worauf Götter zum Vorschein kamen, bei der
Komödie als Baum gestaltet; ferner eine Warte,
ein Thurm, eine Signalwarte, eine Mauer, ein
Distegia (διστεγία), d. h. hochliegendes Gemach
oder Dachfenster, Blitzthurm und Donnermaschine,

50 *

Keraunoſkopion, letztere hinter der Skene, das Theologeion (Götterſprechplatz) über derſelben, ein Krahn zum Wegheben von Körpern von der Bühne, Hängeleinen für ſchwebende Geſtalten, verſchiedene Ueberzüge (καταβλήματα) für die Periaktoi ꝛc.; der Halbzirkel (ἡμικύκλιον, in der Orcheſtra aufgeſtellt, diente, um entfernte, z. B. im Meer befindliche, Perſonen vorzuführen; das Stropheion, der Wender, die im Krieg Umkommenden, oder die unter die Götter aufgenommenen Perſonen darzuſtellen; auf den Charoniſchen Stiegen, nahe dem Dromos, ſtiegen die Manen auf, endlich kommen noch Verſenkungen hinzu. Nach alledem war es bei griechiſchen Theatern auf Jlluſion wenig abgeſehen, ſondern man begnügte ſich mit Andeutungen in ſceniſcher Beziehung; dagegen wurde

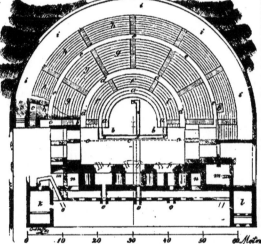

Fig. 1815. Grundriß des Theaters von Sagunt.

um ſo mehr Sorgfalt auf die Akuſtik verwendet und Alles vermieden, was ein Entweichen des Schalles, ein Mißtönen, Dröhnen oder gar Echo hervorrufen konnte. Dies mußte ſchon bei der Wahl des Ortes zu Anlage eines Theaters um ſo mehr berückſichtigt werden, weil die Theater in der erſten Zeit ganz unbedeckt waren, ſpäter nur mit Segeln überdeckt wurden.

2. Odeïon. Theater zu Muſikaufführungen. Dieſe waren im Ganzen dem Theater nachgebildet, aber kleiner, auch mit noch einfacheren Bühneneinrichtungen, in der Regel mit feſten, gemauerten Scenedecorationen verſehen, und hatten oft ein feſtes Holzdach. Meiſt liegen ſie neben dem Theater ſelbſt.

B. Das römiſch-griechiſche Theater. So könnte man füglich diejenigen Theater nennen, welche von den Römern unter bedeutendem griechiſchen Einfluß oder von griechiſchen Coloniſten unter römiſcher Herrſchaft gebaut, oder auch von Griechen gebaut, aber von den Römern umgeändert worden ſind, kurz, die eine Vereinigung römiſcher und griechiſcher Einrichtungen zeigen. Zu ihnen gehört das Theater von Pompeji (Fig. 1814), welches eine nach griechiſcher Weiſe über den Halbkreis hinausgeführte cavea A hat, während die Bühne b und

die Orcheſtra B nach römiſcher Weiſe eingerichtet ſind; a iſt einer der Ausgänge.

C. Das römiſche oder lateiniſche Theater. Auch dies iſt in der Hauptſache dem griechiſchen nachgebildet. Die Size bilden jedoch in der Regel nur einen Halbkreis. Die Orcheſtra wird zu Sizen für Senat und Geſandte benuzt, alſo unſerm Parterre nahe geführt; zu dieſem Behuf umziehen die Orcheſtra drei oder vier niedrige Stufen a a zu Aufſtellung der beweglichen Curulſtühle. Fig. 1815 zeigt den Grundriß des Theaters zu Sagunt (Murviedro), welches wir nach eigener Aufnahme geben. Das Orcheſter ſelbſt befindet ſich in einem vertieften Raum b b zwiſchen dieſem Parterre und dem Proſcenium oder Pulpitum (Vordertheil der scena), welches nach Vitruv nicht mehr als 5 F. höher als das Parterre ſein darf und wohl oft von Holz ſein mochte, denn es iſt nicht überall erhalten. In unſerm Beiſpiel mag es wohl bei c c geſtanden haben. Der Dromos wurde oft überwölbt und mit Sizſtufen überbaut; die römiſche Scena war breiter und tiefer als die griechiſche. Der Zuſchauerraum, cavea, ſtieg ganz wie bei den Griechen in Sizſtufen, f g h, gradus, auf. Da jedoch die Römer ihre Theater in der Regel frei aufbauten, ſo waren die Treppen c b zu den praecinetiones d, e (Gänge zwiſchen den Rängen, maeniana) im Unterbau und mündeten durch Eingänge (vomitoria) in den Zuſchauerraum. Dieſer ſowohl als die Scena war meiſt mit großem Luxus ausgeſtattet. Die Höhe der Sizſtufen (subsellia) variirt von 21 Zoll bis 2 Fuß; der Auftritt zerfiel in zwei Theile: der vordere, c in Fig. 1813, als Siz, war etwas höher; der hintere, d in Fig. 1813, dem auf dem

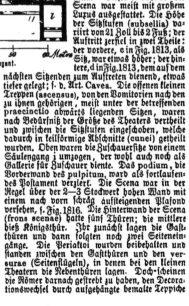

nächſten Sizenden zum Auftreten dienend, etwas tiefer gelegt; ſ. d. Art. Cavea. Die offenen kleinen Treppen (ascensus), von den Vomitorien nach den zu ihnen gehörigen, meiſt unter den betreffenden praecinctio abwärts liegenden Sizen, waren nach Bedürfniß der Größe des Theaters vertheilt und zwiſchen die Sizſtufen eingeſchoben, welche dadurch in keilförmige Abſchnitte (cunei) getheilt wurden. Oben waren die Zuſchauerſize von einem Säulengang i umzogen, der wohl auch noch als Gallerie für Zuſchauer diente. Das podium, die Vorderwand des pulpitum, ward als fortlaufendes Poſtament verziert. Die Scena war in der Regel über die 2—3 Stockwerk hohen Wand mit einem nach vorn ſchräg aufſteigenden Plafond verſehen, ſ. Fig. 1816. Die Hinterwand der Scena (frons scenae) hatte fünf Thüren; die mittlere hieß Königsthür. Ihr zunächſt lagen die Gaſtthüren und dann folgten noch zwei Seiteneingänge. Die Periaktoi wurden beibehalten und ſtanden zwiſchen den Gaſtthüren und den versurae (Seitenflügeln), in denen bei den kleinen Theatern die Nebenthüren lagen. Doch ſcheinen die Römer darnach geſtrebt zu haben, den Decorationswechſel durch aufgehängte bemalte Teppiche

etwas illuſoriſcher zu machen, als er bei den Grie=
chen war. Auch hatten ſie Vorhänge (aulaea), die
zu Ende der Vorſtellung hinaufgezogen; andere,
siparia, die, in den Zwiſchenacten von der Seite
der zuſammengezogen, die Bühne den Blicken der
Zuſchauer entzogen. Hinter der Bühne lagen die
Garderoben, Magazine ꝛc. k l m n, und wo es der
Raum erlaubte, auch zugleich die Wohnungen
der Schauſpieler mit Periſtylen zum Memoriren,
zum Ordnen der Chöre und Feſtzüge ꝛc. Sehr
große Sorgfalt wendeten die Römer auch der Aku=
ſtik der Theater und Odeien zu; ſ. d. Art. Acetabulum, Echeion ꝛc.

D. **Theater des Mittelalters.**
Da faſt das ganze Mittelalter
hindurch die darſtellende Kunſt,
wie alle Kunſt, in den Händen
der Geiſtlichkeit ruhend, ſich
nur mit Scenen aus der hei=
ligen Geſchichte abgab, die auf
zu jedem Stück beſonders ge=
bauten Gerüſten vor ſich gin=
gen, ſo wiſſen wir über die
Einrichtung dieſer Gerüſte un=
gemein wenig. Nach dem Sin=
ken der geiſtlichen Macht bil=
deten ſich zu Ende des 15. Jahrhunderts all=
mählig Privattheater. Das Schauſpiel hatte da=
bei noch keine ſelbſtſtändige Geltung, ſondern trat
blos als Zwiſchenſpiel der Ballette oder vielmehr
Pantomimen auf; allmählig, namentlich nach der
Reformation, emancipirte ſich das Schauſpiel
ganz von der Kirche und behandelte meiſt hiſto=
riſche Stoffe und 1576 wurden in London die
erſten feſten Theater erbaut. Unter Shake=
ſpeare nahmen dieſe Theater folgende Geſtalt
an: Das viereckige oder runde, bis dahin unge=
theilte Auditorium wurde in zwei Hälften getheilt.
Die eine Hälfte, die Bühne, war flach und breit;
die andere, ein offener Hof, war mit Gallerien
in zwei bis drei Stockwerken umgeben, deren Dach
möglichſt weit vorſprang und die bis in die Bühne
hineinragten, hier als Logen für vornehme Perſo=
nen und zugleich als Couliſſen dienend, indem ſie bei
Verwandlungen mit bemalten Vorhängen behängt
wurden. Faſt zu gleicher Zeit verſuchte Palla=
dio in Italien die antike Theaterform wieder zu
beleben, indem er die fehlende claſſiſche Umgebung
durch plaſtiſche Perſpectiven hinter den nach antiker
Weiſe angeordneten Scenenausgängen zu erſetzen
ſuchte. Doch wurden auch in Italien dieſe Theater
mit angedeutetem Decorationswechſel durch Auf=
hängen von Vorhängen bei dennoch ſichtbar blei=
benden ſtabilen Bühnendecorationen erbaut.

E. **Modernes Theater.** Allmählig verſchwand
die ſtabile Bühnendecoration ganz und zu Ende
des vorigen Jahrhunderts hatten ſich die Couliſſen=
bühnen vollſtändig ausgebildet, wobei die Cou=
liſſen ſämmtlich der Proſceniumslinie parallel
ſtanden und oben durch Soffiten verbunden wur=
ben; freilich konnten dabei die auf der Seite
ſitzenden Zuſchauer ſehr leicht hinter die Couliſſen
ſehen; auch wurde es ſehr ſchwer, kleine Räume
darzuſtellen. Zu Anfang unſers Jahrhunderts ver=
ſuchte man daher vielfach, durch einen auf beiden
Seiten ſich nach vorn biegenden Hintergrund
einerſeits der antiken Scenaform näher zu kom=
men, andererſeits bei vollſtändig geſchloſſenem
Raum das Sehen hinter die Couliſſen zu vermei=
den und ſo die Illuſion vollſtändiger zu machen.
Die jetzt gebräuchliche Bühneneinrichtung reſul=

tirt aus all' dieſen Verſuchen; man wendet jetzt
nämlich die Couliſſen theils abwechſelnd, theils
gleichzeitig mit den ſeitlich ſtehenden ſogenannten
Verſatzſtüden an. Ebenſo wechſelt oder vereinigt
man die alten hängenden Soffiten mit liegenden
und iſt dadurch in den Stand geſetzt, namentlich
kleine Zimmer vollſtändig geſchloſſen, alſo ganz
illuſoriſch vorzuführen.

E. **Winke für Neubauten von Theatern.** Wir
müſſen uns hier begreiflicher Weiſe nur auf einige
flüchtige Notizen beſchränken: Ein Theaterge=
bäude ſoll ſchon im Aeußern ſeine Beſtimmung

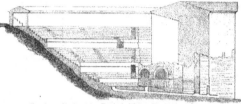

zeigen, welche das Sehen im Innern iſt. Dieſes
wird am beſten dadurch ausgedrückt, daß man das
Aeußere des Zuſchauerraumes ebenfalls rund
macht, daſſelbe mit Gallerien (Foyers) umzieht und
dem Gebäude außer dieſer Gallerie wenig Fenſter
giebt. Dabei ſei der Charakter heiter und leicht,
ohne tändelnd oder kleinlich zu werden. Inner=
lich zerfällt ein Theater in folgende Haupttheile:

1. **Vorhalle nebſt Treppen und Zu=
gängen;** die Vorhalle ſei ſehr geräumig und
bilde mit der Treppe ein leicht überſichtliches und
gut zugängliches Ganze; über den Billetverkauf
ſ. d. betr. Art. Die Treppen und Corridors ſeien
ſo angelegt, daß ſich die zu Ende der Vorſtellung,
bei entſtehender Feuersgefahr ꝛc., aus den ver=
ſchiedenen Räumen hervordrängenden Menſchen=
ſtröme nicht durchſchneiden. Die Treppen ver=
langen viele und geräumige Podeſte und ſeien
vom Saal und den Foyers durch Brandmauern
getrennt, überhaupt aber feuerfeſt gebaut; mit
den Foyers, dem Aufenthaltsort des Publicums
in den Zwiſchenacten, ſtehe ein Reſtaurationslocal
in Verbindung; eine Anfahrtshalle für die Wagen
und eine vor Zug geſchützte Halle für Die, welche
auf ihre Wagen warten, dürfen nicht fehlen.

2. **Zuſchauerraum.** Ueber ſeine Hauptform
iſt im Artikel Akuſtik ſchon Einiges geſagt. Die
dort empfohlene Ellipſenform iſt natürlich nur
im Grundriß anwendbar und auch da muß man
ſie ziemlich breit machen, ſo daß ſich die Logen=
curve ziemlich einem Halbkreis nähert; die beiden
erſten Gallerien kann man lothrecht übereinander
ſetzen, die oberen zieht man dann etwas zurück.
Dieſe Gallerien ziehen ſich mit höchſtens zwei Sitz=
reihen vor den Logen herum. Bei italieniſchen
Theatern fallen ſie hingegen ganz weg und bilden
vor jeder Loge einen Balkon; bei deutſchen Thea=
tern ſteigen auch in jeder Loge die Sitze ſtufen=
weiſe an. Die Zwiſchenwände der Logen dürfen
im Sehen nicht hindern; die Sitze im Parterre
müſſen mit einander wechſeln, ſo daß jeder Zu=
ſchauer zwiſchen den Schultern ſeiner Vorderleute
hindurchſehe; jede Sitzreihe liege dann 3 Zoll
höher als die vor ihr befindliche; Tiefe der Sitz=
reihen — 2 F. 9 Z. Minimum. Die Brüſtungen

der Logen — 2 F. 10 Z. Maximum; die Höhe der Logen — 8 F. Minimum. Den vorderen Theil des Parterre, meist Parquette, auch Cercle genannt, versieht man meist mit Sperrsitzen. In den spanischen Theatern hat das Parterre fast gar keine festen Sitze, sondern ist mit Stühlen versehen. Da alle Decorationen in Bezug auf ihre Perspective auf den hintern Theil des Parterres berechnet werden, legt man hier oft eine große Loge an, die zum Theil in das Parterre vorgeht und Amphitheater genannt wird. Das Proscenium, d. h. die Seitenwände der Bühnenöffnung, sollte nie über 4 Fuß tief sein und sich nach der Bühne zu verengern. Neuerdings belegt man aber mit dem Namen Proscenium die an den Halbkreis sich anschließende Verlängerung der Logenwände nach der Bühne hin. Die Fronten dieser Proscenienslogen hat man bei einigen der neuern Theater ganz parallel gemacht, bei andern nach der Bühne hin divergiren lassen, wobei allerdings das Sehen bedeutend erleichtert wird, zugleich aber die Bühnenöffnung sehr breit werden muß. Meist läßt man daher diese Fronte nach der Bühne hin sehr mäßig convergiren. Ueber Anlage des Orchesters s. d. betr. Art. Dasselbe liege etwas tiefer als das Parterre, damit die Köpfe der Musiker das Publikum nicht am Sehen hindern; die Oberkante des Podium stehe höchstens 5 Fuß über dem Parterre. Das Podium, frz. avant-scene, ist nach dem Zuschauerraum zu convex zu machen, ebenso das Orchester, welches unter den Proscenienslogen Eingang und Stimmzimmer erhält; s. auch d. Art. Cavea.

3. Bühne. Der Fußboden derselben sei horizontal und mit Versenkungen versehen, sowie mit bedeckten, aber zu öffnenden Fugen für die Coulissenwagen. Rechts und links neben den Coulissen muß ein genügend breiter Raum, frz. cantonade, zum augenblicklichen Hinstellen der Versatzstücke, zum Ordnen der Festzüge rc. bleiben. Die Tiefe der Bühne sei — 1½—2 der Proscenienöffnung, die Höhe der Bühne doppelt so groß wie die der Proscenienöffnung, damit die Decorationen, besonders die Hintergründe, im Ganzen in die Höhe gezogen werden können. Ueber die Maschinerie der Bühne näher zu sprechen mangelt hier der Raum. Die Bühne muß vom Zuschauerraum durch einen eisernen Vorhang feuerfest abgeschlossen werden können, sie muß bequeme Zugänge von den Garderoben aus haben, gut geheizt und vor Luftzug geschützt sein.

4. Nebenräume. Das Magazin für die Theatermeubles, Versatzstücke rc. liege in der Nähe der Bühne, am besten theils unter, theils hinter derselben; Rüstkammern und Garderobevorrathsräume müssen mehr nahe der Garderobezimmern liegen. Die Männergarderoben müssen von den Damengarderoben ganz getrennt sein. Zu den Nebenräumen, welche bei keinem Theater fehlen dürfen, gehören noch folgende: Directionszimmer, Expedition, Zimmer zu Leseproben, Saal zu Musik- und Balletproben, Wohnung des Hausmanns (Portiers rc.), Conversationszimmer für die Schauspieler. Werkstätten für die Theaterbandwerker, Requisitenräume, Spritzenraum, Local für die Heizung (in der Regel Luftheizung, daher der Heizraum im Souterrain anzulegen), Malersaal, Maschinenboden rc.

5. An moderne Opernhäuser stellt man in der Regel dieselben Anforderungen wie an Schauspielhäuser und sind sie daher nach denselben Grundsätzen einzurichten, nur ist noch sorgfältigeres Augenmerk auf die Erreichung günstiger Akustik zu richten; vergl. d. Art. Echeion, Acetabulum.

6. Ueber Amphitheater, lat. theatrum venatorium, Circus und andere Abarten des Theaters f. d. betr. Artikel. S. ferner d. Art. Loge, Donnermaschine, Bühne, Cercle, Androkos, Choros, Agone rc.

Theatrum, lat., Theater, im Mittelalter f. v. w. Kaufhaus; theatrum dominorum, Rathhaus.

Thebaïsche Legion, f. d. Art. St. Mauritius.

Theca, lat., griech. ϑήκη, Schachtel, Kapsel, Reliquiarium.

Theer, frz. goudron, engl. tar, ital. catrame, span. alquitran, so nennt man die zu flüssigen und festen Körpern verdichtbaren Produkte der trocknen Destillation harziger Materialien. Die Beschaffenheit des Theers und die Körpergruppen, welche er enthält, hängen nicht nur von der Natur der zur Theerbildung angewandten Stoffe, sondern auch von den zu seiner Gewinnung angewendeten Temperaturgraden ab. Der Theer enthält flüssige und feste Kohlenwasserstoffe, Aether, Alkohole, Säuren und Basen nebst andern unbestimmten brenzlichen und harzigen Körpern. Die verschiedenen Theerarten enthalten viele Bestandtheile mit einander gemein, wenn auch in relativ sehr verschiedener Menge. Der Theer aus Pflanzenstoffen, Holz, Zucker u. f. w. zeigt gewöhnlich eine saure Reaction; der Steinkohlentheer und der Theer aus thierischen Stoffen hat starke alkalische Reaction. Von Bedeutung für die Praxis sind Holztheer, Steinkohlentheer, Torftheer, Braunkohlentheer und der Theer aus bituminösen Substanzen, Schiefer rc.

I. Der Holztheer, auch Lakpech, flüssiges Pech genannt, ist ein Produkt der trocknen Destillation des Holzes. Die Gewinnung des Theers aus Holz, die Theerschwelerei, liefert Holzessig und Theer; die gasförmigen Producte läßt man ungenutzt entweichen.

1. Die Theerschwelerei in Meilern ist irrational und kommt nur noch in sehr holzreichen Gegenden in Anwendung.

2. Die Grubentheerschwelerei gehört zu den ältesten Methoden der Theergewinnung. Die Gruben legt man meist an einem Abhang nach unten kegelförmig verjüngt an und leitet von ihnen einen Canal zum Theerbehälter. Nach dem Vollsehen der Grube mit Schwelholz wird dieselbe mit Reisig, Rasen und Erde bedeckt, oben angezündet und durch zeitweises Hinwegnehmen des Rasens das Feuer in der Weise regulirt, daß nur eine, zur langsamen von oben nach unten fortschreitenden Verbrennung nöthige Gluth erzielt wird und Theer und Holzessig nach unten abfließen.

3. Theerschwelerei. Der Theerofen, ein Regel aus Lehmsteinen, von ungefähr 1000 Cubikfuß Raum, wird mit Kienholz angefüllt und darauf verschlossen. Um diesen Kegel befindet sich noch eine Umfassungsmauer und zwischen beiden ein Feuerungscanal. Nachdem in diesem zwölf Stunden gefeuert worden ist, fließt aus dem Kegel roher Holzessig, Theergalle, Theerschweiß ab, mit diesem nach fernerem zwölf Stunden ein dünnes Harz, welches mit Wasser abgezogen Kienöl giebt, während als Rückstand der Theer verbleibt. So lange der Ofen geht, muß scharf gefeuert werden.

4. In neuester Zeit betreibt man die Theerbereitung viel rationeller; man destillirt das Holz in eisernen oder thönernen Retorten, die von außen erhitzt werden. Zu dieser Erhitzung verwendet man

die aus den Retorten kommenden brennbaren Gase; die flüchtigen, verdichtbaren Producte leitet man durch eiserne, mit kaltem Wasser umgebene Kühlröhren in Condensationsgefäße. In letzteren sammelt sich anfangs eine fast klare, saure Flüssigkeit, der rohe Holzessig, eine Lösung von Essigsäure, Holzgeist, Brandharz, essigsaurem Ammoniak ꝛc. Dann folgt der Theer, der vom wässerigen Theil abgehoben und durch Destillation weiter verarbeitet wird. Er liefert durch vorsichtig geleitete Destillation das Kienöl, s. d. Art. Terpentinöl und weißes Pech; bei fortgesetzter Erhitzung das stark brenzliche Pechöl und das Schusterpech. Die reichste Ausbeute an Theer liefern die harzreichen Nadelhölzer (10—14 %), Laubhölzer geben nur 8—10 % eines Theers, der besonders kreosothaltig ist. Der Birkentheer, der in Rußland durch Destillation der Birkenrinde bereitet wird, kommt besonders bei der Juchtenlederfabrikation in Anwendung. Der Holztheer wird angewendet zum Theeren des Holzes, um dasselbe vor Wurmfraß und Fäulniß zu schützen, als wasserdichter Anstrich für Mauern, Metallflächen ꝛc. mit dem dreifachen Gewicht Ziegelmehl gemischt als Brunnenmacherkitt, als Schmiermittel und endlich zur Fabrikation von Ruß. Seine Anwendung gründet sich hauptsächlich auf seine durch den Kreosotgehalt bedingte fäulnißwidrige Wirkung.

II. Der Steinkohlentheer, der als Nebenproduct der Gasfabrikation gewonnen wird (s. d. Art. Steinkohle u. Gas), enthält ähnliche Bestandtheile wie der Holztheer, doch fehlen ihm einige den Holztheer charakterisirende Bestandtheile, wie Holzgeist, Essigsäure ꝛc. Er enthält verschiedene flüchtige Basen (Anilin, Leucolin, Pyridin) und neben Paraffin das Naphthalin. Er wirkt, wie der Holztheer, in hohem Grad fäulnißwidrig, wohl wegen der Carbolsäure. Man verwendet ihn namentlich auch zum Anstrich für Holz, Eisen und andere Metalle. Als Holzanstrich benutzt man eine Mischung aus 2 Thln. Steinkohlentheer, 1 Thl. Holztheer, etwas Colophonium und 4 Thln. zu trockenem Pulver gelöschten Kalk, oder man erhitzt 2 Thle. Schwefel mit 3 Thln. Steinkohlentheer. Durch Glühen eines innigen Gemenges von 2 Thln. Alaun, 20 Thln. Kalk u. 16 Thln. Theer bei Abschluß der Luft erhält man eine schöne schwarze oder braune Anstrichfarbe. Ferner dient der Theer zur Fabrikation von Stein- oder Theerpappe (s. d.), zur Darstellung der Theerfarben (Anilinfarben). Die Theeröle (s. d. Art. Steinkohlentheeröl) sind Producte der Destillation des Theers. Aus diesen gewinnt man das Benzin, die Carbolsäuren und die Theerbasen.

III. Der Theer aus Braunkohlen, Torf und bituminösen Schiefern, welcher durch Destillation der Rohmaterialien aus Retorten gewonnen wird, ist dem Steinkohlentheer ähnlich; er enthält dieselben flüchtigen Basen, aber in überwiegender Menge Paraffin. Die Technik verarbeitet diese Theere zur Gewinnung flüssiger und fester Beleuchtungsmaterialien u. zu Darstellung der Theerfarben.

Zur Bereitung der Beleuchtungsmaterialien: Photogen, Solaröl u. Paraffin, unterwirft man den entwässerten Theer der fractionirten Destillation. Bei 300° geht das rohe Photogen über; höhere Temperatur macht die Destillationsproducte dicker und paraffinreicher. Die Producte beider Fractionen sind durch Kreosot und Theerbasen verunreinigt. Um das rohe Photogen vom Kreosot zu reinigen, schüttelt man mit Natronlauge, dann

mit Schwefelsäure, um die Basen zu binden, und destillirt von Neuem. Die zuerst übergehende Flüssigkeit ist reines Photogen; später geht Solaröl über. Aus den paraffinreichen Destillationsproducten scheiden sich an einem kühlen Ort große Krystalle, das Rohparaffin, aus. Die übrigbleibende dicke Flüssigkeit giebt beim Schütteln mit Natronlauge, dann mit Schwefelsäure und durch Destilliren, Solaröl. Das Rohparaffin wird durch wiederholtes Abpressen, durch Abwaschen mit Photogen und zuletzt durch Behandlung mit Schwefelsäure gereinigt. Bei der großen Ausdehnung, welche in den jüngsten Jahren die Industrie erlangt hat, und den zahlreichen Methoden und Apparaten, die zur praktischen Gewinnung und Verarbeitung des Theers aus Braunkohle, Torf ꝛc. in Vorschlag und Ausführung gebracht sind, müssen wir uns hier auf diese allgemeinsten Angaben beschränken.

IV. Die trockene Destillation der Thierstoffe, namentlich der Knochen, liefert neben kohlensaurem Ammoniak einen dickflüssigen Theer, das Hirschhornöl, eine aus verschiedenen Stoffen, Cupion, Brandharzen, Ammoniak und organischen Basen, Aethyl- Butyl- Propylamin bestehende schwarzbraune, schwere Flüssigkeit, welche namentlich zum Anstrich junger Bäume gegen Insekten und Wurmfraß gebraucht wird. Aus dem Hirschhornöl wird durch Destillation mit Wasser das in der Heilkunde Anwendung findende ätherische Thieröl, auch Dippel'sches Oel genannt, gewonnen.

Theer (Wasserb.), so heißt auch eine von Grundwasen gebildete Lage, sowie ein Theil eines Flosses.

Theeranstrich, dient vielfach für Umfriedigungen, Pfähle ꝛc., kurz als Erhaltungsmittel des Holzes. Um die unangenehme, schmutzigbraune Farbe des Theeres zu vermeiden, mische man den Theer mit Kreide, venetianischem Roth oder französischem Gelb, je nach der gewünschten Farbe, mache in freier Luft in einem großen eisernen Kessel diese Mischung warm und trage sie mit einem großen Anstrichpinsel auf.

Theerdock (Schiffsb.), ein Dock (s. d.), um daselbst Schiffe zu theeren.

theeren, 1) mit Theeranstrich versehen; — 2) Taue theeren, s. d. Art. Seil 2.

Theerflecke zu entfernen, s. d. Art. Flecke.

Theergalle, Schweiß, Theerwasser, s. d. Art. Theer. Man benutzt die Theergalle zum Auftragen auf den Aestrich der Dreschtenne; s. Dreschtenne.

Theerkahn, frz. bac, s. v. w. Linter.

Theerpapier, unter dem Kupfer- und Zinkbeschlag der Dächer, Schiffe ꝛc. gelegtes, starkes, mit Theer getränktes Papier.

Theerpappe, mit heißem Steinkohlentheer getränkte Pappe. Wenn man möglichst langfaseriges Papierzeug vor dem Schöpfen mit Theer und gepulvertem Kalkstein mengt, so erhält man Steinpappe, s. d.

Theerüberzüge. Man benutzt den Theer (s. d.) zum Anstreichen von Holz, Eisen, Mauern ꝛc. Der Holztheer wird am besten mit Bleiglätte und ein wenig Ziegelmehl vermischt und dann gekocht. Der Mineraltheer (s. d. Art. Asphalt) liefert einen sehr guten Anstrich für Mauern und Eisen, denn er ist vollkommen wasserdicht, macht nicht spröde im Winter und ist elastisch.

Theileisen, s. Teul, Deil und Anlauffrischen.

Theiler einer Zahl, jede Zahl, welche in derselben ohne Rest aufgeht. Jeder Theiler einer Zahl wird, sobald er eine Primzahl (f. d.) ist, ein **Primfactor** genannt; so sind die Primfactoren der Zahl 30: 2, 3, 5; die Theiler hingegen 2, 3, 5, 6, 10, 15. Ueber die Kennzeichen der Theilbarkeit einer Zahl durch 2, 3 ꝛc. f. d. betr. Art.

Unter dem **größten gemeinschaftlichen Theiler** zweier Zahlen versteht man die größte der Zahlen, welche in beiden ohne Rest enthalten ist; so ist derselbe für 36 und 84 gleich 12. Zwei Zahlen, welche keinen Theiler gemein haben, heißen **relative Primzahlen**; so z. B. 49 und 72. Der gemeinschaftliche Theiler zweier Zahlen wird gefunden, indem man mit der kleinsten derselben in die größte dividirt, mit dem Rest wieder in die kleinere ꝛc., bis man zu einer Zahl gelangt, welche in der vorhergehenden ohne Rest enthalten ist; dieselbe ist dann der größte gemeinsame Theiler. So ist derselbe für 84 und 156 gleich 12, denn

$$84 : 156 = 1$$
$$\underline{84}$$
$$72 : 84 = 1$$
$$\underline{72}$$
$$12 : 72 = 6.$$

Theilhaken (Hüttenl.), zum Herabziehen des Teul vom Heerd dienender langer eiserner Haken.

Theilriß, 1) gedachte Mittellinie, z. B. einer Treppenbreite ꝛc.; — 2) Zirkellinie, aus dem Mittelpunkt eines Rades auf dem Kranz gezogen und in so viel Theile getheilt, als Schaufeln oder Kämme werden sollen; f. d. Art. Rad.

Theilung, f. d. Art. Heraldik V.

Theilungsfehler, f. d. Art. Fehler II.

Theilungspfosten, engl. bearing-shaft, f. v. w. Mittelpfosten; f. d. Art. Pfosten.

Theilungsring, Theilungsknoten, frz. anneau, ceinture, engl. band, die den Pflanzenstielknoten ähnlichen scheiben-, teller- oder kugelförmigen Ringe an den langen Halbsäulen und Gewölbegurten der Uebergangsperiode.

Theilungsschütze (Wasserb.), zum Leiten des Wassers aus dem Hauptcanal in Nebencanäle dienende, also am Theilungsort angebrachte Schütze.

Theilungszirkel; hinter dem Charnier sind die Zirkelschenkel zu kürzeren Spitzen verlängert; solche Zirkel heißen auch Reductions- und Proportionalzirkel, oder wenn die hinteren Spitzen genau halb so lang wie die vorderen sind, Halbirzirkel.

Theilwehr, Wehr bei Teichen, Canälen ꝛc., welches das überflüssige Wasser ableitet. Der Fachbaum eines solchen Wehres heißt Theilbaum.

Thekla, St., von Paulus bekehrte Jungfrau aus Jkonion in Lykaonien, Philosophin und anmuthige Rednerin; flüchtete vor der Ehe und wurde den wilden Thieren im Amphitheater vorgeworfen, die sich schmeichelnd ihr zu Füßen legten. Die Flammen verschonten sie ebenfalls, sie starb endlich in der Einsamkeit. Patronin von Tarragona.

Theleia, f. d. Art. Juno.

Themis (Mythol.), f. d. Art. Gerechtigkeit.

Themistokles, St., aus Lykien, wurde unter Darius gefoltert; abzubilden mit Fußangeln.

Thenardsblau, f. blaue Farbe u. Kobaltfarben.

Theobald, St., mit Schustergeräthschaften, Patron der Schuhflicker.

Theodolit, f. d. Art. Astrolabium.

Theodora, St., aus Alexandrien, 1) wurde von St. Didymus in Soldatentracht aus dem Freudenhaus gerettet; — 2) ging in Rom wegen eines Fehltrittes aus dem Haus ihres Gatten in ein Mönchskloster, erduldete als angeblicher Vater eines unehelichen Kindes Schmach und Strafe und erst bei ihrem Tod wurde ihr Geschlecht erkannt. Tag den 11. September; abzubilden mit Männerkleidern und Kameel.

Theodoret, f. d. Art. Kirchenväter.

Theodorus, St. 1) **Theodorus Tyro**, Patron gegen Sturmwind, gewöhnlich dargestellt mit einer Dornenkrone auf dem Haupt, in der Hand eine Fackel, mit der er einen Tempel anzündet; zur Seite einen Scheiterhaufen; — 2) **Theodorus von Heraclea**, genannt Stratelates, römischer Heerführer unter Licinius, Patron von Venedig, Ferrara, Montferrat und Saragossa; abzubilden als römischer Soldat, in der Hand ein Schwert, zu Füßen einen Drachen oder den Drachen tödtend.

Theodosia, St., aus Tyrus, wurde unter Galerius ihrer Brüste beraubt und im Meer ertränkt.

Theodosius, St., aus Kappadocien, Klostergründer, starb 529, nachdem er den Bestechungen und Fesseln des Kaisers Anastasius widerstanden; abzubilden als Einsiedler, Fesseln um Hals und Arme, Geldsäcke neben sich.

Theodota, St., zu Constantinopel unter dem Bilderstürmer Leo gemartert; abzubilden mit einem glühenden Ofen.

Theodotus, St., Gastwirth zu Ankyra, unter Diocletian gemartert; abzubilden mit Fackeln und Schwert, Patron der Gastwirthe.

Theodula, St., mit den Füßen an eine Cypresse genagelt.

Theodulos, St., Bischof von Wallis, Patron von Wallis und Sion; abzubilden als Bischof, zu seinen Füßen der Teufel, der eine große Glocke hält.

Theodulph von Rheims, Abt, Patron der Hausthiere.

Theogonie, Lehre von der Abstammung der Götter, ist in den meisten Mythologien eine symbolische Einkleidung der Kosmogonie, der Lehre von der Entstehung der Welt. Das Wichtigste aus der Theogonie jedes Volkes ist in den betreffenden Stylartikeln mit beigebracht.

Theonestus, St., Bischof von Mainz, von Arianern erschlagen; abzubilden als Bischof, in einem durchlöcherten Kahn auf dem Rhein fahrend.

Theophano, St., Kaiserin, Gattin Leo's des Weisen.

Theophilos, f. d. Art. Kirchenväter.

Theorem, f. v. w. Lehrsatz, f. d.

theoretische Leistung einer Maschine, das Arbeitsquantum, welches dieselbe zu leisten im Stande wäre, wenn keine Arbeitsverluste durch Bewegungshindernisse u. f. w. einträten.

Theorie. Die Theorie der Mörtelbildung f. u. Mörtel, die Theorie der Gewölbe unter Wölbung; ferner f. d. Art. Festigkeit, Reibung, Eisenbau ꝛc. In sehr vielen Fällen gelangt man im Bauwesen zu sicherern Resultaten auf empirischem Weg, als durch Befolgung von Theorien. So sind z. B. die im Art. Festigkeit, Elasticität ꝛc. angegebenen Coefficienten mit Sicherheit nur durch wiederholte Versuche zu finden; ja man könnte fast sagen, nur jene Theorie ist zuverlässig, die auf empirische Versuche begründet ist.

Theresia, St., Jungfrau, Stifterin der barfüßigen Carmeliterinnen, geb. 1515 zu Abula in Spanien, hatte Visionen eines Engels, der sie mit einem Liebespfeil verwundete, starb 1582; abzubilden als Carmeliterin, in der Hand ein brennendes Herz, vor sich ein Kreuz mit vier Edelsteinen.

Therme, lat. thermae, gr. θέρμαι, 1) Anstalt für warmes Bad, s. d. Art. Bad b.; — 2) falsche Schreibweise für Terme, Herme, Bildstock.

Thermohygrometer, s. d. Art. Hygrometer 3.

Thermometer, s. v. w. Wärmemesser. Zur Messung der Temperatur oder des Erwärmungsgrades eines Körpers bietet Ausdehnung der Körper durch die Wärme ein einfaches Mittel. Die bequemsten Substanzen zu Thermometern sind die Flüssigkeiten. Unter diesen, die sich im Allgemeinen sehr unregelmäßig ausdehnen, ist es das Quecksilber, welches innerhalb der gewöhnlich vorkommenden Grenzen, namentlich zwischen dem Gefrierpunkte und dem Siedepunkte des Wassers, nahezu unmerkliche Unregelmäßigkeiten zeigt und sich der Temperatur fast genau proportional ausdehnt.

Das Quecksilberthermometer besteht aus einer feinen Glasröhre von überall genau gleicher Weite, an deren unterem Ende eine Kugel oder ein cylinderförmiges Gefäß angeblasen ist; dies und ein Theil der Röhre sind mit Quecksilber gefüllt, welches bei Erhöhung der Temperatur sich ausdehnt und daher in der Röhre steigt. Diese ist oben verschlossen; vorher aber wird alle Luft sorgfältig aus ihr herausgetrieben, da diese sonst das Steigen des Quecksilbers hindern und leicht ein Zerbrechen der Röhre herbeiführen würde. Das Graduiren des Thermometers, behufs Ablesung der Wärmegrade, besteht darin, daß man auf der Röhre zwei fixe Punkte markirt und den Abstand in eine bestimmte Anzahl gleicher Theile theilt. Hierzu eignen sich am besten die Punkte, auf welchen das Quecksilber im Thermometer steht, wenn dasselbe in schmelzendes Eis oder in den Dampf siedenden Wassers gehalten wird. Der Abstand dieser beiden Punkte wird nach Reaumur in 80, nach Celsius in 100, nach Fahrenheit in 180 Theile getheilt; bei den ersteren Scalen wird der Gefrierpunkt mit 0, bei der letzteren mit + 32 bezeichnet. Die Graduirung kann beliebig weit über die beiden Fundamentalpunkte hinaus fortgesetzt werden; die Grade über dem Nullpunkt werden mit +, diejenigen unterhalb desselben mit — bezeichnet. Näheres über die fixe Scalen f.b.betr.Art.

Man kann Quecksilberthermometer anwenden etwa zwischen — 26° und + 270° R.; überschreitet man diese Grenzen, so nähert man sich dem Gefrierpunkte (— 32°) oder dem Siedepunkte (+ 320°) des Quecksilbers; je näher und die Unregelmäßigkeiten in der Ausdehnung werden zu bedeutend. Zur Bestimmung niedriger Temperaturen eignen sich besser die Weingeistthermometer, welche statt des Quecksilbers Weingeist enthalten. Vor diesen Arten haben die Luftthermometer den Vorzug, daß sich die Luft bei allen Temperaturen, den höchsten wie den niedrigsten, völlig regelmäßig ausdehnt und daß letztere weit empfindlicher sind. Man kann sie aber nie so zweckmäßig und bequem transportabel einrichten wie jene.

Auch feste Körper hat man zum Messen insbesondere hoher Temperaturen verwendet; die Instrumente führen alsdann jedoch den Namen Pyrometer (f. d.). Sehr empfindliche Thermometer erhält man, wenn man die ungleiche Ausdehnung zweier Metalle zum Messen der Temperatur benutzt, Metallthermometer. Das Metallthermometer von Breguet besteht aus einem schraubenförmig gewundenen Streifen, welcher aus drei Metallen, Silber, Gold und Platin, zusammengesetzt und dünn gewalzt ist. Die Spirale ist am oberen Ende befestigt; an dem unteren trägt sie eine leichte, waagerechte Nadel, welche einen horizontalen Theilkreis durchläuft. In Folge der ungleichen Ausdehnung des Platins und Silbers wickelt sich die Spirale auf oder zusammen, wenn sich die Temperatur erhöht oder erniedrigt, und die Nadel folgt dieser Bewegung. Das Zifferblatt-Thermometer von Holzmann besteht, ähnlich dem Bourdon'schen Monometer, Fig. 1480, aus einem Doppelstreifen, welcher an einem Ende fest angeschraubt ist, mit dem anderen Ende dagegen an dem kurzen Arm eines Hebels angreift, an dessen längerem Arm ein gezahnter Bogen sitzt, welcher wieder in ein Getriebe eingreift. An der Achse dieses Getriebes sitzt ein Zeiger, welcher auf einer Scala spielt und die Temperatur anzeigt. Alle solche Thermometer werden graduirt, indem man sie mit einem Quecksilber-Thermometer vergleicht.

Registrirende Thermometer von Gauntlett. Statt des Quecksilbers Metallröhren, deren Ausdehnung und Zusammenziehung einen Bleistift bewegt, der eine Linie auf einen durch eine Uhr an ihm vorübergezogenen Papierstreifen zeichnet. Der Papierstreifen ist so liniirt, daß die Langlinien der Thermometerscala, die Querlinien der Stunde entsprechen.

Thesauros, lat. thesaurus, frz. tresorerie, engl. treasury, ital. tesoreria, s. v. w. Schatzhaus, namentlich bei Tempeln. Meist versteht man unter diesem Namen die als Tholos gestalteten Schatzhäuser der alten Griechen; s. d. Art. Tholos, Gewölbe und Griechisch, sowie Fig. 1234.

Thick-board, engl. Bohle, s. d.

Thieme, s. v. w. Diemen, Feimen.

Thienenholz, s. v. w. Cedernholz.

Thierkreis, Zodiakus. Der Thierkreis, in vollständiger Darstellung als symbolisches Ornament, deutet in der Regel auf die Weisheit Gottes, ermahnt (oft durch beigefügte Darstellungen der während des Herrschens jedes Bildes vorzunehmenden Arbeiten) zu weiser Zeitvertheilung; besonders die Aegypter und Assyrer entnahmen viele ihrer Symbole der Einwirkung der Witterung ꝛc. während des Herrschens der einzelnen Sternbilder; s. dar. die betreffenden Stylartikel. Die astronomischen Zeichen sind:

♈ Widder, ♉ Stier, ♊ Zwillinge (Castor und Pollux), ♋ Krebs, ♌ Löwe, ♍ Jungfrau (Schnitterin, Ceres oder Erigone), ♎ Wage, ♏ Scorpion, ♐ Steinbock, ♐ Schütze (Cheiron), ♒ Wassermann (Deukalion und Ganymed) und ♓ Fische.

Thieröl, ätherisches; s. d. Art. Theer IV.

Thiersymbolik, s. d. Art. Symbolik und Evangelisten.

Thimble, engl. Kausche.

Third pointed architecture, s. d. Art. Englisch-gothisch, S. 722, Bd. I.

Thüs, s. d. Art. Maaß, S. 490.

Tholobat, griech. θολοβάτης, s. v. w. Tambour; s. d. Art. Tambour, Tholos, Kuppel ꝛc.

Tholos, griech. θόλος, lat. tholus. 1) Oberstes des Daches, Dachfirst; — 2) Mitte der Kuppel; — 4) rundes Gebäude, im alten griechischen Wohnhaus, stand auf Pfeilern zwischen Wohnhaus und Hofumzäumung, diente für Speise, Getränke ꝛc. zur Aufbewahrung; — 5) Tholengewölbe, eine Art Kuppel, wie in den pelasgischen Schatzhäusern über einem kreisrunden Tholobat, f. d., dadurch gebildet, daß die Steinschichten übereinander vortreten und die übrigbleibende Oeffnung mit einer Steinplatte gedeckt ist; f. d. Art. Griechisch.

Thomas, St., 1) à Villa Nova, war 1488 geboren und studirte in Alcala, wurde Augustinereremit, später Provinzial, Hofprediger Karl's V., Erzbischof von Valencia, und starb 1555; ist abzubilden als Bischof, mit einem Beutel in der Hand, von Bettlern umgeben; — 2) der Apostel, mit einer Lanze, zuweilen mit einem Winkelmaaß; f. d. Art. Apostel 11; er ist Patron von Portugal; — 3) von Aquino, Doctor angelicus, aus dem Hohenstaufen'schen Geschlecht, studirte in Paris u. Köln unter Albertus Magnus, starb 48 Jahr alt 1284; abzubilden als Dominicaner und Kirchenlehrer; an seinem Ohr auf der Schulter sitzt der Heilige Geist in Gestalt einer Taube; er trägt einen Kelch mit Hostie; — 4) Thomas Becket, Patron und Erzbischof von Canterbury, geb. 1117; wurde verbannt, zurückberufen und 1170 auf Befehl des Königs am Altar ermordet; abzubilden mit dem Schwert im Kopf.

Thon, Thonarten. Unter dem Namen Thon begreift man diejenigen lagerartigen, erdigen, zerreiblichen Massen, welche durch Zersetzung und Verwitterung kieselsaure Thonerde enthaltender Gesteine entstanden sind, der Hauptsache nach aus kieselsaurer Thonerde bestehen und durch Wasser erweichbar und plastisch werden. Der Lehm, der gleichfalls durch Wasser knetbar ist, unterscheidet sich vom Thon durch seinen hohen Eisenoxydgehalt, durch seinen Gehalt an feinem Sand ꝛc. Die Thonablagerungen finden sich namentlich in der Tertiärformation, aber auch häufig in den jüngsten Formationen, oft dicht unter der Erdoberfläche. Die Thone sind in Bezug auf chemische Zusammensetzung sehr ungleich; in physikalischer Beziehung sind sie sich darin ähnlich, daß sie im feuchten Zustand eine bildsame, formbare Masse darstellen, welche beim Trocknen schwindet, dann zerreiblich und nicht mehr plastisch ist. Der Thon zeigt beim Anhauchen einen eigenthümlichen Geruch, zieht stark Wasser an und zerfällt mit viel Wasser zu einem Brei.

Nach dem Grad der Reinheit, je nach dem ungleichen Verhältniß zwischen Thonerde und Kieselsäure, der Beimengung anderer Substanzen und der damit zusammenhängenden Benutzung, unterscheidet man mehrere Thonarten. Zu den reinen Thonen gehören der Porzellanthon (Kaolin), Pfeifenthon und Töpferthon; der Schieferthon enthält auf den schieferigen Absonderungsflächen Glimmerpartikelchen; bituminöser Thon ist bitumenhaltig; der Salzthon ist kochsalzhaltig; dem Eisenthon ist rother oder brauner Eisenocher beigemengt.

Bezüglich der Schmelzbarkeit verhalten sich die Thone sehr ungleich. Die nur aus kieselsaurem Thonerdehydrat bestehenden Thone schmelzen bei keiner im Ofen zu erzeugenden Hitze (Kaolin). Die schmelzbaren Thone enthalten viel Kalk, Eisenoxydul u. f. w. beigemengt; dazu gehören der Töpferthon, der Mergelthon u. a. Die feuerfesten Thone enthalten nur wenig fremde Beimischungen; sie sind aber auch dann noch feuerfest, wenn ihnen Quarzsand oder unschmelzbare Silicate beigemengt sind. Der Pfeifenthon z. B. enthält etwas Eisenoxyd und ist feuerfest, wenn der Eisengehalt nicht zu hoch ist.

Porzellanerde, Kaolin, f. d. Art., die reinste Thonvarietät, ist meist durch Zersetzung des Feldspaths gebildet und befindet sich noch auf der Lagerstätte des letztern. Die wichtigsten Fundörter für Porzellanerde sind: Morl, Salzmünde und Trotha bei Halle a. d. S., Diendorf in Niederbayern, Seiliz bei Meißen, Zetliz bei Carlsbad, St. Prieur bei Limoges oder St. Aufile in der Grafschaft Cornwall.

In den meisten Fällen ist der Thon durch Wasser von seinem Entstehungsort weggeführt und entfernter sedimentär wieder abgelagert worden. Auf dem Weg wurde der Thon mit verschiedenen Substanzen gemengt und daher unreiner. Zu diesen Thonen gehört der Pfeifenthon, Kapselthon, Steingutthon. Diese Thonarten sind feuerfest und finden sich nicht gerade sehr verbreitet, aber an einzelnen Stellen in mächtigen Lagern angehäuft. Bisweilen kommen sie in der Tertiärformation, die Kreide überlagernd, bisweilen im Kohlengebirge vor. Wichtige Fundstellen sind: Koblenz, Köln und Lauters beim am Rhein; Amberg und Kemnath in Bayern, Großalmerode in Hessen, Hubertusburg in Sachsen, Bunzlau in Schlesien, Krems in Oesterreich, Abondaut bei Dreux, Belin, Malais, Montereau in Frankreich und Devonshire in England. Die an diesen Orten gefundenen Thone werden zu Steingut, Fayence, Pfeifen, Porzellankapseln und Ziegeln (f. d. Art. Thonwaaren) verarbeitet. Größerer Alkaligehalt kann die Unschmelzbarkeit sehr beeinträchtigen.

Der gewöhnliche Töpferthon findet sich meist in den jüngsten Gesteinsbildungen stark gefärbt durch Eisen oder organische Materien; er ist auch kalthaltig und enthält öfters neben Strahlkies, Schwefelkies und Gips auch Stücke von thonigem Sphärosiderit ꝛc. Man nennt diese schmelzbaren Thonerden fett, wenn sie keine sandigen Beimengungen, bisweilen die Thone mager machen, enthalten. Die Töpferthone sind hauptsächlich je nach ihrem Kalkgehalt mehr oder minder leicht schmelzbar; bei 10—20% Gehalt an kohlensaurem Kalk sind sie in der Regel am besten; für Dachsteine und Bausteine ist ein zu großer Kalkgehalt nachtheilig, weil sie dem Feuer am nächsten stehenden zu leicht schmelzen und weil sie der Witterung nicht widerstehen. Backsteine, welche hohen Kalkgehalt haben und nicht zu schwach gebrannt sind, kann man durch sofortiges Einlegen in Wasser nach dem Austragen aus dem Ofen cementartig erhärten und für jeden Gebrauch im Freien tauglich machen.

Thonmergel oder Mergelthon wird Thon genannt, der einen Kalkgehalt bis zu 50% zeigt; noch kalkreicherer Mergel heißt Kaltmergel. Lehmmergel ist ein Thonmergel, dem $1/4$ bis $1/2$ Thl. Sand beigemengt ist. Dieser dient bei geringerem Kalkgehalt zur Ziegelfabrikation. Die sandreichsten Gemische, die etwa auf 10 Thle. Thon 10—30 Thle. Kalk und 50—70 Thle. Sand enthalten, nennt man Sandmergel.

Zu den ocherigen Thonen, in denen die Thonerde der kieselsauren Verbindung zum Theil durch

Eisenoxyd ersetzt ist, rechnet man den **Röthel**, den **gelben Ocher**, den **Bolus** u. die **Siegelerde**, **Terra de Siena**; s. d. betr. Art. u. a.

Die **Walkererde**, ein Produkt der Verwitterung von Diorit und Dioritschiefer, gehört gleichfalls zu den Thonarten. Sie zerfällt in Wasser zu einem zarten Brei; ihre Eigenschaft, sich fein im Wasser zu vertheilen und Fett zu absorbiren, bedingt ihre Anwendung beim Walken.

Der Wassergehalt der Thone schwankt zwischen 6 bis 20%, der Kieselsäuregehalt zwischen 45 u. 70%, die Thonerde zwischen 16 bis 14%. Der Gehalt an Eisenoxyd kann bei einigen Thonen bis zu 12% steigen; er beträgt durchschnittlich meistens nur 4%, nicht selten noch beträchtlich weniger. Der Kalk- und Magnesia- sowie Alkaligehalt ist der Menge nach meist als unwesentlich zu betrachten.

Erfahrungssätze über das Bindevermögen des Thons. Um den Thon vor dem Brennen zu prüfen, ob er noch Quarzsandzusatz bedarf, ohne seine Feuerbeständigkeit zu verlieren, d. h. um so strengflüssig zu bleiben, daß er bei Gußstahlschmelzhitze nur eine schwache Flußrinde bekommt, die ihn aber vollständig überzieht, trocknet man ihn genügend und streicht ihn dann an dem Ballen eines Fingers; stäubt er dabei ab, aber noch nicht, wenn man den Ballen am Thon reibt, so ist die Grenze der Quarzsandbeimengung erreicht. Es folgt hier eine Uebersicht einer Reihe deutscher Thone, wobei die zweiten Zahlen den Zusatz von Quarzsand bezeichnen, welchen die betr. Thonart zu binden vermag, die ersten Zahlen aber diejenige Anzahl von Sandtheilen, bei welchen der Thon sich bei Gußstahlschmelzhitze mit einer vollständigen Flußschicht ohne Aufblasung überzieht.

Fetter Thon v. Antonienhütte bei Ruda (Oberschlesien) . . .		$2\frac{1}{2}$	4
" " " Coburg		2	5
" " " Bergen bei Drehna		$2\frac{1}{4}$	2
" " " Salzmünde bei Halle		$2\frac{3}{4}$	3
" " " Wettin		$3\frac{1}{4}$	$3\frac{1}{4}$
" " " Schletta bei Meißen		$1\frac{3}{4}$	$3\frac{1}{2}$
Polnischer Thon von Mira . . .		$1\frac{1}{2}$	5
Magerer feuerfester Thon aus dem Jurakalk in Würtemberg. Je mehr Quarz man zusetzt, um so schwerer schmilzt er, also je mehr Quarzzusatz man braucht, um so weniger strengflüssig ist er.	a	$\frac{1}{2}$	—
	b	$1\frac{1}{2}$	1
	c	2	$1\frac{1}{2}$
	d	3	2
	e	$2\frac{1}{2}$	2
	f	2	$1\frac{3}{4}$
Vollständig geschlämmter Thon	a	$3\frac{1}{2}$	5
	b	4	6
	c	3	6

Im Allgemeinen wird sich ganz geschlämmter reiner Thon ohne Quarzzusatz bei der erwähnten Hitze zu einer mehr oder weniger blasigen Porzellanmasse aufblasen, bei 1 Zusatz theils etwas aufblasen theils verglasen, bei 2 glasiren, mit 3 wenig glasiren, zwischen 3 und 4 schwach glasiren, bei 5 klinkerartig an der Außenseite werden, bei 6 körnig absondern; die unter den einzelnen Sorten sich findende Verschiedenheit im Verhalten beruht auf chemisch gebundener Kieselsäure.

Die Anwendung des Thons zu Töpferarbeiten u. s. w. zur Wasserverdichtung, zur Beseitigung von Fettflecken u. dergl. ist hinlänglich bekannt; s. d. Art. Thonwaaren. Ueber die Verwendung des Thones s. außerdem noch d. Art. Mörtel, Lehmmörtel, hydraulischer Mörtel, Eiskeller, Cisterne, Silo, Terracotte, Fliese, Kachel, Dreschtenne, Aestrich, Form, irdene Arbeiten, Klei, Abdruck, Dahn, Gar, Feuerbeständig, Baumaterialien B. rc. Mauern, welche vom Wasserandrang zu leiden haben, z. B. in Gruben, Kellern rc., kann man durch eine Thonschicht ziemlich wasserdicht machen, die hinter der Mauer eingestampft wird; s. auch d. Art. Lagerung c.

Thon, Schlämmen desselben, gerade wie beim Lehm; s. d. Art. Schlämmen 3.

Thonabdruck, s. d. Art. Abdruck.

Thonabklatsch, s. d. Art. Abklatschen.

thonartige Gesteine, s. d. Art. Baustein, S. 290 und 293.

Thonboden, s. d. Art. Grundbau, S. 218.

Thonbrenze, s. d. Art. Erdbrenze.

Thonbrust, bei einem Deich in dem Wall aufgeführte Wand von Thon, die den Durchgang des Wassers verhindert.

Thoneisensteine, so nennt man solche Mineralien, welche Gemenge des Thons mit rothem, braunem oder gelbem Eisenocher oder dichte bis erdige, durch Thon verunreinigte Varietäten des Roth-, Braun- oder Gelbeisenerzes bilden. Die **rothen Thoneisensteine** sind als Gemenge von Thon und rothem Eisenocher blutroth bis bräunlich-roth. Man unterscheidet je nach der Beschaffenheit der Masse den **schieferigen**, den **stengeligen**, den **gemeinen**, **erdigen** (Röthel, Rothstein) und den **jaspisartigen** Thoneisenstein. Bei den **braunen** bis **gelben Thoneisensteinen** unterscheidet man den **gemeinen**, derb, dicht, erdige Massen bildend, vom **schaligen** oder **kugligen**, welche Gebilde als thonige Brauneisenerze betrachtet werden, weil das Eisenoxydhydrat gewöhnlich vorherrscht. Hierher gehören noch die Eisennieren, Klappersteine, Adlersteine, Hirsenerze rc. Der **thonige Sphärosiderit** oder **sideritische Thoneisenstein** gehört ebenfalls zu den Thoneisensteinen; s. auch d. Art. Lagerung b, Eisenerz rc.

Thonerde und **Thonerdeverbindungen**. Die Sauerstoffverbindung des Aluminiums (s. d. Art.) oder Thonerde, ein Hauptbestandtheil des Thons, findet sich aber auch in der Natur im freien Zustand krystallisirt vor, in einer Reihe Mineralien, welche durch Härte, Glanz und Politurfähigkeit ausgezeichnet sind und zu den Edelsteinen gezählt werden. Diese Mineralien sind: Saphir, Rubin, Korund rc.; s. d. betr. Art. Die Thonerde selbst hat keine technische Verwendung, wohl aber mehrere Verbindungen derselben mit Säuren, so der Alaun, s. d. Art., der **Feldspath**, der **Wawellit**, der **Thon** oder die kieselsaure Thonerde rc.; **schwefelsaure Thonerde** wird in neuerer Zeit statt des Alauns als Beizmittel in der Färberei benutzt. Sie wird aus möglichst reinem Thon dargestellt, den man calcinirt, und fein gepulvert mit concentrischer Schwefelsäure erhitzt; wenn Schwefelsäure zu entweichen anfängt, zieht man die Masse aus der dazu verwendeten Pfanne und behandelt sie mit Wasser, wodurch man eine Auflösung von schwefelsaurer Thonerde erhält; durch Eindampfen dieser Auflösung und Versetzen derselben mit etwas Blutlaugensalz, um das Eisen zu entfernen, erhält man eine weiße Masse, welche dieses Salz darstellt; vergl. auch d. Art. Baumaterialien S. 291, Hohofen III., hydraulischer Mörtel, Lack rc.

Thonfliese, s. d. Art. Fliese 2.

Thongallen, so nennt man rundliche, aus Thon

bestehende Massen, welche in thonigen Sandsteinen vorkommen und nur locale Anhäufungen des thonigen Bindemittels dieser Sandsteine sind.

Thongesteine, Thonsteine, nennt man mehr oder weniger feste, verschieden gefärbte Mineralien, welche meist durch Zersetzung felsitischer oder porphyrischer Gesteine entstehen und den Thonen sehr ähnlich sind; man hat sie deshalb auch verhärtete Thone genannt. Sie enthalten Beimengungen von Kalkerde, Bittererde, Eisenoxydul, Eisenoxyd, kohlensaurer Kalkerde, Eisenoxyd- und Manganoxydhydrat, sowie von fein zertheiltem Quarz, Körnern von Feldspath, Glimmerblättchen ꝛc.; haben häufig auch Kali- oder Natrongehalt; geben aber sämmtlich beim Anhauchen und Befeuchten den eigenthümlichen Thongeruch. Man unterscheidet folgendermaaßen: 1) Gemeiner Thonstein, verhärteter Thon, weich, wiegt 1,8—2,6; 2) dichte Thonsteinmasse, hat weiße, graue, röthliche ꝛc., immer blasse und unreine Farben, wiegt 2,6—3,5; 3) Thonmergel, s. d. Art. Mergel 3; 4) Thoneisen, Thonocher, s. d. Art. Ocher; 5) Thongallerte, breiförmige Alaunerde; 6) Thoneisenstein, s. d.; 7) Thonsteinporphyr, Thonporphyr, verhärteter Thon mit eingeschlossenen Kugeln einer kieselreichen Abänderung des Gesteins, theils dicht, theils hohl mit verschiedenen, in Lagen wechselnden Abänderungen von Quarz ausgefüllt und zu Achat verbunden; führt außerdem Krystalle von Feldspath sowie Körner und dodekaëdrische Krystalle von Quarz, gewöhnlich durch Fettglanz sich auszeichnend. Die Feldspathkrystalle sind oft aufgelöst oder zersetzt und dann liegen an ihrer Stelle weiße Thontheilchen; manchmal sind die Quarzkrystalle vorwaltend und man nennt das Gestein alsdann quarzführenden Thonporphyr. Zwischen den Feldspath- und Quarzkrystallen lagern hin und wieder Körner und kleine Stückchen einer dem Bildstein ähnlichen Mineralsubstanz. Die Grundmasse enthält öfters in die Länge gezogene leere Blasenräume. Der Porphyr bricht plattenförmig, seltener schalig. Mitunter sind, vermittelst einer Thonmasse, eckige Bruchstücke des Thons mit einander verkittet, wo das Gestein alsdann Trümmerporphyr, auch brecciennartiger Porphyr heißt; 8) blasiger Thonstein: die Thonsteinmasse enthält unbestimmt begrenzte, nach einer Richtung hin in die Länge gezogene Blasenräume; 9) mandelsteinartiger Porphyr; Thonmandelstein; Thonsteingrundmasse mit Mandelsteinstructur; es finden sich Kalkspath, Zeolithe, Grünerde, Amethyst, Chalcedon, Achate und Quarze in den Blasenräumen; 10) Thonschiefer, s. d.

Thonhalde (Mineral.), s. u. Halde.

Thonkammer, s. d. Art. Brunnen I.

Thonmergel, s. u. Thon und Mergel.

Thonmühle, Thonmaschine. A. Thonreinigungsmaschine, dient zum Zerkleinern des Thones und um ihn von den darin befindlichen Steinchen zu reinigen; a) Faßmühle, s. d.; b) in einem cylinderförmigen Mauerwerk gebt die Welle, man bringt Wasser auf den eingefüllten Thon und läßt ihn durch eine kleine Oeffnung unten an der Seite des Mauerwerks ablaufen, nachdem er gehörig geknetet und durchschnitten ist. Man kann durch Pferde das Mühle in Bewegung setzen; c) Thonwaschmaschine, eine Art der Faßmühle, ähnlich der unter B zu beschreibenden Maschine, daher auch die Buchstaben dieselbe Bedeutung haben, jedoch ist hier die senkrechte Welle g, Fig.

1817, hohl, um von einem Behälter t Wasser aufzunehmen, welches sie durch kleine Löcher unterhalb der rotirenden Messer h, h und des beweglichen falschen Bodens x vertheilt; u ist ein Gefäß von geeigneter Höhe, in welchem ein Drahtsieb w sich in einer Richtung dreht, die der Bewegung der Messer h entgegengesetzt ist. Dieses Sieb treibt die verdünnte Erde vorwärts, wodurch das Wasser genöthigt wird, durch das Sieb v bei y abzufließen und die feinen, gewaschenen Erdtheilchen fortzuführe.

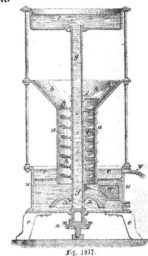

Fig. 1817.

B. **Maschine zur Anfertigung von Röhren und Ziegeln,** Fig. 1818 im senkrechten Durchschnitt, Fig. 1819 in der oberen Ansicht dargestellt. a, a ist ein hohler Cylinder mit trichterförmiger Erweiterung b. An letztere ist ein Rumpf c geschraubt, welcher nach oben ein wenig enger wird. d, die Bodenplatte, ist an den Cylinder a sowie an das Hauptgestell e, e der Maschine geschraubt; f, f sind Lager für die Welle der Getriebe n, o ꝛc.; g, g ist eine Verticalwelle, welche von einem an der unteren Seite der Platte d befestigten Lager gestützt wird und in einer Pfanne p läuft. An dieser Welle sind die Messer oder Blätter h befestigt. Ein an die Welle g befestigter Arm i trägt an seinem Ende ein geneigtes Messer k. l, l sind radiale Arme, welche an der inneren Peripherie des Cylinders befestigt sind. An dem unteren Theil der Welle g ist ein Gefäß m befestigt, welches für den Cylinder a eine Art falschen Bodens bildet. Der Rand dieses Gefäßes paßt unter eine von der inneren Fläche des Cylinders a hervorragende Flansche. Um die Entfernung desjenigen Thones aus der Maschine zu gestatten, welcher trotz dieser Flansche über den Rand des Gefäßes m gelangen sollte, sind in dem Cylinder a und in der Bodenplatte d kleine Löcher angebracht. Der Thon wird in den Rumpf c geworfen und füllt allmählich den ganzen Apparat aus. Das Messer k befördert die regelmäßige Zuführung des plastischen Materials und verhütet das Anhängen desselben an das umgebende Gehäuse.

Die Form der Messer h, h hat den Zweck, denselben Druck wie durch einen massiven Kolben hervorzubringen. Die Messer bilden daher Lappen einer archimedischen Schraube und sind rings um die Welle g so geordnet, daß jedes Messer das unter ihm befindliche überragt. Das mit der Spindel g sich drehende Gefäß m, m drängt den Thon aufwärts gegen die Oeffnung r hin, in gleicher Weise, wie die Masse von dem untersten Messer h aus gegen r hingedrängt wird. Dadurch wird eine regelmäßige Zuführung des Materials nach der Formöffnung bewirkt, an welche je nach der beabsichtigten Fabrikation von Drainröhren oder Hohlziegeln eine runde oder sonst geeignete, bei der Fabrikation massiver Ziegel z. B. die hier im Querschnitt dargestellte Form mit geneigten Seiten angesetzt und mit

Fig. 1819.

Hülfe von Schrauben in der gehörigen Lage gehalten wird.

Thonocher, Thonporphyr ꝛc.; f. d. Art. Thongesteine, Feldspathporphyr ꝛc.

Thonofen, f. d. Art. Ofen.

Thonquarz, Thonkieselstein, ist derber Quarz, welcher Mergel oder Thon reichlich beigemengt enthält.

Thonschiefer, franz. schiste argileux, phyllade, engl. clay-slate, feste, dichte, oft sehr kieselreiche, scheinbar gleichartige, schwarze, graue, unrein grüne, rothe oder braune Masse von schieferiger Structur; Hauptbestandtheile: Kieselerde, Thonerde und häufig Talkerde, Eisenoxyd ꝛc. in verschiedenem Verhältniß. Außerdem Beimengungen von Eisenkies und Chiastolith, ja zuweilen in sehr großer Menge; der Chiastolith besteht aus einfach kieselsaurer Thonerde in wasserfreiem Zustand und kann sich aus der Thonschiefermasse selbst gestalten; es kommen auch noch Staurolith und Granit vor, seltener Pistazit, Hornblende, Turmalin ꝛc. Der kohlige Thon wird dem Kieselschiefer ähnlich durch Aufnahme von Kieselerde.

Dem Grauwackenschiefer ähnelt der quarzige Thon bei Ueberhandnehmen von Quarz und Feldspathkörnern, dem Glimmerschiefer ähnelt er bei Anhäufen von Glimmer und Quarz, dem Chloritschiefer durch Chloritquantitäten. Je nach diesen Beimengungen ist sein Verhalten gegen die Witterung und daher seine technische Anwendbarkeit verschieden.

I. **Eintheilung nach dem Gehalt.**

a) Reiner Thonschiefer, Thonschiefermasse ohne fremdartige Beimengungen. Gewöhnlich von lichtgrauer Farbe und dünnschieferig.

b) Glimmeriger Thonschiefer, Thonschiefermasse mit Glimmerblättchen, die, bald mehr, bald weniger zahlreich, zwischen den einzelnen Schieferlagen des Gesteines sich befinden. Mittelgestein zwischen dem reinen Thonschiefer und dem Glimmerschiefer. Bisweilen verschwindet der Quarz fast gänzlich und läßt sich das glänzende Gestein alsdann zu feinen Glimmerblättchen und Thontheilen zerreiben. Mit dem Glimmerschieferthon sind verwandt die Fleck-, Frucht- oder Knotenschiefer. Die undeutlich in ihren Massen zerstreut liegenden Krystallindividuen bilden entweder dunkle Flecke oder längliche Körner, an Getreidekörner erinnernd; f. d. Art. Fruchtschiefer.

c) Kieseliger Thonschiefer, bald rein, bald glimmerführend, enthält in kleineren Körnern oder in einzelnen Zwischenlagern Quarz; erscheint bei Gegenwart von Glimmer mitunter als eine Verbindung von höchst feinen, glänzenden Glimmerblättchen, durchzogen von parallelen Quarzlagern, die sich bald auskeilen, bald bedeutend verdicken. Farbe grau, ins Gelbe, Blaue, Grüne, Braune und Rothe, kirsch- oder bräunlichroth, wenn er stark von Eisenoxyd imprägnirt ist.

d) Porphyrartiger Thonschiefer: verschiedene Thonschieferabänderungen schließen kleine Krystalle von Feldspath ein und haben Aehnlichkeit mit dem Porphyr. Dazu gehören die porphyrartigen Dachschiefer von Deville in den Ardennen. Grundmasse grauer, quarziger Dachschiefer, mit Einlagen von durchscheinenden, kugeligen Quarzkörnern und scharf ausgebildeten, weißen Feldspathkrystallen von 3—4 Linien, außerdem noch eigroße, unregelmäßige Stücken von Feldspath; wird mit zunehmendem Verhältniß der Grundmasse dem gewöhnlichen Dachschiefer ähnlicher.

e) Kohliger Thonschiefer, Grundmasse: glimmerarmer, kieseliger Schiefer, seiner ganzen Masse nach stark von Kohle durchdrungen, so daß er eine dunkle, graulich-schwarze oder sammetschwarze Farbe hat; zeigt gewöhnlich noch einen eigenen Schimmer auf den Structurflächen. Wird an der Luft durch Glühen weiß. Ist als Material zur Bedachung sehr tauglich, wenn er dünnschieferige und gerade schieferige Structur besitzt; meist enthält er Krystalle und Nieren von Schwefelkies; die Structur wird mit wachsender Menge der Kieselerde dichtschieferig und unvollkommen schieferig.

f) Thonschiefer, der viele kohlige Theile enthält und brennt, heißt Brandschiefer.

g) Kalkiger Thonschiefer, kohlensaurer Kalk, mit vorherrschender Thonschiefermasse gemengt, in Blättern, die parallel in länglichen Partien oder in kleineren oder größeren Knoten mit den Schieferlagen laufen, auch öfters sein durch die ganze Thonschiefermasse zersprengt sind; braust in Säuren auf. Auch nimmt diese Art mitunter eine Mandelsteinstructur an.

h) Kohlenschiefer, f. d.

i) **Kupferschiefer**, s. d.
k) **Liasschiefer**, s. d. Art. Mergelschiefer.
l) **Polirschiefer**, s. d.
m) **Knotenschiefer**, s. d. Art. Fruchtschiefer.
II. Der Verwendung nach läßt sich der Thonschiefer eintheilen wie folgt: 1) Dachschiefer, sehr gleichmäßig, frei von sandigen Theilen, schwach und eben spaltbar; Kennzeichen der Güte: violetschwarze Farbe, heller Klang beim Anschlagen mit Stahl; — 2) Griffelschiefer, von stängeliger Absonderung; — 3) Wetzschiefer, Bruch splitterig, enthält Quarz, gelblich- oder grünlichgrau; — 4) Zeichenschiefer, schwarze Kreide; auch an Kohlenstoff sehr reich, an der Luft erhärtend, roh zu Stiften verarbeitet, doch auch geschlämmt, mit Gummiwasser gekitet und geformt; — 5) Alaunschiefer, zur Alaunbereitung gebraucht; zum Bauen, aber blos für Gewölbe, Treppen 2c., eignen sich quarzreiche Thonschiefer. Zu Fußböden wird der schwarze Dachschiefer und der Fruchtschiefer verwendet; s. z. B. d. Art. Fliese, Fußboden, Dach, Flachstein, Klinker, Lochen, bardiglione, Argilit, Lagerung k, Bausteine, S. 290, Flöktthonschiefer 2c.

Thonschlag (Wasserb.), unter Archen- oder Schleußenboden, hinter Grubenmauern, auf Kellergewölben 2c. zur Dichtmachung gegen das Eindringen des Wassers sehr zweckmäßige Ausfüllung mit einer Lage Thon, die aber sehr fest gestampft und schnell bedeckt werden muß, da sie beim Trocknen leicht aufreißt.

Thonschneidemaschine, s. d. Art. Kleinmühle, Thonmühle und Ziegelfabrikation.

Thonstein, Argilolit, s. d. Art. Thongesteine.

Thonwaaren. I. Allgemeines und Arten. Die Bildsamkeit und Elasticität der verschiedenen Thonarten macht sie zu dem geeignetsten Material zur Herstellung von Geschirren aller Art; entweder ist bei letzteren der Bruch dicht, fast glasartig, gleichsam geflossen, und die ganze Masse ist mit dem Messer nicht ritzbar, oder man findet den Bruch matt, erdig aussehend, die Masse weniger hart 2c. Zu der ersten Classe gehört das Porzellan in seinen verschiedenen Varietäten, das Steingut; zur zweiten Classe die ordinäre Töpferwaare, das Fayence, feuerfeste Steine, Ziegel, Tiegel 2c.

1. Das Material der Porzellanfabrikation ist der Kaolin (s. d.). Da jedoch Kaolin, für sich gebrannt, nach dem Brennen eine poröse, undurchsichtige Masse geben würde, so muß man, um durchscheinendes und gleichartiges Porzellan zu erhalten, den Kaolin mit sogenanntem Fluß, wozu gewöhnlich Feldspath dient, auf's Feinste und Innigste mengen. Das Gemenge bildet mit Wasser eine plastische Masse, welche auf der Töpferscheibe geformt und dann getrocknet und gebrannt wird.

2. Dem Porzellan am nächsten steht das feine englische Steinzeug, Wedgwood, gefertigt aus Kaolin und plastischem Thon, welchem als Flußmittel Feldspath und Quarz zugesetzt wird. Die braunen und eisenschwarzen Geschirre dieses Steinzeuges haben als Flußmittel Ocher und Braunstein erhalten.

3. Das gemeine Steinzeug wird aus Thonen gefertigt, welche bei starker Einwirkung des Feuers zu schmelzen beginnen, ohne blasig zu werden. Man mischt dem Thon in der Regel feinen Quarzsand zu, um dem zu starken Schwinden des Thones oder der geformten Masse entgegen zu arbeiten. Zur Verglasung des Steinzeuges wird gegen Ende des Brennens gewöhnlich Kochsalz in den Ofen gestreut. Die Dämpfe desselben zersetzen sich, wenn sie mit der glühenden Schicht des Steinzeuges zusammentreffen; es bildet sich auf dem Steinzeug ein dünner, fester Ueberzug von leichtflüssigem Natronsilicat. Eine andere Glasur wird dargestellt, indem man die lufttrocknen Steingutgeschirre in eine Schlämpe von gepulverten Eisenschlacken oder basaltähnlichen Laven eintaucht.

4. Die feine Fayence besteht aus geschlämmtem plastischem Thon mit Zusatz von Quarz- oder Feuersteinpulver; sie wird meist mit einem bleihaltigen, durchsichtigen Krystallglas als Glasur überzogen.

5. Zur Fabrikation der gemeinen Fayence dienen Töpferthon, plastischer Thon, Kaltmergel und Quarzpulver in verschiedenem Verhältniß. Die Ofenkacheln werden aus solcher Fayence gefertigt.

6. Die Fabrikation der thönernen Pfeifen, der Kühltröge oder Alcarazzas schließt sich der Fayence eng an. Die Pfeifen werden aus einem ziemlich eisenfreien Thon, dem Pfeifenthon, dargestellt. Die Alcarazzas erhalten nach dem Brennen keine Glasur, sie bleiben porös.

7. Das gemeine Töpferzeug wird aus Thon gemacht, aus dem man nur die größeren Steine ausliest; dieser Thon ist in der Regel ziemlich kalkhaltig und kann keine hohe Temperatur vertragen, ohne zu schmelzen. Den fetteren Thon, der sich nicht zu Töpfergeschirr eignet, mengt man mit magerem oder mit Lehm, und brennt dann ein solches Gemenge.

8. Zur Ziegelfabrikation werden die am meisten dicht unter der Erdoberfläche sich findenden Thonarten verwendet; s. d. Art. Ziegelfabrikation 2c.

9. Die Chamotte, eine Mischung aus frischer Thonmasse mit entsprechenden Mengen schon gebrannter und gepulverter Masse, meist von Porzellanmuffeln, welche zusammen gebrannt wird; dient zur Fabrikation feuerfester Bausteine.

10. Aus ähnlichen Massen, wie die feuerfesten Steine, stellt man Tiegel dar; die hessischen Tiegel z. B. durch Vermischen von Almeröder feuerfestem Thon mit $1/3$ Quarzsand, oder man fabricirt sie aus 2 Theilen gebrannter Chamotte und 1 Theil ungebranntem feuerfesten Thon. Die Graphittiegel bestehen aus 1 Theil feuerfesten Thon und 3—4 Theilen Graphit. Die Graphittiegel zum Schmelzen von Gußstahl werden aus gleichen Volumentheilen Stannyton- und Stourbridgethon, $1/10$ gepulverter Tiegelscherben und $1/100$ Volumen Coaks gefertigt.

II. Glasuren für die verschiedenen Thonwaaren.
1. Das Porzellan, aus Kaolin dargestellt, würde sich zu einer undurchsichtigen, erdigen Masse brennen; um es glasglatt auf der Oberfläche erscheinen zu lassen, wird es mit einer Glasur versehen. Diese Glasur enthält dieselben Bestandtheile, wie die Grundmasse, aber in solchem Verhältniß, daß sie bei niedrigerer Temperatur flüssig wird als die Grundmasse. Im Allgemeinen wendet man auf 4 Thle. geschlämmten Kaolin 1 Thl. durch Feldspathgehalt schmelzbaren Sand an. Damit die Masse beim Brennen nicht rissig wird, setzt man gewöhnl. Kreide zu, und zwar dann auf 70 Thle. Kaolin 25 Thle. Sand und 8 Thle. Kreide. Diese Verhältnisse müssen aber oft abgeändert werden, da es ganz auf die Zusammensetzung des Kaolins ankommt. Wir verweisen hier auf die betreffende Literatur.

2. Beim feinen Steinzeug ersetzt gewöhnlich die oberflächliche Schmelzung die Glasur. Will

man eine künstliche Glasur haben, so überzieht man das Innere der Kapseln, in welchen die Geschirre stehen, mit einer Mischung von 60 Thln. Kochsalz, 28 Thln. Pottasche und 5 Thln. Bleioxyd. Die sich entwickelnden Dämpfe von Kochsalz und Chlorblei überziehen die Massen mit einem Glas.

3. Das Innere von Gefäßen überzieht man auch häufig mit einer Bleioxyd und Verfäure haltenden Glasur; z. B. aus 35 Thln. Feldspath, 25 Thln. Quarzsand, 20 Thln. Mennige, 15 Thln. gebranntem Borax und 5 Thln. Pottasche.

4. Die Glasur für feine Fayence ist sehr schwierig herzustellen; sie muß hart genug sein und darf keine Neigung haben, Risse und Sprünge beim Erkalten der gebrannten Waare zu bekommen.

5. In England verwendet man häufig den aus Peru kommenden borsauren Kalk zur Glasur. Die Glasur des Geschirres von Creil besteht aus 40 Thln. Borax, 25 Thln. Feldspath, 20 Thln. kohlensaurem Kalt, 20 Thln. Mennige, 19 Thln. Bleiglätte. Dieses Gemisch wird zu Glas geschmolzen und 62 Thle. davon mit 13 Thln. Feldspath und 25 Thln. Quarzpulver gemengt und auf die Masse aufgetragen.

6. Die gemeine Fayence wird mit einem Glase aus Kieselerde, Bleioxyd und Alkali, welches durch Zinnoxyd und Antimonsäure in ein undurchsichtiges Email verwandelt wird, glasirt. Man stellt Oxydgemenge von 77 Thln. Bleioxyd und 23 Thln. Zinnoxyd, oder 17 Thln. Zinnoxyd und 77 Thln. Bleioxyd (für weichere Glasur) dar. Vom erstern (härtere Glasur) stellt man 45 Thle. mit eben so viel Quarz und 2 Thln. Mennige, 5 Thln. Kochsalz und 3 Thln. calcinirter Soda zusammen; für die weichere Glasur werden auf 45 Thle. der Oxydgemenge nur 3 Thle. Soda und 7 Thle. Kochsalz zugesetzt. Die gemahlenen Glasuren werden mit Wasser zu einer Schlämpe angerührt und durch Eintauchen, Begießen oder Schwenken auf die Gefäße aufgebracht.

7. Eine gute weiße Ofenkachelglasur kann zusammengesetzt werden aus 23 Thln. Bleioxyd, 15 Thln. Zinnoxyd, 43 Thln. Kieselerde, 4 Thln. Eisenoxyd und 3 Thln. Kalk; durch Fritten von 25 Thln. Mennige, 16 Thln. Zinnoxyd, 38 Thln. Quarz, 12 Thln. Thon, circa 10 Thln. Kalk und Magnesia und 18 Thln. Soda würde man eine ähnliche Glasur erhalten.

8. Die Glasur für gemeines Töpferzeug wird am häufigsten aus Bleiglätte und Thon hergestellt. Je nach der Beschaffenheit des Thones, den man verarbeitet, wechselt die Menge des zusetzbaren Bleioxydes. Uebliche Verhältnisse sind: 7 Thle. Glätte auf 4 Thle. Lehm, Glätte auf 1 Thl. Thon und 1 Thl. Sand, oder 2 Thle. Glätte, 2 Thle. Soda und 1 Thl. Sand auf 4 Thle. Lehm. In neuerer Zeit hat man als Ersatz der Glätte 5 Thle. Zinkblende, mit 22 Thln. Glauberfalz und 20 Thln. Sand gemischt, vorgeschlagen.

III. Brennen der Thonwaaren. Auf die mannichfachen Constructionen der Oefen 2c. können wir uns hier nicht speciell einlassen. Wir müssen uns mit dem in den Art. Brennofen, Porzellan 2c. Gesagten begnügen und verweisen im Speciellen auf die in dieser Beziehung sehr reiche Literatur.

IV. Formen der Thonwaaren, f. d. Art. Formen, Abdruck, Gefäße, Kacheln, Fliese 2c.

V. Mittel, um thönerne Geräthschaften wasserdicht zu machen. Mit Wasser besprengter und zu Pulver zerfallener Kalk wird mit concentrirter Boraxlösung zu einem dicken Brei gemacht, und

dieser auf die Wände des Gefäßes, welche verglast werden sollen, aufgetragen; dann läßt man langsam trocknen und erhitzt schließlich das Gefäß bis zum Schmelzen der Glasur.

VI. **Bronzirung fertiger Thonwaaren,** s. d. Art. Bronzefarben.

VII. **Farbige Glasur:**

1. Bereitung des Flußmittels: 30 Thle. Harz werden in eine Kapsel gethan und in ein nach und nach erwärmtes Sandbad gestellt; dann setzt man in kleinen Portionen 10 Thle. salpetersaures Wismuth zu und rührt diese Mischung gut um; fängt sie an sich zu bräunen, so gießt man nach Verhältniß bis zu 40 Theilen Lavendelöl zu und rührt gut um, bis Alles gehörig geschmolzen, nimmt die Kapsel aus dem Sandbad und läßt sie gehörig abkühlen, worauf noch circa 35 Theile Lavendelöl aufgegossen werden.

2. Bereitung der Färbestoffe. a) Gelb. In einer (wie oben) erwärmten Kapsel schmilzt man 30 Thle. Colophonium; beginnt dies zu schmelzen, so setzt man 10 Thle. zerstoßenes, salzsaures Uranium, und zu leichterer Vermischung 35—40 Thle. Lavendelöl zu. Wenn diese Masse gleichmäßig umgerührt ist, nimmt man die Kapsel vom Feuer und setzt 30—35 Thle. Lavendelöl zu. Darauf wird die Farbe mit gleichen Theilen obigen Flußmittels vermengt, mit dem Pinsel auf den Gegenstand gestrichen und hierauf derselbe nochmals gebrannt. b) Roth, Orange- oder Nankinfarbe. 15 Thle. Colophonium läßt man wie oben zergehen und setzt gleich nach der Schmelzung 15 Thle. zerstoßenes, salzsaures Eisenoxyd und 18 Thle. Lavendelöl portionenweise unter beständigem Umrühren zu; ist Alles gleichmäßig, so läßt man es erkalten und fügt noch 20 Thle. Lavendelöl zu. Dies giebt nach dem Brennen, je nach der angewendeten Menge des Flußmittels, von welchem $\frac{1}{5}$—$\frac{1}{4}$ zugesetzt wird, eine rothe, Orangen- oder Nankinfarbe oder beliebige Mitteltöne. c) Polirtes Gold; entsteht durch Vermischung von 2 oder 3 Thln. Uraniumpräparat mit 1 Thl. Eisenpräparat. d) Regenbogenfarbe. Hierzu nimmt man entweder Ammoniakgold oder blausaures Gold und Quecksilber, Goldjodüre oder Goldtinktur. Eine kleine Massen wird auf einer Palette mit Terpentinöl zu einem Teig gerieben, den man trocknet, um mit Lavendelöl zu verreiben; dann setzt man zu 1 Theil dieser Masse 1, 2, 3 oder 4—10 Thle. des obigen Flußmittels zu. Nach erfolgtem Ueberzug streicht man den Gegenstand noch mit einer Uranlösung, wodurch man mehr oder minder dunkle Töne erhält. Die anzustreichenden Gegenstände müssen gut vom Staub gereinigt und die Schichten mit dem Pinsel nicht zu dick und nicht zu dünn aufgetragen werden. Alle diese Präparate kann man auch auf Glas anwenden; man nimmt dazu Wismuthfluß, mit Bleifluß vermengt.

Thonziegel, Backstein von Thon; s. d. Art. Backstein, Baustein, Mauerstein und Dachziegel, besonders aber d. Art. Ziegel.

Thor, 1) ein in ein Haus, Wirthschaftsgebäude, Hofraum, einen Garten, durch eine Ringmauer 2c. führender, für Thiere und Menschen bestimmter weiter Eingang; auch nennt man uneigentlich so die Thorflügel, mit welchen diese Eingänge verschlossen werden. Minimalmaaß eines Einfahrtthores, einer Thorfahrt, ist 8 Fuß Breite und 10 Fuß Höhe. Bei Thoren, die überbaut werden, kann man die Seitengewände aufmauern oder aus Werkstücken zusammensetzen; sie können dann scheitrechten Sturz, gedrückten oder vollen Bogen erhalten. Zu Seiten des Thores bringe man, wo es der Raum gestattet, Thüren für die Fußgänger an. Man fertigt die Thorflügel aus Eisengitter, aus Eisenrahmen mit Blechbeschlag, aus starken Bohlen oder Brettern, endlich auch und zwar am elegantesten aus Rahmen mit eingestemmten Füllungen. Das Beschläge, Thorbeschläge, besteht entweder aus Angeln, Zapfen und Pfannen, oder aus langen eisernen Bändern, die in Hafen hängen, welche in der Wand oder in dem Thürgewände befestigt sind. Noch besser ist es, die eisernen Bänder, statt in Oehre, in überspringende Zapfen endigen zu lassen und Pfannen statt der Hafen zu gebrauchen. Für das Hängen in Angeln eignet sich die Construction in Füllungen weniger gut als die ältere, noch jetzt für Scheunenthore gewöhnliche: jeder Flügel erhält eine Drehspille und eine schräge Strebe, vom unteren Theil der Drehspille nach dem oberen Ende des Flügels, sowie einige Querriegel, und dieses Gerüst wird mit Brettern belegt, die am häufigsten lothrecht oder schräg stehen. Der Verschluß geschieht dann mittelst eines drehbaren Querriegels, der sich in Haken an beiden Flügeln einlegt. Bei weiten, namentlich nicht überbauten Thoren, also bei Hofthoren, Gartenthoren ꝛc., bringt man gern unten am vorderen Ende des Flügels eiserne Rollen an, da die Thorflügel viel Uebergewicht haben; doch sind sie nur da anwendbar, wo der Fußboden hart und eben ist. Trotzdem müssen die Pfeiler solcher Thore sehr viel Wuchtung aushalten und es ist daher kaum anzurathen, sie aus Ziegeln aufzumauern. Von Holz sollten die Thorgewände nur im Nothfall gemacht werden. Zu Erreichung größeren Haltes bei solchen Thoren mit gemauerten Pfeilern überbaut man gern die Thüröffnung zwischen den Pfeilern mit einem kleinen Dache (holländische Thore). Vergl. übrig. d. Art. Stall, Scheune, Stadtthor, Hofthor ꝛc.; außerdem f. noch d. Art. Festungsbau, Burg, Ortsanlagen, Radstößer, Fallgatter, flämische Pforte ꝛc. Bei Festungen nach bastionirtem System sind die Thore in der Courtine, in der Mitte einer der Facen des ausspringenden Winkels aber beim tenaillirten System angebracht und gewöhnlich das Hauptthor überwölbt. Aeußeres Thor heißt das letzte Thor der Außenwerke, wo der Weg die Festung mittelst eines Durchschnittes durch das Glacis verläßt. — 2) Von einem engen Bergpasse der Ausgang und Eingang; — 3) (Mythol.) Gott des Wetters, Donnergott, der Jupiter (Tonans) der Deutschen. Sohn Wodans (f. d. Art. Odin); ist darzustellen als starker Mann mit großem Bart, auf dem Haupt eine Krone mit Strahlenspitzen, in einem langen Talar, in der rechten Hand einen Scepter mit einer Lilie oder einen Hammer, einen Kreis von Sternen um das Haupt.

Thorax, thoracida, lat., Brustbild, Büste.

Thorit, wasserhaltendes Thoreberdsilicat; enthält Thorerde, Thoriumoxyd, Kieselsäure und Wasser.

Thorium, ein zu den Erdmetallen gehörendes, in wenigen seltenen Mineralien vorkommendes Metall.

Thornagel, etwa 5 Zoll langer eiserner Nagel mit breitrundem Kopf, zu Befestigung und Verzierung der Thürflügel dienend; f. d. Art. Nagel.

Thorpforte, Pforte zum Einlaß der Fußgänger, in größere Thorflügel eingeschnitten.

Thorriegel, 1) Riegel des Gestelles eines Thorflügels mit Drehspille, f. d. Art. Thor; — 2) drehbares Holz oder eiserner Schubriegel zum Verschließen des Thores.

Thorthurm. Ueber Gestaltung derselben f. d. Art. Festungsbaukunst, arabischer Styl, Burg ꝛc.

Thorweg, engl. gateway, Thoreinfahrt, Thorfahrt, f. d. Art. Einfahrt und Thor; gewölbter Thorweg, engl. archway.

Thot, f. d. Art. Hermes.

Thränenbaum, Trauercypresse (Dacrydium cupressinum Sol., Fam. Nadelhölzer, Coniferae), ein Baum Neuseelands, dient wegen seiner herabhängenden Zweige als Gräberschmuck.

Thränenweide, Trauerweide (Salix babylonica L.), Weidenart des Orients, dient wegen ihrer zarten, schlaff herabhängenden Zweige als Grabschmuck.

Thran, im Handel vorkommendes flüssiges Fett von Seethieren; man gewinnt ihn einfach durch Auskochung der Organe dieser Thiere mit Wasser oder durch Auspressen. Der Walfischthran kommt von verschiedenen walartigen Säugethieren, dem Potwal, dem Finnfisch, dem Narwal ꝛc.; der Robbenthran vom Walroß und den verschiedenen Seehundarten. Der Fischthran wird durch Auskochen der Heringe mit Wasser gewonnen. Der Leberthran stammt aus den Lebern der Stockfische. Alle diese Thrane bestehen der Hauptsache nach aus Oelsaurem und palmitinsaurem Lipyloxyd, gemengt mit kleinen Mengen flüchtiger Fettsäuren, Gallertbestandtheile ꝛc. Im Leberthran befindet sich auch Jod.

threecentred arch, engl., f. d. Art. Bogen, S. 398, Bd. I.

threefoiled arch, engl., f. d. Art. Bogen, S. 399, Bd. I.

threefold-window, engl., dreifaltiges Fenster.

Threshold, engl., Drempel, Drüschel, Thürschwelle.

Thrice-cut, engl., Dreischlitz, Triglyph.

Throating, engl., Kranzleiste.

Thron, griech. θρόνος, lat. thronus, franz. trône, f. d. Art. Bischofsstuhl, Stuhl u. Sängel ꝛc.

Through, engl., Durchbrechung, vergl. d. Art. Maaßwerk; through-carved work, durchbrochene Arbeit; throughstone, altengl. thrughe, Binder, Platte, vergl. auch d. Art. Leichenstein.

Thrust, engl., Schub, Druck; thrustline, Schublinie; f. d. Art. Bogen und Wölbung.

Thucca, f. d. Art. Drachenbaum.

Thür. Thüre von griech. θύρα, lat. janua, ostium, fores, porta, franz. porte, huis, engl. door, doorway, jede Oeffnung in einer Gebäudemauer, die bestimmt ist, zum Durchgang zu dienen, und verschlossen werden kann. Eine größere Thür heißt Thor, Einfahrt, Thorweg (f. d. Art. Thor); eine reicher verzierte Portal; eine kleinere Pforte. Die Thüröffnung, griech. θυρίδιον, θύρων, selbst sowohl, als auch die zum Verschließen derselben dienenden Vorrichtungen, Flügel, griech. θυρώματα, werden mit diesem Namen bezeichnet, obgleich letztere richtiger Thürflügel, lat. valva, frz. battant, ventail, engl. leave, levy, heißen.

I. Die Größe der Thüröffnung richtet sich nach der Bestimmung derselben. Tapetenthüren, Schlupfpforten, Abtrittsthüren ꝛc. sind, als die kleinsten, 0,50 Meter und darüber breit, 1,85 Meter und darüber hoch zu machen. Kammerthüren, Küchenthüren ꝛc. 0,75—0,90 breit und 1,90—2,0 hoch. Gewöhnliche Thüren mit einem Flügel 0,80—1,00 höchstens breit; breitere Thüren müssen zwei Flügel erhalten. Dahin gehören die Hausthüren, welche nie unter 1,45 Meter (= 5 Fuß) breit sein sollten, die Salonthüren, denen man, wenn sie unter 1,25 breit sind, zwei ungleiche Flügel giebt, indem man doppelte Schlagleisten verwendet oder dergl. Unter 1,85 hoch sollte nie eine Thür gemacht werden, aber Zimmerthüren mache man auch nicht über 2,50 hoch, in Wohnzimmern nicht über 2,20, weil sonst zu viel Wärme durch sie entweicht. Das Verhältniß der Breite zur Höhe bleibt dem Geschmack des Entwerfenden sowie den Regeln des Styles überlassen; z. B. bei scheitrechten Thüren zwischen Bogenstellungen bestimmt der Kämpfer der Bogen die Lage des Sturzes.

II. Umgebung der Thüröffnung. 1. Massive Thüreinfassung. Diese ist entweder blos aufgemauert und besteht dann aus Thürpfeilern oder Thürschäften und dem Thürbogen; dabei ist besonders auf guten Eckverband zu sehen; oder es wird in die Mauer ein besonderes steinernes Thürgestell, frz. jambage, eingesetzt, welches dann aus einer Thürsohle, Sohlbank (s. d.), zwei Thürgewänden, frz. laucis, engl. jambs, ital. stipiti, und einem Sturz oder Sturzbogen (s. d.) besteht.

2. Hölzerne Thüreinfassung, frz. huisserie, engl. door-case, kann auf verschiedene Weise construirt werden. a) Man mauert Dübel ein und befestigt an diese die Futterzarge, die also so breit ist, als das Gewände tief werden soll; an beiden Frontseiten der Wand werden dann Thürbekleidungen angeschlagen, die entweder glatt oder verziert sein können. b) Bei ordinären Thüren genügt eine etwas starke Futterzarge ohne Verkleidung. c) Man stellt in die Maueröffnung ein aus Pfostenstreifen oder Kreuzholz gefertigtes Thürgerüste. Ein solches besteht aus Thürschwelle, zwei Thürsäulen oder Thürpfosten und einem Sturzriegel, wird bei Fachwänden gleich mit abgebunden und entweder gleich gehobelt und dann meist mit einem Falz versehen, oder es wird aus rohem Holz gearbeitet, an welches dann Thürfutter und Verkleidung angenagelt werden. Bei schmachen Wänden läßt man das Futter, resp. das Gewände, stets durch die ganze Mauerstärke hindurchgehen, bei stärkeren macht man es meist blos 6 Zoll breit und etwas enger als die Maueröffnung, so daß sich ein Anschlag wie bei einem Fenster bildet. Die Anschlagsmauer, d. h. die Seitenmauer des Thürausschnittes, der Thürnische, wird dann meist, des weiten Aufgebens wegen, mit Ausschrägung versehen; sind aber die Mauern nicht sehr stark, so thut man am besten, das Futter ganz hindurchgehen zu lassen, weil man sonst die Ausschrägung sehr bedeutend machen muß. Die Thürflügel liegen entweder stumpf am Gewände an oder müssen dann wenigstens 2 Zoll über dasselbe übergreifen, auf dasselbe aufschlagen, 2 Zoll Anschlag haben, oder sie liegen in einem Falz an der Ecke des Gewändes, der 1 Zoll tief und breit sein muß. Dann heißt die Aufgangseite, d. h. die Seite des Gewändes, wo der Thürflügel liegt, wohin die Thür schlägt, die Falzseite, die andere die Zierseite, die dort liegende Verkleidung die Zierverkleidung. Um dichteren Schlusses willen giebt man den Flügeln dann gern noch einen Ueberschlag (Fig. 1820 u. 1821). Bei Steingewänden ist das stumpfe Anschlagen fast besser als der Falz. Bei Entwerfung

der Gewändeverzierungen oder Verkleidungsglieder (b in Fig. 1820 und 1821) nehme man Rücksicht darauf, daß die Thür ganz aufgehen könne. Die Formen selbst richten sich natürlich ganz nach dem gewählten Styl; s. daher d. Art. Aegyptisch, Attisch, Byzantinisch, Etruskisch ꝛc. Meist werden die Verkleidungen nur architravirt (s. d.). Bei geputzten Wänden thut man wohl, die Verkleidungen auf den Putz zu legen, und macht dann das Futter so breit, als die Wand incl. Putz stark ist. Beträgt diese Futterbreite über 10 Zoll, so thut man wohl, das Futter in Füllungen zu construiren, als ein gestemmtes Futter. Bei kleinen Thüren macht man die Verkleidung in der Regel 5—7 Zoll, bei größeren 7—12 Zoll breit; so breite Verkleidungen haben natürlich noch etwas mehr Ausladung und sind dann in der Regel aus 2—3 Bretstücken zusammengesetzt, verdoppelt oder wenigstens mit aufgesetzten Leisten versehen. Am Fußboden giebt man den Thürflügeln in der Regel weder Falz noch Ueberschlag, sondern läßt sie stumpf an das Schwellbret anschlagen, ja bei Parquetfußboden legt man sogar das Schwellbret bündig mit dem Fußboden; s. d. Art. Schwellbret. Wird ein Oberlicht über die Thür gewünscht, so trennt man es von der Thür durch einen Kämpferstein oder ein Kämpferholz, Loosholz, Latteiholz. Vergl. auch d. Art. Oberlicht.

III. Anschlagen und Aufgehen der Thür; über die Anhängungs- und Verschlußbeschläge s. d. Art. Thürbeschläge. Man sagt: eine Thür geht rechts auf, wenn sie die Bänder, von der Aufgangseite aus gesehen, auf der rechten Seite befinden. Bei Doppelthüren ist hierbei der aufgehende Flügel maaßgebend. In Salons und anderen eleganten Räumen, sowie in sehr engen Räumen, lege man die Thüren so, daß sie hinausschlagen, also die Zierverkleidungen nach dem betreffenden Raum zu stehen. Hausthüren dürfen in den meisten Orten nach gesetzlicher Anordnung nicht nach der Straße herausschlagen.

IV. Nach der Construction der Flügel unterscheidet man:

1. Gespündete Thüren, Bretthüren mit dahinter genagelten Querleisten, nur an Ställen und kleinen Gebäuden. Man spündet Bretter und treibt sie durch Zwingen, ohne Leim, scharf zusammen; sie werden zusammengehalten durch 3—4 Zoll breite Querleisten, die man flach aufnagelt oder in Grade einschiebt, etwa 8 Zoll von der oberen und unteren Kante entfernt. Dann wird noch eine dritte Leiste, Strebe, in diagonaler Richtung zwischen diese mit Versatzung eingeschnitten, gegen die Thür verschieben.

2. Eingesetzte oder gestemmte Thüren bestehen aus Füllungen, die von Rahmen, Friesen ringsum eingefaßt in eine an diesen Gevierten befindliche Nuth geschoben sind. Je nach der Anordnung dieser Verschiedenheit heißen die Thürfüllungen entweder: a) eingeschoben, eingesetzt; s. Fig. 1820. Dabei schwächt man meist die Füllungen nach den Seiten ab, um die Nuth g nicht zu weit, und also das Rahmenholz nicht zu stark zu brauchen; diese Verschwächung ist entweder unsichtbar, d. h. blos als Feder gearbeitet, wie in Fig. 1820 rechts, oder sie ist breit und sichtbar, wie in Fig. 1820 links, und heißt dann Abgründung; die Haltbarkeit wird aber jedenfalls dadurch beeinträchtigt. Sind auf beiden Seiten solche Abgründungen angebracht, so sagt man, die Thür sei auf beiden Seiten rechts. b) Hat die Füllung außer der Feder g

noch einen Ueberschlag, so daß sie auf einer Seite vor dem Rahmholz vorsteht, wie in Fig. 1821 bei h, so heißt sie überschoben. Beide Arten der Füllungen verziert man auch wohl noch durch aufgeleimte Leisten f, womit die Füllungen an oder auf dem Rand der Rahmenstücke eingefaßt werden.

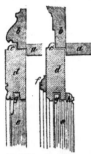

Es ziehen sich diese Leisten bei dem Schwinden der Füllungen leicht krumm; wenn die Kehlstöße mehr vorspringen sollen, bringt man daher, um zu dem Rahmenstück nicht zu starkes Holz zu verschneiden, zwischen demselben und den Füllungen noch ein besonderes Stück Holz an, das mit dem eigentlichen Rahmenstück verspundet wird und solches übergreift. Diese Zusammenfügung nennt man mit dem Kehlstoß in der Nuth.

Fig. 1820.   Fig. 1821.

Alle Füllungsthüren theilen sich in folgender Weise ein: a) Ordinäre, Zweifüllungsthüren, haben ein oberes, mittleres, unteres Querrahmenstück, Ober-, Mittel- und Unterfries, und das rechte und linke Längenrahmenstück, Höhschenkel, Aufrechtes. Diese Stücke sind mit durchgehenden Zapfen (Schlitzzapfen) mit Backen auf Gehrung verbunden und erhalten eine Nuth, worin die Feder der Füllung liegt, doch so, daß letztere den Grund der Nuth nicht erreicht, damit Raum zur Ausdehnung der Füllung bleibe. Bei größeren Thüren erhalten die Rahmen doppelte Zapfen. b) Kreuzthüren haben gleiche Construction mit den vorhergehenden, nur daß sie in vier Füllungen getheilt sind durch einen lothrechten Mittelfries und das ziemlich in der Mitte waagerecht liegende Querstück. Dieses geht aus dem Ganzen durch, während der lothrechte Mittelfries aus 2 Stücken besteht, die in ersteres mit Gehrung eingesetzt sind. c) Dreifüllungsthüren, namentlich für Flügelthüren angewendet, an denen beide Flügel zusammen 6 Füllungen bilden. d) Sechsfüllungsthüren. e) Figurirte Thüren, oft mit sehr reich gruppirten und in einander verschobenen Füllungen.

3. Verdoppelte Thüren bestehen aus einer Blendthür (Blindthür), meist als bloße Brettthür construirt. Die Verdoppelung nagelt man auf die äußere Seite dieser Blendthür; dieselbe ist entweder eingefaßt, so daß ein Rahmen oder Fries mit Gehrung und Verzapfung rings um die Thür genagelt wird und die eingerahmte Fläche nach irgend einem Muster mit 4—8 Zoll breiten, an beiden langen Seiten gekehlten Brettstreifen benagelt wird, oder man nagelt ohne Rahmen blos mit Kehlstoß versehene Streifen diagonal so auf, daß sie vier Felder oder sonstige Figuren bilden. Diese Verdoppelung wird bei Keller-, Hausthüren ꝛc., kurz an solchen Orten angewendet, wo Feuchtigkeit Einfluß äußern kann, sieht auch sehr nett aus.

4. Geleimte Thüren verwende man blos im Innern, da hierbei die Bretter blos gefügt und geleimt werden und so der Feuchtigkeit nicht widerstehen würden. Sie erhalten 4—6 Zoll breite, auf den Grad eingeschobene Leisten, die mit der ganzen übrigen Brettstärke vor der Thürfläche

vortreten, zuweilen gefehlt, aber nicht eingeleimt werden, oder auch ähnlich behandelte Hirnleisten.

V. Die Anzahl der Flügel richtet sich nach der Breite der Thüren; letztere heißen dann a) einflügelig; b) zweiflügelig, auch Doppelthüren oder Flügelthüren genannt und zwar entweder mit zwei gleichen Flügeln und einfachen Schlagleisten, oder c) mit ungleichen Flügeln, welche Ungleichheit man dann durch doppelte Schlagleisten versteckt; d) mit gebrochenen Flügeln, wo also der Flügel aus zwei Theilen besteht, die mittelst Charnierbandes mit einander verbunden sind.

VI. Außer den hier angeführten Arten giebt es nun noch vielerlei Variationen für Thüreinrichtungen, z. B. Gitterthüren, Drehthüren, Klappthüren, Jalousiethüren, Coulissenthüren, Fallthüren, Schiebethüren, Thüren mit Gegengewicht und noch viele andere, deren Behandlung hier zu weit führen würde.

VII. Thüren, resp. Thore, erhalten als Attribut Ezechiel, Simion, Maria ꝛc.

Thürbeschläge, frz. ferrure, garniture de porte, engl. iron-work. 1. Aufhängungsbeschläge, frz. penture, engl. hinge. a) Thürangel, frz. gond, engl. chymol, jumewe, gemmel, s. d. Art. Angel, Grimmer, Pfanne ꝛc. b) Thürband, engl. loop, s. d. Art. Band II, Laubband, Angel a, Haken, Haspen, Stützhaken ꝛc. In Steingewänden eignen sich Stützhaken mit Steinschrauben am besten, in Holzgewänden Fischbänder. 2. Verschlußbeschläge, franz. fermure, engl. locking. Dazu gehören: Schloß, Riegel, Falle, Klinke, frz. enclale, engl. latch, Drücker, frz. loquet, Kreuzgriff, Griff, Nachtriegel, Kantenriegel ꝛc.; s. d. betreffenden Art. Die stehenden Flügel von Doppelthüren werden in der Regel mittelst Kantenriegeln, die in der Vorderkante des Flügels eingelassen sind, oder auch mit aufgesetzten Schubriegeln oder Basquillen befestigt. Außerdem gehören zu den Thürbeschlägen noch die Thürringe, Knöpfe, Klopfer, Klopfringe, Klingeln, Zuwerfer und die Zierbeschläge, z. B. Zierbänder, Kräufe, Schilder, Ornamentgitter bei Glasthüren ꝛc. Ueber das Dichten der Fugen an Thüren s. d. Art. Roller.

Thürbogenfeld, Thürlünette, s. d. Art. Tympanum.

Thürchen, Thürel, s. v. w. Ventil; s. d. Art. Saugwert.

Thürelröhre (Brunnenb.), unter der Kolbenröhre die nächste Saugröhre.

Thürfeld, 1) s. v. w. Tympanum und Superporte, s. d. betr. Art.; — 2) frz. panneau, s. v. w. Füllung.

Thürgerüst, 1) frz. huisserie, Thürzarge, Thürgestell, viereckiger Rahmen von Holz oder Stein, der eine Thüröffnung begrenzt; s. unt. d. Art. Thür; — 2) (Kriegsb.) s. u. d. Art. Minenhölzer.

Thürgewände, Thürwand, 1) s. w. w. Thürgerüst 1; — 2) franz. dosseret, jambage, blos die Seitengewände, auch Thürpfosten, Thürsäulen, Thürpfeiler ꝛc. genannt; s. Thür u. Gewände.

Thürhaken, s. v. w. Bandhaken.

Thürhalle, engl. porch, von Säulen gebildeter, bedeckter, vorn oder an drei Seiten offener Vorbau vor einer Thür.

Thürhüterkammer, s. d. Art. Portierloge.

Thürklopfer, frz. heurtoir, poignée, engl.

knocker, f. b. Art. Klopfer. In Fig. 1822 theilen wir unsern Lesern einen Klopfer aus Venedig mit. Die Klopfer sind jedoch jetzt meist durch Klingeln verdrängt worden.

Thürlaibung, Fläche des Mauerdurchschnittes nach dem Thürlichten zu, in rechtem oder in stumpfem Winkel mit der Außenfläche der Mauer, in letzterem Falle entweder abgetreppt, wo dann die Abstufungen mit Säulen ausgefüllt werden, oder gekehlt oder auch glatt eingezogen; f. b. Art. Laibung, Ausschrägung 2c.

Thürlein (Bergb.), von starken Pfosten gefertigte, mit Eisen beschlagene Thür, die man auf Stollen da in das Hangende und Liegende einläßt, wo man vermuthet, daß viel Wasser hervorbricht oder wo Wetter zu stark ziehen, wogegen die Arbeiter durch Schließen derselben sichergestellt werden.

Fig. 1822. Zu b. Art. Thürklopfer.

Thürnagel, 1) 3—3½ Zoll langer eiserner Nagel; — 2) kleine Nägel zum Belibern der Pumpenkolben.

Thürnische, frz. escoincon, f. b. Art. Thür.

Thürschwelle, griech. ὑπερθύρον, lat. limes, engl. sill, cill, f. b. Art. Schwelle, Sohlbank und Schwellbret.

Thürsparren, so heißen hier und da die Säulen und Riegel, die die Thüröffnung bei einer hölzernen Wand bilden.

Thürstock, 1) f. b. Art. Blockzarge; — 2) (Bergbau) f. b. Art. Grubenbau, S. 214, und Minenhölzer. Die Thürstöcke sind Joche, welche in der Gangzimmerung die Stelle der Schachtgeviere vertreten. Verkürzt heißen Thürstöcke, welche nicht von der Decke bis zur Sohle des Ganges reichen, sondern auf zufällige Absätze zu stehen kommen.

Thürstöckel (Pumpenw.), f. v. w. Stödeltiel.

Thürstück, Superporte, frz. dessus de porte, Gemälde oder auch Tapetenstück, Stuckverzierung 2c., welche man über Stubenthüren im Thürfelde anbringt.

Thürsturz, f. b. Art. Sturz und Thür.

Thürverdachung, griech. ὑπερθύρον, frz. corniche de porte, dient, um eine Thür oder Fenster vor Regen zu schützen, auch als Zierde dieser Bautheile. Tritt aus der Mauer über der Thür in Form eines Gesimses vor; f. übrigens d. Art. Fensterverdachung. Niemals bringe man sie nahe unter Dachgesimsen an.

Thürverkleidung, f. b. Art. Thür, Chambranle, Bekleidung 2c.

Thürzarge, f. b. Art. Thürgerüste, Blockzarge und Thür.

Thürzuwerfer können nach folgenden drei verschiedenen Principien construirt werden: a) Durch das Oeffnen des Thürflügels wird irgend ein Gewicht gehoben, welches den Flügel wieder in den Verschluß zurückzieht, wenn derselbe von der Hand des Oeffnenden losgelassen wird. Die gewöhnlichste Construction dieser Art besteht in einem über Rollen gehenden Gegengewicht; besser ist es, das Gewicht auf die Spitze zweier schräger Hebel zu stellen, deren einer mit seinem Unterende an die Thür, der andere an die Wand befestigt ist; b) irgend eine Federvorrichtung wird beim Oeffnen angespannt und treibt den Thürflügel in seine ursprüngliche Stellung zurück, wenn er freigelassen wird. Solche Thürzuwerfer können sehr verschieden construirt werden. c) Beim Oeffnen der Thür wird der Thürflügel genöthigt, in seinen Bändern etwas in die Höhe zu steigen, und hat dann das Bestreben, von dieser Höhe, vermöge seiner Schwere, wieder herabzugleiten. Hierdurch kehrt er in seine frühere Stellung zurück; f. darüber d. Art. Band III, f, g, h, i auf S. 223, Bd. I. Weiteres über Thürzuwerfer f. in Fint, „Schule des Bauschlossers“, Leipzig, Otto Spamer, wo auch Abbildungen zu finden sind.

Thum, Thumb, veraltet für Dom.

Thumerstein, Thumit, Thumstein, Thumschiefer, f. v. w. Arinit, krystallisirt triklinoëdrisch, gehört zu den Boraten; er enthält, neben Kieselsäure, Borsäure, Thonerde, Kalk, Eisenoxyd, Manganoxyd und etwas Talkerde. Das Mineral findet sich auf Lagern und Gängen in den älteren Gebirge; Fundorte sind Thum in Sachsen (daher der Name), Terseburg am Harz, Ungarn, Cornwall und Norwegen.

Thuribulum, lat. engl. thurible, Rauchfaß.

Thurm, Thurn, lat. turris, frz. tour, engl. tower, ital. span. torre, ein Bauwerk, das im Verhältniß zu seiner Grundfläche von beträchtlicher Höhe ist. Nach ihrer Bestimmung 2c. unterscheidet man Kirchthurm, frz. tour d'eglise, engl. steeple, Glockenthurm, frz. clocher, engl. belltower, ital. campanile, span. campanaro, crochél, Uhrthurm, Rathhausthurm, Thorthurm (f. Fig. 1823), Befestigungsthurm, Schuldthurm, Aussichtsthurm, Treppenthurm, Leuchtthurm, Signalthurm, Wartthurm 2c.; f. d. betreff. Art., sowie d. Art. Burg, Kirche, Brückenthurm, Glockenthurm, Basilika, Rathhaus, Stadtthor, Leuchtthor 2c.

Nach seiner Stellung gegen das Gebäude, zu dem er gehört, kann ein Thurm sein: ganz freistehend, angebaut, eingebaut, Giebelreiter, Dachreiter (aufgesattelter Thurm), Vierungsthurm, Kuppelthurm, Laterne, Eckthurm, Erkerthurm 2c.

Nach seiner Gestaltung: Dickthurm, Migalet, in der Regel rund, doch auch eckig, Dünnthurm, Minaret, Plattthurm, oben mit Zinnen geschlossen, Spitzthurm 2c.

Die Gestaltung der Thürme ist natürlich höchst mannichfach. Von den Griechen ist uns nur einer erhalten, der Thurm der Winde zu Athen, achteckig mit niederem Zeltdach; die Römer kannten zur Vertheidigungsthürme, oben mit Plattform und Zinnen; ähnlich waren die mittelalterlichen Festungsthürme, doch erhielten sie noch häufig eine Laterne auf den Zinnen oder einen tulbigen Steinhelm: ihr Grundriß war meist rund oder quadratisch; f. darüber d. Art. Bergfried und Burg. Die ersten Glockenthürme (f. d. und d. Art. Campanile) waren ebenfalls rund, mit Pavillon und niederem Zeltdach; später wurden sie viereckig, geböscht und mit einem Pavillon mit hohem Zeltdach geschlossen. Im Anfang waren sie einzelnstehende Cultstätten, enthielten Grabcapellen,

Fig. 1823. Pulverthurm in Prag.

Thurmcapellen, die meist dem heiligen Michael geweiht waren. Vergl. d. Art. Monasterium, Einzelbau, Capelle und Carner. Später vereinigte man sie mit den Kirchen (s. d. Art. Kirche), aber erst im 12. Jahrhundert ist die organische Verbindung der Westthürme mit dem Kirchbau vollendet.

Fig. 1823. Theinkirche in Prag.

Die schönste Ausbildung erhielten sie in der Gothik. Das reichste Beispiel gaben wir bereits in Fig. 1193; hier folgt noch als eine der graziöse-

sten unter den einfachen Thurmanlagen die Theinkirche in Prag, Fig. 1824. In der Renaissancezeit kamen die unglücklichen, zwiebelförmigen welschen Hauben in Mode. Die Thürme waren wohl überhaupt diejenigen Baukörper, mit denen sich der Horizontalismus der Antike am schlechtesten vertrug und die daher in der Renaissance- und Zopfzeit zu den abenteuerlichsten Gestalten Anlaß boten; s. übr. noch d. Art. Pagode, Pilon, Dachreiter, Kirchthurm ꝛc. Thürme erhalten als Attribut Barbara, Concordia, Ezechiel, Petronius ꝛc.

Thurmdach, Thurmhaube, Thurmhelm, Thurmspitze, lat. apex, frz. épier, engl. spire, Dach eines Thurmes; s. Dach, Helmdach, Thurm, Pyramide, Haube, comble à l'Imperiale ꝛc.

Thurmgerüste, s. d. Art. Gerüste:

Thurmgrab, s. d. Art. Denkmal, Grabmal, Israelitisch, Assyrisch sowie Fig. 1825.

Fig. 1825. Römisches Thurmgrab von St. Remi.

Thurmhahn, s. d. Art. Hahn, Fahne und Wetterfahne.

Thurmknopf, frz. boule, pomme, engl. ball, pomel, auf der Helmstange (s. d.) mittelst eines Halses aufgesteckte, polygone, sphäroïde oder vollständig runde, kupferne, eiserne, am schlechtesten zinkene Hohlkugel, worin man in der Regel Urkunden über den Bau, Gebete, Reminiscenzen, Reliquien ꝛc. zum künftigen Gedächtniß, letztere wohl auch zum vermeintlichen Schutz gegen Wetterschaden in Bleikapseln aufbewahrte.

Thurmmühle, s. v. w. holländische Windmühle, s. d.

Thurmzinne, Zinnenkranz als Abschluß des Unterbaues eines Thurmes, auch wohl für Thurmdach überhaupt gebraucht.

Thuthael, St., mit Kreuz und Säge, weil er am Kreuze zersägt worden ist.

Thwas, f. d. Art. Maaß, S. 490.

Thymele, lat., griech. Θυμέλη, Bacchusaltar; f. unter d. Art. Theater.

Thymiamaterium, lat., stabiles Rauchgefäß neben dem Altar.

Thyroma, lat., griech. ϑύρωμα, Thürgestell oder Thürgewände, doch auch Nische mit einer Thür.

Thyroreum, lat., Raum zwischen zwei Thüren, die hinter einander liegen.

Thyrsusstab, griech. ϑύρσος, ein den Bacchantinnen (Thyaden) als Attribut gegebener Stab, mit einem Pinienzapfen bekrönt, mit Wein und Epheu bekränzt, diente als Zierde des Frieses am Tempel der Ceres und des Bacchus, wird auch häufig als Emblem an Theatern ꝛc. sowie als Spalierstab und dergleichen verwendet.

Tiara, kegelförmige Krone des Papstes, seit dem 14. Jahrhundert mit drei Kronenreifen umzogen und davon triregnum genannt.

Tiburtius, St., römischer Ritter, ging unter Diocletian über glühende Kohlen, ohne verletzt zu werden, und wurde dann enthauptet.

Ti-Drachenblume (Cordyline Ti. Schott., Fam. Spargelgewächse), wird auf den Sandwichsinseln als Heckenpflanze gezogen, ihre Blätter zum Dachdecken u. zu Gewinnung fester Fasern benutzt.

Tie-beam, engl., Balken, namentlich Ankerbalken oder Binderbalken, auf dem die Sparren ruhen; tie-fascine, engl. Ankerfaschine.

Tief (neut.). 1) (Wasserb.) f. v. w. Sielcanal, f. d. Art. Siel; — 2) Fahrwasser, von einem Gewässer der tiefste Theil.

Tiefdruck, f. d. Art. Dampfmaschine, S. 260.

Tiefe. 1) In Bezug auf einen Raum, besonders in einem Gebäude die auf der Straßenfront oder sonstigen Frontlinie rechtwinklige Dimension; — 2) Tiefe der Böschung, f. d. Art. Böschung; — 3) (Schiffsb.) Tiefe des Raumes eines Schiffes, f. v. w. innere Höhe, Hohl des Schiffes; — 4) Tiefe eines Loches, Wassers ꝛc., lothrecht gemessene Dimension.

Tiefenmesser, f. d. Art. Bathometer und Senkblei.

tiefe Stollen, f. d. Art. Grubenbau, S. 212.

Tiefhammer, (Dübhammer.) (Kupferschm.) Zum Austiefen der Kesselscheiben zu Kesselschalen gebrauchter, großer, vom Wasser getriebener Hammer mit stumpfspitziger Bahn; — 2) zum Bearbeiten des Bodens verschiedener hohler Gefäße auf der innern Seite dienender Hammer mit einer runden und einer flachen Bahn.

tiefschäftig, f. d. Art. Tapete.

Tiefstange (Wasserb.), f. v. w. Sondirruthe.

Tiegelofen. So nennt man im Allgemeinen die Reverberiröfen, Saigeröfen, Eisenfrischöfen ꝛc., f. d. betr. Art., besonders aber die zur Tiegelgießerei, f. d. Art. Schmelztiegel, dienenden Oefen, bei denen die Esse an der Seite liegt. Sie bestehen aus einem Schacht, der meist circa 2 Fuß hoch und unten mit einem Rost versehen, oben durch eine schiefliegende eiserne Platte verschlossen ist.

Tiekholz, Tikholz, f. d. Art. Tekholz, Eichenholz und Cap-Sao; afrikanisches Tiekholz oder afrikanisches Eichenholz (auch Eisenholz), kommt von Oldfieldia africana Benth., einem Wolfsmilchgewächs.

Tienta, span., Kaufladen.

Tie-pice, engl., f. d. Art. Blaaten.

Tier, engl., Stockwerk.

Tierce, frz., 1) f. d. Art. Maaß, S. 497, 498 und 503; — 2) f. d. Art. Binde; — 3) tiercé, dreifach getheilter Schild; f. d. Art. Heraldit V.; tiercé en pairle, Gabelschnitt; tiercé en pairle renversé, umgekehrter, gestürzter Gabelschnitt; tiercé engirona, Schneckenschnitt.

Tierceret, frz., Bogenstück.

Tierceron, frz., Nebenrippe eines verzierten Kreuzgewölbes, f. d. Art. Gewölbe und Rippe.

Tiers point, arc-en, f. d. Art. Spitzbogen.

Tiers-poteau, frz., Laurband.

Tiese (Hüttenw.), f. v. w. Balgliese.

Tistriegel (Tischl.), eigentlich wohl Tiefenriegel, die beiden Stücke Holz, die Vorder- und Hinterbein eines Stuhlgestelles verbinden.

Tige, frz., Säulenschaft, Kelchschaft, f. d. Art. Kelch; tige de Jessé, Stammbaum Christi.

tigé (Herald.), gestengelt, gestielt.

Tiger, f. d. Art. Bacchus.

Tigererz (Mineral.), f. v. w. Silberschwärze.

Tigerholz, f. d. Art. Cocospalme.

Tigette, frz., Schneckenstengel am korinthischen Säulencapitäl.

Tignum, lat., Balken.

Tijera, span., f. v. w. Abzugsgraben.

Tile, engl., Ziegel, Fliese; thack-tile, Dachziegel; encaustic-tile, Fußbodenziegel; hip-tile, Gratziegel; crest-tile, Kammziegel, f. d. Art. crest; ridge-tile, Firstziegel; glazed tile, glasirter Ziegel, Kachel.

Tilia, lat., frz. tilleul, Linde; tille, frz., Lindenbast.

Tiling, engl., Ziegeldeckung, Ziegeldach.

Tille. 1) Am Brunnenrohr die horizontale kurze Ausgußröhre; — 2) f. d. Art. Dille; — 3) Kessel eines Teiches; — 4) f. v. w. Röhrchen.

Tilting helhut, engl., Stechhelm.

Tilting-lance, Turnierlanze, f. d. Art. Lanze.

Timber-work, engl., Zimmerwerk, Holzconstruction.

Timbre, frz., Uhrglocke ohne Klöppel.

Timbre-crest, engl., Helmkleinod.

Timor, lat., Furcht, f. d.

Timotheus, St., 1) mit einer Keule und Scheiterhaufen abzubilden; f. d. Art. Maura; — 2) Jünger und Reisegesellschafter des Paulus, Bischof von Ephesus, 97 bei einem heidnischen Fest mit Keulen und Steinen getödtet.

Tin, engl., Zinn; Tinning, Verzinnung.

Tinctur, 1) (Herald.) Färbung der heraldischen Körper des Schildes, des Helms ꝛc. Zerfällt in natürliche, d. h. aus der Natur copirte, und in künstliche, d. i. z. B. Gold und Silber und Farben, gewöhnlich durch Schraffirung bezeichnet; f. d. Art. Heraldit V und VII; — 2) f. v. w. Aufguß, gefärbte Flüssigkeit: vielerlei Tincturen, besonders Galläustinctur, Nußschalentinctur ꝛc., werden zum Beizen der Hölzer gebraucht; f. d. Art. Beize.

Ting. 1) Ein chinesisches Lusthäuschen; f. d. Art. Chinesisch, S. 546, Bd. I; — 2) auch Thing, Mal ꝛc., bei den alten germanischen und sorbischen Völkerstämmen f. v. w. Gericht, Gerichtsstätte, in der Regel in Gestalt von Steinkreisen, f. d. Art. celtische Bauwerke 6. Doch auch häufig als Steinstuhl nebst Tisch von einer Eiche beschattet, auf einem Hügel, später wohl auch durch eine Rolandssäule bezeichnet; vergl. d. Art. Mallobergum, Rolandssäule, Fehmgericht.

Tingel, frz. grain d'orge, engl. filling-piece (Schiffsb.), den Zwischenraum zwischen dem Kiel und Kielgang zu beiden Seiten ausfüllendes dreiediges Holz, oben bündig mit dem Kiel.

tingiren, durch Eintauchen färben.

Tinkal, s. d. Art. Borax.

Tinte, frz. teinte, engl. tint. 1) Abstufung einer Farbe nach Weiß zu, durch Zusatz von Weiß bei Oelfarben, bei Wasserfarben durch Beimischung von Wasser erhalten; s. d. Art. Farbe C. 14. — 2) Farbige und färbende Flüssigkeit, also s. v. w. Tinctur 2. — 3) Der zum Schreiben angewendete Farbstoff; manchem unserer Leser werden einige Recepte zu Schreibtinten nicht unwillkommen sein: I. Schwarze Tinte. a) 18 Thle. Galläpfel, 7 Thle. Eisenvitriol und 7 Thle. arabisches Gummi werden gröblich gepulvert und gut durchgemischt. Uebergießt man 1 Thl. dieses Pulvers mit 3 Thln. Wasser und rührt häufig um, so kann man in 8 Tagen die entstehende Tinte gebrauchen. b) Man kocht 1 Thl. Blauholz und 3 Thle. gestoßene Galläpfel mit 36 Thln. Wasser ab, seiht heiß durch und versetzt die heiße Flüssigkeit mit 1 Thl. Eisenvitriol und 2 Thln. Gummi. c) Alizarintinte. Die Galläpfeltinten verdicken sich meist bei längerer Aufbewahrung; außerdem werden die Schriftzüge über kurz oder lang gelb. Von diesen Uebelständen frei ist die Alizarintinte, die, auf verschiedene Weise aus Krapp bereitet, jetzt jedoch vielfach mit Gallustinten verfälscht wird. d) Die Chromtinte wird erhalten, indem man 1 Thl. Blauholzspäne mit 8 Thln. Wasser kocht und die klare Flüssigkeit mit $^{1}/_{1000}$ Thl. gelbem chromsauren Kali und einer kleinen Menge Aetzsublimat versetzt. Das Sublimat verhütet die Schimmelbildung. Oder man löst 3 Loth Blauholzextract in 4 Pfd. heißem Regenwasser; der Lösung fügt man dann ein Quentchen gelbes chromsaures Kali zu. II. Rothe Schreibtinten. a) Aus Cochenillfarbestoff; nach zweitägiger Maceration von 6 Thln. Cochenillepulver, 12 Thln. Pottasche mit 128 Thln. Wasser fügt man 36 Thle. Cremortartari und 3 Thle. Alaun zu, erwärmt das Gemisch, bis alle Kohlensäure entwichen ist, filtrirt, wäscht den Filterrückstand mit 12 Thln. Wasser nach und fügt zu je 128 Thln. der Tinte 6 Thle. Gummi und 8 Thle. Weingeist. b) Rothholztinte: 1 Thl. Fernambulholz wird mit 16 Thln. Wasser auf die Hälfte eingekocht; zu der abgeseihten Farbenbrühe kommen $^{3}/_{10}$ Thl. Zinnsalz und $^{1}/_{10}$ Thl. Gummi. c) Purpurtinte erhält man durch Einkochung von 8 Thln. Blauholz, mit 48 Thln. Wasser auf 36 Thle. unter Zusatz von $^{1}/_{2}$ Th. Zinnsalz. III. Bunte Tinten. a) Violette Tinte entsteht beim Einkochung von 8 Thln. Blauholz in 64 Thln. Wasser auf 30 Thle. und in Zusatz von 2½ Thln. Alaun und 1¼ Thl. Gummi. b) Als blaue Tinten eignen sich besonders die Lösungen von Indigkarmin oder Berliner Blau. c) Zu grünen Tinten verwendet man Mischungen von blauen mit Gutti oder z. B. Indiglarmin mit Pikrinsäure. d) Als gelbe Tinte dient eine mit Gummi versetzte Lösung von Pikrinsäure oder eine Gummigutt-Emulsion. e) Zu Gold- u. Silbertinte verwendet man echtes Blattgold und Blattsilber. Man reibt die Metallblättchen mit Honig und Gummi in einer Reibschale zum Feinsten an. f) Als unauslöschliche Tinte zum Wäschezeichnen und dergl. verwende man eine

Höllensteinlösung oder den schwarzen, scharfen Balsam der ostindischen Elephantenläuse.

Tintenbeere, s. d. Art. Weichselkirsche.

Tintenflecke zu beseitigen. 1) S. u. Flecke; — 2) um Tintenflecke aus Holz zu bringen, trage man mit einem Lappen Salzsäure auf, bis der Fleck verschwindet, und wasche dann mit reinem Wasser nach; — 3) 1 Unze Oxalsäure und ½ Unze Spießglanzbutter setze man einer halben Pinte weichen Wassers zu und schüttle die Mischung gut; ist die Auflösung erfolgt, so verfahre man nach 2.

Tintenstein (Mineral.), s. v. w. Atramentstein.

Tintinnabulum, lat., Schelle, Klapper, Cresselle.

Tirant, frz., Keblbalken, auch hölzerner Anker, Ankerbalten; s. d. Art. Anker, Balten II. A. a.

Tiraunt, engl., s. v. w. staybar.

Tirtifeu, frz., Ramingeräth im 14. Jahrhundert.

Tisch, lat. tabula, mensa, cibilla, s. d. Art. Tafel und Speisesaal. Die bequemste Tischhöhe differirt von 0,75—0,80 Met. je nach der Größe der Personen und der Höhe der zu dem Tisch gehörigen Stühle; ein zum Schreiben bestimmter Tisch muß etwas höher sein als ein Speisetisch; ein Tisch zum Kaffee- und Theetrinken könnte noch niedriger sein. Vor Allem richte man sein Augenmerk darauf, daß weder die Tischbeine noch die Tischzarge die am Tisch Sitzenden geniren. Ein Tisch kann auf verschiedene Art zur Vergrößerung eingerichtet werden; danach unterscheidet man Auszugtisch, Klapptisch, Coulissentisch; nach der Bestimmung Speisetisch, Theetisch, Nähtisch, Schreibtisch rc. nach dem Stellungsort Fenstertisch, Wandtisch, Sophatisch, Ecktisch rc.; s. auch d. Art. Cilliba, Mensa, Meubles, Beerbank rc.

Tischlerdiele, Tischlerbret, Bretter, die wenigstens 1" stark sind; s. d. Art. Bret.

Tischlerleim, s. d. Art. Leim.

Tischlersäge, s. d. Art. Säge.

Tischplatten; sind in der Regel von Holz, Schiefer oder Marmor. Doch giebt es auch künstliche Marmortischplatten, s. u. Imitation, Stuckmarmor, Steingut rc.

Tisiphone, s. d. Art. Furien und Eumeniden.

Titan, ein dunkelgraues, nicht krystallinisches Metallpulver, welches beim Erhitzen an der Luft unter glänzender Feuererscheinung verbrennt, beim Kochen das Wasser zersetzt und sich in Chlorwasserstoffsäure unter Wasserstoffentwickelung auflöst. Es findet sich sparsam verbreitet in der Natur, in den Titanerzen, dem Titanit rc.

Titaneisen, s. d. Art. Eisenerze, Magneteisen, Menakan, Krystallographie rc.

Titanen; solche werden häufig gleich den Caryatiden zum Tragen von Lasten verwendet und sind als sehr starke, riesenhafte Gestalten mit Sonnenglorien darzustellen; auch Apollo wird hie und da Titan genannt.

Titanerz (Mineral.). Härte zwischen der des Feldspaths und Quarzes, hat ungefärbten Strich; Gewicht ist 3—4. a) Perimotes Titanerz, s. v. w. Mörtel; b) pyramidales Titanerz, s. v. w. Anatas, blauer Schörl, s. d.; c) Titanit, prismatisches Titanerz, Sphen, in krystallinischen Partien und eingesprengt, von unvollkommen muschlichtem, ins Unebene gehendem Bruch und feinem Korn; ritzt Apatit, ritzbar durch Feldspath; Farbe

braun ins Gelbe und Röthliche, glas= bis fett=
glänzend, durchsichtig bis undurchsichtig; ent=
hält Kieselerde, Titansäure und Kalk; s. auch d.
Art. Ilmenit, Hohofen III.

Titangrün, s. d. Art. Grün B.

Titanus, griech., s. v. w. Kalk.

Titulus, lat., Schrifttafel. 1) frz. titre de la
croix, engl. title, Titel; Tafel mit der Inschrift
J.N.R.J. am Crucifix; — 2) Titel einer Kirche,
Name des Heiligen, Titelheiligen, dem sie geweiht
ist; — 3) zweiter Graben eines Castrum, s. d.

Titus, St., Sohn, d. h. Zögling und Täufling
Pauli; predigte auf Kreta, wo er Bischof war, in
Korinth, Nikopolis und Dalmatien; abzubilden
als Bischof mit strahlendem Antlitz.

Tlacatecololotl und **Tlaloc,** s. d. Art.
Mittelamerikanisch.

T-Mine, s. v. w. Kreuzmine, s. d.

To, s. d. Art. Maaß, S. 512, Bd. II.

Tobben (Wasserb.), bei Faschinenwerken durch
die Köpfe der Pfähle geschlagene, kleine hölzerne
Pflöcke, um die Faschinen niederzuhalten.

Tobias, Prototypus Christi; s. d. Art. Fisch.

Tocca lapis, ital., s. d. Art. Bleistift.

Tochterkirche, s. d. Art. Filialkirche.

Tochterzellen, s. d. Art. Holz I.

Tocke. 1) Doppelholz am Galgengerüst, zwi=
schen dem die Schemel des Gebläses auf= und nieder=
gehen; — 2) s. d. Art. Docke.

Tockelzeug, Provinzialismus für Mobilien,
bes. bei Umzügen.

Tod, s. d. Art. Mors, Kronos, Ker, Ei.

Todtenacker, s. d. Art. Friedhof.

Todtenbahre, lat. feretrum, span. cada-
lecho, s. d. Art. Bahre.

Todtenbuch, lat. necrologium, s. d. Art.
Ritualbücher.

Todtencapelle, Todtenkirche, lat. calva-
rium, ecclesia coemeterialis, frz. chapelle sépulcrale. 1) Capelle auf einem Friedhof, früher
oft als Nachahmung der heiligen Grabkirche zu
Jerusalem gestaltet, s. d. Art. Capelle I. a. 2.; —
2) s. v. w. Grabkirche, Mausoleum; — 3) Bein=
haus, auch Todtenkeller genannt, lat. carnarium,
s. d. Art. Carner.

Todtenhaus, s. d. Art. Leichenhaus.

Todtenkopf. 1) Schädel, Attribut von Hiero=
nymus, Franciscus, Maria Magdalena 2c.; —
2) s. v. w. Stechhelm, s. d.

Todtenleuchte, Kirchhofslaterne, frz. fanal
de cimetière, lampier, lanterne des morts,
auf einem Kirchhof runde, oder vieledige
Säule, deren oberer, durchbrochener, mit einem
Spitzdach gekrönter Aufsatz eine Laterne enthält,
die zu Erleuchtung bei nächtlichen Begräbnissen
angezündet, auch wohl zu Ehren der Todten immer
brennend erhalten wird.

Todtenmessencapelle, frz. chanterie; s. d.
Art. Capelle I. b. 2.

Todtenstadt, Netropole; s. d. Art. Grabmal II.

Todtentanz, frz. macabre, danse des morts,
allegorische Darstellung der Unerbittlichkeit des
Todes; ein Gerippe schleppt die verschiedenen
Stände der menschlichen Gesellschaft zum wider=
willigen Tanz.

Todtenuhr, s. d. Art. Bohrkäfer.

todter Kalk, s. v. w. abgestandener Kalk, s. d.

todter Mann, s. d. Art. Grubenbau, S. 215.

todter Sand, Theilchen, welche beim Behauen
des Sandsteines auf der Oberfläche locker werden
und sich bei Thauwetter in kleinen Schüllern ablösen.

todter Weg (Mühlenb.), s. v. w. Unterwasser.

todter Winkel (Kriegsb.), s. Festungsbau.

todtes Holz, s. d. Art. Holz 2.

todtes Werk, oberer Theil des Schiffskörpers,
s. d. Art. Schiff.

todtgebrannter Gips und Kalk, s. u. Gips
und Kalk.

todt gehend (Bergb.), sind die nicht genü=
genden Fall habenden Wasser.

todt hauen (Bergb.), eine Stollensohle fast
horizontal führen, um so auf derselben die Wasser
todt gehen zu lassen.

Todtholz, s. d. Art. Nielkloß.

Todtlaufen eines Gesimses, so heißt das
Aufhören eines Gesimses, wenn es gegen einen
Vorsprung stumpf anstoßend aufhört, ohne sich
herum zu tröpfen.

Todt- oder Rothliegendes, ist eine For=
mationsgruppe der Kohlengruppe, zu der noch
außerdem der Kohlenkalkstein und die Steinkohle
gehören. Das vorherrschende Gestein des Roth=
oder Todtliegenden ist Conglomerat, welches meist
mit den in der Nähe anstehenden ältern Gestei=
nen übereinstimmt; dann aber auch dick und dünn
geschichtete Sandsteine, gewöhnliche und verhär=
tete Schieferthone. Mitunter sind auch Kalke und
Steinkohlen in unregelmäßig wiederkehrenden
Zwischenlagern untergeordnet, wie z. B. im Süd=
osten des Harzes, bei Ilefeld und Wettin. Das
Todtliegende scheint eine mit dem Auftreten der
Porphyre verbundene Trümmerbildung zu sein.
In seinen Conglomeraten stimmt das Bindemittel
mit zerriebenem Porphyr überein.

todt pochen (Bergb.), ein Erz zu klein oder
zu Schlämme pochen.

Töbel, s. v. w. Dübel.

Tögelsköl (Mineral), s. v. w. Trapp.

Tönden, s. d. Art. Maaß, S. 497, Bd. II.

Töpferblei, zur Glasur irdener Waaren ge=
brauchte geringe Art Reißblei, Wasserblei.

Töpfererde, Töpferthon, s. d. Art. Thon
und Lehm.

Töpfererz (Mineral.), s. v. w. Bleiglanz.

Töpferglasur. Einige Vorschriften s. in dem
Art. Glasur und Thonwaaren. Hier folgen noch
einige weitere: 1) 3 Thle. Thonerde, 5 Thle. Blei=
glätte; 2) 2 Thle. Kieselmehl und 1 Thl. Knochen=
asche; 3) Kochsalz wird in kleinen Portionen in
den Ofen geworfen. Der Chlor desselben verbin=
det sich mit dem Wasserstoff zu Salzsäure und
entweicht. Das Natrium bildet mit dem Sauer=
stoff Natron und verbindet sich mit der Kieselerde
des Thones, indem es schmilzt. 4) Bleifreie
Töpferglasur: 100 Thle. concentrirte Wasserglas=
lösung werden mit einem Quantum Kalkmilch ge=
mengt, welches 5—6 Thle. Kalk enthält. Unter
beständigem Umrühren zur Trockne abgedampft,
giebt dies ein grobes, zerreibliches Pulver, das
gemahlen und gesiebt wird. Die zu glasirenden

Geschirre werden nun in Wasserglaslösung getaucht und das Pulver darauf gesiebt. Ist die Glasurmasse eingetrocknet, so wird auf's Neue Wasserglaslösung darüber gegossen, wodurch der Ueberzug nach dem Trocknen so fest wird, daß er nicht mit der Hand abgerieben werden kann. So zubereitete Geschirre bedürfen keines stärkeren Feuers, als mit gewöhnlicher Bleiglasur versehene.

Töpferofen, s. d. Art. Brennofen 7.

Töpferthon, s. u. Thon und Lehm.

Tof, Toff, Tofstein, Toph (Min.), s. v. w. Tuff.

To-fall, too-fall, engl. Schirmdach.

als zuletzt Ankommende die Azteken (s. d.), die wenigen Zurückgebliebenen leicht unterjochen konnten. Ueber die Olmekenbauten s. d. Art. Mittelamerikanisch. Die toltekischen Bauten lassen drei Perioden erkennen.

I. Periode. Die Bauten sind in Stein ausgeführt. Die Pyramiden haben ringsum lauter kleine Stufen, oder mindestens auf allen Seiten an die großen Stufen angelegte kleine Treppen, während dann an die übrigen Flächen der großen Stufen Gebäude angelehnt sind, die sie verbergen, wie an den Gebäuden zu Xavi, s. Fig. 197 u. 198 im Artikel Aztekisch. Die Dächer sind

Togi, s. d. Art. Mittelamerikanisch.

Toise, frz., ital. toesa, s. d. Art. Maaß, S. 484, 489, 490, 494 ꝛc.; s. auch Meile und Lachter.

Toisé, frz., Bauanschlag.

Toit, frz., lat. tectum, Dach, toit de puit, s. d. Art. Brunnen, S. 474, Bd. I.

Toiture, frz., Bedachung, Dachdeckung.

Tôle, frz., Eisenblech, s. d. Art. Blech.

Tolleno, lat. antlium und ciconia; s. d. Art. Brunnenschwengel.

Tollhaus, s. d. Art. Irrenanstalt.

Tollheit, s. d. Art. Kardinaltugenden 4.

Tolosanisches Kreuz, s. d. Art. Kreuz D. 13.

toltekische Bauwerke. Um das Jahr 596 nach Christo fielen die Tolteken in das jetzige Mexico ein, nachdem sie 80 Jahre lang, von Nordwesten kommend, herumgezogen waren, und nahmen 648 das heilige Land Anahuac ein, die Ureinwohner, die Olmeken, unterjochend (s. mittelamerikanische Bauwerke); doch scheint diese Unterjochung mehr friedlich als gewaltsam gewesen zu sein. Die Tolteken erbauten die Stadt Tula, waren sanft und gesittet, gebildet und industriell, und herrschten bis in das 11. Jahrhundert, wo sie um 1052 vor einer einbrechenden Pest nach Süden flohen, so daß die aus Nordwesten nachziehenden Tribu, unter ihnen die Chichimekos und

Holz und nach Fig. 1827 construirt. Die Tempel standen stets auf einer in dieser Weise construirten Pyramide, die im Grundriß ein Quadrat bildete und genau orientirt war, so daß der Tempeleingang sich im Westen befand. Innerhalb der die Pyramide umziehenden Umfassungsmauer befanden sich Gärten, Brunnen, Priesterwohnungen u. Arsenale. Hierher gehört das eine der Teocallis zu Palenque, genannt Las Llajas,

Fig. 1827.

welches in vielen Werken unter dem Namen Pyramide von Papantla abgebildet wird; s. Fig. 1826. Die von Humboldt beschriebene Pyramide zu Papantla ist allerdings sehr ähnlich, aber viel kleiner.

II. Periode. In dieser Periode wurde die Holzconstruction in Stein nachgeahmt, äußerlich ungefähr in der Weise, wie Fig. 197 und 198 es zeigen; innerlich finden sich die Decken aus dieser Periode theils unter Anwendung hölzerner Tragbalken von Stein aufgeführt, wie in Fig. 1828, theils ganz in Stein ausgeführt, wie in Fig. 1833. Auch in dieser Periode ist eins der Teocallis in Palenque (Fig. 1829–31) errichtet. Die Pyramiden

Fig. 1828. Gemach in Chichen-Itza.

dieser Periode waren übrigens zum großen Theil nicht mit Terrassen, sondern mit ziemlich unter 45 Grad geneigten Schrägflächen bekleidet oder mit kleinen, ununterbrochen bis zum Gipfel gebenden Stufen versehen.

III. Periode. Diese Periode ist charakterisirt durch vollständige Durchführung der Steinconstruction. Auch für diese Periode liefert uns Palenque eines der großartigsten und ziemlich gut erhaltenen Beispiele; es ist dies der Palast mit dem nahe hinter ihm liegenden Teocalli, in Fig. 1832 im restaurirten Zustand dargestellt. Außerdem gehören dieser Periode die ungemein reichen und großartigen Ruinen zu Labnah an sowie das Teocalli zu Tucapan, s. Fig. 1834. Dieses Teocalli ist ziemlich klein, während das von Palenque 76 Fuß lang und 25 Fuß tief ist und auf einer Pyramide steht, die unten an jeder Seite 280 Fuß mißt. Das Teocalli zu Tezcuco hatte 117 Stufen, die Pyramide des Sonnentempels zu Teotihuacan mißt an 82 und 86 Klaftern, die des Mondtempels ebendaselbst 86 und 63 Klaftern; erstere diente als Vorbild für das aztekische Teocalli zu Mexico, welches Ferdinand Cortez zerstörte. Ueberhaupt traten die Azteken in Bezug auf Cultur vollständig in die Fußtapfen der Tolteken. Die toltekischen Bauwerke spiegeln sich daher in den aztekischen wieder, jedoch sind sie kräftiger in den Verhältnissen und nicht so durchgebildet, aber consequenter und weniger phantastisch in den Details, so daß sie im Ganzen solid, ernst, ja majestätisch wirken. Die Mauern sind geputzt; dieser Putz enthält viel

Eisenoxyd und ist sorgfältig geglättet. Die Fenster scheinen keine Flügel oder Läden gehabt zu haben; die Thüren hingegen wohl. Ziegel und Holz sind

Fig. 1829.
Fig. 1830.
Fig. 1831. Kleines Teocalli in Palenque.

gänzlich vermieden. Gewölbe kommen nicht vor, sondern die Oeffnungen und Räume sind durch Ueberkragung der Steinschichten geschlossen. Von Befestigungen hat man keine Spur gefunden. Die Pyramidenhügel sind aus Steinen in Kalkmörtel vermauert und mit geglätteten Steinplatten belegt. Die Außenseiten der hoch aufsteigenden

Decken sind in förmlichem Dachziegelverband mit Steinplatten abgedeckt. Der Sims hat meist die Form eines breiten Frieses zwischen zwei Karnießen unter Zinnen, ähnlich dem arabischen Sims.

theilweis in Stein, theilweis in Gipsstuck ausgeführt. Die Grabmäler, auf ähnlichem hohen Unterbau wie die Tempel, sind gleich diesen durch Freitreppen zugänlich. Die Seiten der Pyra=

Fig. 1832. Toltekischer Palast und Haupt-Teocalli zu Palenque.

Thürme bis zu 75 Fuß Höhe sind erhalten und zeigen steinerne Treppen mit Wendelstufen. Die Opferplätze ꝛc. sind im Unterbau der Tempel angeracht.

mide sind hie und da auswärts geschweift, also convex im Querschnitt, in den Grundlinien stets geradlinig, quadratisch, selten rechteckig. Die Mauern

Fig. 1833. Gemach in Uxmal.

Fig. 1834. Teocalli zu Cucapan.

Die an ägyptische und indische Arbeiten erinnernden sehr ernsten und decenten, in den menschlichen Verhältnissen ziemlich correcten, aber hier und da etwas unbehülflichen Sculpturen sind

sind gebösch und durch Bänder in horizontale Streifen getheilt, zum Theil auf simsgekrönten Steinsocken n Pisee ausgeführt, in deren Oberfläche Steine in Reliefmosaikmuster eingedrückt sind.

Die Säulenschäfte sind glattrund auf vieredigem Plinthus. Die Wohnungen der Armen waren von ungebrannten Ziegeln, oder von Stein in Lehm vermauert ausgeführt, mit Rohr eingedeckt, und enthielten ein Zimmer, ein Bad, einen Kornboden und ein Betstübchen. Die Häuser der Reichen und Adeligen waren meist zweistöckig, von Steinen in Kalk vermauert ausgeführt, hatten ein plattes Dach, oft Thürme mit Schießscharten und waren mit Gipsästrich und politem, buntgefärbtem Abputz versehen. Die Städte waren mit Mauern, öffentlichen, durch Wasserleitungen gespeisten Brunnen, Thorgebäuden ꝛc. versehen.

Tolubalsam, s. d. Art. Balsam I.

Tomador, span., Brunnenbecken, Brunnenlasten.

Tomassus, St., Patron von Urbino und Parma; abzubilden im Ordenskleid der Camaldulenser, Wassergefäße tragend.

Tombac oder Rothmessing, Rothguß, besteht eigentlich aus Kupfer und Gold und dient zu Luxusartikeln, welche goldähnlich aussehen sollen. Daraus wird unächtes Blattgold (Goldschaum) geschlagen; für den bei uns gewöhnlichen Tombad folgen hier einige Mischungsvorschriften. 1) 12 Thle. Kupfer und 1 Thl. Zink; b) 140 Thle. Kupfer, 1 Thl. Zinn, 59 Thle. Messing; c) 57 Thle. Kupfer, 2 Thle. Zinn, und 41 Thle. Messing; d) 66 Thle. Kupfer, 1½ Thl. Zinn und 32½ Thl. Messing; s. übr. d. Art. Messing und Kupferlegirung.

Tombe, tombeau, frz., engl. tomb, Grab, Grabmal; tombe émaillée, Grabplatte in Limousinarbeit; pierre tombale, Grabstein.

tomber en efflorescence, frz., beschlagen.

Tommer, und **Tomolo,** s. d. Art. Maaß.

Ton (masc.), s. d. Art. Farbe C. 14.

Ton (fem.), Tonne, s. d. Art. Maaß, S. 497.

Tondino, ital., Astragal, Rundstäbchen, s. d.

Tonelada, s. d. Art. Maaß, S. 496, 505, 512 ꝛc.

Tongue, engl. Schlangenzunge; s. im Art. Eierstab.

Tonkaholz, s. d. Art. Gaiachholz.

Ton-mas, s. d. Art. Japanisch, S. 306.

Tonne, frz. baril, tonneau, engl. tun, cask. 1) Körpermaaß von 4 Berliner Scheffeln zu 1¹⁄₆ Cubitfuß, also 9 Tonnen = 64 Cubitfuß bis 42 Cubitfuß differirend, doch auch Gewichtsmaaß = 2000 Pfd.; s. übr. im Art. Maaß, S. 499, 506 ff.; — 2) (Bergb.) Gefäß, worin Erze aufgewunden werden; — 3) (Maschinenw.) s. v. w. Wasserschraube; — 4) (Schiffsb.) s. unt. Baake 4.

Tonnelade, Brustwehr, aus ausgefüllten Fässern bestehend.

Tonnelle, frz., s. d. Art. Gartenlaube, Laube ꝛc.

Tonnenbrücke, Faßbrücke, s. d. Art. Brücke, S. 470, Bd. I.

Tonnenfach, Donsach (Bergb.). 1) In flachen oder geneigten Schächten die Zimmerung, worauf sich die Tonnen auf und nieder bewegen. Auf Eintrichen im Liegenden werden Tonnenbölzer, Donbölzer (s. d.), Dumpf- oder Tummhölzer nach dem Streichen des Schachtes gelegt, und auf diese entweder die Straßbäume, worauf die Walzen der Tonnen laufen, wobei von Distanz zu Distanz Seilwalzen liegen, über welche die Tonnenseile laufen. Oder auf die Tonnenhölzer werden Tonnenbretter, Donlatten oder Schachtstangen genagelt und auf der aus diesen Brettern bestehenden

geneigten Ebene, die an den Seiten und in der Mitte mit Bortlatten versehen ist, gleiten runde oder elliptische Tonnen ohne Walzen; — 2) in einem Treibschacht heißt so oder Sonnengang der Raum zwischen zwei Tonnenlatten, worin die Tonnen auf- und abgehen.

Tonnengewölbe, frz. berceau, engl. barrelvault; wagon-vault, Kufengewölbe, s. d. Art. Bogen, Gewölbe und Wölbung. Wie man im Mittelalter versuchte, die Tonnengewölbe zu verzieren, davon geben wir in Fig. 1835 ein Beispiel. Die römischen Tonnengewölbe sind meist mit Cassetten besetzt.

Fig. 1835. Tonnengewölbe der Unterkapelle zu Roslyn.

Tonnengraben, Tonngraben, Abzugsgraben.

Tonnenlege, Iontag; s. Donlege.

Tonnenmühle (Maschinenw.), s. v. w. Wasserschnecke; s. d. Art. Archimedisch u. Cagniardelle.

Tonnenstein (Min.), großstückiger Bernstein.

Tonnbret, Dombret, starke Pfoste.

Tonnbretwagen, Lastwagen mit kastenartigem Aufsatz aus starken Pfosten.

Tonsorium, Capelle an der Westseite der Kreuzgänge, s. d. u. Kloster; nicht, wie Feil und Otte gethan, mit dem Brunnenhaus im Kreuzgang zu verwechseln.

Tonstelle, s. d. Art. Maaß, S. 493.

tool, engl., tröneln, mit dem Gründl (s. d.) bearbeiten.

Tooth, engl., Zahn; s. d. Art. Sägezahn, Eingezahnt ꝛc.

toothed ornament, dog-toothes, engl. Hundszahnornament, bei Otte fälschlich Kreuzblumenfries genannt; kommt gegen Ende des 12. Jahrhunderts durch allmälige Umbildung des Lozange in England auf und bleibt bis Ende des 13. Jahrhunderts in Gebrauch. Die ältere Gestaltung vom Jahr 1200—1220 zeigt Fig. 1836, die neuere vom Jahr 1240—1260 Fig. 1837.

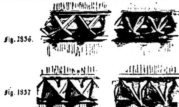

Fig. 1836.

Fig. 1837

Toothing-stone, engl., Zahnstein, Verzahnung.

Top, Topp, Zopf, frz. tête, engl. head, span. clacés, tope (Schiffsb.), bei einem aufrecht stehenden Holz ꝛc. das oberste Ende, auch bei Masten der oben aufgestellte Theil, sowie namentlich das Stück zwischen dem Eselshaupt und den Sahlingen; s. d. Art. Mars, Mastbaum, Segel ꝛc.

Topas (Min.); ist eine Verbindung von kieselsaurer Thonerde mit Fluoraluminium und Fluorsilicium; er findet sich vorzüglich im Granit, zuweilen auch auf Lagern, auf Gängen im Gneuß, Glimmerschiefer, Thonschiefer und Topasfels, Quarz u. s. w. Hauptsächlichste Fundörter sind: die Provinz Minas novas in Brasilien, der Ural, Finbo in Schweden, Altenberg und Penig in Sachsen. Seine Härte ist bedeutend, — 8, sein spec. Gewicht = 3—3,6; er ist bisweilen farblos, jedoch meist gelblich bis röthlich und hyacinthroth gefärbt. Die gefärbten Varietäten werden von den Juwelieren verarbeitet und verschieden benannt.

Topasfels, körnig-schieferiges Gemenge von Schörl, Quarz und Topas. Besonders heißt so das Gestein des Schneckensteines im sächs. Voigtland, welches einen mächtigen Gang in Glimmerschiefer bildet. Es enthält große Broden topashaltigen Turmalinschiefers, durch Quarz u. Steinmark verkittet.

Topas-Schörlit (Miner.), s. v. w. Pyknit.

Topausflanger, Toppausflanger, s. Inholz.

Topazolith (Miner.), s. v. w. gelber Granat. **Top-beam**, engl., Hahnbalken.

Tope, s. d. Art. Buddhaistisch und Indisch.

Topf. 1) S. d. Art. Thonwaaren; — 2) s. d. Art. Maaß, S. 505; — 3) s. d. Art. Johannes a Deo, Felix von Nola, Goar.

Topfbaum (Lecythis ollaria. Fam. Myrtengewächse), ansehnlicher Baum Südamerika's, hat hartes, schweres Holz, das, zum Schiffbau verwendet, in seiner Heimath als Bauholz geschätzt wird.

Topfgewölbe, Kuppelgewölbe oder Tonnengewölbe aus hohlen, topfähnlichen, thönernen Gefäßen anstatt der Wölbsteine construirt, indem man dieselben, ihr schmales Ende in das weite des vorhergehenden steckend, bei Tonnengewölben in horizontaler Reihe, bei Kuppeln in Spirallinien (bienenkorbförmig) auf dem Lehrgerüste aufreibt, dann flüssigen Mörtel über dieses Skelet gießt, welcher die Zwischenräume und Zwickel ausfüllt, ohne ins Innere der Gefäße dringen zu können; erreicht mit möglichst geringer Masse, bei gänzlicher Austrocknung des Gusses und wenig Seitenschub, dennoch genügende Festigkeit.

Topfstein, Lavezstein, Gilbstein, eine Art Talkschiefer, dichter und dickschieferiger als der reine Talkschiefer; enthält häufig Körner und Krystalle von Magneteisenstein, findet sich oft in mächtigen Lagern, meist in Thonschiefer, derb, hat blätteriges, schuppiges Gefüge, Bruch splitterig ins Unebene, glänzt perlmutterartig oder fettig; Farbe grünlich-grau, wird auf einer Art Schneidemühle zu Kochgeschirren und dergl. gedreht; auch der Speckstein (s. d.) wird so genannt.

Tophach, s. d. Art. Maaß, S. 513.

Tophstone, tufa, engl., Tuffstein.

Topia, lat. Landschaftsgemälde; **Topiarium**, Zierwerk in Gärten, auch Ziergarten.

Toquet, frz., s. d. Art. Klampe.

Tora- oder richtiger **Thoraschrank**, s. d. Art. Synagoge.

Torchère, torsier, frz., großer Leuchter, Candelaber, auch Aufsatz auf Gebäuden in Form einer Flamme.

Torchis, frz., zu Wellerwand zugerichteter Lehm und Lehmmörtel.

Torcularium, lat., Kelterraum.

Toreutik, Metalliculptur, Ciselirkunst.

Tore, oder moulure torique, bâtou, franz., lat. torus, engl. tore, torus, ital. bastone, toro, Rundstab, Pfühl, Wulst; tore rompu, Zickzack, gebrochener Stab; tore tordu, gewundener Stab; tore en soufflet, Stab mit birnenförmigem Profil; tore corrompu, gedrückter Pfühl.

Torf, lat. turfa, frz. tourbe, engl. peat, Turf, Moth, Modd, Wurzelerde, Holzerde (vergl. auch d. Art. Kleen, Moor, Darg), mit erdigen Theilen gemengte Masse abgestorbener Sumpfpflanzen, erste Stufe der Braunkohlenbildung; s. d. Art. Lagerung a, Bausteine, S. 290, Bd. 1. Man hat im Allgemeinen zwei Arten Torf, davon ist eine leicht und schwammig u. enthält wenig veränderte Pflanzentheile; die andere ist dichter, schwerer, schwärzer gefärbt und hat pflanzliche Theile aufzuweisen, die mitunter schon kohlenähnlich verwandelt sind. Man unterscheidet gewöhnlich: a) Landtorf; enthält nicht selten viel Eisenkies, ist dicht, bildet den Uebergang zur Braunkohle und umschließt oft Süßwassermuscheln. b) Bergtorf, der mehr mineralische Theile enthält. c) Sumpf- oder Morasttorf, folgt auf den Landtorf im Alter; ist locker, leicht, vorzüglich aus Moosen und Sumpfpflanzen bestehend. d) Meertorf findet sich an Meeresküsten. e) Baggertorf, schlammdunkel, wird durch Austrocknen dicht, ist der Regel ohne deutliche Pflanzenreste. f) Rasentorf, macht in vielen Gegenden die oberen Lagen aus, besteht meist aus vertrockneten, noch nicht zerstörten Gräsern, Schilfen und Moosen; ist gelb oder grau. g) Haidetorf, bestehend aus waagerechten Lagen theils plattgedrückter Schilfstengel, theils verworren verwebter moos-, haide- oder farrenkrautähnlicher Gewächse, schwarzbraun. h) Papiertorf, schichtenweise übereinander liegende Gemenge von Wurzeln, Stengeln, Blättern ꝛc.

Torfboden, s. d. Art. Baugrund 2.

Torfbohrer, eine Art Bergbohrer, dient, um zu untersuchen, ob in einer Gegend Torf liege, und wie mächtig das Lager ist.

Torfkohlen, sind zum Schmieden ꝛc. sehr brauchbar. Man brennt sie aus dem Torf in Torfmeilern oder Gruben oder in Torföfen, d. h. man mauert auf einer trockenen Stelle von Feldsteinen ein rundes Fundament 2—4 Fuß hoch und 13 Fuß im Durchmesser, errichtet darauf von Badsteinen eine 2 Fuß dicke Umfassungsmauer, ungefähr 12 Fuß hoch, im Umfange etwas kleiner als das Fundament, führt innerhalb derselben zugleich mit ihr eine 1½ Fuß dicke Mauer in einem Abstande von 6 Zoll auf und bedient sich statt des Kalkmörtels zu diesen Mauern eines Kittes aus trockenem, gesiebtem Lehm, gestoßenem Hammerschlag, Pferdemist, Rindsblut und Salzwasser. Dann stößt man den Zwischenraum zwischen beiden Mauern mit feuchter Asche aus, legt eine eiserne, 1 Zoll dicke Platte auf den Boden des Ofens und läßt einen 2 Fuß hohen, 4 Zoll breiten Windfang unten an der Seite der Mauer, den man mit einem Schieber von Eisenblech schließt. Oben auf die Mauer setzt man einen Hut von Eisenblech, der leicht aufgehoben werden kann und ein verschließbares Zugloch hat.

Torfmoor, s. d. Art. Filz 2 u. Sumpf.

Torfofen, 1) Ziegelofen mit Torfbeizung; s. Ziegelofen; —2)s. d.Art. Torfkohle.

Torfpresse, Presse, um aus Torf durch Zusammendrücken Ziegel zu pressen, die dann mehr Heizkraft haben, als der Torf in natürlichem Zustand; ähnlich construirt wie jede Ziegelpresse.

Torfscheune, Torfschuppen, Torfstadel, Torfsöller, leichtes Gebäude zum Trocknen, Verkaufen und Aufbewahren des Torfes. Die Wände sind von leichtem Holzwerk und mit Latten oder Brettern beschlagen oder mit Ziegeln ausgesetzt, jedenfalls aber so, daß die Luft hindurchziehe. Auch der Fußboden wird hohl gelegt und besteht aus Latten mit 3 bis 4 Zoll Abstand.

Torfschlamm, Torf, der unter Wasser steht, dessen vegetabilische Theile daher verfault sind.

Torfseife, s. d. Art. Bergseife.

Torfspath, durch das Ausgraben des Torfes gebildeter Graben.

Torfstechen, wird vom Frühjahr bis zur Heuernte betrieben. Man leitet zuvor in Canälen das Wasser ab, räumt hierauf die obere, unbenutzbare Schicht, die aus Rasen und sandiger Erde besteht, ab und sticht dann den brauchbaren Torf mit einem langen, schmalen, sehr scharfen eisernen Torfspaten in 10—12 Zoll langen, 4—6 Zoll breiten und dicken Stücken, Soden oder Ziegel genannt, heraus; diese werden zum Trocknen in Torfscheunen od. im Freien hohl geschränkt in Wänden aufgestellt.

Toril, Stall für die Stiere bei Stiergefechten; s. d. Art. Amphitheater.

Torkelbaum (Maschinenw.), s. v. w. Kelterbaum; s. unter d. Art. Kelter.

Tornatura, s. d. Art. Maaß, S. 492.

Tornillo, span., Schraube, Schraubenbahn, Drehling, Kurbel; war bei den Pantanos der arabischen Bewässerungsbauten so eingerichtet, daß man durch sein ganzes oder theilweises Aufdrehen genau die ausfließende Wassermenge bestimmen konnte. An einer Scala zeigte ein an der Kurbel befestigter Weiser an, wie viel Wasser bei der betreffenden Oeffnungsweite binnen einer Stunde abfloß; s. Bewässerung und Arabisch.

Torre, ital. u. span., s. v. w. Thurm, s. d.

Torribia, St., s. d. Art. Isidorus.

Torricelli'sche Röhre, s. d. Art. Barometer.

Torsade, frz., gewundener Rundstab; colonne torse, gewundene Säule.

Torsins, frz., Spalten in Schieferschichten, zuweilen 10 Meter mächtig, ausgefüllt mit zerbröckeltem Schiefer und zur Gewinnung unbrauchbar.

Torsions-Festigkeit, s. d. Art. Festigkeit 5.

Torso, von einer Statue der Rumpf.

Tortillé, frz., Schlangenschnitt.

toskanische Säulenordnung, von den Römern tuskisch genannt und nach dem Vorbilde der etruskischen Tempelbauten, unter nicht gerade sehr vortheilhafter Veränderung, gebildet. Nach Vi-

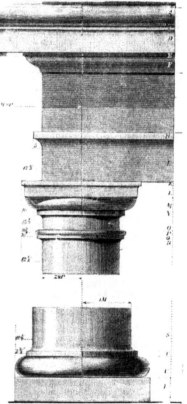

Fig. 1833.

truv's Vorschrift hat die Säule 7 untere Durchmesser oder 14 Modul Höhe, die Intercolumnie schwankt zwischen 10—16 Modul. Die Verjüngung beträgt ½ Modul, die Basis ist 1 Modul hoch, steht auf einem runden Plinthus, der halb so hoch als breit ist, und besteht aus einem Torus mit Ablauf. Auch das Capitäl ist 1 Modul hoch. Die Breite des Abakus ist = 2 Modul. Von der Capitälhöhe kommt ⅓ auf die Abakusplatte, ⅓ auf den Echinus, ⅓ auf das Halsglied nebst Ablauf. Auf dem Capitäl liegen verzahnte Balken (trabes compactiles). Die Höhe dieſer Balken richtet ſich nach der Größe des Gebäudes; die Breite iſt gleich der Breite des Halsgliedes. Ueber dieſe Balken ſpringen die Dielenköpfe (mutuli) um $3\frac{1}{2}$ Modul vor, ſind vorn querüber verkleidet und über ihnen ſteigt der Giebel empor, deſſen Höhe ein Dritttheil der Breite beträgt. Beim Auftragen dieſer Maaße wird man eine ziemlich leichte Säule mit keck vorſpringender Hängeplatte über dem nicht in Fries und Architrav getheilten Gebälk erhalten, eine Säule, welche weſentlich von der in Fig. 1046 abgebildeten etruskiſchen Säule abweicht, dennoch aber viel gefälliger iſt, als die von Palladio, Vignola und Scammozzi conſtruirten toskaniſchen Säulenordnungen. Dieſe haben alle drei einen ziemlich ſchweren, dabei faſt ärmlich einfachen, nüchternen Charakter. Die Säule iſt glatt, doch mit Enthaſis und Verjüngung verſehen; der Säulenfuß beſteht aus Pſühl, Rundſtäbchen und Anlauf, das Capitäl iſt dem doriſchen ähnlich, aber mit einem Hals verſehen, der Abakus mit einem Auslauf umzogen. Das Kranzgeſims, von jedem der drei genannten verſchieden profilirt, beſteht aus lauter fortlaufenden Gliedern. Alle drei haben, wie damals üblich, Ausladung und Höhe der einzelnen Glieder genau vorgeſchrieben; wir geben in Fig. 1838 die toskaniſche Ordnung des Vignola, da dieſe noch die beſte unter den dreien iſt, in nachſtehender Tabelle aber die Maaße nach allen drei Meiſtern. Verſuche, den Fries, ähnlich dem doriſchen, zu unterbrechen und dadurch das Ganze zu beleben, ſind faſt immer mißglückt; ſ. d. Art. Abſchnitt 6.

Eben ſo kahl als Gebälk und Säule ſind nun auch Kämpfer und Chambranle der Bogenſtellungen, letztere ohne Schlußſtein oder gar durch Fugenſchnitt erſetzt, der in ganz unorganiſcher Weiſe zwiſchen die glatten Säulen geſchoben iſt.

(H bedeutet Höhe, A Ausladung von der Säulenachſe aus. Der Modul iſt in 30 partes getheilt.)

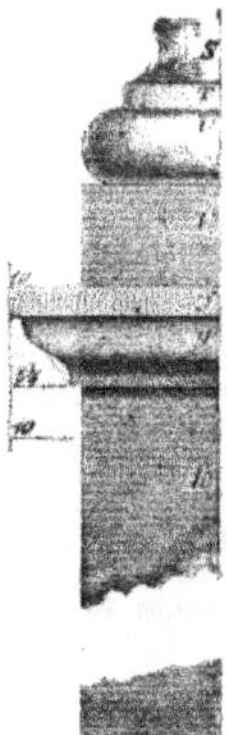

Fig. 1839.

Bezeichnung nach Fig. 1838 u. 39.	Vignola.		Palladio.		Scammozzi.	
	H.	A.	H.	A.	H.	A.
Schlußplättchen der Sima	—	—	$3\frac{1}{2}$	66	3	$64\frac{1}{2}$
Sima, reſp. Viertelſtab A	10	69	10	66	8	$63\frac{1}{2}$
Stäbchen B	$2\frac{1}{2}$	$60\frac{3}{4}$	—	—	—	—
Plättchen C	$1\frac{1}{4}$	59	2	54	$1\frac{2}{3}$	56
Hängeplatte D	15	$56\frac{1}{2}$	10	52	9	54
Unterſchneidung	3	50	2	42	—	—
Plättchen E	$1\frac{1}{4}$	50	—	—	$1\frac{2}{3}$	51
Zweites Plättchen	—	—	—	—	$1\frac{2}{3}$	50
Deſſen Unterſchneidung	$1\frac{1}{4}$	$35\frac{1}{4}$	—	—	$1\frac{2}{3}$	34
Karnies F	10	$34\frac{1}{2}$	9	42	6	34
Plättchen darunter	—	—	$1\frac{1}{2}$	32	$1\frac{1}{3}$	30
Kehlleiſte darunter	—	—	$7\frac{1}{2}$	32 u. 24	$5\frac{1}{3}$	30 u. 26
Plättchen	—	—	—	—	2	25
Fries G	35	24	26	$22\frac{1}{2}$	39	$22\frac{1}{2}$
Architravplättchen H	5	29	5	$27\frac{1}{2}$	$3\frac{2}{3}$	26
Leiſtchen darunter	—	—	—	—	$1\frac{1}{3}$	25
Architrav I erſter Streifen	20	24	$17\frac{1}{2}$	24	$16\frac{1}{2}$	24
zweiter „	—	—	$12\frac{1}{2}$	$22\frac{1}{2}$	$11\frac{1}{4}$	$22\frac{1}{2}$
Plättchen des Abakus K	$2\frac{1}{2}$	$36\frac{1}{2}$	—	—	3	$31\frac{1}{2}$
Abakus L	$7\frac{1}{2}$	34	10	30	7	$30\frac{1}{2}$
Echinus M	$7\frac{1}{2}$	$33\frac{1}{4}$	10	$29\frac{1}{2}$	$7\frac{1}{2}$	30
Unterglieder N	$2\frac{1}{2}$	$26\frac{1}{2}$	$1\frac{1}{2}$	$24\frac{1}{2}$	$3\frac{3}{4}$	$26\frac{1}{2}$
Hals O	10	24	$8\frac{1}{2}$	$22\frac{1}{2}$	$8\frac{3}{4}$	$22\frac{1}{2}$
Schaft im Ganzen R, S	300—420	—	—	—	—	—
Halsglieder P, Q	4	$27\frac{3}{4}$	$5\frac{1}{2}$	27	5	27
Halbmeſſer (oben)		24	—	$22\frac{1}{2}$	—	$22\frac{1}{2}$
Halbmeſſer (unten)	—	30	—	30	—	30
Fuß, Plättchen T	$2\frac{1}{2}$	$31\frac{1}{2}$	$2\frac{1}{2}$	$33\frac{3}{4}$	$2\frac{1}{2}$	$31\frac{1}{2}$
Pſühl U	$12\frac{1}{2}$	$41\frac{1}{4}$	—	40	12	39
Plinthus V	15	$41\frac{1}{4}$	—	40	18	39
Plättchen f Fig. 1839	5	$57\frac{1}{4}$	—	—	3	44
Kehlleiſten g	10	42—50	—	—	12	43
Platte darunter	—	—	—	—	5	42
Würfel h, i	98	42	—	—	60	39
Plinthe, incl. Anlauf k, l	15	51	—	—	30	42

Toſſen (masc.), hie und da für Boſſen.

Toſt, ſ. v. w. Gipfel, Spitze, Haube.

Tot, ſ. v. w. Thaut; ſ. d. Art. Hermes.

Touche, frz., auch Douche, ſ. d. Art. Bad; touche d'arbres, Baumſchlag.

Touchstone, engl., Klingſtein.

Toulouſerkreuz, ſ. d. Art. Kreuz D. 13.

Tour, frz., Thurm; tour de chat, Brandgaſſe; tour de puits, ſ. d. Art. Brunnen, S. 474; tour d'horloge, Uhrthurm; tour d'église, Kirchthurm; tour bastionnée, ſtarker Thurm mit Schießſcharten; tour ronde, tour creuse (Feſtungsbau), zurückgezogene Flanke, aus- oder einwärts gebogene Frontlinie.

Tourbine, ſ. d. Art. Turbine und Kreiſelrad.

Tourelle, frz., Thürmchen, auch Fiale.

Tourillon, frz., 1) Zapfen einer Welle oder Spindel; — 2) kleines Thürmchen, als Aufſatz eines größeren.

Tourmentin, franz., Blindſtenge.

Tourneur, ſ. d. Art. Majuskelſchrift.

Tourniquet, frz., Drehkreuz, Steiglitz.

Tournay'sche Asche, s. d. Art. Cement IV und Aschenkalk.

Tournesolpflanze, s. d. Art. Lacmus.

Tower, engl., Thurm; tower-mill, holländische Windmühle.

Town-hall, engl., Rathhaus, Stadthaus.

Towny, engl., lohbraun.

Trabeatio, lat., Gebälk.

Trabs, lat., griech. τράπηξ, Balken, Trahm.

Trabucco, s. d. Art. Maaß, S. 485, 489, 494 und d. Art. Meile.

Trace, tracé, frz., 1) Fenstermaaßwerk; — 2) (Kriegsb.) bei einem Festungswerk der Umriß, welcher durch das Abstecken vor dem Bau auf das Terrain aufgetragen wird; — 3) jeder andere abgesteckte und durch kleine Gräben oder dergleichen angedeutete Umriß.

Tracery, engl., Maaßwerk, Fenstermaaßwerk, Fächerwerk.

Tracht, 1) s. d. Art. Portée, Träger und Tragweite; — 2) Tragvorrichtung, Stütze ꝛc.; — 3) als ungefähres Lastmaaß, so viel als ein Mensch tragen kann; — 4) starker Kranz von Gußeisen, in der Gegend der Rast in das Rauchgemäuer der Hohöfen zu Unterstützung des Schachtes eingemauert; — 5) Costüme, s. z. B. d. Art. Bischof, Pilgerstab, Engel, Apostel, Propheten ꝛc.

Trachyt, Trapp-Porphyr. Die Grundmasse, wahrscheinlich in zähem, teigartigem Zustand den Erdtiefen entstiegen, lichtgrau oder weiß, seltener dunkel gefärbt, feinkörnig, im Bruche splitterig, ist ein Gemenge mikroskopisch kleiner Theile, worin jedoch Feldspath vorwaltet. Besonders Krystalle glasigen Feldspathes, langgezogen, sehr dünn, mitunter auch von ansehnlicher Größe, liegen gleichsam schichtenweise neben einander. Als Beimengung kommen außerdem vor: Glimmer, Magneteisen ꝛc., sowie Hornblende in Nadeln und blätteriger Partien, besonders wenn die Feldspathkrystalle fast oder ganz fehlen. Nur zuweilen wird die Hornblende durch Augit vertreten. In Folge der Zusammenziehung beim Erkalten erscheinen die Trachytmassen, die mitunter kleine Höhlungen und eckige Löcher umschließen, in kolossale, bald fünf-, bald sechsseitige Säulen zerspalten und durch gewaltige Haufwerke von Trümmern und von Schutt des Gesteines bedeckt. Die Felsart wird, durch dauernde Einwirkung von Luft, Wasser ꝛc. zersetzt, zu fruchtbarem, licht gefärbtem Thonboden; Variationen sind: a) Körniger Trachyt, ist besonders spröde und rauh, besitzt aber den meisten Glanz. b) Porphyrartiger Trachyt (Trapp-Porphyr), feinkörnige, auch dichte Trachytgrundmasse, mit einzelnen Krystallen von glasigem Feldspath. c) Blasiger Trachyt, hat in der Grundmasse zahlreiche kleine, runde oder eckige, zuweilen in die Länge gezogene Blasenräume, mit theils verglasten Wandungen, theils von kleinen Krystallen verschiedener Mineralien überkleidet. d) Schlackenartiger Trachyt, in halbverglastem, schlackenartigem Zustand, großmuschliger Bruch. e) Dichter Trachyt, dichter, splitteriger Bruch; beim Anhauchen riecht das Gestein schwach thonig. f) Erdiger Trachyt, Grundmasse erdig, weich, oft zerreiblich; riecht beim Anhauchen stark thonig. g) Domit, s. d.; vergl. auch d. Art. Mühlstein.

Trachyt-Conglomerat, Trachyttrümmergestein (Mineral.), auch Backofenstein genannt; Bruchstücke verschiedener Abänderungen von Tra-

chyt, meist eckig, seltener abgerundet; sind durch eine erdige, wenig cohärente, nur ausnahmsweise krystallinische Masse, die durch die mechanische oder chemische Zerstörung des Trachytes selbst entstanden ist, verkittet. Die Größe der Stücke variirt von Erbsgröße bis zu einigen Fuß Durchmesser, öfters sind sie auch ganz klein und in sandartigem Zustand, mitunter sogar der Porzellanerde ähnlich. Stücke von Bimsstein, Basalt ꝛc. sind seltener; Farbe licht, graulich- und gelblichweiß, seltener roth, braun oder dunkelgrau. Die gleichförmiger gemengten Abänderungen des Trachyt-Conglomerates haben solche Festigkeit, daß sie als Baustein benutzt werden, lassen sich leicht bearbeiten und springen bei niederem Hitzegrad nicht, werden deshalb häufig zu Heerden und Backöfen verwendet. Doch verwittert das Trachyt-Conglomerat schneller als Trachyt.

Trachytlava, s. d. Art. Lava.

Traciren, s. v. w. entwerfen, vorzeichnen, abstecken; s. d. Art. Trace.

Tracirfaschine, Faschine, 5—6 Fuß lang mit wenig Bunden, zur Bezeichnung der abgesteckten Belagerungsarbeiten.

Tracirleine, Tracirschnur, s. v. w. Absteckleine, Abstecksschnur.

Tract (Straßenb.), s. v. w. Straßenlinie oder Strecke, Abtheilung eines Straßen- oder überhaupt Flachbaues, so weit sie unter einem Aufseher steht.

Tractorie, Zuglinie; jede Curve, bei welcher die Strecke, welche zwischen dem Berührungspunkt einer Tangente und dem Durchschnitt derselben mit einer gegebenen Curve liegt, stets denselben Werth hat. Sie entsteht, wenn man das eine Ende eines Fadens, an dessen anderem Ende sich ein schwerer Punkt befindet, auf der gegebenen ebenen Curve fortbewegt, so daß der Faden stets straff gespannt bleibt. Alsdann beschreibt der schwere Punkt die Tractorie. Die Aufsuchung dieser Curve wird schon bei sehr einfachen Fällen complicirt. So ist die Tractorie einer geraden Linie eine transcendente Linie, welche zugleich Evolvente der Kettenlinie ist.

Träger, starker Balken von Holz, Eisen oder Stein zu Unterstützung der eigentlichen Balken. Liegt er am Ende der Balken und ist durch Säulen gestützt, so heißt er Architrav (s. d.); liegt er in der Mitte einer Baltenlage, worin die Balken dieser zwischen den Auflagen zu lang sind, um sich selbst frei zu tragen, so bringt man ihn entweder unter die Balken (Unterzug) oder über ihnen an (Ueberzug), wo dann die Balken mit eisernen Bolzen an ihn gehängt werden. a) Hölzerne Träger. Unterzüge ruhen, wenn sie weit frei liegen, auf Säulen (Trägersäulen genannt). Durch Hängesäulen hält man lange Ueberzüge; ist beides nicht möglich, so muß der Träger aus mehreren übereinander gelegten Bauhölzern zusammengesetzt werden. S. darüb. d. Art. Balken, bes. II. D. und V. a, bis f., Sprengwerk, gespanntes Roß ꝛc. b) Träger und Balken von Schmiedeeisen und Gußeisen müssen trocken liegen und mit Gipsmörtel umgeben sein; s. übrigens d. Art. Eisenbalken, S. 692, Bd. I.

Als Ergänzung ist hier noch zu bemerken, daß schmiedeeiserne Balken bei ihrem Widerstand gegen auf sie einwirkende Kräfte ganz andere Gesetze befolgen, als gußeiserne; daß die untere

Querrippe bei schmiedeeisernen Balken wenig mehr als halb so breit wie die obere zu sein braucht, während bei gußeisernen die Oberfläche der unteren Rippe das Sechsfache der oberen betragen muß.

Trägerrecht, s. d. Art. Baurecht.

Trägheit oder Beharrungsvermögen, das Bestreben aller Körper, einmal in Ruhe, stets in Ruhe zu bleiben, und einmal in Bewegung, sich mit gleichförmiger Geschwindigkeit nach derselben Richtung hin fortzubewegen, wenn nicht äußere Kräfte oder Hindernisse den Ruhezustand aufheben oder die Bewegung beschleunigen oder verzögern.

Trägheitsmoment eines Körpertheilchens, das Product aus seiner Masse in das Quadrat seines Abstandes von einer Drehachse; das Trägheitsmoment eines Körpers dagegen ist die Summe aus den Trägheitsmomenten der einzelnen Theilchen. Daher ist für ein Körpertheilchen mit der Masse m und dem Abstande r das Trägheitsmoment gleich $m r^2$ und für einen Körper gleich einem Integral: $\int r^2 dm$. Damit eine am Hebelarm a wirkende Kraft P einem Körper von dem Trägheitsmomente T die Winkelgeschwindigkeit w ertheile, muß sein $Pa = wT$ und die Arbeit, welche man aufwenden muß, um diese Geschwindigkeit zu erreichen, $A = \frac{1}{2}w^2 T$. Der Trägheitshalbmesser ist die Entfernung, in welcher man die ganze Masse, sofern man sie in einen Punkt zusammendrängen könnte, anbringen müßte, damit ihr Trägheitsmoment dem des Körpers gleich werde. Ist derselbe r, so wird $r = \sqrt{\dfrac{T}{M}}$. Kann man das Trägheitsmoment eines Körpers in Bezug auf eine durch den Schwerpunkt gehende Achse ermitteln und ist dasselbe hierbei $T = Mr^2$, so kann man daraus das Trägheitsmoment in Bezug auf irgend welche zu dieser parallel laufende Achse berechnen. Ist nämlich d der Abstand beider Achsen von einander, so ist das Moment in Bezug auf die neue Achse dies: $T_1 = M(r^2 + d^2) = T + Md^2$. Die Trägheitsmomente spielen in der theoretischen Mechanik eine sehr große Rolle und finden auch in der Praxis viele Anwendungen; doch würde die Aufstellung der Momente für die am gewöhnlichsten vorkommenden Körper hier zu viel Raum beanspruchen.

tränken, 1) Wasser auf Wiesen oder Gärten leiten; — 2) einen trockenen Körper mit einer Flüssigkeit so behandeln, daß sich die Flüssigkeit in die Poren des Körpers hineinzieht; s. d. Art. Imprägniren, Leim und Bauholz.

Tragaltar, tragbarer Altar, lat. lapis portatilis, altare, viaticum, oratorium, gestatorium, frz. autel portatif, engl. portable altar, edler oder unedler Stein, gewöhnlich klein, in Holz oder Metall gefaßt, auf welchem nur Hostie und Kelch vorhanden und worin eine Reliquie eingeschlossen ist; gebraucht bei Krankencommunionen, auf Reisen ꝛc.; s. übrigens d. Art. Altar.

Traganker, s. d. Art. Anker 3.

Traganth, falscher, s. d. Art. Bassora-Gummi.

Traganthgummi, stammt von verschiedenen Traganthsträuchern (Astragalus, Fam. Hülsenfrüchtler). Es quillt aus den Zweigen, namentlich wenn diese verletzt werden, besonders in solchen Gegenden, wo kühle, nebelige, feuchte Nächte mit heißen Tagen jähe wechseln. Man erhält es von Astr. creticus auf dem Ida und auf Creta (wurmförmiger Traganth), von Astr. verus in Persien, von Astr. gummifer auf dem Libanon (Smyrna-Traganth, blätteriger Traganth), von Astr. aristatus in Griechenland. Es ist weiß-oder gelblich, ohne Geschmack und Geruch, ähnelt dem arabischen Gummi. Andere Sorten kommen von A. gummifer, A. aristatus, A. creticus.

Tragbahre, Tragbett, frz. bayart, s. d. Art. Bahre und Palantin.

Tragbalken, 1) s. d. Art. Balken II. D. und Träger; — 2) (Schiffsb.) die das Verdeck tragenden Balken, auch die der Länge nach liegenden, welche die Querbalken tragen; — 3) österreichisch für Netzriegel.

Tragband, 1) s. v. w. Strebeband; — 2) s. d. Art. Hängeeisen.

Tragbank (Mühlenb.), die Träger des Steges; s. d. Art. Mühlgerüste.

Tragbohrer (Bildh.), s. v. w. Brustleier.

Tragbuche, s. v. w. Rothbuche; s. unt. d. Art. Buche.

Trage, leiterähnliches Geräth; auf einer solchen Trage, die auch Vogel heißt, wird in Ziegeleien der Thon aus der Grube dem Former zugetragen und ohne abzusetzen auf den Formtisch geschlagen.

Trageisen, 1) s. v. w. Hängeeisen; — 2) zum Unterstützen der hervorstehenden Dachrinnen dienende eiserne Stäbe; — 3) (Hüttenw.) s. v. w. Tümpeleisen.

Tragein oder Traheln, zum Aufsitzen der Muffeln dienende Eisen im Probirofen.

tragendes Seiltrumm, bei Rollen und Flaschenzügen das auf der Seite der Last befindliche Seilende.

Tragesims, Sims an einem Strebepfeiler, wo sich der Pfeiler absetzt und eine geringere Stärke bekommt.

Tragewelle, Zapfen einer eisernen Welle.

Tragfähigkeit, Tragkraft, engl. bearing, s. d. Art. Festigkeit, Spannweite, Belastung, Balken III., Baugrund, Eisenbau, Absätzen ꝛc.

Traghebel, einarmiger Hebel, wo die Last dem Drehpunkt näher liegt als die Kraft.

Tragholz, s. d. Art. Bauholz F. I. d.

Tragkübel, s. sb. Art. Feuerlöschapparate.

Tragmodul, s. d. Art. Festigkeit.

Tragödie (Mythol.), bat in den Händen Dolch, Krone und Larve, die Werke des Sophokles und Euripides liegen ihr zur Seite.

Tragriegel (Windmühle), die dicht unter dem Taslement zwischen den Eckfäulen des Thurmes der holländischen Windmühle liegenden horizontalen Verbindungsstücke.

Tragrippe, s. d. Art. Brücke, S. 460.

Tragfäule, s. v. w. Hängefäule.

Tragschiene, horizontales Trageisen; s. auch d. Art. Anker 9.

Tragstein, franz. coussinet, tasseau, engl. brocket, s. v. w. Kragstein; s. auch Console.

Tragstempel, 1) (Minenb.) Stempel, auf dem ein Theil der Zimmerung ruht; s. d. Art. Grubenbau, S. 213; — 2) (Bergb.) s. v. w. Lager.

Tragweite, österreichisch **Tracttiefe,** s. v. w. Spannweite.

Tragwerk, Trägwerk, s. d. Art. Grubenbau, S. 214.

Tragwinkel, Winkel von 45°; s. Band.

Trahm, Tram, Thram, lat. trabs, ital. trave, Tramen, s. v. w. Balken, auch für Steg gebraucht; s. d. Art. Balten, Brücke, S. 460, Bd. I.

Trahmboden, Trahmdecke, s. v. w. Blockdecke; s. d. Art. Decke, S. 632 ꝛc.

Trail, engl., altengl. trayler, sich rankendes Laubwerk.

Traille, frz., auch **Tralje** geschrieben, 1) s. v. w. Fährbrücke, Fähre, fliegende Brücke, s. d. betr. Art.; auch das Tau und die Rolle, woran diese Brücke läuft; — 2) zum Verschluß von Fenster- und Thüröffnungen dienende hölzerne oder eiserne dünne Stäbe, s. d. Art. Docke 1; — 3) Roststäbe.

Trait, frz., 1) Streich, Zug; dessin au trait, Conturzeichnung; — 2) Steinschnitt; — 3) s. d. Art. Maaß, S. 488.

Trajectorie, eine krumme Linie, welche ein System gleichartiger krummer Linien unter demselben Winkel schneidet, wobei unter gleichartigen Linien solche verstanden werden, deren Gleichung man erhält, wenn man in einer gegebenen Curvengleichung einer darin vorkommenden Constanten alle möglichen Werthe giebt, die Gleichung aber sonst unverändert läßt. Orthogonale Trajectorie heißt eine solche Curve, welche alle Linien des Systems unter einem rechten Winkel schneidet. Die orthogonale Trajectorie eines Systems von geraden Linien, welche durch denselben Punkt gehen, ist ein Kreis; die allgemeine hingegen eine logarithmische Spirale.

Traljeschalt (Schiffsb.), Scheidewand von Gitterwerk.

Trammbaum (Mühlenb.), Rahmstück über dem Gerüst des Pochwerkes.

Trammrecht, s. Baurecht und Ballenrecht.

Trammsäule (Mühlenb.), Ständer in dem Gerüst eines Pochwerkes.

Trampelrad (Mühlenb.), s. v. w. Tretrad.

Tranche, frz., 1) Schlitz in Schieferbrüchen, den man zur leichteren Lostrennung der Bänke einhaut; — 2) Stärke einer Steinplatte.

Tranché, frz. (Herald.), Schulterschnitt; s. d. Art. Heraldik V.

Tranchée, frz. (Kriegsb.), s. d. Art. Laufgraben und Festungsbau.

Tranchéecavalier, Tranchéekaße, Laufgrabenkaße, Tranchéereiter (Kriegsb.), von Belagerer in der Verlängerung der Aeste des gedeckten Weges hergestellte Erdaufschüttungen zur Erlangung besserer Einsicht in die vorliegenden Werke ꝛc.

Tranchirwaage, ein Nivellirinstrument, s. d.

Tranglé, frz., s. d. Art. Streifen und Binde.

transcendent; so nennt man alle die Rechnungsoperationen, welche nicht zu den algebraischen gehören, wobei unter algebraischen Operationen die 4 Species, die Potenzirung und die Wurzelausziehung verstanden werden. So ist es eine transcendente Operation, wenn man zu einer Zahl den Logarithmus sucht, und umgekehrt. Zu den transcendenten Functionen gehören insbesondere die logarithmischen, die Exponentialfunctionen, sowie die trigonometrischen und cyclometri

schen. Eine transcendente Curve ist eine solche, bei welcher die Ordinate eine transcendente Function der Abscisse ist; wie z. B. $y = a \log \frac{x}{b}$

oder $y = a \sin \frac{x}{b}$ ꝛc.; s. auch d. Art. Curve, S. 580, Gleichung und Interscendent.

Transenna, lat., Vogelnetz, Fenstergitter, Schranke, Querschiff.

Transeptum, transseptum, lat., Querschranke, Kreuzarm, fälschlich für das ganze Querschiff gebraucht; s. d. Art. Kreuz F.

Transition, frz. u. engl., Uebergang, Uebergangsstyl; transition-limestone, s. d. Art. kalkige Gesteine 6.

Transitocanal, s. d. Art. Canal.

Transmission, die Gesammtheit der Maschinentheile, durch welche die Arbeit von der Hauptwelle des Motors auf die einzelnen zu treibenden Maschinen übertragen wird. Dazu gehören die Wellen, Räder, Riemenscheiben und Kuppelungen.

Transom, engl., Fensterkreuz, Querstab, steinerner Weitstab in einem Fenster (Querbalken), Kämpfer (s. d.) bei einer Thür oder einem Bogenfenster. Steinerne Querstäbe kamen in England an Wohnhäusern schon in dem early english style, an Thürmen im decorated style, an Kirchfenstern aber erst im perpendicular style vor; in Frankreich stellen sie schon zu Ende des 12. Jahrhunderts an Kirchen angewendet worden zu sein.

Transparentmalerei. Man spannt schwaches Baumwollengewebe so straff wie möglich auf Rahmen, bestreicht es an der einen Seite mit Stärkekleister, an der anderen mit Oel, und setzt dann mit Oelfarben die Localtöne der von der einen Seite in Anstrich auf, während man von der anderen Seite in Lackfarben oder auch in Wasserfarben die Modulationstöne aufträgt; zu Transparentmalerei eignen sich nur Farben, die aus vegetabilischen oder animalischen Substanzen gewonnen wurden, mineralische Farben jedoch verarbeiten sich nicht gut mit Wasser und verbleichen gern; man kann mit Wasserfarben namentlich auch auf schwaches Papier oder Gewebe transparent malen; s. übrigens d. Art. Illumination 4, Glasmalerei, Farbe, Lasurfarbe, Saftfarbe ꝛc.

Transporteur, 1) (Zeich.) ein Instrument, bestehend aus einem in Grade getheilten Halbkreis; zum Messen der Winkel auf dem Papier. — 2) (Masch.) ein Zahnrad, welches direct in zwei andere Räder eingreift und so die Bewegung des einen Rades auf das andere gerade so überträgt, als ob dieses mit jenem direct in Eingriff sich befände.

Transtrum, lat., Querbret, Querballen, Spannriegel, Ruderbank.

Transversale, jede gerade oder krumme Linie, die irgendwie ein System anderer Linien schneidet. Die Mathematik betrachtet insbesondere die geradlinigen Transversalen des Dreiecks.

Transverse, engl., was quer liegt, Querbalten ꝛc., Verschlag quer durch eine Halle, Capelle ꝛc.; transverse-arch, s. d. Art. Bogen, S. 399; transverse-rib, crossspringer, Transversalgurt, Quergurt eines Gewölbes, s. d. Art. Rippe und Gurtbogen; transverse-vault, eingespannte Kappe; transverse-section, Querschnitt.

Trap-door, engl., frz. Trappe, Fallthür.

Trapetum, lat., Oelmühle.

Trapez, ein Viereck, in welchem nur zwei

Seiten parallel sind; jedoch auch überhaupt ein Viereck, welches kein Parallelogramm ist. Das Viereck mit zwei parallelen Seiten wird Paralleltrapez genannt. Der Flächeninhalt eines solchen ist, wenn a, b die parallelen Seiten desselben sind und h die Höhe: $F = \frac{1}{2}(a+b)h$. Um den Flächeninhalt ebener, geradliniger Figuren zu berechnen, zerlegt man dieselben gewöhnlich in Trapeze.

Trapezoid, ein Viereck, in welchem keine zwei Seiten parallel sind.

Trapezoëder, s. d. Art. Hexaëder II.

Trapp, s. d. Art. Basalt, doch wird auch der Grünstein (s. d. Art. Diorit), ferner die Kohlenblende, Mandelstein, Dolerit, Ferrilit 2c. zu den Trappgebirgen gerechnet; s. d. betreffenden Art.

Trapp-Porphyr (Mineral.), 1) s. v. w. Trachyt; — 2) s. v. w. Grünsteinporphyr, Melaphyr und Phonolith.

Trapp-Tuff, erdiges Basaltconglomerat, s. d.

Traſſe, s. d. Art. Trace und Traciren.

Traß, eigentlich gepochter und gemahlener Duckstein (s. d.), doch auch dieser Stein in natürlichem Zustand, entstanden durch Mengung vulkanischer Auswürfe mit Schlamm; ist als Baustein verwendbar. Doch wird er hauptsächlich gemahlen oder gepocht, dann gesiebt, mit trocken gelöschtem Kalk, auch wohl mit Ziegelmehl versetzt, als hydraulischer Mörtel (s. b. 1, e) und zur Bereitung des Beton und Cement (s. d.) verwendet. Eine Abänderung, der sogenannte Weiberstein, läßt sich leicht zu Bild- und Schnitzwerk bearbeiten und widersteht der Witterung gut.

Traßmühle, s. unter d. Art. Mühle.

Traube, als Symbol, bedeutet das Blut Christi; s. d. Art. Maria.

Traubenbohrer, s. d. Art. Brustleier.

Traubenerz, s. v. w. phosphorsaures Blei.

Traubenkirschbaum, Stinkbaum, s. d. Art. Able, Faulbaum, Kirschbaum 2c.

Traubenstein (Mineral.), 1) Botryites, aus kugelförmigen, mit einander verbundenen Körpern bestehender Kalksinter; — 2) s. v. w. Traubenerz; — 3) nierenförmiger Pyromorphyt.

Traubenulme, s. unter d. Art. Ulme.

Tranchbohrer, Traufbohrer, s. Brustleier.

Trauercypresse, s. d. Art. Thränencypresse und Cypresse.

Trauerweide, s. d. Art. Thränenweide.

Traufbret, Schlagbret, Traufdiele, Trippdiele, s. d. Art. Dachdeckung 5, Dripdielen und Sims zu Ende.

Traufe, frz. gouttière, s. d. Art. Dachtraufe.

Traufenbuthe, s. d. Art. Grubenbau, S. 215.

Traufgang, Schlippe zwischen zwei Häusern, welche von beiden die Traufe empfängt; s. d. Art. Brandgasse.

Traufhaken, 1) s. d. Art. Aufschiebling; — 2) Haken zur Befestigung der Dachrinne.

Traufleiste, engl. Leiste, s. Ueberschlagsims.

Traufrecht, Traufsallsrecht, lat. servitus stillicidii, aquae, s. Baurecht und Dachrecht.

Traufrinne, s. v. w. Dachrinne.

Traufschaar, Lattungsschaar, s. d. Art. Dachdeckung, S. 602.

Traufſchicht, frz. battellement, obere Schicht einer Mauer, aber auch untere Schicht der Dachdeckung.

Traufſeite, bei einem Gebäude die Seite, wo die Traufe sich befindet.

Traufſteine, die die Traufschicht bildenden Dachsteine, im Pflaster die das Traufwasser oder Fallrohrwasser auffangenden Steine.

Travée, frz., Joch, Gewölbabtheilung, Fach, Brückenjoch.

Traverse, 1) s. d. Art. Festungsbau und Batteriebau; — 2) s. d. Art. Ausschnitt 7; — 3) Querschranke, Querverschlag in einem Saal; — 4) s. d. Art. Eisenbahnung und Dach, S. 598; — 5) s. d. Art. Einstrich 2; — 6) s. d. Art. Dampfschiff; — 7) s. d. Art. Deckschwelle; — 8) (Herald.) s. d. Art. Gehänge und Kreuz D. 1.

Traverse de bois, frz., Querriegel, Querbalken; traverse de fer, Querstange; traverse de pierre, s. d. Art. Transom.

Traversin, frz., s. d. Art. Klabain, Benting.

Traversion, s. d. Art. Grundbau, S. 218.

Travertino (Mineral.), Art Kalktuff, abgesetzt durch Niederschläge aus kalkhaltigen warmen Quellen, in Gefüge und Farbe sehr verschieden, enthält oft leere Räume, durch Pflanzen gebildet, welche er umschlossen hatte und die später verweſten, auch Pflanzenabdrücke. Heißt auch Kalktuff oder Sinter von Tivoli, tiburtinischer Stein.

Travicello, ital., Sparren.

Travon, frz., Brückenbalken.

Treasury, engl., Schatzhaus.

Trecik, s. d. Art. Maaß, S. 488.

Treckweg (Uferb.), Weg an Flüssen und Canälen für die Pferde und Menschen, die Schiffe ziehen.

Treckwerk, Treckwerrig (Bergb.), s. v. w. Trägwerk.

Tree, engl., Baum.

Trefle, frz., engl. trefoil, Kleeblatt, Dreinase, Dreipaß; trèfle lancéolé, Dreiblatt; trèflé (adj.), mit einem Kleeblatt verziert.

Trefle (subst., Herald.), Kleeblattschnitt.

Trefoil-arch, engl., Kleeblattbogen; trefoiled cross, Kleeblattkreuz.

Treibanker (Schifff.), frz. ancre flottante, engl. dragsail, hölzernes drei- oder viereckiges Gestell, worein man ein Segel spannt und in lothrechter Stellung einige Fuß unter das Wasser mittelst eines angehangenen Gewichtes versenkt.

Treibbänder, Treibriemen 2c., s. d. Art. Riemenscheibe.

Treibbaum, Wellbaum an einem Göpel.

Treibbolzen, Treibeisen, franz. repoussoir, engl. driveboIt (Schiffsb.), mit Knöpfen oder mit Stiel versehene Bolzen, zum Antreiben der anderen **Treibbuhne,** s. d. Art. Buhne 1. [Bolzen.

treiben, 1) (Hüttenw.) auf der Capelle oder dem Treibheerd das Silber, welches mit Blei vermischt ist, von demselben trennen; s. d. Art. Blei, Silber, Kupfer 2c.; — 2) (Bergb.) aus der Grube vermittelst des Göpels oder auf andere Weise Berge und Erze herausfördern.

Treiber (Mühlenb.), der Maschinentheil, der auf den oberen Theil des Mühleisens gesteckt, mit seinen Falzen die Haue umfaßt und umtreibt.

Treiberz, Erz, das aus einem Treibschacht gefördert wird.

Treibfäustel (Bergb.), 24—36 Pfund schwerer Fäustel resp. Hammer zum Eintreiben der Stempel der Verzimmerung, resp. der Brecheisen.

Treibhammer (Klemp.), bauchige Sachen auszutiefen dienender Hammer mit langen Schenkeln und halbkugelrunder Bahn.

Treibhaus, 1) s. d. Art. Gewächshaus; — 2) (Bergb.) auch Treibhaue genannt, über einer Treibkunst errichtetes leichtes Gebäude; — 3) (Hüttenw.) auch Treibhütte genannt, Gebäude, worin sich ein Treibheerd oder Treibofen befindet.

Treibheerd, Treibofen (Hüttenw.), zum Scheiden des Silbers vom Blei dienender, runder, flacher Heerd mit einer Vertiefung in der Oberfläche; vor dem Gebrauch wird er mit Lehm und Roßhaaren ausgeschlagen und dann vorgewärmt; er ist mit einem eisernen schurzzähnlichen Hut, dem Treibhut, versehen.

Treibholz, 1) auch Treiblade, s. v. w. Erdlade; — 2) (Hüttenw.) auf dem Treibheerd gefeuertes langes Scheitholz; — 3) franz. bois flotté, engl. driftwood, s. v. w. Flößholz.

Treibkorb, s. v. w. Göpelkorb.

Treibkunst, Treibwerk (Bergb.), Vorrichtung zur Förderung der Erze, wie Göpel, Pernswerk ꝛc.

Treibrad, Triebrad, 1) s. v. w. Getriebe, s. d., sowie d. Art. Dampfmaschine, Näberwerk ꝛc.; — 2) ein Rad bei Balgmaschinen, welches die Bälge in Bewegung setzt.

Treibsand, Triebsand, s. unter d. Art. Sand.

Treibschacht, s. d. Art. Grubenbau, S. 212 ff.

Treibseil, s. v. w. Göpelkette.

Treibstange, lange, runde Stange an den Bandmühlen, durch deren Hin- und Herziehen man das Schwungrad und die ganze Mühle in Bewegung setzt.

Treibstock, 1) Gürtlerwerkzeug, worauf die Bleche bearbeitet werden; — 2) s. d. Art. Triebstock.

Treibstoß (Bergb.), schmale Seite eines Treibschachtes, auch kurzer Stoß, bunte Seite genannt.

Treibwasser, s. v. w. Aufschlagwasser.

Treibwelle, Welle, worauf sich ein Getriebe befindet.

Treibzahn (Mühlenb.), der unterste Zahn am Walzhammer.

Treibzeug, Dreck (Wasserb.), allerlei vom Wasser angespülte oder angetriebene leichte Gegenstände, als Schilf, Stroh, Heu ꝛc.

Treillage, treille, treillis, frz., engl. trellis, altengl. trellice, 1) Gitterwerk, durchbrochene Verzierung; s. d. Art. Bindwerk; — 2) grüne Laube von lebenden Pflanzen, lat. trichila.

treillissé, frz. (Herald.), s. d. Art. Gegittert.

treiteln, treiten, ein Schiff, einen Ponton an Leinen, Treil, engl. tracking rope, ziehen.

Tremolit (Mineral.), s. v. w. Grammatit.

Trempel, Drempel, Trümpel, Tremel, 1) (Schleußenb.) Schwellwerk der Schleußenthore; s. d. Art. Drempel und Schleuße; — 2) (Landb.) zur Unterlage zwischen den Unterenden des Aufschieblings und den Sparren dienender Kloz; — 3) Steife oder Stüze; — 4) die den Rahmen der Stückpforten bildenden Hölzer auf Schiffen; sie heißen nach ihren Stellungen Ober- und Unter- oder Seitentrempel; s. d. Art. Pforte; — 5) (ungar. Hüttenw.) die Kolben, die aus den Luppen der

Sternfeuer zerschroten und weiter ausgeschmiedet werden unter den Trempelstochhämmern.

trempeln, mit Holz einen Minengang so unterstützen, daß er nicht einfallen kann.

Trenkwasser, falsche Schreibweise für Drängwasser, s. d.

Trennbuhne (Wasserb.), s. v. w. Leitbuhne; s. unter d. Art. Buhne.

trennen, mit der Säge der Länge nach das Holz zerschneiden.

Trennsäge, s. unter d. Art. Säge.

Trepan, engl., frz. trépan, Bergbohrer.

Treppe, Stiege, Steige, lat. scala, frz. escalier, engl. stairs, span. escalera. gangbare Verbindung eines niederen Gebäudetheiles mit einem höher gelegenen.

A. Eintheilung nach dem Material.

1. **Massive oder feuerfeste Treppen** haben den Vorzug der Dauerhaftigkeit und Passirbarkeit bei Feuersgefahr. a) **Steinerne Treppen;** dieselben sind unstreitig die besten. Man fertigt jede Stufe aus einem Stück Stein massiv an und legt sie auf Wangenmauern, Wangensteine, steigende Bogen oder dergl. mit beiden Enden auf, wodurch resp. eine untermauerte Treppe, Architravstiege, Schwanenhalsstiege entsteht, oder man mauert sie mit einem Ende ein, während sie mit dem anderen sich gegenseitig stützen, wobei die Treppe eine freiliegende, gewundene oder gerade, eine Spindelstiege mit voller oder hohler Spindel, eine Pfeilerstiege ꝛc. sein kann; die Stufen werden auf der Unterseite entweder roh gelassen oder schräg abgearbeitet (vergl. d. Art. délardement), oder mit Gliederung versehen. b) **Gemauerte Treppen;** hierbei kann man die Stufen als scheitrechte Bogen aus Ziegeln wölben oder man unterwölbt die Treppe mit einem steigenden Gewölbe und legt darauf die Stufen als Rollschichten an, oder man nimmt Schieferplatten zu den Auftritten und mauert die Zwischenräume zwischen denselben als Setzstufen schwach aus, kann sie jedoch auch offen lassen; man kann die Steintreppen aber auch als romanische Treppen (s. b.) gestalten.

2. **Hölzerne Treppen;** diese sind allerdings nicht feuersicher, steigen sich aber am besten wegen der großen Elasticität des Holzes, lassen sich auch am bequemsten in jede Form bringen, belasten das Geländer sehr wenig und sehen, wenn sie gut gearbeitet sind, recht elegant aus.

3. **Eiserne Treppen;** diese halten zwar ein nicht starkes Feuer aus, werden aber so heiß, daß sie nicht passirbar sind, sind auch ziemlich schwer und theuer, sehen aber sehr elegant aus und brauchen wenig Platz.

4. **Treppen aus gemischtem Material;** wo keine großen Steine zu haben sind und wo man doch feuerfeste Treppen herstellen will, ohne viel Seitenschub auf die Mauern zu äußern, legt man Eisenschienen oder gußeiserne Wangenstücken und Mittellaufbäume und mauert darauf die Stufen, die man dann mit schwachen steinernen Auftrittplatten (von Marmor oder Schiefer) verkleidet oder auch mit Holz belegt. Kellertreppen macht man häufig von Ziegelrollschichten und belegt sie mit Eichenpfosten, um das Abstoßen durch hinabzuschaffende Lasten zu verhüten. Weder solche noch massiv steinerne Treppen darf man mit Erde unterfüllen, denn diese treibt im Frühjahr die Stufen auseinander.

B. Eintheilung nach Ort, Bestimmung ꝛc.
1. Treppen außerhalb der Gebäude. a) Offene Freitreppen, f. den Artikel Freitreppe.
b) Ueberbaute Freitreppen; diese sind zweck=
mäßiger als die offenen, weil letztere im Winter
durch das Glatteis leicht gefährlich werden.
c) Parktreppen; dahin gehören die in Gärten
vorkommenden Rasentreppen und diejenigen, deren
Stufen aus quergelegten Rundhölzern bestehen, die
durch eingeschlagene Pfählchen gehalten werden,
sowie die aus unverarbeiteten Steinen zusammen=
gebauten und die in Felsen gehauenen.
2. Treppen innerhalb der Gebäude. a) Haupttreppe: darf in Sachsen nicht unter 4½ Fuß breit
sein, muß sich bequem steigen und in jedem Geschoß
einen breiten, bequemen Austritt haben. b) Ne=
bentreppe, auch Degagementstreppe (f. b.) ge=
nannt. c) Geheime Treppe, frz. escalier de-
robé, in Schränken oder zwischen Wänden ꝛc. ver=
borgen. d) Kellertreppe, muß massiv, möglichst
gerade sein und· eine äußere Luft in den Keller
eindringen lassen; f. übrigens d. Art. Keller und
Kellertreppe. e) Bodentreppe, f. d. f) Thurm=
treppe; diese kann als Haupt= oder Nebentreppe
dienen und geht dann von unten auf, oder dient
blos zum Besteigen eines Thurmes und braucht
dann erst da zu beginnen, wo der Thurm sich vom
übrigen Gebäudekörper trennt. Uebrigens kommen
auch Thurmtreppen vor, die außerhalb des Gebäu=
des liegen, d. h. an einer Ecke oder Seite des Thur=
mes, oder auch rings um den Thurm außen ange=
hängt oder herausgetragt sind.

C. Lage, Breite und Steigung der Treppe.
Was zunächst die Lage betrifft, so lege man
die Haupttreppe stets so, daß sie in möglichst gu=
ter, bequemer und freier Verbindung mit den
Haupträumen stehe, für den Fremden leicht zu
finden sei und dennoch keinen für andere Zwecke
kostbaren Raum wegnehme; sehr zu empfehlen ist
für nicht zu hohe Gebäude, namentlich wenn sie frei
stehen, die Treppe ganz in die Mitte zu legen, und
sammt dem an sie sich anschließenden Vorplatz von
oben durch ein im Dach angebrachtes Oberlicht zu
beleuchten. Dies gewährt den Vortheil, daß man
zugleich auf der Treppe vermeiden und dennoch die
Treppe als Ventilator für das ganze Haus gebrau=
chen kann; daß man ferner die mit directem Licht
versehbaren Räume alle für Zimmer benutzen kann
und daß man durch die Podeste ꝛc. nicht in der Fen=
steranlage gestört wird. Will man bei hohen Ge=
bäuden solche Oberlichttreppen anwenden, so hüte
man sich sehr, die Oberlichtöffnung und den ent=
sprechenden Raum zwischen den Treppenarmen
nicht zu klein zu machen. Die Breite einer Treppe
muß nach der Anzahl der dieselbe passirenden Per=
sonen bemessen werden, wobei man als Minimum
2 Fuß anzunehmen hat für Nebentreppen, für
Haupttreppen bei Wohngebäuden 3½ Fuß, bei
Fabrikgebäuden 6 Fuß. Was die Steigung der
Treppen anbetrifft, so hat man vielerlei Angaben
gemacht, um Bequemlichkeit des Aufsteigens zu er=
zielen. Wenn z. B. b die Breite, h die Höhe einer
Stufe bedeutet, so soll die Treppe sich bequem stei=
gen lassen, wenn, nach einer Lehre die eine, nach
einer andern die andere der folgenden Formeln be=
nutzt wird: $b + h = 18$ Zoll,

$$b + \tfrac{1}{2}b = 24 \text{ „}$$
$$b \times h = 76 \text{ „}$$
$$b \times h = 72 \text{ „}$$

Alle diese Regeln kommen der Wahrheit ziemlich
nahe, lassen aber doch sehr unbequeme Anlagen zu.

Folgende auf Erfahrung gegründete Tabelle giebt
nähere Auskunft.

Steig.	Auftr.	
3	18	aufwärts bequem, ermüdet abwärts;
3	16	verlangt zu kurze Schritte;
4	18	ermüdet;
4	16	auf= und abwärts ziemlich bequem;
4	14	verlangt zu kurze Schritte;
5	18	ermüdet die Kniee und Schenkel;
5	16	ermüdet die Schenkel;
5	15	ermüdet etwas weniger;
5	14	steigt sich bequem;
5	13	verlangt zu kurze Schritte;
6	14	ermüdet die Kniee nur wenig;
6	13	steigt sich gut, ermüdet bei großer Stufenzahl die Kniekehlen;
6	12	verlangt zu kurze Schritte;
6½	13	steigt sich sehr bequem;
7	13	steigt sich bequem;
7	12	steigt sich gut, wenn man schnell geht;
7½	12	steigt sich gut;
7½	11	verlangt zu kurze Schritte;
8	11	steigt sich ziemlich bequem;
8	10	unbequem, ermüdet die Fersengelenke;
8	9	ziemlich unbequem;
9	9	sehr ermüdend;
10	9	kaum noch anzuwenden.

D. Anordnung und Führung der Treppen.
Außer der Stockwerkshöhe hat auch der vorhandene
Raum, nebst noch manchen sonst einschlagenden An=
forderungen, Einfluß auf die Anordnung der Trep=
pen; besonders ist gewöhnlich die Lage für Antritt
und Austritt fest bestimmt. Bei beiden, also vor
der Anfangsstufe und hinter der Austrittsstufe, muß
für einen hinreichend geräumigen Podest gesorgt
werden. Ferner muß, von der Vorderkante irgend
einer Stufe bis zu der Hinterkante der lothrecht
darüber liegenden, eine Lichtenhöhe, frz. échapée,
von mindestens 8 Fuß bleiben, sonst bekommt man
einen Kopfstoß; frz. brise-cou. Unter Rücksicht
auf alles Das wird nun die Treppe construirt und
die Stufen eingetheilt. Dabei darf man nicht zu
viele Stufen in ununterbrochener Reihenfolge in
einer Treppenflucht, Treppenzweig, Trep=
penarm, frz. branche, volée d'escalier, engl.
stairs-flight, annehmen; nur bei sehr bequemer
Steigung oder wenig benutzten Treppen sollte man
mehr als 12 Stufen ohne Ruheplatz (Podest), Flö=
tzen, Absatz, franz. palier, engl. landing-place,
anordnen. Je nach der Anordnung theilt man nun
die Treppen folgendermaßen ein:

1. **Gerade Treppen. a) Einarmige Treppe
ohne Podest**; nur für kurze Freitreppen, Keller=
treppen, Kellertreppen ꝛc. zu gebrauchen, für Stock=
werkstreppen nicht zu empfehlen, weil sie sehr er=
müden und weil der Austritt (f. b. 1) zu weit von
dem Antritt (f. b. 2) der nächsten kommt, und da=
durch leicht Platzverschwendung herbeigeführt wird.
b) Gerade Treppe mit Podest steigt sich be=
quemer als a, hat aber denselben Nachtheil in Be=
zug auf Platzverschwendung.

2. **Gebrochene Treppen, Podesttreppen, Flötzen=
treppen, abgelöste Treppen. a) Zweiarmige
Treppen mit Parallelarmen** müssen Seitenlicht
haben, An= und Austritt liegen gleich nebeneinan=
der, auf der Mitte der Höhe liegt ein Podest;
b) zweiarmige Treppen mit nicht parallelen
Armen sind manchmal, bei unregelmäßigem Bau=
platz nicht zu vermeiden, ja in solchen Fällen oft
sogar sehr zu empfehlen, weil sie die Anbringung
eines Oberlichtes und Versöhnung der Unregelmä=

ßigkeiten im Grundriß möglich machen; nur muß man dabei darauf sehen, daß der Podest keine unangenehme Form erhält; c) dreiarmige Treppen in vierseitigem Treppenhaus, auf einer Seite in der Höhe der Stockwerke in langem Podest An- und Austritt verbindend, die drei anderen Seiten durch Arme, die Winkel durch Podeste besetzt; d) vierarmige Treppen mit vier Podesten; e) gespaltene Treppen; zwei Arme vereinigen sich in einen, oder umgekehrt; platzraubend, aber großartig. Der eine Arm sei mindestens 1½mal so breit, als jeder der anderen. Natürlich giebt es noch eine Menge anderer Combinationen.

3. Halbgewendelte Treppen, gemischte Treppen, sind gebrochene Treppen, welche an den Brechungen statt der Podeste Wendelstücke haben. Es kann hier dieselbe Untereintheilung angenommen werden wie bei den gebrochenen Treppen.

4. Wendeltreppe, Schneckenstiege, frz. escalier à vis; so nennt man diejenigen Treppen, die gar keinen geraden Lauf haben, mögen sie nun in einen runden, ovalen, polygonen oder viereckigen Raum eingesetzt sein; Podeste haben sie in der Regel, aber meist nur beim Austritt ins Stockwerk. a) Spindelstiege, eigentliche Wendeltreppe, hat eine volle Spille, welche bei Holztreppen durch eine Säule, bei Steintreppen durch an die schmale Endigung (frz. collet) der Wendelstufen angearbeitete Spindelstücken erzeugt wird. b) Hohltreppen, Wendeltreppen mit hohler Spindel; die Spindel besteht bei Holztreppen aus gewundenen Wangenstücken, Krümmlingen (f. d.), bei Steintreppen aus an die Stufe angearbeiteten Wangenstücken. c) Freitragende Wendeltreppe; diese kann in Holz, Eisen oder Stein ausgeführt werden. Im ersteren Falle besteht sie aus lauter Blockstufen, die, gleich steinernen Stufen, mit dem breiten Ende eingemauert werden, während die Verbindung an dem schmalen Ende auch wohl durch untergelegte oder hindurchgeschobene Eisenstangen hergestellt, oder durch Aufeinanderfalzen der Stufen erreicht wird.

E. Eintheilung nach Construction und Zusammenfügung der Stufen. Diese Eintheilung gilt für jede hohlspillige, gewendelte, halbgewundene, gemischte und gebrochene Treppe. a) Treppe mit eingeschobenen Stufen, Leitertreppe; bloße Trittstufen, Auftrittstufen, frz. marches, von Holz oder schwachen Steinplatten sind in Nuthen der Wangen, resp. Wände, eingeschoben; Setzstufen fehlen, solche Treppen sind unschön und geben das Gefühl der Unsicherheit. b) Blocktreppe, f. d. betreff. Art.; gewöhnliche Constructionsweise der Steintreppe, wo aber nur selten bei der sogenannten Architravstiege Treppenbäume angewendet, vielmehr gewöhnlich durch Mauern oder durch aufsteigende Bogen (Schwanenhalsstiege) ersetzt sind. c) Treppe mit eingesetzten Stufen, Wangentreppe, abgebackte Treppe; Wangen, frz. limon, aus Trittstufen bestehen aus Pfosten von 2–3, resp. 1½–2 Zoll Stärke. Die Setzstufen, frz. contre-marches, fertigt man nur aus Brettern und nennt sie dann auch Futterbord. Die Stufen sind in Nuthen der Wangen eingesetzt, einquartiert, die Setzstufen außerdem noch in Nuthen der Trittstufen, dafern sie nicht stumpf an dieselben angenagelt sind. Die Trittstufen treten in der Regel mit der Vorderkante vor die Setzstufen (Futterborde) vor und haben einen Sims oder sind mindestens abgerundet; bei stumpf eingesetzten Futterborden wird die Fuge durch ein Leistchen verdeckt. Die Wangen werden mit Treppenhaken an die

Wand des Treppenhauses befestigt, auch wohl, was aber nicht zu empfehlen ist, in dieselbe eingelassen. Die Wange muß oben und unten mindestens 2 Zoll über die Ecken der Stufen hinausreichen, sonst springen die Backen der Nuthen aus. Eiserne Treppen können ebenfalls auf diese Art construirt werden, steinerne nicht gut. d) Aufgesattelte Treppe; die Wangen, die in diesem Fall Quartierbäume heißen, liegen blos unterhalb der Trittstufen, müssen breiter als bei c und mindestens 7–8 Zoll unter den Stufen stark sein. Solche Treppen sehen leicht und elegant aus und können sehr nett verziert werden, müssen aber sehr gut gearbeitet sein, können auch nur da angewendet werden, wo freier Raum zwischen den Treppenarmen ist. Beide, c und d, erhalten an den Krümmungen, resp. Winkeln, entweder Krümmlinge oder Säulen, Spillen, Pilasten, die man auch durch Hängeeisen oder eiserne Träger, Consolen ꝛc. ersetzen kann; viel Tragfähigkeit haben die Krümmlinge in der Regel nicht, doch pflanzt sich die Spannung in solchen abgerundeten Ecken leichter fort als in rechtwinkeligen, wo man ohne Säulen kaum auskommt. Bei Podesten, Pritschen, kann man häufig Wechsel (Trumpfe) einlegen. Aufgesattelte Treppen kann man auch in Eisen und Stein (mit Trittstufe aus Marmor oder Schiefer) ausführen. e) Freitragende Treppe; namentlich bei hohlen Wendeltreppen anwendbar, s. unter D zu Ende. f) Angereihte Tr. ahmen die freitragenden nach, die Stufen sind alle durchbohrt und eine Eisenstange aufgereiht; sieht sehr kühn aus, kann in Holz und zähem Stein ausgeführt werden, auch können die Stufen aus Chausséestaub oder anderen künstlichen Steinmassen hergestellt sein.

F. Geländer. Die Wangen bekommen oft unten und oben schneckenförmige Ausläufer, sogenannte Mäkler, deren Gang dann auch die Geländer folgen; sonst erhalten die Geländer wohl auch an ihrem Anfang ein Postament, oder ein Säulchen mit Knauf oder dergl.; an den Läufern erhalten die Geländer meist Doggen oder Traillen, die entweder in die Wangen eingezapft sind, oder außerhalb an dieselben direct oder mittelst kleiner Untersätze (Klauen) befestigt sind. Oben werden die Docken durch einen Handgriff verbunden, dessen Profil so eingerichtet werden muß, daß er sich bequem angreift. Nach der Seite zu, wo die Treppe an der Wand läuft, bringt man in der Regel keine Geländer, sondern blos eine Laufstange, frz. ecuyer. Das Geländer macht man von der Vorderkante der Stufe aus lothrecht 2 Fuß 9 Zoll bis 3 Fuß hoch.

G. Nachträge und Verweisungen. Die in diesem Artikel erwähnten Treppentheile sind meist in besonderen Artikeln behandelt; man schlage also diese Artikel nach, ebenso die Art. Marche, Contre-marche, Eisenbau, Feuerfest, Spindel, Backen, Balbide, Echelon, Echelle, Absatz, Degré, Grees, Gradin, Perron, Lauftreppe ꝛc. Näheres über Treppenconstructionen, sowie Abbildungen, findet man in der Schule des Zimmermanns und des Steinmetzen, des Schlossers und Bautischlers, Leipzig, bei Otto Spamer. Man hat von jeher mit Treppenanlagen sehr viel Spielerei getrieben; dahin sind z. B. die sogenannte Schleifentreppen, die

Treppen, deren Arme sich durchkreuzen ꝛc., zu rechnen. Wirklichen Nutzen können die sogenannten Doppeltreppen hie und da gewähren, die aus zwei derart in einander geschobenen Wendeltreppen oder Podesttreppen bestehen, daß auf einer derselben Jemand herunter=, auf der andern ein Anderer hinaufgehen kann, ohne daß die Beiden einander begegnen. Als Attribut erhalten eine Treppe die Heiligen Alexius, Maria ꝛc.

Treppenarm, Treppenflucht, s. d. Art. Treppe.

Treppenbacke, Treppenbaum, Treppenwange, Steigebaum, s. d. Art. Treppe und Blocktreppe.

Treppenfenster, s. d. Art. Fenster.

Treppenflur, Hausflur am Antritt der Treppe.

Treppenfundament, der die unterste Stufe einer Treppe tragende Unterbau; s. übr. Blockstufe.

Treppengeländer, s. d. Art. Treppe F., kann von Eisen, Stein, Holz, Zink ꝛc. hergestellt werden.

Treppenhaken, s. unter d. Art. Treppe E. c.

Treppenhaus, Treppenmantel, franz. cage d'escalier, engl. staircase, Raum, worin die Treppe liegt, entweder ein besonderes Gebäude, Seitenflügel, Thurm, Vorbau oder auch Abtheilung eines Gebäudes; s. d. Art. Treppe u. Mantel.

Treppenklampe, Treppenvall (Schiffsb.), frz. taquet, échelon, engl. step, an der äußeren Seite des Schiffes angebrachte kurze und schmale Tritte, um in dasselbe steigen zu können.

Treppenlehne, s. v. w. Handgriff eines Treppengeländers.

Treppenloch, Treppenluke, Treppenöffnung, für das Ausmünden der Treppe gelassene Oeffnung in einer Balkenlage.

Treppenmauer, Mauer, an welcher entlang die Treppe aufsteigt.

Treppenpfeiler, Treppenpfosten, Treppensäulen, sind zum Befestigen der Wangenstücken, resp. zur Stützung der Stufen tragenden Bogen gebrochener Treppen dienende hölzerne oder steinerne Pfeiler.

Treppenpodest, frz. palier, ital. pianella, Flötzen, Bletz, Pritsche; s. unt. Treppe C. u. Podest.

Treppenriegel, den Podest tragender Riegel.

Treppenschacht (Bergb.), s. d. Art. Grubenbau.

Treppenschnecke, s. v. w. Wendeltreppe; s. d. Art. Treppe.

Treppenschnitt, frz. pignonné, s. Heraldt VI.

Treppenschrank, Verschlag zu Verbergung einer geheimen Treppe; s. d. Art. Dégagement und Escalier.

Treppenspindel oder Spille, frz. noyau, engl. noel, newel, Spindel, um welche eine gerade oder theilweise gewendelte Treppe läuft; s. Treppe D.

Treppenstufe, s. d. Art. Marche, Degré, Grees, Stair, Treppe ꝛc.

Treppenthurm, lat. turricula, frz. tourelle, tourillon, engl. staircase-turret, s. d. Art. Thurm und Treppe.

Treppenwechsel, der das Treppenloch begrenzende Wechsel in der Balkenlage, gegen welchen die Wange anliegt.

Treppenzarge, s. v. w. steinerne Treppenwange, bei Freitreppen in der Regel blos an die Stufen angeblendet, die als Blockstufen behandelt sind.

Tresaunte, tresauns, transyte, engl., Corridor, Laufgang.

Treskammer, s. v. w. Sakristei, s. d.

Trésor, trésorerie, frz., 1) Schatzhaus, auch Archiv, Sakristei; — 2) falsch für dressoir, aufgehängtes Wandregal.

Trespenmühle, s. v. w. Getreidereinigungsmaschine.

Tréteau, frz., s. d. Art. Bock II.

treten (Ziegelbr. u. Töpf.), Thon und Lehm, um mehr zur Verbindung der Masse beizutragen, theils um sie von Steinen zu reinigen, mit den Füßen durchkneten; geschieht auf dem Treteplatz, auch Lehmtrate genannt.

Trethaspel, Haspel, mittelst eines Tretrades betrieben. Ebenso erklären sich Tretkrahn, Tretmaschine, Tretmühle, Tretpumpe ꝛc.

Tretrad (Maschinenb.), 1) Rad an horizontaler Achse, in Gestalt einer Trommel, an deren Peripherie sich Tretbretter oder Leitersprossen zwischen zwei Felgenringen befinden, worauf Menschen aufwärts steigen und dadurch die Bewegung des Rades hervorbringen. Es hatten solche Räder früher bedeutenden Durchmesser, wurden jedoch später kleiner, da sehr viel Beschädigungen der Arbeiter vorkamen, bis sie zuletzt fast ganz abgeschafft wurden; — 2) auch Tretscheibe, Laufrad, Gangrad oder declinirendes Rad, lat. budromium, genannt, Scheibe an einer um 20° gegen die Lothrechte geneigten Welle, mit radialer Leiste benagelt, über welche ein Mensch oder Thier aufwärts zu steigen strebt. Vergl. auch d. Art. Maschine, Haspel, Rad ꝛc.

Tretschwengel, Glockenschwengel oder Pumpenschwengel, der von einem Tretrad bewegt wird.

Tretung, 1) (Bergb.) wenn man in einem Gange firstenweise gewinnt (s. d. Art. Grubenbau) und sehr mächtige Gänge sind, so läßt man bisweilen die Firsten so lange stehen, bis sie sich ziehen und herunterfallen. Dieses Verfahren, bei welchem dann nur noch mit Eisen und Schlägel die großen Erzstücke zerkleinert werden, heißt Tretung; — 2) s. d. Art. Dredbung.

Treue, s. d. Art. Fides, Eiche, Epheu und Hand.

Treuseleiche, s. v. w. Wintereiche; s. Eiche.

trézaler, frz., aufreißen, s. d.

Triäna, Tribeles, Trident, s. d. Art. Dreizack.

Triakisoktaëder, s. d. Art. Krystallographie 1.

Triangel, s. d. Art. Dreied.

Triangelkreuz, s. d. Art. Kreuz C. 23.

Triangle de voûte, franz., Gewölbekappe, Stichkappe.

Triangulation, Eintheilung in Dreiecke, behufs leichterer Aufnahme bei Feldmessung (s. d.) vorgenommen. Vgl. a. d. Art. Basis u. Dreiecksnetz.

Triangulatur, ähnlich wie mittelst der Quadratur bestimmten die Baumeister des späteren Mittelalters auch vielfach mittelst der Triangulatur; s. Fig. 1840, die Grundrisse ꝛc. der Thürme, Pfeiler, Fialen, Kreuzblumen ꝛc.

Fig. 1840.

Trias, s. d. Art. Dreieinigkeit.

Triasgruppe, s. d. Art. Lagerung f.

Tribune, lat. tribuna, tribunal, 1) Redner=

stuhl; — 2) jedes erhöhete Gerüst, z. B. Zuschauer=
bühne, erhöheter Sitz in der Orchestra; f. d. Art.
Bühne 2; — 3) f. v. w. Tribunalnische; f. d. Art.
Apsis, Chor, Behma und Basilika; tribunal con=
fessionarium, f. d. Art. Beichtstuhl; — 4) Tri=
bune, Empore, Galerie, Laufgang, Loft; — 5) an
öffentlichen Gebäuden Balkon oder Altan, von
wo aus zum Volk gesprochen werden soll; —
6) frz. fenêtre en tribune, f. v. w. Erker.

Triceps, lat., Dreikopf, f. v. w. Cerberus; f.
d. Art. Hades.

Trichila, **tricla**, lat., Gartenlaube mit
Speisetafel.

Trichocladium crinitum, eine Baumart
am Kap der guten Hoffnung, die sich durch Zähig=
keit und Dauerhaftigkeit ihres Holzes auszeichnet.

Trichorum, lat., griech. τρίχωρον, dreischif=
figer Raum; f. d. Art. Haus, S. 241.

Trichter, frz. culot, 1) f. d. Art. Abtritt; —
2) (Mühl.) f. v. w. Rumpf; — 3) f. Minentrichter.

Trichterbohrer, f. d. Art. Brunnen, S. 475.

Trichterspritze, f. d. Art. Feuerlöschapparate.

Triclinium, lat., griech. τρίκλινον, von τρεῖς
und κλίνη, 1) Dreilager, Speisetisch mit Lager=
stätten; lat. lectus tricliniares, auf drei Seiten, die
vierte war zum Bedienen freigelassen. Die Lager=
stätte, triclinium, war meist zu je drei Personen
eingerichtet; — 2) im römischen Wohnhaus f. v.
w. Speisezimmer; f. d. Art. Atrium und Haus.

Trieb, Triebstock, frz. molette, engl. whirl,
Stock im Getriebe; f. d. Art. Drilling u. Getriebe.

Triebbühne, f. unter d. Art. Bühne.

Triebfeile, f. d. Art. Feile d. 4.

Triebrad (Maschinenw.), in ein Getriebe
greifendes und dasselbe in Bewegung setzendes
Rad; f. Dampfmaschine, Dampfwagen, Rad ꝛc.

Triebsand, Triepelsand, f. u. d. Art. Grund=
bau, S. 218, Baugrund, Mahlsand und Sand.

Triebstange, f. d. Art. Dampfmaschine, S. 623,
Basquill, S. 249, Dampfschiff ꝛc.

Triebwerk, f. v. w. Maschine.

Triens, f. d. Art. Maaß, S. 514.

Trietzkopf, f. d. Art. Rammmaschine.

Trietzen, Keile, zum Antreiben der Steifen
mittelst einer Erdlade.

Triforium, Dreibogen, lat. triforium, frz.
écran, trifoire, engl. triforium, nunnery, Wehr=
gang, Mauergang, Laufgang in Burgen auf der
Ringmauer, in Kirchen wahrscheinlich zur Erleich=
terung der Mauer über den Scheidebogen und zur
Benutzung durch die Kirchendiener, vielleicht auch
als eine Art Empore, nach Whewell als Männer=
chor angelegt; trägt zur Belebung der Fläche der
Scheidemauer romanischer Kirchen wesentlich bei.
Meist ist es ein in der Mauerstärke hinlaufender,
entweder dunkler oder durch kleine Fenster er=
leuchteter schmaler Gang, der in kleinen Arkaden
sich nach dem Innern des Hauptschiffes öffnet und
oberhalb der Scheidebogen und unterhalb des
Lichtgadens ein Mittelgeschoß bildet. Wie der
Name andeutet, hatte dieser Gang ursprünglich
in jedem Joch 3 Oeffnungen nach dem Mittelschiff,
doch variirt die Anzahl dieser Oeffnungen sehr.
Bisweilen stehen an des Triforiums Stelle blos
angeblendete Arkaden, engl. blind-story; vergl.
übr. d. Art. Bogen, Anglonormannisch, Gothisch,
Normannisch. Opus inclusorium, frz. oeuvre tri=
foire, Goldarbeit mit à jour eingesetzten Edelsteinen.

Trift, 1) am Pferdegöpel der Zugbaum oder
Göpelschwengel; f. unt. d. Art. Göpel; — 2) Ort
zum Weiden des Viehes; — 3) Auffahrt an einem
Deich.

Triftdeich (Deichb.), durch eine sumpfige Ge=
gend geführter Damm, um das Vieh darüber auf
die Weide zu treiben.

triftiger Morast, f. v. w. Dobber.

Triftstein, f. v. w. Grenzstein.

Triga, lat., dreispänniger Streitwagen.

Trigant, span., f. d. Art. Heckbalken.

Trigeminé: fenêtre trigeminée, frz., in drei
Doppellichter, also im Ganzen in sechs Abtheilun=
gen, getheiltes gothisches Fenster.

Triglyph, Trilipp, gr. τρίγλυφος, Dreischlitz,
mit zwei ganzen und zwei halben Schlitzen, also auch
zwei Stegen, lat. femora, frz. cuisse, engl. mews,
versehener Balkenkopf in dorischem Gebälk; f. d.
Art. dorischer Styl. Ein Gebält ohne alle Tri=
glyphe, sowie ein Friestheil, wo zwischen zwei
Säulen kein Triglyph sitzt, heißt Atriglyphon;
vergl. auch d. Art. Monotriglyph, Hemitriglyph,
Diglyph. Die Abstände der Triglyphe kann man
selten ganz gleich machen.

Trigon, f. v. w. Dreieck.

Trigonalzahlen, f. d. Art. Polygonalzahlen.

Trigonometrie, f. v. w. Dreiecksmessung,
der Theil der Mathematik, welcher lehrt, aus drei
Bestimmungsstücken eines Dreiecks die drei übri=
gen durch Rechnung abzuleiten; in weiterem
Sinn jedoch die gesammte Lehre von den Winkel=
functionen und deren Anwendung auf die Be=
rechnung der Dreiecke. Der erstere Theil wird
meist von ihr unter dem Namen der Goniometrie
getrennt, während die eigentliche Trigonometrie
in eine ebene, sphärische und sphäroidische zerfällt,
je nachdem sie sich mit den Dreiecken in der Ebene,
auf der Kugel oder auf dem Sphäroide (z. B. der
Erdoberfläche) beschäftigt; f. d. Art. Geometrie.

Triklinoëder, f. d. Art. Krystallographie.

Trilithe, f. d. Art. Celtisch 4.

Trillbohrer, f. v. w. Bergbohrer.

Triller, Trilling, f. d. Art. Drilling.

Trillich, f. v. w. Drehling.

trilobé, kleeblattartig, dreinasig; arc trilobé,
Kleeblattbogen.

Trimmer, engl., Trummbalken, Wechsel.

Trimurti, f. d. Art. Indisch A.

Trincarino, ital., span. trancanil, Leibholz.

Tringle, frz., Vorhangstange, Windeisen an
Bettstellen; tringler, ausspänen.

Tringlette, frz., f. d. Art. Bleiknecht.

Trinkomali-Holz, leichtes und doch zähes
Holz, das in Madras viel zu Bauten verarbeitet
wird. Es stammt von einem Baum (Berrya
Ammonilla), der unserer Linde verwandt ist.

Trinom, jede aus 3 durch + oder — verbun=
denen Theilen bestehende Größe, wie x⁵ = a + b ꝛc.

Triomphal, frz., arc=, Triumphbogen.

Tripel (Mineral.), besteht der Hauptmasse
nach nur aus Kieselerde, mit etwas Eisenoxyd,
Thonerde und Wasser. Kommt auf Lagern mit
Thon und Quarzsand vor, auch auf Nestern
in verschiedenen Sandsteinen. Er erscheint derb,
erdig, selten hat er muscheligen Bruch, ist ritzbar
durch Kalkspath. Farbe graulich= und gelblichweiß,
ins Gelblichgraue und Isabellgelbe. Undurch=

sichtig, mager und etwas rauh anzufühlen. Schmilzt vor dem Löthrohr, wird als Polirmittel gebraucht. Spec. Gewicht = 1,8–2. Vergl. auch d. Art. Diatomeen.

Tripes, lat., römisches Längenmaaß = 3 Fuß.

Triphan (Mineral.), kommt in krystallinischen Massen vor, mit unebenem, kleinkörnigem, splitterigem Bruch, eingewachsen in granitische Massen; etwas glas- oder perlmutterglänzend. Farbe grünlich, härter als Apatit, weicher als Quarz, funkt am Stahl. Ist im Wesentlichen eine Verbindung von kieselsaurer Thonerde mit kieselsaurem Lithion.

Triphanspath (Mineral.). Man unterscheidet a) axotomen Triphanspath, s. v. w. Prehnit; b) prismatischen Triphanspath, s. v. w. Triphan.

Triplet, frz., engl. **triple-lancet**, Dreieinigkeitsfenster.

Triplit (Mineral.), s. v. w. phosphorsaures Mangan, Manganpecherz.

Trippdiele, s. d. Art. Traufbret.

Tripphaken, s. v. w. Traufhaken.

Triptychon, griech. τριπτυχον, franz. triptique, engl. triptic, triptych, ein mit zwei Thüren versehener Flügelaltar.

Tripus, griech. τριπους, s. d. Art. Dreifuß.

Triquetra, lat. u. engl., frz. triquètre, Dreischenkel, romanisches Symbol der Dreieinigkeit; s. Fig. 938.

Trisection des Winkels, die Aufgabe, einen Winkel in drei Theile zu theilen, hat die Mathematiker sehr beschäftigt, kann aber mit Hülfe von Lineal und Zirkel allein nicht gelöst werden, außer wenn der Winkel auf die Form gebracht werden kann $\left(\frac{90}{2^n}\right)^{\circ}$, worin 2^n eine ganze Potenz von 2 bedeutet.

Trispaston, griech. τρισπαστον, ein dreifacher Flaschenzug.

Trisome, frz., dreifaches Grab; s. d. Art. Katafalk.

Tristania nereifolia R. Br., ein neuholländischer Baum (Fam. Leptospermeae), liefert festes und elastisches Holz.

Tristania obovata Renn., die aus dem harten Holz hergestellten, vortrefflichen Kohlen werden in den Zinnwerken auf Banka ausschließlich benutzt.

Triste, in Tyrol s. v. w. Schober, Feimen, um einen Baum, den Tristbaum, herum angehäuft.

Trisur, eine verzierte Einfassung.

Triton und **Tritonen** (Mythol.), werden dargestellt als Männer, mit kleinen Schuppen bis zur Hüfte bedeckt, unterhalb aber als Delphine, in der Hand eine Seemuschel haltend ꝛc.

Trittbret, 1) frz. aix de marche, engl. pace, s. v. w. Auftrittsstufe; — 2) (Maschinenw.) die Bretter an einem Tretrade, welche an demselben die Schaufeln bilden; — 3) s. d. Art. Drehbank 1.

Trittrad, s. v. w. Tretrad.

Tritze, Provinzialismus für Winde und Rollenzug.

Triumphatorenkranz, s. d. Art. Kranz 1.

Triumphbogen, 1) auch **Triumphthor**, **Triumphpforte**, lat. arcus triumphalis, porta triumphalis, frz. arc triomphal, zu Ehren eines Fürsten oder berühmten Mannes bei seinem Ein-

zug in eine Stadt errichtete Pforte, die entweder auf kurze Zeit dient und dann auch **Ehrenpforte** (s. d.) genannt, oder als dauerndes Denkmal stehen bleiben soll, und dann ein großes Thor mit einem Hauptbogen und zwei Nebenbogen, auch ohne letztere, gestaltet wird. Die meisten Triumphbogen sind aus der Römerzeit, daher denn auch die neuen Triumphbogen fast alle in römischem Styl gearbeitet sind, obgleich man sie in jedem anderen Styl eben so gut und schön herstellen könnte. In der Regel bringt man in Reliefs die zu verherrlichende That und auf dem Gipfel die Statue des Triumphators zu Pferde, in einem Siegeswagen oder dergl., an; auch chinesische Triumphbögen sind erhalten. — 2) Auch engl. rood-arch, chancel-arch, fornix genannt, vor dem Sanctuarium der altchristlichen und romanischen Basiliken (s. d.); bei gothischen Kirchen zwischen Schiff und Chor stehender hoher Scheidbogen; man pflegte auf die Wand über demselben den triumphirenden Erlöser darzustellen, oder unter dem Triumphbogen ein kolossales Crucifix, das **Triumphkreuz**, lat. crux triumphalis, frz. croix triomphale, engl. rood, entweder in Ketten schwebend, oder auf einem Querbalken, engl. candle-beam, rood-beam, stehend, zu befestigen; s. auch d. Art. Chor und Kirche.

Triumphsäule, zu Ehren eines Feldherrn ꝛc. errichtete Säule; s. d. Art. columna, Säule und Denkmal 1.

Trivello, ital., s. d. Art. Bohrer, S. 411.

Trooho, frz., lat. trochis, Blume, Knauf aus mehreren Edelsteinen.

Trochilus, lat., Hohlkehle, Einziehung; s. d. Art. Glied E. 2. k.

Trochitenkalk, Flötzkalk; s. d. Art. Kalk.

Trochlea, lat., griech. τροχαλια, Flaschenzug, Rolle oder Winde.

Trochoide, s. v. w. Cycloide, s. d.

Trocken-Apparat, zum Trocknen des Bauholzes; s. d. Art. Bauholz E. 1. b und Holz 3.

Trockenboden, 1) auch Trockenbühne genannt, zum Trocknen der Salzstücke mit Brettern belegter Platz; — 2) Boden zum Aufhängen zu trocknender Gegenstände, muß sehr gut ventilirt und dennoch vor Eindringen des Rußes ꝛc. geschützt sein.

Trockendock, s. d. Art. Dock.

Trockenfäule, s. d. Art. Stock und Fäulniß.

Trockenhaus, 1) (Hüttenw.) Gebäude zum Trocknen und Aufbewahren ausgelaugter Asche, die zum Treiben des Metalles bestimmt ist; — 2) s. d. Art. Darre.

Trockenlegung sumpfigen Terrains, geschieht durch Ableiten des Wassers in Haupt- oder Nebencanäle, durch Maschinen, als: Wasserschnecken, Baggermaschinen, Windmühlenpumpen, durch Auswechseln des Bodens, Durchstechen darunterliegender Thonschichten ꝛc., s. b. in den Artikeln Entwässerung und Sumpf angezogenen Artikel.

Trockenloch (Bergh.), zum Sprengen (s. d. 3) gerade aufwärts gearbeitetes Bohrloch.

Trockenmauer, 1) Mauer, ohne Mörtel verbunden, blos mit Moos vermauert; wird häufig statt der Verzimmerung beim Ausbau von Gruben, Strecken und Stollen, sonst auch bei niedrigen Futtermauern ꝛc. angewendet; s. d. Art. Mauer ꝛc.

Trockenofen, s. v. w. Fruchtdarre, s. Darre.

Trockenplatz, frz. essui, s. d. Art. Bleiche 1.

Trockenschauer, Trockenscheune, zum Trocknen frisch gestrichener Ziegel, sowie feuchten Getraides, Grases ꝛc. dienendes leichtes Gebäude, worin die zum Trocknen bestimmten Gerüste stehen; die Wände bestehen aus Fachwerk mit durchbrochener Ziegelmauer oder Lattengittern, bei Getraide mit Drahtgittern, und haben außerdem Klappläden. Auch das Dach muß Ventilation haben. Sehr gefährlich ist den zum Trocknen aufgestellten Ziegeln starker Wind und ganz besonders heftiger Zug. Sobald die Ziegel gestrichen sind, werden sie auf dem Bodenbret oder auch in dem Formrahmen nach den Gerüsten der Trockenscheuer getragen, und dann auf den Gerüsten auf einzelne Trockenbretchen, sowie auf dem Fußboden auf die hohe Kante in drei Zoll breitem Abstand von einander gestellt. Dabei stelle man die nässeren Ziegel von den Luken weiter ab als die trocknen ꝛc. Man schließt die Klappen an der Windseite, an der gegenüberstehenden öffnet man sie. Wegen ihrer Schwere bringt man die Mauerziegel gewöhnlich zuerst auf die Gerüste der untern Etage und öffnet nun, wenn die Steine etwas übertrocknet sind, das Wetter ruhig ist und keine große Hitze herrscht, alle Luken, jedoch immer so, daß kein starker Luftzug entsteht. Sind die Steine so getrocknet, daß sie eine bleiche Farbe annehmen, so schichtet man sie auf einem ruhigen Platz mit wenigstens 1 Zoll breiten Zwischenräumen über einander auf, nachdem sie zuvor mit stumpfen Messern abgeputzt worden, und läßt sie so völlig austrocknen. Dann muß man die zuerst abräumen, die zuerst gesetzt worden. Um sie in der Trockniß zu proben, zerbricht man einen der Ziegel; hat dieser auf dem Bruch innen und außen gleiche Farbe, und ist er durchgehends gleich trocken, so nimmt man an, daß alle mit ihm zugleich gestrichenen zum Brennen tauglich sind.

trockne Kluft, s. d. Art. Kluft.

Trocknen von feuchten Wänden, s. d. Art. Feuchtigkeit.

trockner Kalk, s. v. w. Gipskalk.

Trockniß, s. d. Art. Auszehrung und Baumtrockniß.

Trödelmarkt, Grämpelmarkt, Tandelmarkt, am besten Reihen von Buden mit hölzernen Hallen davor, in einer freien, von frischer Luft durchwehten Gegend der Stadt.

Trögelchen (Hüttenw.), kleine Mulden zum Einbringen der Erzproben in die Schmelzhütten.

Trog, Kahn, frz. bac, überhaupt deckelloser, plumper Kasten. 1) Bretterkasten mit Handgriffen, oben breiter als unten, um den Kalkmörtel darin zu tragen; faßt 3—4 Kubikfuß; — 2) (Mühlenb.) s. v. w. Grubenbaum, s. d. Art. Grube 3.; — 3) (Hüttenw.) zum Forttragen des Erzes dienende Mulde, s. d.; — 4) s. d. Art. Stall.

Trograd (Mühl.), oberschlächtiges Wasserrad.

Trohnholz, s. d. Art. Bauholz, S. 280.

Trommel, 1) s. v. w. Tambour; — 2) (Schiffb.) eine Art Schiffswinde; — 3) (Maschinenw.) der Cylinder bei Reactionsrädern, worin sich das Wasser befindet; — 4) starke, um größerer Leichtigkeit willen hohl hergestellte Walze an Maschinen, in der Regel dem Treibband zur Auflage dienend; — 5) eine Trommel ist Attribut der Kybele.

Trommelblech, s. d. Art. Messingblech.

Trommelrad, s. v. w. Walzenrad.

Trommelwelle, Welle einer Riementrommel.

Trompe, frz., vorgetragte, eine Fläche doppelter Krümmung bildende Wölbung, z. B. angewendet in der Ecke eines unten achteckigen oder runden, oben viereckigen Thurmes, überhaupt beim Uebergang aus einer Grundform in eine andere größere, oder mindestens mit einzelnen Theilen vor jener vorstehende, wenn nämlich der übertragende Theil oder die untere Mauer der Art ist, daß ein einzelner Kragstein nicht ausreicht. Gewölbebogen über Thür- oder Fensteröffnungen in der Mauer eines runden Thurmes ꝛc. müssen ebenso construirt werden wie Trompen, die zu den schwierigsten Aufgaben des Steinschnittes gehören. Wir geben in Fig. 1841—44 einige Trompenbogen,

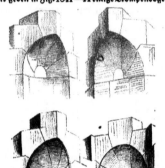

Fig. 1841—44.

müssen aber wegen des Näheren auf Horn's „Schule des Steinmetzen", Leipzig, OttoSpamer, verweisen. Ist die Trompe in Form einer Nische fortgesetzt, so heißt sie Nischentrompe, frz. trompe en niche.

Trompete, s. d. Art. Kalliope.

Trompetenbaum, Kanonenbaum (Cecropia peltata L., Fam. Artocarpeae), mäßig großer Baum des mittlern tropischen Amerika, dessen poröses Holz den Eingebornen zum Feueranmachen verwendet wird. Sein Bast dient zu Anfertigung von Seilen, Stricken, Geflechten ꝛc. Die Stämme erreichen eine Höhe von 30 bis 40 Fuß. Sie sind häufig völlig hohl und deshalb vortrefflich zu Wasserleitungen und dergl. zu gebrauchen.

Trompetergang, lat. maenianum, langer Balkon, s. d.

Trompillon, frz., halbcylindrischer Kernstein einer Trompe, liegt unten diagonal auf der Mauer, so daß die Wölbsteine des Trompenbogens wie auf einem Lehrgerüst auf ihm ruhen; kann nach Vollendung des Bogens herausgezogen werden.

Tronc, frz., ital. trunco, Opferstock, Säulenschaft.

tronqué (Herald.), verstümmelt, oben und unten abgestutzt.

tropfbare Flüssigkeit, s. d. Art. Flüssigkeit 1.

Tropfen, lat. guttae, frz. larmes, ital. campane, als kleine stehende Cylinder, oder umgekehrt abgestutzte Kegel gebildete Zahnschnitte; s. d. Art. Kälberzähne und dorischer Styl.

55

Tropfenfall, 1) f. v. w. Traufrecht; — 2) f. v. w. Dachtraufe.

Tropfentafeln, f. d. Art. Dorisch.

Tropfkasten (Salzw.), Behältniß auf der Gradirwand, welches die Sole enthält, die durch die Gradirwand tröpfeln soll.

Tropfschwefel (Hüttenw.), 1) natürlicher oder gediegener Schwefel; — 2) der beim Rösten des Bleierzes herauströpfelnde Schwefel.

Tropfstein, Höhlenkalk, f. d. Art. Stalaktiten.

Tropfvitriol (Hüttenw.), in Gestalt von Eiszapfen oder Stangen sich ansetzender Vitriol in einer Grube.

Tropfzinn (Bergb.), auf den Brennörtern aus dem Zinnerz tröpfelndes reines Zinn.

Trophäe, richtiger **Tropäon,** griech. τρόπαιον, Siegeszeichen, meist aus Kriegsgeräthen zusammengestellt; f. d. Art. Armatur. Doch kann man auch Trophäen aus Gegenständen oder Werkzeugen der Künste, Wissenschaften und Gewerbe zusammenstellen zur Verherrlichung derselben, z. B. an den solchen Künsten ꝛc. gewidmeten Gebäuden oder an Ehrenpforten ꝛc.

Trophonarium, f. d. Art. Ritualbücher.

Trophymus oder **Trophinus,** St., 1) Märtyrer der griechischen Kirche, trägt das Schwert und seine ausgestochenen Augen; — 2) Belehrer von Frankreich, Jünger des Paulus.

tropisch, f. v. w. symbolisch; über tropische Bilderschrift f. d. Art. Hieroglyphen. Vergl. auch d. Art. Jahr.

Trostkammer, f. v. w. Sakristei, f. d.

Troß, 1) (Mineral.) f. v. w. Traß; — 2) hier und da für Feime, f. b.; — 3) frz. aussière, engl. hawser, Tau, aus 18 und mehreren Garnen bestehend.

Trottbaum, f. u. Kelter.

Trotte, so nennt man in manchen Gegenden die Kelter, am Rhein die Quetschmaschinen in Stärkefabriken.

Trottoir, lat. ombo, umbo, frz. estrade, span. anden, andito, f. d. Art. Bürgersteig.

Trotzkopf, Name für eine Art Bohrkäfer (Anobium pertinax L.), f. b. betr. Art.

Trotzstein, Auferleg oder Scheerstein (Hüttenwerk), eine beim Kupferschmelzen entstehende, röthlich-graue, sehr strengflüssige Masse, zusammengesetzt aus Kupfer, Eisen und Schwefel.

Trou, frz. Loch; trou de boulin, frz., Rüstloch, Taubenschlagloch; trouer, lochen.

Trough, engl., Arche; f. auch b. Art. Bett 3.

Troussequin, frz., Streichmodel, Reißmaaß.

Trowel point moulding, engl., Spitzzahnverzierung.

Trox, span., Kornboden, auch christliche Kirche.

Trua, lat., griech. τρυήλης, frz. truelle, span. trulla, Kelle.

Truck, engl., f. d. Art. Klote.

Trudenfuß, f. d. Art. Drudenfuß.

Trübeichmaaß, f.d.Art.Maaß, S.500 u.510.

Trüel, schweizerisch für Weinpresse, Kelter.

Trügle, schweizerisch für Knebel, um Seile und Ketten straffer anzuziehen.

Trüglitz, f. v. w. Apatit, f. d.

Trülle, tourniquet, moulinet, Drehkreuz; f.d.

Trümmerachat, f. d. Art. Achat, besteht aus scharfkantigen Achatbruchstücken verschiedener Größe, gebunden durch Amethyst.

Trümmererz, durch Kalkspath mit Fahlerz zusammengekitteter Kupferkies.

Trümmer-Mauerwerk, f. v. w. Füllmauer, Empletton.

Trümmermarmor, f. d. Art. Breccie.

Trümpel, f. d. Art. Trempel und Drempel.

Trulla, lat., 1) Mauerkelle, vertieftes Geschirr, Becken, Kuppe; — 2) auch tholus, Kuppel.

Trullisatio, lat., Putzauftrag mit der Kelle.

Trumeau, frz., 1) Fensterpfeiler; — 2) Pfeilerspiegel.

Trumm, Trum, Drom (Bergb.), überhaupt jedes abgerissene, unförmliche Stück (Trümmer ist der Plural davon), z. B. ein Stück Fels, ein Stück Seil, f. d. Art. Seiltrum; eine durch das Gestein in Gestalt eines Bandes lang hindurchziehende Erz- oder Steinart.

Trummelbaum, Tummelbaum (Bergb.), neben einem Haspel an dem langen Stoß des Geviers angebrachter senkrechter Baum, oben und unten in einer Spur gehend und mit einem Hebel oder Arm versehen, um damit den aus dem Schacht gezogenen Kübel auf die Seite zu drücken; auch bei einer Erdwinde (f. d.) die senkrechte Welle.

Trummerz (Bergb.), trümmerweise brechendes Erz.

Trummholz, Beiträger, Kragholz, lat. interpensivum, frz. potence, engl. corbel, templet, ein unter dem Träger auf eine Säule gezapftes, kurzes, starkes Stück Holz; dient zur Abkürzung der Tragweite des Trägers.

Trumpf, ein Balken, der nicht mit beiden Enden auf Mauern aufliegt, sondern wegen Auswechselung eines Treppenloches oder dergl. abgeschnitten und in einen Trummbalken oder Wechsel (f. d. Balken II. B. a.) eingezapft ist. Um den Wechsel nicht zu sehr zu belasten, vermeidet man gern, mehrere nebeneinander liegende Trumpfe in einen und demselben Wechsel zu verzapfen.

trumpfen, f. v. w. abtrumpfen.

Truncus, lat., frz. tronc, Schaft, Armenstock, Opferstock.

Trunk engine, engl., zweicylindrige Dampfmaschine.

Truss, engl., Bock, Dachzimmerwerk; trussed rafter-roof, Dachstuhl ohne Bundsparren; trussbridge, f. d. Brücke, S. 462, Bd. I.

Trussel, engl., Console, Kragstein.

Truter, f. v. w. Spalier.

Tryginon, griech., schwarze Farbe aus Weintrebern; f. b. Art. Atramentum und Weinhefe.

Tryphana, St., von Paulus im Brief an die Römer XVI, 13 erwähnt; litt unter Nero den Märtyrertod; abzubilden mit dem Stier.

Tschackel (Bergb.), zum Reißen der Späne, woraus man die Bergkörbe macht, dienendes großes Messer.

Tschaitya, f. d. Art. Buddhaistisch.

Tschau, f. d. Art. Meile.

Tschang, Tschi, Tschube, Tschioh; f. d. Art. Maaß, S. 484, Bd. II.

Tschaori, f. d. Art. Indisch B.

Tscharky, f. b. Art. Maaß, S. 507, Bd. II.

Tscherper, kleines Messer, im Bergb. gebraucht.

Tschetwert und **Tschetwerki,** s. d. Art. Maaß, S. 507, Bd. II.

Tscheu, s. d. Art. Chinesisch, S. 545, Bd. I.

Tscho, s. d. Art. Maaß, S. 497, Bd. II.

Tschöttri, s. d. Art. Indisch, S. 328, Bd. II.

Tschopeh, s. d. Art. Maaß, S. 513, Bd. II.

Tschultry, s. d. Art. Indisch B.

Tsjoo, s. d. Art. Maaß, S. 490 u. 495, Bd. II.

Tuba, 1) Steigerohr in Pumpwerken; — 2) Trompete; s. d. Art. Kalliope.

Tubben (masc.), norddeutsch für Kübel, Trog. Tubulus, lat., s. d. Art. Brunnenröhre.

Tudorstyl, frz. style Tudor, engl. Tudorstyle, s. d. Art. Englisch-gothisch 3.

Tümmler (Schiffsb.), Knie des Heckballens.

Tümpel, 1) stehendes Gewässer, das zu faulen beginnt; — 2) (Hüttenw.) der Boden des Heerdes und Tiegels beim Hohofen, worauf sich das geschmolzene Metall sammelt.

Tümpelstein, s. d. Art. Hohofen I.

tünchen, frz. enduire, 1) das Anstreichen einer Wand mit dünnem, weißem Kalk, Tünchkalk, engl. paint, oder mit Erdfarben; — 2) Ueberreiben des Putzes mit ganz feinem Putzmörtel mittelst Tünche, lat. tectorium, frz. enduit, ital. intonaco, Dünn-

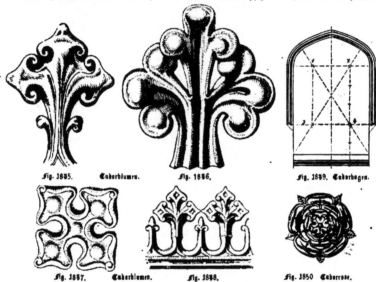

Fig. 1845. Tudorblumen.   Fig. 1846.   Fig. 1849. Tudorbogen.

Fig. 1847. Tudorblumen.   Fig. 1848.   Fig. 1850 Tudorrose.

Tuch, s. d. Art. Roller und Anschrot.

Tuchstein (Mineral.), s. v. w. Mergeltuff.

Tuchwalkerstange, s. d. Art. Apostel 4.

Tuckstein (Mineral.), s. v. w. Kalktuff.

Tucumpalme (Astrocarium vulgare Mart., Fam. Palmen), in Brasilien einheimisch; ihre Blattfasern sind sehr fest und werden deßhalb vielfach zu Stricken und Tauen verarbeitet.

Tudorblume, franz. feuille d'ache, engl. tudor-flower, strawberry-leaves, Eppichblatt, Vierblatt, charakteristisches Blatt der englischen Spätgothik, s. Fig. 1845, 1846 und 1847. Der Tudorblätterfries oder Tudorkamm, engl. tudorcrest, Fig. 1848, besteht in aufrecht stehenden Vierblättern, auf Halbkreise gestellt, dazwischen Knospen. Vergl. übr. d. Art. Kreuzblume und Blatt.

Tudorbogen, frz. arc Tudor, engl. Tudorarch, fourcentred arch, gedrückter Spitzbogen mit geschweiften Schenkeln, aus vier Mittelpunkten construirt, in der englischen Spätgothik; s. d. Art. Bogen, S. 398, Bd. I, und Fig. 1849.

Tudorrose, s. Fig. 1850.

scheibe und Filzstöckchen. Man nimmt, außer Weißkalk und feinem Sand, Tünchsand, häufig noch Gips zu dem dabei gebrauchten Mörtel (Tünchkalk); — 3) Gipsformen, worin man etwas abgießen will, mit geschmolzenem Wachs und mit Oel vorher tränken.

Tünchscheibe, s. d. Art. Dünnscheibe, Handbret und Aufziehbret.

Tünchstöcke, s. v. w. Schienenholz.

Tünchung, Tünche, s. d. Art. Tünchen.

Türkenblau, sanft rötlich schimmerndes Blau; meist durch Indigo hergestellt.

Türkis, blauer Kalait (Mineral.), erscheint nierenförmig, tropfsteinartig und derb. Bruch flachmuschelicht. Ritzt Flußspath, ritzbar durch Quarz. Farbe Smalte- und Himmelblau in's Grüne. Spec. Gewicht = 2,8. Scheint an den Kanten durch. Glänzt schwach wachsig. Wird fast nur zu Schmuckgegenständen verarbeitet.

türkische Bauweise. Die türkische Bauweise ist die späteste und schwächste Abzweigung des muhamedanischen Styls. Als Mahmud II. nach

55*

der Einnahme von Constantinopel i. J. 1453 die Sophienkirche zur Moschee einrichten ließ, mußte er seine Zuflucht zu christlichen Architekten nehmen. Er baute zwar auch einige neue Moscheen, ferner ließ Bajazet um's Jahr 1482 eine durch die reiche Ausstattung mit antiken Marmorfragmenten berühmte

riesige Säulen mit Würfelcapität getragen wird. Die Minarets sind das einzige Neue, was die Türken der byzantinischen Kirche hinzugefügt. Denn selbst die Details, Arabesken ꝛc. lehnen sich an byzantinische Vorbilder an. Alle spätern Bauten zeigen ein eigenthümliches Gemisch von muha-

Fig. 1851. Sophienmoschee in Constantinopel.

Moschee erbauen; aber alle diese sowie alle spätern Moscheen sind eigentlich nur Copien der Sophienkirche, wie solche nach der Umwandlung zur

medanischen Formen auf byzantinischen Grundlagen mit halb oder ganz mißverstandnen Formen der Renaissance oder gar mit Rococcoschnörkeln.

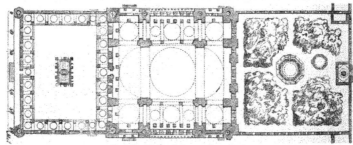

Fig. 1852. Moschee Soliman zu Constantinopel.

Moschee erschien. Deshalb können wir auch eine Ansicht der Sophienmoschee füglich als Beispiel für die türkische Bauweise gelten lassen, s. Fig. 1851. In Fig. 1852 geben wir den Grundriß der Moschee Solimans des Prächtigen, die von 1550—1555 erbaut ist und fast ein Duplicat der Sophienkirche genannt werden kann; die Kuppel hat denselben Durchmesser wie an letzterer, ist aber 7 Fuß höher. Die 1605 begonnene Moschee Achmeds ist ein vollständiger byzantinischer Centralbau, dessen Hauptkuppel, von vier Halbkuppeln und vier kleinen Eckkuppeln umgeben, durch vier

Türkischroth, Purpurroth, meist durch Krapp (s. d.) hergestellt.

Tuff, Tof, Toph, Duckstein, lat. tophus, engl. tufa tophstone, allgemeine Benennung für lockere Steinarten, welche das Resultat mechanischer Zerreibung bei Ausbrüchen der Vulkane sind, indem die vulkanische Asche mit Wasser als Schlamm herausgeworfen ward, der durch spätere Erhitzung die Tuffe erzeugte. Dahin gehören: der Tuffkalk, s. d. Art. Kalktuff und Bergmilch; der Basalttuff, s. d. Art. Basaltconglomerat; der

Duckstein, f. d., die Rauwacke, f. d. Art. Bitterkalt; der Badesinter, f. d., der Mergeltuff, f. d. Art. Mergel 1. d. ꝛc.

Tuffwacke (Mineral.), ist vulkanischen Ursprungs und in der Nähe von Erdbränden zu finden, von verschiedener Festigkeit, immer jedoch leicht, von aschgrauer, oft ins Gelbliche oder Rothbraune fallender Farbe, mit erdigem Bruch; man unterscheidet: a) die schwammige Tuffwacke, löcherig, lockerer oder dichter, f. auch d. Art. Peperino; b) die erdige Tuffwacke, als Puzzolana und Traß (f. d.) bekannt.

Tugenden, f. d. Art. Engel II. c. und Kardinaltugenden.

Tugurium, lat., Zweighütte mit Strohdach.

Tuile, frz., alt-frz. teule, von tegula, Dachziegel; tuile de manteau, Ziegelei; tuileaux, Ziegelbroden; tuile faitière, Forstziegel; tuile flamande, Schlußziegel; tuile craise, Hohlziegel; tuile quotière, Traufziegel.

Tulipwood, f. d. Art. Palisanderholz.

Tulpenbaum (Liriodendron Tulipifera, Fam. Magnolien-Gewächse), ist im südlichen Theil Nordamerika's einheimisch und wird daselbst bis 140 Fuß hoch u. 7 Fuß dick. Sein Holz ist ziemlich weich, nimmt zwar eine schöne Politur an und wird selten von Insecten beschädigt, wirft sich aber leicht.

Tulpenholz, f. d. Art. Rosenholz.

Tumba, lat. tumba, griech. τύμβος, frz. tombe, engl. tomb, altar-tomb, über dem Fußboden erhabenes, kistenartiges oder auf Füßen ruhendes Grabdenkmal; f. Grabmal und Heiligenschrein.

Tummelbaum, f. v. w. Trummelbaum; f. d. und d. Art. Göpel.

Tummeldeich, Tummelwerk, f. d. Art. Deich.

Tumolo, f. d. Art. Maaß, S. 492 und 501.

Tumpfholz (Bergb.), Hölzer bei der Verzimmerung eines Schachtes, die auf dem Liegenden von einem kurzen Stoß bis in den anderen reichen.

Tumpflachter, f. v. w. Dumpflachter.

Tumulus, lat., Grabhügel; f. Grabmal I.

Tun, f. d. Art. Maaß, S. 498.

Tungstein, Scheelit, Scheelerz; f. Wolfram.

Tunica, f. d. Art. Bischof.

Tunke, f. d. Art. Baltenkeller.

Tunna, Tunnor, f. d. Art. Maaß, S. 509.

Tunnel, durch einen Berg gearbeiteter Weg. Besteht der Berg aus ganz festen Felsmassen, so ist blos nöthig, das Gestein fortzubauen. Hingegen sind alle durch Erde oder lockeres Gestein getriebene Tunnels durch Seitenwände und Wölbungen gegen das Nachstürzen zu sichern. Bei längeren Tunnels muß man auch Zuglöcher, Wetterschachte ꝛc. anlegen. Das Nähere darüber f. unter d. Art. Wölbung und Asphalt.

Tunnelbrücke, f. d. Art. Brücke, S. 466.

Tunnland, f. d. Art. Maaß, S. 494.

Tupelobaum, zottiger (Nyssa villosa Mich., Fam. Nyssaceae), ein Baum Nordamerika's, der ein sehr hartes Holz besitzt. Dasselbe wird gern zur Anfertigung von Wellen und zu Drechslerarbeit genommen, läßt sich jedoch wegen des gewundenen Verlaufs seiner Fasern nicht gut spalten. Aus der schwammigen Wurzel des nahe verwandten Wasser-Tupelobaums (N. aquatica L.) macht man Pfropfen.

Tuquiholz, kommt aus Guyana, seine Abstammung ist unbekannt.

Turbeh, Grab eines Moscheengründers; f. d. Art. Moschee und Arabisch.

Turbine, Kreiselrad, horizontales Wasserrad an vertikaler Achse. Man theilt sie folgendermaßen ein.

1. Stoßturbine; solche werden jetzt nicht mehr gebaut. In der einfachsten Gestalt besteht das Stoßrad aus einem Cylinder, um welchen herum eine Anzahl Schaufeln schief gegen die Achse gestellt sind; gegen diese trifft rechtwinkelig ein aus einem Gerinne auslaufender Wasserstrahl. Ein solches Rad giebt höchstens einen Wirkungsgrad von 30—35%. Etwas vergrößert kann die Leistung werden, wenn das Wasser gegen eine concave Fläche wirkt. Solche Räder, Löffelräder (f. Fig. 1853), hatten die Araber in Spanien;

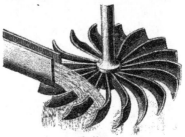

Fig. 1853.

neuerdings hat man sie in Frankreich eingeführt unter dem Namen rouets volans, und ihren Wirkungsgrad bis über 40% gebracht.

2. Druckturbine, bei der das Wasser durch Druck wirkt. Die einfachste, die Borda'sche Turbine, bildet einen Uebergang von der vorigen Gattung zu dieser. Man erhält sie, wenn man die Schaufeln höher macht und so krümmt, daß sie unten beinahe horizontal auslaufen, und außerdem das Rad mit einem Kranz umgiebt. Dadurch erhält man außer dem Stoßgefälle noch ein gewisses Druckgefälle. Durch die horizontalen Ausmündungen wird der Austritt des Wassers bedeutend erschwert, was Burdin zu vermeiden suchte, indem er die Ausflußmündungen auf drei concentrische Kreise vertheilte, in deren mittelstem die oberen Schaufelenden lagen. Das Princip dieser Druckturbinen ist von Poncelet verlassen worden an seiner sogenannten Centrifugalturbine oder dem Tangentialrad, auch Tonnenrad, Kusenrad genannt. Bei derselben tritt das Wasser aus besonderen Canälen ziemlich tangential in das Rad ein, drückt auf die Schaufeln, bis es dieselben am inneren Umfang des Radkranzes wieder verläßt und sich in den inneren Radraum ergießt. Damit der Wirkungsgrad möglichst groß werde, muß man die Schaufeln so krümmen, daß das Wasser ohne Stoß an ihnen eintritt und nahe ohne lebendige Kraft austritt; bei einer solchen Turbine ist der Wirkungsgrad 65—70%. Man wendet die Tangentialräder sehr gern an, wo man ein großes Gefälle und geringere Wassermassen zur Verfügung hat. Man hat auch dergleichen Tangentialräder mit innerer Beaufschlagung (Schwamtrug'sche Turbinen), bei

denen durch die Centrifugalkraft des Wassers noch ein Gewinn eintritt, welcher aber dadurch wieder verzehrt wird, daß in Folge des schnelleren Umganges solcher Räder die Reibung sich vergrößert. Man hat auch konische Tangentialräder unter dem Namen Danaïden construirt, bei welchen das Wasser sowohl durch Druck als auch durch Centrifugalkraft wirkt.

3. Reactionsturbine. Ueber die einfachste Gestalt, als Segner'sches Wasserrad, s. d. Art. Reactionsrad. Die Althans'sche Turbine ist ein Segner'sches Wasserrad mit einigen Verbesserungen. Bei derselben wird das Wasser von unten in die Maschine eingeführt. Einige derselben anhaftende Uebelstände sind vermieden durch die Whitelaw'sche oder schottische Turbine; s. Fig. 1854 und 55. Die Menge des durch a zufließenden, bei b in das Rad tretenden und bei c und d

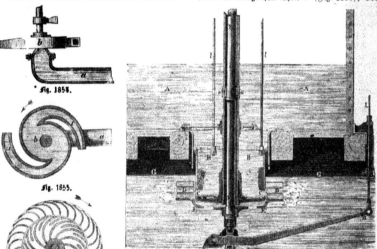

Fig. 1854.

Fig. 1855.

Fig. 1856.

ausströmenden Wassers wird durch einen Hahn regulirt. Auch diese Turbine kann große Mengen Aufschlagwassers nicht vertragen. Combes hat sie auch für diese tauglich gemacht, indem er den ganzen Umfang mit Ausflußcanälen versah, so daß statt der Schwungröhren ein System krummer, zwischen zwei ringförmigen Kränzen befestigter Schaufeln auftritt. Die Abschützungsvorrichtung ist bei diesen Combes'schen Turbinen ziemlich complicirt. Zwischen den beiden Radkränzen befindet sich ein Teller, welcher durch eine einfache Vorrichtung gehoben und gesenkt werden kann und stets so gestellt wird, daß das ausfließende Wasser den Raum zwischen dem Teller und der unteren Radfläche völlig ausfüllt.

Bei allen diesen Turbinen muß das Wasser von unten eingeführt werden, was ein offenbarer Mangel ist. Diesem begegnete zuerst Cadiat

durch seine Turbine, bei welcher das Wasser von oben in die Radmitte eintritt und sich nach allen Seiten hin vertheilt, um durch Schaufeln auszutreten. Der Theil, wo das Wasser eintritt, ist gut abgerundet, so daß der Eintritt möglichst ohne Contraction geschehen könne. Eigenthümlich ist der Cadiat'schen Turbine noch ein dieselbe umgebender ringförmiger Schütze. Eine weitere Verbesserung ist es, wenn man das Wasser nicht direct in das Rad einfallen läßt, sondern ihm erst durch einen Leitschaufelapparat eine vorgeschriebene Richtung giebt; dies ist das Princip der Fourneyron'schen Turbine, eines der vollkommensten horizontalen Wasserräder. Das Rad (Fig. 1856) besteht aus dem eigentlichen Turbinenrad D, welches durch einen gußeisernen Teller EE (Fig. 1857) mit der stehenden Welle F verbunden ist, und aus einem unbeweglichen Theil B (Fig. 1856), dem

Fig. 1857.

Leitschaufelapparat, welcher ebenfalls auf einem Teller sitzt und mittelst desselben mit einer die Welle umgebenden unbeweglichen Hülse verbunden ist. Dieser Teller überdeckt den Radteller vollständig, damit nicht das Wasser, welches von oben herab aus dem cylinderförmigen Reservoir AA in die Trommel BB kommt, zugleich auf den Radteller drückt. Dies Wasser, nachdem es durch die Leitschaufeln aa (Fig. 1857) die verlangte Richtung erhalten hat, trifft bei CC auf die Radschaufeln unter nahezu rechtem Winkel, aber ohne Stoß, weil die Schaufeln mit einer Geschwindigkeit ausweichen, welche gleich ist der auf die Schaufeln senkrecht gerichteten Seitengeschwindigkeit des Wassers. Der Schütze besteht aus einem hohlen gußeisernen Cylinder, dessen äußere Fläche die innere Fläche des Radkranzes berührt; die innere Fläche wird möglichst gut abgerundet, damit das Wasser ohne viel Contraction in das Rad trete. In Amerika hat man eine Varietät der Fourneyron'schen, nämlich die Francis-Turbine, bei welcher der Leitschaufelapparat außen, das Rad innen liegt. Ein Uebelstand ist es bei den gewöhnlichen Turbinen, daß bei Abschützung die Wirkung des Rades stets eine schlechtere ist. Deshalb hat Fourneyron die sogenannte Etagen-turbine in Vorschlag gebracht, bei welcher das Rad durch eine oder zwei ringförmige Scheide-wände in 2 oder 3 Räume abgetheilt wird, so daß man bei tiefem Wasserstand einen oder zwei dieser Räume durch Schützen völlig abschließen kann. Bei der Callon'schen Turbine ist das Leitschau-felrad oben völlig verdeckt und von innen durch Systeme von Schützen mehr oder weniger zu ver-schließen; von denselben wird, wenn der Aus-fluß regulirt werden soll, ein Theil niedergelassen. Diese Vorrichtung ist, wie auch die Abschützung an der Gentilhomme'schen Turbine, sehr un-vollkommen. Die bei uns gebräuchlichste Art von Turbinen sind die Henschel'schen oder Jon-val'schen (Fig. 1858). Bei ihnen bildet der Leit-schaufelapparat A ein förmliches Rad, welches über dem Turbinenrad B steht und dessen Schau-feln umgekehrt gerichtet sind, wie diejenigen des

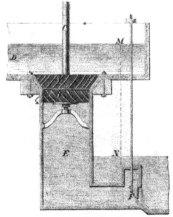

Fig. 1858.

Rades, dessen Boden mit einer Hülse an der Welle C befestigt ist. D ist das Gerinne. Man kann sie beliebig zwischen Ober- und Unterwasser-spiegel stellen, ohne Gefälle zu verlieren, vor-ausgesetzt, daß sie nicht mehr als 32' über dem letzteren stehen, weil sonst die Wassersäule M N durch die Atmosphäre nicht mehr gehalten wird. Die Abschützung geschieht nach Henschel durch eine Drosselklappe, welche in dem Turbinenmantel und Abflußcanal E unterhalb des Rades angebracht wird; gewöhnlicher führt man sie aber auch durch einen Schützen F, welcher in das Unterwasser taucht und die Ausflußmenge nach dem Stand des Oberwassers regulirt. Bei den Reichen-bach'schen Turbinen ist die Klappe durch einen Ringschützen ersetzt. Wenn die Wassersäule sehr variirt, so ist es am besten, man construirt zwei Turbinen, die eine für die unterste Grenze des Wasserquantums, die andere für die Differenz beider Grenzen. Bei Mittelwasser läßt man so-dann die zweite Turbine gehen, wenn auch der Gang schlecht ist. Escher, Wyß und Co. verei-nigen beide Turbinen in eine einzige; diese hat

dann zwei Kränze, von denen der äußere stets mit Wasser gefüllt ist, während der innere, für die Differenz der Grenzen construirt, durch Schieber abgesperrt werden kann. Die Fontaine'sche Turbine unterscheidet sich von der Henschel'schen fast nur durch die Abschützung und die Art der Befestigung der Welle.

Turmalin, Aschenzieher, s. v. w. Schörl, s. d.; Arten sind: 1) sibirischer Turmalin (Siberit, Ru-belit), karmin- und hyazinth-, purpur- oder rosen-roth, mitunter einen Strich ins Violblaue; — 2) Indikolit (brasilianischer Saphir), indigo-, la-sur- oder berlinerblau; — 3) brasilianischer Tur-malin (brasilianischer Smaragd), gras-, oliven- oder pistaziengrün, meist dunkel; — 4) ceylanischer Turmalin (ceylanischer Chrysolith), grünlich-gelb; — 5) elektrischer Schörl, gelblich-, rötblich- oder schwärzlichbraun.

Turnbulls Blau, s. d. Art. Berliner Blau f.

Turngeräth, s. d. Art. Barren, Reck rc.

Turngrees, turnpike-stair, engl., Wendel-treppe.

Turnhalle. Ein Turnhallengebäude muß außer der eigentlichen Turnhalle, die man gern mit sehr breiten Gallerien, zu Aufstellung der leichteren Turngeräthe, versieht, noch einige Zimmer zum Turnunterricht, zu Bureau's, Ausschußsitzungen, Archiv, Bibliothek, sowie eine Hausmannswoh-nung rc. enthalten. Die Decke des Hauptsaales ge-staltet man am besten als freie Balkendecke oder als freiliegenden Dachstuhl. Höhe mindestens 20 Fuß. Deckentragende Säulen stören nicht nur nicht, sondern können sogar benutzt werden zur Befesti-gung der Turngeräthe rc. Fensterbrüstungen min-destens 5 Fuß vom Fußboden, welcher Kiesbeleg oder Aestrich oder eine Schüttung von Lohe oder dergleichen bekommt.

Turnierhelm, s. d. Art. Helm.

Turnierkragen (Herald.), Bank, Steg, Kra-gen. Ein nicht an den Rand des Schildes stoßen-der schmaler Querbalken, der unten Läße, Gestelle, Zipfel hat, oft mehrere, deren Zahl angegeben sein muß, bisweilen belegt mit Figuren. Findet sich besonders in außerdeutschen Wappen, hauptsäch-lich in englischen als Unterscheidungszeichen der jüngeren Linien eines Hauses; steht am Schildes-haupt. [haupt.

Turnierlanze, s. d. Art. Lanze.

Turnierplatz, in länglichem Viereck oder nach Art eines Circus gestalteter, mit Kies bestreuter Platz, mit Gallerien umgeben und der Lang-achse nach durch eine niedere Schranke getheilt. Stan-gen für das Ringelstechen, Preissäulen rc. sind an den Enden dieser Schranke rc. aufgestellt; über-haupt ist die ganze Anordnung eine mittelalter-liche Umwandlung des Circus, s. d.

Turret, engl., Thürmchen.

Turribius, St., unter Philipp II. wider sei-nen Willen zum Erzbischof von Lima gemacht, starb 1606; abzubilden, umgeben von den bekehrten Westindianern.

Turribulum, eigentlich thuribulum, lat., Räucherofen.

Turricula, lat., Thürmchen.

Turris, lat. griech. τύρσις, Thurm, s. auch d. Art. Burg, S. 490; turris ecclesiastica, Kirch-thurm, s. d.; turris media, Centralthurm; turris campanaria, Glockenthurm.

Tuscarium, s. d. Art. Atrium A. a.

Tusche, 1) schwarze Wasserfarbe, bereitet aus: a) Ruß von Fichtenholz und Oel, mit etwas Moschus und Kampher; b) Ruß von Reißstrob; c) Sepienkohle und Sesamölruß nebst Leim; d) Korkkohle und Pfirsichkerne; gute Tusche muß, wenn man sie anhaucht und dann auf Wolle reibt, einen braunschwarzen Glanz zeigen und wohlriechend sein; — 2) jede in Täfelchen geformte Wasserfarbe; — 3) gegrabene mineralische Tusche, s. v. w. Schieferschwarz.

Tusebe, dunkle Marmorsorten.

tuskischer Styl, s. v. w. etruskischer Styl.

Tusses, engl., Mauerverzahnung, Zahnstein.

Tussop, s. d. Art. Maaß, S. 490.

Tutenstein, auch Tutenkalk oder Tutenmergel genannt; s. d. Art. Duttenstein und Nagelkalk.

Fig. 1861. Westthür der Cathedrale von Rochester.

Tuttanegorz (Bergb.), ein Erz, das in China gefunden wird und woraus das Tuttanego geschmolzen wird, welches 60—90 Procent Zink, übrigens Eisen und etwas Thon enthält. Es ist locker und schwer, lichtroth und mit weißen Adern vermischt; auch Tuttania oder Cutenag genannt, Legirung aus 8 Theilen Messing, 24 Theilen Spießglanz und 7 Theilen Zinn; s. auch d. Art. Argentan.

Tuttenschiefer, Tuttenstein, s. Duttenstein.

Tuyau, frz., Röhre; s. d. Art. Rohr, Brunnenröhre, Löthrohr rc.

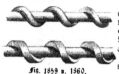

Fig. 1859 u. 1360.

Twentholz, ein gelbes Holz von Preodaphne exaltata (Fam. Lorbeergewächse) auf Jamaika.

Twining-stem, engl. anglo-normannische Gliedbesetzung, s. auch Fig. 1859 u. 60.

twisted, engl., gewunden; **twisted channel** oder **panel,** s. d. Art. Chanel und Panel; **twisted shaft,** gewundene Säule.

Two (Min.), als Feuerungsmaterial benutzte fette, schwarze, erdharzhaltige Erde.

Tyche, s. d. Art. Fortuna.

Tye-beam, engl., s. d. Art. Tie-beam.

Tylt, s. d. Art. Maaß, S. 503.

Tymbre-crest, engl., Helmzierrath, Laterne, Essentopf.

Tympanon, griech. τύμπανον, lat. tympanum, frz. tympan, ursprünglich Handpaute, Rad, Zahnrad, doch auch jedes vertiefte, runde oder halbrunde Feld. Davon abgeleitet 1) Giebel (die byzantinischen Giebel waren halbkreisförmig) und Giebelfeld; — 2) Thürbogenfeld. In Fig. 1861 geben wir das Westportal der Rochester-Cathedrale, welches ein vollständig durchgebildetes romanisches Tympanon hat.

Typhon, eigentlich der König von Aegypten, der im Rothen Meere ertrank, später Personification des stürmischen Südwindes, Symbol des Verderblichen, Grundwesen des Bösen.

Typhoniden, s. v. w. Harpyen.

Typolith, s. d. Art. Spurstein 1.

Typus, griech. τύπος, ideelles Urbild eines Kunstwerkes, dann noch besonders die zur feststehenden Norm für die Darstellung geworbene Idee von einem Wesen oder Gegenstand; s. d. Art. Antitypus und Prototypus.

Tyr (nord. Myth.), Sohn Odins, Kriegsgott.

tyrrhenische Bauten, s. d. Art. Etruskisch und Pelasgisch.

tyrrhenischer Verband, s. d. Art. Mauerverband.

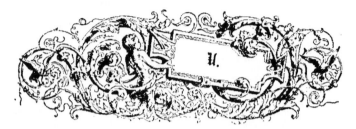

U, 1) als Zahlzeichen: a) im Lateinischen, f. u. d. Art. **V**; b) im Gothischen = 70; — 2) in der Mathematik bedeutet u meist, wie auch v, w und insbesondere x, y und z, eine unbekannte oder eine veränderliche Größe; — 3) in der Mechanik bezeichnet man mit u gewöhnlich die Anzahl der Umgänge eines sich drehenden Körpers, z. B. einer Welle, eines Rades 2c.

Ubaldus, St., sehr sanftmüthiger Prior, lehnte mehrmals die bischöfliche Würde ab, wurde aber endlich doch Bischof von Gugubin und starb 1275.

Ucolière, altfrz. für Volière, f. d.

Udalrich, f. d. Art. Ulrich.

überarbeiten, eine vollendete Arbeit nachbessern.

Ueberbau, 1) Obertheil eines Hauses, Aufbaus, auch Ueberschoß genannt; — 2) leichtes Dach ohne Seitenwände zum Schutze eines darunter liegenden Gegenstandes, Kellers, Schachtes 2c.

Ueberbaurecht, f. d. Art. Baurecht.

überbinden, frz. recouvrir, Ziegel, Faschinen 2c. in mehrere Schichten so legen, daß die Fuge je zweier solcher Stücke auf die Mitte der darunterliegenden kommt.

Ueberblattung, Ueberplattung, frz. enchevauchure, f. unter d. Art. Holzverband II. A. 1. h, 2. a., und Aufblattung, sowie d. Art. Blatt 7 und Eisenverbände. Unterscheidet sich von der Verblattung dadurch, daß bei der Ueberblattung nicht beide Hölzer bündig mit einander sind; in Oesterreich heißt das gerade Kammblatt (Fig. 404) einfach verzahnte Ueberblattung, das schräge Hakenblatt (Fig. 410) schief verzahnte Ueberblattung, das gerade Blatt mit zwei Kämmen heißt doppelt verzahnte Ueberblattung und das gerade Hakenblatt mit Schrägstoß und Keil (Fig. 406 und 408) heißt Schaffhauser Schloß oder verzahnte Ueberblattung mit Keil.

überbringen, übergraben (Deichb.). Bekommt ein Deich am Fuße Tiefen und wird schadhaft, so wird die Erde an einander abgegraben und an die Landseite geworfen, „übergebracht", wodurch der Deich zur Hälfte eine neue Basis landeinwärts erhält.

überbrochen Feld (Bergb.), so heißt ein Feld, welches völlig bis an die Markscheide abgebaut worden ist.

Ueberdeich (Deichb.), f. v. w. Kesseldeich, Kesselsiel.

über den Arm arbeiten (Bergb.), beim Gewinnen des Gesteines so arbeiten, daß man das in der Linken geführte Bergeisen auf der rechten Seite an das Gestein setzt und also mit dem Fäustel über den linken Arm schlägt.

über die Hand arbeiten, bei den Maurern eine Mauer so ausführen, daß der Arbeiter auf deren Rückseite steht und an der guten Seite gar kein Gerüst zur Disposition hat; ist nur bei ganz einfachen Gebäuden mit schwachen Umfassungsmauern und bei Dampfschornsteinen oder dergleichen auszuführen; f. d. Art. Gerüst.

Uebereinanderstellung von Säulen, f. d. Art. Säule und Säulenordnung.

überfahren (Bergb.); einen Gang überfahren heißt, f. v. w. mit der Arbeit durch denselben gehen, z. B. mit Oertern und Strecken überfahren: durch den Gang mit einem Stellort oder einer Strecke gehen; mit Querschlag überfahren, Oerter seitwärts aus einem Hauptgang treiben, um dadurch zu einem Gang zu gelangen.

Ueberfall, frz. déchargeoir, déversoir, bei Dämmen, Stauwehren 2c. niedrige Stelle, um bei starkem Anschwellen des Flusses das überflüssige Wasser abzuleiten. Man muß solche Stellen an den Rändern gehörig befestigen, damit das Wasser bei dem Ueberfließen nichts mit fortreißt.

Ueberfallsdeich (Deichb.), f. d. Art. Deich.

Ueberfallwehr, oder Streichwehr, staut das ihm zufließende Wasser und zwingt es dadurch, in einen seitwärts abgezweigten Mühlgraben zu geben, so daß blos das für den Mühlbetrieb unnöthige Wasser über das Wehr geht; f. d. Art. Wehr.

überfalzen, zwei Holzstücke oder dergl. mit einander verbinden, indem man an jedes einen Falz (f. d.) anarbeitet.

Ueberfangglas, Glasmasse, welche aus zwei an einander geschmolzenen Schichten, einer weißen und einer farbigen (gewöhnlich roth), besteht. Es wird durch stellenweises Abschleifen des farbigen Ueberfangs möglich, mitten im Bunten kleine weiße Flächen, frz. entailles, darzustellen, die dann nach Bedürfniß mit einer Schmelzfarbe bemalt werden, meist auf der Rückseite, um Verschmutzung beim Einbrennen zu vermeiden; f. übr. d. Art. Glasmalerei.

überfüdrige Stämme, f.d.Art.Bauholz F.I.d.

Uebergang (Eisenb.), f. d. Art. Eisenbahn.

Uebergangsgebilde, Uebergangsgebirge, veralteter Ausdruck für die Ablagerungen der Grauwackegebilde, der silurischen, devonischen und cambrischen Formation; f. d. Art. Formation, Lagerung i, Bausteine IV 2c.

Uebergangskalkstein (Mineral.), f. d. Art. kalkige Gesteine b und Grauwackekalk.

Uebergangsstyl, franz. style de transition, engl. period of transition; so könnte man begreiflich jeden Uebergang aus einem Styl zu einem andern nennen; meist nennt man aber so latergozen die Bauweise, die der Gothik vorangeht und außer der Aufnahme des Spitzbogens romanische Formen zeigt; s. d. Art. Romanisch, Gothisch, Anglo-normannisch, Englisch-gothisch ꝛc.

übergares Roheifen, s. d. Art. Eisen II. c.

Ueberglasung, s. d. Art. Glasur, Töpfer-glasur, Thonwaaren ꝛc.

überhängen, 1) frz. surplomber, so aus der lothrechten Lage gewichen sein, daß der obere Theil vorsteht; — 2) auf Consolen vorgetragt sein; — 3) (Schiffsb.) Ueberhängen oder Ueberschießen des Schiffes, das Vorspringen des Vordersteven vor dem Kiel; auch nennt man so die sich erweiternde Ausschweifung an den Seiten des Schiffes.

Ueberhang, 1) frz. surplomb, Maaß des Ueberhängens; — 2) frz. partie saillante, engl. pentice, s. v. w. übergetragter Theil eines Ge-bäudes, s. d. Art. Erker; — 3) frz. saillie, pro-jecture, Ausladungsmaaß eines Gesimses oder sonst vorstehenden Theiles; — 4) s. v. w. Pechnase.

Ueberhau, Gehau von überständigem Holz.

Ueberhebsieb, Sieb zum Sortiren des Blei-erzes, das bis zu Erbsengröße zermahlen worden.

über Hirn oder vor Hirn, s. d. Art. Hirnholz.

überhobener Bogen, s. v. w. Stelzbogen, s. d. und d. Art. Bogen.

überhöhen, frz. surhausser, 1) eine Um-fassungsmauer überhöhen: sie über die Dachbal-kenlage führen; — 2) einen Gebäudetheil: ihn höher als die übrigen Theile aufführen; — 3) einen Bogen oder ein Gewölbe, s. v. w. stelzen; s. d. Art. Stelzbogen und Gewölbe; — 4) einen Festungstheil: ihn so anlegen, daß die Krone der Brustwehr einen auswärts vor ihr liegenden Punkt überragt; s. d. Art. Commandement und Festungsbau.

überjährig Holz, zu altes und deshalb nicht mehr gut wachsendes Holz.

überkleiben, mit Lehm putzen; s. d. Art. Kleiben.

überkleiden, s. v. w. bekleiden oder verkleiden.

Ueberkragung, s. v. w. Ausladung, s. nur, wenn der vorstehende Theil nicht als einzel-nes Hervorragendes erscheint, sondern als Träger eines noch weiter vorstehenden Theiles oder einer höheren und im Ganzen gegen den Untertheil vor-stehenden Masse; z. B. ein Balcon, Gurtsims ꝛc. tragt nicht über; ein Erker aber, ein vorgebautes Geschoß ꝛc. tragt über.

Ueberkranz (Deichb.), der etwas erhöhte, nach dem Wasser zu gerichtete Kranz oder Rand der Krone eines Deiches.

Ueberladung, geschmacklose, unmotivirte An-häufung von Ornamenten auf einer Façade ꝛc., ist sorgfältiger noch zu vermeiden als Kahlheit; s. d. Art. Aesthetik.

Ueberlage, 1) geschmiedetes Eisen, in Stan-gen- und Bandform über Thüren, Fenster ꝛc. ge-legt, um die Mauersteine zu unterstützen; — 2) s. v. w. obere Lage eines Mauerwerkes; — 3) s. v. w. Ausladung bei einem Consol, Kragstein ꝛc.

Ueberlauf, 1) (Deichb.) s. v. w. Ueberfall; — 2) (Schiffsb.) s. v. w. Verdeck, Oberdeck; — 3) der mittlere Weg auf dem oberen Verdeck zwischen den Ruderbänken bei Galeeren.

Ueberlaufsdeich, s. d. Art. Deich 10.

übermastet, frz. maté trop haut (Schiffsb.),

ist ein Schiff, wenn es zu hohe Maste hat, so daß man befürchten muß, es schlägt um.

übermauern, 1) s. v. w. überhöhen; — 2) durch aufgebrachte Mauerung belasten; weit ausladende Consolen, Gesimse ꝛc. muß man übermauern und so den Schwerpunkt weiter hinter bringen, damit sie durch ihr Uebergewicht nicht herabstürzen.

Uebernase (Hüttenw.), s. v. w. Nase 6.

überrappen, s. v. w. berappen.

überrüsten, 1) (Mühlenb.) Aufsetzen des Rumpfes mit seinem Zubehör; — 2) (Bergb.) Er-richten eines Gerüstes zu einem Haspel über einem Schacht.

übersäulen, ein oberes Stockwerk von Säu-len- oder Riegelwerk auf ein unteres, das von Stein oder Lehm ist, aufsetzen.

Uebersatz, 1) Halbgeschoß, zunächst unter dem Dach; — 2) (Schiffsb.) übereinander gesetzte Theile, woraus ein Mastbaum (s. d.) besteht.

Ueberschaar, 1) Oberschaar, obere Schaar Dachziegel; — 2) Raum zwischen zwei Zechen, wenn er zu klein ist, um noch eine Fundgrube da-selbst anzulegen.

überscheiten, s. v. w. überblatten.

überschlächtig (Mühlenb.), s. v. w. ober-schlächtig.

Ueberschlag, 1) s. v. w. Oberplatte; — 2) beim antiken Simswerk der oberste Riemen, der über alle anderen Glieder hervorragt; — 3) lat. su-percilium, bei dem nach Fig. 1376 construirten Karnies oder dem Kymation (s. Fig. 1447) der obere, überhängende Theil; — 4) der obere Theil einer gothischen Hohlkehle.

Ueberschlagsims, Traufleiste, engl. drip-stone, weather-moulding, watertable, label, ital. grondatojo, die am häufigsten in England und auf Sicilien, weniger häufig in Frankreich an normannischen und gothischen Bauten vorkom-mende, in Deutschland ziemlich seltene Verdachung; in Bauten aus dem 12. u. 13. Jahrhundert folgt

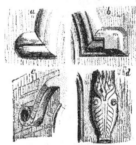

Fig. 1862.

das Gesims meist der Bogenlinie; später, im de-corated style, bildet es meist auch über reinem Spitzbogen einen Eselsrücken; zuletzt liegt es meist oben waagerecht und geht an beiden Seiten bis zum Kämpfer herab, so den Bogen in ein Viereck einfassend; sowohl die Profilirung als nament-lich die Form der unteren Endung ist sehr ver-schieden. Letztere ist bald blos eine Verkröpfung, engl. crook, bald ein wirklicher Kragstein, corbel, bracket. Am besten geht die Entwickelung der

Form aus beistehenden Beispielen hervor: Fig. 1862 a, b, c, d sind normannisch, Fig. 1863 a

Fig. 1863.

und b sind früh-englisch-gothisch, Fig. 1864 a und b sind beide von der im Jahr 1277 erbauten Capelle

Fig. 1864.

des Morton-College zu Oxford entlehnt, Fig. 1865 a ist vom Jahr 1420, b vom Jahr 1450 und c vom Jahr 1520. Wir haben deshalb nur englische

Fig. 1865.

Beispiele gewählt, weil hier diese Simse sich am häufigsten zeigen und am regelmäßigsten ausbildeten. Auch innerlich wurden sie angebracht, heißen aber dann hood-moulding.

überschlichten, s. d. Art. Schlichten.

überschnappen (Schloss.); wenn der Ansatz des Riegels über den Bart des Schlüssels fährt, so sagt man, er schnappe über.

Ueberschneidung, 1) (Zimmerm.) s. d. Art. Holzverband II. A. 2. a und C. 1.; — 2) überschnitten, frz. entrecroisé, engl. intersected, nennt man zwei Glieder, z. B. zwei waagrechten und einen senkrechten Stab, die einander durchschneiden, statt auf Gehrung zusammengesetzt zu sein, so daß das eine derselben durch das andere hindurchgesteckt erscheint. Gothische Simsglieder müssen bei allen Punkten, wo sie sich unter einem Winkel treffen, überschnitten sein, da die Verkröpfung (s. d.) in der Gothik stets zu vermeiden ist.

überschoben, so heißt eine Füllung zum Unterschied von einer eingeschobenen, wenn das Bret, welches die Füllung bildet, gegen das Rahmenstück, von einer Seite übergreifend, befestigt wird, z. B. bei Wandbekleidungen, bei Thüren, welche sehr fest sein sollen rc.; s. d. Art. Thür u. Fig. 1821.

Ueberschoß, Ueberschuß, 1) s. v. w. Ueberbau;

— 2) (Bergb.) Flöz von verhärtetem Thon; — 3) (Hüttenw.) beim Pochen s. v. w. Zwitter, der auf dem Gefälle oder zunächst daran sitzen bleibt.

Ueberschutt, Ueberguß, franz. chope, engl. coat, flüssiger Kalkbrei, der zur festeren Verbindung über Gewölbe, Bogen rc. gegossen wird.

Ueberschwelle, s. Oberschwelle, Rahmstück.

Ueberschwemmungen, s. d. Art. Deichbau, Fluß, Strombau, Festungsbau, Annäherungshinderniß rc.

übersetzen, 1) einen Mauertheil vor dem darunterstehenden vorspringen lassen; — 2) aufbauen, ein Geschoß aufsetzen; ein übersetztes Gebäude ist ein solches, welches über dem Parterre noch ein oder mehrere Geschosse hat; — 3) (Deichb.) einen Deich, der mehr Vorland bekommen hat, auf der Binnenseite abstechen und auf der Außenseite vergrößern; — 4) (Bergb.) von Gängen, sich durchkreuzen; ein übergesetzter Gang ist ein solcher, welcher aus dem Berg durch ein Thal in seinen Gegentrumm hinüberstreicht, aber dabei in seiner Stunde (Richtung) bleibt.

Uebersetzung, bei Maschinen Vermehrung der Kraft durch Getriebe, Räder rc.

überspännig (Zimmerm.), s. v. w. schräg gegen die Jahre bearbeitet; auch heißen so Bretter, die aus windschiefem oder gedrehtem Holz geschnitten sind.

überspannen, einen Raum, eine Oeffnung rc., s. v. w. dieselbe überwölben.

überständig, überreif, überstanden, so nennt man 1) dem Ansehen nach oft noch gesunde, doch zu lange stehen gelassene, daher innerlich faul gewordene, verwitterte oder verzehrte Bäume; — 2) im Gebirge schon verwitterte Erze.

Ueberstahl, (Hüttenw.), die Vermehrung des specifischen Gewichtes bei Verwandlung des Eisens in Stahl.

Ueberstauung, s. d. Art. Bewässerung.

übersteinen, um dem Holz das Aussehen von Stein zu geben. Es wird zu diesem Behufe mit Firniß überstrichen und gepudert, s. d.

Ueberstich, s. d. Art. Erker.

überstülpen, s. d. Art. Stülpdecke.

Uebersturz, 1) (Deichb.) gewaltsames Ueberfließen des Wassers über einen Deich; — 2) s. v. w. Verdachung, über den Sturz gelegt.

übersunken, so heißt im Bergbau ein in zu große Tiefe kommender Gang.

übertäfeln, s. v. w. täfeln, mit Täfelwerk überkleiden.

Ueberthür, 1) in derselben Thüröffnung mit einer anderen angebrachte Thür, um das Eindringen der Kälte oder Zugluft zu verhindern; — 2) s. v. w. Fallthür.

übertünchen, s. d. Art. Tünchen.

Ueberwindseite (Schiffsb.), s. v. w. Leeseite.

überwölben, 1) s. v. w. durch ein Gewölbe bedecken; — 2) ein Gewölbe, dessen Höhe größer ist als die halbe Breite, das also den Halbkreis übersteigt und eine aufrechtstehende elliptische Linie bildet, heißt überwölbt; — 3) wenn, was häufig geschieht, die Maurer die untersten Wölbsteine zu keilig hauen und dadurch die oberen oder die Schlußsteine nicht keilig oder wohl gar unten

56 *

breiter als oben werden, so sagt man: der Bogen ist überwölbt worden. Man muß sehr streng darauf sehen, daß dies nicht geschieht.

Ueberwurf, 1) auf dem Zapfenlager oder dergleichen liegender Deckel von Holz, Eisen oder Leder; — 2) Kettel, welche mit ihrem Schliß über einen Haspen (f. d. 2.) greift und durch ein Vorhängeschloß oder einen Vorstedling daran befestigt wird; s. auch d. Art. Anwurf 3.

überzinnen, s. v. w. verzinnen.

Ueberzug oder **Oberzug,** Träger (s. d.), wenn er über den Balken liegt und diese an ihn angehängt sind.

Ueberzug für feuchte Mauern, um solche trocken zu machen, 1) s. d. Art. Feuchtigkeit 10; — 2) 3 Theile Erdpech, 1 Theil mineralischen Theer und etwas Trockenöl mischt man so flüssig, um die Mischung mit einem Pinsel auftragen zu können. Man schlägt den alten Bewurf der Mauer ab, reinigt jeden Stein von Staub 2c. mit einem stumpfen Besen und wärmt die Mauerfläche mit einer Kohlenpfanne. Dann streicht man die Mauer mit obiger Mischung etwa eine Linie dick und bringt darauf einen gewöhnlichen Mörtelbewurf; dieser trocknet nach einigen Tagen. Dies Mittel ist anwendbar bei Wasserbauten, Canälen, Mauern an feuchten Orten 2c.

überzwerchen (Zimmerb.), ein Bret oder eine ganze Fußbodentafel nicht der Länge, sondern der Breite nach hobeln mit dem Schropphobel.

Uelme, s. v. w. Ulme.

Ueppigkeit, s. d. Art. Kardinaltugenden 5.

Ufer, frz. bord, engl. shore, 1) der irgend ein Wasser umgebende Erdrand, s. d. Art. Uferbau; — 2) bei einem Feld oder Grundstück, das in ziemlich steiler Böschung an einen niedrigern Ort grenzt, der Rand dieser Böschung.

Uferarche, s. d. Art. Bohlwerk.

Uferbaake, s. d. Art. Baake 5.

Uferbatterie, s. d. Art. Batterie.

Uferbau, Uferbefestigung, Küstenbau. I. Allgemeines. Bauten, welche an einem Ufer vorgenommen werden, können bestehen in Sprengung vorspringender Felsen, in Wegräumen von Sandbänken, Verengerung des Flußbettes 2c. Sie können den Zweck haben, den Fluß tiefer, schiffbar oder dergl. zu machen, oder das anstoßende Land gegen Ueberschwemmungen zu schützen, oder das Ufer gegen Abbruch, Grundbruch, Abschälung 2c. zu sichern. Ufer, die aus Felsen, großen Kieselsteinen oder Wacken, oder aus dem gröbsten Kies bestehen, leiden vom Wasser gar keine oder nur geringe Beschädigung. Aus Torferde bestehende Ufer leiden nur selten durch das Wasser; am meisten dem Abbruch durch das Wasser ausgesetzt sind Ufer aus Sand, Thon und Lehmerde. Ufer mit flacher Böschung leiden wenig, ebenfalls selten werden die Ufer beschädigt, wenn die Strombahn in gerader Richtung und also in der Mitte fortgeht, s. d. Art. Fluß- und Strombau. Schlängelt sich aber der Fluß sehr, so ist Gefahr für dasjenige Ufer vorhanden, dem sich die Strombahn nähert. Bei Flüssen und andern Wässern, die progressive Bewegung haben, ist Grundbruch häufiger zu befürchten, als am Meer und bei stehenden Gewässern, deren Bewegung blos wellenförmig ist und sich als Rollung, Wallung, Rabbe-

lung, Stampfen oder Brandung äußert, wo dann blos Abschälung zu befürchten ist.

II. **Abschälung des Ufers** wird am besten verhütet: 1) durch Schlickfänger oder Anhägerung, s. d. betr. Artikel. 2) Durch Abschrägung und Uferbekleidung. Letztere kann auf verschiedene Weise ausgeführt werden: a) Bohlwerk, s. d. und b. Art. Dielenschalung; nur in sehr holzreichen Gegenden zu entschuldigen. b) Deckpflaster, Pflasterung mit großen Steinen, deren Zwischenräume wieder mit kleineren ausgefüllt werden. c) Verpfähltes Deckpflaster, besonders wenn ein Ufer nicht flach genug ist, um gepflastert werden zu können; denn dann würden Steinlagen vom scharf andringenden Wasser leicht unterwärts ausgewaschen und so zum Nachstürzen gebracht werden. Man schlägt daher vor der Ueberpflasterung noch eine Reihe Spitzpfähle ein und bringt hinter derselben eine Erdschwelle an; soll das steile Ufer aber noch stärker geschützt werden, so erhält die Pflasterung eine Unterlage von Holzfaschinen, auf welche Steinschutt geschüttet wird. d) Einfache Berasung genügt gegen schwache Strömung des Flusses. e) Anpflanzung von Strauchwerk oder Buschwerk schützt noch etwas mehr als Berasung. f) Faschinenbau, s. d. Man verbindet in einigen Gegenden die Faschinen durch sogenannte Fischerseile, zusammengewundene Weidenreiser oder Wieden, welche die Befestigung durch Wippen an Dauer bei Weitem übertreffen. g) Bekleidung durch Ufermauern. Jede solche Futtermauer erhält einen Oberbau, dessen Haupt zu Tage steht, eine Fußpinte mit schrägem Abfall nach dem Wasser und einen Grundbau. Benennungen der Oberbautheile sind: Die Krone, welche mehr oder weniger über die Erdfläche emporsteht, erhält in der Regel eine Brüstung. Die Stirnseite wird von der Krone aus entweder nur abgeböscht oder in einzelnen Absätzen geführt. Die lothrechte oder nach unten hin in Absätzen erweiterte Rückseite, Sohle oder Unterbreite, muß größer sein als die übrigen Theile des Oberbaues; Näheres s. in b. Art. Futtermauer. Die Fußpinte der Futtermauer erhält, wie gesagt, schrägen Abfall nach dem Wasser zu; der Grundbau der Futtermauer hat ebenso wie der Oberbau eine Krone, auf welcher der Oberbau ruht, und eine Sohle zum Aufstand auf dem Boden; dieser Grundbau wird entweder lothrecht geführt oder abgestuft. Bei quellen- und wasserreichen bergigen Umgebungen ist es oft vortheilhaft, die Stützmauer trocken aufzuführen, nur muß man sie dann in der Regel um ⅓ stärker machen, als mit Mörtel aufgeführte. Ueber die Standfähigkeit der Stützmauern s. d. Art. Futtermauer, Erddruck, Strebepfeiler 2c. Ebenso ist der Füllstoff für die Stützmauer an der Hinterseite derselben, Erde, Sand, Kies und Steingerölle, vorsichtig so zu wählen, daß er nicht feucht, sondern locker und lose sei. Dabei muß man aber die dem Wasser entgegen zu stellende Widerstandskraft stets bezüglich in Berücksichtigung ziehen. h) Pfahlwerke (s. d.), bei denen aber die Deckschwellen sehr genau aufgezapft werden müssen. i) Bebohlte, d. h. mit Bohlen verkleidete Stützmauern, sind bei kleinen Uferbefestigungen häufig im Gebrauch. k) Blockwände, aus übereinander gelegten Balken bestehend, benutzt man in sehr holzreichen Gegenden zuweilen zum Uferbau. l) Spundwände (s. d.) 2c.

III. **Gegen den Grundbruch** giebt es folgende

Mittel: 1) Rectificirung des Stromes, s. d. Art. Strom. — 2) Hemmung oder Abweisung der Strömung durch: a) Erdbübaue; b) Buhnen; c) Packwerke ꝛc.; s. d. Art. Faschine, Buhne, Deckwerk ꝛc.

ufern (Uferb.), das Reinmachen eines Ufers an einem Graben oder einer Tiefe, das Abstechen und Abhauen von eingewachsenem Schilf ꝛc.

Uferweide (Salix incana Schrk.), eine Art Weide, welche bei uns zum Befestigen der Flußufer häufig angepflanzt wird. Ihre zähen Zweige dienen als Bindematerial und zu Flechtwerk.

Uferwerk, Bauten zum Schutze des Ufers; s. d. Art. Uferbau.

Uhlu-Dschammi, frz. Oulou-Djami, s. v. w. große Moschee, Hauptmoschee einer Stadt.

Uhr, 1) Lage steinigen Erdreiches auf dem Geestboden. — 2) Lat. horologium, frz. horloge; in der Baukunst hat man es fast nur mit Thurmuhren zu thun. Eine solche erfordert einen möglichst gegen die Einflüsse der Witterung geschützten Verschlag und einen Schlot für die Gewichte. Bei einer Uhr, die täglich aufgezogen wird, muß der Verschlag mindestens 3 Fuß ins □ groß, der Gewichtsschlot 12 Fuß hoch sein; bei einer Uhr, die wöchentlich aufgezogen wird, sei der Verschlag 5 Fuß ins □ groß, 6 Fuß hoch und der Gewichtsschlot 30 Fuß hoch; bei einer Uhr, die nach 14 Tagen aufgezogen wird, sei der Verschlag 7 Fuß ins □ groß und der Schlot 40—45 Fuß hoch ꝛc.; s. auch d. Art. Zifferblatt und Sonnenuhr.

Uhrthurm, frz. tour d'horloge, s. Thurm.

Uitland, s. v. w. Marschland.

Ullam, s. d. Art. israelitische Bauten.

Uller (nord. Myth.), einer der Asen, Sifs Sohn, Thors Stiefsohn, guter Bogenschütz und Schlittschuhläufer, wurde beim Zweikampf angerufen.

Ulm, Olm, s. v. w. Moder, s. d.

Ulme, Rüster. Es giebt folgende Arten: a) Die gemeine oder glatte Ulme, Feldrüster, Leinbaum, Ulmbaum, Korkrüster, Iper, Urla, Fliegenbaum, Bastulme, Effernbaum, Yper, Elme, Eype, Rust (Ulmus campestris, Fam. Ulmeae) ꝛc. Die Früchte dieser Ulmenart sind kurzstielig, das Holz ist langfeinfaserig und porös, gleich dem Eichenholz, verträgt besser als dieses die Abwechselung der Nässe und Trockniß, ist überhaupt sehr dauerhaft. In der Jugend sieht es weißgelblich aus, im Alter rothbraun und dunkel geflammt. Es wird von keinem Wurm angefressen, gleicht dem Holz der folgenden Gattung fast in allen Stücken, steht derselben jedoch in Härte und Festigkeit etwas nach. Der Flammen und Masern wegen verarbeiten es die Tischler sehr gern und geben den daraus gefertigten Arbeiten durch eine Beize ein schönes, dem Mahagoni ähnliches Ansehen. Das Holz muß jedoch recht trocken sein, sonst bekommt es leicht Sprünge und Risse. Der Cubikfuß wiegt frisch 62 Pfd., trocken 36 Pfd., specifisch. Gewicht 0,58—0,95. b) Rauhe Ulme, Wasserulme, Urle, glattblätterige Ulme, Stockwieke, Bauulme, weiße Wasserrüster, Rauhlinde, Flatterrüster (Ulmus effusa). Bei dieser Ulmenart sind die Früchte langstielig, flatterig. Das Holz ist von seiner Textur, fest, zähe, dicht und hart, hat undeutliche Jahresringe, läßt sich spiegelglatt bearbeiten und erhält dann gewöhnlich ein gewässertes Ansehen, wirft sich nicht, verträgt jede Temperatur, beizt

und polirt sich gut auf Mahagoniart. Das Kernholz ist dunkel, gewöhnlich rothbraun, der Splint weiß. Es wird von Würmern nicht angegriffen und giebt vortreffliche Roste bei Wasserbauten. Venedig soll auf dergleichen errichtet sein. Als Brennholz steht Rüster dem Buchenholz nach. c) Die amerikanische Rüster (Ulmus americana) ist in Nordamerika von Neu-Schottland bis Louisiana einheimisch. Sie hat ein braunes, zähes Holz, das jedoch den Wechsel von Nässe und Trockniß nicht lange verträgt. d) Korkulme, das Holz ist gelblichbraun, röthlich gefleckt und geädert. Man fertigt Tischler-, Drechsler- und Wagnerarbeit daraus. e) Zwergulme, nicht technisch verwendbar. f) Hagnulme: die schön buntgemaserte Wurzel kann, wie das Maßholderholz, zu feinen eingelegten Arbeiten benutzt werden. Das Holz ist hart, zähe, etwas grobfaserig, graulich mit dunkeln Querstrichen, schön gewellt; wird an der Luft gelber als Eichenholz. g) Die Traubenulme (Ulmus racemosa) hat unter allen Ulmengattungen das dichteste, härteste und zäheste Holz; dieses ist sehr feinfaserig und wegen der häufigen Masern für Tischler und Drechsler sehr anwendbar. S. übr. d. Art. Holz 3, Holzarten ꝛc.

Ulmin, 1) braune, moderartige Substanz, findet sich im Torf, entsteht durch Einwirkung schwacher Säuren auf Zucker ꝛc.; 2) feine braune Malerfarbe.

Ulmo, Muermo, großer Baum in Valdivia und Chiloë, liefert Bauholz.

Ulrich, St., oder Udalrich, Patron von Augsburg, Sohn des Grafen Hubald von Dillingen und der Dietberga von Schwaben, geb. 893, erzogen in St. Gallen, von Heinrich dem Städtegründer zum Bischof von Augsburg erwählt, stellte Augsburgs Mauern, Kirchen ꝛc. nach dem Hunnenkrieg wieder her; der Sieg auf dem Lechfeld wurde seinem Gebet zugeschrieben. Er starb 973. Einst reichte ihm ein Engel das Kreuz. Einst Donnerstags, Nachts nach Mitternacht, gab er, die späte Stunde nicht wissend, einem Boten ein Stück Fleisch; dieser Bote wollte ihn wegen Verletzung des Fastens verklagen, aber das Fleisch war zu Fisch geworden. Daher ist er abzubilden als Bischof, neben sich einen Fisch. Ein Engel reicht ihm das Kreuz.

Ultramarin, lat. armenium, frz. outre mer. I. **Allgemeines.** Einiges über Ultramarin steht bereits in d. Art. Blaugelb, blaue Farbe ꝛc. Das Ultramarin besteht im Wesentlichen aus Kieselsäure, Thonerde, Natron und Schwefel. Man kann das Ultramarin betrachten als ein Natron-Thonerdesilicat, verbunden mit mehrfach Schwefelnatrium und dem Natronsalz einer Säure (schwefelige oder unterschwefelige Säure) des Schwefels. Im 16. Jahrhundert wurde es noch aus Lapis lazuli bereitet und das blaue Wunder genannt, weil alle seine Bestandtheile nicht blau sind. Es ist indifferent, geht mit keinem anderen Körper ohne Farbveränderung eine chemische Verbindung ein, ist unlöslich in Wasser, Alkohol, Aether und in Oelen, gegen Licht und Luft ziemlich beständig, wird durch Alkalien, wie Kalk, Potasche, Soda, Baryt ꝛc., nicht verändert, ist ganz unschädlich, wird aber schon von sehr schwachen Säuren, wie Essig ꝛc., unter Schwefelwasserstoffentwickelung zersetzt, muß daher stets mit einem Bindemittel aufgetragen werden. Als Schmelzfarbe ist es schwer verwendbar, weil es durch Rothglühhitze zersetzt und dann grünlich-blau wird.

II. **Seine Fabrikation** zerfällt in zwei Haupt-arbeiten, in die Darstellung des **grünen** Ultramarins und in die Ueberführung in das **blaue** Ultramarin. Die Schönheit des letzteren hängt von der gelungenen Darstellung des ersteren ab.

1. **Nöthige Rohstoffe**; es sind dies folgende: a) **Thonerdesilicat**, am besten Kaolin, das aber nicht über 1% Eisenoxyd enthalten darf. Die Vorbereitung des Thones besteht in Schläm-men, nachherigem Trocknen, gelindem Glühen und Pulverisiren. b) **Schwefelsaures Natron**, als wasserfreies Glaubersalz. Dieses wird pulve-risirt und durch etwas gröbere Haarsiebe gesiebt. Es muß verschlossen aufbewahrt werden, weil es sonst Wasser anzieht. c) **Kohlensaures Na-tron**; dies erhält man, wenn man das beim Ein-dampfen gesättigter Lösungen aus roher Soda in zweifach-gewässertem Zustand niederfallende Salz ausschöpft und bis zur völligen Entwässerung glüht. d) **Holzkohlenpulver.** e) **Schwefel**, und zwar Stangenschwefel oder raffinirter Schwe-fel; er wird gepulvert und gesiebt.

2. Die **Darstellung** des sogen. grünen Ultra-marin erfolgt durch Glühen verschiedener Mi-schungen von Kaolin mit Glaubersalz und Kohle, oder man nimmt statt Glaubersalz Soda und Schwefel, oder auch Soda, Kohle und Glaubersalz, zugleich, in verschiedenen Tiegeln oder Kästen aus feuerfestem Thon. So erhält man z. B. durch Glühen folgender Mischungen grünes Ultramarin: 100 Thle. Kaolin (wasserfrei) mit 80—100 Thln. entwässertem Glaubersalz und 17 Thln. Kohle, oder auf dieselbe Menge Kaolin 100 Thle. calci-nirte Soda, 12 Thle. Kohle und 60 Thle. Schwefel, oder auf 100 Thle. Kaolin, 41 Thle. Soda, 41 Thle. Glaubersalz, 17 Thle. Kohle u. 13 Thle. Schwefel.

3. **Darstellung des blauen, weißen und gelben Ultramarins.** Nach Vollendung des grünen Ultra-marin wird dasselbe bei niedriger Temperatur und unter Luftzutritt geröstet, so daß der Schwefel zu schwefliger Säure verbrennen kann, wobei zugleich ein Theil Natrium im Material sich oxydirt, wel-ches dann aus dem Ultramarin als schwefelsaures Natron ausgezogen wird. Der im grünen Ultra-marin enthaltene Schwefel bleibt, jedoch nur mit wenigem Natrium verbunden, vollständig zurück. Das Ultramarin nimmt beim Abbrennen mit Schwefel zwar an Gewicht zu, durch das Auswa-schen aber im Ganzen um einige Procent ab. Wenn das Auswaschen desselben nicht gehörig be-werkstelligt wurde, so backt es in den Fässern nach und nach wieder zusammen. Erst in der neuesten Zeit ist der Ultramarinbildungsproceß genauer studirt worden. Man weiß, daß in der Glühhitze aus dem Schwefel und dem kohlensauren Na-tron oder durch die Reduction des schwefelsauren Natrons Schwefelnatrium entsteht, welches in der Weise auf den Thon wirkt, daß eine Verbindung von Natron-Thonerdesilicat mit Schwefelnatrium entsteht; diese Verbindung ist weiß oder gelblich-weiß und stellt das sogenannte weiße Ultramarin dar, welches, wenn ihm in irgend einer Weise Na-trium entzogen wird, so daß das darin vorhandene Schwefelnatrium in eine höhere Schweflungsstufe übergeht, in grünes Ultramarin und dann schließ-lich beim Erhitzen unter Sauerstoffaufnahme in blaues verwandelt wird. Gelbes Ultramarin heißt der im Handel vorkommende chromsaure Baryt.

4. **Ultramarinöfen.** Gebrannt wird das Ul-tramarin in Kästen aus feuerfestem Thon, die 6—7 Centner Rohmasse fassen, oder in Tiegeln von 5—6 Zoll Durchmesser bei 4—5 Zoll Höhe; ihr oberer Rand ist ganz eben und sie können nach Art der gewöhnlichen Blumentöpfe angefertigt werden. Der zu glühende gemischte Satz wird mit kleinen Schaufeln in die erwähnten Gefäße ge-füllt, festgedrückt und diese dann säulenförmig in kleinen, Porzellanöfen ähnlichen, Oefen überein-ander gestellt. Bei Verwendung von Kästen stehen deren je zwei auf den eisernen Heerdplatten eines doppelten Flammenofens mit niedergehendem Feuer. Es kann mit Steinkohlen, Holz und auch mit gutem Torf geheizt werden. Man erhitzt nach und nach bis beinahe zu Weißglühhitze. Man er-kennt den Hitzegrad der Töpfe durch ein im Ofen angebrachtes Probeloch von zwei Zoll Weite, wel-ches während des Feuers mit einem losen Stein verfetzt wird. Die Dauer des Brandes beträgt ungefähr 7—10 Stunden, je nach der Construc-tion des Ofens und der Güte des Brennmaterials. Nach dem Verglühen läßt man die Oefen langsam erkalten, entleert sie und kann sie sogleich wieder beschicken, so daß wöchentlich drei Brände gemacht werden können.

5. **Behandlung nach dem Brennen.** In den Tiegeln ist eine gesinterte Masse von grauem, oft gelbgrünem Ansehen. Man legt die Töpfe in Wasser, worin ihr Inhalt sich vom Gefäß löst, worauf man denselben in Ablaugständer wirft. Darin wird er mehrmals abgewässert, das verblei-bende schwache Wasser verwendet man später zum Losweichen und Auswaschen. Das so erhal-tene Ultramarin ist eine schwammige Masse, aus kleinen porösen Stückchen bestehend. Es wird nun auf Ultramarinmühlen, Blaumühlen, von dersel-ben Einrichtung wie die Massemühlen der Por-zellanfabriken, naß gemahlen bis zur äußersten Feinheit, hierauf noch einige Male durch Auf-rühren in Wasser und Absetzen gewaschen, dann auf Filtrirkästen gebracht und nach dem Ablaufen des Wassers auf Trockenrahmen getrocknet. Nach-dem das Product noch in Quetschmühlen trocken ge-rieben und durch Haarsiebe geschlagen wurde, ist es als grünes Ultramarin sowohl als zur Ueber-führung in blaues Ultramarin verwendbar.

III. **Verwendung.** Um die Güte eines Ultrama-rins zu technischen Zwecken zu beurtheilen, besitzt man sehr verschiedene Mittel. Zur vergleichenden Bestimmung der Deckkraft z. B. kann man von meh-reren Sorten die scheinbar beste als Normalfarbe herauswählen und mit 10—15 Thln. Blanc-fix, Bleiweiß oder Gips auf einem Papier mischen. Den andern Sorten setzt man dann so viele Theile von demselben Weiß zu, bis die Mischung der Nüan-cen die Normalfarbe giebt; dies erfordert jedoch große Uebung. Die beste Sorte wird dann die sein, welche zur Deckung am meisten Weiß verbrauchte. Man verwendet das Ultramarin für alle Ar-ten von Anstrichen, in der Malerei und Fär-berei, bei der Tapeten- und Papierfabrikation u. s. w. Das Ultramarin kommt in sehr verschie-denen Sorten im Handel vor, die sich theils durch ihre wirkliche Güte, Schönheit und Intensität der Farbe, theils nur durch den verschiedenen Grad der feinen Zertheilung unterscheiden. Je feiner das Ultramarin gemahlen ist, um so heller erscheint es, während gleichzeitig die Intensität der Farbe mit der Feinheit der Zertheilung zunimmt.

umbauen, 1) wenn die Betonung auf Bauen liegt: einen Ort ringsumher mit Bauwerken ver-sehen; — 2) wenn der Ton auf Um liegt: einer Bauanlage eine andere Einrichtung geben.

Umbilicus, Umbo, lat., Nabel, Nabelöff⸗
nung, Schildknopf, Preßſtein, Bordſtein des Trot⸗
toirs.

umbinden (Bergb.), das wieder Zuſammen⸗
ſchmieden und Brauchbarmachen von Bergeiſen
und Bohren, die durch den Gebrauch an der
Schneide zerſplittert ſind.

Umblei, Umſchlagblei, ſ. v. w. Fenſterblei.

Umbra, Umber, Umbraun, Bergbraun, Um⸗
bererde. 1) Verwitterte und mit Erdharz durch⸗
drungene Holzerde; man findet ſie in Sachſen, Ty⸗
rol und England, ſowie bei Cöln; ſ. d. Art. Braun
und Cölner Braun. — 2) Lichtbraune Ockerart,
erdiges Gemenge von Thon mit Eiſenoryd und
Manganoryohydrat in wechſelnden Verhältniſſen.
Man findet daſſelbe in der Levante, auf Cypern,
in Lagern mit braunem Jaspis, auf Sicilien, in
der Gegend von Spoleto ꝛc. Die beſte Umbra iſt
die levantiſche und cypriſche, letztere beſteht aus
großen, lebhaft braunen, lichten Stücken, die ſich
mild und zart anfühlen. Die italieniſche Umbra,
ſehr fein, heller und weniger harzig als die Cöl⸗
niſche, wird viel als Anſtrichfarbe, Oelfarbe ꝛc.
benutzt. Die engliſche Umbra behält ihre Farbe
im ſtärkſten Feuer, ſteht ſehr gut in naſſem Kalk
und Waſſer und dunkelt nur in Oel etwas nach.
— 3) Künſtliche Umbra wird dargeſtellt, indem
man Braunkohle in Aetzlauge kocht und die farbi⸗
gen Theile durch Säuren niederſchlägt, oder Glanz⸗
ruß in Seifenſiederlauge auflöſt und mit Eiſen⸗
vitriol niederſchlägt; dahin gehört das Ulmin. —
4) Gebrannte Umbra. Die natürliche Umbra erhält
durch das Brennen einen tieferen und mehr ins
Rothbraune ziehenden Ton, auch die Eigenſchaft,
ſchnell in Oel zu trocknen, ſo daß ſie demſelben ſo⸗
gar als Trocknungsmittel zugeſetzt werden kann.

Man wendet die Umbra als Leim⸗ und Oelfarbe
an, um Anſtriche von der Farbe des Nußbaum⸗
holzes damit zu machen. Ihre Eigenſchaft, das
Waſſer gierig zu abſorbiren, benutzt man, um die
Waſſerfarben damit zu probiren, weil, wenn
man ſie auf Umbra aufträgt, ganz ſchnell trocknen
und ſogleich die Farbenabſtufung annehmen, die ſie
nach dem vollſtändigen Trocknen erlangen würden.

Umbraculum, lat., ſ. d. Art. Baldachin 4.

Umdämmung, Verſatzung, Waſſerſtube; ſo
nennt man die niedrigen Dämme um eine Bau⸗
grube, aus welcher das Waſſer geſchöpft wird;
ſ. d. Art. Fangedamm und Krippe.

Umdeichung. 1) Umgebung eines Stückes
Land durch Deiche; 2) das Maaß des Zurück⸗
liegens eines neuen Deichſtückes, welches zur Er⸗
ſetzung eines alten beſchädigten Stückes weiter
landeinwärts errichtet wird.

Umdrehung. Ueber **Umdrehungsflächen** ſ. d.
Art. Fläche und Rota⸗
tionsfläche. Ueber **Um⸗
drehungsfeſtigkeit** ſ. d.
Art. Feſtigkeit; über **Um⸗
drehungsgeſchwindigkeit**
ſ. d. Art. Geſchwindigkeit,
Kraft, Maſchine, Rad ꝛc.
In der Praxis iſt die
Beſtimmung des Dre⸗
hungspunktes zuweilen
der Gegenſtand der Un⸗
terſuchung, ſo z. B. bei

fig. 1866.

Spieltiſchen, bei welchen die obere Platte ein Rechteck
iſt und um 90° gedreht und dann aufgeſchlagen

wird. Iſt dann die Breite a b = der Hälfte der
Länge a c, ſo liegt der Drehungspunkt o am
zweckmäßigſten der Art, daß o f d g ein Quadrat
iſt, deſſen Seite f c = ⅘ c d iſt.

Umfang, lat. circuitus, circumferentia,
einer geradlinigen Figur, die Summe ihrer Seiten;
ebenſo Umfang einer Curve, die ganze Länge der⸗
ſelben. So iſt der Umfang eines Quadrats gleich
dem Vierfachen ſeiner Seite, und eines Kreiſes
gleich ſeinem Durchmeſſer multiplicirt mit π oder
3,14159265; ſ. auch d. Art. Dreieck, Figur, Kreis,
Peripherie ꝛc.

Umfangswinkel eines ebenen Vielecks, jeder
von zwei an einanderſtehenden Seiten deſſelben
gebildete Winkel. Die Summe der Umfangswin⸗
kel eines n⸗Ecks iſt gleich (2 n — 4) Rechten; alſo
iſt bei einem regulären n⸗Eck jeder Umfangs⸗
winkel gleich $\left(2 - \dfrac{4}{n}\right)$ R.

Umfaſſung, 1) ſ. v. w. Einfaſſung, Rand, auch
ſ. v. w. Contour; — 2) auch Umfriedigung genannt,
lat. circuitus, ſ. v. w. Einfriedigung, Einhegung.

Umfaſſungsmauer, Außenmauer, engl. out⸗
wall, ſ. d. Art. Mauer I.

Umgang. 1) Bewegung einer Welle oder
eines Rades um ſeine volle Peripherie; — 2) bei
einer Schraube ſ. v. w. Schraubengang, eine
volle Windung; — 3) lat. circuitus, um einzelne
Theile eines Gebäudes innerhalb oder außerhalb
ſich ziehender Gang, z. B. um einen Hof führende
Gallerie, ſ. d. Art. Kreuzgang, Chorumgang ꝛc.;
— 4) (Bergb.) man nennt eine Grube „im Um⸗
gang ſtehend", wenn ſie regelmäßig gebaut wird
und gehörig mit Leuten verſehen iſt.

umgebogenes Gabelkreuz, ſ. d. Art. Ga⸗
belkreuz und Kreuz.

umgekehrt, ſ. d. Art. Invers.

umgürten, frz. ceintrer, engl. to frap,
(Schiffsb.), um ein beſchädigtes Schiff auf Zeit noch
haltbar zu machen, ein ſtarkes Tau mehrmals herum⸗
ſchlagen und mit Drehbäumen zuſammendrehen.

Umhüllungscurve, ſ. d. Art. Grenzcurve.

Umhüllungsfläche, ſ. d. Art. Fläche, S. 66.

Umjak, ſ. d. Art. Kanot.

umkanten, ſ. d. Art. Kanten.

Umkreis, Umriß, engl. outline, ſ. v. w. Pe⸗
ripherie, Contour.

umniethen, das Umbiegen oder Breitſchlagen
des vorſtehenden Niethendes, ſ. d. Art. Niethe.

Umrahmung. 1) Bilderrahmen, ſ. d. Art.
Rahmen und Bild; — 2) (Herald.) ſ. d. Art. Hof.

Umſchlag (Deichb.), große Krümmung eines
Deiches, welche um einen Deichbruch geführt wird.

Umſchlagbohrer, Drillbohrer, ſ. v. w. Bo⸗
genbohrer.

umſchreiben; ein Vieleck um einen Kreis
umſchreiben heißt, ein ſolches Vieleck conſtruiren,
deſſen Seiten ſämmtlich Tangenten an dem Kreis
ſind; ſ. d. Art. Kreis, Vieleck ꝛc.

Umſchrot, ſchleſiſcher Provinzialismus für
Brüſtung, Geländer, Gallerie.

Umſchweif (Schloſſ.). 1) Bei einem Schloß⸗
kaſten die vier flachen, länglichen Seitenwände,
die das Schloßblech und den Schloßdeckel umge⸗
ben und verbinden; — 2) der Rand dieſer Seite,

der bei versenktem Deckel sichtbar ist und verziert wird; — 3) (Herald.) s. v. w. Einfassung.

Umschweifstift (Schloss.), die zwischen Schloß-blech und Schloßdeckel innerhalb des Schloß-kastens angebrachten Stifte.

umwirken bei einem eingeschlagenen Nagel die nach hinten vorstehende Spitze umbiegen.

Umzug (Herald.), innere Einfassung.

unauslöschliche Tinte, s. d. Art. Höllenstein.

unbehauen, 1) aus dem Bruch roh gelieferte Steine; s. d. Art. Rustik und Bruchsteinmauer; — 2) Stämme, die noch nicht mit der Axt behauen worden; s. d. Art. Bauholz.

unbekannte Größen einer oder mehrerer Gleichungen sind solche, welche vermittelst der durch die Aufgabe gegebenen oder bekannten Grö-ßen und der Gleichungen selbst, welche die in jener Aufgabe ausgesprochenen Bedingungen analytisch ausdrücken, bestimmt werden sollen. Man bezeich-net sie in den Gleichungen meist durch die letzten Buchstaben des Alphabetes, also durch x, y, z, u, v ..., die bekannten Größen dagegen durch die ersten, also a, b, c ... Die Aufgabe ist nur dann eine bestimmte, d. h. sämmtliche unbekannte Grö-ßen können gefunden werden, wenn zwischen diesen eben so viel von einander unabhängige Bedin-gungsgleichungen abgeleitet werden können, als Unbekannte existiren; ist die Zahl der aufzustellen-den Gleichungen kleiner, so ist die Aufgabe eine unbestimmte; ist sie größer, so ist die Auflösung im Allgemeinen unmöglich.

unbenannte Zahlen, solche, bei welchen die Einheit, auf welche sie sich beziehen, unbestimmt gelassen wird und bei denen es nur auf die Menge solcher Einheiten, nicht aber auf die Art derselben ankommt.

Unbeständigkeit, s. Kardinaltugenden 7.

unbestimmte Gleichungen sind solche, bei denen in einem System von Gleichungen mehr unbekannte Größen als Gleichungen vorkommen und denen man daher auf unendlich viele Weisen Genüge leisten kann. Man schreibt aber meist vor, daß die Lösungen ganze Zahlen sein sollen, wo durch größere Bestimmtheit der Aufgabe eintritt. S. auch d. Art. diophantische Analysis. Ueber un-bestimmte Integrale s. d. Art. Integral.

unbestrichener Raum, todter Winkel (Kriegsb.), Raum vor einer Schanze oder Fe-stung, auf den die aus der Festung gethanen Schüsse nicht wirken können; solche Räume sind möglichst zu vermeiden.

unbewaffnet (Herald.), z. B. Löwe, dem die Klauen, Eber und Elephant, denen die Zähne, Adler, dem die Krallen fehlen ꝛc.

unbezunget (Herald.), Löwe, Adler ꝛc., der keine Zunge zeigt.

Uncia, s. d. Art. Maaß, S. 504.

Uncinetto, ital., s. d. Art. Kriechblume.

Unctuarium, unctorium, lat., Salbzimmer; s. d. Art. Bad.

Unda, lat., Welle, Wellleiste, Karnies, s. d.

Undekrügers (Mühlenb.), eine von unten nach dem Wind verstellbare holländische Wind-mühle, s. d.

Undercroft, engl., Gruft, Krypta.

undercut, engl., unterschnitten.

Underground, engl., Kellergeschoß.

underpin, engl., unterfahren, stützen.

unebener Bruch (Mineral.), Bruchfläche, die eckige, unregelmäßige Erhöhungen und Vertie-fungen zeigt; findet sich gewöhnlich bei Metallen und geht oft in muscheligen oder erdigen Bruch über.

unecht, so nennt man einen Bruch, wenn der Zähler desselben größer ist als der Nenner; ein solcher kann stets durch eine ganze Zahl und einen echten Bruch dargestellt werden, bei welchem der Zähler kleiner ist als der Nenner.

unendlich, so nennt man 1) eine Zahl, wenn sie größer ist als jede beliebig große denk-bare Zahl. Man bezeichnet eine solche durch ∞. So ist z. B. die Tangente eines rechten Winkels unendlich. Der Quotient $\frac{\infty}{\infty}$ ist im All-gemeinen ganz unbestimmt; wenn jedoch eine Function durch Einführung eines bestimmten Werthes für die veränderliche Größe auf die Form

$$\frac{0}{\infty}\ \text{kommt, wie z. B.}\ \frac{\log x}{\frac{1}{x}}\ \text{für } x = 0,$$

so besitzt die Function doch in diesem Fall einen bestimmten Werth, welcher gefunden wird, indem man dem Bruch die Form ⁰/₀ giebt und ihn dann auf dem im Art. Null gegebenen Wege bestimmt. Hat namentlich $\frac{x}{y}$ für ein x den Werth $\frac{\infty}{\infty}$, so kann man diesen Bruch gleich setzen $\frac{1}{y} : \frac{1}{x}$ und erhält so-dann einen Bruch von der Form ⁰/₀. — 2) Eine Reihe, wenn sie, ohne irgendwo abzubrechen, nach einem bestimmten Gesetz ins Unendliche fort-läuft. Eine solche Reihe kann trotzdem eine endliche Summe haben (s. d. Art. Reihe). Man hat ebenso unendliche Kettenbrüche, Decimal-brüche ꝛc.; s. d. betr. Art.

unerschroten, unverritzt, unverfahren, un-verhaut, so heißt ein Gebirge, in dem noch keine Steinbrüche oder Gruben angelegt sind.

unganz, s. d. Art. Eisen, S. 687 u. Balken II. B.

ungarisches Gelbholz, s. d. Art. Gelbholz 7 und Berberisstrauch.

Ungarisch Grün, s. v. w. Berggrün.

ungebrannte Ziegel, s. Luftziegel u. Ziegel.

ungeformter flußsaurer Kalk, s. d. Art. Flußspath c.

Ungeheuer, die oft als Ornament angebrach-ten räthselhaften Thiergestalten; s. d. Art. Chi-märe, Arabeske, Ornament, Symbolik, Cassius ꝛc.

ungelöschter Kalk, s. d. Art. Kalk.

ungerad ist eine Zahl von der Form $2n + 1$, die also, durch 2 getheilt, als Rest die Einheit läßt.

Ungerechtigkeit, s. d. Art. Kardinaltugenden 8.

ungesäumt, engl. uncleft (Zimmerm.), s. v. w. baumkantig.

ungewisses Mauerwerk, lat. opus incer-tum, aus unregelmäßigen Bruchsteinen aufge-führtes Mauerwerk; s. d. Art. Bruchstein und Mauerverband.

ungleichförmig, s. d. Art. Bewegung, Dich-tigkeit ꝛc.

ungleichseitig, so nennt man 1) eine gerad-linige Figur, wenn ihre Seiten nicht alle einander gleich sind; s. d. Art. Dreieck, Vieleck ꝛc.; — 2) eine Hyperbel, wenn ihre beiden Achsen verschieden lang sind, s. d. Art. Hyperbel.

Universalgelent; dasselbe dient, um die drehende Bewegung einer Welle auf eine andere, einen Winkel mit jener bildenden, zu übertragen; über das einfache Universalgelent s. d. Art. Kuppelung u. Fig. 1442; bilden beide Wellen einen größeren Winkel mit einander, so wendet man das doppelte Universalgelent (Fig. 1867) an, wobei aber Cc mit Bb denselben Winkel wie d D mit a A bilden muß.

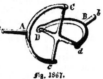

Fig. 1867.

Universitätsgebäude, s. d. Art. Schule 3. g.

Unkelstein (Mineral.), s. v. w. Basalt.

Unland (Deichb.), geringes, schlechtes Land, worauf bei Deich- und Sielachten keine Leistungen vertheilt werden.

unmingled geometrical tracery, engl., s. d. Art. Maaßwerk.

unorganisch, s. d. Art. Anorganisch; die unorganische Chemie beschäftigt sich mit unorganischen oder anorganischen Substanzen; so heißen alle aus dem Mineralreich abstammenden, natürlich vorkommenden Körper, dann auch alle aus diesen künstlich dargestellten Verbindungen, im Gegensaß zu den organischen Körpern.

unreiner Schlich, s. d. Art. Schlich.

Unrolling, engl., Abwickelung.

unschuldige Kindlein, die in Bethlehem gemordeten Kinder wurden im Mittelalter, mit Röckchen bis an's Knie bekleidet, unter dem Schuß von Engeln dargestellt.

unstätig, s. d. Art. Discontinuirlich.

Unsterblichkeit, Symbole derselben: Pfau, Schlange, Schmetterling, Immortellenblume.

Unterbalken, s. Architrav, Balken u. Träger.

Unterbau, 1) der unter der Erde stehende Theil eines Gebäudes, z. B. Gründung, Keller, Souterrains zc.; — 2) s. v. w. Stylobat; — 3) s. d. Art. Sockel; — 4) s. d. Art. Eisenbahn.

unterbaute Batterien, s. d. Art. Batterie.

Unterbeistoß, unteres Querstück einer eingestemmten Thür; s. d. Art. Thür und Beischub.

Unterbogen, s. d. Art. Archivolte.

Unterbühne, s. Hyposkenion und Theater.

Unterchor, lat. solea, chorus lapideum pallentium, der am östlichen Ende des Schiffes, westlich von dem Hohen Chor, tiefer als letzterer gelegene, von Schranken umgrenzte Raum für Sänger und niedere Cleriker; s. d. Art. Kirche, Basilika, Chor zc.

Unterdamm (Deichb.), Grund, auf welchen ein Deich errichtet wird, vorzüglich dann, wenn solcher ein künstlicher ist.

unter dem Eisen arbeiten (Bergb.), von oben nach unten gradvorwärts das Gestein, beim Miniren Mauerwert oder Erde loßschlagen.

Unterdrempel, Untertrempel, 1) Drempel am Unterhaupt einer Schleuße; s. d. Art. Schleuße, Drempel und Trempel; — 2) s. d. Art. Pforte.

unteres Seil (Bergb.), Seil, welches an den unteren Göpelkorb gelegt wird.

unterfahren, 1) franz. reprendre en sousoeuvre, ein stehendes Gebäude, an Stelle der baufälligen Gründung mit neuem Fundament versehen, oder wegen einer daneben gegrabenen Grundgrube oder sonstigen Vertiefung mit tieferem Fundament ausküsten; muß natürlich sehr vorsichtig geschehen; — 2) (Bergb.) die Stellörter so weit treiben, bis man unter die Erze kommt.

Unterfahrt, s. d. Art. Halle 2.

Unterfluther (Wasserb.), der nach dem Unterwasser hin gerichtete und schräg abwärts liegende Boden bei einem Schüßwehr oder einer Freiarche.

unterfüttern, 1) den Schleußenboden, Parquetboden und dgl. mit Dielen unterlegen, so daß zwei LagenBretter übereinander kommen; — 2) Dielen, Trottoirplatten zc. unterfüttern oder unterstopfen heißt s. v. w. Erde, Kies und dgl. fest und dicht von der Seite unter dieselben einstampfen.

Untergebälke, s. d. Art. Geschoß, Gebält, Balkenlage und Balken I. B.

Untergefälle (Wasserb.), Fall des Wassers bei mittel- und unterschlächtigen Rädern.

untergekrochen (Bergb.), so nennt man einen Gang, der nicht bis an die Dammerde reicht, sondern ein Dach von Gestein hat.

untergelegt, unterlegt (Herald.), 1) eine früher gebräuchliche Art der Wappenvereinigung, indem man das eine Wappen unter das andere stellt; — 2) alles Das, was unter, resp. hinter den Schild gestellt wird, besonders Standeszeichen.

Untergerinne, 1) das zunächst an und unter dem Schloßgerinne angelegte Gerinne bei Pochwerken; — 2) s. d. Art. Gerinne, Mühlgraben u. Räusche.

Untergeschoß, Unterstock, s. v. w. Erdgeschoß.

Untergesenke, s. d. Art. Gesente.

Untergesims, s. v. w. Fußgesims.

Untergestell, s. d. Art. Hohofen I.

Unterglied, engl. bed-moulding; so nennt man die Glieder unmittelbar unter der Hängeplatte, also zwischen Fries und Hängeplatte.

Untergraben (Mühlenb.), Graben für den Abfluß des Unterwassers.

Unterhals, s. d. Art. Hypotrachelium.

Unterhaupt, s. Brückenpfeiler und Schleuße.

Unterhaus, 1) bei einem Haus der untere Theil (Erdgeschoß); — 2) tiefer gelegenes Haus.

Unterheerd (Hüttenw.), bei Schmelzöfen der unter dem Vorheerd angelegte Kessel, in welchen das schmelzende Metall aus dem Vorheerd fließt.

Unterholz, 1) Endholz, Niederholz, s. d. Art. Oberholz; — 2) Rahmen zum Auflegen von Balten oder Sparren; — 3) (Schiffsb.) unter dem Wasser gehender Theil des Schiffes, vom Kiel bis zum ersten Verdeck; auch Unterschiff genannt.

unterkellern, ein stehendes Gebäude nachträglich mit Kellern und demgemäß mit tieferen Fundamenten versehen.

Unterkirche, 1) gleichbedeutend mit Crypta; — 2) Bezeichnung des Langhauses, im Gegensaß gegen den höher gelegenen Chor; — 3) unterer Raum einer Doppelcapelle.

unterkriechen (Bergb.), den unterirdischen Abbau beginnen; vergl. auch d. Art. Untergekrochen.

Unterlage, 1) Bohle oder auch Balkenkreuz unter einer Säule zc., damit die Last auf eine größere Fläche des Fundaments vertheilt werde; —

2) innere Bekleidung des Schiffes mit Planken;
— 3) (Hüttenw.) dicke eiserne Platten auf dem
Boden des Pochtroges; — 4) s. v. w. Lager 3;
— 5) (Dachd.) kurze Dachschauben, die am Rand
oder Abfall des Strohdaches unter die eigentlichen
Schauben gelegt werden, um diese Stelle dauerhafter und stärker zu machen; — 6) Unterlage der
Kriegsbrücken, Unterstützungen der Brückendecke,
des Brückenweges; sind entweder stehende, z. B.
Böcke, Pfahljoche, Bretstapel ꝛc., oder schwimmende,
wie Pontons, Flöße, Tonnen ꝛc.; — 7) (Schloss.) s. v.
w. Untergesenke; — 8) (Masch.) s. v. w. Angewäge;
— 9) (Mühlenb.) die Tragbank für den Steg.

Unterlauf, franz. brion, engl. forefoot,
1) (Schiffsb.) auch Stevenanlauf, Anlauf zum Vorsteven, Stempholz, das den Kiel nach vorn zu
endigende starke krumme Stück, worauf der Vordersteven steht; — 2) s. v. w. Unterbed.

Unterleger, 1) s. v. w. Unterlage und Lagerholz; — 2) (Schiffsb.) platte Fahrzeuge mit einem
Mast zum Kalfatern, Ausbessern von Schiffen
oder um Masten auf dieselben zu setzen.

Untermaaßbalken, s. Bauholz, S. 281.

Untermasse (Bergb.), die Masse oder das den
Gewerken zugemessene Stück unter einer Fund-
grube. Meistens 48 Lachter lang, 3½ Lachter ins
Hangende und 3½ Lachter ins Liegende breit.

Unterpumpstöckchen, an Pumpen diejenige
Röhre, worin sich die Thürelröhre befindet.

Unterriegel, der untere in die Schwelle greifende Riegel an dem stehenden (gewöhnlich geschlossenen) Flügel einer zweiflügeligen Thür.

Unterrolle, Rolle in der unteren Flasche, Un-
terflasche, Unterkloben bei einem Flaschenzug.

Untersatz, 1) unter den Plinthen von Säulen und Pilastern mitunter noch angebrachte
Würfel; — 2) s. v. w. Eckstein ꝛc.; — 3) (Schloss.)
s. v. w. Docke, kleiner Amboß des Klopfers, s. d.

Untersaum, Plättchen unten am Säulenschaft zwischen dem Säulenfuß und dem Anlauf.

Unterschälung (Deichb.), Uferabschälung am
Fuß des Ufers oder Deiches, wenn sie nicht durch
die Strömung, sondern durch den Wellenschlag
des Wassers hervorgebracht ist.

Unterschenkel, s. d. Art. Fenster.

Unterschied, Differenz zweier Zahlen, Zahl,
welche angiebt, um wie viel die eine von ihnen
größer ist als die andere.

unterschlächtig, s. d. Art. Gerinne, Mühle A. c.
und Wasserrad.

Unterschlag, 1) s. v. w. Unterzug; — 2) frz.
entremise, clé, engl. chock (Schiffsb.), neben
den Fischen zwischen die Balken gelegte Kalben
oder Balkfüllungs, damit beim Schwanken der
Masten die Fische nicht zu sehr beschädigt werden.

Unterschneidung, frz. u. engl. intersection;
ein Glied unterschneiden heißt: die untere Fläche
desselben, die sonst waagerecht sein würde, aushöhlen; wenn die Unterschneidung groß wird, nennt
man sie Wassernase, s. d.; vgl. a. d. Art. Gesims.

Unterschürer, s. d. Art. Pochwerk.

Unterschwelle, s. v. w. Sohlstück.

unterschwellen, eine Fachwerkswand mit
einer neuen Schwelle versehen.

Untersetzer (Schloss.), s. d. Art. Auftiefen.

Untersicht, frz. soffitte, span. intrado, untere

Fläche eines Simses oder Balkens, Laibung eines
Bogens ꝛc.

Unterstöckchen, s. d. Art. Ambos.

Unterstreifen, unterer Theil eines in Streifen
getheilten Architravs; s. d. Art. Jonisch, Korinthisch ꝛc.

Unterstück, Zwicker (Bergb.), bei einem
Bergbohrer das untere Stück.

Unterwall (Festungsb.), franz. fausse braye,
s. niedriger Wall; angebangener Unterwall heißt
eine fausse braye, welche vom Hauptwall nicht
durch einen Graben getrennt ist. Durch die fausse
braye entsteht niedere Vertheidigung, durch Fort-
führung derselben vor den Flanken des Hauptwalles
niedere Flankenvertheidigung.

Unterwasser, 1) das durch die Fluth in einem
Strom aufwärts getriebene Wasser; — 2) (Mühlb.)
das schon benutzte, resp. hindurchgelassene Wasser;
— 3) das Wasser unterhalb der Mühle, der
Schleuße, des Sieles ꝛc.

Unterwelt, Orkus; s. d. Art. Hades.

unterwölben, 1) durch ein Gewölbe stützen;
— 2) s. v. w. stichbogenförmig oder flachelliptisch
wölben.

unterziehen, 1) s. v. w. unterbauen; — 2) in
einem Gebäude eine neue Schwelle einlegen, unter einem Gebäude eine neue Mauer aufführen,
unter Balken einen Träger einlegen ꝛc.

Unterzug, Unterträger, franz. calle, lambourde de plafond, 1) starkes Holz, welches, unter
Balken ꝛc. auf Wände, Mauern, oder auch auf einzelne Pfeiler gelegt, jene Balken unterstützt; s. d. Art.
Träger, Hängewert, Balken II. D., Grubenbau ꝛc.

Untiefe, Drögde, frz. bas-fond, engl. shallow-
water, seichte Stelle in einem Teich oder Fluß.

unveränderlich; so nennt man eine solche
Größe, welche ihren Werth beibehält, wenn auch
andere Größen ihre Werthe ändern; z. B. der
Halbmesser r in der Gleichung des Kreises $x^2 + y^2$
$= r^2$. Unveränderliche Größen werden meist mit
den ersten Buchstaben des Alphabetes bezeichnet.

unverliehenes Feld (Bergb.), ein noch nicht
gemiethetes Feld.

Unze, s. d. Art. Gewicht.

Upana, s. d. Art. indische Baukunst, S. 322.

Upapitha, s. v. w. Piedestal einer Säule; s. d.
Art. indische Baukunst, S. 322.

Upperslope, engl., Abwässerung, Wasserschlag, s. d.

Upperwall, s. v. w. Oppenwall.

Ur, s. d. Art. Maaß, S. 504, Bd. II.

Uran; ein zu den Schwermetallen gehöriges
Element, welches sich in verschiedenen Uranerzen
findet, jedoch nie als Metall in der Natur aufge-
funden wurde. Es verbindet sich mit Sauerstoff
in zwei Verhältnissen: Uranoxydul, welches mit
Säuren grüne Salze, und Uranoxyd, das mit Säuren gelbe Salze bildet. Die wichtigsten Uranerze
sind: a) Uranglimmer, Uranit, Urankalk, Chal-
kolith, lat. Uranium spathosum, Uranphosphat,
Krystalle, meist sehr niedrige, tafelartige, gerade,
quadratische Säulen, in Blättchen und angeflogen.
Hat, in der Richtung der Endflächen der Krystalle
am deutlichsten, Blättergefüge. Ritzt Gypsspath,
ist ritzbar durch Kalkspath, hat starken Perlmutterglanz, Farbe gras-, smaragd- und zeisiggrün.

Der Uranit besteht im Wesentlichen aus basisch-phosphorsaurem Kalk in Verbindung mit phosphorsaurem Uranoxyd und Wasser. Man findet dieses Mineral bei Autun in Frankreich und zu St. Prieux unweit Limoges. b) Uranocher, gelbe, im Bruch erdige Masse, aus der man den Uran darstellt, den die Porzellanmaler zur Darstellung schön gelber Nüancen verwenden. Fundorte: Joachimsthal und Johanngeorgenstadt in Sachsen. c) Uranpecherz, Pechblende, schwarzer Uran, lat. Uranium sulphuratum, kommt unter ähnlichen Verhältnissen vor, wie Uranglimmer. Ist nierenförmig, traubig, öfter derb; im Bruch flachmuschelicht. Ritzt Apatit, durch Feldspath ritzbar; glänzt fettig, Farbe graulich und pechschwarz. Dieses Mineral besteht hauptsächlich aus Uranoxydoxydul, enthält gewöhnlich verschiedene Erze, wie Bleiglanz, Schwefelkies, Fahlerze ꝛc., beigemengt. Es findet sich in Johanngeorgenstadt, Annaberg, Wiesenthal in Sachsen, Joachimsthal in Böhmen, bei Valle in Norwegen ꝛc. d) Uranvitriol oder Johannit, schwefelsaures Uranoxyd. Als Mineral findet sich der Uranvitriol in Begleitung von Pechuranerz in aufgewachsenen Krystallen, sehr selten zu Joachimsthal.

Urangelb, s. d. Art. gelbe Farben.

Urania, s. d. Art. Musen 6 und Hymen.

Uranthon (Mineral.), hat blättriges Gefüge, ebenen bis flachmuscheligen Bruch; glänzt perlmutterartig, fettig, grüne oder gelbe Farbe, findet sich bei Johanngeorgenstadt in Sachsen in Rissen und Spalten des Uranpecherzes vor.

Urban, St., 1) Urban I., Papst unter Alexander Severus, bekehrte den Valerian, Bräutigam der St. Cäcilia, wurde 231 enthauptet; — 2) Urban von Langres, St., sehr unsichere Person, darzustellen als Bischof, zur Seite einen Weinstock. Patron des Weinbaues, für Fruchtbarkeit, gegen Körperschwäche und von Valencia.

Urbelhammer, Urwellhammer, s. v. w. Blechhammer; s. d. Art. Blech a.

Urbs, lat., s. d. Art. Burg, S. 490, und Stadt.

urchristliche Baukunst, s. d. Art. altchristliche Baukunst.

Urdur (nord. Mythol.), eine der Nornen, Göttin der Vergangenheit.

Urfels, Urgebirge; s. d. Art. Baustein, S. 291, und Formation.

Urgestein; so nannte man fälschlich Granit, Gneis, Glimmerschiefer, Urthonschiefer und Urkalk. Seitdem man erkannt hat, daß diese Gesteine nicht als ursprüngliche Ablagerungsproducte angesehen werden können, da sie in der Regel erst durch Umwandlung aus andern Gesteinen entstanden sind, ist diese Bezeichnung nicht mehr passend.

Urgipsstein, s. d. Art. Alabaster.

Urgrünstein, findet sich bisweilen in Gneis, Thonschiefer ꝛc. eingelagert, s. d. Art. Grünstein.

Uriel, s. d. Art. Engel.

Urinküpe; so heißt die Methode, den Indigo durch faulenden Urin zu reduciren und zu lösen.

Urkalkstein, körniger Kalk, Marmor; s. d. Art. Kalkstein f. und Marmor.

Urkieselschiefer, s. v. w. Kieselschiefer.

Urle, Provinzialname für den gemeinen Ahorn, die rauhe Ulme und gemeine schwarze Erle.

Urna, lat., als Maaß; s. d. Art. congius, Amphore, Maaß, S. 504 u. 514.

Urnarium, lat. frz. seau, pierre d'évier, ital. secchiario, Tisch in der Kirche zum Aufstellen der Urnen und anderer Gefäße; zugleich Goßstein.

Urne, lat. urna, span. olla, bauchiges Gefäß mit engem Hals und zwei Henkeln, sehr gebräuchliche Verzierung an Grabmälern, Symbol der Freundschaft ꝛc. Man fertigt sie von Stein, Thon oder Metall, gewöhnlich mit Basreliefs versehen oder mit Gehänge von Blumen, Blättern ꝛc. verziert.

Urschlacken (Hüttenw.), die nochmals ausschmelzbaren Schlacken beim Zinnschmelzen, welche aus dem Vorheerd in die Schlackengrube laufen.

Ursicinus, St., von Ravenna, Patron von Basel, Arzt unter Nero; wurde bei Palma enthauptet; der Leichnam richtete sich auf und trug seinen Kopf bis an seine Grabstätte. Darzustellen als Bischof, seinen abgehauenen Kopf tragend; aus dem abgeschnittenen Hals sprossen Palmenzweige.

Ursinus, St., von Bourges, Bischof, Patron von Bourges und Lisieux.

Ursula, St., englische Königstochter, Patronin der Kinder und der Stadt Cöln. Vom Fürsten Konan zur Ehe begehrt, segelte sie mit 11,000 Jungfrauen von England nach Holland, den Rhein hinauf nach Basel, und reiste von da nach Rom. Auf der Rückkehr wurde die ganze Schaar bei Cöln ermordet. Darzustellen mit der Krone auf dem Haupt, mit einem Pfeil in der Hand, oder in einem Schiff stehend, oder ihren Mantel über die 11,000 Jungfrauen ausbreitend, oder unter ihren Füßen eine Taube.

Ursus, St., Mitglied der thebaischen Legion, in Solothurn mit dem Schwert enthauptet, daher Patron von Solothurn. Darzustellen geharnischt, mit Fahne oder Schwert.

Urthonschiefer (Mineral.), so wird diejenige Thonschiefergattung genannt, welche nach ihrem geognostischen Vorkommen in der Reihe der Gebirgsarten zum uranfänglichen Gebirge gehört, zum Unterschied von den spätern Thonschieferbildungen, welche zu den Flözgebirgen gehören; s. d. Art. Thonschiefer.

Urtica nivea, weiße Nessel (F.Nesselgewächse), liefert Gespinnstfasern und Material zu Stricken.

Urwellen (Hüttenw.), das erste Breitschlagen des Eisens beim Blechschmieden, welches unter dem Urwellhammer geschieht, der 2 bis 3 Centner schwer ist; s. d. Art. Blech a.

Usine, frz., Gesammtheit der Gebäude, Werkstätten ꝛc. die zu einem industriellen Etablissement gehören; s. d. Art. Fabrikanlage.

Ustrium, lat., Ort, wo ein Scheiterhaufen, ustrum, zu Leichenverbrennung errichtet wird.

Uterland, Uthland (Deichb.), s. v. w. Marschland und Vorland; s. d. Art. Außendeich.

Utlegger, frz. patache, s. d. Art. Auslieger 1.

Ulsteeke, Erker; s. d. Art. Artner.

Uttara, v. w. Blättchen; s. d. Art. Campa und indische Baukunst, S. 322.

Uttica, indischer Name des Säulengebälkes; s. d. Art. indische Baukunst.

Uvula piscis, lat., 1) s. v. w. Mandorla, s. d.; — 2) Fischblase, s. d.

Uzaine, frz., Flußschiff auf der Loire.

V. I) Als Zahlzeichen ist das römische V = 5; das gothische Ꝺ = 400, das hebräische ׳ = 6; — 2) als Abkürzung auf römischen Inschriften bedeutet V: vivus, vixit, victoria etc.; — 3) in der Mathematik ist V meist das Zeichen für das Volumen; — 4) in der Mechanik ist V die Geschwindigkeit eines bewegten Körpers.

Va, chinesisches Längenmaaß, circa 8 Fuß.

Vaatje, Emdener Getreidemaaß; s. d. Art. Maaß, S. 499, Bd. II.

Vaccary, engl., Kuhstall.

Vacerra, lat., 1) Latirbaum, Pilar; — 2) Fenz, Pallisade; — 3) Ochsenpark, Thiergarten.

Vacuum, so nennt man den luftleeren oder häufiger den luftverdünnten Raum, der auf verschiedene Weise hergestellt werden kann. Man kann ein Vacuum mittelst der Luftpumpe, oder dadurch, daß man Luft mit Wasserdampf verdrängt, welch' letzteren man dann durch Abkühlung zu Wasser verdichtet zc., erhalten. Das Vacuum wird sehr häufig zum Trocknen oder Abdampfen benutzt, so z. B. in der Zuckersiederei zum Concentriren des Zuckersaftes in den sogenannten Vacuumpfannen.

Vadem, s. d. Art. Maaß, S. 485 und 500.

Vagon; voûte en vagon, frz., Tonnengewölbe.

Vaigre, frz., Bodenplanke.

Vaisseau, frz., Schiff; vaisseau d'église, Kirchenschiff, Langhaus.

Vaissel, vaisselle, frz., lat. vassella, vassallamentum, ein schiffähnlicher Tischaufsatz, überhaupt Gold- und Silbergeräth.

Vajina (ind. Styl), s. v. w. Blättchen; s. d. Art. indische Baukunst, S. 322.

Val, in Ostindien Gold- und Silbergewicht = 7,9 holländischen Aß.

Valagra, s. d. Art. Haftha.

Valence, engl., Betthimmel, Vorhangsbaldachin.

Valentinus, St., 1) Apostel und Bischof von Passau und Umgegend, darzustellen als Bischof, von einer Anhöhe an einem Fluß herab den Heiden predigend. — 2) Bischof zu Interamna, heilte den sehr verwachsenen Sohn des Kraton. Alle Angehörigen desselben und alle Zeugen des Wunders wurden enthauptet. Darzustellen als Bischof mit dem Schwert oder der Sense. — 3) Priester zu Rom um's Jahr 270, wurde vom Kaiser dem Asterius als Sclave übergeben, heilte dessen blinde Tochter und bekehrte das Haus. Wurde mit dem Schwert enthauptet; ist Patron von Toscana, gegen Pest und Epilepsie.

Valerianus, St., Patron von Cordova, Forli,

gegen den Sturmwind, Bräutigam der St. Cäcilia; sab, als er Christ geworden, den Schutzengel seiner Braut; gelobte ihm ewige Keuschheit. Abzubilden mit einem Engel neben sich.

Valetudinarium, lat., Hospital, s. im Art. castrum.

Vall, Schiffstau, zum Aufziehen der Raaen und Flaggen; Vallreep, Knotentau zum Anhalten beim Besteigen der Schiffstreppen.

Valley, engl., Dacheinkehle; valley rafter, Kehlsparren.

Vallum, lat., Wall, Pallisadirung; s. d. Art. castellum.

Vallus, lat., Pfahl.

Valoring, aloryng, alura, engl., Gallerie, aus Mallerei entstanden; s. d. Art. Bohr.

Valu, s. d. Art. Odin.

Valva, lat., Thürflügel, auch Fensterladen.

Vamplate, engl., Brechscheibe; s. d. Art. Lanze.

Vamure, engl., Mauerumgang, Wehrgang, Rundenweg, Letze.

Vanadin, findet sich häufig als Begleiter in einigen Eisenerzen, in dem Dechenit und Aräozen (Vanadinsäure mit Bleioxyd und Zinkoxyd) in der Rheinpfalz, sowie im mexikanischen Rothbleierz zc. Dargestellt wird Vanadin durch Reduction der Vanadinsäure mittelst Kalium; es ist silberweiß, von starkem Glanz, nicht hämmerbar, verändert sich an der Luft und im Wasser nicht, beim Erhitzen an der Luft aber verbrennt es. Die Oxydationsstufen und die Eigenschaften der Verbindungen ähneln denen des Chroms. Die Vanadinsäure ist ein braunrothes Pulver, welches sich in mehr als 1000 Thln. siedendem Wasser löst und durch organische Substanzen zu Oxyd (einem schwarzen Pulver) reducirt wird.

Vandyksbraun, s. d. Art. Casseler Erde.

Vane, altengl., s. v. w. Fahne; s. d. Art. Anemoskop, Fahne und Wetterfahne.

Vaneze, s. d. Art. Maaß, S. 493, Bd. II.

Vanne, frz. Schleußenthor.

Vantail, frz., Thürflügel.

Var oder Vär (nord. Mythb.), Asin, die Aufsicht führt über die Eide zwischen Mann und Frau.

Vara, lat., Querholz, Gabel, Bock, Feuerbock.

Vara, span., portug. Barra, Stab, Stecken, besonders: 1) Säule eines Traghimmels; — 2) Längenmaaß, zu Alicante 337,0, in Arragonien 394,3, zu Bilbao 377,2, zu Cadiz 375,9, auf den Canarischen Inseln 381,0, zu Carthagena 371,0, in Castilien, Gibraltar, Madrid, Malaga und Sevilla 375,9, zu Madeira 486,0, zu Teneriffa 379,5, zu Toledo 364,3, zu Valencia 403,0, in Portugal 486,0 Par. Linien; s. d. Art. Maaß S. 487, 489, 495 zc., und Elle, S. 711 und 712.

Varec, ſo nennt man die an den Küſten der Normandie aus Seetangen gewonnene Aſche, welche zur Darſtellung von Jod und Brom verarbeitet wird.

variabel oder veränderlich nennt man jede Größe, welche man in einer ſolchen Beziehung betrachtet, daß ſie jeden willkürlichen Werth annehmen kann. Man bezeichnet die variablen Größen zum Unterſchied von den conſtanten oder unveränderlichen durch die letzten Buchſtaben des Alphabets (x, y, z, u, v, w...). In der Gleichung des Kreiſes $y^2 = r^2 - x^2$, worin x die Abſciſſe, y die Ordinate jedes Punktes deſſelben darſtellt, ſind x und y variable Größen, r, der Radius des Kreiſes, dagegen iſt conſtant. Jede Größe, welche von einer variablen Größe nach irgend einem Geſetz abhängt (wie hier y von x), heißt eine Function derſelben und iſt natürlich wieder eine variable Größe; doch hat man zu unterſcheiden zwiſchen unabhängigen und abhängigen Variablen; der Werth der erſteren (hier x) iſt keiner Bedingung unterworfen, während derjenige der letzteren (hier y) durch den Werth einer unabhängigen Variabeln bedingt wird.

Variationen (Math.) einer gegebenen Anzahl von Elementen (ſ. d.) ſind alle möglichen, aus der Zuſammenſtellung einer beſtimmten Anzahl derſelben hervorgehenden Verbindungen. Alle Variationen, welche gleiche Anzahl von Elementen haben, gehören zu derſelben Claſſe und zwar zur erſten, zweiten ꝛc., nten, je nachdem in ihnen 1, 2 .. n Elemente zuſammengeſtellt ſind. So ſind die Variationen zweiter Claſſe aus den Elementen a, b, c, d: ab, ac, ad, ba, bc, bd, ca, cb, cd, da, db, dc. — Außerdem unterſcheidet man noch Variationen ohne und mit Wiederholungen; bei den erſteren darf in jeder einzelnen Variation daſſelbe Element nur einmal vorkommen, bei den letzteren beliebig oft, ſo daß die Variationen 2. Claſſe mit Wiederholung aus den Elementen a, b, c, d ſind: aa, ab, ac, ad, ba, bb, bc, bd, ca, cb, ce, cd, da, db, dc, dd. Die Anzahl der Variationen ohne Wiederholung von n Elementen zur mten Claſſe wird n (n — 1) .... (n — m + 1), dagegen mit Wiederholung einfach n^m. Ueber variable Kräfte ſ. d. Art. Kraft.

Variationsrechnung, der Theil der Mathematik, welcher lehrt, das Maximum oder Minimum (ſ. d.) von Integralen zu finden. So werden die Aufgaben: die Curve zu finden, welche bei demſelben Umfang den kleinſten Inhalt hat, oder durch eine doppelt gekrümmte Curve die krumme Oberfläche zu legen, welche den kleinſten Flächeninhalt beſitzt, mit Hülfe der Variationsrechnung aufgelöſt. Dieſe iſt eine der ſchwierigeren Theile der Mathematik und Gegenſtand der combinatoriſchen Analyſis; ſ. auch d. Art. Infiniteſimalrechnung.

Varinus oder **Varius,** St., ſ. d. Art. Guarinus.

Variolit, Blatterſtein (Mineral.), feinkörniger bis dichter Diorit mit erbsgroßen Körnern und kleinen kugeligen Maſſen von Feldſpath, findet ſich im Grünſtein ꝛc.; Farbe braun, röthlich oder grün.

variolitiſcher Piſtazitſels, ſ. d. Art. Piſtazitſels d.

Varnish, engl., Firniß, Lack.

Varrendelsdeich (Deichb.), ſ. v. w. Bauerndeich.

Vasa sacra, lat., frz. vases ecclesiastiques, vases sacrés, engl. holy-vessels, Kirchengefäße, ſ. d.

Vasarium, ſ. d. Art. Bad 4 b.

Vasca, ital., frz. vasque, Vaſe, Brunnenbecken; ſ. d. betr. Art.

Vase, frz., fem., ſumpfiger Boden.

Vase, frz., masc., Vaſe, Capitälkelch.

Vaſe, lat. vas, frz. vase, engl. vessel, ſpan. olla; eigentlich heißt vas jedes Gefäß; im Mittellat.: vas fusile, gegoſſenes; vas productile, getriebenes Metallgefäß; vas lustricum, Weihkeſſel. Jetzt verſteht man unter dem Ausdruck Vaſe namentlich Ziergefäße, am häufigſten vom Boden an ſich erweiternd, rund, ungefähr bei ⅔ oder ½ der Höhe eingezogen, wodurch ſich eine Art Hals bildet, der ſich dann nach oben zu erweitert, nach Art eines Blumenkelchs, deſſen oberſte Breite ziemlich mit der größten Weite der Vaſe übereinſtimmt. Man benutzt die Vaſen als Verzierungen auf Dächern, Altanen, Geländern, Thorpfeilern ꝛc., und auch in Gärten ꝛc. freiſtehend, meiſtens auf einem Poſtament. Für die ſchönſten gelten die griechiſchen Vaſen, welche jetzt noch als Muſter benutzt werden. Man verziert die Vaſen mit Blumen- oder Blätterguirlanden, mit Tuchbehängen oder, ſtehen ſie tief, mit Basreliefs und Inſchriften. Man fertigt ſie aus Marmor, Sandſtein, Jaspis, Onyx, gegoſſenem Blei, Zink und Eiſen, Blech, Holz oder gebranntem Thon. Vergl. auch d. Art. Gefäß und Keramik, ſowie d. Art. Kelch, Capitäl, Corbeille.

Vaſu, ſ. d. Art. Beſchu.

Vat, ſ. d. Art. Maaß, S. 500, Bd. II....

Vaterin, ſ. d. Art. Gummiharze 2.

Vaterſchacht (Bergb.), der erſte Schacht, welcher auf einem gemutheten Gang eingeſchlagen und getrieben wird.

Vaterſchraube, Schraubenſpindel, im Gegenſatz zur Mutterſchraube.

Vaterſtahl, Schraubenſchneidezeug, womit die Vaterſchrauben geſchnitten werden.

Vatillum, ſ. d. Art. Batillos.

Vauban's Befeſtigungsſyſtem, ſ. d. Art. Befeſtigungsmanier und Feſtungsbau.

Vaucanson's Kette, ſ. d. Art. Kette 1 c.

Vaudeluques, vaudelu, godelu, frz., aus dem ital. volto santo de lucra corrumpirt; Veronicatuch.

Vault, engl., Gewölbe; vaulted, alt-engl., vawthid, gewölbt; Faulttracery vaulting, Gewölbe mit Zinnrippen; groined vault, Gratgewölbe; groined vault with welsh arches, vergl. mit Stichkappen; rib-vault, Rippengewölbe; roman vault, Kreuzgewölbe ohne Rippen; barralvault, Tonnengewölbe; vaulting-shaft, Dienſt, Gurtträger; vaulting-cell, Gewölbſach.

Vauquelinit (Mineral.), kupfer- und chrombaltiges Bleierz, mit zeiſiggrünem Strich, wiegt 5½; hat unebenen und flachmuſcheligen Bruch, iſt tropfſteinartig, nierenförmig, oft ausgehöhlt, Farbe ſchwärzlich, grünlich, ins Leberbraune übergehend.

Vauvan (Laurelia serrata, Fam. Laurelien), ein hübſcher Baum Chile's, deſſen dauerhaftes Holz häufig zu Balken und Brettern verwendet wird.

Veau, frz., das bei Herſtellung einer Büge aus Bret abfallende ſegmentförmige Stück.

Vedaſtus, St., auch St. Waaſt genannt, war Einſiedler zu Toul, unterrichtete den König Chlodwig im Chriſtenthum, heilte auf der Reiſe zu Toul einen Blinden, wurde 551 Biſchof von Arras;

erhält als Attribut einen Bär oder Wolf mit einer Gans im Rachen. Er hatte das Raubthier genö-thigt, seinen Raub wieder herzugeben.

Vedibhadra, f. d. Art. Indisch, S. 322 und Fig. 1328 a.

Vedica, f. d. Art. Indisch, S. 326.

Vedro, f. d. Art. Maaß, S. 504, Bd. II.

Veduta, ital., perspectivische Ansicht.

Veerken, f d. Art. Maaß, S. 504, Bd. II.

vegetabilisches Elfenbein, f. Piassabapalme.

Vehmgericht; besonders eingerichtete Locale scheinen die Vehmgerichte nicht gehabt zu haben. Hier und da haben sich noch sogenannte Freistühle erhalten, sie bestehen aber meist nur aus einem Steintisch, begleitet von einem oder drei als Sessel dienenden Steinblöcken, beschattet von einer Eiche, einer Linde oder einem Felsen.

Veilchenbaum (Eucalyptus globulus D. C.), Blue gumtree, ein 250—350' hoher Baum in Vandiemensland, dessen Holz als Bauholz sehr gesucht ist.

veilchenblaue Farbe, f. d. Art. Violet.

veilchenblauer Flußspath, Chlorophan, Cyanophan, Pyrosmaragd, violetter Flußspath (Mineral.), Art des Flußspathes; f. d.

Veilchenholz, 1) blaues Ebenholz, f. d. Art. Ebenholz d; — 2) f. d. Art. Eisenholz 7.

Veilchensteine (Mineral.), mit Flechten über-wachsene Gneis- und Glimmerschieferstücke.

Veit oder **Vitus,** St. (auch in Swantavit ver-stümmelt), einer der vierzehn Nothhelfer, Sohn des Eben Hylas aus Sicilien, unter Diocletian in einem Kessel Pech gesotten; wird meist als Jüng-ling oder als Kind dargestellt, hält ein Buch, auf dem ein Hahn sitzt, oder auch den Kessel, angedeutet durch eine brennende Schale, oder er sitzt im Kessel. Er ist Schutzheiliger der Schauspieler und Jäger, Patron gegen die Tanzwuth (St. Veits-tanz), gegen langes Schlafen, ferner Patron von Sachsen, Sicilien, Böhmen, Burgund, Hörten. Zu seiner Seite erscheint auch wohl ein Wolf.

Veka, f. d. Art. Maaß, S. 504, Bd. II.

Vela, span., f. d. Art. Bewässerung.

Volarium, lat., Segeltuch; f. d. Art. Amphi-theater.

Velour-Tapete, velutirte oder Staubtapete, mit gemahlener und gefärbter Scheerwolle bestreut; f. d. Art. Tapete.

Velte, f. d. Art. Maaß, S. 497, 512 und 513.

velu, frz., behaart, f. d.

Velum, lat., Vorhang, Schleier, Segel; f. d. Art. Altar, Baldachin, Ciborium, Lectica; ve-lum pascale, Leichentuch.

Velys, f. d. Art. Maaß, S. 495, Bd. II.

Venantius, St., 1) Bischof, Patron von Ca-merino, Märtyrer; — 2) Kriegsmann zur Zeit Pi-pins, dann Einsiedler, beim jetzigen Venant in Bel-gien, darzustellen in kriegerischer Rüstung, Fahne in der Hand, zur Seite eine Mauer, von der er von einem Dieb herabgestürzt worden; — 3) Ve-nantius von Tours, St., als Abt, Löwen um sich.

Veneering, engl., fournirte, mit Holz ausge-legte Arbeit.

Venerandus, St., römischer Krieger aus Gallien; ein Engel unterrichtete ihn im Christen-thum, Christus selbst taufte ihn; wurde unter Au-

relian zerschossen, dann enthauptet. Motive genug zu seiner Darstellung.

Venetiae opus, ouvrage de Venise, vene-tianische, halbmorgenländische Arbeit.

Venetianerweiß, f. d. Art. Bleifarben 5.

venetianische Balkendecke, f. d. Art. Bal-kendecke.

venetianische Bauart; zuerst veranlaßt durch die Beschaffenheit des Terrains und die dadurch erzeugte Nothwendigkeit des Pfahlbaues, sowie durch die Lebensweise der Venetianer. bildete sich bei dem vielen Umgang mit dem Orient schon früh ein fester Typus der Wohnhäuser in Venedig aus, und diese Erscheinung ist die Ursache davon, daß alle Style und Bauweisen des Mittelalters und der neuern Zeit in Venedig besonders in der Profanarchitektur ganz eigenthümlich aufgefaßt worden sind; so daß man von venetianisch-byzan-tinischem Styl, von venetianischer Gothik und venetianischer Renaissance reden kann. Das Cha-rakteristische der venetianischen Wohnhäuser be-steht darin, daß sie in den Geschossen im Mittelbau einen Portego (f. d.) haben, der die Vorderwand eines sehr tiefen Saales ist, und von Balconfen-stern flankirt wird. Eine förmliche Provinzialge-staltung der Stylformen fand allerdings blos in Bezug auf die Gothik statt; f. d. Art. venetianisch-gothischer Styl. Der byzantinische Styl und die Renaissance werden in ihren eigentlichen Styl-formen durch die specifisch venetianische Disposition gar nicht oder nur wenig alterirt. Näheres über die Art und Weise, wie die verschiedenen Style dieser Disposition accommodirt wurden, sowie über die Eigenthümlichkeiten der venetianischen Auf-fassungsweise der Style, f. O. Mothes, „Geschichte der Baukunst und Bildhauerei Venedigs", Leipzig 1858, bei Friedrich Voigt.

venetianische Feueresse, f. d. Art. Schorn-stein 7. b.

venetianisch-gothische Bauweise, venetia-nischer Spitzbogenstyl, venetianische Gothik. I. Periode. Uebergang, circa 1120—1280. Nachdem noch während der Herrschaft des byzan-tinischen Styls in Venedig der gestellte Rund-bogen eine blos äußerlich angesetzte Schneppe er-halten hatte (f. Fig. 680 im Art. Byzantinisch), zeigt sich zu Beginn des 12. Jahrhunderts diese Schneppe auch auf die Lichtenöffnung übertragen. Die Capitäle wurden noch häufiger durchbrochen gearbeitet als früher, neben den Scheiteln der Fensterbogen sitzen fast stets Scheiben mit Knöpfen zum Anhängen der Marquisen. Die Fenster-pfeiler sind pilasterartig gebildet, ihre Capitäle ohne Laubwerk. Die Bogenlinie selbst wird immer elastischer, Nasen sind noch selten, kom-men aber hier und da vor. In der zweiten Hälfte dieses Jahrhunderts kommen Blumen auf die Bogenscheiteln vor. Die Bogen haben oft eine leise, hufeisenbogenartige Verengung nach unten. Die Bogen bekamen hier und da Nasen, die aber nicht als extra angesetzt erscheinen, son-dern auch in der Archivoltenlinie durchgeführt sind. Als Beispiel geben wir unsern Lesern in Fig. 1869 u. 70 Details vom Palazzo Andrioli. Zu dieser theilweisen Umwandlung byzantinischer Formen kommt das vereinzelte, ziemlich unorga-nische Auftreten des Spitzbogens in Friesen (zu-nächst durchkreuzten Rundbogen), in einzelnen kleinen Blenden, Archivolten rc. Die Kirchen-grundrisse zeigen zu Ende des Jahrhunderts eine

gewisse Ablenkung von der byzantinischen Grundform zu der occidentalen Disposition. Um die
Mitte des 13. Jahrhunderts setzte sich die Unsicherheit und der Kampf fort, doch fing man an, die
Scheiben etwas weiter herunter zu rücken, die Bogen oben im Viereck mit Rundstäbchen oder Dop-
pelzahnschnitten einzufassen (nach orientalischem
Vorbild), diese Einfassung bis zum Fußboden
herab zu führen (nach occidentalem Vorbild), die
Kanten der Pilaster durch anfangs sehr schüchtern

Wirkung zu erzielen Die Polychromie gelangte
mehr als früher zur Geltung durch Anblendung
bunter Marmorplatten, durch Sehenlassen der
Ziegelconstruction, durch Bemalung, besonders
in Roth und Gelb. Die Entwickelung der Einzelformen erhellt am besten aus beistehenden Beispielen. Fig. 1874 ist in a ein Balconträger, in b
der Hauptsims von dem zwischen 1300 und 1320
erbauten Palazzo Molin, Fig. 1873 die Thür
von dem etwa um 1320 zu datirenden P. Sanudo,

Fig. 1868.

Fig. 1869.

Fig. 1870.

Fig. 1871.   Fig. 1872.

Fig. 1873.

Fig. 1875.

profilirte gewundene Stäbchen zu verbrechen
(occidental); die Blumen werden etwas schlanker
und feiner in den Formen, die Sohlbänke zeigen
noch immer als Hauptglied viereckige Platten von
geringer Ausladung.

II. Periode, circa 1280—1340. Gegen Ende
des 13. Jahrhunderts begann man dahin zu streben, mit weniger äußerem Aufwand an buntem
Marmor, alten Fragmenten 2c. doch eine schöne

jetzt Vanaxel, Fig. 1872 eine Leiste, Fig. 1871
ein Klopfer an dieser Thür, Fig. 1868 der Balcon von dem, unsicheren Nachrichten zu Folge, 1310
erbauten Palazzo Brandolin, auch Ciaramba
oder Bollani genannt. Fig. 1876 zeigt bei a einen
Kämpfersims mit Nagelkopfreiben, der auch häufig
als Gurtsims und Brüstungsplatte vorkommt,
in b den für Venedig charakteristischen, als Einfassung der Fenster, Felder 2c. stereotyp wiederkehren-

den Doppelzahnschnitt, in c das Profil des Gurt-simses, der sich auf Fig. 1868 als Balconplatte herumzieht. Fig. 1875 endlich ist eine sehr häu-fige Gestaltung des Hauptsimses mit Hundszahn-verzierung.

III. Periode, 1340—1438. Diese Periode beginnt mit dem Umbau des Dogenpalastes und ist charakterisirt durch das zwischen und über den Fensterbogen stehende Maaßwerk, durch die gothi-sirende Durchführung der Capitäle ꝛc. a) Die älteste Form dieses Maaßwerkes, von 1340 bis 1370 üblich, findet sich an der ersten Etage des Dogenpalastes, an dem zweiten Geschoß des Palazzo Sagredo, an der oberen Etage des

gehören, kurz Alles, worin germanischer Einfluß sich kund giebt. In jener Zeit arbeiteten auch nach-weisbar deutsche Künstler in Venedig; d) circa 1400—1430, sich durchkreuzende Eselsrücken, die also unten ebenfalls reine Spitzbogen bilden. Beispiele: oberer Portego der Cà d'oro, Oberbau des Palazzo Foscari, s. Fig. 1878 ꝛc. Die Eck-säule, die bisher meist strickähnlich gewunden, er-schien in dieser Zeit entweder zopfähnlich vierfach gewunden, oder ganz glatt, oder façonnirt ge-wunden; e) circa 1425—1438, eine Reihe von Spitzbogen oder Rundbogen, direct durch die horizontale Einfassung überdeckt. Beispiel: Casa Ferro.

Während nun die Form dieser Maaßwerke aller-dings die Entwickelung der venetianisch-gothischen Bauweise am besten charakterisirt, darf man aus der Aufführung derselben doch nicht auf eine Trennung in fünf Stylarten schließen. Sie neh-men vielmehr kaum eine ähnliche Stellung ein, wie die Säulenordnungen im griechischen Styl. Die Hauptformen des Styls blieben während der ganzen Zeit von 1340—1438 ziemlich dieselben. Die außer den bereits angeführten noch besonders erwähnenswerthen charakteristischen Unterschei-

Fig. 1875.

a

b

c

Fig. 1876.

Fig. 1877.

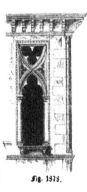

Fig. 1878.

Fig. 1879.

Palazzo dei Mori (Fig. 1877), Palazzo Cavalli alle poste, Palazzo Durazzo etc. und läßt sich definiren als Eselsrücken mit Kreisen zwischen sich. Darauf folgten etwa um 1370—1400 b) Esels-rücken mit Kreisen zwischen sich, darüber noch eine Reihe Halbkreise, mit der Krümmung nach unten. Beispiel: Portego in der ersten Etage der Cà d'oro; c) etwa 1390—1410, sich durchkreuzende Halbkreise, darüber Vollkreise. Beispiele: Palazzo Cavalli bei Tragitto de S. Vitale, Pergolo im Obergeschoß des Palazzo Pisani Moretta, Pa-lazzo Donà Giovanelli bei S. Fosca, 1847 von G. B. Meduna restaurirt; einen Theil des Por-tego s. in Fig. 1879. Derselben Zeit dürften alle Combinationen voller Kreise mit reinen Spitz-bogen, alle Spitzbogenfenster mit reinem gothi-schen Maaßwerk, Rosetten mit Schneußen ꝛc. an-

dungsmerkmale von anderen Ausbildungsweisen der Gothik sind für die venetianische folgende: Die Glieder des, wie wir gesehen haben, meist geschnepften Spitzbogens ruhen auf Säulen oder Pilastern, deren Capitäle in der Grundform ko-rinthisch, in der Blattform gothisch sind und die fast stets quadratischen Abacus, sowie ziemlich reiche Halsglieder und attische Basen haben. Die Spitzbogen sind von einem Viereck umschlossen, die so entstehenden Zwickel sind entweder mit Maaßwerk ausgefüllt oder mit einer Scheibe be-setzt, in deren Mitte ein Knopf sitzt, zum Anhän-gen der Marquise dienend. Die Giebel sind ziem-lich mannichfach gegliedert, bei den meisten aber könnte man die Hauptform einen Eselsrücken nennen, dessen oberer concaver Theil in die Höhe geschoben und vom unteren durch ein lothrechtes

Stück getrennt ist. Die Kreuzblumen folgen dem oben gegebenen Typus, nur sind die Blätter der späteren viel freier entwickelt. Die Kriechblumen sind sehr freie und keck flatternde Akanthusblätter. Die Zinnen bestehen in der Regel aus nebeneinander gesetzten Giebeln in der beschriebenen und in ähnlicher Form, zwischen denen Fialen stehen, die Brüstungen entweder aus kleinen Säulenarkaden, oder, aber viel seltener und besonders blos an Stelle der Zinnen, aus nebeneinander gesetzten, vierblattförmig ausgeschnittenen Platten.

venetianisch Roth, gebrannter rother Ocker (s. d.) von geringer Qualität, von Stubenmalern als Leimfarbe ꝛc. häufig verwendet.

Venitare, s. d. Art. Ritualbücher.

Vent, engl., Luftloch, Schießscharte, Schlitzfenster.

Venta, span., an einer Heerstraße einzeln liegendes Wirthshaus.

Ventaglio, ital., Thürflügel.

Ventana, span., Fenster.

Ventarole, ital., 1) Wind-, Wetterfahne; — 2) eine Art Eisgrube.

Ventil, im Allgemeinen jede Vorrichtung zum zeitweisen Verschluß einer Röhre, im engeren Sinn aber ein solcher Verschluß, durch welchen die betreffende Oeffnung für eine Wasser- oder Luftströmung nur von einer Seite passirbar gemacht wird. Im weiteren Sinn gehört also hierher auch das Drehventil, gewöhnlich Hahn genannt. Es giebt sehr vielfach abweichende Constructionen dieses in seiner einfachsten Form Jedem bekannten Drehventils; man unterscheidet z. B. doppelt gebohrte, krumm gebohrte, zweifach krumm gebohrte oder sogenannte Vierungshähne. Verschiedene Arten der eigentlichen Ventile sind: a) Das Klappen- oder Klappventil, eine Platte, die sich um die eine Kante drehend die Oeffnung verschließt. Bei Pumpen ꝛc. fertigt man sie aus Leder oder Filz, befestigt wohl auch behufs größerer Steifheit oder Beschwerung ein Stück Holz mit einer Schraube darauf. An einer Seite wird das Leder festgenagelt, wodurch die Drehachse gebildet wird. Bei größeren Gebläsen erhalten die Cylinder auf Deckel und Böden eigene Aufsätze, in welchen das Klappventil spielt, meist als hölzerne Platte, ringsum mit Filz benagelt, um dicht zu schließen. Man bildet die Drehachse auf die vorhin angegebene Art, oder der obere Rand der Platte erhält zu beiden Seiten Zapfen, die sich in Lagern bewegen. Häufig, besonders bei weiteren Röhren, schließt man die Oeffnung durch zwei nebeneinander liegende Klappventile, in Fig. 1880 in ¼ der nat. Größe

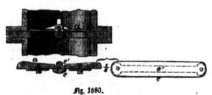

Fig. 1880.

dargestellt: a sind die Klappen, die aus Metall bestehen und deren Aufschlagfläche an den Rändern der Oeffnung mit Smirgel bestrichen wird, e ist der Ventilsteg, e′ eine Schiene zur Befestigung des Charnierleders, welche zugleich die Klappen

an zu weitem Aufgehen hindert. b) **Kugelventil,** Fig. 1881, besteht aus einer massiven oder hohlen

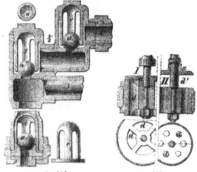

Fig. 1881. Fig. 1882.

Kugel a, a′, welche in den oberen, entsprechend gestalteten Ansatz der zu verschließenden Oeffnung b paßt und daselbst vermöge ihres Gewichtes verbleibt, bis ein größerer Druck von unten sie hebt. Der Dampf oder das Wasser tritt nun an den Seiten derselben in die Höhe und die Kugel fällt wieder herab, sobald der untere Druck ihrem Gewicht nicht mehr gleichkommt; c ist ein Gehäuse,

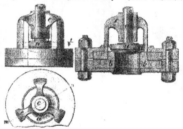

Fig. 1883.

welches die Kugel an zu hohem Steigen hindert. Druckpumpen mit Kugelventilen von Metall nutzen sich schnell ab und schließen wegen der geringen Elasticität des Metalls nicht dicht; besser sind bei geringem Druck hohle oder volle Kautschukkugeln; bei starkem Druck Metallkugeln, mit Kautschuk

Fig. 1884.

überzogen. c) **Scheibenventil,** Fig. 1882, besteht aus einer beschwerten ledernen oder metallenen Scheibe a, welche mehrere kleinere, nebeneinander befindliche Oeffnungen d, d′ des Kolbens I, II verschließt. d) **Muschelventil,** Fig. 1883. Die zu

55

verschließende Oeffnung b liegt horizontal, ist kreis=
rund und hat einen kegelförmigen schmalen Rand.
Der Ventildeckel a hat einen cylindrischen Ansatz,
Ventilstift c, welcher in dreiflügeliger Hülse e
oder sonstiger Führung auf= und niedergeht und zu
das Ventil genau leitet. Eine Spiralfeder, welche
beim Aufgang des Deckels zusammengedrückt wird,
beschleunigt das Fallen des Deckels. e) Kegel=
ventil, Fig. 1884. b ist der Ventilsitz, e Steg mit
der Führung für den Ventilstift c, a der Ventil=
kegel, der die Gestalt eines stark verjüngten Pfro=
pfens hat und massiv ist; das Ventil wird am häu=
figsten als Sicherheitsventil bei Dampfkesseln und
hydraulischen Pressen gebraucht; s. d. Art. Sicher=
heitsventil. Hier ist wegen des daraufliegenden
Gegengewichts keine Leitung des Ventils in der
Oeffnung mittelst cylindrischer Spindeln erforder=
lich. Kleine Sicherheitsventilstücke hängen an
dünnen Ketten, damit sie beim gewaltsamen Hin=
auswerfen nicht verloren gehen. f) Schiebladen=
ventil, Schieber, besteht aus einer langen Platte,
welche über zwei Oeffnungen reicht, so daß, wenn
die eine verschlossen wird, die andere sich öffnet.
Diese Schieblade ist bisweilen so eingerichtet, daß
sie zugleich den Dampf in den Condensator führt.
Näheres s. im Art. Steuerung und Dampfmaschine.
g) Blasenventil, wird selten anderswo als bei Luft=
pumpen angewendet und besteht aus einem über
die Oeffnung gespannten Stück Schweinsblase.

Bentilaber, lat. Ventilabrum, Spiegel= oder
Windfächer, Wedel, erscheinen im Wappen vier=,
fünf= und sechseckig, häufig mit Federn geschmückt.

Bentilation. Luftreinigung und Luftwechsel
sind zur Erhaltung der Gesundheit unbedingt nö=
thig. Man weiß, daß der Mensch durch seine Aus=
dünstung und das Ausathmen der vom Körper
verbrauchten Luft stündlich circa 6 Cubikmeter
Luft zur nachtheillosen Einathmung unfähig macht.
Genauer genommen, jeder Mensch bringt pro
Stunde 595 Cubikfuß Luft von einem Kohlensäure=
gehalt von $^6/_{10000}$ auf einen solchen von $^3/_{1000}$.
Es sind also ohne Beleuchtung für den Menschen
pro Minute 10 Cubikfuß frische Luft nöthig, bei
Gasbeleuchtung per Cubikfuß verbrannten Leucht=
stoffes noch 1800 Cubikfuß frische Luft mehr.
Für einen gewöhnlichen, einfachen Brenner rechnet
man 1200 Cubikfuß frische Luft pro Stunde, also
20 Cubikfuß pro Minute; für jeden Fledermaus=
flügelbrenner aber muß man pro Minute 120 Cu=
bikfuß Luft rechnen. Gewöhnlich nimmt man bei
Gasbeleuchtung die doppelte Anzahl der Personen
an, die das Zimmer eigentlich benutzen; bei Ker=
zenlicht für 6 Personen deren 7 ꝛc. Man kann pro
Secunde 1) den Bedarf bei Tage zu $^1/_6$ Cubikfuß,
2) bei Kerzenlicht zu $^1/_5$, 3) bei Gasbeleuchtung zu
$^1/_2$ Cubikfuß annehmen. Da es nun unthunlich ist,
die zum mehrstündigen Aufenthalt von Menschen
bestimmten Räume so groß zu machen, daß das
Luftquantum derselben ohne Erneuerung für die
Athmung genügende Reinheit behalte, so ist diese
Erneuerung eine der unerläßlichsten Anforderun=
gen an die Gesundheit der Localitäten. Bei Lo=
calitäten, die mit künstlicher Heizung versehen sind,
kommt noch der Luftverbrauch der Flammen und
Schornsteine hinzu, welchen man blos in Rechnung
zu bringen braucht, dafern er größer ist als das
zur Respiration Erforderliche, da die zur Athmung
bereits verwendete Luft zur Verbrennung gebraucht
werden kann. Erleichtert wird die Ventilation
durch die vom Menschenkörper fortwährend aus=

gestrahlte Wärme, ferner durch die Porosität der
Wände, durch die Ritzen und Fugen an Thüren und
Fenstern und andere kleine Nebenumstände,
welche aber alle nicht genügen, um bei immerwäh=
rendem Verschlossensein dieser Oeffnungen die Luft
im Zimmer nur einigermaßen gesund zu erhalten.
A. **Natürliche Bentilation.** Alle Ventilations=
vorrichtungen wirken durch Störung des Gleichge=
wichts in der wechselnden Luftmasse, nicht durch
Störung des Gleichgewichts in Bezug auf Tempe=
ratur. Jeder zu ventilirende Raum muß min=
destens mit zwei Oeffnungen versehen sein, die
eine zur Einführung der atmosphärischen Luft, die
andere zur Abführung der unreinen. Wird eine
solche Oeffnung mit Drahtgitter oder dergl. ver=
sehen, so muß sie so viel erweitert werden, daß die
Summe der kleinen Oeffnungen so groß wird, als
die Rechnung verlangt. Ist T die Temperatur des
wärmeren Raums, t die des kalten, H die Druck=
höhe in Fußen, so ist die Geschwindigkeit der Luft=
strömung pro Secunde: $c = 0,5 \sqrt{\dfrac{2 g H (T - t)}{273 + t}}$,
bei einer Temperaturdifferenz von 4—5° kann man
mit genügender Genauigkeit $c = 0,5 \sqrt{H}$ anneh=
men. Sei x der Querschnitt der Oeffnung
im Quadratfuß, so ist die in der Secunde durch=
strömende Luftmenge $M = x \cdot c = x \, 0,5 \sqrt{H}$ Cu=
bikfuß. M aber findet man nach den oben gegebenen
Ansätzen aus der Personenanzahl n. Sonach ist

$$\text{ad 1) } x = \frac{n}{3 \sqrt{H}}, \text{ ad 2) } x = \frac{n}{2,5 \sqrt{H}},$$

ad 3) $x = \dfrac{n}{1,5 \sqrt{H}}$ in Quadratfuß. Kinder sind
stets als volle Personen zu rechnen. Wenn ein
Zimmer oder dergl. mit einem Schornstein oder
Dunstrohr in Verbindung steht, so wird, dafern
das Zimmer wärmer ist als die äußere Luft, eine
Luftströmung vom Zimmer aus durch den Schorn=
stein stattfinden; ist aber das Zimmer kühler als
die äußere Luft, so strömt die Luft aus dem
Schornstein in das Zimmer. Man kann also im
Winter natürliche Ventilation schon dadurch her=
stellen, daß man Ausströmungsöffnungen an der
Decke anbringt und in Fallröhre oder Schorn=
steine leitet, dem Zimmer aber im Winter warme,
im Sommer kalte Luft, z. B. aus einem Brunnen,
durch mehrere am Boden vertheilte Einströmungs=
öffnungen zuleitet. Bringt man an Decken und
Fußböden Oeffnungen direct in's Freie, so wird,
wenn die innere Luft kalt ist, dieselbe unten aus=
strömen, die äußere Luft oben eindringen; H ist da=
bei die Höhe zwischen beiden Oeffnungen. Kann
man die eine Oeffnung aus einem Schornstein ein=
holen, die verdorbene durch ein Rohr vielleicht bis
zum äußeren Fußboden ableiten, so wird dadurch H
vergrößert. Bei unterirdischen Räumen wird man
die Ableitungsröhre oft heberartig krümmen müssen,
wobei aber jetzt die Ausmündung tiefer liegen muß
als der Boden des Raumes. Ist der zu venti=
lirende Raum wärmer als die äußere Luft, so sind
beide Oeffnungen an der Decke anzubringen;
bringt man aber eine unten und eine oben an, so
wird die äußere Luft unten ein= und oben aus=
strömen, und so ein unangenehmer Luftzug an den
Füßen entstehen.
B. **Künstliche Bentilation.** 1) Ableitung der
verdorbenen Luft durch Erwärmung derselben.
a) Lüftungs= oder Saugessen, in denen die ange=

sogene Luft die Verbrennung speisen kann; entweder wird eine Lampe in der Esse aufgehängt, oder ein Heerd in oder neben derselben angelegt, so daß noch ein bedeutendes Luftvolumen neben dem vom Brennmaterial bedeckten Rost durchströmen kann; dabei braucht man die Luft um so weniger zu erwärmen, je weiter und höher die Esse ist. b) Lüftungskamine, bei denen die angesaugte Luft sich mit dem Rauch vermengt. Der Rauch tritt vom Kamin unmittelbar in die Esse, welche weiter oben die Luft des Zimmers aufnimmt. Die Lüftungskamine sind im Winter in jedem Zimmer anwendbar, wenn der Schornstein warm ist oder künstlich erwärmt wird; doch hat der Wind hier zu großen Einfluß und macht die Einrichtung unzuverlässig. Etwas zuverlässiger ist es, durch den Ofen eine Röhre in die Esse zu leiten, so daß die fortzuschaffende Luft schon erwärmt in den Schornstein tritt. c) Trichterförmig nach oben sich verengende, oben verschlossene, seitlich in Jalousien sich öffnende Esse über den Kronleuchtern. 2) Zuleitung von erwärmter reiner Luft, natürlich nur im Winter anwendbar. a) In großen Sälen bringe man einen Kamin und diesem gegenüber eine ungefähr gleich große Oeffnung an, die durch einen Luftwärmeofen gespeist wird, der mit der äußeren Luft in Verbindung steht. b) In kleinen Wohnzimmern lasse man zwischen Ofen und Mantel durch eine Röhre äußere Luft eintreten und erwärmt in das Zimmer strömen. c) Durch viele kleine Oeffnungen am Boden kann man ebenfalls erwärmte Luft in das Zimmer ein-, durch dergl. Oeffnungen an der Decke die schlechte Luft ausführen, s. darüber d. Art. Luftheizung. 3) Durch mechanische Vorrichtungen bewirkte Luftbewegung, Sommer und Winter anwendbar, und namentlich im Sommer bei weitem wohlfeiler und zweckmäßiger, als die Ventilation durch Wärmung der Luft, doch nur da, wo es sich um eine starke Ventilation vieler oder ausgedehnter Räume handelt. Diese Ventilation nun kann sein a) wehende, indem durch schnelle Umdrehung einer Fächerwelle oder dergl. die Luft in centrifugale Bewegung gesetzt wird; b) treibende, durch Gebläse oder dergl., bei weitem nicht so wirksam als a; c) pressende, durch Einblasen kalter, reiner Luft in den zu ventilirenden Raum, verursacht leicht Zugluft; d) saugende; ein solcher Ventilator muß, im Keller aufgestellt, die verdorbene Luft aus den Gebäuden ansaugen und in die Esse treiben.

Die Wahl zwischen den hier aufgezählten verschiedenen Arten der Ventilation muß sich nun nach den jedesmaligen Umständen richten, wobei Größe und Lage der zu ventilirenden Räume, Höhe, Weite und Zug der zu Gebote stehenden Schornsteine oder Dunströhren, herrschende Luftströmungen, Lage der Thüren und Fenster gegen die Ofen ꝛc. Berücksichtigung finden müssen. Bei beleuchteten Räumen bringt man am besten Ableitungsröhren direct über der Flamme an. In Häusern, deren Fenster sämmtlich mit Doppelfenstern versehen sind, muß man die frische Luft aus dem unten offenen Treppenhaus gewinnen, welches dann oben sorgfältig verschlossen sein muß, während man in Häusern, deren Hausflur selten geöffnet wird, am zweckmäßigsten durch ein Oberlicht im Treppenhaus und durch Oeffnen der Zimmerfenster ventilirt. In größeren Gebäuden wird jedes Zimmer für sich ventilirt werden. Will man die verdorbene Luft in den Schornstein führen, ohne daß Rauch in's Zimmer gelangt, so bringe

man ein Ventil an, welches sich sehr leicht nach dem Schornstein zu, aber gar nicht nach dem Zimmer zu öffnen läßt.

Ein umgekehrter Heber, dessen eine Mündung im Zimmer nahe der Decke, die andere Mündung im Schornstein, die Kniewendung oder Krümmung aber unten in der Feuerung sich befindet, thut sehr gute Dienste, so lange gebeizt ist; er muß aber verschlossen werden, sobald die Heizung aufhört, wenn man nicht die Oeffnung im Schornstein mit einer Haube verschließt, die aber dann sehr leicht durch den Ruß verschlossen wird. Stetiger wirkt ein Heber, der mit dem kürzeren Schenkel im Zimmer, mit dem längern direct in's Freie mündet.

Ventilationsdach, s. d. Art. Dach, S. 599.

Ventilator, Ventilationsmaschine. 1. Extrator oder Aspirator; so nennt man eigentlich jede Luftaufsaugvorrichtung, mag sie construirt sein wie sie will; den Namen Aspirator aber führt namentlich die von Pettenkofer in München erfundene, welche erst mit Wasser gefüllt wird, um die Luft aus derselben auszutreiben, und nach Ablassen des Wassers durch das eine Ende die Luft am andern Ende einsaugt. Der Apparat ist aber zu complicirt und verlangt eine zu sorgfältige Abwartung, als daß man eine allgemeine Anwendung desselben anrathen könnte, obgleich er sehr gute Dienste leistet.

2. Sehr wohlfeile und allgemein bekannte Ventilatoren sind die Windrosen in den Fenstern der Zimmer, sowie an den Dunstfängen in Abtritten und Viehställen.

3. Auf Schiffen würde man dadurch am besten einen Ventilator anbringen, daß man aus den Schiffsräumen eine Röhre über Deck führt und unter dieselbe eine Lampe stellt, welche die Röhre erwärmt und so das Ausströmen der Luft beschleunigt, während eine andere über Deck nach vorn gehende Röhre für Einführung reiner Luft sorgt; s. übr. d. Art. Segel.

4. Flügelradgebläse oder Centrifugalventilatoren, s. d. Wir geben in Fig. 1885 und 1886 einen solchen in 1/20 der natürlichen Größe. AB ist der äußere Mantel, bei gq strömt die Luft ein, die an die Speichen c befestigten Schaufeln f führen dieselbe herum und treiben sie bei b hinaus. Vgl. übr. d. Art. Centrifugalgebläse.

5. Hydraulischer Ventilator, Wasserhebungsmaschine, besteht aus einer senkrechten Röhre, deren mittlere drehbare Achse mit dicht neben einander liegenden, schräg gerichteten Flügeln versehen ist; das von denselben unten geschöpfte Wasser wird die Röhre entlang gehoben und oben ausgegossen. Die Drehung geschieht mittelst eines an der Achse befindlichen wagrechten Hebels.

6. Die Ventilation für Bergwerke, Wetterhaltung genannt, geschieht am einfachsten durch Oefen, wobei man den Wetterzug durch die Gruben dadurch bewirkt, daß man die in den Wetterschacht ausziehende Wettersäule durch ein Feuer auf der Schachtsohle verdünnt; den Wettermaschinen (s. d.) giebt man in Deutschland, Belgien und Frankreich den Vorzug, weil die Wetteröfen zwar die Vortheile großer Einfachheit und geringer Reparaturbedürftigkeit, aber noch größere Nachtheile haben.

7. Als sehr zweckentsprechend und billig hat sich die von Dr. Arnott erfundene Lüftungspumpe bewährt. Dieselbe wird durch den täglichen Wasserbedarf eines Gebäudes, welcher in einem Behälter auf dem Dachboden enthalten ist, gespeist; in-

dem nämlich das Wasser nach und nach aus dem Behälter hinabfällt, dient es zur Bewegung der Lüftungspumpe. Mittelst eines einfachen Mechanismus können 36 Kubikfuß 60 Fuß hoch herabfallendes Wasser 240 Kubikfuß frische Luft zuführen. Eine so getriebene Pumpe steht begreiflicherweise nur dann still, wenn das Wasser fehlt.

Ventildeckel, Ventilklappe ꝛc., f. d. Art. Ventil.

Ventilogium, Wetterfahne; f. Anemoskop.

Ventilstock, ein größeres Kegelventil, welches mitunter angewendet wird, um das Saugrohr von dem Pumpenstiefel zu trennen.

Ventilthür, Seitenverschluß an Röhren oder Kasten, in denen ein Ventil liegt, um zu demselben gelangen zu können, wenn es verstopft ist.

Ventouse, frz., Zug- oder Luftloch; ventouse d'aisance, Stankröhre bei Abtritten, über das Dach geführt.

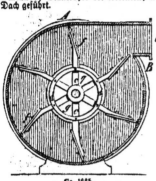

Fig. 1885.

Ventre, frz., Bauch, Ausbauchung.

Ventrière, frz., Querhölzer, Riegel an den Grundpfählen, zwischen denen die Bohlen eingetrieben werden.

Venus, bei den Griechen Aphrodite oder Charis genannt, Göttin der Körperreize, der Geschlechtsliebe ꝛc.; Gattin des Hephästos, liebelte mit Mars. Abgebildet in der Regel fast oder ganz nackt, doch mit einem Gürtel, dem Gürtel des Liebreizes, begleitet von Mars oder Amor, Delphinen, Amoretten, den Grazien ꝛc. Attribute sind Fackel, Aepfel, Höhle ꝛc.; vgl. auch d. Art. April.

Venustianus, St., Landeshauptmann von Spoleto, unter Maximian mit Weib und Sohn hingerichtet; darzustellen mit Panzer, Helm und Schwert.

veränderliche Größen (Math.), f. variabel.

Veranda, ital., lat. virens, span. baranda, Laubgang, f. b. u. d. Art. Landhaus.

verankern, f. d. Art. Anker.

Verankerung, frz. armature, Verbindung zweier Gegenstände durch Anker, f. b.

Verband, frz. assemblage, liaison, engl. bond, connexion, ital. commessura, die Art und Weise, wie Baumaterialien miteinander zu einem Ganzen, dem Bauwerk, verbunden werden; f. d. Art. Bruchsteinmauer, Abtreppen, Mauerverband, Holzverband, Eisenverbände, Bogenverband.

verbandeln, österr., ausfugen, f. d.

Verbandstück, f. d. Art. Holzverband.

verbauen, 1) durch ein Bauwerk, Mauer ꝛc. verschließen, abschließen oder verbergen; — 2) fehlerhaft bauen.

verbindendes Glied, f. d. Art. Glied B. 5.

Verbindung, chemische; so nennt man die Vereinigung ungleichartiger Körper zu einem gleichartigen Ganzen. Die chemische Verbindung hat als Gegensatz das Gemenge. Aus einer chemischen Verbindung können die einzelnen Bestandtheile nicht mehr durch ein mechanisches Hülfsmittel isolirt werden, wie aus einem Gemenge. Pulverisirt man z. B. Schwefel und Eisen und mischt beide Körper auf's Innigste zusammen, so läßt sich, auch bei der feinsten Mischung, durch den Magnet das Eisenpulver vom Schwefelpulver trennen. Schmilzt man dagegen beide Körper (Schwefel und Eisen) zusammen, so entsteht eine chemische Verbindung der beiden und der Magnet ist nicht mehr im Stande, das Eisen aus dem neu entstandenen Körper auszuziehen. Man unterscheidet chemische Verbindungen nach festen und bestimmten Verhältnissen, bei welchen die Verbindung der einzelnen ungleichartigen Körper nach ganz bestimmten, sprungweise sich ändernden Verhältnissen, z. B. im Verhältniß der Atomgewichte oder Multipla derselben, erfolgt; dann Verbindungen nach veränderlichen Verhältnissen, wobei Körper nach wechselnden,

Fig 1886.

stetiger Abänderung fähigen, Verhältnissen zusammentreten können. Bei Verbindungen nach festen Verhältnissen sind im Allgemeinen die Eigenschaften (Farbe, Löslichkeit, Aggregatzustand ꝛc.) ganz unabhängig von denen der die Verbindung constituirenden Bestandtheile; bei Verbindungen nach veränderlichen Verhältnissen bilden die Eigenschaften der neuen Verbindung einen Uebergang zwischen denen der einzelnen Bestandtheile. Eine Verbindung, nach festen Verhältnissen gebildet, charakterisirt sich namentlich auch dadurch, daß sie unter verschiedenen Umständen, auf nassem oder trockenem Wege, bei wechselnder Temperatur, Druck ꝛc. dargestellt, stets dieselbe Zusammensetzung zeigt, während die Verbindungen der andern Art, je nach Umständen, bei Aenderung der Temperatur, des Druckes, bei Einwirkung von Lösungsmitteln ꝛc., Aenderungen in ihren Zusammensetzungsverhältnissen erkennen lassen. Endlich unterscheidet man noch festere und losere chemische Verbindungen, oder je nachdem 2, 3 oder mehrere Elemente in die Zusammensetzung einer Verbindung eingehen, binäre, ternäre ꝛc. Verbindungen. Nach der Anzahl der Bestandtheile, die man in Verbindungen annimmt, unterscheidet man einfachere und complicirtere Verbindungen. S. übr. d. Art. Verwandtschaft, chemische.

Verbindungsgraben, f. d. Art. Batteriebau.

Verbindungsmaterialien, f. d. Art. Baumaterialien B., S. 286.

Verblattung, hier und da fälschlich **Verplattung** geschrieben; s. d. Art. Holzverband B. 2 u. Eisenverbände A. 8, 10, 12, 14. Die in Fig. 1887 dargestellte heißt falsche **Verblattung.** Vergl. auch d. Art. Aufblattung.

verbleichen, verblassen, frz. se déteindre, engl. to fade, die Veränderung im Ton der Malerei, wenn deren Farben von der Luft ausgezogen und blässer werden.

verblenden. 1) s. v. w. bekleiden; — 2) durch eine schwache Wand oder dergl. verstecken; — 3) mit Brettern verschalen.

verblendete Wand, mit einer massiven Mauer von ¹/₂ bis 1 Stein Stärke auswendig verkleidete Fachwerkswand, wobei die Steine mit in die Fache der Holzwand eingebunden werden.

Verblendungsfaschine, s. d. Art. Festungsbau, S. 41, Bd. II.

Verblendungsstein, besserer Stein, zur Fertigung der Außenfläche einer Mauer, die unbeputzt bleiben soll.

verbohren (Zimmermann), mittelst gebohrter Löcher und hineingeschlagener hölzerner Nägel zwei Zimmerstücke mit einander verbinden.

verbolzen, frz. cheviller, engl. to bolt, Verbindung zweier Hölzer durch eiserne Stäbe oder Bolzen; s. d. Art. Holzverband B. 2 a.

Verboquet, virebouquet, frz., Lenkseil.

verbrämen, österreichisch; s. v. w. ausfugen mit Eisenfeilspanmörtel, worauf dann mit einem Eisen gerieben wird, bis die Fuge schwarz glänzt.

verbrechen, s. d. Art. Abfasen, Abkanten, Abgradung.

Verbrennen des Kalks, s. d. Art. Kalk.

Verbrennungsproceß, s. d. Art. Brennstoffe, Heizung, Rauch ꝛc.

verbunden (Zim.), durch Abbinden hergestellt; so heißt z. B. verbundene Kreuzholzzarge eine aus Kreuzholz abgebundene, für stärkere Wände gebrauchte Thürzarge; verbundene Rüstungen sind Gerüste (s. d.), welche aus Rähmen, Riegeln, Säulen, als Fachwerksbau bestehen; sie werden gebraucht, wenn gewöhnliche Stangengerüste die schweren, aufzuwindenden Bausteine, als Werksteine, nicht tragen würden.

Verdachung, engl. weather-moulding, Bekrönung; s. d. Art. Fensterverdachung, Thürverdachung. Ueberschlagsimß, Abfrieren ꝛc.

Verde antico, ital. s. v. w. Marmorat, schwärzlich-grün mit hellen und dunklen Flecken; s. d. Art. Marmor. Die Alten bedienten sich seiner zu ornamentalen Sculpturen. Ueber die Nachahmung des verde antico s. Imitation.

Verdeck, s. d. Art. Schiffsbau. Große Schiffe haben auch zwei bis drei Verdecke und heißen dann Zweidecker, Dreidecker. Ist nur über einem Theil des Schiffes die Bedeckung, so nennt man es halbverdeckt, halbes Verdeck, halbes Deck.

verdecktes Gesperre, in einer Kapsel eingeschlossenes Sperrrad.

verdecktes Schloß, s. v. w. Kastenschloß.

Verdichtungspfähle, s. Grundbau II. A. 4.

verdielen, s. v. w. bedielen.

verdoppelt, heißt bei Tischlern und Zimmerleuten s. v. w. aus doppelten Bretlagen gearbeitet.

verdoppelte Thür, s. d. Art. Thür, Doppelthür 2 und Blindthür.

verdübeln, s. d. Art. Dübel 1. Man fertigt sie von Holz, Stein u. Eisen. Metallene muß man durch Eintauchen in Asphalt oder dergl. vor Rost schützen. Je nach der Größe der Steine ist ein solcher Dübel etwa 3 Zoll lang und 1 bis 2 Zoll dick. In der Regel werden die Dübel gar nicht vergossen, sondern nur genau eingepaßt. Sollen sie aber vergossen werden, so kann dies nur für das

Fig. 1887. Zu d. Art. Verblattung.

in den unten liegenden Stein eingesenkte Stück geschehen; s. übr. d. Art. Vogelnest.

verdübelte Träger werden platt auf einander gelegt und etwa auf ¹/₄ ihrer Länge durch eichene Dübel verbunden und außerdem eben so verbolzt wie die verzahnten Träger; s. d. Art. Balken V. b. 2, 4.

vereintes Saug- und Druckwerk, s. d. Art. Pumpe und Saugwerk.

Verena, St., Einsiedlerin bei Solothurn zur Zeit der thebaischen Legion; starb als Märtyrerin, nachdem sie viele Heiden bekehrt hatte. Darzustellen als Nonne mit einer Dornenkrone.

Verfall, s. d. Art. Dachzerlegung, S. 609 u. 610.

verfallen, so nennt man Bauwerke, die den Einsturz drohen, aus Mangel an Benutzung und an Reparaturen.

Verfallstyl; man könnte eigentlich fast bei jedem der bis jetzt über die Bühne der Kunstgeschichte gegangenen Style von einem Verfallstyl reden, z. B. das Spätrömische den Verfallstyl des Griechischen, das Rococco den Verfallstyl der Renaissance nennen, versteht aber unter Verfallstyl schlechthin in der Regel die späteste Gothik; s. d. Art. Gothisch.

Verfallungsgrat, s. Dach, S. 589, Bd. I.

verfangen, so heißt eine schwebende Last mit dem Hebebaum so lange unterstützen, bis ein neuer Hebebaum untergesteckt ist.

verfeilen, s. d. Art. Feile b. 10.

Verforstung, Verfirstung, frz. faitage, engl. enridgement. ridging, 1) bei Rohr- und Strohdächern. a) Man fertige die Forstschauben von biegsamem Stroh, weil ein Theil des mit den Stammenden über den First hinaus gelegten Strohes der zuerst gedeckten Seite um die Dachspitze herumgebogen und unter die auf der Wetterseite tiefer angeschlagene Latte gesteckt werden muß; das Weitere s. unt. d. Art. Dachbedung B. 3. b) Die Verfirstung mit Firstplatten ist etwas mühsamer und kostspieliger. Dabei werden, wenn der First der Länge nach durch 2 Reihen Dachstöcke befestigt ist, ebe die Firstplatten mit Stroh bedeckt werden, auf jeden Sparren bei den letzten 2 Latten 2 hölzerne, 18 Zoll lange Nägel eingeschlagen und zwar 3—4 Zoll tief, so daß sie 14—15 Zoll über die Sparrenköpfe vorstehen. Hierauf legt man die

aufzuschlagenden Latten auf, bemerkt daran die
Stellen der Nägel, bohrt daselbst Löcher durch und
schiebt sie auf die hervorstehenden Latten auf,
schlägt sie daran auf das Stroh nieder und vertheilt sie dann von oben. Da aber unter diese
Firstlatte, sowie unter die Dachklötze, leicht
Feuchtigkeit eindringt, wenn die Wieden sichtbar bleiben, mit denen man die 2 oberen Band-
stockreiben angebunden hat, so legt man statt
der Dachklötze Strohseile über den First hinweg
und bindet sie auf jeder Seite mit zwei Bandwie-
den tüchtig fest. c) Man deckt die Strohfirsten auch
mit 4 bis 5 Ziegelschaaren auf jeder Dachseite
und mit Firstziegeln ein, wie Ziegeldächer. d) Man
nagelt auf die Sparrenspitzen eine starke, gespaltene
Latte, die Rundseite nach oben, die Flachseite nach
unten gerichtet. Darauf werden Firstziegel in
Mörtel, auch wohl nur in Lehm verlegt und aufgenagelt, wie die Gratziegel der Ziegeldächer. Das
Nagelloch wird in der Ziegelei in's Schwanzende
gemacht, und dieses wird vom Kopfende (von der
Brust) des folgenden Firstziegels wenigstens zwei
Zoll lang überdeckt. Diese Ueberdeckung geschieht
jedenfalls in Mörtel; die nach oben gerichteten
Stoppelenden der doppelt zu legenden Firstschau-
ben müssen beim Verlegen der Firstziegel beiderseits unter dieselben gut und richtig untergeschoben
werden. Diese Schauben werden daher am obern
Ende doppelt geschürzt, so daß die Sterzenden
kaum 6 Zoll über das Band vorreichen. Dabei
müssen die obersten Latten unter die Firstlinie so
tief herabkommen, daß dieses Unterstecken der
Schaubenenden unter die Firstziegel möglich wird,
und die Schaubenenden selbst müssen erforderlich
schräg abgestutzt werden;—2)Verfirstung der Schie-
ferdächer, geschieht mit Blech von Eisen oder Zink
oder mit besonders dazu gefertigten Dachkennern
von Schiefer, unter welche die Firststeine beiderseits greifen. Das bloße Hinaufschieben der einen
Deckungsseite über den First sichert blos einseitig
vor dem Eindringen der Nässe; — 3) Verfirstung
der Ziegeldächer, geschieht mit Firstziegeln, Dachkennern oder Dachklämmen; s. d. betr. Art.; —
4) Verfirstung der Metalldächer, geschieht mit
Firstblechen; s. d. angezogenen Art. sowie d. Art.
Dachdeckung, Firstkamm ꝛc.

Verflächung (Bergb.), 1) das schräg abgeschnittene Ende eines Stempels; — 2) Abweichen
eines Ganges von der lothrechten Richtung.

Vergänglichkeit, Symbol derselben ist Asche.

vergatten, s. v. w. nach der Gehrung abschneiden, um Verkröpfungen herzustellen; die Geh-
rungsfläche wird dann mit dem Vergatthobel geebnet; s. d. Art. Hobel.

vergattern, s. v. w. vergittern; s. d. Art.
Gatter und Gitter.

Vergatterung, s. v. w. Verreibung oder Quadrirung.

Verge, frz. und engl., 1) Stab, Säulenschaft;
— 2) Ruthe, Meßruthe, französisches Längenmaaß
= ⅓ Pariser Elle; verge ordinaire; s. d. Art.
Baumaaß; — 3) (Schifffb.) Stenge; verge de
civadière, Blindstenge.

vergebener Boden, s. v. w. Fehlboden.

Verge-board, engl., Giebelschutzbret.

vergehren, mit einer Gehrung (s. d.) versehen.

Verger, frz., Obstgarten.

Vergette, frz., s. d. Art. Heroldsfiguren 2.

vergießen, franz. sceller, mit dünnem Kalt-

mörtel, geschmolzenem Blei, flüssigem Kitt oder
dergl. Fugen irgend welcher Art durch Eingießen
ausfüllen. Klammern und Dübel, mit welchen
Werkstücke unter einander verbunden werden, vergießt man mit Blei oder Schwefel, neuerdings oft
mit Cement, der aber durchaus nicht mit Gips
versetzt sein darf, weil Gips die Fugen auftreibt.

vergittern, begittern, mit einem Gitter (s. d.)
versehen.

verglasen, beglasen, 1) mit Glasscheiben versehen. Das Verglasen der Fenster (s. d.) geschieht
entweder in Sprossen oder Blei; — 2) in Süddeutschland verglasen genannt, mit Glasur versehen; s. Glasur, Töpferglasur, Thonwaaren ꝛc.

vergleichen, s. d. Art. Ausgleichen.

Vergleichungsebene, s. Festungsbau, S. 44.

verglühen, s. v. w. ausglühen, geschieht beim
Draht, bevor er gebraucht wird, um ihm die
Sprödigkeit zu nehmen.

Vergoldung. Das Gold ist zu Ueberzügen
empfehlenswerth wegen seiner schönen Farbe,
Dehnbarkeit, Hämmerbarkeit, Zähigkeit, Unver-
änderlichkeit, namentlich aber wegen seines neutralen Verhaltens gegen Einwirkung des Schwe-
felwasserstoffs der Alkalien und fast aller Säuren;
s. dar. d. Art. Gold. Das Verfahren der Vergoldung ist nach dem mit Gold zu belegenden Object
sehr verschieden. A. Die Vergoldung nichtmetallischer Gegenstände, wie Holz, Leder,
Papier, Gips, Steine u. dergl. geschieht meist
immer durch Auftragung von Gold (Blattgold)
auf das in gewisser Weise vorbereitete Material.
Um dem Gold Halt zu verleihen, müssen die Gegenstände vorher grundirt, mit Vergoldegrund, Goldgrund, überzogen werden. 1)Vergoldung auf Leimgrund, frz. assiette, auch Wasservergoldung genannt. a) Auf Holz. Der Leimgrund wird hergestellt
durch wiederholtes Tränken der zu vergoldenden
Gegenstände mit heißem, nicht zu dünnem Leimwasser, bereitet nach Art. Leim III. 11. Darauf
folgen 6—7 Anstriche mit einer Mischung von
Leim und geschlämmter Kreide oder Schieferweiß
von ziemlicher Zähigkeit, Kreidegrund genannt.
Die einzelnen Anstriche müssen, ehe der neue Anstrich erfolgt, trocken sein. Nachdem der letzte
Anstrich völlig trocken ist und der Grund etwa
¼ Zoll Dicke erlangt hat, schleift und polirt man
ihn mit einem feinen, in Wasser getauchten Tuch
oder Schachtelhalm, bilst hier und da mit Meißeln,
Messern ꝛc. nach. Dann trägt man den Goldgrund,
auch Poliment genannt, auf. Dies besteht aus
Gummi-Ammoniak, Rindstalg u. Pergamentleim
oder aus gepulvertem Pfeifenthon, Graphit, Talg
und Ochsenblut, oder auch aus Bolus, Blutstein,
Graphit, Baumöl und Pergamentleim. Bei dem
Auftragen muß das Holz erwärmt sein; die einzelnen Anstriche dürfen nicht zu stark und müssen mit
ganz weichem Pinsel aufgetragen werden. Wenn
das Poliment ganz trocken ist, bürstet man es mit
einem steifen Pinsel, dann legt man auf das mit
rauhem Kalbleder überzogene Vergoldekissen ein
Blatt Gold, glättet und zerschneidet es mit dem
Vergoldemesser. Mit einem langhaarigen Pinsel,
den man in ein mit Branntwein schwach versetztes
Wasser taucht, überstreicht man so viel von dem
Grund, als das Goldblatt bedeckt. Nun trägt man
mit dem Anschießpinsel das Blattgold auf den
Grund auf und bilst, wo es nicht anlegt, durch
Hauchen, durch Einbringen von Wasser unter den

Rand des Goldblattes, durch Tupfen mit Baumwolle, mit dem Auftauchpinfel ꝛc. nach. Nach 8—10 Stunden wird das Gold hinreichend trocken sein, um es zu politen. Zu diesem Behuf wird es erst mit einem weichen Pinsel, dann mit trockenem Waschleder oder mit dem Vergoldezahn, einem Schweinszahn, Achatstückchen od. dgl. gerieben. Diejenigen Theile, welche glanzlos bleiben sollen, werden nicht mit polirt und dann noch mattirt; dies geschieht nach Art. Mattiren 2, wobei man gern dem Leim oder Eiweiß etwas Zinnober oder Ocher zusetzt. Winkel und Vertiefungen werden mit Helle, engl. Vermile, aus Zinnober, Gummigutti oder Mennige mit Terpentinöl angerieben, mit dem Pinsel berührt, gehellt. An einzelnen Stellen, wo Gold fehlt, hilft man mit Muschelgold, in Gummiarabicum gebunden, nach. Um rauhe Vergoldung (or haché) zu erlangen, wird die zu vergoldende Oberfläche mit Messerklingen rauh geritzt; dann werden wohl 10—12 Lagen, jede zwei Blättchen stark, übereinander aufgetragen, so daß die Einritzungen (hachures) fast unsichtbar werden. b) Glanzvergoldung auf Stein. Den vollkommen trockenen Stein reibt man mit Knoblauch, streicht dann mit starkem Pergamentleim und trägt ein Poliment aus Bolus, Röthel, Wasserblei und Pergamentleim 3—4mal auf. Nach dem Auftragen des Goldes hellt man es mit einer Helle aus Gummigutti, Röthel und Firniß oder Leim. 2) Vergoldung auf Oelgrund. a) Auf Holz ꝛc. Der Oelgrund besteht aus gekochtem Leinöl mit Ocher, oder mit Schieferweiß und Mennige, dem etwas Terpentin zugesetzt ist. Wenn der Grund so weit trocken ist, daß der Finger nur noch wenig klebt, wird das Blattgold aufgelegt, mittelst Baumwolle ausgebreitet und mit dem Polirstahl überfahren. Auf diese erste Schicht kommt eine zweite, dann nach Bedarf eine dritte, bisweilen sogar eine vierte. Nach jeder Schicht bewirkt man die Anhaftung des Goldes durch Reiben mit dem Polirstahl. Nach der letzten Schicht giebt man durch stärkere und längere Anwendung des Polirstahles den nöthigen Glanz. Bei minder feinen Arbeiten ladirt man einfach die Vergoldung, was auch im Freien mehr Dauer giebt. Als ersten Anstrich für zu vergoldende Gegenstände kann man auch statt des Leimwassers einen Ueberzug von Leinöl, das mit Bleiweiß abgerieben und mit Terpentinöl verdünnt wurde, anwenden; nach dem Trocknen dieses Grundes giebt man einen zweiten, welcher durch Auflösen von 4 Thln. Schellack, 2 Thln. Sandarach, 1 Thl. Mastix und 30 Thln. Weingeist bereitet ist. Behufs theilweiser Vergoldung von Gegenständen, die mit Oelfarbe gestrichen sind, z. B. von Thor- und Balkongittern u. dergl., legt man auf die Oelfarbe, wenn sie ganz getrocknet ist, das Blattgold auf und drückt es mittelst Baumwolle an, wobei es nach dem völligen Trocknen der Farbe sehr fest und dauerhaft anklebt. b) Oelvergoldung auf Stein. Der Stein wird zweimal mit Oelgrund überstrichen, dann wie gewöhnlich verfahren. 3) Die Vergoldung von Leder, Papier, Geweben ꝛc. wird nach folgendem Verfahren ausgeführt. Die Gegenstände werden, wenn der Grund glänzend sein darf, mit dünnem Eiweiß überstrichen, nach dem Trocknen desselben ganz schwach mit Oel eingerieben, das Blattgold auf die betreffende Stelle gelegt und dann mit den etwas über 100° warmen Metallformen aufgepreßt. Wenn der Grund matt bleiben soll, so bestreut man die zu vergoldenden Stellen mit einem

sehr feinen Harzpulver (Mastix, Sandarach u. dgl.) ganz dünn und verfährt mit den Metallformen auf dieselbe Weise. Dies sind im Allgemeinen die Methoden, welche zur Vergoldung nicht metallischer Gegenstände Anwendung finden können. Es würde zu weit führen, wollten wir hier auf alle abweichenden Methoden eingehen. Wir verweisen den Leser auf die überaus reiche Literatur.

B. Vergoldung der Metalle.

1. Vergolden mit Blattgold, kalte Vergoldung, a) durch Aufkleben mit Firniß, geschieht entweder, indem man polirte Metallflächen mit Bernsteinfirniß überzieht, den man so weit trocknen läßt, daß er kaum klebt, dann die Goldblättchen auflegt, vorsichtig erwärmt und endlich nach dem Trocknen mit Achat zum Glanz polirt; oder daß man das Metall mit einer Farbe aus Bleiweiß und Leinölfirniß, dem man etwas nicht trocknendes Oel und etwas Terpentinöl zugesetzt hat, grundirt. Dann überstreicht man einige Male mit Bleiweiß, das mit fettem Oel angerieben ist. Ehe der letzte Anstrich ganz trocken geworden, belegt man ihn mit Blattgold und drückt dieses fest an. b) Auf polirtem Oelgrund, wird hergestellt, indem man den Grund aus Bleiweiß mit dem halben Gewicht Ocker, etwas Glätte mit fettem Oel angerieben, bereitet, darauf ben in aerwähnten Grund in 6 bis 8 Lagen aufträgt. Diesen Grund schleift man nach dem Trocknen mit Bimsstein und überzieht mehrere Male mit einem Lackfirniß, den man wieder mit Schachtelhalm und Zinnoxyd schleift und dann polirt. Auf die polirte Fläche trägt man eine äußerst dünne Schicht Firniß und belegt diese, sobald sie zähe geworden ist, mit Goldblatt, welches mit Baumwolle und Dachshaarpinseln angedrückt wird. Nach dem völligen Trocknen des Beleges wird mit Tripel und zuletzt mit Stärkemehl polirt. c) Durch Adhäsion. Man überzieht zu diesem Zweck die fein polirten Gegenstände, wie Säbel, Gewehrläufe ꝛc., mit einem Aetzgrund, ätzt die, für die Verzierung von Aetzgrund entblößten Stellen mit Salpetersäure rauh; reinigt mit Wasser ab, entfernt den Aetzgrund mit Terpentinöl, erhitzt und legt auf die rauh geätzten Stellen Blattgold in doppelter Lage, drückt dieses fest an und polirt dann mit dem Polirstahl. Statt zu ätzen, macht man auch wohl die zu vergoldenden Stellen mit scharfen Messern rauh (daher rauhe Vergoldung) und belegt die rauhen Stellen mit Blattgold, das fest angedrückt und nicht polirt wird.

2. Vergoldung auf trockenem Wege, Feuervergoldung. Sie findet am häufigsten Anwendung auf Bronze, Messing, Argentan und Silber; sie beruht darauf, daß man Goldamalgam auf den zu vergoldenden Gegenstand aufträgt und dann so weit erhitzt, bis das Quecksilber verdampft. Um die Oberfläche der Gegenstände für die Aufnahme des Goldamalgams geeignet zu machen, glüht man die zu vergoldenden Gegenstände vorher und taucht sie dann in eine Vorbeize, bestehend aus 1 Thl. Schwefelsäure und 10 Thln. Wasser, worin die Orydschichten sich auflösen. Nachdem man mit Kratzbürsten gereinigt und die Gegenstände im Wasser abgespült hat, taucht man sie in die Schnellbeize, ein Gemisch aus 1 Thl. concentrirter Schwefelsäure und 2 Thln. Salpetersäure, dem etwas Kochsalz zugefügt wird; diese Art greift das Metall stark an und nach der Herausnahme erscheint die Oberfläche wie mit feinen Poren bedeckt; man spült gut mit Wasser

ab und taucht die Gegenstände in das sogen. Quickwasser, eine Auflösung von 10 Thln. Queck-silber mit 10 Thln. Salpetersäure von 36° B., und trägt dann mit der angequickten Kratzbürste das Goldamalgam (dargestellt aus 1 Thl. Gold und 6—8 Thln. Quecksilber, welche Mischung man bis zur vollständigen Lösung des Goldes zum Sieden erhitzt; nach dem Erkalten preßt man das über-schüssige Quecksilber durch einen Lederbeutel ab, wobei das Amalgam als eine plastische, weiche Masse im Beutel bleibt) möglichst gleichmäßig auf das Arbeitsstück, bis man einen hinreichend dicken Ueberzug erreicht hat. Die Gegenstände werden dann zwischen erwärmten Sägespänen getrocknet und endlich auf einem Rost über Holzkohlenfeuer so stark erhitzt, daß alles Quecksilber entweicht. Die matte Oberfläche wird dann schließlich durch Abbürsten gereinigt und mit dem Polirstahl polirt. Soll die Vergoldung matt bleiben, so nimmt man die Operation des **Mattirens** vor. 2 Thle. abge-knistertes Kochsalz werden mit 4 Thln. ganz trockenen Salpeters auf's Innigste gemischt, dann mit 3 Thln. Salzsäure übergossen und bis zur Chlorentwicklung erhitzt. In diese Flüssigkeit taucht man die vergoldeten Gegenstände, welche nach wenigen Minuten die gewünschte matte Farbe zeigen. Aus der Flüssigkeit bringt man die Gegenstände zuerst in kochendes Wasser, dann in kaltes, und trocknet dann zwischen Sägespänen oder Leinwand. Eisen und Stahl nehmen bekanntlich das Quecksilber nicht an. Um diese Metalle nun durch Amalgamation zu versilbern oder zu ver-golden, verkupfert man die betreffenden Gegen-stände und bringt dann die Versilberung oder Vergoldung mittelst Silber- oder Goldamalgams nach dem gewöhnlichen Verfahren auf; s. d. Art. Goldamalgam, Amalgam, Quecksilber ꝛc. Soll eine Zeichnung oder Damascirung in Gold oder Silber auf Eisen- oder Stahlgrund oder umgekehrt erzeugt werden, so wird auch die ganze Fläche verkupfert, dann aber werden alle Stellen, welche versilbert oder vergoldet werden sollen, mit Asphalt-firniß überzogen, worauf man den Gegenstand in Chromsäurelösung taucht, welche an den nicht mit Firniß bedeckten Stellen das Kupfer auflöst und das Eisen oder den Stahl bloßlegt. Man entfernt nun den Firniß mittelst warmen Terpen-tinöls, wodurch das Kupfer wieder bloßgelegt wird, und führt dann die gewöhnliche Feuerver-silberung oder Vergoldung aus, wobei das Silber oder Gold nur von den mit Kupfer bedeckten Stellen angenommen wird. Eine röthere Färbung der Vergoldungen erhält man durch nachträgliches Behandeln der vergoldeten Gegenstände mit **Glühwachs**; s. d. Art.

3. Vergoldung auf nassem Wege; dieses Verfah-ren ist streng genommen der galvanischen Ver-goldung analog, nur daß man die Ablagerung des Goldes auf den zu vergoldenden Metallen nicht unter Mitwirkung des galvanischen Stromes, sondern direct durch Niederschlagung des Goldes aus seinen Lösungen bewirkt. So erhält man z. B. eine Vergoldungsflüssigkeit, indem man 10 Thle. Gold in 42 Loth Salpetersäure und 28 Loth Salzsäure löst, zum Trocknen dampft und die trockene Masse mit so viel Wasser versetzt, daß man im Ganzen 40 Pfd. Flüssigkeit erhält. Diese werden mit 20 Pfd. zweifach kohlensaurem Kali versetzt und längere Zeit gekocht. Die zu vergol-denden Gegenstände werden sorgfältig gereinigt in die siedende Lösung getaucht. Nach wenigen

Secunden ist die Vergoldung vollendet. Zur Ver-goldung von Kupfer, Bronce und Messing dienen verdünnte Lösungen von Chlorgold und Cyan-kalium. Um Stahl ohne vorhergehende Verkupfe-rung zu vergolden, taucht man denselben in eine Cyan- und Schwefelcyangold gleichzeitig enthal-tende Lösung. Auch eine Lösung von Chlorgold in Aether kann zur Vergoldung von Stahl und Eisen dienen, indem man einfacher Weise die po-lirten Flächen mit einer solchen ätherischen Chlor-goldlösung bestreicht; nach Verdunstung des Ae-thers zeigt sich die Vergoldung. Die nasse Vergol-dung ist weniger dauerhaft als Feuervergoldung, da das Gold nur leicht an der Oberfläche haftet, zeigt aber eine recht schöne Farbe, insbesondere auf Silber, übertrifft an Schönheit die Feuervergol-dung, so daß man oft Silberwaaren im Feuer nur schwach vergoldet u. kalte Vergoldung darauf setzt.

4. Die galvanische Vergoldung. Die Literatur bezüglich dieses Gegenstandes ist eine so überaus reiche, daß wir unsere Leser hier auf die galvano-plastischen Werke verweisen dürfen. S. übr. d. Art. Galvanismus.

C. Behandlung der vergoldeten Ge-genstände. Auf Leimgrund vergoldete Gegen-stände darf man nicht anders als durch Ab-wedeln reinigen, weil das Gold sich allmählig abwischt oder ablöst. Oelvergoldung, dafern sie mit Lack überzogen ist, verträgt Abwaschung mit lauem Wasser, dem aber keine Seife beigemengt sein darf. In Winkeln ꝛc. reinigt man sie mit einem Pinselchen mit Salatöl, welches man dann mit einem trockenen Pinsel sorgfältig wieder ab-tupft. Um sehr alte, nachgedunkelte Vergoldung zu reinigen, löst man 2 Loth gereinigte Potasche in ⅞ Quart Wasser und wäscht mit dieser Lauge mittelst eines weichen Dachspinsels die Vergol-dung leicht, worauf man sie mit einem Schwamm leicht überreibt und abwischt. Darauf aber taucht man einen Schwamm in Flußwasser die Vergoldung sehr schnell ab, um das Alkali zu entfernen, spült dann mit reinem Wasser ab und läßt abtropfen; ist der Gegenstand trocken, so wärmt man ihn leicht und reibt ihn mit warmen Linnen.

geben hier nur auf das geometrische Verhältniß ein. Die Zahl $\frac{A}{B}$, mit welcher B multiplicirt werden muß, damit A hervorgehe, wird der Exponent des Verhältnisses genannt. Zwei Verhältnisse sind gleich, wenn ihre Exponenten gleich sind. Die allgemeine Form einer Gleichung zwischen zwei Verhältnissen, einer sog. Proportion, ist a : b = c : d, wofür man auch wegen der Gleichheit der Exponenten setzen kann $\frac{a}{b} = \frac{c}{d}$. Die vier Größen, welche eine Proportion bilden, werden ihre Glieder genannt; die erste und dritte heißen die Vorderglieder, die zweite und vierte Hinterglieder; auch nennt man a und d die beiden äußeren, b und c die inneren Glieder. Es ist stets das Produkt der beiden äußeren Glieder gleich dem Produkt der beiden inneren Glieder, d. h. ad = bc. Aus jeder Proportion folgt eine große Reihe anderer, welche auch richtig sind; so ergeben sich aus a : b = c : d folgende: a : c = b : d; b : a = d : c; b : d = a : c; c : a = d : b; c : d = a : b; d : b = c : a; d : c = b : a. Auch wird ma + nc : mb + nd = c : d, wo m und n ganz beliebige Zahlen sind. — Eine Proportion heißt stetig, wenn die beiden inneren Glieder gleich sind, wie in a : b = b : d. Alsdann wird b² = ad und es heißt b die mittlere geometrische Proportionale zwischen a und d. Die Proportionen finden ihre hauptsächlichste Anwendung in der sog. Regel de tri, bei welcher es stets darauf ankommt, aus drei Größen die vierte Proportionale zu finden. Ueber gerade und ungekehrte Verhältnisse s. d. Art. Gerade. — 2) Es beruht bekanntlich die Schönheit der Bauwerke auf einem guten Verhältniß der einzelnen Theile unter einander und mit dem Ganzen; auch spricht man bei Bauwerken, da man Musterverhältnisse zu Grunde legt, von Proportion der Theile, indem man das Verhältniß der Bautheile unter einander mit anderen musterhaften Verhältnissen vergleicht, die man in Gedanken hat; s. übr. d. Art. Aesthetik, Abmessung ꝛc.

Verhärten des Mörtels, s. d. Art. Kalk, Mörtel, hydraulischer Mörtel ꝛc.

Verhau, Verhack, frz. abatis. 1) (Kriegsb.) Annäherungshinderniß, s. d. Art. Festungsbau, S. 43; ist entweder a) natürlich, wenn die Bäume an Ort und Stelle, wo sie gefällt worden, zu Herstellung eines Hindernisses verwendet werden, oder b) geschleppt, wenn die Bäume von ihrem Fällungsplatz nach dem Ort, wo der Verhau hinkommen soll, geschleift werden müssen. Hier ist eine sorgfältige Verbindung und Verankerung der Bäume nöthig, um die Arbeit des Aufräumens zu erschweren; — 2) eingehegtes Forststück.

verhauen, zurechthauen, behauen. Man verbaut z. B. Ziegelsteine, um ihnen zur Gewölbmauerung die nöthige Keilform zu geben. Hüten muß sich der Maurer vor dem sogenannten Verbauen, d. h. falsch Behauen oder Zerschlagen der Steine beim Behauen, woran zwar manchmal der Stein selbst, nur zu oft aber Ungeschicklichkeit schuld ist.

Verin, franz., Zimmermannsschraube, Hebeschraube; s. d.

Verjährung, falsch für Gehrung.

verjüngen, Körper verjüngen heißt, sie in ihrer Längen- resp. Höhenrichtung nach und nach

schwächer oder dünner werden lassen. Zeichnungen verjüngen aber heißt, sie in kleinern Maaßstab übertragen. **Verjüngte Säule,** frz. colonne en sifflet, engl. hance, haunce column, ist daher eine solche, die nach oben zu schwächer wird, aber auch s. v. w. Kindersäule, s. d.; **verjüngter Maaßstab,** franz. échelle reduite, jede beliebige, verhältnißmäßige Verkleinerung des natürlichen oder landesüblichen Maaßstabes, um dadurch Zeichnungen von Bauwerken auf das Papier zu bringen und die einzelnen Theile mit dem Zirkel genau abmessen zu können; s. d. Art. Maaßstab. Verjüngtes Gerinne ist ein Gerinne, das bei seinem Ausfluß sich verengt.

Verjüngung, 1) frz. reduction, Darstellung eines Gegenstandes nach verjüngtem Maaßstab; — 2) engl. diminution, frz. contracture, Abnahme des Durchmessers eines Säulenschaftes nach oben zu.

Verkämmung, lat. compactura (Zimmerm.), s. d. Art. Aufkämmen, Holzverband II. A. 2. b., Kamm 10 ꝛc.

verkalken, 1) mit Kalkmörtel überziehen; — 2) oxydiren.

Verkastung, Verkästung (Bergb.), Ausbau mit Kastenzimmerung; s. d. Art. Grubenbau, S. 214. Bd. II.

Verkaufslocal, Kaufladen, Gewölbe, frz. boutique, engl. stall, shop. Die ganze Anlage muß von außen einen anlockenden Anblick gewähren und möglichst Einblick in das Innere gestatten. Ferner muß der Eingang thunlichst bequem sein. Höchstens zwei Stufen dürfen von der Straße hinaufführen. Sehr zweckmäßig ist es, die Thür etwas gegen die Front der Schaufenster, frz. étalage, zurückzuziehen. Dies gewährt eine kleine, vor Regen geschützte Vorhalle und vergrößert die Flächen der Schaufenster, die sich als Seitenwände dieser kleinen Vorhalle fortsetzen. Starke Pfeiler zwischen den Schaufenstern sind natürlich zu vermeiden, am besten durch Anwendung der Eisenconstruction. Die Glaßböden der Schaufenster und der Spiegelwände inwendig an den Laibungen ꝛc. werden am besten ebenfalls in Eisen gefaßt, welches dann gleichfalls mit Glas überzogen werden kann. Selbst die zur Construction gehörenden Eisenstäbe, Säulen u. s. w. kann man mit inwendig versilberten Glasröhren belegen. Besondere Sorgfalt verlangt die Einrichtung des Verschlusses durch Vorlegladen oder Rollladen (Holzrouleaux). Man hat in dieser Beziehung in den letzten Jahren ungemeine Fortschritte gemacht, die aber noch nicht zu einem Abschluß geführt haben, so daß die Constructionsweisen sich noch stets verändern. Die innere Einrichtung richtet sich ganz nach der Natur der zu verkaufenden Gegenstände und dem Wunsch des Ladenbesitzers. Es läßt sich daher hierüber etwas Allgemeines kaum sagen.

verkehlen, s. d. Art. Auskehlen.

verkehrte Auflanger, s. d. Art. Auflanger.

verkehrt fallender Karnies, s. d. Art. Karnies 4 und Glied E. 3. d.

verkehrt steigender Karnies, s. d. Art. Karnies 2 und Glied E. 3. b.

verkeilen, durch Keile (s. b.) einen Gegenstand befestigen.

verkitten, frz. luter, s. d. Art. Kitt.

verklammern, mit Klammern (s. b.) Holzstücke ꝛc. aneinander befestigen.

Verkleidung, Bekleidung, frz. déguisement,

engl. disguise. A. Das Verkleiden, Bekleiden, Bergen, d. h. das Belegen eines Baukörpers mit einer Hülle aus anderem Material, Bekleidungsmaterial, geschieht zu verschiedenen Zwecken und diesen entsprechend auf sehr verschiedene Weise. 1) Beim Hochbau mit Gips, Kalk, Steinplatten, Blendsteinen, Täfelwerk ꝛc., Mauer- od. Holzwerk; s. Täfelwerk, Boiserie, Putz, Beschalung, Blendwand, Thür ꝛc. — 2) (Kriegsb.) mit Rasen, Faschinen, Schanzkörben, Horden, auch mit Mauerwerk, werden Böschungen von Wällen, Schanzen, Brustwehren zum Schutz vor den feindlichen Kugeln ꝛc. verkleidet; s. d. betr. Artikel. — 3) (Uferb.) mit Faschinen, Flechtwerk, Pfählen, auch mit Rasenstücken, pflegt man Ufer und Deiche zu belegen, um sie gegen das Ausspülen durch Wasser zu schützen. B. Lat. Antepagmentum, überhaupt jede verzierende oder schützende Umgebung, besonders wo der zu bekleidende Körper genagelt wird; namentlich nennt man so die mit einfachem oder verziertem Gesims versehene aufgenagelte Einfassung von Brettern bei hölzernen Thürgerüsten, welche die Fuge zwischen Wand und Thürzarge bedeckt, dem Thürflügel Anschlag gewährt und als Verzierung dient; s. d. Art. Thürbekleidung und Chambranle.

Verkleidungsplanke (Schiffsb.), s. d. Art. Plante, Hüfte, Fluhr, Wange ꝛc.

verkleppen, einen Deich durch Verbreiterung stärker machen.

verklinken, die durch's Holz gedrungenen Enden der Nägel, Bolzen ꝛc. umschlagen.

Verknüpfung oder Kreuzung (Zimmerm.), s. d. Art. Holzverband II. A. 2.

Verkohlung, frz. carbonisation, Säulen, Pfähle, Ständer ꝛc. pflegt man theilweis zu verbrennen, so daß sich eine dünne Kohlenkruste bildet; s. d. Art. Abbrennen 3 und Fäulniß.

verkoppeln, s. v. w. verkuppeln.

Verkröpfung, Krippung, das Herumgeben eines Gesimses um einen Mauervorsprung, überhaupt aber jede Unterbrechung des geraden Laufes eines Gesimses an nahe nebeneinander befindlichen ein- und ausspringenden Ecken. Eine Verkröpfung kann eine stehende oder liegende sein; im ersten Fall kann das Gesims vorgekröpft, zurückgekröpft oder um etwas herumgekröpft, im letzten Fall aufgekröpft oder herabgekröpft sein. Ferner kann eine Verkröpfung rechtwinkelig oder schiefwinkelig sein; in beiden Fällen werden die Glieder derselben in einer auf der Grundebene des Gesimses rechtwinkeligen, diese Grundebene in der Halbirungslinie des Winkels schneidenden Ebene zusammenstoßen, die bei von Holz oder dergleichen angesetzten Gesimsen zur Fuge wird und mittelst der Kröpfladen hergestellt werden kann; letztere heißt auch Gehrlade; s. überhaupt d. Art. Gehrung. Die Verkröpfungen sind mit großer Vorsicht anzuwenden, da sie leicht ein überladenes Ansehen herbeiführen, auch oft geradezu widersinnig sind. S. übr. d. Art. Gebält, Renaissance, Kropf u. ff., Gekröpft u. ff., Eckzierde ꝛc.

Verkündigung Mariä, lat. annunciatio B. V. M; s. d. Art. Maria und Gabriel.

Verkupferung, Aufbringen von Kupfer als Ueberzug auf andere Metalle ꝛc. S. darüber zunächst d. Art. Kupfer u. ff. Ueber die Verkupferung auf Eisen s. d. Art. Eisen und Gußeisen; man überzieht das Gußeisen mit einem sehr flüssigen und rasch trocknenden Firniß, bevor es der electro-

chemischen Verkupferung unterworfen wird. Dadurch wird nicht nur das Abbeizen und Reinigen des Eisens überflüssig, sondern man erspart auch die Cyankupferlösung, die sonst erforderlich ist, um den ersten Anfang der Kupferschicht zu bilden, welche man dann unter Anwendung von Kupfervitriollösung dicker werden läßt. Haben die Gegenstände den geeigneten Ueberzug erhalten, so bringt man sie in einen Trockenraum, überzieht sie nach Verlauf einer Stunde mit Graphit, um ihre Oberfläche leitend zu machen, hängt sie dann in einer galvanischen Batterie in Kupfervitriollösung auf und setzt sie mit dem Zink in Berührung. Das Zink befindet sich in einem porösen Gefäß und ist mit säurehaltigem Wasser umgeben. Statt der porösen Gefäße kann man Säcke von dicht gewebtem Segeltuch anwenden. In jeden solchen Sack kommt eine röhrenförmig gebogene Zinkplatte von der Länge des Sackes. Um den Sack gespannt zu erhalten und Absätze von Kupfer zu vermeiden, schiebt man in denselben und die Zinkröhre herum einen Cylinder von Korbgeflecht. Nach dem Herausnehmen aus dem Kupferbad werden die Gegenstände gewaschen, getrocknet und dann der Einwirkung geeigneter Stoffe ausgesetzt, um eine Bronzefarbe oder die Farbe der antiken Patina (f. d.) zu erhalten.

verkuppeln, 1) (Maschinenb.) durch ein Zwischenstück, die Kuppelung, zwei hintereinander liegende Wellen mit einander zu einerlei Umdrehung verbinden; — 2) s.v.w. Kuppeln von Fenstern, Säulen ꝛc.

Verlaath, Wehr mit Schützen versehen.

Verlandung der Buhne (Wasserb.), Ansatz des Flußmaterials hinter der Buhne und in Winkeln derselben, wo das Wasser ruhig ist.

Verlängerung, s.d. Art. Holzverband A1. u. B1.

Verlandungsbuhne, s. d. Art. Buhne.

verlarven (Mühlenb.), den Schaufelkranz eines Wasserrades mit den Einschnitten (Larven) versehen, in welche man die Schaufelbretter legt.

verlaschen, die Arme des Wasserrades zwischen den Schaufeln mit einer Lasche (s. d. 3) versehen.

verlatten, s. v. w. belatten.

verlegen, Steine, Zimmerarbeiten ꝛc. an den Ort ihrer Bestimmung bringen. Das Verlegen der Sandsteinarbeiten muß sehr accurat und vorsichtig geschehen; s. übr. d. Art. Versetzen.

Verlegung (Brunnenb.), horizontales hölzernes Verbindungsrohr zwischen dem Rohr im Kessel und dem Pumpenrohr, wenn dies nicht über dem Kessel stehen kann.

Verließ, Verlies, lat. inpace, frz. oubliette, tiefe Grube, Keller od. dgl., in Burgen, ohne andere Oeffnung als die von oben. Es diente als Gefängniß; s. d. Art. Burg.

verlochen (Zimmerm.), ein Stück Holz mit einem Zapfenloch versehen.

verlöthen, s. d. Art. Löthen, Loth, Hartloth ꝛc.

verloren, jede vorläufig gemachte Arbeit, z. B.: 1) ein Dach wird verloren eingedeckt, wenn die Dachziegel nur vorläufig auf die Latten gelegt werden, um sie zur Hand zu haben, oder das Gebäude einigermaßen gegen den Regen zu schützen; — 2) verlorene Form; s. d. Art. Form; — 3) verlorener Steingrund, wenn in tiefem Waſſer ein künſtlicher Grund nach und nach durch hineingeworfene Steine gebildet wird; — 4) verlorener Zapfen, ein zwiſchen zwei Hölzern eingelaſſener ſchwalbenſchwanzförmiger Zapfen oder Dübel zur Verbindung beider Hölzer mit einander; — 5) verlorenes Gefälle; dasjenige Gefälle bei Gerinnen, Röhrenleitungen, das von den Widerſtänden der Abhäſion conſumirt wird und dadurch ohne Nutzen für die Geſchwindigkeit verloren geht; — 6) verlorene Zimmerung (Bergb.), die vorläufig gemachte Zimmerung in einem Schacht; — 7) verlorenes Holz; ſ. d. Art. Grubenbau, S. 212.

vermauern, 1) mit Mauerwerk ausfüllen oder verſchließen; — 2) dicht mit Mauerwerk umgeben; ſ. d. Art. Ausmauern, namentlich 4, das Vermauern der Balkenköpfe betr.

Vermeil, frz., vergoldetes Silber.

Vermejo, ſpan., Purpurroth.

vermeſſen, ſ. v. w. ausmeſſen, Maaße abnehmen, namentlich von Feldern, Bauplätzen, Gebäuden ꝛc. Bei Vermeſſung von Gebäuden meſſe man die Seiten der einzelnen Räume, dann, ſtets in gleicher Richtung von einem Winkelaus, die Entfernung nach den verſchiedenen Fenſterecken ꝛc. aber auch ſtets 2 Diagonalen des Raumes, ferner die Mauerſtärke in allen Fenſtern und Thüröffnungen, die Lichtenhöhe, ferner die Höhe von Fußboden zu Fußboden in einem Treppenraum. Auch von etwaigen Flächen nehme man ſtets die Diagonale; mittelſt Schnur, Transporteur und Compaß kann man ſich die Richtung der Mauerfluchten in Bezug auf die Himmelsgegenden verſchaffen; ſtets bediene man ſich bei der ganzen Ausmeſſung deſſelben Maaßſtabes oder genau verglichener Maaßinſtrumente. Ueber das Vermeſſen von Bauplätzen ſ. d. Art. Feldmeſſen.

Vermiculé, frz., engl. vermiculated, wurmförmig, eine Art des Beſenputzes und der Boſſagebearbeitung.

Vermille, engl., Helle; ſ. d. Art. Vergolden.

vermiſcht-ſchlächtiges Waſſerrad, ein Waſſerrad, worauf Ströme von verſchiedener Höhe geleitet werden, ſo daß es durch den oberen Strom ober- oder mittelſchlächtig, und durch den unteren Strom mittel- oder unterſchlächtig iſt.

vermitteln, ſ. v. w. fuchsſchwänzen, ſ. d.

Vernätherung, Uferbau aus eingeſchlagenen Pfählen mit eingeflochtenen Zweigen.

Vernier, frz., ſ. d. Art. Ronius.

Vernis, ſ. d. Art. Firniß.

Vernix succini, lat., Bernſteinfirniß.

verolmen, nordd., ſ. v. w. verfaulen.

Veroneſer Erde, ſ. d. Art. Grün B, III.

Veronica, 1) St., Berenice, Bernite, vornehme Frau, die Chriſtus vom Blutfluß heilte und bei der dann bei der Kreuzigung ſich das Schweißtuch, auf dem das Antlitz Chriſti; — 2) Veronica von Mailand, darzuſtellen als Nonne, ſtarb 1497.

Veronicatuch, veronicabild, lat. sudarium Domini, frz. Véronique, sainte face, engl. vernacle, ital. volto santo, Schweißtuch mit dem Antlitz Chriſti, dem wahren Abbild (vera icon).

verpeilen, verperlen, die Tiefe des Grundes unter dem Waſſer meſſen; ſ. Peilen, Strom u. ſf.

Verpfählung, Verpallifadirung (Uferb.), 1) Befeſtigung eines Ufers durch Pfahlwand od. dgl.

Bei Fertigung der Verpfählungspläne befolge man Nachſtehendes, um die Maaße aus denſelben mit Sicherheit herauszutragen: Bei Spitzpfählen nimmt man die Maaße von Mittel zu Mittel der Köpfe, bei Spundwänden von der Vorder- oder Hinterfläche an. Man thut wohl, die Maaße immer wiederholt von beſtimmten feſten Punkten an zu ſtechen, weil die Pfahlmittel nie ganz richtig zu ſtehen kommen, alſo für andere Pfähle nicht als genaue Anhaltepunkte dienen können. Für gerade Pfahlreihen werden, etwas vor den äußerſten Pfählen, Richtpfähle eingeſchlagen, worauf Einſchnitte zur Anlage einer Schnur gemacht werden. Es iſt beſonders nützlich, die Anzahl der Menſchen zum Rammen, die Länge, Dicke und Beſchaffenheit jedes Pfahles, die Anzahl der Rammhitzen, das Eintreiben bei jeder Hitze ꝛc. zu notiren, um danach die Preiſe berechnen zu können; — 2) Annäherungshinderniß; ſ. Pfählchen und Palliſaden.

verpichen, frz. brayer, engl. to pitch; ſ. Pech.

verplatiniren, ſ. d. Art. Platin, Plattirung, Doubliren; man kann Kupfer oder Meſſing auch auf naſſem Weg mit Platin überziehen: 1 Thl. feſtes Chlorplatin wird in 100 Thln. Waſſer gelöſt, dann 8 Thle. reines Kochſalz (oder beſſer 1 Thl. Platinſalmiak und 8 Thle. gewöhnlicher Salmiak) zugeſetzt; Beides überſchüttet man in einer Porzellanſchale mit 32—40 Thln. Waſſer, erhitzt dieſe Miſchung bis zum Sieden und legt die blankgeſcheuerten Gegenſtände hinein. Die ſo behandelten Gegenſtände putzt man dann mit geſchlämmter Kreide, wäſcht ſie ab und trocknet ſie.

Verplattung, ſ. d. Art. Verblattung.

Verputz bei Mauerwerk; ſ. d. Art. Putz, Berohren, Anker ꝛc.

Verputzhobel, ſ. d. Art. Hobel.

verquicken, ſ. d. Art. Amalgam, Queckſilber, Spiegel, Vergoldung ꝛc.

verrainen, abſtecken, mittelſt Grenzſteinen die Grenzen eines Feldes, einer Wieſe oder überhaupt eines Grundſtückes bezeichnen.

verraſen (Uferb.), Erdreich mit Grasſamen beſäen oder mit Raſenſtücken belegen.

verreiben, durch ein Reibebret den Putzbewurf ebnen.

Verreihung, die Verreihung abnehmen oder den Bau ausörtern, heißt bei den Zimmerleuten hier und da ſ. v. w. mittelſt Latten die Maaße der Mauerlängen, Mauerſtärken und Winkel eines Baues abnehmen, um darnach die Zulage abzubinden.

verreiſen, ſ. v. w. beſtäuſchen, ſ. d.

verreißen; ſo heißt bei den Zimmerleuten das Anzeichnen der Linien an Hölzern, nach denen ſie anderweitig verarbeitet werden ſollen. Die Mühlenbauer nennen es ausbögen.

Verrerie, frz., Glasmacher, Glasmacherkunſt.

Verres, ſ. d. Art. Maaß, S. 510, Bd. II.

verriegeln. 1) (Zimmerm.) Mit Riegeln (ſ. d. 2) verſehen, beſonders Fachwerkswände; dieſe nennt man nach der Anzahl der horizontalen Riegelreihen ꝛc., zwei- oder dreimal verriegelte Wände. Nur einmal verriegelt wird eine Wand von 8—12 Fuß Höhe; zweimal von 8—12 Fuß Höhe; dreimal von 12—16 Fuß; — 2) mittelſt eines Riegels (ſ. d. 1.) verſchließen.

Verrière, frz., Glasfenſter.

Verrou oder **verrouil,** frz., Riegel eines Schloſſes ꝛc.

Verſackung, frz. arquement, engl. cambering, unregelmäßige Senkung bei Bauwerken, tritt ein, wenn ſie in ihrer Verbindung geſtört worden ſind.

Verſammlungsſaal, Saal für öffentliche Verſammlungen; ſ. unt. Aula und Egal.

Verſandung (Waſſerb.), tritt bei Flüſſen, Strömen ꝛc. ein, wenn ſich tiefere Stellen mit Sand anfüllen, welchen das Waſſer führt und dort abſeßt; ſ. d. Art. Fluß, Strom, Uferbau ꝛc.

Vorſant, frz., Schrägfläche eines Daches.

Verſaßung. 1) (Zimmerm.) Eine Verbindung zweier Hölzer, deren eines mit ſeinem Hirnholz gegen das Langholz des andern trifft, manchmal mit Verzapfung verbunden; bei der Verſaßung iſt das Hirnholz, reſp. die Bruſt des Zapfens, in das mit dem Zapfenloch verſehene Holz, aber nicht tief eingefügt und wirkt ſtrebend. Man unterſcheidet: a) gerade, einfache Verſaßung, ſ. Fig. 1888; b) ſchräge, einfache Verſaßung, ſ. Fig. 1889; c) Verſaßung mit Brüſtung, ſchräge, doppelte oder abgeſeßte Verſaßung, ſ. Fig. 1890; d) ſchräge Verſaßung mit Zapfen und Brüſtung, ſ. Fig. 1891; e) Verſaßung mit Zapfen, ſ. Fig. 241 im I. Band; f) Verſaßung mit Anblattung, ſ. Fig. 242; g) doppelte Verſaßung, ſ. Fig. 1892.

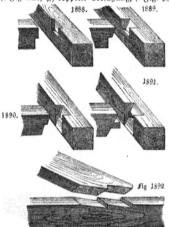

Einige andere Formen ſ. Fig. 1252, 1253, 1256; — 2) (Grundb.) ſ. v. w. Umdämmung; — 3) auch Abſaß am Riegel; ſ. d. Art. Schloß; — 4) bei Zinngießern Zuſaß von Blei oder Kupfer und Wismuth zum Zinn; — 5) (Deichb.) Abſaß, Wendeplaß an der Dielenbahn, auf welcher das Material zum Deichbau hinzugekarrt wird. Die dieſelben bildenden Dielen heißen Verſaßdielen.

verſchalen, ſ. d. Art. Beſchalen.

Verſchallung, leichte, dem Strom parallele Uferfaſſung aus Pfählen und Reiſig.

verſchanzte Linien und Verſchanzungskette, ſ. d. Art. Feſtungsbau, S. 43, Bd. II.

Verſcheerung, ſ. d. Art. Eiſenverbände, S. 702.

verſcherben, frz. faire des écarts, engl. to scarf (Schiffsb.), zwei Hölzer durch eine Scherbe (ſ. d.) verbinden.

verſchießen. 1) Zwei über's Kreuz liegende Hölzer ſo verbinden, daß ſie ſich gegenſeitig nicht verſchieben können; ſ. d. Art. Grubenbau, S. 214; — 2) von den Farben, durch Einwirkung des Sonnenlichtes bläſſer werden.

verſchiften, ſ. d. Art. Schiften.

Verſchilfen der Fenſter, ſ. Fenſterſcheibe.

verſchlackter Baſalt, ſ. d. Art. Baſalt.

verſchlämmen, verſchlicken, ſ. d. Art. Schlamm, Schlick, Anhägerung ꝛc.

Verſchlag, Raum, von Bretwänden eingeſchloſſen, auch eine ſolche Bretwand ſelbſt; ſ. Koje.

verſchleten, verſchlißen, frz. consumé, engl. used, abgenußt, bei Segel- und Tauwerk gebraucht.

verſchließen, Minenbrunnen ꝛc., d. i. verkleiden.

Verſchlingung von Linien als Verzierung; ſ. d. Art. Kettenzug, Zopf, Flechtwerk.

Verſchluß, frz. fermeture, jeder Etwas verſchließende Apparat, z. B. ein Schloß, ſ. d.; ſowie d. Art. Beſchläge, S. 329. Auch nennt man Verſchluß die Einfaſſung eines Raumes mittelſt Zäunen, Wänden ꝛc.; ſ. d. Art. Einfriedigung.

verſchneiden, 1) (Zimmerm.) ſ. v. w. beſäumen; — 2) ſ. v. w. überſchneiden; — 3) ſ. v. w. durch falſche Schnitte verderben.

Verſchnitt (Zimmerm.), Verluſt des Holzes von ſeiner Länge durch die Bearbeitung.

verſchobenes Kreuz, ſ. d. Art. Kreuz C. 34.

verſchobenes Quadrat, ſ. v. w. Rhombus; verſchobenes Rechteck, ſ. v. w. Rhomboid.

verſchrämen, Geſtein, d. i. von Entfernung zu Entfernung ausſpißen und durch Eintreiben von Keilen die zwiſchenliegenden Maſſen abſprengen.

verſchränkte Balken. Es werden zwei Balken auf einander gelegt, in welche man Verſchränkungen (d. h. Erhöhungen und Vertiefungen) eingeſchnitten hat. Die Länge einer Verſchränkung beträgt etwa ⅟₄ der Länge der Balken, die Tiefe der Einſchnitte 2—3 Zoll. Bei jeder Verſchränkung wird ein eiſerner Schraubenbolzen durchgeſteckt. Auch bei ſolchen Hölzern, welche der Höhe nach ſenkrecht oder ſchief neben und über einander ſtehen, z. B. bei doppelten Hängeſäulen ꝛc., kann eine Verſchränkung ſtattfinden. S. a. Balken V, b. 3.

Verſchränkung (Herald.), Vereinigung mehrerer Wappen zu einem durch Section, d. h. z. B. dadurch, daß man das neue Schild in vier Felder theilt und auf zwei dann das eine, auf zwei das andere der zu vereinigenden Wappen ſeßt.

verſchrauben mit einander, ſ. v. w. aneinander anſchrauben.

verſchroten, unterirdiſche Wäſſer verſchroten, ihnen Abzugscanäle graben.

verſchüßen, einen Raum im naſſen Grund mit Wänden dergeſtalt einſchließen, daß man das Waſſer aus demſelben ſchöpfen kann; ſ. d. Art. Grundbau ꝛc.

verſchwächen, 1) ein Holzſtück, Eiſenſtück ꝛc. an einer Stelle ſchwächer machen, als es an andern iſt; ſ. auch d. Art. Einziehung; — 2) ſ. v. w. zu ſehr ſchwächen, z. B. eine Schwelle ꝛc. durch zu viel Zapfenlöcher; eine Welle wird nachtheilig geſchwächt, wenn man ſie durchlocht wegen der

Arme des Rades, anstatt die Arme auf holländische Art um die Welle zu legen.

verschwellen, eine Fachwerkswand mit einer neuen Schwelle versehen; ein verschwellter Dachstuhl ist ein solcher, bei welchem die Stuhlsäulen nicht direct in die Balken, sondern in Schwellen eingelocht sind, die man auf die Balken aufstämmt.

verschwerten (Zimmerm.), mit Schwertern (s. d.) versehen.

Verschwiegenheit, allegorisch darzustellen mit an den Mund gelegtem Finger; symbolisch durch eine Eidechse.

versenken, eine Schraube, einen Nagel ꝛc. versenken, nicht allein die Schraube, den Nagel ꝛc., sondern auch den Kopf in das Bret mit einschlagen, so daß gar nichts mehr davon vorsteht. Man versenkt z. B. bei der Dielung die Nagelköpfe mittelst des Senkstiftes oder Durchschlags, s. d.

Versenkkasten (Wasserb.), starker, wasserdichter Kasten mit einem Boden von starkem Holz und verticalen Wänden, welche schnell von dem Boden abgelöst werden können. Der Boden des Kastens dient als Plattform des Fundamentes, aus Béton ꝛc. im Wasser. Die Querhölzer desselben sind an den Enden in Streckbalken von etwas größeren Dimensionen verzapft und das Ganze durch Schraubenbolzen dicht zusammengehalten. Die Seitenwände bestehen aus Pfosten, die mit dicken Bohlen bekleidet sind, wobei die Fugen sorgfältig gedichtet sind; s. d. Art. Béton ꝛc.

versenkte Grundmauerung, siehe die Artikel Grundbau II. D, Senktribbe, Brunnengründung, Brunnen und Senkwerk.

versenktes Gebälke. In Gebäuden, welche ein flaches Dach haben und deren Bodenraum doch noch benutzt werden soll, legt man aus die Balken mehr oder weniger vertieft gegen den eigentlichen Dachfuß, also auch gegen das Hauptgesims. Die Sparren liegen dann auf den Rähmen der der Mauer entlang aufzustellenden Stempel oder Kniewände; in Folge dessen können die bei gewöhnlichen Balkenlagen oft nötigen Stich- und Gratstichbalken ganz wegfallen. Man hat hier nur für die Grat- und Binderstuhlsäulen der Giebel, wenn ein liegender Stuhl angenommen wird, an der Stelle der Stichbalken, kurze, nur über ein Paar Balken reichende Wechsel einzulegen oder Bohlen aufzulatten. Bei massiven Gebäuden mit absatzweise aufgeführten Mauern werden die Balken auf diese Absätze und zum Theil in der Mauer aufgelegt. Unzweckmäßig ist es, die Balkenköpfe ganz in die Mauer zu legen und die Umfassungsmauern ohne Absatz aufzuführen. Auf die Balkenköpfe nun oder auf darüber gekämmte Schwellen stellt man eine niedere Stempelwand (Kniestock). Auf die Rähmen derselben oder auf die Mauerlatten der massiv aufgeführten Umfassungswand legt man an jeden Binder eine Zange, welche die Stuhlsäule des stehenden oder liegenden Stuhles faßt. Zwischen diese Zangen werden (s. Fig. 791 bis 793 oder 813 im Art. Dach) Wechsel eingelegt, in welche Stichbalten verzapft, verbolzt oder verklammert sind; deren Köpfe auf jenen Rähmen aufliegen und die Sparren tragen; bedeutend holzsparend ist es jedoch (nach Fig. 794 oder 795), die Zangen direct auf die Stempel aufzuzapfen (wobei man blos auf den Bindern Stempel braucht) und auf die Köpfe der Zangen einen Rähmen zu legen, auf dem dann die Sparren

aufgelauscht werden. Man kann übrigens bei jeder Dachconstruction und jedem Dachprofil versenkte Gebälke anwenden; s. d. Art. Dach, Balken ꝛc.

Versenkung, 1) s. d. Art. Ausleitung des Blitzableiters; — 2) s. d. Art. Theater; — 3) Höhe der Stempelwand bei einem versenkten Gebälke.

versetzen, 1) unzugänglich machen, verstopfen, verschließen; so ist ein versetztes Bohrloch ein durch das Bohrmehl od. dgl. verstopftes; versetzte Berge nennt man ein nicht aus der Grube geförderten Abraum. Einen Ofen versetzen heißt, ihn mit zu viel Erz beschicken, so daß die Kohlen dieses nicht zu schmelzen vermögen ꝛc. — 2) Vermischen; Farben, Metalle ꝛc. versetzt man mit anderen. — 3) An einen andern Ort setzen, z. B. Bäume oder dergl.; der Zimmermann versetzt die Riegel, wenn er sie z. B. bei zwischenliegenden Fenstern und Thüren nicht in einer geraden Linie

Fig. 1893.

durchgehen läßt, sondern zum Theil höher oder tiefer legt. — 4) Versetzt heißt auch s. v. w. mit Versatzung versehen; s. d. Art. Versatzung. — 5) Versetzen der Werkstücken. Wenn das Versetzen zu ebener Erde geschieht oder in geringer Höhe, so wird der Stein auf einer Schleife oder auf Holzrollen an Ort und Stelle gebracht. Sollen die Steine in größerer Höhe versetzt werden, so werden sie durch Hebezeuge gehoben oder durch Rollwagen auf fahrten Gerüsten an den Ort ihrer Bestimmung gebracht. Dann wird der Stein entweder mit den Händen oder mit Brechstangen in das Lager eingepaßt und genau in die gehörige Stellung gebracht. Sehr große Steine werten von Hebezeugen, die durch Erdwinden bewegt werden, in die Höhe gezogen und so lange schwebend über dem Lager gehalten, bis sie richtig einvisirt sind, worauf sie langsam eingelassen werden. Sind die Werkstücke dabei annähernd gleich lang, breit und hoch, oder überhaupt stark genug, daß man das Ausspringen der betreffenden Löcher nicht zu fürchten braucht, so werden sie, dafern die Oberfläche später nicht sichtbar bleibt, mit dem Kropfeisen (s. d.) an das Seil befestigt, s. z. B. Fig. 1893; dafern die Oberfläche später sichtbar wird

Fig. 1893.   Fig. 1895.

oder zu schonen ist, werden sie mit der Ablerzange (s. d.) gepackt. Bei beiden ist es ziemlich schwierig, den Schwerpunkt zu finden. Da es nun aber bei Gemänden sehr wünschenswerth ist, daß sie, während sie noch in dem Seil hängen, bereits die lothrechte Lage annehmen, so ist die in Fig. 1894 und 1895 abgebildete, zuerst vom Maurermeister Pausch in Leipzig beim Theaterbau, Sommer 1866, angewendete Vorrichtung sehr zu empfehlen.

Versicherung, 1) s. d. Art. Feuerversicherung; — 2) s. d. Art. Sicherheitsventil.

Versickerung, Versiegung von Quellen, Brunnen 2c.; s. Trockenlegung, Bewässerung, Brunnen 2c.

Versilberung. Silber kann auf ebenso verschiedene Art wie Gold aufgetragen werden auf Messing, Bronze, Kupfer, Zinn, Eisen, Stahl, Holz, Stein 2c.; s. d. Art. Vergoldung.

A. Versilberung auf Metall.

I. Feuerversilberung. 1) Man trägt auf die auf's Sorgfältigste gereinigte Metalloberfläche zuerst eine Lösung von salpetersaurem Queckfilberoxyd und dann mit einer Bürste eine dünne Schicht Silberamalgam (1 Thl. Silber und 8 Thle. Queckfilber) auf. Das Queckfilber wird dann auf Kohlenfeuer verflüchtigt, abgeraucht. Durch Sieden mit Weinstein und Kochsalzlösung und darauf folgendes Poliren mit Bluttein wird die Arbeit vollendet. — 2) Um eine glatte Feuerversilberung auf Metall, namentlich Eisen, herzustellen, wird die Waare rothwarm gemacht und abgebrannt in stark verdünnter Salpetersäure, um das Oxyd hinwegzunehmen; dann schleift man sie mit Bimsstein und Wasser, macht sie wieder rothwarm, worauf man sie in Wasser abschickt und wieder in stark verdünnte Salpetersäure taucht, wodurch die Oberfläche rauh oder narbig wird. Hierauf werden die Stücke auf einem eisernen Gestell über Feuer gelinde erhitzt, bis sie blau anlaufen, und warm erhalten. Man trägt hierauf mittelst einer Pincette zwei Silberplättchen auf und streicht sie mit dem Polirstahl an, erhitzt sodann wieder das Stück, legt vier Blätter aneinander, polirt sie auf 2c. — 3) Rauhe Versilberung, argent haché; nachdem man die zu versilbernde Metallfläche wie bei 2 vorbereitet hat, wird sie, im Fall sie dadurch noch nicht hinreichend rauh geworden ist, mit einem dazu geeigneten Messer geritzt. Das übrige Verfahren ist dem unter 2, jedoch legt man 30, 40, selbst 50 Silberblättchen in Schichten von je 4 oder 6 übereinander.

II. Versilberung auf nassem Wege. 1) Die gebräuchlichste nasse Versilberung besteht in einem Eintauchen des metallenen Gegenstandes in eine siedende Lösung aus gleichen Theilen Kochsalz und Weinstein mit ¼ Thl. Chlorsilber. — 2) Zu 1 Thl. salpetersaurem Silber, mit 13 Thln. Cyantalium in Wasser gelöst, setzt man so viel Schlämmtreide zu, daß ein dicker Brei entsteht. Diesen Brei trägt man auf die sorgfältig gereinigten, zu versilbernden Gegenstände auf, bürstet ihn nach einiger Zeit vorsichtig ab und spült mit Wasser nach. — 3) In einer Schale oder einem Reibstein reibt man zusammen 1 Thl. wohl ausgewaschenes und getrocknetes, mittelst einer planken Kupferplatte galvanisch gefälltes Silberpulver, setzt 2 Thle. Weinstein und 2 Thle. Kochsalz, zuletzt etwas Wasser, bis zur Bildung eines ziemlich dünnen Breies zu, nimmt dann mit einem Läppchen von feiner und dichter Leinwand etwas Brei auf, reibt damit anhaltend die betreffenden Messing- oder Kupferbleche, bis sie hinlänglich versilbert erscheinen, worauf man sie im warmen Wasser gut abspült und zuletzt durch gelinde Erwärmung und Abwischen trocknet. — 3) Nachsilberung schon im Feuer versilberter Gegenstände. Aus 1 Thl. feinen Silbers, durch Auflösung in Scheidewasser und Zusatz von Kochsalz gewonnenes Chlorsilber, mit 4 Theilen Weinstein, 4 Thln. Kochsalz und der nöthigen Menge Wasser zu einem Brei angerieben, dient zum Ueberpinseln der schon im Feuer verfilberten und gut gereinigten Gegenstände. Werden diese dann in Wasser abgespült, mit fein gepulvertem Weinstein abgebürstet und endlich polirt, so erhalten sie einen lebhaften Glanz.

III. Versilberung mit Blattsilber, kalte Versilberung, besonders auf Eisen u. Stahl angewendet. Vor dem Versilbern müssen Eisen und Stahl gut polirt und von allem Schmutz gereinigt werden, indem man die Eisenoberfläche, wenn sie der Einwirkung der sie reinigenden Säure ausgesetzt ist, electro-negativ macht. Zu diesem Behuf bringt man die Eisen- oder Stahlwaaren in Verbindung mit einem Stück Zint in eine Mischung von 1 Thl. Schwefelsäure und 1 Thl. Wasser. Es lösen sich in kurzer Zeit dann die Schuppen und der Schmuz von dem Eisen vollständig ab. Hierauf bringt man es in ein Messinggefäß, welches eine gesättigte Auflösung von schwefelsaurem Kupfer mit einem kleinen Zusatz von Schwefelsäure enthält. In kurzer Zeit wird sich das Eisen mit einem festen Kupferüberzug versehen und kann dann mit Blattsilber belegt werden, auf dieselbe Weise, wie im Art. Vergoldung B. 1 angegeben. Vergl. auch d. Art. Gußeisen, S. 226, Bd. II.

B. Versilberung nichtmetallischer Gegenstände. Das Verfahren hierbei, sowohl bei Leimversilberung als bei Oelversilberung und Firnißversilberung, ist dasselbe wie bei der Vergoldung. Das Poliment jedoch wird aus Pfeifenthon, Reißblei und genuesischer Seife unter Zusatz von Pergamentleim bereitet. Das Mattsetzen geschieht mit einer Mischung aus ganz hellem, klarem Leim oder Eiweiß mit feinem Bleiweiß und sehr wenig Berliner Blau; die fertige Versilberung übergieht man mit ganz reinem Copal oder Mastix-Lackfirniß. Die Versilberung verliert leicht ihre Farbe, indem dieselbe leicht oxydirt. Man hat daher immer nach Ersatzmitteln dafür gesucht, da auch das Mufivsilber (s. d.) sich nicht bewährte. Die Anwendung von Silicium, Wolfram, Molybdän, Titan, Uran und Chrom ist theils zu theuer, theils erfordert sie zu viele chemische Kenntnisse und macht zu viel Vorbereitungen nöthig. Am besten bewährt hat sich bis jetzt die Verwendung von Aluminiumblättchen, die seit kurzer Zeit im Handel zu haben sind, statt des Blattsilbers; das Verfahren ist ganz dasselbe wie beim Blattgold. Die Dauerhaftigkeit ist sehr groß, die Farbe bei Weitem schöner und der Preis nicht viel höher als beim Blattzinn, welches man auch vielfach hierzu verwendet hat. Durch Ueberziehung einer echten oder unechten Blättchenversilberung mit Goldfirniß (s. d.) erhält man eine ziemlich dauerhafte unechte Vergoldung.

C. Zu der Versilberung könnte man auch das Plattiren (s. d.) rechnen. Vergl. über noch d. Art. Blattmetall, Blattsilber, Chlorsilber, Bronze, Firnißversilberung 2c.

versintern, zu Sinter (s. d.) werden oder sich mit Sinter überziehen.

verspatteln, s. v. w. Verspreizen der Kückböde mit Latten (Münchner Provinzialismus).

verspiekern, frz. clouer, engl. to spike, mit Spielern (s. d.) befestigen.

verspreizen, s. v. w. abspreizen, gegen den Einsturz und das zur Seite Ausbiegen bewahren. Man verspreizt die Balken mit einander, besonders wenn dieselben sehr schmal, aber doch sind; s. d. Art. Abkreuzen. Doch ist es gut, auch gewöhnliche Balkendecken mit dergleichen Spreizen zu versehen; s. d. Art. Andreaskreuz.

Versprengung der Balken, s. Balken V. d. 3.

verspriegeln, mit Spriegeln (s. d.) versehen oder ausfüllen; ein Stollen oder dergl. hat sich verspriegelt, wenn bei einem Durchschlag oder Bruch das Holz der Auszimmerung nach allerlei Richtungen immer durch einander steckt.

verstäben, Treppenstufen, Leisten ꝛc. mit Gliederungen versehen. Daher Verstäbung, s. v. w. Verzierung mit Holzsimsen.

verstählen, einzelne Theile eiserner Gegenstände, z. B. Handwerkszeuge, mit Stahl versehen; s. d. Art. Stahl.

Verstärkung (Zimmermann), s. d. Art. Balten V. und Holzverband A. 3. B. 2.

Verstärkungsgurte; dienen dazu, lange Kappengewölbe stabil zu machen; s. d. Art. Gurtbogen.

versteinen, frz. pierrer (Straßenb.), mit Steinen belegen; s. d. Art. Straße.

Versteinerungen, frz. pétrifications; als Beimengungen in verschiedenen Gesteinen kommen sie besonders bei denen vor, welche die oberen Lagen der Erdrinde ausmachen und neptunischen Ursprungs sind, namentlich in Sandsteinen, Thonschiefer, Kalksteinen und Conglutinaten.

verstellbare Brücke, s. d. Art. Brücke, S. 470.

verstiften, mit Stiften befestigen.

verstirnen, die Kanten eines Zapfens, Bandes ꝛc. verbrechen, absasen, ablanten oder verschneiden.

verstocken, s. d. Art. Stock und Fäulniß.

verstreichen (Maur.), die Fugen einer Mauerung mit Kalk ausfüllen; s. Rohbau u. Ausfugen.

Verstrossen einer Grube, sie auf Strossen zu bebauen anfangen; s. d. Art. Grubenbau.

verstürzen, s. d. Art. Grubenbau, S. 215.

Versucher, s. im Art. Bergbohrer.

Versuchsbau, s. d. Art. Grubenbau.

Versura, lat. 1) Bug, Knie, Ecke; — 2) vorspringende Flügel; s. d. Art. Theater; — 3) s. d. Art. Schrägziegel.

Versus, s. d. Art. Maaß, S. 514, Bd. II.

Vert, frz. Grün; vert de montagne, Berggrün; vert de vessie, Blasengrün, Saftgrün (vergl. Wegedorn); vert antique, verde antico.

vertäfeln, s. v. w. abtäfeln; Vertäfelung s. v. w. Täfelwerk.

Vertel, s. d. Art. Maaß, S. 504, Bd. II.

Vertonelle, frz., Gewinde.

Verteuning, Verzäunung, frz. accastillage, engl. upperwork; dazu gehören Back, Schanze und Hütte eines Schiffes, kurz Alles, was sich vorn und hinten über dem Raaholz befindet.

Vertex, lat., Scheitel, s. d. Art. Bogen, S. 400, und d. Art. Kegel.

Vertheidigungs- oder **Defens-Linien**, s. d. Art. Festungsbau.

Vertheidigungsmine, s. v. w. Contremine.

Vertheidigungsthurm, s. d. Art. Donjon.

Vertheidigungswerke, s. d. Art. Befestigung, Burg, Festungsbau, hurdicium, Pechnase ꝛc.

Vertheidigungswinkel, lat. angulus defensionis, s. Befestigungsmanier und Festungsbau.

Vertheiler, s. d. Art. Mühlstein.

Vertheilungsbassin (Wasserb.); so heißt das zwischen der Mündung eines Baches und dem Canal angelegte Bassin, von welchem aus die Vertheilung des Wassers auf die Canalstrecke geschieht, sowie auch das beim Eingang einer Wasserleitung in die Stadt angelegte Bassin, von wo aus das Wasser in die einzelnen Röhren vertheilt wird; s. d. Art. Castell 2.

vertical, scheitelrecht, senkrecht, bleirecht, so viel wie lothrecht; wohl zu unterscheiden von winkelrecht, obgleich vielfach als gleichbedeutend gebraucht. Vertical heißt eigentlich blos eine Linie, die winkelrecht auf der Horizontalebene ist, also parallel mit der Richtung eines Fadens, der frei hängt und durch ein Gewicht niedergezogen wird.

Verticalcasematte, s. d. Art. Festungsbau.

Verticaldefilement, s. d. Art. Defiliren.

verticales Rad, s. v. w. stehendes Rad oder Rad mit liegender Welle.

verticale Windmühlenflügel, s. d. Art. Windmühle.

Verticalprojection, s. d. Art. Projection und Grundebene.

Verticaltheilung, s. d. Art. englisch-gothischer Baustyl.

vertieft, frz. fouillé; über vertiefte Verzierungen s. d. Art. Koilanoglyphen u. Neugriechisch.

vertreiben, frz. adoucir, engl. to blend, to soft, das Untereinanderbringen zweier neben einander aufgetragener Farben mittelst des Pinsels, so daß dieselben in einander verschmelzen und allmälig in einander übergehen.

vertrumpfen (Zimmerm.), in einen Wechsel einen Trumpf einziehen; s. d. betr. Artikel.

Vertumnus, etrurischer, dann römischer Gott des Handels, der Gewerbe, der Jahreszeiten ꝛc., dargestellt als Jüngling, welcher ein Füllhorn mit Früchten trägt.

Vertues, frz., Kräfte; s. d. Art. Engel; vertues theologales, s. d. Art. Kardinaltugenden.

Vertugadin, frz., amphitheatralischer Rasenplatz.

Vervielfältigung, a) von Zeichnungen; s. d. Art. Abdruck, Copie ꝛc. b) Von Kupferstichen; s. d. Art. Kupferstich ff. und Glas. c) Von Ornamenten; s. d. Art. Form, Abguß, Gips ꝛc.

Verwahrungspfähle, s. d. Art. Pfahl.

Verwahrungsschule, Kleinkinderbewahranstalt; s. d. und d. Art. Schule.

Verwandtschaft, chemische. Die Kraft, welche man als Ursache chemischer Erscheinungen ansieht, nennt man Verwandtschaft, Affinität; sie zeigt sich in dem Streben, ungleichartige Körper zu homogenen, gleichartigen zu vereinigen. Die Erscheinungen der graduellen Unterschiede chemischer Affinität erklärt man durch die sog. Wahlverwandtschaften. Man unterscheidet: 1) die einfache Wahlverwandtschaft; wenn nämlich die Verbindung zweier Körper durch das Hinzutreten eines dritten in der Weise aufgehoben wird, daß der hinzutretende Körper sich mit einem der vorher verbundenen vereinigt und den andern aus der ursprünglichen Verbindung verdrängt. Schema: A + B, mit C in Berührung, giebt A + C, B wird ausgeschieden. — 2) Die doppelte Wahlver= wandtschaft, wenn zwei aus zwei Theilen be= stehende Körper mit einander in Berührung kom= men, ihre Bestandtheile gegenseitig austauschen, so daß zwei andere neue Körper entstehen. Schema: A + B u. C + D in Berührung geben A + C und B + D. — 3) Prädisponirende Verwandt= schaft, wenn ein Körper den Bestandtheil einer Verbindung nur durch Vermittelung eines dritten Körpers an sich ziehen kann, so daß der andere Bestandtheil jener Verbindung ausgeschieden wird. B + C sei die Verbindung, A ist nicht fähig, C aus der Verbindung B + C zu reißen; erst durch D + E wird der Körper A hierzu befähigt, B wird frei.

verwimmertes Holz, wimmerig gewachsenes Holz ist solches, dessen Fasern unordentlich durch einander gewachsen sind.

Verwirrung (Maschin.), so nennt man die= jenige Einrichtung einer Maschine, wenn mehrere Stampfen oder Hämmer von einer Daumwelle getrieben und bei einem vollständigen Umgang der Welle ein=, zwei=, drei= oder viermal gehoben wer= den; die Welle wird dann ein=, zwei=, drei= oder vierhübig genannt und die Daumen werden für eine und dieselbe Stampfe in gleich großen Ab= ständen von einander um die Peripherie gesetzt.

Verwitterung. 1) Die meisten Gesteine erlei= den eigenthümliche Veränderungen, wenn sie un= mittelbar der Luft ausgesetzt sind. Man nennt dieses die Verwitterung. Sie beruht vorzüglich auf der chemischen Einwirkung des Sauerstoffes und des Wassers der Atmosphäre auf die Bestand= theile des Gesteines. Gewöhnlich werden beide auf= genommen; es entstehen Oxyde, höhere Oxyda= tionsstufen, Hydrate, Salze. Das Volumen der veränderten Substanzen wird größer und dabei der Zusammenhang aufgehoben. Gesteine, welche Eisenoxydul, Magneteisenstein, Binärkies enthal= ten, sind der Verwitterung besonders unterworfen. Sie werden an der Oberfläche durch entstehendes Eisenoxydhydrat nach und nach gelb oder braun, es bildet sich eine dünne, ockerige, erdige Lage, die sich abschält und eine frische Fläche bloßlegt, die wieder dieselbe Veränderung erleidet, und dieses geht so fort, bis die Masse vollständig zerfallen ist. Oder das Schwefelmetall verwandelt sich in schwe= felsaures, wasserhaltiges Oxydulsalz, welches als solches ausblüht. So blühen auch Gips, Bitter= salz, Alaun aus und das Gestein wird mürbe und zerfällt, wie es kieshaltige Mergel, Schieferthone, Talkschiefer und Alaunschiefer zeigen. Auch Ge= steine, welche kali= oder natronhaltige Mineralien als Gemengtheile haben, verwittern leicht, z. B. Granit. Das Wasser zieht nach und nach eine lösliche Verbindung von Alkali und Kieselerde aus dem Gestein aus und es hinterbleibt endlich eine weiche, thonige Masse, Kaolin. Licht und Wärme steigern die chemische Action. Auch durch höhere Anziehung von Wasser erfolgt Verwitterung, wie beim Anhydrit. Das Wasser der Atmosphäre be= wirkt auch durch mechanisches Einwirken das Zer= fallen der Gesteine. Es sickert aus den Klüften ins Innere, erstarrt hier im Winter und treibt die Masse aus einander. Der Zusammenhang bleibt

durch das Eis vermittelt, bis dieses beim Thau= wetter schmilzt; s. d. Art. Abfrieren. Schiefrige Gesteine sind dieser Art von Verwitterung beson= ders unterworfen. Die schiefrige und schalige Structur erleichtert auch die chemische und mecha= nische Einwirkung von Luft und Wasser.

verzäunen, durch einen Zaun umschließen oder abtrennen.

Verzahnung. 1) Eine Art der Verstärkung von Balken, s. darüb. im Art. Balken V, b, und Holzverband B. 2, b. Man versieht die unmittel= bar über einander liegenden beiden Flächen mit Zähnen, nämlich mit zusammengreifenden Er= höhungen und Vertiefungen, in Form rechtwink= liger Dreiecke, von denen die Zähne des unteren Balkens als Streben nach der Mitte zu wirken. Außerdem werden die Balken durch eiserne Schrau= benbolzen zusammengehalten, auch kann man die Tragfähigkeit der Balken dadurch verstärken, daß man zur Seite derselben Bohlen befestigt, die dann zum Theil mit gleichgeformten Zähnen in die Balken eingelassen werden und dergestalt zugleich als Strebe gegen die Balken dienen. Beim Kahn= bau heißt die Verzahnung der Bauchstücke behufs des klinkerweisen Verplankens, die Kippung; — 2) Besetzung der Walthämmer, Maschinenräder u. dergl. mit Zähnen; — 3) Verzahnung einer Mauer, frz. arrachement. Kann ein Mauerkörper nicht gleich vollständig aufgeführt werden, so läßt man an den Enden eine stehende Verzahnung, Verzah= nungssteine, Zahnsteine, österr. Schmatzen, fr= pierres d'attente, harpes, amorces, engl. tusses, toothing-stones, stehen, d. h. die an der lothrecht aufgeführten Endkante befindlichen letzten Steine werden nicht verbauen, sondern treten vor und zurück, wie es der Verband mit sich bringt, so daß er fortgesetzt werden kann; besser ist die liegende Verzahnung oder die Abtreppung, s. d. 2.

Verzapfung, s. d. Art. Zapfen und Dollen so= wie d. Art. Holzverband A. 2 c. u. C. 3, Einlochen ꝛc.

verzeichnen, s. d. Art. Verreißen und Aufreißen.

verziehen, 1) eine Arbeit von Stein oder Holz, welche nicht genau passen will, durch ein geringes Abweichen von der loth= oder waagrechten Linie, von der Symmetrie ꝛc. passend machen; — 2) Ver= ziehen der Schornsteine, s. d. w. Schleifen derselben, ist jetzt größtentheils verboten; — 3) Brettstöße, Lattenstöße ꝛc. verziehen, bei Aufnagelung mehre= rer Bretter oder Latten nebeneinander, z. B. bei Deckenverschalung die Stöße wechseln lassen.

verzierte Gewölbe, s. d. Art. Gewölbe.

Verzierung, so nennt man alles Dasjenige, was Bautheilen hinzugefügt wird, um sie angenehmer zu machen, ohne zur Construction nöthig zu sein. Es kann eine beträchtliche Menge von Verzierungen unter Berücksichtigung der Schicklichkeit ohne Ue= berladung angebracht werden. Doch machen Ver= zierungen ein Gebäude nicht schöner, wenn dessen wesentliche Theile, Fenster, Thüren, Schäfte ꝛc., an sich nicht schöne Verhältnisse haben. Ist dies der Fall, dann sind Verzierungen wohl geeignet, die Schönheit noch zu erhöhen. Sind aber die Verhältnisse als solche unschön, oder werden die Ver= zierungen nicht mit richtigem Takt angebracht, so kann leicht Ueberladung, die zu wenig bezweckte Kahlheit entstehen. Man hüte sich, nicht zu viel passive Verzierungen anzubringen, d. h. solche, die eben blos als Verzierung auftreten, ohne irgend einen organischen Zusammenhang mit der con=

structiven Form des Gebäudes zu haben; s. übr.
d. Art. Bauverzierung, Ornament, Façade, Aesthetit, Arabeste, Capitäl, laufende Verzierung,
Jardin, Activ, Incrustation, Sims ꝛc.

Verzimmerung (Bergb.), bei einem Schacht
der Ausbau mit Zimmerholz; s. d. Art. Grubenbau.

Verzinkung, 1) Ueberzug mit Zink auf andere
Metalle ist dauerhafter und glänzender als mit
Zinn, jedoch wegen der Auflöslichkeit des Zinks
in den Säuren für Kochgeschirre nicht anwendbar.
a) Verzinken des Kupfers und Messings auf nassem
Wege; man überschüttet granulirtes Zink mit
einer Auflösung von Chlorzink und kocht damit
kupferne oder messingene Gegenstände, jedoch so,
daß diese beim Kochen fortwährend mit dem granulirten Zink in Contact bleiben. Es werden sich
hierauf innerhalb weniger Minuten in Folge der
stattfindenden galvanischen Zersetzung des Chlorzinkes die kupfernen Gegenstände mit einer festen
Zinkschicht belegen. b) Verzinkung von Eisen und
Eisenblech; auf dieselbe Weise, wie Kupfer, kann
man Guß- oder Schmiedeeisen verzinken; s. auch
d. Art. Eisen V. g, S. 690. c) Verzinken des Eisendrahtes; s. d. Art. Eisendraht. d) Die Verzinkung auf warmem Wege geschieht genau so, wie
die Verzinnung, s. d. — 2) Verbindung zweier
Bretter oder Eisenstäbe unter irgend einem Winkel
mit ihren Kanten; geschieht dergestalt, daß eines
der beiden Verbandstücke auf dem Grat schwalbenschwanzförmig gearbeitete Zähne erhält, welche in
gleich gearbeitete Nuthen am andern passen; s. übr.
d. Art. Holzverband und Eisenverbände, S. 702,
u. Fig. 1002. Für Steine ist die Verzinkung nur
anwendbar, wenn die Zinken sehr groß sind.

Verzinnung, sp. estañadura; wird die blanke
Oberfläche eines Metalls bei gehörig hoher Temperatur mit einem andern geschmolzenen Metall
in Berührung gebracht, so erfolgt eine mehr
oder weniger feste Anhängung des flüssigen Metalls an das feste. Es beruht hierauf besonders das
Verzinnen, das ausgedehnte Anwendung genießt.
Das Metall, welches verzinnt werden soll, muß vollkommen blank, d. h. frei von Oxyd und Schmutz
sein, einen angemessenen Hitzgrad besitzen, außerdem aber an sich Neigung haben, sich mit Zinn zu
verbinden. Eine gute Verzinnung sei weder zu
dünn, noch zu dick, sehr glatt, von rein zinnweißer
Farbe und spiegelndem Glanz. Man sollte sich
zum Verzinnen nur des ganz reinen, nicht bleihaltigen, Zinns bedienen. Indeß läßt sich leichter
mit bleihaltigem Zinn arbeiten, und sowohl aus
diesem Grund, als wegen der Wohlfeilheit, nimmt
man oft auf 5 Thle. Zinn 3 Thle. Blei, auch wohl
gleiche Theile Zinn und Blei. Ganz vortrefflich
ist ein Zusatz von Wißmuth zum bleihaltigen Zinn,
um dem letzteren mehr Weiße und Glanz zu geben;
leider wird aber dadurch die Verzinnung zu
leichtflüssig. Viel härter und dauerhafter hingegen wird das Zinn durch einen Zusatz von Eisen.
A. Verzinnung auf trockenem Wege. Warme Verzinnung: a) des Eisenbleches; s. Blech, Blechverzinnen u. Eisenblech sowie Abbrechen. b) Kupferne,
messingene und schmiedeeiserne Gefäße. Die
Oberflächen der Gegenstände werden geschabt oder
mit verdünnter Säure gebeizt, dann mit Sand und
Wasser gescheuert. Das Gefäß wird nunmehr auf
einem Kohlenfeuer erwärmt. Nun giebt man Colophonium oder Salmiak nebst geschmolzenem Zinn
hinein, reibt letzteres mit einem an einen Stock
gebundenen Werrigbüschel auseinander und gießt

das überflüssige Zinn aus. c) Kleine eiserne und
messingene Gegenstände. Nach gehörigem Beizen
und Scheuern werden die Gegenstände mit Holzsägespänen getrocknet. Dann schmilzt man in
einer Eisenpfanne so viel Zinn, daß es 1—2 Zoll
hoch steht, und giebt darauf 4—5 Zoll hoch Talg;
die Waaren läßt man langsam durch den Talg
in das Zinn fallen, rührt um und nimmt sie wieder heraus. d) Verzinnen des Zinkbleches und
Bleibleches. Man legt die gehörig durch Beizen
in Salzsäure und Scheuern gereinigten Zinkbleche
in geschmolzenen Talg und dann in das 3 Zoll
hoch mit Talg bedeckte geschmolzene Zinn, steckt es
dann wieder eine Minute lang in geschmolzenen
Talg und reibt es mit Werrig und Kleie ab, oder
man taucht das Blech in Talg, legt es dann auf
einen erhitzten eisernen Tisch, der ringsum mit
einer Rinne versehen ist, schöpft etwas Talg aus
dem Kessel auf das Blech, streut gepulvertes Colophonium darauf, gießt nun Talg und Zinn darüber und breitet letzteres mit Werrig aus, worauf
man mit Kleie abreibt. Man verzinnt auf diese
Art auch bleierne Röhren, wobei folgendes Verfahren angewendet werden kann: Man erhitzt sie,
bestreut sie mit Colophonium, auch innerlich (durch
Einblasen) und zieht sie durch geschmolzenes Zinn,
welches sich in einem mit Talg bedeckten länglichen
Kessel befindet. e) Verzinnen des Gußeisens; s. d.
Art. Gußeisen, S. 227, Bd. II.

B. **Verzinnung auf nassem Wege:** a) durch
Kochen von sogenannter Zinnasche und Aetzkalilauge bereitet man sich eine Lösung von Zinnoxydkali und wirft dann geraspelte Zinnspäne in dieselbe.
Bringt man nun in diese Lösung blankgebeizte
Kupfer- oder Messingplatten, so werden letztere,
bei fortgesetztem Kochen und vollständiger Berührung mit den Zinnspänen, in wenig Minuten
sich mit einer festhaftenden, spiegelblanken Zinnschicht überziehen. b) Verzinnen kleiner eiserner
Gegenstände: 1) man taucht dieselben in ein Gemenge von 1 Pfd. Ammoniakalaun, 2 Loth Zinnchlorür, 20 Pfd. Wasser, bis zum Kochen erhitzt;
wenn es nicht zu schwach wird, setzt man etwas
Zinnsalz zu. — 2) Für Gußeisen; man beizt die
Gegenstände erst in Salpetersäure oder Salzsäure
und taucht sie dann in ein Bad aus 2 Loth Weinstein, 1½ Loth Zinnchlorür (Zinnsalz) und 20 Pfd.
Wasser, dem man Zinnspäne zusetzt. — 3) Das
sogenannte Weißsieden; nach gehörigem Beizen ꝛc.
bringt man die Gegenstände nebst so viel Wasser,
daß sie davon vollständig bedeckt werden, in einen
messingenen oder verzinnten kupfernen Kessel,
setzt auf 80 Thle. Wasser 1 Thl. raffinirten Weinstein und 3 Thle. feingekörntes Zinn (sogenannten
Zinnsud oder Weißsud) zu und läßt das Ganze so
lange kochen, bis die Waare weiß genug ist; darauf
spült man die weißgesottene Waare in Wasser ab
und trocknet sie durch Sägespäne. 4) Man löst in 100
Pfd. Wasser durch Wärme 7½ Unzen gepulverten
Weinstein auf. Diese Auflösung wird mit 1 Unze
Schlämmkreide neutralisirt. Dann bereitet man
eine Auflösung von 3½ Unzen Zinnsalz in 10 Pfd.
Wasser. Diese Mischung wird der vorhergehenden
beigegeben und das Ganze einige Minuten gekocht.
Das Eisen muß durch verdünnte Schwefelsäure
abgebeizt werden. Man bringt die ganze Lösung
in ein Gefäß von Holz oder Porzellan, erhitzt sie
durch Einleiten von Wasserdampf auf ungefähr
57° R., steckt den zu verzinnenden eisernen Gegenstand nebst ungefähr 2 Pfd. Zinkstückchen hinein
und läßt es eine Zeit lang darin. c) Verzinnen

kleiner eiserner und messingener Gegenstände. Man erhitzt die abgebeizten und getrockneten Gegenstände in einer eisernen Trommel, welche über Kohlenfeuer umgedreht wird, bis zum Schmelzpunkte des Zinnes, giebt dann Zinn und Salmiak hinzu, und dreht die wieder verschlossene Trommel um ihre Achse, bis die Verzinnung geschehen ist. d) Ganz kleine Gegenstände bringt man nebst getörntem oder sonst verkleinertem Zinn und etwas Salmiak in einen weiten, steingutenen Krug mit engem Hals; erhitzt dieses Gefäß auf der Seite liegend über Kohlenfeuer, dreht und schüttelt es dabei fleißig, schüttet den Inhalt in Wasser und trocknet die Gegenstände mit Sägespänen ab.

verzwicken, 1) s. d. Art. Anzwicken; — 2) mit einer Zange einen Stein fassen; — 3) s. v. w. umwirken.

Vesica piscis, 1) Fischblase, s. d.; — 2) s. d. Art. Mandorla.

Vesperbilder, so heißen die Darstellungen der auf den Tod Christi folgenden Scenen: Kreuzesabnahme, Beweinung, Grablegung, Pieta ꝛc.

Vessel, engl., Gefäß; holy vessels, Kirchengefäße, heilige Gefäße.

Vesta, s. d. Art. Hestia und Lilie.

Veste, s. d. Art. Festung.

Vestiaire, frz., lat. vestiarium, engl. vestry, revestry, Kleiderkammer, Garderobe, Sakristei.

Vestibule, frz., lat. vestibulum, ital. vestibolo, Vorschopf, ein Vorhof oder freier Platz vor der Hausthür; s. d. Art. Haus, S. 241, Bd. II u. Atrium, sowie d. Art. Bad 4. b; er ist aui wohl bedeckt und mit freistehenden Säulen versehen, auch nennt man so den freien Platz vor den Zimmern, den man, sobald man zur Hausthür hineinkommt, betritt, oder wohl auch jedes Vorzimmer.

Vestiment, ecclesiastical vestment, Paramente und Kirchengeräthe.

Vesuvian (Mineral.), die im Vesuv vorkommenden Idokrase; s. d. Art. Chrysolith u. Schörl.

Veterinärschule, Thierarzneischule, eingerichtet nach Schule 3, muß aber Stallungen, Sectionsräume und Thierapotheke nebst Laboratorium, sowie ein anatomisches Theater enthalten.

Vethym, vathym, fethym, engl., Faden, Klafter = 6 Fuß; s. d. Art. Maaß.

Vette, ital., Hebegerüst; s. d. Art. Hebezeug.

Vibia, lat., Holm eines Bocks.

Vôtu (Herald.), Raum auf dem Schild außerhalb der vier Linien einer großen, mit ihren vier Spitzen den Schildrand berührenden Raute.

Vexillum, lat., Fahne, Banner.

Vexirschloß, Schloß mit einer geheimen Einrichtung, welche das Aufschließen oder überhaupt Handhaben des Schlosses erschwert und nur von Eingeweihten beseitigt werden kann. Diese Einrichtungen sind natürlich sehr mannichfach. Die einfachsten sind: Verbergung des Schlüsselloches, Einschiebung eines Stiftes zwischen das Eingerichte ꝛc.

Via, lat., Weg, Straße; s. d. Art. Castellum, Castrum und Straße. Bei städtischen Straßen der Römer hieß die eigentliche Fahrbahn agger, das Trottoir crepido, die Bordsteine desselben umbones, die Prellsteine gomphi.

Via dolorosa, s. Station u. Calvarienberg.

Viadra, s. d. Art. Maaß, S. 512, Bd. II.

Viaduct, s. d. Art. Eisenbahn, S. 692, und Brücke, S. 469, Bd. I.

Viale, s. d. Art. gothischer Baustyl und Fiale.

Vice, Vise, engl., Wendeltreppe.

Vicomteshelm und **Vidameshelm,** s. Helm.

Victor. 1) Victor Mauretanus, der Mohr, Oberster der thebaischen Legion; erlitt bei Xanthen mit seinen Genossen den Märtyrertod. Darzustellen mit dem Schwert. Patron von Pampelona und Madrid. — 2) Victor von Mailand, Krieger; verweigerte unter Maximian das Götzenopfer, wurde mit geschmolzenem Blei übergossen, von einem Engel aus dem Kerker befreit, wieder ergriffen und in einem stierförmigen Ofen verbrannt. — 3) Victor von Marseille, ebenfalls Krieger, tröstete und ermunterte die gemarterten Christen. Er wurde 302 vom Kaiser selbst gerichtet, durch die Straßen geschleppt, vom Pöbel verhöhnt und sollte zuletzt dem Jupiter opfern. Er erbob den Fuß und Altar und Götzenbild zerfielen in Stücken. Nun wurde ihm der Fuß abgehauen, dann sollte er in einer Mühle zermalmt werden, aber das Rad blieb unbeweglich. Als er endlich enthauptet ward, riefen himmlische Stimmen: „Du hast gesiegt!" Darstellung leicht erklärlich.

Victoria, Göttin des Sieges, als weibliche jugendliche Figur, die einen Palmenzweig oder Olivenkranz in der Hand hält; kommt mit und ohne Flügel vor; s. d. Art. Nike und Apteros.

Victoria, St., 1) aus Cordova, Patronin von Burgos und Toledo, Schwester des Äsculus oder Acisclus. Darzustellen mit Rosen bekränzt; s. d. Art. Aesculus. — 2) Römische Jungfrau unter Decius, wurde vom Henker auf Bitten ihres verschmähten heidnischen Bräutigams Eugenius im Jahre 252 mit dem Schwert durch's Herz gestochen.

Victorinus, St., gebarnischt, mit Fahne und Reichsapfel, einen Mörser zur Seite, in dem er zerstoßen wurde.

Vicus, lat., Häuserreihe, geschlossene Straße.

Vidar, s. d. Art. Odin.

Vide, franz., Raum zwischen zwei Pfeilern; tirer au vide, überhängen; vidé, ausgebrochen, s. d.; Vidange, Schuttabräumung.

Vidi'sches Aneroid, s. d. Art. Barometer.

Viehhof, lat. chors. Er liege a) den Ställen möglichst nahe, um dem Vieh während des Ausmistens des Stalles als einstweiliger Aufenthalt zu dienen; b) möglichst geschützt vor den Sonnenstrahlen; s. übr. d. Art. Kuhhof, Schafhof, Stall und Düngerstätte.

Viehstall, s. d. Art. Stall.

Vielblatt, engl. multifoil, Kreis, der innerlich mit mehreren Spitzbogen besetzt ist.

Vieleck oder Polygon, eine von einer beliebigen Anzahl gerader Linien (Seiten) eingeschlossene ebene Figur. Die Summe aller Seiten heißt der Umfang; der Durchschnittspunkt zweier an einander stoßender Seiten eine Spitze oder Ecke; jede gerade Linie, welche eine Ecke mit einer andern, nicht an derselben Seite liegenden, verbindet, Diagonale. Der von zwei an einander stoßenden Seiten gebildete Winkel heißt Polygonalwinkel und ist entweder ein- oder ausspringend. Ist n die Zahl der Seiten eines Polygons, so ist die Summe der Winkel desselben gleich 2n — 4 Rechten; die Anzahl aller möglichen Diagonalen beträgt $\frac{n(n-3)}{2}$. — Ueber die Bestimmung des Flächeninhaltes eines Vielecks s. d. Art. Flächeninhalt. Sind alle Seiten eines Vielecks Sehnen eines und desselben Kreises, so nennt man das Vieleck dem Kreise **eingeschrieben;** sind sie sämmtlich Tangenten, so heißt es **umschrieben.** Ueber die regelmäßigen Vielecke, d. i. diejenigen, bei welchen alle Seiten und alle Winkel gleich groß sind, s. d. Art. Regulär; vergl. ferner d. Art. Figur, Irregulär, Dreieck, Fünfeck, Kreistheilung 2c. Um irgend ein beliebiges regelmäßiges Vieleck zu zeichnen, ist das einfachste Mittel, mit der Zahl n in 360° zu dividiren und dann um einen Mittelpunkt herum n Centriwinkel von $\frac{360°}{n}$ nach dem Transporteur anzutragen.

vieleckige Körper (Geom.), s. d. Art. Polyëder.

vielfacher Punkt einer krummen Linie, ein Punkt, in welchem sich mehrere Zweige derselben schneiden. Man unterscheidet nach der Anzahl derselben Doppelpunkte, drei-, vierfache 2c. Punkte.

Vielpaß, frz. multilobe, Kreis, der innerlich mit mehreren Halbkreisen besetzt ist; s. d. Art. Paß.

vielröhriger Dampfkessel, s. Dampfkessel.

Vieme, norddeutsch für Feime.

Vierblatt, frz. quatre-feuille, engl. quatrefoil, cross-quarter, aus vier Spitzbogen zusammengesetztes Maaßwerk, z. B. das Mittelfeld von Fig. 1896, s. auch d. Art. Lunel u. Glied F.

Fig. 1896.

Vierbogen, Maaßwerksform, welche ein sphärisches Viereck bildet.

Viereck, Vierkant, franz. carré, engl. square, jede von 4 geraden Linien begrenzte ebene Figur. Man unterscheidet drei Hauptklassen: 1) **Parallelogramme,** d. h. Vierecke, in welchen je zwei gegenüber liegende Seiten parallel sind, mit vier Unterabtheilungen: a) **Quadrate** mit vier gleichen Seiten und vier rechten Winkeln; b) **Rechtecke** mit ungleichen an einander stoßenden Seiten, aber rechten Winkeln; c) **Rhomben oder Rauten,** mit vier gleichen Seiten und schiefen Winkeln; d) **Rhomboïde,** mit ungleichen, an einander stoßenden Seiten und schiefen Winkeln. 2) **Trapeze oder genauer Parall-Trapeze,** in welchen nur ein Paar von Seiten parallel ist. 3) **Trapezoïde,** in welchen keine zwei Seiten parallel sind. 4) **Sehnen**- oder **Tangenten-vierecke,** in oder um einen Kreis beschrieben, s. d. betr. Art.

Vierciche, s. v. w. Wintereiche, s. d. Art. Eiche.

Vierfaß, vierdevats, s. Maaß, S. 494 u. 512.

viergeschlagener Nagelkopf, franz. tête de diamant, engl. square head, Nagelkopf in Gestalt einer stumpfen vierseitigen Pyramide.

vierhubig, so heißt eine Daumenwelle, wenn 4 Daumen zur Hebung einer Stampfe um ihre Peripherie angebracht sind; s. d. Art. Vervierung.

vierkantige Körper giebt es eigentlich nicht, doch nennt man meist so, obgleich ungenau, die Prismen von vierseitigem Querschnitt.

Vierling, s. Maaß, S. 494, 500, und Gewicht.

Vierort, eigentlich vierspitziger Stern, doch meist mit Viereck identisch gebraucht.

Vierpaß, 1) frz. ornament en quatre lobes, quatrilobe, embrassure, engl. pointed cross-quarter, Maaßwert, ein Quadrat, das von Halbkreisen begrenzt ist, s. Fig. 1897 u. 98, sowie auch d. Art. Paß; — 2) (Schloss.) ein Band von Eisen, um Schornsteine gelegt, damit diese keine Risse bekommen.

Fig. 1897.   *Fig. 1898.*

Vierschneuß, gothische Rosette mit vier Schneußen, s. Fig. 1899. Vgl. d. Art. Schneuße und Nase. Auch Fig. 1896 könnte man so nennen.

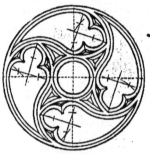

Fig. 1899.

Vierstückbalken, s. d. Art. Bauholz, S. 280.

Viertel, s. d. Art. Maaß, S. 500, 505 u. 509.

Viertel, gewundenes. Fallen bei einer gebrochenen Treppe die Podeste weg und werden dagegen Wendelstufen eingesetzt, so erhält dieses Wendelstück, wenn es einen Viertelkreis beschreibt, obigen Namen.

Viertelkreis, s. d. Art. Quadrant.

Viertelsmaaß, s. v. w. Schublehre.

Viertelstab, frz. boultin, cimaise toscane, ove, quart de rond, engl. quarter-round, ital. ovolo, ein eigentlich nach einem Viertelkreis nach Fig. 1900 oder 1904 profilirtes ausgebogenes Glied, doch häufig etwas abweichend, besonders als gedrückter Viertelstab, s. d. Art. Echinus,

60.*

Pfühl, engl. quirked ovolo, nach Fig. 1902 und 1905; vergl. übr. auch d. Art. Eierstab u. Glied.

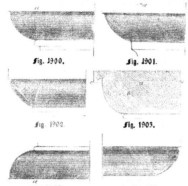

Fig. 1900. Fig. 1901.

Fig. 1902. Fig. 1903.

Fig. 1904. Fig. 1905.

Vierundzwanziger, s. d. Art. Bauholz, S. 280.

Vierung, 1) s. v. w. Viereck, namentlich Quadrat; — 2) lat. interstitium, intersectio, frz. croisée, engl crossing, Kreuzung, Kreuzbau, auch wohl Kreuzgang genannt, der durch Durchkreuzung des Querschiffes mit dem Langhaus entstehende quadratische Raum einer Kreuzkirche, s. d. Art. Kirche; — 3) fälschlich für Führuna, s. d. 2; — 4) (Herald.) s. v. w. Quartier.

Fig. 1906. Cathedrale zu Coutances.

Vierungsthurm, Centralthurm, Thurm auf der Vierung 2, bei frühromanischen und byzantinischen Kirchen als Kuppel, Centralkuppel, Vierungskuppel, gestaltet. Daraus erst entwickelte sich die eigentliche Thurmform, indem bei spätromanischen und romanischen Kirchen die Ueber-

mauerung der Vierungsbögen als Thurmmauer in die Höhe geführt und mit einer Plattform oder mit einem mehr oder minder spitzen vierseitigen Holzhelm, sehr selten mit einem Steinhelm, bekrönt wurde. Ein Beispiel geben wir in Fig. 1906. Das rechts sichtbare Langschiff ist im Jahr 1066 geweiht, die Vierung von 1146—1213 gebaut und der Chor 1338 geweiht. Meist war jedoch der innere Raum nicht wie hier mit einem Kreuzgewölbe, sondern mit einer Kuppel auf Pendentifs bedeckt; aus der Combination beider entstand die gothische Ueberdeckung mit einem Sterngewölbe, auf welchem dann ein kleiner, schlanker Spitzthurm saß. Die Renaissance kam zur äußerlich sichtbaren Kuppel zurück.

Vierup, s. d. Art. Maaß, S. 499, Bd. II.

Vierziger, s. d. Art. Bauholz, S. 280, Bd. I.

Vit, frz., ital. vivo, 1) Schaft einer Säule; — 2) das inwendige Harte bei einem äußerlich verwitterten Stein.

Vigius, St., Patron des Rindviehs.

Vigna, ital., frz. vigne, 1) Weinbergshaus, Lusthaus; — 2) Weinlaubrante.

Vignette, lat., viticula, frz. vignette, engl. label, Weinlaubverzierung, dann übertragen auf mit Laubwerk verzierte Initialen.

Vihara, s. d. Art. buddhaistische Bauweise.

Vilcadé, s. d. Art. Maaß, S. 490, Bd. II.

Vilebrequin, frz., Bohrer, s. d.

vilené und sans vilenie, frz., s. Löwe 7 u. 8.

Villa, lat. villa, frz. maison de campagne, Landhaus, Lustschloß; s. d. betr. Art.

Vimana (ind. Styl), s. v. w. Pyramidentempel.

Vinaticoholz, s. Mahagony von Madeira.

Vincentius, St., 1) der Diakon oder Levit, spanischer Heiliger, Patron von Leon, Badajoz, Valencia, Lissabon, Saragossa, Bern, Chalons s. M., Macon, Magdeburg, gegen Verlust, für's Wiederfinden verlorener Sachen, wurde als Diakon des Bischofs Valerius mit diesem von Dacian unter Diocletian eingekerkert, mit Hunger rc. gequält, nach allen Methoden gemartert, zuletzt auf einem stacheligen Rost gebraten, dann auf Scherben gebettet. Trotzdem starb er 304 unter lautem Lobsingen. Der Leichnam wurde auf's Feld geworfen und dort von einem Raben gegen einen Wolf vertheidigt. Darzustellen als Diakon mit Rost und Raben. — 2) Vincentius Ferrerius, s. d. Art. Ferrerius. — 3) Vincentius von Paula, geb. 1576. 1605 auf der Fahrt nach Marseille von Tunesen gekapert, führte seinen Herrn, einen Renegaten, zum Christenthum zurück; wurde später Pfarrer zu Clichy bei Paris, errichtete 1617 das Collegium der guten Kinder zu Paris, den Orden der Lazaristen, der barmherzigen Schwestern rc., wurde zu Rettung der Galeerensclaven selbst ein solcher, rettete Lothringen vom Hungertod und starb 1660. Abzubilden als Weltpriester mit einem Galeerensclaven oder einem Findelkind rc.

Vindas, frz., Winde.

Vinetier, frz., s. d. Art. Berberisstrauch.

Vingerhoed, holl., Fingerhut, s. Maaß, S. 500.

Vintaine, frz., Windelau.

Viole, s. v. w. Fiale, doch auch Kreuzblume; s. d. Art. gothischer Styl, Fiale, Spitzsäule rc.

Violet, Lila, Blauroth, Veilchenblau. 1. Violette Anstrichfarben. Das Violet wird am häufigsten durch eine Mischung von Roth und Blau dargestellt, indessen liefern diese Farbe unmittelbar der Purpur des Cassius, auch Gold-purpur genannt, die violetten Eisenoxyde und die violetten Lacke. Letztere sind roth dauerhaft. Eine schöne violette, sehr dauerhafte Farbe läßt sich durch eine Mischung von Krapplack und Ultramarin herstellen. Die billigere Mischung von Carminlack und Berliner Blau wird, äußerlich angewendet, sehr bald schmutzigblau, weil der Carminlack sich verflüchtigt und das Berliner Blau entblößt. Der violette Lack und der Purpur des Cassius (ein Gemenge von in Königswasser gelöstem Gold mit Zinnoxyd und 7—8% Wasser) lassen sich am leichtesten reiben, am schwersten das violette Eisenoxyd; dasselbe deckt und trocknet am besten, hat aber das wenigste Färbevermögen, der violette Goldpurpur des Cassius dagegen das meiste; der violette Lack deckt und trocknet am schlechtesten. Chinolinblau läßt sich durch Zusatz von etwas mehr Natronlauge in's Violette überführen. Auch aus Anilin bereitet man violette Farbe, ebenso aus Binitronaphthalin, s. d. Art. Naphthalin 2.

2. **Violette Holzbeizen,** s. d. Art. Beize B, 47—51.

3. **Violette Beize auf Elfenbein,** s. Beize D. 77.

4. **Violette Schmelzfarbe,** s. d. Art. Email.

5. Ueber die heraldische Darstellung des Violet s. d. Art. Heraldik VII.

6. Ueber den violetten Marmor s. Marmor 24.

Violetholz, s. d. Art. Palisanderholz.

Violette, frz., Hundszahnornament; s. d. Art. toothed moulding.

Violinblock (Schiffsb.), zweischeibiger Kloben, dessen obere Scheibe größeren Durchmesser als die untere hat.

Virgilius, St., geboren in Irland, zog von Pivin's Hof auf Abilo's Wunsch nach Juvavia (Salzburg) und gründete dort das Stift St. Peter, legte den Dom an, belebte die Kärnthner, entdeckte das Bad Gastein und starb 784. Darzustellen als Bischof mit dem Modell des Salzburger Domes. Er ist Patron von Salzburg und Arles.

virginische Cypresse, s. d. Art. Cypresse 2.

virginische Hainbuche, hat festes und zähes Holz, welches sich gut verarbeiten läßt.

Viridin, Blattgrün oder Chlorophyll; s. d. Art. Grün.

Virnzel, s. d. Art. Maaß, S. 506.

Virtutes, lat., frz. vertues, engl. virtues, Kräfte; s. d. Art. Engel.

Vis, frz., Schraube; escalier en vis, franz., altengl. vise, vice, vys, Wendeltreppe.

Vischnucantha, achteckiger Pfeiler; s. d. Art. indischer Baustyl, S. 323.

Visière, frz., Pförtchen in einer Thür.

Visir, frz. visière, engl. visor, vizor, s. Helm.

Visireisen, s. d. Art. Draht.

visiren, 1) beim Feldmessen, nach einem Gegenstand durch das Diopter (s. d.) hinsehen; — 2) bei Angabe der Richtung, oder bei Errichtung eines Bautheiles s. v. w. einvisiren, s. d.

Visirkanne, s. d. Art. Maaß, S. 508.

Visirung, mittelalterlicher Ausdruck für Cartons zu Glas- oder Wandgemälden; Zeichnung, Entwurf zu einem plastischen Werk, Riß, Bauriß.

Visitireisen, Instrument zum Untersuchen der Beschaffenheit des Erdreichs in einer mäßigen Tiefe. Besteht aus einem etwa 8 Fuß langen, oben mit einem Handgriff, unten mit einer Spitze

versehenen Eisen, das in die Erde gestoßen wird s. d. Art. Baugrund.

Vismacarma, der himmlische Architekt; s. d. Art. indische Baukunst, S. 321.

Visorium, lat., s. d. Art. Amphitheater.

Visual-point, engl., Augenpunkt; s. d. Art. Perspective.

Viswassee, s. d. Art. Maaß, S. 490.

Vitalis, St., römischer Ritter, Apostel der Pinzgauer, Patron der Wöchnerinnen, von Salzburg, Parma u. Toledo; sprach dem Ursicinus Muth zu, wurde selbst ergriffen, mit halbem Leib lebendig begraben und dann mit Keulen erschlagen. Darzustellen halb vergraben, geharnischt, mit einem Streitkolben.

Vitex litoralis, liefert auf Neuseeland eines der besten Bauhölzer.

Vitrage, frz., Verglasung.

Vitrail, frz., lat. vitreale, großes Fenster, Kirchenfenster, namentlich wenn es bemalt ist.

Vitro, vitrière, frz., lat. vitrea, Glasscheibe.

vitreous paste, engl., Glasfluß; vitrified colour, Schmelzfarbe; vitrified black, Schwarzloth.

Vitriol (Chem.), Verbindung der Schwefelsäure mit einem Metalloxyd. Man benutzt in der Baukunst hauptsächlich dreierlei Vitriole; sie haben alle einen herben Geschmack, bilden leicht Krystalle, welche aber in der Luft zerfallen, im Feuer zergehen und in Wasser leicht löslich sind.

1. **Eisenvitriol,** auch grüner Vitriol genannt, schwefelsaures Eisenoxydul, vergl. auch d. Art. Gödelgut und Grühjäsel. Die nur selten vorkommenden Krystalle haben eine schiefe, rhombische Säule als Kernform und zeigen sich meist entrundet. Häufig sind haarförmige Gebilde. Ferner findet das Mineral tropfsteinartig und derb, zum Theil mit faserigem Gefüge, Bruch muschelig, ritzbar durch Flußspath; er kommt in verschiedenen Nüancen des Grün vor, beschlägt sich aber an der Luft immer gelb. Halbdurchsichtig bis durchscheinend. Fettglanz bis Glasglanz. Eigenschwere = 1,9. Vor dem Löthrohr unvollkommen schmelzbar, sehr leicht auflöslich in Wasser. Er besteht aus Eisenoxydul, Schwefelsäure und Wasser, entsteht durch Zersetzung von Eisenkiesen und kommt in alten bergmännischen Gruben vor. Man gewinnt ihn als Nebenprodukt bei Entwickelung von Wasserstoff aus Eisen und verdünnter Schwefelsäure, im Großen aus dem Schwefelkies und Strahlkies durch Verwitterung und Auslaugen. Ueber seine Verwendung s. u. A. d. Art. Beizen, Gelb, Atramentum, Berliner Blau, Schwefelsäure.

2. **Blauer Vitriol,** Kupfervitriol, Cypervitriol (s. d.), schwefelsaures Kupferoxyd. Muscheliger Bruch, tropfsteinartig, nierenförmig, derb; ritzbar durch Kalkspath, dunkel-, himmel-, auch saphirblau in's Spangrüne. Halbdurchsichtig bis durchscheinend, glasglänzend. Giebt im Kolben Wasser und wird weiß. Vor dem Löthrohr auf Kohle schmelzbar und sich reducirend. Auflöslich im Wasser. Er besteht aus Kupferoxyd, Schwefelsäure und Wasser, kommt mit schwefelhaltigen Kupfererzen, aus deren Zersetzung das Minera entsteht, in alten Gruben vor, auch im sogenannten Cementwasser, und wird benutzt zur Darstellung vieler Farben, zum Beizen rc.

3. **Doppelvitriol,** Adlervitriol, besteht aus Eisen- und Kupfervitriol. Unter dem Namen

„Salzburger Vitriol" ist der blaugrüne, kupfer=
haltende Eisenvitriol bekannt.

4. **Weißer Vitriol** (Zinkvitriol, Galitzen=
ſtein). Deutlich ausgebildete Kryſtalle, deren
Grundgeſtalt eine gerade rhombiſche Säule iſt;
öfter ſtellen ſie ſich nadel= oder haarförmig dar,
auch trifft man ihn tropfſteinartig, nierenförmig
oder derb. Gefüge ſtrahlig, ſich zum Faſeri=
gen neigend. Bruch muſchelig. Durch Gips=
ſwath ritbar, gelblich=, graulich=, röthlichweiß.
Glas=, auch ſeidenglänzend. Halbdurchſichtig bis
undurchſichtig. Vor dem Löthrohre ſich aufblähend
und zur weißen Maſſe fließend, ſehr leicht im
Waſſer löslich. Er beſteht aus Zinkoryd, Schwefel=
ſäure, Manganoryd und Waſſer. Findet ſich ſpar=
ſam in alten Gruben vor, entſteht durch Zerſetzung
anderer Zinkerden, beſonders der Blenden, dient
als Zuſatz zum Oel bei der Firnißbereitung, zur
Darſtellung verſchiedener Zinkfarben ꝛc.

5. **Kobalt= und Bleivitriol;** ſind höchſt
ſelten natürlich anzutreffen, ſie werden gewöhnlich
künſtlich bereitet.

Alle Vitriole, namentlich aber Eiſenvitriol,
dienen zur Darſtellung des Vitriolöls. Dunkele,
beinahe oder ganz ſchwarze Farbe iſt ein Beweis
von Verunreinigung des Vitriols.

Vitriolöl, Schwefelſäure; ſ. d. Art. Schwefel
V. 3. Bei ihrer Darſtellung aus grünem Eiſen=
vitriol wird dieſer im Vitriolölbrennofen durch
Erhitzen in den Calcinirhöhlen ſeines Waſſers
beraubt und dadurch zu Vitriolſchmant verwandelt,
wobei ein Gewichtverluſt von 33—30 Procent
ſtattfindet. Der Schmant kommt alsdann in
feuerfeſte, irdene Kolben mit irdenen Vorlagen,
welche zu 24 Stück in Galeerenöfen dem freien
Feuer ausgeſetzt ſind. In jedem Kolben befinden
ſich ungefähr zwei Pfund Vitriol. Zuerſt deſtillirt
eine wäſſerige Säure, Vitriolſpiritus, Phlegma,
über, welche meiſtens weggegoſſen wird; ſodann
kommen weiße Nebel, welche in die mit zwei Loth
Waſſer gefüllten Vorlagen übergehen. In 32 bis
36 Stunden iſt die Deſtillation, welche zuletzt bei
Weißglühhitze der Kolben vor ſich geht, beendigt.
Man erhält ungefähr 30 Procent vom calchirten
Vitriol an Vitriolöl; der Rückſtand, beſtehend aus
baſiſch ſchwefelſaurem Eiſenoryd und fremden Bei=
mengungen, hat eine rothe Farbe und wird unter
den Namen Colcothar, Todtenkopf oder Caput
mortuum als Farbe gebraucht; ſ. übrigens d. Art.
Schwefel, Schwefelſäure, Bleikammer ꝛc.

Vitrum, lat., Glas; vitrum plumbi oder
saturni, Bleiglas.

Vitruvian scroll, engl., Mäander, ſ. d.

Vitus, St., ſ. d. Art. Veit.

Vivagno, ital., Anſchrot, ſ. d.

Vivarium, lat., Thiergarten, Käfig.

Vivianit, ſ. Eiſenerde 1 und Blaueiſenerde.

Vivier, frz., zierlich eingefaßtes Fiſchbaſſin;
ſ. d. Art. Garten.

Vivo della colonna, ital., Säulenſchaft.

Vivré (Herald.), Stufen=, Treppenſchnitt mit
viereckigen Windungen.

Vlier, ſ. v. w. Flieder, ſ. d.

Vochyſie, ſ. d. Art. Copaiveholz.

Voeu de cire, frz., lat. ex voto, ſ. Votivbild

Voet, ſ. d. Art. Maaß, S. 485, 490 u. 495.

Vogel, 1) Vögel als Attribut erhalten z. B.
St. Conrad, Gualterius ꝛc.; — 2) Vögel in Wap=
pen, ſ. d. Art. Merlette; — 3) (Ziegl.) ſ. Trage.

Vogelaugenholz, ſtammt aus Nordamerita,
wahrſcheinlich von einer Ahornart; es iſt ähn=
lich gemaſert wie das franzöſiſche Ahornholz.

Vogelbeerbaum, ſ. v. w. Ebereſche, ſ. d.

Vogelhaus, frz. voglière, Cabane, Ornithon,
leichtes Gebäude aus Drahtgitterwänden zwiſchen
hölzernen oder eiſernen Säulen, mit vorſpringen=
dem Dach. Innerlich bringe man ein Waſſerbaſſin
mit ſtetem Waſſerwechſel an; zur Ausſtattung ge=
hören noch Stellagen, am beſten von rohem Baum=
geäſt gearbeitet; über die Größe ſ. d. Art. Stall
und Faſanerie.

Vogelkopfverzierung, ſ. d. Art. Birdshead.

Vogelneſt, Schwalbenneſt. Um beim Verbü=
beln (ſ. d.) aufeinander ſtehender Steine, ſowie
beim Einkitten von Thürbalen ꝛc., den zum Ver=
gießen (ſ. d.) dienenden Brei zum Aufſteigen in
die über der Eingießſtelle liegenden Theile des
Dübellochs zu zwingen, klebt man einen Napf in
Form eines Schwalbenneſtes von Lehm oder Thon
vor den Einflußloch an. Dann wird der Kittbrei
innen eben ſo hoch ſteigen, als man ihn außerhalb
anſteigen läßt, muß aber natürlich dabei etwas
dünnflüſſig gemacht werden.

Vogelperſpective, Vogelſchau, franz. à vue
d'oiseau, ſ. d. Art. Perſpective.

Vogelpflaume, Traubenkirſche; ſ. Ahle.

Vogelzunge (Schloſ.), eine Feile, die den=
ſelben Zweck hat wie die Vorfeile, aber oval im
Querſchnitt und ganz ſpitz iſt; ſ. d. Art. Feile b. 8.

Vohr, Letze, frz. alura, chemin de ronde,
engl. chemin-rond, vamure, altengl. ualurying,
Gallerie, Wallerie, Wallgang (von wallen, wan=
deln), längs einer Burg= oder Städtemauer hin=
laufender, oben bedeckter, nach innen offener, nach
außen mit Schießſcharten verſehener Gang.

Voie, frz., Weg, Straße. 1) S. d. Art. Straße;
— 2) ſ. d. Art. Maaß, S. 498, Bd. II.

Voie d'eau, frz., Leck.

Vol, frz. (Herald.), ausgebreiteter Flug.

Volée, frz., Treppenflucht.

Volet, 1) Fenſterladen, Vorſetzladen, ſ. d. Art.
Laden; — 2) Lid eines Flügelaltars, Orgelthür;
— 3) Taubenſchlag im Dach eines Hauſes.

Volice, frz., Dachlatte, um Schiefer darauf
zu decken, etwas breiter als die gewöhnlichen
Dachlatten.

Volière, eigentlich voglière, franz., Vogel=
haus, ſ. d.

Vollbalken, ſ. d. Art. Balken II. A.

Vollbinder und Vollgebinde, ſ. d. Art. Binder,
Dach, Dachbinder ꝛc.

volle Brüſtung, vollgemauerte Brüſtung,
mit dem Fenſterpfeiler gleich ſtark gemauert; ſ. d.
Art. Brüſtung.

voller Bogen, wie „voller Cirkel", ſ. v. w.
Halbkreisbogen.

volle Fuge, ſ. d. Art. Fuge.

volle Lage (Deichb.), ſ. d. Art. Lage.

volle Mauer, Mauer, in der ſich keine Oeff=
nungen, Höhlungen ꝛc. befinden; ſ. d. Art. Mauer I.

voller Hub; ſo heißt bei einer Pumpe 1) der
Hub, wenn die Ventile ſich ſo ſchnell und dicht
ſchließen, daß kein Waſſerverluſt entſteht; man
ſagt dann, „die Pumpe hebt voll"; — 2) Ge=
ſammtmaaß der ganzen Hubhöhe.

volles Gefälle, bei Berechnung von Wasser-
künften die Summe des Gefälles, welches die zu
erzielende Bewegung, und dessen, welches die
Ueberwindung der Widerstände erfordert.

volles Seiltrum (Winde), belastete Seite des
Seiles.

vollkantig, durchweg mit scharfen Kanten
versehen, also nicht baumkantig (v. Holz).

Vollverstärkung der Balken, s. d. Art.
Balken V. b.

Vollwerk, s. v. w. volles Mauerwerk, besonders im Gegensatz zu Füllmauern und Kästel-
mauern (Hohlmauern).

Volta, ital., Gewölbe; volta à botta, Tonnengewölbe; volta a conca, Muldengewölbe;
volta a croce, crociera, Kreuzgewölbe; volta a
fondo piano, Spiegelgewölbe; volta a lunetta,
Kappengewölbe, s. d. Art. Lünette; volta a padiglione, Klostergewölbe.

Volumen, körperlicher Inhalt, Inhalt des
Raumes, den ein Körper einnimmt, gewöhnlich
mit V bezeichnet; s. d. Art. Inhalt.

Volute, lat. voluta, frz. volute, corne de
bélier, 1) spiralförmig zusammengerolltes, herab-
hängendes Ende des oft durch sanfte Aushöhlung
zu einem Canal, lat. canalis, frz. canal, engl. channel, gestalteten Bandes, welches beim ionischen Capitäl auf dem Echinus aufliegt, sowie der Ranken,
die zwischen den Akanthusblättern des korinthischen
Capitäls emporwachsen. Ein sog. Auge, lat. oculus, frz. oeil, engl. eye, bildet den Mittelpunkt
der Volute. Näheres s. in d. Art. Jonisch, Auge ꝛc.
Ueber die Constructionsweise vergl. d. Art. Spirale; — 2) jede schneckenähnliche Curve.

Vomitorium, lat., s. d. Art. Amphitheater.

Vorarche, s. d. Art. Gerinne.

Vorausmaaß, österreichisch für Bauanschlag.

Vorbau, 1) Einbau am Ufer, s. d. Art. Uferbau; — 2) Zimmerung in der Grube, s. d. Art.
Grubenbau; — 3) auch Vorlage genannt, franz.
avant-corps, Vorsprung an einem Haus; s. d.
Art. Erker, Risalit, Vorhalle ꝛc.

Vorbindels, ein zur Verbindung einer Höl-
zung oder Pfahlreihe der Länge nach daran befestigtes rundes oder plattes Holz.

Vorboden, der Theil eines Schleußenbodens,
der vor der Thorkammer liegt; s. Schleußenbau.

vorbohren, 1) vor Einschlagen eines Nagels
erst ein Loch bohren; es geschieht, wenn man
fürchtet, daß der Nagel sich krumm schlage oder
das Bret springe; — 2) mit dem Anfänger, der
auch Vorbohrer heißt, das Sprengloch zu bohren
beginnen.

Vorbühne, s. d. Art. Proscenium und Theater.

Vorburg, lat. forisburgum, frz. faubourg,
s. d. Art. Burg, S. 491, Bd. I.

Vordach, 1) von einem Vorbau das Dach; —
2) auf Consolen ꝛc. vorgetragtes Dach, namentlich
über Hausthüren, Blumenfenstern ꝛc.; — 3) Maaß
des Vorsprunges, Ueberhang des Daches über der
Mauerflucht.

Vordeich (Deichb.), s. v. w. Kaydeich; s. u. d.
Art. Deich und Deichdamm.

Vorderblech, s. d. Art. Blech.

Vordercastell, Vorderpflicht, Vorpflicht, s. d.
Art. Balken, Lausepflicht und Pflicht.

Vorderflügel, die beiden Flügel an der Feldruthe; s. d. Art. Windmühle.

Vorderfront, s. d. Art. Façade und Baulinie.

Vordergebände, Vorderhaus, Gebäude, welches sich an der Straßenflucht befindet.

Vordergraben, s. v. w. äußerer Graben; s.
d. Art. Festungsbaukunst.

Vorderhaupt (Schleuß.), s. v. w. Oberhaupt.

Vorderhof, s. d. Art. Hof 2. a.

Vordermast, s. v. w. Fockmast.

Vordermauer, Umfassungsmauer eines Gebäudes an der Straßenflucht.

Vorderruthe, Vorderschwelle, s. unt. d. Art.
Kammmaschine.

Vorderständer, Vorderstaude (Mühlenb.), die
Ständer, die dem Walk- oder Grubenstock zunächst
liegen.

Vordersteven, frz. chef, s. d. Art. Steven.

Vorderstudel, s. d. Art. Studel und Schloß.

Vorderzange, Theil der Hobelbank; s. d.

Vorrisen (Bergb.), eiserne Bodenplatte des
Schachtbundes.

Vorfeile (Schloss.), grobe Feile, um die größten Unebenheiten des zu feilenden Eisens wegzu-
Vorfenster, s. v. w. Doppelfenster. [schaffen.

Vorfluther, 1) (Wasserb.) bei einer Arche oder
Freischleuße der vordere, ansteigende Boden; —
2) Obergerinne, s. d. Art. Gerinne 2. a.

Vorgehänge, s. v. w. Schlüssellochklappe.

vorgekragt, frz. en encorbellement, engl.
corbelled out, frei aus der Wand vorspringend;
s. d. Art. Austragen und Uebertragen.

Vorgeleg, 1) auch Vorlegewerk, vorgelegtes
Zeug, so heißt an einer Wassermühle oder sonstigen Maschine die Vorrichtung zur Kraftgewinnung,
welche darin besteht, daß ein Drilling und Kammrad (Getriebe und Rad) an einer besonderen Welle,
der Vorgelegewelle, angebracht sind und von einem
an der Wasserradswelle oder sonst an der durch
die Kraft direct bewegten Welle befindlichen
Stirnrad bewegt werden; s. d. Art. Rad und Räderwerk. — 2) Im Mühlbau wird das Vorgelege
auch Zwischengeschirr oder Zwischengelege genannt; s. d. Art. Fortgelege. — 3) Auch Heiz-
kammer, Kamin genannt, frz. bouge. Ein im
Lichten wenigstens 2½—3 Fuß breiter Raum,
feuerfest abgeschlossen, um den aus dem Ofenloch
schlagenden Rauch dem auf ihnen errichteten
Schornstein zuzuführen, oder auch nur, um von
ihnen aus den Zimmerofen zu heizen. Ist das
Vorgelege ein bloßer, von drei Mauern eingeschlossener Raum, auf welchem auch Kochfeuer gemacht wird, so heißt es Heizkamin. Sind mehrere
Oefen aus einem und demselben Vorgeleg zu
heizen, so braucht man blos die rechten Winkel
der zusammenstoßenden Mauern in stumpfe Ecken
zu verwandeln, um den Raum zum Vorgeleg zu
gewinnen. — 4) S. v. w. Risalit oder Vorbau.

vorgelegte oder detachirte Bollwerke
(Kriegsb.), größere Lünetten, welche bei proviso-
rischen Anlagen Anwendung finden.

Vorgemach, Vorzimmer, s. d. Art. Antichambre und Vestibüle.

vorgeschlagen, vorgestreckt (Herald.), s. v.
w. herausgestreckt.

Vorgesperre, Deckel über dem Schlüsselloch eines Schlosses, mittelst einer geheimen Feder zu öffnen; s. d. Art. Bezirschloß.

Vorgiebel, s. d. Art. Fronton.

Vorglacis, s. d. Art. Festungsbaukunst, S. 43.

vorgothischer Styl, s. romanischer Styl.

Vorgraben, frz. avant-fossé, contre-fossé, Annäherungshinderniß vor Schanzen, 30—40 Schritt vor dem Hauptgraben, circa 6 Fuß tief, 10 Fuß breit, aber so eingerichtet, daß er in seiner ganzen Ausdehnung von der Verschanzung aus eingesehen und wirksam beschossen werden kann; s. d. Art. Festungsbau, S. 43.

Vorhalle, lat. porticus, atrium, vestibule, frz. porche, vestibule, engl. porch, bedeckter Vorbau vor dem Haupteingang eines Gebäudes, dient als Unterfahrt, Durchgang und Versammlungsort und wird besonders bei Kirchen, Rathhäusern, Palästen ꝛc. angewendet; doch auch an Privatgebäuden. Die vordere Seite kann man durch Säulen oder Pfeiler stützen und dazwischen offen lassen. Soll eine Vorhalle als Unterfahrt dienen, so muß ihr Boden, der etwaigen Erhöhung des Parterres entsprechend, an beiden Enden behufs des Auffahrens Rampen erhalten; s. übr. d. Art. Kirche, Paradis, Halle, Anfahrt, Christophorus, Galiläa ꝛc.

vor Hand arbeiten, ohne Gerüste und Hebezeuge arbeiten, wobei jeder der Bauhandwerker sich die Materialien selbst an die Stelle der Arbeit schaffen muß; ebenso spricht man: „vor Hand heben", wenn das Heben einer Last von Menschenkräften erfolgt. (Gardine.

Vorhang, frz. courtine, engl. curtain; s.

vorhauen, vorriesen, um den Bohrer ansetzen zu können, eine kleine Vertiefung in den zu bohrenden Gegenstand einhauen.

Vorhaupt oder Vorhöft, 1) s. v. w. Brückenpfeilerkopf (s. d.), der besonders heißen so die Flügel der Futtermauern an Landpfeilern einer Brücke; s. d. Art. Brücke, S. 449; — 2) s. v. w. Oberhaupt, s. d. Art. Schleußenbau; — 3) Communplatz eines Dorfes.

Vorhaus, 1) der Raum in einem Haus, der gleich am Eingange liegt; s. d. Art. Hausflur, Treppenhaus, Diele, Vestibule ꝛc.; — 2) in einer Bäckerei der Raum zum Aufbewahren der Backgeräthschaften; — 3) bei Göpelwerken die Kaue über dem Treibschacht.

Vorheerd, 1) (Wasserb.) der vordere Theil einer Arche, welcher um etwa ¹⁄₁₂ seiner Länge nach dem Hauptsachbaum zu ansteigt; auch in den Seitenwänden wird er vorn weiter (etwa um ¹⁄₃) angelegt, damit das Wasser in allen drei Begrenzungen kräftig in die Arche treten kann. Der vordere Grundballen wird immer durch eine Spundwand geschützt; — 2) bei Hohöfen (s. d.) die Vertiefung, worin sich beim Abstechen Rohstein und Werkblei sammeln; — 3) beim Frischheerd ꝛc. der offene Heerd, in dessen vertiefte Oberfläche die geschmolzene Masse, resp. die Schlacke, durch das Schladenauge und den Ofen läuft.

Vorhimmel, s. d. Art. Limbes.

Vorhof, s. d. Art. Hof, Atrium und Basilika.

Vorkasten, Kasten in Mahlmühlen, worein die Kleie fällt.

Vorkopf, 1) Theil des Ballens von der Stirn

(vom Hirnholz) aus bis zum ersten Zapfenloch; — 2) in Oesterreich s. v. w. Fensterfutter der inneren Fenster.

Vorkragung, frz. encorbellement, Ausladung eines Kragsteines; Herstellung eines Ueberbaues, Vorbaues durch Herausstecken von Kragsteinen. S. Corbel, Austragung, Ueberkragung ꝛc.

Vorladen, Fensterladen, Schaufenster eines Verkaufslocales.

Vorladung, s. d. Art. Ausladung.

Vorlage, 1) bei einem Dreh- oder Bohrwerk derjenige Maschinentheil, worin die Dreh- oder Bohrschneiden befestigt sind; s. d. Art. Drehbank; — 2) (Wasserb.) s. v. w. Einkwerk oder unterste Faschinenlage; — 3) engl. jettie, s. v. w. Vorbau (s. d. 3), wenn er von unten auf gegründet ist.

Vorland, s. d. Art. Deich 11 und Außendeich.

Vorlegefaschinen, s. d. Art. Faschine 1.

Vorlegeschloß, Vorhängeschloß, Anlegeschloß, Hängeschloß, Anwerfschloß, frz. cadenas, span. candujo, kleines Schloß mit einem drehbaren Bügel, dessen durchlöchertes Ende in das Schloß selbst eingesteckt und daselbst durch den hindurchgreifenden Riegel festgehalten wird; indem nun der Bügel die Krampe der Thür und den am Gewände befestigten Haspen umgreift, wird die Thür verschlossen; s. d. Art. Thür, Schloß, Haspen, Hängeschloß, Mahlschloß, Backen 7 ꝛc.

Vorlesungssaal, s. d. Art. Saal, Schule, Akustik, Aula und Hörsaal.

vorliegende Werke, s. d. Art. Außenwerke ꝛc.

Vorling, s. d. Art. Maaß, S. 491.

Vorpfändung, Vorpfännige, verlorene, vorläufige Pfändung bei der Schachtzimmerung; s. d. und d. Art. Grubenbau.

Vorpfahl, s. d. Art. Pfahleisen.

Vorpfeiler, angebracht zum Schutz der Brücken gegen Eisstöße ꝛc.; s. d. Art. Eisbrecher und Brücke, S. 449. Dreieckige Vorpfeiler haben den Uebelstand, daß sich die Kanten sehr leicht abstoßen; abgerundete sind daher vorzuziehen.

Vorpflaster, Pflaster vor einer offenen Feuerung. Besteht in den Stuben, sowie in den Heizräumen, am besten aus Steinplatten oder Fliesen, wird aber häufig durch Aestrich oder Zink ersetzt.

Vorpflicht, s. d. Art. Vordercastell.

Vorpiek, s. d. Art. Hel 1.

Vorrathsboden, Vorrathsgewölbe, Vorrathskammer, Vorrathsraum, Vorrathsmagazin, Rumpelkammer, frz. menager, engl. office, ital. menager; Größe, Lage, Ventilationseinrichtungen ꝛc. richten sich nach Menge und Beschaffenheit der aufzubewahrenden Gegenstände; s. übrig. d. Art. Geräthehaus, Speisekammer, Futterboden, Speicher, Magazin, Bahnhof 4 ꝛc.

Vorraum, Vorsaal, Vorschopf, s. d. Art. Vestibule, Corridor, Vorhaus, Eintheilung, Anordnung ꝛc.

Vorreiber, s. d. Art. Fensterbeschläge, Fensterreiber und Beschläge, S. 329.

vorreißen, vorschreiben (Zimmerm.), s. v. w. verreißen, vorzeichnen, anreißen ꝛc.

Vorsatzblech, s. d. Art. Pochwert.

Vorsatzmauer, Vorsetzmauer, s. v. w. Futtermauer.

Vorscheerung, vor die Pütten- oder Deich-gruben gelegte Pfosten, auf welche die Karren ge-stellt werden.

Vorscheuer, s. d. Art. Balken und Scheune.

Vorschieber, 1) verschiebbarer Riegel; — 2) Gabelanker, s. d.

Vorschlag, 1) unterer Vorsprung, Horizontal-ausladung einer Böschung; — 2) s. v. w. Zuschlag beim Schmelzen; — 3) Kalt, auf der Anlage des Dachziegels von oben aus angetragen; — 4) eiser-ner oder hölzerner Keil, vor den Fuß einer Steife oder eines Grubenstempels geschlagen, um das Abrutschen zu hindern; — 5) Reihe verschuhter Pfähle, in Strömen vor Steinbänken eingeschlagen.

Vorschlagblech, über die Dachsteine vor einem Dachfenster gelegte Blechstreifen, das Eindringen des Regenwassers in die Fugen zu verhindern.

Vorschlage, Vorschlaghammer, Kreuzham-mer (Schmied), s. d. Art. Hammer.

Vorschleuße, Vorsiel, s. Schleuße und Siel.

vorschuhen, vorsetzen, s. v. w. verschuben, mit einem eisernen Schuh versehen; s. Pfahl.

Vorschußmauer, s. d. Art. Mühle.

Vorsetzbrettchen, Schützbret am Ständer; s. d. Art. Teich, Mönch, Schleuße, Ablaß c.

Vorsetzer, Vorsetzung, 1) Deckwerk von Qua-dern, Bohlen oder Pfahlwerk; 2) s. v. w. Sielthür.

Vorsetzläden, bestehen aus Pfosten oder Bret-tafeln mit Grat- oder Hirnleisten, gewöhnlich mit Handhaben, werden in Thüren, Fenster c. einge-setzt und durch davorgelegte Eisenschienen oder Schlösser angeschlossen; s. d. Art. Fensterladen 5.

Vorsprung, 1) Anwachsung, lat. crepido, frz. saillie, ital. spicatura; s. d. Art. Ausla-dung; — 2) Vorsprung einer Böschung, s. d. Art. Böschung; — 3) s. v. w. Vorlage, Risalit.

Vorstadt, s. d. Art. Ortsanlagen, Stadt c.

Vorständer, s. v. w. überständiger Baum.

vorstechen, s. d. Art. Anhieb 2.

Vorstechung, Vorstich, s. v. w. Ausladung; bei runden Gliedern, z. B. bei Karnießen, das Verhältniß der Differenz zwischen ihrer unteren und oberen Ausladung zu ihrer Höhe.

Vorstecker, Vorsteckling, in ein Loch oder durch eine Kramme gesteckter Stift oder Splint, s. d.

Vorstenge, Vorstag c., Verlängerung des Fockmastes; s. u. d. Art. Mast und Schiffsbau.

Vorsteven (Schiffsb.), s. d. Art. Vordersteven.

Vorstoß, 1) Blechstreifen, der an die äußere Kante einer Dachschalung genagelt wird und um den man die Deckbleche herumbiegt; — 2) s. d. Art. Grundbau, S. 218.

vorstreichen oder grundiren (Mal.), den ersten Ueberstrich mit Farbe geben.

Vorstrich (Schloss.), Hervorragung im Schlosse, um welche der im Bart befindliche Einschnitt greift; auch heißt dieser Einschnitt selbst so; s. auch d. Art. Einstrich.

Vorthür, außerhalb des Zimmers c. vor der eigentlichen Thür in oder an derselben Zarge hängende Thür, die den Zweck hat, den Luftzug oder das unmittelbare Eintreten zu verhindern; s. auch d. Art. Diathyron.

Vortreppe, s. v. w. Freitreppe.

Vorufer, begrüntes Vorland, s. Außendeich.

Vorwärtseinschneiden, das gewöhnlichste Verfahren in der Feldmeßkunst, bei welchem aus der gemessenen Standlinie A B ein dritter Punkt C dadurch bestimmt wird, daß man mit Hülfe eines Winkelmeßinstrumentes die Winkel A B C und B A C mißt und aufträgt.

Vorwald, s. d. Art. Brame 2.

Vorwall, s. d. Art. Festungsbau.

Vorwand, vordere Wand des Hohofens.

Vorwehr, s. v. w. Brustwehr.

Vorwerk, 1) Gruppe der für ein vom Haupt-gut entferntes Land nothwendigen landwirth-schaftlichen Gebäude; auch Schwaig, Beigut, Sorge c. genannt. Anlage nach denselben Regeln, wie bei Bauerhöfen, resp. Rittergütern; s. übr. d. betr. Art. — 2) S. v. w. Außenwerk; s. übr. d. Art. Festungsbau. — 3) S. v. w. Einbau; s. d. Art. Uferbau.

vorzeichnen, s. d. Art Bezeichnen u. Zeichnen.

Vorzimmer, s. d. Art. Antichambre.

Votivaltar, frz. chanterie, Meßaltar, von einzelnen Personen, Familien, Corporationen c. in Folge eines Gelübdes, lat. ex voto, gestiftete Altäre; s. d. Art. Altar. Ebenso erklären sich nachstehende Ausdrücke: Votitbild, meist von Wachs, frz. voeu de cire, gefertigt, bildet die durch ein Heiligenbild oder dgl. gebeilten Glieder ab. Votivcapelle, s. d. Art. Capelle I. a. 4. Ueber Votivbrunnen, Votivkirche, Votivsäule, Votiv-tempel c. s. d. Art. Denkmal, sowie d. Art. Brun-nen, Kirche, Säule, Tempel. Votivtafel, lat. ta-bella votiva, franz. tableau votif, engl. votiv tablet, in Folge eines Gelübdes, zum Andenken an eine Person oder Gelegenheit c. geschenkte, in den Kirchen oder an einem Gebäude c. aufgehängte Inschrifts- oder Bildtafel.

Voussoir, frz. u. engl., Wölbstein; juggled-voussoir, Hakenstein, s. d. Art. Bogen, S. 400.

Voussure, frz. und engl., altengl. vesure, foussure, Wölbung, namentlich gegliederte Bo-genlaibung.

Voûte, frz., Gewölbe, auch Deckenkehle; voûte d'arête, Gratgewölbe, Kreuzgewölbe; voûte cy-lindrique, en vagon, Tonnengewölbe; voûter, einwölben.

Vranzen, masc. (Schiffsb.), s. v. w. Band II.

Vrille, tarière, frz., 1) Bohrer; — 2) s. v. w. hélice, s. d.

Vue, frz., 1) Ansicht; — 2) Aussichtsloch, Luke.

Vulkan, auch Vulcan (Mytholog.), bei den Griechen Hephästos, Gott des Feuers und der Schmiedekunst c., Sohn des Jupiter, Gemahl der Venus. Er wird als lahmer, übrigens aber kräf-tiger, bärtiger Mann in gereistem Alter, leicht be-kleidet, dargestellt, meist beschäftigt, eine Waffe auf einem Amboß zu schmieden; oft mit Cyclopen.

vulkanisch, so heißen alle die Gesteine, welche ihre gegenwärtige Gestalt durch einen Schmel-zungsproceß empfangen zu haben scheinen, also zu den plutonischen Gebilden gehören; vulkanischer Gneus, s. d. Art. Gneus; vulkanische Asche und Sand, s. d. Art. hydraulischer Mörtel.

Vulne-window, engl., s. v. w. Low-side-Vussa, s. d. Art. Maaß, S. 491. [window.

Vyalam (ind. Styl), Fries mit Darstellung fabelhafter Thiere; s. d. Art. indische Baukunst.

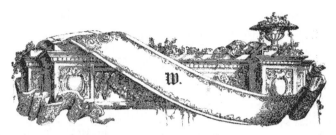

W. 1) In der Physik bezeichnet man mit W gewöhnlich die Grade des Wedgewood'schen Pyrometers (s. d.); — 2) in der Mechanik mit w die Winkelgeschwindigkeit eines sich drehenden Körpers; — 3) bei Entfernungen heißt W s. v. w. Werst.

Waagbaum, s. v. w. Hauptschwinge am Feldgestänge.

Waage. I. Lat. libra. Instrument zur Bestimmung des absoluten Gewichtes der Körper, indem dabei nach den Gesetzen des Hebels das unbekannte Gewicht verglichen wird mit dem bekannten Gewichte anderer Körper, der sogenannten Gewichte.

1. Die gewöhnliche Waage, Balkenwaage, besteht aus einem gleicharmigen Hebel, dem Waagebalken, frz. fléau, welcher um eine waagerechte, durch die Mitte seiner Länge gehende feste Achse drehbar ist; an beiden Enden desselben befinden sich die Waagschalen, zur Aufnahme des zu wägenden Körpers und der Gewichte. Wenn in beiden Schalen die Lasten gleich groß sind, muß der Waagebalken horizontal bleiben; ist aber auf einer Seite ein Uebergewicht, so wird er sich nach dieser Seite hin senken. Damit die Waage recht empfindlich sei, muß der Schwerpunkt des Balkens und der Schalen möglichst nahe unter dem Stützpunkte liegen; doch darf er nicht in diesen selbst fallen, weil sonst bei gleicher Belastung indifferentes Gleichgewicht eintreten und bei dem geringsten Uebergewichte die Waage gänzlich umschlagen würde. Ferner muß der Balken möglichst lang und leicht sein. Diese Waagen kommen als Krämerwaagen und, besonders genau gearbeitet, als physikalische und chemische Waagen vor.

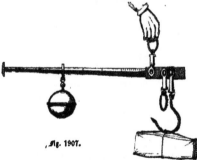

Fig. 1907.

2. Schnellwaagen, bei welchen die Hebelarme nicht gleich sind. a) Bei der römischen Waage ist das Gewicht constant, ebenso der Aufhängepunkt der Waage und der Hebelarm der Last;

veränderlich dagegen ist der Hebelarm des Gewichtes (Fig. 1907). Das Gewicht muß so lange verschoben werden, bis der Waagebalken horizontal steht. Ist alsdann L die Last, l der unveränderliche Hebelarm derselben, G das unveränderliche Gewicht und x dessen Hebelarm, so ist Gleichgewicht vorhanden, sobald Ll = Gx ist, woraus

$$L = \frac{G}{l} x$$

folgt. Ist z. B. das constante Gewicht G ein Pfund und der Hebelarm l der Last ein Zoll, so giebt die Länge x, in Zollen ausgedrückt, die Last L in Pfunden an. Vorausgesetzt ist hierbei, daß der Schwerpunkt der Waage senkrecht unter dem Aufhängepunkte liege. b) Bei der dänischen Schnellwaage ist der Aufhängepunkt verschiebbar, während der Angriffspunkt der Last und des Gewichts, sowie das Gewicht selbst, unveränderlich bleiben. Die Waage wird eingetheilt, indem man sie mit einer genauen gewöhnlichen Waage vergleicht. Die Theile werden hier natürlich nicht gleich groß, weil das Gewicht der Waage selbst hier keinen constanten Hebelarm hat. c) Bei der Waage mit verjüngtem Gewichte sind die Aufhängepunkte der Last und des Gewichtes stets dieselben; verschieden sind nur die Hebelarme der Last und des Gewichtes. Man bezweckt mit ihnen, mit kleineren Gewichten größere Lasten zu wiegen; ist der Hebelarm der Last der zehnte Theil von dem des Gewichtes, so ist auch im Gleichgewichtszustand die Last das Zehnfache des Gewichtes. Eine solche Waage heißt gewöhnlich Decimalwaage.

3. Zeigerwaage (Fig. 1908). Hier ist der Hebel ein Winkelhebel a c b; an dem einen Arm c a desselben ist die Waagschale angebracht, worein die Last gelegt wird. Der andere Arm c b ist ein Zeiger, welcher auf einem Grabbogen spielt und durch ein Gewicht beschwert ist. Je größer alsdann der Winkel ist, welchen der Zeiger mit der Verticalen bildet, um so größer ist die Last; diese ist der Tangente jenes Winkels proportional.

Fig. 1908.

Ein anderes Princip haben die Federwaagen (Fig. 1909). Dieselben beruhen darauf, daß eine elastische Feder sich um so mehr ausdehnt, je stärker die an ihr wirkende Zugkraft ist. Eine Federwaage besteht aus einem Stahlstreifen a b c d, welcher bei d den Drehpunkt eines Zeigers trägt. Dieser ruht auf der unteren Kante eines in a b angebrachten Schlitzes auf, während sein freies Ende sich auf einer empirisch getheilten Scala hinbewegt. Die Last wird an den bei c befindlichen Haken aufgehängt; durch dieselbe wird die Feder gedehnt und d niedergezogen, so daß sich der Zeiger an der Scala aufwärts bewegt.

4. Brückenwaagen, s. d. betr. Art.
II. Instrument zum Controliren der Horizontalität von Flächen ec. Vergl. d. Art. Bleien, Abwägen, Setzwaage.

Fig. 1909.

1. Eine gewöhnliche Setzwaage besteht aus einem meist dreieckigen Bret, auf welchem ein Ritzchen genau winkelrecht gegen die Verbindungslinie der Füße angebracht ist. Sobald eine vor diesem Ritz angefügte Lothschnur genau auf den Ritz einspielt, ist die Fußlinie horizontal, „in Waage". Durch Unterlegen unter den einen nicht auftreffenden Fuß erfährt man, wie viel die betreffende Fläche auf die Länge der Fußlinie „außer Waage" ist. Da die zu controlirenden Flächen nicht immer genaue Ebenen sind, oft sogar große und dabei kurze Unebenheiten haben, so pflegt man ein genau gleich breit gearbeitetes, sorgfältig gefügtes Bret, das Waagscheit, unterzulegen.

2. Verbesserte Setzwaage von Ribot, mitgetheilt im Bulletin de la société d'encouragement; s. Fig. 1910. Vermittelst der Mikrometerschraube schraubt man den Stift b heraus (im Fall die Seite A der Fläche tiefer steht, als die Seite B), bis die Schnur c auf den Ritz einspielt, und liest an dem mit Scala versehenen Stift b ab, wie viel die Abweichung der Strecke AB von der Horizontalen beträgt.

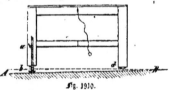

Fig. 1910.

3. Wasserwaagen, s. d. Art. Libelle, Dosenlibelle und Röhrenlibelle.
4. Pendelwaage, s. d.
5. Inclinometer, s. d.
6. Clitometer oder Bergwaage, s. d.
7. Marscheidewaage, s. d.
8. Cirkelwaage, s. d. Art. Nivellirinstrument 2 und Fig. 1530; kann auch statt des dort abgebildeten Stativs mit 2 kleinen Füßen an den Enden versehen werden und dann als Setzwaage dienen.
III. Waage als Symbol und Attribut, s. d. Art. Thierkreis, Asträa, Ezechiel und Gerechtigkeit.

Waagegebäude, s. d. Art. Rathswaage.
waagerecht, wasserrecht oder horizontal, s. v. w. parallel mit dem Spiegel eines ruhenden Wassers.
Waagknie (Schiffsb.), s. v. w. Pumpenmick.
Waagscheit, s. d. Art. Waage.
Waagsteine, s. d. Art. Celtisch 3 und nordamerikanische Bauten 6.

Waarenmagazin, s. Speicher, Magazin ec.
Waasen, s. d. Art. Wasen, Faschine, Rasen ec.

Wachhaus, Wachgebäude, Wacht, frz. corps de garde, für den Aufenthalt der wachthabenden Mannschaft bienendes Gebäude; enthält Aufenthaltsräume für die Mannschaft, mit Schlafpritschen versehen, für den Officier, ferner Räume für Arrestanten, eine bedeckte Halle zum Aufstellen der Mannschaft bei schlechtem Wetter und zum Aufhängen der Gewehre, auch wohl eine Wohnung für den Aufwärter; der Charakter des Aeußeren sei fest, ernst und streng.

Wachholder, Juniperus (Fam. Nadelhölzer, Coniferae). a) Gemeiner Wachholder (J. communis), auch Feuerbaum, Krammets, Kronwitt, Kanix, Reckholder, Jachandel, Kranzwich, Dürentaube ec. genannt; hat wohlriechendes, balsamisches Harz. Das Holz ist sehr feinjährig, fest, hart, schwer, elastisch, zähe, fast unverweslich und dem Wurmfraß nicht ausgesetzt; das starke Holz wird zu Tischler- und Drechslerarbeiten verwendet, läßt sich jedoch schwer bearbeiten und reißt oft ein, weil es häufig sehr ästig und in Menge mit aromatischem Oel durchdrungen ist. Der Splint ist weißlich oder weißgrau, das reife Holz gelbröthlich oder gelbbraun, schön geädert.
b) Der stinkende Wachholder (J. sabina) oder Sadebaum, hat sehr festes, langfeinfaseriges und rötliches Holz.
c) Der spanische Wachholder (J. oxycedrus), Wachholderceder, dem echten Cedernholz sehr ähnlich. Er ist im Gebiet des Mittelmeeres einheimisch, ward ehemals zum Anfertigen der Götterbilder und architektonischen Zierden an Tempeln bevorzugt, daher auch Götterbaum genannt.
d) Der virginische Wachholder (J. virginiana), rothe Ceder; das rothe Holz benutzt man zu Zimmertäfelungen, Fußböden, Tischen, Bleistiften ec.; es ist gleich dauerhaft in Luft, Erde und Wasser, wird von Holzwürmern nicht angegriffen; es ist carmoisinröthlich, oft dunkler geflammt, im Splinte weißgelblich, feinlangfaserig, fest, dauerhaft und sehr wohlriechend. Vergl. d. Art. Ceder 7 und Cedernholz.
e) Bermudas-Wachholder (J. Bermudiana), auch Bermudas-Ceder genannt, ist auf den Bermudas-Inseln einheimisch und liefert das röthliche, leichte Holz, das vielfach als Cedernholz zu Bleistiften und Cigarrenkästen verarbeitet wird.
Wachholderharz, s. d. Art. Sandarach.

Wachs, ist die Bezeichnung für eine Reihe fettartiger Körper des Thier- und Pflanzenreiches, welche aber von den eigentlichen Fetten durch ihre abweichende chemische Zusammensetzung und durch andere äußere Kennzeichen verschieden sind.
Zu den thierischen Wachsarten gehört vor Allem das Bienenwachs. Das Rohwachs wird durch Auspressen des Honigs aus den Waben und durch Umschmelzen der rückständigen gelben Masse mit Wasser gewonnen. Das gelbe Bienenwachs bildet einen bedeutenden Handelsartikel; es dient als solches zur Fabrikation von Wachskerzen (Wachsstöcken), Wachsseifen (s. d. Art. Wachsbohnen), zum Poliren der Möbel, zur Lederwichse, zu Kitten und zum Glätten der Seile und Taue. Anderweite Verwendungen s. unt. d. Art. Baumwachs, Glühwachs, Bossirwachs, Abdruck, Bohnen, Parquet, Fußboden, Meubles ec.
Für viele Zwecke muß das Wachs gebleicht

werden. Außer der Naturbleiche (s. b. Art. Bleichen) kann man auch folgendes Bleichverfahren
anwenden: Man schmilzt 8 Theile gelbes Wachs
mit 1—2 Theilen Terpentinöl zusammen, gießt
das Geschmolzene in Papierkapseln und setzt sie
der Sonne aus. In 8 Tagen ist der Bleichproceß
vollendet. Der Terpentinölzusatz bewirkt die
Ueberführung des Sauerstoffes der Luft in Ozon,
welches den gelben Farbstoff schneller zerstört, als
gewöhnlicher Sauerstoff.

Das gelbe und weiße Wachs wird häufig durch
Mehl, Ocher, Bleiweiß 2c. verfälscht, was leicht zu
entdecken ist, wenn das Wachs mit Wasser geschmolzen wird.

Außer dem Bienenwachs kommen noch andere,
dem Thierreich entstammende Wachsarten im
Handel vor. So das Secretionsproduct einer
Schildlaus, unter dem Namen chinesisches Wachs.
Dieses schmilzt bei 83° und ist in Alkohol nur
wenig löslich.

Das Wallrath (s. b.) schließt sich seinem ganzen
Verhalten nach den Wachsarten an.

Von den sogen. vegetabilischen Wachs-
arten wollen wir nur das Palmwachs er-
wähnen, ein dem Bienenwachs sehr ähnliches
Wachs, das die Blätter gewisser Palmen bedeckt;
ferner das aromatische Myricawachs, aus den
Früchten verschiedener Myrica-Arten stammend;
endlich das japanische Wachs, auch Baumwachs
(Cera japonica), von den Früchten verschiedener
Bäume, besonders von dem japanischen Sumach
(Rhus succedaneum L., Fam. Anacardiaceen).
Es wird aus dem Samen jenes Baumes gewon-
nen und zur Anfertigung von Kerzen benutzt.
In gleicher Weise kommt auch ein vegetabilisches
Wachs vom Rhus chinense Mill. in China; das
japanische Wachs kommt in 100 Pfd. schweren
Blöcken im Handel vor und wird zuweilen zur
Verfälschung des Bienenwachses verwendet. Die-
ses Wachs läßt sich vollständig verseifen und bildet
neben palmitinsaurem Salz auch Glycerin, welches
letztere das Bienenwachs nicht liefert.

Die hauptsächlichste Anwendung findet das
Bienenwachs, welches zu verschiedenen Zwecken
auch gefärbt verwendet wird. Um z. B. roth zu
färben, rührt man in das geschmolzene Wachs
Krapplad oder Zinnober ein: blau färbt man
mit Ultramarin, schwarz mit gebranntem Elfenbein, grün mit Grünspan, gelb mit chromsaurem Blei, weiß mit neutralem kohlensauren
Bleioxyd, das man, mit Terpentinöl fein gerieben,
dem geschmolzenen Wachs zusetzt.

Zur Ergänzung geben wir hier noch ein Verfahren, Wachs zum Abreiben der Meubles zu
fertigen. Man schabe 4 Unzen Wachs und setze so
viel Terpentingeist hinzu, daß es durchnäßt wird,
sowie auch ³/₄—¹/₄ Harz oder Colophonium.
Ist Alles bis zur Consistenz eines Teiges aufgelöst,
so setze man z. B. zur Erreichung der Mahagoni-
farbe indianisches Roth zu und rühre Alles zum
Gebrauch untereinander; s. übr. d. Art. Wichsen.

Wachsabdrücke, s. d. Art. Abdruck.

Wachsamkeit, allegorisch dargestellt, hat als
Attribut einen Kranich neben sich, der in den
Klauen einen Stein hält; Symbol der Wachsam-
keit in der christlichen Kunst ist der Hahn.

Wachsbank, 1) schräges Bretgestelle, auf
welches die gesottene Vitriollauge gebracht wird,
damit sich Krystalle bilden; — 2) Arbeitstisch des
Wachstuchmachers.

Wachsbaum, 1) virginischer (Myrica cerifera L., Fam. Myriceae), ein Strauch Virginiens; aus dessen Beeren durch Auskochen Wachs
gewonnen wird (Myrtelwachs). Dasselbe dient
zur Anfertigung von Kerzen. — 2) Wachsbaum
von Neugranada (Elaeagia utilis Wedd., Fam.
Cinchoneae), liefert ein wachsartiges Harz,
grünes Condamineharz (s. b.), das zu Kerzen und
technischen Zwecken benutzt wird.

Wachsbleiche, s. v. w. Wachstuchfabrik.

Wachsbohnung, s. d. Art. Bohnen.

Wachsfarbe; das Bindemittel besteht in der
Regel aus in Terpentinöl aufgelöstem Wachs;
sie dunkelt nicht nach, kann aber bei uns im Norden nur als innerer Anstrich gebraucht werden,
da sie durch Kälte spröde wird; s. Cerophanie.

Wachsglanz, s. d. Art. Glanz.

Wachskerze, s. d. Art. Leuchtstoff.

Wachskolben, Balanophora elongata Bl.
(Langsdorffia indica Arnott., Fam. Kolben-
schmarotzer), wächst in den Wäldern Indiens und
Java's und liefert ein wachsähnliches Harz, das
zur Bereitung von Kerzen dient. Die nahe verwandte Langdorffia hypogaea Mart. in Neugranada wird in ihrem Vaterland ebenso benutzt
und ihre getrockneten Stengel (Siejas) werden in
Bogota beim Gottesdienst als Kerzen gebrannt.

Wachsmalerei, lat. cerostrotum, engl. encau-
stic. Die Alten hatten zwei Arten der Wachsmalerei: bei der Pinselmalerei wurde gefärbtes
Wachs heiß mit dem Pinsel aufgetragen, dann
aber durch Unterhalten einer Kohlenpfanne, griech.
καυτήριον, nochmals flüssig gemacht und so zum
Eindringen in die Fläche gebracht; s. d. Art. En-
caustic. Wo ein solcher Anstrich wasserdicht sein
soll, setzte man dem Wachs noch Pech oder Harz
(Terpentin) zu, und das Gemisch hieß dann
Zopissa. Bei der Griffelmalerei wurde auf eine
mit Wachs überzogene Fläche die Zeichnung mit
einem Griffel eingegraben und die so entstandenen
Ritze mit farbigem Wachs ausgefüllt, dies aber
mit einem heißen Griffel vertrieben und mit dem
Kauterion eingebrannt.

Wachsmodell, s. Bossirwachs und Form.

Wachspalme, 1) (Ceroxylon andicola H.
& B., Fam. Palmen) ist auf den Cordilleren Südamerika's einheimisch, zugleich die größte bekannte
Palme; sie liefert Blätter zum Dachdecken und
Fasern zu Flechtwerk. — 2) Carnaúbapalme
(Corypha cerifera Arr., Fam. Palmen), ist eine
der geschätztesten Palmen Brasiliens. Ihr Holz
ist zu Zimmerarbeiten gut geeignet und wird zu
diesem Zweck ausgeführt. Das Wachs von demselben Baum wird in London zu Kerzen verarbeitet. Die nahe verwandten Arten C. hospita
und C. tectorum Mart., welche auf Venezuela
und Neugranada einheimisch sind, besitzen ebenfalls treffliches, festes Holz.

Wachspolitur, s. d. Art. Polirwachs.

Wachstuch; die Bereitung desselben besteht
in der Hauptsache darin, daß das Gewebe, nachdem es auf Rahmen ausgespannt worden ist, auf
beiden Seiten mit dünnflüssigem Leim oder Kleister
überbürstet wird, den man noch naß mit Bimsstein
schleift. Darauf folgen verschiedene Oelfarbenauf-
träge mit einer Spachtel oder Kelle, dann Anstreichen
mit dem Pinsel. Nach nochmaligem Schleifen wird

das Muster aufgedruckt oder aus freier Hand aufgemalt.

Wachsthumring, s. b. Art. Jahrring, Markstrahlen, Baum 1.

Wachtbret, Wachtlin (Schiffsb.), s. v. w. Logg-
bret.

Wachtel, 1) Attribut des Herkules; — 2) (Heralb.) s. b. Art. Merlette.

Wachtthurm, frz. barbacane, engl. habenry,
s. b. Art. Burg, Wartthurm, Thurm, Bergfriede,
Beffroy 2c.

Wacke; so nennt man die durch Verwitterung
von Dolerit, Basalt und anderen verwandten
Gebirgsarten entstehenden thonsteinähnlichen
Massen, die keine selbständige Gebirgsart darstellen und nach den Gebirgsarten, aus welchen
sie gebildet sind, ihre besonderen Namen, wie Ba-
salt-, Dolerit-, Phonolith- 2c. Wacken, führen.
Die Wacke kann ganz verschieden gefärbt sein;
die härtere kann als Baustein dienen. Man unterscheidet poröse, blasige, mandelsteinartige, por-
phyrartige u. a. Wacke.

Wadelzeit, die Zeit vom October bis März,
in der man Holz zu fällen pflegt; s. b. Art. Baumfällen und Fällzeit.

Wächterstab, s. b. Art. Jeremias.

Wäger, s. b. Art. Weeger.

Wägungsmittel, s. Gewicht I und Waage.

Wäldergebilde, s. b. Art. Lagerung d., S.
442, Bd. II.

**wälsch, wälisch, welsch, wälsches Dach, wälsche
Haube,** s. b. Art. Dach A. I. 6 und II. 4.

wältigen, beim Grundbau s. v. w. Fördern
des Wassers aus dem Grunde.

Wärme, lat. calor, frz. chaleur, Zustand,
dessen alle Körper fähig sind. Alle Körper dehnen
sich aus, sobald man ihnen Wärme zuführt, und
zwar im Allgemeinen die festen Körper am wenigsten, die gasförmigen am stärksten. Bei festen
Körpern geschieht die Ausdehnung nahezu proportional der Wärmezuführung. Hat man einen
Körper bei t_1 die Länge l_1 und bei t_2 die Länge
l_2, ist ferner δ die Längenzunahme für die Tem-
peraturzunahme um 1°, so hat man

$$l_2 = \left[\frac{1+\delta t_2}{1+\delta t_1}\right] l_1 \text{ oder nahezu} = [1 + \delta (t_2 - t_1)] l_1.$$

Diese Formel ist anzuwenden, wenn man
Messungen, welche bei verschiedenen Temperatu-
ren mit demselben Maaßstabe, z. B. der Meßkette,
ausgeführt sind, mit einander vergleichen will.
Bei der Erwärmung von 0 bis 100° C. beträgt die
Längenausdehnung für die Einheit für Glas: $^1/_{1161}$;
Platin: $^1/_{1121}$; ungehärteten Stahl: $^1/_{987}$; gehärte-
ten Stahl: $^1/_{907}$; Gußeisen: $^1/_{901}$; Stabeisen: $^1/_{840}$; Gold: $^1/_{688}$; Kupfer: $^1/_{583}$; Messing: $^1/_{535}$;
Zinn: $^1/_{438}$; Silber: $^1/_{524}$; Blei: $^1/_{351}$; Zink: $^1/_{340}$.
Die Ausdehnung der Flüssigkeiten ist bei ver-
schiedenen Temperaturen sehr verschieden; am
regelmäßigsten dehnt sich unter ihnen noch das
Quecksilber aus, worauf seine Verwendung zu den
Thermometern beruht. Das Wasser dagegen
zieht sich zuerst, wenn man es von 0° aus erwärmt, zusammen und dehnt sich sodann, und
zwar sehr unregelmäßig, wieder aus. Bei 3,9° C.
hat dasselbe seine größte Dichtigkeit; nimmt man
die Dichte desselben bei 0° zur Einheit an, so ist
sie bei dieser Temperatur etwa 1,000118.

Die Gase zeigen sowohl die beträchtlichste, als
auch die regelmäßigste Ausdehnung durch die
Wärme. Nach den neuesten Untersuchungen von
Magnus und Regnault ist bei 1° C. Tem-
peraturerhöhung die Volumenausdehnung für
atmosphärische Luft 0,003665,

Wasserstoffgas 0,003661,
Kohlensäure 0,003690,
schweflige Säure 0,003880,

wonach also der Ausdehnungscoëfficient für nicht
compressible Gase am kleinsten ist, und wächst, je
leichter das Gas verdichtet werden kann.

Diejenige Wärmemenge, welche nöthig ist, um
die Temperatur der Gewichtseinheit Wasser von
0° auf 1° zu erhöhen, wird bei Vergleichung der
Wärmemengen als Einheit angenommen und
heißt Wärmeeinheit oder Calorie; s. b. Art. Heizkraft. Es sind bei verschiedenen Stoffen verschiedene Wärmemengen nöthig, um ihre Temperaturen bei gleichen Gewichten um eine gleiche
Anzahl Grade zu erhöhen; die Fähigkeit derselben,
Wärme aufzunehmen, die sogenannte Wärmecapacität, ist daher verschieden. Man nennt
die Anzahl Wärmeeinheiten, welche nöthig
sind, um die Gewichtseinheit eines Körpers auf
eine um 1° höhere Temperatur zu bringen, die
specifische Wärme desselben. Dieselbe ist für
Blei 0,031, Eisen 0,114, Glas 0,198, Gold 0,032,
Holz 0,565, Kupfer 0,095, Luft 0,267, Messing
0,094, Platin 0,033, Schwefelsäure 0,349, Silber
0,057, Stahl 0,117, Steinkohle 0,201, Wasserdampf
0,475, Wismuth 0,031, Zink 0,096, Zinn 0,056.
Man vergl. ferner b. Art. Schmelzpunkt, Siedepunkt, Temperatur, Thermometer, latente Wärme,
specifische Wärme, Calorie, Hitze, Capacität 2,
Imponderabilien 2c.

Im Bauwesen hat man es in der Regel nur
mit künstlich erzeugter Wärme zu thun; die Mittheilung derselben geschieht durch Ausstrahlung
oder durch Leitung. Durch Ausstrahlung geschieht
die Heizung, z. B. bei Kaminen; aber nicht blos
das Feuer, sondern auch jeder erwärmte Körper
strahlt Wärme aus, und zwar wird er, je lebhafter
die Leitung und die Ausstrahlung geschieht, um
so schneller erkalten. Die Schnelligkeit der Leitung
und Ausstrahlung aber hängt von der Substanz
des Körpers und von dem Zustand der Oberfläche ab.
Soweit von der Substanz abhängt, nennt man
die Körper gute, mittlere und schlechte Wärmeleiter. Gute Wärmeleiter sind alle Metalle, mittlere sind Stein, Ziegel, gebrannter Thon, Wasser;
schlechte sind Federn, Haare, Stroh, Holz, stag-
nirende Luft. Ein Raum, der mit schlechten
Wärmeleitern umgeben ist, wird die in ihm erzeugte Temperatur lange behalten; ein mit guten
Wärmeleitern umgebener Raum wird sie schnell
seiner Umgebung mittheilen, d. h. ein eiserner
Ofen heizt schnell; ein hölzernes Gebäude hält
sich länger warm als ein steinernes. In Bezug
auf den Zustand der Oberfläche ist zu bemerken,
daß rauhe Körper besser leiten als glatte, und
dunkle besser als helle. Dadurch nun kann man
die Wärmeleitungsfähigkeit sehr gut bestimmen.
Bei Anlage von Räumen und Heizungsvorrichtungen richte man sich mit der Wahl der Materialien
hiernach; s. b. Art. Heizung, Ofen 2c.

Wärmecanäle, s. u. b. Art. Luftheizung.

Wärmecapacität, s. b. Art. Capacität 2.

Wärmekamin, Heizkamin, s. b. Art. Kamin.

Wärmekammer, feuerfester Raum, möglichst

im Keller, worin der Heizapparat für die Heizung mit erwärmter Luft, heißem Wasser oder dergl. sich befindet, und von wo die Canäle für die verschiedenen Räume auslaufen.

Wärmeleiter, s. d. Art. Wärme u. Heizung III.

Wärmemessung, s. d. Art. Calorimeter, Thermometer ꝛc.

Wärmeröhre, 1) an Stüben= und Küchenöfen zum Warmhalten der Speisen ꝛc. dienender verschließbarer Kasten mit einer Blechthüre; s. d. Art. Bratröhre und Küche b.; — 2) s. u. Luftheizung.

Wärmetrommel, s. Heizung IV., S. 252.

Wärmofen, 1) in Oelmühlen a) zum Erwärmen des Samenmehles, muß sich leicht abräumen und beschütten lassen, auch den Pressen möglichst nahe stehen; b) zum Heizen der Wärmepfanne (s. b. und d. Art. Oelmühle). — 2) Wärmofen der Wasserräder, steht in der Radstube; soll verhüten, daß sich an die Wasserräder Eis ansetzt; — 3) Bei Waltmühlen dient der Wärmofen zum Sieden der Waltflüssigkeiten.

Wärterhaus, s. d. Art. Eisenbahn, S. 692.

Wäsche. Localität und Verfahren zur Concentration des gepochten Erzes, indem dieselben vor dem Schmelzen durch Waschen vom tauben Gestein gesondert werden. Zu diesem Behuf errichtet man zwischen Pochwerk und Schmelz, resp. Hohofen einen Schuppen, in dem an einer Seite eine Reihe Vertiefungen sich hinziehen (Gräben genannt). Das Erz kommt zuerst in den 1° tiefen Graben (Gefälle), wo es den reinsten und gröbsten Schlich absetzt, der Häuptel oder Heidel genannt wird. Im nächsten, dem Mittelgraben, setzt sich das Zähhäuptel ab; in dem nächstfolgenden ersten, zweiten und dritten Graben (von 22—20 Zoll an Tiefe abnehmend) der Mittelschlamm; in den nun folgenden schmalen Gräben, Schlämmgräben, die bei weitem seichter sind, der zähe Schlamm; am Oberbarz heißen die Gräben das Schutzgerinne, der Mittelgraben und der Reinmachergraben. Nun tritt das Wasser in die Sümpfe, deren ersterer zwei Ellen, der zweite drei Ellen tief sein kann; was sich hier aus dem nunmehr langsam fließenden Wasser noch setzt, heißt Sumpfschlamm, und das Unnütze, worin kein Erz ist, Schwänzel. Auf der anderen Langseite des Schuppens nun stehen die Waschheerde, gespeist durch das circa 2 Ellen über dem Flußboden hingeführte Heerdgerinne, und so wie die neben ihnen stehenden Schlämmkästen nach dem Fenster zu abhängig sind, ebenso der Fußboden; an den Fenstern läuft dann die Heerdstuhl hin, die das gebrauchte Wasser abführt. Der Schlämmkasten hat stufenförmigen Boden. Auf den höchsten Theil werden die Wäschwasser aus dem ersten Graben geleitet, während die klaren Schliche direct auf den Heerd kommen; dieser besteht aus gehobelten Spündebrettern und wird nach seiner Einrichtung verschieden benannt. Die Kurzheerde, Kehrheerde oder Glauchheerde haben glatte Oberflächen. Die Planenheerde sind mit Leinwandplanen bedeckt und dadurch mit rauher Oberfläche versehen. Beide Sorten sind unbeweglich, etwa 6—9 Ellen lang u. 2—3 Fuß breit. Die Schlämmkästen sind eben so lang, aber etwas schmäler, und die Zwischenräume betragen circa 2 Fuß. Neuerdings werden vielfach die Stoßheerde angewandt, welche an ihrem Kopf ein wie ein Beutelwerk eingerichtetes Stoßgerüst haben, deren Gerinne, an Hintersäulen befestigt, sammt diesen durch den

Drückel der Drückelwelle, mittelst Daumen der Kraftwelle geschüttelt wird, wodurch zugleich der eigentliche untere Heerd hin- und hergestoßen wird. Ein solcher Heerd ist circa 22 Fuß lang und 10 Fuß breit. Außerdem man noch den ähnlich eingerichteten, aber kleineren Sichertrog und den rotirenden Heerd. Je nach der unter diesen Einrichtungen getroffenen Wahl richtet sich die Größe des Gebäudes. Dieses selbst muß heizbar sein, und darüber bringt man gern Trockenböden für das gewaschene Erz an.

Wässerung, s. Bewässerung, Entwässerung ꝛc.

Wässerungsmaschine (Wasserb.), s. d. Art. Schöpfmaschine und Wasserhebmaschine.

Waffen. Ueber die Anwendung derselben als selbstständige Decoration, Waffengehänge, s. b. Art. Trophäe und Armatur. Als Attribute erscheinen sie bei vielen Heiligen; s. d. Art. Krieger, Rüstung, Ritter, Schwert, Lanze, Schild, Helm ꝛc, ferner s. d. Art. Mars, Bellona, Arsenal ꝛc.

Waffenhaus, s. d. Art. Zeughaus, Arsenal ꝛc.

Waffenplatz, 1) Kriegsplatz, Festung, s. b.; — 2) Place d'armes, Waffenplatz des gedeckten Weges, Name der freien Plätze, welche in dem gedeckten Weg durch Abrunden der Contre=Escarpe vor den Waffenplatzspitzen ꝛc. entstehen. Man unterscheidet ein- und ausgehende; — 3) frz. case, bedeckter Waffenplatz, s. d. w. Minirgewölbe.

Waffenschrank, s. d. Art. Armarium.

Waftage, engl., Durchfahrt.

Wagbret, s. Waagscheit; Wage, s. Waage.

Wagen. 1) Bewegliches Gerüst in Sägemühlen, s. b. und b. Art. Schlitten. 2) Das beste Transportmittel; Einiges über die wichtigen Arten und Theile ist in dem Art. Bauerwagen, Lastwagen, Korbwagen, Karren, Deichsel, Langbaum, Armring, Lenkschemel, Gabel ꝛc. angegeben. Ueber die Größe der verschiedenen Wagen s. d. Art. Geräthschuppen und Remise. Als Attribut kommt der Wagen vor bei den Heiligen Bavo, Elias, Franciscus. Ueber den mystischen Wagen Malabah vergl. Ezechiel I, 10, X, 9 ff. Vgl. auch d. Art. Tetramorph.

Wagenanker, s. d. Art. Anker.

Wagenbauanstalt, s. d. Art. Bahnhof 6.

Wagenbaum, 1) Langholz bei dem Wagen einer Sägemühle. 2) (Protea grandiflora Thbg., Fam. Proteaceae R. Br.), ein Baum am Kap der guten Hoffnung, dessen Holz zu Wagenachsen verarbeitet wird, da es sehr fest und zähe ist.

Wagenbrücke, s. d. Art. Brücke, S. 470.

Wagenburg, lat. carraga, von Wagen errichtete Verschanzung. Die Wagen werden entweder im Kreis oder im Quarrée aufgefahren und mit den Deichseln in einander gesteckt oder mit den Deichseln nach innen gerichtet.

Wagentzug, 1) Einfahrtsthor; 2) Deichselloch.

Wagengebäude, Wagenhaus, Wagenschoppen, Wagenschauer ꝛc., s. b. Art. Remise, Geräthschuppen und Eisenbahn.

Wagengeleise (Straßenb.), s. b. Art. Gleis.

Wagenhaken, s. v. w. Schiebstange in einer Sägemühle.

Wagenholz, Ceratopetalum apetalum, s. b.

Wagenkessel, s. d. Art. Dampfkessel.

Wagenkorb, s. d. Art. Benne.

Wagenschott, Wagenschuß, franz. esquain, engl. wainscot, ausgesuchte, aber dünne Eichenbretter, zum Wagen- und Schiffsbau dienend, s. b. Art. Bauholz, S. 281, Bd. I.

Wagenschußklötze und **Wagenschußkrümmling,** s. b. Art. Bauholz, S. 281, Bd. I.

Wagenwelle, zur Bewegung des Blockwagens in einer Sägemühle (s. d.) dienende Getriebswelle.

Wagenwinde, s. Bauwinde u. Fußwinde.

Wagpfahl, s. b. Art. Mahlpfahl.

Wagscheit, s. b. Art. Waagscheit.

Wahl, Wehl. 1) (Deichb.) Kolk, der bei Deichbrüchen entstanden und rund herum noch mit Erdreich umgeben ist; — 2) in Danzig Zählmaaß von 80 Stück.

Wahlspruch, s. b. Art. Devise u. Heraldit VIII.

Wahlverwandtschaft, chemische, s. b. Art. Verwandtschaft.

Wahnecke, Wahnkante, s. v. w. Baumkante; wahnkantig Holz, Wahnholz, s. Baumkantig.

Wahrtonne, s. b. Art. Baake 4.

Wahrzeichen, franz. enseigne, engl. mark, Merkzeichen, Merkmal. Man versteht darunter namentlich diejenigen Denkmäler, Curiosa rc., die einer bestimmten Stadt als charakteristisches Merkmal dienen, z. B. in Erfurt die große Glocke, das Hufeisen an der Nicolaikirche zu Leipzig, das Brückenmännchen zu Dresden, die Kuppeln der Frauenkirche zu München, der Stock am Eisen zu Wien rc.

Waid (Isatis tinctoria, Fam. Kreuzblümler), eine krautartige, 2 Fuß hohe Pflanze, die man vor Einführung des Indigo ausschließlich bei uns zum Blaufärben benutzte und deshalb vielfach anbaute; s. b. Art. Indigo und Färberwaid.

Waidindigo, auch Küpenblau genannt, s. b. Art. Indigo.

Waidindigoküpe, zur Bereitung des Küpenblau, enthält große, kegelförmige, eiserne oder kupferne, über eine Feuerung eingemauerte Kessel. Die Kessel sind oft 18 Fuß tief und 12 Fuß weit.

Wainscot, engl. Wagenschott, daher auch das aus solchen ganz dünnen Brettern gefertigte Täfelwerk, Holzbekleidung; s. Boisserie und Haus.

Waisenhaus, s. Schule 1. c. und Hospital d.

Walburgis, St., Patronin von Eichstädt, Tochter des St. Richard, Schwester der heiligen Willibald und Wunibald, wurde im Kloster erzogen, kam mit Lioba auf den Ruf ihres Verwandten, des St. Bonifacius, nach Thüringen, dann nach Heidenheim in Würtemberg, starb endlich 779 und wurde in Eichstädt bei ihrem Bruder Wunibald begraben. Ihr Grab schwitzt den wunderthätigen Walburgisbalsam aus. Einst heilte sie ein Mädchen durch drei Aehren vom Heißhunger. Sie ist gewöhnlich als Aebtissin, drei Aehren und ein Fläschchen in der Hand.

Waldbretter; so heißen hier und da, im Gegensatz zu Flößbrettern, die auf der Achse verfahrenen Bretter.

Waldcochenille, s. b. Art. Cochenille.

Waldekies, St., s. Corbinian.

Waldfuß, Waldschuh, s. Maaß, S. 484 u. 488.

Waldhaar, s. b. Art. Seegras.

Waldhammer, Waldeisen, Mahlart, Baum-

stempel, Hammer, dessen eine Bahn, als Stempel gestaltet, zum Bezeichnen der Bäume dient.

Waldholz, s. Art. Bauholz A. c u. F., S. 279.

Waldkalk, direct am Fundort aus Rasensteinen gebrannter Kalk.

Waldkante, Baumkante, s. Wahnecke.|

Waldkirsche, s. b. Art. Kirschbaum.

Waldmeister, auch Bergröthe genannt, Maientraut, lat. Asperula; Pflanzengeschlecht, nach Jnst. eine Rubiacee; die Wurzel der A. tinctoria, glatter Waldmeister, giebt eine hochrothe Farbe, die Waldröthe.

Waldmoos, s. b. Art. Moos.

Waldmorgen, s. b. Art. Maaß, S. 491, Bd. II.

waldrechten, s. b. Art. Bewaldrechten.

Waldseil, böhm. Längenmaaß, gleich 42 Ellen.

Waldstein, s. b. Art. Feldstein.

Waldverderber, s. b. Art. Kieferneule.

Walhalla, Ort, wo nach der nordischen Mythologie die gefallenen Helden, Einherier, von den Walküren bewirthet und bedient wurden.

Wali, einer der Asen, s. d.

Walkererde, lat. Terra fullonum, engl. Fuller's earth, Bleicherlehm, grüne Seifenerde rc. (Mineral.), thonige oder mergelige Ablagerung, als Decke der tiefsten Jurakalkbänke erscheinend; entstanden durch Zersetzung dioritischer Gebilde; weich, zerreiblich, im Bruche grobkörnig, grau in's Unreingrüne ziehend, zerfällt im Wasser zu Pulver; s. auch b. Art. Lagerung e.

Walkmühle, Pantschmühle, s. Mühle IV. 7.

Wall, lat. vallum, franz. côte, rivage, engl. mound, shore, überhaupt jede einem Graben parallel laufende Erhöhung, Anwallung, Uferrand, besonders ein nach regelrechten Profilen gemachter Erdaufwurf, der den Zugang der Feinde nicht allein erschwert, sondern auch die Einsicht in die inneren Befestigungen verhindert; — 2) s. v. w. Wahl 2.

Wall, engl., Mauer, Wand; walling, Mauerwerk; walling-manner, Mauerverband.

Wallababholz, ist ein sehr geschätztes Nutzholz in Guiana. Es stammt vom Wallababaum (Eperua falcata Aubl., Fam. Caesalpinieae).

Wallanker, Landanker, s. b. Art. Anker E.

Wallbank, s. b. Art. Banquette.

Wallbruch, Mauerbruch, s. b. Art. Bresche.

Walldach, s. b. Art. Baldachin.

Wallfahrtsberg, s. v. w. Calvarienberg, s. b.

Wallfahrtskirche, s. b. Art. Kirche.

Wallfahrtstempel, s. b. Art. griechischer Styl und Tempel.

Wallgang, Wallerei, Gang, welcher auf dem Wall hinter dem Bankett oder auf der Stadtmauer hinter den Zinnen fortläuft. Vgl. b. Art. Gallerie, Rohr, Letze, Burg rc.

Wallgraben, engl. moat, s. b. Art. Graben, Burg, Festungsbau rc.

Wallnuß (Juglans regia, Fam. Wallnußgewächse), stammt aus Persien, bei uns vielfach cultivirt. Das Holz alter Stämme ist dunkelbraun, hart, zu Schreiner- und Drechslerarbeit als unser bestes Nutzholz gesucht. Es wirft sich nicht, quillt in der Nässe nicht und läßt sich, ohne zu platzen, nach jeder Richtung durchbohren. Die Bäume müssen vor dem Eintritt des Saftes gehauen und sofort zu Brettern und Bohlen geschnitten, darnach trocken aufbewahrt werden. Sehr schön sehen die Maserstücke aus, die sich am Ursprung der Wurzeln und Aeste befinden. Von erfrorenen Bäumen ist das Holz grünlich und ohne besonderen Werth. Die grünen Nußschalen dienen zum Braunfärben. — Schwarze Wallnuß (Juglans nigra) ist in Nordamerika einheimisch, besitzt ein vortreffliches Holz, das anfänglich weiß ist und später schwarz wird. Vergl. ferner d. Art Nußbaumholz, Hickory u. Holzarten.

wallnußbaumfarbiger Anstrich, s. d. Art. Imitation.

Wallnußbeize, s. d. Art. Beize A. 8.

Wallnußöl, ist frisch grünlich, mit der Zeit wird es aber blaßgelb; ist geruchlos und hat einen angenehmen, milden Geschmack; trocknet nicht so gut wie Leinöl, doch besser als Mohnöl. Setzt man es über Wasser in großen und flachen Gefäßen dem Zutritt der Luft aus, so vermehrt man seine Trocknungsfähigkeit. Altes Nußöl trocknet weit besser als frisches. Bereitung: Man befreie ausgewählte Nüsse von ihrer äußersten Schale und erweiche sie mit reinem Wasser in einem Gefäß, bis die harte Schale sich trennt. Hierauf werden die Kerne in reinem Wasser erweicht und dieses sechs bis acht Male erneuert, wenn es trübe wird. So zerfallen in kurzer Zeit nach Umrühren die Nüsse, und es entsteht die sogenannte Nußmilch; wenn man diese in flachen Gefäßen der Luft aussetzt, schwimmt das Oel bald oben auf. Man nimmt es mit baumwollenen Dochten weg, die mit dem einen Ende in das Oel getaucht werden, indem das andere in einer Glasflasche hängt. Gebraucht wird es von Lackirern und Oelfarbestreichern.

Walloneneisen, zu einer Stange gestrecktes Roheisen.

Wall-painting, engl., Wandmalerei.

Wall-pieces, engl., senkrecht an der Wand stehende, auf Kragsteinen ruhende Säulen im englisch-gothischen Dachstuhl, Träger der Deckbalken oder Dachbalken.

Wall-plate, engl., Mauerbank, Mauerlatte.

Wallrath, Spermaceti, ist ein wachsartiges Thierfett, welches aus dem flüssigen Fett der Walthiere, besonders des Pottwals oder Cachelots, beim Erkalten als ein festes weißes Fett auskrystallisirt und durch Pressen von dem anhängenden Wallrathöl getrennt wird. Ein großer Pottwal kann 30—100 Ctr. Wallrath liefern, neben 100—200 Ctrn. Wallrathöl. Das Wallrathfett enthält kein Lipyloxyd, liefert also bei der Verseifung kein Glycerin, sondern besteht im Wesentlichen aus einer Verbindung von Cetyloxyd mit Palmitin-, Stearin- und Myristinsäure. Das Wallrath findet seine hauptsächlichste Verwendung zu Kerzen, dann zu feineren Salben und Hautpomaden. Das Wallrathöl wird als Schmiermittel, zu Seifen und als Beleuchtungsmaterial verwendet.

Wall-rib, engl., Schildbogen, Stirnbogen; s. d. Art. Bogen, S. 400, Bd. I.

Wallschlägel, s. Plackscheit, Deichklopfer, Schlägel zum Festschlagen der Plackarbeit.

Wallstein, s. d. Art. Hohofen I und Dammstein.

Wallwaage, eine Art Setzwaage, wie sie beim Festungsbau gebraucht wird.

Wallwarte, frz. balvarte, Wächterthürmchen auf der ausspringenden Spitze einer Bastion.

Walm, frz. croupe, engl. hip, auch Hammende genannt, kurze Dachseite, die nicht senkrecht, also nicht als Giebel in die Höhe geht, sondern eine Schrägfläche, ebenso wie die Frontseiten, bildet; s. d. Art. Dach. Halb- oder Krüppelwalm, engl. jerkin-head-roof, heißt ein durch Schrägabschneidung blos des obern Theils eines Giebels gebildeter Walmtheil. Diese Anordnung ist ganz fehlerhaft.

Walmdach, frz. comble à croupe, engl. hipped-roof, auch holländisches Dach, s. d. Art. Dach II. bb sowie auch d. Art. Ansatzpunkt.

Walmgewölbe, s. d. Art. Gewölbe.

Walmsparren, frz. empanon, Schifter, die zu einem Walm gehören.

Walmziegel, Gratziegel, frz. tuile arêtière, engl. hiptile, die Walmkante deckender Hohlziegel. Sie werden, um sie auf die Sparren festzunageln, gleich beim Formen am schmalen Ende durchbohrt; sie haben die Nase circa zwei bis drei Zoll vor diesem schmalen Ende, so daß der daraufliegende Walm sich an diese Nase anlehnt.

Walter, St., s. d. Art. Gualterius.

Walzblech, s. d. Art. Blech.

Walze, franz. rouleau, engl. roller, span. palanga. 1) Liegender, um seine Achse drehbarer Cylinder von Holz oder Eisen. Man bedient sich ihrer auf Wegen, um Sand und Kies, der aufgestreut ist, zu befestigen (s. d. Art. Gartenwalze, Chaussée ꝛc.), sowie auf Aeckern zum Zerdrücken der Erdklöße; — 2) lose hölzerne Walzen dienen zum Transport schwerer Gegenstände, indem man unter den Gegenstand zwei Walzen unterlegt und denselben schiebt; s. d. Art. Reibung, Rolle, Versetzen ꝛc.: — 3) eiserne Walzen dienen zum Zusammendrücken der Steinschüttung auf Chausséen; sind ähnlich der Gartenwalze (s. d.), aber größer und schwerer, oft mit Steinen gefüllt, und werden durch Pferde gezogen; — 4) auch als Annäherungshindernisse werden Walzen benutzt, die man über den Wall oder das Glacis hinabrollen läßt.

walzen; 1) mittelst einer Walze glätten, ebnen, verdichten; besonders in einem Walzwerk Bleche, Bandeisen, Papier ꝛc. strecken oder glätten; — 2) mit Hülfe von Walzen einen Körper transportiren.

Walzeisen, gewalztes Eisen, s. d. Art. Blech, Bandeisen u. Eisen, S. 688 bis 690. Ueber seine Eigenschaften s. d. Art. Festigkeit und Elasticität. Ueber Fabrikation und Verwendung desselben s. d. Art. Eisenballen, Eisenbau, Ballen, S. 208, Bd. I., Walzwerk, Träger ꝛc.

Walzeneisen, das als Achse zu einer Rolle oder Walze verwendete Schmiedeisen.

walzenförmig, s. v. w. cylindrisch.

Walzenkessel, s. d. Art. Dampfkessel.

Walzenleitung (Maschinenb.), über Walzen gehende Leitung von Riemen oder Seilen.

Walzenquetschwerk, s. d. Art. Formen und A in Fig. 1111.

Walzenrad, s. u. Mühle A. u. Trommelrad.

Walzenrichter, die Vorrichtung bei Walzwerken, mit Hülfe derer die Walze überall einen gleich großen Druck ausübt.

Walzenspille, Achse, worauf sich eine Walze befindet.

Walzenzapfen (Maschinenb.), s. v. w. Wellzapfen, auch nennt man so die Daumen.

Walzenzug, Einrichtung auf Drahtziehhütten, wobei die Drahtfäden über Walzen laufen und einen gleichförmigeren Faden geben, als wenn sie mit Zangen durchzogen werden.

Walzfeile, s. d. Art. Feile b. 15.

Walzwerk, Etablissement zu Erzeugung des Walzeisens; die Walzhütte enthält außer den nöthigen Heerden einige Hämmer und Scheeren zum Zertheilen der Teule ꝛc., vor Allem die Walzmaschine. Wir geben in Fig. 1911 eine solche, mit Zänge-, Präparir- und Blechwalzen. In dieser Figur bedeutet: a Walzengerüstständer, b Bolzen zum Zusammenhalten derselben, c Präparir-

a) Steinwand; s. d. Art. Mauer; b) Holzwand; s. d. Art. Blockwand, Bohlwand, Spundwand, Reißwerk, Bretwand ꝛc.; c) Lehmwand, s. d. Art. Lehmbau, Pisée, Wellerwand ꝛc.; d) Fachwand, Riegelwand, Holzwand mit anderem Material ausgefacht. Jede solche Wand heißt Bundwand, wenn sie als Binder dient, d. h. zwei andere Wände mit einander verbindet oder ankert; über die Construction s. d. Art. Fachwand. Nach der Anordnung der übrigen Scheidewände und der Thüren richtet sich die Eintheilung der Säulen, jedoch müssen sie möglichst gleichmäßig eingetheilt werden. Nach der Art der Ausfachung kann sie sein: 1) Ziegelfachwand, gewöhnlich schlechthin Fachwand genannt; 2) Lehmfachwand, Bleichwand, kann nach der Art des Aussetzens sein: Stakwand, Wellerwand, Windelwand, Flechtwand, Kleibwand ꝛc.; s. d. betr. Artikel. Auch nach der An-

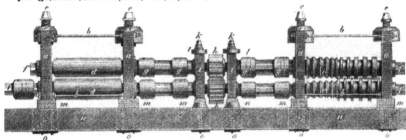

Fig. 1911. Walzwerk.

walzen, d Blech- oder glatte Hartwalzen, e Schrauben, e' die Muttern derselben, f Kuppelungswellen, g Kuppelungsbuchsen, h Kuppelungsräder, i Ständer für die Achsen der Räder, k Schrauben zur Befestigung der Kopfstücke, l, m Sohlplatten, n Schwellen, o Schrauben zum Zusammenhalten der Schwellen. Da die zwei waagrecht übereinander liegenden Walzen f f sich mit gleicher Oberflächengeschwindigkeit, entgegengesetzt, jede um ihre Achse drehen, so wird das dazwischen geschobene Materialeisen zusammengepreßt, in der Richtung der gemeinschaftlichen Walzenoberflächentangente durchgeführt, und dabei je nach der Form der in dem gewählten Walzenpaar angebrachten Einschnitte gestaltet. Die Walzen haben nun außer den hier dargestellten oft noch ganz andere Formen. Im Allgemeinen unterscheidet man a) Präparirwalzen zur Vorbeitung des gefrischten Eisens; b) Stabeisenwalzen zum Walzen des unter dem Hammer oder unter den Präparirwalzen vorbereiteten Eisens zu Quadrat- oder zu flachen Stäben; c) Schneidewalzen, zum Zerschneiden der gewalzten breiten Platinen in schmale Schneideisen; d) Blechwalzwerke und Drahtwalzwerke; e) Formwalzwerke. Am besten werden alle diese einzelnen Walzgerüste in der Reihenfolge, wie sie gebraucht werden, hinter einander in einem großen Raum aufgestellt, an dessen einer Langseite hin die Gans-, Schweiß-, Streckheerde ꝛc. sich reihen, auf welchen das Eisen zum Walzen vorbereitet wird.

Wand, I. Bautheil, der zur Trennung zweier Räume dient. A. Der Bestimmung nach unterscheidet man Außen-, Umfassungs-, Scheide-, Mittel-, Scheerwände und dergl. m., s. d. betreff. Art. B. Dem Material nach unterscheidet man:

ordnung der Holzconstruction selbst unterscheidet man die Wände wieder; s. z. B. d. Art. Hängewand und gespreizte Wand ꝛc. Vergl. ferner d. Art. Wand, Blattstück, Rähm, Riegel, Säule, Schwelle, Strebe, spanische Wand, Bettschirm ꝛc. II. Oberfläche einer Mauer oder Wand. III. (Bergbau) abgelöster Gebirgstheil. IV. (Schiffsb.) s. v. w. Wante.

Wandbalken, s. d. Art. Balten I. B. a. und Balkenlage.

Wandbekleidung, Ueberzug einer Wand; dieser kann geschehen mit Täfelung, Boisserie, Tapeten, Putz, Stuck ꝛc.; s. d. betr. Art.

Wandbild, Wandmalerei, s. d. Art. Bild, Fresco, Malerei ꝛc.

Wandblaker, Wandleuchter, frz. plaque, engl. sconce, s. d. Art. Leuchter und Blaker.

Wandblech, s. d. Art. Brücke, S. 465, Bd. I.

Wandbogen, s. v. w. Schildbogen.

Wandelaltar. 1) Flügelschrein; vgl. d. Art. Altar und Altarschrein. Ein Wandelaltar kann sein: ein Diptychon, Triptychon, oder ein Pentaptychon, frz. pentaptyque, engl. pentaptych, mit vier oder noch mehr Flügeln versehener Flügelaltar; — 2) Altar, mit dem man wandeln kann, Tragaltar; s. d. Art. Altar und Gestatorium.

Wandelgang, bedeckter Säulengang; s. d. Art. Halle, Laube, Gallerie, Kreuzgang.

Wandelgesell, s. d. Art. Bauhütte 2.

Wandelstein, s. d. Art. Grenze.

Wandelstiege, Wandeltreppe, 1) Treppe ohne Stufe; — 2) s. d. Art. Hohltreppe.

Wanderblock, f. b. Art. Block 10, Bb. I.

Wandering, frz. coursive, engl. gangway, (Schiffsb.) Gangbord.

Wandflechten, f. b. Art. Dachflechten, S. 608.

Wandflecke. Nahe dem Fußboden des Parterregeschosses rühren sie von der aus dem Grund aufsteigenden Feuchtigkeit her. Flecke an den Decken der obersten Etage rühren meist von der Schadhaftigkeit der Dächer her. In den Mitteletagen entstehen Flecke an der Decke oft durch den unvernünftigen Gebrauch des Wassers beim Scheuern der Fußböden von den Darüberwohnenden. Flecke in der Mitte der Wände rühren häufig daher, daß man den Wandpuh, bevor er durchgängig und gleichförmig ausgetrocknet war, mit Farbe überstrichen hat, wo alsdann der nasse Kalkpuh die Farbe zersetzt hat, oder von dem Verbrauch alter Steine, die zu Feuerungen und Schornsteinröhren dienten, was durch die gelblichbräunliche Farbe der Flecke sich tund giebt. Hier ist das einzige Mittel durchgreifend, diese Steine herauszuschlagen und durch neue zu ersetzen; übrigens sind Mittel zu Beseitigung von Wandstecken nachzusehen in den Art. Feuchtigkeit, Trocknen, Anstrich, Asphalt, Flecke, Reinigung, Rauchgeschwärzt ꝛc.

Wandholz, f. b. Art. Bauholz, S. 281, Bb. I.

Wandmalerei, frz. peinture murale, engl. mural painting; f. b. Art. Malerei, Fresco, a tempera, Decoration, Florentiner Fresco ꝛc.

Wandmauer, f. b. Art. Futtermauer.

Wandpfähle, f. b. Art. Langpfähle.

Wandpfeiler, lat. anta, frz. pilastre engagé, engl. half-pillar, ital. mezzo pilastro, Pfeiler, die aus der Wand hervortreten. Dahin gehören z. B. die antiken Pilaster (f. b.) und die Halbpfeiler, dosserets, responds, die bei einer Arladenreihe am Anfang und am Schluß aus der Wand hervortreten.

Wandpfette, f. b. Art. Dach, S. 592, Bb. I.

Wandputz, f. b. Art. Puh.

Wandrahmen, f. b. Art. Blattstück, Rähm und Ballen, S. 204, Bb. I.

Wandruthe (Bergb.), f. v. w. Rahmen über dem Tragstempel; f. b. Grubenbau, S. 213, Bb. II., sowie b. Art. Minenbau, Auslaufen ꝛc.

Wandsäule, lat. columna parietina, frz. colonne engagée, f. b. Art. Dreiviertelsäule, Eckstiel, Halbsäule, Säule ꝛc.

Wandstärke, 1) f. v. w. Mauerstärke, f. b.; — 2) Blechstärke der Dampfkessel; f. Dampfkessel.

Wandstiel, Stiel einer Fachwand.

Wandungen, bei einem eingeschlossenen Raum sämmtliche Wände.

Wange, überhaupt f. v. w. einschließende Seitenwand, namentlich 1) frz. limon, courbe rampante, Einfassungspfoste von Treppenstufen, f. b. Art. Treppe; — 2) die Wände eines Schornsteinrohres, so weit sie frei stehen; — 3) frz. jouée, Seitenwand eines Chorgestühls, eines Dachfensters; — 4) die beiden Wände, welche die Rollen eines Flaschenzuges einschließen; — 5) die Schilde eines Würfelcapitäls (f. b.) ꝛc.

Wangenhobel, f. b. Art. Hobel; unterscheidet sich von dem Simshobel dadurch, daß sein Kasten auf der Sohle breit ist und in geringer Höhe über

derselben sich zusammenzieht, um mit der einen dieser Wangen leicht in das Innere der Vertiefung, welche bearbeitet werden muß, zu gelangen, so daß der äußere Theil der Sohle an der abzuhobelnden Fläche hinlaufen kann. Die Schneide des Eisens ist so lang, als die Hobelseite breit ist. Das Eisen aber zieht sich weiter oben etwas, zuletzt ganz, zu einem schmalen Stiel oder Schaft zusammen. Hiervon weicht der schräge Wangenhobel nur durch die schräge Lage des Eisens und des Keils ab, und man benutzt ihn auf Zwerchholz.

Wangenstück, einzelnes Stück einer Wange, die aus mehreren Theilen zusammengesetzt ist.

Wangentreppe, franz. escalier en limons; f. b. Art. Treppe.

Wanne, 1) lat. labrum, frz. cuve, f. b. Art. Badewanne; eine Wanne erhält Bacchus als Attribut; — 2) f. b. Art. Maaß, S. 469, Bb. II.

Wannenbad, f. b. Art. Bad 4. f. aa.

Wannenleim, f. b. Art. Leim II.

Want oder **Wand,** frz. haubau, engl. shroud (Schiffsb.), stehende Taue, welche die Masten und Stengen nach der Seite hin halten und auf großen Schiffen, durch Webeleinen oder Webelings verbunden, als Leitern dienen.

Wanze, Bettwanze (Limex lectularius L.) ist ein flügelloses Insekt von platter, breitgedrückter Körperform. Sie hält sich in den meisten wärmeren Gegenden der Erde, besonders in dichtbewohnten Ortschaften, in Mauern und Rizen von Holzwerk während des Tages auf, läßt sich Nachts durch die Ausdünstung des Menschen anlocken und quält denselben mit ihrem Saugrüssel. Die Vermehrung findet in der warmen Jahreszeit statt. Die weißen Eier werden in Schlupfwinkeln abgelegt; die jungen Wanzen sind anfangs sehr klein, hell, weißlich gefärbt, Kopf und Brustschild verhältnißmäßig größer. Man hält während eines Sommers 4 Generationen für möglich. Kälte und langes Fasten können die Wanzen ohne Schaden vertragen. Reinlichkeit und gutes Durchlüften der Wohnungen, sorgfältiges Verschließen aller Risse und Fugen ist sehr zu empfehlen. Die Mittel, welche man zu ihrer Vertilgung vorgeschlagen, zählen nach Hunderten. Am geeignetsten erscheinen Einspritzungen, Waschungen u. Bepinseln der verdächtigen Stellen der Wohnungen u. Möbel mit ätzenden, giftigen und flüchtigen Stoffen, so mit Laugen, verdünnten Säuren, Grünspanlösungen, Quassiaabkochungen, Farben, denen Calomel und Arsenit beigemischt ist ꝛc. Als Schutzmittel der Person für eine kürzere Zeit empfiehlt man Bespritzen der Betten mit Citronensaft oder Essig. Vgl. auch b. Art. Ausflitten, Anstrich, Kitt, Spalte ꝛc. Außerdem ist zu empfehlen a) Pferdemist oder Pferdejauche, unter den Kalt gemengt, der zu Ausbesserung der Puhspalten verwendet wird. b) Sehr dünnflüssiger Anstrich des Holzes vor dem Verpuh mit Holztheer oder Zinnchloridlösung.

Wanzebaum, Wanza (Cordia abyssinica Dalt., Fam. Cordiaceae), ist ein mächtiger Baum des nordöstlichen Afrika, der bei den Galla's als Heiligthum betrachtet wird.

Wappen, Unterscheidungszeichen von Nationen, Stämmen, Gemeinden, Geschlechtern und einzelnen Personen, die bei den ältesten Völkern. Die Griechen brachten solche Zeichen auf Helm und Schild an; aber erst im Mittelalter begannen diese Zeichen Bezug auf

Beſitz, Beſitzanſpruch oder Amt zu nehmen und wurden zugleich zuerſt als Hausmarke, als Merkmale auf beweglichem und unbeweglichem Eigenthum angebracht. Danach giebt es 1) Amts-, Ehren- oder Standeswappen, lat. insignia dignitatis, frz. armes de dignité; 2) Gnadenwappen, lat. insignia concessionis ob. gratiae; 3) Schutzwappen, lat. insignia patrocinii, frz. armes de patronage; 4) Geſchlechtswappen, lat. insignia gentilitia, frz. armes de famille; 5) Genoſſenſchaftswappen, Vereinswappen, lat. insignia societatis, frz. armes de communauté; 6) Länderwappen, lat. insignia regionum, frz. armes de provence; 7) Stadtwappen, lat. insignia urbis, frz. armes de ville; 8) Herrſchaftswappen, Beſitzeswappen, lat. insignia dominii, frz. armes de domaine; 9) Anſpruchswappen, frz. armes de pretention; 10) Gedächtnißwappen; 11) Erbſchaftswappen, lat. insignia successionis; 12) Heirathswappen, frz. armes d'alliance. Ueber Bildung und Erklärung der Wappen haben ſich allerlei Geſetze gebildet, die Gegenſtand der Heraldik ſind. Das Weſentlichſte aus dieſen Geſetzen ſ. in d. Art. Heraldik. Einiges zur Ergänzung auch in d. Art. Heroldsfiguren, Blaſoniren, Helm, Hut, Krone, Schild, Schildhalter, Beizeichen, Nebenſtücke, Namenwappen ꝛc. Namentlich haben alle Wappenfiguren oder Heroldsfiguren Behandlung in eigenen Artikeln gefunden. Die gemeinen oder natürlichen Figuren, Wappenbilder, engl. badge, ſind ſo mannichfach und viele davon variiren in ihrer Form ſo oft, daß nur die weſentlichſten und am häufigſten gleichmäßig geſtalteten in beſondern Artikeln behandelt werden konnten. In der Jkonographie kommen beſonders vor: das Wappen der Templer, ſ. d. Art. Becher, das Wappen von Frankreich, die Lilie, das dem Chlodwig verliehen worden ſein ſoll wegen der Tugend ſeiner Gattin, der heiligen Clotilde, und das Wappen von Mainz, ein Rad; ſ. Willigis.

Wappendecke, Wappenmantel, ſ. d. Art. Helmdecke, Heraldik VIII und Mantel, beſteht meiſt in Graupelz, Hermelin oder Purpur.

Wappenknecht, Wappenhalter (Herald.), menſchlicher Schildhalter, ſ. d. Den Urſprung dieſes Nebenſtückes will man von der Sitte ableiten, daß ſich die Ritter bei Turnieren ihre Wappen von Knechten, in allerlei Geſtalt vermummt, vortragen oder zwiſchen zwei Pfählen mit allerlei phantaſtiſchem Schnitzwerk aufſtellen ließen.

Wappenſpiegel, Spiegel des Schiffes, wenn er mit dem Landeswappen verziert iſt.

Wappenſtück, Hauptfigur des Wappens.

Wara (nord. Myth.), Göttin der Ehe, Rächerin der gebrochenen Treue.

Ward, engl., äußerer Burghof.

Warehouse, engl., Magazin, ſ. d.

Warl oder **Warrel,** frz. tourniquet, engl. swivelhook, ſ. v. w. Wirbel, Vorreiber, Drehgriff.

Warmbad, lat. caldarium, ſ. d. Art. Bad 2.

Warmhaus, lat. caldarium, ſ. d. Art. Gewächshaus 2—4.

Warmwaſſerheizung, ſ. zunächſt die Artikel Feuerung, Heizung, Ofen ꝛc. Zu erwähnen ſind noch die Warmwaſſerheizungsöfen von Riddell, welche, gleich jedem andern Ofen, in jeden beliebigen Raum geſetzt werden können, aber auch, dafern man ſie groß genug wählt, zu Beheizung eines ganzen Hauſes mittelſt Röhren ausreichen. Recht

empfehlenswerth ſind auch die Warmwaſſerheizungs-Apparate von Angier March Perlins, patentirt für England, zu Heizung von Zimmern oder auch ganzen Gebäuden mittelſt eines gewöhnlichen Warmwaſſerapparates in Verbindung mit einem Hochdruckapparat, oder einem Apparat, in welchem das Waſſer in geſchloſſenen Röhren circulirt. Dieſe Apparate werden ſo verbunden, daß die Windungen des Hochdruckapparats in den Keſſel des Niederdruckapparats treten und das Waſſer deſſelben erwärmen. Dabei können ſie ganz oder zum Theil in den Keſſel eingeſchloſſen ſein; im letzteren Fall dient der Reſt des Syſtems zur Unterſtützung des Niederdruckapparats beim Heizen des Gebäudes. Die Stelle des Keſſels kann eine Röhre vertreten; wenn die Circulationsröhre des dünnröhrigen Apparates durch die Röhre des in's Freie mündenden Niederdruckapparates geführt wird, ſo wird das Waſſer des letzteren erwärmt, indem es der Circulationsröhre, deren Temperatur den Siedepunkt nicht bedeutend überſchreiten darf, die Wärme entzieht. Auf dieſe Weiſe läßt ſich das Heizvermögen eines gewöhnlichen Warmwaſſerapparates erhöhen. Will man die Temperatur des Apparats niedriger halten, ſo leitet man die Circulationsröhre durch eine Waſſerciſterne, welche als Bad oder für ſonſtige häusliche Zwecke benutzt werden kann.

Warmwaſſerpumpe, ſ. d. Art. Dampfmaſchine, S. 620, Bd. I.

Warnglocke (Mühlenb.), Klingel in der untern Mündung des Rumpfes einer Getraidemühle, die anſchlägt, ſobald der Rumpf leer iſt, und ſo zum Wiederaufſchütten ermahnt; ſ. d. Art. Mühle.

Warpe, ſ. d. Art. Bandwarpe, Bauholz 282 e.

Wart, ſ. v. w. Werder, Schütt; ſ. d. Art. Inſel 1.

Warte, Hochwacht, Schauthurm, Wartthurm, échauguette, guérite, bartizan, ſ. d. Art. Burg, Feſtungsbau und Thurm.

Warthaus, zur Zuflucht bei ſchlechtem Wetter, Sturm ꝛc. an Landſtraßen errichtetes Haus.

Wartſchild, frz. écu d'attente (Herald.), lediger Schild, mit dem Unterſchied, daß dieſer ledig bleibt, der Wartſchild aber bei einem erwarteten, wenn auch in unſicherer Ausſicht ſtehenden Ereigniß mit einer beſtimmten Figur geziert werden ſoll.

Warves, ſ. d. Art. Capilopödie.

Warze (Maſchinenb.), an einem Krummzapfen oder einer Kurbelſcheibe hervorragender cylindriſcher Anſatz, durch welchen die Lenkſtange bewegt wird, ſ. a. d. Art. Daumen, Arme 9 ꝛc.

Warzenanker, ſ. d. Art. Anker 11. b.

Warzenring, gekerbter Eiſenring im Loch des oberen Mühlſteins; ſchüttelt den Rührnagel des Rumpfes.

Waſchbecken, lat. ciphus, concha, lavacrum, frz. basin à laver, engl. bason, ſ. d. Art. Piscina, Aquamanile, Aquimanale, Latrina, Marterwerkzeuge ꝛc. Die Waſchbecken der Piscina kommen ſehr häufig paarweiſe (als gemelliones) vor.

Waſchenpfahl, ſ. v. w. Sachpfahl.

Waſchgold; ſo nennt man das in Blättchen und kleinen Körnern aus dem Sande der Flüſſe und beim Seifengebirge (ſ. d. Art.) gewonnene Gold.

Waſchhaus. 1) S. d. Art. Wäſche. — 2) Kleines Gebäude oder Behältniß in einem Wohnhaus zum Reinigen der Wäſche. Es kann auf dem Hof, im Souterrain oder Erdgeschoß angelegt werden, die Decke ist am besten gewölbt und mit Dunstabzügen versehen. Ein Waschhaus enthalte womöglich eine Wasserzuleitung mit Hähnen, einen Heerd mit eingemauertem kupfernen Kessel oder Blase, einige Tröge und eine Rinne zum Abfluß des Wassers. — 3) Oeffentliches Waschhaus, Waschanstalt. Diese legt man am besten als Centralbau an. In der Mitte befinden sich dann die Dampffesse und Hauptfeuerung, von der aus entweder warmes Wasser oder besser noch Dampf circulirt, der das kalte Wasser durch Einströmung erwärmt. Ringsum liegen Corridore mit Zellen zu den Seiten, jede Zelle enthält einige Kübel oder Waschfässer, denen immerwährend kaltes Wasser in einer Röhrenleitung zugeführt wird und in denen die Dampfröhren, mit Hähnen verschlossen, münden. Ferner muß noch für Drehrollen oder Mangeln, sowie für Trockenböden oder Trockenapparate gesorgt sein; besser als durch erwärmte Luft trocknet man die Wäsche in durchlöcherten, sehr schnell sich drehenden Kesseln, worein die Wäsche gethan wird; während der Drehung legt sie sich ganz dicht an die Wandungen des Kessels an und wird durch den scharfen Luftzug binnen wenigen Minuten trocken, ohne im Geringsten beschädigt zu werden. Man kann auch einige der jetzt in so mannichfachen Gestalten vorkommenden Waschmaschinen aufstellen.

Waschkessel, s. d. Art. Waschhaus und Kessel 6.

Waschmaschine, 1) zum Waschen des Zeuges oder der Lumpen in Papiermühlen, s. d. Art. Papiermühle; — 2) für Leibwäsche etc.; s. Waschhaus.

Waschmühle, s. v. w. Waschmaschine und Walkmühle.

Waschraum, s. d. Art. Brennerei 1.

Waschtisch, Waschtrog, s. d. Art. Lavacrum, Lavatorium, Latrina, Piscina etc.

Waschstock, s. d. Art. Mühle 5.

Waschwerk, s. d. Art. Wäsche.

Waseke, Wasche. 1) Faschine; — 2) Faschinenlage.

Wasen, 1) s. v. w. Brodem, Brasem, Dunst; — 2) s. v. w. Rasen; — 3) s. v. w. Scharfrichterei.

Wash, engl. Gußwerk, lime-wash, Kallgußästrich.

Wasser, frz. eau, engl. water, ital. acqua, span. agua. Das reine Wasser, das destillirte Wasser, besteht aus 2 Vol. Wasserstoff u. 1 Vol. Sauerstoff, oder dem Gewicht nach enthalten 100 Thle. Wasser 89 Thle. Sauerstoff und 11 Thle. Wasserstoff; es hat weder Farbe, Geruch, noch Geschmad; seinen Siede- und Gefrierpunkt bestimmen bei 760ᴹᵐ. Barometerstand die Normalpunkte des Thermometers; s. d. betr. Art. Beim Gefrieren dehnt sich das Wasser aus (das Dampf von 100° C. nimmt es ungefähr den 1700 fachen Raum ein, als im flüssigen Zustand. 1 Cubikcentimeter Wasser von +4° C. soll nach dem französischen Gewichtssystem im luftleeren Raum 1 Gramm wiegen. Das Wasser wird als Einheit für das spec. Gewicht der Körper angenommen; bei 0° ist es etwa 770 Mal schwerer als trockene Luft. 1 preuß. Cubikf. reines Wasser von 15° wiegt 61,8 Pfd. — 30,9 Kilogr; 1 sächf. Cubikf. reines Wasser von 15° wiegt 45,4 Pfd. — 22,7 Kilogr. Die Dichte des Wassers ist bei +4° am größten. Setzt man das Vol. des Wassers bei +4° = 1, so ist das Vol. bei 0° = 1,00012,

bei +5° = 1,00001, bei +8° = 1,00011. Setzt man dagegen das Vol. des Wassers bei 0° = 1, so ist es bei +4° = 0,99988, bei +8° = 0,9999, bei 100° = 1,0429. Das Wasser gefriert bei 0° unter Freigabe von Wärme; 1 Pfd. Eis von 0° giebt mit 1 Pfd. Wasser von 79,2° 2 Pfd. Wasser von 0°. Das Eis ist leichter als Wasser, indem dasselbe sich beim Uebergang in Eis stark (fast um $^9/_{11}$) ausdehnt, daher auch Gefäße, die mit Wasser gefüllt sind, beim Gefrieren des Wassers zersprengt werden. Der Siedepunkt des Wassers steigt bei erhöhtem und fällt bei vermindertem Druck. Bei 760ᴹᵐ. Barometerstand siedet es bei 100° C., bei 733ᴹᵐ. Druck bei 99° C., bei 707ᴹᵐ. Druck bei 98° C., bei 424ᴹᵐ. Barometer auf dem Montblanc bei 84,5° C.

Das Wasser, wie es in der Natur vorkommt, ist kein reines Wasser, sondern enthält neben verschiedenen gasförmigen Körpern (Sauerstoff, Stickstoff, Kohlensäure) sehr wechselnde Mengen anderer Substanzen aufgelöst. Am wenigsten aufgelöste Stoffe enthält das Regenwasser, weit mehr das Wasser der Flüsse, Seen und Quellen. Das Meerwasser enthält so viel Kochsalz und Magnesiasalze, daß es widerwärtig salzig schmeckt. Das Wasser der Erde bedeckt ungefähr ⅔ der Erdoberfläche, und die gesammte Wassermenge beträgt nach Berghaus $^1/_{678}$ von dem Cubikinhalt der Erde. Von der Erdoberfläche steigen namentlich in den tropischen Gegenden fortwährend große Massen dampfförmigen Wassers in die Luft. Diese Wasserdämpfe werden von dort durch die Winde nach allen Richtungen über den Erdball verbreitet; durch Abtühlung dieser Dämpfe entstehen Wolken, Regen, Thau, Schnee und dergl. andere Niederschläge, welche wieder auf die Erdoberfläche gelangen, so daß also das Wasser immer von Neuem den Bächen, Flüssen, Erdritzen, Quellen und Brunnen bildend, dem Wasser etc. wieder zugeführt wird. Wenn das Regenwasser von der Oberfläche der Erde in dieselbe eindringt, so nimmt es die verschiedenen löslichen Bestandtheile der Erdrinde auf; dieselben bestehen je nach der Oertlichkeit aus Kalk, Magnesia und Natronsalzen; namentlich findet man kohlensauren und schwefelsauren Kalk häufig aufgelöst durch die im Wasser gelöste freie Kohlensäure. In technischer Beziehung unterscheidet man nach dem Salzgehalt harte und weiche Wässer. Das harte Wasser ist salzreich, das weiche salzarm. Der Kohlensäuregehalt der Quellwässer ist sehr verschieden; er ist größer als der des Flußwassers, weil letzteres durch längeres Verweilen an der Luft die Kohlensäure zum Theil abgiebt. Durch diese Kohlensäureabgabe wird ein großer Theil des gelösten kohlensauren Kalkes abgeschieden; das Flußwasser ist in Folge dessen weicher, als die meisten Brunnenwässer.

Um harte Wässer, die zu mancherlei Zwecken nicht mit Vortheil benutzt werden können, weich zu machen, wäre das beste Mittel die Destillation; allein in den wenigsten Fällen ist dieselbe praktisch vortheilhaft. Zu sehr vielen Zwecken genügt längeres Kochen, man entfernt dadurch die überschüssige Kohlensäure und mit ihr scheidet sich viel kohlensauren Kalk ab. Um zu technischen Zwecken hartes Wasser weich zu machen, setzt man ihm neuen Zusatz von Kalkmilch, oder man kocht das Wasser unter Zusatz von etwas kohlensaurem Baryt auf. Auch ein Zusatz von Soda kann dem Wasser die Härte benehmen. Zur Entfernung der in stinkendem Wasser aufgeschwemmten ungelösten Theile, Farbstoffe, Miasmen, organische Körper etc., ist die Kohle ein vortreffliches Mittel, da sie im hohen Grad die Eigenschaft besitzt, organische Stoffe in ihren Poren zu verdichten und unlöslich zu machen. Die Kohlenfilter sind deshalb sehr praktisch. In der Technik wird das Wasser höchst mannichfach angewendet, beim Bauen namentlich zur Bereitung des Mörtels, der Wasser- und Leimfarben; f. d. betr. Artikel. Ueber die Anstalten zu Abhaltung des Wassers von den Wohnungen f. d. Art. Dach, Abschrägung, Abtraufe, Abzugscanal, Fallrohr, Schleuße ꝛc. Ueber die Herbeischaffung des Wassers zum Gebrauch für Menschen und Thiere f. d. Art. Aquäduct, Arabisch, artesische Brunnen, Brunnen, Cisterne, Pumpe, Röhrwasser ꝛc. Ueber die Befreiung des Terrains von Wasser f. d. Art. Entwässerung, Deich, Damm, Drainage ꝛc. Ueber die Herzuschaffung desselben auf Felder, Wiesen ꝛc. f. d. Art. Bewässerung, Garten, Wasserleitung ꝛc., außerdem f. noch d. Art. Pumpe, Ventilation, Heizung, Dampf, Pantaño, Fluß, Teich, Fischteich, Ständer und viele andere.

Wasserabdachung, die Böschung nach dem Wasser zu an einem Teich, f. d.

Wasserablaß, f. d. Art. Ablaß.

Wasserableitung, f. d. Art. Ablaß, Abzugscanal, Entwässern, Sumpf, Trockenlegung ꝛc.

Wasserabschlag, f. Ablaß und Röhrwasser.

Wasseradern, f. d. Art. Baugrund.

Wasseralber, f. v. w. gemeiner Ahorn.

Wasseraufwand, Wasserbedarf, berechnet sich wie folgt: für einen Menschen jährlich allermindestens 150 Cubikf., doch rechnet man meist als Minimum 200 Cubikfuß; bei der Wiener Wasserleitung sind 365 Cubikfuß à Person gerechnet, in Glasgow, Leipzig und London 912, in Paris 720, in den kleinen Städten Englands 329, in Augsburg, Brünn, Frankfurt a. M., München, Olmütz und Prag circa 170 Cubikfuß; ferner rechnet man für jedes Pferd jährlich circa 600 Cubikfuß,

"	"	Rind	"	"	360	"
"	"	Schaf	"	"	25	"
"	"	Schwein	"	"	21	"

für Maschinen, Mühlen ꝛc. f. die die einzelnen Maschinen betr. Art.; übrigens ist hier der Bedarf sehr verschieden, je nach Zulaufsgeschwindigkeit, Fallhöhe ꝛc. des Wassers.

Wasserbach, f. d. Art. Bach 7.

Wasserbad, f. d. Art. Bad 5 und Lavacrum.

Wasserbank (Mühlenb.), Bretverschlag an den Weidebänken des unterschlächtigen Gerinnes, welcher dazu dient, das unnütze Vorbeifließen des Wassers neben den Rädern zu verhüten.

Wasserbau, in oder über offenem Wasser vorgenommener Bau. Gegenstand der Wasserbaukunst oder Hydrotechnik. Dahin gehören Pfahlroste, Brunnen, Brückenpfeiler, Uferbauten, Futtermauern, Wehrbauten, Schleußen, Hafenbauten ꝛc. Jedoch gehört nicht jeder Wasserbau der Bau von Viaducten über eine trockene Schlucht, der Bau der Fundamente im Wasser, selbst nicht die Senkwerke, Gründung auf Brunnen, Pfähle ꝛc. Ueber die Wasserbauten der Alten f. d. Art. indische Baukunst, Arabisch, Griechisch, Etrurisch ꝛc.

Wasserbecken, Wasserbassin, Wasserbehälter, f. v. w. Bassin, auch ausgegrabener Raum zum Sammeln des Wassers oder zur Aufbewahrung desselben; kann ausgeführt werden: 1) in Stein, welcher aber dann durch Oelen oder dergl. gedichtet

werden muß, f. d. Art. Anstrich ꝛc.; — 2) in Holz, inwendig getheert und in den Fugen (f. d.) calfatert oder besser noch mit Metall ausgeschlagen; — 3) in Metall allein; — 4) in Mauerwerk, f. Asphalt, Cement, Mörtel, hydraulischer Kalk ꝛc.

Wasserbett, 1) (Mühlenb.) bei einer oberschlächtigen Mühle eine aus Bohlen gemachte Rinne, oder ein Wasserkasten über der Radstube; f. d. Art. Bett und Gerinne; — 2) (Wasserb.) f. d. Art. Bett, Flußbett, Strom, Flutbett ꝛc.

Wasserblase, f. Blase, Abblasen ꝛc.

Wasserblatt, frz. feuille d'eau; so nennt man eine besondere Gestaltung der Ornamentalblätter; f. Fig. 1912. Vergl. auch d. Art. Glied F.

Wasserblei, f. d. Art. Molybdänglanz, Kohle, Bleischweif u. Graphit.

Wasserbock, f. d. Art. Bock VI. 2.

Wasserbühne (Bergb.), wasserdichter Grubeneinbau zu Ableitung des Wassers aus einer Grube.

Fig. 1912.

Wassercastell, lat. castellum aquae, f. d. Art. Castellum, Band, Aquäduct, Bewässerung, Wasserleitung ꝛc.

Wassercement, f. d. Art. Cement.

Wassercisterne, f. d. Art. Cisterne.

Wasserdamm, 1) kleiner Erdaufwurf, um das Wasser von der Grube eines stückweise aufgeführten Fundamentes zurück zu halten; — 2) f. d. Art. Fangedamm; — 3) f. v. w. Gefahrdeich; f. d. Art. Damm und Deich.

Wasserdampf. Ueber die Anwendung des Wasserdampfes als bewegende Kraft, zur Heizung ꝛc. f. d. Art. Dampf, Dampfheizung, Dampfmaschine ꝛc. Neuerdings empfiehlt man den Dampf als Feuerlöschmittel. Wenn in einem Gebäude, in welchem große Dampfmaschinenkessel in Thätigkeit sind, Feuer auskommt, so lasse man die Maschinen still stehen und den Dampf ausströmen, welcher bald alle vom Feuer eingenommene Luft erfüllt und in einigen Minuten das Feuer löscht.

wasserdicht. Ueber verschiedene Mittel, Dachflächen, andere Flächen, Fugen oder Bauwerk dicht zu machen, f. d. Art. Anstrich, Asphalt, Dachbedung, Dachpappe, Theer, Cement, Putz, Calfatern, Leim III., Holzcementbach, Abtritt ꝛc.

Wasserdruckmesser, f. d. Art. Piezometer.

Wasserdurchlässe, f. d. Art. Eisenbahn.

Wasserreiche, Wasserraiche, f. d. Art. Mahlpfahl und Kappel.

Wasserfall. 1) Ein Wasserfall kann verschiedene Formen annehmen; zunächst als schräger Abschuß des Wassers, auch Cataract genannt; dann aber auch als Absturz über jähe Felswände oder dergl.; f. u. d. Art. Cascade, Fontaine, Garten und Wasserkünste; — 2) f. v. w. Gefälle (f. d.) des Wassers.

Wasserfang (Wasserb.), f. v. w. Fangdamm.

Wasserfarben, Aquarellfarben, frz. couleur de trempe. Man wende Wasserfarben nur auf Gegenständen an, die der Luft nicht zu sehr ausgesetzt sind, also zu Zimmer- und Theaterdecorationen. Geräthschaften von Holz, die im Innern bleiben und keiner Reibung unterworfen sind ꝛc. Man muß den anzustreichenden Gegenstand zuerst hinlänglich mit Leim, Gummi oder dergl. tränken, um die Poren an der Oberfläche, etwaige Fugen ꝛc. zu verstopfen. Mit Leimwasser geschieht das Tränken zwar heiß, damit die Flüssigkeit recht tief einzieht, aber niemals kochend, da eine übermäßige Hitze einen Körper, der nachzugeben fähig ist, leicht krumm zieht. Will auf Holz ꝛc. dieser Leimgrund nicht recht haften, so reibt man mit Knoblauch die Fläche gut ab. Man giebt nach diesem Leimtränken gern einen weißen Grundanstrich, denn es heben sich dadurch die Farben am schönsten und kräftigsten hervor. Auf Holz besteht dieser weiße Grund aus Bleiweiß oder geschlämmter Kreide, mit Leimwasser versetzt. Einen solchen Grund aber vertragen Papparbeiten nicht gut, da die Farben leicht abspringen oder Risse bekommen, sondern man überzieht sie besser mit starkem weißen Papier und giebt darauf mit der Farbe die Anstrich. Es sind in der Regel zwei Anstriche erforderlich; ist der erste geschehen und hinlänglich trocken geworden, so schleift man ihn mit Schachtelhalm oder dergl. zur Entfernung aller Erhabenheiten. Giebt man mehr als zwei Anstriche, so reibe man jeden besonders ab. Der letzte muß so dünn als nur möglich aufgetragen werden. Recepte s. u. den einzelnen Farbeartikeln, sowie u. Farbe, Anstrich, Leimfarbe, Kalk, Milch ꝛc.

Wasserfaschine, Faschine zur Bekleidung von Böschungen, welche vom Wasser bespült werden, auch zur Gangbarmachung von Morästen ꝛc. Solche Faschinen bestehen aus dem stärksten Reisig und werden überdies noch durch eingebundene Steine beschwert.

Wasserfaß, mit Wasser angefülltes kleines Faß, welches bei der Arbeit dem Maurer zur Seite steht.

Wasserfläche, s. v. w. Wasserspiegel.

Wasserflügel, Schöpfbühne, ähnlich dem Rauchflügel (s. d.), aber größer; s. Art. Canal.

Wasserförderung (Bergb.), s. Wasserhaltung.

Wassergang, s. d. Art. Leibholz.

Wassergerinne, s. Gerinne und Flutbett.

Wasserglas. Das Wasserglas ist eine Verbindung von Kieselsäure mit Kali oder Natron; also ein Alkalisilicat, welches sich durch seine Löslichkeit in Wasser auszeichnet.

A. Bereitung des Wasserglases.

1. Bereitung des Kali-Wasserglases. Es werden 15 Gewichtstheile pulverisirter Quarz oder reiner Quarzsand, 10 Theile gut gereinigte Potasche und 1 Theil Holzkohlenpulver gut gemengt und in einem feuerfesten Glashafen 8—10 Stunden geschmolzen, bis Alles in gleichförmigen, ruhigen Fluß gekommen ist, wozu dieselbe Hitze erfordert wird, wie zum Schmelzen des Glases. Die geschmolzene Masse wird dann mit eisernen Löffeln ausgeschöpft. Nach Erkaltung wird das erkaltete Glas pulverisirt und in ungefähr 5 Th. siedenden Wassers in einem eisernen Kessel allmälig und unter beständigem Umrühren eingetragen und unter öfterem Zusatz von heißem Wasser, um das verdampfende zu ersetzen, so lange (5 bis 14 Stunden) ununterbrochen im Sieden erhalten, bis Alles, mit Ausnahme eines schlammigen Bodensatzes, aufgelöst ist und auf der Oberfläche sich eine zähe, fadenziehende Haut bildet, welche untergetaucht wird. Darauf ist das Sieden noch kurze Zeit fortzusetzen, um den gehörigen Concentrationszustand der Wasserglasgallerte herbeizuführen, in welchem sie ein specifisches Gewicht von 1,24—1,25 hat, ziemlich dünnflüssig und in vielen Fällen ohne Weiteres brauchbar ist. Zu gewissen Zwecken muß sie aber mit mehr oder weniger Wasser verdünnt werden. Sie kann noch behufs leichteren Transportes bis zur dünnen Syrupsconsistenz, ja selbst zu festweicher Masse eingekocht werden, ist aber in diesem Zustand direct nur in seltenen Fällen anzuwenden. Da häufig etwas Schwefelkalium darin enthalten ist, so wird zuletzt beim Kochen, um dieses zu zerstören, etwas Kupferoxyd oder Kupferhammerschlag zugesetzt. Dabei wird allerdings ein kleiner Theil Kali frei, was aber zu den meisten technischen Zwecken nichts schadet, zu manchen sogar vortheilhaft ist. Man kann sich auch der Bleiglätte bedienen, um das Schwefelkalium zu zerstören, aber mit Vorsicht, weil Ueberfluß von Bleioxyd das Wasserglas zum Gerinnen bringt. Will man mit Kieselerde vollkommen gesättigtes Wasserglas haben, so muß man es mit frisch präcipitirter Kieselerde so lange kochen, bis sich von dieser nichts mehr auflöst. Um sich zu überzeugen, ob das Wasserglas mit Kieselerde vollkommen gesättigt ist, darf man nur ein kleines Quantum zum Sieden bringen und nach und nach in kleinen Portionen reine Kieselerde eintragen, wovon die nicht gesättigte Auflösung mehr oder weniger aufnehmen, die gesättigte aber unverändert bleiben wird.

Wenn die Auflösung abgekühlt und durch ruhiges Stehen im gut zugedeckten Kessel geklärt ist, wird sie vom Bodensatz (der ein gutes Düngungsmittel abgiebt) getrennt und in gläserne und gut zu verschließende Flaschen oder Ballons gefüllt. Um es im festen Zustand darzustellen, wird die concentrirte Auflösung mit ¼ ihres Volumens rectificirtem Weingeist versetzt; es entsteht dann ein gallertartiger Niederschlag, welcher im Verlauf von ein paar Tagen sich stark zusammenzieht und an dem Boden des Gefäßes sich fest anlegt. Wird die über demselben stehende Flüssigkeit, welche nicht selten, wenn nicht etwas kohlensaurem Kali, Spuren von Chlorkalium, Chlornatrium und Schwefelkalium enthält, abgegossen, der Niederschlag mit kaltem Wasser ausgewaschen und etwas ausgepreßt, so bekommt man das Wasserglas in festem und sehr reinem, vollkommen mit Kieselerde gesättigtem Zustand.

2. Bereitung des Natron-Wasserglases. Ebenso wie das Kali-Wasserglas. Man nimmt dazu 45 Pfd. Quarz, 23 Pfd. wasserfreies, kohlensaures Natron, 3 Pfd. Holzkohlenpulver oder 100 Theile Quarz, 60 Thle. wasserfreies Glaubersalz, 15—20 Thle. Kohle. Mit Kieselerde vollkommen gesättigt, giebt das Natron-Wasserglas mit Wasser eine etwas opalisirende Auflösung, als das mit Kali bereitete, bei gleichem Zustande der Concentration. Vom eingetrockneten Weingeist wird es nicht vollständig präcipitirt, wie das Kaliwasserglas, sondern nur in eine schleimartige Masse verwandelt. War es nicht vollkommen mit Kieselerde gesättigt und etwas verdünnt worden, so giebt es gar keinen Niederschlag, oder erst nach einiger Zeit, wodurch es leicht erkannt und von dem Kali-Wasserglas unterschieden werden kann.

3. Bereitung des Doppelwasserglases. Kali- und Natronwasserglas lassen sich in allen Verhältnissen mit einander mischen, aber als normales Doppelwasserglas dürfte nur dasjenige zu betrachten sein, welches gleiche Aequivalente von Kali oder Natron enthält und ganz sicher aus 100 Thln. Quarz u. 121 Thln. Seignettesalz erhalten werden kann. Weit billiger erhält man es aus gleichen Aequi-

valenten von Kali= und Natronsalpeter, oder auch aus gereinigtem Weinstein u. Natronsalpeter, oder endlich durch unmittelbares Zusammenschmelzen von 100Thln. Quarz, 28 Thln. gereinigter Potasche, 22 Thln. neutralem, wasserfreiem, kohlensaurem Natron und 6 Thln. Holzkohlenpulver. Es ist merklich leichter schmelzbar als das vorhergehende.

4. **Fixirungswasserglas**, zum Fixiren der Farben auf Bildern 2c. Man giebt dem vollkommen ge= sättigten Kaliwasserglas circa 20—25 % Natrum= kieselseuchtigkeit zu. Letztere gewinnt man, indem man 3 Theile reines, wasserfreies, kohlensaures Natron mit 2 Thln. Quarzpulver zusammenschmilzt und aus dem dadurch erhaltenen Produkt eine concentrirte Auflösung macht. Dadurch bekommt das Wasserglas, außer einem Zuwachs von Kieselerde, auch einen größeren Kaligehalt, wel= cher hinreicht, die schnelle Zersetzung nach dem Aufstrich, und dadurch das Verderben der Farben zu verhindern, ohne daß die übrigen Eigenschaften des Wasserglases merklich alterirt werden. Das vorher trübe oder opalisirende Wasserglas wird zu= gleich vollkommen wasserklar u. etwas dünnflüssiger.

5. **Darstellung des Wasserglases auf nassem Wege.** Ein sehr ergiebiges Material hierzu ist die Infusorienerde von Oberohe im Königreich Hannover. Die organischen Reste, welche in dieser Erde enthalten sind, müssen zuvor durch Glühen entfernt werden, dabei geht die Farbe der weiß= grauen Erde in's Hellrothe über. Man siebt sodann die Erde und reibt den Rückstand im Mörser zu feinem Pulver. Dieses wird nun portionenweise in die Kali= und Natronlauge eingetragen und löst sich mit Leichtigkeit zum größten Theil auf. Ungelöst bleibt die geringe Menge von Sand und ein Absatz von Thonerde, Eisen und Kalk. Nachdem man etwa ¾ der Kieselerde in die Lauge eingetragen, verdickt sich die Masse durch einen sich ausscheidenden flockigen Niederschlag. Man setzt dann bis zur Dünnflüssigkeit Wasser zu und trägt dann den Rest der Infusorienerde ein. Die Flüs= sigkeit wird, wenn nach fortgesetztem Kochen sich nichts mehr auflöst, in den Absatz getrennt und der Rückstand ausgewaschen. Man erhält hierdurch eine Wasserglaslösung von rothbrauner Farbe, die zu vielen technischen Anwendungen, z. B. zum Anstrich von Wänden, schon fertig ist. Man kann auch die Infusorienerde mit concentrirter Lauge zusammenstampfen und bei sehr gelinder Wärme einige Zeit stehen lassen, bis sie nach dem Erkalten fest wird. Beim Auflösen der Masse bleibt dann derselbe Rückstand, wie beim Kochen der Erde mit Lauge. Zur weiteren Reinigung versetzt man die rohe Lösung, vom groben Niederschlag abgegossen, kalt mit Kalkwasser und erhitzt langsam zum Sieden. Es scheidet sich ein flockiger, hellbrauner Niederschlag aus, der beim Sieden der concen= trirten Flüssigkeit sich zu Kugeln zusammenballt und durch Abhärten oder Abgießen von der Lö= sung getrennt wird. Waschwasser und Lösung werden bis zum Syrup eingedampft, wo sie dann beim Erkalten zu einer klaren, dunkel gelblich gefärbten Gallerte erstarren, die sich, wenn trocken, nicht schmierig anfühlt, an der Luft eintrocknet, sich aber nicht zersetzt und sich leicht in kochendem, schwerer in kaltem Wasser löst.

B. **Verhalten des Wasserglases gegen andere Körper.** Das feste oder geschmolzene Wasserglas hat das Ansehen gewöhnlichen Glases und löst sich in siedendem Wasser auf. In kaltem Wasser löst es sich sehr schwer. Ganz unlöslich durch

kaltes Wasser wird es aber nur dann, wenn ihm Kieselerde in Ueberschuß zugesetzt oder ein Theil des Kali, resp. Natron, entzogen wird, oder wenn es mit solchen Erden, Metalloxyden 2c. in Be= rührung gebracht wird, die sich damit zu Doppel= salzen oder ähnlichen Verbindungen vereinigen. Das Wasserglas wird durch Säuren, selbst durch Kohlensäure zersetzt, und die Kieselerde scheidet dann in gallertartigem Zustand aus; noch schneller wirken die Säuren auf festes Wasserglas, aus dem dann die Kieselerde sich als Pulver aus= scheidet. Salze mit alkalischen Basen, namentlich die Kohlensauren und salzsauren, bringen kleister= artige Niederschläge hervor, welche die ganze Flüssigkeit nach und nach zum Gerinnen bringen und, nach Auswaschen mit schwach gesäuertem Wasser, reine Kieselerde hinterlassen. Alkalische Erden machen mehr oder weniger Kali frei und verbinden sich mit der Kieselerde nebst etwas Kali zu unlöslichen Verbindungen. Thonerde verbindet sich ebenfalls zu einem im Wasser unlöslichen Produkt, daher die zur Bereitung genommene Quarzsand keinen Thon führen darf. Aus der atmosphärischen Luft zieht das Wasserglas Koh= lensäure an sich und kommt dadurch bald lang= samer, bald schneller zum Gerinnen, unter Bildung eines schleimigen Bodensatzes. Dies geht in der Wärme noch weiter; durch Abdampfung ganz wasserfrei gemacht, bläht es sich bimssteinartig auf, wird in Wasser unlöslich und mit Säuren aufbrausend, kann aber durch Glühen wieder in seinen früheren Zustand zurückgeführt werden. Will man es also durch Eindampfen in festen Zu= stand versetzen, so muß man es fortwährend im Sieden erhalten, damit es keine Kohlensäure auf= nehme. An der Luft vertrocknetes und dadurch unlöslich gewordenes Wasserglas kann stets wieder durch Glühen in Wasser löslich gemacht werden. Wird Wasserglas auf einen Körper gestrichen, der es nicht oder nur wenig einsaugt, so wird der Anstrich zwar im Anfang glänzend und durch= sichtig sein, mit der Zeit aber trübe, dabei klüftig und hart werden.

Mit Körpern in Berührung gebracht, die ihrer Natur nach einer chemischen Reaction des Wasser= glases nicht unterliegen, wird es deren Poren ausfüllen, dadurch aber klebend wirken, dann austrocknen und zugleich im Wasser unlöslich werden, d. h. auf solche Körper, zu denen es keine chemische Verbindung eingeht, wirkt es als kle= bender und wasserbeständiger, unbeweglicher Firniß. Auf Körper, mit denen es eine chemische Verbindung eingeht, wirkt es nach oben bemerkter Art, und wenn man also diese Körper richtig wählt, kann man zwischen ihnen und dem Wasser= glas das Entstehen unlöslicher Verbindungen leicht herbeiführen; ja man kann es selbst dahin bringen, das Wasserglas mit Erfolg auf Körper anzuwenden, die keine oder nur eine im Wasser lösliche Verbindung mit ihm eingehen, oder in schädlicher Weise zersetzend auf dasselbe wirken, wie z. B. die Säuren, wenn man entweder das Wasserglas oder den mit demselben zu behandeln= den Körper vorher mit einem andern, diese nach= theilige Wirkung neutralisirenden Körper behan= delt. Setzt man zu diesem Behuf dem Wasserglas einen mit demselben gut bindenden Körper in Pulverform bei, so wird sich ein schnell verhärten= der Wasserglasmörtel bilden, der ohne alle chemische Einwirkung blos durch Abhäsion den damit zu behandelnden Körpern anhaftet.

C. **Mischung des Wafferglases mit einigen Körpern zu Mörtel.** a) Mit kohlensaurem Kalk (Kreide, Kalkfand, Marmorpulver). Kreide, mit Wafferglas getränkt, verwandelt sich nicht, wie man vielfach annahm, in kieselsauren Kalk und kohlensaures Kali, sondern das Wafferglas und der kohlensaure Kalk verbinden sich direct zu einer marmorharten Masse. Kreide-, Kalk- oder Marmorpulver, unter das Wafferglas gemengt, giebt daher einen sehr guten, an sich im Waffer unlöslichen Wafferglasmörtel, mit dem man Körper, die sich chemisch mit dem Wafferglas nicht vertragen, anstreichen kann. b) Dolomit (aus kohlensaurem Kalk und kohlensaurer Bittererde bestehend) bindet fast noch beffer mit Wafferglas. c) Phosphorsaurer Kalk (Knochenerde) gebt ebenfalls eine sehr innige Verbindung mit dem Wafferglas ein. d) Mit gelöschtem Kalk (Aetzkall) gerinnt das Wafferglas fast etwas zu schnell, mit an der Luft zerfallenem, also halbkohlensaurem Kalk trocknet das Wafferglas allmälig zu einer festen Maffe ein. e) Mit Quarzpulver gebt Wafferglas nur langsam eine Verbindung ein und wird sehr von demselben absorbirt, so daß man so gefertigte Anstriche noch einige Male mit bloßem Wafferglas überstreichen muß. Wird jedoch der Quarzsand an der Luft zerfallenem Kalk beigemengt, so entsteht eine Verbindung, die nichts zu wünschen übrig läßt. f) Gebrannter Thon, Porzellan ꝛc. bedürfen sehr viel Wafferglas, werden aber dann ungemein fest. g) Zinkoryd (Zinkweiß) läßt sich mit Wafferglas zusammenreiben, ohne zu gerinnen; diese Mischung, als Anstrich auf eine vorher mit Wafferglas getränkte Fläche gebracht, trocknet langsam und unter Aufreißen auf, wird aber fest, wenn sie dünn genug aufgetragen wird. h) Gebrannte Magnesia, mit Wafferglas vermengt als Anstrich verwendet, wird sehr fest, aber, stark aufgetragen, spröde. Die kohlensaure Magnesia, „Magnesia alba", und das Wafferglas geben sehr feste Maffen; beide Körper wirken chemisch auf einander ein, indem sich nämlich die Kieselerde mit einem Theil der Alkali's mit der Magnesia verbindet, wobei etwas kohlensaures Alkali ausgeschieden wird. i) Gips, mit Wafferglas angemacht, gerinnt sofort, und sehr bald darauf wittert schwefelsaures Kali oder Glaubersalz aus, je nachdem Kaliwafferglas oder Natronwafferglas verwendet wurde. Die mit Wafferglas imprägnirte Gipsmasse ist kaum härter, als der Gips selbst.

D. **Anwendung des Wafferglases.** Das Wafferglas giebt in fein gepulvertem Zustand mit kochendem Waffer jene Auflösung, welche man als präparirtes Wafferglas in den Handel bringt. Die Stärke dieser Flüssigkeit ist verschieden; man hat dieselbe 33grädig, 40grädig und 66grädig. Das gewöhnliche Wafferglas ist aus ökonomischen Rücksichten Natron- oder Sodawafferglas und in den meisten Fällen zur Anwendung tauglich. In einzelnen Fällen muß jedoch Kaliwafferglas genommen werden. Das Wafferglas wird immer kalt aufgetragen und muß, da es, wie oben bemerkt, an der Luft verdirbt, in gut verschloffenen Gefäßen aufbewahrt werden. Das 33grädige Wafferglas wird beim ersten Anstrich mit seinem zweifachen Gewicht Regenwaffer verdünnt und eignet sich dann zum Anstrich von Häusern, Dächern, Holzwerk, Zeugen, zur Dichtmachung von weichen und porösen Steinen. Man giebt mehrere Anstriche und muß jeden Anstrich, bevor man

einen neuen aufträgt, gut trocknen laffen, wozu wenigstens 24 Stunden Zeit erforderlich find. Zu den späteren Anstrichen kann man sich einer Auflösung bedienen, welche aus gleichen Gewichtstheilen Wafferglas von 33 Grad und Regenwaffer befteht. Damit der Anstrich fest werde, setzt man häufig $^1/_{10}$ des Gewichtes fein geschlämmte Kreide zu. Hieraus folgt, daß man das 40grädige Wafferglas beim ersten Anstrich mit $2^1/_2$ Gewichtstheilen Waffer und beim zweiten mit $1^1/_4$ verdünnen muß. Wafferglas hält nicht auf Flächen, welche einen frischen Oelanstrich erhalten haben, sondern nur auf solchen, wo das Oel durch Luft und Licht consumirt ist. Die Pinsel müffen nach jedesmaligem Gebrauch gut ausgewaschen werden.

a) **Anstrich auf Holz.** Das Holz wird durch diesen Anstrich verglast, wodurch es sehr schwer Feuer fängt und bedeutend an Dauerhaftigkeit gewinnt, aber es muß sehr trocken und keiner Bewegung ausgesetzt sein, da bei jeder Bewegung der Holzfasern in dem Glasüberzug Riffe entstehen würden. Dieser Anstrich verliert weder durch Feuchtigkeit, noch durch die Luft seine Eigenschaften. Zart gearbeitete Gegenstände von Holz müssen sehr vorsichtig angestrichen werden. Eine zu concentrirte Auflösung vermeidet man, da hier eine chemische Verbindung nicht stattfindet, sondern die Farben und der kieselartige Ueberzug bilden einen Firniß, welcher blättert, wenn er zu dick angestrichen ist. Man nehme zum Anstrich auf Holz 1 Pfd. 33grädiges Wafferglas auf 5 Pfd. Waffer und nehre mehrere Anstriche auftragen, aber zuvor jedesmal gut trocknen laffen. Soll das Holz mit Farben gestrichen werden, so wird 33gräd. Wafferglas mit 5 Theilen Regenwaffer verdünnt, hierzu $^1/_{10}$ fein geschlämmte Kreide gegeben und der Anstrich aufgetragen. Nach dem Trocknen giebt man einen zweiten Anstrich mit etwas mehr Kreide, und endlich den dritten, indem man die Farben, welche man aufzutragen wünscht, mit starkem Wafferglas abreibt. Wafferglasanstrich ohne Farbenzusatz giebt dem Eichenholz eine angenehme Färbung, ähnlich dem frischen Mahagony, während das Tannenbaumholz eine kirschbaumähnliche Färbung erhält. Holz, Papier, Leinwand ꝛc., welche mehrmals mit Wafferglas angestrichen find, fangen nicht mehr Flamme, sondern verkohlen nur. Holz, welches dem freien Einfluß der Witterung ausgesetzt ist oder sich an feuchten Orten bei Mangel an Luftwechsel befindet, würde durch das W. gegen Fäulniß, Schwamm und Wurmfraß gesichert werden können, wenn nicht das Wafferglas zu spröde würde und bei der durch jeden Temperaturwechsel herbeigeführten Veränderung des Holzes dem Springen ausgesetzt wäre.

b) **Anstrich auf Kalkmörtel und Steine.** Zunächst find diese Körper mit einer Lösung von 1 Thl. 33gr. Wafferglas und 3 Thln. Regenwaffer anzustreichen. Man nehme zum ersten Anstrich z. B. 10 Pfd. Wafferglasgallerte von 33° und 20 Pfd. Waffer, zum zweiten Anstrich 10 Pfd. Wafferglasgallerte von 33° und 20 Pfd. Waffer, zum dritten Anstrich 7 Pfd. Wafferglasgallerte von 33° und 14 Pfd. Waffer. Farben halten auf Kaltmörtel vorzüglich; man reibt dieselben mit 33gräd. Wafferglas an und hat nur auf die Wahl der Farbe Sorgfalt zu richten. Ein zweimaliger Anstrich mit Farbe auf vorher mit Wafferglas getränkte Wand reicht in der Regel hin, dieselbe zu decken. Man kann aber dann noch einige Anstriche mit Wafferglas ohne Farbe geben, um Glanz ju erzielen. Zur Erzielung einer weißen Farbe rührt man Kreide in Wafferglas an; die Farbe ist nicht blendend weiß, dagegen ist ein Anstrich von Zinkweiß mit Wafferglas blendend weiß, man muß aber dem Zinkweiß vorher ¼ bis ½ Gewichtstheil schwefelsauren Baryt zumischen. Um bunte Farben hervorzubringen, mischt man die Kreide oder das Zinkweiß vorher mit gelbem oder gebranntem Ocher, lichtem Chromgelb, Schwefelcadmium, blauem oder grünem Ultramarin, Schweinfurter Grün, Chromoxyd, Zinnober, Caput mortuum, Manganoxyd ꝛc. Grüne Farben, welche aus Chromgelb und Berliner Blau bereitet werden, z. B. Neuwieder Grün, Laubgrün u. f. w., sowie alle Pflanzenfarben, können zum Anstrich mit Wafferglas nicht benutzt werden. Will man einen Wafferfarbenanstrich mit Wafferglas überziehen, so mache man vorher eine Probe, da manche Farbenanstriche durch den Wafferglasanstrich sich ablösen. Mit Kalk geweißte Wände können vortheilhaft mit einem Wafferglasanstrich überzogen werden, wodurch sie viel dauerhafter werden, nicht abschmutzen und zugleich abgewaschen werden können.

c) Anstrich auf Metalle, Glas, Porzellan. Das Wafferglas schützt alle diese Körper gegen die Einflüsse der Luft und des Wassers. Wafferglas, dem feingepulverter Braunstein zugesetzt ist, erträgt sogar Glühhitze, ohne daß der Anstrich leidet; im Gegentheil scheint sich ein Fluß zu bilden, welcher das Eisen überzieht und dadurch das Rosten verhindert. Hinsichtlich der Farben zum Anstrich der Metalle gilt das unter b Gesagte. Glas, mit Wafferfarben bemalt, ist halbdurchsichtig; Blanc fixe, mittelst Kaliwafferglas auf Glas gestrichen, giebt demselben eine milchweiße Farbe; setzt man auf diese Weise bemaltes Glas einer hohen Temperatur aus, so bildet sich ein weißes Email. Die gefärbten Emails werden diese neue Glasmalerei sehr unterstützen, welche man jedoch nach Vollendung einige Zeit vor der Berührung mit Wasser schützen muß.

d) Wafferglas zur Erhärtung von Steinen, namentlich von Kalksteinen und solchen, welche leicht verwittern. Rührt man Kreide mit einer Auflösung von Wafferglas zu Teig an und läßt diese Maffe an der Luft erhärten, so wird dieselbe so hart, daß sie zur Restauration von Monumenten oder zur Anfertigung von Gesimsen benutzt werden kann. Kreide oder poröse Kalksteine, in Wafferglas getaucht, erhalten ein glattes Aeußere, gelbliche Farbe und können zur Lithographie angewendet werden. Auf weichem Stein würde eine Mischung von 1 Gewichtstheil 33grädigem Wafferglas mit 3 Theilen Wasser die besten Dienste leisten. Nothwendig ist es, bei Bildhauerarbeiten den Theil des Salzes, welcher, nachdem alle Absorption aufgehört hat, auf der Oberfläche haften geblieben ist, durch Waschen zu entfernen; eine angenehme bräunliche Färbung erzielt man, wenn man dem Wafferglas etwas Braunstein zusetzt; zum Ausbeffern abgebrochener Stellen nimmt man am besten Pulver vom Stein selbst, mit Wafferglas zu einem Kitt geknetet.

e) Um künstliche Steine vermittelst Wafferglas darzustellen, wird gewaschener und schwach erwärmter Sand mit erwärmter Wafferglaslösung so angefeuchtet, daß ein Teig entsteht, welcher in Formen geschlagen wird. Ist er hier etwas confistent geworden, so wird die inwendig mit Blech ausgeschlagene oder mit Oel gestrichene Form entfernt und der Stein an einem luftigen Ort ausge-

trocknet. Um Material zu sparen, werden in das Innere dieser Maffe kleine Geschiebe eingeknetet.

f) Anfertigung von hydraulischem Mörtel. 100 Theile fetter gebrannter Kalk und 1 Theil trockenes Wafferglas in Pulver zusammengemischt, giebt eine Mischung, welche die Eigenschaft des hydraulischen Kalkes zeigt.

g) Anreiben des Wafferglases mit Farben zum Druck auf Papier und Gewebe und zur Tinte. Durch Anreiben mit Kaliwafferglas kann man Ultramarin dauerhaft auf Geweben befestigen. Tusche mit Wafferglas abgerieben, giebt eine Tinte, welche fast unzerstörbar ist. Aufgeklebte Tapeten, mit Wafferglas überstrichen, werden etwas dunkler, nehmen aber Glanz an und können abgewaschen werden. Beim Drucken auf Geweben werden die Stoffe nach dem Drucke einige Tage der Luft ausgesetzt, und dann die Soda oder das Kali durch Waschen entfernt. Nur muß man bei den Farben die Schwefelverbindungen vermeiden.

h) Kitten von Glas, Porzellan, Metallen. Als Kitt muß das Wafferglas gehörig concentrirt und stark angewendet werden, wird aber ungemein fest, auch können so gekittete Gegenstände der Hitze ausgesetzt werden. Der zu kittende Gegenstand wird bis zu 80° R. erwärmt, dann streicht man mit einem Pinsel die erwärmte Wafferglasgallerte auf beide Flächen, umbindet den Gegenstand und läßt ihn in gelinder Wärme liegen, bis die Austrocknung vollkommen ist, was bei 1 Zoll dicken Gegenständen an 14 Tage dauert. Fein gepulverter Smirgel, Eisenoxyd, Manganoxyd mit Wafferglas angerührt, bekommen sehr große Härte, widerstehen der Hitze, ohne rissig zu werden, und werden nach einiger Zeit ganz unlöslich in Wasser. Kitt aus Manganoxyd und Wafferglas, in dünner Schicht auf Eisen gebracht, verglast sich bei hoher Temperatur auf demselben.

i) Das Wafferglas wird auch in verdünnter Lösung n Färbereien als Schönungs- und Befestigungsmittel für Mordants und Farben empfohlen, sowie als Reservage unter Catechu und ähnlichen Farben, überhaupt zum Schutz des Stoffes an einzelnen Stellen vor anderen Farben, zur Appretur und Glättung der Stoffe.

k) Zur Bereitung künstlichen Meerschaums wird kohlensaure Magnesia mit circa ⅓ gebrannter Magnesia gemischt, mit Kalkbrei aus gebranntem Marmor versetzt und dann mit Wafferglas angemacht.

l) Zur Dachdeckung. Gewöhnliche Pappe wird mit Wafferglas getränkt, aufgenagelt, mit Gallerte gestrichen, abgesandet und nochmals mit Wafferglasgallerte gestrichen. Nach mehrfachen, vom Verfasser angestellten Versuchen dürfte es gut sein, bei dem ersten Tränken etwas Zinkoxyd zuzusetzen, und zu dem Absanden entweder Kaltpulver oder beffer noch Cement (der aber dann ganz pflanzentheilfrei sein muß) zu nehmen. Auf die Stärke der Pappe kommt nichts an, doch hat sich Leinwand beffer bewährt als Pappe.

E. Verwendung des Wafferglases in der Wandmalerei. a) Fertige Fresken kann man durch Aufspritzen von Wafferglas fixiren, ebenso Temperamalerei, f. jedoch oben unter B und C. Dabei muß das Wafferglas vorher geklärt werden (durch Natronkieselfeuchtigkeit) und etwaige Ausschwitzung oder Anflug von kohlensaurem Natron muß beseitigt werden.

b) Stereochromie auf Putz. Der Untergrund wird mit gewöhnlichem mittelfeinem, ziemlich magerem Kaltmörtel gemacht (wozu der Sand ausgewaschen werden muß) und entweder längere Zeit der Luft ausgesetzt, oder einige Male mit kohlensaurem Ammoniak benetzt, dann aber nach völliger Trocknung mehrere Male mit gehörig verdünntem Natron= oder Doppelwasserglas getränkt. Dann wird Kalt mit feinem, ausgewaschenem Sand und Regenwasser (oder gekochtem Wasser) zu magerer Tünche angemacht. Am besten ist dazu Dolomitpulver oder Marmorpulver statt des Sandes, wobei man aber das staubähnliche Pulver bei Seite läßt, so daß sich die Oberfläche ungefähr wie eine Feile anfühlt; nach dem Tünchen wird mit Sandstein geschliffen, besser noch durch Aufstreichen von 1 Theil Phosphorsäure und 6 Theilen Wasser, wodurch sich eine Lage phosphorsauren Kalks bildet, s. oben unter C. Ist dies aufgetrocknet, so wird mit 1 Thl. geklärtem Doppel-

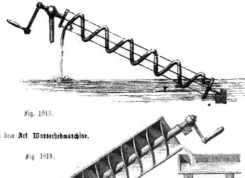

Fig. 1913.

Zu dem Art Wasserhebmaschine.

Fig 1913.

wasserglas auf 1 Thl. Wasser imprägnirt, in der Regel zweimal; zeigt sich der Grund dann an einzelnen Stellen nicht mehr einsaugend, so streicht man diese mit Weingeist und verbrennt denselben. Nun werden die Farben, blos mit Wasser angemacht, unter öfterem Anspritzen der Mauer mit Wasser, aufgemalt. Nach Vollendung der Malerei wird dieselbe mit einem ganz weichen Pinsel abgekehrt und mittelst einer vorn mit einer Siebtülle versehenen Spritze mit Firzirungswasserglas (2 Thle. auf 1 Thl. Wasser) bespritzt. Da nun einzelne Farben zur Firzirung mehr oder weniger Wasserglas verlangen, so muß bei solchen öfter gespritzt oder mit einem Pinsel nachgeholfen werden. S. übr. d. Art. Stereochromie.

c) **Stereochromie auf Gußeisen.** Man mache das Eisen so warm, daß man gerade noch die Hand daran leiden kann, und streiche dann mit Farben, die mit Wasser angemacht sind, oder mit Wasserfarben, die man dann spritzt.

d) **Stereochromie auf Lithographirsteine.**

Dieselben bekommen zunächst einen Anstrich von Wasserglas mit Sand vermengt.

e) **Stereochromie auf Marmor.** Dieser wird erst mit Phosphorsäure behandelt und dann wie unter b gemalt.

f) **Stereochromie auf Thonschiefer, Holz etc.** ist zwar öfter versucht worden, ist aber bis jetzt immer noch auf Schwierigkeiten gestoßen, die vielleicht mittelst geeigneter Imprägnirung gehoben werden können; ebenso verhält es sich mit Leinwand. Zu bemerken ist hier noch, daß viele Farben sich durch die Fizirung mit Wasserglas verändern, daß z. B. Kobalt heller, Hellocher dunkler wird, daß die meisten Farben etwas dunkler werden, daß sich diese Veränderung mit der Zeit aber zum Theil verliert, daß man alle Farben vermeiden muß, die Schwefelsäure enthalten, sowie alle Pflanzenfarben.

F. **Fluorcalciumkitt.** Einen besonders gut erhärtenden Ueberzug und Kitt, der durch Metalloxyde gefärbt werden kann, giebt 1 Thl. Glaspulver mit 2 Thln. Flußspathpulver und so viel Wasserglaslösung, daß daraus ein weicher Brei entsteht, der aufgespachtelt wird, auch als Kitt für Thon, Glas, Porzellan und Stein gebraucht werden kann; wenn man diesen Brei mit W. verdünnt, kann man ihn auch

G. zum Firmenschreiben gebrauchen.

H. In der neuesten Zeit hat man namentlich in der Irrenanstalt zu Hubertusburg günstige Resultate bei der **Anwendung des Wasserglases zum Waschen** erzielt. Man taucht die Wäsche 24 Stunden in eine Mischung aus 1 Thl. Wasserglas und 100 Thln. Wasser, wäscht dann mit wenig Seife nach und erhält eine sehr schöne weiße Wäsche, mit weniger Kosten als beim Waschen mit Lauge und Seife allein. Endlich hat sich concentrirte Wasserglaslösung als vortreffliches Mittel zu Conservirung der Eier bewährt.

Wassergleiche, 1) s. v. w. Horizontalebene; — 2) s. v. w. Wasserstandsebene.

Wassergöpel, s. d. Art. Göpel.

Wassergrün; so nennt man im Handel ein durch Fällung dargestelltes, basisch kohlensaures Kupferoxyd; es findet als Wasserfarbe Verwendung.

Wasserhalter, Wasserhaltung, 1) s. v. w. Wasserkessel, Wasserbehälter; — 2) Maschine zur Auspumpung des Wassers aus Bergwerken; s. d. Art. Ventilation, Pumpe und Grubenbau, S. 215, Bd. II, sowie d. Art. Wassersäulenmaschine.

Wasserhammer, Hammerwerk, das von einem Wasserrad getrieben wird.

wasserhart; thoniger und lehmiger Boden erlangt durch mäßigen Regen eine gewisse Zähigkeit der Oberfläche, die man, halb ironisch, Wasserhärte nennt.

Wasserhaspel, 1) s. v. w. Wassergöpel; — 2) sechsflügelige Haspel, in einen Graben rc. eingehängt, wird durch das Wasser selbst getrieben und baggert so mit seinen Flügeln den Graben aus.

Wasserhaus, I) Gebäude, wegen der Kühlung über einem schmalen fließenden Gewässer aufgeführt; — 2) s. v. w. Wassercastell; s. Wasserleitung; — 3) s. v. w. Ueberbau eines Brunnens, einer Quelle oder eines Röhrtroges.

Wasserhebmaschine, Wasserhebezeug, griech. ἀντλίον, lat. antlium. Die Entwässerung tiefgelegener feuchter Orte und die Bewässerung hochgelegener oder zu trockener Felder hat von jeher den Scharfsinn der Menschen in Bewegung gesetzt. So finden sich denn bereits bei ziemlich niederer Culturstufe Wasserhebmaschinen, und jetzt giebt es deren sehr vielerlei. I. Paternosterwerke, stehende und liegende, gehören jedenfalls zu der welle, mit angehängtem Eimer, lat. girgellus, nach dem Prinzip des Haspels oder Göpels in Bewegung gesetzt. VI. Wasserfäulenmaschine, s. d. VII. Hydraulischer Widder oder Stoßheber; s. d. Art. Widder. VIII. Schöpfräder. Die gewöhnlichen Formen der Schöpfräder sind im Art. Schöpfrad aufgeführt und so bekannt, daß sie keiner Illustrirung bedürfen. Bloße Schaufelräder heben bis zur halben Radhöhe, Zellenräder bis beinahe zur ganzen Radhöhe. Sehr zweckmäßig ist das von Cavé ganz aus Eisen ausgeführte Schneckenrad, Fig. 1915 und 1916. C ist die gußeiserne Welle, D die gußeiserne Armgeviere, an welches die nach der Kreisevolvente gekrümmten Spiralgänge angesetzt sind. Der Umfang E ist mit Zähnen besetzt, in welche das Getriebe F eingreift. Die Art, wie das Rad arbeitet, leuchtet bald ein; es hebt allerdings nur bis zur halben Radhöhe, aber es befördert sehr viel Wasser auf einmal. IX. Außer

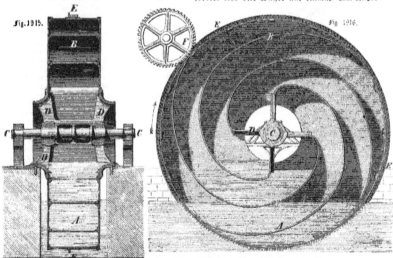

Fig. 1915. Fig. 1916.

infachsten und ältesten Gestaltung der Vorrichtungen zu dem in Rede stehenden Zweck, s. d. Art. Paternosterwerk. Auch die Japaner benutzen das Paternoster- oder Schaufelwerk, durch Tretmaschinen in Bewegung gesetzt, zu Bewässerung ihrer Reisfelder; vergleiche auch d. Art. Eimerkunst. II. Schöpfhebel, griech. κηλώνειον, lat. tolleno, ebenfalls eine der ältesten Gestaltungen; s. d. Art. Brunnen, Ziehbrunnen u. Hebeschaufel. III. Pumpe, griech. σίφων, lat. Ctesibica machina, sipho, war schon den Griechen bekannt; s. d. Art. Pumpe. IV. Wasserschraube, archimedische Wasserschnecke, griech. κοχλίας, lat. cochlea, frz. escargot d'eau. schon von Strabo als in Aegypten angewendet erwähnt. Ueber die älteste Form s. d. Art. archimedische Wasserschnecke. Eine Abbildung geben wir in Fig. 1913. Besser ist die gewöhnliche, als Tonnenmühle bekannte Form, wobei die Röhren durch Gänge ersetzt sind; Fig. 1914 zeigt eine solche doppelgängige Wasserschraube. Wenn sich der Mantel, dann auch Kumme, Trog genannt, nicht mit dreht, heißt sie holländische Wasserschraube. V. Seiten hier angeführten giebt es noch andere Wasserhebvorrichtungen, vgl. darüber d. Art. Schöpfkasten, Schöpfwerk, Noria, Centrifugalpumpe, Polder, Holländerin rc.

Wasserheizung, s. d. Art. Gewächshaus, Heizung, Warmwasserheizung, Ofen, Wärme rc.

Wasserhemmung, s. d. Art. azud, Wehr, Damm, Deich rc.

Wasserhöhe (Wasserb.), 1) senkrechte Entfernung des Wasserspiegels vom Boden, in einem Gerinne, Bassin rc.; — 2) s. v. w. Wassergleiche 2.

Wasserhund, Pumpe, welche früher benutzt ward, um im Kunstschacht das Wasser auf das Kunstrad zu heben und dasselbe zu treiben.

Wasserkasten, 1) überhaupt viereckiger, namentlich hölzerner Wasserbehälter, Wasserkessel (s. d. 2), Röhrtrog rc.; — 2) Sammelgefäß, welches vor der Schütze bei oberschlächtigen Mühlen angebracht ist.

Wasserkessel, 1) zum Sieden des Wassers dienender eingemauerter Keſſel; ſ. d. Art. Keſſel, Keſſelfeuerung, Keſſelſtein, Dampfkeſſel ꝛc.; — 2) an einer Waſſermaſchine das obere Gefäß, in welches die Maſchine das gehobene Waſſer ausgießt.

Waſſerkies, 1) ſ. v. w. Flußſand; — 2) ſ. v. w. Strahlkies.

Waſſerkitt, ſ. d. Art. Kitt, Steinkitt, Oelkitt ꝛc.

Waſſerklinker, aus grauem Thon und Sand gekneteter und gebrannter Ziegel.

Waſſerkluſt, ſ. d. Art. Kluft.

Waſſerkraft, ſ. d. Art. Arbeit, Betriebswaſſer, Kraft, Maſchine ꝛc.

Waſſerkrahn, ſ. d. Art. Krahn, Eiſenbahn, S. 692, Bd. I ꝛc.

Waſſerkrampe (Ziegl.), Erhöhung an der einen langen Seite der Kramp-Breitziegel.

Waſſerkryſtall, ganz reiner Bergkryſtall.

Waſſerkrug, Attribut der Flußgötter, Quell-nymphen ꝛc., in der chriſtlichen Kunſt Attribut mehrerer Heiliger, ſ. d. Art. Agatha, Narciſſus ꝛc.

Waſſerkunſt, frz. jeu d'eau. I. Vorrichtung, wodurch das Waſſer gezwungen wird, bis zu einer gewiſſen Höhe zu ſteigen, um von da aus vertheilt zu werden; ſ. d. Art. Waſſerleitung.

II. Waſſerkünſte heißen auch noch die Vorrich-tungen, durch welche das Waſſer genöthigt wird, zum Vergnügen der Menſchen nach allerlei Figuren zu laufen und zu ſpringen ꝛc., namentlich in Gärten; man rechnet hierzu: 1) künſtliche, durch eine Waſſer-oder Röhrleitung geſpeiſte Teiche und Seen. 2) Künſtlich angelegte, oder mindeſtens in andere Formen gebrachte Bäche oder Flüßchen ꝛc. 3) Künſt-liche, d. h. ſcheinbare Quellen, entweder in Felſen-partien oder in einer Raſenniederung emportom-mend; wenn zu ſolchen Partien keine wirklichen Quellen zur Verfügung ſtehen, ſo thut man in der Regel am beſten, das Waſſer unweit der künſtlichen Quelle wieder verſchwinden zu laſſen, damit man es weiter verwenden könne. 4) Künſtliche Waſſer-fälle, Cascaden. Dieſelben können begreiflich ſehr verſchieden angelegt werden: a) man leitet das Waſſer über natürliche oder nachgeahmte Felſen-partien in kleinen Abſätzen ſprudelnd herab; b) man läßt es große Sprünge machen, oder über-hängende Felſenpartien, künſtliche Ruinen und dergl. paſſiren, ſo daß es in ganz freiſchießenden Strahlen herabſprüht; c) man läßt es architekto-niſch eingefaßte Stufen und Abſätze überſpringen; d) man verbindet eine der letzten Arten mit Spring-brunnen, ſo daß das Waſſer theils ſichtbar herab-läuft, theils in Röhren, die es wieder zum Auf-ſteigen nöthigen. 5) Künſtliche Cataracten: a) man läßt das Waſſer als Bach über kleine Felsſtück, gleich einem flachen Waſſerfall, herabfließen; b) man leitet es von ſanften Abhängen herab über Kies zwiſchen grünem Ufer; c) man leitet es von An-höhen auf geraden oder gekrümmten architek-toniſch eingefaßten Rampen herab, wobei man hier und da einen Abſatz anbringen kann, damit es wehrartig darüber hinweglaufe; d) bei wenig Waſſer macht es einen ſehr guten Effect, wenn man es auf den Oberzargen eines Freitreppen-länders herablaufen läßt, wobei man bei jedem Podeſt eine Plätſcherfontaine anbringen kann. 6) Springbrunnen, ſ. d. u. d. Art. Fontaine; dort ſind ſchon ſehr viele Arten angeführt, es kann aber die Anordnung der Springbrunnen nach Geſtalt und Lage ungemein mannichfaltig ſein und laſſen ſich

Regeln darüber eigentlich nicht geben, ſondern es muß dies dem Geſchmack des betreffenden Archi-tekten überlaſſen bleiben.

Im Allgemeinen iſt allzugroße Zerſplitterung der treibenden Kraft zu kleinlichen Künſteleien zu vermeiden, ferner muß man die architektoniſche Einfaſſung an Baſſins ꝛc., namentlich in der Nähe der Gebäude, mit dem Styl dieſer Gebäude in Harmonie ſetzen. Bei größeren Anlagen, wo viel Waſſer zu Gebote ſteht, wird man am beſten thun, um nicht eintönig zu werden, einen Theil des Waſſers zu Speiſung von größeren Springbrun-nen ꝛc. zu verwenden, einen andern Theil aber zu kleinen Anlagen, wobei man dieſelben aber auf dem Terrain ſo vertheilt, daß das nämliche Waſſer zu Speiſung mehrerer ſolcher Kleinigkeiten hinter einander verwendet wird und zuletzt ſich in dem tiefſten Punkt des Parkes in einem See oder dergl. ſammelt. Iſt natürliches Gefälle zu Speiſung der Springbrunnen nicht in genügendem Maaße vor-handen, ſo legt man an dieſem tiefſten Punkt die Waſſerkunſt oder ſonſtige Waſſerhebmaſchine an, ſo daß das Waſſer gezwungen wird, eine Art Kreislauf zu machen.

Waſſerlade, kleines Siel.

Waſſerlanze, dünnſtrahliger Springbrunnen.

Waſſerlatte. 1) Canal von Brettern, der das Waſſer auf ein Rad leitet; — 2) ſ. d. Art. Waſſerlotte.

Waſſerlaub, ſ. d. Art. Blätterſtab, ſowie Fig. 393 und 394.

Waſſerlauf, ital. gorna, gora, 1) auch Waſſer-löſung, Abzugsgraben; ſ. z. B. d. Art. Gruben-bau, S. 212 und 215; — 2) ſ. v. w. Waſſerrinne, Dachrinne, Gerinne, ſ. d. betr. Art.; — 3) ſ. d. Art. Baurecht 4.

Waſſerleiſte, 1) ſ. d. Art. Karnies; — 2) ſ. v. w. Schlagleiſte; — 3) ſ. v. w. Wetterſchenkel; — 4) auch Waſſerrieme oder Oberriegel genannt, plattes Holz, gleich einem Holm an die Köpfe der Pfähle eines Waſſergrundbaues befeſtigt.

Waſſerleitung. Aus verſchiedenen Gründen kann es nöthig werden, Waſſer aus der Ferne nach einer Stadt zu leiten, welches man aus einem Fluſſe, aus natürlichen Quellen oder ausgegrabenen Brunnen entnimmt.

I. Entnehmung und Hebung des Waſſers. Entweder liegt die Entnehmungsſtelle für das Waſſer höher oder tiefer, als der damit zu verſor-gende Ort; im letzteren Falle bebt man es meiſt zu-nächſt durch eine Waſſerkunſt in ein Baſſin, Hoch-reſervoir. Dieſe Waſſerkunſt kann, daſern das Waſſer aus einem Fluſſe gewonnen wird, durch den Fluß ſelbſt oder durch Dampf getrieben werden und beſteht in der Regel aus einem Saugwerk; man kann aber auch ein Druckwerk oder ein ver-einigtes Saug- und Pumpwerk, eine hydrauliſche Preſſe, ein Paternoſterwerk, ein Schöpfrad oder irgend welche andere Waſſerhebmaſchine dazu an-wenden; ſ. dar. d. Art. Stauung, Wehr und Pan-tano. Die Wahl der Waſſerhebmaſchine und die Art der Einrichtung derſelben hängt vom Bedarf, ſowie von der dadurch bedingten, für den Waſſer-hub verlangten Geſchwindigkeit, von der Hub-höhe ꝛc. ſo ab, daß allgemein giltige Vorſchriften darüber zu geben, nicht wohl möglich ſein dürfte. Man hebe das Waſſer aber mindeſtens ſo hoch, daß man bis zum Ort ſeiner Beſtimmung auf je 100 Fuß Entfernung ½ Fuß Fall habe. Vielfach hat man, und neuerdings z. B. auch in Leipzig, von der directen Hebung auf ein unmittelbar in der Nähe der Wasserkunst gelegenes Hochreservoir abgesehen. Es wird statt dessen das Wasser vermittelst einer Druckpumpe oder einer Presse gezwungen, unmittelbar aus der Entnehmungsstelle durch eine Röhrfahrt nach dem entfernten, auf irgend einem von Natur hohen Punkt angelegten Reservoir bergan zu laufen; es ist dies aber nur auf kurze Entfernungen ohne Risico ausführbar, denn der Druck auf die Röhrenwandungen ist sehr bedeutend, Stockungen in der Maschine oder sonstige, selbst kleine Beschädigungen an einer solchen Einrichtung verursachen leicht großen Schaden und bringen oft ganze Ortschaften in Gefahr.

II. Die Leitung selbst kann geschehen: 1) in Canälen oder Gerinnen. Dabei muß die Wasserleitung einen fortwährend gleichmäßigen Fall haben und also nach Art der römischen Aquäducte geführt werden; s. d. betr. Art. und d. Art. Canal. Aehnlich waren die Wasserleitungen der Aegypter, Azteken, Tolteken ꝛc.; s. d. betr. Stylartikel. In flachen Gegenden allerdings verursacht eine solche Anlage wenig Schwierigkeiten, in Gebirgen jedoch wird sie sehr kostspielig. Uebrigens ist es, wenn das Wasser zum Trinken dienen soll, stets nöthig, diese Canäle sorgfältig und in genügender Höhe mit Mauerwerk, Erdausfüllung oder dergl. zu versehen, damit das Wasser nicht zu warm werde. — 2) Röhrenleitungen. Diese verdienen vor jenen jedenfalls den Vorzug, denn einerseits wird das Wasser besser vor Verunreinigung geschützt, andererseits kann man es bergauf und bergab leiten. Dabei ist freilich zu berücksichtigen, daß der Druck auf die Röhrenwandungen zwischen zwei Höhepunkten stärker wird, ferner darf auch der Gipfel keiner Zwischenhöhe zu größerer Höhe ansteigen, als der Ort, wo das Wasser in die Röhrenleitung eintritt, denn wo das Wasser durch eine Pumpe in die Röhre gedrückt wird, wodurch dann der Druck auf die Röhrenwandungen noch bedeutend vermehrt wird; die im Art. Arabisch erwähnten Wasserleitungen sind nach diesem Prinzip erbaut. Auch die chinesischen Wasserleitungen bestehen aus Röhren. Diese Röhren nun können bestehen a) aus Bambus (s. d.), wie bei den Chinesen, eine vollständige Dichtung aber kaum möglich ist, auch der innere Druck auf die Röhrenwandungen nur sehr gering sein darf. b) Aus Holz. Diese sind zwar durch Bronzeringe an den Stößen, durch Theeren ꝛc. zu dichten, bekommen aber leicht Risse und sind auch dem Verfaulen ausgesetzt. c) Aus Metall und Stein. d) Aus gebranntem Thon. Näheres über die Vorzüge und Nachtheile, über die Stärke ꝛc. solcher Röhren s. in d. Art. Röhren, Rohr, Hydrostatik, Piezometer ꝛc.

Je dichter die Röhren sind, um so eher kann man von den oben erwähnten Vortheilen Gebrauch machen; s. auch d. Art. Siphon. Vor Eintritt in die Stadt nun, oder auch vor Eintritt in die Röhrenleitung selbst, leitet man das Wasser in ein großes Bassin (Wassercastell), welches wasserdicht ausgemauert und durch ebenfalls wasserdichte Mauern in mehrere Abtheilungen getheilt ist. In die erste Abtheilung tritt das Wasser oben ein und sickert durch ziemlich groben Kies, tritt unten unter der Mauer hindurch in die nächste, steigt dort durch etwas feineren Kies wieder in die Höhe, tritt oben in die dritte, unten in die vierte, wo es durch sehr feinen Kies wieder aufsteigt und, nur um Weniges unter seiner ersten Eintrittshöhe, wei-

ter läuft. Man kann auch die Zwischenmauerungen weglassen und dann füllt man das Bassin mit Lagen verschieden feinen Kieses, so daß der gröbste oben, der feinste unten ist; oben tritt dann das Wasser ein und unten läuft es durch Oeffnungen in der Mauer in seitwärts an dieselben befestigte Röhren, die unten mit einem Schlammsack versehen sind und in denen es wieder aufsteigt, um von da aus durch einzelne Röhren in der Stadt vertheilt zu werden; s. d. Art. Röhrwasser. Um die Dimensionen einer Wasserleitung zu berechnen, dienen als Maaßstab: Steigung und Länge der Wasserleitung und die daraus zu berechnende Geschwindigkeit des Wassers (s. d. Art. Geschwindigkeit und Strom), sowie die Einwohnerzahl der Stadt und der daraus hervorgehende Wasserbedarf; s. d. Je umsichtiger und sorgfältiger eine Wasserleitung angelegt wird, um so weniger Reparaturen und Unterhaltungskosten wird sie bedürfen, und man darf daher bei ihrer Anlage nicht zu sehr sparen wollen.

Wasserleitungsbrücke, s. d. Art. Wasserleitung, Aquäduct, Canal und Brücke.

Wasserleitungsrecht, s. d. Art. Baurecht 10.

Wasserlieger, s. d. Art. Legger 2.

Wasserlinie, 1) s. d. Art. Wasserzoll; — 2) Linie, bis zu welcher ein Schiff im Wasser geht.

Wasserlosung, s. v. w. Wasserhaltung; s. d. Art. Grubenbau, S. 215, Bd. II.

Wasserlotte, s. d. Art. Lutte.

Wassermalerei, s. d. Art. Aquarell und Wasserfarben.

Wassermann, lat. aquarius; s. Thierkreis.

Wassermaschine, 1) s. d. Art. Wasserhebemaschine; — 2) s. d. Art. Wasserhaltung; — 3) Wassersäulenmaschine.

Wassermauer, 1) s. v. w. Futtermauer; — 2) bei einem Mühlgebäude oder einem sonstigen am Wasser errichteten Gebäude diejenige Umfassungsmauer, welche am Wasser liegt.

Wassermauerkitt, s. d. Art. Kitt.

Wassermessung, Hydrometrie.

I. Hygrometrie. Messung des Wassergehaltes in der Atmosphäre; s. d. Art. Hygrometer.

II. Aräometrie. Messung der Dichtigkeit tropfbar flüssiger Körper; s. d. Art. Aräometer, Senkwage ꝛc.

III. Peilung. Messung der Tiefe fließender oder stehender Wässer; s. d. Art. Peilen, Senkblei, Tiefe ꝛc.

IV. Pegelung, Abming. Messung der Wasserstandshöhe. Ueber die Wasserstandsmessung in Flüssen s. d. Art. Pegel. Ueber die Messung des Wasserstandes in Dampfkesseln s. d. Art. Wasserstandszeiger.

V. Hydrometrie, Tachometrie, Strommessung. Messung der in einer gewissen Zeit eine gewisse Stelle passirenden Menge freifließenden Wassers. Einiges darüber s. in d. Art. Geschwindigkeit und Strom. Hier geben wir noch einige der beliebtesten Vorrichtungen zu Messung der Stromgeschwindigkeit, Wassermesser, Hydrometer genannt: 1) Die Schwimmkugel, der einfachste Hydrometer, besteht aus einer hohlen Kupferkugel, deren specifisches Gewicht durch eingegossenes Wasser so regulirt wird, daß sie nur wenig über die Oberfläche des Wassers hervorragt. Dieselbe ist mit irgend einem Zeichen versehen, damit ihre

Bewegung deutlich beobachtet werden kann. Ein solches Instrument giebt nur die Geschwindigkeit der Oberfläche an; doch kann man dieselbe auch in verschiedenen Tiefen bestimmen, wenn man zwei Kugeln durch einen Faden mit einander verbindet, von denen die eine ganz mit Wasser gefüllt ist, so daß sie unter Wasser schwimmt. Durch die einfache Kugel erhält man sodann die Oberflächengeschwindigkeit, durch die Verbindung beider die mittlere Geschwindigkeit. — 2) Schwimmstab, zur Auffindung der mittleren Geschwindigkeit in einer Verticalen; er besteht aus einem hohlen Stabe (am besten so, daß man ihn aus mehreren Stücken zusammensetzen kann), welcher so weit in das Wasser eingetaucht wird, daß man ihn oben noch sehen kann. Ein solcher Stab schwimmt in der Regel vorwärts geneigt; nur bei Einengungen, zwischen Brückenpfeilern ꝛc., neigt er sich rückwärts. —

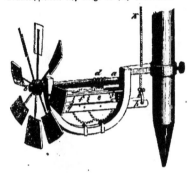

Fig. 1917.

3) Schaufelrädchen mit Zählapparat, welches in das Wasser eingetaucht wird und in seiner Umfangsgeschwindigkeit die Geschwindigkeit des Wassers angiebt. — 4) Strompendel oder Stromquadrant, s. d. betreff. Art. — 5) Die Pitot'sche Röhre, besteht aus einer unten rechtwinklig umgebogenen Röhre, welche vorn in einen Trichter ausläuft. Dieselbe wird in das Wasser getaucht, welches darin in Folge seiner lebendigen Kraft in die Höhe getrieben wird und zwar um so höher, je größer die Geschwindigkeit ist. Aus der Steighöhe h berechnet man alsdann die Geschwindigkeit c mit Hülfe der Formel: $c = k \sqrt{h}$, wo k eine empirisch zu bestimmende Constante ist. Die größte Schwierigkeit macht hierbei, in Folge der Schwankungen, die Messung der Höhe h. Um dieselbe zu erleichtern, verband Reichenbach die Pitot'sche Röhre mit einer andern, von welcher zwei Röhrchen senkrecht gegen die Stromrichtung auslaufen; beide Röhren sind durch einen einzigen Hahn verschließbar. In der zweiten Röhre steht dann das Wasser eben so hoch als außerhalb, während es in der ersten noch außerdem um die zu bestimmende Höhe h gehoben ist. — 6) Wasserfahnen. Eine große Anzahl von Instrumenten, wie Bidone's Schnellwaage, Velotti's Rheometer, Ximenes' Wasserfahne, Brünning's Tachometer, sind auf das Prinzip des Wasserstoßes gegen eine Fläche von gegebenem Inhalt gegründet und bestehen sämmtlich im Wesentlichen aus einer Stoßfläche und einer Waage, welche dazu dient, die Kraft P des Stoßes zu messen.

Es ist alsdann die Geschwindigkeit des Wassers stets $c = k \sqrt{P}$, wo k wieder eine Erfahrungsconstante ist. — 7) Der Woltmann'sche Flügel, frz. moulinet de Woltmann, engl. sail wheel of Woltman (Fig. 1917), ist das bei Weitem vorzüglichste Instrument. Er besteht aus einer horizontalen Welle ab, an welcher ein Flügelrad mit 2—8 gegen die Achsenrichtung schief stehenden Schaufeln cc befestigt ist, und giebt, unter Wasser getaucht und der Bewegungsrichtung desselben entgegen gehalten, durch seine Umdrehungszahlen die Geschwindigkeit des Wassers an. Um diese Zahlen kennen zu lernen, setzt man auf jene Welle eine Schraube d, welche zwischen die Zähne eines mit Ziffern versehenen Rades e eingreift, so daß man vermittelst eines festen Zeigers die Umdrehungszahlen ablesen kann, weil bei jeder Umdrehung ein Zahn an dem Zeiger vorübergeht. Damit man auch eine größere Anzahl messen kann, hat man meist noch ein zweites Zahnrad f, welches in ein auf der Achse des ersten Zahnrades sitzendes Getriebe eingreift und so eingerichtet ist, daß man auf ihm bequem Vielfache, etwa 5fache oder 10fache der Flügelumdrehungen, ablesen kann. Das ganze Instrument wird an einen Stab geschraubt, dieser an einen Steuerflügel befestigt und in's Wasser gehalten. Die Pfannen der Räderachsen sitzen auf einem Hebel g h, der für gewöhnlich durch eine Feder i niedergehalten wird, so daß die Räder gar nicht in Eingriff stehen. Erst dann, wenn man vermuthet, daß der Flügel die Geschwindigkeit des Wassers angenommen hat, zieht man an einer Schnur k den Hebel in die Höhe und bringt die Räder in Eingriff. Die einfachste, aber sehr ungenaue Bestimmung der Geschwindigkeit v geschieht nach der Formel: $v = \alpha u$; genauer ist: $v = v_0 + \alpha u$, noch genauer:

$$v = \alpha u + \sqrt{v_0^2 + \beta u^2},$$

worin α, β, v_0 Erfahrungsconstanten sind, welche durch Experimente zu bestimmen und mit Hülfe der Methode der kleinsten Quadrate zu berechnen sind.

VI. Durchflußmessung. Messung der in einer gewissen Zeit ein Rohr von gewisser Weite passirenden Wassermengen; dient zur Bestimmung des Wasserzolles, s. d. Diese Vorrichtungen, von den Arabern schon im frühen Mittelalter gekannt, haben neuerdings durch die städtischen Wasserleitungen eine große Wichtigkeit erlangt, dienen aber auch dazu, den Wasserverbrauch eines Kessels, einer Dampfmaschine ꝛc. zu controliren; s. d. Art. Dampfindicator. 1) Kennedy's Wassermesser (Fig. 1918 und 1919). A ist ein Cylinder mit Kolben, B Liberung des Kolbens durch Gummirollen, D Zahnstange, die am Kolben sitzt und in das Zahnrad E eingreift, deren Welle ein konisches Rad trägt, welches den eigentlichen Zähler C in Bewegung setzt, der am Zifferblatt die Zahl der Umdrehungen und dadurch die durch den Cylinder gelaufene Wassermenge angiebt. F, das Aus- und Einlaßventil, wird gelenkt durch den beschwerten Hebel G, der am Zahnrad mittelst der Daumen J bewegt wird. 30—45 Centimeter Druckhöhe reichen für diese Wassermesser vollständig aus. Das Wasser tritt durch den Canal KL ein und nach vollbrachtem Kolbenhub durch MN wieder aus. Den alleinigen Verkauf für Deutschland hat Paul Stumpf in Mainz. — 2) Simmer's Wassermesser, kleiner und leichter, aber auch nicht so dauerhaft wie der vorige. Er besteht aus einem Gehäuse in zwei Abtheilungen. Durch ein Rohr wird der oberen Abtheilung das zu meſſende Waſſer zugeführt und tritt durch einen in der Mitte angebrachten Trichter abwärts in das Innere des kleinen Rades; dieſes Rad iſt, ähnlich einer ſchottiſchen Turbine, aus zwei mit einander correſpondirenden Hälften von getriebenem Meſſingblech zuſammengeſetzt. Aus dieſem Rade gelangt das Waſſer in die untere Abtheilung durch acht gekrümmte, röhrenförmige Arme und ſtießt von da in einem Rohr zum Verbrauch ab. Das Rad ruht auf einem ſtählernen Zapfen, der mit einer gehärteten Gußſtahlplatte auf der Grundplatte des Gebäuſes verſchraubt iſt. Eine in das Rad eingeſchraubte Büchſe umſchließt den Zapfen und ſchützt gegen Seitenſchwankungen bei

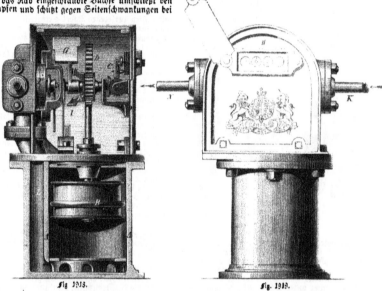

Fig. 1913.   Fig. 1919.

der Rotation. Das Gehäuſe hat oberhalb eine ſeparirte Kammer zur Aufnahme des Zählapparates, welcher betrieben wird durch ein am Ende der Welle befeſtigtes Schraubengewinde und dem Zählapparat für Gasmeſſer ähnelt. Um Unreinigkeiten zurückzuhalten, liegt vor dem Einlaßrohr ein durchlöcherter Kaſten.

Waſſermönch, ſ. Art. Mönch.

Waſſermörtel, ſ. u. d. Art. Cement, Mörtel, hydrauliſcher Mörtel und Kaltmörtel.

Waſſermühle, ſ. d. Art. Mühle.

Waſſernaſe oder **Kinn,** frz. goulotte, engl. nosing, ital. gronda, cavettino. An den Unterflächen vortretender Platten, z. B. Hängeplatten (ſ. d.) ꝛc., ferner an Wetterſchenkeln (ſ. d.), bringt man gern eine Vertiefung an, damit das Waſſer ſich nicht an denſelben bis nach dem Rumpf des Simſes hinterziehe, ſondern abzutropfen genötigt ſei. Der vordere, ſchmälere, herabhängende Rand heißt dann Waſſernaſe.

Waſſerorgel, ſ. d. Art. Orgel.

Waſſerpaß (adj.), ſ. v. w. horizontal; Waſſer-

paß (ſubſt.), 1) Mahlpfahl; — 2) ſ. v. w. Waſſerwaage.

Waſſerpfeiler, ſ. v. w. Strompfeiler, im Waſſer ſtehender Pfeiler einer Brüde.

Waſſerpflug, pflugähnliches Werkzeug zum Lockern des Grundes eines Flußbettes, damit die aufgelockerte Erde durch das Waſſer mit fortgeſchwemmt werde.

Waſſerpreſſe, hydrauliſche Preſſe; ſ. Preſſe.

Waſſerpumpe, ſ. d. Art. Pumpe.

Waſſerpyramide (Waſſerb.), Springbrunnen mit einem Aufſatz von übereinander liegenden horizontalen Platten, die immer kleiner nach oben zu werden. Ganz oben befindet ſich die Springöffnung; das Waſſer fällt allmälig von einer Platte auf die andere herab und bildet ſo eine Pyramide.

Waſſerrad, **Flutrad,** **Keſſerrad,** eine radförmige Maſchine, in welcher das Waſſer als Motor wirkt, entweder durch ſein Gewicht oder durch ſeine lebendige Kraft, und zwar entweder drückend oder ſtoßend. Man unterſcheidet 1) horizontale Waſſerräder, d. h. ſolche, die an vertikalen Wellen ſitzen; ſ. d. Art. Turbine, Kreiſelrad und Danaide. — 2) Verticale Waſſerräder, d. h. an horizontaler Welle ſitzende; dieſe zerfallen wieder in oberſchlächtige, mittelſchlächtige und unterſchlächtige; ſ. d. Art Mühle. Räder, welche ganz frei im Waſſer hängen, heißen Schiffmühlenräder.

a) **Oberſchlächtige Räder,** ſ. Fig. 1920. Bei dieſen wirkt beſonders das Gewicht des in das Rad einfallenden Waſſers. Die Umdrehungszahl darf nie über 10 Fuß pro Secunde wachſen, weil ſonſt

die Centrifugalkraft zu starke Wirkung hätte und
die Einfallsgeschwindigkeit sehr groß sein müßte,
die am besten gleich der doppelten Radgeschwindigkeit ist; doch ist auch durch die Regelmäßigkeit des
Ganges eine untere Grenze geboten. Redten-
bacher giebt als beste Geschwindigkeit 6—7' an.
Gut ist es, daß Rad so zu stellen, daß der Oberwaf-
serspiegel unterhalb des Radscheitels liegt, so daß
der Eintritt etwa bei der 3. Schaufel, vom Scheitel
an gerechnet, stattfindet; in Bezug auf den Unter-
wasserspiegel würde man das Wasser am besten
benutzen, wenn das Rad denselben berührt; doch
ist in diesem Falle bei der geringsten Erhöhung
des Wassers Stauung zu befürchten; man läßt
daher das Radtiefste 6—8 Zoll über dem Unterwasser liegen. Die Schaufelzahl wird am vor-

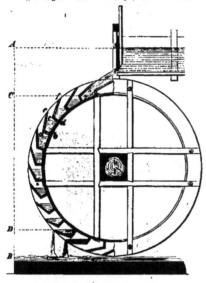

Fig. 1920.

theilhaftesten 5—6 mal so groß gewählt, als der
Radhalbmesser in Fußen beträgt; die Breite des
Radkranzes ist 10—15 Zoll. Die Schaufeln bilden
Zellen und sind aus zwei Theilen zusammengesetzt.
Der äußere Theil ea, cf, die sog. Stoß- oder
Setzschaufel, weicht nicht viel von der Richtung
des Radumfanges ab, während der innere ab, cd,
die sog. Kropf- oder Riegelschaufel, nahezu, am besten aber ganz radial ist. Der Kreis durch
die Punkte, wo beide zusammenstoßen, heißt der
Theilkreis und wird jetzt gewöhnlich in die
halbe Radtiefe gelegt. Die Setzschaufel wird meist
construirt, indem man von einem Theilpunkt des
äußeren Kreises zu dem benachbarten Theilpunkt
des Theilkreises eine gerade Linie zieht. Räder
mit solchen Schaufeln lassen aber das Wasser
leicht austreten; man legt daher oft auch die Setz-
schaufeln etwas steiler und erhält dann die sogenannten scharfgedeckten Schaufeln, im Gegensatz zu den anderen schwachgedeckten. Werden
die Schaufeln aus Blech gemacht, so krümmt man
sie. Hinter den Schaufeln hat das Rad stets einen

Boden. Bei enggeschaufelten und schwachgedeckten
Rädern muß man, damit die Luft aus den Zellen
austreten kann, am Boden unterhalb jeder Schaufel
einen Schlitz anbringen (ventilirte Räder). Bei
Blechschaufeln ist es vortheilhaft, wenn man dieselben so krümmt, daß sie zugleich den Radboden
bilden.

Man läßt das Wasser entweder frei in das Rad
laufen oder durch Spannschützen, welche sowohl
vertical, als horizontal und geneigt vorkommen.
Der Wirkungsgrad eines solchen Rades ist unter
günstigen Umständen etwa 80%; es ist nur dann
vortheilhaft anzuwenden, wenn man über ein
großes Gefälle zu gebieten hat, etwa 20—40';
oberschlächtige Räder mit kleinem Gefälle (9—16')
kommen besonders in Metalldistricten (Hammer-
räder) vor und geben einen viel kleineren Wirkungsgrad (etwa 65%), laufen aber sehr schnell um.

b) Rückenschlächtige Räder; diese unterscheiden
sich von oberschlächtigen dadurch, daß das Wasser
dem Radmittel etwas näher eintritt und daß die
Umdrehungsrichtung die entgegengesetzte ist; man
wendet sie gern da an, wo man viel Stauung zu
befürchten hat, weil sie vor den oberschlächtigen
Rädern den Vorzug haben, in derselben Richtung sich zu bewegen, wie das abfließende Wasser.
Der Schütze ist entweder ein Ueberfallschütze
oder gewöhnlicher ein Coulissenschütze. Bei dem
letzteren tritt das Wasser über den Kopf des
Schußbrettes hinweg in ein Leitschaufelsystem b b,
durch welches es die zweckmäßigste Richtung erhält
(Fig. 1921). Die Eintrittsgeschwindigkeit ist klein,

Fig. 1921.

etwa 9—10' und 1½—2 mal so groß wie die
Radgeschwindigkeit. Das Rad muß stets ventilirt
sein; auch darf man nie scharf decken. Der Wirkungsgrad ist eben so groß, ja oft noch größer,
als bei oberschlächtigen Rädern.

c) Die mittelschlächtigen Räder haben geringeres Gefälle zur Verfügung; sie sind nur selten
Zellenräder; meist zieht man es vor, sie mit einem
concentrischen Mantel (Kropf) zu umgeben, um das
Wasser im Rad zurückzuhalten. Die Schaufeln
sind eintheilig und radial, oder nahezu radial; ihre
Zahl, die möglichst groß sein soll, wird weist so
bestimmt, daß die Enden etwa 12—15 Zoll auseinander liegen; eben so groß ist die Radtiefe.
Zum Einführen des Wassers dienen Ueber-
fall-, Spann- oder Leitschaufelschützen; bei den
ersteren läßt man das Wasser erst etwas ansteigen
und dann in das Rad einfallen. Ein solcher
Schütze muß sich in Form einer Parabel an den
Kropf anschließen und eine Leitschaufel haben
(Fig. 1922). Leitschaufelschützen soll man nur da
anwenden, wo der Wasserstand sehr veränderlich
ist. Die Schaufeln befinden sich entweder zwischen
zwei Kränzen (Staberräder) oder sitzen radial auf
dem Radboden, und das Rad schließt sich möglichst

eng an die Radstube an (Strauberräder). Der Wirkungsgrad ist etwa ⅘.

d) **Unterschlächtige Räder** werden entweder eben so construirt, wie die mittelschlächtigen Kropfräder, oder sie sitzen im Schnurgerinne, d. h. in einem gegen das Rad tangential geführten Gerinne, wobei sie fast nur durch Stoß wirken und

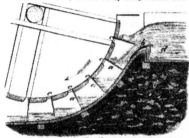

Fig. 1922.

einen großen Theil Wasser unbenutzt vorübergehen lassen. Man wendet sie nur bei sehr kleinem Gefälle an, wo sich die Anlage eines Kropfes nicht verlohnt. Die Schaufellänge ist etwa das Dreifache der Dicke des einfallenden Wasserstrahles; die Radgeschwindigkeit 35—40% von der Eintrittsgeschwindigkeit des Wassers. Bei den unterschlächtigen Kropfrädern hat man einen Wirkungsgrad von 40—50%, bei denen im Schnurgerinne nur von 30—40%.

e) **Schiffmühlenräder** hat man nur in breiten Canälen oder in Flüssen; die Zapfen ruhen auf Kähnen, welche durch Anker und Taue festgehalten sind; die Schaufeln sitzen unmittelbar an den Armen; ein Kranz ist gar nicht vorhanden. Der Wirkungsgrad ist höchstens 30%.

f) **Ponceleträder.** Bei den unterschlächtigen Rädern wirkt fast nur der Stoßkraft, welche die Leistung bedeutend herabzieht. Man hat versucht, dieselbe durch Druckkraft zu ersetzen; das beste unter den hierdurch hervorgegangenen Rädern ist das Ponceletrad, ein unterschlächtiges Rad mit krummen Schaufeln, einem kleinen oder gar keinem Kropf und einem sehr nahe an dem Rad und daher schief liegenden Schützen. Bei ihm wird der Wirkungsgrad auf 60—65% erhöht. Die Schaufeln werden so construirt, daß das Wasser ohne Stoß ein- und mit möglichst kleiner absoluter Geschwindigkeit austritt. Das Material zu den Wasserrädern ist theils Holz, theils Eisen; die Schaufeln sind vermittelst des Kranzes mit den Armen und diese wieder mit der Welle verbunden. Bei hölzernen Wellen hat man entweder **Sattel-** oder **Sternräder.** Bei den ersteren sitzen die Arme entweder direct oder mit Hülse von Gevierstüden an der Welle; außerdem hat man auch wohl noch schräge, sogenannte Hülfsarme. Bei den Sternrädern ist die Welle durchbohrt und wird dadurch bedeutend geschwächt. Vergl. auch d. Art. Rad, Mühlenbau, Schaufelrad, Beaufschlagung 2c. Ist das Gefälle nicht über 6½ Fuß, so wende man bei kleinem Anlagecapital hölzerne, bei größerem Baucapital und unzuverlässiger, doch in der Regel überflüssiger Wassermenge eiserne Wasserräder, bei gleichmäßiger, aber knapp zureichender Wassermenge jedoch Turbinen an. Ist das Gefälle zwischen 6½ und 20 Fuß, die Wassermenge unter

7 Cubitfuß pro Secunde, so wende man niemals Turbinen an. Die Wahl zwischen eisernen und hölzernen Wasserrädern richtet sich dann nur nach dem vorhandenen Geld; ist jedoch bei demselben Gefälle die Wassermenge über 10 Cubitfuß oder das Gefälle zwischen 20 und 24 Fuß, so wende man bei überschüssiger Kraft Turbinen, bei gerade zureichender Kraft eiserne und hölzerne Wasserräder an; bei noch größerem Gefälle wende man stets Turbinen an, selbst bei der kleinsten Wassermenge. Hat man sich nun für ein Wasserrad entschieden, so richte man sich bei der Wahl je nach dem Gefälle und dem Wasserzulauf nach folgender Tabelle:

Bei mehr Gefälle oder Zulauf sind mehre Räder anzuordnen. Nähere Angaben über zu wählende Dimensionen und Verzeichnung der Wasserräder würden hier zu weit führen und verweisen wir daher auf die betreff. Specialliteratur.

Gefälle.	Zulauf pr. Sec.	Zu wählendes Rad.
0,—1½ F.	1—160 Cbf.	Unterschlächtiges Rad im Schnurgerinne oder Ponceletrad,
1½—5 ,,	20—130 ,,	Ponceletrad oder unterschlächtiges Kropfrad,
3—7 ,,	0—100 ,,	Kropfrad,
5—8 ,,	0—90 ,,	Schaufelrad mit Ueberfalleinlauf,
8—14 ,,	20—40 ,,	,, Coulisseneinlauf,
12—24 ,,	15—40 ,,	Rückschlächtiges Zellenrad,
10—40 ,,	10—25 ,,	Oberschlächtiges Wasserrad.

Wasserräumungsmaschine, s. v. w. Schöpfmaschine.

Wasserräusche, Wasserrösche (Mühlenb.), s. u. d. Art. Rösche.

Wasserraum, frz. cale à l'eau, engl. waterhold, Unterschiffsraum, wo die Wasserlieger, Wasserfässer, gestaut sind.

Wasserreise, s. v. w. Röhrfahrt.

Wasserreservoir, s. d. Art. Wasserbehälter, Reservoir, Bassin, Corroi, Bend 2c.

Wasserriemen, s. d. Art. Seegras.

Wasserröhre, s. d. Art. Röhre, Arcaduz 2c.

Wasserrohr, s. d. Art. Pfahlrohr und Rohr.

Wasserrüster, s. d. Art. Flatterulme.

Wassersack, 1) s. v. w. Wasserloch, Sumpf, sowohl im Allgemeinen, als besonders in der Erzwäsche; s. d. Art. Wäsche; — 2) Raum zwischen zwei neben einander liegenden Schaufeln eines ausgekleideten Wasserrades; — 2) tiefer gegrabener Ort in einem Schacht zum Sammeln des Wassers.

Wassersäulenmaschine, ist eine besonders zur Wasserhaltung in Bergwerken benützte Pumpe, deren Kolben sich ähnlich dem einer Dampfmaschine im Cylinder hin und her bewegt; der Kolben wird durch Wasser getrieben. Das Wasser muß viel Gefälle haben, braucht aber nur in geringer Menge zuzufließen. a) **Einfach wirkende Wassersäulenmaschine** (Fig. 1923): der Kolben A wird im Treibcylinder BB nur nach einer Richtung, aufwärts, durch das Wasser getrieben und sinkt dann von selbst herab. Das Wasser, welches in dem sogenannten Injections- oder Einfallrohr durch das obere Bassin in seinem Abgang ersetzt wird, fließt durch C zu und tritt durch D unter den Kolben; sobald der Kolben völlig gestiegen ist, muß das Drehventil U geschlossen, der Steuerkolben E nebst Gegenkolben F geben aus ihrer beim Anfang des Kolbenhubes inne gehaltenen tiefsten Stellung (Fig. 1923) in die höchste Stellung (Fig. 1924) über; das Wasser kann

aus D nach G treten und der Kolben A kann
herab sinken. F ist etwas breiter als E, um den
Wasser von selbst gehoben zu werden; damit nun
beide sinken können, tritt ein Theil des Aufschlagwassers durch H und I über F ein. Sobald E
und F wieder steigen sollen, schließen die an K L
sitzenden Kölbchen den Zuzug I ab. Sie sind mit
dem Hauptkolben durch die Stange N verbunden,
dessen Vorsprünge X und Y am Schluß jedes
Auf- und Niederganges auf den Bogen P wirken
und dadurch das Hebelwerk O Q R S T bewegen,
welches die Steuerung treibt. Das Rohr M führt
beim Steigen von F das über F stehende Wasser
dem Abzugscanal zu. Die Kolbenstange ist mit
einer Pumpenstange oder
mit einem Gestänge in Verbindung gesetzt, und mit dem
Kolben zugleich werden also
diese Kunststangen gehoben
und so das Wasser gefördert.
b) Doppelt wirkende
Wafferfäulenmafchine (Fig.
1925). Hier wirkt die Steuerung so, daß das Aufschlags-
wasser einmal durch G und
D unter, einmal durch F und
C über dem Kolben A in den
Cylinder B eintritt. Wäh-
rend des Kolbenaufsteigens
kann das über A befindliche
Wasser, welches durch H vor
weiterem Zulauf geschützt ist,
bei L abfließen. Die Steue-

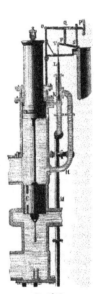

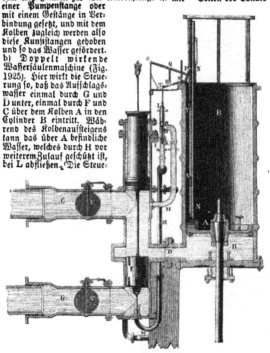

Fig. 1923. Einfach wirkende Wafferfäulenmafchine. Fig. 1925.

rung wird dadurch bewirkt, daß die Stange U beim
Kolbenstieg den Hebel T so weit umdreht, daß der
Hahn O eine Viertelbrehung erleidet; dadurch
dringt Wasser bei P, also über dem Kolben N ein,
das Wasser unter N kann durch Q S in's Freie,
N und somit H und K geben nieder. Durch einen
Balancier und andere Hülfsmittel wird der Gang
der Maschine regelmäßiger gestaltet. Im erforderlichen Fall kann die hin- und hergehende Bewegung der Kolbenstange auch durch eine Kurbel
in eine drehende verwandelt werden; nur stößt
man hierbei wegen der höchst geringen Elasticität
des Wassers auf große Schwierigkeiten. In einem
solchen Falle wendet man gewöhnlich eine zweicylindrige, doppeltwirkende Maschine an und läßt

dieselbe durch zwei um 90° gegen einander ver-
stellte Kurbeln an einer gemeinsamen Schwung-
radwelle wirken.

Waffersaiger, Rinne im Boden eines
Stollens; s. d. Art. Grubenbau, S. 212.

Wafferfchacht, s. v. w. Kunstschacht.

Wafferfchaufel, s. d. Art. Schaufel und
Schöpfmaschine.

Wafferfcheide, höchste Trennungslinie zweier
auseinander laufender Nachbarthäler; auch bei
einem Canal der höchste Punkt, an dem ein Bach
oder Fluß mündet, der das Wasser an beide
Seiten des Canals vertheilt.

Wafferfchenkel, s. v. w. Wetterschenkel; s. d.
Art. Fenster.

Wafferfchlacht, s. d. Art. Schlacht.

Wafferfchlag, Wafferfchräge, frz. biseau,
engl. upperslope, cant, bevel, weathering,
steil-schräge Abdachung der Strebepfeilerabsätze,
Gurtgesimse, Sohlbänke 2c. in der Gothik, zur
leichteren Ableitung des Regenwassers von den
Wänden; doch nennt man auch im Innern gothischer Gebäude die abgeschmiegten Verbindungs-
glieder an den Pfeilersockeln 2c. Wasserschläge.
Vgl. auch d. Art. Abgewässert, Abwässerung, Gothisch und Glied E. 1. c.

Wafferfchlange, s. d. Art. Mamiering.

Wasserschlauch, s. d. Art. Schlauch und Feuerlöschapparat.

Wasserschleuder, hydraulisches Pendel: s. d. Art. Schöpfmaschine.

wasserschlingige Flecken oder Streifen, so nennt der Zimmermann gewisse, beim Kiefernholz blau, beim Eichenholz dunkelbraun, beim Buchenholz gelb erscheinende Streifen. Sie müssen besonders bei Fußböden ausgeschnitten werden, da sie das Wasser einsaugen, langsam austrocknen und sehr schnell faulen; s. d. Art. Stock.

Wasserschloß, Wassercastell, Wasserthurm, lat. castellum aquae, thurmartiges Gebäude, das zu einer Wasserleitung oder Wasserkunst (s. d.) gehört und auf dem das Vertheilungsbassin sich befindet.

Wasserschluß, engl. watercloset, Wassersperre, luftdichter Verschluß eines Canals, einer Röhre, oder eines Ventils durch Wasser. Je einfacher ein solcher Verschluß ist, desto zuverlässiger wird er seine Function erfüllen. Wir geben hier in Fig. 1926 einige der einfachsten Constructionen und zwar a) im Laufe einer Leitung; b) am Fuß einer lothrechten Leitung, z. B. da, wo eine Abtrittsschlotte oder eine Gußsteinröhre in die Grube mündet und man die üblen Gase vom Eintritt in das Rohr abhalten will; c) ist für Gußsteine, Schleusenmündungen, Rinnsten ne 2c. zu empfehlen; d) zeigt den Wasserschluß in thönernen oder gußeisernen Röhrleitungen; Weiteres s. in d. betr. Art.; e) zeigt einen Rinnsteinschluß mit beweglicher Kugel y, welcher in Folge des Gewichts dieser Kugel erst eine gewisse Wassermenge anstaut; bei dadurch bewirkter Senkung der Schale x rollt die Kugel vor, das Gegengewicht wird leicht, die Schale bleibt offen, bis sie leer ist. Ein Verstopfen ist also nicht möglich; s. d. Art. Goßstein, Abtritt 2c.

Wasserschnecke und Wasserschraube, s. d. Art. archimedische Schnecke, archimedische Schraube, Caaniardelle 2c., bes. ab. d. Art Wasserhebmaschine.

Wasserschöpfmaschine, Wasserschöpfrad, s. d. Art. Schöpfmaschine, Schöpfrad und die dort angeführten Artikel, bes. aber d. Art. Wasserhebmaschine.

Wasserschöpfrecht, s. d. Art. Baurecht 11.

Wasserschüttung, Abdämmung eines nach einem Sieltief hinführenden Wassergrabens, vor der sich das Wasser bis zu einer gewissen Höhe aufstauen muß.

Wasserschwamm (Wassert.), an einem Springbrunnen auf einer Säule befindlicher convexer, mit Löchern versehener Aufsatz, aus welchem das Wasser in niedrigen Strahlen brausend emporsteigt.

Wasserspeier, Kandel, mönchslat. gurgulio,

frz. marmouset, gargouille, godet, canon de gouttière, engl. gargoyle, spout, altengl. gargle, gargyel, gurgoill, ital. garguglio, span. canalon. So heißt im weiteren Sinne jede Abtraufe

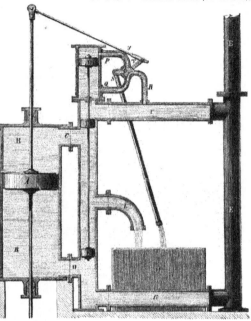

Fig. 1925. Doppelt wirkende Wassersäulenmaschine.

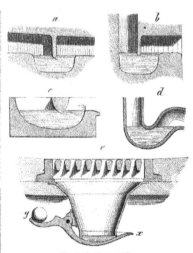

Fig. 1926. Wasserschlüsse.

(s. d.), jeder Ausguß einer Dachrinne (s. d.); besonders aber nennt man so die als Thiere oder
Ungeheuer verzierten Dachrinnenausgüsse von
Metall, Holz oder Stein. Namentlich in der Gothik
sind dieselben häufig verwendet: meist sind sie
dann von Stein und in der Regel symbolisch deut-
bar als aus mehreren Thieren zusammengesetzte,
phantastische Gestalten gebildet; s. d. Art. Symbolik. In der Renaissance und im Rococostyl erscheinen sie, namentlich an Wohnhäusern, in der
Regel von Blech in der Gestalt von Drachen,
Delphinen, Vögeln ec.

Wasserstand. Ueber den Einfluß des Wasserstandes auf Uferbauten ec. s. d. Art. Damm, Deich,
Ufer, Fluß, Brücke, Strom ec. Ueber Messung
desselben s. d. Art. Pegel und Wassermessung.

Wasserstandszeiger; dienen am Dampfkessel
dazu, die Höhe des Wassers in demselben anzugeben. Man hat dieselben vorzüglich in drei Arten:
a) Der Schwimmer; besteht aus einem Stein- oder
Metallkörper, der ungefähr zur Hälfte seiner Höhe
in den Wasserspiegel eintaucht. Er ist zu diesem
Zwecke an einem Hebelarme aufgehängt, welcher
mit Gegengewicht versehen ist und an einer Scala
auf- und abgeht. Der Schwimmerdraht tritt durch
eine Stopfbüchse in den Kessel ein; häufig steht
derselbe zugleich mit einem Ventil in Verbindung,
so daß der Wasserzufluß zum Kessel durch den
Schwimmer selbst regulirt wird. Bei uns sind die
Schwimmer wenig angewendet. — b) Probir-
hähne sind an der Stirnseite des Kessels angebracht und so gestellt, daß bei richtigem Niveau-
stand beim Oeffnen aus dem oberen Hahne Dampf,
aus dem unteren Wasser austritt. Dieselben

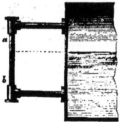

werden un-
sicher, wenn
man mit ho-
her Span-
nung arbeitet
und wenn die
Heizfläche
klein ist, daher
die Wallun-
gen groß wer-
den. c) Das
sicherste Mit-
tel sind die
Wasser-
standsgläser.

Fig. 1927.

Sie bestehen
aus Glasröhren a, b (Fig. 1927), welche durch
Rohrstutzen oben mit dem Dampfraum und unten
mit dem Wasserraum in Verbindung stehen und
in welchen das Wasser, dem Gesetz von den communicirenden Röhren zu Folge, einen gleichhohen
Stand einnimmt wie im Kessel. Diese Röhren
springen aber sehr leicht; um das Springen für
den Heizer unschädlich zu machen, hat Reuleau
in den untern Rohrstutz ein Ventil gebracht, welches
so lange geöffnet ist, als der Apparat gut geht,
und sich schließt, sobald das Glas springt. Ein in
Amerika viel gebrauchter Wasserstandszeiger hat
statt des Glascylinders einen Metallcylinder,
an dessen beiden Enden sich Trichter befinden,
welche von innen mit einem Uhrglase bedeckt sind.
In dem Cylinder spielt ein gläserner Schwimmer
mit einer gradurten Glasstange, so daß man an
den oben hinter dem Uhrglase erscheinenden Zahlen
den Wasserstand erkennen kann. Auch einen magnetischen Wasserstandszeiger hat man construirt.

Wasserstein. 1) S. v. w. Kesselstein, s. d.; —
2) s. v. w. Goßstein, s. d.; — 3) s. d. Art. Dachdeckung 1, S. 604, Bd. I.

Wasserstiefel, s. d. Art. Pumpe und Stiefel.

Wasserstoff; ist einer der beiden Bestandtheile
des Wassers. Er ist ein gasförmiges Element, welches sich aus dem Wasser darstellen läßt, indem man
den Sauerstoff durch einen oxydirbaren Körper entfernt. Dies kann geschehen durch rothglühendes Eisen (man leitet Wasserdampf durch ein rothglühendes Eisenrohr), durch Kalium, Natrium ec. bei gewöhnlicher Temperatur; durch Zink, Eisen ec. bei gewöhnlicher Temperatur unter Zusatz einer Säure
(Schwefelsäure oder Salzsäure). Das Wasserstoffgas ist das leichteste von allen Körpern; es ist
etwa 14 Mal leichter als die Luft, hat ein spec.
Gewicht von 0,06926. Der Wasserstoff verbrennt
mit nicht leuchtender, bläulicher Flamme zu Wasser.
Mit Sauerstoff gemengt, giebt er das explosive
Gasgemisch, Knallgas, s. d. Art. In der Natur
findet sich dieses Gas sehr selten frei vor, wohl
aber findet es sich als Bestandtheil in jedem Thier-
und Pflanzenkörper. Die Anwendung dieses
Gases ist bis jetzt eine sehr beschränkte geblieben.
Man verwendet sie nur zur Erzeugung eines sehr
starken Lichtes, des sogen. Drummond'schen Kalk-
lichtes, zu dem Döbereiner'schen Platinfeuerzeug
und bei den Knallgasgebläsen zur Erzeugung einer
hohen Hitze. Man hat vielfach versucht, das Wasserstoffgas zur Heizung anzuwenden, aber bis jetzt
sind diese Versuche sämmtlich ohne praktischen
Nutzen geblieben.

Wasserstrang, Wassersporn, verlassener,
nur wenig Wasser noch enthaltender Flußbettarm.

Wasserstrecke, s. d. Art. Grubenbau, S. 212.

Wasserstube. 1) Umdämmung einer Grund-
baugrube; — 2) Reservoir bei einer Röhrenleitung, worin mehrere Röhren zusammentreffen.

Wassertheater. 1) Amphitheatralisch angelegter Wasserfall; — 2) s. d. Art. Naumachie und
Amphitheater.

Wassertiefe, Vermessung derselben; s. d.
Art. Verpeilen, Strom- und Wassermessung.

Wassertonne. 1) (Bergb.) Zum Wassertreiben,
d. i. zum Fördern des Grubenwassers mittelst
Haspel dienendes tonnenförmiges Gefäß. — 2)
S. d. Art. Baake.

Wassertrog, s. d. Art. Wasserbehälter und
Röhrtrog.

Wassertrommel (Bergb.), 1) auch Blasemaschine genannt, Vorrichtung, aus der Wasser,
in Staub zertheilt, in einen Schacht herabfällt
und in den Schacht dadurch frische Luft treibt; —
2) Gebläse oder Ventilation (s. d.), durch Wasser
getrieben. Vgl. d. Art. Wetterlotte.

Wassertümpel, span. jagüei, s. d. Art. Lache,
Kolt ec.

Wasservergoldung, s. v. w. Leimvergoldung,
s. d. Art. Vergoldung.

Wasserwaage, s. d. Art. Waage, Libelle,
Nivelliren, Wassermessung ec.

Wasserwände, s. d. Art. Bollwerk, Quai,
Futtermauer ec.

Wasserwehr, s. d. Art. Wehr.

Wasserweide, s. d. Art. Weide.

Wasserwelle, Welle eines Wasserrades.

Wasserwerke, s. d. Art. Wasserkunst 2.

Wasserwinde, Winde zum Heben des Wassers in einem Kübel aus einem Brunnen.

Wasserwippe, s. d. Art. Hebeschaufel.

Wasserzange, Wasserkuppe, tragbare Saugpumpe.

Wasserzoll. Um bei Röhrenleitungen den Consum und daraus die zu entrichtende Wassersteuer berechnen zu können, bedient man sich eines Maaßes, welches Wasserzoll oder Wasserlinie genannt wird, je nachdem es gleich ist der Wassermenge, die in einer bestimmten Zeit durch eine Oeffnung von 1 Zoll oder 1 Linie Durchmesser bei bestimmtem Druck ausläuft. Schon die Römer hatten zu diesem Behuf das Quinarium, unter Nero Uncia genannt. Ueber die Bemessung der alsarda und alema bei den Arabern s. d. Art. Bewässerung. In Frankreich mißt man nach Mariotte's Wasserzoll; dieser ist die durch eine kurze Röhre von 1 Pariser Zoll lichtem Durchmesser bei einem Druck von 7 Linien über dem Mittelpunkt (1 Linie über dem Scheitel) ausfließende Wassermenge und beträgt pro Minute 14 altfranz. Pintes oder 13,03845 Litres = 0,4128 Cbtfß. Wiener Maaß, oder in 24 Stunden 594,4281 Cbtfß. Wienerisch = 18775,37 Litres. Nach Gerstner nimmt man aber jetzt 19195,3 Litres = 607,7315 W. Cbtfß. an; unter Betrachtnahme des Wasserzusammenziehungs-Coefficienten werden sich 603,31 Wiener Cbtfß. ergeben. Der Wasserzoll wird in 144 Wasserlinien getheilt; die Wasserlinie liefert in 24 Stunden 4,22 Wiener Cubikfuß Wasser. Der neue Prony'sche Wasserzoll beträgt 20 Cubikmeter = 633,2086 Wiener Cbtfß. in 24 Stunden, oder 13,82 Litres = 0,4397 Wien. Cbtfß. pro Minute. Wenn der Mittelpunkt der Oeffnung 7 Linien, der höchste Punkt eine Linie unter dem Wasserspiegel liegt, so liefert nach Hagen ein Wasserzoll täglich 520 preuß. Cubikfuß. Es ist aber besser, eine größere Druckhöhe anzunehmen, so daß der Wasserspiegel 1 Zoll über dem Mittelpunkte liegt; alsdann giebt nach Bornemann und Röling ein solcher Wasserzoll täglich 642,8 Cbtfß. Die Oncia magistratuale in Mailand, bei rechtwinkliger, 5 Oncie hoher und 4 Oncie breiter Oeffnung und 2 Oncie Wasserstand über der Oeffnung, beträgt 69,1896 Wien. Cbtfß. pro Minute. Der Münchner Steften beträgt 2 baierische Maaß pro Minute, also 97,5 Wien. Cbtfß. in 24 Stunden. In Constantinopel ist die Einheit 1 Luleb, welche aus einem runden Rohr von 11,3886 Wien. Linien (25 Millim.) Durchmesser bei 22 Linien Länge 8 Mal so viel Wasser ausfließen läßt, als in gleicher Zeit durch 1 Massur, d. h. eine Röhre von 9 Millimeter Durchmesser, fließt; die Druckhöhe beträgt 36,8993 Wien. Linien (81 Millim.) über dem Scheitel der Röhre. Der Massur soll in 24 Stunden 4800 Oken Wasser ausfließen lassen.

Wat. 1) s. v. w. Wand; — 2) s. v. w. Fahrt durch einen Fluß.

Watch-loft, engl., Wachgang, Wächtergallerie.

Water-closet, engl., Wasserschluß.

Water-colour, engl., Wasserfarbe, Aquarelle.

Water-proof, engl., wasserdicht.

Water-spout, engl., Wasserspeier, Abtraufe.

Water-table, engl., 1) Wasserschlag; — 2) Ueberschlagsims.

Water-way, engl., Leibholz, s. d.

Watkammer, mittelhochdeutsch s. Garderobe.

Watt, der bald trocken, bald unter Wasser liegende schlammige Vorgrund vor einem Deich.

Watte, s. d. Art. Boden, Liederung, Dichtung ꝛc.

Watt's Maschine, s. d. Art. Dampfmaschine.

Watttrog, Kasten, durch den das Wasser zum Anschlagen an ein unterschlächtiges Rad gezwungen wird.

Wau, Färbe-Reseda (Reseda lutea und R. luteola, Fam. Resedengewächse), wird in England, Holland und Frankreich mitunter als gelbfärbende Pflanze angebaut. Der färbende Stoff ist besonders in den Blüthenspitzen vorhanden. Das Waugelb übertrifft den Ginster und die Scharte, ist aber durch das Quercitronenholz sehr verdrängt worden.

Waye, durch einen Deichbruch entstandner Kolk.

Wayfeld (Deichb.), der Grund des Deiches.

Waygut, das Material, aus dem ein Deich errichtet worden.

Weald-clay, engl., s. d. Art. Lagerung d.

Weathering, engl., Wasserschlag, Abwässerung.

Weather-moulding, engl., Ueberschlagsims, s. d.

Webestuhl, Attribut der Athanasia, des Severus von Ravenna, s. d. Vgl. auch Arachne.

Wechsel. 1) Balkenwechsel, frz. chevêtre, s. d. Art. Balken II., C. und Dach, S. 290. Man wende sie blos da an, wo ein ganz unvermeidliches Hinderniß eintritt, die Balken in einem Stück durchgehen zu lassen. Der Wechsel sei mindestens eben so stark wie das Balkenholz, und man läßt ihn in die Balken mit schwalbenschwanzförmigen Brustzapfen oder mit Versatzungen ein. Ein Wechsel darf ohne Unterstützung höchstens 16—17 Fuß frei liegen. Dergleichen Auswechselungen sollen so wenig als möglich vorkommen, namentlich dürfen die Ankerbalken nicht ausgewechselt sein. — 2) Senkrecht aufgesetztes Röhrenstück bei einer Röhrenleitung, welches verschraubt ist, um es bei Reparaturen besser herausnehmen oder auch um einen Fehler leichter auffinden zu können; auch der Punkt, wo zwei Röhrfahrten zusammenstoßen. 3) In einem Fabrikschacht s. v. w. Absatz, Ruhebühne. — 4) (Maschinb.) Bei Vorlegerädern und Getrieben der Eingriff. — 5) (Gebläse) Aus zwei Bälgen oder Cylindern oder Kästen bestehendes doppeltes Gebläse, dessen Hube sich überkreuzen, damit der Wind einen gleichförmigen Gang erhalte.

Wechselbalken, Krummbalken, s. v. w. abgewechselter Balken; s. d. Art. Balken II. B.

Wechselbock, Bock auf einem Gestänge, worauf die Stege zusammengesetzt sind.

wechseln, s. d. Art. Abtrumpfen, Abwechseln, Auswechseln ꝛc.

Wechselschnitt (Geom.); in jedem schiefen Kreiskegel oder schiefen Kreiscylinder giebt es außer dem zur Grundfläche parallelen System noch ein zweites System von Ebenen, welche ebenfalls die Fläche in Kreisen schneiden. Ein solcher Kreisschnitt heißt ein Wechselschnitt. Bei einem Cylinder bilden Systeme von Kreisschnitten mit der Achse gleiche Winkel; s. d. Art. Hyperbolisch ꝛc.

Wechselwinkel (Geom.), an zwei von einer und derselben dritten geraden Linie geschnittenen Parallellinien zwei Winkel, welche auf verschiedenen Seiten der schneidenden Linie und auf verschiedenen Seiten der geschnittenen Linien liegen. Je nachdem diese Winkel zwischen beiden Parallellinien liegen oder außerhalb (Fig. 1928), heißen sie innere (z. B. BGH und CHG, AGH u. DHG) und äußere Wechselwinkel (z. B. AGE und DHF, EGB und CHF).

Fig. 1928.

Wechselziegel, farbig glasirte Ziegel (im norddeutschen Ziegelbau häufig) zur Verzierung, abwechselnd mit gewöhnlichen Mauerziegeln, verwendet, theils Muster, theils ganze Wechselschichten bildend.

Wecke (Herald.), lat. banda fusilata, frz. und engl. lozenge, s Heroldsfiguren 10 und Raute. wedge-shaped, engl., keilförmig.

Wedgewood, Basaltes, eine Art Steingut, zwischen dem Fayence und Porzellan stehend, nach seinem Erfinder so benannt.

Wedgewood's Pyrometer, s. Pyrometer.

Wedro, s. d. Art. Maaß, S. 507, Bd. II.

Weeger, Weger, Wegering, Weigering, frz. vaigre, engl. keiling, ital. verzena, serretta, sp. varengo, cerreta, Binnenplanke. Ueber Balkenweeger und Bandweeger s. d. Art. Balkentracht, Flurweeger, s. d. w. Bauchdenningen.

Weeper, engl., frz. pleureur, Statue an den Seiten der Sarkophage an mittelalterlichen Grabmälern.

Weg, lat. via, limes, frz. chemin, voie; s. d. Art. Brücke, Chaussée, Straße, Pflaster, Via, Baurecht, Kreuzweg rc.

Weg, nasser und trockener (Chem.). Wenn Flüssigkeiten, mit einander gemischt, oder feste Körper, mit flüssigen zusammengebracht, gewisse chemische Veränderungen zeigen, so sagt man, die Reaction gehe auf nassem Wege (via humida) vor sich. Finden chemische Vorgänge bei festen Körpern durch Schmelzung statt, so nennt man das den trockenen Weg (via sicca).

Weg, bedeckter oder gedeckter; entsteht, wenn das Glacis vom Rande der Contre-Escarpe abgerückt wird.

wegbiegen, einbiegen, sich in Folge zu großer Belastung nach unten biegen.

Wegdorn, lat. rhamnus, s. d. Art. Kreuzdorn; der Faulbaum (s. d.) gehört mit dazu; über den gemeinen Wegdorn s. d. Art. Granholz. Färber-Wegdorn (Rhamnus infectoria), ist dem gemeinen Wegdorn ähnlich, wächst in Süd-Frankreich. Seine unreifen Beeren geben die Graines d'Avignon und dienen zum Gelbfärben. Zu demselben Zweck werden auch die Beeren von Rhamnus Alaternus und Rhamnus saxatilis verwendet. Die Beeren einer asiatischen Art geben das chinesische Grün. Vergl. ferner Färber-Kreuzdorn und Haarholz.

Wegebau, s. d. Art. Straßenbau, Eisenbahn rc.

wegfließen, s. d. Art. Abfließen.

wegreißen, frz. demonter, s. d. Art. Abtragen, Eintragen rc.

Wegweiser, Wegsäule, s. d. Art. Armsäule; auch heißt so jeder an Kreuzwegen stehende hölzerne oder eiserne Ständer, worauf die Richtungen der Wege, Entfernungen der Ortschaften rc. angegeben sind.

Wehbih, s. d. Art. Maaß, S. 512, Bd. II.

Wehr, n., frz. bâtardeau; Wasserwehr, fem. (Wasserb.), jeder Bau, der quer durch einen Fluß geführt, dazu dient, das Wasser aufzustauen und zurückzuhalten, um entweder die Erhöhung des Wasserstandes, das Gefälle sowie die Geschwindigkeit des Flusses oberhalb zu vermindern, oder um das Wasser zu nöthigen, daß es in einen anderen, meist künstlichen Flußarm oder Canal trete, oder um demselben abwärts einen solchen Fall zu geben, der es ermöglicht, an dergleichen Canälen angebaute Mühlen zu treiben. Man unterscheidet hauptsächlich drei Arten der Wehre: 1) Grundwehr; dasselbe soll selbst bei dem niedrigsten Wasserstand den Wasserspiegel nicht erreichen, darf daher nie über 3 Fuß Höhe haben und erreicht auch nur dann diese Höhe, wenn es dazu dient, das Wasser nach einem Mühlwerk oder zu Bewässerung von Wiesen abzuleiten; eine geringere Höhe ist ausreichend, wenn es nur die Geschwindigkeit und das Gefälle eines Flusses behufs dessen Schiffbarmachung vermindern soll. Ein Grundwehr besteht bei geringerer Höhe aus einer Reihe von Spitzpfählen, die in Abständen von 1 Fuß auf gleiche Höhe eingerammt werden; auf sie wird eine Schwelle (Holm) befestigt und Senkfaschinen hinter diesen Pfählen eingelassen. Ist Unterspülung oder Durchströmung zu befürchten, so muß das Ganze durch eine vor jener Schwelle eingerammte Spundwand gesichert werden. Bei größerer Höhe, sowie bei stattfindender heftiger Strömung, wird eine doppelte Reihe von Pfählen und vor jeder eine Spundwand eingerammt; auf jeder Pfahlreihe werden Schwellen oder Holme mittelst an den Pfählen angearbeiteter Zapfen befestigt; beide Reihen aber werden durch auf den Schwalbenschwanz ausgekämmte Zangen mit einander verbunden. Der Raum zwischen beiden Pfahlreihen wird mit Kies, Theer, Lehm oder gewöhnlicher fetter Erde ausgestampft und überpflastert. Unterhalb des Grundwehres muß in das Flußbett, um Ausspülung zu verhüten, ein Senkwerk von Faschinen in einer Breite von 8—10 Fuß eingelegt und mit hinlänglich großen Steinen beschwert werden. Dieser Steinwurf bildet vom Rande des Grundwehres bis an die Stelle, wo das Flußbett wieder eben verlaufen soll, eine schiefe Ebene mit ½ füßiger Böschung. Um diesem Steinwurf größere Haltbarkeit zu verschaffen, kann man an dem mit dem Flußbett sich vereinigenden Ende desselben eine Reihe Pfähle in Entfernung von 1 Fuß von einander so tief einrammen, daß ihre Köpfe in gleicher Höhe mit dem Flußbett zu stehen kommen, oder doch nur sehr wenig hervorragen. Hat man keine tauglichen Steine zu diesem Bau, so füllt man den Raum zwischen dem Wehr und letzterwähnter Pfahlreihe mit Sinkwerken oder Senkfaschinen aus.

2) Ueberfallwehr, Streichwehr; diese ragen in der Regel über dem Wasserspiegel hervor und lassen nur, wenn das Wasser bis zu einem gewissen Normalpunkt gestiegen ist, dieses über sich wegströmen. Sie werden an Flüssen mit oft wechselndem Wasserstand oder zu niedrig liegenden Ufern erbaut und sind mit einer ausreichenden Anzahl von Grundablässen zu versehen. Sie kön-

nen ebenfalls blos aus auf= und übereinander ge=
worfenen Steinen, oder von Faschinen, oder aus
Zimmerwerk, oder auch wohl von beiden zu=
gleich, oder auch von Mauerwerk aufgeführt wer=
den. Da durch ein Ueberfallswehr das natürliche
Abflußprofil vermindert werden soll, so hat man,
um eine größere Breite des Querschnittes über der
höchsten Stelle des Wehres bei eintretendem Hoch=
wasser zu erlangen, das Wehr zu verlängern, und
zwar um die halbe oder höchstens ganze Normal=
breite des Flusses. Hölzerne Wehre können gegen
die Richtung des Flusses ein Dreieck bilden oder
ein dergleichen mit gerader, abgestumpfter Spitze;
für steinerne Wehre wird am besten ein gegen den
Fluß gerichteter Kreisabschnitt angenommen. Das
überstürzende Wasser wird bei allen diesen For=
men von dem Ufer ab nach der Mitte des Flusses
geleitet; damit aber auch bei noch nicht eingetrete=
nem Hochwasser das Wasser in der Mitte des
Wehres zuerst überstürze, vertieft man die Krone
an dieser Stelle gewöhnlich um ½ Fuß.

3) Schleußenwehr, Freiarche, Aufziehwehr,
Grundablaß, erhält mehrere Oeffnungen, ital.
callone, die nach Willkür durch Fallschützen ge=
schlossen werden können. Solche Wehre werden
in demselben Absicht, wie die sub 2, angelegt, aber
auch, um zur Zeit der Hochwässer denselben einen
möglichst freien Abzug zu verschaffen Man legt
die Schleußenwehre lieber vertical an, wenn es
die Ortsverhältnisse irgend gestatten; der Abzug
des Wassers durch den Schützen geschieht meist
ziemlich tief unter dem Wasserspiegel. Die Archen
sind weniger breit als die Wehre, da die Geschwin=
digkeit des Wassers, mithin auch die stärkere Con=
sumtion desselben, durch größere Druckhöhe des
aufgestauten Wassers vor einer Oeffnung bestimmt
wird. Dienen Archen dazu, den Wasserüberfluß
und das Eis fortzuschaffen, so heißen sie insbeson=
dere Freiarchen; außer ihnen kommen noch vor:
Mühlarchen, Mühlgerinne, s. d. Art. Gerinne.
Mühl= und Freiarchen findet man mitunter so
vereinigt, daß das Wasser durch ein abgetheiltes
Gerinne theils auf die Mühlräder geleitet, theils
aber auch der Ueberfluß desselben abgeführt wer=
den kann. Zu letzterem Behuf dienende Gerinne
nennt man auch Freigerinne oder Wüstgerinne.
Am Fuß eines jeden Wehres fertigt man aus
Steinen oder aus überbohltem Pfahlrost ein festes
Sturzbett, um das Unterspülen desselben zu ver=
hindern. Es ist besonders bei hohen Ueberfall=
wehren so tief als möglich anzulegen, damit bei
hohem Wasserstand das überstürzende Wasser die
Versicherung des Wehrfußes um so weniger be=
schädigen könne. Wird das Sturzbett aus einge=
worfenen Steinen erbaut, so ist eine Reihe Pfähle
am Ende desselben einzurammen, vor denen die
Köpfe unter das niedrigste Wasser zu stehen kom=
men; zur Oberfläche dieses Baues nimmt man
große Steine und zwickt die Zwischenräume mit
kleineren aus. Bei kleineren und ruhigeren Flüssen
ist die Construction der hölzernen Ueberfallwehre
folgende: Zunächst werden zwei 6 Fuß von ein=
ander entfernte Reihen von Spitzpfählen einge=
rammt, so daß die Pfähle unter sich 5 Fuß Ab=
stand haben. Diese Pfähle werden mit einer
Schwelle in gleicher Höhe mit dem unteren Fluß=
bett überlegt; vor solchen Pfahlreihe un=
mittelbar werden wiederum Spundpfähle in glei=
cher Höhe eingerammt, außerdem werden noch zwei
Reihen von Pfählen in Entfernungen von 4—6
Fuß von Mitte zu Mitte und in einer Höhe, welche
dem Zwecke des Wehres entspricht, dicht vor der
flußaufwärts und hinter der flußabwärts stehen=
den Wand eingerammt. Dann wird die vordere
Reihe um einige Zoll höher als die hintere waag=
recht abgeschnitten, darauf mittelst auf den Pfählen
ausgearbeiteter Zapfen Schwellen eingelassen und
diese wiederum mittelst hölzerner, auf den Schwal=
benschwanz eingelassener Querzangen mit einander
verbunden. Auf ihrer Hinterseite werden dann
beide Pfahlreihen von den Schwellen, über den erst=
gedachten niedrigeren Spitzpfählen, an, mit 3—4
Zoll starken eichenen Bohlen verkleidet; zuletzt
wird entweder mit grobem Kies oder besser mit
Thon, Lehm oder einer anderen fetten Erdart der
Zwischenraum dieser beiden Pfahlwände ausge=
füllt; nun legt man noch über das Ganze eine
etwas über die Oberfläche des oberen Flußwassers
ragende Bohlenbettung oder Decke (Abschußdecke)
nach der ganzen Länge des Wehres und dann, wie
schon erwähnt, flußabwärts am Fuß des Wehres
unter dem niedrigsten Wasserstand ein Sturzbett,
aus einem Steinschutt oder einer Bohlendecke be=
stehend.

Steinerne Wehre werden auf Pfahlrost gegrün=
det, ähnlich wie die hölzernen, und zwar wird vor
jeder Pfahlreihe eine einfache Reihe von Damm=
planken eingeschlagen, der Zwischenraum mit Lehm
eingestampft, ebenso hinter der Abschußdecke (der
schrägen Abflußfläche für das überlaufende Wasser).
Die Betten vor der Vordecke und hinter der Ab=
schußdecke werden hierauf mit Bohlen belegt oder
mit Steinen gepflastert. Das eigentliche Wehr
wird dann von Quadersteinen errichtet, doch kann
man ihm statt eines Steinkammes auch ein Rasen=
haupt geben. Ueber die Steine werden lange eiserne
Ankerstangen gelegt. Man thut sehr gut, der Vor=
decke ein etwas converes, der Abschußdecke hinge=
gen ein etwas concaves Profil zu geben, sowie,
man das Wasser darauf läßt, die Vordecke dünn
mit Erde zu betragen.

Wehrbaum, 1) Schlagbaum; — 2) Fachbaum.

Wehrbock (Stangent.), s. v. w. Wendebock.

Wehrdamm. 1) (Wasserb.) s. v. w. Grund=
damm; s. Wehr; — 2) s. v. w. Vordamm, Schutz=
damm vor einem Deich; — 3) s. v. w. Fangdamm.

Wehreisen, Eisenstange, die mit einem Ende
am Kunstgestänge, mit dem andern an dem Arm
der Welle, wo das folgende Gestänge anfängt, be=
festigt ist, so daß sie die Kunst mit dem Geschleppe
verbindet.

Wehrgang, Mauergang, auf Ringmauern in
Burgen, Schlössern ic. hart unter dem Dach, zwi=
schen zwei Mauern, deren innere in Bögen durch=
brochen ist, zur Vertheidigung dienend; s. d. Art.
Wehr, Letze ic.

Wehrlatte, oberste Horizontaleinfassung, Kro=
nenbohm eines Wehres.

Wehrpfahl (Wasserb.), s. v. w. Fachbaum,
Wahlpfahl, s. d.

Weiberstein (Mineral.), s. d. Art. Traß.

Weichbild, eigentlich wohl Weihbild, auch
Bleck genannt, das zu einer Stadt, einer Kirche,
einem Kloster ic. gehörige, entweder als close mit
Mauern eingefaßte oder, und zwar meistens, außer=
halb der Ringmauer liegende Gebiet. Der Ausdruck
stammt daher, daß man die Grenzen durch Heili=
genbilder verzierte; s. d. Art. Friede 3.

Weichblei, s. d. Art. Blei.

Weichcurve, s. d. Art. Eisenbahn, S. 692, Bd. I.

Weiche, Ausweichstelle. 1) Bei schmalen Straßen; s. d. Art. Straßenbau. — 2) Bei Eisenbahnen. Bei eingleisigen Bahnen müssen Vorrichtungen da sein, begegnende Züge zu umgehen; bei zweigleisigen Bahnen aber ähnliche, um die Wagen von einem Gleis auf das andere versetzen zu können. Für Ausweichestellen bei eingleisigen Bahnen mit bedeutendem Verkehr rechnet man beim Voranschlag ¼ der ganzen Länge der Hauptbahn hinzu. Um diese Ausweichungen oder Seitenbahnen mit der Hauptbahn, oder überhaupt dort, wo zwei Bahnen neben einander laufen, eine Bahn mit der andern zu verbinden, sind vielerlei Vorkehrungen, Versatzschienen, Leitzungen ꝛc. erfunden worden und werden stets noch neuere erfunden; es ist nöthig, ten Winkel, den sie mit der Hauptbahn bilden, möglichst zu verkleinern, um die Wagen auf demselben eben so sicher wie auf einer geraden Linie in der verlangten Richtung fortzuführen. Wo die Versatzschienen aus der Hauptbahn gehen, darf der Winkel bei einer Spurweite von 4' 8½" bis 5' nicht viel über 7° sein, während der Radius der Uebergangscurven, bei Anwendung von sleighs oder beweglichen Schienen, eine Länge von 4—500' erhalten kann. Die Schienen der geraden Richtung müssen Tangenten an die ableitenden Bahncurven (Uebergangscurven) sein.

weiche Dachung, s.d.Art.Dachdeckung,S.605.

weiche Hölzer; dahin rechnet man die Nadelhölzer, sowie Lindenholz, Weide, Pappel ꝛc.; s. d. Art. Holz, Bauholz ꝛc.

Weicher, Weiher; s. d. Art. Teich.

weicher Guß, s. d. Art. Gußeisen.

weicher Stahl, s. d. Art. Gußstahl, Stahl ꝛc.

Weicherz, quarzfreies Kupfererz, reich an Schwefelkies.

weiches Lager, die obere Seite eines Steines, so lange derselbe im Steinbruch liegt.

Weichfloß, hart grelles Roheisen; s. d. Art. Eisen II. A. e.

weichhaarige Eiche, s. d. Art. Eiche e.

Weichharz, s. d. Art. Harz.

Weichloth, s. d. Art. Loth, Löthen ꝛc.

Weichsel, wilde Sauerkirsche, Stammkirsche, Tintenbeere, saure Pflaume, Prunus Cerasus (Fam. Amygdaleae), hat schön rothes, bald mehr oder weniger gelbliches Holz von feiner und dichter Textur, hart, fest, doch nur im Trocknen dauerhaft, oft mit schönen Streifen und Flammen durchzogen.

Weichstein, s. v. w. Topfstein, s. d.

Weidanker, bei Schiffbrücken Anker, welche stromab gegen thalaufwärts wehende Winde geworfen werden.

Weide, Salix, Fam. Salicineae; das Holz der meisten Arten ist weich, mürbe, der Verstockung sehr unterworfen und läßt sich schlecht bearbeiten.
I. Einheimisch in Deutschland sind folgende Arten: a) Salix alba, Kronen-, Silber-, Baum-, Bitter-, Gerber-, Felber-, Welge-, Wichelnweide, gemeine oder weiße Weide, deren Rinde zum Braunfärben benutzt wird; das Holz ist weiß, leicht, schwammig, grobjährig, gewöhnlich etwas trausfaserig, brüchig, weich, in der Jugend zähe und von geringer Dauer; läßt sich nicht gut bearbeiten, fasert leicht, wirft sich aber nicht sehr. b) Salix helix, monandra, einmännige, Hagen-weide, Bach- oder Rasenweide; die Zweige eignen sich gut zu Geflecht und Uferbefestigungen. c) Salix ambigun, Bastardweide, hat gelbrothe Zweige. d) Salix fusca, braune Weide, Dammweide, gut zu Dammbepflanzungen. e) Salix vitellina, gelbe Haar-, Gold-, Kieferweide, rothe Band-, braune Bandweide, Vaalbaum, Dotterweide; das Holz hält einen bessern Hobelstrich, nimmt auch mehr Glätte und eine schönere Beize an als die weiße Weide, die Zweige sind zu Kopfholz und Flechtwerk sehr brauchbar. f) Salix fragilis, Knick-, Glas-, Sprödel- oder Rostweide, Bruchweide; das Holz kann von Tischlern und Drechslern bearbeitet werden, giebt auch gutes Brennholz, die Rinde ein Chinasurrogat, die Wurzel eine rothe Saftfarbe. g) Salix pentandria, Fieber-, Faul-, Baummollen-, Schaf-, Strauchweide, glatte Saal-, Palmen-, Lorbeerweide, giebt gutes Brennholz. h) Salix amygdalina, Pfirsich-, Hain-, Busch-, Häger-, Pfahl-, Schäl-, Schlick-, Mandel-, Wasserweide, vorzüglich gut zu Geflecht; die Rosmarinweiden haben sämmtlich weiches, weißes, wenig dauerndes, unbrauchbares Holz. i) Salix repens, Kriechweide, und Salix triandria, Buschweide, sind zu spröde zum Flechten. k) Salix viminalis, Korb-, Band-, Fisch-, Grund- oder Krebsweide, zu Uferbefestigung und Flechtwerk tauglich. l) Salix incubacea, Mattenweide, und Salix purpurea, Purpur-, Roth-, Schußweide, rother Wilchenbaum; ferner Salix rosmarinifolia, Rosmarinweide, im Sande über Torf wachsend, ferner die Salbei- oder kleine Werftweide, die Sammetweide ꝛc. sind nur zu Flechtwerken und Buschwerksanpflanzungen behufs Anhägerung zu gebrauchen.
II. Von fremden Weiden erwähnen wir: a) Salix babylonica, babylonische Weide, Trauerweide, in Gärten sehr anwendbar. b) Salix fisca, gespaltene Weide. c) Salix glauca, Alpenweide, Bergweide auf rauhen Gebirgen. d) Salix arenaria, Felb-, Sand-, Stein-, Ackerweide, in feuchtem Sand. e) Die graue Weide, Salix cinerea.

Weidebank, an Gerinnen das obere Rähm der Archenstiele.

Weidenbast, dient in Rußland zur Herstellung von groben Stricken, Matten, besonders aber zu Schuhen für die Arbeiter (Bredina).

Weidenfaschine, s. d. Art. Faschine.

Weidenholzbohrer, Holzdieb, Holzraupe, ist die holzzerstörende Larve des Bombyx Cossus Ligniperda; s. d. Art. Holzraupe.

Weiffe (Mühlenb.), s. v. w. Sägegatter.

Weigh-bridge, engl., s.d.Art. Brückenwaage.

Weighing of souls, engl., Seelenwägung.

Weihaltar, Weihbild; s. d. Art. Votivaltar ꝛc.

Weihbecken, s. d. Art. Weihkessel.

Weihbrodgehäuse, s. v. w. Sakramentshaus und Monstranz; s. d. betr. Art.

Weihbrunnen, s. d. Art. Brunnen, S. 476.

Weihekreuz, lat. crux signata, frz. croix de consécration, engl. consecration-cross. Diese Kreuze werden auch in der römisch-katholischen Kirche gleichschenklig, häufig von einer Kreislinie umschlossen, zum Zeichen der Weihe an die Kirchwände gemalt, eingebauen in die Altarplatten ꝛc. Am Tag der Kirchweih werden vor ihnen Wandleuchter aufgehängt.

Weiher, franz. étang, span. pantano, Teich, Fischteich; s. d.

Weihetempel, s. d. Art. Tempel.

Weihethron, griech. ἱερός, s. d. Art. Thron.

Weihgeschenke, s. d. Art. Votivbild ff. Weihgeschenke sind auch oft die Kronen, wenn sie als Attribut von Heiligen vorkommen.

Weihkessel, Weihwasserbecken, Weihbecken, Aporrhanterion, Cherniboxeston, lat. aspersorium, vas lustricum, cantharum benedicterium, crater lustralis, aquimanale, frz. bénitier, eau bénitier, engl. stoup, benetier, holywater-stone, holywater-stock, bronzene Schale oder hölzerner Ständer, am häufigsten jedoch ein Steingefäß, ursprünglich einem Taufstein ähnlich, doch kleiner als dieser; als Behälter des Weihwassers vor der Kirchthür, zur symbolischen Reinigung der Eintretenden; später wurden die Weihkessel häufig aus Metall gefertigt oder consolenartig an der Wand innen neben der Thür angebracht; s. auch d. Art. Kirche, S. 385. Wir geben in Fig. 1930 u. 1931 zwei steinerne Weih-

der eigentliche Bau vollendet war, die zweite, wenn ein Altar, Ciborium und Ambonen aufgestellt wurden. Später fand die erste Weihung schon vor Beginn der Arbeit statt; der Boden wurde eingesegnet, mit Weihwasser besprengt, der Bischof that die drei ersten Spatenstiche, pflanzte ein Kreuz auf 2c. Bei der zweiten Einweihung, der Weihung der Altäre 2c., wurde meist sehr großer Pomp entfaltet.

Weime, hier und da für Hängesäule.

Wein, s. d. Art. Bacchus, Blätter, Jahreszeit, Blumen A., Symbolik 2c.

Weinbergshaus. 1) Wohnhaus des Besitzers; s. d. Art. Landhaus; — 2) Weinkelterhaus; s. d. Art. Kelter; — 3) Winzerhaus, muß außer einer bescheidenen Wohnung auch Raum für Kelter und Presse, eine kleine Feuerspritze 2c. haben; am besten wird es so gelegt, daß man von ihm aus den ganzen Weinberg übersehen kann.

Weinbiet, s. v. w. Kelterboden.

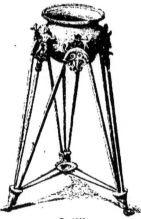

Fig. 1929.　　　Fig. 1930.　　　Fig. 1931.

becken, beide aus der Cathedrale von Torcello bei Venedig; in Fig. 1929 ein metallenes Weihbecken, alle in romanischem Styl; außerdem giebt es tragbare Weihkessel, aus welchen die Gläubigen mit dem Weihwedel, frz. aspersoir, engl. holywater-springle, besprengt werden. Ein Weihkessel ist Attribut der heiligen Martha.

Weihmuthskiefer, s. Weymouthskiefer.

Weihnachtsbaum, s. d. Art. Ceratopetalum gummiferum.

Weihrauch, s. Cyrilla, Arabia, Drei II. 4.2. 2c.

Weihrauchkiefer (Pinus Taeda L., Fam. Coniferae), schwarze oder virginische Kiefer, ein Nadelholzbaum Virginiens und Canada's, giebt eine wenig geschätzte Sorte amerikanischen Terpentins und gutes Nutzholz.

Weihrauchschiffchen, lat. navicula, frz. navette, engl. censer ship, schiffähnliches Gefäß für den Weihrauch.

Weihung, Kirchweihe, Einweihung, lat. encaenia, frz. dédicace. Bei den alten Kirchenbauten fanden zwei Weihungen statt, die eine, wenn

Weingefäße, s. Bacchus, Balto, Becher, Kelch, Kirchengefäße, Kardinaltugenden, Melchisedek 2c.

Weingeist, s. d. Art. Spiritus und Alkohol. Vgl. auch d. Art. Holz 1, Baumkitt 2c.

Weingeistfirnisse; so nennt man die durch Lösen von Harzen in Weingeist dargestellten Firnisse; s. d. Art. Firniß B., Copal, Lack, Politur 2c.

Weingeistthermometer, s. Thermometer.

Weingeländer, s. d. Art. Geländer, Spalier 2c.

Weinhefe, lat. faex, scheidet sich beim Gähren des Mostes aus. Durch Verkohlen derselben erhält man eine feine Schwärze, die beim Kupferdruck Verwendung findet. Nach Plinius bereiteten die Alten durch Verkohlung von Weinhefen eine Art Indig (Indicum). Man erhält mit Weinhefenkohle, Weinträberschwarz, und gelben Farben grüne Nüancen, sie kann auch durch Versetzung mit Weiß zum Malen der Farbe gebraucht werden und unterscheidet sich überhaupt von anderen schwarzen Farben durch einen merklichen Strich in's Blau; s. auch d. Art. Atramentum.

Weinkeller, s. d. Art. Keller.

Weinkelter, Weinpresse. Es giebt Baumpressen, welche durch Hebelwert, u. Spindelpressen, welche mittels einer Schraubenspindel bewegt werden; s. d. Art. Kelter und Presse.

Weinlaub und Weinrebe, s. d. Art. Symbolit, Bacchus etc.

Weinlaube, s. Veranda, Laube, Garten etc.

Weinpfahl, frz., échalas, s. d. Art. Pfahl.

Weinrebe und Weinstock, s. d. Art. Jesus Christus, Davinus, Maternus, Maximus, Felix, Urban, Josua und Caleb.

Weisheit, a) heidnisch aufgefaßt, wird dargestellt als Minerva, tragend den Schild mit dem Medusenhaupt, öfters auch einen Helm mit dem Bildnisse der Sphynx, zur Seite eine Eule. Vgl. auch d. Art. Greif; — 2) christlich aufgefaßt s. d. Art. Kardinaltugenden und Symbolit.

Weißbirke, s. d. Art. Birke 1.

Weißblech, s. d. Art. Blech, Faßblech, Eisenblech, Eisen etc. Ueber das Verzinnen der Bleche zu Weißblech s. das Nähere in d. Art. Verzinnen.

Weißblechdach, s. d. Art. Blechdach und Dachung, S. 605, Bd. I.

Weißblei, 1 Theil Zinnasche und 4 Theile Blei mittels Salzes zusammengeschmolzen, mit Kieselmehl versetzt, dient als Töpferglasur; s. d.

Weißbleierz, s. d. Art. Bleierz a., Bleioxyd, Bleispath, Bleiweiß etc.

Weißbronze, s. d. Art. Bronzefarben.

Weißbuche, s. d. Art. Buche 2.

Weißdorn, Hagedorn, Mehlfäßchen, Vergrebe, Hegdorn, Crataegus alpina, liefert ein gutes Holz; es ist gelblich; das anbrüchige Holz hat braune Flecke mit schwarzer Einfassung. Es zeichnet sich durch Zähigkeit, Härte, Festigkeit und Dauer aus. Der spitzblättrige Hagedorn (C. monogynia) hat zähes, festes weißes, sowie röthlich gefärbtes Holz, ist gesuchter als der gemeine Weißdorn, seine Höhe ist 30 Fuß. Weißdornstöcke erhalten eine große Biegsamkeit, wenn man sie im Safte abschneidet und über dem Feuer so stark erhitzt, bis die schwarz werdende Schale abspringt. Vgl. auch d. Art. Hagedorn.

weiße Ceder, s. d. Art. Cypresse 3.

weiße Eiche, s. d. Art. Eiche, S. 678, Bd. I.

weiße Erle, s. d. Art. Erle 2.

weiße Farben, s. darüber zuvörderst d. Art. Bleioxyd, Bleiweiß, Kreide, Farbe, Färbestoffe, Kreide, Zinkweiß, holländisches Weiß.

A. Das Weißfärben auf Kalkputz oder das sogenannte Weißen, Weißßen, Beweißen, Anweißen, Ausweißen, frz. blanchir, geschieht in der Regel nach dem Schlämmen (s. b. 2), und zwar mit einem Pinsel; Farben dazu sind a) Kalktünche, b) Kalk und Gips, mit viel Wasser und etwas Lackmusbrühe angemacht; c) Spanischweiß und etwas weniges Kohlenschwarz (damit das Weiß nicht in das Röthliche übergeht), beides einzeln in Wasser aufgelöst, welches halb mit Handschubleim versetzt worden, werden vermischt und zwei lauwarme Anstriche damit ausgeführt. Ist die Decke oder Wand schon weiß gewesen, so kratzt man den alten Ueberzug ab, macht so viel als nöthig neue Kalklagen, stäubt dann den Kalk ab und trägt obige Mischung auf. Weiteres s. in d. Art. Anstrich.

B. Weißer Anstrich mit Oelfarbe. a) Man reibe mit gereinigtem Leinölfirniß das beste englische Bleiweiß ab und rühre es mit Terpentinöl zum Auftragen ein. b) Man reibe auf einem Reibstein mit reinem Flußwasser das beste Kremnitzerweiß ab, trockne es in kleinen Häufchen und reibe es dann mit gereinigtem Oelfirniß zum zweiten Mal sein ab, verdünne die Farbe mit Terpentinöl und bringe sie in ein reines Gefäß; mit dieser Farbe gebe man auf vorher gegebenen Bleiweißgrund noch mindestens 2 bis 3 Anstriche (lieber einen Anstrich mehr und schwächer). Weiteres s. in d. Art. Oelfarbe.

Weißeisen, s. d. Art. Eisen II., A. b.

weiße Kreide, s. d. Art. Kreide.

weißer Fluß, s. d. Art. Flußmittel.

weißer Leim, s. d. Art. Leim II.

weißer Marmor, s. Marmor und Imitation.

weißer Thon, s. d. Art. Thon.

weißer Vitriol, s. d. Art. Vitriol 4.

Weißerz, s. d. Art. Arsenikkies und Tellur.

weißer Ziegel, s. d. Art. Ziegel.

weißes Eisenblech, s. v. w. Weißblech.

weißes Glas, s. d. Art. Glas.

weißes Mahagoni, s. d. Art. Mahagoni.

weißes Roheisen, s. d. Art. Eisen II. A.

Weißfäule, entsteht bei Baumstämmen gewöhnlich in Folge äußerer Verletzungen. Der Einfluß der Atmosphäre bringt eine Fäulniß des Stammholzes hervor, welche sich schon durch die Farbe von der Rothfäule unterscheidet, s. d. Art. Bei beiden Fäulnißarten treten gewöhnlich auch Pilze auf (Nachtfaserpilze, Nictomyces), so bei der Weißfäule N. candidus, und N. utilis an der Buche, welche einen besonders schönen Zunder liefern.

Weißfisch, Kaulbarsch (Herald.), s. Fisch 5.

weißgares Roheisen, s. d. Art. Eisen II. A. b.

Weißglühhitze (Eisenarb.), ist die der Eisenschmelzhitze sehr nahe kommende Hitze, worin Eisenstücke zusammengeschweißt werden.

Weißholz. 1) S. Bignonie und gelbes Ebenholz. — 2) Das Laubholz wird zum Unterschied vom Nadelholz oder Schwarzholz auch Weißholz genannt; s. d. Art. Bauholz F. I. d.

Weißkalk, s. d. Art. Kalk.

Weißkupfer, 1) weißer Tomback, besteht aus 2 Thln. Kupfer und 1 Thl. weißen Arsenik; etwas Weinsteinzuschlag befördert die Legirung; — 2) s. d. Art. Messing; — 3) jede Legirung von Kupfer mit Mangan, Zink, Zinn, Silber, Wismuth, Platin, Kobalt und Nickel; — 4) s. Packfong u. Argentan.

Weißkupfererz. 1) s. Kupfer; — 2) Tsedong od. Zetong, ein chinesisches weißliches Kupfererz.

Weißliegendes und Grauliegendes. Mit diesen Namen bezeichnet man diejenigen Sandsteine, welche zwischen dem Rothliegenden und dem Kupferschiefer der Zechsteinformation vorkommen.

Weißmetall, 1) bedeutet den beim Kupferschmelzen aus dem Rohstein erhaltenen Stein mit etwa 60% Kupfergehalt; — 2) eine weiße Metalllegirung, welche zu Lagerpfannen u. dergl. benutzt wird. Ein solches Weißmetall, wie es in England patentirt ist, enthält 76,1 Thl. Zinn, 17,5 Thl. Zinn, 5,6 Thl. Kupfer und Spuren von Blei.

Weißnickel, s. d. Art. Nickelerze.

Weißofen, f. d. Art. Flammofen.

Weißpappel, f. d. Art. Pappel 1.

Weißpech, f. d. Art. Pech und Baumwachs.

Weißrüster, f. d. Art. Ulme.

Weißsaarbaum, Silberpappel, f. d.

weißsieden, frz. blanchir, f. d. Art. Messing.

Weißspießglanzerz (Mineral.), f. Antimon.

Weißstein (Mineral.), f. v. w. Granulit.

Weißstuck, f. d. Art. Stuck.

Weißtanne, f. d. Art. Tanne und Edeltanne.

Weitbänke (Wasserb.), die zur Seiteneinfassung einer Freiarche dienenden Gerinnwände.

Weite eines Schiffs, f. v. w. Breite desselben.

weitsäulig, f. v. w. Aräostylos.

Weitstab, Weitstock, frz. croisillon, engl. transom, auch Kreuzstab genannt; f. d. Art. Fenster.

Welsbaum, f. d. Art. Brustbaum.

Welgerdecke, Welgerholz, f. v. w. Wellerdecke; Wellerholz.

Well, engl., 1) Welle, Treppenspindel; — 2) Quelle, Brunnen.

Welle, frz. mèche, engl. barrel, 1) auch **Wellbaum** gen. (Masch.), auf beiden Enden mit Zapfen in Lagern ruhender prismatischer und cylindrischer Körper, an dem sich Räder, Speichen oder Hebel befinden, denen er als Achse dient. Sie sind von Holz oder Eisen, runden oder quadratischen Querschnitts, massiv oder hohl, je nach den Umständen; f. d. Art. Rad, Haspel, Spindel ꝛc. Der Lage nach unterscheidet man stehende oder verticale, liegende oder horizontale, schiefe oder geneigte. Hölzerne Wellen macht man am liebsten polygon. Fig. 1932 zeigt eine solche, wo aber links ein Stück herausgeschnitten ist, um die Einfügung des Wellzapfens genau sehen zu lassen. Eiserne macht man cylindrisch oder in Form eines Körpers von gleichem Widerstande. Gegossene Wellen, welche besonders stark auf Biegungsfestigkeit beansprucht werden, sollten nie massiv cylindrisch hergestellt werden, weil die Untersuchung derselben auf etwaige Gußfehler unmöglich ist. Man ersetzt hier den Cylinder durch einen Körper von großer Oberfläche und hat hierfür besonders die gerippten (Fig. 1933 und 1934) und die hohlen Wellen. Bei den ersteren kann die Rippenbreite constant oder variabel sein. — Eine große Anzahl von Wellen wird auf Drehungsfestigkeit in Anspruch genommen, insbesondere alle Transmissionswellen, so auch die Wasserradwellen, bei welchen das Zahnrad unmittelbar auf der Welle sitzt; die Schwungradwellen, alle an Arbeitsmaschinen vorkommenden Wellen u. f. w. Unter denselben unterscheidet man bei Berechnung der Stärke schwere und leichte; zu den ersteren

gehören die Wellen an den Motoren selbst, sowie die von denselben unmittelbar getriebenen Wellen bis zu den stehenden Wellen der Fabriken, endlich solche Wellen, welche vielfachen Stößen ausgesetzt sind. Zu den leichten Wellen gehören namentlich diejenigen an Arbeitsmaschinen, die durch Menschenhände getriebenen, die sich von stehenden Wellen abzweigenden Seitenwellen ꝛc. Ist N die zu übertragende Kraft in Kilogrammometern, u die Umdrehungszahl und d der Durchmesser einer Welle, so mache man bei schweren gußeisernen Wellen $d = 190 \sqrt[3]{\frac{N}{u}}$, bei leichten gußeisernen und schweren schmiedeeisernen Wellen $d = 152 \sqrt[3]{\frac{N}{u}}$, bei leichten schmiedeeisernen Wellen $d = 120 \sqrt[3]{\frac{N}{u}}$, wo d in Millimetern

Fig. 1932.

Fig. 1933.

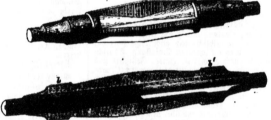

Fig. 1934.

gegeben ist und nicht kleiner als 40 Millim. sein darf. Vgl. auch d. Art. Grindel, Kurbel, Maschine, Dampfmaschine, Armloch, Hakenzapfen ꝛc.; — 2) (Wasserb.) eine Sandbank, die über das niedrigste Wasser hervorragt; — 3) das stehende Holz am Geschleppe einer Stangenkunst; — 4) eine Gliedform; f. d. Art. Glied E. 3. c. und Karnies. Man unterscheidet: a) fallende Welle, f. v. w. Sturzrinne; b) steigende; f. d. Art. Karnies 1; c) verkehrt fallende, auch Kopfrinne genannt; d) verkehrt steigende, auch Kehlleiste genannt; f. Karnies.

Wellenblechdach, f. d. Art. Dachung, S. 605.

Wellenholz, f. d. Art. Bauholz F. I. d.

Wellenkalk, f. d. Art. kalkige Gesteine c. 3 und Lagerung f.

Wellenlinie, frz. ondes, Linie in Wellenform; f. d. Art. Mäander, Indisch, S. 323, Bd. II.

Wellenschnitt, frz. ondé, f. d. Art. Heraldik VI.

Wellenverzierung, auch Wellenzug, frz. nébule, Wolkenverzierung. Verzierung durch stark gewellte Linien; f. d. Art. Corbel.

65*

Wellerdecke, Decke, die man von Strohlehm bildet; s. d. Art. Stakdecke 1, Decke, S. 633, Bd. I, Windelboden 2c.

Wellerholz, frz. palançon; so nennt man die mit Strohlehm bewickelten, für Wellerdecken und Wellerwände bestimmten Stücken Holz.

Wellerwand, 1) s. d. Art. Bleichwand und Stakwand; — 2) massive Lehmwand; a) s. d. Art. Piséebau; b) das Fertigen der eigentlichen Wellerwände, das Abpladen oder Abwellern geschieht folgendermaßen: Lehm wird mit Wirrstroh oder Häcksel angeknetet und dann auf ein Bruchsteinfundament entweder nach einer Bretlehre, ähnlich wie beim Piséebau, oder blos aus freier Hand mit einer Gabel, ähnlich der Mistgabel, aufeinander getragen, etwas festgeschlagen, an den Seiten abgepußt und so fortgefahren, bis zur Höhe von 2½—3 Fuß, dann läßt man es einige Tage stehen und beginnt eine neue Schicht. Fenster- und Thüröffnungen werden mit einem Bret überlegt und darauf wie gewöhnlich gewellert. Man kann die Wellerwand nicht unter 2 Fuß stark machen und rechnet an Material auf 1 Schachtruthe Wellerwand 1½ Schr. losen Lehm und 6 Gebund Stroh.

Wellfuß, Wellkamm, s. v. w. Daumen, s. d.

Well-house, engl., s. d. Art. Brunnen, S. 474.

Welling (Schiffsb.), das sehr breite Bug an einigen Tjalken.

Wellingtonie, Name für Riesencypresse (Sequoia gigantea).

Wellkranz (Mühlenb.), ein Kranz an der Nabe eines Rades, der vorgerichtete Schube zu Aufnahme der Armenden oder einfache Armlöcher hat, in welche, wie in dem Zahnkranz, die Arme eingelegt oder verbolzt werden.

Wellloch (Mühlenb.), zum Durchgang einer Welle dienende Oeffnung in einer Mauer.

Well-puty, engl., s. d. Art. Brunnenmacherkitt.

Wellrad, s. v. w. Rad an der Welle.

Wellring. 1) (Mäderw.), s. v. w. Wellkranz; — 2) gegen das Aufreißen einer hölzernen Welle um dieselbe gelegter Ring.

Well-roof, engl., s. d. Art. Brunnen, S. 474.

Wellsand, s. v. w. Triebsand.

Wellschiff, s. d. Art. Mühle B.

welsche Haube, Helmdach mit geschweisten Sparren; s. d. Art. Haube u. d. Art. Dach A. II. 4.

welsches Dach, s. d. Art. Dach A. I. 6.

Welt. Der weltliche Sinn wurde in der mittelalterlichen Kunst häufig symbolisch dargestellt als schönes Mädchen, dessen Rückseite von Würmern zerfressen wird.

Weltei, s. d. Art. Aegyptisch und Persisch.

Weltfeuer, s. d. Art. Beischwänz-Atma.

Weltkugel, s. Reichsapfel u. Jesus Christus.

Welttheile. Die Welttheile stellt man in der Regel als weibliche Figuren allegorisch dar und zwar: Europa als Minerva, Asien als reichgekleidetes Weib mit dem Halbmond, Afrika als Negerin, Amerika als Indianerin mit einem Hauptschmuck und Leibschurz von Federn geziert; als Attribut kann man zur Seite der drei Gestalten resp. ein Kameel, einen Elephanten oder Löwen und einen Greifgeier anbringen.

Wende, in Niedersachsen Feldmaß = 60 Ruth.

Wendebock, drehbares liegendes Kreuz; an

stehender Welle angebracht, wo ein Kunstgestänge waagerecht gebrochen werden soll.

Wendecurve, s. d. Art. Fläche, S. 65, Bd. II.

Wendedocke, s. d. Art. liegender Zwieling.

Wendehaken, s. v. w. Kantring.

Wendehals, s. d. Art. Jynx.

Wendel, s. v. w. Wendeltreppe.

Wendelbaum, s. v. w. Treppenspindel.

Wendelin, St., Patron der Kühe, Schafe und Schäfer und der Stadt Rheims, ein schottischer Königssohn; floh in einen Wald nach Turin, wurde Schweinehirt, dann Schafhirt bei einem Edelmann, dann in seiner Heiligkeit erkannt, von einem nahen Kloster zum Abt gewählt, entdeckte kurz vor seinem Tode 1015 seinem Beichtvater seine Herkunft. Aus dem Wallfahrtsort an seinem Grab entstand das Städtchen St. Wendel bei Trier. Er wird dargestellt als Knabe, umgeben von Schafen oder Lämmern.

Wendelsäule, Drehständer eines Schleußenthores; s. d. Art. Schleuße.

Wendelstufe, franz. marche dansante, engl. winder, gewundene Stufe, gewendelte Stufe; s. d. Art. Treppe.

Wendeltreppe, lat. cochlea, frz. escalier en limaçon, coquille, engl. turnpike-stairs, turngreee, s. d. Art. Treppe, Luftsäule, Spindel, Hohltreppe 2c.

Wendepunkt, Wendungspunkt, s. d. Art. Curve, S. 583, Bd. I, und Inflexionspunkt.

Wendesappe, s. d. Art. Sappe und Belagerungsarbeiten.

wendischer Dachstuhl, s. d. Art. Dach, S. 591.

Wendungshahn, Wendungspiper (Maschinenb.), s. v. w. Steuerhahn; s. d. Art. Steuerung.

Wenzeslaus, St., Patron von Breslau, Ollmütz und Böhmen, Sohn des Herzogs Bratislaus von Böhmen; von seiner Großmutter Ludmilla erzogen, entriß er später seiner heidnischen Mutter Drahomir die Herrschaft und wurde auf deren Anstiften von seinem heidnischen Bruder Boleslaw i. J. 938 erstochen. Dargestellt wird er mit der Königskrone, geharnischt, mit einer grünen Kreuzesfahne und Schild, darin ein Adler; zur Seite ein Schwert.

Werder. 1) s. Insel 1; — 2) s. v. w. Wart.

werfen, frz. se déjeter, engl. to warp. Wenn durch Einwirkung des Wetters ebenbearbeitetes Holz windschief wird und so seine gerade Gestalt verliert, sagt man: „es wirft sich". Die meisten Bäume nämlich drehen sich beim Trocknen zu einer Spirale. Hat man nun das Holz zu frisch verwendet, so tritt diese Drehung nach der Verarbeitung ein und wird oft dem Verband schädlich, indem kein Nagel oder Bolzen es in dieser Bewegung aufzuhalten vermag. Eigenthümlich ist die Erscheinung, daß die meisten Stämme sich oben rechts herum drehen; s. übrigens d. Art. Aufreißen, Reißen, Auslaugen, Holz, S. 270, Bd. I. 2c.

Werft, frz. chantier, engl. wharf, s. d. Art. Schiffswerft, Hafen, Schiff, navale 2c.

Werstkäfer, s. d. Art. Holznager.

Werg, eigentlich Werrig, Wirrig, frz. étoupe, engl. oaknm, span. estopa, Abgang von Hanf oder Flachs, der versponnen werden soll; wird gebraucht zum Verdichten der Fugen, z. B. zum

Kalfatern der Schiffsfugen, der Fugen in den Archenwänden, zum Libern der hölzernen und eisernen Röhrstücke, der Bentile, zur Reinigung der Brunnenröhren ꝛc.; s. übrigens d. Art. Fuge, Spalten, Roller ꝛc.

Werk, 1) s. v. w. Hüttenwerk, Eisenhammer ꝛc. — 2) S. v. w. Maschine. — 3) S. v. w. Werkblei. — 4) S. v. w. Kupfererz, überhaupt Erz. — 5) S. v. w. Festungswerk. Man unterscheidet da z. B.: a) einbohrende Werke, welche so angelegt sind, daß die Schüsse bohrend sind; b) streifende, rasirende Werke, mit geringem Commandement; c) versagte, retirirte Werke, solche, welche im Innern eines anderen liegen und nicht eher in Activität treten, als bis das Hauptwerk genommen ist; d) vorwärts gelegene Werke oder Außenwerke, sämmtliche Werke, welche über den gedeckten Weg hinausliegen ꝛc. Weiteres s. u. d. Art. Festungsbaukunst.

Werkbank, franz. établi, Arbeitstisch; s. d. Art. Drehbank, Hobelbank und Werkstätte.

Werkblei, das unmittelbar aus dem Bleierz erhaltene unreine Blei.

Werkeisen, Werkhammer, Hammer zum Zerschlagen des Roheisens, zum Schmieden des Stab- u. Zaineisens ꝛc., hat eine breite und eine spitze Bahn.

Werkfuß, Werkschuh ꝛc., s. d. Art. Baumaaß und Maaß, S. 483 ff.

Werkholz, s. v. w. Stützholz, Bauholz.

Werkholznagekäfer, s. d. Art. Nagekäfer (Anobium striatum), vergl. auch d. Art. Bohrkäfer.

Werkloch, Arbeitsloch im Glasofen, s. d.

Werkmaaß, franz. verge ordinaire, engl. linear-measure, s. d. Art. Baumaaß und Maaß.

Werkmeister, s. d. Art. Bauhütte 2 und magister operis.

Werkmühle, Maschine, die in einer Fabrik aufgestellt ist.

Werkosen, s. d. Art. Glas.

Werkriß, s. d. Art. Bauzeichnung.

Werksatz, frz. étalon, Dachriß, Grundriß des Dachverbandes, Zeichnung für die Zulage, wird in der Regel ohne Sparrwerk aufgezeichnet, so daß blos die Mauerlatten, die Balkenlage, die Schwellen und Rähmen, Kehlen, Balken ꝛc., kurz alle horizontal liegenden Hölzer angegeben werden.

Werkstatt, Werkstätte, Werkstelle, boutique, ouvroir, atelier, Arbeitsraum eines Handwerkers. Dieser Raum sollte stets hell und sehr gut ventilirt sein. Am besten liegen sie im Erdgeschoß, nur um wenig Stufen erhöht. Die Werkstätten für Feuerarbeiter müssen mit einer Heerdfeuerung versehen sein; die Werkstätten für Holzarbeiter sollten stets nur von Hand gemacht werden; die Werkstätten für Steinarbeiter bedürfen vor allen ganz sorgfältige Ventilation. Bei Feuerarbeitern rechnet man in der Regel in der eigentlichen Schmiedewerkstatt für Schmiede, Schlosser ꝛc. pro Arbeiter 50 □Fuß; in Feilwerkstätten, wo Arbeitstische, Werktische, an die Fensterwand gestellt werden, pro Arbeiter 4 Fuß laufend Tischlänge und incl. dem Arbeitstisch 30 □Fuß, bei Holzarbeitern, Zimmerleuten, Tischlern ꝛc. für jeden Arbeiter eine Werkbank von 3 Fuß Breite und 12 Fuß Länge und incl. derselben 60 □Fuß.

Werkstein, frz. pierre de taille, engl. freestone, s. v. w. Haustein.

Werkstempel, s. v. w. Wendebock.

Werkstück, s. v. w. Quader, behauener Stein.

Werkzeug, frz. outil, das für einen Bauhandwerker nöthige Arbeitsgeräth, wie für den Maurer: Kelle, Kalkfaß, Hammer ꝛc.; für den Zimmermann: Art, Säge, Winkeleisen, Breitbeil ꝛc. Die wichtigsten Werkzeuge sind in einzelnen Artikeln behandelt.

Werner, St., frommer Bauersohn aus Wannerod, i. J. 1235 von den Juden in Oberwesel gemartert. Die Leiche sollte nach Mainz geschafft werden, aber das Schiff ging nur bis Bacharach. Tag der 19. April. Er wird dargestellt als Bauernknabe; s. d. Art. Kinder.

Werschock, s. d. Art. Maaß, S. 487.

Werst, russische Meile; s. d. Art. Meile.

Weseke, s. v. w. Waseke.

Westchor, frz. contre-apside, engl. western apse, zweiter Hauptchor am Westende der Kirche mit oder ohne Apsis, oft mit einer zweiten Krypta; stets einem besonderen Heiligen, gewöhnlich dem Compatron der Kirche, gewidmet. Die ältesten Beispiele sind das Westchor der Reparatusbasilite zu Orleansville in Algerien aus dem 5. Jahrhundert und das in Fulda nach 755 errichtete; s. übrigens d. Art. Kirche.

westindisches Cedernholz, s. Cedernholz.

westindisches Gelbholz, s. d. Art. Gelbholz 3.

Westseite, die nach Westen gerichtete Seite, die in der Regel am meisten durch die Nässe leidet, daher auch Wetterseite heißt.

Wetter (Bergb.), unterirdische Luft in einem Stollen.

Wetterableiter, s. v. w. Blitzableiter.

Wetterbau, Ventilationsbau in einem Bergwerk; s. d. Art. Wetterlotte.

Wetterbeständigkeit, s. d. Art. Bausteine, S. 291, Bd. I.

Wetterbläser, Wettergebläse, Wettermaschine, Wetterlosung, das frische Luft in einen Stollen treibende Gebläse; s. d. Art. Gebläse, Ventilation und Grubenbau, S. 215.

Wetterbret, 1) Zum Schutz einer freistehenden Wand oder eines anderen dem Wetter ausgesetzten Gegenstandes angebrachte kleine Verdachung von Brettern oder Schindeln; — 2) engl. vergeboard, Bretverkleidung des letzten Sparrens und der Dachlattenenden an einem nicht mit Brandmauern versehenen Satteldachgiebel.

Wetterbusch, s. d. Art. Hexenbesen.

Wetterdach, engl. oriel, pentice, über einem Adergeräthschuppen oder vor dem Eingang in ein Gebäude ꝛc. zum Schutz angebrachtes leichtes Dach, häufig nur von Brettern.

Wetterfahne, Windfahne, Wachsfahne, französ. gabet, girouette, altfranz. bainiere, engl. fane, vane, auf Thurmspitzen und Dachfirsten aufgesetzte kleine Metallfahne zur Beobachtung des Windes. Die ältesten sind aus Blei, die späteren meist aus Eisen verfertigt. Sie kommen im Mittelalter schon sehr frühzeitig vor. Bei ihrer Construction muß man hauptsächlich darauf bedacht sein, daß die Spindel genau lothrecht stehe; auf dieſe Spindel iſt eine Röhre aufgeſtectt, an der ſich die eigentliche Fahne befindet. Die eine Fläche der Fahne ſei, damit ſie der Wind faſſen kann, größer als die andere, welche aber genau daſſelbe Gewicht haben muß, da ſonſt die Reibung zu groß wird. Am beſten thut man, die Röhre oben zu ſchließen und eine Glaskugel in dieſelbe zu ſtecken, weil dieſe ſich auf dem Kopfe der eiſernen Spindel am leichteſten dreht, ohne einzuroſten oder zu treiſchen. Unter die Wetterfahne kann man ein liegendes Kreuz mit der Bezeichnung der Haupthimmelsgegenden anbringen, was aber ganz genau orientirt ſein muß; ſ. übrig. d. Art. Anemoſtop.

wetterfeſt, dem Einfluß des Wetters widerſtehend; ſ. d. Art. Bauſtein, Bauholz ꝛc.

Wetterglas, ſ. d. Art. Barometer.

Wetterhahn, franz. coq de clocher, engl. weathercock, Wetterfahne (ſ. d.) in Geſtalt eines Hahnes; über die ſymboliſche Bedeutung ſ. d. Art. Hahn und Symbolit. Vgl. auch d. Art. Fahne.

Wetterhütte, Berge, ſ. v. w. Feldſchuppen, proviſoriſche Scheune.

Wetterkaſten, Wetterkläppe, Wetterleitungsröhre, Wetterlutte, Wetterung, Wetterlotte, Luſtkiſte (Bergb.), franz. conduit à vent. Alle dieſe Namen bezeichnen gut zuſammengefügte, viereckige bretterne, mit Ventilen verſehene Canäle zur Beförderung des Luftzuges in der Grube und Fortſchaffung der beſchwerlichen böſen Wetter oder unreinen Dünſte; ſ. auch d. Art. Grubenbau, Lutte, Ventilation, ſowie Schornſtein.

Wetterkluft, ſ. v. w. Eiskluft, ſ. d. und d. Art. Verwitterung.

Wetterlid, Ventil im Wetterkaſten.

Wettern, ſo heißen im Bremiſchen die Ufer von Abzugscanälen, Sieltiefen ꝛc.

Wetternaſe, ſ. v. w. Wetterſchenkel.

Wetternwall, Wall zur Erhöhung der Wettern.

Wetteroſen (Bergb.), zu Verdünnung der Luft in der Wetterlotte dienender Ofen; ſ. d. Art. Ventilation.

Wetterrad, Wettertrommel, Fächer (Bergb.), eine der wirkſamſten Wettermaſchinen, beſteht aus einer Welle mit 5—8 Windflügeln, durch Getriebe und Kurbel bewegt, mit einer Trommel umkleidet, am Fuß der Wetterlotte angebracht.

Wetterſatz, Wetterſauger, auch Wetterſaugmaſchine, durch Saugwerk thätige Wettermaſchine; ſ. d. Art. Grubenbau, S. 215, Bd. II.

Wetterſchacht (Bergb.), beſonders angelegter Schacht für die Anlage von Wettermaſchinen; ſ. d. Art. Grubenbau, S. 212.

Wetterſchenkel, ſ d. Art. Fenſter, Schenkel ꝛc.

Wetterſeite, ſ. d. Art. Weſtſeite.

Wetterſtange, ſ. d. Art. Blitzableiter.

Wetterſtein, ſ. d. Art. Dammſtein.

Wetterſtrecke, Wetterſtollen (Bergb.), friſche Luft zuführende Strecke oder Stollen; ſ. d. Art. Grubenbau, S. 212.

Wetterſtuck, ſehr dauerhafter, bei Kellermauern, landwirthſchaftlichen Gebäuden, Schornſteinen ꝛc. zu empfehlender Putzmörtel, aus 2 bis 3 Theilen reinem groben Kieſelſand und 1 Theil Kalt; um dem Bewurf mehr Haltbarkeit zu ſchaffen, ſind in dem mit Wetterſtuck zu überziehenden Mauerwerk die äußeren Steinfugen offen zu laſſen.

Wetterthür (Bergb.), 1) bei Wettermaſchinen die Fall- und Klappthüren; — 2) Thür in einer Strecke zu Verhütung zu ſtarken Luftzuges.

Wetterung, 1) (Waſſerb.) Graben, der nach einem Siel führt; — 2) auch Wetterlotte, Weiterung genannt, ſ. v. w. Wetterkaſten.

Wetterwechſel, Wetterzug, Wetterloſung, ſ. v. w. Luftwechſel in einem Bergwert.

Wetzſchiefer, auch Oelſtein, Hirſchhornſtein, Novaculit, Schleifſtein genannt, Thonſchiefer (ſ. d.) von unvollkommenem Schiefergefüge und ſplitterigem Bruche, hat feine beträchtliche Härte, eignet ſich jedoch wegen ſeines feinen Kornes ſehr gut zum Schleifen, Wetzen, Abziehen von Meſſern, auch zu Farbenplattenläufern ꝛc.; das Geſtein, welches gewöhnlich grünlichgrau oder gelb gefärbt iſt, enthält manchmal Quarzadern, die ſchädlich ſind, während ganz fein vertheilte Quarztörner es etwas härter machen, ohne ſeiner Nutzbarkeit zu ſchaden; ſ. auch d. Art. Lagerung k.

Wetzſtein, Barbierſtein, Streichſchale, Abziehſtein, frz. cous. 1) Natürliche beſtehen in der Regel aus Wetzſchiefer, ſeltener aus Lithographirſtein; durch Tränken mit Oel werden ſie feiner und härter, beim Wetzen gewöhnlich mit Waſſer an. — 2) Künſtliche Wetzſteine werden a) zu Pfedelbach in Württemberg aus fein gemahlenem Schiefer- und Sandſtein hergeſtellt; nachdem die fertige Maſſe entſprechend geformt iſt, werden daraus durch Glühen im Töpferofen brauchbare Wetzſteine, welche zugleich noch die gute Eigenſchaft beſitzen, die Waare nicht zu ſchnell abzunutzen, wogegen die Abnutzung des Steines ſelber etwas ſchneller eintritt. b) Plaſtiſcher Thon wird gut geſchlämmt, dann wird feiner Quarzſand ausgewaſchen und fein geſiebt, zu ¼ bis zu ⅐ dem Thon beigemengt, der Stein geformt, gut lufttrocken gemacht und in einem Ziegel-, Töpfer- oder Kalkofen gebrannt; durch weniger Thon und längeres Brennen werden ſie härter, durch die Qualität des Sandes feiner oder gröber. Um die Vereinigung von Thon und Sand inniger zu machen, wird ⅛ trocken gelöſchter Kalk und ⅛ calcinirte Pottaſche zugeſetzt.

Wey, ſ. d. Art. Maaß, S. 498, Bd. II.

Weyfeld, ſ. d. Art. Wayfeld und Deich.

Weymouthskiefer (Pinus strobus, Fam. Coniferae, ſ. d. Art. Kiefer. Kommt aus Nordamerika, erreicht in 80 bis 100 Jahren eine Höhe von 120—140 Fuß und einen unteren Durchmeſſer von 3—4 Fuß. Das Holz iſt feinfaſerig, nicht ſehr feſt und wenig elaſtiſch. Farbe weiß. Iſt ein gutes Bauholz, aber nicht an naſſen und feuchten Orten. Dient vorzüglich zu Schiffsmaſten. 1 Cubitfuß friſch wiegt 30—36 Pfund.

Wheel, engl., Rad; wheel window, Radfenſter; wheel of providence, Glücksrad.

white, engl., weiß; to whiten, bleichen white lead, Bleiweiß.

white China, engl., 1) Chinaſilber; — 2) chineſiſches Porzellan.

Whitelaw'ſche Turbine, ſ. d. Art. Turbine.

Wichel, weiße Weide; ſ. d. Art. Weide.

Wichſe, 1. Für Fußböden. S. d. Art. Wachs und Parquet. a) Für tannene Fußböden empfiehlt ſich folgende Wichſe, welche gleich wieder entfernt werden kann: Man löſt 1 Gewichtstheil gereinigte

Potasche in 10 Thln. Wasser, erhitzt die Lösung und setzt 2 Thle. gelbes Wachs zu; wenn das Aufbrausen aufgehört hat, setzt man noch 10 Theile warmes Wasser zu und bringt die so erhaltene Wachsmilch auf Flaschen. Vor dem Gebrauch schüttelt man die Wachsmilch gut durch und streicht mit einem Pinsel dünn auf; durch Reiben mit wollenen Lappen nach dem Trocknen erhält man schönen Glanz. Bei alten Fußböden giebt man zuerst einen dünnen Leimanstrich, weil sonst von der Wachsmilch zu viel aufgesogen würde. b) Für Fußböden von Eichenholz wendet man zur Bereitung der Wachsmilch auf 1 Thl. Wachs höchstens ¼ Thl. Potasche an. Will man dem Fußboden eine Farbe ertheilen, so setzt man der Wachsmilch etwas Ocher zu. c) Für Fichtenholz u. Tannenholz ist ein Anstrich von Leinölfirniß und Wichsen·desselben mit Wachs in Terpentinöl gelöst, oder Ueberziehen mit einem Schellackfirniß sehr zu empfehlen; diese Ueberzüge sind schön und von großer Dauerhaftigkeit. d) Man erhitze gutes Leinöl bis nahe zum Kochen und rühre pro Pfd. 1 Loth fein geriebene Glätte ein; dann füge man ½ Quentchen kohlensaures Manganoxydul, 4 Loth fein geriebenen gelben Ocher und 1 Loth Terra di Siena hinzu. Mit dem noch heißen Firniß streiche man zuerst die Fußböden an. Nach drei Tagen giebt man abermals einen etwas dünneren Anstrich mit heißem Firniß. Nach abermals drei Tagen kann man dann mit der Lösung von Wachs in

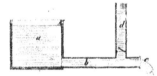

Fig. 1935.

Terpentinöl oder besser mit Bohnwachs (Stearinsäure mit einer gleichen Menge Terpentinöl gemischt) Glanz geben. e) Die Wachswichse auf einem mit Leinölfirniß getränkten Fußboden kann sehr zweckmäßig durch einen Spirituslack ersetzt werden. Man löst 3 Theile guten Schellack in 10 Theilen kalten Spiritus, gießt diese Lösung in eine warme Lösung von ¾ Theilen Terpentinöl mit ¾ Theilen Elemiharz. Mit diesem Firniß streicht man die Leinölfirnißböden 2 Mal an. Nach wenigen Stunden ist der Fußboden benutzbar.

2. Wichse für Möbel, dargestellt durch Vermischung von Stearinsäure oder Paraffin mit einer gleichen Menge Terpentinöl. Für Mahagonimöbel kann man etwas Carmin zusetzen. Bisweilen färbt man die Wichse auch mit fein gepulvertem Sandelholz und gelbem Ocher; sie giebt aber dann weniger Glanz. b) Man läßt 4 Thle. Wachs unter Zusatz von 3 Thln. Terpentinöl über dem Feuer vorsichtig zergehen und rührt, nachdem die Masse etwas erkaltet ist, 2 Thle. Spiritus von 90% lauwarm ein. c) Für lackirtes Leder: 5 Theile Stearinsäure oder Paraffin in 7 Thln. Terpentinöl werden warm gelöst und bis zum Erkalten fortwährend gerührt, wobei 3 Thle. Kienruß zugesetzt werden. Die erkaltete Wichse wird auf ein dünnes Läppchen gebracht und das

lackirte Leder damit tüchtig eingerieben; zuletzt reibt man mit reinen Lappen blank. Zur Färbung nimmt man Terra di Siena, Umbra, Ocher ꝛc.

wichsen, s. d. Art. Bohnen und Wichse.

Wicket, engl., frz. guichet, Pförtchen, Einlaß, Guckfenster.

Widar (nord. Mythol.), bei den Asen Gott der Männlichkeit, Kraft und Schweigsamkeit (Herkules und Harpokrates).

Widder, 1) das Thier ist Attribut des Ammon, Abraham, Daniel ꝛc.; — 2) Belagerungsmaschine, s. d. Art. Aries und Kriegswidder; — 3) hydraulischer Widder, frz. bélier hydraulique, auch Stoßheber genannt, eine von Montgolfier erfundene Wasserhebmaschine, bei welcher die

Fig. 1936. Hydraulischer Widder.

Kraft des fallenden Wassers benutzt wird, um einen Theil des Wassers höher zu heben als das Gefälle beträgt. Sei a (Fig. 1935) der Wasserspiegel eines Bassins, b im Abflußrohr und d das Steigrohr, so wird bei plötzlicher Verschließung von c das Wasser in d etwas aufsteigen und über die Klappe treten. Bei Wiedereröffnung von c wird sich die Klappe schließen, bei zweitem Verschluß von c wird wieder etwas Wasser übertreten und so fort, bis die Wassersäule über der Klappe dem Stoß das Gleichgewicht hält und so das untere Wasser die Klappe nicht mehr aufheben kann. Eine etwas complicirtere Form zeigt Fig. 1936, in Saint-Cloud von Montgolfier selbst ausgeführt. A ist das Zuleitungsrohr. Das zuströmende Wasser hebt, wenn es in voller Strömung ist, das Sperrventil B in einem cylindrischen Aufsatz des Rohres, sperrt sich so dem Ausgang, erleidet eine Stockung und stößt in Folge dessen die Steigventile E E auf. In Folge des dadurch geöffneten Ausweges verliert das Wasser seine Geschwindigkeit, B sinkt wieder herab, E E wird geschlossen und das Spiel beginnt von Neuem. Die Luft im Windkessel C mäßigt den Stoß des Wassers und befördert das genügend lange Aufbleiben von E E; der Windkessel F aber bewirkt ein gleichmäßiges Aufsteigen des Wassers im Steigrohr G.

Widderhörner, 1) die, um das Abrutschen des Seiles zu verhindern, um die Peripherie eines Seilrades hervorragenden Gabeln; — 2) s. d. Art. Ammon.

Widderkopf, als Verzierung; s. d. Art. Altar. Ammon, Metope, Dorisch, Römisch ꝛc.

Widerhalter, s. v. w. Strebepfeiler.

Widerlage, Widerlager, 1) frz. contre-fort, culée, engl. buttres, abutment, Hintermauerung, Stützmauer, die dem Seitenschub eines Bogens oder Gewölbes widersteht und das Ausweichen verhindert; — 2) frz. arrachement, die an die Widerlagslinie treffende Steinschicht, auch die daselbst eingebauene oder beim Mauern angelegte Furche für die Einlegung der ersten Wölbschicht. S. übrigens d. Art. Gewölbe, Bogen, Brücke, Kämpfer, Druck, Wölbung ꝛc. Ueber hölzerne Widerlager, frz. caisson, s. d. Art. Arche 7 und Brücke; über eiserne s. d. Art. Eisenbau, S. 694.

Widerlagshöhe, Höhe von der Widerlagslinie bis zur Oberkante der Hintermauerung, doch auch Höhe des Pfeilers oder dergl. vom Erdniveau bis zum Widerlager.

Widerlagslinie, franz. naissance de voûte, Anfangslinie des Gewölbes.

Widerlagspfeiler, Widerlager, sobald es nicht aus einer fortlaufenden Mauer, sondern aus einem einzelnen Pfeiler besteht; s. d. Art. Brücke.

Widerlagsschuh, s. d. Art. Brücke, S. 460 und d. Art. Eisenbau.

Widerlagstärke, Mauerstärke, welche das Widerlager unbedingt haben muß, um nicht dem Gewölbdruck zu weichen. Einige Angaben zu leichter Berechnung der Widerlagsstärke s. unt. d. Art Wölbung.

Widerlagstein, ist der bei einem Gewölbe das Widerlager, die unmittelbare Stütze bildende Werkstein, der oberste Stein der Widerlagsmauer; s. d. Art. Kämpfer.

Widerlagswand, s. v. w. Landfeste; s. Brücke.

Widerspenstigkeit, s. d. Art. Kardinaltugenden 12.

Widerstand (Mech.), eine solche Kraft, welche keine Bewegung zu erzeugen, sondern sie nur zu hindern oder zu verändern vermag, wie die Reibung, die Seilsteifigkeit; s. d. betr. Art. Ein Körper von gleichem Widerstand ist ein solcher, bei welchem alle Querschnitte durch eine Kraft, welche dieselbe zu zerreißen sucht, gleich stark in Anspruch genommen werden; s. d. Art. Kraft.

Widerstandslinie, 1) (Minenb.) kürzeste Widerstandslinie ist die aus dem Mittelpunkt der Pulverkammer einer Mine gegen die Explosionsfläche gefällte Perpendikel; — 2) bei Wölbungen s. v. w. Drucklinie; s. auch d. Art. Gewölbe und Bogen, S. 400, Bd. I.

widerwüchsiges Holz, s. v. w. gedreht gewachsenes Holz.

Width of an arch, engl., Bogenweite, Spannung.

Wiebeking'sche Bogenbrücke, s. d. Artikel Brücke, S. 459, Bd. I.

Wiede, Wiepe, Wippe, Wehde, Bindgerte, Weidenruthe, zum Binden gebraucht. Sie müssen vor dem Austrocknen bewahrt werden, und werden daher am besten bis zum Gebrauch unter Wasser aufbewahrt, dann aber schraubenförmig gedreht; s. d. Art. Faschine u. Weide, sowie d. Art Bähen.

Wiedebank, s. v. w. Weidebank.

Wiedenstock, Windestock, Benennung für drei dicht neben einander eingeschlagene Pfähle, um welche die Wieden gedreht werden.

wiedergekrücktes Kreuz, s. Kreuz C. 29.

Wiederkehr, 1) s. v. w. Einkehle; s. d. Art. Einkehle, Kehle und Dachkehle; — 2) s. v. w. Verkröpfung, namentlich in zwei eingehenden Winkeln nahe bei einander.

Wiederkreuz (Herald.); s. d. Art. Kreuz C. 30. Das Wiederkreuz mit gemeinem Fuße hat an den drei oberen Spitzen kleine Kreuze, aber am Fuß keins.

Wiederwuchs, s. d. Art. Anflug 1.

Wiegmann'sches Brückensystem, s. d. Art. Brücke, S. 464, Bd. I.

Wiener Grün, s. d. Art. Mitisgrün.

Wiener Kalk, gebrannter Dolomit, ein sehr geschätztes Polirmittel, besteht aus 63,5 Kalk, 33,8 Magnesia, 2,5 Thonerde, Spuren von Eisenoxyd.

Wiener Lack; so nennt man verschiedene rothe Farblade, theils Carmin-, theils Rothbollade, Abkochungen von den Rückständen der Carmindarstellung oder des Rothholzes mit Alaun. Diese Lacke kommen auch unter den Namen Florentiner Lack, venetianischer Kugellack, Münchner und Pariser Lack im Handel vor.

Wiener Metall, zinnfarbige Legirung von gleichen Theilen Kupfer und Antimon.

Wiener Weiß, feine weiße Kreide.

Wiepe, 1) zum Eindecken verwendetes Bündel Stroh; — 2) s. v. w. Wiede; — 3) s. v. w. Faschine.

wiepen, ein Dach wiepen heißt: zwischen die Dachziegel kleine Strohwische einlegen.

Wier (niederl.), s. v. w. Art Seegras.

Wierdeich. Man giebt dem Hauptdeich eine sehr steile Böschung und breite Kappe. Die steile Böschung wird dann mit Wier so fest wie möglich verpackt, 6—8 Fuß breit und etwas höher als die Deichkappe. Unterhalb wird meist eine steinerne Böschung vorgelegt.

Wiesenbewässerung, Wiesenberieselung, s. d. Art. Bewässerung; zur Ergänzung noch Folgendes: Es ist bekannt, daß jeder geographischen Lage eine mittlere Temperatur der Erde zukommt, welche in einiger Tiefe in derselben wirklich auch angetroffen wird; das hingegen an der Oberfläche des Bodens die Temperatur täglich und stündlich wechselt, im Sommer die mittlere übersteigt und im Winter unter derselben bleibt.

Quellen, welche aus der Erdrinde entspringen, theilen an ihrem Ursprung diese mittlere Temperatur; haben sie eine andere, so sind es Quellen, deren Wasser die Tiefe nicht erreichen, wo die mittlere Temperatur herrscht, oder denen andere Quellen zufließen. Nur im Sommer können Quellen eine höhere als die mittlere Temperatur annehmen; haben sie dieselbe immer, so sind es Mineralquellen, die aus größerer Tiefe kommen.

Die verschiedene Temperatur des Berieselungswassers muß nothwendig einen Einfluß auf das Wachsthum der Pflanzen äußern, und das zeigt sich in auffallender Weise im Norden, wo die Temperatur der Quellen bis 0° fällt. Man hüte sich daher, mit solchen Quellen direct zu wässern, vielmehr suche man sie in Gräben zu fassen und auf dem kürzesten Weg zu entfernen oder erst in Teichen zu sammeln, damit die Luft sie erwärme, ehe man sie zur Bewässerung anwendet. In ganz hohen Breitengraben, wo die mittlere Temperatur der Quellen nicht so weit herabsinkt, hört ein derartiger ungünstiger Einfluß ganz auf.

Wiesenerz (Mineral.), Raseneisenerz, Limonit; s. d. betreff. Art.

Wigbertus, St., irischer Einsiedler, von Bonifacius nach Deutschland berufen; Abt zu Ordorf, dann zu Fritzlar, starb 741 und wurde in Hersfeld begraben, dessen Patron er ist. Er zerstörte in Fosteland einen Götzentempel; abzubilden als Abt.

Wild; solches erhalten viele Heilige als Attribut, z. B. Germanus von Auxerre, Florenz von Straßburg zc.; vgl. auch d. Art. Hirsch, Hubertus, Jäger zc.

Wildbach, s. d. Art. Bach.

wilde Mauer, s. d. Art. Bruchsteinmauer.

wilde Steine, s. v. w. Findlinge, Feldsteine.

wildes Wasser (Mühlenb.), das durch das Freigerinne abgeführte überflüssige Wasser.

Wildgraben (Mühlenb.), Verbindungscanal zwischen dem Ober- und dem Unterwasser eines Mühlarabens.

wildkantig, s. d. Art. Baumkantig.

Wildpark, Wildgarten, Park, Thiergarten, eingezäunter Waldtheil zum Aufenthalt für oder in der Gegend sonst seltenes, daher gehegtes Wild; muß einen Weiher oder sonstiges reines Wasser enthalten. An einer Blöße legt man die Fütterungsstätte an; ferner ist ein Wohnhaus für den Wildhüter nöthig.

Wildzaun, lat. bersa, 1) 8 Fuß hohe Umfassung eines Wildparkes, aus jungen Baumstämmen bestehend, am Rand eines Grabens; — 2) s. v. w. gewachsener grüner Zaun.

Wilgeboom, ist eine Weidenart des Kaplandes (Salix gariepina Burchell., Fam. Salicineae), die an den Ufern des Gariepflusses wächst. Sie wird bis 20 Fuß hoch und hat ein leichtes, weiches Holz, dem die Würmer sehr gern nachgehen. Die zähen Zweige dienen, wie diejenigen unserer Weiden, zu Flechtarbeiten.

Wilgefortis, St., aus Virgo fortis entstanden, Tochter eines heidnischen portugiesischen oder niederländischen Königs; als ihr Vater ihrer begehrte, bat sie Gott um Verunstaltung; hierauf wuchs ihr ein abscheulicher Bart; ihr Vater ließ sie kreuzigen. Daher heißt sie auch St. Kümmerniß. Ihr Bildniß war meist mit langem Rock ohne Gürtel, langem Haupthaar, männlichem Bart, geschlossenen Augen versehen und glich in Stellung zc. ziemlich dem Crucifixus; auf dem Haupt trug sie eine Krone, und das Suppedaneum (Fußbret) fehlt; der rechte Fuß ist nackt, der linke trägt einen Schuh.

Wilhelm, Guilelmus, St., 1) Wilhelm von Montpellier, großer Mariaverehrer; aus seinem Grabe wächst eine Lilie mit den Worten Ave Maria hervor. — 2) Wilhelm von Roeskild, Zögling des Hugo, Abts von St. Germain aux Prés. Abt von Roeskild in Dänemark, starb 1102. Er ist darzustellen als Abt mit einer Fackel, die sich auf seinem Grab entzündete. — 3) Wilhelm, Stifter von Monte Virgine in Galeto bei Nusio, Patron von Madrid; abzubilden mit einem Wolf, der im Kirchenbau helfen mußte. — 4) Wilhelm

Firmatus, Bischof von Brieue in der Bretagne; flüchtete vor einem geilen Weib und brannte sich mit Lichtern am Arm, um die Sinneslust zu unterdrücken; starb 1241. Abzubilden mit verbranntem Arm und einem Raben, der ihm den Weg zum Gelobten Lande zeigt. — 5) Wilhelm von Aquitanien, unbändig, fehdelustig, wurde von St. Bernhard bekehrt, indem er auf blosem Leib einen Lederpanzer trug und sich mit 10 schwer lösbaren Ketten gürtete, dann aber barfuß und mit Fußschellen nach Rom wanderte (um 1150). Der Patriarch von Jerusalem sprach ihn endlich los. Er starb i. J. 1156 als Einsiedler. Abzubilden als Ritter mit einem Schwert, oder als Benedittiner mit einer Rüstung zur Seite.

Willehad, St., Bischof von Bremen, erster Bischof dieser Stadt, kam aus England nach Friesland, starb 790; darzustellen als Bischof, mit zertrümmerten Götzenbildern.

Willibald, St., Sohn des Richard von Wessex, i. J. 700, nach Andern 704 geboren, wallfahrtete als Kind mit Bruder und Vater nach Rom; wurde, da der Vater in Lucca starb, mit dem Bruder Wunibald Benedittiner. Wunibald zog wieder nach England, Willibald wallfahrtete mit 2 Engländern unter vielen Entbehrungen nach Palästina, wurde in Emesa als Spion gefangen, endlich durch den Kalifen befreit; nach 7 Jahren kehrte er nach Italien zurück und war 10 Jahre lang in Montecasino, ging dann als Heidenbekehrer nach Deutschland und starb i. J. 791, nach Andern 786, als Bischof von Eichstädt. Abzubilden als Bischof mit dem Nationale, am rechten Arm das Wort Fides, am Hals Spes, am linken Arm Charitas.

Willibrord, St., geborener Engländer, von Egbert im Kloster Rippon erzogen, kam 690 als Apostel nach Friesland, wurde 696 in Rom zum Bischof von Utrecht gemacht, taufte 30 Knaben und erzog sie zu Missionären; starb i. J. 739; ist Patron von Friesland und Utrecht und darzustellen als Bischof, einen Knaben tragend.

Willigis, St., Erzbischof und Patron von Mainz, Erbauer des dortigen Domes. Abzubilden mit einem Rad, weil er eines Radmachers Sohn gewesen. Nach Andern war er eines Töpfers Sohn und das Rad das Tretrad der Töpferscheibe.

Wimberge, Wimperge, Windberge, Windschuß, auch Wienberg, Weinberg, frz. guimberge, fronton, engl. guimberge, gablet, canopy, Bezeichnung der Ziergiebel, welche im gothischen Styl, flankirt von Fialen, als Uebersetzung der Thür- und Fensterbögen häufig vorkommen; die in der Frühgothik geraden, später häufig geschweiften Schenkel sind mit Kriechblumen (Frauenschuben) oder mit Figuren geziert. Die Spitze trägt eine Statue oder Kreuzblume, das Feld ist mit Maßwerk oder mit Relief zc. ausgefüllt, so daß die Gestaltung im Ganzen sehr mannichfach ist. Die nicht blos abwärts, sondern auch nach außen geschweiften Wimberge nennt man Bischofsmützen; s. übrigens d. Art. gothischer Baustyl.

wimmeriges Holz, s. d. Art. maseriges Holz und Verwimmert, sowie Bauholz, S. 268, Bd. I.

Wimpel, frz. banderole, guimpe, flamme, engl. flag, wimple, pendant; s. d. Art. Fahne 5.

Winch, engl. Winde.

Winchesterbushel, s. d. Art. Maaß, S. 512.

Wind. 1) Ueber die Erforschung der Windstärke und Windrichtung s. d. Art. Anemologie;

über die Wirkungen desselben auf Dachungen s. d. Art. Dach, S. 589, Bd. I; — 2) s. d. Art. Aeolus, Argestes, Adler ꝛc.

Windableiter, Oeffnungen in gegenüberliegenden Wänden, deren Fallladen so mit einander verbunden sind, daß sie sich da verschließen, wo der Sturm herkommt, und auf der entgegengesetzten Seite öffnen.

Windband, Schrägband im Dachstuhl; s. d. Art. Dach, S. 591, Bd. I.

Windbeam, engl., 1) Windrispe; — 2) Spannriegel oder Stuhlbalken in dem Binder eines Dachstuhles ohne Rähmen, also ohne Balken für die Leergespärre.

Windborte, Windbret, 1) engl. verge-board, bei Stroh- und Rohrdächern die Bretter, die auf die an den Giebelseiten, um das Rohr oder Stroh gegen den Sturm zu sichern, hervortretenden Latten gelegt werden; — 2) (Mühlenb.) die zum Belegen der schmalen Seite des Windfeldes der Ruthe dienenden schmalen Bretter.

Windbruch, Windfall, Windschlag, Windwurf, Baumbruch, 1) Umstürzen von Bäumen durch den Wind; — 2) frz. bois cablé, Holz von solchen umgeworfenen Bäumen, in der Regel als Bauholz nicht zu brauchen, wegen der beim Umsturz des Baumes entstandenen Risse und Spalten, die Windrisse genannt werden.

Fig. 1937.   Fig. 1938.

Winde, 1) Wagenwinde, Fuß- oder Stockwinde, auch Handwinde genannt; s. d. Art. Fußwinde. — 2) Stehende Winde oder Erdwinde, s. d. Art. Erdwinde und Göpel. — 3) Liegende Winde oder Haspel, s. d. — 4) Windebod, zum Aufziehen schwerer Lasten auf eine große Höhe; besteht aus zwei über's Kreuz gelegten Schwellen mit senkrechten Stielen. Auf dem oberen Rahmstück sind auf Walzen beweglich zwei Balken mit den Rollen angebracht, über welche die Taue von den Flaschenzügen geben. Beim Aufwinden wickeln sich die Taue um einen an zwei Stielen angebrachten Kreuzhaspel, der von Menschen gedreht wird. Damit nun die Last frei an einer bestimmten Stelle in die Höhe geht, werden vor die Walzen während des Aufwindens zwei Keile gesteckt. Fig. 1937 und 38 stellen einen vom Ritter von Lasser zu Klause in Tyrol zuerst angewendeten verbesserten Windebod zum Seitwärtsschaffen und Aufladen von Hausteinen dar. — 5) Eine Winde als Attribut erhält St. Erasmus.

Windeisen, frz. barlotière, bei bleigefaßten Fenstern quer vor dieselben gelegte dünne Eisen, die das Blei mit den Rahmstücken verbinden; bei Sprossenfenstern kommen sie nur sehr selten vor.

Windeldecke, Windelboden, befetschte Decke; s. d. Art. Decke II. A. 5. Der Bedarf ist pro ☐Ruthe (über die Balken gemessen) für ganze Windeldecke: 14 Lattstämme à 24 Fuß lang und 4—5 Zoll stark, 50 Cubikfuß loser Lehm und 4 Bund Stroh; für halbe Windeldecke: 12 Cubikfuß Stabholz, 50—70 Cubikfuß Lehm und 4—6 Bund Stroh; wird auch die Unterseite mit Strohlehm überzogen, noch 10 Cubikfuß Lehm und 1 Bund Stroh mehr pro ☐Ruthe.

Windellöcher, offen gelassene viereckige Löcher in den Etagenbecken von Fabriken, Mühlen ꝛc., durch Fallthüren verschließbar; dienen, um mittelst der darüber liegenden Windewelle an einem Windeseil schwere Säcke, Fässer ꝛc. in die oberen Etagen zu ziehen, beziehendlich herabzulassen.

Windeltreppe, s. v. w. Wendeltreppe.

Windeluke, Dachluke, zur Führung eines Windeseiles eingerichtet; vorzuziehen sind innere Winden.

Windelwand, s. d. Art. Bleichwand und Windeldecke.

Windema, Wedeme, s. d. Art. Kirchhof.

Winder, engl., Wendelstufe.

Windfächer (Bergb.), Wettermaschine, besteht aus einem Rad mit fächerartigen Flügeln.

Windfahne, s. v. w. Wetterfahne.

Windfang, 1) Blasebalgvorrichtung, überhaupt jedes Gebläse; — 2) um den Zugang der Luft zu vermehren, an einem Ofen angebrachtes Rohr, das von außen in den Heizraum mündet; s. d. Art. Ventilation. — 3) Wand hinter einer Thür, um vom Innern des Raumes beim Oeffnen und Schließen der Thür den Zug abzuhalten; — 4) (Maschinenb.) Rad mit Windflügeln, um die allzugroße Geschwindigkeit der Maschine zu hemmen; — 5) (Bergb.) s. v. w. Wettermaschine oder auch zwei große hölzerne viereckige Trichter, den man oben auf eine Wetterlotte setzt; — 6) s. d. Art. Melcaf u. Beaudgeer.

Windfeld (Mühlenb.), die Fläche eines Windmühlenflügels, die aus Thüren, Segeln oder Windbrettern gebildet wird.

Windflügel, 1) (Mühlenb.) s. v. w. Windmühlenflügel; — 2) s. d. Art. Windfächer.

Windgaipel, Windgöpel (Maschinenb.), von Windmühlenflügeln getriebener Göpel, s. d.

Windholmgebläse, s. d. Art. Balg.

Winding-staircase, engl., Wendeltreppe.

windisch, windflügelig, s. v. w. windschief.

Windkasten ꝛc. (Bergb.), s. v. w. Wetterkasten ꝛc.

Windklappe, s. v. w. Ventil, s. d. u. d. Art. Ventilation.

Windklötze, über den First der Rohr- und

Strohbächer gelegte hölzerne Klötze; s. d. Art. Verforstung.

Windkugel. Als Wettergebläse kann man eine mit Wasser gefüllte Kupferkugel anwenden, an deren runde Oeffnung eine Röhre angesteckt wird, durch welche beim Erhitzen der Kugel der sich entwickelnde Wasserdampf mit großer Geschwindigkeit entweicht und die Luft in die Wetterlotte treibt.

Windlade, 1) s. d. Art. Wetterkasten; — 2) auch Conan genannt, s. d. Art. Balg 2.

Windladen, s. d. Art. Fensterladen 8 und Abatvent 1.

Windlatte, Windruthe, Windsparren, Feder, frz. contre-latte, Schwertlatte, schräg über die Dachsparren genagelt, um, wenn, wie bei kleinen Dächern, kein Dachstuhl angewendet worden, einen Längenverband herzustellen; s. auch d. Art. Klinke.

Windlotte (Bergb.), s. v. w. Wetterlotte.

Windmauer, s. d. Art. Bataille.

Windmesser, 1) Balgprüfer, Ardometer, Instrument zur Prüfung der Schnelligkeit und Stärke einer Luftbewegung; besteht entweder in Windflügeln, deren Umdrehungen gezählt, oder in einer sehr lose aufgehängten verticalen Fläche, deren Seitenbewegungen gemessen werden; vergl. auch d. Art. Balgprüfer; — 2) s. d. Art. Anemometer.

Windmühle, s. unt. d. Art. Mühle C. Windmühlen werden hauptsächlich auf zwei Arten eingerichtet und nach dieser Einrichtungsweise benannt.

1. **Bockwindmühle oder deutsche Windmühle.** Auf zwei rechtwinkelig sich durchkreuzenden Schwellen (Kreuzschwellen), 17—18 Zoll stark, wird der Hausbaum, Standbaum oder Ständer eingezapft; derselbe ist 27—30 Zoll im □ stark, greift mit Klauen neben den Schwellen herab und erhält Strebebänder; auf diesen liegt der Sattel, auf dem man mittelst des Sterzes das eigentliche Mühlgehäuse dreht und durch den der Ständer hindurchgeht. Die ganze Höhe des Gebäudes beträgt in der Regel 20—21 Fuß. Ziemlich in der Mitte desselben liegt der circa 2 Fuß starke Mehlbaum, auf einem 9 Zoll starken runden Zapfen des Ständers drehbar; auf ihm liegen die oberen Tragriegel, die, in die 8 paarweise zusammengestellten Eckfäulen eingezapft, dieselben und somit das ganze Gebäude tragen, noch unterstützt durch die unteren Tragriegel, die sich auf dem Sattel drehen und an die Sterz (s. d.) befestigt ist; oben sind die Eckfäulen durch Rahmstücke verbunden, auf denen die Well- oder Sattelbalken liegen, die zusammen das Tafelment bilden. Auf dem hinteren, schwächeren Wellbalken liegt der Zapfen, auf dem vorderen, 16 Zoll starken der Hals der 2 Fuß starken Welle. Die hinteren Eckfäulen reichen bis auf den äußeren Fußboden herab, um sie festkeilen zu können bei Sturm 2c. In Riegeln zwischen den Eckfäulen finden die einzelnen Balkenlagen ihr Lager; die zwei Balken (Fugbalken), die gerade auf 2 Paar Eckfäulen treffen, werden in dieselben eingezapft und durch Strebebänder unterstützt; sie sind um circa 2 Zoll breiter und stärker als die anderen Balten, liegen aber mit denselben oben bündig. Die beiden anderen Eckfäulenpaare werden in jedem Geschoß durch zwei oben so starke Balken verbunden, welche dicht unter die Balkenlage gelegt und um die erwähnten 2 Zoll mit den Fugbalken überschnitten werden, während die Zwischen-

balten ohne Verkämmung auf denselben liegen. Die 4 starken Balten heißen Spannriegel und bilden zusammen den Spannriegelverband. Durch das Ende der Welle sind zwei Ruthen gesteckt, rechtwinkelig sich durchkreuzend, je 30 bis 40 Fuß lang; die dem Haus zunächst stehende heißt die Hausruthe, die andere die Feldruthe. In die Ruthen werden die Sprossen oder Scheiden gesteckt; s. d. Art. Sprosse 3. Auf diese werden zu beiden Seiten Latten genagelt und darauf die Windflügel gelegt; diese bestehen aus Splettthüren (s. d.), sind unten 6, oben 4½ Fuß breit; die Thüren selbst sind 5 Fuß lang und können einzeln abgenommen werden, je nach der Stärke des Windes.

2. **Holländische Windmühle** a) mit stehenden Flügeln an liegender Welle. Das runde oder achtedige Haus der Windmühle hat oben einen Ring, auf dem sich mittelst messingener Rollen die Haube mit dem Wellbaum 2c. durch eine Winde oder durch den Sterz drehen läßt. b) Mit liegenden Flügeln und stehender Welle, welche oben aus dem Gebäude heraustritt; beide haben statt der Thüren häufig Segel in den Flügeln.

Windofen, s. d. Art. Ofen und Heizung IV.

Windorgel, s. d. Art. Orgel.

Window, engl., Fenster; fanshaped window, Fächerfenster; circular window, Rundfenster.

Windpfeife, s. d. Art. Dämpfer.

Windrad, s. d. Art. Windfächer, Ventilation 2c.

Windrispe, frz. contre-vent, engl. windbeam, 1) auch einfach stehender Stuhl genannt, Langwand im Dach unter dem First, dient als Längenverbindung und zur Unterstützung des Forstrahmens; besteht aus Säulen, Rahmen und Winkelbändern; s. d. Art. Dach, S. 591, Bd. I; — 2) s. v. w. Windlatte.

Windriß, s. d. Art. Windbruch.

Windröhre, s. d. Art. Blasemaschine.

Windrose, 1) s. d. Art. Fensterlüftung; — 2) s. d. Art. Compaß, Boussole, Anemoskop 2c.

windschälig, Bauholz, dessen Fibern in verdrehten Linien laufen.

windschief, frz. déversé, déjeté, so nennt man eine krumme Oberfläche, auf welcher durch jeden Punkt eine gerade Linie gezogen werden kann, die ganz in der Fläche liegt, ohne daß jedoch die durch zwei einander unendlich nahe liegenden Punkte gezogenen Linien einander schneiden. Wenn sie dieselben aber schneiden, so ist die Fläche abwickelbar oder beveloppabel. Vergl. d. Art. Fläche VI., ferner s. d. Art. Hyperboloid, S. 297, Bd. II., sowie d. Art. Bauhölz, S. 271, d. Art. Gerade 2c.; in der Bautechnik kommen sie häufig bei Dächern auf Gebäuden vor, deren Frontlinien nicht parallel laufen, deren Firstlinie aber dennoch horizontal sein soll.

Windschirm, s. v. w. Windfang.

Windsparren, s. v. w. Windlatte.

Windstock, bei Röhrenleitungen s. v. w. Colluviarium.

Windstrebe, Strebe gegen den Windstoß an dem Ende einer Fachwerkswand, s. d.

Windtrommel, s. d. Art. Ventilation, Wettertrommel 2c.

Windungswinkel (Wasserb.), die Stellung, welche eine Wasserschnecke oder eine Schraube gegen eine zur Achse winkelrechte Ebene hat.

66*

Windvierung, Fiering, frz. hanche, engl. quarter, der Theil der äußeren Schiffsseite, der sich in der Höhe der großen Rüste von dieser bis zum Spiegel erstreckt.

Windvierungsstützen, f. v. w. Auslanger der Randsombölzer; f. d. Art. Hecksüße.

Windweiser, Windzeiger, f. v. w. Windfahne, Wetterfahne; f. auch d. Art. Anemostop.

Wing, engl., Lid eines Flügelaltars.

Wingolf, f. d. Art. Ida-Ebene.

Wingsel (Mühlenb.), mit Pferdehaaren vollgestopfter Sack, der mit Nägeln an das im Bodenstein um das Mühleisen befindliche Futter befestigt wird, damit das Schrot zwischen dem Mühleisen und dem Futter nicht herausfalle.

Wingtransom, engl., f. d. Art. Hecksalken.

Winkel. 1) Geometrisch genommen, Neigung zweier Linien gegen einander, oder Verhältniß des von zwei geraden Linien eingeschlossenen Theiles einer unbegrenzten Ebene zur ganzen Ebene. Die Linien selbst heißen die Schenkel, ihr Durchschnittspunkt der Scheitel des Winkels. Zwei Linien bilden mit einander einen Winkel in Fig. 1939: BCD, ACD, ACE, BCE. Von diesen

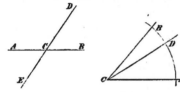

Fig. 1939.   Fig. 1940.

heißen zwei Winkel, welche den Scheitel und einen Schenkel gemein haben, während ihre andern Schenkel in eine gerade Linie fallen, Nebenwinkel, wie z. B. ACD und BCD. Zwei Winkel dagegen, welche den Scheitel gemein haben, während die Schenkel des einen in die Verlängerungen der Schenkel des andern fallen, heißen Scheitelwinkel, wie z. B. BCD und ACE. Wenn zwei gerade Linien sich so durchschneiden, daß zwei Nebenwinkel gleich sind, z. B.: BCD=ACD, so wird jede derselben in Bezug auf die andere ein Perpendikel genannt, sowie jeder dieser Winkel ein rechter. Ein Winkel, welcher kleiner ist als ein rechter, wird ein spitzer; ein solcher, welcher größer ist als ein rechter, ein stumpfer Winkel genannt. Zur Messung der Winkel dient einfach die Kreislinie, denn es ist klar, daß man einen Winkel ACB (Fig. 1940) dadurch entstanden denken kann, daß eine gerade Linie aus ihrer ursprünglichen Lage CA durch Drehung um einen in ihr liegenden festen Punkt in eine andere Lage CB gelangt ist, wobei jeder Punkt in ihr eine Kreislinie beschreibt. Nun verhalten sich offenbar zwei Winkel ACD und ACB, wie die zwischen ihren Schenkeln enthaltenen Bogen eines Kreises von dem nämlichen Halbmesser. Ein solcher Kreis wird daher, in gleiche Theile getheilt, ein bequemes Mittel zur Winkelmessung darbieten. Man pflegt den Umfang des Kreises in 360 Grade zu theilen, f. d. Art. Grad. — Die höhere Mathematik geht aber von dieser Angabe der Winkel in Graden 2c. ab und wendet statt derselben eine solche an, bei welcher jeder Winkel

als Zahl, nicht als benannte Größe angegeben wird. Sie mißt den Winkel durch die Länge des auf einem mit dem Halbmesser 1 um den Scheitel beschriebenen Kreises von den beiden Schenkeln abgeschnittenen Bogens, ausgedrückt als Vielfaches der Längeneinheit. So ist der Winkel von 90° in diesem Maße ausgedrückt $\frac{\pi}{2}$; die Winkeleinheit ist ein Winkel von 57° 17' 45". Der Winkel, welcher einen andern zu 90° ergänzt, heißt sein Complement; seine Ergänzung zu 180° dagegen sein Supplement. Die Eintheilung eines Winkels in eine vorgeschriebene Anzahl gleicher Theile ist nur dann allgemein ausführbar, wenn diese Anzahl eine Potenz von 2 ist; sonst muß man sich durch Probiren und Näherungsconstructionen helfen. S. d. Art. Trisection. — Ueber die trigonometrischen Functionen, durch welche man in den Stand gesetzt ist, die Winkel aus Dreiecken zu finden, wenn man deren Seiten kennt u. f. w., f. d. Art. Trigonometrie, Halbiren, Gerade, Eben, (Cosinus 2c., ausspringende Winkel, einspringende Winkel, Dachneigung, Böschung 2c. — 2) Körperlich genommen werden blos die einspringenden Winkel unter diesem Wort verstanden, indem man die ausspringenden in der Regel „Ecke" nennt. — 3) Im Festungsbau kommen folgende Benennungen vor: äußere, bestrichene, innere, todte oder unbestrichene Winkel; f. d. betreff. Artikel.

Winkelband, f. d. Art. Band I. b., III. b. 2 und Fig. 251; ferner d. Art. Dach, S. 592, Bd. I.

Winkelbühne, f. d. Art. Bühne.

Winkeldach, Dach, dessen Sparren an dem First einen rechten Winkel bilden; f. Dach, S. 589.

Winkeldeich, f. v. w. Flügeldeich oder Schenteldeich.

Winkeleisen, ein Eisen, unter einem rechten Winkel geformt; 1) auch Winkelschiene genannt, dient als Beschlag der unter einem Winkel zusammengesetzten Hölzer; — 2) als Winkelmeßinstrument 2c.; f. d. Art. Winkelhaken; — 3) Walzeisen mit winkelförmigem Querschnitt; f. d. Art. Eisen, S. 689, Bd. I.

Winkelfasser, f. v. w. Schmiege I.

Winkelgeschwindigkeit eines sich um eine feste Achse drehenden Körpers, die Geschwindigkeit der Punkte des Körpers, welche um die Längeneinheit von der Drehachse abstehen. Wird ein Körper, dessen Trägheitsmoment T ist, durch eine Kraft P, welche am Hebelarm a wirkt, ergriffen, so wird seine Winkelgeschwindigkeit

$$w = \frac{Pa}{T}.$$

Winkelhaken, Winkelmaaß, Anschlagezirkel, lat. norma, frz. équerre; span. cartabon; ist ein genauer rechter Winkel, aus hölzernen Leisten zusammengesetzt oder aus dünnem Eisen construirt; dient als Winkelmeßinstrument oder vielmehr als Lehre bei Anlegung, resp. Ausarbeitung rechtwinkliger Bautheile. Als Attribut erhalten ein Winkelmaaß St. Matthäus und Thomas; f. d. Art. Apostel 10.

Winkelhebel, f. d. Art. Hebel.

Winkelklammer, Klammer nach einem rechten Winkel gebogen.

Winkelkreuz, Winkelscheibe (Feldmeßk.), f. v. w. Kreuzscheibe.

Winkelmaaßkreuz, f. Fylfot u. Kreuz C. 34.

Winkelmesser, f. d. Art. Astrolabium, Cathetometer, Transporteur, Winkelhaken, Schmiege 1 ꝛc.

Winkelmessung, f. d. Art. Goniometrie.

Winkelramme, f. d. Art. Ramme.

Winkelrauchfangholz, f. Rauchfangholz.

winkelrecht, rechtwinklig, span. cambijo, nach einem Winkel von 90 Grad gestaltet oder auf etwas Anderes im Winkel von 90 Grad treffend; 1) zwei gerade Linien sind gegen einander winklig, wenn sie sich unter rechtem Winkel schneiden oder auch kreuzen; im ersteren Fall heißt die eine der geraden Linien ein Perpendikel auf der anderen; — 2) zwei Ebenen gegen einander, wenn der von ihnen gebildete Flächenwinkel ein rechter ist; — 3) eine gerade Linie gegen eine Ebene, wenn sie mit jeder, auf dieser Ebene durch ihren Durchschnittspunkt mit derselben gezogenen geraden Linie einen rechten Winkel einschließt; — 4) zwei sich schneidende krumme Linien, wenn die im Durchschnittspunkt an dieselben gezogenen Tangenten sich unter rechtem Winkel schneiden; 5) zwei krumme Oberflächen, wenn in jedem Punkte ihrer Durchschnittslinie die Tangentialebenen an beiden Flächen einen rechten Winkel bilden.

Winkelschaufel (Wasserb.), f. d. w. Kropfschaufel.

Winkelsparren. 1) S. d. w. Gratsparren; 2) f. d. w. Kehlsparren.

Winkelstein, Ziegelstein in Form eines ⌐, bei Eckverbänden besonders gut zu brauchen. Ueber das Formen derselben f. d. Art. Formen der Ziegelsteine.

Winkelstoßlade, starkes, aus hartem Holz glatt bearbeitetes Bohlenstück, das am Ende einen genau rechtwinkelig aufgesetzten dickeren Theil besitzt und durch den stark, rechtwinkelige Ecken auf sichere und leichte Weise zu hobeln.

Winkelverbindung, f. d. Art. Eckverband, Blatt, Eisenverbände ꝛc.

Winkelzapfen, 1) f. d. Art. Eckzapfen; 2) beim Gestänge der Krummzapfen, welcher die Lenkstangen verbindet, die in einer horizontalen, gebrochenen Linie zusammentreffen.

Winspel, f. d. Art. Maaß, S. 505, Bd. II.

Winterbierkeller, f. d. Art. Bierkeller, Keller u. f. w. Der Winterbierkeller liegt in der Regel unter der Brauküche und erfordert sorgfältige Vorkehrung gegen die von oben herunter mögliche Weise eindringende Nässe. Er muß die Temperatur bis zum Gefrierpunkt haben und mindestens 5—6 Gebräue fassen; f. d. Art. Brauerei.

Winterdeich, Außendeich, f. d. Art. Deich.

Wintereiche, Bergeiche, f. d. Art. Eiche b.

Winterfenster, f. Doppelfenster, Fenster ꝛc.

Wintergelbholz, f. d. Art. Coentrilho.

Winterhaus, f. d. Art. Gewächshaus.

Winterlinde, f. d. Art. Linde.

Winterprobe, f. Baustein, S. 292, Bd. I.

Winterzimmer, lat. Hibernaculum, f. d. Art. Haus, Anordnung ꝛc.

Wipfelende, das obere, schwächere Ende eines Baumstammes.

Wippbaum, frz. bascule, Baum zum Heben einer Zugbrücke, ruht auf dem Wippbaumständer, f. d. Art. Brücke, S. 469, Bd. I.

Wippbrücke, f. d. Art. Brücke, S. 470, Bd. I.

Wippe 1) (Maschinenb.), gleicharmiger Hebel, in der Mitte oder dergestalt unterstützt, daß die Lasten fast balanciren, wenn er auf beiden Seiten belastet ist; — 2) auch Wuppe genannt, f. d. w. Kipparren; f. d. Art. Karren; — 3) f. d. Art. Brücke, S. 469, Grundbau, S. 220, u. Faschinenspreutlage.

wippen, f. d. w. wuchten.

Wippenband (Wasserb.), f. d. w. Wiede.

Wippenmühle, holländische Windmühle, ohne Galerie.

Wipperwespe, f. d. Art. Ichneumonide.

Wipple's Brückensystem, f. Brücke, S. 466.

Wirbel, 1) (Maschinenb.) die um ihre Verbindungsstücke sich drehen lassenden Röhren und Hähne; — 2) f. d. w. Fenster-Vorreiber od. Drücker.

Wirkungsgrad einer Maschine, das Verhältniß ihrer wirklichen Leistung zu der theoretischen Leistung, d. i. derjenigen, welche sie haben würde, wenn keine Widerstände, keine Verluste durch schädliche Räume ꝛc. einträten. So ist der Wirkungsgrad eines oberschlächtigen Wasserrades circa 80%, eines mittelschlächtigen Rades circa 65%, eines unterschlächtigen Kropfrades 40—50%, eines Rades im Schnurgerinne circa 35%. Vgl. d. Art. Nutzeffect.

Wiro, St., Schotte, zog mit Plechhelmus und dem Diakon Odger unter Pipin nach Rom, dann als Bischof nach der Gegend von Roermund, wo er Heiden bekehrte.

Wirthschaftsgebäude, f. d. Art. Scheune, Stall, Geräthschuppen ꝛc.

Wirthshaus, frz. cabaret, hôtel, engl. hostel, f. d. Art. Gasthof, Restauration.

Wisch, frz. jalon (Feldmeßk.), um eine abgesteckte Linie weit sichtbar zu bezeichnen, steckt man eine Reihe von Stangen mit darauf befindlichen Strohwischen auf.

Wischer, Werkzeug zum Anwischen (f. d.) von Zeichnungen, am besten aus zusammengerolltem Leder oder aus Weidenschwamm gefertigt.

Wischnu, Vishnu (ind. Myth.), Name des Brahma als Erhalter und Schützer des Bestehenden; f. d. Art. Beschu, Chakra, Brahm, Balapatren und indische Baukunst.

Wismuth, Gelbum, Aschblei (Miner.), wird gediegen in Granit und Thonschiefer gefunden, außerdem oxydirt als Wismutherz (f. d.), Kieselwismuth ꝛc. Gediegener Wismuth hat selten und meist wenig deutliche Krystalle, die dann zum Tesseralsystem gehören; er erscheint öfter in Blechen und Blättchen, in krystallinischen Massen und eingesprengt; hat unebenen und kleinkörnigen Bruch, schmilzt vor dem Löthrohr auf Kohle sehr leicht und verflüchtigt sich, ist in Salpetersäure lösbar und enthält Spuren von Arsenik. Ritzt Gipsspath, ist ritzbar durch Kalkspath; spröde, glänzt metallartig, ist von Farbe silberweiß ins Röthliche, häufig bunt angelaufen, schmilzt bei 270°, erstarrt bei 242°, indem es unter bedeutender Volumenvermehrung in Würfeln und Octaëdern krystallisirt. Wird vom Wasser gar nicht verändert. Mit Zinn und Blei vermischt, schmilzt es schon bei 92° (1 Thl. Wismuth, ⅓ Zinn und ¼ Blei). Um das Wismuth von Arsen zu reinigen, glüht man es mit 2,5 bis 3% Zink eine Stunde lang stark. Damit das Zink nicht oxydirt, wird ein Stück Kohle in den Tiegel gelegt. (Polytech. Centralbl.) Die Reinigung bewirkt man auch dadurch, daß man das käufliche Wismuth mit 5% Salpeter eine Viertelstunde lang bei schwachem Feuer unter fortwährendem Umrühren mit einem Thonpfeifenstiel im Fluß erhält.

Wismutherze; die wichtigsten sind: a) Wismutglanz; Krystalle sind meist nadelförmig und spießig, kommt vor in Büscheln, krystallinischen Massen und eingesprengt, sein blättriges Gefüge neigt sich zum Strahligen. Schmilzt auf Kohle in der Löthrohrflamme leicht unter Spritzen, giebt ein Wismuthkorn und starken gelben Beschlag. Das Mineral besteht fast aus reinem Schwefelwismuth und findet sich auf Lagern und Gängen im krystallinischen Schiefergebirge.

b) Wismutbocher, ist eine derbe, strohgelbe, im Bruche erdige Substanz, die meist mit Gediegenwismuth vorkommt und sich vor dem Löthrohr wie reines Wismuthoxyd verhält. Künstlich dargestellt erscheint es als strohgelbes Pulver, wiegt 8,17, wird beim Erhitzen vorübergehend rothgelb und schmilzt mit Kieselerde zu einem farblosen Glase.

c) Zu den Wismutherzen gehören noch das Tellurwismuth, die Nadelerz, eine Verbindung von Schwefelblei und Schwefelwismuth mit Schwefelkupfer und Schwefelwismuth; der Wismuthspath, kohlensaures Wismuthoxyd ꝛc.

d) Wismuthoxydhydrat, ein weißes Pulver, erhält man durch Füllen mit ätzenden Alkalien, aus einer Lösung der Wismuthoxydsalze.

Wismuthlegirungen. Die wichtigste Verwendung des metallischen Wismuth ist die zu den leichtflüssigen Legirungen. Dieselben schmelzen meist unter dem Siedepunkt des Wassers. Der Schmelzpunkt der Legirung von 8 Thln. Wismuth, 3 Thln. Zinn und 5 Thln. Blei liegt bei 94,5°. Bei 93° schmilzt das Rose'sche Metallgemisch, 2 Thle. Wismuth, 1 Thle. Zinn und 1 Thle. Blei. Zum Abklatschen von Holzschnitten u. s. w. wird namentlich die Legirung aus 5 Thln. Wismuth, 3 Thln. Blei und 2 Thln. Zinn, welche bei 91° schmilzt, benutzt.

Wispel, Körpermaaß, gleich 24 Scheffel; s. d. Art. Maaß.

Wisse, s. d. Art. Maaß, S. 500, Bd. II.

Witgatboom (Capparia albitrunca Burch., Fam. Capparideae). Der Stamm dieses 10—12 Fuß hohen Baumes im Kaplande sieht von fern aus, als sei er weiß gewaschen, daher sein Name. Sein weißes und zähes Holz wird zu Jochen verarbeitet.

Withdrawing-room, engl., Gesellschaftszimmer.

Witherit (Min.), findet sich selten farblos, meist grau, ziemlich spröde, von 4,2—4,5 spec. Gew. auf Erzgängen, auch auf Gängen im Granit und Porphyr. Es ist kohlensaurer Baryt, s. d. Art. Baryterdesalze; dient auch zur Kohlensäure-Erzeugung im Großen.

With the clear, engl., im Lichten.

Witpeer, s. d. Art. Speckbaum.

Wloka, s. d. Art. Maaß, S. 494, Bd. II.

Wodan, s. d. Art. Odin.

wölben, s. d. Art. Wölbung.

Wölbfeile, s. d. Art. Feile b. 15.

Wölbgerüst, s. d. Art. Gerüst u. Bogenlehre.

Wölbscheibe, s. v. w. Lehrbogen, Lehrbiege, wenn sie aus vollem Bret besteht.

Wölbstärke, s. d. Art. Brücke und Wölbung.

Wölbstein, Bogenstein, franz. claveau, voussoir, engl. archstone, voussoir, keilig geformter Ziegel, dann Wölbziegel genannt, oder ebenso zubereiteter Haustein, s. d. Art. Bogen, S. 400, Gewölbe und Wölbung. Vgl. auch d. Art. Halenstein, coupe, contre-clef etc.

Wölbung, lat. arcuatio, fornicatio, concameratio arcuata, franz. cameration, voûte, engl. vaulting. Ueber die verschiedenen Formen und Benennungen der Wölbungen und deren Theile s. d. Art. Gewölbe und Bogen. Einen vollständigen Abriß der Wölbtheorie zu geben mangelt hier der Raum; es folgen daher hier nur kurze Notizen für die Anwendung im praktischen Leben. A. Der einfachste und normalste Fall ist ein Tonnengewölbe, resp. Gurtbogen, mit symmetrischen Hälften und symmetrischer verticaler Belastung; nach dem Princip des kleinsten Widerstandes wird ein solcher Bogen nur dann im Gleichgewicht sein, d. h. stehen können, wenn nach Zerlegung der in den einzelnen Schwerpunkten der Wölbsteine wirkenden Kräfte in verticale und horizontale Componente (vermittelst je eines Parallelogramms der Kräfte) alle diese Componenten in derselben verticalen Ebene liegen, alle horizontalen Componenten unter einander im Gleichgewicht sind (sich gegenseitig aufheben) und sämmtliche verticale Componenten mit der Resultante aller Gewichte im Gleichgewicht stehen. Der Widerstand, d. h. die Widerlagsstärke, wird also die möglichst kleinste sein, wenn die Neigungswinkel der einzelnen Widerstandsrichtungen gegen die Verticale die möglichst kleinsten sind. Betrachtet man nun die eine Bogenhälfte für sich und legt durch den Schwerpunkt derselben eine Verticale, so ist, um diese Masse im Gleichgewicht zu halten, eine gegen den Scheitel wirkende Kraft nöthig, deren Richtung durch den Durchschnittspunkt der Schwerlinie und der Widerstandslinie des Widerlagers geht; da nun die verticale Componente des Widerstandes gleich dem in der Schwerlinie wirkenden Gewicht sein muß, so muß auch der Druck im Bogenscheitel gleich der horizontalen Componente des Widerstandes und ebenfalls horizontal gerichtet sein. Es kommt also darauf an, zu ermitteln, unter welchen Bedingungen die horizontale Componente des Widerstandes, und folglich auch der Druck im Scheitel der möglichst kleinste ist, während die verticale Componente, d. h. die erforderliche rückwirkende Festigkeit des Widerlagers, also das zu wählende Material, sich ganz einfach aus dem Gewicht der Wölbung und der darauf ruhenden Last mittelst der in dem Art. Festigkeit enthaltenen Angaben ermitteln läßt, nachdem die Widerlagsstärke gefunden ist, aus welcher hervorgeht, auf wie viele Quadratzoll Querschnitt sich die Last vertheilt. Wenn man nun die Schwerlinien der einzelnen, vom Scheitel aus numerirten Gewölbstheile, und zwar in dem Schwerpunkt des Steines 1 die Schwerlinie für sein Gewicht, durch den Schwerpunkt von 1 und 2 (als einen Körper gedacht) die Schwerlinie für die Gewichte von 1 und 2 zusammengenommen ꝛc. anträgt, dann in den Durchschnittspunkten dieser Schwerlinien mit der Richtung der im Scheitel angreifenden horizontalen

Kraft die Parallelogramme der Gewichte und dieser Kraft construirt, die so gewonnenen Resultanten verlängert, so sind die Punkte, wo jede derselben die zugehörige Fuge schneidet, die Angriffspunkte der Kräfte, welche auf diese Fuge drücken, so daß die Widerlagsfuge eben der Resultante aus der ganzen Last des Bogens und dem auf den Scheitel wirkenden Horizontaldruck zu widerstehen hat. Dazu nun ist nothwendig, daß sämmtliche Angriffspunkte innerhalb der Fugenflächen liegen, damit kein Stein ausgekantet zu werden in Gefahr steht, und daß die Winkel der Drücke mit den Fugen nicht so viel vom rechten Winkel abweichen, um die Reibung auf der Fuge überwinden zu können, weil sonst ein Ausgleiten der Wölbsteine stattfinden würde. Letztere Bedingung kann man fast stets durch Vermehrung der Reibung, durch Mörtel ꝛc. erreichen.

Die Verbindungslinie der Angriffspunkte nennt man die Mittellinie des Druckes; bei stetiger Belastung des Bogens wird sie eine stetige Curve darstellen, während sie bei ungleichmäßiger oder nur auf einzelne Punkte wirkender Belastung abgerissen erscheinen würde; da aber in der Natur eine Belastung auf einen Punkt nicht möglich ist, so wird die Mittellinie des Drucks an stärker belasteten Stellen keine Ecke, sondern nur eine karniesförmige Biegung bilden und sich dabei in der Regel der oberen Wölbungslinie etwas nähern, dann aber steiler als erst wieder fortsetzen. (Dies suchte man im Mittelalter durch Aufsetzen der Fialen ꝛc. zu bewirken.) Durch Anbringung solcher Einzelbelastungen, oder, was dasselbe ist, durch Vermehrung der Wölbstärke an einzelnen Stellen, ist man also im Stande, die Richtung der Drucklinie zu verändern; man hat nun dieselbe so zu legen, wie sie die möglichst kleine Horizontalkraft braucht, also mit andern Worten gesagt, wie sie sich unten am Widerlager möglichst steil endet. Das Minimum des Druckes wird man aber erreichen, wenn man die Mittellinie des Druckes so zu legen weiß, daß sie, ohne irgendwo aus der Bogenmasse herauszutreten, einen Punkt mit der äußeren und einen mit der inneren Wölbungslinie gemein hat, und der Berührungspunkt mit der äußeren Wölbungslinie höher liegt, als der mit der inneren, gleichviel, welcher von beiden Punkten näher am Scheitel liegt. Hingegen wird der Horizontalschub sein Maximum erreichen, wenn der Berührungspunkt der Drucklinie mit der äußeren Wölblinie tiefer liegt, als der mit der inneren; dies ist also zu vermeiden. Alle zwischen diesen beiden liegenden Drucklinien nun werden möglich, alle darüber hinausliegenden unmöglich sein, d. h. die Grenze der Stabilität überschreiten.

Sei L das Gewicht eines Bogenhälfte nebst Belastung, b die waagrechte Entfernung der Schwerlinie dieses Gewichtes von dem Angriffspunkt der Drucklinie des Bogens auf dem Widerlager, Q der horizontale Druck im Scheitel, h die Höhe von der Mitte der Widerlagsfuge bis zum Angriffspunkt des Scheiteldrucks. Da nun h Q = b L, also

$$Q = \frac{bL}{h}$$ ist, so wird Q um so kleiner sein, je

größer h und je kleiner b ist, d. h. je steiler die Drucklinie steht und je näher der Schwerpunkt der Widerlagswand gerückt wird; dies kann man nun erreichen 1) durch eine höhere Wölbungslinie, 2) durch Uebermauerung der Spitze und des Widerlagers (beiden Anforderungen genügt am besten ein Spitzbogen mit Wimperge und Fialen über

den Widerlagern). Auch beim Halbkreis ist eine solche Uebermauerung von Nutzen, indem sie die Drucklinie steiler macht.

Um nun die Stabilität eines gewölbten Bogens zu prüfen, construire man seine Drucklinie; bleibt dieselbe überall innerhalb des Bogens selbst, so hält er; berührt oder durchschneidet dieselbe aber die innere Wölblinie, so wird an dieser Stelle (Brechungsfuge) der Bogen nach außen brechen; berührt oder schneidet sie die äußere Wölblinie, so wird der Bogen an den betreffenden Stellen einwärts sinken; fällt die Drucklinie am Scheitel unter die innere Wölblinie, so hat der Bogen das Bestreben, nach aufwärts zu brechen, wobei die Bogenanfänge nach innen fallen und die Scheitelstücken emporgehoben werden. Je preßbarer das Material ist, um so weniger darf sich die Drucklinie den Wölbflächen nähern. Die Fugenfläche muß jedenfalls größer sein, als nach der rückwirkenden Festigkeit des Materials nöthig wäre, weil dasselbe an den Kanten stets preßbarer sein wird, als in der Mitte, und weil die Mittellinie des Druckes nie genau auf die Mitte der Fugen auftreffen wird. Wenn man aber einen Bogen mit der Absicht construirt, dies zu erreichen, so wird er jedenfalls größere Stabilität besitzen, als jeder andere Bogen, welcher dieser gedachten Mittellinie des Druckes entspricht. Bei sehr preßbarem Material kann man diese Lage der Drucklinie annähernd dadurch herbeiführen, daß man die Wölbstärke am Widerlager vermehrt, oder die Wölbungslinie mit Beibehaltung des Scheitels und Widerlagers etwas weniger krümmt, oder daß man endlich die Gewölbstärke durchgängig vermehrt. Hier geben wir nun noch einige leicht anwendbare Formeln zur Berechnung, sowie Angaben zur Construction der Dimensionen an Gewölben, wobei die Kräfte in preußischen Pfunden, die Maaße in rheinländischen Fußen angenommen sind. Dabei folgen wir den Angaben in „des Ingenieurs Taschenbuch", Berlin bei Ernst und Korn.

Es bezeichne G_1, G_2, . . . die Gewichte der einzelnen Wölbsteine vom Scheitel aus; α_1, α_2, α_3 die Neigungswinkel der 1., 2., 3. Fuge vom Scheitel aus gegen die Horizontale; a_1, a_2, a_3 die Höhen von den tiefsten Punkten der resp. Fugen bis zum höchsten Gewölbepunkt; c_1, c_2, c_3 dieselben Höhen für die höchsten Punkte der Fugen; b_1, b_2, b_3 die Entfernungen der tiefsten Fugenpunkte von der Schwerlinie der Stücke G_1, G_1+G_2, $G_1+G_2+G_3$ u. s. w.; d_1, d_2, d_3 die Entfernungen der höchsten Fugenpunkte; nimmt man nun nach Rondelet den Reibungswinkel $\varrho = 30°$, also tg $\varrho = 0{,}57735$ an, so berechne man: 1) G_1 tg $(\alpha_1 - \varrho)$, $(G_1 + G_2)$ tg $(\alpha_2 - \varrho)$ ꝛc. bis $(G_1 + G_2 \ldots G_n)$ tg $(\alpha_m - \varrho)$,

2) $G_1 \dfrac{b_1}{a_1}$, $(G_1 + G_2) \dfrac{b_2}{a_2}$ ꝛc., bis $(G + G_2 \ldots G_n) \dfrac{b_m}{a_m}$. Der größte dieser Werthe ist der Druck im Gewölbscheitel pro ☐ Fuß in Pfdn. Das Gewölbe wird stabil sein, sobald er kleiner ist, als der kleinste der beiden folgenden Werthe: 3) G_1 tg $(\alpha_1 + \varrho)$, $(G_1 + G_2)$ tg $(\alpha_2 + \varrho)$ ꝛc., bis $(G_1 + G_2 \ldots G_n)$ tg $(\alpha_m - \varrho)$.

4) $G_1 \dfrac{d_1}{c_1}$, $(G_1 + G_2) \dfrac{d_2}{c_2}$ ꝛc., bis $(G_1 + G_2 \ldots G_n) \dfrac{d_n}{c_n}$; sollte er größer sein, so kippt der Bogen an der betreffenden Stelle aufwärts, was aber durch Belastung vermieden werden kann.

Die Gewölbstärke im Scheitel ist nun bei Anwendung von Ziegeln für Halbkreisbögen, die im Scheitel horizontal abgeglichen sind, oder wenn sie bis zur halben Höhe hintermauert, außerdem aber nach dem Scheitel zu verschwächt sind = $^1/_{40}$ der Spannweite; wenn sie bis zur halben Höhe hintermauert sind und der übrige Theil des Extrado dem Intrado parallel ist, = $^1/_{56}$ der Spannweite; für Bruchsteine stets um den dritten Theil mehr. Bei Haussteinen kann man nach dem Verhältniß ihrer Festigkeit zu der der Ziegel auf die Stärke schließen. Allgemeiner giltig sind folgende Angaben: nennt man γ das Gewicht des Materials pr. Cubiff.; r den inneren Radius der Wölblinie; h die senkrechte Höhe von der Brechungsfuge bis zum inneren Scheitel; a die Höhe der Uebermauerung über dem Scheitel; k das Maaß der Druckfähigkeit des Materials in Pfunden auf den Quadratfuß (der 20. Theil davon zu größerer Sicherheit), s. d. Art. Festigkeit; so ist die Wölbstärke am

Scheitel $= (ra - ha + \frac{2}{5}rh - \frac{3}{10}b^2)\frac{\gamma}{k}$; h aber,

und mithin die Lage der Brechungsfuge, findet man aus $h^4 - \frac{20}{9}\left(\frac{k}{\gamma} + \frac{6}{5} - 3a\right)h^3 +$

$\frac{20}{9}\left(\frac{k}{\gamma}r - \frac{5}{2}\frac{k}{\gamma}a + \frac{4}{5}r^2 - ar + 5a^2\right)b^2 +$

$\frac{20}{9} \cdot 2ra(2r - 5a)h + \frac{20}{9}5r^2a^2 = 0.$

Die Wölbstärke am Widerlager sei mindestens um ein Drittheil größer als die hier für die Wölbstärke am Scheitel angegebene Größe; jedenfalls aber so, daß die Drucklinie noch in der Stärke der Wölbsteine am Widerlager eintrifft. Was nun die Stabilität des Widerlagers betrifft, so muß, um ein Ausgleiten zu verhindern, die

Stärke d desselben größer sein als $\frac{P - \varphi G}{\varphi \, b_1}$, wobei b_1 die Widerlagshöhe, P der Druck im Scheitel pro ▢Fuß, G das Gewicht der Gewölbehälfte sammt Belastung und φ der Reibungscoefficient des Materials ist. Dabei muß φ größer als $\frac{P}{G + G_1}$ sein, wenn G₁ das Gewicht der Widerlagsmauer ist. Um das Kippen mit voller Sicherheit zu vermeiden,

muß d größer sein als $1,95\sqrt{\frac{P}{\gamma}}$. Für Gewölbe, die im Scheitel abgeglichen sind, sei unter Beibehaltung obiger Buchstabenbedeutung, wozu noch H für die ganze Wölbhöhe kommt, die Widerlagsstärke bei s Fuß Spannung größer als $\frac{s}{8}\left(\frac{3s - H}{s + H}\right)$

$+ 1 + \frac{1}{4}b_1$; für den Halbkreis also größer

als $\frac{s}{8} \cdot \left(\frac{3s - \frac{1}{2}s}{s + \frac{1}{2}s}\right) + 1 + \frac{1}{4}b_1$, oder $\frac{5}{12}s + 1 + \frac{1}{4}b_1$, für einen Stichbogen von $^1/_5$ der Spannung als Wölbhöhe gilt $d \geq \frac{s}{4} + 1 + \frac{1}{4}h$; wenn die Höhe gleich $^1/_4$ der Spannung ist: $d \geq \frac{11}{24}s + 1 + \frac{1}{4}h_1$; wenn die Höhe (wie bei einem niederen Spitzbogen) = $^2/_3$ der Spannung ist $d \geq \frac{7}{16}s + 1 + \frac{1}{4}h_1$, und wenn die Höhe (wie bei einem hohen Spitzbogen) gleich der Spannung ist $d \geq \frac{s}{8} + 1 + \frac{1}{4}b_1$.

Für halbkreisförmige Gewölbe, die bis zur Brechungsfuge hintermauert und mit gleichmäßiger Stärke gewölbt sind, sei die Widerlagsstärke $d \geq \frac{1}{4}(h_1 - h - b + \frac{1}{4}s_1)$, wobei s_1 die Wölbstärke, b die waagrechte Entfernung der Mitte der Brechungsfuge von der Mitte der Widerlagsfuge

ist. Ist die Wölbung nach dem Scheitel zu schwächer, so sei die Widerlagsstärke $d \geq \frac{1}{4}(h_1 - h - b) + s_1$, wobei s_1 die Wölbstärke an der Brechungsfuge ist. Hat das Gewölbe $^1/_3$ der Spannung zur Wölbhöhe, so berechne man zunächst d für den Halbkreis und nehme $^6/_5$ d zur Widerlagsstärke; bei $^1/_4$ Spannung als Höhe nehme man $^7/_5$ d, bei $^1/_5$ der Spannung als Höhe $^{21}/_{15}$ d und wenn die Höhe gleich der Spannung ist, nur $^2/_5$ d; diese Werthe sind zwar sämmtlich blos annäherungsweise berechnet, um die Formeln zu vereinfachen, aber mit hinlänglicher Sicherheit; sind die Gewölbe hoch übermauert, so hat man für die Größe P das Gewicht der Gewölbhälfte, sammt der sie treffenden stabilen Belastung durch die Uebermauerung und der lieber zu hoch als zu niedrig zu tarirenden zufälligen oder variabeln Belastung durch Meubles, Waaren, Menschen ꝛc. einzusetzen. Dabei kann man mit ziemlicher Gewißheit annehmen, fußend auf viel umfassende Erfahrungen, daß die Widerlagsstärke bei 60 Fuß hoher Uebermauerung ihr Maximum erreicht, bei höherer Uebermauerung dann nicht mehr vermehrt zu werden braucht.

B. Für unsymmetrische Bogen und Bogen mit unsymmetrischer Belastung muß man alle in der Berechnung gebrauchten Größen für jede Bogenbälfte einzeln berechnen und in die oben gegebenen Formeln diejenigen unter diesen Größen einsetzen, welche die größte Stabilität erreichen lassen.

C. Um Kreuzgewölbe in Bezug auf ihre Stabilität zu berechnen, zerlege man jede Kappe mit ihrer Belastung zwischen zwei Gratbögen in elementare Bögen, welche sich gegen die Gratbögen als Widerlager stemmen, berechne die Stabilität dieser Elemente und daraus den Druck, den jedes derselben auf den Gratbogen äußert; dieser empfängt einen solchen Druck stets von zwei Seiten; von diesen beiden Pressungen berechnet man die Resultanten, welche dann in der Richtung des Gratbogens liegen und als Grundlage zur Berechnung der nöthigen Stärke dieses Bogens und seiner Widerlager nach Obigem dienen können.

D. Für Klostergewölbe müssen die Widerlager an der Stelle am stärksten sein, wo eine im Grundriß von der Spitze des Gewölbes auf die Schildmauerlinie gezogene Normale jene trifft; hier berechnet sich die Widerlagsstärke gerade wie beim Tonnengewölbe; nach den Ecken zu kann dieselbe allmälig abnehmen, doch kann man sie für jeden einzelnen Punkt nach dem Druck des sich gegen denselben stemmenden Gewölbelementes bis zum Grat berechnen.

E. Für Kuppeln. Denkt man sich eine Kuppel in horizontale Schichten (Kränze) zerlegt, so werden die obersten derselben fast keinen (unmittelbar am Scheitel gar keinen) Horizontalschub fortpflanzen, vielmehr fast allen durch ihre Spannung hervorgebrachten Schub zu ihrem eignen Gleichgewicht absorbiren, so daß die Resultanten aus Gewicht und Horizontalschub bei den obersten Schichten sehr steil und allmälig flacher werden, bis man eine Fuge erreicht, wo sie so flach sind, daß eine Hintermauerung nöthig wird, um das Ausgleiten zu verhindern; dies würde also die Brechungsfuge sein. Um nun die Stabilität zu berechnen, denkt man sich eine Kuppel von 2 a Fuß Spannweite und b Fuß innerer Höhe in Meridionalschichten von je 1 Fuß Breite auf dem Widerlager getheilt; nennt man nun den durch diese Schicht geübten Horizontalschub Q, ihr Gewicht P, M das Moment von P² in Beziehung auf den Bogenanfang als Drehpunkt, N das Moment des Horizontalschubes, ebenso bezogen, α den Neigungswinkel der obersten Fuge gegen die Verticale (für geschlossene Kuppeln = 0), β den Neigungswinkel der untersten Fuge gegen die Verticale, a₁ den inneren Radius einer etwaigen oberen Oeffnung, b₁ die Tiefe dieser Oeffnungskante unter dem Scheitel, c die Bogenstärke, h' die Höhe der Belastung (bei ungleichmäßigem Material so reducirt, als wenn es gleichmäßiges wäre), h'' die Uebermauerung über dem Rand der Oeffnung, h'' die Höhe der Hintermauerung am Widerlager, von diesem aufwärts gemessen, h''' aber = (b+c+h) — h'' d. h. die Differenz zwischen der Hintermauerungs- und der totalen Uebermauerungshöhe am Scheitel, φ den Neigungswinkel der Brechungsfuge gegen die Verticale, e die Widerlagsstärke, f die Höhe der Widerlagsmauer unter dem Bogenanfang, g die Totalhöhe des Widerlagers nebst der Uebermauerung desselben, n den Stabilitätscoefficienten (nicht gern unter 3, d. h. als dreifache Sicherheit anzunehmen), so wird sein:

$$P = \frac{1}{2a}\left[(h'' + \tfrac{1}{3}h''' - \tfrac{1}{3}b)\,a^2 - (h+c)\,a'^2\right],$$

$$M = aP - \left(\frac{h+c}{3} + \frac{b}{5} - \frac{h'''}{4}\right)a^2 + \frac{h+c}{3}\cdot\frac{a'^3}{a},$$

$$ge = \sqrt{2g\left[n\,(fQ+N) - M\right] + P^2} - P,\text{ also}$$

für dreifache Sicherheit (n = 3) ist

$$ge = \sqrt{2g\,(3\,fQ + 3N - M) + P^2} - P.$$ Da man nun annähernd N = M setzen kann, so erhält man

$$ge = \sqrt{2g\left[nfQ + (n-1)\,M\right] + P^2} - P,\text{ also}$$

für n = 3

$$ge = \sqrt{2g\,[3\,fQ + 2M] + P^2} - P.$$

Nimmt man ferner, was auch in der Regel nahe zutrifft, an, die Brechungsfuge liege in der halben Höhe des Bogens $\frac{b-b'}{2}$ und Q wirke in der Mitte des über der Brechungsfuge liegenden Bogentheiles, also ungefähr ³/₄ (b—b') über der Widerlagsfuge, so ist $Q = \frac{4\,M}{3\,(b-b')}$. Setzt man dies in die Gleichung für ge ein, so erhält man

$$ge = \sqrt{2g\left[\frac{3\,f\,4\,M}{3\,(b-b')} + 2M\right] + P^2} - P,$$

$$= \sqrt{\frac{24\,f\,g\,M}{3\,(b-b')} + 4gM + P^2} - P.$$

Durch Einsetzen obigen Werthes für M und dann für P in diese Gleichung, durch Division des Resultates mit g und durch das Ziehen der Quadratwurzel erhält man endlich der Werth von e, den man allerdings mit etwas geringerer, doch genügender Zuverlässigkeit auf graphischem Wege viel leichter entwickeln kann. Der Horizontalschub Q kann übrigens auch durch ein eisernes Band vernichtet werden, welches entweder um die Brechungsfuge oder, um den unteren Theil der Kuppel gelegt wird und fähig sein muß, eine Spannung von aQw zu ertragen, wenn das Gewicht der Wölbsteine pro Cubikfuß = w setzt; das Band, von Schmiedeeisen gefertigt, müßte demnach mindestens $\frac{aQw}{7500}$ Quadratzoll rheinländisch Querschnitt haben.

Diejenigen unserer Leser, welche näher in die Wölbungstheorie einzugehen wünschen, verweisen wir auf Scheffler, „Theorie der Gewölbe" ꝛc. Braunschweig 1857 (Schulbuchhandlung).

Wölbungsgerüst, s. d. Art. Lehrgerüst.

Wölbungslinie, die innere Wölbungslinie wird auch Intrado, die äußere Extrado genannt; s. d. betr. Art. und d. Art. Wölbung.

Wölbverband, s. d. Art. Bogenverband und Brücke, S. 449.

Wölbziegel, s. d. Art. Wölbstein.

Woera (nord. Myth.), Personification der Allwissenheit.

Wörd, Word, 1) s. v. w. Werder, der bereits begrünt ist; — 2) eingedeichtes Landstück am Flußufer.

Wohnhaus, lat. manerium, franz. manoir, mesuage, engl. mansion, s. d. Art. Haus, Griechisch, Indisch, Inn, Landhaus ꝛc.

Wohnung, frz. logement, corps de logis, s. d. Art. Logis, Haus, Anordnung, Appartement.

Wolf, 1) s. v. w. Bär oder Rammkloß; — 2) ein Stück Roheisen, ähnlich einer Gans, aber kleiner; — 3) frz. faîtage, der oberste Rahmen einer Windrippe, s. d. v. w. Firsträhmen, Firstholz; s. d. Art. Dach, S. 594, Anfallspunkt ꝛc.; — 4) frz. louve, Steinzange; s. d. Art. Steinzange, Teufelsklaue und Kropfeisen; — 5) starke hölzerne Welle, an der die Thurmglocke hängt; — 6) Rauchcanal; — 7) der Wolf erscheint als Attribut des Jupiter.

Wolfgang, St., Bischof, Apostel und Patron von Baiern, Patron namentlich von Regensburg und Oettingen und gegen den Schlagfluß, aus dem Geschlecht der schwäbischen Grafen von Pfullingen, erzogen in Reichenau; wirkte in Trier, zog dann nach Einsiedeln, endlich nach Ungarn u. Böhmen; 968 wurde er Bischof von Regensburg, später Einsiedler bei Salzburg am Wolfgangsee, mußte nach Regensburg zurückkehren und starb 994 auf einer bischöflichen Rundreise in der Kirche St. Othmar. Abzubilden ist er als Bischof, in der Hand ein Beil, zur Seite oder auf dem Arme eine Kirche.

Wolfhard, St., s. d. Art. Gualfardus.

Wolfrähm, lat. columen, engl. patin, ridgepiece, s. v. w. Wolf 3.

Wolfram, Tungsteinmetall, Scheelium, hat Farbe und Glanz des Eisens und wiegt 17,0 bis 17,6. Es kommt vor in folgenden Mineralien:

a) Wolfram-Mineral, Krystalle schön, aber sehr verwickelt, häufig Hemitrope oder Zwillinge, gehören zum klinorhombischen Systeme; krystallinische Massen; grob-, auch kleinkörniger Bruch, ins Strahlige verlaufendes Blättergefüge. Auf Kohle schmilzt er zur magnetischen Kugel, belegt mit Krystallen auf der Außenfläche. Wolfram ist in Salpetersäure lösbar, mit Zurücklassung eines gelblichen, pulverförmigen Rückstandes, der Wolframsäure, welche, mit Wolframoxyd verbunden, ein blaues färbendes Pulver giebt. Das Wolfram ritzt Flußspath, ist ritzbar durch Feldspath; hat röthlich-braunes Strichpulver und dem Diamantglanz sich nähernden halbmetallischen Glanz; Farbe graulich- und bräunlich-schwarz. Besteht wesentlich aus Wolframsäure, Eisenoxydul und Manganoxydul, nebst etwas Kalk.

b) Scheelit (Scheeler), Scheelspath, Tungstein), wolframsaurer Kalk. Krystallinische Massen, nierenförmig und eingesprengt. Theils ins Strahlige übergehendes Blättergefüge, unebener, ins Splitterige und Muschelige gehender Bruch. Schmilzt schwer zu halb durchsichtigem Glase auf

Kohle und gepulvert, in Borax zur klaren, farblosen Perle. Ist lösbar in erhitzten Säuren. Ritzt Flußspath, ritzbar durch Apatit; weißes Strichpulver. Zwischen Wachs- und Glasglanz. Halbdurchsichtig, bis an den Kanten durchscheinend. Farbe weiß, ins Gelbe, Graue und Braune.

c) Wolframbleierz, Scheelbleispath, hauptsächlich wolframsaures Bleioxyd.

Das Wolfram bildet mit Sauerstoff zwei interessante Verbindungen: Wolframoxyd und die Wolframsäure. Mit Basen bildet die Wolframsäure mehrere Reihen von Salzen. Das wolframsaure Natron wird benutzt, um leichte Kleidungsstoffe gegen Entflammung zu schützen; es ist ein farbloses Salz, welches sich im Wasser löst und als Lösung zum Tränken der Stoffe verwendet wird. Wenn man dieses Salz schmilzt und noch etwas Wolframsäure zusetzt, so bildet sich zweifach-wolframsaures Natron, das, im Wasserstoffstrome erhitzt, eine prachtvoll goldgelbe und glänzende Verbindung, die Wolframbronze (wolframsaures Wolframoxydnatron) liefert. Diese dient als Ersatz für Goldbronze und Musivgold. Das auf ähnliche Weise bereitete wolframsaure Wolframoxydkali ist prachtvoll violet und dient gleichfalls zum Bronziren. Durch Erhitzen von wolframsaurem Ammoniak erhält man einen intensiv blau gefärbten Körper (wolframsaures Wolframoxyd), das Wolframblau, welches als Malerfarbe hochgeschätzt ist.

Wolfsfrischofen, s. d. Art. Luppenfrischofen.

Wolfsgrube, als Annäherungshinderniß; s. d. Art. Festungsbau.

Wolfsloch, s. d. Art. Kropfeisen.

Wolfsschenne, s. v. w. Halfterscheune.

Wolfsthorn, Haenderspoor (Habnensporen, Phoberos Mundtii W. et Arn., Fam. Bixaceae), ein Baum des Kaplandes mit hartem und dauerhaftem Holz.

Wolken, s. d. Art. Deodat, Cyrillus, Nimbus ꝛc.

Wolkenschnitt, s. d. Art. Heraldik VI.

Wolkenträgerreihe, engl. nebule-corbeltable, s. Fig. 764 und d. Art. Corbel.

Wolkenverzierung, s. Wellenverzierung.

Wollastonit, Tafelspath, krystallinische, blätterige und schalige Massen, Bruch splitterig ins Unebene, ritzt Flußspath, ritzbar durch Feldspath, spec. Gewicht = 2,8; Farbe weiß, ins Gelbliche, Röthliche und Graue, Perlmutterglanz, halbdurchsichtig bis durchscheinend; findet sich vorzüglich in körnigem Kalk und besteht wesentlich aus einer Verbindung von Kalk und Kieselsäure.

Wollenbaum, Ceiba (Bombax Ceiba, Fam. Malvengewächse), ein Baum des heißen Südamerika und Westindiens mit riesenhaftem Stamm, der in der Mitte bauchig angeschwollen ist und von den Indianern gern zur Anfertigung ihrer Kanoes benutzt wird. Das Holz hat nur geringe Festigkeit.

Wollgras, bastartiges (Eriophorum cannabinum Lindl., Fam. Cypergräser), ist ein Gras Nepal's, welches daselbst allgemein zur Anfertigung von Seilen und Tauwerk dient.

Wollsackbatterie, s. d. Art. Batterie.

Wollust, s. d. Art. Hexe, Venus ꝛc.

Woltmann'scher Flügel, s. Wassermesser.

Wonne, tief gelegene Wiese (hochbayerischer Provinzialismus).

Wood, engl. Holz; wood-carving, Holzschnitzwerk; woodwork, Boiserie; wood-oil, Gurjun.

Woodland-Pole, s. d. Art. Maaß, S. 484.

Woolf'sche Maschine, s. d. Art. Dampfmaschine, S. 621 und 624.

Wooz, 1) ein ostindisches Eisenerz, wiegt 7,2, kann als natürlicher Stahl betrachtet werden; — 2) Stahl mit Thon- oder Kieselerde verbunden.

Woozstahl, Verbindung von Eisen, Kohle und Kiesel. Er ist schmelzbar, aber dabei außerordentlich hart und wird weniger schadhaft durch das Schmieden, als der übrige Stahl. Weiteres s. in d. Art. Eisen, S. 688, und in d. Art. Stahl.

Würfelmaschine, s. d. Art. Getreidereinigungsmaschine.

Worfeltenne, s. v. w. Schüttboden.

Work, engl. Werk, Kunstwerk, in Arbeit begriffener Bau. **Working-drawing,** Bauzeichnung; working of mines, Bergbau.

Worp, frz. barre, engl. transom, span. yugo (Schiffsb.); man unterscheidet 1) Deckworp, s. d.; — 2) Worpen des Schiffsspiegels oder Wrange, frz. barre d'arcasse, ital. gua, span. puerca, dem Heckbalken ähnliche Hölzer, die den Untertheil des Achterschiffes unter der Gilling bilden; — 3) s. v. w. rollende Wogen.

Wrack, Wrag, Wrah, frz. varch, engl. wreck, s. v. w. Trümmer, Ueberbleibsel. Dadurch erklären sich die Ausdrücke Wrackdeich, Wrackschlacken, Wrackschiff, Wrackziegel ꝛc.

Wrange (Schiffsb.). Man unterscheidet 1) Deckwrange, s. v. w. Deckworp; — 2) Spiegelwrange, s. v. w. Worp 2; — 3) Bodenwrange und Flurwrange, s. v. w. eingezogenes Bauchstück.

Wrasenfang, s. v. w. Rauchmantel.

Wrasenröhre, s. d. Art. Brodemfang.

Wreath of flowers, engl., s. d. Art. Blumengehänge.

wuchten, s. v. w. ruckweise ausheben, eingerammte Pfähle ꝛc. Man bildet aus mehreren übereinander gelegten Balken eine feste Unterlage dicht am Pfahl, legt auf diese den oft zwanzig und mehrere Fuße langen Wuchtbaum, befestigt das kurze Ende mittelst einer Kette an den Pfahl und bringt das lange Ende durch Arbeiter in eine schwingende Bewegung, wodurch der Pfahl von dem umgebenden Erdreich befreit und dann ausgezogen wird; s. auch d. Art. Ausziehen 5.

Würbel, s. v. w. Wirbel.

Würfel, lat. cubus, durchaus rechtwinkeliger, von sechs Quadraten eingeschlossener Körper mit zwölf gleichlangen Kanten; s. auch d. Art. Cubus, Hexaëder II, Krystallographie, Kardinaltugenden 5, Marterwerkzeuge ꝛc. Der Würfelfuß, Würfelzoll ꝛc. gelten als Einheiten für die Kubikmaaße, s. d. und d. Art. Maaß.

Würfel, lat. truncus, cubus, frz. dé, ital. dado, quadro, tronco, das mittelste, einen Würfel bildende Stück am Säulenstuhl. Verg. auch d. Art. Astragal, Indisch, S. 322.

Würfelbau, s. d. Art. Grubenbau, S. 215.

Würfelcapitäl, frz. chapiteau cubique, engl. cushion capital, cubical capital, s. d. Art.

arabischer Styl, byzantinischer Styl, romanischer Styl und Capitäl. Ein solches Capitäl besteht aus einem wirklichen Würfel, dessen lothrechte Seiten unten halbkreisförmig abgeschnitten und durch sphärische Dreiecke nach dem Halsglied hineingeführt sind, so daß sich vier wappenschilderähnliche Wangen bilden.

Würfelfries, frz. damier, s. Schachbretfries.

Würfelspath (Mineral.), s. v. w. Anhydritspath; s. d. Art. Anhydrit.

Würfelzeolith (Mineral.), s. v. w. Analzim; s. d. Art. Zeolith.

würgen, mittelst eines umgelegten Strickes, Würgelaues, hindurchgesteckten und gedrehten Knebels zwei Körper fest aneinander zwängen.

Würzkram, s. d. Art. Brauerei.

wüstes Gerinne, s. Freiarche und Gerinne.

wuhlen, ein Tau spiralförmig um ein anderes winden; Wuling, frz. rousture, suisine, liure, engl. woolding, gammouing, ital. trincha, span. trinca, diese Umwindung.

Wuhne, s. v. w. tiefliegende Wiese; — in das Eis gehauenes Loch; s. Aufwuhnen.

Wuhr, Gitter, welches das Uebersteigen über ein Wehr, einen Damm oder dergl. verhindert; — s. d. Art. Bär .

Wulst, Bausch, frz. coussinet, engl. bosel, gedrückter Viertelstab; s. d. Art. Echinus und d. Art. Glied E.   e.

Wunderbaum, Silberpappel, s. d. Art. Pappel; — s. v. w. Ricinus, s. d.

Wundmale, s. d. Art. Christus, Gertrud, Thomas, Franciscus ꝛc.

Wunibald, St., s. d. Art. Wallburga und Willibald. Nach seiner Rückkehr blieb er nicht lange in England, sondern ging wieder ins Benedittinerkloster in Rom, dann von Bonifacius berufen nach Heidenheim; starb 760 als Abt von Heidenheim.

Wurfbatterie, s. d. Art. Belagerungsarbeiten.

Wurfbewegung, s. d. Art. Ballistik.

Wurfgitter, s. d. Art. Durchwurf.

Wurfhebel, einarmiger Hebel, wo die Kraft sich zwischen dem Ruhepunkt und der Last befindet.

Wurflinie, s. d. Art. Ast.

Wurfrad, Maschine, welche durch Werfen das Wasser fortschafft. In einem höchstens drei Fuß hohen Kropf liegt ein Rad mit geraden Schaufeln, die das Wasser hinaufwerfen, welches dann in einer Rinne abfließt. Gewöhnlich geschieht die Bewegung dieser Räder mittelst Wind.

Wurfspieß, Attribut der Dioskuren; s. auch d. Art. Lanze.

Wurfstein, frz. palet, s. d. und d. Art. Celtisch.

Wurm, s. d. Art. Bohrwurm und Wurmfraß. Mittel dagegen s. u. d. Art. Auslaugen. Würmer als Attribut erhält Habakuk.

Wurmfraß; wurmstichig, wurmfräßig heißt das vom Wurm theilweise zerrüttete Bauholz; kann durch Anstrich mit Theilen Terpentinöl und Theil Kochsalz oder mit Seifensiederlauge und Salz oder mit Tabakslauge und Theer oft noch gerettet werden. Vergl. auch d. Art. Anstrich und Bauholz, S.

Wurmmoos, s. d. Art. Caragben.

wurmtrocken, noch auf dem Stamm stehender Baum, der durch den Bohrwurm getödtet worden ist; s. d. Art. Borkenkäfer und Holzfeinde.

Wurst (Wasserb.), 18—20 Fuß langer, Zoll dicker Strang, von Faschinenreisern zusammengebunden und mit kleinen Pfählen quer über die Faschinenlagen befestigt; s. Grundbau, S.

Wurstbatterie, s. d. Art. Batterie.

Wursteln, Münchener Provinzialismus für eine besondere Art des Ausfugens beim Rohbau.

Wurststeine, puddingsteine, so nennt man gewisse Kieselconglomerate mit kieseligem Bindemittel, worin die damit verkitteten Geschiebe gelber bis schwarzer Feuerstein oder auch Jaspis sind.

Wurthe (fem.), künstliche Hügel oder Wälle, um in sumpfigen oder leicht überschwemmten Gegenden die Wohnhäuser darauf zu setzen.

Wurzel. Ist eine ganze Zahl, so versteht man unter der n ten Wurzel aus einer anderen a diejenige Zahl, welche n mal mit sich selbst multiplicirt (auf die n te Potenz erhoben) der Zahl a gleich wird. Man bezeichnet sie mit $\frac{}{}$ u. nennt darin den Wurzelexponenten u. a die Basis der Wurzel und unterscheidet, je nachdem ꝛc., Quadratwurzeln, Cubitwurzeln ꝛc. Im Art. Potenz ist gezeigt worden, daß das Symbol $a^{\frac{1}{m}}$ die m te Wurzel aus der Zahl a bedeuten müsse. Man ist dadurch in den Stand gesetzt, auch eine Bedeutung der Wurzel zu haben, wenn der Exponent keine ganze Zahl, sondern beliebig gebrochen, irrational oder gar imaginär wird. — Unter den Wurzeln einer Gleichung versteht man die Werthe der unbekannten Größe, welche der Gleichung genügen. Jeder Werth von x also,

welcher der Gleichung $x^n + A x^{n-1} + \ldots + N = 0$ Genüge leistet, heißt eine Wurzel der Gleichung. Jede Gleichung n ten Grades hat Wurzeln, von denen ein Theil reell und der andere imaginär sein kann. — S. d. Art. Bühne, Futtermauer, Maser ꝛc.

Wurzelausschlag, so nennt man die neuen Triebe, Zweige und Stämme, die aus den oberflächlich verlaufenden Wurzeln der meisten Laubbäume, theils schon bei deren Leben, wie bei Pappeln, Pflaumenbäumen ꝛc., vorzüglich aber nach dem Abhauen des Hauptstammes entstehen.

Wurzelbalken, s. d. Art. Bauholz, S.

Wurzelbaum, s. d. Art. Bolletrieholz.

Wurzelfactor, s. d. Art. Gleichung, S.

Wurzelgruppen, s. d. Art. Gleichung, S.

Wurzelholz, s. d. Art. Stockholz und Maser.

Wurzelpaare, s. d. Art. Gleichung, S.

X. 1) Als Zahlzeichen: X, aus zwei V zusammengesetzt = 10, ξ' = 60, ξ = 60000; — 2) als Abkürzung für „Christus" s. d. Art. Jesus u. Monogramm; — 3) x ist in der Mathematik neben den übrigen letzten Buchstaben des Alphabetes (y, z, t, u, v, w) das Zeichen für eine unbekannte oder eine veränderliche Größe, während die ersten Buchstaben bekannte und unveränderliche Größen bedeuten.

Xalcitis, angeblich wohl aus Chalcitis verstümmelt; alte Benennung für Eisenvitriol.

Xanthan, eine Verbindung von Schwefel, Cyan und Stickstoff ($C_2 N_2 S_2$), ist nur in Verbindung mit Wasserstoff als **Xanthanwasserstoffsäure** oder Ueberschwefelblausäure bekannt.

Xanthe, die Blonde, daher Xanthe eine der Nereiden, Xanthen s. v. w. Horen, s. d.

Xanthin, 1) auch Xanthicoxyd genannt, harnige Säure, Harnoxyd; — 2) gelber Farbstoff der Wurzeln der Färberröthe.

Xanthokon, ein aus Silberschwefel und Arsenschwefel bestehendes, also als Sulfodoppelsalz mit zwei verschiedenen Sulfosäuren auftretendes Silbererz.

Xanthophyll, s. v. w. Blattgelb.

Xanthorrhiza oder Xanthorrhiza, Gelbwurz.

Xanthorrhoea arborea, eine in Neuholland einheimische Pflanze; liefert freiwillig das gelbe neuholländische Harz.

Xenodochium, griech. ξενοδοχεῖον, Pilgerherberge, Fremdenhaus, Hospital, Hospiz, zur unentgeltlichen Aufnahme von Fremden und Kranken; s. d. Art. Kirche B. b, S. 385.

Xenotim (Min.), s. v. w. Ytterspath, phosphorsaure Yttererde.

Xeste, s. d. Art. Maaß, S. 514.

Xir, alte alchymistische Benennung des Quecksilbers.

Xisudros, s. d. Art. Assyrisch und Chaldäisch.

Xuthos (Mythol.), des Hellen Sohn, Schwiegersohn des Erechtheus, Stammvater der Achäer und Jonier.

Xylidin, eine mit Anilin homologe Base, entsteht durch Behandeln des Nitroxylols mit Schwefelammonium und Eisen, wodurch das Nitroxylol zu Xylidin reducirt wird; das Nitroxylol aber erhält man aus dem Xylol durch Behandlung mit rauchender Salpetersäure.

Xylobalsam, Balsamholz, stammt vom arabischen Balsamstrauch (Balsamodendron gileadense Kth., Fam. Balsambäume, Burseraceae Endl.), wurde ehedem medizinisch verwendet, findet dagegen technisch keine Benutzung.

Xylogen, Grundstoff der Holzfasern, erscheint in der ursprünglichen Zellwand und in den Verbindungsschichten aller verholzten Zellen abgelagert und vermehrt deren Starrheit. Er scheint aus dem Zellstoff zu entstehen, wird von Schwefelsäure nur schwierig angegriffen, dagegen von Aetzkali leicht und vollständig gelöst, ebenso durch oxydirende Mittel (chlorsaures Kali und Salpetersäure) ausgezogen.

Xyloidin, entsteht durch Einwirkung der rauchenden Salpetersäure auf die Stärke oder den Holzfaserstoff.

xyloidisch, vom griechischen ξύλος (Holz), holzartig, holzähnlich.

Xylol, ist der aus dem rohen Holzgeist neben Cumol isolirte Kohlenwasserstoff.

Xylomelum pyriforme, ein Baum in Australien, 15—20 Fuß hoch, 6—8 Fuß im Umfange. Sein Holz ist dunkel und schön gezeichnet, eignet sich deshalb gut zu feinen Holzarbeiten.

Xylopal, Holzopal, auch für Pechstein.

Xylophagen, Holzfresser; man nennt so eine Anzahl kleine Käfer, deren Larven durch Zerfressen von frischem und todtem Holzwerk nachtheilig werden. Zu ihnen gehören die Borkenkäfer, Bastkäfer und Kernholzkäfer, s. d.

Xylophagus lacrimans, s. v. w. Hausschwamm.

Xylopia glabra, s. d. Art. Bitterholz.

Xylopia sericea, eine amerikanische Pflanze, die zu den Anonaceen (Flaschenbaumgewächsen) gehört; liefert in ihrem zähen Bast Material zu vortrefflichen Seilen.

Xyloplastik, Holzschnitzerei, Holzbildhauerei.

Xystion, gelber Hyazinth.

Xystum, Xystus, griech. ξυστός, 1) bei den Griechen bedeckter Säulengang in der Palästra, s. d.; — 2) bei den Römern war Xystus eine von Säulengängen eingefaßte Terrasse, im Mittelalter hießen so alle langen bedeckten Gänge, hauptsächlich bei den Klöstern die Kreuzgänge; s. d. Art. Bad 4 b, S. 292 und Kirche, S. 382.

Xystus, St., s. v. w. Sixtus.

Y. 1) Als Zahlzeichen ý = 400, y = 400000; 2) in der Buchstabenrechnung sind x, y und z in der Regel die Zeichen für die unbekannten Größen.

Yacht, engl. yacht sloop, f. d. Art. Jacht.

Yamantaga, buddhaistischer Name des Schiwen, wenn er mit 9 Köpfen, 34 Armen und 16 Beinen als zerstörende und wieder erzeugende Naturkraft dargestellt wird.

Yamas, Todtenrichter; s. d. Art. indische Baukunst A.

Yanolith, s. v. w. Axinit.

Yard, engl., altengl. Yerde, Gerte, 1) Ellenmaaß in England von 3 engl. Fuß = 1,3710 preuß., = 1.6184 sächs. Elle. Als Feldmaaß 1 □Yard = 30 Acres, = 121,₄₀ franz. Aren, = 47,₈₈ preuß. Morgen; f. übr. d. Art. Maaß, S. 490. d. Art. Elle, S. 709 u. d. Art. Meile; — 2) altengl. garth (Garten), innerer Hof eines Gebäudes; — 3) ein Stück Bauholz.

Yari-yari, Lanzenholz von Guiana, stammt von Duguetia quitarensis Schomb. (Fam. Anonaceae) in Guiana; ist sehr fest und elastisch und wird deßhalb von Wagenfabrikanten sehr hoch geschätzt.

Yaruribaum, s. d. Art. Ruderbaum.

Yellow, engl., Gelb.

Yellow-Pine (Pinus mitis Mich.). Fam. Coniferae), ein Nadelholzbaum Nordamerika's, dessen Holz für den Schiffsbau geschätzt und im Handel in großen Mengen verführt wird.

Yeso, span., Gips; f. d.

Yeson, span., abgefallener Gipsstuck, Stuckroden.

Yglesia, span., Kirche.

Yhren, f. d. Art. Maaß, S. 504.

Yin, f. d. Art. Maaß, S. 484, Bd. II.

Ympnare, Hymnarium, f. d. Art. Ritualbücher.

Yo, f. d. Art. Maaß, S. 497.

Yorkstyl, so nennen Manche den englisch-gothischen Baustyl der zweiten Periode; f. d. Art. Englisch-gothisch 2.

Yserhout, f. d. Art. Eisenholz 4.

Yttererde, Gadolinerde, Ytteroxyd, findet sich im Gadolinit oder Ytterbit, im Yttercererit, im Ortbit und im Yttrotantalit und ist das Oxyd des Yttrium, eines noch nicht näher untersuchten Metalles. Sie ist der Talkerde ähnlich, weiß, geruchlos und geschmacklos.

Yu, chinesische Benennung des Jaspachat, Nephrit und Prehnit, eines sehr geschätzten Minerals.

Yugado, f. d. Art. Maaß, S. 495.

Yugo, span., 1) Joch; yugo dela popa, Hedbalten; — 2) Worp, f. d.

Yusera, span., liegender Mühlstein, Bodenstein.

Yute, Paat, die Fasern einer bengalischen Corchorusart (Corchorus olitorius, Fam. Lindengewächse, Tiliaceae). Man fertigt in Ostindien besonders die Säcke für Zucker und dergl. daraus, versendet aber auch die rohe Faser massenhaft und verarbeitet sie zu anderen Zeugstoffen allein oder mit Flachs gemischt.

Z. 1) Als Zahlzeichen bedeutet Z 2000; z (hebr.) 90; ζ (griech.) 7, ͵ζ 7000; — 2) in der Buchstabenrechnung eine noch zu suchende unbekannte Größe, wie X und Y; — 3) bei den Römern bedeutete Z ½ Aß, ZZ ½ Aß.

Zacatin, span., kleiner Marktplatz.

Zacharias, 1) s. d. Art. Propheten B. 11; — 2) Es giebt einen Papst St. Zacharias, einen Bischof von Wien ꝛc.

Zackenbekrönung, s. d. Art. crest.

Zackenbogen, frz. arc polylobé, engl. multifoiled arch, Bogen, dessen Leibung in lauter kleine Rundbögen getheilt ist, besonders im früharabischen, byzantinischen und spätromanischen Styl vorkommend.

Zadkiel oder Zatkiel, s. d. Art. Engel i.

Zähgerinne (Wasserb.), bei einem Pochwerk das äußere, zum Fortspülen des Schlichs dienende Gerinne; s. d. Art. Wäsche.

Zähhäuptel, Erz, das zu Staub zerpocht ist; s. d. Art. Pochwerk und Wäsche.

Zähigkeit eines Holzes, s. Biegsamkeit.

Zählbret, s. d. Art. Marterwerkzeuge.

Zähler eines Bruches, die Zahl oberhalb des Bruchstriches oder die Zahl, welche dividirt werden soll.

zähneln. Das Zähneln ist eine Bearbeitungsweise sehr fester Steine in der Art, daß nach dem Bossiren oder Kröneln die Unebenheiten in schmalen Streifen abgesprengt werden, ähnlich dem Charriren, aber mit einem Zahneisen.

Zängelmaaß, Messungblech mit ungleich starken, rechtwinkligen Einschnitten zur Messung der Drahtstärke. Vergl. d. Art. Blechmaaß.

zäumen; die Nachen, welche das Gier- oder Flugtau einer fliegenden Fähre über Wasser erhalten, zäumen, heißt: deren Stäbe mit einer Leine an das Flugtau binden.

Zaffer, aschgraublaue Kobaltfarbe, s. d. Art. Blau, Glasmalerfarben, Kobalt, Smalte.

Zaguan, span., bedeckter Eingang eines Hauses, Vorhalle und Hausflur, Diele.

Zahl. Angabe, wie oft sich die Einheit in irgend einer Größe wiederholt. Vergl. d. Art. Ganz, Arithmetik, Gebrochen, Cosinus, Zahlensystem ꝛc. Hier geben wir einige Notizen über symbolische und heilige Zahlen. In der mittelalterlichen Kirchenbaukunst wurden gewisse Zahlen als symbolisch besonders gern angewendet, und häufig wurde eine solche Zahl dem Kirchenbau bei Bestimmung der Fensteranzahl, Pfeilergrundrisse ꝛc. zu Grunde gelegt. Ihre Bedeutungen seien hier kurz angeführt, ohne daß wir uns auf eine desfallsige nähere Untersuchung einzulassen beabsichtigen; nach Kreuser's Werk, „Der christliche Kirchenbau", bedeutet 1 die Einheit Gottes und die der Kirche; 2 erinnert an den Heiland als Gott und als Mensch, an das Alte und Neue Testament, als Thüren zu Gott (daher die Zwillingsthüren), an das Leben diesseits und jenseits, die sich wie Lea und Rabel verhalten, an die zwei Gesetztafeln, an die zwei Fische (Markus VI, 38), an Gottesliebe und Nächstenliebe, an die beiden Seiten des Buchs der Offenbarung (Apokal. V, 1), an die zwei Adlerflügel (Apokal. XII, 14), an die zwei Leuchter (Apokal. XI, 4), an die zwei Schwerter im Munde des Herrn (Apokal. I, 16 und Hebr. IV, 12) ꝛc.; 3 gehört zu den vollkommenen Zahlen und erinnert an die Dreieinigkeit, an Glaube, Hoffnung, Liebe, an die drei Engel Abrahams, an die drei Brote (Ps. 102), daher die dreifachen Eingänge der Kirche ꝛc.; 4 ist Sinnbild aller Körperlichkeit und der sichtbaren Welt, der vier Weltrichtungen, als Viereck Sinnbild der Kirche (s. d.), der vier Evangelien, der vier Angeltugenden, der vier Paradiesesflüsse ꝛc.; 5 erinnert an das Alte Testament durch die fünf Bücher Mosis, an die fünf Sinne, an die fünf Gänge aus dem Teich Bethesda, an die fünf Steine, die David gegen Goliath auflas (I. Kön. XVII, 40), die fünf klugen und fünf thörichten Jungfrauen, die fünf Brote (Joh. VI, 9 ff.) ꝛc.; 6 gehört zu den vollkommenen Zahlen, ist das Symbol der Weltschöpfung in sechs Tagen, der sechs Weltalter ꝛc.; 7 bezieht sich auf die Ruhe Gottes nach vollendeter Schöpfungswoche und die Gottesruhe im unbegrenzten siebenten Weltalter, auf die sieben Makkabäer, die sieben Engel, die sieben Kirchen, die sieben Weiber des Jesaias, auf den siebenarmigen Leuchter, auf die sieben Säulen der Weisheit in den Sprüchen Salomons, auf die sieben Gaben des heiligen Geistes, auf das siebenmal siebenzigmal Verzeihen der Kirche, auf die sieben Bitten des Vaterunser, die sieben Seligkeiten, auf die sieben Planeten, auf die sieben Boten und Diener Gottes (Tobias XII, 15) ꝛc., 7 symbolisirt die Vereinigung der Dreieinigkeit mit den vier Elementen der Schöpfung und gilt für die Zahl der Heiligung, da der siebente Tag dem Herrn geweiht ist, daher auch jeden Tag siebenmal gebetet wird, sieben Stufen zu der Piscina des Baptisteriums hinabführten ꝛc.; 8 (s. d. Art. Acht) ist noch dadurch bedeutsam, daß

Christus am achten Tage beschnitten ward und daß 8 − 4 + 4 die vier großen Propheten und vier Evangelisten anzeigt. Sonntag ist der achte Tag. 9 wird vielfach als unvollkommene Zahl bezeichnet und mit den 9 Undankbaren (Lukas XVII, 17) in Verbindung gebracht. Auf der andern Seite war um die neunte Stunde das Tempelopfer, starb der Heiland, wurde das Paradies dem Schächer eröffnet ꝛc. Auch ist die Neun heilig als dreimal drei; 10 ist das Symbol der Vollkommenheit und Weisheit, des alten und neuen Bundes, des Gesetzes in den zehn Geboten, der zehn Saiten der Harfe Davids, von denen die drei ersten zu Gottes Lob erklingen; erinnert an die zehn Tage vom Himmelfahrtsfest bis Pfingsten ꝛc.; 11 ist Symbol der Sünde und erinnert an die 11 Ziegenbaardecken (Exod. XXVI, 7) und das böse Geschlecht Lamechs; 12 erinnert an die Stämme Israel, die Apostel, an die zwölf Steine im Jordan, an die zwölf Fürsten, die die Bundeslade trugen, an die zwölf Propheten, an die zwölf Rinder unter dem ehernen Meer, an die zwölf Löwen am Thron Salomo's, an die zwölf Steine am Brustschild (Nationale), an die zwölf Sterne des Sonnenweibes, an die zwölf Thore des himmlischen Jerusalem, außerdem als dreimal vier an die Durchdringung der Welt durch die Dreieinigkeit, ferner an das Tuch des Petrus (Apostelgesch. X, 11), an die zwölf Tagesstunden (Joh. XI, 9); 15 als Vereinigung der 3 und 5 oder der 7 und 8 gilt als Symbol für die Vereinigung des alten Sabbathbundes und neuen Sonntagbundes, erinnert an die fünfzehn Tempelstufen, an die fünfzehn Staffelpsalmen, die fünfzehn Ellen der Sündfluth ꝛc.; 17 bedeutet die Vereinigung der zehn Gebote und sieben Bitten und erinnert an den 17. Psalm; 18 ist die Vereinigung von 3 und 6, daher entsprechend zu deuten; 24 erinnert an die 24 Aeltesten, 12 Apostel und 12 Propheten; 25 als fünfmal fünf ist als die Vervielfältigung der Fünf zu deuten; 40 erinnert an die Himmelfahrt, an die Dauer der Sündfluth, an das Fasten Mosis, Elias und Christi, an den Zug durch die Wüste, außerdem als zehnmal vier an die Verbreitung des Gesetzes nach allen Weltgegenden; 50 erinnert an die große Woche, denn siebenmal sieben ist 49, wozu der Weltsabbath kommt; 40 und 10 sollen erinnern an die Himmelfahrt und die 10 Gebote, oder an die Denare (Matth. XX, 9), eine mit X (Christos) bezeichnete Münze als Lohn der Arbeiter nach dem in Fasten und guten Werken vollbrachten Leben; 50 Tage liegen zwischen Ostern und Pfingsten; 70 und 75 erinnern an die Gefangenschaft in Babylon und an den 70. Psalm der Wüste, nebst den 5 Büchern Mosis; 77 an die christliche Milde und Christi Stammbaum; 82 an die 70 Palmen der Weisen und die 12 Quellen, die zusammen auf das Christenthum und die Apostel gedeutet werden; 150 ist die Zahl der Psalmen; 153 erinnert an den Fischfang Petri (Bekehrung zu Gläubigen); 318 an die Beschnittenen des Abraham. Da diese Zahl griechisch ΤΙΗ geschrieben wird, deutet sie Barnabas auf's Kreuz und den Namen Jesu, daher denn auch die 300 Krieger des Gideon auf das Kreuz gedeutet werden, 1000 erinnert an das tausendjährige Reich. Ueber 12000 vergl. Psalm LIX.

Zahlensystem, die Anordnung der ganzen Zahlen als Summen aus den Potenzen einer bestimmten Zahl x, der Basis, wobei jede Potenz noch in einen Coefficienten, kleiner als die Basis,

multiplicirt ist. Es läßt sich nämlich jede Zahl N auf nur eine Weise auf die Form bringen:

$$N = a + bx + cx^2 + \ldots + nx^p$$

wo a, b, $c \ldots$ n sämmtlich kleiner als x und positiv sind und x jede ganze Zahl mit Ausnahme der 0 und 1 sein kann. Die Zeichen für die Coefficienten a, b, $c \ldots$ n führen den Namen Ziffern. Wollte man nun für jede Zahl N ihre Reihe hinschreiben, so würde dies noch ein besonderes Zeichen für die Basis x nothwendig machen, außerdem aber sehr umständlich sein. Bei allen gebildeten Völkern der Jetztzeit wird dies durch eine symbolische Darstellung der Zahlen N umgangen, indem man die Coefficienten der verschiedenen Potenzen in ihrer natürlichen Reihenfolge neben einander und zwar so stellt, daß das von x freie Glied die äußerste Stelle rechts einnimmt. Es würde daher das symbolische Zeichen für N sein: $N = n m \ldots c b a$. Hierbei ist die Grundzahl x noch ganz beliebig; bei den meisten gebildeten Völkern wird jedoch dafür die Zahl 10 genommen und man hat daher für alle Zahlen, welche kleiner als 10 sind, Ziffern nöthig. Diese sind bekanntlich 1, 2, 3, 4, 5, 6, 7, 8, 9. Aus ihnen lassen sich alle, auch die größten Zahlen darstellen. — Bei dem dodekabischen System, dessen Basis 12 ist, mußte noch für 10 und 11 ein Zeichen eingeführt werden. — Unser Zahlensystem und unsere Zahlen sind höchst wahrscheinlich indischen Ursprungs und von den Arabern überliefert worden (daher arabische Ziffern). Die alten Völker, insbesondere die Römer, Aegypter ꝛc., bezeichneten die Zahlen durch Nebeneinanderstellung einiger einfacher Zeichen; so waren die römischen Zahlzeichen für:

1, 5, 10, 50, 100, 500, 1000 ..
I, V, X, L, C, D, M,

so daß z. B. 1867 geschrieben werden müßte: MDCCCLXVII. Wie unbequem besonders bei größeren Zahlen diese Bezeichnungsweise ist und wie schwierig Rechnungen, z. B. Multiplicationen, damit auszuführen sind, leuchtet ein.

Zahn, 1) Kamm (Maschinenw.), an einem Kamm- oder Stirnrad, derjenige hervorragende Theil, der in die Höhlung eines andern Rades eingreift, und ihm dadurch die Bewegung mittheilt. Nach einer Cycloide soll der Zahn eines Kammrades abgerundet sein, nach einer Epicycloide aber der eines Stirnrades; s. d. Art. Rad; — 2) Zahn an Balken ꝛc.; s. d. Art. Verzahnung; — 3) s. d. Art. Zain; — 4) s. d. Art. Zahnschnitt.

Zahnbaum, ägyptischer (Balanites aegyptiaca Delil., Fam. Balaniteae), Soum der Aegypter, Haledsch der Araber, ein Baum Afrika's, dessen festes Holz in seiner Heimat gern zu Lanzenschäften verarbeitet wird. Vergl. auch d. Art. Oelkirschbaum.

Zahnblatt, Holzverbindung nach Fig. 1941, Seite 537; s. d. Art. Holzverband B. 2. b.

Zahneisen, 1) (Steinarb.) hat die Form der Schlag- und Beizeisen, jedoch an der Schneide schmale, ⅛−⅜ Zoll tiefe Einschnitte, so zwar, daß die Breite der Zähne bei den kleinsten Exemplaren nicht viel über ¼ Linie, bei den größten wohl 3 Linien erreicht. Das Werkzeug wird durch diese Abtheilung verhindert, größere Steintheile abzusprengen; — 2) (Schloss.) eine Besatzung in Schlössern; — 3) s. v. w. Zaineisen; — 4) s. d. Art. Zahnstange.

Zahnhammer, 1) s. v. w. Zainhammer; 2) (Steinmetz) franz. laie, laye, ein gezahnter Stockhammer.

Zahnhobel, f. d. Art. Hobel, dient beim Four-
nieren zum Rauben der zu leimenden Flächen,
wird auch beim Glätten sehr harter, widerjähriger
und knotiger Holzarten vor dem Abschlichten gebraucht. Er hat ein an der Seite, welche die Schärfe
bildet, gerieft gehauenes Eisen, wodurch an der
Schneide bei dem Anschleifen seine Zähne entstehen,
und das Eisen steht sehr steil, daher sprengt es bei
gemaserten Hölzern um so kleinere Theile aus,
nimmt also keine Späne, sondern verwandelt das
Holz in Pulver.

Zahnrad, f. d. Art. Räderwerk.

Zahnscheibenkuppelung, f. Kuppelung.

Zahnschmerzholz, stammt von Xanthoxylon
fraxinei, der amerikanischen Stachelesche (Tooth-
ash-tree, Fam. Xanthoxyleae); seine Rinde wird
als Mittel gegen Zahnschmerzen angewendet, die
technische Benutzung ist unbedeutend.

Zahnschnitt, lat. denticuli, frz. denticules,
engl. dentels, dentils, ital. dentelli, 1) Verzierung, die in reihenweise neben einander liegenden Hervorragungen besteht, vielleicht abgeleitet
aus dem Holzbau (die vorstehenden Latten der
Dachdeckung vorstellend); in der Regel stellt man
sie unmittelbar unter eine größere Platte. Man
macht gern die Breite der Zähne ungefähr gleich
der halben Höhe, und den Zwischenraum zwischen
zwei Zähnen circa ⅔ der Zahnbreite. Die Zähne
selbst sind entweder eckig (Ochsenzähne), oder rund
(Kälber- oder Sägezähne, f. d.), und endlich spitz
(Spitzzähne); f. d. Art. toothed und denteled;
vergl. auch d. Art. Asser, Jonisch, Korinthisch ꝛc.;
2) f. d. Art. Heraldik VI.

Zahnstange, gerade Stange, an einer
Seite ausgezahnt und durch ein Zahnrad fortbewegt; kommt vielfach in Anwendung; f. z. B. d.
Art. Fußwinde, Winde; Mikrometerschraube, Basquill, S. 248, Bd. I ꝛc.

Zahnstein, Schmatzen, frz. harpe, f. d. Art.
Verzahnung.

Zahurda, span., Schweinestall.

Zain, 1) Metallstück, das lang und schmal gegossen, geschmiedet oder gewalzt und zur weiteren
Verarbeitung bestimmt ist; f. d. Art. Zandeisen;
— 2) f. d. Art. Maaß, S. 503.

Zaineisen, Eisen, welches unter dem Zainhammer (f. d. Art. Hammer und Schraghammer)
in 10 bis 16 Fuß lange Stangen für den Nagel-
schmied kraus, d. h. eingekerbt geschmiedet worden
ist; f. übr. d. Art. Eisen und Abbinden 2.

Zainholz, f. v. w. Stabholz.

Zakken, f. d. Art. Maaß, S. 500.

Zalaccapalme (Zulacca wallichiana Mart.,
Fam. Palmen) giebt auf Malakka in ihren Blatt-
stielen Material zu Flechtwerk.

Zancha, ital., f. d. Crossette, f. d.

Zange, 1) frz. clef (Zimmer.), jedes Verbandstück, welches ein anderes Holz zu dem Behuf
übergreift, damit das letztere in seiner Lage bleibe.
Man überkämmt z. B. die Langschwellen der
Pfahlroste alle 5 bis 6 Fuß mit Zangen. Spundwände rammt man zwischen Zangen ein, d. h.
zwischen parallel laufenden Schwellen, die auf eingerammte Pfähle gekämmt und, in deren Zwischenraum die Spundpfähle gestellt werden. Von
der Stempelwand eines verjenkten Gebälks nach
der betreffenden Stuhlsäule greifen Zangen her-
über, jene durch Einblattung und Bolzen fassend;

f. auch d. Art. Dach, Fig. 791, 783 a, 794 b, 799,
802, 813 i, 814 c, u. d. Art. Band I. f; — 2) (Kriegeb.)
frz. tenaille, einfache Verschanzung, welche aus
zwei geradlinigen Brustwehren besteht, die nach
der feindlichen Seite zu einen eingehenden spitzen
Winkel bilden; f. d. Art. Einspringend, Zange und
Festungsbau, S. 42, sowie d. Art. Befestigungsmanier 3; — 3) franz. chevillo, tenaille, engl.
pinc⸗r, aus zwei zweiarmigen Hebeln mit gemein-
schaftlichem Drehpunkt bestehendes Werkzeug, um
Etwas mit vermehrter Kraft packen zu können.
Dahin gehören die Kneipzange oder Beißzange,
Drahtzange, Feuerzange, ferner sämmtliche Schmie-
dezangen, z. B. die getröpfte Zange, Bandzange ꝛc.;
— 4) Zangen als Attribut erhalten z. B. Martha,
Lepinus, Agatha, Balvomerus, Macra, Charitina,
Eusebius, Eulalia, Apollonia, Christina; f. auch
Marterwerkzeuge; — 5) (Wasserb.) zum Ausbag-
gern dienende Modderzange; — 6) als Maaß, so viel
Bleche, als man zugleich unter den Breithammer
bringt; — 7) Bei der Haspel f. v. w. Zapfenlager.

Zangenbatterie, f. d. Art. Batterie.

Zangenwerk, Außenwerke, in Gestalt von
Fleschen mit ungleichen Fasen; liegen vor dem
Ravelin, dienen zur Deckung der Fasen desselben
und erhalten ihre Vertheidigung durch die Boll-
werksfasen des Hauptwalles. Geschulterte Zangen-
werke sind solche, an deren Flügelenden kleine
Fleschen angehängt sind.

Zangenwinkel, f. d. Art. Festungsbau, S. 42.

Zanthoxylum, f. d. Art. Brasilienholz 2.

Zapata, span. Schuh; f. d. Art. Kiel.

Zapfbottich, f. d. Art. Brauerei 2 a.

Zapfen, 1) lat. cnodax, frz. tenou, engl. peg,
tenant, hervorragender Theil an einem Körper,
den man, von den Körper mit einem andern zu verbinden, in ein gleichgeformtes Loch, Zapfenloch, frz.
mortaise, engl. peghole, an diesem anderen setzt.
Vergl. d. Art. Holzverband A 2, d, C 3, D 1. 3. Ein
Zapfen muß natürlich genau in das zugehörige
Zapfenloch passen, darf darin weder wanken (frz.
corneiller), noch die Backen des Loches zwängen.
a) Verbohrt heißt ein Zapfen, wenn von der Seite
mitten durch den Zapfen und das Zapfenloch liegenden
Zapfen ein Loch gebohrt und ein Nagel durchge-
schlagen ist. b) Verlorner Zapfen oder Dobben,
entsteht, wenn beide Hölzer Zapfenlöcher erhalten
und ein Stück Eisen oder Holz zur Hälfte in das
Loch des einen Holzes eingetrieben, zur andern
Hälfte in das Loch des zweiten Holzes gepaßt wird.
c) Doppelzapfen. Statt eines einzigen Zapfens
kann ein breites Holz zwei nebeneinander befindliche Zapfen erhalten, die in zwei besondere Zapfenlöcher eigesetzt werden. d) Jagdzapfen; f. d. Art.
Jagdbaum und Jagdzapfen. e) Hakenzapfen,
schwalbenschwanzförmiger Zapfen. f) Geächselter
Zapfen, zurückgesetzter Zapfen. Zapft man ein Holz
in ein anderes nahe an dessen Ende ein, so pflegt
man dem Zapfen einen Theil seiner Länge zu benehmen (f. Fig. 1942), um etwas mehr Stirnholz
zu behalten, das nennt man abächseln. g) Schlitzzapfen oder Scheerzapfen, frz. patte, heißt ein
Zapfen, der fest in einem Loch oder vielmehr in
einem Schlitz, frz. enclaure, öfter. Gungel, des
andern Holzes sitzt; f. d. Art. Abschlitzen, sowie Fig.
1943—46; 1943 stellt einen gerade abgesetzten Schlitzzapfen dar, 1944 einen schräg abgesetzten, Fig. 1945
u. 46 einen schräg eingesetzten Schlitzzapfen. h) Vergleiche auch d. Art. Anpfropfen, Eckverband, An-

zapfen, Eisenverbände ꝛc.;— 2) lat. cardo, frz. pivot, tournillon (Maschinenb.), f. v. w. Tragzapfen, Drehzapfen, ein mit einer Welle verbundener Rotationskörper, welcher sich in einem entsprechend geformten Lager (s. d. Art. Zapfenlager) um seine geometrische Achse dreht. Er ist entweder cylindrisch (sowohl bei liegenden als bei stehenden Wellen) oder konisch (an Drehbänken ꝛc.), oder kugelig (bei liegenden Wellen, damit bei etwaiger Senkung des Lagers die Drehung nicht gehemmt wird, ebenso bei stehenden Wellen). Je nach der Art der Befestigung heißt er a) Spitzzapfen, mittelst einer Spitze in die Wellen eingetrieben. b) Haken- oder Wurzelzapfen mit aufgebauter oder seitwärts gebogener Spitze. c) Blatt- oder Flügelzapfen, Schaufel- oder Bleuelzapfen; zur Verhinderung einer Umdrehung ist die Spitze mit Lappen, die auch Flügel, Blätter, Bleuel heißen, versehen. d) Ringzapfen; hier sitzt an den Flügeln noch eine ringförmige Zwinge. e) Schraubzapfen, wird an das Ende der Welle angeschraubt; s. auch d. Art. Angel, Band, Nußband ꝛc.; — 3) frz. cône, goutte,

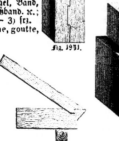

Fig. 1931.

Fig. 1932.   Fig. 1933.

Zapfen oder Tropfen, unter den Triglyphen ꝛc. reihenweise angebrachte, den Regentropfen nachgebildete Verzierungen; — 4) lat. Pendens, engl. key, knot, Queen, frz. cul de Lampe, pendant, hängender Zapfen, Abhängling, herabhängender Knauf an der Durchkreuzung der Hölzer bei sichtbaren Balkendecken und Dachstühlen, oder an dem Schlußstein und der Rippenkreuzung verzierter Gewölbe; — 5) frz. bonde, Striegel, Ständer oder Mönch am Ablaß eines Teiches oder Wasserbehälters, dann frz. soupape; — 6) frz. broche, Pfropf an der Spundöffnung eines Fasses; — 7) frz. cône, strobile, s. v. w. Tannenzapfen, Pinienzapfen.

Zapfenbäume, Zapfenfrüchtler, lat. coniferae, f. v. w. Nadelholzbäume.

Zapfenband, s. d. Art. Band, S. 220, Bd. I.

Zapfenbohrer, s. d. Art. Bohrer, S. 412.

Zapfenfeile, s. d. Art. Feile b. 14.

Zapfenflügel, das Kreuzblatt, mit dem ein Wellzapfen in der hölzernen Welle steckt.

Zapfengerinne, das einem Schlämmwerk Wasser zuführende Gerinne.

Zapfengerüst (Mühlenb.), ein das Angewelle tragendes Gerüst.

Zapfenhaus (Mühlenb.), f. v. w. Radstube.

Zapfenkeil, zu Befestigung eines Krummzapfens in der Welle dienender eiserner oder buchener Keil.

Zapfenkloß (Mühlb.), f. v. w. Angewäge.

Zapfenlager, Abwelle, Pfanne, Pfadeisen, Zapfenmutter ꝛc., Unterlage für den Drehzapfen einer Welle. Das Lager umfaßt den Zapfen so, daß dieser sich um seine geometrische Achse ungehindert drehen kann; die unmittelbare Umfassung des Lagerfutters bilden die Lagerschalen oder Pfannen (Fig. 1947); sie bestehen in der Regel aus Messing oder Rothguß, in neuerer Zeit hat man auch dafür härtere Legirungen, gewöhnlich aus Messing und Antimon, verwandt, sowie das sog. Französenholz. Eiserne Lagerschalen kommen fast gar nicht vor, weil alsdann Zapfen und Lager gleichzeitig abgenützt würden, wodurch eine bedeutende Erwärmung entstände. Damit das Lager nicht schwankt, macht man meist die Schale außen eckig und formt das umgebende Lagergerüst entsprechend; um eine Verschiebung in der Achsenrichtung zu verhindern, bringt man an der Schale Vorsprünge an. Die Lagergehäuse liegender Wellen werden stets zweitheilig gemacht; der untere Theil, Unterlage, Lagergerüst a, a, ruht auf der Spurplatte oder Spur ff, und diese auf dem Lagergestell, Lagerblock, Zapfenkloß, Angewelle, Angewäge; der obere Theil c des Gehäuses, der Lagerdeckel, ist auf dem Gerüst mittelst Schale e befestigt und dient zur Abhaltung äußerer Einflüsse. Außerdem ist jedes Lager mit einer Schmiervorrichtung für den sich darin drehenden Zapfen versehen. Je nachdem der die Lagerschalen umgebende Theil an dem Fußboden, auf besonderem Gestell, an der Decke oder an der Umfassungsmauer angebracht wird, unterscheidet man Fuß-, Bock-, Hänge- und Seitenlager. Man theilt die Zapfenlager auch in offene

Fig. 1934.   Fig. 1935.   Fig. 1936.

68

und geschlossene, oder in feststehende und bewegliche, letztere wieder in Stelllager, rotirende und
oscillirende, erstere in solche für liegende und
stehende Wellen. Bei stehenden Wellen heißen die
oberen die Halslager, die unteren aber Spur- oder

Fig. 1947.

Fußlager. Fig. 1947 zeigt ein Zapfenlager für
eine liegende, Fig. 1948 ein Fußlager für eine
stehende Welle.

Fig. 1948.

Zapfenloch, auch Fersenloch genannt; frz. mortaise, pas, engl. peghole, house; s. d. Art. Zapfen
und Mortaise, sowie Backen 15.

Zapfenlochmaschine, eine erst neuerdings
erfundene Maschine, ist noch nicht zu der Vollkommenheit ausgebildet, daß man sie für die Praxis
unbedingt empfehlen könnte. Am besten sind die
von Bernier und Arbey in Paris.

Zapfennagel, frz. dent de loup, Nagel in
einem verbohrten Zapfen; s. d. Art. Zapfen 1. a.

Zapfenring, um das Zerspringen des Well-
holzes beim Eintreiben des Zapfens in eine Welle
zu verhindern, um dieselbe gelegter eiserner Ring;
s. d. Art. Zapfen.

Zapfenschacht (Bergb.), der das Kunstgestänge
enthaltende Schacht.

Zapfenschleuße, s. v. w. Kammerschleuße oder
Fangschleuße; s. d. Art. Schleuße.

Zapfenständer, Harel, Wendesäule, an einem
Schleußen- oder Thorflügel der hintere abgerundete Ständer, der sich unten in einer eisernen Pfanne
mittelst eines eisernen Zapfens bewegt, oben aber
in einem Halseisen hängt und sich bewegt.

Zaphkiel, s. d. Art. Engel, S. 718, Bd. I.

Zarge, eigentlich jede erhöhte Einfassung, in
der Bautechnik aber namentlich 1) s. v. w. Thürzarge, d. h. Thürgewände, welches schon zusammen-
gefügt in die Wand eingesetzt wird; — 2) erhöhter Rand einer Tafel, eines Steins zc., wenn dadurch ein flacher Kasten entsteht; — 3) Seitenwand
eines Siebes zc.; — 4) Steinwange einer Treppe;
— 5) Rand der Seitenwände eines Mühlgerinnes;

— 6) erhöhter Rand einer gußeisernen Platte; —
7) (Mühlb.) s. v. w. Lauft, der Bottich, womit die
Mühlsteine umgeben sind.

Zarter, Zerter, s. d. Art. Charter.

Zatkiel, s. d. Art. Engel, S. 718, Bd. I.

Zatteln, frz. festons, herabhängende Zacken
eines Simsbretes zc. [cianus.

Zauberbücher zc., Attribut des heiligen Mar-

Zaum, s. d. Art. Glied E. 1. b.

Zaun, Befriedigungswerk, dafern dasselbe nicht
dicht, sondern durchsichtig ist; 1) lebendiger Zaun,
s. v. w. Hecke; das beste Material dazu ist, da er
dem Angriff des Viehes nicht ausgesetzt ist, der
Weißdorn, er läßt sich auch glatt und regelmäßig
unter der Scheere erhalten; nächst ihm kommen
Zwetschengesträuch, Schlehen- oder Schwarzdorn,
dann Buche, Ginster (spanisches Geniste), Fichte zc.;
— 2) todter Zaun, a) Flechtwerk von Weiden,
Erlen- oder Haselruthen, welche schräg in die Erde
gesteckt, kreuzweis verflochten und oben umgebogen beim Begrünen ziemlich dicht
und auch beschneidbar werden,
so daß sie allmälig sich in einen
grünen Zaun verwandeln; b)
Pfahlzaun, die stärkeren Zaun-
pfähle oder Steinpfeiler, in
8—10 Fuß Entfernung eingesetzt, werden durch drei Querriegel verbunden und aufrechte
Bohnenstangen, junge Nadel-
holzstämme, hindurchgeflochten;
c) Korbzaun, Flechtzaun, eine
dichtgesetzte Reihe Pfählchen
werden oben durch Weiden-
flechtwerk mit einander verbun-
den (fault sehr leicht von untenauf); d) s. d. Art.
Espalier und Stalet; e) s. d. Art. Geschräge.

Zaundiele, s. d. Art. Bret.

Zaunholz, s. d. Art. Ausstaken.

Zaunpfahl, Zaunständer, s. d. Art. Pfahl
und Zaun 2 b.

Zaunrebe, s. d. Art. Waldrebe.

Zaunstiel, s. d. Art. Bauholz, S. 280, Bd. I.

Zaun, s. d. Art. Zain.

Zebraholz, von Cayenne, soll nach Schom-
burgk von einer Connaracee: Omphalobium
Lamberti Schomb., abstammen. Andere nannten
Guettarda (Fam. Rubiaceen) als Stammpflanze.
Zwischen den concentrischen Kreisen dieses Holzes
sind die großen Gefäße zu zwei bis drei in Linien-
form nach verschiedenen Richtungen hin gelagert;
dadurch bekommt das Holz ein eigenthümliches
graugeflecktes Ansehen. Außer diesem seltenen
Holze findet sich im Handel noch eine zweite Sorte
aus Brasilien von brauner Farbe mit dunkel-
braunen, schiefen Streifen. Die Abstammung dieses Holzes ist noch unbekannt; s. a. d. Nabelstrauch.

Zecca, ital., arabisch zekath, Münzgebäude.

Zeche, überhaupt s. v. w. Zunft, besonders
Berggewerkschaft, daher auch das einer Gewerk-
schaft verliehene Feld und die dazu gehörigen Gru-
bengebäude, aus 32 Theilen oder 128 Kuxen bestehend; s. d. Art. Grubenbau, S. 214.

Zechenhaus, s. v. w. Huthaus, Kaue; s. d. und
d. Art. Grubenbau.

Zechenrauch, s. v. w. schwarzer Kies (altenb.
Provinzial.).

Zechstein (Mineral.), ist ein mehr oder weniger geschichteter, thoniger, bituminöser Kalkstein. Vgl. Art. Magnesian limestone und kaltige Gesteine ꝛc.

Zechsteindolomit, ist ein über dem Zechstein liegender, auch Rauhkalk oder Rauhwacke genannter Dolomit; s. auch d. Art. Lagerung g.

Zechsteinformation, auch Kupferschiefergruppe oder permische Formation werden die aus Zechstein, Zechstein und Kupferschiefer bestehenden Ablagerungen genannt.

Zeddel, richtiger Zedel, von Schedula, jetzt gewöhnlich ungenau Zettel geschrieben; fliegender Zeddel mit Schrift kommen in der Gothik häufiger als eigentliche Inschrifttafeln vor; s. d. Art. Band X 5, sowie auch d. Art. Heroldsfiguren 12.

Zeddelträgerreihe, engl. label-corbel table, s. d. Art. Corbel.

Zedernholz, s. v. w. Cedernholz, s. d.

Zedrach, s. d. Art. Paternosterbaum.

Zehgerinne (Wasserb.), s. v. w. Zähgerinne.

Zehn, s. d. Art. Zahlensystem. Ueber die symbolische Bedeutung s. d. Art. Zahl.

Zehneck. Construction des regelmäßigen Zehnecks in einen Kreis (Fig. 1949). Man halbire den Halbmesser C A in D, ziehe C E senkrecht auf den Durchmesser A B, ziehe D E und schlage damit als Radius von D als Mittelpunkt aus dem Bogen E F. Alsdann ist F C die Seite des regelmäßigen Zehnecks, sowie zugleich E F die des regulären Fünfecks. Es gilt der Satz: die Seiten des regulären Fünf-, Sechs- und Zehnecks bilden ein rechtwinkliges Dreieck, dessen Hypotenuse die Seite des Fünfecks ist.

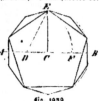
Fig. 1949.

Zehnling, s. d. Art. Gewicht.

Zehnmaaß, Maaß mit Decimaltheilung; s. d. Art. Maaß und Decimalmaaß. [zusatz maß.

zehnpfündig heißt Zinn, wenn es ¹/₁₀ BleiZehnter (Räderw.), Getriebe mit zehn Stöcken.

Zehrbrunnen, s. v. w. Schwindgrube.

Zehrzoll, s. d. Art. Nährzoll und Fachbaum.

Zeichen, frz. marque. I. Zahlzeichen; s. d. Art. Zahlensystem und Ziffer.

II. **Mathematische Zeichen,** s. d. Art. arithmetische Zeichen, Geometrie ꝛc.

III. **Forstzeichen,** s. d. Art. Anlaschen, Laschen, Waldhammer ꝛc.

IV. **Chemische Zeichen.** Als solche sind seit Berzelius die Anfangsbuchstaben der lateinischen Benennungen der Elemente eingeführt worden. So bezeichnet O = Oxygenium = Sauerstoff,

H = Hydrogenium = Wasserstoff,
N = Nitrogenium = Stickstoff,
C = Carbonicum = Kohlenstoff,
S = Sulfur = Schwefel,
Fe = ferrum = Eisen,
Ag = Argentum = Silber,
Hg = Hydrargyrum = Quecksilber,
Sn = Stannum = Zinn,
Zn = Zincum = Zint,
Mg = Magnesium = Magnesium ꝛc.

Durch Zusammenstellung der verschiedenen Zeichen der Elemente untereinander mit Hinzufügung eines Indexes (der angibt, wie viel Aequivalente des einen Elementes mit dem andern in der Verbindung enthalten sind) erhält man die chemischen Formeln der Körper. Z. B. SO_3 = Schwefelsäure (1 Aequival. Schwefel, 3 Aequival. Sauerstoff), HO = Wasser (1 Aequival. Wasserstoff, 1 Aequival. Sauerstoff), Fe_2O_3 = Eisenoxyd (2 Aequival. Eisen, 3 Aequival. Sauerstoff), FeO = Eisenoxydul (1 Aequival. Eisen, 1 Aequival. Sauerstoff), SH = Schwefelwasserstoff (1 Aequi. Schwefel, 1 Aequival. Wasserstoff), NO_5 = Salpetersäure (1 Aequival. Stickstoff, 5 Aequival. Sauerstoff), $NaCl$ = Chlornatrium, Kochsalz (1 Aequiv. Natrium, 1 Aequiv. Chlor), FeO,SO_3 = schwefelsaures Eisenoxydul, $Fe_2O_3,3SO_3$ = schwefelsaures Eisenoxyd ꝛc. Hieraus ersieht man, wie leicht es mit Hülfe der chemischen Schreibweise ist, die Zusammensetzung eines Körpers kurz auszudrücken und wie die im vorliegenden Lexikon häufig für die Zusammensetzungen der Körper (Mineralien ꝛc.) gebrauchten chemischen Formeln zu verstehen sind.

V. **Steinmetzzeichen,** s. d. Art. Steinmetzzeichen und Bauhütte.

VI. **Bezeichnung der Zimmerwerkhölzer.** A. **Vor dem Abbinden.** Bei großen Zulagen liegen die beschlagenen Hölzer oft lange, ehe sie abgebunden werden. Um nun ohne langes Suchen und Messen gleich sehen zu können, zu welchem Zweck ein oder das andere Holz passend beschlagen ist, bezeichnet man sie durch Schnurschläge mit Röthel oder Schwärze, kurz mit der nassen Schnur, und zwar erhalten: einen Schlag Mauerlatten und Unterbalken, zwei paralele Schläge Unterzüge, Balken zu den oberen Lagen und Schwellen, drei paralele Schläge Rahmen, Balken zur dritten Lage ꝛc., einen Kreuzschlag Dachbalken und Stuhlbalken, einen Kreuzschlag mit Mittelschlag die Spannriegel, einen Spitzschlag (zwei in einer Spitze sich vereinigende Linien) die Sparren, drei Linien in einem Spitzschlag die Säulen. B. **Auf der Zulage.** Da die Hölzer der Zulage nach Vollendung derselben abgeräumt, auch wohl weit nach dem Bauplatz transportirt werden müssen, so muß man auch sie bezeichnen, um zu wissen, in welche Etage, zu welcher Wand ꝛc. sie gehören. Man hat dazu folgende Zeichen: 1) in Leipzig und Umgegend bis nach Magdeburg und Berlin hin. a) Zur Bezeichnung der Ballenlagen: Schläge mit einem schmalen Stemmeisen Fig. 1950; die erste Ballenlage bekommt keinen, die zweite wird nach a Fig. 1950, die dritte nach b gezeichnet und so fort. Die Dachballenlagen erhalten einen Schlag und einen Stich davor, s. c Fig. 1950, die Kehlbalken haben das Zeichen d. Neben dieses Bezeichnen werden links davon die Ballennummern in römischen Ziffern gesetzt I, II, III, IIII, V, VI, VII, VIII ꝛc.

Fig. 1950.

b) Zu Bezeichnung der Binder oder Querwände, wobei alle, auch die kürzesten Querwände als Binder gerechnet werden, dienen die Stiche, Fig. 1951, und zwar bedeutet jedes Zeichen die in der Figur darunter gesetzte Zahl; Säulen und Riegel jeder Wand werden von vorn nach hinten

laufend mit römischen Ziffern bezeichnet. c) Zu Bezeichnung der Langwände dienen Ruthen-
schläge, Fig. 1952, wo ebenfalls jedes Zeichen die

Fig. 1951.

darunter geschriebene Zahl bedeutet; Säulen und
Riegel werden von links nach rechts in jeder

Fig. 1952.

Wand mit römischen Ziffern bezeichnet. Der Riegel wird an seinem rechten Ende mit der Zahl der
Säulen bezeichnet, in die er sich an dieser Stelle
einzapft. Die Bänder jeder Wand werden gleich
den Säulen, aber für sich von links nach rechts
numerirt, beide erhalten das Zeichen unten in
der Nähe des Standzapfens. d) Zu Bezeichnung der Sparren dienen die römischen Ziffern,
und zwar werden die Sparren des vorderen Dach-
banges am unteren, die des hinteren am oberen
Ende numerirt; ist das Gebäude abgewalmt,
so erhalten die Sparren des linken Walms neben
der Nummer noch einen Stich, die des rechten
zwei Stiche. e) Zu Bezeichnung der Seitenflügel dienen die Hohlschläge, Schläge mit dem
Hohlmeißel, und zwar erhält der linke Seitenflügel
das Zeichen a Fig. 1947, der rechte das Zeichen b.

Fig. 1953.

Sonach würde z. B. das Zeichen c Fig. 1953 bedeuten: 6te Säule (oder Riegel an der sechsten
Säule) der 2ten Querwand im dritten Geschoß des
rechten Seitenflügels, das Zeichen d aber den 16ten
Kehlbalken im Hauptgebäude, das Zeichen e endlich, die 3te Säule (Band oder Riegel) in der
zweiten Langwand des Dachs im linken Flügel.
2) In Böhmen, Schlesien, im sächsischen Hochland x.
a) Zu Bezeichnung der Ballenlagen Stiche
an den Kanten des Holzes, Fig. 1954 a, b, c,

Fig. 1954.

wie viel Stiche, die so vielten Ballenlagen. b. Zu
Bezeichnung der Binder oder Quer-
wände kurze Hiebe (mit der kurzen Schneide der
Queraxt), Fig. 1948 d, e, f (wenn sie zu größerer
Sicherheit gegen das Verquellen aufgeschnitten
werden, wie bei g, h, i, heißen sie Ruthe). c) Zu

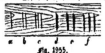

Fig. 1955.

Bezeichnung der Langwände lange Hiebe,
Fig. 1955 a, b, c, oder Ruthen d, e, f, mit der

langen Schneide der Queraxt. d) Zu Numerirung der Balken, Säulen, Bänder und Sparren
die Stiche, Fig. 1951. e) Zu Bezeichnung der
Seitenflügel ein L und R mit dem Meißel
eingehauen. Sonach würde z. B. das Zeichen Fig.
1956 a dasselbe bedeuten, wie 1953 c; Fig. 1956 b

Fig. 1956.

dasselbe wie 1953 d, und Fig. 1956 c dasselbe wie
1953 e; das Kreuz 1957 a bedeutet, daß der neben
dem Kreuz stehende Bleistiftstrich (Riß) die Bund-
seite eines Holzes anzeigt, dessen Masse dann
nach der dem Kreuz abgewendeten Seite des Risses
hin liegt; ein Doppelkreuz, Fig. 1957 b, bedeutet,

Fig. 1957.

daß das betreffende Holz ein Binder ist; nach Fig.
1957 c und e würde an den Schwellen die Stellung
zweier Thürsäulen bezeichnet werden, Fig. 1957 d
ist das Zeichen für eine Mitte.
Alle Provinzialabweichungen hier zu erwähnen
würde zu weit führen. Zum Verständniß des
Systems genügt das Gesagte. Einzelne Meister
pflegen sich sogar eigene Systeme zu schaffen.

zeichnen, 1) frz. dessiner, engl. to draw, to
design, span. debujar, f. v. w. aufzeichnen, d. h.
durch Linien darstellen. Architektonische Zeichnungen werden entweder mit Bleistift oder, dafern
sie ein eleganteres Aussehen erhalten, oder längerer
Zeit trotzen sollen, mit Tusche mittelst der Reißfeder ausgeführt, bei Grundrissen x. die Mauern
und sonstigen durchschnittenen Theile mit einem,
die Farbe des Materials charakteristisch andeuten-
den Farbenton ausgefüllt, häufig auch noch die
Zeichnung durch Schattenlinien gehoben; am elegantesten sieht es jedenfalls aus, wenn man die
Ausfüllung der Mauern ganz schwarz macht und
für Fußböden x. die betreffenden Parquetmuster,
Wanddekorationen x. einzeichnet oder kolorirt an-
tuscht. Bauzeichnungen aber zeichnet man am
besten mit etwas starken Strichen auf starkes Papier, das auf Leinwand gezogen wird, oder direct
auf Leinwand, und beschränkt sich auf Anlegung
der Ziegelmauer mit Roth, der Holzsäulen x. mit
Gelb x.; — 2) frz. marquer, engl. to mark, to
sign, f. v. w. bezeichnen; f. d. Art. Bezeichnungen,
Brennen 2 x., besonders aber d. Art. Zeichen.

Zeichenschiefer (Miner.), schwarze Kreide,
f. d. Art. Thonschiefer 4.

Zeichenschule, f. d. Art. Akademie.

Zeigerwaage, f. d. Art. Waage.

Zeile, f. d. Art. Linie und Linie.

Zeiodelit, Gemenge von Schwefel und Glaspulver, das erhalten wird, indem man in 20 Thln.
geschmolzenen Schwefel etwa 24 Thle. feines Glaspulver einrührt. Das Gemenge wird nach dem
Erkalten so hart, daß es Glas ritzt; der Zeiodelit
wird als Kitt für Stein, Metall und dergl. benutzt, kann durch Zusatz von Farbstoffen beliebig
gefärbt werden und läßt sich recht gut zur Darstellung von dauerhaften Abgüssen anwenden.

Zeisiggrün, Gelblichgrün.

Zeit, s. d. Art. Kronos und Saturnus.

Zelle, 1) s. v. w. Kropfschaufel, auch überhaupt der Raum zwischen je zwei Schaufeln eines Mühl- oder Schöpfrades; — 2) lat. cellula, frz. cellule, engl. cell, Clause, kleines Gemach in Klöstern (s. d.), in der Regel unbeizbar, bei Carthäusern hingegen etwas geräumiger und auch beizbar; — 3) s. d. Art. Cella und Tempel; — 4) frz. cabanou, Gefängnißzelle; s. d. Art. Gefängniß; — 5) Bade- zelle; s. d. Art. Bad: — 6) s. d. Art. Holz I.

Zellengefängniß, s. d. Art. Gefängniß.

Zellengewölbe, Mützengewölbe, s. Gewölbe 13.

Zellenöfen, eine neue Art Oefen, bei denen der möglich kleinste Feuerraum mit der mög- lich größten beizenden Fläche ver- bunden ist. Fig. 1958 zeigt die Anordnung ihrer Außenseite im Grundriß.

Zellenrad, Wasserrad, dessen Schaufelzwischenräume kastenar- tig abgeschlossen sind; s. Wasserrad.

Zellenwände, Zellstoff und Zellstoff der Pflanzen; s. d. Art. Saft u. Holzstoff.

Fig. 1958.

zellulöser Quarz; wird besonders zu Mühl- steinen (s. d.) verwendet; die Farbe ist weiß, etwas ins Röthliche spielend. Er kommt nur in Frank- reich vor, und zwar in eckigen Blöcken in Lagern von höchstens 15 Fuß Mächtigkeit. Er besitzt eine Menge Blasenräume, welche ein netzförmiges Ge- webe bilden, giebt mit Stahl Funken und ritzt Glas. Um einen Mühlstein herzustellen, littet man mehrere kleine Stücke mittelst Gipses zusammen auf etwa 5 Zoll Höhe, bindet sie mit eisernen Rin- gen von 20 Zoll Höhe zusammen und füllt die übrige Masse mit andern Steinen aus.

Zelt, lat. papilio, mittellat. parada, frz. pavillon. Dient als Lusthäuschen, Wächter- haus, ferner in Lagern, als Rasenverbed 2c.; s. auch d. Art. Feldcapelle. Paulus war Zelt- macher, s. d. Art. Apostel 2.

Zeltdach, lat. cubiculum, frz. comble en pavillon., engl. killessed-roof; s. d. Art. Dach, S. 589, Bd. I., Hut 2c.

Zenais, St., mit ihrer Schwester Philonilla aus Themsus in Cilicien, Verwandte des Apostel Paulus und standhafte Christin. Darzustellen mit einem Stachel im Fuß. [Palästen.]

Zenana, Frauenabtheilung in türkischen

Zendavesta, die heiligen Bücher des Zo- roaster; s. d. Art. persische Kunst.

Zenge, Kohlenmaaß am Rhein — ¼ Karren.

Zeno, St., Bischof und Patron von Verona, Kirchenvater, litt den Martertod um's Jahr 360; wird abgebildet als Bischof mit dem Schwert.

Zenobius, St., Patron und Apostel von Florenz, wo er auch geboren war, Anhänger des St. Ambrosius in den Streitigkeiten gegen die Arianer, starb hochbetagt 424.

Zeolith, Brausestein (Mineral.), werden die wasserhaltigen Doppelsilicate der Thonerde mit ver- schiedenen Basen, wie Kali, Natron, Kalk 2c., genannt. Man hat z. B. 1) Blätterzeolith, s. d. Art. Stilbit. 2) Heulandit, dem Stilbit sehr ähnlich, nur in der Form der Krystalle von ihm verschieden. 3) Faser- zeolith, Mesotyp, in langen, haarförmigen, stark glasglänzenden Krystallen. 4) Würfelzeolith, Cha- basie und Anelgien, in resp. Rhomboëder und Tsopeboëder krystallisirt. 5) Prismatischen Zeolith, s. v. w. Natrolith. 6) Rothen Zeolith, s. v. w. Anbelforstit. 7) Schwarzen Zeolith = Gadolinit. 8) Vulkanischen Zeolith = Perlstein. Vergl. auch d. Art. Laumontit, Kalkmörtel, S. 358, Bd. II.

Zephyr. 1) Ein in England erfundener Venti- lator in Form eines horizontalen Windsflügels; s. d. Art. Ventilation; — 2) (Mythol.) kübler, an- genehmer Wind, Favonius bei den Römern ge- nannt, unter dessen Schutze Blumen und Erd- früchte standen, als geflügelter Jüngling darge- stellt, als Sohn des Aeolos oder des Asträus und der Eos. In neuerer Zeit giebt man ihm oft ge- flügelte Kinder, Zephyretten, als Begleiter.

zerbrechen, zerreißen, zerdrehen, zer- knicken 2c.; s. d. Art. Festigkeit.

Zereth, s. d. Art. Maaß, S. 513, Bd. II.

Zerfrieren der Steine; s. d. Art. Baustein S. 292 und Frost.

Zerkleinerung der Brennstoffe 2c.; s. d. Art. Heizung, Rauchverbrennung, Hohofen 2c.

Zerlegung der Kräfte, s. d. Art. Kraft.

zerren, das Floßeisen durch wiederholtes Schmelzen geschmeidiger, weicher machen; geschieht im Zerrenfeuer auf dem Zerrenheerd. Vergl. d. Art. Eisen, S. 689, Bd. I.

Zerrenboden, Grundheerd, den man auf den Boden des Rohstahlheerds vor dem Schmelzen des Rohstahls anbringt.

Zerrennen, altes Eisen mit etwas neuem Zu- satz im kleinen Feuer, Rennfeuer, schmelzen.

Zerstreuungspunkt, s. d. Art. Brennpunkt.

Zertheilung der Steine; s. d. Art. Sprengen.

Zestä, griech.-, Dampfbäder, s. d. Art. Bad.

Zeta, zeticula, lat., kleines Zimmer; s. d. Art. Haus, S. 241. Im Mittelalter hieß so in England die Küsterwohnung über oder neben dem Porch.

Zeug, s. d. Art. Gewebe, wasserdichtes Zeug 2c.

Zeughaus. In dem Parterre placirt man in der Regel die Kanonen und anderes schweres Geschütz, sowie die dazu gehörigen Geschoßvor- räthe, Flinten, Seitengewehre, Patrontaschen und Montirungsstücke. Ueber die erforderlichen Räume s. d. Art. Arsenal und Seearsenal. Aeußerlich trage das Gebäude den Charakter der Festigkeit und die Verzierungen könnten sich auf Vertheidi- gung und Ruhe beziehen. Die Zugänge müssen nach allen Seiten frei sein.

Zeugstrecke (Bergb.), Strecke, worin ein Ge- stänge fortgeführt wird.

Zeus, s. d. Art. Jupiter, Eiche, Wolfsfell.

Zickzack, Zickzackfries, Kattenschnitt, frz. zig- zag, chevron, dancette, tore rompu, engl. zig- zag, chevron, einfach oder mehrfach, und dann bald in parallelen, bald in divergirenden Linien

Fig. 1959. Fig. 1960.

oder Stäben und Höhlungen gebrochener Stab, zieht sich fast regelmäßig an den Archivolten, sowie an Gurljmsen 2c. des anglo-normannischen Styles bin, kommt aber auch im romanischen Styl schon sehr häufig vor. Einige der am häufigsten wiederkehrenden Variationen geben wir nebenstehend und zwar in Fig. 1959 das einfache Zickzack, in Fig. 1960 multiplicated Zigzag, in Fig. 1961 das reversed Zigzag, in Fig. 1962 ein ornamented Zigzag, in Fig. 1963 u. 64 ein Doppelzickzack, contre-chevronné.

Fig. 1961. Fig. 1962.

Fig. 1963. Fig. 1964.

Zickzackgräben, gedeckte Verbindungsgräben zwischen den Parallelen, welche zur Vermeidung der Enfiladeschüsse zickzackförmig vorgetrieben werden.

Ziegel, lat. later, latereulus, frz. brique, tuile, engl. brick, tile. ital. mattone, quadruccio; s. zunächst d. Art. ägyptische Ziegel, Bausteine S. 292, Lehmpatzen, Lehmziegel zc. Gute Ziegel müssen ebene Lagerflächen haben, dürfen nicht hohl liegen, nicht mit Höhlungen, Steingallen und Rissen behaftet, nicht zu schwer sein. Dabei müssen sie gehörige Adhäsion gegen den verbindenden Mörtel zeigen und einen solchen Härtegrad, verbunden mit gleichartiger Beschaffenheit in der Masse, haben, daß sie sich sicher und leicht behauen lassen, nicht unter dem Einfluß von Feuchtigkeit und Frost zerbröckeln oder abblättern. Diejenigen Ziegel, die einer höheren oder sehr hohen Temperatur ausgesetzt werden, wie bei Feueranlagen, Essen zc., müssen im Stande sein, den Temperaturwechsel auszuhalten, ohne zu zerspringen oder zu erweichen und zusammenzugeben.

I. Kennzeichen der Güte: 1) Heller Klang (Zeichen eines vollkommenen Brandes und des Freiseins von Rissen) ist vorzüglich zu berücksichtigen bei Dachziegeln. 2) Die Bruchflächen sollen rein und gleichartig muschelig sein, keine eingemengten Kiesel- und Kalkbrocken, noch Ungleichbeit in der Masse zeigen. 3) Ziegel im Feuer bis zum Glühen erhitzt, dann sofort gekühlt in Wasser, dürfen nicht zerspringen. Zu besonderem Gebrauch (Pflasterung, Wasserbau zc.) können Ziegel, deren Oberfläche in Verglasung übergegangen, sogenannte Klinker, Dienste thun, während sie zum Vermauern nichts taugen. 4) Die Farbe ist nicht immer maßgebend, da sie sehr von der Art des verwendeten Thones abhängt; selbst braune und blaue Ziegel geben oft andern nichts nach. 5) Gewiß preiswürdig sind Steine, die, längere Zeit der abwechselnden Witterung eines Winters ausgesetzt, keine Veränderung erlitten haben. 6) Das Einsaugen (Verschlucken) des Wassers kann nur insofern als Probe dienen, als es schwachen Brand und magere Masse anzeigt; wenn das Einschlucken mit überraschender Begierde geschieht und die in Wasser gelegten Ziegel bis zu ihrer Sättigung

viel davon aufnehmen, widerstehen sie dem Einfluß der Nässe nicht lange und werden, damit durchdrungen, durch den Frost gesprengt. 7) Das schöne, glatte, regelmäßige Aussehen ist zwar angenehm, jedoch in Bezug auf Festigkeit unter die Nebenbedingungen zu setzen.

II. Arten der Ziegelwaare: 1) **Mauerstein,** frz. brique, engl. brick, ital. mattone, auch Mauerziegel oder schlechthin Ziegelstein genannt, verschieden groß, in Sachsen z. B. 6" lang, 3" stark, kommen auch unter den Namen Back-, Barn- und Brandsteine vor; s. auch d. Art. Diboron 2, Moppen, Klotz 4 zc. 2) **Klinker,** lat. testa, frz. biscuit, haben feineres Korn als die ordinären Mauerziegel, größere Dichtheit und Härte, meist auch kleineres Format, sind zu Gossen, Schleußen, Pflasterung zc. zu empfehlen. 3) **Fliesen, Platten, Kurzziegel,** ital. quadruccio, zu Pflasterarbeiten, gewöhnlich von Quadratform, 8, 10—12 Zoll ins Gevierte; zum Pflastern über den Balken nehme man sie 2", zum Pflastern der Hausfluren, der untern Küchen zc. 3" stark. Werden auch acht- und sechseckig und nach andern Formen gefertigt; s. auch d. Art. Encaustic-tile, Fliesen, Fußboden zc. 4) **Canalziegel,** sind blos 1½—2" stark, dienen zum Aufmauern der Feuerungscanäle zc. 5) **Falzziegel,** zu Thür- und Fenstergewänden, Simswerken zc., haben die gewöhnliche Größe der Mauersteine, sind aber mit einem Falz oder Ausschnitt der Dicke nach versehen, der die eine Kante des Parallelepipeds ausschneidet und 1—1½" breit und tief ist. 6) **Wölbsteine oder Keilziegel.** Man hat zweierlei, die eine Art nach der Länge, die andere von der schmalen Seite verjüngt; meistens sind dieselben und gegen Halbkreisbogen von 15—20 Fuß Durchmesser centrirt. Sie erhalten für Gewölbe von einem Stein Stärke eine Länge von 12", Breite von 6" und Dicke oben 4", unten gegen 3". Für Bögen von ½ Stein stark, Kappen zc. werden Länge und Breite behalten und die Stärke in dem Verhältniß wie 3:2 verjüngt. Die dünnen Keilziegel von nur 1½—1¾" keilförmiger Dicke dienen beim Wölben, um zwischen die Wölbziegel eingeschoben zu werden, wenn der Bogen eine falsche Wölbung anzunehmen droht. 7) **Brunnen- oder Kesselziegel,** s. d. betr. Artikel. 8) **Gesimssteine,** auch Formsteine, Bildsteine genannt, s. d. betr. Art., haben von 12—24" Länge, variiren natürlich sehr, sowohl in Bezug auf die Form als in Breite und Dicke. 9) **Rinnziegel,** 1' lang, 6—7" breit und 6" dick, mit einer halbcylindrischen, 3" weiten Rinne versehen. 10) **Dachziegel,** lat. tegula, frz. tuile, engl. tile, thacktile, ital. tegola, pianella, s. d. betr. Art. Dahin gehören: gemeine Dachziegel, Biberschwänze, Ochsenzungen, Flachziegel, Hakenziegel, Zungensteine, halbe Biberschwänze, Blattsteine, Hohlziegel, Forstziegel, Fittigziegel, Faßziegel, Dachpfanne, Gästeine, Schlußziegel, Kremm-(Kremp-)ziegel, Breitziegel, römische Dachpfannen, Quadratziegel; s. d. betr. Art. 11) **Klabsteine** sind solche Ziegel, welche aus dem beim Streichen der Ziegel entstehenden Abgang von Lehm, der in der Regel stark mit Sand vermengt ist, gestrichen werden und gewöhnlich leicht brechen. 12) **Löthsteine,** s. d. 13) **Poröse Ziegel** werden hergestellt, indem man unter die Ziegelmasse Queden, Sägespäne, gehacktes Stroh zc. mengt, welche Stoffe beim Brennen zu Asche werden; dergl. Ziegel sind leicht und bei gutem Brand ziemlich so dauerhaft wie andere.

III. Ueber das Verfahren bei Anfertigung der

Ziegel s. d. Art. Ziegelfabrikation und die daselbst angezogenen Artikel, sowie d. Art. Färben A.

Ziegelbau, Ziegelconstruction, s. d. Art. Rohbau, Ausfugen, Mauerverband ꝛc. In der Erde, also zu Gründungen, Kellerumfassungen ꝛc., verwendet man nicht gern Ziegel, dafern sie nicht sehr hart gebrannt sind; doch kann man sie ohne Furcht anwenden, dafern man sie nur auf der dem Erdreich zugekehrten Seite mit Cementputz, Theeranstrich oder sonst einem wasserdichten Ueberzug versieht.

Ziegelbrennen, s. d. Art. Brennen 4, Brennofen, Meiler, Feldofen, Ziegelofen ꝛc.

Ziegeldach, s. d. Art. Dachdeckung I. 1, Dachziegel, Firstziegel, Walmziegel, Einkehle ꝛc.

Ziegeldecker, s. v. w. Dachdecker.

Ziegelei, frz. tuilerie. Es ist vor der Anlage vorerst zu untersuchen, ob Ziegelerde in hinreichender Menge, vorzüglicher Güte und zu erwünschtem Preis zu haben ist. Demnächst ist das wesentlichste Bedürfniß das Brennmaterial. Bei der Ausführung der nöthigen Gebäude ist nicht außer Acht zu lassen, daß große Massen rohen Materials und fertige Waare hin und her geschafft, daß also viel ab- und zugefahren werden muß. Der Schuppen besonders muß so stehen, daß die Zufuhr bequem ist. Die ganze Anlage übrigens wird am besten auf einer Ebene oder sanften Anhöhe, nicht in der Tiefe geschehen. a) Der Trockenschuppen liege auf dem höchsten Punkt; über dessen Einrichtung s. d. Art. Trockenschauer. b) Der Brennofen. Ueber die Einrichtung s. d. Art. Brennofen, Flurofen, Feldofen, besonders aber d. Art. Ziegelofen. c) Die Vorrathsgruben und Sümpfe müssen möglichst nahe der Straße liegen; über die Anlage der Sümpfe und Schlammgruben s.d. Art. Einsumpfen des Thones, Schlämmen ꝛc. d) Die Tretplätze, Lehmtraten, zwischen den Sümpfen und dem Arbeitsraum, zur Knetung des Thones durch Treten oder durch Maschinen, s.d. Art. Kleinmühle, Thonmühle, Dreschtafel, Degen ꝛc. e) Arbeitsraum, Streichschuppen, kann bei kleinen Ziegeleien zugleich als Trockenschauer (s.d.) benutzt werden. Ueber die daselbst zu machenden Arbeiten und die dazu nöthigen Werkzeuge und Vorrichtungen s. d. Art. Formbank, Form, Formen, Formtisch, Streichholz, Ziegelstreichen. f) Vorrathsraum für fertige Waare braucht nicht bedeckt zu sein, muß bequem zur Absahrt und an derjenigen Seite des Ofens liegen, wo man ausfährt, und sollte stets mindestens zwei Brände fassen. g) Magazin für Brennmaterial; über Wahl des Brennmaterials s. d. betr. Art.

Die Ausdehnung der Anlage und die verhältnißmäßige Größe der einzeln dazu gehörigen Gebäude ist abhängig von dem Betriebsplan. Die Basis hierzu giebt zu erwartender Absatz; man nehme denselben lieber etwas geringer an, richte sich aber so ein, daß eine Ausdehnung der Anlage zum größtmöglichen Betriebe leicht möglich sei. Es ist deshalb vortheilhaft, die Ofen außerhalb der Linie des Trockenschuppens anzubringen und den Raum für die Vorrathsgruben und die Thonmühle (s. d.) in ein Winkelgebäude auf der gegenüberstehenden Seite zu verlegen. Bequeme Gelegenheit zur Aufstellung trockner Waare würde dann der zwischen beiden Winkelgebäuden entstehende Raum darbieten. Vergl. d. Art. Feldziegelei.

Ziegelerde, zu Ziegeln verwendbarer, möglichst reiner Lehm oder Thon, s. d. Art. Erde, Lehm und Thon.

Ziegelerz (Min.), ein Rothkupfererz, gemengt mit zersetztem Kupferkies und Eisenocher, erscheint derb und als Ueberzug, Farbe Ziegelroth ins Braune und Schwarze, Bruch theils muschelicht, theils erdig, heißt auch Pechers, Lebererz.

Ziegelfabrikation. 1) Graben der Ziegelerde. Der Thon werde im Herbst gegraben, gestochen, möglichst schon beim Graben (Stechen) sortirt, in fetten, mittlern und magern, und einzeln in Haufen von 2 Fuß Höhe, 8—12 Fuß Breite und beliebiger Breite mit zwischenliegenden Gängen aufgeworfen. — 2) Einsumpfen des Thones. Auf den genannten Haufen läßt man ihn einen Winter hindurch liegen, ihn von Zeit zu Zeit umstechend; dann wird er in die Sümpfe gebracht, eingesumpft (s. d. Art. Einsumpfen). Wenn jeder einzelne Klumpen beim Aufbrechen vollständig durchnäßt erscheint, ohne schlüpfrig zu sein oder Wasser auszuschwitzen, so ist er fertig. Es gehören dazu in der Regel 3 Tage und ein Eimer Wasser pro Cubikfuß Thon; übr. s. d. Art. Ziegelei, Sumpf, Einsumpfen, Schlämmen ꝛc. — 3) Kleinen, Mengen und Reinigen des Thones. Das Kleinen geschieht durch Treten oder Kneten; s. d. Art. Kleinmühle, Knetmühle, Thonmühle, Lehmtrate ꝛc., dabei wird er zugleich auch, wenn er zu fett sein sollte, mit dem nöthigen Sand vermengt; diese Mengung geschieht entweder mit den Füßen, oder mit Sicheln, Messern, Hacken, Schaufeln ꝛc., oder durch Maschinen und unter Beimengung von so viel Wasser, als nöthig ist, um ihm die Consistenz eines zähen, bildsamen Breies zu geben. Nun kommt der Thon auf die Haubank (s. d. und d. Art. Dreschtafel) und wird dort mit dem Degen (s. d.) bearbeitet; wenn er sich gut ballen läßt, ohne in der Hand zu kleben, kommt er auf die Schneidebank (s. d. 2 und Schrotebank), wo er mit der Schrothaue (s. d.) bearbeitet wird. — 4) Formen der Ziegel. Nachdem der Thon sorgfältig von allen etwa noch darin enthaltenen Steinchen gereinigt worden ist, trägt ihn ein Arbeiter in kleinen Portionen dem Former zu. Ueber dessen Arbeit s. d. Art. Formen III., Thonmühle und Ziegelstreichen. — 5) Trocknen und Glasiren der Ziegel. Nachdem der geformte Ziegel mit dem Streichholz (s. d.) abgestrichen ist, wird er auf dem Abtragebrettchen nach dem Trockenschuppen getragen und dort aufgestellt; s. d. Art. Trockenschauer, s. auch noch die Artikel Dämpfen, Glasiren, Glasur, Stein, Bergmehl, Bildsteine, Chamotte, Pressung u. s. w. — 6) Brennen der Ziegel. Die gehörig geformten resp. gepreßten und getrockneten Ziegel kommen in den Ofen; s. d. Art. Brennofen, Ziegelofen, Flurofen, Feldofen, Bogenofen, Ausschiebethür ꝛc. Beim Einsetzen (s. d.) hat man darauf zu sehen, daß das Feuer möglichst gleichmäßig circuliren kann und daß sich die Waare weder zusammendrücke, noch bei zu starker Hitze mit einander verschmelze; s. auch d. Art. Kirschrothglühen; aus dem Grad des Sinkens des ganzen Einsatzes im Ofen wird die Gare beurtheilt, das Feuern hört auf und nach langsamem Abkühlen des Ofens wird die fertige Masse herausgenommen (ausgefahren).

Ziegelformen, s. d. Art. Formen III. und Thonmühle.

Ziegelglasur, s. d. Art. Dachziegel II. 3.

Ziegelgut, s. d. Art. Ziegelerde.

Ziegelhaubank, s. d. Art. Dreschtafel.

Ziegelhütte, s. v. w. Ziegelei.

Ziegellatte, s. d. Art. Dachdeckung, Dachlatte, Belatten ꝛc.

Ziegelmaschine, s. Form III. und Thonmühle.

Ziegelmauerwerk, lat. latericium opus, engl. brick-work. Die Vorzüge des Ziegelbaues, welche schon den Babyloniern, Aegyptern ꝛc. bekannt waren, sind mannichfach. Gebäude, von Ziegeln aufgeführt, enthalten gesunde und trockene Wohnungen. Die Ziegel geben wegen ihrer gleichmäßigen Form einen guten Verband und binden sehr gut mit Mörtel, auch lassen sich von ihnen sehr dünne und haltbare Wände aufführen. Ueber die Arten des Ziegelverbandes s. d. Art. Mauerverband. Der Mörtel kann bei Ziegelmauerwerk dünnflüssiger als bei Bruchsteinmauerwerk sein und man hat darauf zu sehen, daß die Kalkfuge nicht stärker als ½ Zoll werde, weil bei größerer Stärke ein zu starkes Setzen des Gebäudes bevorsteht. An den Putzseiten müssen die Fugen etwas hohl sein, damit der Putz besser haste. Ein Cubikfuß Ziegelmauerwerk wiegt frisch 107—110 Pfd., trocken 100—103 Pfd., erfordert 7½ Ziegel großer Form (1 Fuß lang 6 Zoll breit, 3 Zoll stark), 10 Ziegel mittlerer Form (10 Zoll lang, 4½ Zoll breit, 2½ Zoll stark), 13 Ziegel kleiner Form (9½ Zoll lang, 4½ Zoll breit, 2¼ Zoll stark), 18 Ziegel Cleve'scher Form (8¾ Zoll lang, 4¼ Zoll breit, 2 Zoll stark). An Mörtel rechnet man auf 1 Schachtruthe starken Mauerwerks circa 40 Cbft., auf 1 □Ruthe bei ½ Ziegel starker Mauer circa 18 Cbft., bei 1 Stein starker Mauer circa 35 Cbft.

Ziegelmehl. Man verwendet es vorzüglich zum Ausfüttern der Wasserbehältnisse und Bereitung hydraulischer Mörtels (s. d.). Die Alten nahmen das Ziegelmehl häufig zu Aestrich, zu Anwürfen der Sockel und überall da, wo Feuchtigkeit zu fürchten war; man mengte auch salzhaltendem Meersand bei, um es zu verbessern. Zur Bereitung desselben eignen sich blos hartgebrannte Ziegel.

Durch Beimengung von Eisenrostpulver kann man das Ziegelmehl ungemein verbessern, aber nicht durch metallisches Eisen (Feilspäne, Hammerschlag ꝛc.), welches in einem Mörtel, der schon 18 Wochen aufbewahrt war, noch glänzend ungerostet angetroffen wurde. Zusatz von staubartigem Rost vermag dagegen die Wirkung des Ziegelmehles außerordentlich zu vermehren. Ein Mörtel aus Mehl von rothen Dachziegeln hatte nach Verlauf von 8 Wochen noch keine Consistenz, während ein anderer aus demselben Ziegelmehl, mit demselben Kalkteig in gleichen Mischungsverhältnissen bereiteter Mörtel, welchem dem Gewicht nach 20 Proc. des Ziegelmehls verrostetes Eisen durch ein Haarsieb beigemengt war, bereits eine absolute Festigkeit von 8 Pfd., ein dritter ganz ebenso aus denselben Materialien bereiteter Mörtel mit Zusatz von nur 10 Proc. Eisenoxyd in 11 Wochen und einigen Tagen bereits eine Festigkeit von 20½ Pfd. auf den Quadratzoll erlangte; ein Zusatz von 15 Proc. Eisenoxyd, dem Gewicht nach, scheint am empfehlenswerthesten zu sein.

Ziegelofen; über die Theile der Ziegelöfen s. d. Art. Bank V, Ausschiebthür, Schürheerd, Gasse, Feuergewölbe ꝛc. 1) Ueber die Ziegelbrennöfen alter Construction s. d. Art. Brennofen. — 2) Ueber Brennöfen für Dachziegel mit Holzfeuerung s. d. Art. Bogenofen. — 3) Ueber das Brennen in Feldziegeleien s. d. Art. Feldofen und Meiler. — 4) Ueber die liegenden Ziegelöfen s. d. Art. Flurofen. — 5) Torfofen für Ziegelfabrikation. Die Größe richtet sich nach dem Einsatz, der von 300,000 bis 1,200,000 Stück variiren kann; sie sind gemauert, ohne Decke, zum Theil mit einem beweglichen hölzernen Dach zur Schützung der eingesetzten Waare vor der Witterung versehen, und bilden ein längliches Viereck, woran eine Thür zum Ein- und Aussetzen an dem einen Kopfende, sowie eine verhältnißmäßige Zahl einander gegenüberstehender Schürlöcher an beiden langen Seiten sich befinden. Ein Ofen für etwa 400,000 Stück und zum Trocknen ist 31—32 Fuß lang, 26—27 Fuß breit und bis 18 Fuß hoch. Die Umfassungsmauer, unten 6 Fuß dick, ist schon von Unten oder von der Hälfte der Höhe aus eingezogen, so daß der Ofen nach oben enger wird; die innere Flur wird mit Steinen auf eine zweite Lage gebrannte Steine auf die hohe Kante 3—4 Zoll weit auseinander auf den Flur in etwas schräger Richtung auf und bedeckt diese Lage mit alten Binsenmatten, um etwaige Bodenfeuchtigkeit während des Einsetzens abzuhalten. Dann werden die Feuercanäle von einem Schürloch zum andern bei der ersten Lage roher Steine in gerader Linie ausgespart. Diese erste Lage wird auf die Matten ganz dicht gesetzt; alle Steine auf der hohen Kante und parallel mit den Wänden des Ofens; die zweite Lage so, daß sie sich mit der andern durchkreuzt. Mit der achten Lage läßt man die Steine zwei Zoll von beiden Seiten über die Canäle vorspringen, so daß sie mit der zehnten sich schließen, und fährt durch den Ofen, bis er voll ist, abwechselnd kreuzend, fort. Die Einsatzthür wird mit Steinen auf die hohe Kante zugemauert, so daß ein leerer Raum von 8—10 Zoll von der Mauer bis zu den eingesetzten Steinen bleibt, den man mit Sand ausfüllt. Auswendig gegen diese Mauer werden Platten gesetzt und Holzstücke dagegen gestemmt. Man bedeckt nun den Ofen mit flachliegenden Steinen, mauert dann die Schürlöcher der einen Seite zu, füllt die Canäle von der andern Seite mit Torf, zündet es an, fängt aber nur mit einem kleinen Feuer an, und wirft alle zwei Stunden auf's Neue Torf zu. Nach Heizung von 24 Stunden mauert man die Schürlöcher zu, öffnet die entgegengesetzten, unterhält von hier aus 24 Stunden lang das Feuer und so fort, bis die Waare gar ist. — 6) Gilly'scher Torfofen. Derselbe ist gewölbt, 30—32 Fuß lang, 12 F. breit und 12—15 Fuß hoch. Die Umfassungen sind 4—5 Fuß stark; die Vordermauer enthält die Heizlöcher zu den Schürheerden, die hinter die Einsatzthür (Sandthür) von 3 Fuß Weite und 6 Fuß Höhe; die Schürlöcher sind 1½ Fuß weit, 3 Fuß hoch und stehen 4 Fuß von einander; den Schatten derselben entsprechend laufen 10—12" hohe Bänke, die die Schürbeerde einschließen; diese werden um 3—3½ Fuß ausgetieft und Roste eingelegt, auf deren Stäben Ziegel liegen, die durch ihre 1½ Zoll breiten Zwischenräume den eigentlichen Rost bilden. Im Gewölbe sind 70—80 Registeröffnungen, das Gewölbe selbst ist 18 Zoll stark mit 2 Fuß starken Gurten. Die Zuglöcher sind 8 Zoll lang, 5 Zoll breit. — 7) Ziegelöfen für Steinkohlenfeuerung müssen sehr lang sein; die Schürlöcher sind in der langen Seite und blos 2½–3 Fuß von einander entfernt; die Schürheerde blos 1 Fuß breit, nach dem Rost zu sogar auf 8–9 Zoll verengt. Die Roste bestehen aus Eisenstäben, die der Länge nach im Heerd liegen (s. d. Art. Rost). Außerdem müssen Luftzuleitungscanäle unter dem Rost sein, der Ofen darf nicht über 10 Fuß Tiefe haben. Oben ist er zugewölbt und auf den Registern stehen möglichst lange Röhren. — 8) Müllersche Rundöfen. Dieselben sind kreisrund, kuppelförmig überwölbt und mit einem hohen Schornstein statt der Register versehen; die Heizstellen sind ringsum in der Umfassung unter dem Niveau des Ofenbodens angelegt. Die Oefen sind mit Erde hügelartig überschüttet und je zwei und zwei durch einen Canal verbunden; einer wird geheizt und der andere, in welchen währenddessen eingesetzt wird, vorgewärmt, indem man den Zwischencanal nach vollendetem Brand in ersterm öffnet ꝛc. — 9) Ziegelofen mit niedergehendem Feuer. Neuerdings hat man vielfach (z. B. Filentscher in Zwickau) Ziegelöfen erbaut, in welchen die Hitze oben eintritt und durch Gegenzug in einem hohen Schornstein nach unten getrieben wird, wodurch es möglich ist, die obersten Steine bis zur Schmelzhitze, also zu Klinkern zu brennen, ohne daß sie ihre Form verlieren. — 10) Neueste Ziegelöfenconstructionen. In den letztern Jahren hat sich die Technik viel mit Verbesserung der Ziegelöfen beschäftigt; das Bestreben ist dabei namentlich darauf gerichtet gewesen, die Wärme, welche bei der alten Constructionsweise zum großen Theil verloren ging, auszunutzen; so entstand zunächst der Großmann'sche Patentofen mit zwei Kammern, von denen die eine sich in lebhaftem Brand befindet, während die andere ausgeräumt und wieder eingeräumt, dann aber während des Auskühlens der andern durch die aus derselben hinüberströmende Wärme vorgewärmt wird. Beide haben eine gemeinschaftliche Esse, und die Regulirung des Wärmezugs geschieht durch Klappen. Näheres s. im Gewerbeblatt aus Württemberg. Eine weitere Ausbildung sind die Circuliröfen oder Ringöfen; bei diesen ist der ringförmig um den gemeinschaftlichen Schornstein erbaute Ofen in Zellen getheilt, und der Bau schreitet von einer Zelle zur nächsten, und so ringsum vor. Die besten bekannten Oefen nach diesem System sind die Hofmann-Lichtschen in Prag (s. d. Bericht darüber in den Verhandlungen der Polytechnischen Gesellschaft, Berlin, October — December 1860) und die Hüfferschen in Leipzig. Weiteres über Ringöfen s. in Dingler's Polytechnischem Journal, Band CLV, S. 178, CLVIII, S. 183, und CLX, S. 199.

Ziegelpflaster, s. d. Art. Pflaster, Fliesen, Fußboden ꝛc.

Ziegelplatten, s. v. w. Pflasterziegel, Fliesen.

Ziegelpresse, a) um aus trockenem Thon Ziegelwaaren zu fertigen. Hierbei ist das Wesentlichste das Trocknen des gegrabenen Thons und Verwandlung desselben in Pulver; durch einen beträchtlichen Druck stellt man in der verlangte Form her und erhält so die rohe Thonwaare, die dann gebrannt wird. Man hat verschiedene Maschinen dazu. Die gebräuchlichste Art erzeugt Steine ohne Unterbrechung; dem Thonpulver wird der Druck stufenweise gegeben, wobei die Luft vollständig genug ausgetrieben wird, so daß die Vereinigung durch Contact zur Fabrikation der gemeinen Thonwaaren, wie Mauer- und Dachziegel, genügt. Es verrichtet die Maschine zugleich das Füllen der

Formen mit Thonpulver und das Wegschaffen der gepreßten Steine. Die Kraftanlegung geschieht mittelst einer Schraubenpresse oder einer hydraulischen Presse, da es darauf ankommt, den Druck nur allmälig anzuwenden, damit die Luft Zeit hat, aus der Thonform zu entweichen, bevor die vollständige Compression erfolgt, da ferner durch ein Schwungrad eine Presse nicht so genau zu reguliren ist, daß sie am Anfange nur einen sanften, allmäligen, später aber von selbst einen verstärkten Druck bei einer continuirlichen rotirenden Bewegung ausübt, nachher aber die Verdichtung mit beschleunigter Geschwindigkeit und gesteigertem Drucke vollendet, während die Füllung und Entleerung der Form ununterbrochen vor sich geht. b) Um aus wenig feuchtem Thon Ziegel zu formen. Es wird dabei der Stein fester und dichter, insbesondere bei magerem Lehm, scharfkantiger, regelmäßiger ꝛc., auch trocknen gepreßte Ziegel schneller und werfen und verziehen sich weniger als gestrichene, da hierbei der Thon feuchter sein muß, zu wenig und zu ungleichförmig zusammengedrückt werden kann. Ist es nach der Ausdehnung der Fabrik nöthig, so bringt man vier dergleichen Pressen an den Ecken eines großen, mitten im Trockenschuppen stehenden Streichtisches an. Eine dergleichen Presse gaben wir im Artikel Form, in Fig. 1111 auf S. 84, Bd. II. Für Dachziegel muß die Presse etwas anders eingerichtet sein: Das Unterlagbret, welches die obere Seite des Dachsteins bilden soll, ist mit den gewöhnlichen flachen Wasserrinnen versehen und mit Charnierbändern an den kupfernen Formrahmen befestigt. Einen halben Zoll von einander sind an beiden Enden zwei Knöpfe symmetrisch angebracht. Bei der Größe der Form ist auf das Schwinden (s. d.) gerechnet; sie besitzt unten einen 4 Zoll langen Stiel und oben eine Spitze, beide sitzen zwischen den angegebenen Knöpfen. Der Rahmen ist ¼ Zoll stark, ½ Zoll hoch, an der innern Seite polirt. Von gleicher Größe mit dem Unterlagbret ist das Deck- oder Preßbret; es erhält Vertiefungen an beiden Enden, die in die Knöpfe passen. Für die Nase des Dachsteines befindet sich am untern Ende eine Vertiefung, die des leichteren Lösens wegen und um nicht zu leicht weggestoßen zu werden, ungefähr die Gestalt einer Viertelskugel erhält. Um das Preßbret gleichförmiger zu drücken, hat die Preßzange oben zwei sich in eine Zugstange vereinigende Arme, und diese Zugstange greift mittelst eines Hakens in die Oele eines Bolzens, der durch den Trethebel geht, und oben in denselben mit einer Scheibe, unten mit einer Mutterschraube befestigt ist. Dieser Trethebel liegt in zwei Pfannen zwischen zwei Füßen des Streichtisches auf einem Bolzen und die Preßzange ist so angebracht, daß die Bewegung des Hebels den nöthigen Spielraum verstattet, um die Zange leicht zurücklegen und stark mit derselben treten zu können. Es kann das Ende des Hebels, auf welches getreten wird, 4–5 Fuß lang sein, dabei muß aber das andere Ende so viel Uebergewicht haben, daß der Hebel von selbst zurückfällt und die Zange löst, wenn der Arbeiter vom Trethebel herabsteigt. Neben dem Trethebel steht eine Handstütze für den Arbeiter. Da sich der stark gepreßte Lehm zuweilen fest an die Bretter und die Form hängt, so sucht man ersteres durch aufgelegten Filz, Leder oder Leinwand zu vermeiden; den an die Formzarge angehängten Stein löst man, indem man mit einem Pfriemen rund um fährt.

Ziegelscheune, s. Ziegelei und Trockenschauer

Ziegelschicht (südd. Ziegelschaar), s. d. Art. Schicht und Mauerverband.

Ziegelschleifen, a) vor dem Brennen. Die halbgetrocknete Ziegelfläche wird mit einem befeuchteten Holz, in Holland zu den zierlichen Fußböden aber auf eigenen Vorrichtungen geschliffen. b) Nach dem Brennen. Man belegt mit sehr hartgebrannten Steinen, Marmorfliesen, glatten, ebenen Eisenplatten oder dergl. einen erhöhten, ringförmigen, von außen umrandeten, ganz ebenen Platz, lagert darauf die abzuschleifenden Steine und beschwert sie, worauf sie durch den Arm an einer Welle, die, lothrecht in der Mitte stehend, durch Menschen, Pferde oder Dampf umgetrieben wird, herumbewegt werden; vorher aber bestreut man den Boden mit feinem feuchten Sand, dessen Abgang aus damit angefüllten Fäßchen ersetzt wird, die durch eine aus der Welle ragende Ruthe angestoßen und erschüttert werden.

Ziegelschutt, frz. briquaillons, s. Schutt.

Ziegelsparren, s. d. Art. Bauholz, S. 280.

Ziegelstreichen. Das Streichen der Ziegel geschieht auf zweierlei Art: im Wasser und im Sande. Die zu beiden erforderlichen Apparate **bestehen aus folgenden Stücken: a)** Eine große, sechs Ellen lange, gewöhnlich drei Ellen breite Tafel (Streichtisch, Formtisch), welche entweder

Ziegelwerk, s. v. w. unrein gepochter Zwitter.

Ziegenbartreiche, s. d. Art. Eiche c.

Ziegenfuß, frz. pied de biche, pied de chèvre, b. Art. Geißfuß und Brecheisen.

Fig. 1965.

feststeht oder auch fortgerückt werden kann. b) Die Form oder Chablone, welche zu dem Streichen im Wasser ein eiserner Rahmen, zu dem Streichen im Sand hingegen ein hölzerner Rahmen ist, dessen oberer Rand mit einer schwachen eisernen Schiene beschlagen ist, damit die Form durch das Abstreichen mit dem Streichbret nicht abgenutzt und niedriger wird. Die Ziegelform muß im Lichten so viel weiter sein, als der gestrichene Ziegel während des Trocknens und Brennens schwindet, damit er das gesetzlich vorgeschriebene Maaß behält. c) Das Streichholz (Streichbret), ein 18 Zoll langes, 3 Zoll breites und ½ Zoll dickes Lineal. Zu jedem Tisch gehören zwei Stück. Man muß sie täglich untersuchen, weil sie sich leicht auf den eisernen Schienen abnutzen, wodurch die Ziegel ungleiche Stärke erhalten. d) Ein Wasser- und ein Sandkasten. e) Ein Untersetzbret, welches an dem untern Theil mit zwei Leisten versehen ist, auf dessen oberen Theil die Form gesetzt wird. f) Mehrere Abtragebretchen.

Ziegelthon, s. v. w. Ziegelerde.

Ziegeltreiben, s. d. Art. Gerüst und Presse.

Ziegelverband, s. d. Art. Mauerverband.

Ziehgatter (Mühlenb.), im Zieherter auf- und abschiebbarer, starker viereckiger Rahmen, worauf die Wellzapfen der Pansterräder liegen und in die Höhe und niedergelassen werden können.

Ziehklinge, Schabeklinge, dünnes Eisen, dessen gerade Kante mit einem Grobstahl wiederholt gestrichen wird, um einen sogenannten Grat oder eine Schneide hervorzubringen, und womit man das gehobelte Holz nochmals überschabt, um es vollständig zu glätten; s. Schleifen, Abziehen rc.

Ziehlatte, s. d. Art. Lehrlatte und Chablone.

Ziehpanster, Ziehzeug heißt ein Pansterzeug, wenn es mittelst eines Rades, Ziehrades, bewegt wird; geschieht es mittelst Wellen und Ketten, so heißt es Kettenpanster.

Ziehpfad, Ziehweg, s. v. Leinpfad.

Ziehring, ein an einer offenen Stelle mit einer Schraube zusammenziehbarer Ring.

Ziehsäge, zweimännische Schrotsäge.

Ziehschacht (Bergb.), s. v. w. Förderschacht; s. d. Art. Grubenbau, S. 212, Bd. II.

Ziehscheibe (Räderw.), hölzernes Rad mit daran befindlichen Sprossen, mittelst deren es durch den Arbeiter herumgedreht wird.

Ziehschraube, s. v. w. Stellschraube.

Ziehschwengel (Maschinenb.), Arm des Göpels; s. d. Art. Arm, Schwengel und Göpel.

Ziehseil, s. v. w. Windeseil.

Ziehstange. 1) (Pumpenw.) s. v. w. Kolbenstange; s. auch d. Art. Brunnen, S. 475, Bd. II; — 2) (Schloss.) s. v. w. Espagnolettestange; s. d. und Riegel, sowie d. Art. Basquill.

Ziehstock; Vorrichtung zu Ausarbeitung profilirter Holzleisten; Fig. 1965 stellt einen sehr einfachen Ziehstock dar. Auf einem starken Bret u sind die Leisten b b befestigt, welche dem Schlitten c zur Führung dienen, dessen Untertheil c, an welchem die Griffe e befestigt sind, sich in den schwalbenschwanzförmigen Zwischenraum der Leiste b bewegt; zwischen c und c' wird die zu ziehende Leiste geklemmt. Die Griffe e führt man mit den Händen oder mittelst einer Schnur, welche über einem am anderen Ende der Ziehbank angebrachten Haspel läuft und so den Schlitten fortbewegt. Das eiserne Gestelle f, f, f' ist fest mit der Unterlage u verbunden; an demselben befindet sich der Sichrahmen h, welcher durch die Schraube i ab- und aufbewegt werden kann. In dem Rahmen h werden die Zieheisen g, welche die gewünschten Profile enthalten, mittelst der Schrauben l, l festgespannt. Die zu ziehende Holzleiste wird mit dem Schlitten c, c' dicht an das Zieheisen g herbeigeführt, dann wird letzteres so tief herabgestellt, daß es die Leiste greift und dieser das Profil mittheilt, wenn sie durchgezogen wird. Das Zieheisen wird hierauf etwas tiefer gestellt, die Leiste abermals durchgezogen u. s. f., bis die Leiste vollständig die Profilirung des Zieheisens angenommen hat. Die Zieheisen werden, wie die Hobeleisen, von einer Seite, aber durch Feilen, zugeschärft.

Ziehwelle. 1) (Mühlenb.) Welle, um die sich die Pansterketten legen; — 2) s. v. w. Haspelwelle, Welle einer Winde.

Ziehwerk. 1) Vorgelege an einer Welle; — 2) s. v. w. Pansterwerk; — 3) s. v. w. Drahtziehhütte.

Ziel (Wasserb.), in Westphalen s. v. w. Wehr.

Zielscheibe (Feldmeßk.), s. d. Art. Nivellirstäbe.

Zierbeschläge, so heißen Beschläge (s. d.), sobald sie nicht wirklich oder nicht blos als Bänder zc. dienen, sondern hauptsächlich zur Verzierung auf einer Thür oder dergl. angebracht sind; dahin gehören die oft sehr großen, reich und schön gearbeiteten, schmiedeeisernen Zierbänder der mittelalterlichen Style, ferner allerlei Knöpfe, Rosetten, Gitterdurchbrechungen zc.; s. d. Art. bardé, sowie die Art. Beschläge, Band, Klopfer zc. und die Figuren 257, 258, 344—348, 1822 zc.

Zierbrücke, s. d. Art. Brücke und Park.

Zierde, Zierrath, s. v. w. Verzierung (s. d.), Ornamente, Arabeste, Aesthetik, Ueberladen zc.

Ziergiebel, s. d. Art. Wimberge.

Zierlehm, s. v. w. Decklehm; s. d.

Zierstein, so nennt man sowol die Schmucksteine, d. h. geschliffene Halbedelsteine und Edelsteine, als auch die als bloße Verzierung angebrachten sculpirten Steine an Bauwerken.

Zierverputz, österreichisch, für im Putz nachgeahnte Bossage.

Zifferblatt, frz. cadran; s. d. Art. Uhr. Die Größe desselben richte sich nach der Entfernung vom Straßenniveau und der dadurch bedingten Größe der Ziffern, die man nicht gern über ⅕ vom Durchmesser des Zifferblattes macht. Bis 40 Fuß Höhe genügen Ziffern von ⅓ Fuß, von 40 bis 70 Fuß Höhe mache man sie mindestens ⅔', von 70 bis 100 Fuß Höhe mindestens 1' hoch zc. Das Zifferblatt selbst ist gut vor dem Regen zu schützen. Zifferblatt, Ziffern und Zeiger müssen drei leicht unterscheidbare Farben haben: bei Thürmen bekommt das Zifferblatt eine kleine Thür, um hinauszugreifen und es reinigen zu können.

Ziffern, s. d. Art. Zahlensystem.

Zigzag, frz., s. d. Art. Zickzack.

Zille, Elbschiff, Flußschiff in Sachsen und Böhmen.

Ziment, s. d. Art. Cement.

Zimier, s. d. Art. Helmkleinod.

Zimmer. 1) Lat. camera, frz. chambre, appartement, engl. room, chamber, heizbares Gemach, s. d. Art. Wohnzimmer, Stube, Eintheilung, Anordnung und Haus. Nach ihrer Bestimmung theilt man sie in a) Wohnzimmer, à Person mindestens 120 ☐Fuß groß; b) Schlafzimmer, für eine Person mindestens 90 ☐Fuß, für zwei Personen 160 ☐Fuß, für 2 Erwachsene und zwei Kinder mindestens 200 ☐Fuß zc.; c) Ankleidezimmer für eine Person 60 ☐Fuß, für zwei 100 ☐Fuß zc.; d) Vorzimmer, s. d. Art. Antichambre; e) Arbeitszimmer, s. d. Art. Atelier, Comptoir, Werkstätte zc.; f) Speisezimmer (s. d.); g) Spielzimmer; h) Kinderzimmer zc. Ueber die Verzierung der Zimmer s. d. Art. Ausschmückung, Bilder, Decoration, Stubenmalerei, Plafond, Farbe, Drapirung, Meubels zc.; — 2) s. d. Art. Bauholz, S. 280, Bd. I.

Zimmerarbeiten. Alle Bauarbeiten, welche der Zimmermann anfertigt; dahin gehören Lehrbögen, Rostgründungen, Balkenlagen, Dachconstructionen, hölzerne Thür- und Fensterzargen, Holzfußböden, Bretverschalungen, das Holzwerk zu Fachwänden, hölzerne Treppen, Abtrittsschlotten, Bretthüren, Spaliere zc., allgemeiner ausgedrückt: alle auf einem Bau nöthigen Holzarbeiten, zu denen kein Leim benutzt wird, s. b. bereits angezogenen Art., sowie d. Art. Dach, Holzverbindung, Zapfen, Riegel, Bedielen, Tafel, Band, Fachwand, Windrispe, Abbinden, Behauen, Zeichen, Zulage, Aufschnüren zc.

Zimmerbeil, s. d. Art. Beil und Art.

Zimmerboden, 1) vom Zimmermann gelegter Fußboden, auch 2) Bodenraum, zu Aufbewahrung von Zimmergeräthschaften, oder zu Anfertigung von Zimmerarbeiten benutzt.

Zimmerdecke, s. d. Art. Decke und Plafond.

Zimmergeräth, 1) sämmtliches Handwerkszeug des Zimmermanns, als Handbeil, Axt, Winteleiſen, Hobel ꝛc.; — 2) alles zu Ausſtattung eines Zimmers Gehörige, als Meubles, Ofen, Vorhänge ꝛc.

Zimmergerüſt, abgebundenes Gerüſt, ſ. Gerüſt.

Zimmerhieb, Zurichtung des Bauholzes auf der Stelle, wo es gefällt wurde; ſ. d. Art. Bewalbrechten.

Zimmerhof, Zimmerplatz, Werkplatz der Zimmerleute, Platz, wo die Stämme behauen, Balkenlagen, Wände ꝛc. zugelegt, kurz alle auf einem Bau nöthigen Zimmerarbeiten vorbereitet oder vollendet werden, inſoweit dies eben nicht auf dem Bau ſelbſt geſchehen muß. Ein Zimmerhof muß natürlich ziemlich geräumig ſein, denn außer dem Raum zu Zulagen müſſen noch Räume zu kleineren Arbeiten, oder dazu beſtimmte Arbeitsſchuppen, ferner Bretſchuppen, Stapelplätze ꝛc. vorhanden ſein.

Zimmerholz, ſ. d. Art. Bauholz, Nutzholz, Holz 2, Zeichen ꝛc.

Zimmerkunſt. Das Nöthigſte daraus ſ. unt. den einzelnen im Art. Zimmerarbeiten angezogenen Artikeln.

Zimmerlaus, ſ. d. Art. Auslaufen 2.

Zimmerling, ſ. v. w. Bergzimmermann; ſ. d. Art. Grubenbau und Bergzimmerleute.

Zimmermann, als ſolche erſcheinen die Heiligen Eulogius, Joſeph.

Zimmermannsſchraube, ſ. v. w. Hebeſchraube; ſ. d. und Fig. 1261.

Zimmernagel, Holznagel, Zapfennagel.

Zimmerpolier, in Bergwerken Zimmerſteiger, Vorarbeiter der Zimmerleute; vergl. d. Art. Polier.

Zimmerreihe, frz. enfilade, engl. embattailment, gerade Reihe von Zimmern.

Zimmerſchlag, auch Teufelsknoten genannt, ſ. v. w. Kunte, ſ. unt. d. Art. Tau.

Zimmerſtücke nennt man die Hölzer, die vom Zimmermann bearbeitet worden ſind.

Zimmerung, ſämmtliche Holzarbeit in Bergwerken; ſ. d. Art. Grubenbau.

Zimmerwerk, engl. timberwork, Geſammtheit aller Zimmerarbeiten eines Gebäudes.

Zimmtbraun, helles Röthlichbraun; ſ. d. Art. Braun.

Zincum, lat., Zink.

Zindelbinde, ſ. d. Art. Helm.

Zingel, ſ. v. w. Ringmauer; ſ. d. Art. Feſtungsbau und Burg, ſowie d. Art. Peruaniſch.

Zink, früher auch Conterfeit, Spinauter Salz oder Stahl der Weiſen genannt. Dieſes Metall wird äußerſt ſelten gediegen gefunden, wohl aber in folgenden Erzen: a) Zinkblende, Galmeiblende, Blätterblende, Schaalenblende, dodekaëdriſche Granatblende, Zinc sulfuré, kommt als gewöhnlicher Begleiter verſchiedenartiger Erze, zumal auf Gängen, ſeltener auf Lagern, im Gneiß, Glimmer- und Thonſchiefer vor, weniger häufig in Kalkgebilden, hat meiſt verwachſene Kryſtalle, blätterige Maſſen, welche man leicht in der Richtung der Kernformflächen ſpalten kann. Gefüge zum Theil ſtrahlig und faſerig, bis ſplitterig ins Körnige und Ebene. Gepulvert durch concentrirte Salpeterſäure, mit Zurücklaſſung von Schwefel lösbar. Ritzt Kalkſpath, ritzbar durch Apatit, Farbe braun, ſchwarz, gelb und grüne Nüancen. Glänzt

diamant- auch perlmutterartig. Durchſichtig bis undurchſichtig, ſpec. Gewicht = 4,2—4,4. ꝛc.

Fein gemahlene Blende giebt eine angenehme, lichtbraune Farbe, die, mittelſt Oelfirniß angerieben, durch Holz einen hornartigen Ueberzug bildet, der ſich als ſehr dauerhaft bewährt hat; ſ. auch d. Art. Indium.

b) Gemeiner Galmei, kieſelſaures Zinkoxyd, Kieſelzinkerz, Kryſtalle klein, rhombiſch, derb, nieren- oder tropfſteinartig, Gefüge ſtrahlig und faſerig, Bruch uneben, gleichförmig, ritzt Flußſpath, ritzbar durch Feldſpath, ſpec. Gewicht: 3,3—3,5. Farbe waſſerhell, weiß, grau ins Gelbe, Grüne und Braune. Glasglanz, durchſichtig bis durchſcheinend; durch Säure wird die Kieſelerde leicht gallertartig ausgeſchieden.

c) Zinkſpath, kohlenſaures Zinkoxyd, ſ. d. Art. Zinkſpath. Es kann benutzt werden wie das Bleiweiß, wenngleich es nicht ſo deckt; jedoch verändert es der Schwefelwaſſerſtoff nicht; ſ. d. Art. Zinkweiß.

Die Gewinnung des metalliſchen Zinks gründet ſich immer auf eine Reduction der Sauerſtoffverbindung durch Kohle und eine möglichſt vollſtändige Condenſation der bei hoher Hitze entwickelten Zinkdämpfe.

Von den Erzen dienen namentlich die Blende und der Galmei zur Darſtellung des Zinks. Die Blende muß erſt durch einen Röſtproceß in Zinkoxyd übergeführt werden; der edle Galmei wird nach dem Glühen gleich dem Reductionsproceß unterworfen; der gemeine Galmei muß erſt durch einen Kalkzuſatz und durch Glühen von der Kieſelſäure befreit werden.

Die Deſtillation des Zinks aus den zur Reduction vorbereiteten Erzen erfolgt in den feuerfeſten Thongefäßen. Die Gefäßform, die zur Anwendung kommt, iſt verſchieden: in Schleſien z. B. bedient man ſich der

Fig. 1966. Zinkmuffel.

Muffeln, Fig. 1966, in Belgien der Röhren und in England faſt ausſchließlich der Tiegel. Die Muffeln beſtehen aus einem unten flachen, oben gewölbten Kaſten aus feuerfeſtem Thon; der Kaſten hat an der Vorderwand oben und unten eine Oeffnung, an die obere Oeffnung iſt eine horizontale Thonröhre angeſetzt, deren vordere durch eine Thonplatte verſchließbare Oeffnung zum Eintragen der Beſchickung dient. Dieſes Rohr iſt mit einem vertical abwärts, in untergeſetzte Eiſenkäſten mündenden Rohr verſehen, durch welches das condenſirte flüſſige Zink fließt. Die untere Oeffnung am Deſtillationsgefäß dient zur Entfernung der Deſtillationsrückſtände.

Die belgiſche Methode benutzt vorn offene, hinten geſchloſſene Röhren aus feuerfeſtem Thon, welche mit gepulvertem Erz und Kohlenklein beſchickt werden; an das offene Ende der Röhren werden kegelförmige Vorlagen von Eiſenblech befeſtigt, in welchen ſich das deſtillirte Zink ſammelt.

Die Reduction der Zinkerze in Tiegeln wird beſonders zu Briſtol und Birmingham ausgeführt.

Das nach einer dieſer Methoden erhaltene Zink heißt Werkzink; es iſt durch Erzſtaub, Zinkoxyd ꝛc. verunreinigt und wird auf der feuerfeſten Sohle eines Flammofens eingeſchmolzen und in gußeiſernen Formen zu Platten gegoſſen. Dieſe Platten bilden im Handel das Rohzink. Dieſes Zink enthält noch viele fremdartige Stoffe: Schwefel, häufig Arsenik, fast immer Blei, dann Eisen, Cadmium ꝛc. Vollständig gelingt die Reinigung des Zinks, wenn man das Metall in einem Tiegel schmilzt und ein Gemenge von Schwefel und Fett einrührt. Die Verunreinigungen schwimmen dann als Schaum obenauf und bestehen namentlich aus Schwefelmetallen der fremden Beimengungen. Das verkohlende Fett verhindert die Oxydbildung und begünstigt die Entstehung von Schwefelmetallen. Das Zink ist bläulich-weiß, stark metallglänzend, wiegt 6,8, gehämmert 7,2; ist wenig biegsam, bricht leicht. Die Fähigkeit, sich biegen und ausstrecken zu lassen, hat es nur zwischen 100 und 150° C.; unter und über dieser Temperatur, sowie noch erhitzt und rasch abgekühlt, ist es immer spröde; bei 205° steigert sich dies so, daß es pulverisirt werden kann; bei 412° schmilzt es, verflüchtigt sich in der Weißglühhitze, bei Luftzutritt entzündet es sich bei 500° und verbrennt mit blauweißer Flamme zu Zinkoxyd. An der Luft überzieht es sich mit einer Haut von Oxyd, die es vor weiterer Oxydation schützt, im Wasser oxydirt es sehr langsam. Wird Zink in möglichst großen Kesseln zum Schmelzen gebracht und in die schmelzende Masse vor ihrem Ausgießen (in erwärmte Formen) einige Stücke starren Zinks geworfen und damit gut umgerührt, so wird das ganze Zink weich und dehnbar, so daß es sich zur Blechfabrikation vollkommen eignet, ohne nochmaliger Schmelzung unterworfen werden zu müssen; s. übr. d. Art. Zinkblech. Außer als Blech, wird das Zink auch verwendet zur Darstellung des Messings, Tombacks, Semilors, Glockenguts ꝛc., s. d. betr. Art., zur Entwickelung von Wasserstoff, zu galvanischen Apparaten, zur Verzinkung verschiedener Metalle, zur Darstellung des Zinkweißes, endlich als Gußmaterial ꝛc.

In der Zinkgießerei sind jetzt wesentlich zwei Methoden gebräuchlich. Ein großer Guß wird gewöhnlich in kleinere, möglichst einfache, leicht zu formende Stücke getheilt, da vom Zink, wenn es in größern Massen erhitzt wird, einzelne Theile durch Ueberhitzung energisch Sauerstoff absorbiren und den Guß durch Verunreinigung mit Zinkweiß unbrauchbar machen. Die kleinern gegossenen Formstücke vereinigt man durch Löthung zu einem Ganzen.

Für kleinere Gegenstände bedient man sich des sogenannten gestürzten Gusses. Man gebraucht dazu metallene Hohlformen, füllt dieselben mit geschmolzenem Zink und stürzt sie bald nach dem Eingießen des Zinks um. Da Zink erstarrt nun an den Wänden der metallenen Hohlformen, durch Auseinandernehmen erhält man äußerst scharfe Abgüsse. Die Gußstücke werden entweder vergoldet oder bronzirt, oder man bedeckt sie mit einem beliebigen Oelfarbenanstrich; s. d. Art. Zinkguß. Von den Verbindungen des Zinks mit Sauerstoff s. d. Art. Zinkoxyd.

Die Verfälschung des Zinks betreffend, so haben Elliot und Storme in 100 Gewichtstheilen der geprüften Zinksorten gefunden:

	Kupfer	Blei	Eisen	Cadmium und Zinn, nicht gut zu unterich.
Schlesisches Zink . .	0	1,46	0	0,0546 kein Zinn.
Belgisches „ . .	0	0,292	0	0,0281 wahrsch. Z.
Amerik. „ New-Jersey .	0,1298	0,079	0,209	0,4471 wahrsch. Z.
Pennsylv. aus Bethlehem				
Pariser Zinc „ . .	0	0,106	0	0,0406 Zinn.
Berliner Fabrikat . .	0	1,297	0,611	0,0178 Zinn.
Englisches „ . .	0	1,100	0	0,01 Zinn.

Eisen war in allen, doch nur in einigen wurde darnach geforscht. Es kommt durch die Eingußmulden hinein. Kohlenstoff war nur zufällig und mecha-

nisch beigemengt. Nur in amerikanischem und englischem Zink wurde welcher gefunden. Schwefel wurde in allen Zinksorten gefunden, aber sehr wenig. Arsenik im schlesischen, Pariser, New-Jersey, pennsylvanischen und englischen.

Zinkblech, s. d. Art. Dachdeckung, S. 605, Bd. I., außer dem dort bereits Gesagten geben wir zur Berechnung des Bedarfs noch folgende Notizen: 1 Tafel ist in der Regel 6 Fuß lang, 2⅔ Fuß breit, — 16 ☐Fuß, ¹/₄₀ — ¹/₂'' dick; 1 Centner Nr. 10 — 8 Tfln., Nr. 11 — 7 Tfln., Nr. 14 — 4 Tfln. Die Dauer ist bei Nr. 14 circa 18 Jahre, doch kommt dabei viel auf Güte und Deckungsart an. In Norwegen hat man es mit Erfolg durch einen Anstrich von Wasserglas, sowie auch durch Theerung nach geschehener Aetzung mit Schwefelsäure gegen die Oxydation, selbst unter Einfluß von Salzdünsten geschützt, doch kann man es auch mit Oelfarbe streichen; s. d. Art. Anstrich IV.

Man kann auch statt der dort angerathenen Zinkweißanstrichs, um die Oelmalerei dauerhafter zu machen, das Metall vorher mit einem sehr dünnen Häutchen von Zinkoxyd-Chlorid (basisch salzsaurem Zinkoxyd), durch Besprengen des Zinks mit verdünnter Salzsäure versehen; die Salzsäure greift nämlich das Metall an und erzeugt Chlorzink oder Zinkbutter, welches in Berührung mit dem Sauerstoff der Luft zu Oxydchlorid wird. Diese Reaction erfolgt zwar langsam, aber wegen der Zerfließlichkeit des Chlorzinks nach und nach vollständig, wobei die feuchte Oberfläche erst nach gänzlicher Umwandlung trocken wird; dazu kommt noch, daß nach dem Besprengen mit Säure die Oberfläche des Metalls etwas rauh bleibt. Das Häutchen von Zinkoxydchlorid haftet vollkommen auf dem Metall, und auf diese Schicht aufgetragene Firniß hält ebenso gut wie auf Eisenblech. Man kann auch in der Salzsäure Farben vertheilen, wo dann beim Besprengen des Zinks granitartige Dessins entstehen. Die Farben werden in diesem Falle von Zinkoxydchlorid eingehüllt; durch Ueberfirnissen erhält so behandeltes Zinkblech das schönste Aussehen. Wo zu dieser Behandlung die Zeit mangelt, erreicht man schon ziemliche Dauerhaftigkeit, wenn man den Grundanstrich mit Zinkweiß fertigt. Ueber das Falzen des Zinkes s. d. Art. Falzmaschine und Fig. 1062.

Zinkblende, s. d. Art. Blätterblende und Zink.

Zinkchlorid, s. d. Art. Zinkblech und d. Art. Bauholz, S. 276, Bd. I, sowie d. Art. Imprägniren.

Zinkdach, s. d. Art. Dachdeckung S. 605, Bd. I. und Zinkblech.

Zinkdraht. Seine Vorzüge im Vergleich zu Eisendrähten bestehen darin, daß er nicht rostet, wohlfeiler ist, sich leicht löthen läßt ꝛc. und dabei die Federkraft, Feuerfestigkeit und andere Eigenschaften anderer Drähte besitzt.

Zinke, masc., 1) s. v. w. kleine Zapfen, s. d. Art. Verzinkung 2, in der Regel gebraucht, um zwei Bretter in einem Winkel mit einander zu verbinden; die Verzinkung kann offen oder verdeckt sein; — 2) s. d. Art. Baumgabel.

Zinkenit (Mineral.), Verbindung von Antimon, Blei und Schwefel, erscheint in sechsseitigen Säulen, an den Enden zugespitzt, mit sechs auf die Kanten aufgesetzten Flächen, stahlgrau und stark metallisch glänzend.

Zinkerze, s. d. Art. Zink.

Zinkfolie, s. d. Art. Folie.

Zinkfolio, ist Zint, das im Handel in Stangen gegossen vorkommt.

Zinkgelb, s. gelbe Farben.

Zinkglaserz, s. v. w. Galmei; s. b. Art. Zint.

Zinkgrün, Zinkoxyd, mit salpetersaurer Kobaltoxydullösung gefällt, auch unter dem Namen Rinmann's-Grün bekannt.

Zinkguß. Das Schmelzen des Zints erfolgt in Graphittiegeln, die Oefen haben dieselbe Einrichtung wie die des Gelbgießers, die Formen werden in der Regel aus feinem Formsand über Zint-, Holz- oder Thonmodelle angefertigt, und zwar in Kästen; große Gegenstände werden in einzelnen Theilen geformt und nach dem Guß gelöthet. Das Löthen der Gußnähte geschieht wie das des Zinkblechs, s. d. Art. Löthen. Die durch Salzsäure gereinigten Flächen werden mit Zinn und Blei gelöthet. Um das gegossene Zint vor der Witterung zu schützen, werden die Gegenstände mit Zinnsalz überbürstet, die Oelfarbe muß möglichst dünn gestrichen und mehrmals aufgetragen werden. Besser ist es jedoch, sowohl in praktischer als ästhetischer Hinsicht, die Gegenstände zu galvanisiren, d. h. eine Schicht Kupfer galvanisch darauf niederschlagen zu lassen, s. d. Art. Bronciren &c. Da aber der Zinkguß dennoch keine große Dauer erhält, so sollte er nie im Freien angewendet werden. Figuren werden nach dem Guß ciselirt, weniger feine Gegenstände geschabt, oder auch blos von den Gußnähten &c. gereinigt; s. d. Art. Zint.

Fig. 1967. Zinkofen.

Zinkofen. Wir geben in Fig. 1967 einen solchen, wie sie in Schlesien gebräuchlich sind. Ueber dem Raum B, der durch den ganzen Ofen hindurchgeht, liegt der Rost. Bei b b stehen die Muffeln, o o sind die Rauchöffnungen, z z sind die Tiegel, die den Muffeln als Vorlage dienen.

Zinkoxyd, Zinkocher, Pompholix, weißes Nichts, Philosophenwolle, Zinkwolle ist ein weißes Pulver, das nicht verflüchtigt, nicht durch Wärme zersetzt werden kann, in sehr schwierig schmilzt, durch Erwärmung gelb, dann wieder weiß wird, sich nicht im Wasser auflöst, aber mit demselben sich zu Zinkoxydhydrat verbindet, in Säuren und ätzenden Alkalien leicht löslich ist und sich a) in der Natur nur an Säuren gebunden findet, s. unt. Zint a, b, c, sowie unter Vitriol; b) künstlich stellt man es dar 1) auf trocknem Wege, indem man Zint (s. b.) bei Luftzutritt erhitzt, bis das Zint verbrennt und der Tiegel sich mit baumwollenartigen Flocken anfüllt, welche durch Reiben und Abschlämmen mit Wasser von dem nicht oxydirten Zint gereinigt werden, oder indem man Zint in Retorten verdampft, die Dämpfe einem heißen Luftstrome aussetzt und in Kammern leitet, wo sie

sich niederschlagen; — 2) auf nassem Wege, indem man schwefelsaures Zinkoxyd (Zinkvitriol) mit kohlensaurem Natron zersetzt und das erhaltene kohlensaure Zinkoxyd durch Glühen von der Kohlensäure befreit. Ueber die Anwendung s. b. Art. Zinkweiß. Chlorzinklösung mit Zinkoxyd gemengt eignet sich nicht nur zur Anstrichsarbe, sondern auch zum Kitt für Porzellan, Metalle, Glas.

Zinkpecherz, schwarze Zinkblende.

Zinkplatten, starke Zinkbleche; s. b.

Zinkspath, s. b. Art. Zint c. Das System der rhomboëdrischen Krystalle ist ähnlich dem des Kalkspaths. Spaltbar in der Richtung der Rhomboëderflächen; derb, trauben- und nierenförmig, auch tropfsteinartig. Auseinanderlaufend fasriges Gefüge, unebener, grobkörniger Bruch, in's Splitterige. Giebt kein Wasser im Kolben. Ist mit Borax vor dem Löthrohr leicht schmelzbar zu undurchsichtigem Glase. Löst sich in Säuren leicht und mit Brausen. Ritzt Flußspath, ritzbar durch Apatit. Farbe weiß, ins Gelbe, Graue, Braune und Grüne. Glänzt glasig, dem Perlmutterglanz sich nähernd. Durchscheinend bis undurchsichtig, spec. Gewicht 4,3—4,5. Dieses Mineral besteht wesentlich aus kohlensaurem Zinkoxyd und findet sich in der Natur auf Gängen, Stöcken, Lagern im krystallinischen Schiefergebirge, im Steinkohlengebirge und in der Oolithformation, am Altenberg bei Aachen, Iserlohn in Westfalen, bei Lüttich, Chessy u. a. O.

Zinkvitriol, Zinksalz, weißer Vitriol, Galitzenstein, Bergunschlitt, Federsalz, Verabutter, Erzalabaster, Weißkupferwasser; s.b.Art. Vitriol 4.

Zinkweiß, dessen Anwendung als Farbe wird besonders dadurch rathsam, daß es nicht wie das Bleiweiß den Fehler besitzt, durch Schwefelwasserstoffgas schwarz zu werden, da die Verwandtschaft zum Schwefel schwächer ist als die des Bleies, und, da das Schwefelzink so weiß wie das Oxyd ist, daher ein Anstrich mit Zinkoxyd, wenn letzteres auch durch Dünste &c. in Schwefelzink verwandelt werden sollte, ebenso weiß bleibt, als es zuvor war, s. übrigens noch b. Art. Zinkblech. Es fehlt ihm freilich die starke Undurchsichtigkeit, d. i. die Deckkraft des Bleiweißes, dennoch aber deckt es bei mehreren Anstrichen hinreichend; bildet mit Oel, wie das Bleiweiß, eine vollkommene geschmeidige Mischung, läßt sich gut mit dem Pinsel verarbeiten, und verhält sich gegen andere Pigmente neutral oder unwirksam.

Das Zinkweiß wird auf den Zinkhütten in großen Mengen dargestellt, indem man Zinkdämpfe mit erhitzter Luft zusammentreten läßt; das Zint verbrennt zu Zinkoxyd, welches in einer Reihe Kammern, die mit einem trichterförmigen, innen Schieber verschließbaren Boden versehen sind, aufgesammelt wird; schließlich wird das so erhaltene Zinkweiß durch Schlämmen von dem feinen Zinkstaub befreit.

Zinn, lat. stannum, frz. étain, engl. tin, pewter (Mineral.). I. Vorkommen. Das Zinn kommt nur in den Zinnerzen, entweder auf Gängen und eingesprengt im Gebirgsgestein (Bergzinn), oder nicht mehr an der Stelle, wo sie entstanden, als Geschiebe, Körner und Sand im aufgeschwemmten

Lande (Seifenzinn). Die Hauptniederlage der
Zinnerze ist im Granit. Die sogenannten Zinn-
stockwerke sind gewaltige pyramidale Granit-
massen, ringsum durch Gneis eingeschlossen und
gegen die Tiefe hin unbegränzt. Begleiter des
Zinnerzes sind dann: Flußspath, Bergkrystall,
Apatit, Topas, sowie manche Kupfer-, Eisen- und
Arseniterze, Molybdänglanz, Wolfram ꝛc. Die
wichtigsten Zinnerze sind folgende:

1) Zinnstein, in derben Massen von unebenem,
grobkörnigem Bruch, eingesprengt nicht selten in
schönen, wohlausgebildeten Krystallen, welche zur
Stammform eine rechtwinkelige, vierseitige Säule
haben, an den Enden mit vier Flächen zugespitzt,
an den Seitenkanten abgestumpft und in anderen
Modificationen. Wird von Säuren nicht angegriffen. Riht Felespath, ritbar durch Topas;
giebt Funken am Stahl. Farbe braun, ins
Schwarze, Graue und Rothe ziehend. Glänzt
zwischen Diamant und Fett. Halbdurchsichtig bis
undurchsichtig; spec. Gewicht = 6,7—7,0. Das
Mineral ist wesentlich reines Zinnoxyd. Es wird
direct im Gebläseofen mit Kohle geschmolzen, um
Zinn zu gewinnen, welches dann als Malakka- u.
Bantazinn in den Handel kommt. Der gewöhnliche
mit Schwefel, Arsenik ꝛc. gemengte Zinnstein aber
wird gepocht, gewaschen und geröstet, dann erst
reducirt zu Blockzinn.

2) Faseriges Zinnerz, Holzzinn, wird
in Deutschland nicht gefunden.

3) Zinnkies, mäßig hart, zwischen Messing-
gelb und Stahlgrau, wiegt 4,3—4,8, ist magnetisch;
er bildet eine Verbindung von Schwefelzinn mit
den Schwefelungsstufen des Eisens, Kupfers und
Zinks.

II. **Charakteristik.** Das Zinn ist von silber-
weißer Farbe, hat starken Metallglanz, ist sehr
weich, aber wenig zähe gegen Biegung, zeigt beim
Brechen einen haßigen Bruch, rostet durch Luftein-
fluß nicht und läßt sich zu Blechen von ¹⁄₁₀₀ Zoll
Durchmesser ausschlagen.

III. **Anwendung.** Das Zinn kommt als Stangenzinn (engl. bartin) und als Ballenzinn in den
Handel. Man verwendet es selten rein, sondern
meist mit geringem Zusatz von Kupfer oder Blei,
s. übr. d. Art. gestempeltes Zinn. Seine hauptsächlichsten Anwendungen sind: a) geschmolzen zur
Verzinnung, s. d.; b) als stärkeres Blech zum
Belegen von Bautheilen, die Säuren ausgesetzt
sind, zu Orgelpfeifen ꝛc.; c) als Zinnoxyd mit
Schwefel verbunden zur Darstellung des Musiv-
goldes, s. d.; d) zur Legirung mit andern Metallen,
s. d. Art. Bronce, Semilor, Semilargent ꝛc.; e) zu
Drähten, die ungemein biegsam sind; f) als Zinnasche, s. d.; g) als ganz schwaches Blech, Zinnfolie, s. d.; h) zu Gefäßen, s. d.; i) zur Darstellung des
Schnelllothes (s. d.) und zum Löthen; k) mit Erden
und Glasflüssen zu weißem Email, s. d. und d.
Art. Glasur. Ueber die Broncirung des Zinns
s. d. Art. Broncefarben.

Zinnamalgam, s. d. Art. Amalgam und
Spiegel, sowie Zinnfolie.

Zinnasche, die graue Haut, womit an der
Luft geschmolzenes Zinn sich bedeckt, ist das beste
Mittel zum Poliren des Elfenbeins, Alabasters,
Glases, Metalles ꝛc. Man erhält die Zinnasche
auch, wenn man feines Zinn bei starkem Zugang
der Luft bis zur Weißglühhitze anhaltend erhitzt
und dieses so lange fortsetzt, bis es zu einem weißen
Pulver geworden. Man wäscht und schlämmt
die Asche am besten mit Spiritus oder Branntwein; je feiner das Zinn, desto besser erhält man
die Asche.

Zinnauflösung, s. d. Art. Zinnsolution.

Zinnberg, Zinn enthaltender Quarz.

Zinnbett, bläulich-brauner Zinnkies; s. d. Art.
Zinn.

Zinnblatt, s. d. Art. Stanniol und Zinnfolie.

Zinnblech, gewalztes Zinn, wiegt pro Cubikfuß 515 Pfund. Verwendung s. unter d. Art.
Zinn.

Zinnblume und Zinnbutter, s. Zinnoxyd.

Zinnbroncepulver, s. d. Art. Broncefarbe.

Zinnchlorür, s. d. Art. Zinnsalz.

zinnelen, frz. creneller, bretesser, engl.
to crenellate, to embattle, to bretexe, mit
Zinnen versehen, crenelliren.

Zinne, lat. rostra, fora, wallum, pinna, frz.
merlon, engl. cop, alt-engl. coupis, Mauer-
zade, Zinne, Zindure, Wuintberga, Mauerstück zwischen zwei Schießscharten, Zinnenlücken,
Scharten, Fenster, lat. cernelium, crunellum,
crenum, frz. creneaux, dentelure, embrasures,
alt-frz. carnel, creniau, guernal, aguarriau,
engl. kernel, ital. ballatojo de merli. Die Benennung ward aber auf die durch eigentliche
Zinnen und Zinnenlücken gebildeten Zinnenreihen,
altd. Wer, Wehr, lat. cresta, frz. battlement,
engl. embattlement, bateling, crest, übertragen, die als Dacheinfassung oder Brüstung,
namentlich in der Kriegsbaukunst und mittelalterlichen Profanarchitektur vorkommen, übertragen.
s. d. Art. Burg, doch auch als Dachgallerie an Kirchen in Sicilien, Spanien, England und in dem
Ordenslande Preußen vorkommen. Ueber die
Gestaltung derselben s. d. die einzelnen Style betr.
Artikel z. B. arabischer Styl, Anglo-normannisch,

Fig. 1968. Fig. 1969.

Burg. Gothisch. Normannisch, Englisch-gothisch,
Festungsbau. Einige der wichtigsten Zinnenge-

Fig. 1970. Fig. 1971.

staltungen geben wir in Fig. 1968—73, und zwar
Fig. 1968 römische Zinnen, Fig. 1969 von Burg

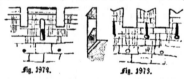

Fig. 1972. Fig. 1973.

Münzenberg, zwischen 1130 u. 1150, Fig. 1970 u. 71
aus der Zeit um 1200, Fig. 1972 welfische Zinnen,
Fig. 1973 gibellinische Zinnen, Fig. 1974 u. 75

Frührenaissancezinnen von den Procuratieen in Venedig.

Fig. 1974.   Fig. 1975.

Zinnenfries, frz. frette, engl. fret, embattled, f. d. Art. Embattlement und Fig. 1007.

Zinnenschnitt, f. d. Art. Heraldik VI, vergl. auch d. Art. bretexed und Gegenzinne.

Zinnenschnitt steigender, f. d. Art. Astschnitt.

Zinnerz und **Zinnkies,** f. d. Art. Zinn.

Zinnfolie, Stanniol, sehr dünn gewalztes Zinnblech kommt als Rollzinn im Handel vor. Man wählt dazu das reinste, geschmeidigste, sogenanntes Körnerzinn, und verbraucht sie unter Anderm zum Belegen der Spiegel, feuchter Mauern u. f. w. Um Zinnfolie zu färben, reibt man sie mit feinem Kreidepulver und Baumwolle rein ab, überzieht sie mit Hausenblasenleimlösung, färbt dann mit Berberitzenlackmus, Orseille oder Safran und überzieht mit Collodium oder Weingeistfirniß.

Zinngraupen, dunkle, große, reiche Zinnkrystalle.

Zinnheerd, Zinnfloßheerd, ist oblong aufgemauert, abschüssig überplattet, an drei Seiten ummauert, vorn offen; man schüttet das Erz mit Holz auf und schmilzt das Zinn heraus, welches in einer Rinne vorn herab in die Zinngrube läuft.

Zinnhobel, zur glatten Bearbeitung der Zinnplatten dienender Hobel.

Zinnkupfergrün, f. d. Art. Grün B. I. g.

Zinnloth, Zusammensetzung von englischem Zinn und Blei, oder Zinn, Wismuth und Blei.

Zinnober, lat. cinnabarum, Quecksilbersulfid.

A. Rother, krystallisirter Zinnober. a) Natürlicher, Bergzinnober, Ziegelerz, Rubinblende, kommt theils krystallisch, theils krystallinisch, derb und erdig als spathiger, faseriger und erdiger Zinnober vor, und zwar entweder in Lagern und Gängen, oder als erdige und staubartige Theile der ganzen Gebirgsmasse beigemengt. Die Krystalle, klein und drusig verbunden, gehören zum Hexagonalsystem, blätterige Massen, kugelig, traubig, auch in erdigen Partien; flachmuschelgen, ins Feinkörnige gebender Bruch. Sublimirbar in Kolben mit dunkelrother Farbe; giebt erhitzt mit Natron metallisches Quecksilber. Wird nicht merklich angegriffen von Säuren, ist auflösbar durch Königswasser. Ritzt Talk, ritzbar durch Kalkspath, Farbe dunkel cochenilleroth ins Carminrothe, auch scharlachroth. Diamantglanz bis matt, wiegt 7,5 bis 8,1. Halbdurchsichtig bis undurchsichtig. Enthält Quecksilber 85,00, Schwefel 14,25. Abarten davon sind Lebererz, mit Beimischungen von Thon und bituminösen Stoffen, Branderz, Bluterz und Quecksilberhornerz, enthält Chlor. b) Künstlicher Zinnober. Er wird erhalten: 1) auf trockenem Wege durch Sublimation einer Verbindung von 1 Thl. Schwefel und 6—7 Thln. Quecksilber; 2) auf nassem Wege, indem man amorphes Quecksilbersulfid (f. u.) mit Schwefelleberlösung längere

Zeit in Berührung läßt, wodurch es sich krystallinirt; — 3) indem man frischgefälltes weißes Quecksilberpräcipitat mit Schwefelammonium digerirt, das vorher mit Schwefel gesättigt worden ist; — 4) man reducirt schwefelsaures Kali mittelst Holzkohle, sättigt es dann mit Schwefel zu Schwefelkaliumlauge, welche man jedoch sorgfältig vor Zutritt der Luft hüten muß; nun füllt man Flaschen mit je 10 Pfd. Quecksilber, 2 Pfd. Schwefel und 4½ Pfd. Schwefelkaliumlauge, und bringt dieselben in eine Schaukel, deren Kasten mit Stroh gepolstert ist; nach 1½—2stündigem Schaukeln fangen die Flaschen an sich zu erwärmen, von Zeit zu Zeit wendet man sie, nach 3½ Stunden ist die Mischung dunkelbraun und erkaltet nach und nach. Nach 5 Stunden bringt man sie in ein Wärmezimmer von 35—40° R., wo man sie täglich 3—4 Mal schüttelt. Nach 3 Tagen ist der Zinnober fertig. Je kälter man die Mischung in die Flaschen bringt, um so heller wird der Zinnober. Jeder Flasche gießt man nun ½ Quart Wasser zu, schüttelt und filtrirt. Der Rückstand wird in Steintöpfen mit Aetznatronlauge versetzt, später die Lauge rein abgegossen. Der Rückstand wird noch öfter mit Wasser ausgewaschen und filtrirt, dann auf den Rost eines Trockenschrankes gebracht, dann im Trockenofen bei 50° R. unter Umrühren vollends getrocknet.

B. Schwarzer Zinnober. a) Quecksilbersulfuret stellt man durch Fällen von salpetersaurem Quecksilberoxydul mittelst Schwefelwasserstoffgas dar; erhitzt giebt es Quecksilber ab und verwandelt sich in rothen Zinnober; b) amorphes, schwarzes Quecksilberjulfid, erhalten durch Erhitzen von Schwefel mit Quecksilber oder durch Fällen eines Quecksilberoxydulsalzes; c) Aethiops, Mineralmohr (f. d. Art. Aethiops) erhält man durch Zusammenschütteln von befeuchtetem Schwefel und Quecksilber.

C. Gelber Zinnober. Die Lösung eines Quecksilberoxydsalzes fälle man mit Aetzkalk oder Aetzkali.

D. Grüner Zinnober; f. d. Art. Chromgelb.

Zinnoberroth, f. d. Art. Zinnober.

Zinnofen, f. d. Art. Zinnheerd.

Zinnoxyde. Die Sauerstoffverbindungen des Zinnes sind sehr mannichfach in der Technik in Anwendung. Das Zinnoxydul bildet mit Säuren Zinnoxydulsalz, welche das Gold aus seiner Lösung als purpurnen Niederschlag (Farbenpulver) fällen. Zinnsesquioxydul giebt mit Goldlösung Goldpurpur. Zinnoxyd, Zinnasche, Zinnblume, macht die Glasflüsse weiß und undurchsichtig und wird daher bei Fabrikation des Milchglases und Emails gebraucht. Die Salze des Zinnoxydes werden in der Färberei als Firirungsmittel benutzt, wegen ihrer Eigenschaft, mit einigen Farbstoffen unlösliche Verbindungen einzugehen. Das Zinnsalz ist wasserhaltendes Zinnchlorür, das im Großen durch Lösen von Zinn in Salzsäure und Abdampfen der klaren Lösung zur Krystallisation, dargestellt wird. Das Zinnchlorür wirkt reducirend und wird vielfach als Reductionsmittel angewendet; es reducirt Gold- und Silbersalze zu Metall. Es löst sich in Wasser leicht, bildet jedoch in lufthaltigem Wasser bald Zinnchlorid und einen gelblichweißen Niederschlag, basisches Zinnchlorür. Das Zinnsalz dient hauptsächlich in der Färberei als Beizmittel; f. d. Art. Beize A. 7. Zinnsolution oder Zinncomposition hat je nach dem Zweck, zu welchem man sie benutzen will, verschiedene Zusammensetzung; sie enthält gewöhnlich außer Zinnchlorid noch salpetersaures Zinn

Zinnstein (Mineral.), s. d. Art. Zinn.

Zinntantalit, s. d. Art. Tantalit.

Zipresse, s. d. Art. Cypresse.

Zirbelfichte, Bergfichte, pinus montana, s. d. Art. Pinus.

Zirbelkiefer (Pinus Cembra, Fam. Nadelhölzer, Coniferae), sibirische Ceder; findet sich auf den Alpen zwischen 4000—8000 Fuß Meereshöhe, am Ural dagegen schon bei 800 Fuß.

Zirkel, 1) frz. cercle, Kreis, s. d., vgl. auch d. Art. Heroldsfiguren 11; — 2) frz. compas, das bei den Schiffsbauern Passer genannte Instrument. Der Begriff ist bekannt. Die von dem Architekten beim Ausmessen, Zeichnen ꝛc. am meisten gebrauchten Zirkelarten und Zirkelsurrogate sind:

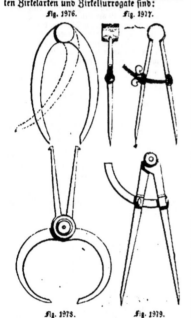

Fig. 1976. Fig. 1977.

Fig. 1978. Fig. 1979.

a) Tasterzirkel, auch Säulenzirkel, Bauchzirkel, Dickzirkel, (s. Fig. 1976), hat einwärts gekrümmte Schenkel. Um das Maaß nach dem Abziehen des Zirkels von dem runden Gegenstand, wobei man ihn doch öffnen muß, wieder zu finden, wird er

b) als Stellzirkel eingerichtet, der aber auch (s. Fig. 1979) geradschentlig sein kann.

c) Röhrenzirkel. Die Schenkel sind krumm und ihr unterer Theil so in den oberen hineingesteckt, daß er sich drehen läßt. Die Schenkel werden zusammengelegt, der Zirkel in die Oeffnung einer Röhre, Büchse ꝛc. eingebracht und nun das eine Bein so gedreht, daß die Krümmung nach außen weist; so kann man das Innere der Röhre messen, doch muß der Zirkel so eingerichtet sein, daß man den Grad der Drehung ablesen und nach dem Herausziehen wieder herstellen kann, um das Maaß zu haben. Bei offenen Cylindern kann er durch die Schublehre (s. d.) ersetzt werden.

d) Stockzirkel. Gewöhnliche Zeichenzirkel mit geraden Schenkeln; man sehe darauf, daß die Schenkel immer gleich lang, möglichst spitz und im Charnier streng gehend seien, wozu dieses in der Regel mit einer drehbaren Scheibe versehen ist, deren Schraube man mittelst des Zirkelschlüssels festdrehen kann; kann bei großen Zeichnungen durch einen Maaßstab ersetzt werden.

e) Haarzirkel, s. d., meist als Federzirkel nach Fig. 1977 construirt.

f) Taster- oder Greifzirkel, Fig. 1978 zur Abnahme innerer oder äußerer Durchmesser.

g) Einsatzzirkel, dient zur Beschreibung von Kreisen, indem man den einen spitzen Schenkel in den Mittelpunkt einsetzt, statt des andern aber einen Bleistift resp. eine Reißfeder anschraubt und nun den Zirkel bewegt.

h) Nullzirkel, sehr verschiedener Einrichtung, sämmtlich zum Beschreiben sehr kleiner und dennoch genauer Kreise bestimmt.

i) Stangenzirkel, s. d.

Zirkelbogen, s. v. w. Halbkreisbogen; s. d. und d. Art. Bogen.

Zirkelsäge, s. d. Art. Kronensäge.

Zirkelschnitt, s. d. Art. Mondschnitt und Heraldik VI.

Zirkon, Hyacinth (Mineral.), Krystalle, ableitbar von einer rechtwinkeligen, vierseitigen Säule, an den Enden mit vier Flächen zugespitzt. Auch in Körnern, muscheliger, ins Unebene gehender Bruch; von Borax schwer auflösbar zu klarem Glas. Ritzt Quarz, ritzbar durch Topas. Farbe Hyacinthroth ins Gelbe, Grünlichgrau insBraune, spec. Gewicht = 4,4—4,6. Glasglanz, durchsichtig bis an die Kanten durchscheinend. Besteht aus kieselsaurer Zirkonerde, s. auch d. Art. Hyacinth. Findet sich in gewissen Syeniten und Gneißen, auch hin und wieder in körnigem Kalk, besonders aber in dichten und schlackigen Basalten der Rheinlande.

Zirkonerde, Zirkoniumoxyd. Das Metall derselben, Zirkonium, ist noch nicht in allen seinen Eigenschaften näher erforscht. Zirkonerde, ein weißes Pulver, schmilzt von dem Brennspiegel zu einem fast diamantharten Fluß; s. Hyacinthfluß.

Zirkonsienit (Mineral.), nur in mächtigen Bänken regellos zerklüftet in Norwegen, Grönland vorkommendes krystallisches Gemenge aus Hornblende, Feldspath u. Zirkon. Der Feldspath ist grau, roth, blau, die Hornblende rabenschwarz, lebhaft glänzend, der Zirkon braun bis berggrün. Zufällig erscheinen Quarz, Glimmer ꝛc.

Zirkularofen, s. d. Art. Ofen und Ziegelofen.

Zirkularsäge, s. d. Art. Rundsäge und Säge, ist sehr wirksam, da sie keine Pausen macht, erfordert aber viel Kraft. Man wendet sie besonders auch zum Lattenschneiden, sowie in Sägemühlen (s. d.) an, wobei das Abtrennen der Latte ꝛc. geschieht, indem der zu trennende Körper der Scheibe zugeführt und gegengedrückt wird.

Zirkus, s. d. Art. Circus und Hippodrom.

Ziseliren, s. d. Art. Ciseliren.

Zitadelle, s. d. Art. Citadelle.

Zither, 1) auch Synter, Syptere (mitteld.), kleines, festes, geheimes Gemach, im Innern einer Kirchenumfassungsmauer ꝛc. angebracht und zur Aufbewahrung der heiligsten und kostbarsten Kirchengeräthe dienend; — 2) s. d. Art. Kardinaltugenden 8.

Mothes, Illustr. Bau-Lexikon. 2. Aufl. 3. Bd.

70

Zitrone ꝛc., f. d. Art. Citrone ꝛc.

Zitta, St., Patronin der Dienstmägde, starb als Magd 1272; abzubilden als Magd am Brunnen stehend, mit einem Stern zur Seite des Hauptes; bekleidete einst den Heiland selbst in Gestalt eines Bettlers.

Zittergold, f. d. Art. Flittergold und Gold.

Zitterpappel, Zitteresche, Zitterespe, Zobarssche ꝛc.; f. d. Art. Pappel, Espe ꝛc.

Zober, Zuber, großer Zober, unten enger Kübel oder Bottich, namentlich zum Tragen von Flüssigkeiten, daher in der Regel mit zwei Haken versehen, so daß er auf unter diese Haken eingelegten Stangen getragen werden kann, faßt circa acht Eimer, f. d. Art. Maaß, S. 496 u. 504.

Zobtenfels, f. d. Art. Gabbro.

Zocke, f. v. w. Socke; f. d.

Zodiaque, frz., engl. zodiac, Thierkreis; f. d. und Symbolik.

Zoë, St., reiche Römerin und Heidin, mit Nikostratus vermählt, wurde blind, blieb es 6 Jahre; dann war sie anwesend, wie St. Sebastian den Brüdern Marcus und Marcellinus Muth zusprach, sah den St. Sebastian von Licht umgeben u. Christus. Im Jahr 286 wurde sie gemartert, an einem Baum mit den Haaren aufgehangen und durch Rauch erstickt; ihr Leichnam ward in die Tiber geworfen.

Zofra, span., arabischer Teppich.

Zoll, f. d. Art. Längenmaaß, Riemenmaaß, Baumaaß, Schachtmaaß ꝛc., sowie d. Art. Maaß, S. 489 ff., Bd. II.

Zollgewicht. Die neuen deutschen Zollgewichte sind folgende: 1 Zollpfund = 500 franz. Grammen; 1 Stein = 20 Pfund; 1 Centner = 100 Pfund = 107 Pfund altes Leipziger Handelsgewicht; 1 Schiffspfund = 3 Centner; 1 Schiffslast = 40 Centner; 1 Pfund = 30 Loth à 10 Quentchen à 10 Cent à 10 Korn; f. d. betr. Art.

Zollhaus, Zollgebäude, an Landesgrenzen, Stadtthoren ꝛc. angebracht, muß folgende Räume enthalten: Einnahme-Bureau, gewölbtes Cassenzimmer, Packraum, Waagenraum, Niederlage für confiscirte Waaren, Wohnungen für die Beamten. Größere Zollgebäude enthalten auch noch Paßbureaux, Quarantainen ꝛc.

Zollstab, Zollstock, f. d. Art. Fußstock, Maaßstab und Schmiege.

Zona, lat., griech., ζώνη, Gürtel, Erdgürtel, auch für Gurtsims.

Zone, jedes von zwei parallelen Kreisen eingeschlossene Stück der Oberfläche einer Kugel. Der Flächeninhalt einer solchen Zone ist nahezu gleich dem Mantel eines geraden Cylinders, welcher dieselbe Höhe, wie die Zone und als Halbmesser das Mittel aus den Halbmessern der beiden Kreise hat; f. auch d. Art. Magnetismus.

Zonengewölbe, aus einzelnen Gurtbogen gebildetes scheinbares Tonnengewölbe; f. auch d. Art. Brücke, S. 449, Bd. I.

Zoographiques, frz., aus Thierbildern bestehende verzierte Buchstaben.

zoologischer Garten. Liege sehr geschützt, am besten in einem Thalkessel; wo er in einer Ebene angelegt werden muß, umgebe man ihn zum Schutz gegen Stürme mit hohen Mauern auf der Nord- und Ostseite. Die Einrichtung selbst muß für jedes einzelne Thier nach seiner gewohnten Lebensweise sich richten. Am besten thut man, der ganzen Anlage die Gestalt eines englischen Parks zu geben. Die Thiere, welche demselben Land entstammen, vereinigt man in eine Gruppe, die man mit Pflanzen derselben.Heimath umgiebt; es muß gesorgt werden für Eis, kaltes, frisches Brunnenwasser, kalte Teiche und fließendes Wasser, sowie für erwärmbare Bassins. Man kann auch, wenn die Kosten nicht gescheut werden, den Erdboden durch Heizungen frostfrei halten.

Zoophore, frz., griech. ζωοφόρος, lat. Zophorus, Fries im Gebälk.

Zopf, frz. queue. 1) Pflanzenstengelspitze, Stammspitze; — 2) frz. tresse, auch Kettenzug genannt, ein Ornament in Form eines Flechtwerkes, dient häufig als Gliedbesetzung, f. d. Art. Glied F; kann auf sehr verschiedene Weise angewendet werden. Wir geben in Fig. 1980—1981 die Constructionsunterlagen für fünf verschiedene An-

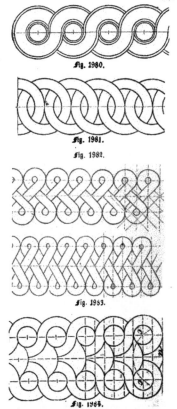

Fig. 1980.

Fig. 1981.

Fig. 1982.

Fig. 1983.

Fig. 1984.

ordnungsweisen; aus Figur 1985 aber läßt sich die plastische Ausbildung erkennen, die man dieser Verzierung zu geben hat, welche schon im griechischen und römischen Styl, im letzteren ziemlich häufig, seltener im romanischen, im gothischen Styl sehr selten vorkommt.

Fig. 1985.

Zopfende, von einem Baumstamm das oberste Ende, auch wenn der Stamm schon behauen oder zu Brettern getrennt ist.

Zopfstärke, Durchmesser des Zopfendes.

Zopfstyl, Haarbeutelstyl, Roccocostyl, Jesuiten= styl, frz. style Louis XV., style Pompadour, rocaille, rococo, blühte circa 1710—1780). Da man im gewöhnlichen Leben den Ausdruck Zopf auf alles Geschmacklose, Widersinnige, einem über= wundenen Standpunkt Angehörige anzuwenden pflegt, so könnte man eigentlich den Verfall jedes Baustyles mit dem Namen Zopf bezeichnen, doch wird der Ausdruck in der Regel nur auf die äußerste Verfallstufe der Renaissance (f. d.) angewendet.

Fig. 1986. Halle der Seidenhändler in London.

Nachdem dieselbe bereits in den Barockstyl (f. d.) ausgeartet war und den dort zu Ende des Artikels

beschriebenen Gang einschlug, kam an dem nun fast von aller der reichen Bekleidung mit Orna= menten entblößten Gerippe der Architektur um so auffälliger der vorher eben durch die reiche Orna= mentirung versteckt gewesene Unsinn in der Zusam= menstellung der Oeffnungen u. Constructionstheile in widerlichster Weise zum Vorschein; f. z. B. Fig. 1986. Jedenfalls in Folge der höchst unangeneh= men Wirkung solcher Architektur, ließ man plötzlich,

Fig. 1987.

als der aufgeregten Phantasie jener üppigen Zeit durchaus nicht zusagend, das nüchterne Architek= turgerippe ganz fallen und schlug zum Gegentheil über, d. h. man löste die Decoration vollständig von allem organischen Zusammenhang mit der

Fig. 1988.

Construction ab, behandelte sie als durchaus un= abhängig von dem baulichen Organismus sowohl, als der Beschaffenheit des Materials. Am Aeußern großer repräsentativer Gebäude konnte man dies freilich nicht gar zu weit treiben, weil hier die An= bringung von Säulen, Gesimsen ꝛc. fast unum= gänglich war; doch that man auch hier sein Mög= lichstes, f. z. B. Fig. 1989. An den in der Hauptsache der Gruppirung entbehrenden, in ihren Grund= lagen als glatte Fläche erscheinenden Façaden der Privathäuser fand diese Richtung aber den unbe=

schränktesten Spielraum. Alle Flächen bedeckte oder umfaßte man mit bunten, willkürlichen Ornamenten, die Fenstergewände z. B. glichen Brocheneinfassungen, Muscheln oder Blumengestellen, kurzum Allem, nur seinen Fenstergewänden, und ebenso erging es allen anderen Bautheilen. Die Consolen

verbunden ward. In der plastischen Darstellung selbst griffen die Allegorien immer mehr Platz. Figur 1991 zeigt ein Consol nach Zeichnung von Zabel, einem damals in diesem Fach sehr renommirten Künstler. Aehnlich wie den Consolen erging es allen aktiven Bauverzierungen: die Hauptgesimse z. B. wurden willkürlich vor- und zurück, auf- und abwärts gekröpft und gebogen, zu Schneckenlinien umgewickelt, alle Bautheile, ohne Rücksicht auf ihre eigentliche Bestimmung und den ihnen demgemäß zukommenden Charakter, auf das Ueppigste mit Muscheln, Laubgewinden, Blumen, Draperien ꝛc. besetzt; dabei bewegt sich jede Linie in einem beständigen, höchst capriciösen, oft ganz unerwarteten Wechsel der Richtung, und so wie die gealiederten Linien, architravirte Streifen, große Wülste mit Hohlkehlen flankirt ꝛc. sich in den

Fig. 1989. Portal der Kirche S. Agostino zu Lima.

z. B. verloren nicht nur in ihrem Profil den tragenden Charakter, sondern wichen auch insofern von ihrer eigentlichen Bestimmung ab, als häufig auf ihren Flächen selbst eine, oft umfassende, plastische Darstellung Platz fand, die mit der kleineren auf den Consolen ruhenden in ein Ganzes

launenhaftesten, aller ruhigen Ueberlegung und organischem Zusammenhang Hohn sprechenden Schwingungen, Knicken, Verschlingungen ꝛc. tummeln, so geht plötzlich ein Laubwerk oder Füllhorn in eine Muschel über, s. Fig. 1988 u. 90, oder es endet ein Blatt in eine Fratze, eine Blume in einen Flügel, eine gegliederte Leiſte in einen Palmenbüſchel, den man eben ſo gut für zerknicktes Gras halten könnte, ſ. Fig. 1987. Selbſt Waſſer, welches aus Schalen und Muſcheln überſtrömt und herabträuſelt, wird plaſtiſch dargeſtellt und ähnelt dann meiſt Eiszapfen, daher ſich auch der franzöſiſche Name congélation für dieſe Darſtellung ſchreibt; hier und da findet man unmittelbar unter oder neben dieſem Waſſer Feuerflammen plaſtiſch dargeſtellt, ſo daß das Ganze oft den tollſten Unſinn darſtellt, der aber ſehr häufig durch ſeinen lebensſprudelnden, übermüthigen Schwung und genialen Vortrag nicht nur dem Auge ſehr wohlgefällig wird, ſondern daneben auch die Phantaſie, wenn auch in regelloſeſter Weiſe, doch angenehm anregt. Dazu kommt, daß dieſe Formen eben wegen ihrer Regelloſigkeit ſich auf das mannichfachſte zuſammenſtellen und allen beliebten oder nothwendigen Hauptformen anſchmiegen laſſen, daß man alle geraden und architektoniſchen Linien in dieſem Styl entweder plötzlich in geſchwungene übergehen laſſen, oder auch ganz verbannen kann, ſo daß man für die Verzierung

Fig. 1990.

Fig. 1991.

ſchauer durch Reichthum und ſteten Wechſel, durch auf das Höchſte getriebene Koketterie bei graziöſen Verhältniſſen und in ſpielender Leichtigkeit tragenden Hauptlinien förmlich zu berauſchen, und durch beharrliche Durchführung dieſes Unſinns den Sinnenrauſch ſo zu feſſeln, daß während des Beſchauens ſelbſt eine Ernüchterung verhütet wird. Lange könnte ſich dieſer Styl natürlich nicht halten. Nachdem man noch unter Louis XVI. verſucht hatte, ihn durch Einführung einzelner reiner Formen zu modificiren, die ſich natürlich mit der Haupttendenz des Styls ganz ſchlecht vertrugen, fiel er mit der franzöſiſchen Revolution vollſtändig, um einer nur zu nüchternen Nachahmung der Antike Platz zu machen; ſ. d. Art. Napoleonſtyl.

Zopftrocken iſt ein Baum, der am oberen Ende abgeſtorben iſt.

Zoſimus, St., 1) Papſt, der die Pelagianer verbannte; — 2) mehrere Einſiedler; — 3) Biſchof von Syrakus; darzuſtellen als Biſchof, von Bettlern umgeben, Patron gegen die Peſt.

Zotheka, lat., Niſche, Alkoven, ſ. d. betr. Art.

Zſcherper, ſ. Tſcherper.

glatter, die Conſtruction an ſich ſchon völlig verſteckender Flächen, z. B. der Plafonds ꝛc., die Formen dieſes Styls doch nicht ganz verwerfen kann, ſowie ſie denn auch zu Meubles, Vaſen ꝛc. ſich ganz vortrefflich eignen. Aber freilich darf ſich nur ein Architekt an ſolche Formen wagen, der es in ſeiner Macht hat, durch geniale Schwingungen und durch die reichſte Phantaſie den Mangel an Sinn und Vernunft vollſtändig zu verſtecken, den Be-

Zubehör, Attinentien, Appertinenzia. Darunter verſteht man alle zu einer Raumgruppe gehörigen Nebenräume, z. B. bei einer Wohnung den Holzſtall, Abtritt ꝛc.

Zuber, ſ. d. Art. Zober.

zublenden, irgend einen Raum oder eine Vertiefung durch eine Blendwand, Blendſteine ꝛc. verſtecken, verſchließen.

Zubringer, 1) (Wafferb.) Röhre oder Schlauch, um das Waffer von einem Ort zum andern zu schaffen; — 2) f. v. w. Sturmfaß, Feuerfaß; — 3) Pumpe, um das Waffer durch den Zubringer 1 zu treiben. f. d. und b. Art. Feuerlöschapparate.

Zubrüften, 1) die Bruft eines Schmelzofens verschmieren; — 2) die Brüftung in eine Fenster-öffnung ꝛc. einsetzen; — 3) die Oberfläche eines zu sprengenden Steins so bearbeiten, daß der Bohrer nicht ausrutschen kann.

Zubühnen (Bergb.), einen Schacht, der von Tage ausgeht, mit Holz bedecken und mit Erde überftürzen.

Zucht, 1) f. v. w. Röhrfahrt; 2) f. v. w. Abzucht.

Zuchthaus, lat. ergastulum, engl. bride-well, Strafhaus für Verbrecher. Muß fest ge-baut sein und außer den Zellen für die Ge-fangenen, die Wohnungen der Beamten und die Bewirthschaftungsräume, eine Kirche oder Capelle, einen geräumigen Hof zum Aufenthalt in freien Stunden, Krankenzimmer, Leichenkammer ꝛc. ent-halten; f. d. Art. Gefängniß.

Zucke, f. v. w. Pumpe.

Zucker als Beftandtheil des Holzes; f. d. Art. Holz 1.

Zuckerahorn, f. d. Art. Ahorn 7 und Imi-tation A. m.

Zuckerfabrik. A. Rohrzuckerfabrik. Erfor-derliche Räume sind: a) Zuckermühle, enthält das zum Zerquetschen des Zuckerrohrs dienende Walz-werk, neuerdings größtentheils durch hydraulische Preffen ersetzt. b) Die Zuckerfiederei enthalte einen Heerd mit vier bis fünf Keffeln von verschiedenem Durchmeffer. In dem größten Keffel, dem erften, wird das Zuckerrohr von den gröbften Unreinig-keiten befreit, in den zweiten kleineren, den Läu-terungskeffel, kommt der hieraus gewonnene Saft, nachdem er durch ein wollenes Tuch gefeiht wor-den; im dritten, dem Erhellkeffel, der manchmal fehlt, wird der Saft zu einer hellen Brühe um-gewandelt, im vierten, dem Syrupkeffel, wird er eingedickt, und im fünften, dem Klatschkeffel, der Syrup gefotten, bis er schäumend in die Höhe fteigt. c) Der Läuterungsraum, in welchem der Rohr-zucker von den Schleimtheilen befreit wird, ent-hält den Kaltkaften, in welchem dünnes Kaltwaffer aus ungelöschtem Kalt bereitet wird, die Pfannen, den Klärkeffel, neben den Pfannen sich befindend, Kühlpfannen und den Thonkaften, worin der Thon eingeweicht wird. d) Füllftube, zum Füllen der Formen. e) Trockenftube; f. d. Art. Darren 1. E.

B. Rübenzuckerfabrik; zum Betrieb einer solchen rechnet man pro 100 Centner Rübenver-arbeitung täglich zwei Pferdekraft Dampf und 200 Cubitfuß Waffer. Erforderliche Räume sind: a) Das Rübenmagazin; muß mindeftens den Be-darf für zwei Tage faffen. Der Cubitfuß aufge-schütteter Rüben wiegt circa 30 Pfd.; man kann sie bis 6 Fuß hoch schütten. Für das Putzen der Rüben braucht man 200—300 □Fuß. b) Wasch-raum. Die Waschmaschine ift für 250 Centner täglichen Verbrauch 8 Fuß lang und 3 Fuß breit, pro 100 Centner mehr 1½ Fuß länger, rings um die Maschine fei 4 Fuß Platz. Der Elevator, der die gewaschenen Rüben nach dem Preßfaal hebt, braucht 12 □Fuß. c) Preßfaal; derfelbe enthält das Elevatorgerüft, zwei Rübenkiften, die Deci-malwaage, die Reiben, Breitkiften, Preßtische und

Preffen; er fei 38—40 Fuß breit für zwei Preß-reihen, für eine 25 Fuß breit, mindeftens 12 Fuß hoch. Die Reihe braucht bei 250 Centner Tages-bedarf circa 12 □Fuß Platz. Der Preßtisch ift 3 Fuß breit und pro Preffe 2 Fuß lang. d) Stube des Steuerbeamten. e) Preßlingsraum; aus je 100 Centnern Rüben werden 4 Cubit-fuß Preßlinge gepreßt. f) Läuterungsraum. Die Keffel faffen 1000—1200 Quart, man füllt aber bloß 800—1000 Quart Saft hinein; der Centner Rüben giebt je nach Güte der Preffe ꝛc. 26—40 Quart Saft, auf je 250 Centner Rüben Tages-bedarf braucht man einen Keffel. g) Kaltkammer, 120—200 □Fuß groß. h) Retourd'eau, zu Auf-nahme der condenfirten Dämpfe, hat 3 Fuß Durch-meffer und bis 8 Fuß Höhe. i) Schlammpreffe; jede Preffe, auf 1000 Centner Tagesbedarf eine, erfordert 100 Quadratfuß. k) Verdampfofen; zwei pro 250 Centner Tagesbedarf, sind 3 Fuß hoch, 4½ Fuß im Durchmeffer. Der dazu gehörige Vacuumapparat hat 5—6 Fuß im Durchmeffer. l) Siederaum; muß an den Preßfaal grenzen und durch weite Bogen mit ihm zusammenhängen. Er ift 40—45 F. im Quadrat groß, 18—20 F. hoch, wenn die Siedegefäße auf dem Fußboden ftehen; ftehen sie auf einem Gerüftperron, so kommt deffen Höhe von 7—8 F. noch dazu. Unten ftehen dann die Vorfilter, Montejus, die Dampfmaschine und die Saftkiften, oben die Scheidepfanne, Vacuums und die Saftzubereitungsgefäße. m) Filterthurm; die Filter sind 12—24 Fuß hoch, 2—3 Fuß weit, be-ginnen 3—5 Fuß über dem Fußboden und ragen 2—2½ Fuß über die Decke hinauf, über welcher Saftkiften und Wafferbehälter ftehen. n) Form-raum und Füllftube, pro 250 Centner Tagesbe-darf 800 □Fuß Raum. o) Zuckerböden; pro 280 Centner Tagesbedarf 1500 □Fuß. p) Trockenftube, 1 Quadratf. Hordenfläche pro Brod, muß 8 Tages-erzeugniffe faffen, Hordengeschoßhöhe 2½ Fuß. q) Kohlenwiederbelebungsraum pro Filter 300 □Fuß. r) Kohlenglühofenraum pro 100 Centner Tagesbedarf 100—120 □Fuß.

Zuckergaft, f. d. Art. Fischchen.

Zuckerkandftein, f.d.Art. Bernfteinalabafter.

Zuckerkiftenholz, f. Mahagoni von Madeira.

Zuckerpalme, f. d. Art. Arengapalme.

Zuckerrohr, f. d. Art. Rohr und Arabia.

Zuckertanne, f. d. Art. Jacarandenholz.

Zündmaus und Zündwurft, f. Minenheerd.

Zürbelkiefer, f. Zirbelkiefer.

Zürgel (Celtis auftralis, F. Kätzchenblüthler), ein Baum Südeuropa's, der bis 40 Fuß hoch wird und deffen zähes, fehr dichtes Holz sich besonders zur Anfertigung kleinerer Gegenftände und zu Schnitzereien eignet. Wird von keinem Wurm angegangen, ift von Farbe weißlich oder bräun-lich, läßt sich gut bearbeiten und fauber poliren.

Zuförderschacht, Schacht, durch welchen die Erze nach dem Treibschacht gelangen.

Zufriedenheit, Symbol derfelben ift die Eichel.

Zug, 1) (Pumpenw.) f. v. w. Hub, auch Ge-gensatz von Schub; — 2) Kolben oder ziehbares Bentil; — 3) (Maschinenb.) f. v. w. eine Winde mit Seil und Rolle; — 4) Luftzuleitungsröhre einer Heizanlage ꝛc.; — 5) f. d. Art. Zugcanal; — 6) f. v. w. Keffel eines Teiches.

Zuganker, f. d. Art. Anker 1 und 12.

Zugbalken, s. d. Art. Bindebalken.

Zugband, s. d. Art. Anker 8 und Brücke, S. 460.

Zugbaum, engl. lever, auf dem Kranz einer Zugbrücke befestigte Hölzer, an deren vorderem Ende die Ketten hängen, die das Zugthor aufziehen.

Zugbrücke, Aufziehbrücke, frz. pont-levis, s. d. Art. Brücke, S. 469, Bd. I.

Zugcanal; so nennt man die Canäle, welche den Zweck haben, die aus dem Feuerraum abgehende Hitze auf die Umfassungswände der Kessel oder anderer zu erhitzender Gefäße oder Räume überzutragen. Wenn auch die in den Feuerräumen erhitzte Luft sich mit größerer Geschwindigkeit erhebt und durch den mit dem Feuerraum in Verbindung stehenden Schornstein entweicht, als die kalte in denselben eintritt, so dürfen doch die Feuercanäle wegen der an den Umfassungswänden stattfindenden Reibung und wegen des durch die Erkältung der Wände sich ansetzenden Rußes nicht enger sein, als daß der Querschnitt derselben mindestens gleich der Fläche der Rostschlitze ist. Je weiter die Zugcanäle geführt werden, um so größer muß ihr Querschnitt sein, und es kann die Weite derselben durchschnittlich zwischen ¼ und ⅓ der ganzen Rostfläche angenommen werden. Zur möglichsten Benutzung der Hitze werden die Canäle so oft wie möglich um die zu erhitzenden Gefäße oder Wände geführt, dürfen aber nie so lang werden, daß für die Feuerung der Nachtheil schwachen Zuges eintreten kann. Werden von dem Feuerraum aus mehrere Zugcanäle angelegt, so verlangt es die größte Aufmerksamkeit des Arbeiters, den getrennten Canälen einen gleichen Zug zu geben, da die Hitze immer den kürzesten Weg einschlägt.

Zugeisen, 1) s. v. w. Zugband; — 2) auch Abführeisen genannt, s. v. w. Zieheisen, s. d. Art. Walzwerk und Drahtziehen.

zugeordnet, s. d. Art. Imaginär, Hyperbel VI.

Zugesse, Dunstabzugscanal in Viehställen, Abtritten ꝛc.; s. Stall, Brodemfang, Ventilation ꝛc.

Zugfestigkeit, s. d. Art. Festigkeit.

Zugflammenofen, s. d. Art. Flammenofen.

Zuggraben oder Sinnertief, s. Außertief.

Zughaken heißen die eisernen Kettenhaken an den Zugbäumen der Zugbrücke.

Zughaspel, s. d. Art. Haspel.

Zughebel, bei Windmühlen s. v. w. Sterz.

Zughöhe, s. v. w. Hub.

Zugklappe, 1) s. d. Art. Brücke, S. 469; — 2) s. v. w. Windklappe, Wetterklappe.

Zugleinen, die Leinen, woran die Arbeiter einer Rammmaschine ziehen; s. d. Art. Ramme, S. 144.

Zuglinie, s. d. Art. Tractorie.

Zugloch, frz. éventouse, Loch, durch welches von außen atmosphärische Luft den Feuerungen und Zügen zugeführt wird; s. Rauch und Heizung.

Zugnägel, die den Zugring (s. d. Art. Ziehband) um die Daumwelle befestigenden Nägel.

Zugofen, s. d. Art. Ofen und Backofen 2 a.

Zugramme, s. d. Art. Ramme, S. 143, Bd. III.

Zugriemen, über Riemscheiben gehender Riemen ohne Ende.

Zugruthe, s. Zugbrücke im Art. Brücke, S. 469.

Zugscheibe, s. Fensterlüftung und Ventilation.

Zugschwelle, s. d. Art. Bauholz, S. 281.

Zugschwengel, s. v. w. Schwengel.

Zugseil, Zugtau, Spannseil, frz. combleau, ein jedes Seil oder Tau, mit dem eine Last gehoben wird, namentlich aber s. v. w. Zugleine, s. d.

Zugstange, jede Stange, die hin- und hergehend eine Last bewegt; s. auch d. Art. Kurbelstange, Krummzapfen, Basquill.

Zugthür, in einer Heizthür angebrachte kleinere verschließbare Oeffnung zur Vermittelung und Regulirung des Luftzutrittes.

Zuhaltung, frz. gâchette (Schloss.), s. v. w. Schloßfeder; s. d. und d. Art. Schloß.

zuhauen, s. v. w. zurechthauen, namentlich mit dem Hammer einen Ziegelstein bearbeiten; s. d. Art. beschlagen und verhauen.

zukleiden, s. v. w. verkleiden.

Zukrippung, Abdämmung aus Reiß-, Busch- oder Stakwerk; s. d. Art. bekrippen.

Zulage, 1) lat. coassatio, materiatio, franz. maisonnage, assemblage, span. maderaje, Gesammtheit des auf dem Zimmerhof (s. d.) behauenen und vorbereiteten, zurechtgearbeiteten, in einander gepaßten und vorgelegten Zimmerholzes, das zu den Balkenlagen und dem Dachwerk eines Gebäudes gehört. Dieses Zulegen muß sehr genau geschehen, namentlich, damit es dann genau auf das Mauerwerk passe (s. d. Art. Verreibung). Die Zeichnung dazu heißt: Werksatz, s. d. sowie auch d. Art. Abbinden und Abbohren 2 ꝛc.; — 2) beim Fourniren geschweifter Flächen legt man an, um das Fournir anpressen zu können, ein genau an das Arbeitsstück passendes Holz mit in die Leimzwinge, dieses Stück heißt die Zulage.

Zulagsklammer, s. d. Art. Klammer.

Zulanger, s. v. w. Handlanger.

zulassen, s. d. Art. Anlassen 5.

Zulast, s. d. Art. Maaß, S. 498, Bd. II.

Zuleitungsröhre, s. d. Art. Eingußröhre.

Zunder, s. d. Art. Eisen, S. 688, Bd. I.

Zunderasche, s. d. Art. Potasche.

Zundererz, s. d. Art. Spießglanzerz.

Zunderschwamm, s. d. Art. Feuerschwamm.

Zunderstein, s. v. w. Schmiedeschlacken.

Zunfthaus, s. d. Art. guildhall, Laufshaus und Kaufhaus.

Zunge, 1) (Maschin.) der Arm der Last am zweiarmigen Hebel; — 2) frz. langue, languette, engl. tongue, die zwischen den einzelnen Rauchröhren in einem Schornsteinkasten stehende Scheidewand, bei russischen Schornstein mit 3″ genügend stark, bei Steigeessen jedoch 6″ stark zu machen; — 3) auch Spund genannt, s. v. w. Feder in der Nuth; — 4) s. v. w. Biberschwanzdachziegel; — 5) (Wasserbau) s. d. Art. Buhne, s. v. w. Pfeilspitze oder Schlangenzunge an Eierstäben, s. d.

Zungenstein, s. Biberschwanz und Dachziegel.

zureiben, Putzrisse verstreichen und nochmals übertreiben. Der Zureibemörtel besteht aus 2 Thln. Kalk und 3 Thln. feinen Sandes.

zuriegeln, durch einen Riegel verschließen, sei dieser nun verschiebbar oder fest, wie z. B. die Riegel einer Fachwand.

zurückkehrende Curve, s. d. Art. Curve.

Zurückstrahlungswinkel, s. d. Art. Angulus reflectionis und Licht, sowie d. Art. Akustik.

Zusammenbindung (Herald.), Vereinigung von Schilden, wenn sie so dargestellt ist, als wenn die Schilde an einzelnen, oben in einer Schleife verknüpften Bändern hingen. Selten findet man eine derartige Vereinigung von mehr als drei Schilden.

Zusammenblatten, s. Aufblatten und Blatt.

Zusammendübeln, mittelst Dübel (s. d.) zwei Hölzer verbinden.

Zusammengesetzte Druckwerke, solche, welche aus mehreren Stiefeln bestehen; s. d. Art. Pumpe.

Zusammengesetzte Festigkeit, s. Festigkeit.

Zusammengesetzte Maschine, s. Maschine.

Zusammengesetzte Rollen, mehrere zu einem Rollen- oder Flaschenzug (s. d.) mit einander verbundene Rollen.

Zusammengesetzte Säulenordnung, s. v. w. composite oder römische Säulenordnung.

Zusammengesetzter Haspel (Maschinenb.), s. v. w. verstärkter Haspel.

Zusammengesetzter Hebel (Maschinenbau), s. d. Art. Hebel.

Zusammengesetztes Hebezeug, s. v. w. aus mehreren einfachen Maschinen bestehendes Hebezeug.

Zusammengezogener Wasserstrahl, entsteht in Ausflußöffnungen vermöge der Cohärenz der Wasserfäden und der Ablenkung derselben von den Gefäßwandungen. Wird der Querschnitt der Ausflußöffnung mit a bezeichnet, mit c die Geschwindigkeit des ausströmenden Wassers, so wäre ohne Zusammenziehung die binnen einer Secunde ausfließende Wassermenge = c . a; bedeutet h die Entfernung des Wasserspiegels vom Schwerpunkt der Ausflußöffnung, so ist $c = 2\sqrt{g\,h} = 7,906\sqrt{h}$, wenn g = 15⁵⁄₆ Fuß ist; also die Wassermenge $2\sqrt{g\,h}$. a = 7,906 a $\sqrt{h}$. Dieses Resultat vermindert aber die Zusammenziehung des Strahls, und man setzt daher an Stelle von g den Contractionscoefficient α. Er ist

für Oeffnungen in dünnen Wänden α = 4,89,
„ Schützöffnungen ohne Flügel-
     wände . . . . α = 5,00,
„ kurze Ansatzröhren . . α = 6,42,
„ schmale Gerinne, Schützöffnun-
     gen mit Flügelwänden, steile
     Einbaue, gerade Brückenpfeiler α = 6,76,
„ breite Gerinne, Freischleußen mit
     Flügelwänden, schräge Einbaue,
     spitze Brückenpfeiler . α = 7,54,

Die Geschwindigkeit ohne Berücksichtigung der Contraction des Wasserstrahls, also 7,906 $\sqrt{h}$, heißt die hypothetische Geschwindigkeit, dagegen die Geschwindigkeit α $\sqrt{h}$ die wirkliche Geschwindigkeit.

Zusammenkämmen, durch Kämme mit einander verbinden; s. d. Art. Kamm, Aufkämmen und vorkämmen.

Zusammenschiebung (Herald.), heißt die Vereinigung von Schilden, wenn diese Rand an Rand nebeneinander gelegt sind.

Zusammenschweißen (Schloss.), in fließender Hitze (Schweißhitze) Eisen zusammenfinnen, d. h. schräg zusammenhämmern; s. d. Art. Schweißen.

Zusammensintern des Kalkes, s. d. Art. Kalk und Sintern.

Zuschlag, 1) auch Vorschlag, Zumengung zu den Erzen bei Beschickung des Hohofens; s. d. Art. Hohofen, Hohofenschlacken, Schmelzen ꝛc.; — 2) letzte Zudeckung des Dammes; — 3) Ausfüllung eines Dammbruchs.

Zuschlaghammer, s. d. Art. Hammer.

zu Seil schicken (Bergb.), Kübel ꝛc., s. v. w. mit Erz füllen und hinausfördern.

zustreichen (Maurer), s. v. w. verstreichen.

zu Tage, heißt im Bergbau s. v. w. an das Tageslicht, an die Erdoberfläche (fördern).

zutempeln, s. v. w. abdämmen, namentlich Siele und Schleußen.

Zuwerfer, s. d. Art. Thürzuwerfer.

Zuziehknopf, Knopf am Fensterbeschlag.

Zwänge, 1) s. v. w. Schraubenzwinge; — 2) s. v. w. Keil.

Zwangbankofen, Zwangmühle, s. d. Art. Bannofen und Bannmühle.

Zwanziger, s. d. Art. Bauholz, S. 280, Bd. I.

Zwart Yserhout, s. Eisenholz, schwarzes.

Zwecke, frz. broquette, kleiner Nagel mit rundem flachem Kopf; s. d. Art. Nagel.

Zwei. Eine Zahl ist durch 2 theilbar, wenn ihre letzte Stelle es ist; s. d. Art. Zahlen.

zweibohrige Röhren, hölzerne Brunnenröhren von 2½ Zoll Durchmesser; s. auch d. Art. Bauholz, S. 280, Bd. I.

Zweidrittelsäule, s. Halbsäule und Säule.

Zweieck, sphärisches, die Figur, welche von zwei größten Kreisen zugleich eingeschlossen wird.

Zweierblech, s. d. Art. Blech.

zweifächerig, zweischalig, s. Hyperboloid II.

zweifältig, frz. géminé, wird ein Fenster genannt, das aus zwei Lichten besteht.

Zweifeltanne, s. d. Art. Bauholz, S. 280.

Zweiflügelfruchtbaum (Dipterocarpus laevis, Fam. Dipterocarpeen), ein kräftiger Baum Ostindiens, der aus Verwundungen des Stammes einen duftenden Saft ausfließen läßt. Man verwendet denselben zu medizinischen Zwecken und zu Firniß. Ein kräftiger Stamm giebt vom November bis Februar 80—100 Maaß.

Zweig, 1) als Baumtheil, ist bekannt; s. auch d. Art. Ast 2; — 2) s. d. Art. Arme 6; — 3) (Kriegsb.) seitwärts der Galerien abführende Minengänge, große Zweige sind 3 Fuß hoch, 2½ Fuß breit; gewöhnliche Zweige sind 2½ Fuß hoch und 2 Fuß breit; — 4) s. d. Art. Hyperbel II, Parabel.

Zweigrohr, s. d. Art. Abtritt.

Zweigstollen, s. d. Art. Grubenbau, S. 212.

Zweigstyl, s. Bauweise und Provinzialstyl.

zweihängiges Dach, s. v. w. Satteldach.

zweihäutige Mauer, zweihäutige Mauer, ist auf beiden Seiten bündig oder glatt gearbeitet; s. d. Art. häutig.

zweihubige Daumen oder Wellfüße (Maschb.), Daumen, deren auf der Peripherie je zwei für jede Stampfe angebracht sind.

Zweihüfnergut, s. d. Art. Huf.

zweiklappiger Kolben (Pumpw.), Saugkolben mit einem aus zwei halbkreisförmigen Klappen bestehendem Ventil, deren Oeffnungen durch einen mittleren Steg getrennt sind; s. Ventil.

Zweiling, Schnittholz, 16 Fuß lang, 15 Zoll breit und 2 Zoll dick; f. Bret und Bauholz, S. 280.

zweilöthig, Silberlegirung mit¹/₄ Silbergehalt.

zweimännisch heißt ein, zwei Arbeiter zur Leitung oder Bewegung erfordernder Bohrer oder dergl., ein für zwei Personen Platz bietendes Bett ꝛc.

zweiräderiger Wagen, lat. birotum, f. d. Art. Karre und Wagen.

Zweischlitz, f. v. w. Diglyph, f. d.

Zweischneuß, gothisches Maßwerksfeld mit zwei Schneußen, f. Fig. 1992.

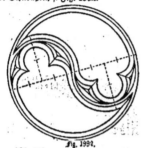

Fig. 1992.

zweischrötig, zweibalkig, zweiklöbig heißt ein Stamm, der der Stärke nach zwei Nutzen giebt.

zweisichtige Kachel, f. d. Art. Eckkachel.

Zweispitz oder **Picke** (Steinarb.), f. d. Art. Bicke und Spitzhaue.

Zweistückbalken, f. d. Art. Bauholz, S. 280.

Zwerchart, f. v. w. Queraxt.

Zwerchbalken, f. v. w. Querbalken.

zwerchen, f. v. w. über die Fasern eines Brettes quer hobeln.

Zwerchhobel, ein Hobel, mit welchem quer über die Fasern gehobelt wird; f. d. Art. Schropphobel und Hobel.

Zwerchholz, Querholz; f. d. Art. Holz 1.

Zwerchofen, f. d. Art. Ofen.

Zwerchschnitt, f. v. w. Querschnitt.

Zwerchschwelle, f. v. w. Querschwelle.

Zwerchsparren, frz. amoise, f. d. Art. Sparren und Sparrenwechsel.

Zwerchstück, f. v. w. Querstück.

Zwerchwall, f. d. Art. Festungsbau, S. 43.

Zwergbirke, f. d. Art. Birke und Brockenbirke.

Zwergfichte, f. d. Art. Fichte und Zwergkiefer.

Zwerggalerie, frz. écran, kleine Galerie, häufig äußerlich unter dem Dachsims romanischer Kirchen; die Bogen sind von Zwergsäulen getragen; f. d. Art. Romanisch und Lombardisch.

Zwergkiefer (Pinus Pumilio Haenke, Fam. Nadelhölzer, Conifereae, Knieholz, Krummholzkiefer, ist auf dem Riesengebirge und Alpen (Latsche) als Strauch einheimisch, liefert Brennholz und Material zu kleinen Schnitzereien.

Zwergpalme, 1) europäische (Chamaerops humilis L., Fam. Palmen), ist in Südeuropa und Nordafrika einheimisch, die Blattfasern werden als vegetabilisches Pferdehaar zu Segeltuch, Papier, Teppichen ꝛc. verarbeitet; — 2) chinesische

(Chamaerops excelsa), in Nordchina und Japan einheimisch. Die langen Fasern am Grund der Blattstiele werden zu Tauwert, Stricken und Regenmänteln (So-e-Mäntel) der Kuli's verarbeitet.

Zwergsäule, frz. colonnette, 1) Säule, die unter 5' hoch ist; — 2) f. v. w. Baluster, Docke.

Zwetschenbaum, für Pflaumenbaum und Schlehndorn.

Zwickbohrer (Schloss.), eine Art kleiner Holzbohrer.

Zwickeisen, f. v. w. kleines Brecheisen.

Zwickel, Gehre, Keilstück, Füllung in Form eines Dreiecks, z. B. Mauerfläche zwischen Bogen und Hintermauerung, f. Spandrille u. Pendentif.

Zwickelsteine, dienen zum Ausfüllen der Ecken bei Pflasterarbeiten in Hausfluren ꝛc.

zwicken, das Ausfüllen der Mauerfugen mit Zwickern; f. d. 1.

Zwicker, engl. garretting, 1) auch Zwickstein genannt, kleine Steine, die zwischen die größern Steine, namentlich bei Bruchsteinmauern (f. d.) getrieben werden, um diesen eine feste Lage zu geben; — 2) das Unterstück des Bergbohrers; — 3) f. v. w. Beißzange.

Zwiebelmarmor, f. d. Art. Cipollino und Marmor.

Zwieling (Gestäng.), f. v. w. Zwilling 2.

Zwietracht, f. d. Art. Kardinaltugenden 11.

Zwillichdachung. Man vermag den Zwillich fast ganz wasserdicht zu machen. Vor Allem muß der Stoff gut im Gewebe und genügend stark sein; 30 (Wiener) Ellen von 1 Elle breitem rohem Zwillich müssen 16 Pfund wiegen. Auf ein Stück von 20 Pfund werden 17½ Pfund venetianischen Asphalt, ½ Pfund Colophonium, 15 Pfund gewöhnlicher Delfirniß, 5⁵/₁₀ Pfund Terpentinöl, 5 Pfund Kienruß zusammengekocht, wozu ¹/₁₀ Metze harte Holzkohlen verbraucht wird. Diese Masse trägt man mit einer Grundbürste unter kreisförmiger Einreibung auf und fährt so lange fort, bis die Masse durch die Poren bringt. Das Stück Zwillich wird dann auch auf der Kehr- oder Faserseite gut angestrichen.

Zwilling, 1) f. d. Art. Bret; — 2) Gabel zum Auflegen der Gestänge; f. übr. d. Art. Schwinge.

Zwillingsbogen, f. d. Art. Bogen, S. 399.

Zwillingsschwinge, f. v. w. Zwilling 2.

Zwillingsstreifen, f. v. w. Art. Binde und Heroldsfiguren 2.

Zwillingsthür, lat. janua bina, frz. porte géminée. Zwei eng neben einander gestellte Thüren, unter einem Bogen vereinigt. Meistens sind die Hauptportale gothischer Kirchen solche Zwillingsthüren, ein bei großer Einfachheit dennoch schönes Beispiel zeigt Fig. 1993.

Zwinge, 1) Schraubenzwinge, Leimzwinge, kleiner, viereckiger, hölzerner Rahmen mit einer Schraube, parallel mit der einen offenen Seite, in welche man geleimte Gegenstände einschraubt, bis sie trocken sind; 2) f. d. Art. Beschläge, S. 328.

Zwinger, 1) schmaler Gang zwischen der äußeren und inneren Mauer; f. d. Art. Festungsbau, Ortsanlage und Burg; — 2) f. v. w. Hundehof, Bärengraben ꝛc.

Zwingolf, engl. outer bailey, f. d. Art. Festungsbaukunst und Burg, S. 492, Bd. II.

71

Zwischenbalken, f. d. Art. Balten II. C
Zwischendeck, frz. entrepont.
Zwischengebälke, Balkenlage (f. d.) zwischen den einzelnen Stockwerken, dient zugleich zur Bildung der Decke des unteren und des Fußboden des oberen Stockwerkes.
Zwischengeschirr, f. d. Art. Fortgelege
Zwischengeschoß, frz. entresol, ital. **mezzana**, Halbgeschoß, Beischoß; f. d. betr. Art., sowie d. Art. Geschoß und Etage, auch Mezzana.

Fig. 1993. Kirche zu Plelithgow in Schottland

Zwischenhaus, Zwischenbau, der Einbau zwischen den beiden Westthürmen.
Zwischenmauer, f. v. w. Scheidemauer; f. d. Art. Mauer.
Zwischenraum, f. d. Art. Intervall.
Zwischenstäbe, Stege zwischen den Canelirungen einer Säule, f. diese beiden Artikel.
Zwischentiefe, f. v. w. Metope.

Zwischenwall, f. d. Art. Courtine.
Zwischenwand, frz. entredeux, entrevoux, engl. enterclose-wall, f. v. w. Scheidewand; f. d. Art. Wand und Scheerwand.
Zwischenweite, frz. vide, f. v. w. Säulenweite oder intercolumnium, f. d. Art. Säule ꝛc.
Zwischgold, Blattsilber (f. d.), das auf einer Seite mit Gold plattirt ist.
Zwitter, Zwittererz, 1) Zinnerz, mit Quarz und weißem Thon vermengt; — 2) f. v. w. Graphit oder Reißblei; — 3) f. v. w. Wismuth; — 4) f. v. w. Scheelerz.
Zwittermahlmühle, Mühle zum Zerreiben der Zwitter.
Zwitterpochwerk (Maschinenb.), zum Zerkleinen des Zwitter dienendes Pochwerk.
Zwölf, als symbolische Zahl, f. d. Art. Zahl, Symbolik, Apostel ꝛc.
Zwölfeck. Construction des regelmäßigen Zwölfecks, f. Fig. 1994. Man ziehe in einem Kreis die zwei winkelrecht auf einander stehenden Durchmesser A B und D E und beschreibe mit dem Halbmesser des Kreises von A, B, D, E als Mittelpunkten aus Kreisbogen; alsdann schneiden diese den Kreis in 8 Punkten, welche mit A, B, D, E die 12 Ecken des regelmäßigen Zwölfecks ausmachen.

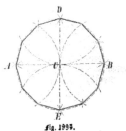

Fig. 1994.

Zwölfort oder Zwölfuhr, Stern aus zwei sich durchkreuzenden Sechsecken oder vier sich durchkreuzenden Dreiecken oder drei sich kreuzenden Quadraten entstanden.
Zychia (Mythol.), Name der Juno als Ehestifterin.
Zyl, Ziel, rheinischer Prov. für Wehr.
Zynser, engl. censer, niederrheinisch für Rauchfaß.
Zypresse, f. d. Art. Cypresse.
ZZ, bei den Römern Zeichen für zwei Trienten, ⅚ Aß.

Verzeichniß störender Druckfehler.

(l bedeutet linke, r rechte Spalte.)

(Vergleiche auch das Verzeichniß am Schluß des ersten Bandes.)

Im ersten Band.

Seite 420 r, Zeile 21 v. u., Artikel Borax, ist zu lesen: aus 1 Aequiv. Natron und 2 Aequiv. Borsäure.

„ 576 l, „ 9 v. o., „ Creosot, statt: Kohle, lies: Kohlenstoff.

„ 639 r, „ 53, Artikel Desorpdation, ist viermal statt: Theile, zu lesen: Mischungsgewichte.

„ 687 r, „ 26, „ Eisen, ist zu lesen: 1 pr. Cbkf. wiegt 447,6—500 Zollpfd., spec. Gew. $= 7{,}3—8{,}1$.

„ 709, „ 5, „ Elle, lies: Baiern, offic. Elle $34\frac{1}{2}$ neue Duodecimalzoll, 0,8330148; 369,27209; — Augsburg, kleine Elle 0,58652; 260,0019; große, Krämer=Elle 0,60637; 268,8013; ferner: Brabant. echte Elle, 16 Tailles; 0,695; 308,09058.

„ 712, „ 13 v. o. Artikel Elle, bei Barcelona in der 4. Rubrik statt: 9,552, ist zu lesen: 1,552. Darunter Coruña, Galizien, Vara gallega ꝛc. Ferner: bei Aegypten in der dritten Rubrik statt: 24 Rup, ist zu lesen: 4 Rub.

„ 726 l, „ 26, Artikel Entaille, statt: Umfangglas, ist zu lesen: Ueberfangglas.

„ 733 l, „ 23, „ Erlenholz, statt: 57 Pfd. ꝛc., ist zu lesen: 37,7—62,3 Zollpfd., trocken 26—42 Zollpfd.; spec. Gewicht frisch 0,61—1,01, trocken 0,42—0,68.

Im zweiten Band.

„ 23 r, „ 33, Artikel Feldhelden, statt: Feldhelden, ist zu lesen: Feldholder.

„ 79 r, „ 54 u. 56, Artikel Flußmittel, statt: Weinsalz, lies: Weinsteinsalz.

„ 116 l, „ 1, Artikel Gasbereitung, statt: sogenannter, lies: genannter.

„ 130 l, „ 3, „ geometrisch, statt: $+$, ist zu setzen: $\neq$.

„ 132 l, „ 37, „ gerade, statt: Parallelogramm, lies: Parallelepipedon.

„ 158 r, „ 25 u. 33, Artikel Glas, statt: Arseniksoryd, lies: arsenige Säure.

„ 162 l, „ 45, Artikel gleich, statt: Consequenz, lies: Congruenz.

„ 165 r, „ 1 v. u., Artikel Gleichung, statt: sich stets, lies: sich fast stets.

„ 166 r, „ 42, 33 u. 56, Artikel Gleichung, statt: x^{n-1} und x^2, lies: $x^{n-r}\,x^r$.

„ 168 r, „ 13 v. u., Art. Gleichung, ist hinter Gleichung einzuschieben: nicht.

„ 200 r, „ 18, Artikel Granat, statt: $3CAo$, lies: $3CaO$.

„ 371 gehören die ersten 2 Zeilen der linken Spalte als 2. und 3. in die rechte Spalte.

„ 371 r, Zeile 17, Artikel Keil, statt: $\frac{1}{2}$ Grad, lies: 1—2 Grad.

„ 398 r, „ 48, „ Kobaltblüthe, statt: $A_5O_3\,36O$, lies: $A_2O_3\,3CoO$. Zeile 54, Artikel Kobalterze, statt: $Ca\,A_5$, lies: $Co\,As$. Zeile 57, statt: $C_5O_1\,Fe_2O_3$, lies: $CoO_1\,F_2O_3$. Zeile 59, statt: Co_2Ae_3, lies: Co_2As_3.

„ 400 l, „ 22 v. u., Artikel Körperberechnung, statt: $\frac{h}{6}$, lies: $\frac{h}{3}$.

Daselbst Zeile 12 v. u., statt: in den Radius, lies: in den dritten Theil des Radius.

„ 400 r, „ 17, statt: $\frac{\pi}{6}\,l^2\pi$, lies: $\frac{\pi}{6}\,l^3$.

„ 404 l, „ 2 v. u., Art. Kohlensäure, statt: Kalkerde, lies: Kalkstein.

„ 412 l, „ 6, Artikel Kraft, statt: $\sqrt{X_2+Y^2}$, lies: $\sqrt{x^3+y^3}$.

„ 415 l, „ 14 v. u., Artikel Krapplack, statt: Thonverbindung, lies: Thonerdeverbindung.

„ 425 l, „ 28 v. u., „ Krümmung, statt: das Produkt, lies: das reciproke Produkt.

„ 446 l, „ 47, Artikel Lasurstein, statt: Schwefel, lies: Schwefelsäure.

„ 449 l, „ 7, „ Laumontit, statt: Lanmontit, lies: Laumontit.

„ 472 r, „ „ Logarithmus, mehrmals statt: Mentisse, lies: Mantisse.

Im dritten Band.

„ 1 l, „ 18 v. u., Artikel Nabelpunkt, von 2) an ist ganz zu streichen.

„ 5 r, „ 24, Artikel Naphthalin, statt: in Alkohol, lies: wie Alkohol.

„ 8 r, „ 24, „ Natrium, statt: Wasserstoff, lies: Sauerstoff.

„ 12 r, „ „ Nickel, ist mehrfach statt: der Nickel, zu lesen: das Nickel.

Seite 24 l, Zeile 3 v. u., Art. Obelisk, statt: b, lies: h; r, Zeile 2, statt: $\frac{b_1 2}{6} : \frac{b_1 h}{9}$

„ 34 r, „ 2 v. u., „ Optik, statt: unwägbaren, lies: wägbaren.

„ 58 r, „ 32, Artikel Parabel, statt: o q, lies: a q.

„ 61 l, „ 11 v. u., Artikel Parallelepipedon, statt: e², lies: c².

„ 96 l, „ 34, Artikel Piezometer, statt: $\frac{2gd}{1b^2}$ lies: $\frac{2gd}{1v^3}$.

„ 115 l, „ 22 v. u., Artikel Potenz, statt: $\sqrt[m]{a_n}$ lies: $\sqrt[m]{a^n}$.

„ 120 r, „ 35 v. u., „ Progression, statt: a g^{n-1}, lies: a q^{n-1}.

„ 131 r, „ 20 v. u., „ Quadrat, statt: 8, ist zu lesen: 4.

„ 132 l, „ 5 v. o., „ Quadrat, statt: x^n, lies: x_n. Zeile 16 v. u., Artikel quadratisch, statt:

$\sqrt{\frac{c}{a}}$, lies: $\sqrt{-\frac{c}{a}}$. Zeile 6 u. 7 v. u., statt: 2 c, lies: 2 a (im Nenner.)

„ 132 r, „ 13, statt: x², lies: x₂.

„ 133 l, „ 20, Artikel Quadratwurzel, statt: a_n, lies: a^n.

„ 150 r, „ 4 v. u., Artikel Rechnungsprobe, statt: 228849328, ist zu lesen: 22884932490.

„ 152 in Fig. 1641 müßte MI und IH nicht = MD, sondern = MA genommen sein.

„ 154 r, Zeile 1 v. u., Art. regulär, statt: 2° — 1, ist zu lesen: 2° + 1.

„ 156 l, „ 35, Art. Reibung, statt: K = φN, ist zu lesen: K = μN.

„ 181 r, „ 9 v. u., Artikel Rolle, statt: zu dem vom S. umsp. Bogen, ist zu lesen: zu der Sehne des von S. umsp. Bogens.

„ 191 r, „ 15 v. u., „ rothe Wasserfarbe, statt: ¹/₂₀ kohlensaure Potasche, lies: ¹/₂₀ Potasche.

„ 207 r, „ 12 v. u., „ Salpeter, statt: salpetersaures, lies: salpetrigsaures.

„ 220 r, „ 25, Artikel Sauerstoff, statt: Feuers, lies: Fluors.

„ 280 r, „ 49, „ Schwefel, statt: unterschwefelsaure, lies: unterschwefligsaure; Zeile 63, statt Schwefligsauregas, lies: Schwefligsäuregas.

„ 288 l, „ 15 v. u., Art. Schwerpunkt, ist das Wort: „nahezu" zu streichen.

„ 289 l, „ 2, Artikel Schwerpunkt, statt: ²/₃, lies: ¹/₃.

„ 296 l, „ 22 v. u., Artikel Sehne, statt: Sehnen oder Curven, lies: Sehnen einer Curve.

„ 307 r, „ 21, Artikel Siebeneck, statt: 44 Sec., ist zu lesen: 43 Secunden.

„ 310 r, „ 8, „ Silberflecken, statt: unterschwefligsaurer Natronsäure, lies: unterschwefligsaurem Natron.

„ 312 l, „ 9, „ Simpson'sche Regel, statt: b_n, ist zu lesen: h_{n-1}.

„ 327 r, „ 25, „ Spiegel, statt: das Licht, ist zu lesen: das Bild.

„ 330 l, „ 19, „ Spirale, statt: r = a φ ist zu lesen: r = a φ.

„ 340 sind die Figurennummern 1788 und 1789 vertauscht.

„ 365 r, Zeile 34, Artikel Stoß, lies: $v = \frac{M c + M_1 c_1}{M + M_1}$

„ 381 r, „ 1, statt: x, y, z, ist zu lesen: x₁, x₂, x₃, und auf Zeile 3 ist zu lesen: x³ + a x² + b x + c = 0.

„ 453 l, „ 51, Artikel Variationsrechnung, statt: kleinster Inhalt, ist zu lesen: größter Inhalt.

„ 453 l, „ 55 u. 56, muß heißen: .... schwierigeren Theile der Mathematik. Die Behandlung der im Artikel Variationen erklärten Var. hingegen ist Gegenstand ....

Schlußwort.

Nach einer mühevollen Arbeit von fünf Jahren ist bem Herausgeber des „Illustrirten Bau-Lexikon" nunmehr die Genugthuung vergönnt, das umfangreiche Werk seinen geehrten Fachgenossen vollendet vorlegen zu können. Es überkommt mich bei dieser Gelegenheit das lebhafte Verlangen, meinen warmen und aufrichtigen Dank auszusprechen für die werthvollen Beiträge und vielfach brauchbaren Mittheilungen ober Notizen, welche mir in ber freundlichsten Weise von so mancher schätzbaren Seite zugeführt worden sind. In erster Linie gebührt, wie selbstverständlich, dieser Ausbruck schuldiger Anerkennung meinen verehrten ständigen Mitarbeitern, die mir in den verschiedenen Fächern und Theilen bes Werkes getreulich zur Seite standen.

So unterstützten mich bei den ersten Heften, welche die Artikel in A und B umfassen, hauptsächlich Herr Th. Schwarze zu Leipzig auf den Gebieten: Maschinenbau und Mechanik, ferner Herr J. Zöllner in Leipzig und Herr Dr. Reischauer in München durch einzelne Artikel aus dem Gebiete der Chemie. In dem Abschnitt, welcher unter die Buchstaben C bis J fällt, waren es die Herren Dr. B. Sommer in Reubnitz für Mathematik und Dr. Reyher in Leipzig für Physik und Mechanik, ferner im Bereich der Chemie und Mineralogie für die Buchstaben C bis J Herr W. Wolff, Vorstand der chemischen Versuchstation Chemnitz, welche mir ihre Mitwirkung in den bezüglichen Fächern schenkten. In den mathematischen Artikeln unter den Buchstaben K bis J stand mir Herr F. E. Eckardt in Chemnitz zur Seite, während endlich im Laufe des ganzen Werkes in Bezug auf Botanik Herr Hermann Wagner in Neuschönefeld und im Gebiete der Kriegsbaukunst Herr Ingenieurmajor A. Vollborn in Dresden mir fachgemäße Beiträge lieferten. Wenn, dieser so bankenswerthen Unterstützung ungeachtet, sich bennoch hier und ba einzelne Ungenauigkeiten ober Mängel bem kritischen Auge bemerkbar machen sollten, so werden die freundlichen und fachkundigen Leser im Hinblick auf die Schwierigkeiten eines so bedeutenden Unternehmens der vorliegenden Art bergleichen Unvollkommenheiten, wie sie ja jedem Werke menschlicher Leistungskraft unvermeidlich anhaften, nachsichtig beurtheilen. Zu aufrichtigem Danke aber würde mich jeder meiner geehrten Fachgenossen dadurch verbinden, wenn er mich von etwa aufgefundenen Ungenauigkeiten direkt in Kenntniß setzen wollte, geschehe dies nun auf dem Wege rein privater Mittheilung oder durch Uebersendung einer bereits zum Druck gebrachten Besprechung. Es würde mir dadurch wesentlich erleichtert, bei der Herausgabe eines vielleicht nachfolgenden Supplementes, oder bei Bearbeitung einer eventuellen neuen Auflage die etwa mir noch entgangenen Mängel zu berichtigen. Behufs erleichterter Einsendung solcher Notizen füge ich hier meine volle Adresse bei.

Leipzig, Kreuzstraße 7.
Am 30. August 1867.

Dr. Oscar Mothes,
Architekt.

CPSIA information can be obtained
at www.ICGtesting.com
Printed in the USA
BVHW03*1606160418
513520BV00004B/22/P